全體與會學者在京都大學合影

林老師致感謝詞

大會會場

林老師與部分臺灣學者在會場合影

林老師與部分大陸學者合影

林老師與部分香港學者合影

林老師與部分日本學者合影

林老師與歐美學者合影

林老師與部分與會學者在京都國立博物館合影

林老師與部分與會學者在東大寺合影

林老師與師母在京都國立博物館合影

林老師和家人在高山寺合影

林老師與部分與會學者在琵琶湖合影

學術論文集叢書

經學史研究的回顧與展望
——林慶彰教授榮退紀念論文集

上冊

張曉生　主編

《經學史研究的回顧與展望
——林慶彰教授榮退紀念論文集》編輯委員會

（依姓氏筆畫排列）

編輯委員

吳飛、單周堯、馮曉庭、葉純芳、蔣秋華、橋本秀美

主編

張曉生

編輯

呂玉姍、張晏瑞、楊家瑜

經學史研究的回顧與展望緣起
——「經學史研究的回顧與展望——林慶彰先生榮退紀念」學術研討會

橋本秀美、葉純芳

會前舊文

「經學史研究的回顧與展望——林慶彰先生榮退紀念」學術研討會，即將於八月二十、二十一日，於日本京都大學舉辦。這次會議將有一百多位來自各地的學者參加，規模相當大，在日本舉辦以經學為主題的大型會議，更是從來沒有過的事，故筆者將本次籌辦會議的經過，以及筆者對這次會議意義的認識，綜述如下。

二〇一三年冬天，林慶彰老師的幾個弟子聚在一起，提起林老師即將自中央研究院中國文哲所退休，討論應該如何籌備林老師的退休紀念活動。林老師從編輯「經學研究論著目錄」開始，一直扮演著為經學界提供服務的角色。他進入中央研究院文哲所經學組之後，更是不分國界，樂於與學者分享經學資源，並願意幫助有興趣研究經學的學生。他又辦過許多國際經學研討會，提供各地學者發表、討論的平臺。三十年來，林老師不斷地付出，今天林老師即將退休，將來我們都不能再依賴林老師。這個會議，對我們來說，是第一次策畫準備，如何辦成符合林老師標準的經學會議，自然是一個非常大的挑戰。

首先，該在哪裡辦會，就讓大家傷透了腦筋。雖然在臺灣辦是理所當然的事，但我們幾人在臺灣沒有專任職位，沒有辦法申請任何官方經費，可以提供與會學者交通與食宿費用。同時大陸學者到臺灣開會，有諸多繁複的手續，恐怕學者們的意願不高。若在大陸辦，筆者和外子橋本在北京大學任職，可以申請北大的經費，但不便舉辦以紀念個人退休為名的會議，且臺灣學者或許會對在大陸舉辦感到疑惑。考慮諸多因素，橋本突發奇想的說：「在京都辦吧！若能在京都辦，這些都不成問題了。其實在國外的研討會，都是自己出錢參加，有些甚至要繳會費，但因臺灣、大陸都習慣招待學者參加會議，對主辦方造成很大的經費壓力，我們何不趁此機會，改變這樣的風氣？願意自費來參加的學者，才是對會議內容真正有興趣的學者，一定會提供一篇好的文章，這樣的會議才能夠辦得有意義。」雖然當時覺得這個構想真不錯，但說老實話，心裏總覺得橋本是癡人說夢話，不太可能達成。

沒想到，我們的設想，得到了京都大學宇佐美文理教授的慷慨支持。宇佐美文理教授是京都大學大學院文學研究科中國哲學史專業的負責人，專攻中國藝術思想史。當橋本向宇佐美先生提出這個會議的構想，宇佐美先生認為，承辦這個會議，是一件非常有意義的事。雖然先生並不認識林老師，但他瞭解林老師對經學研究的貢獻，也希望藉著這個機會，讓原有經學史研究傳統的京都大學，能與世界中研究經學的學者互相交流。有了宇佐美先生的支持，這個夢想開始清晰了起來。帶領我們邁向夢想的第二步，是四位召集人：Benjamin Elman 教授、王汎森教授、池田秀三教授、彭林教授。四位先生在各自領域中具有最高的學術聲望，若能邀請先生們擔任此次會議的召集人，並作專題演講，相信這個會議一定非常吸引人。我們懷著忐忑不安的心情，分別寫信給四位先生，先生們很快地都回應了我們的要求，表示對林老師在學術界貢獻的肯定，並都願意自費參加。現在回想起來，我們真的非常無禮，所幸四位先生並不與我們計較，展現了大學者的風範。

有了四位先生的加持，我們開始意識到這個夢想可能成為真實。於是，我們才敢稟告林老師，說明這個會議的想法。林老師聽了，雖然感到高興，但更多的是不安，認為以他退休的名義開會，要大家自費參加會議，造成大家的困擾，非常不好意思。其實，我們認為這個會議不僅是紀念林老師退休的活動，客觀上也不可能讓京都大學主辦一場純粹的紀念活動。以紀念林老師退休為名義，邀請研究方向殊異的學者參加會議，雖不利於集中議題，深入討論，但反過來說，卻是一個非常難得的特殊條件。因為只有林老師三十多年的學術活動，為學界服務，才能夠邀請研究領域各不相同的學者齊聚一堂。這次會議，將是當代學術界研究經學的縮影。通過這次會議，我們完全可以瞭解經學研究的全貌，因為有這層意義存在，我們相信，本次會議有較高的學術參考價值。

開始發放邀請函之後，隨即獲得學者們廣大的迴響，大都極力表示支持。但經費始終是一個問題，就算學者們自費參加，仍然需要不少的各項開支，如果完全沒有經費，將會有實際執行上的困難。此時，北京大學哲學系的吳飛教授，瞭解我們的難處，主動表示可以提供由他主持的禮學研究中心的經費，供會議使用。有了這筆經費，我們的夢想開始有了可以實際運作的基礎。吳飛教授近年以研究禮學為主，我們經常與他交流，來往密切，因此毫不客氣地接受他的好意，並邀請禮學研究中心為協辦單位。做為主辦單位的負責人，宇佐美教授對會議的準備工作，付出了大量的時間和精力。從會場的安排到各種文件的製作，一切瑣事，都由他親手處理，工作量之大，絕非外人所能想像。同時，宇佐美教授還申請了京都大學教育研究振興財團的經費補助，使會議的準備工作能夠順利進行。北京大學禮學研究中心的經費有用途的限制，不便支付在京都相關的開銷，京都大學振興財團的補助，正好可以填補這個缺口。另外，文听閣出版社的林登昱社長，也為本次會議提供了經費贊助。林老師也考慮到不少臺灣學者沒有單獨到外國參加會議的經驗，於是委請馮曉庭學長聯絡旅行社，替學者們安排交通、住宿。由於人數不少，需求不同，協調工作不易，而學長完全獨力承攬這個重擔。

我們的夢想最終能夠付諸實現，最重要的因素，是學者們熱烈的參與。在籌備階段，我們即收到約一百二十多封的回函，表示願意參加這個會議。其中，共有包括來自臺灣、大陸、香港、日本、韓國九十多位學者發表論文。議題的範圍，從各經的深入研究，到經學史重要問題的探討，十分廣泛。戰爭使學術產生了斷層，臺灣的學術研究從六十年代開始，經過了三十年的蓬勃發展，引領學術走向的中堅分子，即林老師與其同輩學者，他們跟隨以屈萬里先生為代表的前輩學者，亦參考西方學術，逐漸建立今天我們所熟悉的研究方法，具有重大的學術史地位。然而，我們感覺到目前經學史研究環境正面臨重大的轉變。九十年代開始，大陸的經學史研究學者幾乎都受到林老師的影響，二十多年過去，大批年輕學者出現，正在大範圍地開拓新的題目與方向，今後的經學史研究，令人感到好奇與期待。這次會議，無異於一場經學史研究的大博覽會，我們相信對經學史研究有興趣的人，都能從中獲得靈感。

（本文刊登於《國文天地》，第31卷第3期，2015年8月，臺北市，萬卷樓出版社。）

二〇一九年識語

以上，是葉純芳在開會前撰寫，刊登於《國文天地》，為會議作宣傳。那次會議之後，我們兩人身上發生了較大變化，一直在折騰，至今四年，重讀舊文才想起當時的事情。

作為主辦單位的負責人，宇佐美教授為此會議投入了很多心血。德川幕府的「官版」有一部分版片至今藏在京都大學圖書館，曾經重印，號稱《昌平叢書》，而多年無人關注。宇佐美教授藉此機會檢查所有板片，選擇了萬斯同《石經考》首頁及《孝經鄭注》，借出版片，讓傳統木板印刷工坊刷印。《石經考》首頁提供給我們，作為紀念品一併贈送給每位與會學者。石經是經書版本文本的源頭，此版又藏在京都大學，版片是文物，印製用純傳統工藝，作為這次會議的紀念品，再合適不過了。《孝經鄭注》則印製後又用日本傳統形式裝訂成小冊子，送給林老師及擔任召集人的四位老師以資紀念。除了部頭小之外，《孝經》孔傳、《述議》等重要抄本資料都藏在京都大學，這也是選擇《孝經》的一個原因。而我們則請顧遷老師合作編輯《孝經孔傳述議讀本》，王鶩嘉同學幫忙排版，沈楠先生幫忙印製，以葉山小書店出版部名義出版，作為送給與會者的小禮物。這些紀念品都由京都大學的同學們幫忙鈐蓋紀念圖章，回想當時在慌忙的準備工作中，大家帶著一種特殊樂趣拼命蓋章，至今印象深刻。而臨近開會前收到了從北京寄來的會議手冊，我們看到紙箱很激動，開箱看印好的樣子比我們預期的效果好多了，更是高興。

還有一個插曲是擔任召集人的王汎森老師，在開會日期即將來到之際，忽然得到蜂窩性組織炎，遵照醫囑無法出國，只好臨時取消來京都的行程。得此消息，我們在祈禱王老師早日痊愈的同時，也感到非常遺憾。由於我們有各種考量，特意離開臺灣舉辦這次會議，王老師的出席有著代表臺灣學界在場的象徵意義。於是透過王老師的助理，商請王老師錄影致辭，在開幕式上播放。多虧王老師在病中仍答應我們的不情之請，當天在會場大屏幕上出現了比當場致辭的其他真人大好幾倍的王老師，親切地跟與會學者致辭，讓大家都感到很溫馨。

兩天會議主會場的講臺邊放了一特大鮮花叢，也是宇佐美教授的精心安排。這次會議既是學術研討會，又有紀念林老師退休的意義，華麗而不失穩重的大花球，為會場增添了喜氣但不浮躁的色彩，再恰當不過，我們每次經過講臺，都感到很愉快。

會議使用的手冊、横幅、名牌等，獲得了吳飛老師及北大同學們的幫忙。那一年葉純芳出國研究，即在京都大學；橋本也是放暑假沒多久，提前來到京都。要在北京處理的事情，只能都拜託吳老師。京都大學、北京大學的很多同學都幫忙處理各種會務，為了讓與會學者方便識別，我們事先在北京訂做了會務 T 袖，由王鶩嘉同學設計，也受到京大、北大同學們的歡迎。開會前一天，我們分為兩組人員，在大阪關西機場、京都車站駐守，接應與會學者。機場、車站地大人多，色彩鮮明的會務 T 袖充分發揮了作用。不過，當時正趕上中國來日本旅遊的歷史高潮，入境手續排隊要等非常久，最糟糕的時候從下機到出機場花了三個小時，苦了不少與會學者，我們為此感到十分抱歉。

在準備工作中，我們犯了一個特大的失誤，是餐點。橋本曾參加過幾次臺灣的會議，知道經常提供素食便當，想到這次與會人數較多，所以事先給與會者徵尋意向，準備了素食便當。宇佐美教授也考慮到會有很多學者不習慣日式冷便當，所以跟學校食堂商量，自訂餐券發給與會學者，讓他們可以不帶現金自由選擇食堂的飯菜。會議期間休息、茶敘的教室提供的甜點，是從宇佐美老師推薦的當地最好的西點店訂購的。這些方面我們都在有限的條件內，盡了應做的努力。可恨的是，橋本準備晚宴時，完全忘了會有素食的需求，只照日本習慣訂餐。直到當場，被一些老師詢問有沒有素食，才醒悟到自己的失誤，為時已晚，只能補飯糰，悔恨無極。在此感謝那些素食的老師們的大度諒解。

才四年前的事情，頗有隔世之感。除了我們個人處境變化的因素，學術界也確實在改變。大陸研究經學的年輕人越來越多，探索也越來越深入，粗製濫造的垃圾論文滿天飛的同時，已經有一批真正有能力的年輕人開闢著新天地，上世紀的學界常識正在被刷新。臺灣、日本及歐美雖然都有學者繼續在推進研究，但整體學界的萎靡是不可否認的現實。在這環境裏，已經沒有像林老師這樣具有突出號召力的一個大人物。現在無論在臺灣還是在大陸，更不用說在日本，很難想像開辦四年前京都會議那樣的盛會。我認為京都會議確實具有很特殊的學術史意義。參加京都會議的北京大學歷史學系陳蘇鎮老師，會後表示通過兩天的會議，對當代學者研究經學的大致情況有了整體的瞭解。這一點，正是我們開始策劃這場會議時的一個主要目標。獲得了這樣的評價，我們自己感到十分幸福。

我們感謝林老師、師母的支持、參與，感謝宇佐美教授、吳飛教授、林登昱教授的大力支持，感謝艾爾曼、王汎森、池田秀三、彭林四位老師擔任召集人，感謝京都大學、北京大學協助處理會議的同學們，感謝配合處理住宿交通事宜的馮曉庭學長，感謝一起策劃始終支持會議的兄弟黃智信，感謝所有與會學者們的積極參與及耐心配合。

既然是具有學術史意義的重要會議，會議當天即有編輯出版論文集之議，獲得與會學者的廣泛贊同。在京都辦會，我們能夠在中間策劃協調，而編輯論文集則不適合由我們當主編，會議結束那天晚上，我們都跟林老師稟報，林老師也同意了。會議結束之後至今日，這本論文集歷經各種狀況，最後由張曉生學長主編、萬卷樓出版論文集的過程，我們都不瞭解，只能滿腔感謝他們的辛勤工作。

二〇一九年九月九日橋本秀美、葉純芳謹識

目次

三禮及大戴禮研究

春秋與三傳研究

四書研究

下冊

孝經研究

文字、聲韻、訓詁研究

石經研究

經學史研究

文獻學研究

出土文獻研究

國際漢學研究

周易研究

易學史體例與方法的省思

黃忠天
國立清華大學中文系兼任教授

提要

數算群經中，惟易學歷史最久，著作最多，研究者最眾，然相較於經學史，易學史的撰作，顯然發展甚遲。雖然類似易學史的論述，在歷代史志，如《史記》、《漢書》中的〈儒林列傳〉、〈藝文志〉等等；公私藏書目錄，如《四庫提要．經部易類序》等等，約略可見。不過，以易學史專書面貌呈現者，卻推遲至一九四一年日人今東光《易學史》，始見於世。爾後有通論性質的易學通史或易學斷代史著作陸續問世。惟其中易學通史性質諸書，除廖名春等所編《周易研究史》一書，撰述內容起迄，由先秦至現代，餘則雖名為通史，然實際上大多不全，或於內容有所側重。惟廖氏之書，雖似完備，然仍有許多待商榷者，未來如能在前人原有的基礎上，斟酌損益，或能建構出更符合期待的易學史。以下即以眾所周知的朱伯崑《易學哲學史》與較全備的廖名春等《周易研究史》二書作為討論主軸，並輔以其他諸家易學史著作，藉以說明一部較理想的易學史應有的體例與方法。竊以為一部全備的易學史應呈現的內容，有易學人物、易學文獻、易學哲學、易學宗派、易學應用、易學傳播等六項，量其輕重，又宜以易學文獻、易學哲學兩項最為重要，此即易學史的兩大研究主體，至於其餘四項，蓋為易學史研究主體的附件，四者雖非研究主體，然亦不容略去不談，否則無以見易學發展之全豹，其與研究主體的關係，誠有相輔相成的作用，對於易學發展脈絡的瞭解易學視野的推擴，存有相當的助益。學術往往後出轉精，藉由前人的基礎，只要有心為之，代代續之，終必有更多的易學史佳構，可享諸同好。

關鍵詞：易學史　易經　周易　易學

一　前言

《易經》與《尚書》、《詩經》為中國現存最早的三部典籍。其中《易經》由於涵括古代社會科學與自然科學的基本原理，長久以來，深深影響中國以及東方人的思維習慣。所以，《易經》不僅被視為群經之首、六經之原，更為中國哲學的活水源頭。歷代重要思潮如兩漢經學、魏晉玄學、宋明理學，乃至於宗教民俗等等，均無不與《周易》息息相關。遠從春秋戰國時代，便不乏篇什對《易經》一書的研究，其中最為世人所知者，當推久已裒集成編，被稱為《十翼》的《易傳》，此為今所見最早的「易學」。從漢魏以來鄭玄與王弼將《易經》與《易傳》二書合一，歷代學者便慣以《周易》一辭來涵攝《易經》與《易傳》。所謂的「易學」已擴大為對《周易》經傳及其衍生相關議題的研究。

《易》為六經之一，「易學」自然可以歸屬於「經學」的範疇。惟經學史的撰作發展甚早，遠從清光緒三十一年（1905）劉師培（1884-1919）《經學教科書》已發其端。其後皮錫瑞（1850-1908）《經學歷史》、陳燕方（？）《經學源流淺說》、本田成之（1882-1945）《支那經學史概說》、周予同（1898-1981）《經學歷史注釋》、安井小太郎（1858-1938）《經學史》、瀧熊之助（？）《支那經學史論》、馬宗霍（1897-1976）《中國經學史》等等踵繼其後，經學史相關著作可謂不計其數。數算群經中，《易經》的研究（即本文所稱的「易學」）歷史最久，著作最多，研究者最眾，然相較於經學史，易學史的撰作，顯然發展甚遲。

雖然類似易學史的論述，在歷代史志，如《史記》、《漢書》中的〈儒林列傳〉、〈藝文志〉等等；公私藏書目錄，如《四庫提要・經部易類序》等等，約略可見。不過，以易學史專書面貌呈現者，卻推遲至一九四一年日人今東光（1898-1977）所出版《易學史》，始見於世。其次為戶田豐三郎的（1905-1973）《周易注釋史綱》、鈴木由次郎（1901-　）《漢易研究》（1963）。兩岸方面則始於台灣地區的高懷民（1928-　）《兩漢易學史》（1970），及其後的《先秦易學史》（1975）、《宋元明易學史》（1994）；黃慶萱（1932-　）《魏晉南北朝易學書考佚》（1975）；朱伯崑（1923-2007）《易學哲學史》（1986-1989）；徐芹庭《易學源流》（1989）；李學勤《周易經傳溯源》（1991）；廖名春（1956-　）等《周易研究史》（1991）；[1]鄭萬耕（1946-　）《易學源流》（1997）；楊慶中（1964-　）《二十世紀中國易學史》（2000）；汪學群（1956-　）《清初易學》（2004）、《清代中期易學》（2009）；賴貴三（1962-　）《台灣易學史》（2005）；金生楊（1974-　）《漢唐巴蜀易學研究》（2007）；楊自平（1970-　）《明清之際士林易學與殿堂易學》（2012）等等。

1　《周易研究史》係由廖名春、康學偉、梁韋弦三人所合著（長沙市：湖南出版社，1991年）。

附錄一　易學史著作一覽表（1941-2012）

	出版年	姓名	書名	備註
1	1941	今東光	易學史	撰至宋代
2	1963	鈴木由次郎	漢易研究	
3	1968	戶田豐三郎	周易注釋史綱	撰至清代，局限注疏之學
4	1970	高懷民	兩漢易學史	
5	1975	高懷民	先秦易學史	
6	1975	徐芹庭	兩漢十六家易注闡微	
7	1989	朱伯崑	易學哲學史	始於先秦終於清初
8	1989	徐芹庭	易學源流	
9	1991	廖名春	周易研究史	始於先秦終於現代
10	1994	高懷民	宋元明易學史	
11	1994	林忠軍	象數易學發展史（1 卷）	另第二卷刊於一九九八年
12	1994	劉瀚平	宋象數易學研究	
13	1995	黃忠天	宋代史事易學研究	
14	1996	劉玉建	兩漢象數易學研究	
15	1997	鄭萬耕	易學源流	
16	2000	楊慶中	二十世紀中國易學史	
17	2001	周立升	兩漢易學與道家思想	
18	2004	汪學群	清初易學	
19	2005	賴貴三	台灣易學史	區域易學
20	2005	張濤	秦漢易學思想研究	
21	2007	金生楊	漢唐巴蜀易學研究	區域易學
22	2008	徐芹庭	中國易經圖書學史	
23	2009	汪學群	清代中期易學	
24	2009	謝綉治	魏晉象數易學研究	
25	2012	楊自平	明清之際士林易學與殿堂易學	

以上僅臚列通論性質的易學通史或易學斷代史著作，至於專就單一易家、易著的易學著作，則暫不列入。[2]上述易學史著作看似不少，惟若更進一步檢核，其中易學通史

2　如張善文：《歷代易家與易學要籍》（福州市：福建人民出版社，1998年）、黃慶萱：《魏晉南北朝易學書考佚》（臺北市：幼獅文化事業，1975年）

性質諸書，則除廖名春等所編《周易研究史》一書，撰述起迄由先秦至現代，內容較為全備外，餘則有雖名為通史，然實際上僅收至宋代者，如今東光《易學史》；有雖名為通史而撰述內容有所側重者，如朱伯崑《易學哲學史》側重哲學、戶田豐三郎《周易注釋史綱》側重注釋學等等。即如廖名春等《周易研究史》一書，雖看似完備，然仍有諸多可商榷者。倘能在前人原有基礎上，斟酌損益，或能建構出更符合期待的易學史。以下即以眾所周知的朱伯崑《易學哲學史》與廖名春等《周易研究史》二書作為討論主軸，並輔以其他諸家易學史著作，藉以說明一部較理想的易學史應有的體例與方法。

二　易學史研究範疇與方法

學術史能提供讀者對一門學術從事歷時性與共時性的觀察，其重要無庸置疑，易學史自不例外。但由於易學歷史悠久，包羅至廣，正如《四庫提要》〈經部・易類序〉所說：「《易》道廣大，無所不包，旁及天文、地理、樂律、兵法、韻學、算術以逮方外之爐火，皆可援《易》以為說，而好異者又援以入《易》，故《易》說愈繁。」[3]因此，欲以有涯的生命，窮盡無涯的易學，並撰成一部合於眾人心目中理想的易學史，誠有其難為者。此亦說明何以易學歷史最久，著作最多，研究者最眾，然易學史的撰作，卻發展甚遲，作品不多，佳構亦有限的主要原因。不過，學術往往後出轉精，藉由前人的基礎，只要有心為之，代代續之，終必有更多的易學史佳構，可享諸同好。

（一）易學史研究範疇

易學史主要在研究歷代易學的發展過程及其衍生的影響。其中宜包涵六項要素。其一：易學人物。研究的重點為歷代的易學家及其易學著作，所關注者為其生平事略、易學著作、易學淵源、易學觀點、釋易特色、易學定位等等。其二：易學文獻。研究的重點為歷代易學著作，所關注者為著作的流傳，流傳的譜系、注疏的情況、著作的校勘、出土的考證等等。其三：易學哲學。研究的重點為歷代易學中的理論思維，及其衍生的哲學體系與發展等等。其四：易學宗派。研究的重點為歷代易學各種不同的流派，所關注者為宗派的形成、宗派的特色、代表的人物、宗派的衍異等等。其五：易學應用。研究的重點為歷代易學應用於各種不同的學科或事物，所關注者為易學的思想或形式，如何應用或影響於其他學科或事物等等。其六：易學傳播。研究的重點為歷代易學教育，海內外易學的傳習與譯作等等。以上所包括的內容，均為一部全備的易學史所應有的研究範疇。

3　《四庫提要》〈經部・易類序〉冊一（臺北市：臺灣商務印書館，1979年），卷1，頁3。

（二）易學史研究方法

易學史的研究範疇涵蓋甚廣，幾可謂凡關乎易學者均可納入其中。惟一部面面俱到，事事兼顧的易學史，不僅備多力分，撰述不易，加以朱紫不分，本末失調，浩繁的篇帙，過度龐雜的論述，更容易造成讀者的失焦。在上述易學史的六大研究範疇——易學人物、易學文獻、易學哲學、易學宗派、易學應用、易學傳播等等，量其輕重，固宜以易學文獻、易學哲學兩項最為重要，此即易學史的兩大研究主體，至於其餘四項，蓋為易學史研究主體的附件，四者雖非研究主體，然亦不容略去不談，否則無以見易學發展的全豹，其與研究主體的關係，誠有相輔相成的作用，對於易學發展脈絡的瞭解，易學視野的推擴，頗有相當的助益。

至於學者意欲推求六大主題的任一專題，自宜另有易學專題史的著作，藉以對該專題研究的深化，提供有志於專題研究者的參考。如朱伯崑《易學哲學史》原為瞭解「歷代易學中的理論思維，並由此而形成的哲學體系發展的歷史，它是哲學史的分支，具有專題史的性質。」[4]因而其論述重點，不同於原屬經學史分支的易學史。正如朱伯崑所說：

> 研究易學哲學史，就取材說，應以哲學家、思想家以及富有哲學思想的經學家的著述為主。這是因為易學哲學史所研究的課題，不是研究《周易》本身，亦非從文字訓詁方面研究各對《周易》的注解是否可取，而是研究易學中各流派于《周易》的解釋中提出的哲學思想，至于其是否符合《周易》，那是無關緊要的。[5]

上述朱氏的說法，從研究哲學者立場，似無可厚非。然就非以哲學為專業的讀者而言，自然不免有取材窄狹，見樹不見林之嘆。如朱伯崑於《易學哲學史》於元代部分，但立象數之學，不立義理之學，無視義理易學為元代易學的主流。因此，舉凡影響明代易學的胡一桂、吳澄、胡炳文諸家易學均為朱氏所不取。整個元代易家但取雷思齊、俞琰、張理、蕭漢中四人而已，[6]誠無法掌握元代易學整體的面貌。又如高懷民《宋元明易學史》，於宋代只取理學家北宋五子與南宋朱熹易學、圖書派易學，其他易家均付諸闕如；於明代易學僅取來知德，於清代易學只取王夫之，在明清兩代，僅各錄一人易學，其偏枯如此，更無法藉此書以瞭解一代易學。

古人有言：「訓詁明而後義理明」，苟捨棄文字訓詁，或忽視注疏派易學，則所謂的哲學思想有可能因誤讀而誤解的情事，恐怕不僅不符合《周易》，亦未必合於易家的原

4 朱伯崑：《易學哲學史》〈前言〉（臺北市：蘭燈文化事業，1991年），頁3。

5 朱伯崑：《易學哲學史》〈前言〉（臺北市：蘭燈文化事業，1991年），頁12。

6 朱伯崑：《易學哲學史》〈前言〉（臺北市：蘭燈文化事業，1991年），頁12-87。

意。各時代易學自有其主流易學與非主流易學，若僅侷限少數易家，或僅就其具哲學況味而無視於當代的主流易學，倘作為易學專題史則可，若將其視為易學史，則恐無以窺一代易學全豹，徒留讀者悵惘與失落，因此，一部兼具易學人物、易學文獻、易學哲學、易學宗派、易學應用、易學傳播等要項編成的易學史，誠有其必要性與迫切性。

三　結語

易學向為經學中的顯學，研究者眾，閱讀者廣。惜迄今仍乏一部較完備的易學史。此固然與易學史的研究範疇涵蓋甚廣，歷代易學著作過於繁富，其中繁瑣艱深者亦復不少，其撰述難度可想而知。雖然如此，吾人仍期盼易學同好對於易學史此一領域的撰述多多益善，易學史亦不妨與易學專題史分頭並進，藉收相輔相成之效。私意以為理想的易學史其綱要可以廖名春等所編《周易研究史》為參考基準，再斟酌損益，[7]尤其若能再加上如上所述諸易學史研究的重要內容，並參考前賢於易學通史、斷代史，以及各易學專題史的著作，當有助於撰寫一部合於吾人所期待的易學史，藉以掌握各時代的易學內容與特色。

附錄二　易學史綱目的試擬

第一章　緒論

　第一節　易經易傳與易學

　第二節　易學的發展與流變

　第三節　易學的分類與宗派

　第四節　易學研究的途徑

第二章　先秦易學

　第一節　先秦易學概說（易學特色、易學分期）

　第二節　先秦時期的各家易說

　　　一　占筮派易學的興起[8]

　　　二　義理派易學的興起[9]

　第三節　先秦時期的易學著作

　　　一　《十翼》(由傳而經的歷程、撰作時代與作者、易學觀)

7　茲試擬一易學史綱目如附錄二，以供海內外有志於斯者撰作之參考。

8　廖書原作「占筮易說」，為融入易學宗派的發展，改標題為「占筮派易學的興起」。

9　廖書原作「義理易說」，為融入易學宗派的發展，改標題為「義理派易學的興起」。

二　《帛書易傳》（出土經過、易學內容與價值）

第三章　兩漢易學

第一節　兩漢易學概說（易學特色、易學分期）

第二節　漢初的義理易學[10]

第三節　兩漢象數易學的崛起

一　漢代象數易學概說[11]

二　禨祥派易學的興起（孟喜、焦贛、京房）[12]

三　鄭玄五行生成說與爻辰說

四　荀爽陽升陰降說

五　虞翻對象數學的貢獻

第四節　費氏古文易的興盛及其影響

一　費直學派對漢初易學的繼承

二　東漢古文易的興盛

第五節　兩漢黃老派易學的發展

一　嚴遵《道德經指歸》

二　揚雄《太玄》

三　魏伯陽《周易參同契》

第四章　魏晉南北朝易學[13]

第一節　魏晉南北朝易學概說

第二節　玄學義理的興盛與發展

一　老莊派易學的興起[14]（王弼、韓康伯）

二　王弼易學

三　韓康伯易學

第三節　象數派易學（魏晉象數學的特點、與玄學義理派的對立）

一　管輅數術易學

二　干寶易學

三　其他

10 增補理由：由於兩漢象數易學崛起於西漢末，故宜先列漢初以義理為主的易學，以符合歷史發展脈絡。

11 廖書原作「漢易象數學概觀」，為求統一格式，改為「漢代象數易學概說」

12 廖書原作「《易緯》與象數學」。

13 廖書原作「魏晉隋唐易學」，拆解為兩章，以反映易學發展脈絡。

14 廖書原作「玄學義理派發展概況」，為融入易學宗派的發展，改標題為「老莊派易學的興起」。

第五章　隋唐易學

　第一節　隋唐易學概說[15]

　第二節　孔穎達與《周易正義》

　第三節　李鼎祚與《周易集解》

　第四節　史徵與《周易口訣義》[16]

第六章　北宋易學[17]

　第一節　北宋易學概說

　第二節　北宋象數易學

　　一　圖書派易學的興起[18]（陳摶、邵雍）

　　二　陳摶、劉牧、李之才易學

　　三　周敦頤易學

　　四　邵雍易學

　第三節　北宋義理易學

　　一　儒理派易學的興起[19]（胡瑗、程頤）

　　二　胡瑗易學[20]

　　三　范仲淹、李覯、歐陽修易學

　　四　程頤易學

　　五　張載易學

　　六　蘇軾易學[21]

第七章　南宋易學

　第一節　南宋易學概說

　第二節　南宋象數易學

　　一　朱震易學

　　二　蔡元定父子易學

　　三　朱元升易學[22]

15 廖書原作「隋唐易學發展的一般狀況」，為求統一格式，改為「隋唐易學概說」。

16 廖書缺此項，今增補之。

17 廖書原作「宋元易學」，並分為上下兩章，今在兩章基礎上，另拆解為三章，以反映宋元易學豐富而多元的面貌，以及易學發展的脈絡。

18 為融入易學宗派的發展，新增標題為「圖書派易學的興起」。

19 為融入易學宗派的發展，新增標題為「儒理易學的的興起」。

20 胡瑗為儒理易學重要開山祖師，具易學發展的重要性，故新增標題。

21 以《東坡易傳》為代表的蘇軾易學，具易學發展的重要性，故新增標題。

四　俞琰易學

五　丁易東易學

第三節　南宋義理易學

一　史事派易學的興起[23]（李光、楊萬里）

二　朱熹易學

三　心學派易學的興起[24]（楊簡、王宗傳）

四　事功派易學的興起（葉適）

五　其他

第八章　元代易學[25]

第一節　元代易學概說

第二節　元代象數易學

一　雷思齊易學

二　張　理易學

三　蕭漢中易學

四　其他

第三節　元代義理易學

一　吳澄易學

二　曾貫易學

三　胡一桂易學

四　董真卿易學

五　胡炳文易學

六　其他

第九章　明代易學[26]

第一節　明代易學概說

第二節　明代象數易學

---

22 廖書原缺，今增補朱元升、俞琰、丁易東三家易學。

23 廖書原作「楊萬里、楊簡、葉適等人的易學」為融入易學宗派的發展，拆成三個宗派名稱。新增如下標題「史事派易學的興起」「心學派易學的興起」「事功派易學的興起」。可參見黃忠天《宋代史事易學》（高雄市：高雄師範大學國文系博士論文，1994年）。

24 可參見康雲山：《南宋心學易研究》（高雄市：高雄師範大學國文系博士論文，1994年）

25 廖書原僅有「宋易在元代的發展」，置於第五章宋元易學（下）一小節，今另闢元代易學專章，並分細目。

26 廖書將明清易學合為一章，今拆成兩章，並分為若干細項，以見一代易學面貌。

一　來知德易學
二　陳士元易學
三　黃道周與天文派易學（附都絜、沈該）
四　方以智易學
五　其他
第三節　明代義理易學
一　胡　廣《周易大全》
二　薛瑄易學
三　蔡　清易學
四　李贄與心學派易學（湛若水、王畿）
五　禪理派易學的興起（智旭）
第四節　其他
一　考據派易學的興起（熊過）
二　古周易派易學的興起（何楷）

第十章　清代易學[27]
第一節　清代易學概說
第二節　清代樸學派易學的興起[28]
一　圖書辨偽派易學（毛奇齡、黃宗羲、黃宗炎、胡渭）
二　漢易復古派易學（惠棟、張惠言、焦循）
三　輯佚派易學（黃奭、王謨、馬國翰等）
四　考據派易學（顧炎武、盧文弨、朱彬）
第三節　清代義理易學
一　遺民易學（孫奇逢、刁包、錢澄之）
二　宮廷易學（傅以漸、牛鈕、李光地、傅恒）[29]
三　事功易學（李塨）
四　史事易學（王夫之、金士升、葉矯然、吳曰慎）

---

27 廖書將明清易學合為一章，今折成兩章，並分為若干細項，以見一代易學面貌。

28 廖書於清代易學方面，主要介紹樸學易，並視為清代的主流易學。並選取顧炎武、毛奇齡、黃宗羲、黃宗炎、胡渭、惠棟、張惠言、焦循等八家易學簡介說明。惟如此無以窺清代易學全貌，故本文在廖書的基礎上，增列輯佚派易學，以及清代義理易學。

29 傅以漸、牛鈕、李光地、傅恒等分別所編纂的宮廷四書：《易經通注》、《日講易經解義》、《周易折中》、《周易述義》，反映從順治至乾隆，官方素來尊奉程朱易學的主調。可參考汪學群：《清初易學》（北京市：商務印書館，2004年）、楊自平：《世變與學術——明清之際士林易學與殿堂易學》（臺北市：臺大出版中心，2012年）。

第四節　清代漢宋兼采派易學

一　胡煦易學

二　陳法易學

三　連斗山易學

四　潘思榘易學

五　晏斯盛易學

六　程廷祚易學

第十一章　現代易學

第一節　現代易學概說

第二節　現代象數易學

第三節　現代義理易學

第四節　現代考據易學

一　古史辨派易學（胡樸安、顧頡剛、李鏡池、劉鈺）

二　出土文獻派易學（高亨、張政烺、于豪亮、李學勤、屈萬里）

第十二章　域外易學[30]

第一節　亞太易學

一　日本易學

二　韓國易學

三　越南易學

第二節　歐美易學

一　義大利（利瑪竇、金尼閣、衛匡國）

二　法　國（柏應理、白晉、馬若瑟）

三　英　國（麥格基、拉古貝里、理雅各、韋利）

四　德　國（萊布尼茲、黑格爾、衛禮賢）

五　俄　國（休茨基）

第十三章　易學與應用

第一節　易學與科學

第二節　易學與文學

第三節　易學與醫學（張介賓、唐宗海）

第四節　易學與管理（成中英）

第五節　易學與堪輿

30 可參考賴貴三：《國際漢學與易學專題研究》（臺北市：里仁書局，2015年）。

附記

以上所試擬易學史綱目主要參考廖名春等所編《周易研究史》，並著重易學宗派的形成及其代表的人物。主要原因是歷代易家如過江之鯽，易學著作又如滿天星斗，情勢既無法備載，則如何透過易學的分類與宗派歸屬系聯，以便能綱舉目張，藉以呈現各時代易學的主要風貌，此即本綱目撰作之動機與目的。由於易學浩瀚，限於學殖，思慮必有不周全者，謹聊供一愚之見，尚祈大方之家得以賜教是幸！

帝王與「天」
──王安石、程頤《易》說中天道論的帝王學應用

林素芬
慈濟大學東語系副教授

提要

本文討論了王、程二人如何運用《易》的形上天道觀，推闡至實用的帝王之學，而重點在於釐清王、程之差別。正文分四部分，第一部分概論王、程以教化為旨的帝王之學，第二部分論王、程《易》學中的天道不易之義，第三部分討論王、程對隱微的自然天道及其彰顯的議論，第四部分討論王、程對變通之道的不同詮釋。

關鍵詞：王安石　程頤　易經　天道觀　帝王之學

一　前言

由唐至宋，《易》學在道教圖書之學與佛教哲思的影響及刺激之下，開出新的詮釋途徑，展現了更多元的風貌。北宋《易》學有圖書《易》學之新創，義理《易》學也出現長足的發展，其中以理學家程頤（伊川，1033-1107）最為大師。然而伊川曾云：「《易》有百餘家，難為遍觀。如素未讀，不曉文義，且須看王弼、胡先生、荊公三家。理會得文義，且要熟讀，然後卻有用心處。」[1]然則伊川《易傳》雖是深造自得之作，必有取於此三家之處。其中，關於伊川對王弼、胡瑗（993-1059）《易》學的取捨，學界已有不少研究成果；至於其與同時的王安石（字介甫，1021-1086）《易》學的關係，則較未見留意。

王安石對自己早年著作的《易解》，不甚滿意；程、朱卻以為王安石舊作較好。學者考察王安石學術之形成，也主張王氏之學有早晚期的差異。[2]本文將對這些問題作必要之疏解。王氏之學誠有早晚期之殊異，然而其前後一貫之處，也應予以注意。特別是他對形上天道的興趣，對政治教化的關懷，以及如何結合二者渾化為其「一道德，同風俗」的政治理想的理論，自早期至於晚期，實是一貫的進程與發展。[3]

在古代，《周易》一書與帝王治平之道息息相關。《周易》〈繫辭傳下〉云：「天地之大德曰生，聖人之大寶曰位。」據《易》以論有位之帝王的「治道」是傳統儒學一重要課題。安石〈秦始皇〉詩云：「舉世不讀《易》，但以刑名稱。蚩蚩彼少子，何用辨堅冰？」[4]伊川《易傳》云：「掘隍土積累以成城，如治道積累以成泰。」[5]做為新政的領導者，王安石著作處處可見其治國構思；程頤學術同樣充滿著政治理想；《易經》也成

---

* 本文已刊登於《臺北大學中文學報》第24期（2018年9月1日），頁79-107。
本文承行政院科技部的補助，係作者「宋代儒學政治理論中所蘊含的『天』概念」（MOST104-2410-H-320-010-）研究計畫之部分成果，謹此致謝。本文初稿〈「君道即天道」：王安石、程頤《易》說的帝王學運用〉曾宣讀於「經學史研究的回顧與展望──林慶彰先生榮退國際學術研討會」（京都市：京都大學大學院文學研究科中國哲學史專業專業主辦、北京大學禮學研究中心協辦，2015年8月20日）。不過內容已大幅增補修改，並由衷感謝兩位匿名審查者的寶貴意見。

1 程顥、程頤：《二程集》（一）（臺北市：漢京文化，1983年），《二程遺書》卷19，頁248。又云：「若欲治《易》，先尋繹令熟，只看王弼、胡先生、王介甫三家文字，令通貫，餘人《易》說，無取理費勁。」（《二程集》，頁613。）

2 參考楊天保：《金陵王學研究：王安石早期學術思想的歷史考察（1021-1067）》（上海市：上海人民出版社，2008年）。

3 有關王安石著作的繫年問題，可以參考李德身：《王安石詩文繫年》（西安市：人民教育出版社，1987年），以及劉成國：《荊公新學研究》（上海市：上海古籍出版社，2006年）第二章第二節〈王安石的著述及流傳、整理〉等。

4 王安石：《臨川先生文集》（臺北市：華正書局，1975年），卷9〈秦始皇〉，頁40。

5 程頤：《易程傳》〈泰・上六〉（臺北市：文津出版社，1987年），卷2，頁103。

為二人推闡治道的憑藉，由《易》論天、人之道，天道規律與人道理則的關係，從而論「帝王之學」。本文由此角度，分析王、程《易》學中，天道與「君道」的關係，二人《易》學在帝王學應用上的異同，及其價值與意義。

傳統云「易」有三義，所謂易簡、變易、不易者，[6]皆是貫通天、人而言，《易傳》中可尋繹得之。[7]王、程《易》學，在重視政治應用的面向上，較少論及易簡之義，變易、不易二義的發揮則較多，其中又以變易之義最為豐富。因此，本文正文四節，首先概論王、程以教化為旨的帝王之學；其次論王、程《易》學中的天道不易之義，亦即道之超越性及其運用；後兩部分論王、程《易》學中變易之天道，包括「幽隱與彰顯」、「變通及其掌握」二義。最後綜結王、程《易》說天道論的帝王學應用之異同及其價值評述。

二　以教化為旨的帝王之學

傳統「帝王學」，狹義而言，是指在宮廷之中進行的帝王養成教育；[8]廣義而言，則凡以帝王治國之道為旨而展開的系統論述，皆可屬之。[9]換言之，在傳統帝制之下，士人以帝王為中心關注經世之學，關於輔佐帝王、闡論治道的相關學問，皆可稱帝王之學。特別在高倡「君臣同治天下」的宋代，士人扮演了不可或缺的輔佐角色，帝王之學是士學的重要一環。例如范祖禹（1041-1098）曾上書哲宗（1085-1100在位）云：「楊雄曰：『學之為王者事，其已久矣！堯舜禹湯文武汲汲，仲尼皇皇，其已久矣！』夫學者所以學治天下，王者之事也。」[10]范祖禹引用楊雄的話，強調「王者事」，一方面將帝王身份的堯、舜、禹、湯、文、武與士人身份的孔子相提並論，並指出此「學」是「學治天下」的「王者之事」，既是帝王之學，也是輔政者（儒士）所當具備的學問；可見古代帝王學實類近於一種公共政治的領導之學。而此一面向的帝王之學，傳統悠遠，及於宋代，愈見發皇。

廣義的帝王之學，內容豐富，如何教化天下是其要旨之一。據《易》學言，則教化

6　此說初見於《易緯乾鑿度》，曰：「易一名而含三義：所謂易也，變易也，不易也。」鄭玄推闡之，〈易論〉云：「易一名而含三義：易簡一也，變易二也，不易三也。」

7　參見黃慶萱：《周易縱橫談》（臺北市：東大出版社，2008年），頁。

8　見林慶彰主編：《中國歷代經書帝王學叢書》〈宋代編〉（臺北市：新文豐出版社，2012年）〈導言〉云：「古代的國君要成為理想的統治者，必須受各種學科的教育，凡是教導帝王的各種教科書和講義所形成的學問系統。」頁1。

9　余英時，〈反智論與中國政治傳統──論儒、道、法三家政治思想的分野與滙流〉、〈唐、宋、明三帝老子注中的治術發微〉，《歷史與思想》，頁1-46，頁77-86。

10　見曾棗莊、劉琳主編：《全宋文》（上海市：上海辭書出版社，2003年）卷2129，范祖禹：〈勸學劄子〉：頁56-57。

一來自最終根源與最高準則的天道，一來自創制垂教的聖人。所謂：「《易》之為書，推天道以明人事者也。」[11]人事紛紜，唯聖人能推天道以明人事之理，創制垂教以統領天下。而所謂「聖人」，往往即指帝王，也就是將人間帝王「聖人」化、理想化，[12]此「為帝之道」，即指人間帝王能知天道、用天道以治天下，能夠得為帝之道， 是即得天下、定大位之聖人。其次，這種帝王理想是先「聖」後「王」，聖、王合一式的。「聖」者能「知天道」，「王」者能「理人事」，二者合一則能順天應人以治天下。此一順從天道以治天下的聖王，亦是典制之創制者，如孔穎達所云：「聖人作《易》，本以垂教。」「《易》者，所以斷天地、理人倫，而明王道。」[13]聖人是創制者，能知天道、制人倫，作《易》經，以立政教，是即王道。

傳統《易》學由宇宙論到人生論，盡括天道、人事，政治論述方面以聖王為蘄向，以「天」類比人君，以天道類比君道，其哲學的深玄性與延展性，被推為宋代儒學的靈感泉源。[14]王安石與程頤的《易》學在此聖王論述傳統下，皆強調聖王創制以立政教，以教化天下。王安石早期有《易解》一書，雖已散佚不全，幸賴學者搜遺補緝，今可概見其一二；[15]再佐以文集中與《易》相關或據《易》議論的文章，可以窺見王氏因《易》推闡帝王教化之義。王氏做為治國政策張本的《三經新義》中雖無《易經》，實則已經將其《易》學的抽象思維融貫進入《三經新義》之中。此義下文略有呈現。

王安石主張聖人創制文、字乃至一切典章制度，皆是根本於天道自然。天道是人文制度的最高來源，是權威的根源。王氏治學往往通過文、字以探索名物制度之由來，這個方法貫穿了他的早晚期著作，特別是有關《易》的著作以及《字說》。《易》之為經，其文其字，既是天道的自然超越性的呈現，也是王氏據以鋪陳其政治思想的靈感源頭。晚年力作《字說》，即是根本於《易》的天道觀，通過「字」的訓義，「象」的引伸，詮表其政治社會倫理思想。〈字說序〉云：

---

11 見於四庫館臣：《四庫全書總目・易類敘》（臺北市：臺灣商務印書館〔影印文淵閣四庫全書本〕，1983。第1冊，卷1，頁1），總結《易》學之語。

12 參見劉述先：〈論儒家「內聖外王」的理想〉，《儒家倫理研討論文集》，1987年，頁218-231。蕭璠：〈皇帝的聖人化及其意義試論〉，《中央研究院歷史語言研究所集刊》，第六十二本，第一份，1993年，頁1-37。王中江：〈儒家「聖人」觀念的早期形態及其變異〉，中國哲學史，第四期，1999年，頁27-34。

13 見孔穎達：《周易正義》〈卷首〉（臺北市：藝文印書館〔清阮元校刊，十三經注疏本〕，1965年）之「第一論：易之三名」，頁1。

14 參見成中英：《論中西哲學精神》（上海市：東方出版中心，1991年），頁202-203。

15 參見張高勤：〈王安石著述考〉（《復旦學報》1988年第1期）、金生楊〈王荊公《易解》考略〉（《古籍整理研究學刊》2001年第3期）。據金生楊推斷：《易解》撰作時間應在嘉祐年間（1056-1063）。雖已散佚，幸賴學者鉤沈，可略窺一二；楊倩描《王安石《易》學研究》（保定市：河北大學出版社，2006年）輯有《荊公《易解》鉤沈》，據作者云，所輯約全文十分之一，是本文的主要依據。

> 文者，奇偶剛柔，雜比以相承，如天地之文，故謂之文。字者，始於一，一而生無窮，如母之字子，故謂之字。其聲之抑揚開塞，合散出入，其形之衡從曲直，邪正上下，內外左右，皆有義，皆出於自然，非人私智所能為也；與伏羲八卦，文王六十四，異用而同制，相待而成《易》。[16]

「一」是「天」（詳下），是生物之源，亦「文」與「字」的起源，是人類所有創制之本；《易》的八卦、六十四卦之「文」，也是原乎「一」，取乎自然之象。凡此人文，皆是出於自然。反推回去，這也是王氏治《易》的「觀象之法」。[17]《易》中的文、字皆是理解天道施作的密碼；所以《字說》一書，實則具備了輔翼《易》學的重要價值。

王氏先立「天」為人文之權威，此與許慎「依類象形，故謂之文」、「形聲相益，即謂之字」[18]的說法，並不相同。《說文解字》之作，雖不能完全免於政治作用，但做為中國第一部有系統地考究字源、分析文字結構、探索造字方法的書籍，貢獻極大；[19]《字說》則完全出於政治教化之目的，為了達到「同道德之歸，一名分之守」的工具。[20]因此《字說》與其《易》說，在其政治論述中有著表裡的關係與意義。

不過，伊川認為王氏思想有前後期的差異，曾與弟子有所討論：

> （略）又問：「如荊公窮物，一部《字解》，多是推五行生成。如今窮理，亦只如此著工夫，如何？」（伊川）曰：「荊公舊年說話煞得，後來卻自以為不是，晚年盡支離了。」[21]

《字解》即是《字說》。王氏「窮物」與伊川「窮物」，自是不同。伊川批評王氏用五行生成的觀念分析字義，的確是《字說》中主要的釋字方法之一。[22]王氏這種「窮理」方法是基礎於其「自然天道」的思想；不同於伊川的理路。而伊川認為王氏早期思

---

16 王安石：《臨川先生文集》，卷84〈熙寧字說序〉，頁879。

17 參見楊倩描：《王安石《易》學研究》，第9章第1節「王安石治《易》的特色」，頁213-218。

18 許慎：《說文解字》〈敘〉。

19 雖然也不免於宣教明化的政治作用，其學術目的與貢獻更具價值。參見林明正「《說文》陰陽五行觀探析及對後世字書之影響」（中國文化大學碩士論文，2000年）。

20 王安石著作《字說》的動機，在〈進《字說》表〉有自述。關於王安石釋字法及著作《字說》的動機，可參見黃復山：《王安石字說之研究》（臺灣大學中國文學研究所碩士論文，1981年）、黃建榮〈王安石《字說》說解字義的特點和以「會意」說解字義的原因〉（《撫州師專學報》2001年第2期）。

21 程顥、程頤：《二程集》《河南程氏遺書》卷19，〈伊川先生語五〉，頁247。

22 《字說》中用陰陽五行觀念釋字的例子很多，如釋「蟋蟀」云：陰陽帥萬物以入。至於蟋蟀，其率之為悉，蟋蟀能率陰陽之悉者。又如釋「金」云：「正西也。土於此終，水於此始」，是典型的例子。參見黃建榮〈王安石《字說》說解字義的特點和以「會意」說解字義的原因〉《撫州師專學報》，第20卷第2期（2001年6月），頁64-69。

想可觀，乃包括《易解》而言；朱熹也曾表示：「《易》是荊公舊作，卻自好。」[23]可是，程、朱所重視的王氏早年《易解》，卻是王氏後來追悔年少「過於進取」的著作。[24]王氏自云早年不理解《易》理皆在《詩》、《書》、《論語》諸經中，悔其少作意味的是自家學術有所進境；程、朱卻反以為舊作更好，甚至暗示王氏後期學術走向歧途，更而指責其不能篤守儒道、「博學多聞而不能守約」、「事事分作兩截」。[25]究其實，這些批評是出於程、朱與王氏的思想派別與思考路徑的差異，且明顯多落在晚期。於今考之，王氏思想容或有早、晚期的差異，[26]但也不能忽略其政治思想的一貫、一致之處。

《易解》一書今存篇幅有限，然而猶可見到王氏解《易》重「德」甚於重「道」，關於帝王治道，往往發揮儒家自強不息之義。[27]又根據王氏較早文章與天道相關的議論，則有取於老、莊之義，[28]如〈與孫侔書三〉（1046）主張順應「自然之理」、〈虔州學記〉（1064）推崇「堯、舜、三代從容無為」；同時也慨嘆「道之不一久矣」，提出「一道德，同風俗」（〈與丁元珍書〉〔1059〕、〈答王深甫書二〉〔1060〕）──這些論點與他在熙寧二年執政之後不斷強調的諸多論點，皆相符合。可見其思想自早期已有融合老、莊道論與儒家經世實踐之論的傾向；就《易》學言，北宋儒者面對王弼注的強大傳統，這種融合傾向在當時是常見的。至於治學方法，王氏擅長意象式地字義訓詁，其早期《易》說與晚期《字說》也頗相一貫。當熙寧執政期間，基於施政理論的需要，其天

---

23 黎靖德編，王星賢點校：《新校標點朱子語類》（臺北市：華世出版社，1981年）卷78，〈尚書一〉，頁1987。

24 見於王氏〈答韓求仁書〉，云：「求仁所問於《易》者，尚非《易》之蘊也。能盡於《詩》、《書》、《論語》之言，則此皆不問而可知。某嘗學《易》矣，讀而思之，自以為如此，則書之以待知《易》者質其義。當是時，未可以學《易》也，唯無師友之故，不得其序，以過於進取，乃今而後，知昔之為可悔。而其書往往已為不知者所傳，追思之，未嘗不愧也。」王安石：《臨川先生文集》，卷72，頁763。另《郡齋讀書志》亦記王安石以《易解》一書：「自謂少作，未善。」（卷1上）另參見楊倩描：《王安石《易》學研究》，頁18。

25 神宗曾經稱許王安石，程顥對曰：「王安石博學多聞則有之，守約則未也。」（朱熹：《伊洛淵源錄（一）》（臺北市：藝文印書館）卷3，「明道先生遺事」。伊川解「惟精惟一，允執厥中」為專要精一於極至之中，批評王氏解云「以一守，以中行」，指王氏是「只為要事事分作兩處」，不能一貫。（見《二程集》《河南程氏遺書》卷19〈伊川先生語五〉，頁256。）

26 王氏思想或有早、晚期發展的差異，然而其中關涉到王氏著作編年的問題，並非本文所欲解決者；王氏著作中，無法準確繫年者頗多，相關研究可參考李德身：《王安石詩文繫年》（西安市：陝西人民教育出版社，1987年9月）高克勤：〈王安石著述考〉（《復旦學報》，1988年1月），沈秀蓉：《王安石文風轉變特色之研究──以中晚年文章為討論中心》（2009師大碩論）「附錄」。

27 參見楊倩描：《王安石《易》學研究》頁146-150。舉例出自〈易象論解〉一文，應即《易解》中的〈解易象〉一文。

28 如〈禮樂論〉講帝王之修身，皆有儒、道融合之跡，其云：「聖人儲精九重，儀鳳凰，修五事，而關陰陽，是天地位而三光明，四時行而萬物和。」「養生以為仁，保氣以為義，去情卻欲，以盡天下之性，修神致明，以趨聖人之域。」見王安石：《臨川先生文集》，卷66，頁703-704。

道本體與人道作用之論述已經相當明確強力，並且更為集中在統治之術的議題上。[29]而前後期的一貫之中，以「一道德，同風俗」為鵠的的政治教化宗旨，則未嘗變。[30]

北宋《易》學到了伊川，尤見掃除老莊玄談而闡揚儒理的特色。[31]於《易》學的政治教化思想，則更顯而易見。如強調聖王以身作則者，《易傳》〈中孚・象〉云：

> 上巽下說，為上至誠，以順巽於下，下有孚，以說從其上，如是其孚，乃能化於邦國也。若人不說，從或違拂事理，豈能化天下乎？[32]

上以至誠，則有孚於下，則能化天下。此可謂德政。《易傳》〈蒙・初六〉又云：

> 自古聖王為治，設刑罰以齊其眾，明教化以善其俗，刑罰立而後教化行，雖聖人尚德而不尚刑，未嘗偏廢也，故為政之始，立法居先，治蒙之初，威之以刑者，所以說去其昏蒙之桎梏。[33]

此明聖王之治在「明教化以善其俗」，則主張德、刑兼用，此與王安石同意。[34]伊川《易傳》〈離・彖〉又云：

> 君臣上下皆有明德而處中正，可以化天下，成文明之俗也。[35]

更進而將教化之責任，由人君擴展至人臣，強調君臣上下皆能明德中正，則可以化民成俗。在運用《易》學以推闡政治教化的面向言，王安石與程伊川是同意的。

那麼，王、程如何運用《易》之「天」義，推闡其帝王之學。以下的論述以二人《易》說中天道與君道兩個觀念的一而二、二而一的體用關係切入，從天道的不易、變易之義，主要就其相異之處，做一比較與探討；並討論其現實價值與意義。

---

29 楊倩描：《王安石《易》學研究》頁218。

30 關於王氏「一道德，同風俗」的呼籲及涵義，可參見林素芬：《北宋中期儒學道論的類型研究（臺北市：里仁書局，2008年），第五章「王安石道德業俱全的一道論」，第二節，頁428-460。

31 程頤曾批評王弼：「王弼注《易》，元不見道，但卻以《老》、《莊》之意解說而已。」((見《二程集》《河南程氏遺書》卷1〈二先生語一〉，頁7)。《四庫全書總目》〈易類・小序〉關於宋代《易》學源流，云：「漢儒言象數，去古未遠也；一變而為京、焦，入於禨祥；再變而為陳、邵，務窮造化，《易》遂不切於民用。王弼盡黜象數，說以老、莊；一變而為胡瑗、程子，始闡明儒理；再變而李光、楊萬里，又參證史事；《易》遂日啟其論端。」

32 程頤：《易程傳》〈中孚・象〉，卷6，頁539。

33 同前注，卷1，頁47。

34 王安石〈三不欺〉一文，主張聖人之政，乃德、察、刑兼用。清楚可見王安石思想的兼綜色彩。見王安石：《臨川先生文集》，卷67，頁771。

35 程頤：《易程傳・離・彖》，卷3，頁卷，頁265。

三　道之恆常性與超越性及其運用

在藉《易》以明天、人之道的傳統下，王、程皆肯定「天」的不易之義，推闡其恆常性與超越性。不過，二人的「天道」詮釋有差異，因此，其帝王學中的天道論運用，也有不同。

王氏自云其學在知「全經」，在知「聖人之大體」，欲達此知，需博綜諸經子史，旁及道、釋各家，甚至及於醫書小說、農夫女工等。[36]這樣的治學理念，是出於其天道觀。王氏云：

> 道有本有末。本者，萬物之所以生也；末者，萬物之所以成也。本者出之自然，故不假乎人之力，而萬物以生也；末者涉乎形器，故待人力而後萬物以成也。[37]

萬物之所以生的「本」即自然天道；萬物之所以成的末，則包括人力所造的所有文明產物。理論上，欲知天，需先知人。而知人，不能是偏知，必須遍考古今眾家群生，才是對自然天道的真正認識。作於早期的〈洪範傳〉，與此論呼應，其論天道展現云：

> 五行，天所以命萬物者也。……五行，一曰水，二曰火，三曰木，四曰金，五曰土」，何也？五行也者，成變化而行鬼神，往來乎天地之間而不窮者也，是故謂之行。天一生水，其於物為精，精者，一之所生也。……五行也者，成變化而行鬼神，往來乎天地之間而不窮者也，是故謂之行。[38]

王氏結合〈洪範〉的「五行：一曰水」，與「天一生水」之說，[39]由「天一」講宇宙萬有的開始。天地萬物皆出於「一」，由「一」而有陰陽、五行之運，而有萬物之生生變化。此皆本之，「天」為本體，天是「一」。天之行，則有五，神妙變化。凡此皆自然，而人智可以知之，故有聖人之作《易》以明天道。

王氏有〈致一論〉，此「一」，當即本體之「天一」。王氏據《易．繫辭》「精義入神以致用，利用安身以崇德」、「同歸而殊塗，一致而百慮」而作出議論，能致一則能知天為「一」的至理，其云：

---

36 王安石〈答曾子固書〉云：「然世之不見全經久矣，讀經而已，則不足以知經。故某自百家諸子之書，至於《難經》、《素問》、《本草》諸小說，無所不讀；農夫、女工，無所不問；然後於經為能知其大體而無疑。」王安石：《臨川先生文集》，卷73，頁779。

37 王安石：《臨川先生文集》，卷68，〈老子〉，頁723。

38 王安石：《臨川先生文集》，卷65，〈洪範傳〉，頁685-686。

39 此詞目前檢索發現首先使用者是東漢鄭玄，於《周易鄭注》中。宋王應麟輯成。東漢張仲景《金匱玉函經》醫學著作也出現「天一生水」。唐朝孔穎達疏的《尚書註疏》也用此詞解釋繫辭中的「大衍之數」。唐李虛中《命書》，運用周易，並使用了「天一生水」一詞。王氏應該是在廣義而言的《周易》詮釋傳統下運用此詞。

> 萬物莫不有至理焉，能精其理，則聖人也。精其理之道，在乎致其一而已。致其一，則天下之物可以不思而得也。《易》曰「一致而百慮」，言百慮之歸乎一也。苟能致一以精天下之理，則可以入神矣。既入於神，則道之至也。[40]

「一」，是天地萬物恆常不易之本。能致一則能知生化之神妙，以統領萬物，達「道萬物而無所由，命萬物而無所聽」的境界，[41]是體道的極高精神智力，是耳目開放、無所罣礙，唯一至上，能居統領萬物、為萬民之尊。帝王至於此境界，則能貫徹君心於四方上下，達教化的最高境界。

《字說》的目的在此，以「同道德之歸，一名法之守」[42]。揭示文字中的自然之理，有助於學者認識道德性命的致一之理，獲致帝王治國「道德一於上，習俗成於下」的功效，是以新經義的修纂，就有迫切需要了。安石對神宗說：「今人才乏少，且其學術不一，一人一義，十人十義，朝廷欲有所為，異論紛然，莫肯承聽，此蓋朝廷不能一道德故也。」[43]神宗也對王安石說：「經術今人人乖異，何以一道德？卿有所著，可以頒行，令學者定於一。」[44]誠如〈周禮義序〉中云：「惟道之在政事，……制而用之存乎法，推而行之存乎人。」[45]王氏乃協同神宗，將「天一」推至政治社會的道德準則之「一」，由上貫下之一，將《周易》以「天」為不易之根本，落實為帝王朝廷統領天下之理，為新法改革的準據。

至於伊川所謂「天」是天理，則是高一層次的靜定本體，生生之道的所以然，[46]不易之常理。其解〈恆．彖〉「日月得天而能久照，四時變化而能久成」云：「此極言常理。日月，陰陽之精氣耳，唯其順天之道，往來盈縮，故能久照而不已。得天，順天理也。」[47]恆常不易之天理，內在於生生不息的宇宙人間萬事萬物之中，萬物又各具其所以然之理。此乃自然應當如此。「自然」在於形容天道與天理之當然。天理在動靜、屈伸、往來的相對運作中，展現生生之意，伊川云：「質必有文，自然之理，理必有對待，生生之本也。」[48]天理如天尊地卑，至於人間社會則是君臣父子之義等，伊川解〈履〉云：

---

40 王安石：《臨川先生文集》，卷66〈致一論〉，頁707。

41 王安石：《臨川先生文集》，卷65，〈洪範傳〉，頁685。

42 王安石：《臨川先生文集》，卷56〈進《字說》表〉，頁608。

43 馬端臨：《文獻通考》（臺北市：新興書局，1965年），卷31〈選舉考四〉，頁293中。

44 李燾：《續資治通鑑長編》卷229，頁5570。

45 王安石：《臨川先生文集》，卷84，頁878。

46 參見鍾彩鈞〈二程本體論要旨探究——從自然論向目的論的展開〉，《中國文哲研究集刊》，第2期，1992。

47 程頤：《易程傳》，卷4，頁285-286。

48 程頤：《易程傳》，卷，頁196。

天上澤下，天而在上，澤而處下，上下之分，尊卑之義，理之當也，禮之本也。[49]

並且，由自然的上下、尊卑之大義，推衍至君主之絕對尊貴。伊川解〈家人〉云：「尊卑內外之道，正合天地陰陽之大義也。」[50]又如其解〈乾〉卦，云：

夫天，專言之則道也，天且弗違是也；分而言之，則以形體謂之天，以主宰謂之帝，以功用謂之鬼神，以妙用謂之神，以性情謂之乾。乾者萬物之始，故為天，為陽，為父，為君。[51]

人君之尊，猶如天之於地、陽之於陰、父之於子、君之於臣，是自然天理如此，不可變改。因此，「人君之尊，雖屯難之世，於其名位非有損也」，[52]上位者無論是明君或暗主，為人臣者皆當克盡臣道以事君。

伊川運用「天理」來貞定人間的道德秩序，可以說是一種「理一分殊」的架構。而此理一，於社會之階級次序中的施作，並非訴諸於權威，而是通過「感通」。由於心的感通無礙，殊理得以歸一。故云「人君之道當以至誠感通天下」，[53]伊川《易傳》〈鹹·九四〉又云：

聖人感天下之心，如寒暑雨暘，無不通、無不應者，亦貞而已矣。……夫子因〈咸〉極論感通之道。夫以思慮之私心感物，所感狹矣。天下之理一也，塗雖殊而其歸則同，慮雖百而其致則一。雖物有萬殊，事有萬變，統之以一，則無能違也。……君子潛心精微之義，入於神妙，所以致其用也。潛心精微，積也；致用，施也。積與施乃屈信也。……云窮極至神之妙，知化育之道，德之至盛也，無加於此矣。[54]

伊川這一段釋文，相較於王氏的〈致一論〉，兩文似有遙相呼應之意味，若說是針對〈致一論〉而發的，也不無可能。這段話主旨在發揮《周易》〈繫辭下〉「精義入神以致用，利用安身以崇德」之義，重點有三，其一，聖人感通之道在用「貞」，是運用「虛中無我」的至誠公心以感物，是故無論天下萬變，思慮有百，皆能通同於公共之一理。其二，公理存於萬殊，萬殊於相互感動、屈伸之間而生功用。其三，萬物動靜相感，聖人貞其感通，潛心於萬物屈伸之理，知其精微神妙之義，而施為功用，是能安其身且崇其德。此為道德之至極。這裡的帝王，統領萬邦，不是靠精神智力，而是藉由道德感

49 程頤：《易程傳》，頁95。

50 程頤：《易程傳》，頁323-324。

51 程頤：《易程傳》，頁3。

52 程頤：《易程傳·屯》，頁42。

53 程頤：《易程傳》〈中孚·九五〉，頁545。

54 程頤：《易程傳》，頁279-280。

通，也即是「通於理」，《易傳》〈同人・彖〉云：「天下之志萬殊，理則一也，君子明理，故能通天下之志。聖人視億兆之心猶一心者，通於理而已。」[55]聖人明天理則通天下萬殊之理，由此又可見出伊川與王氏的差異。於伊川，重於人君心地中正，道德高尚，能通天下之志。《易傳》〈萃・九五〉云：

> 元永貞者，君之德，民所歸也……。元永貞之道，未至也，在修德以來之。……為君德，首出庶物，君長群生，有尊大之義焉，有主統之義焉，而又恒永貞固，則通於神明，光於四海，無思不服矣。[56]

元永貞，是帝必要之德，如此則首出庶物，尊長群生，又能恒永、貞固其德，因此上能感格神明之天，下能招徠萬邦之民。相對於王安石強調帝王在智性上培養極高的清明理性以知天道，伊川主張帝王要做一個中正仁德的領導者以體天道。這種以君主的至高仁德譬天德的帝王之學，與王氏所崇尚的理性辯證的帝王，有相當的不同。

四　道之幽隱性及其彰顯

無論是將不易的天道詮釋為自然本體或是靜定之理，天道又具有幽隱性，故其作用神妙。幽隱之道的神妙彰顯，是道的變易性格之一，亦是王、程《易》學中帝王之學的一重要表現。

如前所述，王氏以文、字為理解天道之自然而超越的途徑。天道雖以可見的萬事萬物之形像呈現，然其意義幽隱，不易覺察。王氏藉由「氣」之體、用，詮釋此幽隱性及其彰顯，並云：「老子之言可協於《易》。」[57]作為萬物本源的自然之道，是：

> 無者，形之上者也。自太初至於太始，自太始至於太極。太始生天地，此名天地之始。有，形之下者也。有天地然後生萬物，此名萬物之母，母者，生之謂也。道有體有用。體者，元氣之不動；用者，沖氣運行於天地之間。[58]
>
> 一陰一陽之謂道，而陰陽之中有沖氣，沖氣生於道。[59]

道之體，用「無」詮釋其形上的隱微與超越性格；[60]道之用，運用元氣、沖氣，凸顯道的實存性，削減了王弼詮釋的玄虛性。又援引《易傳》的「陰陽」概念，豁顯「道」之

---

55 程頤：《易程傳》，頁121。

56 程頤：《易程傳》，頁409。

57 據尹志華考證，見尹志華：〈北宋《老子》注研究〉，頁15。

58 容肇祖輯：《王安石老子注輯本》（北京市：中華書局，1979年），〈道沖章第四〉，頁8。

59 容肇祖輯：《王安石老子注輯本》，〈天下有始章第五十二〉，頁45。

60 容肇祖輯：《王安石老子注輯本》，〈道可道章第一〉，頁1-2。

辯證功能性。這種將傳統各學派思想概念，冶煉於一爐，建構一宇宙生成模式，類似周敦頤「太極圖說」、邵雍「先天說」、張載的太虛、太和說等，皆為《易》說的延展，是宋代儒學的一種特色，亦即利用《易》學，推闡出一結合形上之理與宇宙化生之道的理論。

天地之間萬象流轉，皆天道生物之流形。王氏解〈繫辭傳〉「仰以觀於天文，俯以察於地理，是故知幽明之故」，曰：「日月星辰之有明晦，山川草木之有盛衰，此所謂幽明之故。故者，有所因也，因天文地理，而後知幽明，是稱故焉。」[61]幽明有二義：其一，天文地理，其盛衰之象皆顯而易見，此其明者；至於表像背後之所以盛衰的神妙之理，是其幽者。其次，天地萬物皆有天賦之命，等待被彰顯，故王氏解「蓍占」之法，曰：

> 蓍，神物也。天地生其形，聖人生其法。方其蓍法之未生，則蓍之為物，特庶草之一耳，豈知其為神明也哉！天地神明不能與人接，聖人幽有以贊之，而傳其命，於是起大衍之數。[62]

正如聖人創制蓍法，揭示了隱藏在蓍草中的神明性；天地生物之形，每一物背後都蘊藏著天道之某種價值，亦即其神明性，或是「天命」，是天所授諸物者，《易》曰：「保合太和，各正性命。」王氏云：「是聖人必用其道以正天下之命也。……命非聖人不行也。」[63]唯有聖人能夠精確地解開形物當中所蘊藏的天命，探賾索隱、知物之理者，使物各得發揮其神明性的功能。故云：「是故星曆之數、天地之法、人物之所，皆前世致精好學聖人者之所建也。……《傳》曰：『百工之事，皆聖人作』，此之謂也。」[64]可見聖人之所以為聖人，有二條件，其一是能窮神知化，具極高的體道之智，能深探萬物的神明性所在，其二是能使萬物之神明性致用於天下，亦即能創建符合天道的人間制度。[65]如此聖人，也即政治上的聖王人物。其精誠所至，度數所施，天下秩序自成，故云：

> 是故先王之道可以傳諸言、效諸行者，皆其法度刑政，而非神明之用也。《易》曰：「神而明之，存乎其人；默而成之，不言而信，存乎德行。」去情卻欲，而

---

61 見李簡：《學易記》卷7引「臨川曰」，見《欽定四庫全書》電子版。

62 見黃震：《黃氏日抄》卷6引「王氏曰」。

63 王安石：《性命論》，載羅繼祖主編：《羅振玉學術論著集．臨川集拾遺》（上海市：上海古籍出版社，2010年）第五集，頁283。

64 王安石：《臨川先生文集》，卷66，〈禮樂論〉，頁706。

65 王安石〈餘姚縣海塘記〉一文，記縣令謝景初之言，王氏表示認同，其曰：「道以閎大隱密，聖人之所獨鼓萬物以然而皆莫知其所以然者，蓋有所難知也。其治政教令施為之詳，凡與人共，而尤丁寧以急者，其易知較然者也。」又〈致一論〉云：「夫身安德崇，而又能致用於天下，則其事業可謂備也。事業備而神有未窮者，則又當學以窮神焉。能窮神，則知微知彰，知柔知剛。夫於微彰剛柔之際，皆有以知之，則道何以復加哉？聖人之道，至於是而已也。」（王安石：《臨川先生文集》，卷66，頁708。）

神明生矣，修神致明，而物自成矣，是故君子之道鮮矣。齊明其心，清明其德，則天地之間所有之物，皆自至矣。……《易》曰：「擬之而後言，議之而後動，擬議以成其變化。」變化之應，天人之極致也。[66]

這一段極言先王修神致明所達致的功效。神明者，用以形容天道之清明智性。此清明智性幽隱神妙，不易達致。唯聖王能修得此神明，致其用而成就人間的法度刑政，一道德而同風俗，化成天下。

具清明理智之人君，必須先洞察人事然後能通於神明。王氏藉《易》的占筮之理，云：

人事也，必先盡之人，然後及鬼神焉，固其理也。聖人以鬼神為難知，而蓟筮如此其可信者，《易》曰：「成天下之亹亹者，莫大乎蓍龜。」唯其誠之不至而已矣，用其至誠，則鬼神其有不應而龜筮其有不告乎？[67]

唯有盡其人事的至精至誠之人，方能通過《易》與蓟筮，探知天道之深意。而王氏所謂「知」、「誠」，是指專一致志的清明人智，具清明人智則可以知天道，可以建置文明，王氏云：

是故天至高也，日月、星辰、陰陽之氣，可端策而數也；地至大也，山川、丘陵、萬物之形、人之常產，可指籍而定也。是故星曆之數、天地之法、人物之所，皆前世致精好學聖人者之所建也，[68]

非清明之智，則無以建置符合天道之文明，因為人文乃是出自自然之道，對自然之道的仿效，所謂：「字雖人之所制，本實出於自然。鳳鳥有文，河圖有畫，非人為也，人則效此。」[69]古代聖人作《易》以及創制文字、建立文化制度者，皆在仿效幽隱的自然天道；然而這些文明符碼，對後世又成為難解的密碼。於是，反推回去，後世之人，孰能通過文、字以知天道隱微之義？亦唯聖人而已。

王氏由《易》領悟到，天道之理，即陰陽消長的辯證之理。聖人者，在於知此辯證之理、行此辯證之理，以居尊貴之位，其云：

數衍而位當者吉，數耗而位忒者凶，此天地之道、陰陽之義，君子、小人之所以相為消長，中國、夷狄之所以相為強弱。《易》曰：「人謀鬼謀，百姓與能。」蓋

66 王安石：《臨川先生文集》，卷66，〈禮樂論〉頁702。

67 同前注。

68 王安石：《臨川先生文集》，卷66，〈禮樂論〉頁702。

69 王安石：《臨川先生文集》，卷56〈進《字說》表〉，頁608。

聖人君子以察存亡，以禦治亂，必先通乎此，不通乎此而為百姓之所與者，蓋寡矣。[70]

天道變易，人事吉凶，皆有其「數」(理)。人間帝王欲持盈保泰如天道，必須能體知天道之「數」其中蘊含之深意。換言之，面對此一不斷變動的世界，帝王欲長久保持其尊位，必須能夠效法不斷變易的天道，能知時變，能夠無所極限地因應無限變化，如此方能駕馭人事萬變。

以上是王氏通過《易》說強調天道之幽隱神妙，並推崇聖王探索幽隱天命與仿效天道、創建制度的智慧。至於伊川，則云：

天道至神，故曰神道，觀天之運行，四時無有差忒，則見其神妙。[71]

此神妙天道是乾元仁道，「生育萬物，洪纖高下，各以其類，各正性命」。[72]既言天道，復言聖人之道，云：

聖人見天道之神，體神道以設教，故天下莫不服也。夫天道至神，故運行四時，化育萬物，無有差忒。至神之道莫可名言，惟聖人默契，體其妙用，設為政教，故天下之人涵泳其德而不知其功，鼓舞其化而莫測其用，自然仰觀而戴服。故曰：「以神道設教，而天下服矣。」[73]

所謂神道設教，伊川云神道幽隱難知，復推贊聖人之默體妙用，設教治人，《易傳》〈序〉云：「至微者理也，至著者象也。體用一源，顯微無間。」[74]神道至妙而難詮，天理隱微而難見，唯聖人能默契之。既默契天道，則所設政教可以合於人心。伊川云：「古人曰：謀從眾，則合天心。」[75]所謂默體天道，落實而言也就是聖人能與萬物萬民相「感通」。其解〈鹹〉卦云：「凡君臣上下，以至萬物，皆有相感之道。物之相感，則有亨通之理。」默體天道，感通萬民，則施政皆符合天道生生之理。伊川又解〈解・彖〉云：「王者法天道，行寬宥，施恩惠，養育兆民至於昆蟲草木，乃順解之時，與天地合德也。」[76]凡此皆可見伊川特別強調帝王施政以天道為法的思想。

反觀王安石則不以不可名言的至神妙道為聖人設立政教之本。〈禮樂論〉云：

70 王安石：《臨川先生文集》卷82〈洪範傳〉，頁858。

71 程頤：《易程傳》〈觀〉，頁180-181。

72 程頤：《易程傳》〈乾・彖〉，頁7。

73 程頤：《易程傳》〈觀〉，頁180-181。

74 程頤：《易程傳》，頁2。

75 程頤：《易程傳》〈晉・六三〉，頁310。

76 程頤：《易程傳》，頁353。

> 聖人之遺言曰：「大禮與天地同節，大樂與天地同和。」蓋言性也。大禮性之中，大樂性之和。中和之情，通乎神明。故聖人儲精九重而儀鳳凰，修五事而關陰陽，是天地位而三光明，四時行而萬物和。[77]

「大禮與天地同節，大樂與天地同和」語出《禮記》〈樂記〉，盛稱人文禮樂之極致，能與天地之道同臻最高之秩序與和諧。王安石引經據典，用來論證的是「性」的問題。正由於此超越善惡的智性，是聖人能知天道並效法之，以創制人類文明。聖王因為能「去情卻欲以盡天下之性，修神致明以趨聖人之域」，盡性得道而能「儲精晦息而通神明」者，[78]是能成其為通乎神明的聖王。是以道德的始源，國家制度之建立，皆由於聖王感通隱微天道與普遍人情而建立，故云：「禮始於天而成於人。」[79]知人情即知天道，是以〈易象論解〉論〈觀〉卦云：「教思無窮，容保民無疆，莫大乎省方觀民設教，故於《觀》也，先王以省方觀民設教。」此義與伊川解「觀民設教」云「如奢則約之以儉，儉則示之以禮是也」，以既定禮教糾正人民行為的詮釋，並不相同。

五　道之變通性及其掌握

《易》〈繫辭〉云：「易有聖人之道四焉：『以言者尚其辭，以動者尚其變，以制器者尚其象，以卜筮者尚其占。』」北宋自慶曆以後，政治社會問題日益嚴重，士大夫要求改革的呼聲亦日益高漲，所謂：「方慶曆、嘉祐，世之名士常患法之不變也。」[80]王安石與程頤《易》說中的天道論，皆可見到「尚變」說，可說是對時代危機的回應。

王氏云：「尚變者，天道也。」[81]天地間萬事萬物無不隨時處於變化發展之中，此乃天道之一義。人為萬物之靈，其任務在貞定性命的方向，能與道隨行。是以修神致明的帝王，以其智深觀事物變化之理，則能在政治上作出因應時勢之措施。王氏云：

> 《易》曰：「擬之而後言，議之而後動，擬議以成其變化。」變化之應，天人之極致也。[82]

善於處理人事之變化，也就是對天道最完美的回應。然則怎樣的回應才是最完美的回應？王氏云：

---

77 王安石：《臨川先生文集》，卷66〈禮樂論〉，頁704。

78 相關論述，可以參見林素芬《北宋中期儒學道論的類型研究》第四章。

79 王安石：《臨川先生文集》，卷66〈禮論〉，頁700。

80 陳亮：《龍川集》卷11〈銓選資格〉。

81 見王安石：〈河圖洛書義〉，《臨川先生文集》頁673。

82 王安石：《臨川先生文集》，卷66〈禮樂論〉，頁704。

> 夫其不假人之力而萬物以生，則是聖人可以無言也、無為也；至乎有待於人力而萬物以成，則是聖人之所以不能無言也、無為也。故昔聖人之在上，而以萬物為己任者，必制四術焉。四術者，禮、樂、刑、政是也，所以成萬物者也。[83]

王安石轉化老子「無為」、「有為」的概念，來闡論《易》所蘊含的這種天道變易性，以及帝王之道的運用。當聖王專一心志於天下之理，臻至神化，無思無為寂然不動之境，感通萬物以精入其理，知物理人情之所需，而能據以建立人間制度，是所謂有為之致用。然而制度有時而窮，當聖王面對變動不止的天下之事物，必須再度有思有為以行變革之事。王氏詮釋《易》〈繫辭〉之「神農氏沒，黃帝、堯、舜氏作，通其變，使民不倦，神而化之，使民宜之」，云：

> 蓋聖人之心，不求有為於天下，待天下之變至焉，然後吾因其變而制之法耳。至孔子之時，天下之變備矣，故聖人之法亦自是而後備也。[84]
>
> 夫聖人也者，因物之變而通之者也。物之所未厭，聖人不強去；物之所未安，聖人不強行。故曰：「通其變，使民不倦。」[85]

依王氏，事物發展至於變動階段，非人的意志所能左右，自然而然有其變動之理，其理也將影響到結果之吉凶。聖人則能靜觀其理，見變動之幾，而做出合宜之對應舉措，以創造新的和諧局面，此「通其變」之義。〈洪範傳〉云：

> 《易》曰：「道有變動，故曰爻；爻有等，故曰物；物相雜，故曰文；文不當，故吉凶生焉。」吉凶之生，豈在夫大哉？蓋或一顰一笑之間而已。[86]

換言之，聖人之有為，乃是秉持無思無為之清明鑑照，順時之變而有舉措，以避凶趨吉。〈祿隱〉又云：「如聖賢之道，皆出於一，而無權時之變，則又何聖賢之足稱乎。」聖人而不知變通，則不足以為聖人。

人間事物有其常道，當其失常，需有所更革，唯有與時俱進，才能合道。如政治上最大的失常，是君而不君；失常之極，可能引起改朝換代的大變動。王氏將《易》〈乾・九三・文言〉「知至至之，可與幾也；知終終之，可與存義也」一段，詮釋之為古聖王改朝換代之舉的意義，其云：

> 知九五之位，可至而至之，舜、禹、湯、武是也，非常義也，故曰可與幾也。知

---

83 王安石：《臨川先生文集》，卷68，〈老子〉，頁704。

84 王安石：《臨川先生文集》，卷67，〈夫子賢於堯舜〉，頁711。

85 〔元〕李簡：《學易記》卷8引，見《欽定四庫全書》電子版。

86 見李衡：《周易義海撮要》卷5引，見《欽定四庫全書》電子版。

此位可終則終之，伊、周文王是也，可與存君臣之大義也。[87]

「知至至之」，是到了當變的時機，即使是君主之位，臣子也可取而代之。其詮釋〈履・六三〉「武人為於大君」云：「武人以有為為大君」，[88]也表現了此一激進思想。當變的時機，不同於一般，故曰「非常義也」；非常時機有非常之理，當此時機，若不知取而代之，反而不能順天應人，便是不能知此隱微的非常之理，亦即不能「與幾」。「知終終之」，也是指在當變的時機，不可固執於原本的君臣之義，而應突破本來的定位，追求新的定位，如此才能符合「順時應變」之下的君臣之義。這也就是〈九卦論〉所說的「辨義行權」、「達事之宜而適時之變」。[89]換言之，所謂君臣之間的「義」，也並非絕對。唯有順應時機，才能找到最適當的新「義」。不能「知幾」、不能「趨時」，也就無法「辨義」，[90]更無法破除困境、打開新局面。這也就是〈洪範傳〉所謂「有本以保常，而後可立也」、「有變以趣時，而後可治也」之義。[91]〈非禮之禮〉更進一步強調，即使有「君之可愛」與「臣之不可以犯上」的萬世不易之大義，但是，當「桀、紂為不善而湯、武放弒之，而天下不以為不義也」，可見所謂「義」，也是有常有變，「使湯、武暗於君臣之常義，而不達於時事之權變，則豈所謂湯、武哉？」[92]能知變，才是順天。順天者，能得民心。那麼，至於利用「天命」之說以行不合理之革命者，則很容易辨認了，其云：

蓋君能順天而效之，則民亦順君而效之也。二帝、三王之誥命，未嘗不稱天者，所謂「於帝其訓」也，此人之所以化其上也。及至後世，矯誣上天以布命於下，而欲人之弗叛也，不亦難乎？[93]

這樣的思想，對照他勸諫帝王「知天助之不可常恃，知人事之不可怠終」之語，是相呼應的。[94]可見王氏解《易》充滿辯證的思維，不以天道為唯一崇高之準則，而是具有隨時變易的特性。

伊川對於《易》的變易、變革思想，亦極重視；但是，不一樣的是，他是把「變易」收編進入「道」中，也就是說，「變易」並非「道」的性格之一，而是以「道」為主，「變」為從，如《易傳》〈序〉第一句話便開宗明義地說：「易，變易也，隨時變易

---

87 見李衡：《周易義海撮要》卷5引，見《欽定四庫全書》電子版。

88 見程迥：《周易章句外編》引，見《欽定四庫全書》電子版。

89 王安石：《臨川先生文集》，卷66，〈九卦論〉，頁708。

90 參見楊倩描：《王安石《易》學研究》頁197。

91 王安石：《臨川先生文集》，卷65，〈洪範傳〉，頁686。

92 王安石：《臨川先生文集》，卷67，〈非禮之禮〉。

93 王安石：《臨川先生文集》，卷65，〈洪範傳〉，頁686。

94 王安石：《臨川先生文集》，卷41，〈本朝百年無事劄子〉。

以從道也。」天道是所有美善之道的來源，天道恆常所以萬物才能生生不已，故伊川強調天道之常，天理之一；人君治國處事依恆常之理以因應各種變化，原則是順天理。能順天理，才能常久。其解〈恆〉卦云：

> 日月，陰陽之精氣耳，唯其順天之道，往來盈縮，故能久照而不已。得天，順天理也。……聖人以常久之道，行之有常，而天下化之以成美俗也。[95]

天道所示皆常理，順天理以化天下，才是常久之道。恆常的天道是超越時空的，王者能效法天道，則能道合天地。這種「順天」、「順理」的思維模式，對「變革」思想的闡發，比較屬於保守與審慎的趨向。

四時萬物變革之道，是天道生生的一種表現。同樣的，古代聖王的革命，也是順從天命，遵循生生之道而行。伊川解〈革・彖〉「天地革而四時成」云：「推革之道，極乎天地變易，時運終始也。」[96]其解「湯武革命，順乎天而應乎人」云：

> 王者之興，受命於天，故易世謂之革命。湯武之王，上順天命，下應人心，順乎天而應乎人也。天道變改，世故遷易，革之至大也。[97]

又據〈大過〉解曰：

> 聖賢道德功業大過於人。……所謂大過者，常事之大者耳，非有過於理也。……如堯舜之禪讓，湯武之放伐，皆由道也。道無不中，無不常，以世人所不常見，故謂之大過於常也。[98]

王者乃受天命而興，今有新王出，改朝換代，政權轉移，所以稱作「革命」，是指天命之更革；可見變革的主動性出於天，而不是新得政權的新王。變革既是出乎天，也就是即使發生變革，仍是順天道之行，故堯舜之禪讓、湯武之放伐等大功業，皆「由道」，更云「道無不中，無不常」，這些詮釋顯然不同於王氏對舜、禹、湯、武的「非常義」之解。

王安石以「可與存義」詮釋湯、武革命中伊尹、文王的角色，認為在此變動時機中，舉事者能突破舊制之限制，以實現君臣之大「義」，表面似是逆天，實際仍是順天之意，這是強調了舉事者的主動性；而此主動性是根本於舉事者對此變動時機之意義的認識。相對的，伊川在詮釋變革之道時，則相當審慎地迴避了其中的君臣關係的合理性，而片面地強調天命之轉移。另一方面，對於王安石據「知至至之，可與幾也；知終

---

95 程頤：《易程傳》，頁285-286。

96 程頤：《易程傳》，頁438。

97 同前注。

98 程頤：《易程傳》，頁245。

終之，可與存義也」解釋湯、武革命為「知九五之位，可至而至之」，伊川更表示不認同，其云：

> 「知至至之」，如今學者且先知有至處，便從此至之，是「可與幾也」。非知幾者，安能先識至處？「知終終之」，知學之終處而終之，然後「可與守義」。王荊公云：「九三知九五之位可至而至之。」大煞害事。使人臣常懷此心，大亂之道，亦自不識湯、武。「知至至之」，只是至其道也。[99]

伊川認為〈文言〉「知至至之，知終終之」，講的是學者求理與實踐之事。而王氏對「知至至之」的解釋，將使人臣覬覦君位，實大害人心之說。

伊川將「革命」詮釋為常道的一種表現。王氏則認為非常之時若拘泥於常道，則蔽於故義而不能權變以濟時，其詮釋〈隨・九四〉云：「明足以趨時，孚足以守道。非知權者，孰能與於此？」[100]天地、陰陽、父子、君臣……等一定之道，故當信守，但在變動的世界中，則不可執守一理，自然之道是隨時應變以進的。因此，王氏十分重視「辨義行權」，所謂「聖者，知權之大者也」，[101]「變常為義，詭正而道」，[102]〈九卦論〉、〈非禮之禮〉、〈祿隱〉等文都是在談這個道理。

或許由於王氏對「權」的詮釋，與伊川尊崇唯一至高的「道」、「理」有所違背，伊川對用「權」的思想，頗不贊同。其云：

> 「能用權乃知道」，亦不可言權便是道也。自漢以下，更無人識權字。[103]
>
> 古今多錯用權字，纔說權，便是變詐或權術。不知權只是經所不及者，權量輕重，使之合義，纔合義，便是經也。今人說權不是經，便是經也。權只是稱錘，稱量輕重。[104]

「今人」顯然有所指。依伊川，用「權」必須合於「經」、「義」，否則將流於權術，這仍然是以「常道」釋「義」，以「常道」準「權」之義。

六　結語

本文討論了王、程二人如何運用《易》的形上天道觀，推闡至實用的帝王之學，而

99　程顥、程頤：《二程集》〈河南程氏遺書・伊川先生語五〉，卷19，頁248。

100　參見楊倩描：《王安石《易》學研究》，頁193。

101　王安石：《臨川先生文集》，卷69，〈祿隱〉，頁730。

102　王安石解：〈鼎・初六〉，參見楊倩描：《王安石《易》學研究》。

103　程顥、程頤：《二程集》〈河南程氏遺書・伊川先生語八上〉，卷22上，頁295。

104　程顥、程頤：《二程集》〈河南程氏遺書・伊川先生語四〉，卷18，頁234。

重點在於釐清王、程之差異，以凸顯二學各具之特色與其價值。

王安石云：「夫《易》之為書，聖人之道於是乎盡矣。」[105]而聖人是「上承天之意，下為民之主，其要在安利之」，[106]基本上是一理想的人君形象；程頤亦曰：「天為萬物之祖，王為萬邦之宗。乾道首出庶物而萬彙亨，君道尊臨天位而四海從。王者體天之道，則萬國咸寧也。」[107]王者即是聖人。二人皆以《易經》為據、推崇天道為萬物之本，皆以天道比擬人君；然而由於對天道本體有不同的建構，影響了二人帝王之學的形鑄。

程頤相當讚許王安石早期撰作之《易解》，而批評王氏晚年之作「支離」。殊不知就王氏自身而言，其自悔少作之語，意味的應是自道其晚期思想的日趨成熟。以此，本文主張，伊川所謂王氏學術之早晚期差異，恐是出於學派間的異見。本文著眼於此，關於王氏學術，側重於強調其早、晚期思想的連貫性，針對政治論述中的一致之處，指出其學術在早期已有定向，亦即融合老、莊道論與儒家經世實踐之學；雖然這種融合在早期的著作《易解》中似乎尚不明顯。

正文分四部分，首先概論王、程以教化為旨的帝王之學，王氏較重制度上的領導，以「一道德，同風俗」為鵠的；伊川強調聖王以身作則的明德中正，講「明教化以善其俗」。第二部分論王、程《易》學中的天道不易之義，王氏稱之為「一」，「一」為萬物所以生之本，是自然而超越之道，其運用於帝王之學，乃成為道德與制度上之「一理」；在伊川，此不易之道為一恆常而生生不息之天理與公道，帝王能體此天道，則能感格上下。第三部分討論王氏主張聖王人文制度之創建，乃是對隱微的自然天道之彰顯，人文制度皆天道之符碼；伊川則強調天道之仁、隱微之理皆蘊於人心，帝王聖德而默體天道，即能與萬民感通，行寬宥之政，養萬民萬物，即是與天地合德。第四部分討論王、程對變通之道的不同詮釋，王氏主張天道尚變，帝王能與道隨行，則能通其變，辨義行權，以創造新局能，所以成其聖王；伊川則「道」為主，「變」為從，主張順天理以化天下，才是常久之道，對「變革」思想偏向保守審慎，強調堯舜之禪讓、湯武之放伐等大功業，不是「變」，而是「由道」之舉，堅守以「常道」釋「義」，以「常道」準「權」。

通過以上討論，可見王、程二人《易》說的天道觀及其帝王學應用，有相當的差異。二人在思維方法上有不同，對天道的詮釋方向也不同，導致帝王之學的異趣。雖然，二說皆是透過經典詮釋來回應時代的需要。且王氏之論之於伊川，或許正如惠施之於莊子，既富啟發性，也成了伊川進一步闡述己見的津梁。

---

105 王安石：《臨川先生文集》，卷66，〈大人論〉，頁707。

106 王安石：《臨川先生文集》，卷69，〈風俗〉，頁737。

107 程頤：《易程傳》〈乾・彖〉，頁3。

臺灣大專院校《易經》課程現況分析

——以一〇一～一〇二學年度為範圍

孫劍秋、何淑蘋

國立臺北教育大學語文與創作學系教授、一貫道天皇學院一貫道學研究中心副研究員

提要

《易》道廣闊弘遠，應用無窮，若能反覆熟讀玩味，體察妙理，便可鑒古知今，吸納經典化為己用，提升心智，啟迪民眾，其用大矣。《易》是一部人人可讀可親的經典，有志者或從師、或自學，從經傳注疏中咀嚼涵養，或參考今人著作、相關工具書，解疑釋惑，釐清觀念。古代研《易》者與著作多不勝數，試檢各朝史志可知；迨及今日，《易》仍是備受矚目的經典。筆者曾撰〈民國以來海峽兩岸《易》學工具書編纂之回顧與展望〉，羅列目錄、引得、辭典，尤其辭典逾十二部，如此數量既反映了市場需求，也凸顯《易經》所受重視。其後，筆者又撰成〈近十年（2003-2012）兩岸易學研究之趨向與展望——以博碩士論文為範疇〉，統計晚近十年《易經》學位論文，歸納後指出「論文選材多樣，主題具現代性」之特點，可見研究生多元嘗試的努力。為掌握近年來《易經》在研究、教學上的實際情況，接續上述兩文，今再以一〇一至一〇二學年度為範圍，針對臺灣大專院校《易經》課做討論，開設相關課程之系所包括文史學門及中醫、資工、文化創意與觀光、會計等，反映出《易》歷久彌新，豐富的思想內涵可供各領域取資利用。本文透過分析系所、課程名稱、學分數、必選修、師資、教學內容等，觀察各校《易》學傳播、人才養成之過程，藉以反映現象、趨勢及問題，瞭解臺灣當前校園教授《易經》的概況，冀供關懷經典推廣與《易》學發展者參考。

關鍵詞：易經　周易　象數　課程分析

一　前言

《易》〈繫辭上〉曰：「夫易，聖人之所以極深而研幾也。」《易》居六經首位，文約旨遠，通權達變，是古代聖賢積澱智慧之寶庫，匯萃文化之遺珍，內容廣大悉備，彌不包舉，絜靜精微，變化萬端，思想底蘊弘奧無涯。千年來備受重視與喜愛，研閱、注疏、訓解者不勝枚舉。檢諸歷代史籍藝文志蒐錄，《易》學著作最稱繁浩龐雜，影響之巨大深遠，難以估量。自先秦以降，名家如雲，著作如林，流派滋演繁多，見解淆亂紛歧。學者們探幽窮賾，攻駁詰難，解蔽辨疑，競短爭長，猶未能盡窺精妙玄奧。故知《易》道弘遠，應用不窮，後代子孫若能善自珍惜，反覆熟讀玩味，體會其中要道妙理，便可鑒古知今，吸納經典化為己用，退能提升個人心智，進則推擴群體社會，啟迪眾人，其用也大哉。

《易》之道既深邃幽邈，人人可讀可親，有志者或從師、或自學，從經傳注疏中咀嚼涵養，或參考今人著作、相關工具書，解疑釋惑，釐清觀念。筆者嘗撰〈民國以來海峽兩岸《易》學工具書編纂之回顧與展望〉一文，[1]羅列多種目錄、引得、辭典，尤其辭典積累逾十二部，市場需求既高，足以反映《易經》受重視之程度；其後，又有〈近十年（2003-2012）兩岸易學研究之趨向與展望——以博碩士論文為範疇〉，[2]統計晚近十年間海峽兩岸《易經》主題的學位論文，從中觀察，指出「論文選材多樣，主題具現代性」的寫作特點，此現象凸顯學界多元嘗試的努力。

為全面瞭解近年來《易經》在研究、教學上的實際景況，踵繼上述兩文，今再以一〇一至一〇二學年度全國大專院校開設的《易經》相關課程為範疇，旨在瞭解當前校園、學界《易經》推廣概況，透過分析開課名稱、學分數、師資、教學大綱等，觀察易學傳授、人才養成之過程，藉以反映現象、趨勢及問題，進而思索弘揚《易經》的方法和未來發展走向，冀供關懷經典與《易》學者參考。惟囿於時力，論述恐未盡周延，尚祈方家不吝賜正。

二　易經課程分析（一）開課情況

臺灣自民國三十八年（1949）國民政府東遷，主事者以文化正統自居，標舉「復興中華文化」口號，政治意圖濃厚；加上不少國學名家隨之抵臺，於是官方、學界倡導守

1　孫劍秋、何淑蘋：〈民國以來海峽兩岸《易》學工具書編纂之回顧與展望〉，《臺北市立教育大學語文學報》第5期（2010年12月），頁1-14。

2　孫劍秋、何淑蘋：〈近十年（2003-2012）兩岸易學研究之趨向與展望——以博碩士論文為範疇〉，《「2013第五屆海峽兩岸國學論壇」論文集》（廈門篔簹書院、廈門大學國學研究院、臺灣中央研究院中國文哲研究所主辦，廈門，2013年11月23-24日），頁226-237。

護傳統文化，鼓吹弘揚國故。相較大陸因歷經十年文化大革命，導致國學式微衰頹，臺灣政府則是教育部規定選錄《四書》，編成「中國文化基本教材」列入高中國文必修。經典既成學子不可不讀的考試範圍，遂為人普遍認識。故臺灣長期持續推動閱讀經典風氣，培育了民眾基本國學素養。就儒家經書言，《書》詰屈聱牙，《禮》儀節繁複，較不受喜愛，至於《詩經》富含文學美，《左傳》敘事生動，讀者接受度高；而《易》兼象數、義理，指導立身修養、出處進退，又得通曉占卦卜算，推測人事變化，乃成為大學中文系、通識頗受歡迎的科目。

（一）開課系所

約略統計，一〇一、一〇二臺灣大專院校所開《易經》相關課程數量逾百門之多。統觀兩學年度《易經》課程情形，可知開課的教學單位，主要是史哲科系，包括含中國文學系所、哲學系所、東方語文學系、東方人文思想研究所、宗教與人文研究碩士班等，尤以中國文學系所為大宗，其次才是通識教育中心。除了文史哲科系，要特別留意的是其他各系也開設了《易經》課程，包括學士後中醫學系、文化創意與觀光學系、資訊工程學系碩士在職專班、會計系在職專班、企業管理學系碩士班等。

隨著社會變遷，教育變革，臺灣近十年來大專院校數量激增，系所分立，趨向多元。以中文相關系所而言，除最常見的「中國文學系」、「國文學系」外，尚有：「文學系」、「語文與創作學系」、「中國語文學系」、「應用中文學系」、「中國文學與應用學系」、「東方語文學系」、「現代文學研究所」、「經學研究所」、「儒學研究所」、「古典文獻與民俗藝術研究所」、「漢學資料整理研究所」等。可見臺灣高等教育分科日趨精細，以期許能夠凸顯、發展各自的系所特色，吸引更多學生加入。無論科系名稱如何變化，課程如何調整，其中，最為基礎、重要的科目大抵都會被保留下來，始終占有一席之地。而群經之首的「易經」，正是受到重視的一門專業課程。

文史系所之外，「易經」課還開在中醫、資工、文化創意與觀光、會計等科系，反映出：一、《易經》不獨為文史學者所重視，其他領域皆可資參考借鑑，吸取傳統文化的思想內涵。二、《易經》雖為歷時悠久的古籍，然而其中蘊含的道理應是亙古相通，倘若善加利用，可以化為思想養料。三、藉由跨領域結合，尋求創化突破，乃當前社會發展的重要趨勢，《易經》便是值得嘗試的對象之一。閱讀經典的讀者，如能不拘一格，站在不同視角，思考翻轉，或許就有迸發創新火花的可能性。

（二）課程名稱與必選修

與「易經」主題相關的課程名稱，在大學部開課通常直接標舉「易經」與「周易」

為科名，是一般常見模式，或再加上「概論」、「導讀」，蓋《易經》思想深奧，孔子尚須韋編三絕窮究其中奧妙，何況課堂講授時間有限，謂之泛論、概說，的確名實相符。此外，又有課名「周易哲學」、「易經原理」，做《易》理之闡揚發揮。除一般習用的課程名稱外，尤可注意者，是學校、教師因應當前社會需求，課程日趨多元活潑，不管科目名稱或授課內容，往往特別強調其應用性、實用性，以吸引學子選讀。而《易經》自古即因能占算卜筮，預測吉凶禍福，窺探未來，上自君王將相，下至庶民百姓，莫不對此抱持著高度興趣。這樣適於人事的實用性，反映在開課上，也就出現了下列課名：「易經與生活」、「易經與人生」、「應用易學」、「易經生活美學應用」、「從易經談生活品味」、「易經姓名學」、「健康養生與易經」、「中國經典與管理—易經商道」、「易經與歷史英雄的潛智慧」等。由科名冠上「應用」，或直接強調「生活」、「管理」、「姓名學」、「養生」來看，便可清楚明瞭學校課程呼應現實需求，活潑生動之趨尚。

其次，在必、選修課方面，「易經」課程通常以選修為主，讓學生可以依興趣自由選擇修課，少數系所列為必修科目，包括：臺灣師大國文系、臺大哲學系、嘉大中文系、輔仁中文系等。由於《易》為六經之一，重要性無庸置疑。但到了現代，是否「最」應列作必修，凸顯凌駕於其他典籍的重要性，誠屬見仁見智。隨著教育提倡自由、開放，各校在設計課程的安排上，往往傾向讓學生可以自主地隨興趣修讀，因此畢業學分數呈現必修減少、選修增加的情況。筆者認為，《易經》包羅萬象，淵深博大，反映先民生活智慧、社會風貌、文字語言等，內容可深可淺，可難可易。退可賞析文章，含英咀華，或占卜卦爻，驗算解疑；進能引導生命，啟發心靈。特別開設成一門必修課，確有其深刻的意義與效益。故而臺灣師大國文系等校能將之列為必修，識見值得肯定。

三　易經課程分析（二）授課師資

約略統計一〇一、一〇二學年度全國大專院校開設「易經」相關課程之教師共七十一位（見附錄〈一〇一、一〇二學年度臺灣大專院校易經課程授課師資〉），其中觀察到的現象如下：

第一，授課教師的職銜涵蓋講師、助理教授、副教授、教授、客座教授。中文系所「易經」通常是一門重要且受歡迎的必／選修課，講解的內容比較深刻，一般由教授、副教授開設。講師（含碩士、博士生）則主要開在通識，選課對象往往非中文系，而是來自法、商、理工各個不同領域的學生。

第二，開課教師相當多元。大抵而言，講授「易經」相關課程的教師通常以中文系所專業、且鑽研《易》學或經學者為主，惟各校徵聘師資往往考量廣泛效益，例如聘請經學或思想教師，則相關課程均可由彼承擔。因此，「易經」授課教師的專業研究領域未必是《易》學。此外，亦有部分師資非出身文史科系，例如聯合大學通識教育中心

「易經的管理思想」、「從易經談生活品味」，由該校經濟與社會研究所黃世明教授開課，其為東吳大學社會系碩士、臺灣大學社學系博士，碩論《由撥亂反正與乘時變革論述禮運大同之思想要義》，博論《一九八〇年代後金門與南投社會力的浮現：臺灣發展經驗中兩個地方社會的分析》；東海大學會計系在職專班「中國經典與管理-易經商道」，由該系詹茂焜副教授開課，其就讀政治大學會計系之碩士論文題目為《資產評價理論投入價值與產出價值之比較研究》。

大學生、碩士生選擇未來的研究方向，一方面可能與個人情性、興趣有關，更有可能是受修讀課程啟發，或師長的積極引導。「易經」作為一門較多中文系或通識開設的課程，在介紹、推廣上影響力比較廣遠。工商、設計、管理等系所的學生，即便系上沒有「易經」相關課程或師資，但通常也能藉由選修、旁聽中文系或通識，直接接觸到《易經》。另一方面，非文史科系或經學專業的教師擔任《易經》課程，明確地反映出這門課的重點不在於經傳的字義訓詁、文意解釋，歷代學者怎麼說、各朝《易》學史有何變化、《易》學有哪些流派，版本、辨偽、考據等皆並非關注焦點。他們看重的是《易》可以多元詮釋、隨人創獲，能夠結合其他學科跨界應用，成為創意思辨的一種文化養料。如此情況下，看待《易經》的視角往往也和傳統文史學者不同，嘗試用跨領域、現代化、新穎的元素來取材、引申、參照、發想。筆者在〈近十年（2003-2012）兩岸易學研究之趨向與展望——以博碩士論文為範疇〉中曾指出：

> 與以往習見於中文系不同，《易》學論文也逐漸出現在臺灣各校的非中文系所中。過去，中文系是《易》學論文產出的最主要來源，其次則為哲學系，大抵研《易》者幾出身於文史哲學門。隨著跨領域、多元結合的治學方式日漸受到重視，其他科系也嘗試將目光投向傳統經典，舊酒新瓶，站在不同視角，將理論、概念加以解構、延伸、融合、翻轉，企圖激射出融匯創新的火花。因此，除文史系所外，藝術系所、資訊系所、體育系所、設計學院、商管學院、理工學院等，皆可見研《易》足跡。[3]

試舉碩、博論數例即可窺知，如：陳慧鈴《易學思維在周文中作品中的具體實踐——可變調式與作品《變》》、江柏萱《竹帛書《周易》書法比較研究》、林岩衛《挪移——以視覺造形傳述、轉化易經哲思》。[4]又如：沈泓曄《現代易經系統理論之免疫系統基因

3 孫劍秋、何淑蘋：〈近十年（2003-2012）兩岸易學研究之趨向與展望——以博碩士論文為範疇〉，頁226-237。

4 陳慧鈴：《易學思維在周文中作品中的具體實踐——可變調式與作品《變》》（臺北市：臺灣大學音樂學研究所碩士論文，2003年，王育雯指導）。林世斌：《象無象，色無色，意無意——老莊易哲學的探討與繪畫創作之研究》（臺北市：國立臺灣師範大學美術研究所碩士論文，2003年，羅芳指導）。江柏萱：《竹帛書《周易》書法比較研究》（臺北市：國立臺灣藝術大學書畫藝術學系碩士論文，

研究》、尤宇農《以現代易經系統理論為基礎之基因工程方法與細胞呼吸研究》。[5]再如：朱怡蓉《以易經觀點建構問題分析與解決模式個案研究》、林思閫《易經決策模式應用於臺灣半導體產業二二奈米世代以下黃光微影關鍵製程技術之研發策略選擇》、林貴湖《動態競爭易經決策模式之研究以臺灣啤酒產業為例》、施心廣《賽局思維下運用劇變理論透過東方易經觀點改善最佳化決策》。[6]上述論題包羅萬象，在在凸顯出《易》作為不朽的傳世經典，哲理深邃、妙用無極的特性。而上述論文主題涵蓋藝術、資訊、企管等領域，顯見臺灣《易經》相關學位論文突破傳統，系所來源更是多種多樣，向稱神秘艱深、複雜難解的「天書」《易經》，已跨過文史領域的鴻溝藩籬，受到更多其他科系的學子青睞。而這樣的趨向，跟「易經」課程的開設、師資的多元，自然也有密切關聯。

四　易經課程分析（三）課程內容

《易》〈繫辭上〉曰：「夫易，廣矣！大矣！以言乎遠則不禦，以言乎邇則靜而正，以言乎天地之間則備矣。」賅備悉盡，包舉無遺，故用於教學授課，凡政治得失、歷史興衰、人事代謝、倫理綱常、生活應用、經營管理、感情事業等，皆可預測推斷、印證闡發、品評議論。就《易經》如此豐富龐雜的內容來說，在授課時數限制下，要如何用短暫的一學期或一學年，系統性地引導學生進入《易經》殿堂，是每位「易經」課程教師需要面對的問題。

統觀教師們在網路上公布的教學計畫表，可以知道「易經」課程內容互有異同。首先，一般由基礎入門，多數教師會先用數週時間，介紹《易經》基本原則，概說陰陽五行、卦畫結構與原理、版本、流派等基礎觀念，以引領初步認識《易經》。接下來的課程安排，便是區別教師們教學理念和風格不同處。大抵而言，不外乎分成義理、象數兩類。義理類或逐卦說解，或綜合闡明《易經》思想；象數類則指導天文曆算、各種占卜方法。例如輔仁大學李毓善老師「易經」課程指出「學習目標」是：

2012年，林進忠指導）。林岩衛：《挪移──以視覺造形傳述轉化易經哲思》（臺北市：臺北藝術大學美術學系在職專班碩士論文，2012年，黎志文指導）。

5 沈泓暐：《現代易經系統理論之免疫系統基因研究》（雲林縣：雲林科技大學資訊管理系碩士論文，2005年，李保志指導）。尤宇農：《以現代易經系統理論為基礎之基因工程方法與細胞呼吸研究》（雲林縣：雲林科技大學資訊管理系碩士論文，2005年，李保志指導）。

6 朱怡蓉：《以易經觀點建構問題分析與解決模式個案研究》（高雄市：樹德科技大學經營管理研究所碩士論文，2009年，許正芳指導）。林思閫：《易經決策模式應用於台灣半導體產業22奈米世代以下黃光微影關鍵製程技術之研發策略選擇》（新竹市：交通大學高階主管管理碩士學程碩士論文，2010年，丁承指導）。林貴湖：《動態競爭易經決策模式之研究──以臺灣啤酒產業為例》（新竹市：中華大學企業管理學系在職專班碩士論文，2012年，裴文指導）。施心：《賽局思維下運用劇變理論透過東方易經觀點改善最佳化決策》（臺南市：康寧大學國際企業管理研究所碩士論文，2012年，連章宸指導）。

易經為一部哲學思想著述。自伏義氏畫八卦以至十翼之寫成，所歷時間極長。其內容則透過筮數與卦象，以表達天地間所有自然法則，社會現象等一切天道人事的廣博思想。為了解我國古代天人思想、社會人文情況之重要憑藉。乃儒家六經之一，班固稱之為諸經之原。本課程分兩部分進行，第一為總論，介紹易經之成書及有關易學之起源、發展，以幫同學對易學知識、思想之了解。第二為六十四卦及十翼選讀，以加強同學對易經細部之了解、研究易學之興趣。[7]

在課程內容安排上，著重卦義的講解，上學期進度包括：「易經釋名，易經作者、時代，易傳作者、時代，易傳內容大要，乾卦，坤卦，屯卦，蒙卦，需卦，訟卦，師卦，比卦。」下學期則是：「同人卦，剝卦，復卦，頤卦，習坎卦，離卦，咸卦，恆卦，家人卦，革卦，鼎卦，既濟卦，未濟卦。」[8]

又如明道大學陳靜容老師「周易」課程的授課大綱：

本課程企圖讓學生對易經哲學有整體的認識，幫助同學對中國思想能有更深入的瞭解，不但將專對周易的文獻、哲學作學理性的探究，亦將以深入淺出的方式，對周易的應用面向加以介紹。一、對易經的卦、爻、象、辭的原理有基本認識，二、對於易經八卦等具哲學意義的卦義有所理解，三、對〈易傳〉的天道、陰陽等哲思有所掌握，四、對於易經的現代詮釋與應用哲學產生研究的興趣。[9]

由基礎理論到現代應用，具體進度規劃依序是：「周易概論（一）周易名義、易學源流、八卦及六十四卦的形成；周易概論（二）研易途徑、重要流派、易例解說、占筮方法；易傳解說：繫辭傳、說卦傳、序卦傳、雜卦傳；易經經文解讀：乾、坤、屯、蒙、需、訟、泰、否；易經與養生（有機／健康）；易經哲理與處世之道；易經的自然觀。」[10]

又例如新竹教育大學曾美雲老師的「周易」課程目標是：「一、理解《周易》一書之性質、著成、內容、體例、思想、哲學內涵。二、認識《周易》經、傳關係與異同，理解二者在中國哲學思想上之作用。三、藉由《周易》管窺上古社會生活之樣貌，認識其對後世「俗文化」（術數、宗教）之影響。四、運用《周易》應世理想與處事智慧於生活之中，成為一個剛柔相濟、進退得宜的君子。」[11]瀏覽其授課內容，雖略及算卦

7 連結網頁 http://140.136.251.64/outlines/student/outline.aspx?dayngt=D&grono=CG&dptno=01&hy=101&ht=1&avano=D010401635%20&tchno=000114&isdone=True。本文援用的教師授課大綱均由「教育部大專院校課程資訊網」（http://ucourse-tvc.yuntech.edu.tw/WebU/Default.aspx）搜尋而得。

8 出處同前注。

9 連結網頁 http://isc.mdu.edu.tw/net/cosinfo/GetCosOutline.asp?mCos_Id=2812083&mCos_Class=A&mSmtr=1022。

10 出處同前注。

11 連結網頁 http://140.126.22.95/wbcmsc/cmain1.asp。

方法，但總體而言強調《易經》卦爻辭中蘊含的憂患、教育、人格、倫理、處事應變等思想。

整體而言，開設在中文系所的「易經」課，主要揭示經典義理，而通識、外系則異於傳統中文，比較能有所變化，側重引發學生興趣，強調應用性、生活化。像是中山醫學大學劉黃惠珠老師「易經與生活」的課程介紹：

> 根據古書記載內涵，易經哲理也可以利用科學方法加以訓練，以及佐以生活見證元素來發揚推廣應用，藉有效的提升學生的臨場運算暨實例見證，強大實務運算技巧，促使學生在出社會其職涯上能有好的表現。平常看似簡單的人生境遇問題急需有易經哲理來準調才可使人生自我能力發揮至極限。本課程即是利用易經哲理、加上生物的生命運轉基本數，探討如何提高同學適應生活的智慧。內容包括:易經的來源、易的作用、易的好處、基本天干與地支論、五行配人體疾病論、易經五行適合職業與性情、易經五行四時衰旺、年遁月訣、日遁時訣、聖人河洛圖畫卦圖、八卦取象等等。學習目標：在人類生存進化發展過程裡任何階級及行業，關於生活裡的疑難釋惑總離不開易經的範疇，通常研究易經哲理必需要有精通易經哲理導師來指導，才不致誤導，或半途而廢，能精通易經奧妙之人，對於茫然無知的人生，比較能拿捏精確的好準則，在生活過程中，如果遇到困難，可解決心中迷惑，明確選對自己未來前途職業目標，胸有成竹迎向未來，這樣就可防範未然，而不至於錯失良機。授課內容有以下幾大項：一、基本天干與地支論，二、五行配人體疾病論，三、易經五行適合職業與性情，四、易經五行四時衰旺，五、年遁月訣、日遁時訣，六、聖人河洛圖畫卦圖，七、八卦取象。[12]

其中「年遁月訣」、「日遁時訣」，即「五虎遁年起月訣」、「五鼠遁日起時訣」兩種口訣，是初學命理的基礎知識。故知此課程內容涉及五行、命理、中醫，涵蓋面廣，強調實際應用。

又例如高雄醫學大學通識教育中心開設的選修課「易經與歷史英雄的潛智慧」，教師王浩一先生，身分是臺南城市作家、文史工作者，著有《慢食府城：臺南小吃的古早味全記錄》、《臺南舊城魅力之旅》、《在廟口說書》等書，近年他以《易》卦來詮釋歷史人物的進退抉擇，撰成歷史筆記系列，包括《人生的十堂英雄課》、《英雄的十則潛智慧》、《英雄的大抉擇》、《英雄的頓挫學》等，抒發個人研讀《易經》的心得體會。這類「實用歷史」性的著作不斷面世，及同名通識課程的開設，凸顯經典是現實世界的生活應用哲學，能夠貼近生命經驗，化為心靈養料，因此廣受普羅大眾所喜愛。

---

12 轉引自「教育部大專院校課程資訊網」（http://ucourse-tvc.yuntech.edu.tw/WebU/Default.aspx）搜尋所得資料。

筆者認為，開設在文史科系的「易經」課程，授課對象既然是文史學生，理應將重要的觀念、《易》學發展源流、相關議題等，做系統而精要的講解說明，這樣才能讓文史學生切實掌握經典內涵，深入了解《易》之經、傳及流變。至於通識、其他系所，則宜改採實用性角度，一方面以深入淺出的內容，配合故事或實例，讓學生認識到經典之可愛與可貴，並思考如何落實在個人生命情境，運用於待人接物、調整身心狀態。另一方面，搭配「五術」（山、醫、命、相、卜）的解說應用，藉由卜筮占卦、人相觀察、風水格局等，先行誘發學生學習的濃厚興味，進而結合預測、統計、環境、建築、心理、教育等現代專業知識，引導學生深入經典，揭開傳統神秘面紗，用更科學、客觀的角度來看待《易經》，甚至推陳出新，萌發更多元的創意思維。

五　結語

《易經》兼具神祕性、哲理性、實用性。漢儒鄭玄云：「易道周普，無所不備。」涉及天地人事，蘊藏一切道理，是往聖先哲的智慧結晶，中國古代最重要的典籍之一。長期以來，《易經》思想已然鎔鑄於中國文化中，影響層面極其深廣，範圍涵蓋宗教、天文曆算、文學藝術、軍事、音樂、醫學、人生哲學等等。我們雖身處科技發達的時代，但《易經》透顯的人文精神，指示我們去體會、實踐「窮則變，變則通，通則久」、「樂天知命」、「自強不息」、「厚德載物」等，故其功用能「以通天下之志，以定天下之業，以斷天下之疑」（〈繫辭上〉），可謂人生引導、生命指南，是一部不論各種年齡、階級、身分，都值得仔細咀嚼、反覆思索的經典。

大專院校教育，以培養青年正確的價值觀為宗旨，陶冶人文素養，訓練學生擁有關懷社會的熱忱，及創新應用的能力。而這些目標，都可以透過經典作為觸發激盪的媒介。如何讓下一代從「閱讀」變成「悅讀」，是教育者責無旁貸的任務。《易經》傳遞千年，愛好者擴及海內外，重要性、影響力不言可喻。可惜，臺灣雖有將近一百五十所的大專校院，「易經」的開課數量仍不算多。衷心期待「易經」能廣泛地在校園內傳遞，讓更多青年學子有機會接觸認識，共同領略這部彌綸天地的不朽經典。

附記：

本文原刊於《語文教育瞭望臺：當前課程檢討省思與策略應用》（臺北市：萬卷樓圖書公司，2016年7月），頁237-253，今略事修訂後收入本論文集。

附錄　一〇一、一〇二學年度臺灣大專院校易經課程授課師資

編號	姓名	任課學校系所	職稱
1	何澤恆	臺灣大學中國文學系	兼任教授
2	林麗真	臺灣大學中國文學系	兼任教授
3	林義正	臺灣大學哲學系	兼任教授
4	傅佩榮	臺灣大學哲學系	專任教授
5	杜保瑞	臺灣大學哲學系	專任教授
6	賴貴三	臺灣師範大學國文學系	專任教授
7	陳廖安	臺灣師範大學國文學系	專任教授
8	陳睿宏	政治大學中國文學系	專任副教授
9	楊儒賓	清華大學中國文學系	專任教授
10	祝平次	清華大學中國文學系	專任副教授
11	簡松興	清華大學中國文學系	兼任助理教授
12	楊自平	中央大學中國文學系	專任教授
13	蔡月娥	臺北大學中國文學系	專任講師
14	詹海雲	交通大學通識教育中心	專任教授
15	孫劍秋	國立臺北教育大學語文與創作學系	專任教授
16	曾美雲	新竹教育大學中國語文學系	專任助理教授
17	林文彬	中興大學中國文學系	專任副教授
18	胡瀚平	彰化師範大學國文學系	專任教授
19	賴錫三	中正大學中國文學系	專任教授
20	陳佳銘	中正大學中國文學系	專任助理教授
21	劉慧珍	東華大學中國語文學系	專任副教授
22	林金泉	成功大學中國文學系	專任教授
23	陳致宏	臺北藝術大學通識教育中心	專任助理教授
24	林妙貞	臺南藝術大學通識教育中心	兼任助理教授
25	馮曉庭	嘉義大學中國文學系	專任副教授
26	謝綉治	臺南大學國語文學系	專任副教授
27	林文欽	高雄師範大學國文學系	專任教授
28	江道德	宜蘭大學通識教育中心	兼任講師

編號	姓名	任課學校系所	職稱
29	林文琪	臺北醫學大學通識教育中心	專任副教授
30	蘇星宇	臺北醫學大學通識教育中心	專任助理教授
31	王浩一	高雄醫學大學通識教育中心	兼任講師
32	劉黃惠珠	中山醫學大學營養學系	專任副教授
33	王怡超	金門大學通識教育中心	兼任助理教授
34	黃世明	聯合大學經濟與社會研究所	專任教授
35	黃忠天	屏東大學/高雄師範大學/清華大學	兼任教授
36	李鴻儒	東吳大學中國文學系	兼任講師
37	廖名春	東吳大學中國文學系	客座教授
38	李毓善	輔仁大學中國文學系	兼任教授
39	許朝陽	輔仁大學中國文學系	專任副教授
40	陳福濱	輔仁大學哲學系	專任教授
41	王涵青	輔仁大學全人教育中心	兼任助理教授
42	梅　興	輔仁大學資訊工程系	專任副教授
43	曾昭旭	淡江大學中國文學系	兼任榮譽教授
44	許維萍	淡江大學中國文學系	專任副教授
45	黃沛榮	中國文化大學中國文學系	專任教授
46	彭涵梅	真理大學通識教育中心	兼任助理教授
47	蕭旭府	馬偕醫學院全人教育中心	專任助理教授
48	俞懿嫻	東海大學哲學系	專任教授
49	陳榮波	東海大學哲學系	專任教授
50	蔡家和	東海大學哲學系	專任副教授
51	魏元珪	東海大學哲學系	兼任教授
52	詹茂焜	東海大學會計系	專任副教授
53	梁煌儀	逢甲大學中國文學系	專任副教授
54	吳　車	靜宜大學中國文學系	兼任副教授
55	范良光	元智大學通識教學部	兼任助理教授
56	施維禮	佛光大學文化資產與創意學系	專任助理教授
57	李霖生	玄奘大學中國語文學系	專任教授
58	林文莉	南華大學通識教育中心	兼任講師

編號	姓名	任課學校系所	職稱
59	伍至學	華梵大學哲學系	專任副教授
60	林碧玲	華梵大學中國文學系	專任副教授
61	黃俊威	華梵大學東方人文思想研究所	專任副教授
62	林安梧	慈濟大學宗教與人文研究所	專任教授
63	林素芬	慈濟大學東方語文學系	專任副教授
64	張憲生	慈濟大學通識教育中心	專任助理教授
65	林政華	開南大學數位應用華語文學系	兼任教授
66	陳靜容	明道大學中國文學系	助理教授
67	王瑞生	中信金融管理學院文化創意與觀光學系	兼任教授
68	陳軒翊	中信金融管理學院文化創意與觀光學系	專任副教授
69	黃培鈺	中信金融管理學院文化創意與觀光學系	專任教授
70	裴　文	中華大學企業管理學系	專任副教授
71	鄭錠堅	中華大學通識教育中心	兼任講師

尚書研究

江聲《尚書集注音疏》的注經體式
——以〈堯典〉為例*

許華峰

國立臺師範大學國文學系副教授

提要

江聲《尚書集注音疏》為清代《尚書》新疏的代表作之一。由於此書是江氏以輯錄前人注解的方式為《尚書》作「集注」，並自己作音疏，在注解的方式上頗為特殊。要瞭解此書，勢必得先瞭解此書的體式。本文將試著以〈堯典〉篇為例，說明此書的注經體式。

從形式上看，江聲有意識且系統地還原出他心目中理想的經文與注，並為他自己的還原，以疏的形式進行詳細的解說。江聲在注解的工作中，除了注經的目標外，更全面評論了所有相關的經學文獻。而且，除了他正面列舉的《尚書》相關文獻與注解外，他所不願意正面列舉的宋人之說，其實亦在他的評價之列。只是因為他甚少提及「宋人」之說，使得他這一方面的表現，較為人忽略。從論文的舉證，可知他對宋人之說的排斥感似乎更甚於惠棟。

從本文的討論，可以確定，江聲一方面以馬、鄭注為核心，重新建構以漢人為主的《尚書》文本與注解；一方面對宋人治經之說，有較強烈的排斥感。他的《尚書》學，是在自己所劃定的重重原則的限制下，發揮見解，闡發經義。

關鍵詞：江聲　注解　尚書　吳派　漢學

---

* 本論文為二〇一〇年國科會計畫「江聲《尚書集注音疏》與吳派《尚書》學研究」(NSC 99-2410-H-003 -082 -) 的研究成果。

一　前言

江聲《尚書集注音疏》為清代《尚書》新疏的代表作之一。江氏此書先為《尚書》作經文的校正，然後輯錄漢魏的注解與訓詁材料作「集注」，並親自為所輯出的注作音疏，在形式上頗為特殊。要瞭解此書，勢必得先瞭解此書的注經體式。本文將試著以江聲對〈堯典〉的注解為基礎，說明其注經體式，並探討其中的注解原則[1]。

以〈堯典〉的注解為討論的基礎，理由有二：一是清人的著述習慣，若書前未條列詳盡的「凡例」，往往會在注解的第一卷中，隨文對第一次出現的凡例進行說明。江聲《尚書集注音疏》便是在卷一（相當於〈堯典〉的注解）的注疏文字中，說明其集注的原則與相關判斷。二是《尚書集注音疏》全書的注經體式相當一致而有條理。瞭解卷一，即可大致瞭解全書。因此，本論文以江聲對〈堯典〉的注解，作為論述的主要對象。

二　江聲對《尚書集注音疏》注疏原則的說明

江聲對《尚書集注音疏》注經體式的整體說明，主要有四則資料，茲依其撰寫的時間順序，羅列並分析如下：

（一）乾隆三十二年（1767）〈尚書集注音疏述〉（疏文為江聲自注）：

> 聲竊湣漢學之淪亡，傷聖經之晦蝕，於是幡閱群書，搜拾漢儒之注，惟馬、鄭、王三家僅有存焉。外此，則許沓〔慎〕之《五經異誼》載有今文古文家說。然其書已亡，所存廑見。它如伏生之《尚書大傳》，則體殊訓注，間有解詁而已。爰取馬、鄭之注，及《大傳》、《異誼》，參酌而緝之，更傍采它書之有涉于《尚書》者已益之。
>
> 〔疏〕謂諸子百家之流，本非解《尚書》之書，或有引及《尚書》而畧解之者，則亦采之。若「假於上下」用《說文》誼，「叶和萬邦」采《論衡》文是也。
>
> 其王肅注與晚出之孔傳，本欲勿用。不得已，始謹擇其不謬於經者，間亦取焉。
>
> 〔疏〕王肅注及偽孔傳多亂經之說，然亦間有是者。馬、鄭注不能備，不得不擇用其一二。
>
> 皆已己意為之疏已申其誼，然猶僅得什之三四也。……其亡篇之遺文有散見它書

1　目前為止，關於江聲《尚書集注音疏》的研究成果，當以二〇〇五年七月世新大學中國文學系洪博昇的博士論文《江聲與王鳴盛《尚書》學之比較研究》最為重要。然此書對注經體式的探討，似尚有補正的空間。本論文的相關討論，或可提供不同的觀照角度與之相參照。

者，則並其原注采之，

〔疏〕謂若〈伊訓〉、〈太甲〉、〈說命〉諸篇。其采諸《孟子》，則並采趙岐注。采諸《禮記》，則並采鄭注。若所采書本無注，則但采其遺文而已。

各隨其篇弟而傳廁其間。

〔疏〕若〈五子之歌〉次〈甘誓〉之後，〈帝告〉居〈商書〉之首是也。

其無篇名者，總列於後。

〔疏〕若《論語・為政篇》:「孝于惟孝」云云，止偁「《書》云」。《呂氏春秋・論大篇》:「五世之廟，可㠯觀怪」云云，止偁「〈商書〉曰」。皆未舉其名，不知其次，總附百篇之後而㠯。

為書十卷，並百篇之敘一卷，逸文一卷，凡十二卷，而疏則猶未皇也。將更須三載，庶幾卒業矣乎。若夫幽莠亂苗，武夫類玉，必區別而斥之。蓋祛異端，闢衺說，

〔疏〕「異耑」、「衺說」，謂偽託孔氏書者。

所㠯尊聖經也。（〈尚書集註音疏述〉，頁9下-11）[2]

（二）乾隆三十八年（1773）〈堯典〉:

尚書亼注音疏卷一

【疏】……亼合先儒之解，並己之意，並注於經下，所㠯箸明經誼，故曰「亼注」。字有數誼，則彼此異音，初學難辨，為之反切㠯發明之。解有微恉，而證據不詳，後學莫信，為之引申㠯疏通之，故曰「音疏」。

江聲學

【疏】……年三十五，師事同郡惠松崖先生，見先生所箸《古文尚書攷》，始知古文及孔傳皆晉時妄人偽作，於是搜亼漢儒之說㠯注二十九篇。漢注不備，則旁攷它書，精研故訓㠯足成之。並為之音，且為之疏。非敢云籑述也，學焉而已，故曰「學」。仿何劭公注《公羊》偁「何休學」也。（卷1，頁2下-3上）

---

2 現存《尚書集註音疏》的版本有三種，分別為：

（1）《續修四庫全書》，上海市：上海古籍出版社，1995年，據清乾隆58年（1793）近市居刻本影印，冊44。

（2）日本名古屋大學圖書館藏另一種近市居藏板的電子檔（http://www.nul.nagoya-u.ac.jp/cgi-bin/wakan/all_densi.cgi）。

（3）《皇清經解》，臺北市：藝文印書館，1959年，據清道光9年（1829）廣東學海堂刊，咸豐11年（1861）補刊本影印，冊6。

其中，以名古屋大學所藏近市居本，最為完善，故本論文所引文字，皆以此本為據。然因此本之字體為篆文，為方便閱讀，參照《皇清經解》本轉寫為楷體。

（三）乾隆三十八年（1773）〈尚書集注音疏後述〉：

> 吾師惠松崖先生《周易述》融會漢儒之說㠯為注，而復為之疏，其迾固有自來矣。聲不揆檮昧，綜覈經傳之訓故，采摭諸子百家之說，與夫漢儒之解，㠯注《尚書》。言必當理，不敢衒奇。誼必有徵，不敢欺世。務求愜心云耳。顧自唐宋㠯來，漢學微甚，不旁證而引伸之，𢘿不㠯為孟浪之言，奚㠯信今而垂後，則疏其弗可已也矣。（〈尚書集注音疏後述〉，頁1下-2上）

（四）乾隆五十八年（1793）〈募刊尚書小引〉：

> 聲，淵原惠氏，津逮閻書，故能別彼薰蕕。因而自忘愚魯，𠮩古書所稱引，刊正經文；酌故訓于文辭，用袪俗解。文改則恐迂儒目眙，必標所本㠯識繇來；解異則虞初學心疑，必詳于疏㠯申旨趣。書成一十二卷，文約四十萬言，題曰尚書亼注音疏。豈敢有功，庶可告無罪爾。（〈募刊尚書小引〉，頁2上-2下）

從上述材料可知，江聲的著作原則與集注音疏的根本立場，應來自他的老師惠棟，而與《周易述》的關係尤其密切。《四庫全書總目》指出，《周易述》一書，「主發揮漢儒之學，以荀爽、虞翻為主，而參以鄭康成、宋咸、干寶諸家之說，皆融會其義，自為注而自疏之。」[3]江聲注《尚書》，先「融會漢儒之說」作注，然後再為自己所作的新注文作疏的形式，顯然與惠棟一致。又此書從乾隆二十六年（1761）著手撰寫，至乾隆五十八年（1793）刊刻完成，費時三十餘年[4]。江聲撰寫〈尚書集注音疏述〉時，《尚書集注音疏》的疏雖然尚未完成，然江聲的觀點，並未因費時甚長而有根本的改變。

綜合江聲前述材料的意見，《尚書集注音疏》的內容與其「集注音疏」的原則，可條列並說明如下：

（一）對經文的校正與注音

一般而言，校勘古籍往往會保留原書文字，然後以校勘記的形式，指出或改正文字上的問題，以示對原書的尊重。然由於江聲真正的目標是想要回復漢代以前的《尚書》面貌，而漢代的《尚書》又早已亡佚，故只能利用古書稱引《尚書》的材料作為線索，以考證的方式直接改動偽孔本的經文，並將相關的改字理由與注音，以雙行夾注的形式置於每一節經文之後。此即江聲〈募刊尚書小引〉所說：「𠮩古書所稱引，刊正經

3 〔清〕永瑢等：《四庫全書總目》（臺北市：藝文印書館，1979年），頁159。

4 關於江聲此書的成書歷程，可參見洪博昇：《江聲與王鳴盛《尚書》學之比較研究》（臺灣：世新大學中國文學系博士論文，2005年），頁69-73。

文；……文改則恐迂儒目眙，必標所本已識𦆲來。」嚴格來說，江聲的重點是在重建漢代的古文《尚書》，而不只是文字校勘。因此，他的校正，每每溢出校勘的範圍。

（二）集注

在經文之後，江聲試圖搜拾散佚的漢儒之注，重新注解《尚書》。由於漢儒的《尚書》注皆已亡佚，故江聲一方面以輯佚的方式還原漢人的注解，一方面以江聲個人的理解補充輯佚的不足。此即江聲在〈堯典〉篇「尚書亼注音疏卷一」下的注解：「亼合先儒之解，並己之意，並注於經下，所吕箸明經誼，故曰『亼注』」之意。

在具體的方法上，江聲自述的集注原則，次第相當清楚：

1 重新輯出漢儒的《尚書》注解

〈尚書集注音疏述〉說漢儒之注，「惟馬、鄭、王三家僅有存焉」。雖言漢注所存，有馬融、鄭玄、王肅三家，然因江聲認定王肅注與偽孔傳皆不可靠，故所據的漢人《尚書》注僅有重新輯出的馬融、鄭玄二家。這是江聲作注的基礎。另外，江聲認為，許慎《五經異誼》、伏生《尚書大傳》雖然不是《尚書》的注解，但《五經異誼》所載的今文、古文說，《尚書大傳》相關內容所代表的今文說，涉及《尚書》理解的部分，往往源自漢儒《尚書》注，故江聲將之列為重要的輯錄對象。此即〈尚書集注音疏述〉所說：「爰取馬、鄭之注，及《大傳》、《異誼》，參酌而緝之」。

2 旁採它書之有涉于《尚書》者

〈尚書集注音疏述〉說：「更傍采它書之有涉于《尚書》者吕益之。」諸子百家之書，如《說文》、《論衡》等，本非解釋《尚書》的專著。若其中涉及《尚書》之解釋，江聲亦往往加以採錄。依江聲的立場，所採諸子百家之書，以漢以前的著作為主。

3 間取王肅注、偽孔傳

至於王肅注偽孔傳，江聲認為此二書多亂經之說。然因馬、鄭二家注已不完備，故〈尚書集注音疏述〉說：「不得已，始謹擇其不謬於經者，間亦取焉。」在不得已的情況下，只好擇其可取者作注。

4 江聲依己意補正注文的內容

在所輯注解有所缺漏或理解不當的情形時，江聲在〈尚書集注音疏後述〉強調的補正原則為，「言必當理，不敢衒奇。誼必有徵，不敢欺世。務求愜心雲耳。」其實，不僅是江聲注明為「江聲按」的意見是如此，全書的集注以及對漢人諸說的抉擇，江聲的觀點一直都在背後主導著。

（三）為所輯之注注音並作疏

江聲在注之後，會根據自己的理解，為所輯的注解注音。〈堯典〉篇「尚書亼注音疏卷一」下的注解說：「字有數誼，則彼此異音，初學難辨，為之反切㠯發明之。」另外，江聲也為自己的注作疏，即〈堯典〉篇「尚書亼注音疏卷一」下的注解所說的：「解有微恉，而證據不詳，後學莫信，為之引申㠯疏通之。」疏的目的，在於補充證據，說明微旨。他強調唐、宋以來，漢學式微，故他的疏主要以「旁證而引伸之」，避免「孟浪之言」的漢學原則來說明集注的內容。

（四）輯出亡篇之遺文

除了今文二十九篇的集注，江聲也為《尚書》逸篇的文字進行輯佚。〈尚書集注音疏述〉說：「其亡篇之遺文有散見它書者，則並其原注采之」。他強調，若所輯出處有注，則連同注解一起採錄。若無注，則只錄經文。在編排上，則依百篇次第安排羅列。若無法斷定篇名者，則列於百篇之末。

從（一）到（三）的內容，大致可以看出江聲注書的方式。為了較詳細而具體的瞭解江聲的作為，以下舉例說明。

三　《尚書集注音疏》對經文的校正

江聲對經文的校正，與其說是純粹的校勘工作，不如說是以考據的手段，企圖還原漢代《尚書》的原貌。其中，有些還原，江聲會依相關著作中，引用漢代《尚書》的文字加以抉擇。這類討論，算是較有依據的。例如「敬授𠬢時」，今本作「敬授人時」。江聲說：

> 「𠬢」，古文「民」也。今本作「人」。《尚書大傳》、《攷靈耀》、《史記》及《漢書》所引皆作「民」。凡兩漢諸人引此經，無作「人」者。自唐時避太宗諱，改作「人」，沿誤至今，茲特更正。　（卷1，頁10上）

便依漢人諸書所引相關文字皆作「民時」，改正今本之誤。又如「帝曰：我其試哉」，江聲說：

> 《正義》曰：「馬、鄭、王本說此經皆無『帝曰』，當時庸生之徒漏之也。」案，《史記》云：「堯曰：吾其試哉」，則此實本有「帝曰」，其無者，洵是漏落也。（卷1，頁32上）

據《尚書正義》指出馬、鄭、王本無「帝曰」二字。然因《史記》有「堯曰」二字，故推測古文《尚書》原本應有「帝曰」二字。馬、鄭、王本無「帝曰」二字，當是緣於《正義》所說的，「庸生之徒」於傳習過程中所發生的失誤。按，江聲之所以相信《史記》之說，是因為他認為《史記》中與《尚書》有關的內容為古文說。江聲在「欽哉欽哉惟刑之謐哉」句之疏文說：

> 案：《漢書．儒林傳》偁子長從安國問故，其書載《尚書》諸篇多古文說。然則《史記》所從者乃古文誼。　（卷1，頁51上）

《史記》所引既為古文《尚書》，其時間又早於馬、鄭、王本，故可據以判定古文《尚書》經文文字。

然而，也有許多情況是基於江聲好古的特殊立場，認為《尚書》的文字應為古文，文字意義應還原為本義，因而在書中大量依據《說文》校正《尚書》文字，卻未必皆有《尚書》異文的證據。舉例而言，「光被亖表，假於丄丅」，江聲自注：

> 「被」，茂寄反。「亖」，籀文「四」字。「假」，工百反，《正義》本作「格」，茲從《說文》所引。「丄」，古文「上」。「丅」，古文「下」。　（卷1，頁5下）

其中，「被，茂寄反」、「假，工百反」為反切注音。作「某某反」而不作「某某切」，當是緣於唐代諱言反字之故[5]。江聲好古，所以用「反」不用「切」。只是，頗為特別的是，江聲雖然好古，但所列切語，並非都有古書的來源。其中大量無法考出來源的反切，應當是江聲以自己所擬的音讀注音[6]。

偽孔本《尚書》這段文字作「光被四表，格於上下」。江聲改動了「四」、「假」、「上」、「下」四字。其中，「四」、「上」、「下」三字皆依《說文》所載的籀文、古文改字。江聲改字的依據，應是緣於許慎〈說文序〉：

> 及宣王太史籀著《大篆》十五篇，與古文或異。至孔子書《六經》，左丘明述《春秋傳》皆以古文，厥意可得而說。……及亡新居攝，使大司空甄豐等校文書之部，自以為應製作，頗改定古文。時有六書，一曰古文，孔子壁中書也。……壁

---

5 李新魁：《漢語音韻學》（北京市：北京出版社，1986年7月），頁82。說：「反切原來只稱為反（或寫作翻）或切。唐代以前，一般都稱為反。後來因諱言反字，所以改用翻字。」

6 見洪博昇：《江聲與王鳴盛《尚書》學之比較研究》，頁107-116。

> 中書者，恭王壞孔子宅，而得《禮記》、《尚書》、《春秋》、《論語》、《孝經》。又北平侯張倉獻《春秋左氏傳》。郡國亦往往於山川得鼎彝，其銘即前代之古文，皆自相似。雖叵復見遠流，其詳可得略說也。　（頁514-518）[7]

對古文與六經關係的說法而來。大篆「與古文或異」，即意味著大篆實與古文相近。據江聲所整理的《惠氏讀說文記》對〈說文序〉關於古文與壁中書的三段敘述的解說：

> 《左傳》古文，許叔重猶及見之，今率為杜預所改。班固亦言左氏傳多古字古言。　（解「至孔子書《六經》，左丘明述《春秋傳》皆以古文」）
>
> 鄭康成曰：「書初出屋壁，皆周時象形文字，今所謂科斗書。以形言之為科斗，指體即周之古文。」　（解「一曰古文，孔子壁中書也。」）
>
> 《禮記》亦得之壁中，非漢人所造明矣。　（解「壁中書者，恭王壞孔子宅，而得《禮記》、《尚書》、《春秋》、《論語》、《孝經》。」）[8]

顯然認為孔子書寫《六經》所用的古文，當即孔子壁中書之古文。故江聲《尚書集注音疏》對於《尚書》經文的還原，雖未必有漢代《尚書》異文的直接依據，卻仍然大量以《說文》中的古文改動經文。

至於「假」字，偽孔本作「格」。《說文》：「格，木長皃。從木各聲。」（頁199）「格」之本義與〈堯典〉此處無涉。又《說文》：「假，非真也。從人叚聲。一曰至也。《虞書》曰：假於上下。」（頁276）「一曰至也」，正是所引〈堯典〉「假」字之意。《說文》所引〈堯典〉作「假」，表示許慎所見漢代《尚書》版本作「假」。所以江聲據《說文》直接將經文還原為「假」。按，江聲此說，當源於惠棟。《惠氏讀說文記》說：

> 古「格」字皆作「假」，故訓至。「真假」之說，始于王莽。劉歆說《書》，以古文〈嘉禾〉「假王蒞政」為「假偽」字。莽從其說，遂有「假皇帝」之名。其後竟即真為天子！歆之顛倒《五經》類如此。許氏訓「假」為「非真」，亦劉氏之說，不可從也。當依古訓為「至」[9]。

又惠棟《九經古義》說：

7　江聲所用的《說文解字》，為徐鉉本和徐鍇本。〔清〕王欣夫：《蛾術軒篋存善本書錄》（上海市：上海古籍出版社，2004年），頁3。說：「所用《說文》乃徐鉉本，有從而誤者。後得段懋堂示以徐鍇本，遂追改，附識于後。」故本論文所引《說文》，若無特殊情形，皆以《(唐寫本、宋刊本）說文解字》（臺北市：華世出版社，1982年），所收的徐鉉本《說文解字》為據。

8　〔清〕惠棟撰，江聲參補：《惠氏讀說文記》，《續修四庫全書》（上海市：上海古籍出版社，2002年，據清嘉慶刻借月山房匯鈔本影印），冊203，頁563。

9　同前註，頁513。

〈覲禮〉云：「侯氏降階，東北面再拜稽首。擯者延之，曰：『升。』」注云：「從後詔禮曰：延，延進也。」案，《漢舊儀》云：「丞相御史大夫初拜，皇帝延登親詔。」登，猶升也。(《書・逸嘉禾》篇曰：「周公奉鬯立於阼階延登，贊曰：假王莅政，勤和天下。」此關中古文與〈覲禮〉儐者延、升合。「假」讀為「格」，正也。)[10]

可知惠棟認為，《尚書》逸〈嘉禾〉篇「假王莅政」之「假」，應讀為「格」，不能讀為「真假」之「假」。批評劉歆依附王莽，顛倒五經，竟將之解為「真假」之「假」。惠棟於《惠氏讀說文記》依此說引申，認為許慎解「假」為「非真」，是誤從劉歆之說。所以主張「至也」才是「假」字之訓。江聲對惠棟之說，加以修正。他說：

（聲案）《史記・淮陰侯列傳》：「信平齊，使人言漢王：『願為假王便。』漢王罵曰：『大丈夫定諸侯即為真王耳，何已假為？』」則「假」之為「非真」，其來已久。又案，「叚」字下訓「借」，故已「假」為「非真」[11]。

指出早在《史記》已有將「假」作「真假」之「假」解的例子。可見，江聲認為，劉歆和許慎的解釋並不誤。而無論《說文》的解釋是否恰當，依惠棟所指出的，「古『格』字皆作『假』」。許慎所引〈堯典〉之文亦作「假」，意思解為「至也」。則江聲之說源於惠棟是可以確定的。

另外，由於江聲好古的傾向，除了《說文》所列古文，他也會依據其他古文字的資料與語文知識來還原經文。如「允龏克攘」，偽孔本作「允恭克讓」。江聲改動了「恭」、「讓」二字。其理由為：

「龏」，《正義》本作「恭」。「恭」、「龏」古今字也。《周父敦》「恭伯」作「[illegible][illegible]」，見王俅《嘯堂集古錄》。《盄和鐘》「嚴恭」作「[illegible][illegible]」，見薛尚功《鐘鼎款識》。蓋[illegible]字從[illegible]，[illegible]字從[illegible]省，皆從龍省聲。依《說文》當作「龏」，「從[illegible]龍聲」，不省也。……「攘」，如向反，相推也。今作「讓」。「讓」訓責，非其誼矣。　（卷1，頁5下）

認為「恭」、「龏」二字為古今字的關係。此二字，俱見於《說文》。卷三上「龏，愨也。從廾龍聲。」（頁94）卷十下「恭，肅也。從心共聲。」（頁365）意義相通。但江聲根據金文資料，指出《周父敦》、《盄和鐘》的「恭」皆「從龍省聲」，推知「龏」為古字，「恭」為今字。《尚書》的時代既然極早，則字當還原為「龏」。至於「讓」與「攘」，《說文》「讓」之本義為「責讓」，「攘」之本義為「推也」，於是江聲將字還原為

10 〔清〕惠棟：《九經古義》，《槐廬叢書》二編，光緒中吳縣朱氏家塾刊本，卷10，頁3。

11 〔清〕惠棟：《惠氏讀說文記》，頁513。

「攘」。將古籍的文字直接改為古字、本字、本義，已不是單純的校勘工作，更像是基於江聲對古書的特殊觀點，建構出他心目中理想的《尚書》文本。

四　《尚書集注音疏》的集注與疏

江聲所集的注解與疏，在形式上主要依第二節所述的原則編排。以「釆秩東作」句為例，江聲先校正經文：

> 此㠯下四「釆」字，《正義》本皆誤作「平」，辯㠯詳於上。
> 「𨰉」，古「秩」字。《正義》本作「秩」，㠯下皆然。茲從《說文》所引。
> 《書古文訓》亦作「釆𨰉」，則偽孔本猶存古字。《正義》之本乃開元皇帝所改爾。　（卷1，頁15上）

偽孔本經文作「平秩東作」，江聲改動了「平秩」二字，校正的內容，即在說明改動之因。江聲認為，「平」、「釆」二字形近而誤。相關討論見於「釆章百姓」句（偽孔本作「釆章百姓」）。江聲說：

> 「釆」，皮莧反，古「辨」字也。偽孔本作「釆」，其傳寫為「平」。而《說文》「平」字古文作「𠀒」。「釆」「𠀒」相似，後學遂誤仞「釆」為古文「𠀒」。唐明皇帝改偽孔之隸古從俗文，遂作「平」字。緜是承譌，襲謬久矣。今知當為「釆」者，《說文》「釆」部云：「釆，辨別也。讀若辨。」則「釆」、「辨」音誼皆同，實一字也。又艸部𦬁字，說云：「釆，古文辨字。」此據鄭注云：「辨別」，則鄭本作「辨」矣。《史記》作「便」者，音同叚借爾。《史記索隱》曰：「今文作辨章」，然則漢時《尚書》皆作「辨」。緜是即可知古文之為「釆」矣。又下文「釆秩」、「釆在」諸文，伏生《大傳》及鄭注《周禮．馮相氏》所引皆作「辨」，而偽孔本亦皆作「釆」，而唐本亦皆改作「平」，其誤之由，足相參證也。　（卷1，頁7下）

認為「平」字之所以為「釆」字之誤，乃因「平」的古文與《說文》「辨」的古文「釆」，字形相似。原文應作「釆」，所以鄭玄本作「辨」。《史記》作「便」，是因為「便」、「辨」二字同音叚借（即今人所說的「同音通假」）。偽孔本本來亦作「釆」，不誤，後因唐玄宗天寶年間改從俗文，才誤作「平」。「平秩」之「平」亦是同樣的情形，故江聲謂「辯㠯詳於上」。至於「𨰉」，江聲認為乃古「秩」字，二字當為古今字的關係。因《說文》「𨰉」字引「〈虞書〉曰：『平𨰉東作』」，故依《說文》作「𨰉」。可見江聲對此二字的討論，皆以《說文》為重要依據。

針對「釆秩東作」一句校正文字之後，江聲以集注的方式作注，注文可分為五個重點，茲依江聲疏文，分段引述如下：

> 「釆」讀為「辨其敘事」之「辨」，今文皆為「辨」。
> 「豑」，敘也。
> 鄭康成曰：「作，生也。」
> 聲謂，春時政令當助天生，春官辨敘之也。物生於東，故曰「東作」。《周禮．馮相氏》「辨四時之敘」，此則四時官各辨敘一時也。
> （馮，皮冰反。相，息匠反。）　（卷1，頁15上）

首先，除了對經文的校正、注音，江聲對所集注的文字亦進行注音或用字的說明。如此處的「馮，皮冰反。相，息匠反。」即是注音。至於對集注用字的說明，則強調分辨古今寫法異同或訂正俗寫之誤。如「欽明文思安安」句，江聲集注引馬融曰：「威義表備謂之欽，照臨四匚謂之明。」江聲對所引馬融的文字有如下之解說：

> 「義」，牛奇反，今通作「儀」。鄭仲師注《周禮》云：「古者書『儀』但為『義』。」則古「威義」字不從「人」也。《說文》亦巳「義」為「威儀」字。「匚」，今通作「方」。　（卷1，頁5上）

強調文字的寫法上，今通作「儀」，古作「義」，今通作「方」，古作「匚」。江聲原書用小篆書寫，喜用古字。為避免讀者無法讀懂，有必要說明古今用字之差異。然因無需涉及《尚書》經文，說明的重點，與經文校正不同。

其次，說明「釆」字的意義，當「讀為『辨其敘事』之辨」，並指出漢代今文經寫作「辨」。按，「辨其敘事」出自《周禮．春官．馮相氏》。江聲之所以引《周禮》為說，是因為鄭玄《尚書》注為江聲注解《尚書》最重要的基礎。在鄭玄注已亡佚，只能用輯佚的方式瞭解其內容的情況下，鄭玄的《三禮》注，自然也是江氏集注的重要參考。且鄭玄《三禮》注雖不是直接注《尚書》，但其內容往往與《尚書》相關。如此例，鄭玄解釋馮相氏「掌十有二歲、十有二月、十有二辰、十日、二十有八星之位，辨其敘事，以會天位。」之文說：

> 「歲」，謂太歲。歲星與日同次之月，斗所建之辰。《樂說》說歲星與日常應大歲月建以見，然則今歷太歲非此也。歲日月辰星宿之位，謂方面所在。辨其敘事，謂若仲春「辯秩東作」，仲夏「辯秩南訛」，仲秋「辯秩西成」，仲冬「辯在朔易」。會天位者，合此歲日月辰星宿五者，以為時事之候，若今歷日太歲在某月某日某甲朔日直某也。《國語》曰：「王合位於三五。」《孝經》說曰：「故敕以天期四時，節有晚早，趣勉趣時，無失天位。」皆由此術云[12]。

12 〔漢〕鄭玄注、〔唐〕賈公彥疏：《周禮注疏》（臺北市：藝文印書館，2001年，據嘉慶20年江西南昌府學開雕本影印），頁404。

鄭玄注「辨其敘事」，引《尚書》「辯秩」、「辯在」云云，表示鄭玄對二者的理解應是一致的。故江聲疏說：

> 云「釆讀為辨其敘事之辨」者，《周禮．馮相氏》「掌十有二歲、十有二月、十有二辰、十日、二十有八星之位，辨其敘事，㠯會天位。」彼鄭引此經「釆秩」、「釆在」四句㠯說，而字皆作「辨」，則「釆」、「辨」古今字，故此讀從彼文「辨」也。
>
> 案：鄭引作「辨」者，從伏生今文本也。伏生《大傳》實作「辨」，故云「今文釆皆作辨」。言皆者，包下三時總言之也。　（卷1，頁15上-15下）

從鄭玄《周禮．馮相氏》注引《尚書》字作「辨」(「辯」)，判定鄭玄本《尚書．堯典》經文應作「辨秩」、「辨在」。根據伏生《大傳》字作「辨」，判斷今文本作「辨」。鄭玄本經文既與《大傳》相同，可知鄭玄從今文本。據前文所引經文校正的討論，可知《說文》以「釆」為「辨」之古文，所以江聲認為二者為古今字的關係。這是江聲在無法直接輯得鄭玄《尚書注》對〈堯典〉此句完整注解的情況下，改從鄭玄其他注解引用「釆秩」、「釆在」四句的資料，來還原鄭玄《尚書》注的內容。這相當於論文第二節所指出的，「1.重新輯出漢儒的《尚書》注解」中「(1) 以重新輯出的馬融、鄭玄二家之注為基礎」之工作。

第三，說明「豒」字的意義。江聲將「豒」解為「敘」，理由是：

> 《說文．豊部》:「豒，爵之次弟也。」攴部云:「敘，次弟也。」是「豒」、「敘」同誼，故云「豒，敘也。」　(卷1，頁15下)

這是根據《說文》「豒」、「敘」二字解釋皆有「次第」之義，故以後世較常用的「敘」字來說解「豒」字。這當屬第二節「2.旁採它書之有涉于《尚書》者」的具體表現。

第四，說明鄭玄對「作」字之解釋。江聲根據《尚書正義》輯出鄭康成曰:「作，生也。」疏說：

> 鄭注見《正義》。《詩．采薇》云「薇亦作止。」毛傳云:「作，生也。」鄭云:「作，生。」同彼毛誼也。　(卷1，頁15下)

除了指出所輯鄭注出自《尚書正義》，並引錄《詩．采薇》毛傳、鄭箋「作，生也」的解釋，來說明「作」解為「生」，有較早的文獻依據。這亦屬第二節「1.重新輯出漢儒的《尚書》注解」中「(1) 以重新輯出的馬融、鄭玄二家之注為基礎」之工作。

第五，依己意補充鄭注。按，《尚書正義》引鄭注的上下文如下：

> 鄭以「作」為「生」，計秋言「西成」，春宜言「東生」。但四時之功，皆須作

> 力，不可不言力作，直說生成。明此，以歲事初起，特言「東作」，以見四時亦當力作，故孔以「耕作」解之[13]。

指出鄭玄之所以解「作」為「生」，是因為經文於秋言「西成」，相對於秋之言「成」，故於春言「東生」。並認為在文義上，偽孔傳強調「力作」，較為合理。江聲雖未直接回應《正義》對鄭玄的批評，但他指出《正義》所引的鄭注過於簡略，恐怕無法呈現鄭玄的完整意旨，因此依己意為鄭注作了補充，指出所謂的「東作」，是指春官於相應的春季，行合宜的政令以順天施生。這當屬第二節「4. 江聲依己意補正注文的內容」的具體表現。江聲疏云：

> 案：鄭君此注必不止此「生」一訓，今不得詳聞，故聲據所聞㠯足成其誼。《大傳・五行傳》：「自冬日至，數四十六日，迎春於東堂，旂旐尚青，田車載矛，號曰助天生。」是王者春時出政，當順天施生之意。《禮記・月令》「春之月，安萌芽，養幼少，存諸孤」，鄭注云：「助生氣也。」故云「春時政令當助天生，春官辨敘之也。」云「物生於東，故曰東作」者，《易・說卦傳》曰：「萬物出乎震。震，東方也。」是物生於東也。東方生物，因㠯此助天生之政令為「東作」也。舊解「東作」專指農事，其誼偏矣，故不用之。　（卷1，頁15下）

他在疏中引《尚書大傳・五行傳》「助天生」之說，以及鄭玄注《禮記・月令》亦有「助生氣」之說，認為鄭玄《尚書》注解「東作」，正是指「助天生之政令」，而不是如同舊解直接將「東作」解為「農事」。此外，江聲亦援引《周禮・馮相氏》之說為旁證，認為《周禮》並未區別四時之職，與〈堯典〉不同。故疏說：

> 云「周禮馮相氏辨四時之敘」者，㠯此「辨秩」及馮相氏辨其敘事之職也。案：《周禮・馮相氏》「中士二人，下士四人」，其職云「冬夏致日，春秋致月，㠯辨四時之敘。」是官雖有六人，而四時之職未嘗分也。此則東作、南譌、西成、朔易四子各主一時，與《周禮》異，故引《周禮》㠯說，正明其職之同也。　（卷1，頁15下）

此一補充，等於間接回應了《正義》的批評，指出鄭玄對「東作」的解釋，並不是像《正義》以「農事」的大框架來理解的那樣。只是這樣的補充，似無法解釋為何《尚書正義》當時既然能看到鄭玄《尚書》注，卻未能正確瞭解鄭玄的意思？江聲的補充，顯然有維護他最重視的鄭玄的用意。

其實，江聲的集注背後，往往可見他對相關學術文獻或文獻作者的評價。如上文的

---

13 〔漢〕孔安國傳、〔唐〕孔穎達正義：《尚書正義》（臺北市：藝文印書館，2001年，據嘉慶20年江西南昌府學開雕本影印），頁24。

鄭玄、《說文》都是他極為看重的。這些評價，又影響了江聲對相關注解的抉擇與判斷。若稍加注意，可以發現江聲在相關文獻第一次引用時，會特別說明該文獻或文獻作者的地位與價值。試以〈堯典〉篇為例，依序列舉如下：

一、鄭康成曰云云，《書贊》文也。見孔穎達《正義》。……稱康成者，諱其名而字之也。《後漢書》列其傳輒名之，史家之體然也。今節錄其傳，姑㠯某代其名云。《傳》曰：「鄭某，字康成，北海高密人。……凡百餘萬言。」（卷1，頁1下-2上）

二、馬融偁名者，於先聖之經，書先儒名，正也。然則康成何㠯不名？《春秋》之誼，名不若字，康成學行兼優，聖人之流亞也。尊異之故字之，若《春秋》書邾婁、儀父是也。　（卷1，頁3下-4上）

三、偁傳曰者，偽孔氏傳也。偽孔傳乃亂經者之所為，說多乖謬。然其訓誼亦兼有是者，亦時或取焉。㠯其匿名而託于孔氏，不知實是誰人，但偁傳曰。（卷1，頁8上）

四、此注用王充《論衡．埶增篇》文，而稍易其字。充字仲任，會稽上虞人，箸《論衡》八十五篇，二十餘萬言，《後漢書》有傳。（卷1，頁8上）

五、〔應〕劭，字仲遠，汝南南頓人，所箸有《風俗通》，又集解《漢書》。（卷1，頁8下）

六、《後漢書．儒林列傳》云：「許慎字叔重，汝南召陵人。少博學經籍，時人為之語曰：『《五經》無雙許叔重。』慎㠯《五經》傳說臧否不同，於是撰為《五經異誼》，又作《說文解字》十四篇，皆傳於世。」許沖上書安帝曰：「臣父故太尉南閣祭酒慎，本從賈逵受古學。」又曰：「慎博問通人，攷之於逵，作《說文解字》。」又曰：「慎又學《孝經》孔氏古文說，僅纂具一篇並上。」案：《孝經》古文說今不傳，《後漢書》亦不言，豈上而未頒行與？（卷1，頁14上）

七、《淮南子》者，漢高帝之孫淮南王安所箸，名曰《鴻烈解》，凡二十一篇。（卷1，頁14下）

八、「肅曰」者，王肅注也，見《正義》。去其氏者，貶也。……肅于《尚書》有大辠焉，故倣《菁㛃》之迾㠯貶之。肅字子雝，東海蘭陵人，王朗之子也，附見《三國志．王朗傳》。陳壽《三國志》平引劉寶之言，謂「肅方於事上而好下佞己，此一反也。性耆榮貴而不求苟合，此二反也。吝惜財物而治身不穢，此三反也。」即此三反㠯觀，則其詐偽矯飾之情狀可見矣。孔穎達、陸德明皆言肅注《尚書》頗類孔氏，疑其竊見孔傳而祕之。案：肅偽造《孔子家語》及《孔叢子》，輒與偽孔《書》應合，則偽孔《書》直是肅所為爾，故曰：「肅于《尚書》有大辠焉也。」肅又作《聖證論》與鄭君為難，語多乖謬。又注《易》、《詩》、《禮》、《論語》諸書，今皆不傳，不足惜也。 （卷1，頁21下-22上）

九、又造為《孔叢子》，託諸孔鮒述孔子之言亦為是說。……且孔鮒為陳涉博士，其書流傳於晉。經秝漢、魏，何𠂇兩漢諸儒都未有見？《漢書．埶文志》亦不登其書，明是偽孔氏叚託聖人之言，而又託諸聖孫所錄，意謂如是乃足信服乎人，乃能援助其私說而奪先儒舊說矣！不可𠂇其說滑亂經誼！（卷1，頁34下）

十、蓋《大傳》者，伏生所作𠂇說《尚書》者也，必與伏生《尚書》同。伏生《尚書》是秦火𠂇前之舊文，自無可議者。 （卷1，頁48下-49上）

十一、案：《漢書．儒林傳》偁子長從安國問故，其書載《尚書》諸篇多古文說。然則《史記》所從者乃古文誼。 （卷1，頁51上）

所列十一種文獻，依江聲的意見，可分為三組：（一）鄭玄、馬融為一組。此組最為江聲所重視，二人之中，又以鄭玄「學行兼優，聖人之流亞」，地位最為崇高。（二）偽孔傳、王肅、《孔叢子》為一組。這一組與偽古文《尚書》的偽造者有關，故評價極低。江聲的評論文字，常強調其詐偽、亂經、乖謬。（三）《大傳》、《史記》、《說文》、《淮南子》、應劭、《論衡》為一組。這一組，應當屬第二節所說「1.重新輯出漢儒的《尚書》注解」和「2.旁採它書之有涉于《尚書》者」的文獻。其中，因伏生代表秦火以前的《尚書》文字，司馬遷從孔安國問故，許慎曾從賈逵受古學，故相較於這一組的其它文獻，《大傳》、《史記》、《說文》為江聲所特別看重。這些是江聲所正面列舉、評價，並據以作「集注」與「疏」。相關評價，與第二節所列舉江聲的集注原則相配合。

另外，江聲書中幾乎不明引宋人之說。雖然可以從江聲的集注原則指出其集注的對象不包括宋人的見解加以解釋，但整體而言，江聲極不喜宋儒乃是事實。《尚書集注音疏》全書明白言及「宋人」只有三次，且皆稱「宋人」，不用「宋儒」，對宋人學術內容的評價並不高。例如「虞夏書弍」江聲疏文說：

虞夏者，〈堯典〉至〈允征〉二十篇之大名。〈堯典〉者，當篇之小號。今退大名在小號之下者，小號各目其篇，當題於上。大名則識其篇之時代，應退於下。古者體迥皆然。……自宋人注書，必大名在上，小號在下，非古也。 （卷1，頁1上）

便認為大、小標次序的錯亂始自宋人。而涉及注解內容的討論，最能反應江聲對宋儒態度的一則，當是江聲所輯〈太誓〉篇「紂有𠑹兆夷人，亦有悳。余有亂十人，同心同悳。」句之注：

「十人」，謂文母、周公、太公、召公、畢公、榮公、太顛、閎夭、散宜生、南宮括。　（卷5，頁13上）

疏：

云「十人謂文母、周公、太公、召公、畢公、榮公、太顛、閎夭、散宜生、南宮括」者，《論語・泰伯篇》引武王曰：「予有亂十人」，即此文也。彼文既引此，而又記孔子之言曰：「有婦人焉，九人而已。」故馬、鄭注彼文皆㠯文母備十人之數。茲即用彼注㠯為注。案，〈毛詩敘〉云：「〈卷耳〉，後妃之志也。又當輔左君子求賢審官，知臣下之勤勞。」則文母之內治，所㠯左文王治理周家者至矣！故十人數及之。《論語釋文》云：「『予有亂十人』，本或作『亂臣十人』非。」然則古《論語》全無「臣」字。子惠子曰：「古文《論語》、《左傳》皆無臣字，故馬、鄭皆㠯文母與十人之數。晉人無識，輒增『臣』字。宋人遂疑婦人為邑姜，失之甚矣。」　（卷5，頁13下）

江聲認為，《論語・泰伯》原文，據《經典釋文》當作「予有亂十人」。所謂的十人，據《論語》孔子曰：「有婦人焉，九人而已。」可知應包含一名女性，即文母。馬融、鄭玄皆如此解，故江聲自然贊同此說，並引《詩・卷耳序》以明文母之職。最後，引子惠子之說，批評「宋人」「疑婦人為邑姜，失之甚矣」，然並不明言「宋人」為誰。

考此處所引子惠子之言，當出自惠棟《九經古義》卷十六。惠棟原文作：

《釋文》及唐石經無「臣」字。陸氏云：「本或作『亂臣十人』非。」後世因晉時所出〈太誓〉以益之邪？劉原父遂闢馬、鄭之說，以邑姜易文母，真臆說也。原父又云：「或云古文無臣字。」如此則不成文，尤謬。王伯厚已辨之[14]。

江聲之注顯然源自惠棟。其所謂「宋人」，即惠棟所明白徵引的劉敞（原父）。惠棟不僅指出劉原父之誤，亦指出早在宋儒王應麟（伯厚），便已指出此一錯誤。王應麟亦為宋人。

值得注意的是，朱熹《論語集注》注解「予有亂臣十人」說：

十人，謂周公旦、召公奭、太公望、畢公、榮公、太顛、閎夭、散宜生、南宮适，其一人謂文母。劉侍讀以為子無臣母之義，蓋邑姜也。九人治外，邑姜治內[15]。

蔡沈《朱文公訂正門人蔡九峰書集傳・泰誓中》亦說：

---

14 惠棟：《九經古義》，卷16，頁5。

15 〔宋〕朱熹：《四書章句集注》（臺北市：長安出版社，1991年），頁107。

> 十人，周公旦、召公奭、太公望、畢公、榮公、太顛，閎夭、散宜生、南宮适，其一文母。孔子曰：「有婦人焉，九人而已。」劉侍讀以為子無臣母之義，蓋邑姜也。九臣治外，邑姜治內。言紂雖有夷人之多，不如周治臣之少而盡忠也[16]。

蔡沈說源自朱熹，二人皆引劉敞之說。然則，惠棟、江聲駁斥劉敞之說，即等於駁斥朱熹、蔡沈，其中或有學派意識之反映。而惠棟引劉敞、王應麟之說，並不掩其名，江聲卻只言「宋人」，亦不言王應麟早已指出劉敞說之失。可知江聲恐有意排斥宋儒經說，且態度較惠棟更為強烈。

五 結論

根據上文的說明，可知江聲身為吳派《尚書》研究的重要學者，其注經體式與其經學觀點有著密切的關聯。從形式上看，江聲有意識且系統地還原出他心目中的經文與注，並為他自己的還原，以疏的形式進行詳細的解說。江聲在注解的工作中，除了注經的目標外，更是以他的觀點，全面評論了所有相關的經學文獻。而且，除了他正面列舉的《尚書》相關文獻與注解外，他所不願意正面列舉的宋人之說，其實亦在他的評價之列。只是因為他甚少提及「宋人」之說，使得他這一方面的表現，較為人忽略。從上文的舉證，可知他對宋人之說的排斥感，似乎更甚於惠棟。

從本文的討論，可以確定，江聲一方面以馬、鄭注為核心，重新建構以漢人為主的《尚書》文本與注解；一方面對宋人治經之說，有較強烈的排斥感。他的《尚書》學，便是在自己所劃定的重重原則限制下，發揮見解，闡發經義。

本論文已收於張素卿編著《清代漢學與新疏》（臺北市：五南文化事業公司，2019年）一書中。蒙五南文化事業公司同意收入《林慶彰教授退休論文集》，特此致謝。

16 〔宋〕蔡沈：《朱文公訂正門人蔡九峯書集傳》，《中華再造善本》（北京市：國家圖書館出版社，2003年，據宋淳祐10年上饒郡學呂遇龍刻本影印），卷4，頁5。

考辨經文多以義理文章斷之
——讀唐煥《尚書辨偽》

蔡長林
中央研究院中國文哲研究所研究員

提要

本文嘗試對唐煥《尚書辨偽》做初步的探索，以為唐煥此書具有幾重意義：其一是辨偽觀念具有中心理念，此一理念即是唐煥的經典觀，以為《尚書》所載內容應是「必其事足以創生民未有之奇，其道則天命流行之宜，足以百世俟聖而不惑，而後可以垂訓於天下後世者」，如〈堯典〉之志傳賢、〈湯誓〉之志奉天伐暴、〈盤庚〉之志聖人行權之類，才是具有經之性質。與此精神違背者，即為偽書。本書另外一重意義，是身處乾隆盛世的唐煥，其考辨古文、疏解經文皆體現出一條明顯的宋學脈絡，不但考辨經文多以義理文章衡斷之，在對經文出以心得引申時，其引以為據者多用宋人之說，所抒發者亦多為以理學概念詮釋經文，此蓋唐煥有意識地與漢學作區隔之故。另外，從《尚書》學史的角度來看，梅鷟、閻若璩、惠棟、丁晏等以大量證據來斷定晚出古文出於造偽是否已是鐵案如山搖不動，即使到當今學界，仍不時有學者企圖翻案，遑論有清一代，其爭議始終不斷。至於純從事理文章的角度欲辨一經之偽，其說服性就又更低了。但這並不表示唐煥的著作沒有價值，在勾勒出唐煥頗具個人色彩的考辨與解經文字，以及貫串全篇的經典觀之後，我們可以將唐煥的經學另立一個類型，一個在經說中貫串著系統性核心理念的經學類型。此在經解中充斥著文獻為主、考據先行的乾嘉時代而言，實為難能可貴的參照物。

關鍵詞：唐煥　尚書　辨偽　宋學　漢學

一　前言

唐煥字堯章（又字瑤章），號石嶺，善化（今湖南長沙）人。乾隆六年（辛酉，1741）舉人，歷官山東平陰、昌邑縣令，終平度知州。是著名泰山研究專家唐仲冕的父親，也是晚清重振理學之領袖唐鑑的祖父。唐煥著作等身，尤深於《尚書》。所著除了《尚書辨偽》五卷之外，另有《克己齋四書》十九卷、《大學自注》一卷、《論語自注》二十卷、《中庸自注》二卷、《孟子自注》七卷、《石嶺詩集》一卷、《石嶺文集》一卷、《石嶺時文稿》八十卷，尚有續稿五十篇。[1]

對於《尚書》古文之辨偽與護真的激烈交鋒，可謂貫串有清一代。[2]大致的趨向是：辨偽派一方面梳理兩漢文獻以證真古文《尚書》傳世之有據，一方面又以實際的證據指出晚出古文之自我矛盾以證其偽，如閻若璩的《尚書古文疏證》、惠棟的《古文尚書考》、孫喬年的《尚書古文證疑》，以及丁晏的《尚書餘論》等等；護真派則多就義理的醇正以及抓住朱熹對古文固終信之這一點來維護晚出古文的價值，如陸隴其、毛奇齡、齊召南、莊存與、翁方綱、林春溥、洪良品、謝庭蘭、吳光耀等人的辨護多類此。與此趨勢背道而馳的是，唐煥的《尚書辨偽》卻是純從事義的梳理來論定晚出古文之偽，與閻若璩及其追隨者在考辨古文的方法上，有根本的差異。尤其需要說明的是，唐煥為此書所寫的〈自序〉繫於乾隆四十二年（丁酉，1777），此書則刻成於嘉慶十七年（壬申，1812），可謂是乾嘉時期的學術產物，但這本《尚書辨偽》的著作旨趣卻是與考據學的精神背道而馳。所以，五卷的《尚書辨偽》，雖然在編纂《四庫全書》時，曾列入進呈書目，但在《尚書》辨偽的歷史上，並未引起太大的波瀾，既不為當時所重，也不為後世所識。[3]

1　按：唐煥著作見存者，管見所及，除了收入《四庫未收書輯刊》的《尚書辨偽》之外，僅剩《詩集》、《文集》各一冊。另外，唐煥的傳記資料亦不豐富，《嘉慶大清一統志》卷375、《嘉慶湖南通志》卷141、193人物、藝文之部以及《善化縣志》都有簡短介紹。又《湖南通志》所載唐煥小傳出自孫星衍所撰墓誌，然孫氏文集未之見。不過秦瀛有〈唐石嶺公祠堂記〉，稱唐煥「善治獄，聽斷若神，政寬厚，而於盜賊獨嚴」。又說唐煥「為學有根柢，著書甚具，務能發明聖賢教人之旨」。〔清〕秦瀛：《小峴山人詩文續集》（上海市：上海古籍出版社，2010年《清代詩文集彙編》第407冊影印嘉慶刻增修本），卷2，頁4。

2　按：相關討論可參戴君仁：《閻毛古文尚書公案》（臺北市：國立編譯館，1979年）、劉人鵬：《閻若璩與古文尚書辨偽：一個學術史的個案研究》（臺北市：花木蘭文化工作坊，2005年）、許華峰：《閻若璩《尚書古文疏證》的辨偽方法》（臺北市：花木蘭文化工作坊，2005年）、張岩：《審核古文尚書案》（北京市：中華書局，2006年）、吳通福：《晚出古文尚書公案與清代學術》（上海市：上海古籍出版社，2007年）、黃世豪：《清代《古文尚書》辨偽發展之研究》（臺北市：中國文化大學中國文學研究所博士論文，2013年）、趙銘豐：《認知秩序的重整與建構——清初《古文尚書》考辨思潮研究》（臺北市：輔仁大學中國文學研究所博士論文，2015年）。

3　按：民國初年編纂的《續修四庫全書總目提要》中，收錄有《尚書辨偽》的提要，卻是遭到「鄉曲這其中存在的原因，倒是不難推測。吳通福曾對清代學術從清初的形態轉到中葉的新形態作出解釋。他認為對晚出古文展開辯論的雙方，在進行考辨及其他學術活動所體現出的否定理學的傾向，代表的事實上是當時在清統治者推行的文化政策影響下學術界逐漸湧現的以經典考辨形式出現的反理學思潮，正是它規定了清中葉學術界在內容上的和形式上的主要特徵，即：思想上的反理學和學術上的重考證。[4]換言之，思想上的反理學和學術上重考證風氣的形成，與自清初以來古文《尚書》的考辨課題加乘學術思想的價值意識擴散有密切關係。很明顯的是，唐煥的《尚書辨偽》乃是立基於理學思想的著作，雖然重在辨明古文之偽，其判準依據卻是以義理文章為斷，所以在方法學上顯是與學術主流背道而馳，不被當時的學術界所重，也是事勢所當然。

但這並不表示唐煥此書就沒有學術價值。如何看待這本《尚書辨偽》，或者說在沉埋故紙堆兩百多年後，如何為這部著作賦予意義，是探索這部著作首先要解決的問題。誠如姚鼐為本書作的〈序〉所言：「夫以考證斷者，利以應敵，使護之者不能出一辭。然使學者意會神得，覺犁然當乎人心者，反更在義理文章之事也。」[5]姚氏之〈序〉，除了指出以考據為式的著作，在辨偽的方法學上有可商榷之處，同時也反映出了乾嘉年間義理與考據的時代張力。所以，唐煥此書除了可以置諸於《尚書》辨偽史的視野來評價之外，同時也可以置諸於乾嘉義理與考據相互張力的背景下來探討。甚至從唐煥此書的內容來說，雖然辨偽的對象是《尚書》文本，然而論斷的依據卻是以文章辭氣是否妥貼，以及事義是否具合理性為基礎。換言之，唐煥在乎的仍是義理文章的優位性，這又不得不讓人聯想到與漢學考據在方法意識上可謂相對立的宋學傳統。所以個人以為，置諸於乾嘉漢宋學相對照的背景下來探討這部著作，較諸置於《尚書》辨偽史的視野來評價此書，或者更具有意義。畢竟身處乾嘉學術氛圍之中，卻是對漢學考據不議不論，本身就是一種立場的表態。更何況，唐煥在對經文簡單的疏釋中，時刻閃現出依據宋儒經解的學術脈絡，且相對於漢學考據之作的繁瑣難以調理，唐煥在對篇章段落作鉤玄提要的同時，仍不忘利用理學語彙，表達他的經學見解。

值得注意的是，此書雖名為《辨偽》，但唐氏仍按照五十六篇《尚書》的篇目順序，對經文逐段進行解釋或辨析。所以，此書稱得上是身兼辨偽與注釋兩種性質的《尚書》學載體。唐煥認為，吳棫、朱熹、吳澄、郝敬、歸有光等前輩學者對晚出古文雖疑

陋儒、腹儉之人而敢於疑古」的批評。又古國順《清代尚書學》列唐煥《尚書辨偽》於「偽古文尚書之辨證」章中，云未之見，而引《續修四庫全書總目提要》之評論，以為詆毀殊甚，顯是不同意倫明之說。故再引孫星衍〈尚書今古文注疏序〉所言「及惠氏棟、宋氏鑒、唐氏煥，俱能辨證偽傳」之說，以為「此書似非一無可取者」。倫明：〈尚書辨偽提要〉。收入《續修四庫全書總目提要．經部》（北京市：中華書局，1993年），頁236。

4 吳通福：《晚出《古文尚書》公案與清代學術》，頁10。

5 姚鼐：〈尚書辨偽序〉，收入唐煥：《尚書辨偽》（北京市：北京出版社，《四庫未收書輯刊》第3輯第4冊，2000年），卷首。

且攻，卻仍有雜古文於今文，或僅別今文於古文，甚至有徑去古文的做法。[6]他更指出在《尚書》辨偽上，有一種不循其篇次，詳指其謬，使學者覽而心折的現象，這會導致對今古文認識的不夠全面與偏見。雖然唐煥並未指名道姓，但我們不難推測他批評的是以閻若璩為代表的考據派。所以他主張應「別之而可竄，去之而仍留」，不但要注釋《伏書》，也要辨正偽《書》。[7]其價值正如陶澍〈跋語〉所言：

> 古文《尚書》之偽，自吳才老、朱晦翁發之，其後論者益眾。若吳澄《書纂言》，及吾鄉羅喻義《是正》一編，皆止注今文，削古文不錄。雖各自有見，然爰書不立，無以斷獄。梅鷟《尚書考異》、閻若璩《尚書疏證》則又專攻古文，於今文鮮所發明。陳第、毛奇齡之屬，復起而持其長短，迄今談者無以別黑白而衷一是也。石嶺唐先生是編，於今文亦加疏釋，特意在古文句梳字篦、審音叩節以排之，故以「辨偽」為名。其中精義層出，能使讀者渙然相悅以解。[8]

有別於前輩學者或只注今文，或不循篇次而專攻古文，或起而為晚出古文辯護，陶澍的〈跋語〉指出唐煥此書的重要價值，即在辨偽古文的同時，也對今文進行疏解，使覽者可以別黑白而衷一是。亦即唐煥會針對性質或主題相類的經文進行比較，如〈湯誓〉、〈湯誥〉、〈仲虺之誥〉，同載湯之伐桀，而所呈現湯之形象即有不同；又如〈泰誓〉、〈牧誓〉對武王伐紂之記載，所載內容亦是大異其趣。唐煥即是藉助篇中的事理辭氣之異以斷經文真偽。同時在進行疏解時，唐煥對所謂的今文《尚書》，就出以單行大字，並附以簡單的章句，尤其特重離析經文的文章結構，點明篇章與段落主旨，以及依據主要源自於宋儒的經說，對經文進行義理闡釋；對所謂的偽古文《尚書》，他堅持出自孔安國偽撰，在行文體例上，就低一格用雙行小字表之，並且在每段之下，常會加上「支離」、「醜極」、「贅極」、「空話」等字眼來進行評點與辨偽。當然，不論是對今文的疏釋抑或者對晚出古文的辨偽，唐煥都留下不少深具個人見解的論斷。而這一部分，才是整部《尚書辨偽》的精華。

二　審辭氣事理以辨證偽書

唐煥既名其書曰《辨偽》，自有他獨特的辨偽理路。在〈自序〉中，唐煥提出他的經典觀作為考辨偽書的基本論點。他以國史與經典的不同性質作為切入點，認為國家耳

---

6 按《四庫提要》言：「其考定今文、古文，自陳振孫始；其分編今文、古文，自趙孟頫《書古今文集釋》始；其專釋今文，則自澄此書（《書纂言》）始。」〔清〕紀昀等纂：《欽定四庫全書總目提要．經部．書類》（臺北市：藝文印書館，1989年），卷12，頁1。

7 唐煥：〈伏書及孔安國偽尚書本末〉，《尚書辨偽》，卷首。

8 陶澍：〈尚書辨僞跋〉，《尚書辨偽》，卷首。

目尋常之事，若非能卓越前古，足以特示將來者，無論餖飣凌雜，一切登之為經，那麼一經之成，不啻汗牛充棟。惟有如《易》之體造化、貫陰陽，《詩》之達性情、明人倫，《禮》之本天以作則，《春秋》之達天命、存王跡，方可稱之為「經」。同樣的，對《尚書》而言，他認為所載內容應是「必其事足以創生民未有之奇，其道則天命流行之宜，足以百世俟聖而不惑，而後可以垂訓於天下後世者」，如〈堯典〉之誌傳賢、〈湯誓〉之誌奉天伐暴、〈盤庚〉之誌聖人行權之類，才是具有經之性質。與此精神違背者，即為偽書。而伏生口授之二十八篇，所以立生人之命，與《易》、《詩》、《儀禮》、《春秋》諸經，如五緯之耀於天，五嶽之峙於地，而垂示於無窮。至於偽《書》，唐煥或以為無其事無其理，知其偽而不足錄，或以為套體庸爛，不足以置齒牙間。[9]

換言之，二十八篇以外的晚出古文在他看來，是無法達到他所提到的「必其事足以創生民未有之奇，其道則天命流行之宜，足以百世俟聖而不惑，而後可以垂訓於天下後世」這樣「卓越前古，特示將來」的條件，卻是千百年間，側於聖經之列，如此餖飣凌雜的蕪穢之作，自在他掃除之列，此其《尚書辨偽》不得不作之故。而唐煥梳理五十六篇《尚書》的方法，也正是從他所揭示的從事理的正當性，以及文字的辭氣是否通順這兩個角度來進行。先生〈自序〉所謂：「故特正其句讀，釋其義蘊，疏其脈絡，發其旨趣，使夫由是道者，因其文字，以求其意；因其裁物之當，以得其義理之所歸而貫而通之。上下千聖性命原流，易世而同揆，與《易》、《詩》、《禮》、《春秋》相發明者，亦可以漸探其微，而深造其奧也。」至於「其偽撰古文，思欲悉為刪去。竊慮博獵誦辨，藉端出色者，薄倖居心；不樂成人美者，牽引附會，反為他日滋蔓。故仍存其舊，降格註書，各於篇中，詳指其疵謬，以公示天下，使曉然知偽竄之非，庶群心息而趨於一矣。」[10]觀此而可知是書雖名為《辨偽》，然不獨辨正古文，亦疏解今文，理由已如前所述。

按戴君仁先生對晚出古文《尚書》的價值以及面對古文《尚書》的態度，曾經有中肯的揭示：「古文《尚書》雖是偽書，可是仍有他的價值。我們都知道先民有很多很好的格言，遺留給我們，散見于古代典籍中。《論語》、《孟子》固無論矣，別的子書裡面藏量也很多。而歷史性質的書，如《左傳》、《國語》等，好話保存得也極豐富，這是我們都承認有研讀的價值的。古文《尚書》何獨不然？即使無所本而為作者所自造的，也有很多好言語：如『滿招損，謙受益』、『民為邦本，本固邦寧』、『用人惟己，改過不吝』、『好問則裕，自用則小』、『與人求不備，檢身若不及』、『有言逆于汝心，必求諸道；有言遜于汝志，必求諸非道』、『德無常師，主善為師』、『玩人喪德，玩物喪志』、『不作無益害有益，功乃成；不貴異物賤用物，民乃足』、『作德，心逸日休；作偽，心

9 唐煥：〈自序〉，《尚書辨偽》，卷首。

10 同前註。

勞日拙』、『有容，德乃大』、『雖收放心，閑之惟艱』、『僕臣正，厥后克正；僕臣諛，厥后自聖』等，這些都是常被引用的成語。這種語句，簡單而扼要，警人切，益人深，而極容易記，都是很好的格言。……況且作偽古文的人，依焦里堂之說，當是晉代高士，只是隱名規世，而不是作偽欺人。偽與惡本不必相聯繫，我們崇善的心，和求真的心，也不必合為一事。偽書儘管是偽書，好書依然是好書。考明偽書，並不必廢掉偽書。這樣，重考據的博學之士，儘管繼續著做辨偽的工作；尊義理的衛道之儒，也不必憂聖經之將棄置。道並行而不相悖，這句話正可以用在古文《尚書》上。」[11]戴先生指出，偽古文《尚書》保存許多至今仍被引用的成語，警人切，益人深，都是很好的格言。期待重考據的博學之士與尊義理的衛道之儒，能各行其道，不相干涉。但是，這些警人切，益人深的成語在唐煥看來，卻是「套體庸爛，不足以置齒牙間」的。雖然在對晚出古文「句梳字篦、審音叩節以排之」的辨偽中，有許多是簡短抽象不具系統性的批評，如前所列「支離」、「醜極」、「贅極」、「空話」、「影響」、「荒唐」等，固不足以彰顯唐煥在辨偽上的見識；但也有不少的論斷，頗能體現唐氏的獨特見解。如辨〈舜典〉曰：

> 〈舜典〉○安國偽撰篇目也。離「慎徽五典」下，冠以〈舜典〉。〈舜典〉既為〈虞書〉，〈堯典〉應作〈唐書〉矣。渠抑惡知前路特為禪舜張本乎！●曰若稽古，帝舜曰重華，協于帝，濬哲文明，溫恭允塞，玄德升聞，乃命以位。○稱古帝堯，述前聖也。紀虞事，云古帝乎？襲放勳數語之貌，獵〈離騷〉、《詩》、《易》，堆砌八字，毫無本末層次，大失聖賢宗旨。姑弗論原文脈絡貫通，試問「欽哉」下文勢可已否？直接「慎徽」，極為從順否？且孟子時未經秦火，引据〈堯典〉，至為明確，無端偽撰二十八字，離為〈舜典〉，割裂聖經。[12]

這一段文字有兩個重點。首先是直指〈舜典〉是孔安國偽撰的篇目。其理由在於既硬分出〈舜典〉且冠以〈虞書〉之名，則〈堯典〉亦應作〈唐書〉才合乎以帝王朝號命篇之意。其次，〈虞書〉而稱「曰若稽古帝堯」，是述前聖之事；但唐煥不從蔡沉以「〈舜典〉以下，夏史所作，當曰〈夏書〉」[13]之說，而是直謂〈虞書〉既紀虞事，卻又稱舜為古帝，顯是不類。乃進而批評此增添之二十八字，是襲放勳數語之貌，堆砌〈離騷〉、《詩》、《易》文句，毫無本末層次，大失聖賢宗旨。唐煥又從文章脈絡的角度分析，以為「欽哉」以下文勢已盡，直接「慎徽五典」極為通順，不必妄增二十八字，離為〈舜典〉以割裂聖經。更何況孟子時未經秦火，所引據舜事亦稱〈堯典〉，至為明確。

---

11 戴君仁：〈序〉，《閻毛古文尚書公案》（臺北市：國立編譯館，1979年），頁2。

12 唐煥：《尚書辨偽》，卷1，頁5。按：唐煥在對晚出古文進行討論時，於經文之前會加粗黑點●以區別之。另外，在篇名之後及自身辨駁之前，會各加○符號以區別之。下同。

13 蔡沈：《書集傳》（上海市：華東師範大學出版社，2010年1月），卷1，頁1。

進一步言之，在唐煥看來，〈堯典〉記堯事之意，是特為禪舜張本。他認為〈虞書〉、〈夏書〉所載四篇〈堯典〉、〈皐陶謨〉、〈禹貢〉、〈甘誓〉有一共通的核心精神，即是禪讓傳賢。他說：

> 粤稽上古，皆以世及，堯禪舜創也。首〈堯典〉，誌傳賢；〈皋謨〉終，禪舜之局也。治水奇創也，教稼明倫又次矣，傳禹循故事耳，不足錄。錄〈禹貢〉，誌禪夏所由也。〈甘誓〉，終禪夏事也。[14]

在唐煥看來，上古君位之傳承皆以世及。然堯之禪舜、舜之禪禹，乃開傳賢之路，值得大書特書。所以〈虞書〉之首〈堯典〉，誌其傳賢；而終以〈皋謨〉以成禪舜之局。又傳禹乃循故事，實不足錄，故補以禹之治水奇創，教稼明倫，此所以錄〈禹貢〉之故，在於誌禪夏之所由。而〈甘誓〉已是家天下之局，故曰終禪夏事也。所以，在為〈夏書〉解題時，唐煥如是言道：「夏，禹有天下之號。書凡二篇，〈禹貢〉紀受禪之本，〈甘誓〉誌傳子之公也。」[15]而在闡述〈禹貢〉一篇宗旨時，則說：「上取下謂之賦，下供上謂之貢。治水乃舜受終後事，而貢則禹有天下，一代田賦之總名。本創業之功，定一王之制，故以名篇。」[16]皆與唐煥在〈自序〉中所述之經典觀相呼應。

再來看對〈大禹謨〉的討論。從篇題到內文，唐煥以逐段批駁的方式，對〈大禹謨〉在事理二端進行辨證。如辨篇名云：「〈大禹謨〉〇安國竄〈禹謨〉題，撰禪禹事。據禪舜既為〈虞書〉，則禪禹應為〈夏書〉，彼意竄入〈夏書〉，于題未安，豈知竄入〈虞書〉，據事尤為不妥乎？」[17]又如：「●曰若稽古大禹，曰：『文命敷於四海，祗承于帝。』〇〈虞書〉成于夏史，現在臨御，稱古大禹乎？且『文命』二語，不敢上躋〈帝典〉，又不欲下等〈皐謨〉，醜極。」[18]一如從體例的角度切入，對〈帝典〉的真偽進行反駁。唐煥同樣認為，〈大禹謨〉不論是置於〈虞書〉抑或〈夏書〉，都是於題未安，據事不妥。同時，〈虞書〉既成于夏史，乃現在臨御，當朝而稱古大禹，豈非矛盾？唐煥之「辨〈虞書〉不宜稱古舜，〈夏書〉不宜稱古禹」，陶澍直判為「直捷了當」，以為「南山可移，此判不可移」。[19]又諷刺〈大禹謨〉既有「文命」二語，即表示以禹為受命帝王。既然視禹為受命帝王，卻不敢上躋〈帝典〉，又不欲下等〈皐謨〉，故唐煥以為「醜極」。

再來看〈五子之歌〉與〈胤征〉。唐煥曾說：「〈五子之歌〉無其事，〈胤征〉無其

---

14 唐煥：〈尚書辨僞序〉，《尚書辨僞》，卷首。

15 唐煥：《尚書辨僞》，卷2，頁1。

16 同前註。

17 唐煥：《尚書辨僞》，卷1，頁13。

18 唐煥：《尚書辨僞》，卷1，頁13。

19 陶澍：〈尚書辨僞跋〉，《尚書辨僞》，卷首。

理。」[20]按梅鷟、閻若璩等前輩辨古文之偽，多出以實證，於此二篇亦然。例如指出〈五子之歌〉有竊取《左傳》成其文字之嫌，又指出〈胤征〉乃掇輯群經乃至魏晉人之語而成。[21]與此相異，唐煥辨〈五子之歌〉與〈胤征〉之偽，乃直接從事理之有無論證之。如其辨〈五子之歌〉云：

> ◯據云，太康尸位，惡德既稔，仇予之怒，不可終日。五子何人？平時不聞明諍顯諫之言，臨行不聞攀輿號泣之痛，俛從徯洛，已罹逆距之凶，乃始發怨懟之意，致忿恨之辭，此足擬于忠君念祖之儔耶？或曰：「五子前時當有忠諫，史或未之錄也。」夫遺其忠藎之辭，著其怨訕之語，失本末輕重之數，尤宜孔聖之所特刪也。偽也。[22]

觀唐煥之意，以為五子平時未有諍諫之言，於太康之盤遊畋獵，臨行亦不聞攀輿號泣之痛。且在后羿作亂之後，既御母俛從，徯於洛汭，已是背離君上，卻發其怨懟之意，致忿恨之辭，實不堪擬于忠君念祖之儔。至於為五子辯護者，以為前時當有忠諫，史或未之錄也。唐煥在反駁此等論點的同時，又重提他的經典觀，認為：「夫遺其忠藎之辭，著其怨訕之語，失本末輕重之數，尤宜孔聖之所特刪也。」故下其斷語云「偽也」。蓋謂經典所載特慎，若當時真有忠諫之言，則〈五子之歌〉所錄亦當諸如此類。然〈五子之歌〉所載既是遺其忠藎之辭，著其怨訕之語，已失本末輕重之數，唐煥以其為孔聖之所特刪，不亦宜乎！

再來看唐煥以無其理而斷之為偽的〈胤征〉一篇。按《書序》云：「羲、和湎淫，廢時亂日，胤往征之。」[23]《史記．夏本紀》亦載：「帝中康時，羲、和湎淫，廢時亂日，胤往征之。」[24]而〈胤征〉篇開頭亦明言：「惟仲康肇位四海，胤侯命掌六師，羲、和廢厥職，酒荒於厥邑，胤後承王命徂征。」[25]表示掌管日月營運的羲、和的後代沈湎於淫亂，胤前往征討，在大戰之前作了〈胤征〉來鼓舞士氣，唐煥則從所載之事必無其理來斷定此篇之偽。其言：

> ◯或云：羲、和心夏，夷羿假命征之，前人詳辨其非矣。仲康命討，則必無之事也。時羿距太康于河南，太康崩，仲康嗣立，羿固稱尊於舊都也。羲、和仍供職

20 唐煥：〈尚書辨偽序〉，《尚書辨偽》，卷首。

21 按：梅鷟《尚書考異》卷二、閻若璩《尚書古文疏證》卷一第十三條及卷五第七十三條皆指出〈五子之歌〉乃作偽者拾《左傳》文字而成；又梅氏《考異》卷二、閻氏《疏證》卷一第八條、卷四第六十四條皆考出〈胤征〉拾掇舊文痕跡。

22 唐煥：《尚書辨偽》，卷2，頁19。

23 孔穎達：《尚書正義》（上海市：上海古籍出版社，2007年），頁269。

24 司馬遷：《史記》（北京市：中華書局，1996年），頁85。

25 唐煥：《尚書辨偽》，卷2，頁19。

> 舊都與？仲康敢託辭以興師，何即正名以討羿耶？不敢討羿而征羲、和，吾知兵未入境，必為羿敗，鹹無遺矣。據云廢職尸官，似言供職河南也。封邑祿入耳，非如諸侯立國，撫有三軍，足以抗王命也。失厥職與？付之士師已耳，遣將勞師，無謂也。其偽明矣。[26]

按蘇軾依《左傳》及《史記》的相關記載為據，推斷自太康失國之後，至少康祀夏之前，正值后羿、寒浞專政僭位之年。本來羲、和酒荒廢職並非大惡，羿、浞之所以如此興師動眾征伐酒荒廢職之人，是因為羲、和是貳於羿而忠於夏者，羿為此借故發難。因此，蘇軾認為「〈胤征〉之事，蓋出於羿，非仲康之所能專」，乃「羿假仲康之命，以命胤侯，而胤往征之」。[27]東坡之主張，受到林之奇[28]、夏僎[29]、蔡沈等人的反駁。如蔡沈駁之云：

> 今按篇首言「仲康肇位四海，胤侯命掌六師」，又曰「胤侯承藏命徂征」，詳其文意，蓋史臣善仲康能命將遣師，胤侯能承命致討。未見貶仲康不能致命，而罪胤侯之為專征也。若果為篡羿之書，而亂臣賊子所為，孔子亦取之為後世法乎？[30]

唐煥認同蔡沈，以「夷羿假命征之」之說為非，故不予討論。但對於仲康命胤討伐羲、和之事，仍是持否定態度。唐煥以理推之，認為當時舊都為羿所據，羲、和亦仍供職於舊都，若仲康欲征河南，卻不敢正名以討羿，而是託辭以興師，其結果必是兵未入境，必為羿敗，鹹無遺矣。更何況羲、和不像諸侯國能撫有三軍，足抗王命，以其僅有封邑以食祿的實力，何需無謂的遣將勞師？付之士師論其罪狀已足夠，故唐煥乃謂：「尸厥官耳，何勞徂征？且推算小誤，輒援《政典》討殺，先王無此酷法。」[31]以失職而討殺，殆無是理，故唐煥明駁為偽。

唐煥據事理之合宜與否以斷定篇章之真偽，其實體現在對諸多晚出古文的辨偽中。如〈伊訓〉，他說：「總是因果空話，視《論》、《孟》、《易》坤文言句句實際何如？此篇因顛覆而偽撰，以為放桐張本，且闌入《孟子》語，以賺後人之必信，亦詭矣。其如文理填塞，氣體卑弱何也。」[32]其論〈武成〉曰：「所以斥其偽者，告神非一意救民之誠，功成無奉天欽若之意，臨朝發命，徒示矞皇，聖人舉動顧若此乎？固知安國之偽撰

---

26 同前註。

27 蘇軾：《東坡書傳》（臺北市：世界書局，1986年景印摛藻堂四庫全書薈要本），卷6，頁7。

28 林之奇：《尚書全解》（臺北市：世界書局，1986年景印摛藻堂四庫全書薈要本），卷13，頁5-8。

29 夏僎：《尚書詳解》（臺北市：臺灣商務印書館，1983年景印文淵閣四庫全書本），卷9，頁20-23。

30 蔡沈：《書集傳》，卷2，頁81。

31 同前註，卷2，頁19。

32 同前註，卷3，頁4。

也。」[33]其論〈微子之命〉曰:「封植亡裔，唐、明開國皆能之，錄諸史可也。無大絕異，登之經乎？且通篇一派後世門面話，的是偽撰。」[34]其論〈蔡仲之命〉曰:「此等事中主皆能之，且辭成敷衍，偽撰。」[35]又其辨〈君牙〉曰:「朱晦翁云:『此如今內翰制誥，首呼名而告之，末為嗚呼以戒之，〈君陳〉諸命，篇篇皆然。』據此，毫無關係，乃登經耶？」[36]其釋〈冏命〉曰:「僕御小臣，統於冢宰，不足命也。且承昭王失德後，知涵養德性之道乎？抑又何致轍跡徧天下耶？偽也。」[37]換言之，經典所載若非能卓越前古，足以特示將來者，不足錄也。

再來看〈湯誥〉，唐煥對其中文字，有不少的批駁。這需要將唐煥對〈湯誓〉與〈湯誥〉的評價做一比對。唐煥曾說:「夏末商初，君臣之變，〈湯誓〉所以誌也。奉天伐暴，德何慙焉？四方徯后，而何〈誥〉焉？」[38]表示〈湯誓〉記載的是朝代更迭時以臣伐君的時代巨變，但重點在於認為湯之伐桀是奉天伐暴，故認為湯不需有慚德。至於〈湯誥〉裡面莫名其妙的記載，一看就知其偽。先看他對「今汝其曰:『夏罪其如台？』夏王率遏眾力，率割夏邑。有眾率怠弗協，曰:『時日曷喪？予及汝皆亡。』夏德若茲，今朕必往」這一段經文的闡釋:

> 遏，絕；割，害；時，是也。其如台者，商民育于春仁，不知夏民之苦虐痛也。難予畏也。率遏者，為重困以窮民力，所謂率割也。率怠者，後其君。弗諧者，疾視其君也。指日而誓，由桀以日自況也。皆亡，狀弗諧也。若茲云者，言夏民之慘折。如臺，以申眾聽也。必往者，以弔民決伐罪也。以臣伐君，人倫大變，不得不暴白于天下也。蓋湯之心，橐、夔賡拜之心；湯之政，舜、禹受禪之政，而不免此者，遇為之也。聖人之難也。[39]

唐煥用很簡短的文字，把商民之育於春仁與夏民之苦虐痛做強烈的對比，以鋪陳出夏民對桀重困以窮民力，使民疾視其君，欲與以日自況的夏桀皆亡的情況，用來形容夏民之慘折，並藉此一鋪陳以增加湯之弔民決伐罪的正當性。最後又解釋此以臣伐君的人倫大變之所以暴白于天下者，乃不得已也。蓋湯雖有橐、夔賡拜之心，亦有舜、禹受禪之政，仍不免遭此人倫之變者，此際遇之故，聖人亦須艱難面對者。

另外，在解釋「爾尚輔予一人，致天之罰，予其大賚汝！爾無不信，朕不食言。爾不從誓言，予則孥戮汝，罔有攸赦」一段經文時，唐煥亦云:

33 同前註，卷4，頁5。
34 同前註，卷4，頁25。
35 同前註，卷4，頁60。
36 同前註，卷5，頁9。
37 同前註，卷5，頁10。
38 唐煥:〈尚書辨偽序〉，《尚書辨偽》，卷首。
39 唐煥:《尚書辨偽》，卷3，頁1。

> 賚，與也。食言，言已出而反呑之也。致天之罰者，奉天伐暴，不知其他，承上文言也。辭嚴〈甘誓〉者，非懼敗也，救民心切，臣主之分異也。[40]

唐煥在此強調的仍是奉天伐暴的致天之罰，而不慮及其他。至於所謂辭嚴〈甘誓〉者，在於〈甘誓〉的奉天之討是居於君位的「節制之師，仁聖之心也」[41]，與〈湯誓〉救民心切的以臣伐君，固有「臣主之分異」。

唐煥對〈湯誓〉奉天伐暴之事的肯定，已略述如上。反觀唐煥對於〈湯誥〉，就沒有好語言。如云：

> 〈湯誥〉○安國撰此，特欲攙入《論語》一段，令後人不敢議耳。〈禹謨〉、〈仲虺〉、〈說命〉、〈君陳〉、〈君牙〉亦然。此篇無論文理拉雜，四方率服矣，為鋪張耶？為蛇足耶？無謂。●王歸自克夏，至于亳，誕告萬方。王曰：「嗟！爾萬方有眾，明聽予一人誥。惟皇上帝，降衷于下民。若有恆性，克綏厥猷惟后。」○聖人告人，人人易曉。如〈湯誓〉奉天伐暴是也。無端向萬方黎庶，談天說理，豈所能喻。以下至末，無一語發明，何也？[42]

按宋人王應麟曾言：「〈仲虺之誥〉，言仁之始也；〈湯誥〉，言性之始也；〈太甲〉，言誠之始也；〈說命〉，言學之始也。」[43]而《四庫提要》亦言：「然言性、言心、言學之語，宋人據以立教者，其端皆發自古文。」[44]不過唐煥卻認為，〈湯誥〉與〈禹謨〉、〈仲虺〉、〈說命〉、〈君陳〉、〈君牙〉諸篇相類，都是孔安國在偽撰篇章時，攙入《論語》的內容，欲令後人不敢議論。但究其文理，拉雜鋪張，如畫蛇添足。更重要的是，在唐煥看來，誥誓等篇章，意在曉喻眾人，理當辭達理順，人人通曉，如〈湯誓〉使萬民知其奉天伐暴之意之類。但顯然〈湯誥〉所言，是無端向萬方黎庶，談天說理，非是萬方黎庶所能喻。此非聖王誥誓之常理，故判其為偽。

當然，在諸多篇章的辨偽中，最具系統者莫如對〈仲虺之誥〉與〈泰誓〉的討論，乃為其主張湯、武革命的正當性作辨護。如云：

> 〈仲虺之誥〉○誥者，喻眾之謂。對君矢言，可云誥乎？孔《疏》謂必對眾而言，附會。●成湯放桀于南巢，惟有慚德。曰：「予恐來世以台為口實。」○奉天伐暴，其心其事，建諸天地而不悖，夫何慙耶？季札所云言樂也。獵入「予

---

40 同前註，卷3，頁2。

41 同前註，卷2，頁18。

42 同前註，卷3，頁3。

43 王應麟：《困學紀聞》（臺北市：臺灣商務印書館，1981年），卷2，頁12。

44 紀昀：《四庫全書總目》（北京市：中華書局，1987年），卷12，頁96。

恐」云云，更非。朗誦〈湯誓〉，絕無口實之嫌，又誰敢藉為口實耶？[45]

與〈湯誥〉同意，誥者乃喻眾之謂。然觀〈仲虺之誥〉文意，乃仲虺對君矢言，與喻眾為誥性質不類。而孔《疏》乃強解為仲虺對眾而言，被唐煥批評為附會。重要的是，唐煥認為所謂湯惟有慚德，恐台來世以為口實之說，絕非湯之語氣。原因是奉天伐暴，其心其事，建諸天地而不悖，夫何慙耶？更何況朗誦〈湯誓〉，也絕無口實之嫌，此乃行正義之事，又誰敢藉為口實？所以他對於接下來的仲虺作誥，提出各種批評，或以為獵填倒置，或以為雜沓湊填，或釋為牽強殊甚，或批其醜態盡矣。[46]

再來看對〈泰誓〉的討論。唐煥釋真假〈泰誓〉之興廢，以及偽〈泰誓〉所以為偽之由云：

〈泰誓〉上○〈泰誓〉之篇，經聖人手刪，故伏生二十八篇無之。武帝時，河間女子獻〈泰誓〉一篇，合伏生今文為二十九篇。孔壁偽書雖出而未傳於世，至東晉梅賾，獻孔壁古文，偽書行而前〈泰誓〉廢。吳氏曰：「湯、武皆以兵受命，然〈湯誓〉辭裕，數桀也恭；〈泰誓〉辭迫，數紂也傲。其書晚出，疑其偽。」[47]

這一段文字的重點，倒不在於唐煥對河間女子所獻〈泰誓〉一篇興廢的說明，而在於引吳澄之說，從辭氣的辭裕辭迫，數紂之罪態度的恭敬傲慢之差別來判定晚出〈泰誓〉之偽。正因有此解釋上的特點，才會有「審辭氣事理以辨證偽書」做為本節標題的緣故。當然，他判〈泰誓〉為偽的根本原因，還是在於〈泰誓〉內容對湯、武革命的錯誤理解。例如：

●今商王受，弗敬上天，降災下民。沈湎冒色，敢行暴虐，罪人以族，官人以世，惟宮室、台榭、陂池、侈服，以殘害于爾萬姓。焚炙忠良，刳剔孕婦。皇天震怒，命我文考，肅將天威，大勳未集。○上半節亂湊成偶，皇天二語誣天，肅將二語誣考，紂惡未稔，天心未嘗厭殷，文王毫無覬覦，即武王時至事起，亦天命之應，何用誣拉文考？試讀〈牧誓〉，何等青天白日耶？[48]

唐煥所言〈牧誓〉何等青天白日，指的是武王數紂之罪，直指牝雞司晨，婦言是用，而不是如〈泰誓〉般託以皇天，誣拉文考。尤其〈泰誓〉所作的時機，是武王會八百諸侯於孟津之時，其時殷命未替，故結盟而還而已。故云「紂惡未稔，天心未嘗厭殷，文王

45 唐煥：《尚書辨偽》，卷3，頁2。

46 同前註，卷3，頁2-3。

47 同前註，卷4，頁1。又唐煥釋〈伊訓〉篇題時亦云：「此及〈太甲〉、〈泰誓〉、〈武成〉，古有其篇，因不足存，孔聖刪之。安國託題偽撰，以希混入耳。」卷3，頁4。

48 同前註。

毫無覬覦，即武王時至事起，亦天命之應，何用誣拉文考」。又如：

> ●予克受，非予武，惟朕文考無罪；受克予，非朕文考有罪，惟予小子無良。」○據上文克受由文德，僅無罪耶？奉天伐暴而懼受克耶？文考句尤扯湊，不過顛倒偶對耳。去此三篇，獨存真誓，聖人伐暴救民之心，明白不翳矣。附會安國，呰議武王，可歎也。[49]

唐煥無法接受〈泰誓〉在此所提的克受由文德，自身無罪之說，更認為聖人奉天伐暴，何懼受克。故強調「去此三篇，獨存真誓，聖人伐暴救民之心，明白不翳矣」，表示唐煥對此〈泰誓〉三篇的內容，持完全否定的態度。不僅如此，在討論〈牧誓〉的時候，亦不忘對此三篇〈泰誓〉提出批判。例如在解釋〈牧誓〉篇題時，即云：「牧，地名，在朝歌南，即今衛輝府治之南。武王軍于牧野，諸侯來會，臨戰誓眾，因以名篇。按前期八百諸侯大會，應有〈大誓〉，如傳所引者，孔聖刪之也。」[50]唐煥所言的「應有〈大誓〉」，指的是載籍所引的〈泰誓〉，既非河內女子所獻者，亦非孔壁偽古文三篇〈泰誓〉。又如在解釋「時甲子昧爽，王朝至于商郊牧野，乃誓」時，即言：「昧，冥；爽，明。將明未明之時。乃誓者，臨陣誓師，明前此未嘗再三誓也。」[51]此言實別有所指，乃諷〈牧誓〉之前的三篇〈泰誓〉出於偽造。至其釋武王批評商紂牝雞之晨，惟婦言是用一段，唐煥有如下解釋：

> 王曰：「古人有言曰：『牝雞無晨；牝雞之晨，惟家之索。』今商王受惟婦言是用，昏棄厥肆祀弗答，昏棄厥遺王父母弟不迪，乃惟四方之多罪逋逃，是崇是長，是信是使，是以為大夫卿士。俾暴虐于百姓，以奸宄于商邑。」婦，妲己也。《列女傳》云：「紂好酒，淫嬖妲己。所舉者貴之，所憎者誅之，惟其言是用，故顛倒昏亂也。」肆，陳；答，報祭，所以報本也。厥遺云者，王父弟、母弟、伯叔兄弟，皆先王之裔。弗迪，不以道遇也。乃惟，承上益甚之辭。多罪逋逃，小人也。崇、隆；長，尊；信，任；使，用，用婦言也。暴虐奸宄，嬖寵妲己，背常亂政之流毒也。按此武王聲紂之惡，蘊藉條理，方信〈泰誓〉三篇之偽。[52]

按今本五十六篇之序，〈泰誓〉三篇列在〈牧誓〉之前。唐煥通過對〈泰誓〉及〈牧誓〉經文的詳細梳理，指出三篇〈泰誓〉湊亂顛倒，厚誣武王；而〈牧誓〉載武王聲紂之惡，卻是蘊藉條理，所以他從文理辭氣的通順與否，判定三篇〈泰誓〉為偽作。最後

---

49 同前註，卷4，頁3。

50 同前註。

51 同前註。

52 同前註，卷4，頁4。

引蔡沈之說而論之曰：「『此篇嚴肅而溫厚，與〈湯誓〉相表裡，真聖人言。〈泰誓〉、〈武成〉，非盡聖人言。』據九峯亦知其偽，何以不明斥耶？其與〈湯誓〉異者，彼因商民安仁忘暴，告以伐桀之故。此因來會者眾，整齊軍令，懼恣殺也。」[53]唐煥對於蔡沈能藉由辭氣是否蘊藉條理來判斷〈湯誓〉、〈牧誓〉與〈泰誓〉、〈武成〉是否為聖人言，卻又不明白指出，頗有不滿，並分析二者撰寫情境之不同。

從所引〈湯誓〉與〈牧誓〉的例子來看，唐煥對於〈誥〉與〈誓〉的要求，是陳義醇正，理充氣足，其判〈湯誥〉、〈泰誓〉為偽，正因此二篇義理辭氣皆與〈湯誓〉與〈牧誓〉所陳，背道而馳。此乃其經典觀之體現，尚可用他對〈大誥〉的解釋以為補充。唐煥言：

> 抑此時與伐紂異，明罪整旅，伐暴之義，故〈牧誓〉云云，此則終武功也。克篤前烈，臣子大義，曉以大義，決勝致果，使知吾師光明正大，稍有觀望，即蹈于不孝不忠者之所為，〈大誥〉一篇，所以諄諄休前寧、陳卜吉，而絕無二三也。此其為聖人之舉與？[54]

按〈大誥〉之所以作，乃因「武王克殷，以殷遺民封紂子武庚，命三叔監之。武王崩，成王幼，周公攝政，三叔流言，遂挾武庚以叛。周公以成王命討之，大誥天下」。[55]唐煥將〈牧誓〉與〈大誥〉做了比較：不同的是，前者作於伐紂之時，重在明罪整旅，闡伐暴之義；後者則武功已成，欲臣子克篤前烈，曉以大義，不應觀望以蹈于不孝不忠者之所為；相同的是，皆是光明正大，諄諄聖人之言。換言之，唐煥對〈仲虺之誥〉及〈泰誓〉等篇的辨偽，還寓有為其中對聖王似是而非之論的洗冤之意。所以，對於唐煥在辨證〈仲虺之誥〉及〈泰誓〉的成績，陶澍曾有如下評論。其言云：

> 而其有功名教者，尤在辨〈虺誥〉、〈泰誓〉之文，以為湯方口實是懼，而虺懼於非辜，畏禍叛君，口實甚矣。聿求元聖，與之戮力，幾疑五就桀時。計出反間，誓師稱王，狗儼然吳、楚之僭號。時哉弗可失，豈慮紂改圖耶？蓋自偽書行而湯、武之心跡不明久矣。雖學如蘇軾，猶不免有非聖之論。毛氏但為古文辨冤，而不知湯、武之冤誰為之而誰辨之也哉？先生惟以今文與古文對較，而真偽之跡自見。其所摘發，不外本書，無考據家支離牽強之習，以視梅、閻諸人，不啻過之。[56]

如前所言，唐煥認為《尚書》所載內容應是「必其事足以創生民未有之奇，其道則天命

53 同前註，卷4，頁5。

54 同前註，卷4，頁24。

55 同前註。

56 陶澍：〈尚書辨偽跋〉，《尚書辨偽》，卷首

流行之宜，足以百世俟聖而不惑，而後可以垂訓於天下後世者」，如〈堯典〉之誌傳賢、〈湯誓〉之誌奉天伐暴之類，才是具有經之性質。然而在唐煥看來，〈仲虺之誥〉與〈泰誓〉對湯、武弔民伐罪之理解似是而非，使「偽書行而湯、武之心跡不明久矣」，此所以唐煥目之為偽而不得不辨者。又唐煥之說，惟就今、古文相關之經文相互對勘而得，確實有陶澍所言「其所摘發，不外本書，無考據家支離牽強之習」的特色，至於說「以視梅、閻諸人，不啻過之」，則或出以鄉誼，未免有揚此抑彼之嫌，不必據以為是非之準。換言之，吾人對唐煥諸多辨偽論述，看重的或不在其辨偽之有效性，而在其以獨特經典觀鋪墊其辨偽論述所呈現的對《尚書》經文的領會與見解，以及從中所見漢宋角力的學術史意義。

三 離析文章結構疏解經文

如本章首節所言，唐煥此書雖名為《辨偽》，但唐氏仍按照五十六篇《尚書》的篇目順序，對今文則逐段進行解釋，對古文則逐段進行辨析，所以此書稱得上是身兼辨偽與注釋兩種性質的《尚書》學載體。唐煥對於晚出古文之辨偽，已略如前節所述。本節則針對他對二十八篇經文的疏解特色，進行分析。基本上，唐煥是透過解讀篇目次序之安排、離析文章的段落結構，並且點出篇章主題的方式，幫助閱讀者儘快掌握《尚書》經文大義。故本節擬以唐煥釋〈堯典〉、〈盤庚〉、〈金縢〉三篇為例，以觀其離析文章結構疏解經文的特色。

先來看唐煥對〈虞書〉的解題。按蔡沈釋〈虞書〉曰：「虞，舜氏，因以為有天下之號也。書凡五篇，〈堯典〉雖紀唐堯之事，然本虞史所作，故曰〈虞書〉。其〈舜典〉以下，夏史所作，當曰〈夏書〉。《春秋傳》亦多引為〈夏書〉，此云〈虞書〉，或以為孔子所定也。」[57]而唐煥解〈虞書〉則云：「虞，舜氏，因以為有天下之號。書凡二篇，紀虞帝受禪始終及廷臣帝前陳謨，故曰〈虞書〉。」[58]又蔡沈釋〈堯典〉篇名曰：「堯，唐帝名。《說文》曰：『典，從冊，在丌上，尊閣之也。』此篇以簡冊載堯之事，故名曰〈堯典〉。後世以其所載之事可為常法，故又訓為常也。今文、古文皆有。」[59]而唐煥釋〈堯典〉篇名則云：「堯，唐帝名。典，《說文》曰：『冊在丌上。』此篇詳載堯禪舜始終事，故名〈堯典〉。」[60]兩相比較可以看得出來，唐煥在對〈虞書〉解題及〈堯典〉篇旨的解釋上，有承襲自蔡《傳》的部分，但唐煥更強調的是此篇所載禪舜始終之事，這是蔡沈所未言及的。唐煥不但以此為基點，來批評別出〈舜典〉是不曉〈堯典〉

57 蔡沈：《書集傳》，卷1，頁1。
58 唐煥：《尚書辨偽》，卷1，頁1。
59 蔡沈：《書集傳》，卷1，頁1。
60 唐煥：《尚書辨偽》，卷1，頁1。

通篇文意的陋儒之見；同時也依此原則，對禪舜而述堯事進行解釋。

如釋「曰若稽古，帝堯曰放勳，欽明文思安安，允恭克讓，光被四表，格於上下」，唐煥曰：

> 曰、粵、越通。曰若，發語辭，〈周書〉「越若來」亦然。稽，考也。夏史所載，故稱古帝。將紀禪舜本末，故先冒挈言之。放，漸至；勳，功也。總言堯之功大而極於無涯也。欽，儼恪勃發之意；明，犀斷；文，條理；思，睿慮。皆性之德，仁義禮智是也。安安，言德性自然，毫無勉強，所謂性之也，放勳之本也。允，信；克，能也。恭者，讓之本；讓者，恭之著。允與克，安安之由，勳所由放也。光，顯；被，及；表，外；格，至；上，天；下，地也。謂盛德虛己，故其功際天地，蓋言放勳所極也。由禪舜而舉官，皆德之著，而恭讓之符，至殂落前後，舜終帝治。則所謂被四表，格上下，於斯至矣。舜特終堯之事耳。[61]

所謂「將紀禪舜本末，故先冒挈言之」者，先形容堯之盛德功業，再言由禪舜而舉官，至舜終帝治，都是特終堯之事耳。故其釋「克明俊德，以親九族，九族既睦，平章百姓，百姓昭明，協和萬邦，黎民於變時雍」云：

> 明，明揚；俊，俊傑。俊德，舜及岳牧九官是也。克明由恭讓也。以，用也。睦，親而和也。平，均；章，明；百姓，畿內臣民；昭明，自明其德也。黎，黑也。於，歎美辭；變，遷於善；時，是；雍，和，大化洽也。下從敘睦觀水火教養工虞禮樂，所以睦族平章。協，和者也。正被格之實，所謂放勳四德安安之效也。上節虛冒，此節總挈，下乃遞詳其實也。[62]

所謂上節虛冒，此節總挈者，即指出〈堯典〉首段文字主要在於對堯之盛德的形容，此段則提綱挈領，指出堯克明俊德親睦九族、平章百姓、協和萬邦之功績。至於下乃遞詳其實者，則是自「乃命羲、和」以下，實述堯命官授時以下事。如其釋「乃命羲、和，欽若昊天，厤象日月星辰，敬授人時」云：

> 自此至舜死，層敘允恭克讓之實與其效，以極被格之所際也。乃者，繼事之辭。聖人心雖無窮，而由廣被以及於無量，非一蹴所能，故特承上而遞推之，以至其極也。羲、和，主厤象授時之官。若，順也。昊，廣大貌。厤，紀數之書；象，觀天之器。日，陽精；月，陰精；星，二十八宿。眾星為經，金木水火土為緯是也。辰，以日與天會，分周天為十二次也。此定周天行度，欽若之具，敬授之本

---

61 同前註。

62 同前註。

也。人時，耕獲之候，如下文所云也。[63]

唐煥首先說明自乃命羲、和以下至舜死，是層層遞敘允恭克讓之實與其效，「以極被格之所際」。接著解釋「乃」字之義，所謂繼事之辭，據清張文炳《虛字註釋》所言：「乃，繼事之詞，『乃積乃倉』是也。」[64]而《馬氏文通》則將繼事之詞歸入「承接連字」一類[65]，表達因果遞進之關係。在唐煥看來：「聖人心雖無窮，而由廣被以及於無量，非一蹴所能，故特承上而遞推之，以至其極也。」所以在首段虛冒描述堯之盛德，第二段提綱挈領，指出堯克明俊德親睦九族，平章百姓、協和萬邦的功績之後，第三段以下即繼之以實事，歷述堯之功德由廣被以及於無量之過程。

所以，唐煥在解釋「分命羲仲，宅嵎夷，曰暘谷。寅賓出日，平秩東作。日中，星鳥，以殷仲春。厥民析，鳥獸孳尾」時云：「此下四節承上厤度既定，而分職以考驗之，恐推步之或差也。」[66]仍是依繼事連辭的原則，將承上啟下之因果關係挑明。其釋「帝曰：『疇咨若時登庸？』放齊曰：『胤子朱啟明。』帝曰：『吁！嚚訟可乎？』」則云：「定厤授時，績熙民阜矣，必為天下得人而奕世永賴，故疇咨汲汲也。此下三節，皆為禪舜張本。」[67]同樣是指出上下文的因果關係，亦即定厤授時，績熙民阜之後，重心在於繼承者之選拔，故云「此下三節，皆為禪舜張本」。換言之，唐煥善於提點關鍵的轉折處，使覽者易於掌握文章脈絡，通曉文章重心，此與其授讀子弟必有關聯。例如其哲嗣唐仲冕即深於《尚書》，在《陶山文錄》中，有不少關於《尚書》的篇章，其中不乏援引唐煥之說為據者。例如唐仲冕有〈尚書說〉一文，開篇即云：「六經聖人手訂，以詔方來。《書》為體道出治，經權常變之軌則，尤兢兢焉。事涉奇誕，語近幽渺，奸雄之所藉口，庸儒因而誤國，雖在墳典，亦必刪除。所以樹平成之準，嚴傳託之防，盡變通之神，恢參贊之量，而適協乎大中至正之理。」[68]所言仍是據唐煥所揭示的經典觀加以引申。故姚鼐於篇後〈跋語〉云：「陶山尊甫石嶺先生著《尚書辨偽》，余為之序其書。因梅、閻諸家考證已詳，特指其害義傷道者辨之。陶山仰承庭誥，立論精當，洵為伏經功臣。」[69]明白指出陶山《尚書》學，傳承自唐煥的教導，故其立論，帶有其父鮮明的印記。[70]

---

63 同前註。

64 張文炳：《虛字注釋備考》（廣州市：廣東人民出版社，2012年影印四編清代稿抄本），卷3，頁555。

65 馬建忠：《馬氏文通》（臺北市：臺灣商務印書館，1968年），卷8之3，頁56-57。

66 唐煥：《尚書辨偽》，卷1，頁2。

67 同前註，卷1，頁3-4。

68 唐仲冕：《陶山文錄》（上海市：上海古籍出版社，《清代詩文集彙編》第437冊，2010年），卷2，頁12-13。

69 同前註。

70 同前註。又唐仲冕有〈題伏生授經圖和孫淵如觀察時淵如撰伏書注疏〉云：「自昔治專經，壁藏溯秦劫。《尚書》著辨偽，先子有家法。梅、閻皆證據，陳義獨融洽。《考異》登四庫，折衷垂令甲。通再來看唐煥對〈舜典〉的解釋。需要說明的是，唐煥是不承認別有所謂〈舜典〉一篇存在的，辨已見前。不過他對於釐降觀刑之後的文字，仍是依其離析文章結構以解經的原則進行疏釋。如釋「慎徽五典，五典克從；納于百揆，百揆時敘；賓于四門，四門穆穆；納于大麓，烈風雷雨弗迷」云：

> 觀刑二女，試之先事。此節歷試之績，受終之由也。徽，美也。慎之使人知人道之防，徽之使人有人倫之樂也。五典，五倫，親義別序信是也。從，順也，蓋使為司徒也。百揆，揆度庶務之官，猶周之冢宰也。時敘，以時而敘也，克諧之驗也。四門，四方之門，諸侯方至而使主焉，故曰賓，蓋又兼四岳之官也。穆穆，和之至也。烝乂之符，孝之推也。麓，山足；烈，迅；迷，錯也。洪水為害，舜兼司空，相視水勢，雷雨大至，毫無驚懼，非聖德盡性，衾影無愧者不能。堯所以觀厥刑也。舜之績，堯之勳也。[71]

唐煥不論是從對〈舜典〉篇名的批駁中，抑或是對〈堯典〉（含〈舜典〉）通篇經文的疏解中，不斷的強調，〈舜典〉所述重心在於堯之禪舜。故經文中述舜事，在舜言之，是述其歷試之績，受終之由也；在堯言之，所以觀厥刑也，而舜之成績，乃所以彰堯之功勳也。

再來看唐煥釋「在璿璣玉衡，以齊七政」。其言云：

> 璿，美珠；璣，機也。象天體之運轉也。以璿飾度，便夜候手切也。衡，橫也。玉衡以玉為管，橫而設之，所以窺璣而審七政之運行，猶今之渾天儀也。政云者，日月有交食，五星有遲留伏逆。其變也，行度遲速；其常也，各自為政，皆所當齊也。前時考候中氣，此復詳論二曜行道，五緯纏度，於法為益密。七政齊而推步無差矣。此言舜初攝位，首察璣衡，蓋厤象授時，先務為急，猶前事也。[72]

在對「璿璣玉衡，以齊七政」做簡單註解之後，唐煥將重點放在文章轉折處做提點，如云「前時考候中氣，此復詳論二曜行道，五緯纏度，於法為益密。七政齊而推步無差

儒追姚、姒，梅書雕成匣。惟訂廿九篇，毋以〈序〉承乏。〈泰誓〉殊張霸，定宇在記劄。匪惟研精覈，注疏細拱押。自言〈洪範〉理，鄭注猶淺狹。寧非濟南靈，誘衷倒三峽。況曾置博士，釋奠神從祫。斯圖類鑄金，日久架懸業。玉蹬手新題，珍重同梵夾。屬余一披圖，古貌見眉睫。掌故拜牀前，頗異貳顏恰。微言當口授，不櫛非近狎。君才軼漢室，聚訟徒喋喋。大師若桓、文，牛耳誰先歃。鯫生讀父書，道合喜心恰。願常為都養，豈但牙籤插。兩家各孚翼，雛鳳勝雛鴨淵如詩有「我子長未齔」之句。更看伏生孫，用振金華業。」對其父唐煥治《尚書》之功績，推崇備至；對各自子弟的期待，也躍然紙上。唐仲冕：《陶山詩錄》（上海市：上海古籍出版社，《清代詩文集彙編》第437冊，2010年），卷15，頁18。

71 唐煥：《尚書辨偽》，卷1，頁6。

72 同前註。

矣」，把前後文的重點揭示出來。又如云「此言舜初攝位，首察璣衡，蓋厤象授時，先務為急，猶前事也」，則是表明歷象授時是農業社會的先務為急之事，而且在技術上，其法較堯時益密，但本質上仍是繼承堯之事業，故云「猶前事也」。

再觀唐煥釋「五載一巡守，群后四朝。敷奏以言，明試以功，車服以庸」一節所云：

> 五載，合計也。一，一年。四，東西南北諸侯，以次分四年來朝也。一往以來，禮無不答也。敷，陳；敷奏，詢事；明試，考言也。民功曰庸，車服以所旌之也。禪之者獲付託之逸，攝之者無僭偪之嫌，大舜聖德體天，毫髮無憾；帝堯安安恭讓，亦掩映於不言中矣。[73]

此處仍強調堯、舜之事在於禪讓，所云「禪之者獲付託之逸，攝之者無僭偪之嫌」，蓋用以強調堯、舜之禪讓，非如後世權臣逼位之醜態，故進而補充云：「大舜聖德體天，毫髮無憾；帝堯安安恭讓，亦掩映於不言中矣。」對於聖王完美形象之刻畫，可謂用心良苦。

再觀其釋「流共工于幽洲，放驩兜于崇山，竄三苗于三危，殛鯀于羽山，四罪而天下咸服」云：

> 此皆堯臣也，而舜罪之不疑，由心無繫累，行所無事故也。益以見神堯恭讓自然，為天下得人，動之所以放于無極也。又按殛鯀用五臣，乃初攝時事，彙四罪而附恤刑後者，統二十八載而總紀之也，故下文即接云云。[74]

唐煥強調舜登庸之後，於堯臣之有過者罪之不疑，所以然之故，在於心無繫累，故行所無事。不難看出，唐煥所欲表達的仍是禪讓一事光輝的面目，故又申之云「益以見神堯恭讓自然，為天下得人，動之所以放于無極也」。值得注意的是，唐煥在此處分析了經文在敘述上參差錯落之處，例如殛鯀用五臣，乃初攝時事；然而彙四罪而附恤刑後者，則是統二十八載而總紀之，亦即經文將舜即位初年之事與二十八載間之事溷而敘之，下文又立即接「二十有八載，帝乃殂落」，容易使讀者以為殛鯀之事亦在舜之末年，經過唐煥分析之後，二者之差別即能清楚掌握。

接下來唐煥對「二十有八載，帝乃殂落。百姓如喪考妣，三載，四海遏密八音」這一段經文，唐煥作如是發揮：

> 殂落，死也，魂升而魄降，故曰殂落。百姓，百官族姓。喪，為之服也。遏，止；密，靜也。八音，金、石、絲、竹、匏、土、革、木也。所以然者，洪水患大，帝憂勞數十年，咨揚側陋，付託得人，放罪舉賢，治水弼教，民去昏墊之

---

73 同前註，卷1，頁8。

74 同前註。

> 厄，享蘇息之休，且易未闢之洪荒，為中天之景運，生其時者，不自知其淪肌而浹髓也。此被格之驗，放勳之極也。[75]

在「所以然者」之前，是對經文的簡單疏解。重點在於唐煥將舜之功績用自己的話表述一遍，這已經不是單純的隨文注解，而是消化經文之後的個人心得。當然，不論其對舜之功績如何表彰，總不離繼承堯之志業的敘述，此段文字最後又說「此被格之驗，放勳之極也」，原因仍是把舜事擺在堯之禪的框架下來敘述。

所以，再來看他對「舜曰：『咨，四岳！有能奮庸熙帝之載，使宅百揆亮采，惠疇？』僉曰：『伯禹作司空。』帝曰：『俞，咨！禹，汝平水土，惟時懋哉！』禹拜稽首，讓于稷、契暨皋陶。帝曰：『俞，汝往哉！』」之疏解：

> 遠猷是經，庶政為要，故亟咨九官也。奮，起；載，事也。云帝載者，舜受堯禪，終舜之事，皆堯之事，勳之所以放也。……亮采，總其事；惠疇，酌其理，冢宰統百官也。……平水土，禹舊職。……舜前以冢宰兼司空，此禹以司空晉冢宰，洪水初平，職仍重也。……此稱舜，下方稱帝，明堯在時，舜未嘗稱帝也。[76]

此處仍是強調堯在位時舜仍未稱帝，其云熙帝之載者，乃舜受堯禪，終舜之事，皆堯之事，勳之所以放也。直至放勳殂落，命禹由司空晉冢宰以統百官時，乃進而稱帝。又其釋「三載考績，三考，黜陟幽明，庶績咸熙。分北三苗」云：

> 考，核實也。三考，九載，舊法也。黜，降；陟，升也。幽，暗，毫無建白；明，顯，歷有顯績也。北，猶背也。服化者安之，不即工者徙之，使分背而去也。命官之後，循法考課，不愆不忘，賞罰明信，鼓勵群倫之道備矣。績之所以熙，頑之所以服也。舉三苗之分背，以見薄海內外，無思不服。聖德紹堯，被格無涯，無為而治也。[77]

在唐煥的解釋裡，他把舜對毫無建白與歷有顯績者的黜陟行為，以及對三苗的分背，認為是命官之後，循法考課，不愆不忘的表現，其賞罰明信，鼓勵群倫之道備矣。由此而績熙頑服，更見三苗之分背，使薄海內外，無思不服。但最後話鋒一轉，仍說舜是聖德紹堯，被格無涯，仍是蕭規曹隨無為而治。之所以如此解釋，即是把舜置於從屬位置，強調舜之績乃堯之勳也。

最後，來看唐煥對「舜生三十徵庸三十，在位五十載，陟方乃死」的解釋，以作為本篇之總結。其言云：

---

75 同前註，卷1，頁9。

76 同前註，卷1，頁10。

77 同前註，卷1，頁13。

> 徵，召。庸，即上登庸也。陟方，巡方也。乃死者，聖德無我，家國天下，各極其分，無敢自逸也。徵庸者堯也，禪位者堯也。綜紀始末，毫無贊辭，以見五十載咨命考績，措置適宜，心堯之心，熙帝之載而已。非帝堯所性恭讓，虛己得人，能致此蕩蕩之極效與？帝舜之有天下而不與，亦可以想見矣。[78]

通觀唐煥對〈堯典〉一篇的詮釋，都離不開堯之禪舜，而舜之舉措，皆所以繼述堯之勳業，真是功成而弗與，把舜的功績位置做極度的虛化，彷彿為老闆打工的工頭，或者是執著權力不放的太上皇手下之嗣皇帝。如此詮釋，顯示的是儒者對經典描繪的聖王禪讓作完美想像，雖是唐氏的一家之言，卻也是藉由對經典的解釋投射了儒者的政治理想。

除了對〈堯典〉一篇帶有鮮明的個人色彩的詮釋之外，唐煥對其他篇目的解釋，亦有可摘出討論者。例如〈盤庚〉，今文、古文皆有〈盤庚〉，但今文三篇合為一篇，古文則分上中下三篇，現行諸本於〈盤庚〉的經文亦是分上、中、下三篇。我們再以蔡《傳》釋〈盤庚〉篇題為例：

> 盤庚，陽甲之弟。自祖乙都耿，圮於河水。盤庚欲遷於殷，而大家世族安土重遷，胥動浮言。小民雖蕩析離居，亦惑於利害，不適有居。盤庚喻以遷都之利，不遷之害。上、中二篇，未遷時言。下篇，既遷後言。王氏曰：「上篇告群臣，中篇告庶民，下篇告百官族姓。」《左傳》為〈盤庚之誥〉，實誥體也。三篇，今文、古文皆有，但今文三篇合為一。[79]

唐煥舉《左傳》題〈盤庚之誥〉為證，表示〈盤庚〉為誥體，所以誥群臣、百官族姓與庶民，乃是喻眾之謂。這就可以用來證明，前舉〈仲虺之誥〉之對君矢言，乃後人不明誥體之偽作。當然，這裡需要注意的是，蔡《傳》對三篇所述先後的判斷，如「上、中二篇，未遷時言。下篇，既遷後言」，又如引王氏言「上篇告群臣，中篇告庶民，下篇告百官族姓」。但唐煥卻是將〈盤庚〉分為四段，來看他的解釋：

> 盤庚，陽甲之弟。自祖乙都耿，圮於河水。盤庚率臣民遷於殷，此其誥命也。分四段，首段喻以遷都之利，二段未遷時嚴戒之，三段將遷時申敕之，四段既遷之後慰安之，皆所以完首段遷都之利之意。[80]

按唐煥於此並未指實所告對象，如蔡《傳》所引王氏「上篇告群臣，中篇告庶民，下篇告百官族姓」之類，而是以臣民概括其告言對象。但這種從首段的喻以遷都之利，經二段的未遷時嚴戒之，到三段的將遷時申敕之，最後歸結到四段的既遷之後慰安之的四段

---

78 同前註。

79 蔡沉：《書集傳》，頁105。

80 唐煥：《尚書辨偽》，卷3，頁7。

分法，顯然較三分其篇的「上、中二篇，未遷時言。下篇，既遷後言」更能彰顯情境，或者說有解釋得更加細膩的可能性。其故在於首段喻以遷都之利之後，二段至四段的未遷、將遷、既遷組成一種動態的描述，皆所以呼應首段之意。

今觀其釋「盤庚遷於殷，民不適有居，率籲眾慼出矢言」云：「此通記遷殷事。下節（按：從『曰我王』）至『四方』，發端以挈下三段也。殷在河南偃師縣。適，往；籲，呼；矢，陳也。眾慼，共罹水患之人。出而矢言，喻以遷殷之利，如下所云也。」[81]唐煥將從起自「曰我王來既爰宅于茲」至「底綏四方」的經文列為第一段，並言此段「發端以挈下三段」，就已是將原來的上、中、下三篇的格局打破。而在「曰我王來既爰宅于茲」至「克從先王之列」這段經文之下，唐煥解釋云：「承爰宅而進述前事，以開諭今事，使知遷之不可已也。」[82]經文下接「若顛木之有由櫱」至「底綏四方」，唐煥直言「以上告遷殷之利也」。[83]表示第一段至此結束，言遷殷不得已，故告民以遷殷之利。

又在從「盤庚斆于民」至「王命眾悉至于庭」的經文之下，唐煥作如下解釋：「此記未遷時事。下節至『勿可悔』，承斷命而嚴戒之。......伏小人攸箴，民有欲遷者，為在位者所抑，不能上達也，無或敢以舊法正也，此發誥之意也。」[84]表示從「盤庚斆于民」至「罰及爾身，弗可悔」為第二段，既申明承斷命而嚴戒之，亦可見唐煥所謂的第一段、第二段是將〈盤庚〉上篇一分為二，因為〈盤庚〉上篇即是以「弗可悔」為斷。

至於第三段、第四段，雖是相應於中篇、下篇，但第三段在將遷未遷的解釋上又有不同。依蔡《傳》所釋，上、中二篇是未遷時言，下篇是既遷後言。而孔《疏》於中篇首段經文之下亦云：「盤庚於時見都河北，欲遷向河南，作惟南渡河之法，欲用民徙，乃出善言，以告曉民之不循教者，大為教告，用誠心於其所有之眾人。於時眾人皆至，無有褻慢之人，盡在於王庭，盤庚乃升進其民，延之使前，而教告之。」[85]明白表示中篇所載是雖欲遷向河南，且有渡河之法，但仍停留在說服其民的階段，亦是未遷時事。然唐煥既言「三段將遷時申敕之」，又在經文的實際疏解中，以為三段所載是方遷時事。其所謂方遷、將遷者，是正在進行遷都之意，故此篇表示的是已在進行遷都時的申敕之語。今觀首段之釋：

> 「盤庚作，惟涉河以民遷。乃話民之弗率，誕告用亶。其有眾咸造，勿褻在王庭，盤庚乃登進厥民。」此記方遷事。下節至建乃家，承首段從烈而申敕也。作，起而將遷之辭。殷在河南，故涉河。[86]

---

81 同前註。

82 同前註，卷3，頁8。

83 同前註。

84 同前註。

85 孔穎達：《尚書正義》，頁349。

86 唐煥：《尚書辨僞》，卷3，頁10-11。

唐氏既已言「起而將遷」[87]，故接續解釋「曰明聽朕言，無荒失朕命」時，即明言「涉河時勉從烈也」，再度表示第三段（中篇）所敘是正在遷都的時候。所以在解釋此段之末「往哉！生生。今予將試以汝遷，永建乃家」時云：「往指新邑。方遷移時，人懷舊土之思，未見新居之樂。故再以生生勉之，振其荒失而作其趨事也。試，用也；將，且然之辭，永建乃家，諭以子孫無窮之業，鼓舞從列以終荒失之戒也。」[88]再再表明的是唐煥認為第三段（中篇）所敘，是正在遷都時事，而不是停留在說服百姓的未遷之時。最後，在〈盤庚〉通篇之末，唐氏引蘇軾之說再附以識語云：

> 蘇氏曰：「民不悅而猶為之，古未之有也。祖乙圮于耿，不得不遷。盤庚德之衰也，其所以信于民者未至，故紛紛若此，然民怨誹逆命而終不怒，引咎自責，益開眾言，反復告諭，以口舌代斧鉞，忠厚委濟，殷之所以不亡而復興也。厲民以自用者，可以愧矣。」愚謂國都五遷，事變重大，古今未有，非大賢以上，不能措此而裕如也，故特錄之。[89]

按蘇軾所重者，在於盤庚面對民怨誹逆命而終不怒的忠厚委濟，以為殷之所以不亡而復興者以此。但唐煥所重者，是國都屢遷，事變重大，值此古今未有之境，必有大賢如盤庚者出，方能處其變而措之裕如也。此乃其經典觀之再引申，即前所謂「能卓越前古，足以特示將來」者，才有資格被列為經典。而〈盤庚〉篇所述遷殷諸事，正符合此條件，故乃言「特錄之」，以示「其事足以創生民未有之奇」。

唐煥離析文章段落結構以闡經義的特色已略如上述。除此之外，唐煥也在二十八篇經文的篇名之下綴以數語，以點出篇章主題。雖是簡短提要，卻也頗具特色。先來看他對〈皐陶謨〉章旨的闡釋。他說：

> 君行事曰典，臣陳言曰謨。二帝相禪，故同典；諸臣一德，故同謨。首尾皆皐陶言，故名。中則禹謨，後則夔謨也。[90]

在簡短的數語中，除了區別典謨、解釋〈虞書〉凡二篇之故，又解釋了此篇稱〈皐陶謨〉的理由。最重要的是，還呼應了他對〈虞書〉「虞，舜氏，因以為有天下之號。書凡二篇，紀虞帝受禪始終及廷臣帝前陳謨，故曰〈虞書〉」的解題，可謂言簡意賅，又宗旨明確。

值得注意的是，唐煥《尚書辨僞》引據前賢注釋以蔡《傳》為最，在篇名提要上亦然，例如〈甘誓〉、〈湯誓〉、〈西伯戡黎〉、〈洪範〉的提要，基本上就是檃括蔡《傳》而

---

87 同前註，卷3，頁11。

88 同前註，卷3，頁13。

89 同前註，卷3，頁15。

90 同前註，卷1，頁16。

來。但這並不表示唐煥對蔡《傳》是毫不保留的接受，而往往是別有所陳，如上節所引〈牧誓〉，本節所引〈虞書〉、〈堯典〉及〈盤庚〉，唐氏於篇旨之說明，顯異於蔡《傳》。此處再舉數例，如〈金縢〉。蔡《傳》云：

> 武王有疾，周公以王室未安，殷民未服，根本易搖，故請命三王，欲以身代武王之死。史錄其冊祝之文，並敘其事之始末，合為一篇。以其藏於金縢之匱，編書者因以「金縢」名篇。今文、古文皆有。○唐孔氏曰：發首至王季、文王，史敘將告神之事也。「史乃冊祝」至「屏璧與珪」，記告神之辭也。自「乃卜」至「乃瘳」，記卜吉及王病瘳之事也。自「武王既喪」以下，記公流言居東，及成王迎歸之事也。[91]

來看唐煥的改寫：

> 武王有疾，周公以王室未安，殷民未服，根本易搖，故請命三王，欲以身代其死。史錄其冊祝之辭，並敘其事之始末，合為一篇。以其始終金縢，故以名篇。○唐孔氏曰：發首至王季、文王，敘將告神之事。「冊祝」至「屏珪」，記告神之辭。「乃卜」至「乃瘳」，記卜吉病瘳之事。「既喪」已下，記公流言居東討罪，及迎歸之事也。[92]

除了以「其」字代「武王」，以及刪去「今文、古文皆有」等字眼之外，唐煥基本上是對蔡《傳》的敘述做文字上的精煉，如將蔡《傳》「以其藏於金縢之匱，編書者因以『金縢』名篇」改為「以其始終金縢，故以名篇」。此外，內容並無太大的差異。[93]但關鍵的區別只有一句，即是將蔡《傳》的「記公流言居東」改為「記公流言居東討罪」。兩字之差，代表的是唐煥對周公的認知，與蔡沈大異其趣。亦即唐煥接受「周公攝政」及「居東」乃是討伐管蔡的漢代今文學《尚書》古義，與宋儒堅持「周公相成王」，及承自馬、鄭以「居東」乃避居東土而非討伐管、蔡的持論，可謂是尖銳的對立。在這等原則問題上，唐煥毫不含糊，所以在引用蔡《傳》的同時，對於關鍵之處，會做出相應的改寫；而在解釋經文時，也不斷的強調周公是「攝政」而非「相成王」，以及「居東」乃是征討罪人而非避居東土。

---

91 蔡沉：《書集傳》，頁105。

92 唐煥：《尚書辨偽》，卷4，頁15-16。

93 按：值得注意的是，不論蔡沈或唐煥所引孔穎達之言，皆是以意改寫，而非孔氏原文。孔氏原文作：「發首至王季、文王，史敘將告神之事也。『史乃策祝』至『屏璧與珪』，告神之辭也。自『乃卜』至『乃瘳』，言卜吉告王差之事也。自『武王既喪』已下，敘周公被流言，東征還反之事也。」將三家文字進行比對，不難推知宋學體系的治學傾向。既已明言「唐孔氏曰」，卻不依原文敘述，而是以意改寫，實涉誤導之嫌，與清代樸學家嚴謹的治學態度，可謂大異其趣。孔穎達：《尚書正義》，卷13，頁6。

如釋「武王既喪，管叔及其群弟乃流言於國曰：『公將不利於孺子』」云：「喪，瘳疾四年而崩也。……既喪乃流言，謂久生覬覦，畏未發也。武王崩，成王幼，周公攝政，踵商人兄終弟及之後，叔乘間流言，以懼成王而搖周公。」[94]唐煥明白表示武王崩，成王幼，於是周公攝政，而後管、蔡散布流言。又其釋「周公乃告二公曰：『我之弗辟，我無以告先王』」云：「辟，法也，謂討管叔。無以告先王，謂不得避嫌也。成王諒陰，周公專攝，四國並興，蕭牆大變。東征稍緩，蔓延莫遏，王國之禍，不可勝言。公將何以告先王？即承告請身代來。代疾者，貴戚之義；誅叛者，宗社大義。致辟之心，終請代之心也。」[95]又其釋「周公居東，二年，則罪人斯得」云：「居東，東征；罪人，管、蔡；得，得而伏法也。則斯者，流言之變弭，可以告先王也。」[96]明確解辟為法，乃討管叔之詞；居東即為征東；罪人即為管、蔡。又其釋「於後公乃為詩以貽王，名之曰〈鴟鴞〉，王亦未敢誚公」云：「『於後公乃』者，討叛事急，不得及此也。鴟鴞惡鳥，其詩云『既取我子，毋毀我室』，言既誘死管叔，勿又危我王室也。貽王者何？王疑未釋，亂未弭也。誚，讓；未敢者，東征大舉，動魄驚心，討叛未歸，流言在耳，心尚狐疑也。抑前此固嘖有煩言，而公不計也。」[97]仍是以周公討叛，成王心疑為釋，而不是採用宋儒主張的周公避居東土之說。

甚至在通釋〈金縢〉全篇經文之後，唐煥還罕見的做了大篇幅論述，為周公攝政及東征事，做強力的辯護。首先，他反駁蔡《傳》從鄭玄解「辟」為「避」，以為當如孔《傳》解「辟」為「法」。其言云：「按：『我之弗辟』，孔註：『辟，法也。』謂誅管叔。蔡沈從鄭《詩箋》作『避』，極辨致辟之非。予詳揆理勢，及大聖心跡，確主孔說。」[98]其次，他以大量的文字渲染管叔之惡，認為管叔是處心積慮預謀叛變，散布流言的小人，說他丁殷沿襲兄終弟及之故，趁武王老、孺子幼，乃養兵伺釁，而誘致武庚。認為管叔「豎幟立帥，四張偽檄，師隨其後，以出不意，後世赤眉、黃巾以下皆然」。又認為：「(周）公才藝文武，叔所稔知，若遷延東土，周室防維，公即引嫌，篤棐輔王，居中鷹揚，指師問罪，亦束手耳。惟乘國喪新遭，假清君側，召號姦黨，馳師西襲。又商亡未久，人心眷故，武庚既叛，天下洶洶，少冀吾計得行，周公遜去，二公忠藎，疎不間親，倘一戰而捷，師壓西鎬，孺子心寒，事未可知。」唐煥點出：「此管叔所為，籌之已熟，僥倖於萬一者也。」最後，唐煥自設問答云：

> 或曰：「叔雖叛，借有稱名，公心跡未明，宜少引退以任二公。」此中材以下不知天命者之言也。斯何時乎？三監挾叛，王室騷震，應之少緩，禍不可言。公明

94 唐煥：《尚書辨偽》，卷4，頁17。

95 同前註，卷4，頁17-18。

96 同前註，卷4，頁18。

97 同前註。

98 同前註，卷4，頁19。

> 明曰：「我之弗辟，我無以告我先王。」謂不得以引嫌小節，而隳宗社之大計。蓋受命託孤，義篤前烈，所以決策無貳也。武王、管叔，皆公之兄，或代或辟，裁以大義已耳。又曰：「罪人得矣，貽詩贅也。」嗟夫！此痛定思痛之言也。聞叛義奮，誥眾專征，當時行之不覺也。事定矣，周思前後，王無駭且疑乎？臣主不白，非國之福也。然方是時，流言在耳，公征未歸，王疑固在也。非風雷感動，能遂融然釋乎？若謝權避去，王又何誚，而又何疑與？勤勞弗知，先時駭東征之為適已，今乃知為勤勞王家而感且泣也。聖學不明，學者不聞此義，伊尹之放太甲，莫不駭為大奇。若公受遺攝政，世子嗣王，辟管、蔡，命康叔，謗者謗，疑者疑，公正義直行，毫無所顧，卒也措國家于磐石，毓沖子于聖賢，此宜小賢豎儒之所驚心目眩，以為必無之事，又何怪真《尚書》之真面目，蒙翳萬劫也哉！[99]

這一段文字包含三項內容。其一是批評那些認為周公「宜少引退以任二公」者，是「中材以下不知天命者之言」。其故在於，當此三監挾叛，王室騷震的非常之時，周公若應之少緩，則禍不可言。所謂不得以引嫌小節，而隳宗社之大計者以此。正因受命託孤，義篤前烈，所以必須決策無貳。對周公而言，武王、管叔雖為兄長，然前者欲以身代死，後者則東征以致辟，均裁以大義而已。其二，他描述成王對周公專征之驚疑，以及風雷感動，先時駭東征之為適已，今乃知為勤勞王家而感且泣也。其三，則批評後世學者，對周公受遺攝政，世子嗣王，辟管、蔡，命康叔諸事，謗者謗，疑者疑，擬諸伊尹之放太甲，莫不駭為大奇。而不知周公正義直行，毫無所顧，卒也措國家于磐石，毓沖子于聖賢。以故唐煥嘆息聖學不明，學者不聞此義，小賢豎儒驚心目眩，以為必無之事，又何怪真《尚書》之真面目，蒙翳萬劫，紛爭難明哉！

唐煥對蔡《傳》所載〈金縢〉篇主旨的修正，以及依據經文對周公攝政東征的闡發，已略如上述。然周公東征，辟管、蔡，命康叔諸事，亦載在〈大誥〉以下的諸篇，唐煥也同樣在對蔡《傳》的修正中，表述了他的看法。如〈大誥〉，蔡《傳》解題云：

> 武王克殷，以殷遺民封受子武庚，命三叔監殷。武王崩，成王立，周公相之。三叔流言「公將不利於孺子」，周公避位居東。後成王悟，迎周公歸，三叔懼，遂與武庚叛。成王命周公東征以討之，大誥天下。書言武庚而不言管叔者，為親者諱也。[100]

唐煥的解題則云：

---

99 同前註。

100 蔡沉：《書集傳》，頁105。

> 武王克殷，以殷遺民封紂子武庚，命三叔監之。武王崩，成王幼，周公攝政，三叔流言，遂挾武庚以叛。周公以成王命討之，大誥天下。此即前篇告二公居東時事，史錄其誥以為篇。辭不及管叔者，為親者諱也。[101]

兩人說法相異之處有幾點，首先是蔡《傳》以為「武王崩，成王立，周公相之」，而唐煥則直陳「武王崩，成王幼，周公攝政」。立與幼、相與攝，概念不同，周公形象自亦不同。其次是三叔流言之後，究竟是「遂與武庚叛」還是「遂挾武庚以叛」，這裡牽涉到的是三叔罪狀的輕重以及周公的處置是主動還是被動。出於對反叛時間點認知的不同，蔡《傳》認為成王命周公東征以討之，而唐煥則認為周公是以成王命討之。二人說法相異的關鍵點，在於對「武王崩，成王立，周公相之」，或「武王崩，成王幼，周公攝政」認知之不同。此乃千古公案，難有是非之準。然對唐煥而言，就是想要把「周公攝政」這一許多儒者難以接受的諸般涵義，藉由注解《尚書》的機會，完整的表達出來。故言：「〈金縢〉以下十一篇，著周公處變之奇而法也。〈金縢〉誅管、蔡，〈大誥〉討四國，〈康誥〉三篇奉武遺，封侯伯也，受遺攝政，負扆當國，世子嗣王，毓之東宮，一切奉遺行政，視伊尹輔太甲，抑又奇焉。」[102]總之，在唐煥的認知裡，周代初年發生的大事，除了武王伐紂之外，其餘如誅管蔡、命康叔、營洛邑諸事，都是在周公手下完成，其原因在於成王年幼，以故周公攝政，而後建立有周一代規模。此既周初史事，亦為古典經義，所謂「著周公處變之奇而法也」。然經宋儒之批駁，使聖人面目難尋，此所以唐煥嘆後儒之駭怪，而欲盡力表白於天下者。

四　義理疏解中的宋學脈絡

雖然在上一節中，筆者以不小的篇幅，討論唐煥立足於西漢今文家的古典經義，在周公攝政及東征諸事上，與代表宋儒《尚書》學的蔡沈之說的差異，但不表示唐煥解釋《尚書》時，會借重與他同時代的漢學家之說。不但如此，他對於以訓詁解經，頗有諷刺之語。例如他解釋〈說命上〉「王宅憂，亮陰三祀。既免喪，其惟弗言，群臣咸諫于王曰：『嗚呼！知之曰明哲，明哲實作則。天子惟君萬邦，百官承式，王言惟作命，不言臣下罔攸稟令』」云：

> ○亮陰三年，亦古禮久廢，而高宗復之。不發號令，非默也。既免喪言，更無此理，果然夢賚，何故默不開口以駭群臣耶？子張曰：「高宗三年不言。」孔子曰：「古之人皆然。」可以斥此之偽矣。知之何指？不行之知非真知，安能明哲

101　唐煥：《尚書辨偽》，卷4，頁19。

102　唐煥：〈自序〉，《尚書辨偽》，卷首。

作則，若云已經力行，後又何以云行之惟艱、遜志時敏耶？[103]

按《論語・憲問》篇載子張問：「《書》云：『高宗諒陰，三年不言。』何謂也？」孔子回答說：「何必高宗？古之人皆然。君薨，百官總己以聽於冢宰，三年。」[104]其意蓋謂舊君既薨，新君即位，時百官文武總攝己心，各盡其職，一切政事聽命於冢宰，直到三年之喪畢，新王才會親自聽政。所以高宗亮陰三年，是不發號令，非默也。至於〈說命上〉說高宗既免喪，其惟弗言，唐煥以為更無此理，乃調侃說：「果然夢賚，何故默不開口以駭群臣耶？」再證以子張、孔子的對話，而後「可以斥此之偽矣」。但這一段最重要的地方不在這裡，而在於唐煥對「知」、「行」關係的解釋。唐煥認為「不行之知非真知」，亦即「知」是以「行」為前提的。他批評〈說命上〉對「知」、「行」關係的論述是斷裂的，所謂「知之曰明哲，明哲實作則」，在唐煥看來，實際上是知而不行，所以他才會批評說：「若云已經力行，後又何以云行之惟艱、遜志時敏耶？」

但這樣的批評，與他對所謂「訓詁」的批判有何關係呢？實際上，唐煥認為，古人的「知」，首先來自於「學」而非「思」。而「學」是「知」、「行」關係的重要紐帶。換言之，「學」即是「行」，其序位更在「知」之前，即「學」而後有「知」，而非「思」而後有「知」。來看他對〈說命上〉「王庸作書以誥曰：『以台正于四方，惟恐德弗類，茲故弗言。恭默思道，夢帝賚予良弼，其代予言。』」這一段文字的討論。唐煥說：

恭默思道，不通。古人志學體道，孔聖立而後不惑，孟子深造而後自得，未聞兀坐默思者。不學則殆，固宜神魂恍惚而得鬼夢也。[105]

唐煥在此批判兀坐默思之非，以為古人志學體道，如孔聖立而後不惑，孟子深造而後自得；其不學則殆者，固宜神魂恍惚而得鬼夢也。再來看他對〈說命中〉「說拜稽首曰：『非知之艱，行之惟艱。王忱不艱，允協于先王成德，惟說不言有厥咎。』」的討論。唐煥直接說：「聖門先學，訓詁興而知先矣。」[106]唐煥批評的是訓詁興起之後，以思為知，又以知為先的現象，但他認為古人卻是志學體道，以學為先。再來看他對〈說命下〉「說曰：『王，人求多聞，時惟建事，學于古訓乃有獲。事不師古，以克永世，匪說攸聞。』」的討論。唐煥說：

三代之學，從事典禮，孔、孟猶是也。故立禮集義，以漸而深。訓詁後，始以學為考古讀書矣。此正傳經流弊，孔子所以折子貢者也。[107]

---

103 唐煥：《尚書辨偽》，卷3，頁15-16。

104 朱熹：《四書章句集註》（臺北市：世界書局，1965年），卷7，頁103-104。

105 唐煥：《尚書辨偽》，卷3，頁16。

106 同前註，卷3，頁17。

107 唐煥：《尚書辨偽》，卷3，頁17。

前面提到，唐煥對知、行的關係認知，是以行為知之前提，而行即是學。換言之，孔、孟、三代以前所謂學，是從事典禮，故立禮集義，以漸而深，然後知之。然在訓詁興起之後，始以考古讀書為學，而經傳之流弊正坐此以學為考古讀書之事，造成學、行之斷裂，而後知乃無所著落。孔子曾說「君子不器」[108]，又批評子貢是瑚璉之器[109]，不管此器再如何華美，終究不能達到道的高度。而唐煥批評訓詁興起後，以學為考古讀書，使經傳的流弊，停留在形下之器，這與他志學體道的理想是背道而馳的，當然也就對以訓詁治經，沒有好言語。所以唐煥釋「惟學，遜志務時敏，厥修乃來。允懷于茲，道積于厥躬」一段文字云：「忠恕一貫，深造逢原，聖學也。此云積者，多聞古訓而有獲之謂，訓詁之究竟也。」[110]他將「忠恕一貫，深造逢原」擬為聖學，批評「多聞古訓而有獲」為「訓詁之究竟」，高下之間，其立場已不言而明。又唐煥釋「惟斆學半，念終始典于學，厥德脩罔覺」而曰：「帝王固無下兼司成之理，作半須自得解，亦是訓詁門牌。接閱典學罔覺，尤信。」[111]「訓詁門牌」四字，表示了唐煥對以訓詁治經理路的不滿。雖然他將火力集中在晚出古文之上，以為這些後出偽造的經典，是訓詁之學大興以後的產物，但這種道器二分的方法學原則，其實不會只停留在對晚出古文的批駁上，也會表現在他對二十八篇經文的疏解中。唐煥不但以義理文章斷晚出古文之偽，同樣也是以義理文章疏解二十八篇，而義理文章所要呈現者，非道而何？所以，綜觀整部《尚書辨偽》，可以很清楚的掌握到他在義理疏解中的宋學脈絡，以及在他的學術立場背後的價值意識——對道的追求及其方法學的選擇。顯然，訓詁以解經之路被他排除在外。那麼，與訓詁一路有天然近親關係的清人考據著作，又怎麼可能受到他的肯定與關注呢！

所以，所謂的宋學脈絡，除了是指唐煥治《尚書》在義理上貼近宋儒之外，也是指他的治經型態，不但與漢學家大量徵引文獻，考定文字聲音制度的門徑有諸般不同，而且在闡明經文義理，體現聖人之道的同時，也會不斷的發表個人的評論，這明顯也是宋人好發議論的習氣，與堅守隨文注疏不輕發議論的專門經生之業，明顯不同。這種注解兼評論的解經模式，很容易在宋人的經學注解中找到同樣的例子，而唐煥的解經模式亦不外如是。綜觀整部《尚書辨偽》，未曾有一處引述同時漢學家的說法，反而大量援引蘇軾、蔡沈之說，間及呂祖謙、元吳澄及明儒郝敬之說。其目的亦不外欲加深對聖人之道的理解，以及闡明聖人體道的過程及其在處非常之際時的應對。如唐煥釋〈西伯戡黎〉篇引蔡沈之說云：

---

108 朱熹：《四書章句集註》，卷1，頁9-10。

109 朱熹：《四書章句集註》，卷3，頁25-26。

110 唐煥：《尚書辨偽》，卷3，頁17。

111 同前註，卷3，頁17-18。

> 蔡氏曰：「愚讀是篇，而知周德之至也。祖伊因戡黎奔告，意必及周之不利于殷，乃入而告后，出而語人，未嘗一言及之。蓋周家初無利天下之心，其戡黎也，仗義之舉也。祖伊殷之賢臣，知周之興，必不利于殷，又知殷之亡，初無與於周，故迫乘奔告，反覆乎天命民情之可畏，而畧無及周者，文、武公天下之心，于是而可見矣。」[112]

事實上，蔡沈在做出這一段評論之前，還先引用了蘇軾的一段話：「蘇氏曰：『祖伊之諫，直言不諱，漢、唐中祖所不能容者。紂雖不改而終不怒，祖伊得全，則後世人主有不如紂者多矣。』」[113]蘇東坡關於後世人主有不如紂者多矣的論斷，顯然不是唐煥所關注的，故為唐煥所刪。他在意的是周之有天下的正當性，所謂周德之至也。所以對於西伯戡黎而祖伊入告，出而語人，未嘗一言及之。其迫乘奔告，反覆乎天命民情之可畏，而畧無及周者，在蔡沈看來，是於此而可見文、武公天下之心，而唐煥所關注者亦以此。

另外，唐煥在〈顧命〉篇之末援引郝敬之說，為繼嗣君冕服受命提出辯護。其言云：

> 郝仲輿曰：「先儒疑成王初喪，康王冕服受命為非，誤也。周、召同受武王顧命，輔成王，凡周公治喪冊立之儀，召公豈遽忘之？使周公尚在，亦當如此。蓋人子之情，雖切于親喪，而天子之職，莫大於受命，士庶則親為重，天子則天下為公，親喪為私。先王垂死扶病正衣冠，集群臣授之，嗣王終始之際，事何如大，可不嚴正其體，而草草受之乎？禮，三年不祭。祭天地山川，越紼行事。夫祭猶越紼，況始受命為山川百神祖乎？君薨，世子始生，尚用冕服告，況受命大事乎？非達禮知權，不能與於斯。愚意〈顧命〉始終諸禮，至正極嚴，必周公手訂，後人遵而行之者也。」[114]

按唐煥在同篇經文「茲既受命還，出綴衣於庭。越翼日乙丑，王崩」之下，引東坡之說曰：「死生之際，聖賢所甚重也。成王將崩之一日，被冕服以見百官，出經遠垂世之訓，知有得於周公之教深矣。曾子易簀亦若是也。」[115]表示聖賢於死生之際，亦不苟且，成王將崩被冕服以見百官，曾子易簀則反席未安而沒。所以，繼嗣之君，冕服以受命，此乃身為天子的天下為公，與士庶的親喪為重不同。更何況先王垂死扶病正衣冠，仍集群臣出經遠垂世之訓，則嗣王於終始之際，受命繼嗣，可不嚴正其體，而草草受之乎？況且事須達禮，亦貴知權，在喪期間仍有不受私喪限制，參加祭天地社稷的越紼典禮；世子生於君薨之後，尚用冕服行告天地之禮；然則繼體嗣立之大事，以冕

---

112 唐煥：《尚書辨僞》，卷3，頁19。

113 蔡沈：《書集傳》，卷3，頁124。

114 唐煥：《尚書辨僞》，卷5，頁8。

115 同前註，卷5，頁2。

服受命，有何不可？最後，郝敬再次強調，〈顧命〉始終諸禮，至正極嚴，必周公手訂，後人遵而行。一如東坡以成王將崩被冕服以見百官，出經遠垂世之訓，乃有得於周公之教。這就是唐煥所看重的「周德之至」，故特別詳為徵引。

另外，在〈文侯之命〉篇末，唐煥云：「蘇氏曰：『宗周傾覆，禍敗極矣。平王宜若衛文公、越句踐然。今其書，乃旋旋焉與平康之世無異，讀〈文侯之命〉，知東周之不復興也。』愚按：錄此書於篇末，以見周轍之不復西也。」[116]而在〈費誓〉篇首，唐煥云：「呂氏曰：『伯禽始封於魯，夷戎乘其新造之隙，而伯禽應之，甚整暇有序，治戎備，除道路，嚴部伍，立期會，先後之次，毫不可紊，可謂節制之師矣。』愚按：錄此於〈周書〉後，以見周公訓式後嗣，文武備具，盡美盡善，抑足以考周禮在魯之一端，此聖人東周之思也。」[117]這兩段文字唐煥分別引蘇軾及呂祖謙之說為據再加上個人的按語，一則以為錄此書於篇末，以見周轍之不復西；一則以為錄此於〈周書〉後，以見周公訓式後嗣，文武備具，盡美盡善，抑足以考周禮在魯之一端，此聖人東周之思也。暗示雖成周不復，然周禮在魯，夫子曰：「吾其為東周乎！」

當然，對於聖人體道的宣揚，唐煥不會總是借人之口，他也會有自己獨特的闡釋。例如第三節曾言及〈盤庚〉篇之末，唐煥曾褒美盤庚面對國都五遷，事變重大，古今未有，以為非大賢以上，不能措此而裕如也。同時也提到〈金縢〉篇之末，唐煥對周公攝政東征的大篇幅辯護，認為真《尚書》之真面目蒙翳萬劫，而批判小賢豎儒驚心目炫以為必無之事。這裡再舉幾個例子，來說明唐煥對周德盛衰的感嘆。在〈洪範〉篇之末，唐煥曾有如下議論。其言曰：

> 九疇以福極終者，皇建極則彝倫攸敘而五福應，君民皆承其休；不建極則彝倫斁而六極應，上下皆罹其咎。箕子言此，示人主敬若上帝持盈保泰之大法也。人主誠宜默契乎此，握協居之符，終相居之責，以克全陰騭之理也。予以服武王之為聖人也，方克商即兢兢業業，以天下大任為憂，惴惴焉懼負皇天陰騭之責，未及下車，虛己訪聖，俛求治世之大法，以措相協厥居之大道，非服膺望道未見之家法，能若是乎？天假期頤，豈惟忘殷，萬年厭德裕如也。厥後文公受遺攝政，毓嗣誕保，制作禮樂，釀太和於成周，要亦神明於洪範九疇之全體大用自然之妙，而時措咸宜已耳。[118]

這段文字分成三重涵義，首先是箕子所陳〈洪範〉之所以以福極為九疇之終，在於警惕為君者，若皇建極則倫敘福應，君民承休；不建極則倫斁極應，上下罹其咎。表示箕子

116 唐煥：《尚書辨偽》，卷5，頁18。

117 同前註。

118 同前註，卷4，頁14-15。

言此，是授人主敬若上帝持盈保泰之大法。人主誠宜默契乎此，握協居之符，終相居之責，以克全陰騭之理也。其次則唐煥對於武王被視為聖人是深表認同，說他甫克商即兢兢業業，以天下大任為憂，惴惴焉懼負皇天陰騭之責，未及下車，虛己訪聖，俛求治世之大法，以措相協厥居之大道。唐煥認為此乃服膺望道未見之家法所致，而惜天不假期頤，否則其成就豈止於毖殷，必是萬年厭德裕如也。最後提到，周公受其遺命攝政，毓嗣誕保，制作禮樂，釀太和於成周，也是深有體會〈洪範〉九疇之全體大用自然之妙，而因時以制宜。唐煥所言，既是對箕子所陳〈洪範〉九疇的最高禮贊，也是對武王與周公德業的最高肯定。

另外，在〈無逸〉篇首，唐煥亦有如下議論：

> 逸者，人君之大戒，自古家未有不以勤而興，以逸而敗也。成王歸周，周公留洛，懼其沖年初服，遠離師保，不知勤恤民依，又或隱狃化頑勤勞，少耽逸樂，故做是書以訓之。憂勤者無逸之實，敬厲者無逸之心，凡七更端，皆以嗚呼發之。深嗟咏歎，意深遠矣。〈豳風・七月〉之詩，亦此意也。[119]

此為唐煥對周公告戒成王無耽逸樂之辭的禮贊，以為「深嗟咏歎，意深遠矣」，同於〈豳風・七月〉之詩。最後在〈呂刑〉篇首，唐煥有如下議論：

> 按此篇贖刑，蓋託〈舜典〉金作贖刑之語，實則不然。〈舜典〉所贖，官府學校之刑耳，若五刑固未嘗贖也。今穆王贖法，雖大辟亦與其贖，非先王意也。由其巡遊無度，財匱民勞，末年無以為計，為此一切權宜之術以歛民財耳。意則慙赧而不可對人，辭則周遮而不敢逕白，前此國勢見屈而幾莫自存，後將民心失措而萬難相守。錄此以見周衰之不復振，豈待厲虐幽暗而後卜周轍之東也哉！[120]

此則唐煥為穆王不計手段，為此一切權宜之術以歛民財的感嘆，以為周衰之不復振，豈待厲虐幽暗而後卜周轍之東也哉！

敘述至此，吾人對唐煥解經時，體現在義理疏解中的宋學脈絡，當已有直觀的認識。然而唐煥的《尚書》注解還有一項鮮明的特色，即是運用理學概念進行經典詮釋，並且是透過對蔡《傳》的改寫來進行，往往將蔡《傳》的政治論述進行抽換，然後代之以理學色彩鮮明的道德論述。[121]先來看他對〈堯典〉的討論。唐煥釋「慎徽五典，五

---

119 同前註，卷4，頁51。

120 同前註，卷5，頁10。

121 按：蔡沈《書集傳》行世之後，宋末、元、明間，以朱子理學概念對其書進行修正者，不乏其人。如陳櫟、董鼎、吳澄、鄒季友等，當然亦有輔弼蔡《傳》，為其辯護者，如陳師凱。詳細情形，可參許育龍：《蔡沈《書集傳》經典化的歷程──宋末至明初的觀察》（臺北市：萬卷樓圖書股份有限公司，2018年）。

典克從；納于百揆，百揆時敘；賓于四門，四門穆穆；納于大麓，烈風雷雨弗迷」云：

> 觀刑二女，試之先事。此節歷試之績，受終之由也。徽，美也。慎之使人知人道之防，徽之使人有人倫之樂也。五典，五倫，親義別序信是也。從，順也，蓋使為司徒也。百揆，揆度庶務之官，猶周之冢宰也。時敘，以時而敘也，克諧之驗也。四門，四方之門，諸侯方至而使主焉，故曰賓，蓋又兼四岳之官也。穆穆，和之至也。烝乂之符，孝之推也。麓，山足；烈，迅；迷，錯也。洪水為害，舜兼司空，相視水勢，雷雨大至，毫無驚懼，非聖德盡性，衾影無愧者不能。堯所以觀厥刑也。舜之績，堯之勳也。[122]

在第一節的時候，筆者提到唐煥在對二十八篇今文《尚書》進行疏解時，除了會在篇首點明篇章主旨之外，在各段經文之下也會附以簡單的章句，尤其特重離析經文的段落結構，以及依據主要源自於宋儒的經說，對經文進行義理闡釋。唐煥對此段經文的闡釋，最能說明其解經的特色。基本上，唐煥對經文的注解，多依蔡《傳》而來，或直接引用，如「徽，美也」、「麓，山足；烈，迅；迷，錯也」之類[123]；或依蔡《傳》而稍作簡化，如「五典，五倫，親義別序信是也」，蔡《傳》作「五典，五常也。父子有親，君臣有義，夫婦有別，長幼有序，朋友有信是也」。[124]又「從，順也，蓋使為司徒也」，蔡《傳》作「從，順也，左氏所謂無違教也。此蓋使為司徒之官也」。[125]至於「洪水為害」至「愧者不能」這整段文字，則是直接檃括蔡《傳》所引蘇軾之說而來。[126]這些例子，都是唐煥解《尚書》頗依蔡《傳》的直接證明，此亦事理之當然，明白蔡《傳》在整個理學傳統與明清科舉場域的地位之人，當能理解，勿庸筆者過多論證。

除了檃括蔡《傳》，使其疏解更形精鍊之外。唐煥還善於串聯上下文意，並以簡單的字句，為整段經文鉤玄提要。如本段文字開首所言「觀刑二女，試之先事」，即是呼應前段唐煥對「帝曰：『我其試哉！』女於時，觀厥刑於二女，釐降二女於溈汭」的解釋。唐煥繼言「此節歷試之績，受終之由也」，則是對本段所載歷試眾事，做精確的提要，表明舜受終於堯之緣由。換言之，前段觀刑二女，是試其德；此段歷試眾事，是試其績，表示帝堯對舜的考試是包涵了道德與政事兩方面，惟有兩方面都表現完美，堯才有理由傳位於舜。

但唐煥最出彩的地方，在於其注解雖以蔡《傳》為基礎，卻往往在關鍵處改動蔡《傳》的解釋，使自身的注解更具理學化傾向。還是以唐煥對「帝曰：『我其試哉！』

122 唐煥：《尚書辨偽》，卷1，頁6。

123 蔡沈：《書集傳》，卷1，頁8。

124 同前註。

125 同前註。

126 同前註，卷1，頁9。

女於時，觀厥刑於二女，釐降二女於潙汭」的解釋為例。他說：

> 試，指德與績言。時，是；刑，法也。二女，娥皇、女英也。觀厥刑者，閨門衽席，心性之隱，易於呈露，必毫無褻玩而後心依於理，而無所繫也。試德也，政之本也。[127]

按蔡《傳》解此言：「蓋夫婦之間，隱微之際，正始之道，所繫尤重，故觀人者於此為尤切也。」[128]蔡沈從「夫婦之道」入手，所解尚不離傳統《詩》教的精神。然唐煥對堯觀舜刑於二女的解釋，卻更著意於在解經過程中嵌入理學的概念，所以他不從蔡《傳》「夫婦之道」的解釋，而是將重心放在藉由閨門衽席，以窺舜心性之隱，以為舜必毫無褻玩而後心依於理，而無所繫也。如此解釋，已是將蔡《傳》側重夫婦之間的互動，轉向為窺探舜之心性是否依於理，明顯注入了理學的概念。

再來看唐煥對〈皐陶謨〉的疏解。其釋「曰若稽古。皐陶曰：『允迪厥德，謨明弼諧。』禹曰：『俞！如何？』皐陶曰：『都！慎厥身，修思永。惇敘九族，庶明勵翼，邇可遠，在茲。』禹拜昌言曰：『俞！』」云：

> 首述皐陶之謨也。德者，得于天而具於心，仁義禮智是也。迪德者，體道而契性也。謨，謀。謨明者，迪德之致。弼，輔；諧，和也。迪德之感也。慎，致其謹也。身修，道德之著；思永，性情之符也。惇敘者，意美恩明；勵翼者，群哲勉輔也。邇，近；茲，此也。可遠在茲，謂家齊國治而天下平也。所以廣允迪明諧之義也。俞，然其言也。[129]

此處仍是用蔡《傳》做比較。唐煥對幾個關鍵的語彙，基本上不從蔡《傳》，而是用理學概念做另行解釋。例如蔡《傳》釋「允迪厥德，謨明弼諧」曰：「皐陶言為君而信蹈其德，則臣之所謀者無不明，所弼者無不協也。」[130]蔡《傳》之解，類如現代用白話文的直譯，但明顯關注的君臣之間的互動。唐煥則是分幾個層次來重新詮釋「允迪厥德，謨明弼諧」：首先釋「德」，云「德者，得于天而具於心，仁義禮智是也」；其次釋「迪德」，云「迪德者，體道而契性也」；後再言謨明為迪德之致，弼諧乃迪德之感，把重點放在迪德的體道契性上，而非蔡《傳》君蹈其德，則臣之謀明的君臣之間。又蔡《傳》言：「身修，則無言行之失；思永，則非淺近之謀；厚倫九族，則親親恩篤而家齊也；庶明勵翼，則群哲勉輔而國治也。」[131]唐煥則釋身修為道德之著，思永乃性情

---

127 唐煥：《尚書辨僞》，卷1，頁5。

128 蔡沈：《書集傳》，卷1，頁7。

129 唐煥：《尚書辨僞》，卷1，頁5。

130 蔡沈：《書集傳》，卷1，頁31。

131 同前註。

之符也，惇敘謂意美恩明，勵翼則群哲勉輔。除了第四句承蔡《傳》之說卻有意弱化「國治」此一帶有政治意涵的語彙外，餘者基本是以理學概念演繹之。

再來看〈西伯戡黎〉一篇。蔡《傳》釋「故天棄我，不有康食，不虞天性，不迪率典」云：「康，安；虞，度也。典，常法也。紂自絕於天，故天棄殷。不有康食，饑饉荐臻也。不虞天性，民心常失也。不迪率典，廢壞常法也。」[132]在蔡沈的詮釋下，天仍是有意志之天，他關心的是一國之君的失序行為以及遭遇天罰後導致的政治後果。雖然他沒有對「天性」做出解釋，不過從「不虞天性，民心常失」八個字來看，將「天性」解釋成天的意志或規律，當是較用道德性語彙來解釋更為貼切。但我們來看唐煥的闡釋，他說：

> 康，稔；虞，度也。天性，天命于人而具于心之理。仁義禮知，性之德也。率典，循性而出之常道，故承淫戲言。不有康食，乖氣致災，民失所也。不虞，由淫；不迪，由戲。萬民洶洶，欲喪之由也。申自絕也。[133]

此處仍是典型的偷換概念。唐煥迴避蔡沈筆下有意志的上帝，將詮釋重心放在對「天性」義涵的解釋。他解「天性」為天命于人而具于心之理，又補充言此具于心之理是仁義禮知，乃性之德。又說率典是循性而出之常道，直接轉化蔡《傳》天意民心的政治語彙為道德語彙。

類似的情況同樣出現在對〈微子〉篇的解釋中。如在〈微子〉篇末，蔡沈除了對微子、箕子、比干「各安其義之所當盡」之外，又引孔子「殷有三仁」之語而論曰：「三人之行雖不同，而皆出乎天理之正，各得其心之所安，故孔子皆許之以仁，而所謂『自靖』者即此也。」[134]唐煥亦徵引蔡《傳》此段文字，卻是在關鍵字上做了手腳。其言：「三人行雖不周，而皆出乎天命之正，各得其性之所安，故孔子皆許以仁，所謂『自靖』者即此也。」[135]唐煥除了將三人「行雖不同」，改成「行雖不周」之外，又將蔡《傳》所釋「天理之正」、「心之所安」改成「天命之正」、「性之所安」，其潛臺詞應是暗示三人所行，還未到達普遍性意義，是出乎個人之天性，卻未必合乎普遍的天理。所以，才會將蔡《傳》的「行雖不同」改成「行雖不周」。

再來看唐煥對〈召誥〉「王敬作所，不可不敬德」的解釋。還是以蔡《傳》為對照。蔡沈云：「言化臣必謹乎身也。所，處所也。猶所其無逸之所。王能以敬為所，則動靜語默，出入起居，無往而不居敬矣。不可不敬德者，甚言德之不可不敬也。」[136]

---

132 蔡沈：《書集傳》，卷3，頁124。
133 唐煥：《尚書辨偽》，卷3，頁19。
134 蔡沈：《書集傳》，卷3，頁127。
135 唐煥：《尚書辨偽》，卷3，頁22。
136 蔡沈：《書集傳》，卷5，頁187。

老實說，蔡《傳》的解釋拗口，有點不知所云，但可以看得出是落在君臣對應的框架中來解釋。唐煥則云：「言王，溯治本也。所，處所。作所者，動靜語默，發見邇遠，無往不敬也。德者，天命之性，貫徹體用者也。不可不者，小有不敬，人不服也。惕之也。」[137]蔡沈所謂「動靜語默，出入起居，無往而不居敬矣」與唐煥所言「動靜語默，發見邇遠，無往不敬也」，看似小有修正，卻已是化具體為抽象，將蔡《傳》對王修身化臣的實際動作，化為抽象的指導原則。更遑論唐煥此處釋「德」為天命之性，貫徹體用者。至於〈無逸〉之篇「中宗嚴恭寅畏，天命自度」，蔡《傳》云：「嚴則莊重，恭則謙抑，寅則欽肅，畏則戒懼。天命，即天理也。中宗嚴恭寅畏，以天理而自檢律其身。」[138]唐煥則云：「莊嚴恭肅，存誠也。寅欽畏懼，慎獨也。天命，天理之準。度，猶律。動中天則也。聖學之全，治民之本也。」[139]蔡《傳》對「嚴恭寅畏」的解釋，以及言中宗以天理而自檢律其身，關注的還是人的自身修養的實際行為，既沒有存誠、慎獨等抽象概念，也沒有提高到唐煥所謂的聖學之全的高度。

所以，從上述眾多唐煥對蔡《傳》的改寫中，可以看到唐煥往往是化具體為抽象，變政治為道德。這是一種經典詮釋上鮮明的理學轉向，可謂是經典的政治解釋被道德解釋所解構，是一種帶有詮釋者自身哲學傾向的系統化注經方式。這種治經方式，主要體現在價值意識傾向於理學立場的學者中。從這個角度來看，雖未曾言明，但或者在唐煥眼中，蔡沈雖是朱熹高弟，然而蔡《傳》卻是遠未達到如朱熹《四書章句集註》此等體現理學理念類型著作的高度，從而給予了唐煥在解釋上極大操作的空間。

五　結語

本文嘗試對唐煥《尚書辨偽》做初步的探索，也可能是學術界對這本著作進行系統研究的第一次。在筆者看來，唐煥此書至少具有兩重意義：其一是辨偽觀點具有中心理念，在各篇看似零碎的考辨文字裡，貫串著一個系統化的理念，以此為辨偽古文的最高標準。而此一理念即是前文不斷出現的經典觀，於此不再綴述。另外一重意義是身處乾隆盛世的唐煥，其考辨古文、疏解經文皆體現出一條明顯的宋學脈絡，不但考辨經文多以事理文章衡斷之，在對經文出以心得引申時，其引以為據者多用宋人之說，所抒發者亦多為以理學概念詮釋經文。這究竟是有意為之，用以自我區隔？抑或者因為唐煥不曾預於學術主流，故尚未為漢學考證之風所沾染？關於此點，從他對訓詁之業的批判中，已可找到答案。

---

137 唐煥：《尚書辨偽》，卷3，頁22。

138 蔡沈：《書集傳》，卷5，頁203。

139 唐煥：《尚書辨偽》，卷4，頁52。

另外，從《尚書》學史的角度來看，梅鷟、閻若璩、惠棟、丁晏等以大量證據來斷定晚出古文出於造偽，是否已是鐵案如山搖不動，即使到當今學界，仍不時有學者企圖翻案，遑論有清一代，其爭議始終不斷。[140]至於純從事理文章的角度欲辨一經之偽，其說服性就又更低了。[141]但這並不表示唐煥的著作沒有價值，在勾勒出唐煥頗具個人色彩的考辨與解經文字，以及貫串全篇的經典觀之後，我們可以將唐煥的經學另立一個類型，一個在經說中貫串著系統性核心理念的經學類型。此在經解中充斥著文獻為主、考據先行的乾嘉時代而言，實為難能可貴的參照物。

140 吳通福即云：「大抵說來，從順治十二年（1655）閻若璩開始懷疑，到張諧之於光緒三十年（1904）刊出所著書，清代學術文化史上圍繞晚出古文《尚書》的爭論持續了兩百四五十年，幾乎與有清一代朝局相始終。……大概地說，從康熙三十六年（1697）蔡衍鎤上疏請分《尚書》今古文並徵真古文於海外被拒斥，到光緒十五年王懿榮立《尚書》馬鄭注清人新疏的疏請被駁回，晚出古文都還一直是皇帝經筵及儲君教育的必選教科書，都還一直須在學官，作為士子誦習以治舉業的經典。因此，清代學術文化史上圍繞晚書的爭論不但是超出學派之爭的一件大事，而且不能如前人說的那樣純粹以閻、毛個人意氣之爭來解釋。」吳通福：《晚出《古文尚書》公案與清代學術》，頁4。

141 例如明代的陳第亦是從文字的通順與否入手，來論晚出古文《尚書》的真偽，得到的卻是與唐煥相反的結論。按陳第撰有《尚書疏衍》，其觀點可謂與梅鷟的《尚書考異》鋒相針對。如言：「近世旌川梅鷟，拾吳、朱三子之緒餘而譸張立論。直斷謂古文，晉皇甫謐偽作也。集合諸傳記所引而補綴為之，似矣。不知文本于意，意達而文成；若彼此瞻顧，勉強牽合，則詞必有所不暢。今讀二十五篇，抑何其婉妥而條達也！」陳第抱持「意達而文成」的理由，反問持晚出古文為採摘遺文纂錄成編之說者，以為若如所見，則晚出古文當雜亂蕪穢，但事實上卻是讀來婉妥條達。陳第據此而發論，認為疑者是疑其所不當疑。換言之，單從文字或義理角度來論定晚出古文之真或偽，其主觀性太強，難以作為有效的辨偽方法。〔明〕陳第：〈古文辨〉，《尚書疏衍》（臺北市：藝文印書館，1983年影印《文淵閣四庫全書》第64冊），卷1，頁5。

詩經研究

上古詩歌社會功用的變化及其在《詩三百》采編中的體現

鄭　彬、鄭傑文
山東大學博士後、山東大學講師教授

提要

最為原始的詩歌是適應彼時原始生產和原始生活的現實需求而產生的。「泛神崇拜」產生後的「神為人主」時代，詩歌的主要用途則變為「降神」「娛神」。國家產生後，詩的創作和流傳又主要變成社會政治治理的工具，這既體現在采詩獻詩以知王朝治理、以觀民風所向的采詩獻詩目的性中，也體現在《詩三百》的編輯分類中：編三〈頌〉詩來歌唱先祖有「神性血緣」、有「從天之德」以穩定社會局面；編二〈雅〉詩以告誡歷代周姓子孫須效祖宗之法而自我修德；編十五國〈風〉詩來觀民風、察時政、知得失以鞏固政權。

關鍵詞：上古詩歌　功用變化　《詩》早期采編　體現

一　上古詩歌的產生及其社會功用

由二十世紀尚存原始部落的生活情景來比照，原始的詩歌應產生於原始生活和原始生產實踐。美國民俗學家包米克曾記述棉蘭老島上一個在二十世紀依舊使用舊石器的原始社會部落的他桑代人，他們在找到並挖掘主要食物比京時，口唱《比京之歌》以示感謝，以表喜悅。[1]在生存作為第一需要的原始社會，詩、樂、舞等藝術是附屬於生產和生活的。《呂氏春秋》〈古樂〉曾追述上古事例來說明原始歌、樂、舞與原始社會生產和生活的關係：

> 昔古朱襄氏之治天下也，多風而陽氣畜積，萬物散解，果實不成，故士達作為五弦瑟，以來陰氣，以定群生。昔葛天氏之樂，三人操牛尾投足以歌八闋：一曰《載民》；二曰《玄鳥》；三曰《遂草木》；四曰《奮五穀》；五曰《敬天常》；六曰《達帝功》；七曰《依地德》；八曰《總萬物之極》。昔陶唐氏之始，陰多滯伏而湛積，水道壅塞，不行其原，民氣鬱閼而滯著，筋骨瑟縮不達，故作為舞以宣導之。[2]

朱襄氏之時「作為五弦瑟」，是為了「以來陰氣」以調節「多風而陽氣畜積」的氣候；「葛天氏之樂」有「遂草木」、「奮五穀」、「依地德」諸歌，應當與原始農業有關；陶唐氏之時「陰多滯伏而湛積」致使「民氣鬱閼而滯著，筋骨瑟縮不達」，故「作為舞以宣導之」。原始生產和原始生活的現實需要，是原始樂、歌、舞產生的直接原因。

原始生產和原始生活的現實需求，用器樂表達，產生了原始的音樂；用肢體表現，產生了原始的舞蹈；用語言表述，產生了原始的詩歌。《禮記》〈樂記〉曾就此論曰：

> 詩，言其志也；歌，詠其聲也；舞，動其容也。三者本於心，然後樂器從之。[3]

不管是詩歌也好，還是舞蹈也好，抑或音樂也好，都是人們在原始生產和生活中「本於心」的感情表達，都是心聲的外化形式，是先民真摯情感的自然流露。詩、歌、舞三者「本於心」「然後樂器從之」，道出了詩歌、舞蹈與原始音樂相互配合、其形式密切交互而不能分割的自然關係。故而，詩、歌、舞三者合一，是原始娛樂的初級形態特點。在人們相互協同生產的上古時代，不但物質生產形態是內容混合、形式綜合的，精神生產也同樣是內容混合、形式綜合的。

後來，隨著秦漢時期舞蹈藝術的獨立分化，人們對上古時代「詩、歌、舞三者合

1　劉達成、蔡家騏、李光照編譯：《當代原始部落漫遊》（天津市：天津人民出版社，1982年），頁15。

2　陳奇猷校釋：《呂氏春秋校釋》（上海市：學林出版社，1984年），頁284。

3　〔唐〕孔穎達疏：《禮記正義》（北京市：中華書局，1980年，阮元校刻《十三經注疏》本），頁1536。

一」中的「詩、樂不分現象」作出特別強調，《文心雕龍》〈明詩〉曰：

> 人稟七情，應物斯感，感物吟志，莫非自然。昔葛天樂辭，《玄鳥》在曲；黃帝《雲門》，理不空弦。至堯有《大唐》之歌，舜造《南風》之詩；觀其二文，辭達而已。及大禹成功，《九序》惟歌；太康敗德，《五子》咸怨：順美匡惡，其來久矣。[4]

樂含詩，詩輔樂；有樂即有詩，有詩即有樂。詩樂不分，是上古原始娛樂形態的特點之一。這種合二而一的最為原始的音樂、舞蹈和詩歌，是順應彼時原始生產和原始生活中「宣導」先民的「鬱閼滯著」之氣、疏通先民那「瑟縮不達」的筋骨的現實需求而產生的；

二　周前詩歌社會用途的變遷

詩歌是心聲的外化形式之一，原是順應原始生產和原始生活的現實需要而產生的一種原始藝術形式。隨著社會生產的發展和人類認識的進步，當先民在「認識自然」欲望的促動下產生了「泛神崇拜」後，[5]詩歌的社會用途也隨之改變。

《呂氏春秋》〈古樂〉曾論述過「帝堯」時期古樂用途的變化：

> 帝堯立，乃命質為樂。質乃效山林谿谷之音以歌，乃以麋鞈置缶而鼓之，乃拊石擊石，以象上帝玉磬之音，以致舞百獸。瞽叟乃拌五弦之瑟，作以為十五弦之瑟，命之曰《大章》，以祭上帝。[6]

有音樂界學者曾依據晉南陶寺文化（距今四五千年）遺址考古發掘出土的成對木鼓、石磬、陶異型器（土鼓）等，肯定「帝堯」時期確有「鼓」、「磬」等樂器，[7]也有考古研究界學者依據晉南陶寺遺址的墓葬形制和隨葬品等認為，這「足以說明它的社會組織形態是一個部落聯盟古國的國家載體」，[8]宗教界學者提出部落聯盟時代隨著「地域

4　范文瀾：《文心雕龍注》（北京市：人民文學出版社，1958年），頁65。按：范本「樂辭」下有「雲」字，「空弦」原作「空綺」，均據范引唐寫本等刪改。

5　參見鄭傑文：《齊宗教研究》（濟南市：齊魯書社，1997年，《齊文化叢書》本），頁305-308。

6　陳奇猷校釋：《呂氏春秋校釋》（上海市：學林出版社，1984年），頁285。按：陳本「命延」原作「仰延」字，從畢沅校改。

7　參見張志剛：〈大章樂舞的時代特徵及審美價值〉，《山西師大學報（社會科學版）》2011年第5期，頁75-78。

8　參見王克林：〈陶寺文化與唐堯、虞舜——論華夏文明的起源（上）〉，《文物世界》2001年第1期，頁9-17；王克林：〈陶寺文化與唐堯、虞舜——論華夏文明的起源（下）〉，《文物世界》2001年第2期，頁18-23。

廣闊的最高社會組織」的形成「也就出現了天神及其下屬群神」[9]。自堯、舜起，在上古那個「神為人主」的時代，世人在神靈面前戰戰兢兢，神靈是世人的主宰，有權優先享受人間美事、美味，所以作為當時最為高級的精神享受——聽音樂看舞蹈，首先是神靈的專利；君王、從臣只是在祭祀中作為配角來陪同欣賞而已。就此，劉師培曾說過：「蓋《周官》『瞽蒙』、『司巫』二職，古代合為一官。樂、舞之用，雖曰『倡導其民』，實則仍以降神為主也。」[10]由「倡（宣）導其民」到實以「降神為主」，舞蹈與音樂的社會功用同樣發生了質的變化。

我們知道，作為原始娛樂初級形態的詩、歌、舞三者是相合為一的，樂、舞與詩是密不可分的。關於此，王國維先生曾舉例考證：傳為周公制作的〈大武〉，其舞有六成（即六段），而相應的詩亦有六篇，即今《詩經》所載〈昊天有成命〉、〈武〉、〈酌〉、〈桓〉、〈賚〉、〈般〉。[11]那時，詩與舞是相應相合的。在「神為人主」的時代，詩與樂、舞同樣，其社會功用一併發生了由「倡（宣）導其民」到「降神為主」的變化。

也就是說，到了「神為人主」的時代，音樂、舞蹈、詩歌的主要用途變為「降神為主」；而國家產生後，詩的創作和流傳，樂、舞的產生和使用，又主要變成為帝王的社會政治治理服務了。

三　由採集、編輯、分類來看《詩》社會功用的變化

「帝堯」時期至周初前，上述「宣導其民」或「降神為主」的原始詩歌產生了多少，文獻闕載，我們已不能知，而周初至春秋中期的部分詩，卻因官府的採集、編輯而有幸流傳下來，這就是我們今天還能夠看到的《詩經》，即先秦人所稱的「《詩三百》」或「《詩》」。

關於《詩》的採集與編訂，歷史上主要有「采詩」和「獻詩」兩種說法。

《漢書》〈藝文志〉曰：

> 古有采詩之官，王者所以觀風俗，知得失，自考正也。[12]

《漢書》〈食貨志〉亦曰：

> 孟春之月，群居者將散，行人振木鐸徇于路，以采詩，獻之大師，比其音律，以

9　呂大吉：《宗教學通論》（北京市：中國社會科學出版社，1989年），頁378。

10　劉師培：〈舞法起於祀神考〉，《劉師培辛亥前文選》（北京市：生活．讀書．新知三聯書店，1998年），頁437。引文中「倡導」應作「宣導」，見前引。

11　王國維：〈周大武樂章考〉，《觀堂集林》（石家莊市：河北教育出版社，2003年），頁48-50。

12　〔漢〕班固：《漢書》（北京市：中華書局，1962年），頁1708。

聞于天子。[13]

《漢書》所載「采詩」之說，前有所承，《左傳》〈襄公十四年〉晉師曠曾引《夏書》曰「遒人以木鐸徇于路」，可見「采詩說」由來已久。魯襄公時期上距西周時代較近，其所言應該可信。所以「采詩說」可以看作是《詩》彙集的途徑之一。

先秦時還有「獻詩說」。《國語》〈周語上〉載邵公虎諫周厲王時曾曰：

故天子聽政，使公卿至於列士獻詩，瞽獻曲，史獻書……[14]

《禮記》〈王制〉亦載：

天子五年一巡守。……覲諸侯；問百年者，就見之。命大師陳詩，以觀民風。命市納賈，以觀民之所好惡，志淫好辟。[15]

《國語》〈周語上〉和《禮記》〈王制〉所載「獻詩說」，可以在《詩經》所載中找到內證。如《小雅》〈節南山〉中有「家父作誦，以究王訩」之語，意即家父為王誦此詩，以刺王政。這是公卿列士獻詩的例證。邵公虎所曰「天子聽政，使公卿至於列士獻詩」事，當發生在朝廷上，天子將「獻詩」作為「聽民聲」的一種手段，讓「公卿至於列士」或作詩以獻之，或采詩以獻之。

《禮記》〈王制〉所載天子巡狩「命大師陳詩」事，當發生在各諸侯國內，謂天子讓「公卿至於列士」或獻所采民間詩，或獻諸侯國大夫等自己所作的可配樂歌唱之詩，以作為「聽民聲」的另一種手段。不管是朝廷上的公卿至於列士所獻之詩，還是各諸侯國內的大師所陳之詩，都集中到天子的樂官處，配樂以歌唱。所以，獻詩也應該是《詩》彙集的另一途徑。

「采詩說」與「獻詩說」並不矛盾，它們反映出《詩》來源的兩種不同途徑。這正如唐人成伯璵所云：「古之王者，發言舉事，左右書之，猶慮臣有曲從，史無直筆。於是省方巡狩，大明黜陟；諸侯之國，各使陳詩以觀風。又置采詩之官，而主納之，申命瞽史習其箴誦，廣聞教諫之義也。人心之哀樂，王政之得失，備於此矣。」[16]王者既命公卿至於列士獻其所作詩以知王朝治理，獻其所采詩以觀畿內民風；又命各諸侯之國陳詩以觀其國民風。而諸侯國所陳之詩，除自己創作的部分外，理應也有採集於民間者。那麼，采詩和獻詩，都應是歷史上曾經存在過的《詩》的彙集途徑；「采詩說」與「獻詩說」，兩者應是有機統一的。

---

13 同上注，頁1123。

14 《國語》（上海市：上海古籍出版社，1978年），頁9-10。

15 〔唐〕孔穎達疏：《禮記正義》，頁1327-1328。

16 〔唐〕成伯璵：《毛詩指說》，《景印文淵閣四庫全書》本第70冊，（臺北市：臺灣商務印書館，1983年），頁170。

有了《詩》採集的兩途徑，並不代表《詩》即可以成冊。它還需要一種將這兩途徑所彙之《詩》收集並編輯在一起的人，那就是樂官。古代詩樂舞一體，詩都配樂歌唱。《漢書》〈食貨志〉云「獻之太師，比其音律」，就是講採集來的詩歌，要經過樂官譜以樂律，通過歌唱讓天子聽到。而對於公卿獻詩，《詩》〈卷阿〉「矢詩不多，維以遂歌」毛傳「明王使公卿獻詩以陳其志，遂為工師之歌焉」，即言「公卿獻詩」也要經過樂工的奏樂演唱。所以，無論通過「獻詩」還是「采詩」得來的詩歌，都要經過樂師的加工，而且除了配樂外，樂師可能還負責詩歌的篩選和潤色。《詩》就在這個過程中被編輯而保存下來。

今傳《詩經》分為風、雅、頌三類，這種分類方法由來已久。《左傳》〈襄公二十九年〉載吳公子季劄在魯所觀之詩樂，即有「小雅」、「大雅」、「頌」之稱。但這裡只提到「邶鄘衛」，還沒把所有的各諸侯國音樂總稱為「風」。孔子的言談中也只稱說「雅」、「頌」、「周南」、「召南」、「鄭聲」等，不曾說「風」。而受孔子早期詩學觀影響人士編輯的上博藏楚竹書〈孔子詩論〉，[17]卻除了「訟（頌）」、「大夏（雅）」外還明確言「邦風」[18]，風、雅、頌三類名稱全具。而傳世先秦文獻中明確指稱風、雅、頌三種分類者，有《周禮》和《荀子》等。《周禮》大師云：

> 大師掌六律、六同，以合陰陽之聲。……教六詩：曰風，曰賦，曰比，曰興，曰雅，曰頌。[19]

《荀子》〈儒效〉中也對《詩》作了相似的分類，並區分「雅」為〈大雅〉和〈小雅〉，說：

> 聖人也者，道之管也。天下之道，管是矣；百王之道，一是矣。故《詩》、《書》、《禮》、《樂》之歸是矣。《詩》言是，其志也；……故〈風〉之所以為不逐者，取是以節之也；〈小雅〉之所以為〈小雅〉者，取是而文之也；〈大雅〉之所以為〈大雅〉者，取是而光之也；〈頌〉之所以為至者，取是而通之也：天下之道畢是矣。[20]

關於《詩》的這種分類依據，歷來眾說紛紜。[21]其中，最主要的說法有兩種，一是以音樂的不同來解釋風、雅、頌的區別，如鄭樵在其《通志》〈昆蟲草木略〉中即云：

---

17 參見鄭傑文：〈上博藏戰國楚竹書《詩論》作者試測〉，《文學遺產》2002年第4期，頁4-13。

18 〈孔子詩論〉，馬承源主編：《上海博物館藏戰國楚竹書（一）》（上海市：上海古籍出版社，2001年），頁127、129、130。

19 〔唐〕賈公彥疏：《周禮註疏》（北京市：中華書局，1980年，阮元校刻《十三經注疏》本），頁795-796。

20 董治安、鄭傑文：《荀子匯校匯注》（濟南市：齊魯書社，1997年，《齊文化叢書》本），頁241。

21 參見朱金發：《先秦詩經學》（北京市：學苑出版社，2007年），頁72-149。

風土之音曰風，朝廷之音曰雅，宗廟之音曰頌。[22]

另一類主張是以內容、用途的不同來區別風、雅、頌，如《毛詩正義》載戰國人（一曰西漢人）所作〈詩序〉曰：

是以一國之事繫一人之本謂之「風」。言天下之事，形四方之風，謂之「雅」。雅者正也，言王政之所由廢興也。政有小大，故有「小雅」焉，有「大雅」焉。「頌」者，美盛德之形容，以其成功告於神明者也。[23]

兩類主張，各持一端，孰是孰非，莫衷一是。我們認為，這應是持不同《詩》學觀念之人的不同說法。持「《詩》為教」《詩》學觀[24]的人宣揚《詩》的教化功能，故以《詩》的內容、用途之異如「王政之所由興廢」、「以其成功告於神明」來解說《詩》的分類；而持「《詩》載史」《詩》學觀的人看重《詩》的歷史價值，故追尋《詩》的採集源出之異如「風土之音」、「朝廷之音」等；角度不同，故說法不一。

我們認為，若將兩者綜合起來，倒更能把握《詩》之風、雅、頌三分的本真：十五國〈風〉一六〇篇，乃各地域鄉土之音聲，反映的是各地域的民風民情；二〈雅〉一〇五篇（《小雅》七四篇，《大雅》三一篇），乃王畿之音聲，反映的是王朝政事或君臣生活；三〈頌〉四〇篇，乃宗廟之音，反映的是對神明的敬畏和禱訴。

四　三〈頌〉較周前詩之用途的質變及原因

三〈頌〉雖曰宗廟之音，反映的是對神明的敬畏和禱訴，應當為「悅神」之用；但其「愉悅」的對象，卻與前述《呂氏春秋》〈古樂〉所載「帝堯」時古樂（應含古詩）「祭上帝」、「明帝德」的用途已不盡相同——其「愉悅」或歌頌的對象已不僅僅是「上帝」、「帝」之類想像中的虛無飄渺的神靈，而是帶有「神性血緣」[25]的、因而具有「可以配天」資格的姬周先祖。如〈周頌〉〈思文〉曰：

思文后稷，克配彼天。立我烝民，莫匪爾極。貽我來牟，帝命率育，無此疆爾界，陳常于時夏。[26]

---

22 〔宋〕鄭樵：《通志》（北京市：中華書局，1995年），頁1980。

23 〔唐〕孔穎達疏：《毛詩正義》（北京市：中華書局，1980年，阮元校刻《十三經注疏》本），頁272。

24 先秦人之「《詩》為教」與「《詩》載史」《詩》學觀的差異，參見鄭傑文：〈上博藏戰國楚竹書《詩論》作者試測〉，《文學遺產》2002年第4期，頁4-13。

25 相傳商人先祖契是其母簡狄吞玄鳥卵而孕生，周人先祖后稷是有邰氏之女姜嫄履巨人跡感孕而生，故而是神的後代。我們稱此種血統為「神性血緣」。

26 〔唐〕孔穎達疏：《毛詩正義》，頁590。

〈詩序〉:「〈思文〉，后稷配天也。」孔穎達正義:「〈思文〉詩者，后稷配天之樂歌也。周公既已制禮，推后稷以配所感之帝，祭於南郊。既已祀之，因述后稷之德可以配天之意，而為此歌焉。」[27]謂詩中祭祀和歌頌的是姜嫄「履大人跡」感孕而生的后稷，說他承「帝命」而育「來牟」,「立我烝民」，有「可配彼天」之功。

又如〈周頌〉〈維天之命〉曰：

> 維天之命，於穆不已。於乎不顯，文王之德之純。……[28]

〈詩序〉:「〈維天之命〉，大平告文王也。」毛傳：「文王受命，不卒而崩。今天下大平，故承其意而告之。」[29]祭祀和歌頌的是「受天命」的周文王。

復如〈周頌〉〈武〉曰：

> 於皇武王，無競維烈。……[30]

孔穎達正義:「謂周公攝政六年之時，象武王伐紂之事，作〈大武〉之樂既成，而於廟奏之。詩人睹其奏而思武功，故述其事而作此歌焉。」[31]謂詩歌頌武王的「無競維烈」之功。

詩的這種「愉悅」對象由「上帝」向先祖神的變化，不僅表現在〈周頌〉中,〈魯頌〉、〈商頌〉也多以歌頌祖先為基調。如〈魯頌〉〈閟宮〉從姜嫄、后稷頌起，到文王、武王，直頌至「魯侯之功」，而〈商頌〉〈玄鳥〉更曰：

> 天命玄鳥，降而生商，宅殷土芒芒。古帝命武湯，正域彼四方。……[32]

〈詩序〉:「〈玄鳥〉，祀高宗也。」毛傳:「高宗，殷王武丁，中宗玄孫之孫也。有『雊雉』之異，又懼而修德，殷道復興，故亦表顯之，號為高宗。」謂該詩的祭祀對象、歌頌對象亦為先祖。它沒有像出土的甲骨卜辭那樣，有那麼多祭祀諸神之首「上帝」或「帝」的內容，歌頌「上帝」那「令雨」、「令風」、「令霽」、「降旱」、「降禍」、「降食」、「降若（不祥）」、「害年」、「咎王」、「佐王」等超常功能，祈禱自己「受又（佑）」、「受年」。兩相比較，更可看出〈商頌〉作者受周人「敬祖」思想影響的痕跡，更表現出西周時期詩歌功能由「愉悅」、「上帝」而向歌頌世間先祖神的這種轉化。

前已述及，原始詩歌最早產生時，欲「來陰氣」以調節「多風而陽氣畜積」的氣

---

27 同上注，頁590。

28 同上注，頁583-584。

29 同上注，頁583。

30 同上注，頁597。

31 同上注，頁597。

32 〔唐〕孔穎達疏：《毛詩正義》，頁622-623。

候，並以「遂草木」、「奮五穀」等原始農作描述為主要內容，其用途在於適應原始生產和原始生活的現實需要；但是，隨著「泛神崇拜」的出現，詩歌的社會用途發生了由「倡（宣）導其民」到「降神為主」的變化。而到西周初期，詩歌的功用又由「敬天」轉到「頌祖」。這其中的原因何在呢？

導致這種變化的主要原因是西周初年社會政治形勢的需要。

周武王滅商後，在思想信仰方面，西周執政者有兩個問題需要回答。其一，在那個「天命神權」思想濃鬱的時代，早已流傳著「商人先祖契是其母簡狄吞玄鳥卵而孕生、故而是神的後代」的傳說，[33]但周人卻以「小邦周」的邊族身份取代了「大邑商」的中原統治地位。那麼，「小邦周」是否也具有「大邑商」這種充當「天之子」以君臨天下的神性血統呢？基於此，周人拋出「有邰氏之女姜嫄履巨人跡感孕而生后稷」的傳說，[34]來證明周人也是神的後代。其二，若商先祖契、周先祖后稷同樣是感孕而生的「神之子」，因而同樣具有君臨天下的神性血統的話，周人又憑什麼來替代已經作為「天之子」而統治中原的商人呢？基於此，周人又宣揚「天命靡常，惟德是輔」說。[35]周人說，同「商湯有德」故能代夏為「民之主」一樣，周文王「克明德慎罰」（《尚書》〈康誥〉），故「天休于寧王，興我小邦周」（《尚書》〈大誥〉），而「式商受命，奄甸萬姓」（《尚書》〈立政〉），因而成為新的「民之主」、「天之子」。祖宗有德，是周人得天下的關鍵，故周人宣揚：「丕顯文武，皇天宏厭厥德，配我有周，膺受天命」（《毛公鼎》）。

歌頌祖先「有德」故能「配天」以為「天之子」，是周初爭取士人支持以穩定社會局面的現實政治需要，故產生了如此數量的「頌祖」、「敬祖」之詩。至昭穆以降，隨著周人版圖的開發、國力的增強、政權的穩定，這種社會現實政治需要逐漸減弱，故而頌詩的創作也逐漸消歇了。

五　二〈雅〉諸詩編輯所見詩歌社會功用的變化

基於周人宣揚的「天命靡常，惟德是輔」說，他們進一步提出：周人欲永承天命，長保國祚，後代君王必須效祖宗之法，自我修德。於是，周人設立了一整套監督、教

33 《詩經》〈玄鳥〉：「天命玄鳥，降而生商。」《史記》〈殷本紀〉：「殷契，母曰簡狄，有娀氏之女，為帝嚳次妃。三人行浴，見玄鳥墮其卵，簡狄取吞之，因孕生契。」

34 《詩經》〈生民〉：「厥初生民，時維姜嫄。生民如何？克禋克祀，以弗無子。履帝武敏歆，攸介攸止，載震載夙。載生載育，時維后稷。」《史記》〈周本紀〉：「周后稷，名棄。其母有邰氏女，曰姜原。姜原為帝嚳元妃。姜原出野，見巨人跡，心忻然說，欲踐之，踐之而身動如孕者。居期而生子，……因名曰棄。」

35 《詩經》〈文王〉：「商之孫子，其麗不億。上帝既命，侯于周服。侯服于周，天命靡常。」《尚書》〈咸有一德〉：「命靡常。」

導、諍諫周王的訓誡系統。《國語》〈周語上〉載邵公虎諫周厲王時曾說：

> 天子聽政，使公卿至於列士獻詩，瞽獻曲，史獻書，師箴，瞍賦，蒙誦，百工諫，庶人傳語，近臣盡規，親戚補察，瞽、史教誨，耆、艾修之，而後王斟酌焉，是以事行而不悖。[36]

三公、群臣、史瞽、列士、國民皆有規諫君王的責任。對於此，春秋人仍有記憶。《左傳》〈襄公十四年〉載晉人師曠曾追述過：

> 天子有公，諸侯有卿，卿置側室，大夫有貳宗，士有朋友，庶人、工、商、皁、隸、牧、圉皆有親暱，以相輔佐也。善則賞之，過則匡之，患則救之，失則革之。自王以下，各有父兄子弟，以補察其政。史為書，瞽為詩，工誦箴諫，大夫規誨，士傳言，庶人謗，商旅於市，百工獻藝。[37]

《國語》〈晉語六〉載范文子亦曾說過：

> 夫賢者寵至而益戒，不足者為寵驕。故興王賞諫臣，逸王罰之。吾聞古之王者，政德既成，又聽於民，於是乎使工誦諫於朝，在列者獻詩使勿兜，風聽臚言於市，辨妖祥於謠，考百事於朝，問謗譽于路，有邪而正之，盡戒之術也。[38]

在這種諫政機制所帶來的諫政風氣的推動下，催生出兩類詩歌：追述祖先業績之詩和揭發當政者失德之詩。

二〈雅〉中有不少追述曾經帶領周先民艱苦奮鬥的先祖（如太王、王季、文王、武王）所取得的輝煌業績的詩篇。如〈大雅〉〈文王〉曰：

> 文王在上，於昭於天。周雖舊邦，其命維新。有周不顯，帝命不時。文王陟降，在帝左右。亹亹文王，令聞不已。陳錫哉周，侯文王孫子。文王孫子，本支百世，凡周之士，不顯亦世。世之不顯，厥猶翼翼。思皇多士，生此王國。王國克生，維周之楨；濟濟多士，文王以寧。穆穆文王，於緝熙敬止。假哉天命。有商孫子。商之孫子，其麗不億。上帝既命，侯于周服。侯服于周，天命靡常。殷士膚敏。祼將於京。厥作祼將，常服黼冔。王之藎臣。無念爾祖。無念爾祖，聿修厥德。永言配命，自求多福。殷之未喪師，克配上帝。宜鑒於殷，駿命不易！命

36 《國語》，頁9-10。

37 〔唐〕孔穎達疏：《春秋左傳正義》（北京市：中華書局，1980年，阮元校刻《十三經注疏》本），頁1958。

38 《國語》，頁410。按「勿兜」，王引之《經義述聞》卷21校改為「勿兆」（《清經解》卷1200），《說文》「兆，灉（壅）蔽也」。當改。

之不易，無遏爾躬。宣昭義問，有虞殷自天。上天之載，無聲無臭。儀刑文王，萬邦作孚。[39]

《墨子》〈明鬼〉曾引此詩中「文王在上，於昭於天。……文王陟降，在帝左右」之句，並曰「若鬼神無有，則文王既死，彼豈能在帝之左右哉」[40]？可見詩中確含對文王生前功業追憶之意。《漢書》〈翼奉傳〉更云：「周公猶作詩書深戒成王，以恐失天下。……其《詩》則曰：『殷之未喪師……駿命不易。』」[41]言此詩為周公旦述文王之德以戒成王而作。像這樣的詩，二〈雅〉中數量很多。如〈大雅〉〈綿〉曰：

古公亶父，來朝走馬。率西水滸，至於岐下。爰及姜女，聿來胥宇。[42]

〈詩序〉：「文王之興，本由大王也。」[43]追述文王先祖古公亶父率族人遷到周原以求發展的業績。

如〈大雅〉〈公劉〉曰：

篤公劉，匪居匪康，乃埸乃疆，乃積乃倉。乃裹餱糧，於橐於囊，思輯用光。弓矢斯張，干戈戚揚，爰方啟行。[44]

〈詩序〉：「美公劉之厚於民。」[45]追述公劉為免戰爭災難而帶領族人遷徙的歷史。

如〈大雅〉〈皇矣〉：

維此王季，帝度其心。貊其德音，其德克明。克明克類，克長克君。王此大邦，克順克比。比于文王，其德靡悔。既受帝祉，施於孫子。[46]

追述王季修德、傳位於文王，從而使周人昌盛起來的功績。

如〈大雅〉〈文王有聲〉曰：

文王受命，有此武功。既伐於崇，作邑於豐。[47]

〈詩序〉：「〈文王有聲〉，繼伐也。武王能廣文王之聲，卒伐其功也。」歌頌文王伐崇、作豐邑之功績。

---

39 〔唐〕孔穎達疏：《毛詩正義》，頁503-505。

40 〔清〕孫詒讓：《墨子閒詁》（北京市：中華書局，2001年，《新編諸子集成》本），頁238-239。

41 〔漢〕班固：《漢書》，頁3176-3177。

42 〔唐〕孔穎達疏：《毛詩正義》，頁509。

43 同上注，頁510。

44 同上注，頁541。

45 同上注，頁541。

46 同上注，頁520。

47 同上注，頁526。

這類追述先王業績之詩，當是按照周人的訓誡禮制，由列士或瞽史在朝廷上歌誦，以為後王修德、施政的參照。這類詩被後人稱為「正雅」之聲。[48]

但隨著時間的推移，隨著人文意識的覺醒，後王漸生享樂之心。負責訓誡君王的列士或瞽史等因此而創作或搜尋那些揭發或警示當政者失德的詩，在朝廷上歌誦；此即《左傳》〈襄公四年〉所追述的「昔周辛甲之為大史也，命百官，官箴王闕」。於是，被後人稱為「變雅」的詩篇逐漸多起來。

這類詩，有的明言訓誡，如《大雅．抑》：

> 於乎小子，告爾舊止。聽用我謀，庶無大悔。[49]

〈詩序〉言此詩因「衛武公刺厲王，亦以自警」而作。[50]詩中情深意切，諄諄教誨，訓誡口氣，躍然紙上。

這類詩，有的曲意比說，如〈大雅〉〈蕩〉：

> 文王曰諮，諮汝殷商！曾是強禦，曾是掊克，曾是在位，曾是在服。[51]

〈詩序〉曰：「〈蕩〉，召穆公傷周室大壞也。厲王無道，天下蕩蕩，無綱紀文章，故作是詩也。」[52]鄭箋說得更為具體：「厲王弭謗。穆公，朝廷之臣，不敢斥言王之惡，故上陳文王諮嗟殷紂以切刺之。」[53]《國語》〈周語上〉言「厲王虐，國人謗王。邵公告曰：『民不堪命矣！』王怒，得衛巫，使監謗者，以告，則殺之，國人莫敢言，道路以目。」[54]如此高壓環境下，召穆公只好引詩周文王「諮嗟殷紂」之歷史訓辭，來勸誡周厲王。詩意委婉曲折，款款之情可見。

這類詩，有的剖訴衷腸，諄諄教導。如〈大雅〉〈抑〉：

> ……有覺德行，四國順之。訏謨定命，遠猶辰告。敬慎威儀，維民之則。其在於今，興迷亂於政。顛覆厥德，荒湛於酒。女雖湛樂從，弗念厥紹。罔敷求先王，克共明刑。……白圭之玷，尚可磨也，斯言之玷，不可為也！無易由言，無曰「苟矣，莫捫朕舌」，言不可逝矣。……辟爾為德，俾臧俾嘉。淑慎爾止，不愆於儀。不僭不賊，鮮不為則。……溫溫恭人，維德之基。其維哲人，告之話言，

48 〈詩序〉「詩有六義」孔穎達正義：「『雅』云『言今之正，以為後世法』，謂正雅也。」

49 〔唐〕孔穎達疏：《毛詩正義》，頁556。

50 同上注，頁554。

51 同上注，頁553。

52 同上注，頁552。按：召穆公，姬姓，召氏，名虎，諡穆，故稱後世稱其曰召（邵）公、穆公、召穆公。

53 同上注，頁553。

54 《國語》，頁9。

順德之行；其維愚人，覆謂我僭：民各有心。於呼小子，未知臧否！匪手攜之，言示之事。匪面命之，言提其耳。借曰未知，亦既抱子。民之靡盈，誰夙知而莫成？昊天孔昭，我生靡樂。視爾夢夢，我心慘慘。誨爾諄諄，聽我藐藐。匪用為教，覆用為虐。借曰未知，亦聿既耄！於乎小子，告爾舊止，聽用我謀，庶無大悔。天方艱難，曰喪厥國。取譬不遠，昊天不忒。回遹其德，俾民大棘！[55]

〈詩序〉曰：「〈抑〉，衛武公刺厲王，亦以自警也。」[56]此說與《國語》〈楚語上〉可以互參。《國語》〈楚語上〉載左史倚相曰：「……昔衛武公年數九十有五矣，猶箴儆於國，曰：『自卿以下至於師長士，苟在朝者，無謂我老耄而舍我，必恭恪於朝，朝夕以交戒我；聞一二之言，必誦志而納之，以訓導我。』在輿有旅賁之規，位寧有官師之典，倚几有誦訓之諫，居寢有褻御之箴，臨事有瞽史之導，宴居有師工之誦。史不失書，矇不失誦，以訓御之。於是乎作〈懿〉戒以自儆也。」韋昭注：「〈懿〉，《詩》〈大雅〉〈抑〉之篇也。抑讀曰懿。」[57]而孔穎達《毛詩正義》則以為衛武公追數周厲王之事，欲以「前代之惡」，追諷以戒後王。[58]此中是非曲直，在此不作考辨，我們要強調的是，昭穆以降，諫詩頻作，或在朝廷以諫王，或在侯國以戒君；或以面陳，或以追諷。隨著世風日降，隨著君王漸淫，諷戒之詩日漸眾多，成為訓誡人士追慕周初君王之德而戒後王之非的常用手段。這誠如孔穎達所說：「詩者，人之詠歌，情之發憤，見善欲論其功，睹惡思言其失，獻之可以諷諫，詠之可以寫情，本願申己之心，非是必施於諫。往者之失，誠不可追，將來之君，庶或能改。雖刺前世之惡，冀為未然之鑒。」[59]

依據〈詩序〉所解，〈民勞〉、〈板〉、〈卷阿〉、〈崧高〉、〈烝民〉、〈節南山〉、〈巷伯〉、〈桑柔〉、〈何人斯〉、〈四牡〉、〈四月〉等，皆是臣下勸誡君王之詩。這類詩，被後人稱為「變雅之作」。

六　十五國〈風〉的聚集及其社會功用的變化

《詩》之風雅頌中，收詩數量最多的是十五國〈風〉。其所收詩內容有二：其一，

---

55 〔唐〕孔穎達疏：《毛詩正義》，頁554-556。

56 同上注，頁554。

57 《國語》，頁551。

58 《毛詩正義》曰：「如（韋）昭之言，武公年耄，始作〈抑〉詩。案《史記》〈衛世家〉，武公者，僖侯之子，共伯之弟。以宣王三十六年即位。則厲王之世，武公時為諸侯之庶子耳。未為國君，未有職事，善惡無豫於物，不應作詩刺王。必是後世乃作，追刺之耳。正經美詩有後王時作，以追美前王者，則刺詩何獨不可後王時作，而追刺前王也？詩之作者，欲以規諫前代之惡。其人已往，雖欲盡忠，無所裨益。後世追刺，欲何為哉！……往者之失，誠不可追，將來之君，庶或能改。」（〔唐〕孔穎達疏：《毛詩正義》，頁554。）

59 〔唐〕孔穎達疏：《毛詩正義》，頁554。

反映各地民風民俗之詩；其二，補察時政之詩。聚集民風民俗之詩，可以起到「觀民風」的社會作用。采補察時政之詩，可以達到「知得失」的政治效果。

反映各地民風民俗之詩被稱為「正風」。其或寫民間勞作，如〈芣苢〉寫採摘收穫，〈七月〉寫終年勞作；其或與戰事相關，如〈兔罝〉狀「赳赳武夫」，〈無衣〉表同仇敵愾，〈東山〉寫久戍在外。而其中，數量最多的是寫男女情戀之詩，如〈關雎〉寫男子求偶，〈卷耳〉寫懷念遠人，〈草蟲〉寫思念「君子」，〈野有死麕〉寫「有女懷春，起士誘之」，〈靜女〉寫男女幽會，〈氓〉寫棄婦之怨，〈采葛〉寫男女相盼，〈溱洧〉寫男女偕遊，等等。

那些補察時政之詩被稱為「變風」。如〈鶉之本本〉譴責君主不良，〈黃鳥〉斥責生人殉葬。而按照〈詩序〉的解說，這類詩數量眾多。如〈考盤〉，〈詩序〉曰「刺莊公也。不能繼先公之業，使賢者退而窮處」；[60]如〈南山〉，〈詩序〉曰「刺襄公也。鳥獸之行，淫乎其妹。大夫遇是惡，作詩而去之」；[61]如〈終南〉，〈詩序〉曰「戒襄公也。能取周地，始為諸侯，受顯服。大夫美之，故作是詩以戒勸之」；[62]如〈月出〉，〈詩序〉曰「刺好色也。在位不好德，而說美色焉」；[63]如〈株林〉，〈詩序〉曰「刺靈公也。淫乎夏姬，驅馳而往，朝夕不休息焉」；[64]如〈蜉蝣〉，〈詩序〉曰「刺奢也。昭公國小而迫，無法以自守，好奢而任小人，將無所依焉」；[65]等等。

這類〈風〉詩的聚集，亦與周人的社會治理觀念的發展有關。

如前所述，周人認為，先王所作所為，得到上天的嘉許，被頌為有德而受命，故後代君王必須效先王法式以從政，以繼續得到上天的嘉許。上天嘉許與否如何體現出來呢？《尚書》〈康誥〉曰：「天畏棐忱，民情大可見。」[66]上帝或厭棄，或嘉許，主要由民情表現出來。得民心者得天佑，失民心者遭天棄。天志、民情二元合一，天道遠人道邇，於是在人間社會中，實際上只剩下民心民情作為衡量君德的實在標準。周文王、周武王得八百諸侯擁戴而伐紂，靠殷卒倒戈而滅殷，從而得天下，建周朝，確為有德之王。但後世諸王卻日趨昏憒，荒淫不堪，道德日漸低下，終於導至民心皆背，失去天下。

民心成為探查「天意」的實在標準的思想催生出周人的采詩、獻詩制度。周人設立「采詩之官」，使「行人振木鐸徇于路，以采詩」，然後「獻之太師」，「以聞于天子」；[67]

60 同上注，頁321。

61 同上注，頁352。

62 同上注，頁372。

63 同上注，頁378。

64 同上注，頁378。

65 同上注，頁384。

66 〔唐〕孔穎達疏：《尚書正義》（北京市：中華書局，1980年，阮元校刻《十三經注疏》本），頁203。

67 〔漢〕班固：《漢書》，頁1708、1123。

同時，又「使公卿至於列士獻詩」，[68]命他們將自己、或派人採集的民間詩，獻給天子、國君，使之觀民風以知施政得失，這就是十五國〈風〉社會功用的變化。

綜上所述，最為原始的音樂、舞蹈和詩歌是順應彼時原始生產和原始生活中「倡（宣）導其民」的現實需求而產生的。「泛神崇拜」產生後的「神為人主」時代，音樂、舞蹈和詩歌的主要用途則為「降神」、「娛神」之用。國家產生後，詩的創作和傳播又主要變成執政者所用的社會治理工具，這在《詩》的早期採集中深有體現：王者命公卿至於列士獻其所作詩以知王朝治理、獻其所采詩以觀畿內民風，命各諸侯之國陳詩以觀各諸侯國民風；這在《詩》的編輯中也深有體現：所編「宗廟之音」的三〈頌〉由「敬天」轉到歌頌祖先有「神性血緣」「有大德」以回應殷遺民疑問而爭取士人支持來穩定社會局面；所編追述祖先業績和揭發時政者失德的二〈雅〉，告誡歷代執政的周子孫，欲永承天命而長保國祚，必須效祖宗之法，自我修德；所編十五國〈風〉，是為了觀民風、察時政以「知得失」來延國祚。

從用於「倡（宣）導其民」的社會生產生活現實需求，到「降神」「娛神」的為神靈之用，再到為執政者用來作社會治理工具，這就是上古詩歌社會功用的遞變。

68 《國語》，頁9。

先秦禮儀中的頌《詩》與成德

林素娟
國立成功大學中國文學系教授

提要

先秦時論述「禮」往往透過《詩》以進行詮釋，儀式中亦大量引用《詩》。以《詩》詮禮並不只是便於解釋某些情境；《詩》之「引譬連類」亦不只是修辭的方式，其中還牽涉與自然萬物的關係，以及因氣化共感而興發的原初情感與倫理課題。本文將透過先秦禮儀論述中以《詩》詮禮，以及儀式中之引《詩》現象，說明禮儀的精神，並重新思考禮儀與「民性」的關係。同時透過論述禮儀、道德、為學工夫時，往往以《詩》進行詮解的現象，探討以《詩》詮禮與修身的關係。最後透過詩、樂、舞之整體情境探討其於血氣心知轉化的意義。本文希望透過《詩》之詮釋與實踐等角度，重新思考禮儀如何回應自然、身體、倫理等課題，以展開充滿生生不息動力與情感的禮儀風景。

關鍵詞：禮　詩　詩經　感通　倫理　詮釋　民性

一　前言

禮儀論述中，對於何謂「禮」之理想呈現有許多思考，此論述一方面反映著人與自然之關係，另一方面又聚焦於禮儀如何落實於人倫日用之中，如何展現美好的生命型態與倫理關係。先秦時論述「禮」的精神與修養時，時常透過《詩》以進行詮釋，春秋時期之《左傳》、《論語》已開其端，戰國時期之《上海博物館藏戰國楚竹書》〈孔子詩論〉、《郭店楚簡》等承續以《詩》言道、言禮之風氣。《荀子》更透過《詩》以作為論述禮與為學工夫之註腳，其中反應對「禮」的性質與工夫之主張。禮儀中之引《詩》並不僅為修辭的方式，還牽涉情感的興發與倫理等課題。[1]由於在禮儀論述中自然天地一直是人間秩序的興發場域，先秦時的自然觀體現於萬物之互滲共感的交融狀態中，[2]詩與禮文亦由此狀態而生。先秦時往往認為聖人體察天地之道、興感於物象，而成就禮文。天地之道即展現於禮文、詩與樂音之中。[3]以《詩》詮禮將能透過「詩」所具有的

1　〔唐〕孔穎達：《春秋左傳正義》（影印阮元校刻《十三經注疏附校勘記》本，臺北市：藝文印書館，2001年，以下簡稱《左傳》），卷38，〈襄公二十八年〉，頁654，盧蒲癸指出當時的「賦詩」風氣乃是「賦詩斷章，余取所求焉」。反應了春秋時期「賦詩」往往在具體情境中，以凸顯其所欲表達的義涵，其義涵往往與詩之「本義」無關。這也是〔漢〕班固著，〔唐〕顏師古注：《漢書》（臺北市：鼎文書局，1979年），卷30，〈藝文志．六藝略．詩〉，頁1708指出：「漢興，魯申公為詩訓故，而齊轅固、燕韓生皆為之傳。或取春秋，采雜說，咸非其本義。」即透過具體情境以斷章賦《詩》、詮解《詩》。在詮解《詩》中，「詩無達詁」，深刻凸顯意象與倫理的關係……等課題，打開了民性、倫理、風俗……等深刻面向。先秦簡牘中之引《詩》現象已為學者所關注，如廖名春：〈郭店楚簡引《詩》論《詩》考〉，收入廖名春：《新出楚簡試論》（臺北市：臺灣古籍出版公司，2001年），或如楊晉龍：〈《五行篇》的研究及其引用《詩經》文本述評〉，《經學研究集刊》第2集（2006年10月），指出《五行篇》引《詩經》以表達其思想觀點，並不同於傳統文獻、歷史脈絡下的解詩。亦有學者透過簡帛中引《詩》，以論證其所具有的成德之教的義涵，如謝君直：〈《詩》、《書》與成德之教——郭店楚簡〈五行〉與〈緇衣〉引《詩》、《書》的儒學詮釋〉，《經學研究集刊》第12期（2012年5月），頁195-216，認為〈五行〉透過《詩》、《書》之詮釋，以傳達道德心、價值意識，以及人道與天道的通貫和呼應。本文則將論證焦點置於《詩》所開顯的自然、身體與深厚的感通和實踐動力，其中引《詩》打開文化的創造力，具有深刻的詮釋學深度和倫理的義涵。

2　有關「自然」一詞之涵義，牽涉廣泛而複雜，若順字面解釋，有自己而然、順其自然等義涵。但不論在道家乃至魏晉以後儒釋道有關自然之探討中，「自然」之概念又與名教、佛教之因果等概念不斷形成對照和論辯，故而此關鍵詞於思想及文學史上意義豐富而多元，並不斷增衍。今用「自然」一詞又往往與「nature」對譯，意指自然世界。本文所論自然，涉及自然萬化之生生不息世界，同時又強調非主客二元意義下的氣化共感關係。有關「自然」在中國詩學中的豐富面貌，以及與思想史交涉的過程，詳參蔡瑜編：《迴向自然的詩學》（臺北市：臺灣大學出版中心，2012年）。

3　詩禮樂除了具有性情論的向度外，亦具有開顯天地秩序的向度。先秦文獻中不時可見聖人聞聽天道，以化成人文、禮樂的記載。聖人如何於禮、詩、樂中體現天道？天道流行與文化創造的關係為何？聖人所體會之「天道」、「天德」是具有本體宇宙論的義涵嗎？而天道又是以何種方式得以探求？此在先秦哲學中實則牽涉象、辭、文、詩、禮……等之創造性，以及由宗教性天命向德、道、

開顯存有之力量，打開禮「文」之道言的向度，並展開禮與自然萬物原初倫理關係的深刻風貌。[4]在此脈絡下，本文首先就節氣與自然風物如何興發禮文，及其與詩禮樂之關係進行探討。除了原初的倫理情感外，透過自然風土、歷史、社會層面的文化積澱，《詩》同時也具有豐厚的文化意蘊。詩歌之「引譬連類」能反映文化傳統中深刻的情感經驗以及思維的方式。在不斷奮發興起的連類中，使得文化具有不斷多元交織的可能性；「民性」亦在此多元交織中被展開。正文第二部分即探討《詩》與民性的關係。第三部分，將透過戰國時論述道德、為學而引《詩》的現象，如《上海博物館藏戰國楚竹書》〈孔子詩論〉、《郭店楚簡》與《馬王堆漢墓帛書》之〈五行〉、《荀子》透過《詩》以言禮、為學工夫、德等議題進行探討。在「斷章取義」的引《詩》中，帶入豐厚的文化、歷史積澱的同時，又不斷在文本的詮釋互文中，使意義得以不斷地生成變化。《詩》無達詁，詩義亦在此脈絡間不斷生成。本文將對此種引《詩》方式如何具有深刻的轉化和實踐的動能進行探討。《詩》中風物不但具有深刻的自然向度，同時又具有高度的象徵特質。具有豐富意象之象徵物，除了一方面反映出文化結構與感知的豐富性，另一方面展現儀式中引《詩》之於禮儀工夫的意義，[5]如何透過詩、舞、樂之整體情境，以及物之倫理想像而對道德有親切的領會和實踐的熱情是關鍵問題。此脈絡下，《詩》所詠頌的八方風物，具有高度象徵特質，能造成整體場域與氣氛之變化，同時亦使參與者產生物質想像、倫理想像，進而轉化其血氣心知。本部分將思考在具體儀式情境中，《詩》如何開啟深刻體驗，並透過情感及身體知覺的涉入，使得原有的文化系統產生新的連結之可能性。

綜上所述，本文將透過先秦禮儀論述中以詩詮禮、以詩詮道，[6]說明禮儀的精神，並重新思考禮儀與自然風物、禮儀與「民性」的關係、引《詩》詮禮如何造成意義之深

禮義的轉化歷程。其融滙宗教性之天命、天道論、心性論、倫理觀等諸多層面。此詩、禮、樂與道論的關係，以及文明、禮義的展開，本文於此無法進行細部析論，必須留待他文再行探討。本文主要將焦點置於自然風物因其氣化感通而與性情之動、血氣心知之調節、意象生成的關係。同時透過詩禮樂開啓的民性，而展開語言主體的豐富化、性情之感應論與實踐等層面的探討。

4 「詩」為開顯存有的道言，能使天地神人四方響應，並為存有之安宅。詳參海德格（Martin Heidegger）著，成窮、余虹、作虹譯，唐有伯校：《海德格爾詩學文集》（武昌市：華中師範大學，1992年）。

5 儀式中透過象徵、隱喻而形構的自我，乃是在語言符號中所開顯的語言主體，此語言所形構的主體，亦在語言的不斷交織中被豐富，以此可探討詩語言之於民性、修身、禮儀、教化中的重要意義。

6 徐復觀已指出，表達思想義理除了抽象性的語言外，先秦思想家更重視歷史與詩的語言，「由周初所開始的人文精神，認為人的行為決定一切，所以偏重在行為實踐上用心，不向抽象思辯方面去發展」，其所展現的語言特質「更將所述之事與《詩》結合起來，而成為事與詩的結合，實即史與詩，互相證成的特殊形式，亦由《荀子》發展而來。」徐復觀認為《荀子》透過詩與史相結合的表現方式而展開其為學、修身的論述，而後《韓詩外傳》、《新序》、《說苑》、《列女傳》……等亦承繼此表現方式。詳參徐復觀：〈韓詩外傳研究〉，《兩漢思想史》卷3（臺北市：臺灣學生書局，1979年），頁5、7。

化和新意的產生、儀式中之詩、樂、舞之整體情境，對於血氣心知之轉化的意義。希望透過禮儀深度義涵的探討，思考其如何回應自然、身體、民性、倫理之課題，以展開充滿情感與生生不息實踐動力的禮儀風景。

二 象類天地、比類百則：《詩》中自然、物象之興感與禮文的興發

先秦時期儒家討論禮儀的文獻中，常常引用《詩》，以《詩》詮禮的特色非常鮮明，在人格養成的教育中，詩教與禮樂結合，具有關鍵的重要性。《論語》〈泰伯〉即謂理想人格之形塑於「興於詩、立於禮、成於樂」，若由字面意義來看，即以詩興發情感、以禮立身處世、以樂達到融通狀態。然而若更深看一層，興發情感與感物、引譬連類有關；禮乃緣情而制，且禮又與名類密切相關。如《荀子》謂禮為「類之綱紀」，禮儀顯然與感物、「知類通達」（《禮記》、〈學記〉）有關。樂亦在面對人心之感於物而動。可以看出詩、禮、樂皆觸及感通、情感、連類以及倫理關係之思考。[7]

詩禮樂均與感物密切相關，而此感物有一自然、氣化、感通之深廣背景。此背景關係著禮文的興發，同時也展現了禮文的生化、創造特質。下文即就詩、禮、樂與自然、氣化的關係進行說明。自然之氣化，帶給人最直接的感受乃是天地之氣的風動，此種風動，被認為直接與詩禮樂的形成有密切的關係。早在《左傳》〈襄公二十九年〉季札至魯觀樂，其評點各國之樂詩，以及《小雅》、《大雅》、《頌》時，已點出詩樂與風土、德行間的密切關係。其指出至高之樂如《頌》者，能使：「五聲和，八風平，節有度，守有序」而達到「盛德之所同也」[8]的理想。所謂「八風」乃指「八方之氣」，為自然風土、寒暑、陰陽之節氣。透過樂舞可以調節四時與節氣，使得血氣情感與自然節氣相調和。季札之說並不是特例，早在《左傳》〈隱公五年〉已指出舞與自然間的關係：「夫舞

---

7 詩、禮、樂雖皆有其感物而動，強調情感、整體情境之面向，但樂主要仍著重於聲-音-樂之感物而動，以及調動情志的課題。而「詩」雖在先秦往往與歌詠、舞一起展現，有深刻的身體動能面向，但是其與樂不同者，在於透過「言」（情動於中而形於言），而關係著語言與主體、民性之展開。同時，詩歌不止於歌詠，還牽涉書寫所展開的意義不斷差異的生成過程。此中於是牽涉「多識鳥獸、蟲魚」等對於天地、宇宙之認識和意義展開過程。禮若割離詩、樂，往往被認為凸顯了「別異」的面向，故而《禮記》中往往在禮、樂對舉分別界義時，會有「樂合同」、「禮別異」之說。然而就整體的禮儀情境以及理想人格來說，則謂：「興於詩、立於禮、成於樂」，或如《禮記》〈樂記〉所謂：「知樂，則幾於禮矣。禮樂皆得，謂之有德。」可知「禮」之圓滿展現，並非由分、異或其形式而言，必須同時透過詩樂才能達到理想人格的涵養。本文將詩、禮、樂合稱乃就禮之圓滿狀態而言，但並未抹殺採用分別說時詩、禮、樂各有其不同的功能，以及在具體的儀式中，各有其不同的偏重與需求。詳參〔漢〕鄭玄注，〔唐〕孔穎達疏：《禮記注疏》（臺北市：藝文印書館，2001年，以下簡稱《禮記》），卷37〈樂記〉，頁665。

8 《左傳》，卷39，〈襄公二十九年〉，頁671。

所以節八音而行八風」，杜預認為這是：「以八音之器，播八方之風，手之舞之，足之蹈之，節其制而序其情」。樂舞不但能展現天地之律動，同時也能調節血氣情感之律動。孔穎達甚至認為：「八方風氣，寒暑不同，樂能調陰陽，和節氣。八方風氣，由舞而行。」[9]樂、舞不但可以調節陰陽、四時、八方之氣，甚至樂之十二律還被認為是「天地之氣合而生風」從而引生「日至則月鐘其風」[10]的表現。也因為四時寒暑之變化能感染人，從而有聲樂、舞蹈之律動，此律動一方面回應著天地之變化，另一方面則能調節情志之動。故而季札認為至高之樂能調和五聲，使八方風氣得以協調，同時也與德行密切相關。季札認為《詩》樂能調和情志，以達中、和之德，與其為天地之動密不可分，而「德」同時具有天地、自然的向度：「德至矣哉，大矣如天之無不幬也，如地之無不載也，雖甚盛德，其蔑以加於此矣。」[11]由此可知，春秋時期論《詩》、舞、樂著重於自然之節氣與血氣之調節，從而引生德與教化之課題。《詩》不但是八風化成的結果，同時又具有風化的功能。「德」之同時涵攝天地自然之動與道德、倫理的向度，在戰國時期具有關鍵意義。這使得在氣化之共感下，詩禮樂除了具有涵養性情、表現性情等向度外，同時還具有鼓天下之動，回應天地秩序的向度。先秦時期的「德音」便是個很好的例子，其統合了德行與樂音、言語之流動，並又有深遠之天帝授命於聖王的背景。《郭店楚簡》〈五行〉將對天德之領會以聞聽天道、玉音來傳達：「聞君子道則玉音，玉音則型，型則聖。」[12]君子聞聽天地道動，而能使自身受此薰陶、轉化，亦使其形容舉止充滿了玉音般的感染力，能展現天道之化育。所謂「玉音」即「德音」。德音一詞初時與政教、天命密切相關，後來才逐漸轉化出心性、德行之向度。[13]故而言天德、神明、變化、應感、誠其關鍵均在於為學者對於天地之道的體會，從而興起參贊天地之德的動力，並在此感應中，成就聖人之教化，以及禮文之創造。[14]

---

9 以上引文詳參《左傳》，卷3〈隱公五年〉，頁61。

10 陳奇猷：《呂氏春秋新校釋》（上海市：上海古籍出版社，2002年），卷6，〈季夏紀〉〈音律〉，頁325。

11 《左傳》，卷39，〈襄公二十九年〉，孔穎達疏，頁672。

12 龐樸：《竹帛《五行》篇校注及研究》（臺北市：萬卷樓圖書公司，2000年），頁35。

13 德音之「德」的義涵並不限定指稱戰國以後的心性、德行之意，而有政教的深厚背景，此被視為「德」之音聲、言語與西周將「德」與天命、聖王連結的背景密切相關。德音乃聖王體會天地之道而展現的文治、教化，其一方面能以德音回應天命，同時亦可透過德音展現天地之德，故而在政教中具有關鍵意義。

14 聖人體會「天德」，詩、文、辭正所以展現此天地之化育及天地之業。天德與誠既可表現天地之理，同時亦可表達人之德行，此部分的關鍵並不在玄遠的道之本體論的推究，而在詩、文、辭之誠與文明功業之創造。詩禮樂均有天地道動之向度，但此向度所指向的乃在性情之感物而動以及及物、感通的存有體驗，並以此表現著詩所開顯的存有意義。有關德音、天德、天地之誠、天道與性情、道德、倫理的關係，此處無法深入析論，將另以專文探討。以上引文詳參龐樸：《竹帛《五行》篇校注及研究》，頁63-64。至於先秦天命之德的分化，以及儒門後學以之解釋心性論、道德形上學等過論《詩》與風化的關係，《周禮》〈大師〉所提及之「六詩」具有重要意義。大師主要職責在於儀式中以音樂來感應陰陽氣化之運行。所謂六詩指：「風、賦、比、興、雅、頌」。鄭眾認為：「比」是「比方於物」、「興」是「託事於物」。而「賦」，鄭注為「鋪」，即直接鋪陳。三者雖有方法上的不同，但皆透過物以傳達情志。至於「風」，鄭玄解為：「賢聖治道之遺化」。「雅」訓為「正」，「言今正者，以為後世法」。頌訓為「容」[15]，在於歌頌德行和威儀的深廣、動人。三者均為透過傳說及歷史的敘事和詠嘆，以產生對天命的敬畏、浸染具歷史厚度的民風、民情，以共享集體記憶和情感。[16]可以看出禮儀中言《詩》除了一方面協調於自然氣化之運行，另一方面透過歌詠調和情感，並將文化中的共通經驗、民風民情、價值認同，傳達於儀式參與者。在此過程中，《詩》、禮、樂往往同時呈現，密不可分。《周禮》〈大師〉即將「德」與樂音密切結合，而此樂音有其天地律則的面向：「以六德為之本，以六律為之音」。「六德」在〈大司徒〉為教萬民之法：「知、仁、聖、義、忠、和」[17]。頌《詩》不只能深諳文化傳統中的鳥獸草木之意象，以具有靈慧之知，同時還透過六律以協調於陰陽氣化之運行，以此興發道德情感。道德情感之發動與音律密切相關，而音律鼓動著血氣情知之律動，使得音律的教育成為國子教育中最關鍵的部分。這也就是為什麼《周禮》〈大司樂〉教育國子時，以樂德、樂語、樂舞三者並行。所謂「樂語」指的是：「興、道、諷、頌、言、語」[18]，即和樂之詩，透過譬類而興發情感，也就是因物起興，而充滿諷誦意味的詩文。透過諷誦、「吟詠以聲節之」[19]，方能使《詩》之情感深刻融入身體與容止中，進而調節身心血氣。樂舞、樂德、樂語所以能興情化德，是因為在儀式中透過六律進行教化和調養。六律和於人聲，也就是當人發聲時，「以律視其人，為之音」，同時「聽其人之聲，則知宜歌何詩」[20]。因此在整體氣氛中，不同性情之聲，和以不同之律，以及不同的《詩》。頌詩時聲律、節奏所帶來的身體姿態性，具有關鍵意義。[21]在歌《詩》、

程，詳參林啟屏：〈古代文獻中的「德」及其分化──以先秦儒學為討論中心〉，《清華學報》第35卷第1期（2005年6月），頁103-129。

15 〔唐〕賈公彥疏：《周禮注疏》（臺北市：藝文印書館，2001年，以下簡稱《周禮》），卷23〈大師〉，頁354-357。阮元將「頌」訓為容，並謂：「三頌各章皆是舞容」。詳參〔清〕阮元：《揅經室一集》（上海市：上海古籍出版社，2010年），卷1，頁13。（以〔清〕阮元：《揅經室集》（北京市：中華書局，1993年5月），卷1，頁19。校）

16 儀式中的詩歌能夠形塑集體記憶。有關集體記憶，詳參莫里斯．哈布瓦赫（Maurice Halbwachs）著，畢然，郭金華譯：《論集體記憶》（上海市：上海人民出版社，2002年）。

17 《周禮》，卷23，〈大師〉，頁356、卷10，〈地官〉〈大司徒〉，頁160。

18 《周禮》，卷22，〈大司樂〉，頁337。

19 《周禮》，卷22，〈大司樂〉，頁337，賈疏。

20 《周禮》，卷23，〈大師〉，頁356，鄭注、賈疏。

21 陳世驤認為語言生成與情境下身體的姿態有關，「語言的來源既是姿態，則語言生成之後，本質上必帶姿態的特色。」（〈詩與GESTURE〉，《陳世驤文存》臺北市：志文出版社，1972年，頁70。）即身

誦《詩》的過程中，透過雙聲、叠韻等連綿詞，不但以其節奏調整血氣心知之狀態，更重要的是，詞語之發音往往與身體之姿態、整體之情境相關。因此透過歌誦不但能疏通體氣，同時還能召喚深度的身體經驗與記憶，使得空間之氣氛為之改變，並使聽聞者產生身體經驗的模擬和轉化，並在憑音達意中進行跨類的聯想。[22]詩與樂不但調和了身體與形氣，同時亦使情感在不斷的歌樂過程中不斷抒情和活化。[23]

也正因為《詩》同時展現著自然節氣的韻律，並感染人於深刻無形之時，戰國時期探討《詩》之重要文獻〈孔子詩論〉，就透過《詩》能多識鳥獸草木等自然風物而言教化。如其謂〈邦風〉的精神在於：「納物也溥」，透過「納物」而調節人欲，並豐富眾民生活。透過對天地的象類，以及自然風物對人之應感而言教化，在先秦時期頗為普遍，如《禮記》〈樂記〉論及教化時，著重於人心對物之感應：「人心之動，物使之然」、「應感起物而動」[24]，由對自然風物之感應而論及倫理關係，以及道德實踐課題。又如《詩大序》開宗明義以「風，風也、教也。風以動之，教以化之。」[25]對《詩》的特質進行定義。第一個「風」字指《國風》，第二個「風」字指八風六氣所具有的流動和感化之特質。風展現了天地自然生生不息的氣化，就感受性來說，在風的氣化流動中，全身體的血氣情知皆為此流動感所浸染，而化人於無形中。故而《詩大序》喻擬教化如風，能無所不在的感動人、涵化人。[26]

自然風物之氣化流動，以及所造成的身體感受，既與詩禮樂密切相關，必須進一步

體在激情中有所表意，而言語是整個身體姿態的一環。也正因為如此，詩言本身即具有能帶動姿態的動能。而詩言中雙聲、叠韻所帶來的節奏以及意象，也都與整體情境下的身體感受和姿態密不可分。透過意象、音響於是可以帶動內在情感而調節身體。

22 鄭毓瑜透過漢賦中的雙聲、叠韻等連綿詞之探討，認為連綿詞中其字音較字義更能傳達某種共通狀態的體驗模式。透過同音字詞而連結不同物類，「其實可以超越客觀對象物的表達，而融會出如同酣醉或響應狀態下的悲歡」。詳參鄭毓瑜：〈諷誦與嗜欲體驗的傳譯〉，《引譬連類：文學研究的關鍵詞》（臺北市：聯經出版公司，2012年），頁136-141。通過音聲可以使得不同物類因應感而進行跨類相連，此種不斷跨類的連結亦使得情感與想像得以不斷被活化，在彼此默會的整體氛圍中，能夠使文化的結構和框架不斷的活化和更新。

23 「抒情」或對譯為「lyric」，則在西方抒情文學脈絡，強調有別於神話、宗教等神聖情感的個人情之自覺。但中國「抒情」一詞的使用，在《楚辭》中已見，此抒情並不只抒個人之私情，同時亦有神話、宗教、家國之情等豐富層面。此處用「抒情」一詞，不同於「lyric」所強調之個人情感自覺，而具有歷史厚度的共通情感，個人在頌《詩》時，既默會於群體深厚之情感，同時亦因情境不同，而使個人之情志與群體之情感進行交織。有關《楚辭》所展開的抒情深度，詳參楊儒賓：〈屈原為什麼抒情〉，《臺大中文學報》第40期（2013年3月），頁101-144。

24 《禮記》，卷37，〈樂記〉，頁662、卷38，〈樂記〉，頁679。孔穎達疏。

25 〔唐〕孔穎達：《毛詩正義》（臺北市：藝文印書館，2001年，以下簡稱《毛詩》），卷1之1，〈周南．關雎〉，頁12。

26 《論語》即已透過君子之德如「風」，而喻其能感化人於無形、無時：「君子之德風，小人之德草，草上之風，必偃。」詳參〔宋〕邢昺：《論語注疏》（臺北市：藝文印書館，2001年，以下簡稱《論語》），卷12，〈顏淵〉，頁109。

追問的是，此種感動如何生出禮義文理？其與禮之文、詩之興及象、類的關係為何？先以詩之興來說。詩之比、興並不只是修辭的方式，事實上，詩之「興」、禮之「文」、易之「象」皆牽涉深刻的自然天地之感通及象類過程，三者亦時常被比類而觀。《周易》〈賁卦〉〈彖傳〉以陽剛陰柔之交錯而象「天文」，並謂「文明以止，人文也」[27]，人文乃是取法於天文。學者往往將《易》之象類比於《詩》之「興」[28]。若就「興」之古字來看，學者謂其象四手合托一物的舉物旋游之象，帶出群舞時充滿節奏、誦歌之感通性極強的整體背景。[29]也正因其感通性極強、不斷生出新意的特質，於後代理解「興」時，往往著重於物象所帶起的隱而未發的情感或新意的生成。漢代鄭眾將「興」訓解為「託事於物」，透過物象而表達人事，並與「比方於物」之「比」，加以區隔；「興」有了較「比擬」更豐富而未盡之義涵[30]。孔安國將「興」定義為：「引譬連類」，認為「興」具有不斷跨域連結的特質，透過物象或譬喻而將不同之物類進行連結。[31]

詩興之跨域連結特質還往往具有神話宇宙觀的背景，鄭玄在箋解《詩大序》時將動人、化人之風，以「風伯鼓動」理解之，以詮釋〈風〉詩所帶來的身體感受以及情感之鼓動狀態。[32]「象」與「興」在身體的感知及所帶起的情感經驗中，帶有深刻的神話、宗教向度，與整體情境難以分割，同時具有高度流動、融通的特質。[33]誦《詩》展現為

27 〔唐〕孔穎達：《周易注疏》（臺北市：藝文印書館，2001年，以下簡稱《周易》），卷3〈賁．彖〉，頁62。

28 諸家在解釋「興」時往往以《易》之「象」進行理解，如〔明〕郝敬：《毛詩原解》〈讀詩〉（北京市：中華書局，1991年），頁10：「《詩》之有比，猶《易》之有象。《易》義難言，以象像之；《詩》志難言，以比譬之。」頁17：「《詩》有興，猶《易》之有象。象在辭外，興亦在辭外。」

29 陳世驤，〈原興：兼論中國文學特質〉：《陳世驤文存》，頁219-266。

30 故鄭玄謂：「興是譬諭之名。意有不盡，故題曰興，他皆放此」。《毛詩》，卷1之1，〈周南．關雎〉，頁20。

31 《論語》，卷17〈陽貨〉，頁156引孔安國說。「興」的義涵乃在興發情感，引物連類，故邢昺疏曰：「若能學詩，詩可以令人能引譬連類以為比興也。」

32 《毛詩》，卷1之1，〈周南．關雎〉，頁12，鄭箋。鄭玄在此處以「風伯」詮解風之流動，點出了《詩》實有一神話宇宙觀之背景。探討風與神話帝令、鳳鳥、玄鳥，以及生殖等關係，詳參胡厚宣：〈殷代之天神崇拜〉，《甲骨學商史論叢初集》（石家莊市：河北教育出版社，2002年）。陳夢家：《殷虛卜辭綜述》（北京市：中華書局，1988年）、周策縱：《古巫醫與「六詩」考——中國浪漫文學探源》（臺北市：聯經出版公司，1986年）。林素英亦以生殖之角度探討《詩》中〈風〉原來指「牝牡相誘謂之風」、「譌誘異性同類禽獸為謠」，故而多男女相求之歌謠，並認為禮儀乃在調遂此男女之欲。詳參林素英：〈論〈邦（國）風〉中「風」之本義〉，《文與哲》第10期（2007年6月），頁29-55。古中國宗教中，氣侯之變化，往往與風神崇拜相關，影響經濟、文化生活與民人之情感。有關風神信仰，詳參魏慈德：《中國古代風神崇拜研究——從先殷到漢》（臺北市：政治大學中文所碩士論文，1995年）。

33 神話中對物之感受與詠嘆，帶有與整體性及不斷融通的特質，故卡西勒以「瞬息神」理解之，並認為語言發展的過程，乃是對「名」、語言的執定和與抽象化歷程。詳參卡西勒（Ernst Cassirer）著、于曉等譯：《語言與神話》（臺北市：桂冠圖書公司，1990年），頁32。對於物之驚嘆呈現為原初之文、象、興，其與情境無法抽離，故無法以抽象、客觀形式、概念理解之。

歌、舞、樂的整體存在情境，以及在此整體情境下對性情的轉化。此如《墨子．公孟》所謂：「誦詩三百，弦詩三百，歌詩三百，舞詩三百。」詩之吟誦與樂音、歌詠、舞蹈一起出現。[34]《詩》對自然風物之感受以及身體感受性等問題可由其字形而得其啟發。「詩」字若就其字形來看，深具情境性、身體性和情感性。如《說文解字》謂其：「從言寺聲」，「寺」為上「止」下「寸」[35]，「止」與「寸」與足履和手舞有密切關係，應合著《詩大序》所謂情感湧動時「手之舞之，足之蹈之」的整體存在情境。而「詩」之古文實為「止」，「止」為足趾，牽涉到舞動時的足之點踏，並同時具有「之」與「止」，向往和停止，動與靜等二層看似相反義涵的身體之節奏性。[36]「詩」字與「止」、「之」同聲符，並在意義上關係密切，反映出「詩」在遠古時的「舞蹈、歌唱、詩章之綜合藝術的極古階段」。其後加上「言」邊，則傳達其言說的面向。[37]詩較樂、舞凸顯了「言」之象度，即成為：「蘊止於心，發之於言，而還帶有與舞蹈歌永同源同氣的節奏的藝術」[38]。也正因為「言」之象度，使得詩不但具有深刻的身體性，展現情志與身體的密切融通狀態；同時還因語言的凸顯，而更深入了詩言創造意義世界的歷程；深刻的文化、符號象度亦由此展開。

「興」之流動性和融通的特質與原初之情感震盪而湧現的節奏、音聲、舞蹈，以及情境氣氛密切相關。透過反覆增迴、複沓與渾厚之意象，使得情感之意韻與氣氛不斷迴響。在「上舉歡舞」和歌詠中展現對自然的崇敬、對天命的敬畏、對先祖的感恩，以及群體的情感。[39]唐代以後對「興」之解釋基本上承續跨類、興起情感的理解。唐代孔穎達在疏解《毛詩》時，對於「興」之訓解，由感情奮起和連類的角度加以說明：「興者，起也。取譬引類，起發已心。詩文諸舉草木鳥獸以見意者，皆興辭也。」[40]透過草木鳥獸等物象以興起幽微之情，此幽微之情雖不若比擬義涵明確，但具有跨類而將不同物類乃至情境進行連結的特質。而跨域連結的過程中，可以產生新的意義融合的可能

---

34 公孟子曰：「國治則為禮樂」、「國富則為禮樂」。禮樂之教透過誦詩、弦詩、歌詩、舞詩。詳參〔清〕孫詒讓：《墨子閒詁》（臺北市：華正書局，1987年），卷12，〈公孟〉，頁418。《毛詩》，卷4之4，〈鄭風．子衿〉，頁179。

35 《說文解字》，三篇上，〈詩〉，頁91。

36 陳世驤：〈中國詩字原始觀念試論〉，《陳世驤文存》，頁59。也正因為能同時具有二層看似相反而相成的義涵，使得詩之興發情感和訓解上，往往具有言意不盡的豐富可能性和動能性。

37 陳世驤透過字源學的方法，以詩從言從止，止聲與「止」所帶有的義涵密切相關。陳世驤：〈中國詩字之原始觀念試論〉，《陳世驤文存》，頁39-61。

38 陳世驤：〈中國詩字之原始觀念試論〉，頁60。

39 陳世驤強調「興」乃在節奏反覆的聲調以及豐厚意象的融合，而帶起情感不斷的迴響。此情感有一深刻的初民古老節慶或勞作、祭祀等背景，為群舞和詠歌中，所湧現的強烈情感之體驗。此「興」為身體之全然參與，為情感和諧一體的狀態，並不只是一種詩之技巧。此種強調歌詠、舞蹈、弦歌之整體情境對生命的興感，於禮儀中具有重要意義。

40 《毛詩》，卷1之1，〈周南．關雎〉，頁15。

性。[41]由於「興」能喚起、調動群體的共同記憶或個人記憶與情感，因此「興」可以不斷興起「共感」，或不斷連類，而具有跨類連結異質經驗的可能性。若就個體與群體的關係來說，因為每個人情感經驗不同，個人生命的歷史和記憶亦不同，故而即使置身於同一情境中，對於情境的類比聯想、取象和興發不會一樣。這使得興之連類在集體記憶和歷史積澱外，又增加了個人生命主體的創造性因素於其中，形成譬喻的豐富性和詮釋的多元差異性。[42]在《詩》的奮發興起中，透過物象所牽動的共同記憶，以及個人的各殊情感經驗，得以不斷交融，並具有回應各殊情境的可能性。

詩之興與《易》之象常被比類而觀，體現文化系統下的身體經驗或感受方式。《周易》〈繫辭〉謂：「法象莫大乎天地」[43]，透過對天地之「象」的領會，以展現群體的共通情感。不論是「象」或「興」在感物及應物之想像中，存有即開顯於生生不息、連類不窮的物象與興感的詩文間。[44]透過興感，與物之關係展現為一充滿情感、流動的狀

41 鍾嶸《詩品》將「比」定義為：「因物喻志」，將「興」定義為：「文已盡而意有餘」，強調整體情境之興感、起情。(〔清〕嚴可均校輯：《全上古三代秦漢三國六朝文》(北京市：中華書局，1991年，卷55，〈全梁文‧鍾嶸‧詩品序〉，頁3275。) 興之連類，往往具有跨域之特質，其性質與隱喻類似。隱喻亦透過經驗上較為熟悉、具象的來源範疇，以瞭解較抽象的概念。不同來源域的選取會使得對於目標範疇的瞭解和感受有所不同。而所映射融會的新義，又不同於來源域與目標域二者。透過隱喻，可使意義得以不斷生成。隱喻往往有其肉身體驗為基礎，並且在連類、取象的過程中，有其局部性和偏愛性，此局部性和偏愛性，牽涉情境性和關係性等課題。如雷可夫和詹森所指出：「各種文化與宗教的概念系統其本質是譬喻性的，象徵性轉喻是日常經驗與刻劃宗教與文化特色的具整體相合性的譬喻系統之間的重要聯繫。象徵性轉喻立基於肉身體驗，提供了一個了解宗教與文化概念必不可少的手段。」詳參雷可夫（George Lakoff）、詹森（Mark Johnson）著，周世箴譯注：《我們賴以生存的譬喻》(臺北市：聯經出版公司，2006年)，頁70、113-118。值得注意的是，興與隱喻雖有其相類之處，但「興」更為強調整體情境、感物、起情的力量，此與隱喻往往被放在認知語言學的脈絡下又有所不同。

42 比與興往往被認為有相通之處，故而又有「興而比」之說。學者如顏崑陽將「興」以主觀的「情境連類」進行理解，認為其中包含自然物象與情境間具有類似性的「類比聯想」，此類之「興」往往與「比」有類似性。除此而外，顏崑陽認為興句與應句間，亦有不具備情境的類似性者，並將之歸諸為「經驗聯想」。即某些情景深植於群體或個體之記憶中，故一旦遇見相似之情境，即可召回記憶和情感。故初看雖未有明顯的關連性，但仍可反映群體或個人的情感經驗。於此來看，即便是讀者一時難以找到具體類似的脈絡，亦具有「應感連類」的特質。有關顏崑陽對「興」相關的定義，詳參顏崑陽：〈從應感、喻志、緣情、玄思、遊觀到興會──論中國古典詩歌所開顯「人與自然關係」的歷程及其模態〉，《迴向自然的詩學》，頁1-74。顏崑陽：〈從「言意位差」論先秦至六朝「興」義的演變〉，《清華學報》新28卷2期（1997年4月），頁143-172。

43 《周易》，卷7〈繫辭上〉，頁157。

44 巴修拉（Gaston Bachelard）即透過詩意象而鑄造意義。透過詩意象帶動的高度想像，而不斷擺脫陳規，以及因果的思考方式，達到語言創新的可能性，同時開創不斷新義生生的意義世界。此想像力乃是以身體之視覺、聽覺、觸覺、嗅覺……所感應的具體生生不息宇宙，而具有不斷的動態力量。有關巴修接所主張透過想像參與宇宙生成變化，同時帶出語言的更新。詳參黃冠閔：〈生動性：想像力與自然場所〉，《哲學與文化》第37卷第4期（2010年4月），頁93-128。

態。在和諧共感中，透過詩之豐富多義的特質，來傳達原初性的倫理理想，以及具有的四方響應之感應論，和文化生生不已的創造力量。

對於自然、風土、天命、先祖的詠嘆之情，亦為禮的基礎。禮透過文理而展現其人文化成。就其字源來看，如《說文解字》謂：「禮，履也，所以事神致福也。从示从豐，豐亦聲」。「禮」最初與事神之宗教性密切相關，其所從之「示」部，《說文解字》曰：「觀乎天文以察時變，示，神事也」，其神聖性來自於「天文」，即如前文所述，禮之生成是將天地之文理意義化，而成為行事依循的過程。就「文」之造字來看，亦可見其象類天地、風物的痕跡。如《說文解字》在訓解「文」字時，謂為「錯畫也」、「象交文」，段玉裁注曰：「黃帝之史倉頡見鳥獸蹏迒之跡，知分理之，可相別異也。初造書契，依類象形，故謂之文。」[45]「文」是感於物之形態，而以「象」表徵之。「文」即如「象」，是天地萬物意義化的過程，其具有不斷感通的特質，同時又具有揉合異義而不斷進行意義展開的動力。

「禮」透過感物、「象」、「類」而明人事。自然風土之感人，往往透過氣之感染力而被體驗，[46]同時又與身體、情感之轉化、人倫秩序的建立密切相關。《左傳》〈昭公二十五年〉有一則探討禮之精神十分重要的文獻，整個對話中有一極廣博的自然氣化背景：

> 簡子曰：「敢問何謂禮？」對曰：「吉也，聞諸先大夫子產曰：夫禮，天之經也，地之義也，民之行也。天地之經而民實則之，則天之明，因地之性，生其六氣，用其五行，氣為五味，發為五色，章為五聲，淫則昏亂，民失其性。是故為禮以奉之，為六畜、五牲、三犧以奉五味，為九文，六采、五章以奉五色。為九歌、八風、七音、六律以奉五聲。為君臣上下以則地義，為夫婦外內以經二物。為父子兄弟姑姊甥舅昏媾姻亞，以象天明。為政事庸力行務，以從四時。為刑罰威獄使民畏忌，以類其震曜殺戮。為溫慈惠和以效天之生殖長育，民有好惡喜怒哀樂，生于六氣，是故審則宜類，以制六志……哀樂不失，乃能協于天地之性，是以長久。[47]

---

45 以上引文詳參段玉裁：《說文解字注》（臺北市：藝文出版社，1979年）一篇上，〈示〉、〈禮〉，頁2、九篇上，〈文〉，頁429。

46 原始思維中的感應思維至春秋以後往往以「氣化」進行理解，萬物為氣所化，彼此相互感應，甚至形質相互轉化。此思維於戰國以降發展更為成熟，如以形氣之轉化，打破生死、形體等封限。或以亡者化為「昭明、薰蒿」之氣，而以之進行祭儀的相感。或以之立論持其志、無暴其氣的德行工夫，或以之談論倫理間的情感課題。此部分已有許多學者進行個別立論，為免行文繁雜，故不再贅述。讀者可參考楊儒賓編：《中國古代思想中的氣論與身體觀》（臺北市：巨流圖書公司，1997年）。

47 《左傳》，卷51，〈昭公二十五年〉，頁888-891。

禮乃是人感於自然風物時，由六氣而產生喜怒哀樂好惡之六志[48]，從而透過「審則宜類」之象類過程，以法象天地的行為。所謂「審則宜類」，孔穎達謂：「審法時之所宜，事之所類」，即回到與物具體接觸感通的情境中，在感知以及連類中，體會事物之象類，以興發合宜的行止。透過對天地之文的體會，以及應物時喜怒哀樂好惡等六志的調節，人民能夠自主地實踐禮文（「自曲直以從禮」）。人對於自然之體驗透過六氣（陰陽風雨晦明）、五行、五味、五色、五聲，即季節與自然風物的變化，而產生的聲、色、味之身體感觸。在接物氣感的過程中，若一任放縱好惡，將發生「不能協于天地之性」而「民失其性」的後果。天地之性與民性乃是透過「審則宜類」而被體驗。透過感物、象類之過程，以體驗物性，從而有類的分判，以及和諧的相應之道。[49]當採取了和諧的相應之道，六志乃能得其諧調。透過「審則宜類」，以彰顯天之文，同時使自身能自主地實踐禮文。以此來看，「禮」產生於類天地的過程，並期望達到「協于天地之性」的理想。

詩、禮、樂三者皆牽涉整體情境中的身體之感受以及象類之過程。而在整體情境中可以領會文、象、興、辭具有開顯天道的神聖性力量，以及多義的可能性。故《易・繫辭》謂：「鼓天下之動者存乎辭」[50]，「辭」能開顯並運動天地之道。「文」亦是對天地秩序的體會，故《左傳》、《國語》將禮文提升至天道、天命的向度。如《左傳》〈昭公二十六年〉：「禮之可以為國也久矣，與天地並。」而《國語》提及「天命」乃在「文」中彰顯，韋昭注：「經緯天地曰文」，天地理序彰顯於「文」中。[51]此於《文心雕龍》〈原道〉有深刻的闡述：「言之文也，天地之心哉……故知道沿聖以垂文，聖因文而以明道，旁通而無滯，日用而不匱。《易》曰：『鼓天下之動者存乎辭』，辭之所以能鼓天下者，迺道之文也。」[52]天地之道於「文」、「辭」中被開顯，文與辭具有不斷活動「旁通而無滯」的特質，而「旁通無滯」正是「引譬連類」之「興」的表現。

---

48 此六志，據孔疏謂：「六者皆稟陰陽風雨晦明之氣，言共稟六氣而生也。」詳參《左傳》，卷51，〈昭公二十五年〉，頁891。戰國時期在界定性情時，往往由「氣」著眼，一方面與宇宙之時氣變化密切相關，一方面又為血氣心知之動的顯現。氣與形氣身體以及物之精微感應一體呈現，以此展現性情涵養、修身工夫以及對民性課題的深刻思考。代表著儒家早期性情主張的《郭店楚簡・性自命出》、《上海市博物館藏戰國楚竹書・性情論》在在表達出對「情」的重視，以及氣之於感物、性情的關係。由於情氣之動、感物所涉及心性工夫及緣情制禮等諸議題，仍有待細部說明，故將另以專文探討。

49 先秦時「類」是否是認知心作用下的意義分類框架，類與名言的關係為何？與禮義文理的關係又為何？「類」之思考如何帶入倫理關懷，將於另以專文進行探討。

50 《周易》，卷7，〈繫辭〉，頁158。

51 《左傳》，卷52，〈昭公二十六年〉，頁906、《國語》，卷3，〈周語下・周單公論晉周將得晉國〉，頁96。

52 〔梁〕劉勰撰，王利器校證：《文心雕龍校證》（臺北市：明文書局，1982年），卷1，〈原道〉，頁1-2。

由上所述，透過感物，以象、類而體會天地之文，從而回應天地之文。禮文展現於情志之感通，禮的規範性則來自於「文」所展現的自然風土、文化風土、歷史、社會形塑下的共通情感，同時又與整體情境以及身體之感知密切相關。如此，一方面反映禮之文、象之辭、詩之興皆具有開顯存有的力量，並在不斷連類感通中，展現為仁的倫理關係。聖人透過詩、文與辭而使得文化之意義得以不斷的展開，同時又因為身體、情感的深厚向度，而具有實踐的動力。

由於興、文、辭、象皆在深刻的整體情境以及跨類、類應的情境下產生，故而連類的過程就不是單面向或單義的擴展，而是多義、多元的跨域連結。這使得自然之物象轉而為倫理之意象，同時使得異質性、歧義性、差異性得以不斷生成。[53]於此一方面可以論及意義世界的建構，另一方面則可以論及倫理關係中對於異質性經驗以及賤民、他者的態度。（詳後文）

三　動而皆賢於其初者：詩教與民性

先秦儒家在論及禮儀與教化時，往往透過引《詩》而傳達其深刻義涵。以《詩》詮禮，透過詩之豐富多義的特質，以及詩所興發的情感，來傳達四方嚮應之感應論，和不斷共感的生生不已之創造力量。《詩》在先秦儒者的詮釋轉化中，早已成為蘊含著豐富文化意義，可以不斷豐富語言主體、興發道德情感的重要資源。也正在此語言主體、歷史、文化積澱中，「民性」「動而皆賢於其初」。顯然民性並非本質之善惡問題，而儒家深厚的文化意識、文化哲學也可以於此闡發。以下就詩教與民性的關係進行說明。論及詩教，《論語》〈陽貨〉：「詩可以興，可以觀，可以群，可以怨，邇之事父，遠之事君，多識於鳥獸草木之名。」[54]雖然很簡短，但已點出詩的多層次教化功能。讀《詩》不但可以興發對天命的詠嘆、對聖人、祖先的敬愛，從而開展出群體、父子、君臣等倫理關係的課題。同時《詩》還能興發、調節情志，使人能「節有度、守有序」而成就「盛德」。早在孔子之前，季札至魯觀樂，即已指出《頌》能涵養理想的人格：

> 直而不倨、曲而不屈、邇而不偪、遠而不攜、遷而不淫、復而不厭、哀而不愁、樂而不荒、用而不匱、廣而不宣、施而不費、取而不貪、處而不底、行而不流。[55]

---

53 巴修拉指出詩透過想像而將自然意象轉為倫理意象、道德價值意象，使得差異甚至相反的諸要素得以揉合，而具有不斷生成新意的動態性。「在詩意象中，想像力所構築的非實在情境有一種獨特的綜合作用：將不同的特徵綜合在單一意象中，包含相互矛盾的意象。」「詩意象的綜合潛藏著原始的歧義性或雙重價值。」透過「感通」使得不同性質之意象得以凝聚。有關巴修拉論詩之意象，詳參黃冠閔：〈巴修拉詩學中的寓居與孤獨——一個詩的場所論〉，《迴向自然的詩學》，頁259-297。

54 《論語》，卷17，〈陽貨〉，頁156。

55 《左傳》，卷39，〈襄公二十九年〉，頁671。

在「五聲和」、「八風平」間，情志得到釋放與調節，既能保有情感動能，又不致於放漫而不可收拾。季札評點《詩》中所用各國之樂歌與《雅》、《頌》諸樂，不但能興發情志之動，又具有深度的文化內涵。其中多透過文王、周公、衛康叔等聖賢事蹟以興感，使人在聆賞的過程中，觀想聖賢的行誼。也正是這樣的觀想，使得季札在聽到奏歌《小雅》時，感嘆：「美哉，思而不貳，怨而不言，其周德之衰乎，猶有先王之遺民焉」。聽到歌《大雅》時感嘆：「廣哉熙熙乎，曲而有直體，其文王之德乎？」聞《頌》聲時，則贊嘆：「至矣」、「盛德」。[56]在詩樂的感染中，使人興起了對聖賢的嚮往，深化了人格的涵養。詩對人格的涵養正如《論語》所謂：「人而不為〈周南〉〈召南〉其猶正牆面而立也與？」[57]不讀《詩》將使得情志匱乏，人格空洞化，無由與他人建立充滿情感共振，而具有歷史深度的倫理關係。有關《詩》之於人格養成的重要性，於戰國儒者有更完整和細密的闡述。《郭店楚簡》〈語叢一〉即謂：「《詩》以會古今之志者也」，《詩》使人能具有深厚的歷史意識，使得情志更為深刻和豐富。《上海博物館藏戰國楚竹書》中〈孔子詩論〉對於《詩》所傳達的文化深度有所闡述：

> 《頌》平德也。多言後。其樂安而遲，其歌紳而惕，其思深而遠，至矣！《大雅》盛德也，多言□□□□□□□□□□□□□□。《小雅》□□也。多言難而悁懟者也，衰矣少矣。《邦風》其納物也溥，觀人俗焉，大斂材焉。其言文，其聲善。[58]

《詩》中不僅傳達了天命[59]，亦歌詠了《頌》的平正之德（「平德」）、《大雅》的盛德，甚至《小雅》的「多言難而悁懟」、《邦風》的納物博厚、廣聚民材、觀人等豐厚面向。習《詩》能同時涵養對天命的敬慎、先聖賢的崇仰、體會立國的艱辛、學習四方庶物、風俗之多樣、人情的豐富。並且透過樂聲之舒遲、歌聲之紳惕平和而涵養性情之平和與情感之幽遠深邃。透過《詩》之涵養，個人之情感被豐富且深化了，志意也因深契於天命之神聖性與歷史意識而被調養，《詩》所形成的文化共同積澱及共通情感深化了個人之情感。經過《詩》之涵養，具有豐富內蘊的主體方能與他人乃至不同「類」的他者相感通。《詩》於是被認為猶如「平門」——一扇平正的大門，連結了門內、門外、聖與俗，並使自我能產生深度的過渡和轉化。[60]

---

56 《左傳》，卷39，〈襄公二十九年〉，頁670-671。

57 《論語》，卷17〈陽貨〉，頁156。

58 季旭昇主編，陳霖慶、鄭玉姍、鄒濬智合撰：《《上海博物館戰國楚竹書（一）》讀本》（臺北市：萬卷樓圖書公司，2007年3月，以下簡稱《上海博物館戰國楚竹書（一）》，〈孔子詩論譯釋〉，頁8。

59 《頌》與《大雅》中有許多歌頌天命的詩篇，〈孔子詩論〉、〈魯邦大旱〉論《詩》中對天命多有著墨。為免歧出，本文不在此析論，將另以專文處理。

60 門具有通道、過渡、連結等意象，其於儀式中之運用，詳參伊利亞德（Mircea Eliade），楊素娥譯：《聖與俗——宗教的本質》（臺北市：桂冠圖書公司，2001年），頁71-252。

當《詩》之賦誦吟詠能達到「與賤民而豫之」[61]，則不同階級的人、差異的情感封限，皆能在賦誦吟詠詩歌中被跨越。透過興、連類，而使得差異性得以保持其積極性意義，此即以譬類感通釋仁，透過不斷的譬類、連類，以避免禮儀形式化後造成的「痲木」之「不仁」。「不仁」乃就感通之阻滯而言，對應《論語》〈雍也〉以「能近取譬」來訓解「仁」，取譬連類將使得物類之通感具有多元的可能，也使得因物象而引生的情感、習俗能夠不流於僵化，性情能因感通而不斷被豐富化、美化。也正因為如此，〈孔子詩論〉在釋《邦風》時認為透過〈關雎〉、〈樛木〉、〈漢廣〉、〈鵲巢〉、〈甘棠〉、〈綠衣〉、〈燕燕〉等篇章能興發改、時、思、歸、報、情等情志之動，使民性「動而皆賢於其初者也」。[62]《詩》使得情志得以深化、豐富化、平和化、美善化，倫理性的關係以及德性、價值之課題亦皆在此得以安頓。「民性」亦在此得其調養，「賢」於素樸的血氣之性。《郭店楚簡》〈性自命出〉有關性情之探討與《上博簡》〈性情論〉內容大抵相同，以「喜怒悲哀之氣」而定義「性」，此「性」「待物而後作，待悅而後行，待習而後奠。」並與接物、感物過程密切相關，性因物而動，故而「及其見於外，則物取之也」。性情亦透過物而得以調節、涵養：「性自命出，命自天降……好惡，性也，所好所惡，物也」、「凡性，或動之，或逆之，或節之，或礪之，或出之，或養之，或長之。凡動性者，物也。」[63]讀《詩》正可「納物」、「多識鳥獸草木」，同時透過物而涵養、豐富性情。故而〈孔子詩論〉謂《邦風》：「其言文，其聲善」[64]，透過納物而成就對性情之涵養。

〈孔子詩論〉開篇即明白揭露詩禮樂三者的特質在於：「詩無隱志，樂無隱情，文無隱意。」[65]詩、樂、文均在無盡的起情、奮發興起的過程中，使得文化的創造生生不

61 此句之釋文依《上海博物館藏戰國楚竹書（一）》，頁15。有關「賤民」泛指社會低下階層者，而與貴族階級相對。至於「豫」之解釋與「遊」相當，在文脈中均有「樂」之意。如《孟子・梁惠王》孟子為齊宣王談賢者之樂，乃在與民同樂，其中引述夏諺曰：「吾王不遊，吾何以休，吾王不豫，吾何以助。一遊一豫，為諸侯度」，可以對參。詳參《孟子》，卷2上，〈梁惠王〉，頁33。「與賤民而豫之」，亦即透過《詩》而達到與民同樂：《詩》猶如「平門」，跨越了階級的封限。

62 《上海博物館戰國楚竹書（一）》〈孔子詩論譯釋〉，頁31。謂〈關雎〉等詩使民性：「動而皆賢於其初者也。」林素英認為「動」與其釋為情意之發動，不如釋為「反」，「將此『動』視為意念之『反』的『動』」，而指向反省工夫。詳參林素英：〈從〈孔子詩論〉到《詩序》的詩教思想轉化——以〈關雎〉組詩為討論中心〉，《文與哲》第12期（2008年6月），頁74。但細觀〈孔子詩論〉的文脈，「改」乃是聞〈關雎〉後所興發之感動，透過〈關雎〉之以色而喻禮，興發對禮的嚮往。其與時、智、歸、報、思、情，共成了情意之「動」。此處顯然是對於《詩》之感動情性，而使情性得到薰陶和美化而言，並不單指〈關雎〉一詩。同時此情性之美化亦不只是意念之反省工夫，而是在詩、禮、樂的整體運動中，情感得以深化和美化。

63 《上海博物館戰國楚竹書（一）》，〈性情論譯釋〉，頁154、160。

64 《上海博物館戰國楚竹書（一）》，〈孔子詩論譯釋〉，頁8。

65 《上海博物館戰國楚竹書（一）》，〈孔子詩論譯釋〉，頁5。

息。「無隱」正是沒有隱晦、隱滯，詩禮樂不但使得言說者能使自身之志、情、意得以無隱之發抒，民性亦在不斷生成與表現的情之中顯現。因此讀《詩》可知「民性」，同時使得民性得其感通之仁，而賢於其初。《上海博物館藏戰國楚竹書》中〈性情論〉亦明白揭示《詩》、《書》、《禮》、《樂》皆生於人情之需要：

> 《詩》有為為之也，《書》有為言之也。《禮》、《樂》有為舉之也。聖人比其類而倫會之，觀其先後而逆順之，體其義而節文之，理其情而出入之，然後復以教。教所以生德於中者也。[66]

《詩》、《書》、《禮》、《樂》生於人之情，而「德」正在此情之興發、實踐中而展現，故而下文謂：「禮作於情，或興之也，當事因方而制之」。《詩》能使人「比其類而倫會之」，詩之感物興情，同時展現一引譬而類應的世界。事實上不只詩與類有密切的關係，禮與類亦然。《荀子》謂禮為「類之綱紀」，不但透露出禮與類的密切關係，同時也反映了詩與禮的密切關係。

前文已提及詩教深化了性情，使得民性「動而皆賢於其初」，故而並無本質不變的民性。但〈孔子詩論〉在論及〈葛覃〉、〈甘棠〉、〈柏舟〉、〈木瓜〉、〈杕杜〉等詩時，一再提及「民性固然」，又當如何理解？先引一段〈孔子詩論〉的相關論述來看：

> 孔子曰：吾以〈葛覃〉得祇初之詩，民性固然。見其美必欲反其本。……吾以〈甘棠〉得宗廟之敬，民性固然。甚貴其人，必敬其位。悅其人，必好其所為。惡其人者亦然。……其隱志必有以喻也。[67]

透過〈葛覃〉以顯現原初的情感，[68]「欲反其本」可理解為應物時原初的情感和狀態。「本」之解釋若對參戰國至秦漢論禮時，不斷強調的「報本反始」、「反本循古」應可以有所啟發。《禮記》〈禮器〉謂：「禮也者，反本脩古，不忘其初者也」，「反本」即返回初時的情感狀態；又謂先王之制禮，「有本有文」，以「忠信」為禮之「本」。「忠信」若據孔穎達所謂即：「內盡於心」、「外不欺於物」，於此則可達到「物無不懷仁，鬼神饗德」等內外和諧無怨的理想。又如《禮記》〈郊特牲〉亦謂郊社之祭，主要精神在於「報本反始」，即對於「取財於地」、「取法於天」之回報。[69]在以上脈絡中，「本」、「始」皆可從原初情感情進行理解。〈葛覃〉「見其美必欲反其本」之「本」亦應在此脈

66 《上海博物館戰國楚竹書（一）》，〈性情論譯釋〉，頁164-165。

67 《上海博物館戰國楚竹書（一）》〈孔子詩論譯釋〉，頁44。

68 陳劍：〈《孔子詩論》補釋一則〉，《國際簡帛研究通訊》第2卷第3期（2002年1月），頁10，指出「祇」字古書常解為「敬」，故「祇初」為「敬始」、「敬本」之意。

69 以上引文出自《禮記》，卷23，〈禮器〉，孔疏，頁449-450、卷24〈禮器〉，頁469、卷25，〈郊特牲〉，頁489，孔穎達疏。

絡下理解。此詩具體以文物制作如細布、粗布能供人穿著的感激之情，傳達對后稷的感激。又或由〈甘棠〉一詩透過對召伯所植樹木的疼惜，流露對召伯行誼、教化的感恩和懷念。再如〈木瓜〉一詩，表現渴望回報之情感，故而透過「禮物」傳達此種渴望回報的心情。多次出現的「民性固然」，此「性」乃是感物、應物而動的情性，而一文化系統下「固然」的「民性」乃是風化感人下的「共通情感」[70]。故而讀《詩》一方面可觀民性、民風，另一方面則可言教化，即透過讀《詩》而開顯深度的情感。

《上海博物館藏戰國楚竹書》〈性情論〉亦論及樂聲、歌謠具有調和情感，使人奮發興起，返善復始的功效：

> 凡聲，其出於情也信，然後其入撥人之心也厚。聞笑聲，則鮮如也斯喜；聞歌謠，則慆如也斯奮；聽琴瑟之聲，則悸如也斯難；觀《賚》、《武》，則齊如也斯作；觀《韶》、《夏》，則勉如也斯僉。羕思而動心，喟如也，其居次也久，其反善復始也慎。其出入也順，殆其德也。鄭衛之樂，則非其聲而縱之也。凡古樂隆心，益樂隆旨，皆教其人者也。《賚》、《武》樂取，《韶》、《夏》樂情。[71]

樂、聲、歌謠由人情而發，故而具有深刻的感染力量，能使人產生喜樂、戒慎、謙卑、收斂、發奮振作等情感的激盪和動力，同時使行為產生節度，返於情感之初衷，而臻於善境，[72]德亦由此而彰顯。樂與情相互鼓動，「其聲變，則心從之矣；其心變，則其聲亦然」[73]。樂能使情感有所節度，亦如季札評《頌》詩時謂其「節有度，守有序」一方

70 有關「民性」龐樸認為指「血氣心知」之性，詳參〈上博簡零箋〉，收入朱淵清、廖名春主編：《上博館藏戰國楚竹書研究》（上海市：上海古籍出版社，2002年），頁238-239。林素英：〈論「禮制」與民性的關係——以〈孔子詩論〉中的〈葛覃〉組詩為詩論中心〉，《哲學與文化》第35卷第10期（2008年10月），頁8，認為指：「禮制之規劃乃本於『民性』根本原理之重要條件」，是「始於情而終於義」，民性仍指自然原始之性。學者或將「固然」、「本」解為天道性命貫通下的心性義涵，如楊儒賓：〈詩禮樂的「性與天道」論〉，《中正漢學研究》第22期（2013年6月），頁15-43。究諸《孔子詩論》此段之上下文脈，皆透過具體之物如衣服、禮物、宗廟以喻擬情感，故此處之「性」仍應以感於物之情性的理解較為恰當。〈甘棠〉所流動的「敬」，乃是在召伯文風教化下，透過其所植之樹而興感。由《詩》中所流露「得宗廟之敬」，而知「民性固然」。此「固然」之「民性」乃是血氣心知為基礎，而於流風教化下所展現的「共通情感」。所謂「共通感覺」，中村雄二郎認為乃指：「連貫各種感覺加以統合的共同感覺」，此種統合知覺成為群體中之個人所共通擁有的價值、情感、判斷力的基礎。詳參中村雄二郎著，吳神添譯：《哲學的現代觀》（臺北市：財團法人群策會，2004年），頁53。

71 《上海博物館戰國楚竹書》（一）》，〈性情論譯釋〉，頁174-175。

72 沈培認為「反善復始」可能只是指樂調的反復迴旋。但樂調既然與情性之動密切相關，則此「反善復始」亦能指情性之初始，如此配合下文「其出入也順，殆其德也」，德之理解方才不架空。詳參沈培：〈試說郭店楚簡〈性自命出〉關於賚、武、韶、夏之樂一段文字中的幾個字詞〉，收於張光裕主編：《第四屆國際中國古文字學研討會論文集》（香港：香港中文大學中國語言及文學系，2003年10月），頁217-231。

73 《上海博物館戰國楚竹書（一）》，〈性情論譯釋〉，頁183。

面指樂調之有序：「八音克諧，無相奪倫」，另一方面指德行：「盛德之所同也」。[74]

《馬王堆帛書》〈五行〉認為樂與德具有密切的關係：「樂而後有德，有德而國家興，國家興者，言天下之興仁義也。」[75]樂展現為高度流動的共通情感，其正與仁之精神在於高度的感通、推己及人、善取譬等特質密切相關。仁為禮之本，可以說詩禮樂均同時展現了此種感通與生生之德。

以《詩大序》來看，其由感物而言民性，由情而言禮義。《詩》正是此種感動的節奏、聲樂、舞蹈的整體顯現。也由於強烈的情感，故而嗟歎、詠歌、手舞足蹈，情感不受封限地直接流動而出。此種原初的情感與倫理性成就「正得失、動天地、感鬼神」的力量。在「詩者，志之所之也，在心為志，發言為詩，情動於中而形於言。」[76]詩成為志意之所之，情感所形諸之言語。詩言開顯了志意、興發了情感，同時此情感又與價值合一，於此可以談情與志之合一、美與善之合一。透過原始語言與文化積澱之深厚意象的結合，使得詩、樂、禮文皆能無隱地迎向更多文化創造和情感豐富的可能性。而此生生不息的創造也正是透過「聯類不絕」而「鼓天下之動」的創造性展現。也在情感的流動中，物象興起情感的多義可能性。在深厚的感物之情中，推己及人，與他人的倫理關係得以成立。故《詩大序》謂：「達於事變而懷其舊俗者也，故變風發乎情，止乎禮義。發乎情，民之性也，止乎禮義，先王之澤也。」[77]民性為應物、應事之情的顯現，而此情被深刻的歷史性所豐富。

前文已提及《詩》之「興」的重要特徵即是「引譬連類」，禮儀中透過《詩》之引譬連類，不但具有豐厚文化和歷史積澱，亦因為跨域連結，而使得意義在跨域映射的過程中，能夠產生新的意義，同時具有認知的功能。在以不同來源範疇去理解目標範疇的過程中，亦使得目標範疇之意義得以不斷被豐富：

> 一個概念，可以經由不同的來源範疇來瞭解，而這樣的瞭解，所能傳達的意義，很有可能是大不相同的。同時，我們一定要考慮到全部這些可以用來形容這個目標的來源範疇的總和，才能夠對這個目標範疇，有一個較為全面的瞭解。[78]

由於隱喻涉及了經驗的整體性，故而對事物的理解便回到了身體性、具體情境之脈絡，是一種「富含想像力的理性思維」。也因為高度的想像力和身體性的涉入，對事物的理解即與世界處於互動的關係中，同時能夠調動情感，產生實踐性。[79]禮儀中之引

74 《左傳》，卷39，〈襄公二十九年〉，頁671。

75 龐樸：《竹帛《五行》篇校注及研究》，頁64。

76 《毛詩》，卷1之1，〈國風．序〉，頁13-14。

77 《毛詩》，卷1之1，〈國風．序〉，頁17。

78 蘇以文：《隱喻與認知》（臺北市：臺灣大學出版中心，2006年），頁52。

79 如蘇以文：《隱喻與認知》，頁85-86：「經驗主義對隱喻，著墨甚多的原因即在，隱喻結合了理性和想像力。理性牽涉到了分類，蘊含和推論。而想像力則牽涉到了我們所提過的認知瞭解原則：以一

《詩》，正透過《詩》而深化共通情感，此種具有深厚自然風土與歷史記憶的情感，不但能彰顯天命，它還能夠使人「奮發興起」。蔣年豐即認為先秦語言哲學中，「含藏了一種極為特殊的語言哲學！這種語言哲學將語言存有論化：語言表白本身即是存有論意義的活動。存有的義涵即在詩的表述中彰顯出來。」此種語言哲學在《孟子》、《春秋經》、《中庸》、《毛詩序》中皆可以看到，「詩的語文即是天命的彰顯，詩負載著天道的消息、存有的意義」，由此而談「興的精神現象學」[80]。能使人「奮發興起」的《詩》，不但能開顯存有意義，還能帶動深厚的情感，回應與萬物的關係，因此它同時又是倫理學的，能達到情感與價值的合一，並具有道德情感的實踐動能。在不斷的興發連結中，在運動的奮發興起中，感應得以不斷被推擴。而在跨域連類中，物與物因興感起情而得以相感通，此種情感之相通，是倫理關係的展現。[81]此即《論語》〈雍也〉以「能近取譬」來訓解「仁」:「夫仁者，己欲立而立人，己欲達而達人。能近取譬，可謂仁之方也已」[82]，「能近取譬」作為「仁」的實踐之道，即以「興」作為感通他人的基礎。亦即馬一浮以《詩》之「興」訓「仁」，認為:「興便有仁的意思，是天理發動處，其機不容已。《詩》教從此流出，即仁心從此顯現。」[83]情感的高度感通、連類不絕，便具有仁的道德情感。天德展現於取譬連類不已的生生之化中，而天德生生之化，即為「仁」之展現。[84]「仁」為「禮之本」[85]。也正因為如此，《禮記》〈學記〉在論及為學工夫時，將「知類通達」視之為「大成」，即人格成熟的理想展現。鄭玄解釋「知類通達」為「知事義之比」，故能於應事時不惑。具備知類通達的能力，方能連類起情，而「化民易俗」。為師之道最重要的是「博喻」[86]，透過「博喻」，詩教能知類、連類，在不斷的

個範疇的事物，來瞭解另外一個範疇的事物，也就是我們所提過的：以隱喻來作為思維模式的一部份。這也就是Lakoff Johnson把隱喻稱為是『富含想像力的理性思維』的原因。並且，除了理性思維之外，就如主觀主義所稱，隱喻也是一項我們用來理解美學、情感、精神層次的重要工具。」

80 詳參蔣年豐:〈孟學思想「興的精神現象學」之下的解釋學側面〉，收入《文本與實踐（一）儒家思想的當代詮釋》（臺北市：桂冠圖書公司，2000年8月），頁221。有關蔣年豐興的精神現象學，可參考吳冠宏:〈仁心詩興的進路——從馬浮的經學思想到蔣年豐的經學解釋學〉，《臺大文史哲學報》第73期（2010年11月），頁37-62。

81 象、類所具有的感應特質，以及「興」所具有的跨域而連類感通的特質，使得自然之風物，透過「興」而深刻興發情感。情感之興發與物象、連類密切相關，透過興發之連類作用，而深刻連結群體之價值，使得價值與情感合一。

82 《論語》，卷6，〈雍也〉，頁55-56。

83 馬浮以詩教的仁而統攝六經學，相關論述詳參馬浮:《復性書院講錄．第一卷》（臺北市：廣文書局，1964年），頁13。

84 宋明儒者往往透過觀天地生生之意象，如觀雛雞、窗前草不除，而體驗仁，仁即是天地生生之德。而觀雛雞、窗前草不除，則有透過物以興仁之意，詳參楊儒賓:〈理學的仁說——一種新生命哲學的誕生〉，《臺灣東亞文明研究學刊》第6卷第1期（2009年6月），頁29-63。

85 《論語》，卷3，〈八佾〉，頁26:「人而不仁如禮何？人而不仁如樂何？」，以仁為禮樂之本。

86 《禮記》，卷36，〈學記〉，頁649、654。

興感、起情中，使百姓皆能奮發興起而達到轉化風俗的效果，「民性」由「興」而臻於善境。

四　禮儀論述中之引《詩》──以《詩》彰顯禮的精神及實踐工夫

前文已提及透過自然風物而興發天地秩序、倫理關係、生命價值、文化情感等體驗。由自然風物而興發倫理情感或實踐動能，此於《論語》〈子罕〉中即有素樸卻精彩的闡釋，孔子於川上觀流水奔騰，從而興發：「逝者如斯夫，不舍晝夜」[87]的感嘆。取法河水奔流的意象，興發了時光、人事之流逝感。此時光、人事無可挽回的流逝感，更能使學者產生生命流逝的感嘆，興起實踐的動能。《論語》〈子罕〉亦有從時令之感受中，興發君子之操守等體會，如孔子謂：「歲寒，然後知松栢之後凋也。」由隆冬中松柏之常青而興感於：「在濁世然後知君子之正不苟容」[88]。《孟子》中亦有許多精采的例子，如〈離婁〉：「徐子曰：仲尼亟稱於水，曰：『水哉、水哉，何取於水也。』孟子曰：『源泉混混，不舍晝夜，盈科而後進，放乎四海，有本者如是，是之取爾。苟為無本，七八月之間，雨集溝澮皆盈，其涸也，可立而待也。故聲聞過情，君子恥之。』」[89]自然風物、松柏、流水皆能興起倫理的情感或道德實踐之動能，以及由興感而展開的美學課題。[90]

自然風物、鳥獸草木，不但能興發道德修養、人事興衰之種種感嘆，且在吟詠賦誦中，被賦誦詠嘆之詩篇成為彼此共同的情感經驗，並在詮釋中不斷豐富其內涵。因此賦誦、吟詠、閱讀詩篇即是一充滿詮釋可能的實踐過程。[91]《論語》以及戰國儒者論禮儀

---

87 《論語》，卷9，〈子罕〉，頁80。

88 《論語》，卷9，〈子罕〉，頁81-82。

89 《孟子》，卷8，〈離婁〉，頁145。

90 有關水的意象所興發的倫理想像及與實踐的內在關連，以及由之可能形成的美感、工夫之議題。詳參黃冠閔：〈音詩水想──倫理意象之一環〉，《藝術評論》第16期（2006年），頁101-124。

91 伽達默爾以遊戲的概念來闡釋詮釋學的開放性，遊戲者由於整體捲入遊戲情境中，故非以主客二元之態度描述整個過程，在遊戲的過程中遊戲者與觀賞者共同構成了遊戲的整體。同時在不斷往返重複的運動中，遊戲者與觀賞者也在遊戲的過程中，認識和再認識事物及自身。詩之賦頌，文本之解讀亦無終止之時，並能使其頌歌者與聆聽者、閱讀者均在此詮釋過程中，不斷認識和再認識以及更新其自身。詳參漢斯-格奧爾格．加達默爾（Hans-Georg Gadamer）原著，洪漢鼎譯：《真理與方法──哲學詮釋學的基本特徵》（臺北市：時報文化出版公司，1993年），頁152、166。值得注意的是，安樂哲將《詩》視為「自我融入傳統和現代新語境交滙的動態過程」，學《詩》主要目標是實踐性的，同時具有自我轉化的動能。安樂哲不贊成先驗的本性說，而強調自我在語境中形成，而讀《詩》正是形構自我的詮釋歷程。詳參郝大維（David L. Hall），安樂哲（Roger T. Ames）著；何金俐譯：（北京市：北京大學出版社，2005年），頁40。

和修養時，時常取《詩》以達到對禮意的體會。亦可置於此脈絡下進行理解，如《論語》〈八佾〉：

> 子夏問曰：「『巧笑倩兮，美目盼兮，素以為絢兮』何謂也？」子曰：「繪事後素」，曰：「禮後乎？」子曰：「起予者商也，始可與言詩已矣。」[92]

子夏問孔子《詩》〈碩人〉：「巧笑倩兮，美目盼兮」「素以為絢兮」是什麼意思？孔子答以「繪事後素」。孔子透過繪畫使子夏理解禮與情性修養的關係。其中「繪事後素」，歷來諸家有不同的注解，或有從素功來理解，如鄭玄所謂：「凡繪畫，先布眾色，然後以素分布其間，以成其文，喻美女雖有倩盼美質，亦須禮以成之。」以「素」喻禮，「素」乃指「素功」，是在眾多顏色所象徵之欲望紛馳中，而能專注、純一，也因如此，方能使眾色得到貞定。子夏對孔子回答有所體悟而謂：「禮後乎？」禮乃是使眾多之文飾、欲望回歸於平淡的過程。孔子肯認子夏的體會，而謂其「可與言詩」[93]。如此說來，禮就成為使自身能展現文質彬彬風範的重要工夫。然而既然以繪畫過程隱喻禮與情性的關係，則隱喻之來源域的取材角度就不會只有一種，以此可以反映隱喻所具有的多義和意義的無盡藏。[94]因此當有學者認為「後素」指繪畫時將色彩加諸於白布上，則重點又會有所不同。「素」在此被理解為素樸之本性，如朱子曰：「言人有此倩盼之美質，而又加以華采之飾，如有素地而加采色也。……猶人有美質，然後可加文飾。」[95]如此解釋「繪事後素」，則著重在美好的性情（素地），工夫修養上則強調復於本性之善，「禮」成了後天所加的文飾。對於此段文義之訓解，於是牽涉到禮儀中關鍵的質文、本末之辯。不同時代之學者、或工夫徑路不同，則形成不同的詮釋。由眾聲喧譁的詮釋中，衍生出重禮與崇質的爭議。[96]此例子一方面可見所取之意象往往有具體經驗與

---

92 《論語》，卷3，〈八佾〉，頁26-27。

93 《論語》，卷3，〈八佾〉，頁27。鄭玄注。

94 整體實存情境佈局的變異，如「不同的生活場域中，而有認知側重面向不同的跨領域的整頓與瞭解」、「不同語文生活場域間」解讀、譯述、借用過程，將造成認知取景的差異與隱喻之變異、轉化，故而對隱喻之詮釋應注意上下文脈等關係。有關隱喻法則的重設，詳參鄧育仁：〈生活處境中的隱喻〉，《歐美研究》第35卷1期（2005年3月），頁97-140。

95 朱熹：《四書章句集注》（北京市：中華書局，1983年），〈論語〉，卷2，頁63。

96 「繪事後素」、「素以為絢」有多種解釋，顯現出學者因為對禮與德行之實踐工夫的前見不同，在闡述經典時，形成豐富而多元的解讀面貌。對於「禮」之本末、質文問題之思考，連帶使得文本之詮釋展現不同的側重和深度。如宋明之後，往往因應心學、禪風流行之時弊，故思以「禮」矯正之，於是有崇尚心學之仁與崇尚實學之禮的本末、質文之論辯。尚質者，將忠信、仁視為本，而禮則被視為外在之儀文，強調為學當先立其本、崇本親始。崇禮者，則認為禮不只是外在儀文，而兼賅忠信節文，並以禮作為別孔老、異儒道的重要關鍵。歷來諸學者亦在其文化與實存情境中而進行詮釋，朱子之解釋固有理學家強調超越之性體的背景。有關「繪事後素」學者的相關論述，詳參吳冠宏：〈重禮與崇質之際——《論語・八佾》「巧笑」章的詮釋爭議義理探微〉，《孔孟學報》第83期（2005年9月），頁269-298。

身體感為其基礎，因此隱喻的重設也將牽動情感和認識方式的轉化，乃至於實踐工夫的轉化。在此脈絡下，《詩》之文本，即成為具有豐厚歷史積澱和文化情感的文本，它是一個永未完成的構成物，不斷在詮釋的過程中被深化和展開。[97]

透過《詩》而言為學之歷程及禮之精神，以《荀子》最值得關注。[98]《詩》往往透過具體之接物、感物起興，對於德行之體會有不同於抽象論理的親切面向。也正因為如此，先秦禮儀論述中除了直接進行德行的論述外，時常以《詩》作為註解。如《荀子》往往於其論述禮之意義後，引《詩》並加上「此之謂也」一句，使讀者理解其所論述之真意，引《詩》實有其對「禮」之精神及修身工夫的獨到見解。如卷一〈勸學篇〉提問：「學惡乎始？惡乎終」，答以：「始乎誦經，終乎讀禮」。所謂「經」，王先謙注為《詩》、《書》等經典。[99]為學即為學禮之過程：「故學至乎禮而止矣，夫是之謂道德之極」。而學禮必須從《詩》、《書》、《樂》、《春秋》等經典中有所體會：「《禮》之敬文也，《樂》之中和也，《詩》、《書》之博也，《春秋》之微也，在天地之閒者畢矣。」學者最重要的是在聖人及經典中得到情感的深化和體驗，終至潤身、踐形、美身成為德行身體的展現。習禮的關鍵在於「通倫類」。因為禮為「類之綱紀」，若於禮文所不及之處必須「以類舉」。通達倫類就成為道德實踐的首要之法：「倫類不通，仁義不一，不足謂善學」[100]。能達類、觸類而明通，其方法並非抽象之思辯與論理，而在「近其人」、「好其人」，近於聖賢、經典而得其感化。即是：對於經典、禮文有深度情感性體驗，而能產生實踐動能，並能通達於禮文所未及之處。若僅傳述《詩》、《書》所說，不能產生深刻之體悟，以致無法通達而化為實踐，荀子認為其只能算是「陋儒而已」。[101]

也正因為學、修身均具體落實於經典及聖人之言行以「治氣養心」，故而《荀子》論為學工夫、論修身、論禮往往多引《詩》、《書》以涵攝其理。詩書既能使人深契於聖人之教，並產生向學的動力，同時透過《詩》教還可以「通倫類」。如〈勸學〉強調君子為學重在用心專一時，斷章引《毛詩》〈曹風〉〈鳲鳩〉：「尸（鳲）鳩在桑，其子七兮。淑人君子，其儀一兮。其儀一兮，心如結兮。」得出「故君子結於一也」的領會。[102]

---

97 加達默爾（Hans-Georg Gadamer）指出，藝術、文學的文本是一個透過詮釋而不斷深化和豐富化其意義的「構成物」，文本的意義並不為作者所壟斷。詳參加達默爾（Hans-Georg Gadamer）：《真理與方法——哲學詮釋學的基本特徵》，前揭書。《詩》在先秦時是一個共通的文化財，並不強調作者之原意，其意義的解讀也屬「斷章取義」，回到具體實存之情境脈絡，而對《詩》加以領會訓解，在訓解過程中，《詩》義仍在不斷的豐富和構成過程。

98 徐復觀指出《荀子》常引《詩》作結，並在《詩》後加上「此之謂也」等陳述，乃是透過《詩》的象徵意義而發明微言大義及詩教功能。詳參徐復觀：〈韓詩外傳的研究〉，頁8-9。

99 《荀子集解》，卷1，〈勸學〉，頁11。

100 《荀子集解》，卷1，〈勸學〉，頁12：「禮者，法之大分，類之綱紀也」、頁18。

101 《荀子集解》，卷1，〈勸學〉，頁14-15。

102 《荀子集解》，卷1，〈勸學〉，頁10。《毛詩》，卷7之3，〈曹風．鳲鳩〉，頁271，依《詩》所歌頌以鳲鳩養七子平均如一、用心執著，而興發君子為學當專心如一。又如〈修身篇〉論述：「故人無禮則不生，事無禮則不成，國家無禮則不寧」，而引《毛詩》〈小雅〉〈楚茨〉曰：「禮儀卒度，笑語卒獲」[103]，以印證禮所具有的深刻立身處世義涵。又如在論禮之實踐將使情感得到成全，引《毛詩》〈大雅〉〈皇矣〉：「不識不知，順帝之則」[104]，以喻此師法能暗合於天道。由於《詩》具有深度的情境性及經驗性之感發，能使學者對禮文產生深度的體會和情感之動能。此種引《詩》並不只是簡單陳述或修辭，而具有對為學、修身之法的重要指點和體會。此如《韓詩外傳》透過子夏而言讀《詩》能達到的生命之興感與轉化：

> 子夏讀《詩》已畢，夫子問曰：「爾亦何大於《詩》矣？」子夏對曰：「《詩》之於事也，昭昭乎若日月之光明，燎燎乎如星辰之錯行，上有堯舜之道，下有三王之義。弟子不敢忘。雖居蓬戶之中，彈琴以詠先王之風，有人亦樂之，無人亦樂之。亦可發憤忘食矣。《詩》曰：『衡門之下，可以棲遲。泌之洋洋，可以樂饑』。」夫子造然變容曰：「嘻！吾子始可以言《詩》已矣！然子以見其表，未見其裏。」[105]

讀《詩》既能使人感悟於天地、堯舜、三王之道，同時能使人在吟詠《詩》時，為先王之風所感化，而達到情感之通達、悠遊的至樂狀態，亦可使人奮發興起，而深具文化意識。故而《荀子》勸學而言修身、論禮之精神時，時常透過引《詩》以達到禮文、情感、道德與實踐的合一。

《荀子》透過引《詩》以興發道德與實踐的合一，以此而言為學、道德之實踐並非特例。戰國時之《郭店楚簡》與《馬王堆漢墓帛書》之〈五行〉二者經文大抵相同，往往透過《詩》之引述，以詮解德行。如透過〈鳲鳩〉、〈燕燕〉以理解慎獨，即是鮮明的例子：

> 「〔鳲鳩在桑，其子七兮。〕淑人君子，其儀一兮。」能為一，然後能為君子，〔君子〕慎其獨也。「〔燕燕於飛，差池其羽。之子於歸，遠送於野。〕瞻望弗及，泣涕如雨。」能差池其羽然後能至哀，君子慎其獨也。[106]

「其子七兮」、「其儀一兮」，鄭箋認為：「興者，喻人君之德當均一於下也」、「善人君子其執義當如一也」。「一」，所興發除了分配的平均外，亦有專心如一之意。

103 《荀子集解》，卷2〈修身〉，頁23、34。

104 以上引《詩》詳參《毛詩》，卷13之2〈小雅．楚茨〉，頁456、卷16之4〈大雅．皇矣〉，頁573。

105 屈守元：《韓詩外傳箋疏》（成都市：巴蜀書社，1996年），卷2，頁211。此種將歷史典故與《詩》結合，並以《詩》作為註解的體例，於《韓詩外傳》中得到高度發揮，其將史事與《詩》進行結合，以使讀者對人事之道理有情意性的體會。

106 龐樸：《竹帛《五行》篇校注及研究》，頁39。〔〕處為《郭店楚簡．五行》所無。

此種解《詩》顯然為「斷章取義」，是透過《詩》而言君子之道德實踐工夫，故〈五行〉〈說〉明白點出此乃「興言也」。「鳲鳩在桑，其子七兮，淑人君子，其儀一兮」，出自《毛詩》〈曹風〉〈鳲鳩〉，乃是透過鳲鳩育子而起興，興發「善人君子其執義當如一也」，如此才能「正是四國」、「正是國人」，使國家「胡不萬年」[107]。規諫在上位者能行事合宜如一，才能使國人、百姓得其長養，一如鳲鳩育子之不偏，而使其子得其長養。但〈五行〉此處將本是統治者對國人的教化，轉成自我工夫之修養，「一」被解成「獨」，即〈五行〉篇所謂「舍夫五而慎其心之謂」。所謂「五」指仁、義、禮、知、聖等五行，超越仁、義、禮、知、聖分別所立教之五行，而「以夫五為一」，即所謂「一也，乃德已」。「慎獨」即〈五行〉〈說〉所謂：

> 慎其獨也者，言舍夫五而慎其心之謂□。□〈獨〉然後一，一也者，夫五〈夫〉為□心也，然後德〈得〉之。一也，乃德已。德猶天也，天乃德已。[108]

此時之「心」乃相對於外王等事功、群體、形式而言的「內」，即後文所謂「言至內者之不在外也，是之謂獨。獨者也，捨體也」、「舍其體而獨其心也」[109]。至於「瞻望弗及，泣涕如雨」，乃出自於《毛詩》〈邶風〉〈燕燕〉透過燕子飛行之舒張羽翼、上下盤旋，而起興「之子于歸，遠送于野」的瞻望不捨的送別之情。[110]〈孔子詩論〉卻謂：「〈燕燕〉之情，以其獨也」，此「獨」，就原詩之脈絡來看，應為送行者的孤獨，[111]但在〈五行〉中斷章取義，解為「慎獨」之工夫。〈五行〉引此詩，謂「能差池其羽，然後能至哀」[112]，由羽毛之「差池」類比衰絰之差池，轉而喻內在之「哀」，亦轉向內在

---

107 《毛詩》，卷7之3，〈曹風・鳲鳩〉，頁271-272，鄭箋。

108 龐樸：《竹帛《五行》篇校注及研究》，頁39。

109 龐樸：《竹帛《五行》篇校注及研究》，頁16、42。所謂「體」乃相對於「內」而言，若以下文之文脈在論衰絰之喪服與至哀之關係，緊接「言至內者之不在外也」，則「體」應理解為相對於內心之深度體驗的外在形式，應較解為「身體」來得合適。晁福林：〈《詩・燕燕》與儒家「慎獨」思想考析〉，收於梁濤、斯雲龍編：《出土文獻與君子慎獨——慎獨問題討論集》（桂林市：灕江出版社，2012年），頁107-117，將「體」理解為外在形式，若相對於「五行皆行於內」、「言至內者之不在外也」（龐樸：《竹帛《五行》篇校注及研究》，頁32、40），應可成立。慎獨所指為何？學者或從自我與群體的關係、他者的視線對自己的滲透、內心的獨一自主、誠……進行思考，由於所涉複雜，非本文在此可以細論，請詳參〔日〕島森哲男著，張季琳譯：〈慎獨思想〉、戴璉璋：〈儒家「慎獨」說的解讀〉，《出土文獻與君子慎獨——慎獨問題討論集》，頁10-26、83-106。

110 《毛詩》，卷2之1，〈邶風・燕燕〉，頁77-78。

111 李學勤：〈《詩論》說《關雎》等七篇釋義〉，《齊魯學刊》總167期（2002年3月），頁90-93。

112 晁福林：〈《詩・燕燕》與儒家「慎獨」思想考析〉，頁114-116認為帛書〈五行〉此處「至哀」應為「至遠」之誤：「『差池其羽』的意境用在詩中猶如畫龍點睛一般，指出的正是奮擊羽翼，飛向最遙遠的目標。（「言至也」）。」但觀帛書〈五行〉之下文緊接「差池者，言不在衰絰，不在衰絰，然後能至」，透過喪服的外在形式，以對應於「能至」的內在之情感，則訓為「至哀」在文脈上應更順當。

之慎其獨之工夫的領會。顯然引《詩》並不重在原來詩句脈絡中的「原意」，而是透過《詩》以興發對於德行的領會，在此詮釋過程中《詩》義也被不斷豐富。

除了直接引《詩》句以闡述禮與德之精神外，先秦經籍在論述教化時，亦常常透過《詩》之意象，以興發對禮儀及教化的體會。如其往往透過衣帛之「文」或顏色而隱喻德行或「禮」。以《郭店楚簡》〈緇衣〉、《禮記》〈緇衣〉所引《毛詩》〈鄭風〉〈緇衣〉為例：

> 緇衣之宜兮，敝予又改為兮。適子之館兮，還予授子之粲兮。緇衣之好兮，敝予又改造兮，適子之館兮，還予授子之粲兮。緇衣之蓆兮，敝予又改作兮，適子之館兮，還予授子之粲兮。[113]

此詩以「緇衣」起興，鄭玄謂「緇衣」為「聽朝之正服」，由於其顏色純一，被用以隱喻「純德」[114]，故小序謂：「美其德，以明有國，善善之功焉」，孔穎達謂：「於此緇衣之宜服之兮，言其德稱其服也」[115]。上兩句以「緇衣」起興，而後二句則以館舍、飲食為喻，透過飲食、空間、衣著、色彩、文飾以興起情感。《郭店楚簡》〈緇衣〉以「緇衣」之樸實完好而隱喻德行純善美好，「緇衣」成為最核心的德行隱喻：

> 夫子曰：「好美如好緇衣，惡惡如惡巷伯，則民臧它而刑不屯。」《詩》云：「儀刑文王，萬邦作孚。」[116]

此承自《毛詩》〈鄭風〉〈緇衣〉，以「緇衣」隱喻德行之「好孅」。至於「惡惡如惡巷伯」，則承自《毛詩》〈小雅〉〈巷伯〉，以過份的雕飾喻失德：「萋兮、斐兮，成是貝錦」，萋、斐乃文章相錯之象，貝錦乃為「錦文」，均指過份的文飾。鄭玄於是引申為：「喻讒人集作已過，以成於罪，猶女工之集采色，以成錦文。」[117]不論〈緇衣〉或〈巷伯〉均以純衣、純素喻純德，而以貝錦等繁複的織物喻文飾太過、造作太多、純德的失去。

以服制隱喻德行，於禮儀論述中一再出現，其映射的角度亦有所差異，不只衣之質材、顏色，其制作過程、穿著過程、更衣……均可以進行隱喻。《郭店楚簡》〈緇衣〉中，一再透過衣之緇、純、不改，而喻德行：

---

113 《毛詩》，卷4之2，〈鄭風・緇衣〉，頁160-161。

114 顏色之純粹往往被隱喻為德行之純粹，故《論語》，卷17，〈陽貨〉有所謂：「惡紫之奪朱也」，紫色非正色，故被隱喻為德行駁雜。《左傳》，卷50，〈昭公二十二年〉，頁873，將寵人類比為寵犧，孔穎達謂：「言犧當用純德之人，猶如祭犧當用純色之牲也」，亦是以純色喻純德。

115 以上引文詳參《毛詩》，卷4之2，〈鄭風・緇衣〉，頁160-161，毛傳、鄭箋。

116 荊門市博物館編著：《郭店楚墓竹簡》〈緇衣〉（北京市：文物出版社，2002年），頁129。

117 《毛詩》，卷12之3，〈節南山之什・巷伯〉，頁428。

> 子曰：「長民者衣服不改，從容有常，則民德一。」《詩》云：「其容不改，出言有為，黎民所信。」[118]

此處以統治者「衣服不改」，來隱喻其「德壹」，正呼應篇首「好美如好緇衣」，以緇衣喻美好的德行。[119]

《郭店楚簡》〈緇衣〉每一段落均引《詩》以詮釋禮與德。其論述禮儀、教化並不用析論之語言，而是回到情感性以及身體感知為基礎的具體生活世界中。顯然《詩》已成為其時之集體記憶與共通情感，且在引《詩》的過程中，《詩》義不但被深化，同時亦因不斷的斷章取義之詮釋，而被豐富化和活化。衣之文彩為德行的隱喻，而此隱喻回歸於具體情境，同時帶出容禮、威儀等脈絡。先秦此種透過身體感受以起興的方式，往往能帶動情感與具體之實踐，影響禮教之論述極深。

不只體貌、容儀、服飾、空間常被作為禮儀的象徵或喻義，《詩》中亦常以技藝興發為學的工夫。如《論語》〈學而〉子貢問孔子「貧而無諂，富而無驕」是否是理想的人格典範？孔子認為理想的狀態是：「貧而樂，富而好禮」。子貢引〈衛風〉〈淇奧〉：「如切如磋，如琢如磨」來印証此體會。孔子嘉許子貢能夠「告諸往而知來者」，認為子貢「始可與言詩已」[120]。子貢透過《詩》以體會孔子所謂「貧而樂，富而好禮」，不但使得孔子之言能夠置於豐厚的文化土壤中得其深化，同時透過引《詩》亦使得《詩》義得以被豐富化、情境化。再者，透過《詩》能夠興起情感，帶起實踐之動力。子貢所引的《毛詩》〈衛風〉〈淇奧〉其詩為：

> 瞻彼淇奧，綠竹猗猗，有匪君子，如切如磋，如琢如磨。瑟兮僩兮，赫兮咺兮，有匪君子，終不可諼兮。瞻彼淇奧，綠竹青青，有匪君子，充耳琇瑩，會弁如星。瑟兮僩兮，赫兮咺兮，有匪君子，終不可諼兮。瞻彼淇奧，綠竹如簀，有匪君子，如金如錫，如圭如璧，寬兮綽兮，倚重較兮，善戲謔兮，不為虐兮。[121]

首句以綠竹起興，下句則以君子之德為應。三章分別以切磋琢磨玉石骨類以成禮器、透過穿戴玉瑱、琇玉、禮冠等朝服而喻君子之威儀赫赫、透過禮器如金、錫、圭璧以喻君子之德行文章。《詩》句中之琢磨玉石骨類，而終能成其禮器，被喻為君子「道其學而成也」的歷程。[122]由於治骨、治玉皆經過痛苦打磨，而轉化形體，終成文章，於是此喻亦將帶入君子刻苦修身而轉化習氣，最終成為好禮君子之歷程。以治器喻為學，在禮

118 《郭店楚墓竹簡》，〈緇衣〉，頁130。

119 禮書中往往以衣冠喻德行，詳參虞萬里：〈從秦禮制中的爵、服與德數位一體詮釋《緇衣》有關章旨〉，《禮學與中國傳統文化》（北京市：中華書局，2006年），頁238-250。

120 《論語》，卷1，〈學而〉，頁8。

121 《毛詩》，卷3之2，〈淇奧〉，頁126-128。

122 《毛詩》，卷3之2，〈淇奧〉，頁127。

儀論述中頗為常見。如《禮記》〈學記〉以：「玉不琢不成器，人不學不知道」[123]將治玉的過程與治學的過程相互喻擬，即為常見之例。第二章再以玉器如玉瑱、琇玉為喻，以玉瑱為質材之「充耳」，顧其名，有非禮勿聽、充耳不聞等義涵。而禮冠象徵君子之威儀，亦可帶出君子之學與修身的密切關係。帽冠上之玉飾爍爍如星，以喻君子之德行光輝動人。第三章透過金、錫、圭、璧等禮器以喻君子之性情。金、錫、玉璧之質性成為君子性情的隱喻，對於金之堅、錫之精、如玉溫潤的物質想像，轉成對君子德行人格的體會和嚮往[124]。圭璧為家國之重器，故隱喻君子能成為家國之重器，同時亦象徵其為學、修身之有成。透過物之想像以興發倫理想像，金、錫、玉之觸感、質地，其打磨治器的過程，均能帶起深厚的文化積澱、倫理情感以及實踐動力。

由以上之分析，可以知道當子貢引〈淇奧〉映証孔子之言時，不但將「好禮」情意化、具體化，使人更易親切領會其中深意。透過《詩》之「興」，好禮、修身之過程、君子之威儀、君子之性情，乃至為學之歷程，都得以「興發」和詮釋。在深厚的文化傳統中，《詩》的集體記憶和共通情感可以被喚起，而使學者再次深化此共通情感。同時，透過「斷章取義」，對於《詩》之詮釋融入了當下的情境，而被豐富化了。隨著來源域所取角度不同，所隱喻之學行歷程亦可能有更豐富的面向。而所謂「好禮」亦因引《詩》而被情境化、豐富化、情感化、身體化。也正因為如此，孔子對子貢以《詩》詮禮，表示嘉許，認為此舉能「告諸往而知來者」。被認為是古人集體記憶和情感積澱的《詩》，於此成了詮釋的文本，在不斷引《詩》詮釋中，不斷迎向更多意義豐盈的可能。探討「禮」的經典在引《詩》的過程中，不但使得禮義得其豐富化、身體化、情境化，同時由於對《詩》之意象的詮釋不同，隱喻所指亦隨之多變，在起情與連類的過程中，使得意象的豐富內涵被不斷差異地展開。故而以《詩》詮「禮」，將進入一個深厚的詮釋學脈絡，《詩》連類不絕、意義永無窮盡，而禮意亦不斷的生化擴充，同時深契於情感和實踐。

五　結論

先秦時對禮之詮解時常引《詩》，儀式中亦不斷諷誦《詩》，以《詩》詮禮，並不只是為了便於解釋某些情境，或只是修辭之需要，而是藉此傳達對天道、禮文、為學工夫、倫理關懷的態度和修身的主張。透過「詩」所具有的開顯存有之力量，能彰顯「禮文」之道言的向度，因為《易》之象、《詩》之興、《禮》之文，均具有開顯存有，「鼓

123 《禮記》，卷36〈學記〉，頁648。

124 如《孟子》，卷10，〈萬章下〉，頁176：「集大成也者，金聲而玉振之也」即透過金玉之聲而興發對於性情、德性的體會。《禮記》，卷30，〈玉藻〉，頁563-564，記載士人透過玉之聲氣以轉化體氣和心性狀態，透過玉之聲，使得「非辟之心，無自入也」，於此達到「於玉比德」的功效。

天下之動」的動能。興、象、文之「詩語言」能道出存有的真實。在氣化的存有論下，於主體的身心之體驗與轉化中，透過氣之感通，實然、應然、事實、價值的二元框架被打破。透過氣感，體驗與物的原初關係，此原初情感即蘊含著對萬物的倫理態度。透過自然風土、歷史、社會層面豐厚的文化積澱，《詩》同時也顯現著存有的意義。詩歌之「引譬連類」能反映文化傳統中深刻的情感經驗以及思維的方式。在不斷奮發興起的連類中，使得文化具有不斷多元交織的可能性；「民性」亦在此多元交織中被展開。在《詩》之興中，能領會的自然風物、歷史記憶、群體關係；透過明於庶物，而能通達於人與物、群體的倫理關係。《論語》釋「仁」即由「能近取譬」作為仁的實踐之方。聖人能「明於庶物，察於人倫」，文明的展開即透過感物，而形諸於《詩》的引譬連類中。在「連類」之關係中，反映出群體對物類之體驗與共通情感，以此可論及「禮樂的社會存有論」向度。[125]「禮」亦透過象類天地，以明天地、人倫之理。故《左傳》中子大叔論禮，強調「審則宜類」、《荀子》則以「唯所居以其類至」體會天地之禮。《禮記》中論為學、為師、教化、成人，其核心處皆在於象類之感通上。先秦時「類」的感應，有其深厚的神話、宗教性背景。春秋以降，更透過氣化感應而體驗，此與漢代以後盛行的陰陽、五行繁複符號類應的宇宙圖象仍有不同。禮的核心在於情志之通感，透過象類、興而體會天地之文，從而回應天地之文，在不斷連類感通中，倫理關係與意義世界得以展開。

詩歌中的引譬連類能反映共通的情感經驗及思維方式，在不斷的連類中，具有多元交織的可能性，以《詩》詮禮於是又具有詮釋學文本脈絡中意義不斷深化的向度。《詩》帶入了豐厚的文化、歷史積澱，同時在詮釋中，意義得以不斷地更新、生化。詩成為志意之所之，情感所形諸之言語。詩語言開顯了志意、興發了情感，同時使得情與志合一。透過詩語言與深厚意象的結合而不斷抒情，使得詩、樂、禮文皆能無隱地迎向更多文化創造和情感豐富的可能性，此生生不息之創造也正是透過「聯類不絕」而「鼓天下之動」的創造性展現。〈孔子詩論〉中認為《詩》猶如「平門」，能使自我產生深刻的轉化和開啟，並透過〈邦風〉中所興發的致、時、思、歸、報、情等情志之動，而言民性「動而皆賢於其初」。以此，透過感通「能近取譬」以契近於仁，透過情以契近於禮，透過中、和以彰顯德，均有了更深刻而具生生動力的實踐面向。頌《詩》不但可以「納物」，同時還能「生德於中」，並「與賤民而豫之」，使得不同階級立場、差異化的情感經驗均能在此中展現感通而同樂的狀態。

在上述背景下，本文透過先秦經典中引《詩》詮禮所具有的詮釋學意義進行分析。

---

125 蔣年豐：《文本與實踐（一）：儒家思想的當代詮釋》，頁216：「詩的語文在心志意向的帶動下，成為一種氣象紋跡」、「引《詩》在哲學上可以被看待成心志感發學（興）起所自行引生的語文。這些詩中涵有禮樂教化與救民哀苦」、「孟學式的『興的精神現象學』必然是『詩興』的精神現象學，其所開展的仁的存有論必然含帶『禮樂的社會存有論』。」

《荀子》透過《詩》以言為學、修身之工夫以及禮之精神。其中有其對禮之精神及為學工夫之獨到見解。為學重在誦經、讀禮，而禮為「類之綱紀」，習禮重在「通倫類」，而非抽象之論理。讀「詩」能透過引譬而通倫類，能在聖人及經典中得到情感的深化，興發實踐的動能，終至達到「以美其身」的聖人之境。故而《荀子》在論修身、論禮時，時常引《詩》並加上「此之謂也」以作為註腳。在引《詩》的過程中，亦展開了詩義不斷豐富的歷程。戰國時期《郭店楚簡》以及《馬王堆漢墓帛書．五行》亦時常引《詩》以言君子之道德修養，如引〈鳲鳩〉、〈燕燕〉言君子「慎其獨」，透過《詩》而興發德之體驗與實踐動力。

不只是在論德及禮等思想議題時，透過引《詩》而進行詮釋。先秦時亦常透過《詩》中之意象或情境而類比於禮之工夫實踐歷程。如《論語》〈八佾〉子夏以《詩》「巧笑倩兮，美目盼兮」而問禮於孔子，孔子答以：「繪事後素」。既然以繪畫過程喻禮與情性的關係，在具體情境中所取譬的角度就不會只有一種，由眾聲喧譁的詮釋中，衍生出重禮與崇質的爭議。亦可反映《詩》之文本具有詮釋學意義下構成物的特質，在譬喻的過程中，透過來源域、目標域之映射而產生新意，同時又由於取譬角度不同，因此具有多義和意義的無盡藏。先秦論述禮儀或德時，往往透過身體之感受的具體情境物為喻，如以衣之紋飾、顏色、質材喻禮，此種透過身體、衣冠、服飾的譬喻而帶動情感與具體之實踐，影響禮教之論述極深，其能使學者對禮、德之深義與實踐產生親切的體會。

不只體貌、容儀、服飾、空間常被作為禮儀的象徵或譬喻，《詩》中亦常以技藝之磨鍊喻為學的工夫。如《論語》〈學而〉子貢問禮孔子，而引〈衛風〉〈淇奧〉：「如切如磋，如琢如磨」進行印証。孔子嘉許子貢能夠「告諸往而知來者」，認為其「始可與言詩已」。〈衛風〉〈淇奧〉三章分別以切磋琢磨玉石骨類以成禮器、透過穿戴玉瑱、琇玉、禮冠等朝服喻君子之威儀赫赫，透過禮器如金、錫、圭璧以喻君子之德行文章。琢磨玉石骨類，而終能成其禮器，被喻為君子「道其學而成也」的歷程。由於治骨、治玉皆經過痛苦打磨，而轉化形體，終成文章，於是此譬喻亦帶入君子刻苦修身而轉化習氣，終成好禮君子之歷程。金、錫、玉璧之性質成為君子性情的隱喻，其性情如金之堅、錫之精，如玉之動人。而圭璧乃為家國之重器，故喻君子能成為家國之重器，同時亦象徵其為學、修身之有成。透過物之想像以興發倫理想像。金、錫、玉之觸感、質地，其打磨治器的過程，均能帶起深厚的文化積澱、倫理情感以及實踐動力。

儀式中引《詩》具有參贊自然氣化、調養血氣、薰習文化共通情感，以及抒情等多重意義。以參贊自然氣化來看，不同的季節有迎氣、送氣儀式，以助成氣化之和諧。《周禮》〈籥章〉指出儀式中四時歌詠《詩》歌，以興發不同時氣的情感。如中春之月歌〈豳風〉之詩以迎接暑氣的到來；中秋、祈年、年終蜡祭亦皆有相應之詩歌。在個人與家族及群體關係的儀式中，亦透過《詩》以回饗於天地人神。如祭禮、喪禮、饗禮、婚禮、軍旅、鄉射等重大儀式，亦均歌詩以溝通天地神祇、人鬼。《詩》同時能調整體氣，營造共同的情感體驗，也由於情感、體氣的抒通，故而同時具有療疾的功能。宇宙之體、家國之體、個人之體可以同時得其抒通和療養。儀式中引《詩》所以能夠深化情感，達到情感的流動感通，又能涵養德行，達成情與志之合一的目的，主要由於《詩》中所用意象牽涉深厚的歷史記憶的積澱，以及個人情感的象徵化和譬喻過程。如《詩》中以日、月、水、星、山、花、竹……起興，其固然牽涉共處於自然風土以及歷史、群體的情感，然而取譬之角度不但牽涉文化共同的視角，亦與個人特殊經歷密切相關。同一物象因個人的記憶、生命情境不同，而被多方映射。個人透過文本或具體情境中的連類、取象過程，使得詩興得以展現源源不絕的創造力，以及抒情的功能。

以《詩》詮禮，不但能開顯詩禮樂為道之彰顯的層面，同時還能深刻反映在文化開顯、意義化過程中的風土、歷史、群體生活的共通情感。由於《詩》語言乃為高度感通的語言，其能喚起原初的情感與倫理關係，透過《詩》而興發連類應感的世界。以連類興感所開顯萬物的關係來說，是共通情感與原初的倫理關係。以《詩》之文本詮釋來說，則是意義的無盡藏之不斷生成。以儀式之實踐來看，透過高度的物質想像、倫理想像，以深契於文化傳統中的價值體系，同時不斷認識與更新文化與自身之價值系統。禮於是以身體感為基礎，同時以情之感通為本，開顯了文化生生不息的創造歷程，以及奮發興起的實踐動力。

本文曾刊登於《清華學報》第45卷第4期（2015年12月）

從《大雅》〈思齊〉看鄭玄解《詩》的原則

李　霖
北京大學歷史學系副教授

提要

鄭玄的《毛詩箋》是《詩經》學史上影響最大的著述之一，然而長期以來，我們似乎未能充分理解鄭箋的意圖和價值。本文以《大雅》〈思齊〉的毛、鄭異同為綫索，希望跳出爭論是非短長的窠臼，回到鄭玄本人的立場，虛己體察鄭箋的用意，從經義、結構、文本三者的複雜關係中，認識鄭玄解《詩》的原則。筆者認為鄭玄以《詩》為經書，尊奉詩序，並將诗篇置於諸詩的篇第結構乃至群經的視野之中發明其經義。為了經義與結構的考慮，鄭玄往往會不顧文本的合理性，這也是他遭致後人詬病的一大原因。

關鍵詞：鄭玄箋　毛詩　大雅　文王之什　思齊

一　引言

漢代《詩》立學官，齊、魯、韓三家之學盛極一代，名師輩出，章句繁夥，经生猥多。當時《毛詩》與三家《詩》之聲勢相差懸殊。《毛詩》自西漢河間獻王時出世，僅王莽主政二十年間立為博士，東漢光武時再次廢置。《毛詩》傳習者少，無章句師法，以鄭玄之淹通，相傳其注《禮記》時尚未得見毛傳，[1]其時《毛詩》影響之微弱，可見一斑。

鄭玄並非首位尊崇《毛詩》的經學家，然自其箋注《毛詩》經、傳，《毛詩》始盛。魏晉以後，毛、鄭《詩》注最終遍行天下，獨領風騷，三家《詩》學竟致失傳。直至南宋朱子《詩集傳》流布，其獨尊地位才被打破。《毛詩》何以取代三家，其間緣由，限於文獻闕如，難以悉知，然就常理而論，《毛詩》序、傳、箋本身優善，漸為儒林所重，自然不容否認。風氣流變，宋代以降，《毛詩》不再是顯學，序、傳、箋每遭詬病。今日學界不視《詩》為經書，更無論矣。然而在現存典籍中，毛、鄭《詩》學之古老、完備與精善，再無其他任何《詩》家可相比倫，其在經學史上的影響力毋庸置疑。愚以為欲理解其真正優勝之處，應試圖回到毛、鄭本來的立場，以及漢代經學的語境當中。若以《詩》經學化之前的先秦時代為背景評判毛、鄭詩說，或以宋人、清人及今人的學術標準來檢討毛、鄭，雖有助於《詩》學，對於毛、鄭《詩經》學之本來面目，卻似隔靴搔癢，並不切題，也有失公允。

毛（詩、序、傳）、鄭共同構建了《毛詩》學。譬之屋宇，毛是基址，鄭玄擇其基址，而造其梁棟。若無鄭氏之營造，《毛詩》或許早已湮滅不傳，鄭玄無疑是《毛詩》之功臣。鄭玄《六藝論》嘗云：

> 注《詩》宗毛為主。毛義若隱略，則更表明。如有不同，即下己意，使可識別也。[2]

毛、鄭雖為一體，鄭玄箋毛，卻非悉遵毛義，鄭箋「己意」異於毛傳處不少。[3]對於毛傳、鄭箋之異同，魏代王肅述毛非鄭，王基復駁王肅而申說鄭義，從此毛、鄭之別（及鄭、王之別）成為聚訟之府。晉人孫毓又評毛、鄭、王三家之異同，實朋於王，陳統復難孫申鄭。王肅、王基、孫毓、陳統諸家之書均已亡佚，今據《毛詩正義》等書所引片

1　《小雅》〈南陔〉疏引《鄭志》答炅模云：「為《記注》時，就盧君耳，先師亦然。後乃得毛公《傳》，既古書，義又當，然《記注》已行，不復改之。」

2　《六藝論》已佚，此文見《經典釋文》〈毛詩〉「鄭氏箋」音義。《毛詩正義》「毛詩」大題疏文亦引，「毛義」，《正義》作「其義」。

3　對於詩序的作者是誰，詩序與毛傳的關係為何，一直有不同看法。筆者認為詩序並非衛宏所作。至少可以肯定，在鄭玄看來，詩序比毛傳更古老、更重要。相關問題當另外撰文說明。

段，可知其立意主要在於爭論毛、鄭（及鄭、王）之優劣短長。惟孔穎達《毛詩正義》雖不免有袒鄭之嫌，然觀其疏解傳、箋，每能將自己代入毛、鄭各自的視角，設身處地體察毛、鄭之原義。毛何以如此，鄭何以如彼，《正義》試圖將毛、鄭各自背後之理據，原原本本剖析明白，並不輕下毛、鄭孰是孰非的斷語。孔穎達《毛詩正義》可謂毛、鄭之解人。其餘諸家論及毛、鄭異同（及鄭、王異同），多與王基、孫毓、陳統之倫一般，好作優劣短長之辯。（經學問題所以聚訟不休，良有以也。）清人由小學及文獻考訂功夫入手，潛研毛、鄭，上窺齊、魯、韓《詩》源流，雖有發明毛義、匡助《正義》、鉤沉絕學之功，在毛、鄭異同問題上，似仍未超出爭論是非優劣的窠臼，愚以為其立意反不如《正義》公允。當然，在經學昌明的時代，經學家無不具有各自的立場和評判標準。《正義》雖然在毛、鄭優劣問題上立意比較平允，當涉及毛與三家《詩》（主要是《韓詩》）有別時，往往右毛而抑三家。如其題名所示，《毛詩正義》畢竟以《毛詩》一家之學為基本立場。《正義》所以能虛己體貼毛、鄭，也是因為毛、鄭均是《毛詩》之學，《正義》與毛、鄭立場一致的緣故，並非因為《正義》懷有超越門戶之見和時代風氣的自覺。

今日的經學史研究，已經可以跳出評判古人是非優劣的窠臼，自覺地探求古人本來的面目。筆者期冀效法《正義》疏釋毛、鄭的態度，深入解讀毛傳、鄭箋文本背後的意图，探求毛、鄭解《詩》慣用的原則。毛、鄭之中，毛傳質略，對於毛傳無說處，《正義》每移鄭箋之說補白，或有混淆異同、誤解毛義之嫌。清代馬瑞辰、陳奐等學者發明毛義頗多，可以輔正《正義》之偏頗。然而毛傳簡古，又無弟子詩說留傳，常常難以確知其含義，清儒之解說不可盡信，只能作為參考（也有學者刻意申毛以貶鄭）；況且要把握毛傳的特色和解經原則，最好能有三家《詩》說作為參照，而清人所輯三家《詩》遺說並不可靠。[4]相較之下，鄭箋篇幅倍於毛傳，含義較為明白；且康成編注群經，《詩》箋可與其他經注參觀互證。鑒於毛傳較難把握，筆者先以讀懂鄭箋、探索鄭箋的解《詩》原則為目標。而以鄭學之宏洽細密，愚以為探索鄭玄的解《詩》原則，宜從兩處著手，一是鄭箋與毛傳之異同，二是《詩》箋與鄭玄其他著述之異同。本文先從前者入手，主要以鄭玄改易毛傳特多的《大雅》〈思齊〉篇為例，探討隱藏在箋文背後的種種考慮，並試圖歸納其注解《詩經》的原則。

必須指出的是，由於毛傳的隱略，本文常需借助後人的《詩》說以凸顯鄭箋的特異之處。因而本文所謂鄭箋的特點和解《詩》原則，還難以判然釐清哪些是鄭玄個人的特色，哪些是漢代《詩經》學的特色。同時由於三家《詩》的散佚，我們尚無法還原鄭箋與三家《詩》的因革關係，更加劇了我們在漢代經學語境中剖析鄭箋的難度。縱然如

4　參拙文〈論陳喬樅與王先謙三家詩學之體系〉，《儒家典籍與思想研究》第2輯（北京市：北京大學出版社，2010年）；〈江瀚的三家詩學及其他〉，《國學研究》第29卷（北京市：北京大學出版社，2012年）。

此，鄭玄注《詩》畢竟宗毛，而非以三家為本。其異於毛傳之處，即便取自前人成說，也不能否認其對毛傳與別家《詩》說的取捨背後存在鄭玄本人的考慮。本文先將鄭箋改易毛傳之處及毛傳隱略而鄭箋特異於後來諸家之處，籠統地歸諸鄭玄，以作為進一步研討鄭箋及漢代《詩經》學的基礎。

對於鄭玄的解經原則，學界已有一些開拓性的研究，多集中在鄭玄的禮學。[5]如喬秀岩先生通過分析鄭玄《論語》和《周禮》注，指出鄭玄最基本的解經原則是「結構取義」（或稱「隨文求義」、「即文為說」），以經文的上下文語境和結構推定經文所指，這與清人在先秦古籍中搜集書證、歸納詞例以確定詞義不同；其次才是經學理論體系。並認為經文結構與經學理論的循環互動，是鄭學的本質結構。筆者深受啟發，願在此基礎上，探索鄭玄解《詩》之原則，以求正於大雅。

一　〈思齊〉毛、鄭分章之別

今《毛詩》版本每篇之後皆有「某詩幾章章幾句」字樣，[6]惟《周南》〈關雎〉、《大雅》〈思齊〉和〈行葦〉章句有兩說，以「故言」二字別之，如「〈關雎〉五章章四句，故言三章其一章四句，二章章八句」。關於這兩種不同的章句，陸德明《經典釋文》云：「五章是鄭所分，『故言』以下是毛公本意。」[7]其說可從。又，〈關雎〉疏引「《六藝論》云『未有若今傳訓章句』，明為傳訓以來始辨章句，或毛氏即題，或在其後人，未能審也」。若然，則《毛詩》章句本來即為毛公所分。〈思齊〉「四章章六句，故言五章二章章六句，三章章四句」，知《毛詩》〈思齊〉本作五章，鄭玄合為四章。[8]

鄭玄「注詩宗毛為主」，而〈關雎〉、〈思齊〉等篇，鄭玄不從毛傳之說，竟不惜重新調整《毛詩》原本的章句結構，可見其反對之激烈，堅持「己意」之堅決，正是觀察鄭玄解《詩》旨趣的上佳素材。今不避繁冗，按毛、鄭各自章句備錄〈思齊〉序及詩。

5　相關研究參見喬秀岩：〈鄭學第一原理〉，《古典學》第1輯（上海市：華東師範大學出版社，2012年）。收入氏著《北京讀經說記》（臺北市：萬卷樓圖書出版有限公司，2013年）。

6　《釋文》所據《毛詩》及《正義》所引「定本」已如此。

7　陸德明：《經典釋文》卷5，《通志堂經解》本，頁1。案通志堂本《釋文》引〈關雎〉章句作「其一章章四句」，比《毛詩》版本〈關雎〉章句多一「章」字，今據宋刻遞修本刪一「章」字。

8　奇怪的是，章句有兩說的〈關雎〉、〈思齊〉、〈行葦〉三詩，《毛詩正義》均按「故言」以前的鄭玄章句分章，未提及《毛詩》本來的分章。尤其是在通行的注疏合刻本中，三詩篇後章句明明有兩說，疏文竟不著一詞，更啟人疑竇。愚以為《正義》初稿所據《毛詩》版本之體式應與今傳箋本有所不同（文本之差別更不待言），其《毛詩》章句不帶「故言」，只有鄭玄之章句。

又，注疏合刻本〈關雎〉篇後章句下疏云：「《定本》章句在篇後。」《正義》所據《毛詩》版本與《定本》的關係複雜，不能單憑此疏判斷《正義》所據《毛詩》版本章句在篇前還是篇後。然《毛詩正義》單疏本及注疏合刻本每篇開首出文標起止均帶章句，如「〈思齊〉四章章六句至以聖」（「以聖」是詩序末尾兩字），似乎《正義》初稿所據《毛詩》版本章句在篇前的可能性較大。

《毛詩》原本分章如下：

〔序〕思齊，文王所以聖也。

〔首章〕思齊大任，文王之母。思媚周姜，京室之婦。大姒嗣徽音，則百斯男。

〔次章〕惠于宗公，神罔時怨，神罔時恫。刑于寡妻，至于兄弟，以御于家邦。

〔毛之三章〕雝雝在宮，肅肅在廟。不顯亦臨，無射亦保。

〔毛之四章〕肆戎疾不殄，烈假不瑕。不聞亦式，不諫亦入。

〔毛之卒章〕肆成人有德，小子有造。古之人無斁，譽髦斯士。

鄭玄改作：

〔鄭之三章〕雝雝在宮，肅肅在廟。不顯亦臨，無射亦保。肆戎疾不殄，烈假不瑕。

〔鄭之卒章〕不聞亦式，不諫亦入。肆成人有德，小子有造。古之人無斁，譽髦斯士。

下面逐章辨析毛、鄭之差別及其來由。

二　首章

首章毛傳簡略，在此先討論鄭玄對「思」、「京」二字的獨特解釋和首章特殊的結構，再對比毛傳。

「思」字，毛傳此處無訓。《大雅》〈文王〉「思皇多士」傳曰「思，辭也」，又〈公劉〉「思輯用光」傳意似以思字為發語詞，可據以推知此處毛傳以思字為語助，無實義。《正義》述毛以思為動詞，乃以鄭代毛，今不取。箋云「常思」云云，[9]是將思字理解為動詞。清人王引之指出《詩經》中有十餘處思字作發語詞的用例（包括本篇的思字），[10]得到了學界的普遍承認，而鄭玄幾乎全部理解為動詞，惟《周頌》〈載芟〉「思媚其婦」箋云「乃逆而媚愛之」，當是將思字理解為發語詞。[11]同為「思媚」，此〈思

9 《毛詩》卷16，清翻相臺岳氏本，頁13。下引〈思齊〉同，不復出注。

10 王引之：《經傳釋詞》卷7，清嘉慶二十四年刻本，頁7。

11 〈載芟〉疏述毛、鄭為「思逆而媚其行饟之婦」，與拙見不同。雖然不能完全排除《正義》所據舊抄本箋文「逆」前有一「思」字的可能性，但筆者更傾向於認為鄭玄將思字解為語助。從上下文結構來看，「有嗿其饁，思媚其婦，有依其士」云云，句式整齊相對，「思」字應與「有」字一樣作語助詞。更重要的是從文意看來，嗿其饁、媚其婦、依其士都是正在發生的事件，若將思字理解為動詞，則文意不通。而考察王氏所舉思字作發語詞的其他用例，鄭玄解為實詞，雖然文意比較曲折複雜，卻仍講得通，「思媚其婦」若解思為實詞則文意不能成立。故筆者認為鄭玄是將〈載芟〉「思媚其婦」的思字理解為語助。

齊〉箋必釋思為動詞，與彼〈載芟〉箋不同，當有其用意。鄭玄恰恰是以動詞思為基礎，並牽合〈大明〉之義，在首章建立了相對複雜、特殊的結構。

為了說明鄭箋這一結構的獨特，在此姑且引入後人更易接受的結構作為對比。馬瑞辰從〈思齊〉首四句平列這一「合理」結構入手，解思字為語助，以為首二句言文王之母大任齊，次二句言王室之婦大姜媚，末二句言大姒兼嗣大姜、大任之徽音。惟馬氏據《廣雅》「媚，好也」為訓，與傳、箋訓「媚」為「愛」有所不同。[12]鄭箋以為大任常思齋莊，乃為文王之母；大任又常思愛其姑大姜配大王之禮，故大任能為京室之婦；文王之妃嗣大任之徽音，使文王多子。

對比之下，可知〈思齊〉首章鄭箋最大的特點是使大任居於核心地位，大任既是兩次動作「思」的發出者，又是大姒承繼的對象。箋以首四句意在大任「德行純備，故生聖子也」，末二句大姒所以能使文王多子，也是因為她接續了大任的徽音。

若從結構上檢討箋說，我們看到鄭玄無視首四句兩兩對應的「合理」結構，可能是考慮到大任在文本中越居大姜之上，采用了以大任居於核心的複雜結構。為了使這一結構成立，並牽合大任「曰嬪于京」的經義，鄭於三、四句分別補入主語「大任」，似不成「文法」。在此結構下，具體詞義也比較迂曲。比如兩「思」字用法有較大差別，在首二句「思」為不及物動詞，「齊」是其狀語，在次二句「思」、「媚」卻又共同構成謂語，「周姜」是其賓語。而思字作動詞的思媚、思愛在似未見於其他上古文獻。倘若此箋所述是詩文的「原義」，很難想象作詩之人竟故意刁難和誤導讀者，采用這樣特殊的表述方式。

再從經義上檢討箋說，我們又會看到鄭玄將大任居於首章核心的結構，最大限度地在首章落實了詩序「文王所以聖也」的經義；同時，大任為「京室之婦」及大姒所嗣徽音來自大任的解釋，又完美地照應了《大雅》〈大明〉「曰嬪于京」和「纘女維莘」的經義。先說明前者，以大任為核心的結構與詩序之義有何關聯，《正義》曰：

> 文王所以得聖，由其賢母所生。文王自天性當聖，聖亦由母大賢，故歌詠其母，言文王之聖有所以而然也。[13]

正可申明箋義。相比之下，馬瑞辰對首章的解讀既詠大任，又稱美大姜，雖然順應原詩的「合理」結構，也完全符合「文法」，各句之間的語意卻缺乏關聯，更無法落實詩序。

鄭玄首先視《詩》為經書，而非歷史語言文獻，並不追求詞例和含義的合理化。鄭玄也不把《詩》看成是詩人創作而成的作品，無視「作詩」和「解詩」的辯證法則，毫不在乎詩文之美感意味，甚至不拘於文法限制，更不懂得「以意逆志」。若從作詩之人

---

12 馬瑞辰：《毛詩傳箋通釋》（北京市：中華書局，1989年），頁832。

13 《南宋刊單疏本毛詩正義》（北京市：人民文學出版社，2012年），頁311。

的角度考慮，鄭玄對〈思齊〉首章的解釋無疑是荒謬的。再比如《周南》〈卷耳〉屢次出現的「我」字，為了貫徹詩序之義，鄭玄竟區別出「我后妃」、「我使臣」、「我君」三義，朱子譏其「首尾衡決，不相承應，亦非文字之體也」，[14]其實鄭玄又何曾看重「文字之體」。

要知道鄭玄何以如此解《詩》，須知《詩經》的解讀在諸經中本來就很特殊。「《詩》本諷喻，非同質言」，[15]詩義原本就留有闡釋的空間，變動不居。從《詩》的結集和《詩》學的流變來看，有作詩之義，采編之義，教詩之義，賦詩引詩之義，經學之義，不一而足。所謂經學之義，在漢代已有齊、魯、韓、毛之家派，後來又隨時代風氣轉移，自宋至清更是新見迭出。古今多少學者透過語詞、文字、歷史、文法、辭氣、情致、美感等因素解《詩》，詩義愈發豐富，卻始終難有定解。愚以為詩本身就蘊涵了多種可能性，從詩文推求詩義、詩旨，本來就難以達成共識。鄭玄反其道而行，先尊奉一家之詩旨，再從詩中尋繹文本與詩旨間的關聯，通過闡釋詩文來貫徹經義。這一家之詩旨，鄭玄選擇了《毛詩》序。（本文探討鄭玄解《詩》之原則，至於《毛詩》序出自何人，所述有何依據，可以姑置無論。）也正是由於《詩經》文本的特殊性，鄭玄解《詩》似乎很難單純將一篇之內的上下文語境和表面結構當作首要因素，而更多地受限於詩序等經義。

正如朱子等反詩序者所攻訐的那樣，《毛詩》序存在很多問題，與詩文並非天然對應。鄭玄既尊詩序，便力圖闡釋詩文之意以適應詩序。若以語詞、文法、美感等「合理」的標準來衡量鄭玄，鄭玄必然不能出類拔萃，甚至常常是糟糕的，我們便無法理解鄭玄的價值。比起這些標準，對鄭玄來說，更重要的是使文本與詩序等經義相符。

我們明白了鄭玄看重什麼因素，再反觀首章箋文，才能體會到鄭玄的細微之處。首四句箋云：

> 常思莊敬者，大任也，乃為文王之母；又常思愛大姜之配大王之禮，故能為京室之婦。言其德行純備，故生聖子也。

鄭箋為何兩云「常思」，在動詞「思」上加一「常」字呢？必須注意鄭玄在詩句「文王之母」和「京室之婦」前也補充了「乃」、「為」或「故」、「能為」這樣的語素與動詞思搭配。動詞「為」或「能為」使名詞性的第二、第四句「文王之母」、「京室之婦」變成了動詞性的結構：為文王之母意即生聖子文王，為京室之婦意即嫁與王季；連詞「乃」或「故」又使首二句和次二句分別構成了因果關係，意即大任所以能誕下文王這樣的聖子，正是因為她能做到常思莊敬，大任所以能嫁與王季，正是因為她能做到常思愛其姑

---

14 朱熹：《詩序辨說》，汲古閣本，頁5。

15 皮錫瑞：《經學通論》卷2〈詩經〉（北京市：中華書局，1954年），頁1。

大姜配大王之禮。所以鄭玄兩次在「思」上加「常」字，是強調大任恒能如此，凸顯大任德行純備，始能嫁王季、生聖子文王。而在末二句中，正是因為大姒嗣大任之徽音，所以才能百斯男。因知鄭玄在首章六句的結構框架中又區分出細微的層次，使首四句也像末二句「則」字所提示的一樣，兩兩各具因果聯繫。更高明的是，大任在這三個語意層次中，都居於核心。

為了說明鄭箋結構的微妙，再以朱子《詩集傳》作對比。此詩朱《傳》在表面上承襲箋義，粗具大任居於核心的結構框架，但在經義上，實將大姒與大任並列，與鄭箋迥異。其文曰：

> 此詩亦歌文王之德，而推本言之。曰此莊敬之大任，乃文王之母，實能媚於周姜，而稱其為周室之婦。至於大姒，又能繼其美德之音，而子孫眾多。上有聖母，所以成之者遠。內有賢妃，所以助之者深也。[16]

朱子訓思字為語助，不能像鄭箋用動詞思強調一、二句間和三、四句間的因果聯繫，變成列舉大任的德行。此《傳》將詩序文王之「聖」改為「德」來重新理解，又認為大姒作為文王的賢內助，也對文王之「德」起到了輔助作用，並不像鄭玄尊奉詩序「文王所以聖也」的意旨。鄭玄力求挖掘詩文中「文王所以聖」的可能性，強調文王之「聖」不僅是其天性（《論語》等經所謂生而知之），亦由於其母大賢。

鄭玄首章的結構層次，不僅最大限度地貫徹了詩序，其以大任而非大姜為「京室之婦」，及以大姒所嗣徽音來自大任，而非大姜和大任，還適應了《大雅》〈大明〉「曰嬪于京」和「纘女維莘」的經義。

〈大明〉與〈思齊〉同在〈文王之什〉，在鄭玄《詩譜》的結構中，此什主述文、武之事。篇次為〈文王〉、〈大明〉、〈緜〉、〈棫樸〉、〈旱麓〉、〈思齊〉、〈皇矣〉、〈靈臺〉、〈下武〉及〈文王有聲〉。第二篇〈大明〉凡八章，二章敘大任「來嫁于周，曰嬪于京」嫁王季，三章言「大任有身」生文王，四章、五章言文王娶大姒是「天作之合」，六章言天命文王「纘女維莘，長子維行，篤生武王」，七、八章言武王伐商。驗之全詩，四、五、六章敘文王、大姒成婚生武王，宛如二、三章王季、大任成婚生文王之重現，故六章「纘女維莘」，毛、鄭解為來自莘國的大姒纘繼大任之女德，符合全詩篇章結構，其義諒無異詞。因知〈思齊〉箋以大任為「京室之婦」，及大姒嗣大任之徽音，均貼合〈大明〉經義，為馬瑞辰等所不及。有趣的是，〈思齊〉箋又更進一步，解釋為什麼此詩大任稱「京室之婦」，而大姜稱「周姜」，認為這是大任「謙恭自卑小」。箋意似指〈大明〉言大任「來嫁于周」，周這一大名亦得施之於大任，而大任自稱「京

16 朱熹：《詩集傳》（上海市：上海古籍出版社，1980年新1版），頁183。「內有賢妃」，此本原作「內百賢妃」，據《中華再造善本》影元刻本改。

室之婦」這一小名，不稱周婦與大姜比肩，是大任之謙德。

當然，若將《詩》篇視為不同詩人創作之作品，詩人作〈思齊〉並沒有義務去照應〈大明〉。鄭玄不將《詩》當成作品，以《詩》為經書，重視不同詩篇之間的關聯，構建整部《詩經》的經學體系。（重視詩篇間的關聯並構建體系並不始於鄭玄，詩序已將相鄰詩篇繫以相同的世代或相近的主題。[17]鄭玄作《詩譜》，坐實和強化了詩序所示詩篇間的關聯，[18]甚至不惜質疑和改易《毛詩》現有的次序。[19]）鄭玄箋《詩》，並不特別看重語詞的通例，然而在經義層面，鄭玄重視照應其他詩篇之經義，並融入和協調《詩》以外其他經書的經義。前人謂鄭玄「以《禮》箋《詩》」，便是指鄭箋常常代入《三禮》之義。下文將談到的「京師」問題，鄭玄又取義於《公羊傳》等經書。

在理解了鄭玄「思」字之訓和首章的結構層次後，反觀毛傳，「思」似為語助，與箋不同；「媚」訓為「愛」，與馬瑞辰不同；於「周姜」云「大姜也」，似無大名、小名之別；於「京室」僅云「王室」，不知指大任還是大姜。再考慮到毛傳尊奉詩序，可以推知，毛傳釋義大致接近朱子，粗具凸顯大任的結構框架。論其層次之細微，經義之融匯，及對詩序之貫徹，則必不如鄭箋。鄭箋勝在結構和經義，然而為了追求結構和經義，以思為動詞，釋義奇特，增加語素又多，尤其是周、京之訓已遠遠超出此詩，似不如毛傳平實合理。

下面我們討論「京」字。此傳曰「京室，王室也」，箋云「京，周地名也」，毛、鄭實有較大差別。作為名詞的京，在《詩》中通常被釋為京師或高丘。《大雅》〈文王〉「祼將于京」、〈大明〉「曰嬪于京」，傳訓京為大，其意也是京師，語出桓公九年《公羊傳》：「京師者何，天子之居也。京者何，大也。師者何，眾也。天子之居，必以眾大之辭言之。」（《公羊》此義影響極大，又見於《白虎通》等。）此〈思齊〉傳曰「京室，王室」，王室所在即是京城。而此箋云「京，周地名」，所謂周地名，即〈大明〉二章言大任「來嫁于周，曰嬪于京」之箋所云「周國之地，小別名也」，意為周是國之大名，國內有一個名叫京的地方。且此京地當非周之國都，不然箋文何必不稱國都而僅謂地名。[20]〈大明〉和〈思齊〉箋的這一解釋非常奇特。詩中沒有任何綫索，鄭玄又何以知道大任來嫁王季時，其地並非岐周之國都，而是另有一地，其名又恰巧稱作京呢？

《詩經》有八篇中的京字與京師或周地名有關，鄭玄釋為周地名的有三篇，除前舉

17 如詩序以《邶風》〈綠衣〉、〈燕燕〉、〈日月〉、〈終風〉等篇為衛莊公、州吁時詩，其均與莊姜有關。

18 如《邶風》〈綠衣〉序謂「妾上僭，夫人失位」，鄭玄牽合衛國史事，以妾為州吁之母；〈燕燕〉序謂「莊姜送歸妾」，鄭玄又以歸妾為完之生母。

19 如《衛風》〈芄蘭〉，序以為惠公詩，其後之〈伯兮〉、〈有狐〉則不云何時之詩。鄭玄《詩譜》牽合《春秋》桓公五年蔡、衛、陳從王伐鄭事，判斷〈伯兮〉為宣公詩，並〈有狐〉，二篇本應在〈芄蘭〉之前，今《毛詩》二篇在後，是《毛詩》詩篇次序錯亂（參〈邶鄘衛譜〉疏）。鄭玄調整《毛詩》篇次，也有不惜反對現有詩序的（認為毛公改篡了詩序），如《小雅》〈十月之交〉以下四篇。

20 〈皇矣〉疏云：「箋以京為周地小別名，則京是周之所都之邑。」與拙見不同。

〈大明〉和〈思齊〉述王季、大任婚事外，還有〈皇矣〉述文王伐阮「依其在京」。鄭玄以為周之京城的，見於如下六篇。《曹風》〈下泉〉「念彼周京」箋云「思其先王之明者」，詩下文又有「念彼京周」、「念彼京師」句，知京即京師；〈文王〉序稱「文王受命作周」，詩云「祼將于京」，傳曰「京，大」，箋文無說，照例當同於毛；〈大明〉六章「有命自天，命此文王，于周于京」，明言文王受天命，箋釋「于周于京」為「於周京之地」，「周京」應指周之京城，[21]如〈下泉〉「念彼周京」例；〈下武〉序稱武王「復受天命」，詩云「王配于京」，箋云「京謂鎬京也」；〈文王有聲〉言武王「鎬京辟廱」、「宅是鎬京」自不待言；〈民勞〉序稱「刺厲王」，詩云「惠此中國」、「惠此京師」，箋以中國即京師，並云「京師者，諸夏之根本」。此八篇之外，《小雅》〈出車〉卒章「薄言還歸」箋云「歸京師」。案〈出車〉敘「玁狁于襄」、「薄伐西戎」事，前篇〈采薇〉序云「文王之時，西有昆夷之患，北有玁狁之難」云云，以為〈出車〉之「西戎」即「昆夷」。而〈采薇〉疏引《尚書大傳》謂文王受命「四年，伐犬夷」，並引鄭玄注云「犬夷，昆夷也」，[22]是鄭玄以〈出車〉在「文王受命」之後。

由此可以大致認為，鄭玄釋為周地名的，都在文王「受命」以前；[23]而文王「受命」之後，便可以將京字解為周之京師。可以說明問題的是，同在〈大明〉篇的兩京字，鄭箋以二章大任「曰嬪于京」為周國某地名，六章文王受命「于周于京」為京城。鄭玄為何特別在意王季時京字不得解為京城，原因當在於「京」背後之經義。

如前引《公羊傳》所言，「京師」乃天子之居。武王滅殷以前，天子為商王，天無二日，土無二王。大王、王季時未稱天子，雖得追尊為「王」，但所居之國都不得僭稱「京師」或「京」之名，名不正則言不順。文王、武王受天之命，已具天子之實，乃可以稱「京師」或「京」。因知鄭玄指《詩》中王季時之京為周國都城以外的另一地名，應當沒有其他文獻和地理上的根據，只是鄭玄為了不使周之先公先王有任何越禮之嫌，而作出的建構。

「京師」為天子所居這一經義，出自《公羊》，非《詩》原有。毛傳訓師為大，是已知《公羊》此義，但並不受限於天子與諸侯之名義。在毫無「史料」依據的情況下，鄭箋不惜另立京為岐周地名一說，兩次改易毛傳，是鄭玄在箋《詩》時仍謹守《公羊》經義，不得不調和《詩》說。

鄭玄為了牽合《公羊》「京師」義，苦心建構了京為岐周某地名一說。可惜驗之全《詩》，此說仍有未周之處。〈公劉〉篇明確提到公劉遷居於「京」，此京在豳地，與岐

---

21 與拙見不同，《正義》以為鄭意〈大明〉「于周于京」與「曰嬪于京」同為周地名，蓋不明鄭玄即文為說的義例。

22 《南宋刊單疏本毛詩正義》，頁158。

23 鄭玄關於文王「受命」的經學理論遠超出〈思齊〉篇，當置於〈文王之什〉的篇第結構中理解，還須結合《尚書大傳》等書。又，〈皇矣〉箋「京」字背後的考慮尤其複雜。這些問題當另撰文探討。

山相隔甚遠，鄭玄已不能再立一說，認為豳地附近又有一地名為京。

對於這個難題，我們先來看看宋人吳仁傑對《公羊》「京師」說的批評：

> 《公羊傳》所謂天子所居必以眾大之辭言之者，其究為不然。京者，地名。師，都邑之稱，如洛邑為洛師是也。周自公劉居豳，其詩曰「于豳斯館」，又曰「于京斯依」，又曰「京師之野」，則京者，豳土之別名，公劉之世已稱京師矣，非必天子所居而後以是為言。其後周雖屢遷，而都邑之稱不改其舊，曰京師、京周、京室、周京、鎬京。[24]

如果作為歷史語言文獻來考察，《大雅》比《公羊》早，史料價值高於《公羊》。讀〈公劉〉「逎陟南岡，乃覯于京」、「京師之野」、「于京斯依」云云，吳氏所論符合詩意，[25]是「京師」不必為天子之居，在《詩》中早有用例。鄭玄執《公羊》晚出之義解《詩》，是以「今」釋「古」，並非考古之正途。

再看〈公劉〉傳、箋以眾釋「師」，箋以高丘訓「京」，文意較為晦澀[26]。雖然《公羊》「京師」義本來無法適用於〈公劉〉篇，但鄭玄不愿放棄「京師」義，只得避免將〈公劉〉京字解為地名，以掩飾《詩》與《公羊》不合之跡。

從鄭玄的視角來看，鄭玄以《詩》為經書，而非歷史語言文獻。[27]鄭玄討論「京師」之義，是經學層面的探討，與治思想史者大異其趣。拙見以為，不能理解何為「經」，便不算讀懂鄭玄。譬如鄭玄視《周禮》為經書，以為周公居攝時所作；而現代學者認為《周禮》不盡符合「史實」，帶有不少「理想」成分，並考證《周禮》成書於戰國以後，是將《周禮》當作歷史文獻來研究，與鄭玄的關注點完全不同。治史者本來便承認思想、觀念、制度、器物會隨時變化，而古之經學家，似乎更看重聖人制作的確定性和聖人之義的恒常性。鄭玄遍注群經，認為群經蘊涵了周、孔聖人之微言大義，便不能孤立地考慮《詩經》的內在經義。而不同經書之間、一部經書的不同篇章之間，又客觀存在著一些差異，甚至抵牾。為了協調和彌縫這些經義的差異，鄭玄必須折衷取捨。鄭玄既信《公羊》「京師」之義，便不得不彌縫《詩》中不合之跡，而不能承認從先周至東周時代的「京師」觀念已然發生了變遷，否則對鄭玄來說，聖經之義將無從討究。

毛傳當然也以《詩》為經書，而非歷史語言文獻。但從毛傳對京字的各處釋義來

---

24 吳仁傑：《兩漢刊誤補遺》卷3，《知不足齋叢書》本，頁6。

25 高本漢《詩經注釋》七六一以〈公劉〉之京為計劃中的京城，提供了另一種解釋方向。

26 也有一些學者懷疑「京師之野」句傳箋文本傳寫訛誤。

27 在現代學術視野下，文王受命又何嘗是史實？然而其事為太史公明載於〈周本紀〉，曆家更據以推定年數，受命之義對漢人之意義可見一斑。因知這裡所謂經、史之別，更是古、今之變。本文開首所謂在漢代經學的語境中理解鄭玄，也是希望能暫時擱置科學、實證等現代意識，虛己體察古人的觀念。

看，並未措意於「京」字名義。毛傳雖然也不時援引禮書或他經經義，如《召南》〈摽有梅〉等詩言婚期，《王風》〈大車〉言出封加等，《大雅》〈生民〉及《商頌》〈玄鳥〉言郊禖，但這些經義往往與詩義直接相關。而鄭玄對經義的牽合，如此〈思齊〉之京、宗公、宮，常常距離文本的表面含義較遠，有時也未必適合此詩，似有削足適履之嫌。鄭箋對文本的釋義誠然不如毛傳平實合理，然而作為一位賅博而縝密的經學家，鄭玄之經學世界的宏闊，是立足於《詩》的毛傳無法相比的。那些看來奇特的箋文，也許恰恰是鄭玄真正用力之處，是其旨趣所在。

三　次章

詩序以〈思齊〉言「文王所以聖也」。《正義》以首章言文王所以聖，以下各章言文王聖之事。此說當與毛、鄭意相符。

〈思齊〉次章傳、箋最大的差別在於對「宗公」的不同理解。「宗公」一詞在先秦典籍中極少出現，傳曰「宗公，宗神也」，箋云「宗公，大臣也」，其實皆無直接的訓詁依據，毛傳蓋據下二句語意為說，鄭箋則另有所本。下面分別說明。

毛傳所謂宗神，文意不明。孔疏引王肅云：「文王之德能上順祖宗，安寧百神，無失其道，無所怨痛。」是王肅以為毛釋宗公為祖宗，下二句「神罔時怨，神罔時恫」之「神」為「百神」，未明言傳文宗神之神究為何神。《正義》從王肅之說，述毛為「先祖宗廟群公」、[28]「宗廟先公」，[29]然亦云「宗廟之神」[30]。若謂「宗廟之神」，則是先祖之神明，與《正義》述毛意（說據王肅）下二句詩之「神」為「百神」有所不同。馬瑞辰謂傳所云宗神，「蓋據下文連言神耳，亦當指先公言」。[31]是馬瑞辰以為毛傳並非訓宗公為宗神，傳言宗公有神，則知宗公是宗廟先公。而傳意宗廟先公之神，便是下文「神罔時怨，神罔時恫」二句之神。拙見以為馬氏所述正是毛傳之義。[32]若然，則王肅與孔疏以「百神」解下二句，並非毛傳原意。傳意當為：文王順於宗廟先公（之神），先公之神不怨恚文王、不痛傷文王（即不降凶禍）。然而王肅與孔疏為何不順承毛傳宗公之說，以先祖之神解說下二句呢？

今天，我們根據殷墟卜辭，得知商人通過禱告卜問不同的祖先神，祈求先公先王庇护，不要作祟為惡。此〈思齊〉「惠于宗公」，毛傳以為文王順於先祖之神，竟似與其事

---

28 見次章疏。

29 見此毛傳疏。

30 見此鄭箋疏。

31 馬瑞辰：《毛詩傳箋通釋》，頁833。

32 又，陳奐《詩毛氏傳疏》釋宗為尊，以為傳文宗神即百神之中尤尊貴者。今不取。

冥合。[33]然而若謂先祖可能降凶禍於周，則儒家經典所未言，恐有礙於經義。非但鄭玄不能同意，王肅、孔疏亦不能接受，必得以「神罔時怨，神罔時恫」為百神。現在我們可能會判斷毛傳才是〈思齊〉篇的本義，可以當作思想史的材料，而鄭、王、孔似乎全都錯了，他們誤執後起之經義臆測古人的情況。然而須知與今天強調客觀、實證的歷史研究不同，經學家的考慮背後另有一套是非標準。若謂造福萬民的后稷登遐之後，會給周人將下災禍，可能於理未安。若以經學家的標準反觀毛傳，毛公主要面對《詩經》一部經書，對其他經典之義缺乏通盤的考慮，在經義上便不如鄭、王、孔等人通達。

鄭玄釋宗公為大臣。毛釋宗公，尚不離宗公二字，鄭義則非僅據詩句原文可以想見。箋云「文王為政，咨於大臣，順而行之，故能當於神明」，此「咨於大臣」之義為此詩所無，其說顯然本於《國語》〈晉語四〉胥臣說文王事：[34]

> 於是乎用四方之賢良。及其即位也，詢于八虞而諮于二虢，度於閎夭而謀於南宮，諏於蔡、原而訪於辛、尹，重之以周、邵、畢、榮，億寧百神，而柔和萬民。故《詩》云：「惠于宗公，神罔時恫。」[35]

《國語》又稱《春秋》之《外傳》，為漢代經學家所重。《小雅》〈沔水〉箋引「《春秋傳》曰：『近臣盡規』」，便出自《國語》。《國語》引《詩》說《詩》，不必信為《詩》之經義，而此處特為鄭玄暗用，或有特殊理由。

對比毛、鄭所釋「宗公」，毛傳更貼合原詩上下文，使此章結構分明，上三句言神，下三句言人，言文王聖德，能協和神人。[36]鄭箋解「宗公」，在經義上雖取勝於毛，但在此詩中，「大臣」的出現顯得突兀，且與下文缺少照應，結構鬆散。一方面，大臣與此章下三句從寡妻、兄弟至家邦自近及遠的結構缺乏關聯；另一方面，箋文此處之大臣指的是如閎夭、南宮一樣尊貴的賢人，似乎並非下文箋以為「雝雝在宮，肅肅在廟」之群臣。所以鄭玄把宗公解為大臣，無論在次章之內，還是在全詩之中，都有孤立無援之感。

然而若置諸〈文王之什〉諸篇，閎夭、南宮這樣的「宗公」大臣，似與〈緜〉的「疏附」、「先後」、「奔奏」、「禦侮」之四臣呼應。彼箋雖未明言，筆者大膽猜測彼四臣可以指稱《尚書大傳》等經典所言閎夭、南宮等助文王脫於羑里者。又，此什首篇〈文王〉中，詩人誡成王「宣昭義問」，箋改易毛傳謂遍明以禮義問老成人。所謂老成人，

33 此據高本漢《詩經注釋》八一〇提示。

34 《國語》以外，《正義》又引莊公三十二年《左傳》史嚚之言「國將興，聽於民；將亡，聽於神」為說，作為鄭玄改易毛傳的依據。拙見以為史嚚所論並非經典通義，且彼文所謂神與此詩不同，鄭玄不足以據彼文改易毛傳，遂不從《正義》此說。

35 《國語》(上海市：上海古籍出版社，1978年)，頁387。

36 這裡對章義的歸納參考了《毛詩正義》。

出自《大雅》〈蕩〉，彼箋謂伊尹、伊陟、臣扈之屬。則詩人誡成王「宣昭義問」，鄭意豈非與此〈思齊〉文王時之「惠于宗公」如出一轍？（此外，孔氏本《尚書》〈太甲上〉云「惟嗣王不惠于阿衡」，謂太甲既立，不能惠於伊尹，伊尹放諸桐宮。）另一方面，下文箋所謂在宮、在廟之臣，或即呼應此什〈棫樸〉篇「左右趣之」箋以為助文王祭天、「左右奉璋」箋以為助文王祭宗廟之「髦士」，「髦士」亦並見於〈棫樸〉與此〈思齊〉。若然，此箋釋「宗公」為「大臣」，包括首章箋堅持以大任而非大姜為「京室之婦」，以及三章、卒章箋以「雝雝在宮」、「肅肅在廟」為統領的特殊結構，雖在〈思齊〉本篇的小結構中缺乏依據，卻照應了〈文王之什〉一、二、三、四篇的經義，在詩篇之外隱然存在更大的結構，而文王受命、武王克殷等經學命題，也隱然寓於〈文王之什〉的篇第結構當中。[37]

〈思齊〉次章除「宗公」之義毛、鄭迥異外，「刑于寡妻，至于兄弟，以御于家邦」三句中，傳、箋釋「寡妻」和「御」字也有所不同。寡妻，傳曰「嫡妻也」，箋云「寡有之妻，言賢也」。無論嫡妻還是賢妻，所指都是大姒，對詩義來說，幾無差別。鄭玄為何要改易毛傳呢？箋又引《尚書》「乃寡兄勖」，是鄭玄以《尚書》〈康誥〉之寡兄只得釋為賢兄，不得釋為嫡，以證寡妻應為賢妻。這應該是鄭玄改易毛傳的主要理由。不論寡妻原本是否真是賢妻的意思，比起清代馬瑞辰、陳奐等學者對寡字古義的探討，鄭玄只援引了一處《尚書》的用例，未免顯得「粗糙」。

又，鄭玄〈周南召南譜〉云：

> 初，古公亶父聿來胥宇，爰及姜女，其後大任思媚周姜，太姒嗣徽音。歷世有賢妃之助，以致其治。文王刑于寡妻，至于兄弟，以御于家邦。是故二國之詩以后妃、夫人之德為首。

《譜》引「刑于寡妻」等句，以說明〈二南〉詠后妃、夫人的理由，是鄭重視大姒之德。此詩鄭訓寡妻為賢妻，其意也在凸顯大姒之德，且「刑于寡妻」句似隱隱與首章「大姒嗣徽音」句呼應。這可能也是鄭玄在此改易毛傳的一個理由。

「御」字，傳訓為迎，是讀「御」為「迓」；箋訓為治，引《書》「越乃御事」。迎與治都是御字的常見語義。《召南》〈鵲巢〉「百兩御之」及《小雅》〈甫田〉「以御田祖」，鄭玄亦訓御為迎。此詩改易毛傳訓為治，蓋以為訓迎則不通。《正義》引王肅釋「以御于家邦」云「以迎治天下之國家」，蓋王肅亦認為毛傳訓迎不通，只好折衷毛、鄭。馬瑞辰、胡承珙以為迎之義為進，則毛意為由刑寡妻至兄弟，以進及於家邦。

鄭玄所引「越乃御事」為《尚書》〈大誥〉文，[38]《禮記》〈曲禮〉鄭注亦引，彼文

---

37 此當另外撰文探討。

38 《尚書》今作「越爾御事」。

解御為主，與此詩訓作治相近。《毛詩》鄭箋中常常援引《周易》、《尚書》、《周禮》、《禮記》、《左傳》、《論語》等書，或用其經義與《詩》參證，或用其文義作為訓詁的例證。箋文援據群經經義處頗多，此詩三章箋便暗用《易》，卒章箋暗用《孝經》，以發明詩義。援據經書文義者，又如《大雅》〈民勞〉「以謹醜厲」，傳曰「厲，危也」，箋云「厲，惡也。《春秋左氏》曰：『其父為厲』」，[39]是據《左傳》文義作為〈民勞〉箋訓厲為惡的依據，與此處對「寡妻」和「御」字的處理相似。可見鄭玄並非全然不顧詞例。但與清代小學家重視因形說義、因聲求義等訓詁方法，以及廣泛稽考上古文獻以歸納通例有所不同，鄭玄主要是在群經中尋求詞例，主要關注範圍是經典（鄭玄的經書範圍與後世所謂《十三經》不盡相同），其詞例的運用也受到經義的限制，故其訓詁不如清人精審通達，理固宜然。

四　毛之三章、四章、卒章

下文毛、鄭章句不同。據前引鄭玄《六藝論》的說法，最初為《毛詩》辨析章句的正是毛公，因而《毛詩》〈思齊〉原本分章便是五章，鄭玄不從，合為四章。雖然《毛詩正義》完全照鄭玄的分章處理，但後來的學者多采納了《毛詩》原來的章句。

從對文形式來講，毛之章句更整齊，符合《毛詩》章句的通例。毛之三章下二句「不顯亦臨，無射亦保」與四章下二句「不聞亦式，不諫亦入」對文，四章上二句「肆戎疾不殄，烈假不瑕」與卒章上二句「肆成人有德，小子有造」二句對文，正是《詩經》文句的一貫風格。[40]按照鄭玄的章句結構，三章下四句與卒章上四句句式相對、文義相成，對文不在各章的同一位置，而是錯開二句，這樣的格式在《詩經》中鮮有其他用例。[41]

毛傳釋為「故今」的兩「肆」字，語意承上啟下，在《毛詩》中其餘兩處用例（《大雅》〈緜〉「肆不殄厥慍」、〈抑〉「肆皇天弗尚」）均在章首，似乎意為故今的肆字居於章首成了《詩經》的通例。有學者依據肆字在章首的用例，認為毛之分章比鄭退肆字句於章內為優。然而〈大明〉末二句「肆伐大商，會朝清明」，箋改易毛傳，亦訓肆為故今，承上啟下的肆字句已不在章首，非獨〈思齊〉如此，是鄭玄本來就不承認存在這樣的通例。

---

39 《毛詩》版本「春秋左氏」或作「春秋傳」。今《左傳》「其父」作「爾父」。

40 這種對文形式又見於《召南》〈何彼襛矣〉，《小雅》〈湛露〉末三章，〈白華〉末三章，〈何草不黃〉，《大雅》〈桑柔〉十一、十二、十三章等。

41 惟《召南》〈野有死麕〉首章「野有死麕，白茅包之。有女懷春，吉士誘之」上三句與次章「林有樸樕，野有死鹿，白茅純束。有女如玉」下三句對文，是錯後一句相對。未見有四句對文而采用錯句相對的用例。

再從用韻的角度看，據今天的上古音研究，[42]由於「肆戎疾不殄，烈假不瑕」整句無韻（在《詩經》中非常罕見），[43]此詩並不存在完全符合已知的用韻規範的分章方式。毛之分章的唯一用韻問題就是這裡無韻，但若連下二句認為是三句起韻（疏韻），也講得通。按鄭之分章，「烈假不瑕」句在三章章末，只能認為無韻；卒章前兩句「式」（職部）、「入」（緝部），不能與下四句韻腳「造」、「士」（幽之合韻）押韻，又是無韻。總體說來，毛之分章更好，較符合今天對上古音的認識。(〈思齊〉如此，毛、鄭章句不同的〈關雎〉和〈行葦〉兩篇，情況不盡相同，不能一概認為鄭之分章不合韻。〈關雎〉是毛的分章合乎韻式規範，鄭之次章未換韻，但在《詩經》中也能找到韻例；〈行葦〉篇則是鄭合乎規範，毛之次章無韻。)

由對文行式和用韻兩方面看來，《毛詩》〈思齊〉篇原本的分章更符合《詩經》語言的一般規律。鄭玄何以一定要改易本來合理的分章，下面按毛、鄭各自的意思梳理各章的涵義，以探討鄭玄分章的依據和特點。毛傳從略之處，筆者按毛之章句結構推測傳意，並援據他篇毛傳為說。仍有不足，則參考諸說中較為平易的解釋，姑且視作傳意的補充，以便下文與鄭箋比較。

先看毛之三章。「雝雝在宮，肅肅在廟」，傳曰：「雝雝，和也。肅肅，敬也。」宮，學者一般認為是家室之宮。陳奐認為宮亦宗廟，今不取。二句主語應順承上章為文王，蓋言文王居於家室，能以和待人，在宗廟祭祀，能以敬事神。

「不顯亦臨，無射亦保」，傳曰：「以顯臨之，保安無厭也。」不顯，〈文王〉「有周不顯」傳曰「不顯，顯也，顯，光也」。又，「凡周之士，不顯亦世」傳曰「不世顯德乎？士者世祿也」，《周頌》〈執競〉「不顯成康」傳曰「不顯乎其成大功而安之也」，知毛以不顯為反問語氣，不顯即言顯，顯之意為光明。傳意並非如後來學者所說，把不字視為無實義的語助，或讀不顯為丕顯。

亦，此傳及〈文王〉「不顯亦世」傳，均未涉及「也」的意思，則應視為無實義的語助詞，或連詞「而」。鄭玄及《正義》似不以亦字可作語助或連詞，每以也義解之。

無射，又見《周頌》〈清廟〉「不顯不承，無射於人斯」等，傳皆訓射為厭，即以射為斁，則此處之無射，與卒章「古之人無斁」之無斁同。[44]射、斁古通，例證極多，毛傳本無不妥，〈清廟〉傳、箋及《小雅》〈車舝〉「好爾無射」箋亦訓射為厭。然而此詩「無射」與「無斁」緣何未能統一為射字或斁字，毛傳所據《毛詩》文本是否有可能原作兩射字或兩斁字呢？鄭玄注經，不會逕改經字，鄭箋既訓射為射才，知其所據本不容

---

42 本文對《詩經》韻部的分析全部採用王力《詩經韻讀》的研究。

43 據王力《詩經韻讀》，除《周頌》外，僅《豳風》〈鴟鴞〉、此詩、《大雅》〈常武〉、《召旻〉等少數及篇存在無韻的詩句。

44 無斁，又見於《周南》〈葛覃〉「服之無斁」，《周頌》〈振鷺〉「在此無斁」，《魯頌》〈泮水〉「徒御無斁」。

作斁，鄭箋讀斁為擇，知其所據本不容作射。漢代《毛詩》文本似已如此。《釋文》「無默也」云「一本作保，安也。射，猒也」，[45]《正義》引《定本》云「保，安。射，猒也」，是《釋文》一本及《定本》詩文亦作「無射亦保」，未見唐以前此詩有射作斁或斁作射的文本。又，卒章「古之人無斁，譽髦斯士」，傳僅云：「古之人無猒於有名譽之俊士。」無斁，《釋文》云：「毛音亦，猒也。鄭作擇。」又云：「一本此下更有『古之人無猒於有譽之俊士也』，此王肅語。」若信《釋文》王注羼入毛傳之論，則末二句下本無傳文，毛公對卒章無斁的理解是否會與三章無射有別呢？愚又謂不然。斁釋為厭（猒）為經典常訓，毛傳如有不同理解，似當著文說明；毛傳果若無文，亦當默認為厭義。《釋文》云「毛音亦，猒也」，或即此意。總之，從現有古本材料看來，沒有任何證據可以推翻〈思齊〉原本並存「無射」與「無斁」，應認為《毛詩》古本如此。

此二句之主語，應與下章「不聞亦式」二句同。彼傳曰「言性與天合也」，所指必為文王。則此二句主語亦為文王，臨之賓語，當為百姓。言文王豈不以光明之德臨民乎，是文王以光明之德臨視下民，永無厭倦地保安百姓。《正義》以下句言民安文王之德無厭倦，似以毛之亦字為也義，今不從。

此三章言文王居家以和，事神以敬。以顯臨民，保安無厭。

再看毛之四章。「肆戎疾不殄」，傳曰：「故今大疾害人者，不絕之而自絕也。」戎疾，傳云大疾害人者，理應理解為害人的大疾疫，疾作名詞。然而《正義》述毛云為「大為疾害人之行者」，[46]以疾為動詞，意為大大地疾害他人的行為，取義於鄭箋，不知是否為毛傳原意。本文姑且將傳意簡單地理解為前者。若然，比起鄭箋，毛傳在這裡提到大疾，不知所言何事，顯得有些突兀。也許所謂大疾與次章「神罔時怨」二句有關，言神所降凶禍。

「烈假不瑕」，傳曰：「烈，業。假，大也。」瑕，《邶風》〈泉水〉及〈二子乘舟〉均有「不瑕有害」句，傳訓瑕為遠，是以瑕通遐。《豳風》〈狼跋〉「德音不瑕」，傳又訓瑕為過。此處當訓為遠。此詩《釋文》云：「毛音遐，遠也。」不瑕，猶云豈不長遠乎，意即長遠。

「不聞亦式，不諫亦入」，傳曰：「言性與天合也。」亦應為語助或連詞「而」，已如前說。所謂性與天合，也就是生而知之。《正義》引王肅云「不聞道而自合於法，無諫者而自入於道也」，[47]句意與毛傳所說符合，但對式、入二字的解釋並不平易，不知是否與毛傳一致，姑取其大意。

此四章大意言故今大疾自絕，王業廣大而長遠。文王不待聞說、不待諫諍，生而知之。

---

45 陸德明：《經典釋文》卷7，頁4。下同，不復注。

46 《南宋刊單疏本毛詩正義》，頁312。

47 《南宋刊單疏本毛詩正義》，頁313。

最後看毛之卒章。「肆成人有德，小子有造」，傳曰：「造，為也。」《正義》引王肅云：「文王性與道合，故周之成人皆有成德；小子未成，皆有所造為，進於善也。」[48]當與毛意符合。

「古之人無斁，譽髦斯士」，傳曰「古之人無猒於有名譽之俊士」，《釋文》以為王肅語，然《正義》所據毛傳如此，姑且當作毛意。若然，則毛以譽髦斯士為無斁之賓語。髦士，即俊士，又見於《小雅》〈甫田〉、《大雅》〈棫樸〉，與上文有德之成人、有造之小子呼應。斯字更暗示了這一對應關係。古之人，箋謂聖王明君，學者多無異詞，[49]姑以為毛傳亦如此。《詩》言古人，往往借古說今，此處所指當是文王事。《正義》引王肅云「言文王性與古合」，[50]正是毛意。又，《正義》述毛，以為「古之人」二句是「成人有德，小子有造」的原因，今不取。毛既訓肆為故，其原因應在上文，「古之人」二句乃順承上二句為言。

此卒章言故今周之成人有德，小子亦可造就。聖王明君無厭於有名譽之俊士，今文王亦然。

逐章梳理毛意之後，反觀全詩，毛傳能指示各處文本之間的關聯，並貫徹詩序，是其優長。次章「惠于宗公」三句言敬神，「刑于寡妻」三句言治人。三章「在宮」句即治人，「在廟」句即敬神，「不顯亦臨」二句又是治人。若將宮理解為居室，則「在宮」句呼應次章「刑于寡妻」，「不顯」二句可呼應「兄弟」、「家邦」二句。四章「戎疾」句，若以疾為病疫，則又呼應次章「惠于宗公」三句及三章「在廟」句，「烈假」句亦回應上文。「不聞亦式」二句言文王生而有聖德，發明詩序之義尤佳。

毛傳在釋義上雖然較為合理，也揭示了文義的關聯，但在文義與結構的照應上，缺點也很明顯。毛傳所揭示出的文義關聯條理錯綜，而且主要存在於章與章之間。若從一章之內來看，尤其是在毛、鄭章句產生分歧的三章以下，聯繫卻很鬆散，不禁使人質疑毛之章句結構在文義層面的理據。按照《毛詩》慣例，肆字句本為承上啟下之用，既居章首，則應與下文聯繫更加密切。今毛之四章章首「肆戎疾不殄」二句，徒具承上之意，[51]卻看不出與緊接在下的「不聞亦式」二句有何關聯。惟卒章肆字句承上啟下，較為合理，但這跟毛的分章合理與否並無關係。愚以為，毛之分章並不切合其文義，倘若采用鄭玄的分章，以上問題將會迎刃而解。毛傳雖不乏妙解，但對整體文義的考慮和安排，卻不如鄭玄周詳。

---

48 《南宋刊單疏本毛詩正義》，頁314。

49 箋所謂聖王明君，乃指古人，借古以說文王。而朱《傳》逕斥古之人為文王。學者釋古之人，往往不外乎此鄭、朱二說。要之，皆指聖王明君。為便敘述，在此合為一說，不作區別。

50 《南宋刊單疏本毛詩正義》，頁314。

51 若以戎疾為大病疫，則「肆戎疾不殄」遙遙呼應次章上三句及上章次句，與上文的關聯並不明朗。若按箋文將疾理解為疾害他人的行為，則此肆字句與其所承的「不顯亦臨，無射亦保」二句便構成了因果聯繫。

至此，我們可以提出一個前人未曾發現的有趣觀點，毛公對〈思齊〉的分章徒具形式上的合理性，實際上與毛傳所要表達的文義方枘圓鑿，格格不入。鄭玄的分章雖然從形式上看起來比較特殊，竟適用於毛傳對詩義的理解。在詩文釋義與章句結構的匹配上，毛不如鄭。

五　鄭之三章、卒章

在新的章句格式下，鄭玄並不滿足於毛傳的理解，對三章以下作了全新的改變。其變化一在整體結構層次，一在語詞釋義，同時，經義的改變寓於二者之中。

泛泛地從詞義來看，〈思齊〉「雝雝在宮」以下的實詞大致可分為三類。一類是在《詩經》中含義確定，不容有其他異解的，主要有：雝雝、肅肅、廟、顯、**射**、殄、諫、德、**斁**、髦。一類比較生僻，在上古文獻中鮮有用例，如次章的**宗公**，主要有：戎**疾**、**烈假**。一類含義靈活，可以有多種解釋的可能性，主要有：**宮**、**臨**、**保**、**瑕**、**聞**、**式**、**入**。此外，可有不同理解的虛詞有：**不**、**亦**。[52]這裡列出的所有含義靈活的詞語，鄭玄的解釋都與毛傳不同，可見毛、鄭釋義差異之多。鄭玄在新的章句格式下，注入這些具體的釋義，使三章以下的結構層次，發生了翻天覆地的變化。

先分章敘述其釋義（與毛傳不同處用粗體表示，對應的詩文置於括號內），鄭之三章言：文王之**群臣**在**辟廱**（宮）者雝和，在宗廟者肅敬。文王在辟廱養老時，賢而**不**明者（不顯）**也**（亦）得**觀**禮（臨），於六藝中無**射才**者（射）**也**（亦）得**居**位（保）助養老。故今大為**疾害他人**者（疾）不絕之而自絕，為**厲惡病害**者（烈假）不止之而自**止**（瑕）。

鄭之卒章言：文王在宗廟時，仁而不**聞達**者（聞）**也**（亦）得**用**（式）以助祭，孝悌而不諫諍者**也**（亦）得**入**於廟（入）。故今大夫士（成人）有德，子弟（小子）有所造成。古之聖王明君使臣下口無**擇**言、身無**擇**行（斁），**故**令此士皆有名譽而俊乂，今文王亦然。

再分章觀察其結構條理。首「雝雝在宮，肅肅在廟」二句為綱，美文王群臣得禮之宜，在辟廱助養老者能雝雝然和，在宗廟中助祭者能肅肅然敬。在宮之臣所以能夠雝雝，在廟之臣所以能夠肅肅，皆因文王之善政教化，下文按在宮、在廟兩方面分別敘述。其下二句言文王在辟廱之宮時，不顯之人亦得臨，無射才者亦得居。是文王養善，使之積小以致高大，故在宮之臣皆能雝雝。末二句言文王在辟廱之德如此，王化之深，故今為戎疾、厲假者自絕、自止。

卒章首二句又言在廟，文王在宗廟時，不聞之人亦得用，不諫之人亦得入。是文王

---

52 其中亦字有些特殊，對毛來說，亦字可有不同的解釋，鄭玄似乎認為亦字只能解為也的意思。

使人不求備，樂其成長，故在廟之臣能肅肅。其下二句言文王在宗廟其德如此，故今成人有德，小子有造。末二句總結上文在宮、在廟二事，[53]言文王以身化人，故能有雝雝、肅肅之群臣。

鄭玄三章、卒章的整體結構，乃以「雝雝在宮」統三章下四句為一層，「肅肅在廟」統卒章上四句為一層，末二句「古之人無斁，譽髦斯士」作結。兩層均以兩組「不（無）某亦某」的格式並列，最後以「肆」字句呈現結果。其層次之清晰，條理之順暢，令人嘆為觀止。箋意雖然妙絕，然以「合理性」的標準來衡量，卻過於奇特，每遭後來學者詬病。鄭玄為何要作如此「過度」的處理，難道僅僅是為了追求結構層次的整齊而不顧文本的限度嗎？筆者認為鄭玄絕非好異炫奇之士，此箋應有不得不如此的理由。由於牽涉因素太多，鄭玄的意圖勢必難以考實，更不可能還原，在此試從結構、釋義與經義三個角度略陳鄙見，以俟博雅君子。

從結構來看，鄭箋最顯著的特點是以在宮、在廟者為相助文王的群臣髦士；從釋義來看，最奇特之處是以宮為辟廱；同時，臣與辟廱二者，恰恰承載了鄭玄想要申明的經義。

先觀察其結構。毛以在宮、在廟者為文王，髦士為俊士，鄭箋何必一一改作臣，[54]連「成人」亦解為「大夫士」之臣。筆者猜測鄭玄依據詩序的提示，以文王受命、武王克殷統攝〈文王之什〉，使十篇為一體，具體的篇義應置於一什中理解，且詩篇之間存在密切的關聯。其中第四篇〈棫樸〉，鄭玄以為文王祭天、祭宗廟時，左右諸臣助祭，並以「髦士」為助文王祭宗廟之「卿士」，宛如此第六篇〈思齊〉，鄭玄以文王禮於辟廱、祭於宗廟時，群臣「髦士」佐禮助祭。

同時，文王列在諸侯，何得行天子之禮，鄭於〈棫樸〉箋謂其祭皇天上帝，於〈思齊〉箋謂其有辟廱之宮。鄭雖未明言，可以猜測其事或與文王受命、稱王有關。可以說明問題的是，《周頌》〈維清〉「肇禋」箋云：「文王受命，始祭天而征伐也。周禮以禋祀祀昊天上帝。」[55]而〈思齊〉以後第七篇〈皇矣〉即有文王伐崇之役。又，第八篇〈靈臺〉有「於樂辟廱」句，[56]是文王之辟廱，序之箋云：「文王受命而作邑于豐，立靈臺。」第十篇〈文王有聲〉云「文王受命，有此武功。既伐于崇，作邑于豐」，又云「鎬京辟廱」，是武王之辟廱。由這些關聯，庶幾可以窺知鄭玄何以在〈棫樸〉中改易毛傳，以「薪之槱之」為祭天所用，以「左右奉璋」為奉璋瓚助祭。諸臣以璋瓚助祭，

53 鄭未明言，這裡取《正義》之說。

54 玩味箋意，是以髦士為「臣下」。

55 《毛詩》卷19，頁2。

56 漢石經《魯詩》殘碑篇次為〈旱麓〉、〈靈臺〉、〈思齊〉、〈皇矣〉（見馬衡：《漢石經集存》第100號，臺北市：藝文印書館，1976年），〈靈臺〉在〈思齊〉之前。從〈靈臺〉序箋等處來看，鄭玄應不認同《魯詩》這一篇次。

既與彼詩上文助祭天之義相應，又待此〈思齊〉「在廟」之文而始成。今〈思齊〉箋特以「宮」為天子之辟廱，雖在此詩中顯得突兀，置諸〈文王之什〉，近則與〈棫樸〉祭天之義相承，遠則與〈靈臺〉、〈文王有聲〉之辟廱相應。總之，若能認識到鄭於詩篇之外有更宏大的結構和經義，則一篇之內的小結構和局部經義，可以獲得更深刻的理解。

至於鄭玄如何使三章、卒章的這一結構與此詩文本相適，下面我們主要通過鄭玄對「宮」、「無射」、「雝雝」、「斁」、「亦」、「不」等詞的釋義揣度其用意。首先，鄭釋「宮」字最為特異，「無射」、「雝雝」二詞與之相關。

「宮」，《爾雅》〈釋宮〉云：「宮之謂室，室謂之宮。」若無特別提示，一般理解為居室。此詩之宮，學者多解為文王之家宮。箋以為辟廱，從今日所見經說中觀之，除《正義》外幾乎無人苟同。鄭玄為什麼提出如此特殊的解釋，我們已在〈文王之什〉的結構中推測其必要性，這裡再從經義的角度推測鄭玄的考慮。[57]

鄭玄是《三禮》大家，在《詩》箋中常常援引《禮》義。在《禮》書中，宮一般理解為寢或廟。對於《詩經》中的宮字，除去不可能解為廟的幾處，鄭玄都傾向於理解為宗廟，以引入《禮》義。〈魯頌・閟宮〉之宮及〈大雅・雲漢〉「自郊徂宮」，本具宗廟之義，自不待言，又如《召南》〈采蘩〉「公侯之宮」傳箋均據序義以為廟；〈鄘風・定之方中〉「作于楚宮」，傳以為宮室，箋以為宗廟；甚至在〈大雅・抑〉「相在爾室」，箋亦以室為宗廟之室。然下句已是廟，便再考慮其他與《禮》義有關的宮。

〈魯頌・泮水〉中魯侯之「泮宮」，據《禮記》〈王制〉「大學在郊，天子曰辟廱，諸侯曰頖宮」，[58]是諸侯言宮，可為頖宮，天子之辟廱，未嘗不可稱宮。〈泮水〉箋云「天子諸侯宮異制，因形然」，[59]知鄭玄以天子辟廱可稱宮。則此〈思齊〉之宮，與廟對言，未嘗不可以為文王之辟廱。

對於辟廱之制，經學家有很多爭論，在此僅簡單介紹鄭玄的學說。據〈靈臺〉疏引《駮五經異義》，鄭玄援據〈王制〉，謂「太學即辟廱也」，[60]是鄭以辟廱即大學。《儀禮》〈鄉射禮〉鄭注云「大射於大學」，[61]是鄭以辟廱為射宮。經典多謂大學有養老之義，如《禮記》〈祭義〉以天子「食三老五更於大學」，[62]則辟廱可以養老。養老之前，

---

57 《說苑》〈建本〉云：「成人有得，小子有造，大學之教也。」若以大學為辟廱，則〈思齊〉箋釋宮為辟廱與之相似。其區別則在於箋以「成人有得，小子有造」為在「廟」中「不聞亦式，不諫亦入」之效，並非在「宮」之教，層次不同。結合前注《魯詩》殘碑〈靈臺〉（詩中出現辟廱）在〈思齊〉之前的情況，鄭雖不取，但三家詩似有將〈思齊〉之宮釋為辟廱的舊說，為鄭玄所參考。即便鄭玄大量參考舊說，本文仍然認為鄭玄的取捨背後有其意圖。

58 《禮記》卷4，來青閣影印宋余氏萬卷堂本，頁5－6。

59 《毛詩》卷20，頁4。

60 《南宋刊單疏本毛詩正義》，頁323。

61 《儀禮》卷5，《四部叢刊初編》本，頁38。

62 《禮記》卷14，頁15。

要先行射禮，亦多見於經典，觀〈大雅・行葦〉即有此義，彼箋云：「周之先王將養老，先與群臣行射禮，以擇其可與者以為賓。」[63]綜上可知，辟廱可行養老之禮，養老以前，先與群臣行射禮，以選賢助養老，這是鄭學所謂辟廱。此辟廱之義正適用於此詩。

「無射和「雝雝」兩詞，更為鄭玄把宮當作辟廱提供了可能。射字恰好匹配辟廱中的射禮，若無射可以解為無射才，文義可通，唯一的麻煩在於缺乏用例。不僅《詩》中其餘兩處無射只能是無斁的意思，在其他經典中，無射也只有無斁和音律方面的含義，沒有將射字解為射義的用例。不過對於鄭玄來說，經義比用例更重要。

「雝雝」，和也，在經典中雍、雝、廱常通用。據《禮記》〈少儀〉，「祭祀之美，齊齊皇皇」，「鸞和之美，肅肅雍雍」（鄭注「美皆為儀字之誤也」），[64]肅肅、雝雝雖非專指祭祀，但是在《詩經》中，除〈何彼襛矣〉中「曷不肅雝」乃是就「王姬之車」而言外，〈清廟〉之「肅雝顯相」，〈雝〉之「有來雝雝，至止肅肅」，均指祭祀之事。此〈思齊〉之「雝雝在宮，肅肅在廟」，若謂雝雝指在室而言，似嫌隆重。同時，雝雝一詞本身也與辟廱之涵義匹配。前引〈王制〉「天子曰辟廱」，鄭注：「辟，明也。雍，和也。所以明和天下。」《韓詩說》亦云：「言辟廱者，取其廱和也。」[65]是以辟廱取義於和，正與雝雝的意思一致。對鄭玄來說，以雝雝來指辟廱之事，本來就是順理成章的。

鄭玄釋宮為辟廱，是〈思齊〉箋的釋義與毛傳最顯著的不同，也是遭受最多非議之處。學者一般會認為，即便辟廱可以簡稱為宮，但要將宮解為辟廱，必須有上下文的依據。上下文中，雝雝和廟的提示畢竟比較模糊，唯一顯明的依據便是無射。鄭玄將射理解為射藝，並無用例支持，也飽受學者詬病。不論將宮解為辟廱，對經義有何發明，在學者看來，既然沒有文本提示，沒有用例，再驚人的解釋都不過是穿鑿傅會。而從鄭玄的角度來看，以宮為辟廱，其理據已經較為充足，甚至必得如此釋義，才能理順〈思齊〉及前後數篇的經義。

「宮」為辟廱之義既立，則三章首二句群臣在辟廱、在宗廟助文王的統領結構已然形成。其次，鄭玄對「斁」字的釋義，更凸顯了卒章末二句文王以身化人的總結結構。

「斁」，鄭箋引《孝經》「口無擇言，身無擇行」，不少學者贊同箋義，但對於此處《毛詩》及傳文本來的文本有很多質疑，[66]或以《毛詩》本作擇、此處傳文為王肅語。今不取，仍據通行版本為說。箋引《孝經》句出自〈卿大夫章〉，上文是「非先王之法言不敢道，非先王之德行不敢行，是故非法不言，非道不行」，《孝經》「孔傳」、「鄭注」、明皇御注皆據上文之意解擇言、擇行，大意是卿大夫效法先王之言行。此箋云：「古之人謂聖王明君也。口無擇言，身無擇行，以身化其臣下。故令此士皆有名譽於天

63 《毛詩》卷17，頁6。

64 《禮記》卷10，頁14。

65 見〈靈臺〉疏引許慎《五經異義》。

66 參見阮元《校勘記》、陳喬樅《毛詩鄭箋改字說》等。

下，成其俊乂之美也。」若盡量按《孝經》義來理解箋文，鄭意「無擇」似並非「古之人」的謂語，而是「古之人」使卿大夫「無斁」，強調聖王明君以身化其臣下，成就「譽髦斯士」；聖如文王，亦以身化人，始能成就雝雝、肅肅之群臣。鄭解斁為擇，化用《孝經》，連接君臣，是使末二句成為作結結構的點睛之筆。

鄭改易毛傳「宮」、「斁」之訓，使三章、卒章首尾粗具框架，最後，虛詞「不」、「亦」、「肆」，則使得在宮、在廟兩個層次具體展開。[67]在此主要介紹「亦」、「不」二字，兼及「烈假不瑕」。

「亦」，此詩出現四次，毛傳以為語助或「而」，不具實義。但鄭玄竟似不知道亦字有這樣的含義，在各篇之中每釋為「也」，有時不免使文意迂曲複雜（其做法正如將句首「思」字作實詞解釋，不視為發語詞）。若解為「也」，則可以作為文句結構關係的重要提示。鄭對「不顯」、「無射」、「不聞」、「不諫」的釋義，正完美地搭配了亦字「也」的含義。

「不」，鄭以為否定副詞。在〈雅〉、〈頌〉中的很多不字，毛傳和鄭箋都用反問的邏輯來解釋。如〈小雅．車攻〉「徒御不驚，大庖不盈」，傳曰「不驚，驚也；不盈，盈也」，箋云「反其言美之也」。「無」字也有類似用法，如「無競」，見於〈大雅．抑〉、〈桑柔〉、〈周頌．烈文〉、〈無競〉、〈武〉。毛解此詩中結構相對的不顯、無射、不聞、不諫，不顯，用反問之意，即顯，乃經典常訓；[68]無射、不聞、不諫，用否定之意。毛傳對於不殄和不瑕，不殄謂「不絕之而自絕」，比較特殊，可以認為是殄；不瑕，當謂豈不長遠，用反問之意，即瑕。而鄭箋不顯、無射、不聞、不諫全部表否定，與四「亦」字搭配，鄰句相對，兩章相應，層次分明。鄭重新解釋了「烈假不瑕」（見下），不瑕的意思成了「不已之而自已」，與不殄一致，且與卒章另一「肆」字句結構相對，文意反正相成，均是文王之化。其結構之分明，邏輯之一貫，遠非毛傳可比。不過，此箋對不顯和無射的解釋缺乏用例支持，連鄭玄自己都承認《詩經》中其餘十一處不顯（如〈文王〉「凡周之士，不顯亦世」），都是顯的意思，這裡取義不同，應是出於結構上的考慮。

「烈假不瑕」，箋云：「厲、假，皆病也。瑕，已也。」烈假一詞冷僻，《魯詩》殘碑作「廬𦊱」，可見三家詩說異於毛，或為鄭箋所參考。縱然如此，筆者認為三家詩說並非鄭玄改易毛傳的根本理由，鄭玄一定有自己的意圖。此處訓烈假為病，以及取《爾雅》〈釋詁〉「瑕，已」之訓，主要是出於結構上的考慮，而不是追求訓詁的通達。同樣，「臨」、「保」、「聞」、「式」、「入」等含義靈活的語詞，闡釋的空間較大，鄭玄皆選擇了迥異於毛傳的釋義，可能也是為了與其結構相適。

---

67 喬秀岩先生說：「清人先確認實詞詞義，據以調整對經文結構及虛詞的解釋」，而「鄭玄先確認經文上下結構以及顯示經文結構的虛詞，據以調整實詞詞義」（〈鄭學第一原理〉），對本文極具啟發。

68 現在一般認為不顯即是丕顯，但毛確實將不顯理解為反問，並不認為可以作丕或語助。

在從結構與釋義兩方面檢討鄭箋之後，我們可以考察鄭玄對經義作了哪些調整。毛傳從正面稱頌文王雝雝、肅肅之行，並以「不聞亦式，不諫亦入」謂文王性與天合，其義切合詩序及經典之義。鄭玄對文王的稱頌則非常具體，敘述文王通過辟廱和宗廟之事，使人不求備，以身化人，成就臣下之雝雝、肅肅。其中，對於辟廱的強調，似暗示了文王受命、稱王之義，並與前後數篇所涉及的祭天、辟廱相成。對臣下的強調，近則與〈棫樸〉篇左右之臣助文王祭天、祭宗廟相成，彼序云「文王能官人也」；遠紹〈大雅〉首篇〈文王〉一再強調的「多士」，謂其「維周之楨」，又謂「濟濟多士，文王以寧」，並誡成王無忘文王進用臣下之法；又遙遙呼應〈小雅〉首篇〈鹿鳴〉「人之好我，示我周行」，鄭箋改易毛傳，謂人君（文王）維賢是用。蓋臣下對文王之重要，不下於次章的賢妻與兄弟，故特言之。

而〈思齊〉箋著墨最多的恰恰是文王通過在宮、在廟之事對人德行的培養，以成就雝雝、肅肅之臣。對於文王之養善，鄭玄認為可以比附〈升卦〉象辭「積小以高大」之義。這種培養不是刻意的，是文王之化。文王之化不僅令人有德、有造，還可令戎疾、厲假止絕。文王之化也是在《毛詩》開首的〈二南〉中最重要的經義，甚至在紂的惡政下，也能維持天下的正道。

據此，筆者認為鄭箋在三章以下所申明的經義，不僅與《詩經》中跟文王有關的很多詩篇存在關聯，也從文王之化和群臣成德兩方面，凸顯文王的聖治。再結合首章言文王之母大賢，次章言文王順於大臣、刑於賢妻兄弟、治于家邦，全詩乃從「人」的層面，方方面面地贊頌文王「聖德」之偉大。若將此詩放在〈文王之什〉的結構中，正可與其餘諸篇文武受命、文王之父祖、文王之武功等主題相輔相成，使此篇卓然自立。此雖然看似與詩序「文王所以聖」並不切和，「聖」乃天性，而次章以下都是文王後天的行為，這是古今解《毛詩》者同樣面對的難題，並非鄭玄一人的不足。《正義》以為首章言「文王所以聖」，次章以下「是其聖之事」，不失為一種解釋。同時筆者認為，詩序也不必賅括全詩各章之主旨。

值得玩味的是，鄭玄苦心營造的經義，後人覺得鄭玄從辟廱助禮、宗廟助祭培養人才說文王之聖德，在經義上並不高明。比如對於「不顯亦臨，無射亦保」箋說，歐陽修謂「禮本欲化人，雖狂愚之人皆得觀」，又何足道哉，譏鄭箋「不足彰文王之聖」。[69]愚以為這一問題必得在漢、宋經學的不同語境中，才能理解。宋人重視的經義已與漢代經學家不同。如果一定要作粗疏的界分，淺見以為宋人更重視義理層面的經義，而漢人所謂經義，尤其是鄭玄看重的經義，依托於經書文本，更偏重經學概念和經學理論問題。

69 歐陽修：《詩本義》卷10，《通志堂經解》本，頁6。

六　結語

〈思齊〉三章以下，毛傳對文本的釋義平實，卻不能與其結構相適。鄭玄全盤改易毛傳，似乎並不存在某一決定性的理由，而是從經義、結構、文本三方面綜合考慮的結果。〈思齊〉全篇的毛傳異同，也應從這三方面認識。如首章鄭箋使大任居於核心的結構，在經義上最大限度地貫徹了詩序，也呼應了〈大明〉經義，在文本上符合大任居於篇首的格式，而具體文本釋義則比較奇特。毛傳對詩序的貫徹不如鄭玄充分，也不注重融匯其他詩篇乃至群經的經義，結構也似較為粗糙，而文本釋義則相對平實合理。

鄭玄解《詩》的原則，也應從文本、結構、經義三方面來綜合認識。由於《詩經》的特殊性，文本必須處於詩序經義的約束之下。在這三者當中，鄭玄的文本釋義雖然一再「屈從」於經義（京）和結構，屢屢觸犯文本的「合理性」，但鄭玄也會敏銳地發現文本對結構的提示（大任居首，則，不、亦、肆的結構）。當然文本更是經義的載體，經義不能脫離文本。

鄭玄對結構的把握有其獨到之處。他在文本結構內部，還可細分出層次。結構誠然依托於文本，但文本有時可以提供不同的結構（首章），此時經義的引領似乎更為關鍵。（本文未出現的情況是，如果文本的表面結構成為經義的阻礙，鄭玄會優先考慮經義。）除了一篇內部的文本結構，《毛詩》更重要的是詩篇之間的次第和關聯。鄭玄《詩譜》便以篇類、篇第為基礎，以詩序為依據，構建《詩經》學體系。《詩譜》體系本身便是一種大的結構。在《詩經》學以外，鄭玄編注群經，或許還存在更宏大的結構。真可謂致廣大而盡精微。

對《毛詩》來說，經義首先是詩序，其次才是文本。鄭玄解《詩》的特色是，不僅考慮本篇的經義，還力圖照應其他詩篇之經義，乃至群經經義。更獨特的是，鄭玄關注的經義不僅存在於文本，還隱隱寓於篇第結構之中（〈文王之什〉）。

鄭玄解《詩》的原則，即在於如何處理經義、結構、文本三者之間的複雜關係。《詩經》文本本來便有較大闡釋空間，當三者間發生衝突時，詩文釋義是最容易塑造的，應優先考慮經義和結構。對於經義和結構的衝突，本文並未涉及。《毛詩》的經義首先是詩序，結構主要是篇第譜系，當經義和結構衝突時，情況往往是鄭玄要麼認為詩的篇第發生過錯亂，要麼認為詩序被毛公篡改了，很難判斷鄭玄認為二者誰更重要。而在詩篇之內，鄭玄對文本結構的重視似乎不如經義。如果一定要概括鄭玄解《詩》的原則，本文姑且認為，經義、結構、文本三者，相生相對，相輔相成。若有衝突，則以經義為上，結構次之，文本最下。關於鄭玄《詩經》學的結構譜系，還有待進一步討論。

然而今天我們閱讀鄭箋，如果不能意識到文本內和篇第間存在結構，便無法真正讀懂鄭箋所揭示的經義。喬秀岩先生認為鄭玄的結構取義比經學理論更值得重視，洵為卓識。[70]

原載於《中國經學》第十五輯（桂林市：廣西師範大學出版社，2015年3月），本文略有修改。

70 本文初稿完成後，承蒙北京大學李猛先生、吳國武先生、人民大學陳壁生先生、對外經濟貿易大學趙化先生、中山大學吳寧先生和唐鶴語同學指正，在此併致謝忱。

多元而非跌落
——由《世說新語》運用《詩經》論魏晉《詩》學之新變

林彥廷
東吳大學中國文學系兼任講師

提要

魏晉時期之經學異於兩漢，有其新變，而《世說新語》一書中對《詩》之運用，便反映此一變化。本文便利用《世說新語》中所記載之引《詩》、用《詩》為例，歸納其特色，得：「斷章取義之遺風」、「用之於調笑戲謔」、「用之於人物品鑒」、「對於《詩經》文學性之重視」諸特點，並以之為論魏晉期間《詩》學之新變。對於此種變化，學者咸以為乃《詩經》「走下神壇」之表徵，又或以經學之「解構」解讀之。然而，本文並不認同此種看法，故進而檢視《世說新語》中《詩經》之材料與《世說新語》之性質，並參考其他史料，以辨明魏晉經學與《詩》學並未解構。既明其非，乃思重新定位《世說新語》引《詩》特色，主張此為受到魏晉「個體自覺」、「多元學術與博學風氣之影響」所產生之新變。

關鍵詞：魏晉　《詩經》　詩學　《世說新語》

一　前言

皮錫瑞（1850-1908）曾曰：「經學盛於漢；漢亡而經學衰。桓、靈之間，黨禍兩見；志士仁人，多填牢戶，文人學士，亦扞文網，固已士氣頹喪，而儒風寂寥矣。」[1]馬宗霍（1897-1976）亦曰：「江左疆理殊隘，規模不宏，人尚清談，家藏釋典，故《宋書》、《南齊書》儒林無傳，《梁》、《陳》二書有之，其源流授受，亦莫若《魏書》、《北齊書》詳也。」[2]魏晉時期之經學，學者向以為衰弱不振。皮氏以為由於漢末世局紊亂，使儒風士氣衰頹，進而造成魏晉經學之衰微；馬氏則指出佛、道流行，士人祖尚玄虛，亦對該時期之經學造成影響。

然而，林登順對此有不同之看法。據其考察，魏晉南北朝時期之經學著作雖多散佚，然數量頗豐，且儒學更未曾喪失其主導地位。[3]既是如此，何以多數學者皆以為魏晉經學衰蔽？對此，可以馬宗霍對於魏晉經學之總結為線索，其文曰：「持較兩漢，得失誠未易評，然其自成為魏晉之學，則可斷言，蓋亦經學之一大變也。」[4]魏晉學術多元，思想開放，經學內有鄭玄（127-200）、王肅（西元195-256年）之爭，外受各家思想衝擊，樣貌非復漢代，過往魏晉經學衰微之既定印象，或亦肇因於此。皮錫瑞曰：「王弼、何晏祖尚玄虛，范寧常論其罪浮於桀、紂。王弼《易》注，空談名理，與漢儒樸實說經不似。」[5]所謂「與漢儒樸實說經不似」，正是此理。而實際歸納學者所提出魏晉經學衰微之因，亦可得到類似結果：如李威熊提出了「玄談風尚的直接影響」、「唯美文風的負面作用」[6]，林葉連亦提出「清談與玄學盛行」、「唯美文風之負面作用」[7]兩點；換言之，魏晉經學因受玄談、唯美文風影響而產生變化，因此被視作衰微。唯學術之變遷，本為其持續發展之現象，若以衰頹視之，或許仍待商榷。

魏晉《詩》學亦同，不能自外於經學而獨立發展，故亦有其新變。然該時期社會動盪，戰亂頻仍，書籍亡失過半，當時《詩經》著作，今多不傳，除可由清人之輯佚書中略知梗概，於《世說新語》（以下略稱《世說》）一書中，亦可稍窺其貌。蓋《世說》一書，用《詩》屢見，或逕稱詩名，或引用其句，或化用其意；據林耀潾之統計，全書計有四十四處。[8]通過《世說》中用《詩》之記載，或可以瞭解當時《詩》學變化之一

1　〔清〕皮錫瑞：《經學歷史》（臺北市：藝文印書館，2004年），頁145。

2　馬宗霍：《中國經學史》（臺北市：臺灣商務印書館，2006年），頁43。

3　林登順：《魏晉南北朝儒學流變之省察》（臺北市：文津出版社，1996年），頁162-256；421。

4　馬宗霍：《中國經學史》，頁68。

5　〔清〕皮錫瑞：《經學歷史》，頁171。

6　李威熊：《中國經學發展史論》（臺北市：文史哲出版社，1988年），上冊，頁201-204。

7　林葉連：《中國歷代詩經學》（臺北市：臺灣學生書局，1993年），頁145-151。

8　林耀潾：〈魏晉南北朝《詩經》接受論——以普通讀者為中心〉，《興大中文學報》第30期（2011年12月），頁67-74。

面。此雖已有諸多學者討論[9]，且諸家學者皆以其所呈現之《詩》學變化為魏晉《詩經》地位驟跌之表徵。然而，《世說》之用《詩》可否概括魏晉《詩》學？是否可據以為魏晉《詩經》跌落？此皆有可商榷處，故本文先歸納《世說》用《詩》記載所呈現之特點，並假其他史料，討論魏晉《詩經》是否由聖入凡，進而重新定位《世說》用《詩》之諸現象。

二 《世說》中用《詩》記載之特點

魏晉南北朝《詩》學之發展如何？多數《詩經》學史論述中，多討論鄭王之爭、南北學之異同及其經注之所宗主、義疏學之興、《詩經》博物學之起等問題。[10]然而，詳細之內容、觀念，由於當時《詩經》著作泰半佚失，無法窺其全貌；若不將眼光限制於經學論著之上，則他部之書籍亦能提供有關當時《詩》學之材料，如《世說》一書，其中便有多處用《詩》，多少透露魏晉時期《詩》學之新趨向。以下分別論述之：

（一）斷章取義之遺風

《詩經》之本質為文學，然後世漸有變化，劉毓慶、郭萬金以為：「但真正意義上的《詩》學，應該是從詩脫離樂的統治，以獨立的身份出現於社交活動——即從春秋賦詩、引詩開始的。」[11]賦詩、引詩[12]之風，使詩脫離樂而獨立，且亦因其「斷章取義」之特色，使詩自作者原意中解放。[13]杜預（西元222-284年）：

> 詩人之作，各以情言，君子論之，不以文害意，故《春秋》傳引詩，不皆與今說

---

9 如林耀潾：〈魏晉南北朝《詩經》接受論——以普通讀者為中心〉、張立兵：〈《詩》「經」的解構與文學的張揚——試論《世說新語》引《詩》的特點及其產生的原因〉、龍向洋：〈從『聖』到『凡』的跌落——魏晉南北朝《詩經》的文學接受〉、潘秀玲：〈《世說新語》中的《詩經》〉等文，皆有所論及。

10 見林葉連：《中國歷代詩經學》、夏傳才：《詩經研究史概要》（臺北市：萬卷樓圖書公司，1993年）、洪湛侯：《詩經學史》（北京市：中華書局，2005年）等。

11 劉毓慶、郭萬金：《從文學到經學——先秦兩漢詩經學史論》（上海市：華東師範大學出版社，2009年），頁2。

12 賦詩、引詩又可合稱為「稱詩」。然二者之間亦有所區別。張素卿以為：「『賦詩』兼具歌詩、禮樂活動以及對話等三項特性……；至於『引詩』則既非歌詩，也談不上是一種獨特的禮樂活動，更不是全然以詩句作為溝通的媒介，正好和『賦詩』成一對比。」見張素卿：《左傳稱詩研究》（臺北市：臺大出版委員會，1991年），頁78-79。

13 張素卿曰：「不論賦詩、歌詩或者引詩，其共具的特色便是『斷章取義』。」見張素卿：《左傳稱詩研究》，頁240。

《詩》者同。[14]

則賦詩、引詩之舉，本就不強調詩之本義，而是因賦詩、引詩者之目的而另外有所取義。然而，「這樣的運用，以周文為基礎，在襄、昭之世臻於鼎盛，更與當時弭兵止戎的國際局勢息息相關。稱詩活動，既然以禮樂制度為基礎，又配合政局的發展，定、哀以後，由於周文疲弊，政局改觀，盛行一時的稱詩風尚，遂趨式微。」[15]而漢代之《詩》學則是在聖道王功之標準下，建立了一套以詮釋系統[16]，所以「斷章取義」這類隨事境、語境而變之說《詩》方式，自然也少見。

唯《世說》載魏晉時人用《詩》諸例中，仍可見許多斷章取義之例，如：

> 簡文作撫軍時，嘗與桓宣武俱入朝，更相讓在前。宣武不得已而先之，因曰：「伯也執殳，為王前驅。」簡文曰：「所謂『無小無大，從公于邁。』」[17]

此則記載中，晉簡文帝（西元320-372年）與桓溫（西元312-373年）同時上朝，行進時一番謙讓後，由桓溫在前而簡文帝在後。簡文帝任撫軍時，心懷篡逆之桓溫勢力正在坐大，而當時在謙讓後，桓溫不得已行於身為皇親，且當時尚為會稽王之簡文帝前，想必心下惴惴，故引《詩》以為開脫，而簡文帝亦以《詩》答之。桓溫所引為〈衛風．伯兮〉之句，《詩序》謂：「伯兮，刺時也。言君子行役，為王前驅，過時而不反焉。」[18]桓溫不取全詩「刺時」之義，單就「為王前驅」之句義，以為其不得已走在簡文帝前之窘迫狀況開脫；而簡文帝所引則〈魯頌〉〈泮水〉，亦僅取其字面義以答桓溫。

又〈賢媛〉曰：

> 郗嘉賓喪，婦兄弟欲迎妹還，終不肯歸。曰：「生縱不得與郗郎同室，死寧不同穴？」（頁699）

郗嘉賓（西元336-377年）喪，郗妻不肯應兄弟之要求回娘家，故以〈王風〉〈大車〉為

---

14 〔西晉〕杜預注，〔唐〕孔穎達疏：《春秋左傳正義》（臺北市：藝文印書館，1989年，《十三經注疏》影嘉慶阮氏南昌府學刊本），卷2，頁20下。

15 張素卿：《左傳稱詩研究》，頁257-258。

16 周春健曰：「這在很大程度上要歸因於春秋人對於《詩》還沒有形成如同漢代一樣將《詩》義附會統治思想的『詩教』觀念。」則漢代「《詩》教」之詮釋體系已然形成。見周春健：〈《左傳》引《詩》辨析〉，《經史散論：從現代到古典》（臺北市：萬卷樓圖書公司，2012年1月），頁66。

17 〔南朝宋〕劉義慶著，〔梁〕劉孝標注，余嘉錫箋疏：《世說新語箋疏》（臺北市：華正書局，1993年），頁116。本文所引《世說新語》、《箋疏》文字皆出自此。為求簡明，往後引用，但於引文後標明頁碼，不另作註。

18 〔西漢〕毛亨傳，〔東漢〕鄭玄箋，〔唐〕孔穎達正義：《毛詩正義》（臺北市：藝文印書館，1989年，《十三經注疏》影嘉慶阮氏南昌府學刊本），卷3之2，頁11下。本文所引《詩》、《毛傳》、《鄭箋》、《正義》等文字，皆出自此。為求簡明，往後引用，但於引文後標明卷、頁，不另作註。

典，以答兄弟。〈大車〉全詩旨在刺當時大夫不能聽男女之訟，造成淫奔之俗[19]，而郗妻之所言，則化用：「穀則異室，死則同穴。」（卷4之1，頁18下）《毛傳》曰：「生在於室則外內異，死則神合同為一也。」（卷4之1，頁18下）則郗妻不言全詩旨意，而僅取當句字面義以表達其無懼於寡居之寂寥，堅決等待身後與丈夫精神合一之決心。張素卿觀察春秋稱詩之斷章取義，認為此種現象正說明：「用的詩義是多義的，詩句隨著『事境』、『語境』的轉變而時出新意，各切其旨，因而其意義也是暫時的、隸屬於詮釋運用的境域。」[20]上文所舉兩例正是如此，其引詩或跳脫原有意旨，或僅就字面以言。要之，引詩者全憑對於《詩經》之熟稔，判斷當時之事境、語境，圓熟地由《詩經》已固定之成句中，拈取各種「新意」使用；與其將之視為對於詩義之誤讀、曲解，不如視之為對話、取證之方法。因此，每次稱詩都是都是為了當下之表述，而非詩義之詮釋。雖然由於時移世遷，春秋於多用於禮樂政事之稱詩，在魏晉時已多見於一般對話之中，但其重事境、語境之斷章取義特點，正是春秋遺風。

在《世說》中，這類斷章取義之例不算少，這種對於詩之理解方式，與漢代以來各家《詩經》訓釋不同，「不是把詩當作研究、論析的對象」[21]，而是取之應用。由此可見，魏晉時人對於《詩經》之態度，於一定程度上，展現擺脫漢代以來傳統經學訓釋之趨勢。

（二）用之於調笑嘲謔

孔子（西元前551-前479年）以降，《詩》之詮釋逐漸經學化[22]，《詩經》之地位日隆。董仲舒更建議漢武帝尊儒術，倡言「不在六藝之科、孔子之術者，皆絕其道，勿使并進」[23]，《詩經》既為六藝之科，復為孔子之術，地位自然極高，建元五年（西元前136年）所之設五經博士，正是地位之象徵。

《詩經》之地位既高，士人理當對之恭謹崇敬，惟稽之《世說》，《詩經》卻屢屢為人用為排調談笑之資，如：

---

19 《詩序》曰：「大車，刺周大夫也。禮義陵遲，男女淫奔，故陳古以刺今大夫不能聽男女之訟焉。」（卷4之1，頁16上）

20 張素卿：《左傳稱詩研究》，頁238。

21 張素卿：《左傳稱詩研究》，頁233。

22 洪湛侯：《詩經學史》謂：「從現存的古代文獻典籍考察，真正開始研究和評論《詩三百篇》的，孔子是我國歷史上的第一人，詩學研究的開山之祖……。自戰國末年《禮記》〈經解〉將《詩》列入為『經』，西漢武帝排斥百家、獨尊儒術以後，經孔子整理過的典籍成為儒家的經典，《詩》被列為『五經』之首，由樂歌、文學成為『經學』。從此凡是與《詩經》有關的重大問題，無不溯源於孔子。」則《詩》之經學化始於孔子明矣。見洪湛侯：《詩經學史》，上冊，頁66。

23 〔東漢〕班固撰，〔唐〕顏師古注：《新校本漢書並附編二種》（臺北市：鼎文書局，1979年），第3冊，頁2523。

王文度、范榮期俱為簡文所要，范年大而位小，王年小而位大，將前，更相推在前，既移久，王遂在范後。王因謂曰：「簸之揚之，糠秕在前。」范曰：「洮之汰之，沙礫在後。」（頁811）

王文度（西元330-375年）、范榮期（生卒年不詳）俱受簡文帝之邀，行進間二人相互推擠，最後范在前而王在後。因此王文度用〈小雅〉〈大東〉：「唯南有箕，不可以簸揚」（卷13之1，頁13下）之典，以簸揚米粟後而在前之糠秕，調侃在自己身前之范榮期；而范榮期亦以淅米之沙礫還擊，所謂：「米經洮汰，則沙礫留於最後也。」（頁812）此則故事中王文度、范榮期雖互相調侃、嘲笑，然尚稱溫和。同在〈排調〉篇中，則載有另外兩則更為辛辣之嘲謔：

袁羊嘗詣劉恢，恢在內眠未起。袁因作詩調之曰：「角枕粲文茵，錦衾爛長筵。」劉尚晉明帝女，主見詩，不平，曰：「袁羊，古之遺狂！」（頁806）

袁羊（生卒年不詳）之語，典出〈葛生〉：「角枕粲兮，錦衾爛兮。予美亡此，誰與獨旦」（卷6之2，頁12下）之句，其旨本是妻弔亡夫，《毛傳》曰：「齊則角枕錦衾。礼：夫不在，斂枕篋衾席，韣而藏之。」（卷6之2，頁12下）則角枕、錦衾，亡夫之遺物。袁羊用此典，或由於親詣劉恢（生卒年不詳），而恢寢未起，故以之譏劉恢為死人，諷其妻為寡婦，劉恢之妻乃甚感不平。又：

習鑿齒、孫興公未相識，同在桓公坐。桓語孫：「可與習參軍共語。」孫云：「『蠢爾蠻荊』，敢與『大邦為讎』？」習云：「『薄伐玁狁，至於太原』！」（頁809）

此則記載當中，習鑿齒（西元約284-383年）與孫綽（西元314-371年）互相引《詩》嘲笑對方之地望。孫綽所引為〈小雅〉〈采芑〉：「蠢爾蠻荊，大邦為讎。」（卷10之2，頁12下）《毛傳》曰：「蠻荊，荊州之蠻也。」（卷10之2，頁12下）由於習鑿齒為襄陽人，襄陽屬荊州，故孫綽引〈采芑〉以嘲習鑿齒為蠻荊，並以「大邦」自喻；至於習鑿齒，則引〈小雅〉〈六月〉：「薄伐玁狁，至于太原。」（卷10之2，頁7下）孔穎達（西元574-648年）疏曰：「薄伐玁狁，敵不敢當，遂追奔逐北，至於太原之地。」（卷10之2，頁7下）因為孫綽正為太原人，故習鑿齒喻己為出征之王師，而孫綽則是玁狁。

上文兩例，無論是諷人為死人、寡婦或是蠻荊、玁狁等蠻貘之邦，皆戲謔之至，《詩》為《六經》之一，這樣任由人隨手拈取，以為戲謔、嘲諷之資，皆為過往較難想像者。林耀潾對此現象有所解釋：

但魏晉人此種戲謔之習，亦令人稱奇，所最可奇者，它們雜引各書嘲謔，就是儒家經典也不放過，儒經在此時期可謂從聖壇上走了下來，變成日常生活戲謔的資料了。[24]

《詩經》究竟是否從「聖壇上走了下來」，此先略而不論。但當時士人自我意識之覺醒與勃發，卻無庸置疑。正是基於此種個性解放，因此魏晉時人能夠順著各人之性格，不拘束於過往傳統之經解，或取用《詩經》之成句，或化用《詩經》之典故作為調笑、戲謔之用，可見當時對於《詩經》之態度，較之漢代更為開放。

（三）用之於人物品鑒

漢代由於察舉制度之實行，品第人物變成為官員推薦賢良之一大課題，制度推行既久，人物品鑒之意識也逐漸成熟。發展至漢魏之間，人物品評已蔚為風尚，此風至晉世仍不絕。雖然，漢、晉人物品鑒之標準不同，「兩漢人物的風氣乃環繞德性而滋長，漢末至東晉的人物風氣則環繞才性而發展」[25]，其尚品鑒之風則一也。《世說》成於劉宋之世，其中便保留許多人物品鑒之資料，當然亦有利用《詩經》作為人物批評語者，如：

> 有問秀才：「吳舊姓何如？」答曰：「……嚴仲弼九皋之鳴鶴，空谷之白駒。」（頁431）

蔡洪（生卒年不詳）用來比喻嚴仲弼（生卒年不詳）之語，就是出自《詩經》。前句出於〈小雅〉〈鶴鳴〉：「鶴鳴於九皋，聲聞于野」（卷11之1，頁8下）、「鶴鳴於九皋，聲聞于天」（卷11之1，頁9下），以喻其名聲；後句則引〈小雅〉〈白駒〉：「皎皎白駒，在彼空谷。生芻一束，其人如玉」（卷11之1，頁13下）之句為喻，以言嚴仲弼德行如玉。又如〈容止〉中之記載：

> 王右軍見杜弘治，歎曰：「面如凝脂，眼如點漆，此神仙中人。」（頁620）
>
> 有人歎王恭形茂者，云：「濯濯如春月柳。」（頁626）

「面如凝脂」出於〈衛風〉〈碩人〉之「膚如凝脂」（卷3之2，頁16上），「濯濯如春月柳」者，則引〈大雅〉〈崧高〉：「鉤膺濯濯」（卷18之3，頁7上），取「濯濯」之光明義形容王恭（西元？-398年）。

《世說》中此類取《詩經》以評鑒人物並不多，但取經典文句以為賞譽之語，亦頗能反映當時對於《詩經》之理解與詮釋，非全部處於漢代建立起之經學架構中，而是受到時代風氣之影響。

---

24 林耀潾：〈魏晉南北朝《詩經》接受論——以普通讀者為中心〉，頁65。

25 張蓓蓓：《漢晉人物品鑒研究》（臺北市：花木蘭文化出版社，2010年），頁193。

（四）對《詩經》文學性之重視

魏晉時期乃文學自覺之時代。蓋先秦兩漢時期，文、史、哲之界線頗為模糊雖有「文學」此一詞彙，但其內涵實泛指學術而言。至曹魏時期，文學之地位逐漸獨立，如曹丕（西元187-226年）之《典論》〈論文〉，便提高文學之作用與價值，至可與道德事功相提並論。此外，亦開始出現許多將文學視作獨立領域討論之著作，如：劉勰（西元465-520年）之《文心雕龍》、鍾嶸（西元468-518年）之《詩品》、傅祇（西元245-312年）之《文章駁論》、摯虞（西元250-300年）之《文章流別論》、謝混（西元？-412年）之《文章流別本》等，又范曄（西元398-445年）《後漢書》另立〈文苑傳〉亦可視為當時文學自覺之現象。魏晉時代風氣如此，故《詩經》之文學性亦受關注，如《文心雕龍》〈誇飾〉篇曰：「是以言峻，則嵩高極天；論狹，則河不容舠。說多，則『子孫千億』；稱少，則『民靡孑遺』。……并意深褒贊，故意成矯飾，大聖所錄，以垂憲章。」[26]劉勰所討論者，為文學中之誇飾修辭，並引《詩》為證[27]，顯然開始注意其文學性。

《世說》中也出現了以文學之眼光賞鑒《詩經》之記載，其中典型者，便是〈文學〉篇中之所載：

> 謝公因弟子集聚，問《毛詩》何句最佳？遏稱曰：「昔我往矣，楊柳依依；今我來思，雨雪霏霏。」公曰：「訏謨定命，遠猷辰告。」謂此句篇有雅人深致。（頁235）

謝玄（西元343-388年）認為〈小雅〉〈采薇〉之「昔我往矣，楊柳依依；今我來思，雨雪霏霏」為《詩經》最佳。〈采薇〉一詩，本為戍役者之所歌，而謝玄所推崇之句，則為戍役者描寫其往途與歸途中所見之景。即昔日戍役而往時，楊柳依依然，而今得返，則雨雪之甚，短短數字，寓情於景，行役之苦、恍如隔世之感躍然。謝玄欣賞此情景交融之嘉句，顯然是以文學之目光判斷。又〈言語〉篇曰：

> 道壹道人好整飾音辭，從都下還東山，經吳中。已而會雪下，未甚寒。諸道人問在道所經。壹公曰：「風霜固所不論，乃先集其慘澹。郊邑正自飄瞥，林岫便已皓然。」（頁146）

竺道壹（生卒年不詳）返東山，途經吳中，其餘諸僧問其歸途景象，道壹之敘述文詞整

26 〔梁〕劉勰著，王利器校證：《文心雕龍校證》（臺北市：明文書局，1982年），頁231。

27 「嵩高極天」出自〈大雅〉〈崧高〉：「崧高維嶽，峻極於天。」「河不容舠」則見於〈衛風〉〈河廣〉：「誰謂河廣？曾不容刀。」「子孫千億」出於〈大雅〉〈假樂〉，「民靡孑遺」則見〈大雅〉〈雲漢〉：「周餘黎民，靡有孑遺。」（卷18之3，頁1下；卷3之3，頁11下；卷17之3，頁1下；卷18之2，頁16下）

飭，音節婉轉，極富詩意。其敘述亦襲《詩經》而來，即〈小雅〉〈頍弁〉「如彼雨雪，先集維霰」（卷14之2，頁12下）之句。今據《鄭箋》，此句義在「將大雨雪，始必微溫，雪自上下遇溫氣而摶謂之霰，久而寒勝，則大雪矣。喻幽王（西元？-前771年）之不親九族，亦有漸自微至甚，如先霰後大雪。」（卷14之2，頁12下-13上）竺道壹在此僅取其由微而盛之意，描述大自然由蕭索淒涼之景，轉眼雪花飛舞，最後山林間一片皚皚之景。竺道壹所以能夠化用《詩經》之意而推陳出新，亦由於其以文學角度欣賞《詩經》之故。

其實，《詩經》之原始性質本為詩歌總集，但先秦至漢代以來建構起之《詩經》詮釋是經學性而非文學性，故文學性長期遭忽略。然魏晉以降，文學走向自覺，士人乃以文學之眼光閱讀《詩經》，欣賞《詩經》，上引《世說》二例，皆為此現象之體現。

三　對於《詩經》地位跌落之檢討

《世說》中之用《詩》記載頗有其特色，歸納其因，不外是受到時代風氣之影響，如文學自覺及人物品評風氣等。凡此種種，皆可看出魏晉時理解、引用、詮釋《詩經》時，較能夠跳脫漢代以來之經學論述。準此，張立兵乃道：

> 魏晉人強烈的主體精神與反傳統的意識，使漢代以來被賦予太多教化意義和政治地位的《詩經》走下經典的神壇。魏晉人特別強調個性解放和個性自由。……。而對待先儒看作聖賢經典的《詩經》，魏晉人必然也會用平等的眼光。[28]

其觀點認為《世說》中之《詩經》材料，昭示「經」之解構。此外，亦有不少學者持類似之主張，如潘秀玲曰：「這也表明他們從文學欣賞的角度來讀《詩經》，《詩經》的性質、地位在時人心中，已發生不同前代的變化，可以說是從『聖』到『凡』的跌落。」[29]龍向洋則承襲了潘秀玲之見解，謂：「這一回歸洽是《詩經》接受史上一次全面的從『聖』到『凡』的跌落。」[30]此外，前文亦曾提及林耀潾主張此時期之《詩經》「聖壇上走了下來」。觀此，則「從聖到凡」、「走下神壇」是不少學者對此時期《詩經》學之看法。

由《世說》用《詩》觀之，魏晉之《詩》學誠然擺脫有漢一代以來經學論述之束縛，轉向重視自我個性、文學理解之方向。然《詩》之經學化由孔子開其端緒，至漢末

---

28 張立兵：〈《詩》「經」的解構與文學的張揚──試論《世說新語》引《詩》的特點及其產生的原因〉，《社會科學家》第124期（2007年3月），頁22。

29 潘秀玲：〈《世說新語》中的《詩經》〉，《中華技術學院學報》第30期（2004年6月），頁29。

30 龍向洋：〈從『聖』到『凡』的跌落──魏晉南北朝《詩經》的文學接受〉，《瓊州大學學報》2000年第4期，頁52。

已發展將近八百年，且以其影響中國士人之深，是否時入魏晉，《詩經》地位便驟跌，頗值得商榷。本節稍加檢討學者以《世說》之用《詩》論斷魏晉《詩經》跌落之說，大抵可得以下諸問題：

（一）文獻之過度或錯誤詮釋

首先，學者對於《世說》之用《詩》記載，屢有偏差之詮釋。如〈文學〉中，記載了鄭玄家奴婢之事，曰：

> 鄭玄家奴婢皆讀書。嘗使一婢，不稱旨，將撻之。方自陳說，玄怒，使人曳箸泥中。須臾，復有一婢來，問曰：「胡為乎泥中？」答曰：「薄言往愬，逢彼之怒。」（頁193）

此則記載中，鄭玄家奴婢分別引用〈邶風〉〈式微〉、〈邶風〉〈柏舟〉之詩句，以其字面意義，針對當下之情境對答，極為巧妙。對此，張立兵解釋曰：

> 「胡為乎泥中」出自〈邶風·式微〉。《世說》此處對「泥中」一詞是按字面意思來理解的，而《毛傳》作：「泥中，衛邑也。」《詩序》和《鄭箋》均以〈邶風·式微〉為黎侯寓寄于衛國不回，黎國之臣勸諫其君回國之詞，《毛傳》對「泥中」一詞的訓詁也是由《序》說而生發的推論和附會，……與此殊途，被稱作「以文學解詩」的南宋朱熹釋「泥中」為：「言有陷溺之難，而不見拯救也」，是從文本來理解「泥中」，進而指出其喻義；清方玉潤釋「泥中」曰：「猶言泥也。毛氏萇曰：『中露、泥中，衛邑也。』此或後人因經而附會其說耳，不可從。」而《世說》中用「泥中」的字面意義突破了毛、鄭訓釋字詞皆服從《序》說的窠臼，可以說是開後代正確理解的先河，也表現出注重文本的特色。[31]

張立兵分別援引毛、鄭一派以「泥中」為都邑者，以及朱熹（1130-1200）、方玉潤（1811-1883）一派注重文本者，並進一步認為鄭玄家婢對於「泥中」之理解，開朱熹等人正確理解之先河。此詮釋實有待商榷，蓋鄭玄家婢對於「胡為乎泥中？」之使用，乃先秦以來隨「事境」、「語境」變化之引詩「斷章取義」傳統，本就僅取其字面意義以與他婢對話，故此「泥水之中」意，僅存於對話當下；而朱熹、方玉潤之訓解其意本在解經。如此，則是將一意隨境轉之對話傳統，等同於意義相對固定之解經傳統，並不妥當。因此，此則記載應視作單一狀況為宜，畢竟鄭玄家婢對於「胡為乎泥中」之使用，

---

31 張立兵：〈《詩》「經」的解構與文學的張揚——試論《世說新語》引《詩》的特點及其產生的原因〉，頁21。

有其特殊之事境、語境，不該視作「開後代正確理解的先河，也表現出注重文本的特色。」又《世說》本則記載，或在強調鄭玄家中學風之盛，故列於〈文學〉一篇；而鄭玄本人即主張「泥中」為衛邑，其婢對「泥中」之理解，反能開後代正確理解之先河，卻又從何說起？

再者，〈文學〉篇載：

> 夏侯湛作周詩成，示潘安仁。安仁曰：「此非徒溫雅，乃別見孝悌之性。」潘因此遂作家風詩。（頁253）

因〈周詩〉之〈南陔〉、〈白華〉、〈華黍〉、〈由庚〉、〈崇丘〉、〈由儀〉六篇有義而無辭，故夏侯湛（約西元243-291年）補亡仿作。對於《世說》此則之意義，潘秀玲如此解讀：

> 但是這一類補亡詩的創作及當時人對它高於古詩的評價，無疑表明了《詩經》在人們心目中的地位已不再神聖，而其作為詩的本體意義，也就在前述所謂「非徒溫雅，乃別見孝悌之性」這種對語言藝術的強調中被凸顯出來了。[32]

換言之，潘秀玲認為以《詩經》之崇高，若士人敢於仿作，便表示其失去神聖之地位；而「非徒溫雅，乃別見孝悌之性」之評語更代表了語言藝術被突出。然而「非徒溫雅，乃別見孝悌之性」是否便是昭示語言藝術之張揚？《禮記》〈經解〉：「溫柔敦厚，《詩》教也。」、《論語》〈述而〉「子所雅言：《詩》、《書》、執禮，皆雅言也。」則「溫」、「雅」之特性，本即《詩》教，孝悌云云更是道德評價，非藝術評價。學者對於此則材料之詮釋，或可斟酌。

又《晉書》也載有謝道韞（生卒年不詳）對於《詩經》之摘句評論，文曰：

> 叔父安嘗問：「《毛詩》何句最佳？」道韞稱：「吉甫作頌，穆如清風。仲山甫永懷，以慰其心。」安謂有雅人深致。[33]

潘秀玲亦引此摘句欣賞之事以為其論點之佐證，接著闡釋道：

> 通常被摘詩句「自身就具有作為批評對象的獨立審美價值」，而這種單獨抽出詩歌佳句予以細緻分析的激賞現象，即為《文心雕龍．隱秀》篇所云：「如欲辨秀，亦惟摘句」的文學批評理論之運用實例。[34]

謝道韞摘句出自〈大雅〉〈烝民〉，其旨在「尹吉甫美宣王也。任賢使能，周室中興焉。」（卷18之3，頁11上）而所摘當句之義為「吉甫作此工歌之誦，其調和人之性，如

32 潘秀玲：〈《世說新語》中的《詩經》〉，頁28。

33 〔唐〕房玄齡等：《新校本晉書并附編六種》（臺北市：鼎文書局，1980年），第4冊，頁2516。

34 潘秀玲：〈《世說新語》中的《詩經》〉，頁26。

清風之養萬物；仲山甫述職多所思而勞，故述其美以慰安其心。」（卷18之3，頁17下）仲山甫（生卒年不詳）者，宣王（西元？-前782年）所任之賢，尹吉甫作此誦，於美宣王外，更收調和人之性、慰仲山甫之辛勞之效。故將此摘句作為純粹文藝張揚之例證有所不妥，其中更含有政治教化之理想，故政治家謝安（西元319-384年）方讚其有「雅人深致」，而並非只要摘句評論便是文學批評。謝道韞有「詠絮之才」美譽，而其所欣賞之《詩經》佳句如此，足見當時對於《詩經》之態度，絕非純用文學觀點，亦不宜據此論斷當時《詩經》地位之下降。

（二）《世說》用《詩》記載中經學論述之忽略

上述主張《詩經》跌入凡間者，亦往往忽略不少《世說》用《詩》記載，其實是遵循傳統經學論述。如《世說新語》〈言語〉篇：

> 李弘度常歎不被遇。殷揚州知其家貧，問：「君能屈志百里不？」李答曰：「〈北門〉之歎，久已上聞。窮猿奔林，豈暇擇木？」遂授剡縣。（頁138）

李充（生卒年不詳）時常感歎不為時所用，殷浩（西元303-356年）因問其是否願意出任縣長，李充則以〈北門〉答之。關於〈北門〉之詩，《詩序》曰：「〈北門〉，刺士不得志也。言衛之忠臣不得其志爾。」（卷2之3，頁9上）則其李充對於〈北門〉之理解，亦是來自於《詩序》。又〈規箴〉：

> 桓玄欲以謝太傅宅為營，謝混曰：「召伯之仁，猶惠及甘棠；文靖之德，更不保五畝之宅。」玄慚而止。（頁577）

謝混之語，出自〈召南〉〈甘棠〉：「蔽芾甘棠，勿翦勿伐，召伯所茇。」（卷1之4，頁8下）以「召伯之仁，能保其所休憩過之樹；今謝安亦有德，尚不能保五畝之宅」勸誡桓玄（369-404），所取之義亦《鄭箋》之「召伯聽男女之訟，不重煩勞百姓。止舍小棠之下而聽斷焉。國人被其德，聽其化，思其人，敬其樹。」（卷1之4，頁8下）上述兩例，皆宗《詩序》、《鄭箋》，而論《世說》用《詩》而忽略之，似有不妥。[35]

（三）經學史既定論述之影響

主張《詩經》地位跌落之學者，或亦受過往魏晉時期經學衰弱之傳統論述影響。如

35 其實，經學、經學史材料以及《世說新語》引《詩》宗毛、鄭之例，並非沒有學者注意，如張立兵〈《詩》「經」的解構與文學的張揚——試論《世說新語》引《詩》的特點及其產生的原因〉一文便曾提及，然亦止於略提而已，並未有效的處理此問題。

龍向洋曰：「兩漢盛極一時的儒家經學在整個魏晉南北朝時期遭到了漠視冷遇甚至懷疑批判。」[36]張立兵則曰：「漢末大亂使儒學喪失獨尊地位，《詩經》等儒家經典地位下降。」[37]林耀潾亦持此觀點，並引酈士元、皮錫瑞、馬宗霍等人之說為證。[38]既有此種認知，則《世說》用《詩》之種種特色，自然容易被視為《詩經》地位跌落之標誌。然而，日人本田成之（1882-1945）主張：「晉代經學，絕不能說是衰微。」[39]馬宗霍亦以為魏晉經學相較兩漢「得失誠未易評」，二人皆不主張魏晉經學以衰落為定評；此外，田漢雲曰：「雖然說魏晉經學難稱繁榮，畢竟保持著由漢末的極衰向復興轉變的走勢。」[40]主張魏晉經學並非中衰，而是逐步復甦。[41]蔣方更道：「在經學的範圍裡，魏晉的《詩經》研究是相當活躍的。」[42]

上述兩派看法頗為分歧，故以下乃就經學教育、經學著作與學風諸方面，考察魏晉經學，以至《詩》學之概況。

1 經學教育

關於魏晉時期太學博士之配置，《宋書》〈百官志上〉曰：

> 博士……。至東京凡十四人，《易》：施、孟、梁丘、京氏；《尚書》：歐陽、大小夏侯；《詩》：齊、魯、韓；《禮》：大、小戴；《春秋》：嚴、顏各一博士。而聰明有威重者一人為祭酒。魏及晉西朝，置十九人。江左初減為九人，皆不知掌何經。元帝末，增《儀禮》、《春秋公羊》博士各一人，合為十一人，後又增為十六人，不復分掌五經，而謂之太學博士也。[43]

魏晉博士職掌何經雖不得而知，且東晉元帝（西元376-323年）後博士不復分掌五經，然其承襲漢代以來博士制度，立五經諸家於學官。又西晉另立貴胄子弟所就讀之國子學，設祭酒一人、博士二人、助教十人，其所掌經目，《宋書》曰：

---

36 龍向洋：〈從『聖』到『凡』的跌落——魏晉南北朝《詩經》的文學接受〉，頁49。

37 張立兵：〈《詩》「經」的解構與文學的張揚——試論《世說新語》引《詩》的特點及其產生的原因〉，頁20。

38 林耀潾：〈魏晉南北朝《詩經》接受論——以普通讀者為中心〉，頁51-52。

39 〔日〕本田成之：《中國經學史》（臺北市：古亭書屋，1975年），頁196。

40 田漢雲：〈論六朝經學的發展歷程——魏晉南北朝經學史論之一〉，《南京曉莊學院學報》第16卷第3期（2000年9月），頁12。

41 主張魏晉經學並未中衰之學者，尚有陳進益、葉純芳、劉學智等人。見陳進益：〈魏晉經學的重新定位〉，《清雲學報》第21卷第1期（2001年6月），頁301-312；葉純芳：〈魏晉經學的定位問題〉，《經學研究論叢》第10輯（臺北市：臺灣學生書局，2002年3月），頁9-35；劉學智：〈簡論魏晉南北朝時期儒學的地位和作用〉，《哲學與文化》第29卷第6期（2002年6月），頁552-561。

42 蔣方：〈魏晉時期的《詩經》解讀〉，《文學評論》2000年第4期，頁84。

43 〔梁〕沈約等：《新校本宋書附索引》（臺北市：鼎文書局，1979年），第2冊，頁1228。

> 《周易》、《尚書》、《毛詩》、《禮記》、《周官》、《儀禮》、《春秋左氏傳》、《公羊》、《穀梁》各為一經，《論語》、《孝經》為一經，合十經，助教分掌。[44]

無論太學抑或國子學，皆以儒經為科目，則魏晉官方學術以儒家之五經為正統，殆無疑義。且西晉時尚留有魏正始年間所刻之三體石經[45]，晉惠帝（西元259-307年）時裴頠（西元267-300年）亦奏立石經[46]，石經作為官方之經書定本，頗受士子重視，《晉書》〈趙至傳〉言：「至年十四，詣太學，遇嵇康於學寫石經，徘徊視之不能去。」[47]〈石季龍載記〉道：「龍雖昏虐無道，而頗慕經學，遣國子博士詣洛陽，寫石經。」此皆其例也。中央、州郡縣學以儒學為典範、教材[48]，顯見官方對經學之重視，《詩》為五經之一，理當受重視。學官中立有《詩經》之目，《晉書》〈禮志上〉載：「武帝泰始七年……，咸寧三年，講《詩》通。……成帝咸康元年，帝講《詩》通。」[49]皆官方重《詩》之例。惟官學雖重儒經，教育成果卻頗不彰，《宋書》〈禮志〉載：「咸康三年正月辛卯立太學，集生徒，而尚《老》、《莊》，莫肯用心儒訓。」足見官學隳頹已極。

官學雖或不彰，經學在門閥之內卻傳授不絕。一般觀念以為六朝士人多務玄學，然唐長孺（1911-1994）道：

> 正統玄學家主張以孝道禮法維繫家族組織，這樣就必須維持名教，同時主張以無為之治放任家族的擴張。名教與自然既已統一……。這個問題東晉時期只剩了尾聲，一般名士都禮玄雙修，表示自然與名教與自然之統一。[50]

禮、玄既是雙修，則儒經何能不讀？郭永吉便指出：《論語》、《孝經》以及《詩經》為兩漢以至六朝士子教育之基礎讀物[51]，則《詩》於門閥教育中，亦扮演啟蒙之作用。

而民間教育方面，林登順亦曾歸納史傳中之民間儒者，發現於私人講學中，儒學亦為主要傳授課題，專《詩》之儒者大有人在。[52]職是，則魏晉時期由官方、門閥以至民間，皆頗重視儒學，學業授受亦以諸經為主，《詩》位列五經，當有一席之地，此皆與

44〔梁〕沈約等：《新校本宋書附索引》，第2冊，頁1228。

45《魏書》〈馮熙傳〉曰：「洛陽雖經破亂，而舊三字石經宛然猶在，至熙與常伯夫相繼為州，廢毀分用，大至頹落。」見〔北齊〕魏收等：《新校本魏書附西魏書》（臺北市：鼎文書局，1983年），第3冊，頁1819。

46〔唐〕房玄齡等：《新校本晉書并附編六種》，第2冊，頁1042。

47〔唐〕房玄齡等：《新校本晉書并附編六種》，第4冊，頁2774。

48林登順：《魏晉南北朝儒學流變之省察》，頁39-44。

49〔唐〕房玄齡等：《新校本晉書并附編六種》，第1冊，頁599。

50唐長孺：〈魏晉玄學之形成及其發展〉，《魏晉南北朝史論叢》（北京市：中華書局，2011年），頁336-337。

51郭永吉：《六朝家庭經學教育與博學風氣研究》（新北市：華藝學術出版社，2013年），頁121。

52林登順：《魏晉南北朝儒學流變之省察》，頁45-50。

上述學者認定魏晉《詩經》跌落之說，有頗大差距。

2 經學著作與學風

由教育觀之，《詩》之授受不絕，至於對於《詩經》之闡釋是否「從聖壇上走了下來，變成日常生活戲謔的資料」，則可由當時之經學著作與學風見其端倪。魏晉南北朝時期，政局板蕩，戰事頻仍，經籍散逸佚，今日可見者極少。《晉書》雖無〈藝文志〉，然《隋書》〈經籍志〉中仍存有魏晉經籍之目，復參以清人所補之晉代〈藝文志〉、〈經籍志〉，去其重複，則魏晉至宋初之《詩經》著作、圖畫，得有五十二種之多。[53]試表之如下：

	書名／卷數	作者		書名／卷數	作者
1	毛詩音隱一卷	干寶	27	詩音	孔氏
2	鄭玄詩譜隱二卷	太叔裘	28	毛詩駁一卷	王基
3	毛詩二十卷	王肅	29	毛詩義駁八卷	王肅
4	毛詩問難二卷	王肅	30	毛詩奏事一卷	王肅
5	毛詩音	江淳	31	毛詩二十卷	江熙
6	毛詩音	阮侃	32	詩音	李軌
7	毛詩注	周續之	33	詩序義	周續之
8	毛詩答雜問七卷	韋昭、朱育等	34	毛詩雜義四卷	殷仲堪
9	毛詩圖	晉明帝	35	袁氏詩注	袁喬
10	毛詩音	袁喬	36	袁氏詩傳	袁準
11	毛詩異同評十卷	孫毓	37	毛詩音	孫毓
12	毛詩譜三卷	徐整	38	鄭玄詩譜暢二卷	徐整
13	毛詩背隱義二卷	徐廣	39	毛詩音十六卷	徐邈
14	毛詩音二卷[54]	徐邈	40	毛詩義疏五卷	張氏
15	難孫氏毛詩評四卷	陳統	41	毛詩表隱二卷	陳統

53 以下表格中之著作，整理自〔唐〕長孫無忌等：《新校本隋書附索引一》（臺北市：鼎文書局，1980年）、〔清〕丁國鈞：《補晉書藝文志》、〔清〕文廷式：《補晉書藝文志》、〔清〕秦榮光：《補晉書藝文志》、〔清〕黃逢元：《補晉書藝文志》、〔清〕吳士鑒：《補晉書經籍志》。上列五書皆錄於李萬健、羅瑛輯：《歷代史志書目叢刊》（北京市：國家圖書館出版社，2009年），第3冊。順序依姓氏筆畫，由少至多排列。若筆畫相同，則以姓名次字筆畫為主，依此類推。

54 《通志》曰：「《毛詩音》十六卷，梁徐邈等撰；《毛詩音》二卷，梁徐邈撰。」則十六卷本與二卷本或非一書，或同書而別行，故本表分列之。見〔南宋〕鄭樵：《通志》（臺北市：新興書局，1959年），第3冊，頁758。

	書名／卷數	作者		書名／卷數	作者
16	毛詩拾遺一卷	郭璞	42	毛詩略四卷	郭璞
17	毛詩義疏二十卷	舒援	43	毛詩辨異三卷	楊乂
18	毛詩異義二卷	楊乂	44	毛詩雜義五卷	楊乂
19	毛詩序義	雷次宗	45	毛詩釋略	虞喜
20	詩音	蔡氏	46	詩音	劉昌宗
21	毛詩北風圖	衛協	47	毛詩黍離圖一卷	衛協
22	毛詩義問十卷	劉楨	48	毛詩義四卷	劉璠
23	毛詩箋傳是非二卷	劉璠	49	毛詩義字議	蔡謨
24	毛詩釋義十卷	謝沈	50	毛詩義疏十卷	謝沈
25	毛詩二十卷	謝沈	51	毛詩譜鈔一卷	謝沈
26	毛詩外傳	謝沈	52	毛詩義	釋慧遠

上表所載《詩經》著作頗多，則當時《詩》學可謂興盛。且值得注意者，當時之《詩》學論著盡皆《毛詩》，夏傳才云：

> 魏晉南北朝時期的經學仍然屬於漢學系，其《詩經》學的發展，可分兩個階段：第一階段是魏晉時代的鄭學王學之爭，……。《鄭箋》就是以《毛傳》為主而吸收齊、魯、韓三家《詩》說的，是當時最有影響力的傳本。鄭玄學派在這個傳本基礎上繼續研究，對疏義陸續充實和發展。……。王肅學派專主《毛詩》，他們為《毛傳》重作注疏。[55]

魏晉《詩經》學之基調乃鄭玄、王肅之爭，二人之學雖針鋒相對，然皆主《毛詩》，要不脫漢學體系。後齊、魯、韓三家《詩》殆亡，僅存《毛詩》。準此，此表確然呈現當時《詩》學樣貌：以《毛詩》為主之《詩》學。《毛詩》之組成部分為《詩序》、《故訓傳》，其中《詩序》乃對於各詩之解釋，其釋詩之風格〈詩大序〉便已言明：

> 故正得失，動天地，感鬼神，莫近於《詩》。先王以是經夫婦，成孝敬，厚人倫，美教化，移風俗。(卷1之1，頁8下-頁9上)
>
> 〈周南〉、〈召南〉正始之道，王化之基。(卷1之1，頁18下)

《毛詩》以個人修身以至王道化成釋《詩》，本就為儒家之《詩》學。如清人馬國翰（1794-1857）所輯孫毓（生卒年不詳）《毛詩異同評》，其評〈鄭風〉〈山有扶蘇〉「山有扶蘇，隰有遊龍」(卷4之3，頁9上）之《鄭箋》，便曰：

---

55 夏傳才：《詩經研究史概要》，頁115。

箋言用臣顛倒，置不正於上位，上位，大臣也；至有美德於下位，下位，小臣也。則其養之又無恩於所寵而聽恣於所薄乎？自相違戾。[56]

〈山有扶蘇〉一詩，以今日視之，則情詩也。而孫毓雖對《鄭箋》有所不滿，但仍立於《鄭箋》之基礎批評之，而《鄭箋》又是以《毛詩》為基礎，其論述是經學而非文學。故觀《毛詩》之著作在魏晉時期有如此數量，似與「經之解構」、「走下神壇」之論述相悖。

更何況魏晉時期《孝經》學號稱興盛[57]，然《隋書》〈經籍志〉及清人五家《補晉書藝文志》、《補晉書經籍志》所錄之《孝經》學著作，刊除重複者，不過二十六種[58]，僅有《詩經》論著之半。雖魏晉經籍佚失者極多，難以作為判別諸經興盛與否之絕對標準，然就此數據觀之，以魏晉《詩經》地位跌落，當有未允。

（四）對文學自覺之高估

學者論《詩》經典之地位跌落，文學自覺亦其中關鍵因素。蓋《世說》之所載，常有以文學角度審視《詩經》者。惟魏晉時文學自覺方始萌芽，是否足以解構發展已久之經學，當另深究。

魏晉乃文學自覺時代，固無疑問。然魏晉時人對於文學之重視程度為何？葛洪（西元284-363年）於《抱朴子》自敘曰：「洪年二十餘，乃計作細碎小文，妨棄功日，未若立一家之言，乃草創子書。」[59]「念精治五經，著一部子書，今後世知其為文儒而已。」[60]對此，曾箋疏《世說》之余嘉錫於其《古書通例》道：

56 〔西晉〕孫毓：《毛詩異同評》，〔清〕馬國翰輯：《玉函山房輯佚書》（京都市：中文出版社，1979年），第1冊，頁593。

57 舒大剛《中國孝經學史》曰：「綜觀兩晉南北朝時期的風習……。這一時期裡，雖然儒學不振，經學凋敝，而『《禮》學』、『《孝經》學』卻相對繁榮。」見舒大剛：《中國孝經學史》（福州市：福建人民出版社，2013年5月），頁188；其主編之《儒學文獻通論》亦曰：「一些高門望族為了維持本族地位不致失墜，也注意加強禮法家風和家學傳統，即使魏晉以後社會不穩、政局動盪，正統官學處於式微狀態，可是世族高門的家塾和私學卻異常活躍，很多家族都有幾世相傳、專精獨到的家學，內中特別是作為維繫貴族世家榮華地位的《禮》制之學，和保證貴族世家內部團結和和諧的《孝經》之學，尤其發達。」見舒大剛：《儒學文獻通論》（福州市：福建人民出版社，2012年3月），中冊，頁1212。又郭永吉《六朝家庭經學教育與博學風氣研究》亦曰：「整個六朝走的都是方內、方外並行兩存的路線，方內既不容廢，『名教之極』的《孝經》自然凌駕真正的正典五經之上。」見郭永吉：《六朝家庭經學教育與博學風氣研究》，頁97。

58 見〔唐〕長孫無忌等：《新校本隋書附索引一》、〔清〕丁國鈞：《補晉書藝文志》、〔清〕文廷式：《補晉書藝文志》、〔清〕秦榮光：《補晉書藝文志》、〔清〕黃逢元：《補晉書藝文志》、〔清〕吳士鑒：《補晉書經籍志》。

59 〔東晉〕葛洪著；楊明照校箋：《抱朴子外篇校箋》（北京市：中華書局，2011年），下冊，頁697。

60 〔東晉〕葛洪著；楊明照校箋：《抱朴子外篇校箋》，下冊，頁710。

> 洪本傳稱其：「博文深洽，江左絕倫，著述篇章，富於班、馬。」觀洪之自敘，可謂富矣。漢人上書一篇，即可自為一家。洪所作詩賦雜文，過之百倍，豈猶不得為文儒？而洪以為未足，再三致意於子書，且以細碎小文妨棄功日，是可見魏、晉人之厭薄其文矣。[61]

葛洪所作文章既多，成就亦高，號稱「江左絕倫」，然仍以文章為末事，篤志成一子書。余嘉錫（1884-1955）又歸納魏晉之例，言道：

> 東漢以後，文章之士，恥其學術不逮古人，莫不篤志著述，欲以自成一家。流風所漸，魏、晉尤甚。[62]

是則魏晉文學方漸獨立，其地位仍不足以凌駕子書之上。更何況「正經為道義之淵海，子書為增流之川流[63]」，子書為所以輔翼經典之作，當時之文學地位既不及子書，則解構《詩經》，談何容易？且魏晉之文學理論雖蔚為可觀，要亦不脫儒學思想。以下略舉數則六朝文論以明之。徐幹（西元170-218年）《中論》〈藝紀〉篇云：

> 藝者，德之枝葉也；德者，人之根幹也……。斯二物者，不偏行，不獨立。木無枝葉則不能豐其根幹。[64]

摯虞〈文章流別論〉曰：

> 文章者，所以宣上下之象，明人倫之敘，窮理盡性，以究萬物之宣者也。王澤流而詩作，成功臻而頌興，德勳立而名著，嘉美終而誄集。[65]

又東晉李充之《翰林論》言：

> 容象圖而讚立，宜使詞簡而義正……。表宜以遠大為本，不以華藻為先……。[66]

徐幹以德為根幹，藝為枝葉，認為「木無枝葉則不能豐其根幹」，看似極重視文藝，然亦強調二者「不偏行，不獨立」，則德之為根亦不可忽視；摯虞則強調文章明人倫、窮性理、究萬物之效；李充亦以為文章詞藻為末，內容義正遠大為本。要之，魏晉之文學

---

61 余嘉錫：《古書通例》（北京市：中華書局，2009年），頁248-249。

62 余嘉錫：《古書通例》，頁247。

63 〔東晉〕葛洪著；楊明照校箋：《抱朴子外篇校箋》，頁98。

64 〔東漢〕徐幹著；徐湘霖校注：《中論校注》（成都市：巴蜀書社，2000年），頁95。

65 〔西晉〕摯虞：《文章流別志論》（臺北市：藝文印書館，1970年，《叢書集成續編》影民國廿四年（1935）宋聯奎等輯刊本），卷3，頁1上。

66 〔東晉〕李充：《翰林論》，〔清〕嚴可均輯《全晉文》（京都市：中文出版社，1981年，《全上古三代秦漢三國六朝文》影光緒二十年（1894）王毓藻廣雅書局刻本），卷53，頁9上-9下。

思想雖有長足進步，然其間亦有豐厚之儒學底蘊。林登順曰：「至於後人評論此時的文學理論，往往著重在『純文學』觀念上，而認為是脫離儒學思想所致，這是矯枉過正的說法。」[67]此時文學之地位雖漸抬高，但絕非全然與道德分道揚鑣，文學與經學、儒學並非水火不容，而是兼而有之；故若僅以《世說》中時有以文學角度審視《詩經》之記載，判斷魏晉《詩經》跌落，則同樣矯枉過正。

（五）《世說》性質之忽略

復次，以《世說》之用《詩》為斷，言魏晉《詩經》地位跌落，尚有一根本問題，即《世說》之性質。魯迅（1881-1936）曰：

> 記人間事者已甚古……。若為賞心而作，實則萌芽於魏而盛大於晉，雖不免追隨俗尚，或供揣摩，然要為遠實用而近娛樂矣……。宋臨川王劉義慶有《世說》八卷……，以類相從，事起後漢，止於東晉，記言則玄遠冷俊，記行則高簡瑰奇，下志繆惑，亦資一笑。[68]

姑不論《世說》究竟為史料抑或小說，然其所載錄者畢竟為足資讀者賞心娛樂之隻言片行，若以斷定魏晉學術發展之狀況，必當有所誤差。第一節中所言袁羊之事，即其例也：袁羊以「角枕粲文茵，錦衾爛長筵」譏劉恢與其妻，論者以為袁羊隨意摘取《詩經》成句嘲諷排調，正緣魏晉《詩經》地位已然跌落。然觀《晉書》袁羊之本傳，知其作有《詩》注[69]，《全晉文》更指其所作為《毛詩》注[70]，而關於注經此一行為，金培懿曰：

> 故注經本身原來就充滿著儒家式的價值現在特性。同時，當一個人試圖「注經」時，按理說他當然要相信經書乃「聖人制作」、「隱含微言大義」、「具含天蓋地性質」等注經預設，遵守「注不破經」、「疏不破注」、「不以己義解經」、「不離經言道」等注經規範，以求達到「闡發微言大義」、「對聖人之義不無小補」等注經目的。所以一個志不在此，想要自創家言的人，大可不必藉由注經，以傳達其思想。[71]

---

67 林登順：《魏晉南北朝儒學流變之省察》，頁370。

68 魯迅：《中國小說史略》，《魯迅小說史論文集》（臺北市：里仁書局，1992年），頁51-53。

69 《晉書》〈袁喬傳〉曰：「喬博學有文才，注《論語》及《詩》。」〔唐〕房玄齡等：《新校本晉書并附編六種》，第3冊，頁2169。袁喬即袁羊，羊為其小字。

70 《全晉文》曰：「喬字彥叔，小字羊……。有《毛詩注》若干卷，《論語注》十卷，《集》七卷。」見〔清〕嚴可均輯：《全晉文》，卷56，頁2上。

71 金培懿：〈祖述老莊？以玄解經？經學玄化？何晏《論語集解》的重新定位〉，《文史哲》第16期（2010年6月），頁77。

注經一事，既體現儒家之價值觀，則袁羊之注《詩》，必抱持對於《毛詩》之認同。且注經尚有「注不破經」、「疏不破注」等規範，故袁羊《詩》注絕不會是「走下神壇」之產物。據此例可知，僅以《世說》所記載之隻言片行，以推求一時代之整體學術風氣，難免有所誤差。況《世說新語》之所錄，多為生活中之言行應對，雖能以此略觀魏晉時人對於《詩經》之不同理解，然欲推而廣之，據此以言魏晉學術之全貌，則有模糊生活與學術之弊。

四　《世說》用《詩》現象之定位

學者分析《世說》之用《詩》故實，得出《詩經》「走下經典的神壇」、「從聖到凡的跌落」、「《詩》『經』的解構」諸結論。然若如上文所言，魏晉之經學，以至《詩》學並未全面跌落，則此結論實有重新商榷之必要。既如此，則《世說》用《詩》記載呈現之種種特點，其定位為何？或可以由前引謝安問《毛詩》何句最佳一事，略得啟發：謝玄所欣賞之「昔我往矣，楊柳依依」，純為文學角度之鑒賞，前文已略論之；然則謝安推崇之「訏謨定命，遠猷辰告」，出自〈大雅〉〈抑〉，其義乃在「正月始和布政于邦國都鄙也，為天下遠圖庶事而以歲時告施之。」（卷18之1，頁9下）則謝安非以文學角度審視《詩經》明矣，其所追求乃遠大之政治抱負，要亦不脫於《毛詩》、《鄭箋》之傳統經學論述。王妙純謂：

> 詩中表現出一個政治家的氣魄，明清之際的王夫之在《薑齋詩話》中就說謝安取其二句「將大臣經營國事之心曲，寫出次第。」謝安透過自己的生命體驗，向子姪們灌輸《詩經》中的「雅人深致」，「暗示了謝玄與其他謝氏家族應該有經緯邦國、積極進取的志趣。」在經過此番討論後，子姪的胸懷被激盪，視野被打開，生命格局也因此有不同的向度發展。[72]

謝安本身有經國之大志，故欣賞之《詩經》佳句為「訏謨定命，遠猷辰告」此類表達締造聖道王功之抱負者。總之，謝安對於《詩經》之理解並未表現出文學之張揚及經學論述之解構，且謝安以此教育子姪，並對於謝玄之意見，表現「各言爾志」之開放態度。此事或可用以理解魏晉時期《詩經》學之發展：謝安代表《詩經》傳統經學論述，而此種「神聖」之經學論述並未消解，謝玄則代表當時《詩》學之新風潮，即《世說》用《詩》所呈現之諸現象；謝安未曾指正謝玄，正昭示此二種對於《詩經》之理解，絕非互相傾軋，非此即彼。

《詩》之傳統經學論述本已有之，此略而不表，而所以產生如《世說》中之《詩》

---

72 王妙純：〈《世說新語》呈現的魏晉家學風貌〉，《輔仁國文學報》第34期（2012年4月），頁98。

學新變者，其因約有下列二點：

（一）個體自覺

魏晉時期，乃一個體自覺之時代，余英時便曰：

> 名教危機下的魏晉士風是最近於個人主義的一種類型，這在中國社會史上是僅見的例外，其中所表現的「稱情直往」，以親密來突破傳統倫理形式的精神，自有其深刻的心理根源，即士的個體自覺。[73]

又曰：

> 自覺為具有獨立精神的個體，而不與其他個體相同，並處處表現其一己獨特之所在，以期為人所認識之意也。[74]

魏晉士人於政治、社會環境影響下，察覺自己實為一不同於他人之獨立個體，並處處表現己身獨特之處，故魏晉士人「多稱情直往」，形諸外則有放浪形骸、非聖無法、酖酒食藥等行為。士人既好表現獨立、獨特處，則學術方面亦思突破兩漢獨尊之經學傳統，學術風氣自由開放，對過往敬若神明之儒經，亦以較為平等之眼光視之，張立兵雖主張魏晉《詩》學「走下神壇」，然其曰：「魏晉人特別強調個性解放和個性自由……。而對待先儒看作聖賢經典的《詩經》，魏晉人必然也會用平等的眼光。」[75]則可謂確論矣。正因如此，乃有《世說》所載以《詩》為排調笑謔之資者。惟上文已由魏晉教育、著作、學風等切入，詳論當時《詩》學之盛，且以《世說》之性質而論，實不應遽以論定魏晉詩學淪為排調之資、「解構」、「走下神壇」云云，更何況其中以《詩》排調之條目並不多。因此，對《世說》呈現之《詩》學風貌，若能以士人對儒經之開放態度定位之，或較為公允。

再者，由於魏晉士人重視個體之獨立精神、個性，復加以九品官人法之察舉制度，故人物品鑒之風盛行，社會時有標榜語流傳，代表對於人物之評價。《世說》所載以《詩經》成句賞譽人物者，亦為此風氣之表現，探其源頭，亦與魏晉個體自覺之現象，不無關係。

---

73 余英時：《中國知識階層史論——古代篇》（臺北市：聯經出版事業公司，1980年），頁370。

74 余英時：《中國知識階層史論——古代篇》，頁231-232。

75 張立兵：〈《詩》「經」的解構與文學的張揚——試論《世說新語》引《詩》的特點及其產生的原因〉，頁22。

（二）多元學術與博學風氣之影響

魏晉時期學術發展突破兩漢以來經學一統之局面，呈現多元發展之樣貌，唐長孺謂曰：

> 由於統治階級中各階層各集團的利益不同，從而所尋求所發展的理論各異，也由於儒家學說獨尊地位的喪失，我們看到魏晉時期的思想界表現得十分活躍。當時有不少人從事先秦諸子的研究，在儒家之外尋找新的理論；也有人突破漢代經學傳統，重新在原始的儒家經典中作新的發掘；還有人試圖綜合各家，別創新說。總之是百家爭鳴，各售其說。[76]

百家爭鳴之風氣下，經學、玄學、道教以及外來之佛學，皆有長足之發展。此外，文學、藝術之地位亦日漸提高，學術多元，百花齊放。而當時學術之發展多元若此，士人治學自然產生一與漢儒不同之博學風尚：即漢代學者專力治經，魏晉學者於經學而外，更旁涉諸子百家、文學、藝術諸方面。郭永吉道：

> 六朝時期博學風氣與兩漢有所不同，士子博學內容從以經學為主的藩籬中逐步跨出、擴展，包括諸子百家、各種論著，無所不讀……。不論是政治上的政權分裂，使得聘使往來頻繁，外交場合上敵我雙方的論辯爭勝也就無時或休。朝政論議時，需旁徵博引以證成己說；或是社會文化上，因地方意識抬頭、世家大族興起，導致相關地方志、譜牒之學大興；以及談玄、為文用典、史書著作等，也都是到六朝時才興盛、成熟。凡此，均有別於兩漢時期。是則，為了因應當下現實的情況，促使六朝學子們治學必須兼綜廣博，不能再拘限於經書中，唯有拓展學問視野與範圍，方能不被時代潮流所淘汰。[77]

魏晉士人因應現實需求，所習遍及諸學，儒、玄、文、史無所不包，且正因此尚博之風影響，士人兼綜諸學，是故經學雖仍居官方學術，卻不復兩漢獨尊地位，然若謂之「跌落」、「走下神壇」云云，則有太過之嫌。至於以文學眼光審視《詩經》，亦與博學風氣不無關係。蓋《詩經》雖為詩歌總集，至漢代時已然發展為王道教化之經學論述，然時入魏晉，文學自覺，影響所及，士人重視、從事文學之餘，亦重新以文學眼光欣賞《詩經》，發掘《詩經》之文學成分。惟須注意者，《詩》之經學論述仍舊持續，未曾消解，且與文學論述並存並進。如《世說》用《詩》記載中，有文學之賞析，亦有經學之論述；而南朝時《文心雕龍》一書，既有「逮文姬之德盛，〈周南〉勤而不怨；大王之化

---

76 唐長孺：《魏晉南北朝隋唐史三論》（北京市：中華書局，2012年），頁63-64。

77 郭永吉：《六朝家庭經學教育與博學風氣研究》，頁293。

純，〈邠風〉樂而不淫。幽厲昏而〈板〉、〈蕩〉怒，平王微而黍離哀。故知歌謠文理，與世推移，風動於上，而波震於下者」[78]之經學論述，亦有「夫比之為義，取類不常：或喻於聲，或方於貌，或擬於心，或譬於事」[79]之文學手法分析。降至後世，《詩經》詮釋亦不脫經學、文學二途，魯迅曰：「《詩經》是後來的一部經，但春秋時代，其中的有幾篇就用之於侑酒，……然而《詩經》是經，也是偉大的文學作品，……就因為他究竟有文采。」[80]並堅持將《詩》「經」與「文學」之成分「一分為二的分析」[81]，便是因其瞭解此《詩經》發展之脈絡故也。

日本學者吉川忠夫曾論及魏晉時期之儒教變化，曰：

> 這樣，六朝的儒學就達到了與漢代儒學甚為不同的樣子。我想，這種情況可以在范寧（339-401年）的〈穀梁傳集解序〉中找到具體的素材……。對他來說，被看作是體會到了真理的，即使認為首先是儒家的經本身，但是在他說到「並捨以求宗，具理以通經」的時候，就可以認為其中正隱約地顯示出已經脫離了經本身而趨於終極性的真理——宗——的志向……。那麼，范寧的立場告訴我們，前面已經指出過的六朝時的多種價值並存的現象，並不僅僅是多種價值相互毫無關係的存在著，相反，可以預想到的，這些價值是充滿著終極性真理的存在。而且，將其真理性以各種各樣的型態投射出來的多種價值。[82]

六朝學術多元，學者尚博，故其治經能超越經之本身，透過多元且相互影響之學術、價值觀，「具理以通經」，追尋終極之真理。然此並不代表「經」之跌落、消解，傳統之經學論述仍存，且與其他價值觀並存。牟世金謂：「由精研五經而傍綜諸子百家。在這個過程中，儒學好像是失去了往日的尊榮而衰退了，實則在自身的解放、豐富中不斷發展。」[83]此亦《世說》用《詩》所以呈現多元面貌之因，即經學之獨尊地位為諸學所稀釋，而非肇因於經學之神聖性消失。

五　結論

過往學者多以為魏晉南北朝之經學衰弱不振，此或許肇因於魏晉經學與兩漢有所不同之故，即馬宗霍所謂：「自成為魏晉之學。」《詩經》不能自外於時代風氣，當亦有其

---

78 〔梁〕劉勰著，王利器校證：《文心雕龍校證》，頁271。

79 〔梁〕劉勰著，王利器校證：《文心雕龍校證》，頁228。

80 魯迅：〈從幫忙到扯淡〉，《且介亭雜文二集》，《魯迅全集》（北京市：人民文學出版社，2005年），第6卷，頁356。

81 見夏傳才：《詩經研究史概要》，頁246-252。

82 〔日〕吉川忠夫著，王啟發譯：《六朝精神史研究》（南京市：江蘇人民出版社，2011年），頁11-12。

83 牟世金：〈六朝經學的中衰與發展〉，《青海社會科學》1985年1期，頁81。

新變，《世說》一書之用《詩》，則頗能體現此一變化；試歸納之，則有四端：一，斷章取義之遺風；二，用之於調笑戲謔；三，對《詩經》文學性之重視；四，用之於人物品鑒四點，要皆為時代風氣之影響之產物。對此，許多學者則以為代表《詩經》經典權威消解及文學之張揚。

然而，以為魏晉《詩經》跌落諸說，卻有不少值得商榷處，如：一，文獻之過度詮釋；二，對於《世說》用《詩》中仍屬經學論述者缺而不談；三，囿於既定之經學史印象；四，忽略《世說》之性質；五，高估文學自覺之影響。然若夷考其實，可知此時期之《詩》學不僅仍宗主毛、鄭學說，著作量亦豐，率無地位驟跌之事。

是故《世說》用《詩》所呈現之種種現象，勢必須重新予以定位。蓋魏晉由於個體自覺，士人「稱情直往」，形之於學術，則以較為平等之眼光審視儒經，乃有所謂以《詩》排調者；且因個體自覺，士人好表現獨立個性，亦形成人物品鑑之風，乃有以《詩》評鑑人物者也。再者，魏晉時期學者尚博學，儒、玄、文、史無不兼綜。影響所及，魏晉士人看待儒經較之兩漢更為開闊、開明；且復文學自覺漸萌，使士人能以文學眼光賞析《詩經》，降至後世，經學、文學仍屬《詩經》研究之重要範疇。要之，調笑戲謔、人物品鑒、文學角度欣賞《詩經》等，皆受魏晉風氣之影響，乃魏晉《詩》學之新變，而非代表《詩經》之神聖地位消解。

學術史之論撰本甚為困難，若一意突出時代特色，則易忽略常態。以中國思想史而言，若強調「魏晉玄學」、「隋唐佛學」，易忽略同時期儒學、經學；魏晉《詩》學亦同，若抱持過往《詩》學之觀點，以視魏晉《詩》學之新變，則或有以為《詩經》「走下經典的神壇」之誤。故本文之撰，於強調特色而外，亦致力於不失常態，期能略見魏晉《詩》學之面貌而已。

乾嘉「詩經學」三家著述論略

陳國安
蘇州大學文學院副教授

提要

清代詩經學至乾嘉而成巔峰，皖吳揚三派各有建樹，戴震、惠棟、焦循分為代表，本文以三家著述作範疇，略論詩經學有清一代成就。以個案研究乾嘉時期詩經學三家詩經學成就，以此代表清代詩經學家之詩經研究水準，力求述論體現清代詩經學巔峰時期之主要貢獻。

關鍵詞：詩經學　戴震　惠棟　焦循

乾嘉兩朝經學於近四百年間蔚為鼎盛，詩經學亦成就斐然，素有「詩經清學」代表之目。乾嘉兩朝歷時八十餘，詩經學成就突出者不下百人，其總體特徵：詩經學成就「大」、學問「精」者在小學文獻；漢學宋學交互影響，攻訐激烈多意氣，借鑒補足為求真，在朝者或漢或宋皆由聖意出，在野者不漢不宋多獨立。此二者可謂乾嘉兩朝詩經學總體風貌。本文所述者三家：戴震、惠棟及焦循，均乾嘉詩經學者之代表，窺一斑而知全豹焉。

一　戴震詩經學研究

戴震（1724-1777），字東原，一字慎修，又字杲溪，安徽休寧人。乾隆二十七年舉人。三十八年被召為《四庫全書》纂修官。四十年會試下第，特命參加殿試，賜同進士出身。在館五年，病歿。博聞強記，音韻、文字、曆算、地理諸學，無不精通，尤精名物訓詁，為一代考據大師。又進而闡明義理，對理學家「去人欲，存天理」之說有所抨擊，認為酷吏以法殺人，而後儒以理殺人。著有《屈原賦注》、《考工圖記》、《孟子字義疏證》、《原善》、《聲韻考》等，又校《大戴禮記》、《水經注》等，後人便有《戴氏遺書》。《清史列傳》卷六十八、《清史稿》四八百十一有傳。今人彙刊為《戴震全書》。[1]

戴震為乾嘉學派中成就最大學者之一，「詩經清學」中堅力量。才氣高超，成果豐碩，詩經學著述：《毛鄭詩考正》、《杲溪詩經補注》等著作，別撰有《聲韻考》、《聲類表》等音韻學專著，於研究《詩經》古韻參考很大，既重理論，亦有實踐，非空言說經者所能望其項背。

《毛鄭詩考正》四卷，卷首一卷，乾隆四十二年微波榭刻《戴氏遺書》本，卷首為《鄭氏詩譜》，謂：鄭氏譜亡，歐陽修得其殘本於絳州，取孔穎達正義所載之文補之，今其譜又複訛闕，聊加訂正，以存梗概。

今存乾隆四十二年曲阜孔氏微波榭《戴孔叢書》本，學海堂《皇清經解》本，民國二十五年安徽叢書本，一九九四年黃山書社《戴震全書》本。另有道光二十四年吳江沈氏世楷堂《昭代叢書》一卷本，未見。

《考正》一書，為戴氏考證毛詩鄭箋詞語訓詁著作，重在考辨《傳》、《箋》注釋之非而提出自己解釋。戴氏實事求是，不主一家，此書考辨《傳》、《箋》誤釋共一百八十八條，補《傳》《箋》未注者近九十條，皆能不輕立論，反復參證，言而有據，確而後安。

其從音韻角度考訂誤字，所考頗多創見。如常為後世學者所樂道者，《墓門》二章「歌以訊之．訊予不顧」條，戴震曰：「『訊』乃『誶』字轉寫之訛。《毛傳》云：『告

1　戴震：《戴震全書》（合肥市：黃山書社，1994年版）。本文所引皆出此本。

也』,《韓詩》云『諫也』,皆當為『誶』,『誶』音『碎』,故與『萃』韻。『訊』音『信』,問也,于詩文及音韻鹹扞格矣。屈原賦《離騷》篇『謇朝誶而夕替』,王逸注引《詩》:『誶予不顧。』近年安徽阜陽漢墓出土《詩經》竹簡,正作「歌以誶口」。戴氏判斷『訊』當作『誶』,得到確證。

其次,戴氏據古注以正《傳》、《箋》,亦多創獲。〈小明〉二章「昔我往矣,日月方除」條,戴氏舉例論證詩中所用為「周正」而非「夏正」,戴氏曰:「《詩》中用『周正』不一而足,何說《詩》、說《春秋》者盡欲歸之『行夏之時』一語,而謂古人皆不奉時王正朔,可乎!」封建社會膽敢質疑並持異議於孔子之說「行夏之時」,可謂確有膽識!

復次,戴氏嘗歸納富有普遍意義之解說,如〈關雎〉:「考詩中比興,如螽斯但取於眾多,雎鳩取於和鳴及有別,皆不必泥其物類也。」〈無羊〉篇說:「眾維魚矣」、「旐維旟矣」二句,「雖曾以『維』字為辭助,不拘於對文。詩中此類甚多,蓋言夢而見魚之眾,又見旐與旟耳」。凡此,皆有發凡起例之功。

《杲溪詩經補注》成於《毛鄭詩考正》後十三年,僅有「周南」、「召南」二卷,當為未完之本。王昶〈戴先生墓誌銘〉作《詩經補注》一卷,洪榜〈戴先生行狀〉作《毛詩補注》一卷,《清史列傳》作《詩經二南補注》二卷。蓋稿本或為一卷,故王〈墓誌銘〉、洪〈行狀〉皆據全書之名而云一卷。刻〈遺書〉時區分為二卷,故《清史列傳》據已成之書而言二卷也。

本書就全詩考其字義名物於各章之下,依次列毛傳、鄭箋、朱熹集傳說解,另有足資參證之資料,則以夾註形式置於相關條目下,復以「按語」表明去取,或闡述已見。作詩之意,則附於篇題後。「補注」以「補傳」為基礎,文字考訂、詞語釋義、典制辨證、篇旨探索,乃至行文修辭等,均有不同程度刪補加工,其學術水準無疑高出《毛詩補傳》。

戴氏嘗云:「先儒為《詩》者,莫明於漢之毛亨、宋之朱子。」[2]故補注首列《列》、《箋》或朱熹《集傳》,然後闡述己意。書中〈兔罝〉、〈草蟲〉、〈小星〉諸篇,與《傳》、《箋》比較之後明確宣稱「《集傳》是也」,與其時「主漢者必攻宋,主宋者必攻漢」的門戶之爭,迥然異趣。

本書首重考釋字義,自云:「今就全詩,考其字義名物於各章之下,不以作詩之意衍其說。蓋字義名物,前人或失之者,可以詳核而知,古籍具在,有明證也。作詩之意,前人既失其傳者,非論其世、知其人,固難以臆見定也。姑以夫子之斷夫三百者,各推而論之,用附於篇題後。」(《戴震全集》〈毛詩補傳序〉)〈卷耳〉「我僕痡矣,云何籲矣」,戴氏曰:「籲當作盱,〈何人斯〉之詩曰:『壹者之來,云何其盱。』〈都人士〉

2 戴震:〈毛詩補傳序〉,《戴震全書》,頁125。

之詩曰：『我不見兮，云何盱矣。』皆不得見而遠望之意。《說文》：『盱，張目也。』《爾雅》：『盱，憂也。』《毛詩》於一起上字不復釋，則皆蒙《卷耳傳》矣。今此詩及《傳》作籲者，後人轉寫之訛耳。」此判斷，極有說服力。

戴氏極力詆斥毛《傳》「緣辭生訓」，以「通證」之法，以詩證詩，即羅列事項之同類者為比較研究，而求得其公則，字字精審，句句允當，令人無懈可攻。如《周南・卷耳》「采采卷耳」，毛《傳》說「采采，事采之也」；朱熹說「采采，非一采也。」戴氏不以為然，以為「詩曰『采采芣苢』，又曰『蒹葭采采』，又曰『蜉蝣之翼，采采衣服』，皆眾多者。卷耳、芣苢又以見其多而易得之物。」(《詩經補注》) 由此斷定「采采」應作「眾多貌」解。又如〈螽斯篇〉「宜爾子孫，振振兮」，毛《傳》釋為「仁厚也」。戴氏攻擊道：「《毛詩》於『振振公子』，『振振君子』」，皆曰『信厚也』；於『振振鷺』曰『群飛貌』……緣辭生訓，故說各不同。」(《詩經補注》) 經歸納總結，斷定「振振，儀容之盛也」。此種統核全書、用類比方式釋詞之法，後常為經學研治者借鑒。

本書篇後所列題目之下，均標有類似《詩序》形式解題，提示作詩之意。戴震解《詩》，兼取毛、鄭、朱三家，每篇皆以已意為衡，毫不曲徇。如說〈桃夭〉「歌於嫁子之詩也」；〈鵲巢〉「言夫人始嫁之禮也……周初作之以為房中之樂」；〈采蘋〉「女子教成之祭所歌也」；〈騶虞〉「言春搜之禮也」等，與舊說大不相同，雖所定詩旨，有失有得，不若考訂文字可取者之多，然能提出《詩》「有專為樂章，非詠時事者」(《詩經補注》〈關雎〉)，掃除附會，可算一大進步。

今存《杲溪詩經補注》二卷，有乾隆四十二年曲阜孔氏微波榭刻《戴氏叢書》本，道光九年廣東學海堂《皇清經解》本，道光三十年金山錢氏漱石軒《藝海珠塵》本，光緒十四年上海書局石印本，一九九四年黃山書社《戴震全書》本等。

附記不可不述者，戴氏的《詩經補注》、《毛鄭詩考正》未及討論《詩》比興賦及正變問題。僅有幾篇短文可資參考。

戴氏〈詩比義述序〉論及賦、比、興，主張「比通賦興」，以為：「《詩》之比、興，舉比以通賦與興……賦者，比之推也。得比義於興，不待言，即賦之中復有比義。」[3]可謂獨標新解，言人所不敢言。

戴震〈書小雅後〉[4]論及雅有無正變，以詩不依世代為由，而謂《雅》有正變：

> 〈鹿鳴〉以下十二篇，漢經師以為「正雅」，亡其詞者六。故鄭康成《詩譜》云「〈小雅〉十六篇為正經」。〈采薇〉、〈出車〉、〈杕杜〉，漢世有謂為懿王時詩者，據詩中曰「王命」曰「天子」。毛、鄭解為殷王，徒泥「正雅」作于周初耳，苟其詩得乎義之正，而為治世之正事，何非「正雅」乎？……南陔已下則又周初雅

3　戴震：〈詩比義序〉，《戴震全書》，頁379。

4　戴震：〈書小雅後〉，《戴震全書》，頁232。

樂，未可泥今之篇什次第定作詩時世也。

戴氏采三家詩說，以駁毛、鄭，膽量之大，識力之高，後世豈可以「謹守家法之領袖人物」評戴震？

二 惠棟與《毛詩古義》

惠棟（1697-1758）字定宇，號松厓。江蘇元和人。學者稱為小紅豆先生。早年，隨父至廣東提督學政任所，父卒歸裡，課徒著述，終身不仕。乾隆十五年，一七五〇年，詔舉經明行修之士，陝甘總督尹繼善、兩江總督黃廷桂交章論薦，會大學士九卿索所著書，未及呈進，罷歸。一生治經以漢儒為宗，以昌明漢學為己任，尤精於漢代《易》學，所著《易漢學》、《易例》、《周易述》等，駁詰宋人《河圖》、《洛書》、先天、太極之說，為清代吳派經學奠基，深得乾嘉學者推重。又撰《古文尚書考》，繼閻若璩之後，辯證《古文尚書》為晉人偽作。著述尚有《後漢書補注》二十四卷、《王士禎精華錄訓纂》二十四卷、《九曜齋筆記》、《明堂大道錄》、《松厓文鈔》等。《清史列傳》卷六十八、《清史稿》卷四百八十一有傳。

吳郡惠氏一門，自明末惠有聲肇始，經惠周惕、惠士奇奠立藩籬，至乾隆初惠棟崛起，四世傳經，咸通古義，自成一派。世人皆重其家傳研「易」之學，不知其治詩亦淵源有自。江藩《漢學師承記》卷二載惠有聲「以九經教授鄉里，尤精於《詩》」，而惠周惕少傳家學，曾撰《詩說》三卷，德州田雯評曰「其旨本於小序，其論采於六經，旁搜博取，疏通證據，雖一字一句必求所自，而考其義類，晰其是非。蓋有漢儒之博而非附會，有宋儒之醇而非膠執，庶幾得詩人之意。」（〈研溪先生《詩說》序〉）。汪琬也贊其「博而不蕪，質而不俚，善辨而不詭於正」，「多所發明」。（《詩說序》）《四庫總目提要》則謂：「類皆引據確實，樹義深切，與枵腹說經徒以臆見決是非者，固有殊焉。」今觀其書，如謂「大小二雅當以音樂別之，不以政之小大論也」（卷上）；謂正雅變雅，美刺雜陳，「不必〈鹿鳴〉以下為正，〈六月〉以下為變，〈文王〉以下為正，〈民勞〉以下為變」（卷上），謂「二南二十六篇皆疑為房中之樂，不必泥其所指何人」（卷上）；謂「不得以風詩專屬之諸侯，雅頌專屬之天子」（卷上），天子諸侯均得有頌，魯頌非僭，率有依據。

惠棟受家學，益弘其業。於經、史、諸子、稗官野乘及七經讖緯之學，靡不津逮。小學本《爾雅》，六書本《說文》，餘及《急就章》、《經典釋文》、漢魏碑碣，自《玉篇》、《廣韻》而下勿論也。以為「漢人通經有家法，故有五經師。訓詁之學，皆師所口授，其後乃著竹帛，所以漢經師之說立於學官，與經並行。五經出於屋壁，多古字古言，非經師不能辨。經之義存乎訓，識字審音，乃知其義，是故古訓不可改也，經師不可廢也」。(〈九經古義序〉) 因述家學，作《九經古義》一書，盧文弨推揚之，謂「單詞片義，具有證據，正非曲徇古人。後之士猶可於此得古音焉，求古義焉，……承學之士要必於此問途，庶乎可終身不惑也。」(《抱經堂文集》卷二〈九經古義序〉)

《九經古義》原本包括《周易》、《尚書》、《毛詩》、《周禮》、《儀禮》、《禮記》、《左傳》、《公羊傳》、《穀梁傳》、《論語》十經，其中《左傳》六卷，後更名《左傳補注》刊版別行，故惟存其九，凡十六卷。所謂「古義」，指漢儒專門訓詁之學得以考見於當時者。惠棟作此書，搜采舊文，相互參證，原原本本，精核者多。然其愛博嗜奇，不能割愛，牽強附會亦所難免，或者徵引旁文，無關訓詁，為例不純。《四庫全書》收錄桂林府同知李文藻刊本，又有乾隆潮陽縣署刻本，乾隆刻《貸園叢書》本、蔣光弼刻省吾堂四種本、學海堂本，《昭代叢書》補編本，吳縣朱記榮刻《槐廬叢書》本等。《書目答問》謂馬應潮有《九經古義注》，未刊。

《九經古義》之卷五卷六即為《毛詩古義》，計一百二十七條，凡漢儒舊說，上自天文地理，下至鳥木蟲魚，從文字校勘，到音韻轉變，廣征博引，無所不考。如卷五「采采卷耳」條，引荀子說，證大毛公之師承；「鶉之奔奔」條，引《呂覽》諸書作「賁」，證古音之從同；「胡取禾三百億」條，引徐嶽《數術記遺》，謂《毛傳》云萬萬曰億、《鄭箋》云十萬曰億，各有所本；卷六「檀車煌煌」條，引《史記》、《漢書》及朱浮墓石壁畫，謂《傳》《箋》所言「鮮明」乃當時之語，皆確當有所受。而卷五「於以湘之」條，徵引《韓詩》異文以正毛本；卷六「乃慰乃止」條，引《方言》以證《毛傳》;「有兔斯首」條，引《爾雅》、《說文》、《經典釋文》以旁證《鄭箋》，諸如此類，並有功於訓詁。

又，《毛詩古義》多用金石文字作為證據，一特色也。如卷五「江之永矣」條，惠棟考證云:「《說文》於『羕』字下，引詩云『江之羕矣』,《韓詩同》。《爾雅》云:『羕長也』。郭璞云『羕所未詳』，是未考《韓詩》。齊侯鎛鐘云:『士女考壽，萬年羕保其身』，又『子子孫孫，羕保用昌』。是羕乃古永字，《韓詩》從古文，故作羕。《說文》永部別載羕字，未之考也。」

繼之論云:「證以金文〈陳逆簠銘〉,『永命』亦作『羕命』，」足見惠氏慧眼卓識。如卷五〈采蘩〉引〈尉氏令鄭君碑〉,「河上乎逍遙」條引〈張平子碑〉,「子之昌兮」條引〈漢王政碑〉,「赫赫宗周」條引〈靈台碑〉、〈騶氏鏡銘〉；卷六「去其螟螣」條引〈唐公房碑〉、〈孫叔敖碑〉,「患夷載路」條引〈晉姜鼎銘〉,「用逷蠻方」條引〈漢都鄉正街彈碑〉等等，皆是。惠棟為清代參照金文以訂《詩經》本字收穫最多者。

惠棟宗尚漢儒，然並無鄙薄宋儒之意，其曰:「漢人經術，宋人理學，兼之者乃為大儒！」(《九曜齋筆記》卷二〈漢宋〉)，故戴震總括其經學思想:「先生之為經也，欲學者事於漢經師之故訓，以博稽三古典章制度，由是推求理義，確有據依。」(《戴震文集》卷十一〈題惠定宇先生授經圖〉) 然，惠棟距己設定之目標似只進半程，未得全程而旋。正如「理義」恰為彼岸，故訓乃河渡中踏腳石，惠氏似將一生躑躅於河石之上而未能渡河涉岸。然，惠棟無愧開創漢學吳派一代宗師，惟古是尊，惟漢是信，考古雖勤，識斷卻淺，以致當時及後世有「株守漢學」、「嗜博泥古」之譏者，嗚呼，為學執著似亦一痼疾也。

三　焦循詩經學研究

焦循（1763-1820），字裡堂，一字理堂，江蘇甘泉人。嘉慶六年，一八〇一年，舉人。於家築雕菰樓，讀書著述其中。博聞強記，識力精卓，著書數百卷，皆精博。學宗戴震，曾作《申戴篇》。用力最深為《周易》，有《易章句》十二卷、《易圖略》八卷，《易通釋》二十卷、《易廣記》三卷、《易話》二卷，於《論語》、《左傳》、《禮記》、《孟子》均有補疏。經學以外，又精天算、考古，有《雕菰樓集》二十四卷。《清史稿》卷四百八十二、《清史列傳》卷六十九皆有傳。其詩經學研究著述有《毛詩補疏》五卷、《毛詩地理釋》四卷、《毛詩鳥獸草木蟲魚釋》十一卷、《陸璣疏考證》一卷、《詩陸氏疏疏》二卷、《毛詩物名釋》不分卷等。

《毛詩補疏》五卷，有《焦氏叢書》本，《皇清經解》本。

是書為焦氏《六經補疏》之一，前有嘉慶二十三年《自序》，謂「幼習《毛詩》，嘗為《地理釋》、《草木鳥獸蟲魚釋》、《毛鄭異同釋》三書，共二十餘卷。嘉慶甲戌（十九年）暮春，刪錄合為一書，戊寅（二十三年）夏，又增損為五卷」。

焦氏治《詩》，服膺《毛傳》，以「西漢經師之學，惟毛詩傳存，鄭玄箋之，二劉疏之，孔穎達本而增損為《正義》，於諸經為詳善。然毛、鄭又有異同……《毛傳》精簡，得《詩》意為多。鄭生東漢，是時士大夫重氣節，而溫柔敦厚之教疏，故其《箋》多迂拙，不如毛氏，則《傳》《箋》之異不可不分也。」（〈自序〉）而孔穎達《正義》又「往往混鄭於毛，比毛於鄭，而聲音訓詁之間疏略亦多」（同上），明確指出「訓詁之不明，則詩辭不可解，必通其辭而詩人之旨可繹而思也」（同上），故此書少言大義，而專究名物、地理之考證，明毛、鄭之異同，辨孔疏之是非。大抵申毛難鄭者多，指摘孔穎達混同毛鄭及誤釋者亦不少。所載經文，僅節取補疏所涉之句，次列《毛傳》、鄭《箋》，附以「循按」，雜采諸家之說辨證之，其於注疏，實可謂融會貫通，不為枝言曲說。

其駁《鄭箋》誤釋，如〈伐木〉「有酒湑我，無酒酤我。坎坎鼓我，蹲蹲舞我。迨我暇矣，飲此湑矣」，焦氏認為「五『我』字一貫，為屬文之法」，並批評「鄭氏拙于屬文，而以上四『我』字為族人，下一『我』字為王」。此外如〈草蟲〉「亦既覯止」、〈溱洧〉「伊其相謔」等句，亦均作嚴肅駁正。

其摘《孔疏》之失，如〈采蘩〉：「于以采蘩，于沼於沚。」《傳》：「蘩，皤蒿也。於，於。」《箋》云：「於以，猶言往以也。執蘩菜者以豆薦蘩菹。」《傳》先訓「蘩」，後訓「於」，表明所訓是「于沼於沚」的兩個「於」字。《鄭箋》補充《毛傳》，解釋「於以，猶言往以」，次序放在「執蘩菜者」之前。是毛、鄭二家釋詞體例，分毫不紊，井然有序。可是《正義》卻說：「經有三『於』字，《傳》訓為『於』，不辨上下。」焦氏批評說：「《傳》明示『於』在『蘩』下，何為不辨乎？」又如《關雎》「窈窕淑女」《正義》云：「窈窕者，淑女所居之宮，形狀窈窕然。」焦氏批評其「失《傳》義，亦非《箋》義」，所論均極精當。

焦氏精於名物訓詁及天文、曆算、地理之學，故從訓釋經文思考細緻，言而有征，論析精到。如卷二「差池其羽」條，《箋》云：「興。戴嬀將歸，顧視其衣服。」焦氏先引《左傳》〈襄二十二年〉杜注：「差池，不齊一。」再就詩本文加以審視：「下章，《傳》云：飛而上曰頡，飛而下曰頏。飛而上曰上音，飛而下曰下音。即差池之不齊也。蓋莊姜送歸妾，一去一留，有似于燕燕之差池而上下者。」因而駁《箋》「其說已迂……至解『下上其音』，謂戴嬀將歸，言語感激，聲有大小，則益迂矣」。慎審精核，詳實可信。

焦氏雖為經學家，亦通曉文學，為文習柳宗元，簡古有法，又善填詞，故於《詩經》文學性質亦有所發明，曾云：「夫《詩》，溫柔敦厚者也。不質直言之，而比興言之。不言理而言情，不務勝人而務感人。」(〈自序〉)

此外，不可不察者，焦氏書中雖個別處論及毛《傳》之失（卷一「濟盈不濡軌」條），然其皆由毛《傳》出發而審視《箋》、《疏》，故思維與論述頗受局限。

《毛詩地理釋》四卷，分別考證《詩經》中天文、地理名詞，有《焦氏遺書》本、《皇清經解》本。

《毛詩草木鳥獸蟲魚釋》十一卷，附《陸璣疏考證》一卷，上海圖書館藏稿本，前有嘉慶四年十一月自序，謂「自辛醜至己未，共十有九年，稿易六次」，視諸草創之初，十不存一。其間，雖他有撰述，必兼治之，曆喪荒疾病，未嘗或輟，蓋亦費日力之甚者。其書體例，「列傳箋、釋文、正義於右，以己說釋于左，不必釋者，不贅一詞，不做類書臚列而無所折衷，不為空論，不尚新奇，毛鄭有非者，則辯正之，不敢執一以廢百也。」《續修四庫全書》據以影印。

毛氏另有《毛詩物名釋》稿本，初名《毛詩多識》，以朱筆改今名。其書末自識云：「辛亥九月初二日錄畢。此書作之八年，易稿五次，然須刪改者尚有十之二，甚矣著書之難也！」而《毛詩草木鳥獸蟲魚釋》自序有云：「辛醜、壬寅間，始讀《爾雅》，又見陸佃、羅願之書，心不滿之，思有所著述以補兩家之不足。創稿就而復易者三。丁未館於壽氏之鶴立堂，復改訂之，至辛亥改訂訖為三十卷。」二者相較，易稿次數與撰述年時皆略符，當系《毛詩草木鳥獸蟲魚釋》之未定稿，蓋分言之曰草木鳥獸，統言之則曰物名也。此稿民國時已殘，今國家圖書館善本部僅存一卷。江瀚謂其考釋頗多可采者，《續修四庫全書總目提要》著錄。

《陸氏草木鳥獸蟲魚疏疏》二卷，光緒十四年王先謙、繆荃孫輯《南菁書院叢書》本。目錄題《詩陸氏疏疏》。書前有乾隆五十九年（1794）自序，略謂：「餘以元恪之書既殘闕不完，而後世為是學者，復不能精析，因撰《草木鳥獸蟲魚釋》，既成，又據毛晉所刻之本，參以諸書，凡兩月而後定。」

此書與毛晉《廣要》、趙佑《校正》雖同為《陸疏》之校本，而面貌迥異，趙佑曾謂原書「編題先後，復不依經次」，卻未曾改訂。焦氏乃重新編排體例，較舊本次序之淩亂大為改觀，開卷即令人面目一新。先按草、木、鳥、獸、蟲、魚為序，分為六大類，然後依詩文篇目次序排列，仍以包含所考名物之詩句為題。嘗謂：「陸氏名其書曰『義疏』，所以疏毛義也……載毛氏傳於經文之下。」（「參差荇菜」條案語）然後考出徵引各書，每題疏文之下，皆用雙行小字標明後世徵引之書，間有案語，亦附於後。焦氏曾謂此書「訛舛相承，次序淩雜，明系後人摭拾之本，非璣之原書」（〈自序〉），乃全面重核徵引之書，予以考訂校補。

書中各類皆有小計：草凡得五十三條，木四十條，鳥二十一條，獸十條，蟲十四條，魚十一條，共一百四十九條，較趙佑本新增十一條。改題各條，與趙本不謀而合者固多，自創新意者亦復不少。諸如改「取蕭祭脂」為「彼采蕭兮」，改「采荼薪樗」為「蔽芾其樗」，改「翩彼飛鴞」為「有鴞萃止」，皆是。於《詩經》名物，用力之深，亦一時所僅見。再如題下增列《毛傳》傳文，其意固在闡明《陸疏》疏毛之微旨，而兩說並列，又有利於辨其異同，「綠竹猗猗」條、「隘有六駁」條，疏文訂《毛傳》之失，固不待言；「山有栲」條更是又一顯例。《毛傳》云「栲，山樗」，《陸疏》則謂「山樗生山中……方俗無名此為栲者，似誤也。」故焦氏案云：「首辨山樗非栲，所以辨《毛傳》也。」尊信《毛傳》而又不墨守，是此書之成就，不僅校訂異同而已也。

演繹、轉化與運用
——民國詩話中的《詩經》學闡釋

林淑貞
中興大學中文系教授

提要

探究詩學應歸本於《詩經》，然而，目前研究詩話與《詩經》各自為政，互不相涉，研究者極少，目前關注民國詩話研究者，尚屬少數，或各自進行單一詩話論述，或進行某一詩家詩學理論研究[1]，鮮少觀照民國詩話與《詩經》之關涉。究竟在歷經二千年層累與論述之後，民國時期（1912-1949）《詩經》學在詩學上的運用與應用究竟開發出什麼樣的向度？頗值得探勘。職是之故，本文旨在論述民國詩話對《詩經》學演繹、轉化與運用的情形，以詩話文本分析為主，兼涉《詩經》義理詮釋展演，以知脈絡衍化與流變。

蓋民國時期在新文化運動之下，傳統詩話仍然形成一股潛流，隱伏在文學史的底層，一群文人以詩話作為發聲利器，並援用《詩經》作為論述根基，《詩經》學在極亂的世代中，被民國詩話作者展演情形大抵有四路徑：其一，從《詩經》與時代的關涉觀之，傳統文人藉由《詩經》表述對文化、文學的承接與衍義。其二，從傳統文人對《詩經》的演述觀之，重在對《詩經》學的鉤稽聯結與承衍論述。其三，從民國詩話作者的寫作意圖觀之，群體詩話作者擬運用詩教提振日益疲弊的人心。其四，從言志與緣情雙軌對立與融攝觀之，援借《詩經》經典地位以對治處在中西文化衝擊、新文化運動崛起之際，迂迴幽折的作意，藉由沿承舊說以開發新局。

歸結言之，民國詩話對傳統《詩經》之承繼運用，可得：一、從沿承與新變脈絡考察，以宣闡詩教，順時應變為主；二、從論述與實踐考察，以闡發詩用、賡續主文譎諫、昭揭善讀之美刺深意，進而衍化詩旨達致以詩存史、以詩證史之效能。三、從轉化與運用考察，旨在詮解詩歌美感經驗，揭櫫讀《詩》作詩應略文詞、重義理，創作法則以梯接賦、比、興三義為尚。四、從對《詩經》意義之再生與開發考察，開衍三種知識

---

1 例如論述單一詩話者以陳衍：《石遺室詩話》討論最多，其餘者有汪辟疆：《光宣詩壇點將錄》、魯迅：《魯迅詩話》、袁嘉穀：《臥雪詩話》等；論述單一詩論家者有陳衍、錢鍾書、林庚白、黃節等。以上皆鮮少宏觀整體民國詩話與《詩經》之關聯論述。

份子典型以抒發生平臆氣，以與新舊交陳時代相摩相盪、相激相生、相開相發。

關鍵詞：《詩經》　詩教　詩論　詩用學　教化觀

一　導論

《詩經》，是中國文學的源頭，也是詩學的開端，歷經二千年的演繹之後，形成體系龐大的《詩經》闡釋學。自漢迄唐，主流以古文《毛詩》為主，鄭玄作《箋》流傳甚廣，形成「《詩經》漢學」；宋初疑經風潮起，迄朱熹《集傳》之後，成「《詩經》宋學」代表；至於清代，兼採漢宋，道咸之後，今文三家一度復興，乾嘉期間以考據為主，嘉道年間《詩經》學又自成流派，造詣宏深，超越漢宋，是為「《詩經》清學」；民國因西學影響，繼以疑古風潮興起，《詩經》研究由經典轉向民俗、文化與文學化的研究，呈示多元豐富的研究向度。[2]

研究中國詩學向以「詩話」為大宗，但是，研究《詩經》與詩話似乎被截成二段，互不相涉，其一、攸關《詩經》學研究，歷來開出經學與文學二個面向，在歷經漢學訓詁名物、宋學疑古風潮、清學考據、民國時期多元闡釋等視角殊異，有從《詩經》學史建構縱向的歷史脈絡[3]，亦有橫向專論某時代之專人專書研究[4]；雖然，民國初期的《詩經》研究有所轉向，將《詩經》去經典化，從經典的地位拉下來[5]，將之視為歌謠，並且從社會史、民俗史、文化史的視域重新檢視其成就[6]，或如聞一多則從原型（archetype）闡述之外[7]，並未開展與詩話有關之探討。其二、攸關民國詩話研究，民國時期（1912-1949）仍有許多文人撰寫傳統詩話，數量龐大，但是討論者鮮少，遑論與《詩經》之關聯性論述。例如，《詩話概說》除緒論之外，將中國詩話分作宋、金元、明、清等時期，未及於民國詩話[8]。而蔡鎮楚《中國詩話史》雖有〈現代詩話〉專

2　見洪湛侯：《詩經學史》（北京市：中華書局，2002年）、〈自序〉頁3-9。

3　跨越朝代進行宏觀紹介詩經者有林葉連《中國歷代詩經學》、洪湛侯《詩經學史》、寧宇《古代詩經接受史》、朱孟庭《詩經的多元闡釋》等；以一朝一代為主者有何海燕《清代詩經學研究》。

4　以一家一書為論者，例如歐陽修《詩本義》、王質《詩總聞》、朱熹《詩集傳》、嚴粲《詩緝》等皆有所論述。

5　不僅是經學去經典化，甚至文學亦有將《詩經》去經典化的情形出現，例如明代王世貞《藝苑卮言》卷一云：「詩不能無疵，雖三百篇亦有之，人自不敢摘耳」，甚至舉例評其有太拙、太直、太足、太鄙、太迫、太粗者。見丁福保《歷代詩話續編》（北京市：中華書局，1983年），頁964-965。

6　洪湛侯：《詩經學史》第五編〈現代詩學〉除了揭示研究《詩經》處理基本問題，分論采詩、刪詩、詩樂、六義、詩序、詩譜、時代、地域、篇名等諸多課題之外，多元開展研究路向，分從歷史、文字、語言、音韻、民俗、史料、樂曲、曆法、植物、輯佚學等方面展示成果。呈現《詩經》研究面向逐漸開拓至其他人文學領域，不僅在訓詁名物解經而已。

7　攸關聞一多之《詩經》研究，夏傳才在《二十世紀的詩經學》第四章〈聞一多的詩經新詮釋學〉指出聞一多主要著作為《詩經通義》一書，昭揭讀《詩經》有三原則：一是讀懂文字，二是帶領讀者到《詩經》時代，三是用文學眼光看《詩經》，並以原型研究和文化人類學研究開拓新路，頁157-163。朱孟庭《詩經的多元闡釋》在〈聞一多論詩經的原型闡釋〉指出聞氏引用西方人類學及社會學進行《詩經》研究，主要表現在二個面向，其一指出具體表象文化生活對禮俗的文化闡釋，其二是隱微的、深層的原型的文化層面，頁177-179。

8　劉德重、張寅彭：《詩話概說》（北京市：中華書局，1990年）僅止於清代。

章談民國，卻僅及《魯迅詩話》、《沫若詩話》，更多的民國詩話未及評介[9]，遑論與詩經作鉤連探論。

盱衡中國近代詩學史之流派紛呈，有維新派之康、梁、黃、曾等人，有宋詩派同光體陳三立、陳衍諸人，有六朝派王闓運，有中唐派易順鼎、樊增祥等人，以及革命南社之柳亞子、馬君武諸人，有新派詩話之魯迅、郭沫若等人。對於民國詩話之群體作者，詩學史往往闕而弗論，除了關注幾位耳熟能詳的重要近現代詩話作家包括陳衍、王國維、魯迅諸人之外，甚至在文學史亦鮮少論及。[10]

民國詩話之數量據劉夢芙考訂，可能有百餘種之多，然而散落各地，蒐集不易[11]。復次，彭繼媛蒐編一九一二至一九四九年期間的詩話約有一七四種，未明者有二十三種[12]，可知民國時期之詩話存量甚多。目前處理民國時期詩話的著作有張寅彭編校《民國詩話叢編》六冊，凡二十六位作者，三十七種詩話，在散落各地不易蒐集之下，《民國詩話叢編》一書彌足珍貴。無論選取標準如何，至少為民國詩話留下彙編與蒐集的線索。

詩話一直是中國討論詩學重要的典籍與材料庫，談論詩學一定歸本於《詩經》，而《詩經》學的內容，有哪些是詩學必定用來闡述與演繹的部分呢？

民國時期，世局紛亂之際，一群詩話作者如何承接傳統《詩經》學以對應於新舊文化衝擊？本文選擇民國詩話入手，主要是因為傳統詩人接受積澱的傳統文化，在易代之際的感受會更強烈，透過跨越帝國與民國之際，知識份子如何觀看時代變化？如何藉用

9　蔡鎮楚：《中國詩話史》（長沙：湖南文藝出版社，1989年），卷七〈現代詩話〉共分三章，第一章談詩話的歷史轉變，第二章談詩話史的新里程碑，提及魯迅及郭沫若之詩話，第三章談現代詩話發展新趨勢，取樣少，皆不及民國時期更多的詩話。

10　例如于潤琦主編插圖本《百年中國文學史》（成都市：四川人民出社，2002年）第七章〈古典詩文流派的衰微與終結〉談同光體從「力破餘地」走向「荒寒之路」；談中晚唐詩派從「八面受敵」到「側艷頹放」，所談僅止於詩歌不及詩話。再如孔範今主編《二十世紀中國文學史》（濟南市：山東文藝出版社，1997年）上編（1898-1917）第六章〈與新文學並存的舊體文學〉，詩歌的部分談及詩界革命梁黃諸人，同光體陳三立諸人，六朝派王闓運，中晚唐派易順鼎、樊增祥諸人；再則中編（1917-1976）第三十章〈仍占有一席之地的舊體詩文〉，舊派文人談及朱右白、廖仲愷、黃炎培、于右任、許壽裳、吳芳吉、陶行知等人；新派文人舊式詩文談及郭沫若、魯迅等人，以上亦不及於民國時期之古典詩話，顯見是被文學史遮蔽的一環。再如朱棟霖、丁帆、朱曉進主編之《二十世紀中國文學史》（臺北市：文史哲出版社，2000年）包括：思潮、小說、新詩、散文、戲劇、香港文學諸區段，亦未及民國傳統詩話。再如司馬長風主編之《中國新文學史》（臺北市：騳駝出版社，1987年），名為新文學史，自然不會收編敘寫傳統詩文，焉及傳統詩話。

11　不僅是詩話量數眾多，連古典詩詞亦存量甚多。劉夢芙撰《近百年名家舊體詩詞及其流變研究》（北京市：學苑出版社，2013年）一書即在處理二十世紀古典詩詞之發展歷程、成就與存在之問題。相對的，民國詩話之輯錄亦賴有者志者發皇推展。

12　彭繼媛：《西學東漸中的民國舊體詩話研究》（湖南師範大學博士論文，2012年），〈附錄一：民國舊體詩話的目錄及版本演變〉輯有：一九一二至一九一七年輯有三十九種詩話；一九一八至一九二七年輯有四十二種；一九二八至一九三七年輯有六十二種；一九三八至一九四九年輯有三十一種，共有一七四種，而未明者有二十三種。頁393-405。

《詩經》進行詩學論述？如何書寫、存錄這一段歷史？而《詩經》在紛亂世代之中，又起了什麼樣的影響力？目的有四，其一，爬梳《詩經》與時代的關涉，旨在探論民國時期群體詩話作者如何運用詩教提振日益疲弊的人心，其效能功用如何；其二，民國詩話作者如何藉由《詩經》表述傳統文人在民國時期對政治文化認同與拒斥的寫作意圖；其三，闡發傳統文人對《詩經》學的演述，釐析現代進程中，知識份子對詩話與《詩經》學的連結論述；其四，探勘言志緣情的對立與融攝，旨在探討詩話論述，對《詩經》學的轉化與運用情形，藉以抉發處在中西文化衝擊、新文化運動崛起之際，詩話群體作者如何援借《詩經》對治新文化運動，民國時期的詩學論述，對《詩經》闡述學是沿承舊說或開發新局？《詩經》學流衍迄民國時，如何被群體詩話作者援引化用？如何對治時局變化？透過民國詩話來觀察群體詩話作者對《詩經》學的闡述，觀察其間的承接與流轉，釐析民國詩話如何演繹《詩經》學，《詩經》學在詩話論述中如何被開展論述，進而探勘群體詩話作者選撰《詩經》學之詩學圖像的意向性，以豁顯身處世變之際，感嘆身世的潛意流轉。

二　沿承與新變：《民國詩話叢編》對《詩經》學的擇取與運用

《詩經》一書，具有多重文化意義與價值，不僅是中國文學的源頭，更是後世的經學典範，研究《詩經》，大抵有二個路線，其一是以經學解詩，其二是以文學解詩。經學解詩，重視的是學術傳統，在漢代與政治教化結合，提出詩序言教，宋代疑經／尊經、反／去／尊詩序並行不悖，自是尊經疑經雙軌進行各有脈流[13]。民國初期以經解詩之研究，大抵分從音韻、訓詁、校勘、辨偽、輯佚、考訂版本等項進行廣輯佚文、考證家數、比對異同、鉤稽遺說、闡述大義等研究，此皆有豐碩成果；以文解經則有歌謠、詩史、起興、專篇專書之研究，或探討藝術手法，或針對《詩經》篇章進行主題研究，成果斐然。[14]

《詩經》學研究，在詩學論述中大抵可鉤稽要旨流變如下：

---

13 疑經不始於宋，據林葉連云，疑經改經漢儒已有，唐代啖助、趙匡、陸質已開其端。見《歷代詩經學》第七章〈宋朝詩經學．第二節宋朝經學之發展趨勢〉，頁230-246。復云，北宋治經多信守注疏，慶曆以後，輕忽章句注疏注重義理。頁231-232。據此可知，宋代在此基礎發衍形成風潮。

14 夏傳才：《二十世紀的詩經學》（北京市：學苑出版社，2005年）第二章〈從傳統向現代的過渡〉、第一節清末民初傳統詩經學的衰頹和革新趨勢，揭示了龔自珍、魏源、康有為、章太炎、劉師培、梁啟超、廖平、魯迅、王國維諸人對詩經學的論述，豐富了詩經學的詮釋層累。朱孟庭也在《詩經的多元闡釋》（臺北市：文津出版社，2012年）第六部分，指出民國初期的《詩經》民俗文化的研究發展，有去聖經化、視為歌謠、視為社會文化史料等民俗研究內容。

1. 先秦《詩經》學重在詩用學與賦詩;《尚書》揭示詩言志之說[15];孟子開發讀詩之法及世變說;《禮記・經解》昭揭「溫柔敦厚」之說。
2. 《詩經》漢學重訓詁名物,另有大小序轉成政治教化之說,重譎諫風人之旨。
3. 魏晉迄唐之《詩經》學,主要從解經到義疏之學。
4. 宋人疑經,有反序/去序/存序之爭,並開發《詩經》之文學論述。[16]
5. 元明承宋學遺緒,另開展古音學及評點學;清代收攝前人研究,開展多元富盛研究。[17]

對《詩經》詮釋異同,基本存在「以經解經」或「以文解經」立場分殊。[18]

蓋經學與文學並非截然分劃而不相涉,經學亦有文學成分,文學亦能視為經典閱讀。大抵宋朝之前皆將《詩經》視為經典來詮解,而宋人開發以文學來解《詩》,據龔鵬程先生所云其立場迥異在於「經學」重在倫理涵養,而文學則重在辭章學習。[19]

承上,歷代解詩,撮其主要內容可擘分為:一、本質論:溫柔敦厚、詩無邪、詩教說、興觀群怨等項;二、世變論:王者之跡熄而詩亡之說;三、功能論:主文譎諫、情信辭巧、言文行遠、辭達而已;四、詮解論:知人論世、以意逆志等說。細目請參見附錄一〈先秦暨詩序論詩要旨一覽表〉。《詩經》鮮少談論創作,作為歌詩源頭的《詩經》焉可對創作論缺乏論述,於是有「賦、比、興」對創作拈出三種作法。後世詩學論述多援用上面諸說或變本加厲,或精深邃密。那麼,到了新舊文化變革之際、白話文興起的民國詩學,對於《詩經》學的論述如何?又當如何取用其方法運用於詩學論述呢?《詩經》與詩學論述之間的關涉如何呢?是否在後世的演繹之中,既有沿承,更有開發呢?

---

15 攸關詩旨之說,方玉潤認為以《尚書》〈堯典〉(虞書):「詩言志,歌永言,聲依永,律和聲」為千古說詩之祖。見《詩經原始》(北京市:中華書局,1986年)冊上,卷首下,〈詩旨〉,頁42。

16 據寧宇所云,南宋廢序三大家為王質、鄭樵、朱熹。見《古代詩經接受史》(濟南市:齊魯書社,2014年),頁145。吾人認為宋人對〈詩序〉之論述,並非截然二元對反,亦有相反相成之勢,反序或去序皆有解讀詩經的立場與觀點,對詩經之文學義理具有相當程度的開發。

17 洪湛侯《詩經學史》第四篇〈詩經清學〉第六章呈示紛繁的專題研究成果,包括:名物、制度、天文、地理、人物、緯詩、詩譜、翼氏學等,不僅以經論詩者之研究成果豐碩,以文論詩者亦所在多有,其在第七章〈清代運用文學觀點論詩的學者和詩人〉提出有王夫之、金聖嘆、方苞、袁枚、方玉潤等人。

18 劉毓慶:《從經學到文學:明代詩經學史》(北京市:商務印書館,2001年)即是發衍明代《詩經》學從經學到文學的論述,下編談《詩經》由經學向文學轉變有孫鑛以格調觀論之,著有《批評詩經》,是將《詩經》文學研究推向高潮第一人;徐光啟有「詩在言外說」與《詩經六帖》;戴君恩有「格法說」《讀風臆評》;鍾惺有「詩活物」與《詩經評點》;下編〈詩經研究的崛起與繁榮〉論述詩文學研究高潮的興起與名家的出現,對「以文解經」路徑指出煌燦成果。

19 龔鵬程先生揭示:把《詩經》當作詩讀,注重文學性;讀《詩經》以「溫柔敦厚,詩之教也」則重在倫理涵養而非辭章之學。見氏著《中國文學十五講》(臺北市:臺灣學生書局,2013年),〈第四講文學與經學〉,頁55。復次,《詩史本色與妙悟》(臺北市:臺灣學生書局,1986年),〈論詩史〉亦有所論,詳後。

（一）宣闡：溫柔敦厚之詩教

《禮記》〈經解〉云：「孔子曰：『入其國，其教可知也。其為人也，溫柔敦厚，《詩》教也。』」[20]揭示「詩教」可改變人的氣質，這樣的說法，發衍到民國詩話之中，如何演繹此說呢？有回歸「溫柔敦厚」釋詞作用者，例如：

> 「國風好色而不淫，小雅怨誹而不亂」，「不淫」溫柔也；「不亂」敦厚也，二語足包括《詩經》全旨。舍溫柔則乏風情，失敦厚則欠含蘊。詩而說理易染頭巾氣，蓋詩與道學自是兩途。……[21]

沈其光闡釋「溫柔敦厚」以「不淫」、「不亂」作為解釋，旨在說明「溫柔」以「不淫」則能包蘊「風情」；「敦厚」以「不亂」則能包蘊「含蓄」。「溫柔敦厚」原是劉安用來稱讚離騷之作能兼合二者，後來《史記》〈屈賈列傳〉取為成說。沈其光進而揭示《詩經》不可用來說理，若用來說理，易有儒者迂腐之氣息，詩歌與道學原本即是兩個不同的軌轍，硬將詩歌用來宣說道理，是缺乏「風情與含蓄」。然而道學與文學本即雙軌並進，重道學者輕文學，重文學者輕道學，在沈其光的衍義裡，已脫漢唐教化之說，不從涵養入手，而從文學風格表現立說。

開發不同路向之論述者尚有《民權素詩話．願無盡廬詩話》，不僅將詩教視為改變閱讀者受詩歌薰陶的功能，亦發揮《詩經》教化，宣闡獨立思想，鼓吹人權、排斥專制之用，可以增進種族觀念。是將詩歌之作用，由對閱讀者薰染作用擴大到成為宣揚思想理念的工具，此一說法當然是背離《禮記》〈經解〉「詩教」之「溫柔敦厚」的陶染作用，而具實成為「詩教」之「教化」宣揚、鼓吹之作用。其云：

> 「發乎情，止乎禮義。」記曰：「溫柔敦厚，詩教。」蓋詩之為道，不特自矜風雅而已。然所謂發乎情者，非如昔時之個人私情而已；所謂止乎禮義者，亦指其大者、遠者而言。如有人作為歌詩，鼓吹人權，排斥專制，喚起人民獨立思想，增進人民種族觀念，其所謂止乎禮義未嘗過也。……可知孔子所以不刪者，正以為有合詩教耳。夫「溫柔敦厚」四字，豈可專於其詞而決之乎？決之於詩人之心而已。……[22]

---

20 見《禮記正義》（上海市：上海古籍出版社，2008年），十三經注疏本，卷第58，經解第26，冊下，頁1903。

21 《民國詩話叢編》，沈其光《瓶粟齋詩話》，冊5，頁633。據洪湛侯所云，《史記》〈屈賈列傳〉之「國風好色而不淫，小雅怨誹而不亂……」是有所本的，出自《荀子》〈大略篇〉：國風好色也。見《詩經學史》，頁95。

22 《民國詩話叢編》，《民權素詩話．願無盡廬詩話》．〈小敘〉（當為大序），冊5，頁198。蓋《民權素詩話》為蔣抱玄所輯，當時蔣抱玄編《民權素》月刊，起一九一四年迄一九一六年，共出十七期，題為「鈍劍」之《願無盡廬詩話》昭揭「溫柔敦厚」不再僅指性情之發用，而是可以決定於詩人之心，亦即原本從對讀者之薰染轉化成創作者之創作初心。且創作不取決於文詞，而是取決於創作者的動機與目的作用了。此一說法溢出原來《禮記》〈經解〉之意義，具有現實意義，順應時代遞變所形成的說法，以「詩教」功能性為說，擴大闡釋，應合時局，宣揚詩教可達「鼓吹人權，排斥專制，喚起人民獨立思想」的作用。

再如《石遺室詩話》卷三云：「後世詩話汗牛充棟，說詩焉耳；知作詩之人，論作詩之人之世者，十不得一焉。不論其世，不知其人，漫曰：『溫柔敦厚，詩教也』，幾何不以受辛為天王聖明，姬昌為臣罪當誅，嚴將軍頭、嵇侍中血，舉以為天地正氣耶？[23]」批評時人妄言溫柔敦厚之說，而未能知人論世，其重視知人論世之說於焉可知，如是，方能知各代情變遷移，進而以溫柔敦厚說明詩教，並舉實例為證。

《石遺室詩話續編》卷六亦云：「溫柔敦厚，詩教也。而風則有『胡不遄死』、『人之無良』等語，雅則有『投畀豺虎』、『相爾矛矣』等語。」[24]亦是承繼詩教而立說，所不同者，舉《詩經》之例為證，重在原有敘寫教化作用，進而達致對讀者薰陶。這種由《詩經》詩教薰染讀者之教化說，到作者運用詩歌內容思想來影響讀者之宣闡作用，是對「詩教」的重新詮釋與開發。

由上可知諸家說法，《民權素詩話‧願無盡廬詩話》之說，重在功能性，亦與時代順合；而沈其光《瓶粟齋詩話》則重在詩歌原來的陶染作用；陳衍則重在知人論世方能進言溫柔敦厚。三者分別闡釋「溫柔敦厚」四字詞之義，卻有相反的論說引用，可知，《詩經》之闡釋學，往往因解讀者之目的與功能性而有殊異取用視角及宣闡的目的性。沈其光揭示詩歌與道學截然不同，若說理易有迂腐之氣，而《民權素詩話》則重在推闡詩歌的作用性，二者相反相對，一個是堅持詩歌之溫柔敦厚本質，一個是轉化原義以應合時代之所需，在同為民國時期，如此相反之意見，存乎其中，端視闡釋者之援用立場而設說。

（二）應用：知人論世之衍義

知人論世之說為詩學重要觀點，《孟子》〈萬章下〉云：「孟子謂萬章曰：『一鄉之善士，斯友一鄉之善士；一國之善士，斯友一國之善士；天下之善士，斯友天下之善士。

後擇優彙輯為《民權素粹編》，第2卷第3集乙種為詩話。見〈編校說明〉冊5，頁192。《民權素詩話》共輯錄《願無盡廬詩話》、《秋爽齋詩話》、《清芬室詩話》、《夫須詩話》、《澹園詩話》、《攄懷齋詩話》、《綺霞軒詩話》、《集雋詩話》、《燕子龕詩話》、《洪武佳話》、《唐宋詩別說》、《豁龕詩話》、《謏園詩話》、《日日詩話》等十四種詩話。據筆者檢索《民權素》一一比對考察，並非十四種，尚有《嗚劍廔詩話》、《莊莊詩話》……等九種詩話未被收錄《民國詩話叢編》之中。

23 《民國詩話叢編》，《石遺室詩話》，冊1，頁46，第1條。

24 《民國詩話叢編》，冊1，頁661。

以友天下之善士為未足，又尚論古之人。頌其詩，讀其書，不知其人可乎？是以論其世也，是尚友也。』」[25]

孟子此一說法，成為後世不刊之教，後世論詩者莫不取用。孟子原意在知人論世，但是後世衍義，卻更多元化，而衍義最多的是范罕的《蝸牛舍說詩新語》，既名為「說詩新語」，當然多有新義闡發，拈出「因世作詩」之說：

> 所謂誦其詩讀其書不知其人不可者，已將詩之一藝借重於作詩之人。必如是而後詩道始尊，詩學乃可得而論。魏晉後著名詩家，大都出於學者，其人其學足式，不僅其藝足稱也。故有因藝而其人傳，亦因人而其藝乃傳。我國詩教之轉移如是，否則玩物喪志，亦學者所深戒矣。[26]

孟子原意是讀詩者必須逆知創作者其人其世，方能解其意、知其隱。此乃從閱讀者的視角出發，以尚友古人為要，然而范罕更進而揭示，魏晉以後的詩家多為學者，其為人足可範式，故而知人論世，衍義成不僅其詩藝可堪範式，連其為人亦可範式，甚至提出詩教之轉移如是，不如此則是玩物喪志的說法。

如是衍義，則學者兼詩人者，是後人可以學習的楷模，如果僅是深於詩藝，則是玩物喪志。范罕此說，是提高了創作者的地位，須德藝雙兼，不可僅是操作詩歌的創作者而已。事實上，詩人未必兼有學者之涵養，李白、杜甫即是詩人而非學者，然而范罕以此為說之目的何在？意在闡發詩人必須有為而作，且其人不以玩弄詩歌技巧而已，必深於人格，使後人可為範式。此乃藉孟子知人論世之說提舉詩人的角色扮演，並且期許歌詩創作者，必須有德足範，以應合時代之需。范罕又進一步云：

> 誦其詩，讀其書，不可不知其人。顧人乃因世而著，陶在晉宋易代之交，始成為陶；杜際亂離窮困之時，始成為杜；蘇李以武人高唱，卒成漢產；元陸在宋金變歌調，方是國魂，假使今人為詩，盡作唐音，寧非怪事？由是以言，詩人而不識時務，又豈可哉！[27]

揭示詩人之創作，因時代遷變而以時代為書寫內容，遂能獨標一幟而傳世，例如陶淵明在晉宋易代之際，寫出個人的感慨；杜甫身處安史之亂寫出憂憫亂危之詩歌，蘇武、李陵因個人遭逢身世之變而成為漢代獨特的詩歌成就，這些詩人皆因個人親身經歷，書寫當下遭遇而能成就詩名，豈可人人模仿他人之作盡作唐音呢？也就是說，詩人之偉大，以書寫時代內容為要，不可不理解時代之變而盡學他人做一些與當下時代無關之作品。這是范罕賦予詩人應有的職志，也轉化了孟子從讀者視角須知人論世、尚友古人的說

25 見《孟子注疏》（十三經注疏本，北京市：北京大學出版社，1999年），卷第10下，頁291。

26 《民國詩話叢編》，冊2，頁557。

27 《民國詩話叢編》，冊2，頁569。

法，一轉而成為創作者必須知世、寫世、論世。

范罕《蝸牛舍說詩新語》對於知人論世之說的發闡，不僅重視詩人須應合時代書寫，而且也指出一時有一時之詩歌風格與形式要件，其云：

> 周詩時代，同時有大家庭禮教制度，而詩亦成為禮教時代之詩。秦漢時，諸子百家大騁辭說，詩亦變而為楚詞。漢人辭賦宗之，乃於詩外別成一系，而同時詩亦帶楚聲。……[28]

指出詩歌內容與形式隨時代而有遷變，以切合時代不同作用與功能性。范罕舉例說明周朝詩歌，是大家庭禮教制度，故而詩歌也成為禮教之詩，秦漢之際，百家爭鳴，各騁其說，詩歌也一轉而變成楚辭，漢代辭賦家也學楚辭別成一系，成為漢賦。這種「辭變」也是衍發知人論世之說，轉化成為詩歌形式流變的要件。取徑《詩經》，以音樂譬風格也是范罕《蝸牛舍說詩新語》的另一新說，其云：

> 鄭康成曰：詩者，絃歌諷誦之聲。謂三百篇也。漢魏去古未遠，尚有遺音。後世詩人八音並奏，杜甫獨多簫管之音，韓愈多木土音，元遺山多匏音，興化劉先生謂陸士衡樂府有金石之音，予謂陸劍南有金革之音。雖未盡然，要之為相近。然絃歌實乃最上。

范罕藉鄭玄之說，為歷代詩家風格以音樂為譬，揭示各有獨到之處，詩風不同譬諸樂音，是情性分殊，風格自異。再者，《蝸牛舍說詩新語》又云：「先生曰：詩言志，孟子文辭志之說所本也。思無邪，子夏發乎情、止乎禮義之說所本也」。[29]此說亦是想上承孔子、子夏、孟子之說，闡述幽意，使詩歌可以充份發揮禮教說法，以與世變作一結合。

綜上所述，范罕極力發揮知人論世之說，從原義的讀者之立場，轉化成作者的立場，其層次有三，一是作者必須德藝雙兼，以其人足範，其詩可讀；其二是賦予作者必須書寫時代內容的責任；其三是詩人性情殊異，風格迥然，譬諸樂音自有異同，則詩風必與個人情性及時代相結合。

---

28 《民國詩話叢編》，冊2，頁569。

29 《民國詩話叢編》，冊2，頁572。此一說，原出自《論語》〈學而〉：「子貢曰：『貧而無諂，富而無驕』，何如？」子曰：「可也，未若貧而樂，富而好禮者也。」子貢曰：「詩云『如切如磋，如琢如磨』，其斯之謂與？……」。見《論語注疏》（十三經注疏本，北京市：北京大學出版社，1999年），頁12。再則《論語》〈八佾〉：「子夏問曰：『巧笑倩兮，美目盼兮，素以為絢兮』，何謂也？子曰：繪事后素。曰：禮後乎？子曰：起予者商也！始可與言詩已矣」。頁33。

三　論述與實踐：詩歌本質的發用與效能之闡述

作詩與言詩，何者為難？根據《石遺室詩話》卷三所云：「工詩難，言詩尤不易。在孔門惟賜與商可與言詩，而文學之子游不與焉。子貢穎悟，故〈淇澳〉之切磋琢磨，自知取譬。」[30]何以《石遺室》如此說詩？蓋「作詩」是一種表述，而「言詩」則必須通透作詩之意，有時內蘊隱譎之意，有時賦詩必須符合當下情境之「斷章取義」，故而，非穎悟者，不易言詩。此乃《石遺室》之說法。事實上，《詩經》之賦詩往往斷章取義，故而必須知引詩、賦詩之意，方能會通，故而《石遺室》有此一說，強化言詩之重要性。詩歌原有作者之意、文本之意、讀者之意，《石遺室詩話》此說是重在讀者說詩、用詩的層次。蓋「作詩」僅須運用技巧表述情志，而「言詩」除理解表層文字之意，尚須深透作者之意，時而因解說者時代之異而有個人詮釋內蘊其中，故而陳衍盛稱「言詩」難於「作詩」。

（一）本質：〈詩序〉情志說的賡續

對於詩歌本質立說，多沿襲〈詩序〉的情志說，然而這種情志說仍有所本，最早提出來的是《荀子・儒效》，其云：「聖人也者，道之管也：天下之道管是矣。百王之道一是矣。故《詩》、《書》、《禮》、《樂》之歸是矣。《詩》言是其志也，《書》言是其事也，《禮》言是其行也，《樂》言是其和也，《春秋》言是其微也。」[31]揭示詩以言其志，而〈詩序〉繼續闡發，〈毛詩序〉云：「詩者，志之所之也，在心為志，發言為詩」，自此，後世不斷藉此說明詩言志。民國詩話亦有衍其說者，例如范罕《蝸牛舍說詩新語》云：

> 詩者志也，持也。此音訓也，即子夏「在心謂志」之謂。「志」必賴於持，故又可訓為「持」。予為補訓之曰：「詩，事也，誓也。」詩必有為而作，無事不必有詩，故曰「事」也；詩中之言即其人之言，根於心，發於情，成於聲，不啻其人之自誓，故曰「誓」也。世間之誓在信他，詩人之誓在信己，信而有誓，非持志而何？[32]

此說揭示詩歌創作是情志所發，必須根於心、發於情，並舉例說明世間發誓是「信他」亦即取信他人，而詩歌創作則是自抒性情，是「信己」；信而有誓即是一種情志的表現。也就是作詩必因事而作，且根於情志，不僅「信他」亦在「信己」，真情實感創作

---

30 《民國詩話叢編》，冊1，頁47。賜與商可言詩，同前注所引《論語》學而、八佾篇。

31 據李滌生所釋，「管」即樞要、動力所在，言聖人是大道樞要，百王大道寄於聖人身上。見《荀子集釋》（臺北市：臺灣學生書局，1991六刷），頁143。

32 《民國詩話叢編》，冊2，頁561。

必有情志表抒。同此說法，另有一則，范罕云：「詩之聲出於辭，辭發於意，意根於心，故詩者心聲也。」[33]亦是以此為說，指出詩歌是人之心聲表抒，以辭表意，意是出於內心，故詩是心聲的具象表述，與詩序「在心為志，發言為詩」同具表述心志的用法。

據此，《蝸牛舍說詩新語》又自發衍，具體說明詩歌是一種情志表抒，包括了自厲、自傷、自警等項，其云：

> 《詩》自樂是一種「衡門之下」是也。自厲是一種「坎坎伐檀」是也。自傷，「出自北門」是也。自嘲，「簡兮簡兮」是也。自警，「抑抑威儀是也」。[34]

即是以《詩經》實例說明詩歌言志的具體內容。《孟子》〈萬章上〉：「故說詩者，不以文害辭，不以辭害志，以意逆志，是為得之。」[35]故而解詩者，以意逆志，自有詮說方式。此即范罕對《詩經》另作釋意，勃發衍意。

（二）功能：〈詩序〉教化說的譎諫

〈毛詩序〉：「上以風化下，下以風刺上，主文而譎諫，言之者無罪，聞之者足以戒」[36]，後世衍為風人之旨，意指「主文譎諫，言者無罪，聞者足戒」，由於是勸誡，故而風人之旨亦與詩教「溫柔敦厚」相連，目的在勸誡，而態度與用心當以溫柔敦厚為主。

民國詩話頗多運用「風人之旨」。尤以由雲龍《今傳是樓詩話》解讀詩歌常以風人之旨作為標準。第二一二則云：「風人之旨，以敦厚為主，慧心仁術，每於字裡行間見之。唐張祜〈贈內人〉詩云：『斜拔玉釵燈影畔，剔開紅燄救飛蛾。』[37]即是以「慧心仁術」來解張祜之詩。」再如二二二則揭示《隨園詩話》盛稱文良之詩，王逸塘讀其詩亦云：「……今觀其詩，則靜穆溫潤，妙出天成，間托諷刺，亦深得風人之旨。所養者深，固應如此，宜隨園之傾倒也。」[38]稱讚文良詩歌，間含諷刺卻能有溫潤之語，是以「風人之旨」來稱譽。由雲龍指稱詩人創作以溫柔敦厚為主，王逸塘進而從諷刺譎諫立說，二者皆以達致風人之旨為要。復次，《定庵詩話續編上》又進一步宣闡：

> 「……詩固實有所指，詞婉而意深，不媿風人之旨。余與周君交親三十年，相知

---

33 《民國詩話叢編》，冊2，頁557。

34 《民國詩話叢編》，冊2，頁572。

35 見《孟子注疏》（十三注疏本，北京市：北京大學出版社，1999年），頁253。

36 見《毛詩正義》（十三注疏本，北京市：北京大學出版社，1999年），頁13。

37 《民國詩話叢編》，冊3，頁342。

38 《民國詩話叢編》，冊3，頁346-7。

甚深，尚非強附解人。然不揭明詩旨，數十年後，益無有知其本事者矣。」[39]

亦以詞深意婉為風人之旨解說詩義。再如魏元曠《詩話後編》卷七〈去燕〉云：

> 「來去無端事總非，此行辛苦逐鴉飛。盧家梁冷窺殘月，關盼樓空倚落暉。海下音疏雲斷續，江南花發夢依稀。尋常百姓家原好，忍復搴簾待汝歸。」此送吳妓隨夫南歸，一結深得風人之旨。[40]

敘寫吳妓隨夫南歸幽微心意，頗與李白〈鷓鴣詞〉相發明。意在詮其幽情潛意，非復直白平敘，此以風人之旨解說詩歌，兼採譎諫方式，可達言者無罪，聽者足誡效能。

（三）美刺：委婉深意的善讀

風人之旨，即含有譎諫之意，《孟子》〈告子下〉曾云：「〈凱風〉，親之過小者也。〈小弁〉親之過大者也。親之過大而不怨，是愈疏也。親之過小而怨，是不可磯也。愈疏，不孝也。不可磯，亦不孝也。」[41]以〈凱風〉為例，說明「過小而怨」與「過大而不怨」的親疏以及孝不孝之由。此一釋詩，後世不斷演繹。

清方玉潤《詩經原始》〈卷首下・詩旨〉在孟子「說詩者不以文害辭，不以辭害意，以意逆志，是為得之。」條下釋其意云：「詩辭與文辭迥異，文辭多明白顯易，故即辭可以得意。詩辭多隱約微婉，不肯明言，或寄託以寓意，或甚言而驚人，皆非其志之所在。若徒泥辭以求，鮮有不害志者，孟子斯言，可謂善讀詩矣！然而自古至今，能以己意逆詩人志者，誰哉？」[42]揭示善讀詩歌，是在隱約微婉之外，能知道寄託之寓意，此是作者譎諫不肯明說之能，而讀者若能於微意探其旨趣誠屬難能可貴。而民國詩話亦能衍示其說，例如范罕《蝸牛舍說詩新語》云：

> 可以政治言詩乎？曰：否。作詩說到政治，但寓遠恉，假一事而若美刺，俱無不可。如以政治智識眼光入詩，則反累詩矣。曰：何也？曰：政治無善者，無善可言，則詩不託諷。曰：古人亦多以詩諫者，曷為不可？曰：古人之行政也以教，政教未分離也。今世之行政也以政，則教義離也。教必有一貫之正義為之終始，詩志寓之以盡其善善惡惡之義趣。[43]

39 《民國詩話叢編》，冊3，頁615。

40 《民國詩話叢編》，冊2，頁61。

41 見《孟子正義》（北京市：中華書局，1989年）〔清〕焦循撰，沈文倬點校。卷24，冊下，頁820。

42 見方玉潤：《詩經原始》（北京市：中華書局，1986年），冊上，頁44-45。

43 《民國詩話叢編》，冊2，頁564。

范罕指出古人以政治入詩，因有美刺深意寓寄其中，是政、教相合，宜乎其可，今人是政治與詩歌相離，若以政治入詩，乏善可陳，不僅詩歌無味，且亦無法達到教化意義。復次，《名山詩話》亦云：

> 「小子何莫學夫詩」，詩是儒家事也。唐宋名家多以釋老語入之，後世遂以為儒家語不宜入詩，而儒者遂有謂詩可不作者矣。三代聖王無不用樂，詩則儒之樂也。世人以儒家語入詩雖難工，此儒未通于樂也。用儒之意，而以開元聲韻唱之，何不可乎？唐人惟退之不羼雜釋老語，何嘗不是好詩。宋朱子詩不惡，惜少唐音。求其義正而詞工，不得不數放翁。[44]

揭示學詩、作詩、入樂、用樂，皆是儒家本有之事，然而唐宋詩人以釋老入詩，後世遂以為儒家不宜入詩，《名山詩話》用以糾其謬，並揭示韓愈不雜佛老亦能有好詩，而陸游詩「義正詞工」為佳，亦是能展示有義理內容者與詞工並不相違逆，說明佛老入詩固有好詩，以儒入詩亦能有好詩。又闡釋「以詩為樂」之說重在禮樂教化功能，可以梯接《論語》〈陽貨〉:「詩可以興，可以觀，可以群，可以怨」，從作者到讀者的脫衍轉化之說。今人洪湛侯甚至提出:「《論語》中記載的這種引申、附會、引詩證言、斷章取義的說詩方式，自不足取，應該說這是受了春秋時代『賦詩斷章』風氣的影響，它又轉而影響到漢代乃至漢以後的『《詩經》學』研究。」[45]揭櫫後世釋詩，大抵受斷章賦詩影響，而在本義上不斷發明衍義，形成繁複多元、相逆相成的對蹠詮釋。事實上，《詩經》意義不斷經由後人衍義，將詩與樂合觀或分觀皆是論述者觀察的視角，因為詩可以興觀群怨，斷章取義的解經方式，自古即不曾中輟，故而洪湛侯有此昭揭。林庚白《孑樓詩詞話》亦云:「詩始於民間之歌謠。歌謠皆有韻，故詩為韻文，百世不易。蓋必有韻而後可以歌唱，而後可通於音樂也。苟其廢韻，是文而非詩。」揭示詩為韻文學，始自歌謠，與音樂相通，昭揭詩可入樂，若無韻則非詩，深蘊《詩經》采風之意而與《名山詩話》相發相應。

（四）詩旨：以詩存史、以詩證史

《孟子》〈離婁下〉曾云:「王者之跡熄而《詩》亡，《詩》亡然後《春秋》作。晉之《乘》，楚之《檮杌》，魯之《春秋》，一也。其事則齊桓、晉文，其文則史。孔子曰:『其義則丘竊取之！』」[46]後世遂據此說明詩歌具有歷史之作用，號為「詩史」。然

44 《民國詩話叢編》，冊2，頁660。

45 參洪湛侯：《《詩經》學史》（北京市：中華書局，2002年）第1編〈先秦詩學〉、第7章〈孔子是《詩》學研究的第一人〉，冊1，頁75。

46 見《孟子注疏》（十三注疏本，北京市：北京大學出版社，1999年），頁236。

而，詩與史畢竟不同，從形式而言，詩是韻文，史是以駢文或散文方式呈現；從表述手法觀之，詩歌文字精鍊，以重意象、抒情為主，而歷史則重在表述或鋪陳事理為主。二者大不相同，何以孟子以之為說，而後世又如何加以演繹呢？蓋孟子乃不得已而言之，揭示詩歌原為采詩，可反映人民與社會狀況，詩亡之後，有《春秋》之作，可視為接續詩之作用而作，故而鉤連成為詩可以和歷史相通，後世遂轉化成「詩史」之說。[47]

民國詩話之中，對於詩、史闡釋最多並加以發揮者，以《十朝詩乘》為最，該書凡二十四卷，序言即云：「託體雖仍詩話，實為補史而作。」[48]昭揭作意。同樣是記載清朝之詩話，《雪橋詩話》重在傳人，掌故博贍，以事為緯，取材特善，而《十朝詩乘》則重在紀事，取義別於一般詩話備載作者遺事，非僅繫一人而是十朝之史事典故。俞陛雲之序言亦云《十朝詩乘》有四善：存微、糾舛、表微、蒐軼，其用心可知。對於詩史闡發，郭則澐曾自於《十朝詩乘》〈後序〉昭揭：

> 嗟夫！詩之為史也，由來久矣。《詩》三百篇，大抵王者之跡之所存也。孟子曰：「王者之跡熄而《詩》亡，《詩》亡然後《春秋》作。」蓋古者遒人采詩，進於王朝，以考風俗之美惡，驗政教之得失。詩人之以詩諫者，雖發端比興，而纏綿悱惻、忠愛無已之情，皆可以感觀興起，故詩之道尊。[49]

上接孟子進而承衍〈詩序〉之說，揭示詩歌可以考察風俗美惡，可以驗證政教得失，亦可用以譎諫，再承《論語》之說興發觀感，提舉、尊崇詩歌地位，遂將詩歌這種作用與功能性與史籍之作用相鉤連，故而有詩與史等同相論，此即是負載個人的情志於歷史判斷之中。郭則澐的《十朝詩乘》亦秉承這樣的精神，採錄清代十朝之詩歌，目的即在存詩以證史，其在〈十朝詩乘跋〉又云：

> 三代以前，詩書皆史也。而采風掌於太史，以覘政教之隆污民俗之醇漓，故詩與史尤切。……比歲退居，痛國史之不足傳信，始有《十朝詩乘》之輯，其體猶之詩話，而所錄皆有關朝章國故，間及閭巷節行，則歷代以來所創見者。……

郭則澐言詩書皆史，主要依據采風之詩掌之太史，可觀政教風俗隆污醇漓，故而詩與史可通。又在《十朝詩乘》卷四揭示：「古者詩掌於太史，詩亦史也。且若武丁之伐荊

---

47 龔鵬程先生揭示歷史來自建構，是指陳意義，而不是敘述事實。見《文學散步·文學與歷史》（臺北市：臺灣學生書局，2003年），頁149-156。詩史是對歷史興發與判斷，則是另一層轉義。復次，在〈論詩史〉云：「這種詩、這種史，顯然含有甚多作者的價值判斷在，既非主觀地抒情，亦非客觀地載史，而是透過作者的文化意識與歷史情感展現歷史與時代的意義提示歷史的評判。」見《詩史本色與妙悟》（臺北市：臺灣學生書局，1986年）頁26。

48 夏孫桐：〈序〉《民國詩話叢編》，冊4，頁3。

49 《民國詩話叢編》，冊2，頁848。

楚，周宣之平玁狁，削亂定傾，為國大政，乃尚書失紀，遷《史》亦闕，微雅頌宣闡，則鴻烈幾於不彰。……」[50]明白指出歷史端賴雅頌存之，故而自作《十朝詩乘》亦有此用意，不僅承《詩經》，且以詩史自負，用以梯接六義。其相關論見如下：

> 《十朝詩乘》卷一：雅頌之作，嗣音殆希，惟唐虞世南、陳子昂輩，詠揚君德，為後世傳誦。蓋由時逢貞觀，其盛業足以副之，非苟諛也。昭代系出金源，自……[51]
>
> 〈十朝詩乘後序〉：嗟夫！詩之為史也，由來久矣。詩三百篇，大抵王者之跡之所存也。
>
> 〈十朝詩乘跋〉：古人集眾史以為史，君則集眾詩以為史，徵引滿千家，裒輯逾廿卷，列朝文獻，粲然具備，何其致力勤而用志婷也。[52]

以上諸說，旨趣明確，皆用以說明詩歌與歷史之關涉，主要是因為《十朝詩乘》創作即以此為目的，故而所述雖為十朝之詩歌本事，實則欲藉此表述詩歌蘊含歷史的價值。

夏孫桐亦知其意，故而在〈十朝詩乘序〉更強化了詩與史之關涉，其云：

> 詩亡跡熄，《春秋》迺作。詩與史之關繫大矣。蓋政教之興替、風俗之醇漓，史冊所未能備者，徵之歌謠而可見。而人事蕃變、是非得失，亦往往於學士大夫諷詠所及，有以得其委折始末之真。此論世知人，尤所賴以考證者也。自來從事於斯者，略分二途：「**一則以史證詩**，就作者出處、時事，以求寄託之所在，然後興、觀、群、怨之旨明。以詩為主，箋註家之也。**一則以詩證史**，藉當時見聞輿論，以闡紀載之所隱，然後褒貶、美刺之義顯。……惟是詩人諷諭，言隱志微，雖非盡據事直書，或感時述志，或引古譬今，其足以補佚聞而資定論，視他紀載，轉多可據。

將詩與史的關係分作二類，其一是以史證詩，其二是以詩證史。以史證詩，是以詩為主體，歷史是用來佐證詩歌之內容或揭示詩歌寄託之所在；至於以詩證史，是以歷史為主體，詩歌是用來補苴佚聞，或揭示歷史褒貶、美刺之義。這樣互證的關係，使詩與史的關聯性更密合了，此乃立基於孟子之所云「王者之跡熄」的說法。

承上，這種隱而未顯的歷史譎諫作用，亦被論者取來用以詮評歌詩，例如錢仲聯《夢苕庵詩話》云：

> 復辟一役，曇花一現。湘鄉曾重伯有〈紇干山歌〉紀之，以美人香草之詞，寓隱

50 《民國詩話叢編》，冊4，頁7。

51 《民國詩話叢編》，冊4，頁7。

52 《民國詩話叢編》，冊4，頁848。

> 譎喻之義，蓋詩史也。歌曰：「紇干山頭凍殺雀，生處何如此間樂？冰井銀閑五月秋，肯向華嚴覓樓閣。……[53]

對於詩歌借香草美人來寓寄隱譎之義，也視之為詩史的表現。這樣的說法，成為宣闡詩與史的方式之一。此說亦密合龔鵬程闡釋「詩史」所云，詩史是對歷史的興發與判斷，是指陳意義，不敘述事實。[54]

若能具體以詩為證者尚有《魯民讀詩話》，其云：

> 「變雅而還讀楚騷，暮天涼月朔風號。一緘碧血千秋在，淚洒貞元見汝曹。」
> 「綵筆當年氣象干，江湖散髮雪漫漫，體裁未始無台閣，安得留將諫疏看。」
> 「王風熄絕有遺氓，新室爭埋舊策名。唱漁歌仍散見，他年詩案不平。」……

以詩為例，說明詩人之作是讀變雅如讀楚騷，體裁與諫疏等同看待，甚至王風熄絕而有遺氓，可知詩與史之關涉如斯。如此，以詩論詩，脫離以詩話論詩的格局，更具有詩歌的美感可觀。

四　轉化與運用：《詩經》學的詩歌美感經驗

詩歌的創作法則為何？歷來詩格、詩話論之甚多[55]，則民國詩話又如何運用《詩經》闡發創作矩範？如何取用作為論述之源、取徑之本呢？

（一）作詩讀經

范罕《蝸牛舍說詩新語》提出「作詩讀經」的說法：「三百篇是經，後世之百家是人，經在則傳者自有規模矩矱之可言。縱狂狷殊途，治亂異世，言文異軌，學行異方，而用情之豐嗇，搆思之邪正，發音之純雜，當力辨而遵循之。……至於召物呼名，屬辭比事，時各有當，固無用逼似古人也。作詩者安可不先讀經乎！」[56]昭揭讀經是作詩的基本法門。何以如此？如何可能呢？蓋創作欲性情之正，必學詩以知治亂異世之用，而屬辭比事，各有所當，不必求肖古人，然而情之豐嗇、行之端正、思之正邪由經傳之規模學之，方能避免狂狷殊途，言文異軌。

復次，劉衍文《雕蟲詩話》亦云：

---

53 《民國詩話叢編》，冊6，頁237。

54 見《詩史本色與妙悟・論詩史》（臺北市：臺灣學生書局，1986年），頁26。

55 詩話或詩格論創作，有總攝一篇之意，亦有分論：構思、興會、法、篇法、起結、煉句、用字、押韻、聲律、用事……等。為例甚夥，茲不贅舉。

56 《民國詩話叢編》，冊2，頁569。

> 「不學《詩》，無以言。」不讀《詩經》，不知詩有繁富之源匯。顧僅誦《詩經》，仍不能寫好詩也。或曰：「《詩經》之作者，又何嘗讀詩，何以能寫好詩也？」曰：「時不同也，巢樹穴居，弓刀禦敵，天造草昧，誰曰不宜；今欲守茲古拙，以有機械必有機心立說，寧不慮災及其身耶，故藝之漸趨於巧，亦必然之勢也。

昭揭讀經可豐富才學，但是，若僅是讀詩亦不能寫好詩歌，因為時代不同，仍要因時因地而有所變化，不可不知寫詩技巧，因為時代趨勢所尚，詩藝亦漸流於巧妙，因勢立體，因體創作，是能順合詩歌流變軌轍而有所創發。但是，過度尊經亦前人所不允，例如王船山等人以《詩經》為後之詩人所不可及，實為過於尊經之說，此乃未可信從。

《石遺室詩話》卷三亦揭示善讀書之法：「《詩論》又云：『詩之鑄錬云何？曰：善讀書，縱遊山水，周知天下之故而養心氣，其本乎！感變云何？曰：有可以言言者，辭可以不言言者；其可以不言言者，亦有不能言者也；其可以言言者，則又不必言者也。」夫可以不言，而亦有不能言者，則不言固矣；若可以言，而又不必言，不幾於無言矣乎？當云其可以言言者，又有其不必言者也。」[57]善讀書者可養心氣，放之為言，有可言有不可言，而能言其所當言，不言其所不能言者，鑄錬得宜，而有所變化，不會拘泥而能有所建言。此說立基在善讀善遊而能善養氣的基礎上，自能收放自如，無拘不滯。

以上諸說構築在讀經磐石上而能情豐意正，順時而作，因情立體，當言而言，遂能變化得宜。

（二）創作法則

范罕揭示今人作詩當學古之義理而略其文詞，其在《蝸牛舍說詩新語》云：

> 三百篇句句事實，句句性情。後人之詩，題目也，意境也，文辭也，格調也，如是而已。然後世詩固有優於前人者。非優勝也，時代思想由單純日趨複雜，非古人單辭片義所能表示其接物之情也。所以學古人當學其性情義理，而略其文辭。即做今詩，亦應從性情義理入手。誇多鬥靡，非法也。[58]

明示古今詩歌有所不同，古代詩歌單純而重性情，後世詩歌轉向複雜與技巧變化，創作手法亦多變化，然而創作宜學習古人從性情義理入手，不可只求技巧，因為後世標榜意境、文辭、格調，皆是複雜於古人。從詩歌流變史觀之，《詩經》四言，兩漢五言，其後衍為七言、雜言，又有古體、近體之分，近體又有絕律排之別，是知，後世日益變化

57 《民國詩話叢編》，冊1，頁49。

58 《民國詩話叢編》，冊2，頁569。

體勢，則靈活運用字詞，遂能變化多端不可控捉，若執一法以為創作必扞格不入，若能從性情義理入手，變化體勢，則能操持變化之端而有所成就，超邁古人，如若誇浮飾巧，則非善學、善詩。

（三）運用六義之賦比興手法

《聽雨樓詩話》揭示孔子教小子學詩，曰：「多識於鳥獸草木之名。及屈宋降而為騷，猶必以香草美人為詞。則風花雪月，形諸詩歌，固不始隋唐也。然而綠竹思君子，棠棣懷兄弟，古人多託諸比興未有專以此為賦者。……」是知創作必效離騷以比興為詞，以知婉轉含蓄之法。民國詩話作者亦有續衍此義者，對詩歌創作手法亦多言賦比興，例如《石遺室詩話》卷八：「習為駢體文者，往往詩情不足，以在六義中，賦、比多而興少，頌、大雅多而風、小雅少也。」[59]揭示駢文之缺失，在詩情不足，而創作手法又興義偏少。又指出陳沆《詩比興箋》之作，所指稱的詩歌作法略有可議者，其在《石遺室詩話》卷三云：「詩比興箋亦間有可議者……皆賦體，而非比興也。」[60]多用賦體而非比興。再如《石遺室詩話》卷三：「詩有六義，興居一焉，興、觀、群、怨皆是也。後世謂之『詩情』。其鄰於樂者曰『興趣』、曰『興會』；鄰於哀者曰『感觸』，故工詩者多不能忘情之人也。任公有〈臘不盡二日遣懷〉云：『淚眼看雲又一年，倚樓何事不淒然？獨無兄弟將誰懟？長負君親只自憐。……』」[61]指出梁啟超詩歌有「詩情」讀之能令人淒然相對。再如《石遺室詩話》卷三：「學古集四卷，嘉慶間仁和宋左彝大樽著，後附《詩論》一卷，世之有志於古者盛稱之。……《詩論》云：『太白有云：『將復世道，非我而誰？』古道必何如而復也？《三百》後有《補亡》，《離騷》後有《廣騷》……擬議以成其變化也。」[62]是知騷雅多所變化，非僅止於離騷之作，後世變化轉精，是不可不知。

對於前人論述《詩經》皆從正面立說，唯劉衍文《雕蟲詩話》則揭示詩歌必須因應時代變化而有新的內容與思維，其云：

> 然《詩經》實為四言詩之極詣。後有作者，縱陶元亮亦未能及之。但苦繁意少。就成熟而言，其詩雖具社會性與地方性，而無我之個性在焉。故《詩經》雖為源匯，而不能不有待於進化矣。[63]

---

59 《民國詩話叢編》，冊1，頁115。

60 《民國詩話叢編》，冊1，頁47。

61 《民國詩話叢編》，冊1，頁51。

62 《民國詩話叢編》，冊1，頁48。

63 《民國詩話叢編》，冊6，頁415。

揭示《詩經》雖然具有社會性與地方性，卻不能如實呈示作者的個性，而且四言詩之表述方式，後世詩家難達極詣，必須有待後世進化，故知詩歌必須隨時代更易表述形式及內容。這種說法頗合後世詩歌進化之說。梁朝鍾嶸〈詩品序〉早有此說，其云：「夫四言，文約意廣，取效風騷，便可多得。每苦文繁而意少，故世罕習焉。五言居文詞之要，是眾作之有滋味者也。」[64]指出四言詩因文字簡約，不易表述，取效風騷方能有得，而五言因文句變化多端，宜乎後世多習而有得。劉衍文之說當然有所承傳，且在歷來被《詩經》詮釋系統籠罩下能有所開脫，站在時代的後設視角指出詩歌創作的個性化，是不容忽視的，不能一味強調整體的社會性而忽視詩家風格的獨特性。

五　再生與開發：歷史更迭中的詩學意義與價值

民國詩話群體作者當中，有傳統文人、有留學歸國學人、有積極參與革命之知識份子，這些相反相成的文人或知識份子，在民國時期共同援用《詩經》義理內容藉詩話來傳述個人對時代家國變異的看法與見解，其中，有黃節曾參與革命，後變轉以著述救國。夏敬觀則以疏解古代詩歌作為自己感嘆身世的代言，至若吳宓是留學歸國學人，以《吳宓詩話》闡述白璧德的人文主義思想，作為東西碰撞過程中力挽狂瀾的中流砥柱。三種對蹠相激的類型，如何各自以詩話形式來表述對時代的感發摩盪？以下分論之。

（一）教化與救國：黃節以詩教救國

黃節（1873-1935）[65]對詩歌教化特重於他人，尤其以詩救國之志顯著，吳宓《空軒詩話》曾昭揭其師黃節說法：「天若命余重振救之，舍明詩莫繇」，宣稱黃節以明詩救國擔負自任，有若孟子千萬人我獨往的氣概，且昭揭黃節說詩之法，本於孟子，其云：「於其事不敢妄附，於其志則務欲求明。」此即孟子「不以文害辭，不以辭害志，以意逆志，是為得之」之意。復云：「顧黃師之說詩與其作詩，乃一事而非二事，所謂相成其美也。」[66]揭示黃節以詩教救國的使命感，且說詩與創作詩歌是相輔相成。

黃節著有《詩論》一卷，以詩歌流變史方式暢言歷代詩歌演變，兼論詩歌旨趣及異同。《詩學》鉤稽《詩經》以降迄明代之詩歌流衍的概況，既有「史觀」，又能品銓詩家優劣，標舉風格典範，更能糾舉名家名篇，是能宏觀，亦能微觀，呈示體大思維的綿密

---

64 見鍾嶸著、汪中注：《詩品注》（臺北市：正中書局，1982年臺八版），頁15。

65 黃節生平可參看陳希：《嶺南詩宗：黃節》（廣東市：廣東人民出版社，2008年）；陳慶煌：《黃節及其兼葭樓詩》（臺北市：里仁書局，2001年）。

66 《民國詩話叢編》，冊6，頁18。

系統[67]。詩論有何重要？為何黃節歷經東渡日本、從事革命、組織國學保存會、創《國粹學報》、參與南社等事功，在繁華落盡之後，回歸北大教書時，以《詩學》作為上課講義，同時，也將《詩學》視為重要的理論，其論詩意見為何？其云：

> 〈詩序〉:「〈小雅〉盡廢，則四夷交侵，中國微矣。」夫「詩教」之大，關於國之興微。[68]

借歷史取鏡，將周朝四夷相侵與清末民初西力東漸相比附，直陳詩教與國政興微相涉，續言：「而今之論詩者，以為不急，或則沉吟乎斯矣，而又放敖於江湖裙屐間，借以為揄提贈答者有之。詩之衰也，詩義之不明也。」評騭當時論詩者，以沉吟為務，或嘯放山水之間，或揄揚酬酢贈答，致詩義不明，歌詩衰微不舉，復言：

> 〈詩序〉：自〈鹿鳴〉以至〈菁菁者莪〉，述文武成康之治。治之以生人之道，所謂義者而已。《記》曰：詩以理性情。人之情時藉詩以伸其義，義寄於，而俗行於國，故義廢則國微，奈何今之論詩者以為不急乎！。

黃節重視「詩教」，是「關於國之興微」，何以如此重視詩歌之功能教化，並將之視為國家興盛衰微之憑藉？此一說法秉承〈詩序〉政教說而來，揭示詩歌除了可以宣洩人之性情之外，最重要的是「義寄於詩，而俗行於國，故義廢則國微」，如此立論，將詩歌的重要性與國家興廢相涉，其意寄在詩「義」之中，此「義」指詩歌的義理內容，此一內容必定有政教功能者，才能負載風俗國教之義。也正因為承自〈詩序〉的教化功能，對詩的重視，自是不言而喻。而今人論詩卻只在沉吟之間，忽視其對家國、風俗移易的效能，致詩義不明，是詩衰之原因。

然而，詩歌果真可移風易俗？如何可能？蓋詩歌可具現時代之風與詩人情志，若持「上以風化下，下以風諫上，主文而譎諫，言之者無罪，聞者足以戒」的說法，仍陷落在情性移易之薰染，注重社會性卻與當時局勢蜩螗相悖不侔，如此用心回歸到詩歌本質，其用心雖深，而其難能可知，致無以復詩國風威，亦無能救國勢日頹。

（二）情志之抒發：吳宓以溫柔敦厚感發生平

吳宓（1894-1978）古典詩歌受學於姑丈陳伯灦[69]，後入清華就讀又受學於黃節，

---

67 相關論述可參拙著〈黃節「論詩存史」與「注詩寫志」的書寫策略與意義。見《國學集刊》（成都市：四川社會科學院出版，2015年）第3集。

68 黃節開章明義揭示詩義，由是可知，其論詩意見上承〈詩序〉而來，重視詩義的教化功能。

69 陳伯灦是吳宓姑丈，有《審安齋詩集》，詩學盛唐，取法杜甫。吳宓《空軒詩話》云：「予學詩於陳伯灦姑丈，久擬為丈詩作箋註，詳敘當時情事，即陳寅恪君所謂『今典』，以貽後人，終未能也。」見《民國詩話叢刊》，冊6，頁12。

曾留學美（1917-1921），歸國又曾任職東南大學、東北大學、清華大學等校[70]，復籌辦《學衡雜誌》，在時局飄搖之中找到屬於自己貞定的定位，以新人文主義發揚中國文化與文學，是位詩人，也是一位學者，並期許自己成為文化導師，更是一位介於傳統與現代轉接過程中的凝視者，對於傳統詩學不僅是他知識資糧，更是其情志託寄之所，吳宓書寫《空軒詩話》作為存錄時人師友之佳篇雋構，又以評詩作為發皇自己詩學理論之根據，主要深受梁啟超影響，第三則云：「幼讀梁任公《飲冰室詩話》：『我生愛朋友，又愛文學。每於師友之所作，芳馨悱惻，輒錄誦之。』予亦同此感。學生時代所喜誦者，已入《餘生隨筆》。遊美回國以還，充任《學衡》雜誌及《大公報》文學副刊凡十二年，所得師友之佳詩佳詞，隨時刊登，與世同賞。」明示存詩共賞之雅願，然而果真只在存錄師友佳篇雋構？事實不然，內容包蘊對新人文主義與中國文化相接融攝、釐析對傳統詩學詮解，潛隱個人痴戀海倫女士（即毛彥文）深情婉意，詩話不僅是存錄佳篇，更是情志託寓所在[71]。

吳宓的詩學論述，主要是以闡發其師黃節以詩救世為說，並且與白璧德的人文主義相結合。何以吳宓在學術上最風華的歲月，以詩歌創作來表述自己，並以詩話來呼應存在的立場？其意圖是在傳承詩學傳統藉以感寓身世之痛，蓋身處新舊文學交接之際，他承繼梁啟超的「詩界革命」，以新內容入舊格律，並且揭示唯有保留舊體詩才能承接文化傳統與命脈，否則漢文字銷亡，則民族命脈焉繫？故而以《學衡》及《大公報》刊載當時重要詩人的作品，在二種刊物解職之後，再以《空軒詩話》存錄時人重要詩作，這種意圖，明顯是用來回應世局變態。在西方留學時，因為接觸了白璧德新人文主義，才恢復對傳統文化的信心，也找到能與西方接軌的榫頭。從此新人文主義成為他對抗新文學與西方浪潮的利器。

復次，對於時事有所關心，亦輯錄相關詩歌，其云：「而國難既起，中經上海及熱河戰役，南北志士名賢，感憤興發，尤多精湛光輝之作……」自注云：「蓋以舊詩受眾排斥，報章雜誌皆不肯刊登。」對於舊體詩在這種媒體式微之下，擬自編《近世中國詩選》，繫以作者小傳，並將所寓時事，「詳加註釋，既光國詩，尤裨史乘。」這就是吳宓在面對舊詩困境時，擬自行編輯詩選的意圖，為時代留存佳作，這是功能也是效果。如是，顯見吳宓與其師黃節皆重視傳統詩學，黃節欲以詩義救國，吳宓以刊、編詩選等同史乘著作，二人取徑容或有異，卻共同擔負挽救傳統文化於頹勢之意圖相同。

---

70 吳宓一九一七至一九二一年留學美國維吉尼亞州就讀文學，經施元濟認識梅光迪，入哈佛大學就讀比較文學，以白璧德為導師。懂英法德諸國語言。與陳寅恪、湯用彤合稱哈佛三傑。

71 見拙著〈凝視歷史分界點的選擇：吳宓對傳統詩學擇取與承繼之意義〉；輯入《東亞漢學研究》第6集，189-201。

（三）夏敬觀以注疏抒發個人感蕩臆氣

夏敬觀（1875-1953）為清末民國之學者、詩人、藝術家，其一生充滿傳奇色彩，創辦各種文人社團[72]，主撰涵芬樓，亦曾出任復旦公學、中國公學監督，並任浙江省教育廳長，晚年，避居上海鬻畫為生，對照前期之作為、與後期之隱退上海以著述為志，顯示夏敬觀面對帝國與民國交接之際，選擇以書寫傳統詩歌、詩話形式、校注各家詩歌作為自己論述、發聲的基石，以面對傳統文化與現代文化的衝擊。[73]

夏敬觀生平逡巡在士人與學人之間，早年以習經為務，後轉向事功之政治施為，再反轉回歸著述為務，在學術、政治、藝術、社會關懷之間流轉。其詩話之作有《忍古樓詩話》、《學山詩話》二種，意在以詩存人、以詩存史。

夏敬觀在面對新文學運動時，仍然堅持以傳統校注及撰寫詩話的方式，表述自己的文化立場，如此著述，果真是用來傷弔古代詩人？蓋解讀詩家，以己意己情解詩、注詩、論詩，意在藉詩人生平遭逢，迂迴宛轉地暗寓個人的情志；疏通被誤解的詩人，實際上也是用來疏通自己的情志。藉由抉發詩人情志以寓寄個人別有心眼的情志，是夏敬觀特有的生命態度。如此回叩生平，從早期積進從事公職，後期以著述為志，其心路歷程的迂曲迴轉，是在世變之下「常」／「變」、「保守派」／「革新派」之悖逆與衝突的一種婉曲表述，表現出「似直而迂」的心意流轉。職是之故，詩話論述及詮評唐人詩、選校宋人詩集之學術成就，意在透過論述前人詩作的過程來呈示詩人情志並回應、反饋個人感嘆生平的意向性以與前人相承相應。

以上三位不同型範的詩話作者，代表了不同知識份子的類型，取徑容或殊異，護衛傳統之心卻昭著顯見，共同在民國時期以詩話作為發聲利器，援用、衍化《詩經》學，已超越了字句的詮解與梳理，直接昭揭詩教功能以跨越時代藩籬，抵抗中西衝擊之際的浪潮。

六　結論

《詩經》學，在中國形成一個龐大的研究與詮釋系統，自漢迄唐，形成「《詩經》漢學」；宋初疑經成「《詩經》宋學」代表；清代，兼採漢宋，超越漢宋，是為「《詩經》清學」[74]；民國《詩經》研究由經典轉向文化多元研究。

《詩經》學在極亂的世代中，被民國詩話作者演繹、轉化與運用的情形大抵有四：

---

72 曾創辦漚社、康橋畫社、聲社、午社等文人社團。

73 見拙著〈傳記情境的表述：夏敬觀評注詩歌與生命境遇之交迭演繹〉，輯入《東亞之承繼與交流》，山口大學東亞研究科編，2016年3月，頁167-188。

74 見洪湛侯：〈自序〉，《《詩經》學史》（北京市：中華書局，2002年），頁3-9。

其一，沿承與新變，對《詩經》學的擇取與運用，以宣闡溫柔敦厚之詩教為主，進而應用《孟子》〈萬章篇〉「知人論世」之說以應合時代遷變。

其二，論述與實踐，以闡述詩歌本質之發用與效能為主，賡續〈詩序〉情志說的本質意義，進而從功能衍述教化說的主文譎諫之說，三則從美刺揭示委婉深意之善讀機制，四則從詩旨論述「以詩存史、以詩證史」之說。

其三，轉化與運用，闡述《詩經》學的詩歌美感經驗為主，一則昭揭作詩讀經的進路，二則揭示創作法則，在於作詩當學古之義理而略其文詞，因後世漸趨繁複與技巧化。三則梯接六義賦比興手法作為創作津筏。

其四，再生與開發，分從三個典型知識份子揭示歷史更迭中的詩學意義與價值，一是教化與救國，申明黃節以詩教救國為論，國之興亡繫乎詩義。二是情志之抒發，探賾吳宓溫柔敦厚感發生平之作意，既存師友佳篇，並涵融新人文主義以與傳統文化合攝。三是夏敬觀以注疏詩歌，借古喻今地抒發個人感蕩臆氣，以回叩時移世變。

處在舊傳統仍未消歇而新思潮迭起的衝擊下，傳統與現代、中國與西方交接之際，民國詩話群體作者以古典詩話記錄時代，其間迂迴幽折的心路歷程，透過運用、承轉、脫衍、演變《詩經》學的論述達致回應、承接傳統文化並對治新舊文化衝擊的作意，不僅豐富當時人對《詩經》學詮釋系統的增衍時義，更新增時代意義於傳統詩話的脈流之中，頗值得關注。

本論文原刊載於《林慶彰七秩華誕壽慶論文集》
（臺北市：萬卷樓圖書公司，2018年），頁15-54。

附録一　〈先秦暨詩序論詩要旨一覽表〉

出處	論詩要旨內容	後世發衍
尚書	舜典：詩言志，歌永言，聲依永，律和聲，八音克諧，無相奪倫，神人以和。	情志說
禮記	經解篇：溫柔敦厚，詩教也。	詩教說
論語	為政篇：詩三百，一言以蔽之，曰思無邪。	無邪說
	子路篇：誦詩三百，授之以政，不達，使于四方，不能專對，雖多，亦奚以為？	功能說
	陽貨篇：詩可以興，可以觀，可以群，可以怨。邇之事父，遠之事君，多識於鳥獸草木之名。	興發說 功能說
	陽貨篇：子謂伯魚曰：女為周南、召南矣乎？人而不為周南、召南，其猶正牆面而立也歟？	讀詩重要
	子罕篇：吾自衛反魯，然後樂正，雅頌各得其所。	孔子著述說 孔門重詩說
孟子	萬章上：說詩者，不以文害辭，不以辭害志，以意逆志，是為得之。	以意逆志
	萬章下頌其詩，讀其書，不知其人可乎？是以論其世也，是尚友也。	知人論世
	離婁下：王者之跡熄而詩亡，詩亡然後春秋作。蓋古者遒人采詩，進於王朝，以考風俗之美惡，驗政教之得失。	詩史說
莊子	天下篇：《詩》以道志，《書》以道事，《禮》以道行，《樂》以道和，《易》以道陰陽，《春秋》以道名分。	詩言志說
荀子	儒效篇：詩言是其志也	詩言志說
	大略篇：國風之好色也	疾今說
左傳	襄公二十五年：仲尼曰：《志》有之：言以足志，文以足言，不信，誰知其志？言之無文，行而不遠。	言文行遠說 功能說
詩大序	詩者，志之所之也，在心為志，發言為詩。	情志說
	治世之音安以樂，其正和；亂世之音怨以怒，其政　乖。……	世音說
	先王以是經夫婦，成孝敬，厚人倫，美教化，移風俗。	教化說
	詩有六義焉，一曰風，二曰賦，三曰比，四曰興，五曰雅，六曰頌。	六義說
	國史明乎得失之跡，傷人倫之變，哀刑政之苛，吟詠性情，以風其上，達於事變而壞其舊俗者也。	采風說 詩史說

附錄二：〈詩話論詩要旨與《詩經》承衍關涉舉隅一覽表〉

《詩經》要旨	作者	詩話	論詩要旨之發衍
詩教說	陳衍	石遺室詩話	▲闡發詩教薰染讀者之教化說
	沈其光	瓶粟齋詩話	▲溫柔敦厚以釋不淫不亂 ▲重詩歌陶染作用
	鈍劍	願無盡廬詩話	▲以詩教宣闡教化 ▲詩教須應合時局
	范罕	蝸牛舍說詩新語	▲詩歌發揮禮教情志
	黃節	詩學	▲詩教之大，關乎國之興亡
知人論世說	陳衍	石遺室詩話	▲宣闡知人論世以知其詩
	范罕	蝸牛舍說詩新語	▲誦其詩必知作詩之人 ▲因世作詩 ▲詩人識時務而著作 ▲詩歌因時代而遷變 ▲詩人撰寫時代風格 ▲創作詩歌須合時代之需
情志說	范罕	蝸牛舍說詩新語	▲詩中之言即其人之言 ▲詩歌功用在抒情表志
	黃節	詩學	▲藉詩伸義，而俗行於國，義廢國微
	林庚白	孑樓詩詞話	▲詩始自民間之歌，歌謠與音樂相通
功能說	由雲龍	定庵詩話	▲主風人之旨
	王逸塘	今傳是樓詩話	▲諷刺能有溫潤之語
	魏元曠	詩話後編	▲主風人之旨
	范罕	蝸牛舍說詩新語	▲美刺寄意
	錢仲聯	夢苕菴詩話	▲香草美人隱譎之義
	錢振鍠	名山詩話	▲詩樂相通，儒家語可入詩
	吳宓	空軒詩話	▲以新人文主義與傳統詩話接軌，以對抗新文學及西學 ▲以詩話存詩
詩史說	郭則澐	十朝詩乘	▲詩話為補史而作 ▲詩之為史，由來久矣 ▲以詩證史，以史證詩 ▲詩書皆史也

《詩經》要旨	作者	詩話	論詩要旨之發衍
	夏敬觀	忍古樓詩話 學山詩話	▲以詩存人，以詩存史
		魯民讀詩話	▲以詩為例，說明詩與史之關涉
創作說	陳衍	石遺室詩話	▲古之詩歌比興多而賦少 ▲興觀群怨是「詩情」
	范罕	蝸牛舍說詩新語	▲作詩先讀《詩經》 ▲作詩從性情義理入手
	劉衍文	雕蟲詩話	▲學詩讀經，詩藝漸巧 ▲詩經為四言詩極詣
	蔣抱玄	聽雨樓詩話	▲託比興以賦詩

附錄三 〈民國詩話作者暨著作一覽表〉[75]

作者	作者經歷	詩話著作	刊載情形
陳衍 1856-1937	福建侯官人，光緒八年舉人，張之洞幕僚，官學部主事、京師大學堂教習，辛亥後任教廈門大學、無錫國學專修學校	石遺室詩話三十二卷	1 民國元年至三年刊庸言雜誌，十三卷； 2 民國三年刊東方雜誌，十八卷
		石遺室詩話續編六卷	
		陳石遺先生談藝錄	
魏元曠 1855-1927在世	江西南昌人，光緒二十一年進士，官刑部浙江司正主稿	蕉庵詩話四卷續一卷	民國二十二年魏氏全書・潛園統編本
		詩話後編八卷	
陳銳 1860-1922	湖南武陵人，早年就讀於長沙校經堂，師從鄧輔綸、王闓運。光緒十九年鄉試中式，以知縣發江蘇試用	褎碧齋詩話一卷	民國十九年褎碧齋集本
陳詩 1864-1942	安徽廬江人（合肥）諸生，宣統二年入甘肅提學使俞明震幕。民國後居上海，以鬻文為生	尊瓠室詩話三卷補一卷	原載青鶴雜誌第三四五卷各期，今有中和月刊社鉛印本

75 本表參照張寅彭編：《民國詩話叢編》（上海市：上海書店出版社，2002年）編製而成。

作者	作者經歷	詩話著作	刊載情形
孫雄 1866-1935	江蘇昭文人，光緒二十年進士，曾任吏部主事、京師大學堂文科監督	詩史閣詩話不分卷	中國社科院文學所稿本校點
趙熙 1867-1948	四川榮縣人，光緒十七年進士，授翰林院編修，官江西道監察御吏。民國後歸里，以遺民自居	香宋雜記一卷	民國二十一年成都美學林鉛印本
趙元禮 1868-？	天津人，光緒間五試不第，後返津任教職，民國間任國會議員	藏齋詩話二卷	二十六年鉛印本
袁嘉穀 1872-1937	光緒二十九年進士，同年中經濟特科第一。歷官翰林院編修，浙江提學使，民國後，任參議院議員、清史館協修、雲南鹽運使等職	臥雪詩話八卷	十三年雲南崇文印書館石印本
黃節 1873-1935	廣東順德人，與章炳麟劉師培創辦國學保存會，又曾辦國粹學報等。民國後，任教北京、清華大學，又任廣東省教育廳長	詩學一卷	十一年北京大學鉛印本
趙炳麟 1873-？	廣西全州人，光緒二十一年進士，擢翰林，後官御使，民國後選為國會議員	柏巖感舊詩話三卷	據民國間刊趙柏巖集本
范罕 1875-1938	范當世之子，江蘇通州人	蝸牛舍說詩新語一卷	二十五年鉛印本
錢振鍠 1875-1944	江蘇陽湖人，光緒二十九年進士，官刑部主事，未幾辭歸，居鄉教學，熱心公益，晚年流寓上海	謫星說詩二卷	民國間刊本
		名山詩話六卷	
海納川 不詳	生平不詳。曾與康有為唱和，在西北游宦較久	冷禪室詩話一卷	據民國上海瑞文樓石印本
夏敬觀 1875-1953	江西新建人，光緒二十一年舉人，曾任三江師範學堂等校監督，民國後，任浙江省教育廳長，後隱居上海	忍古樓詩話	原訂十一篇，連載青鶴雜誌第四卷各期

作者	作者經歷	詩話著作	刊載情形
		學山詩話	
丁儀 不詳	廣東人，生平不詳	詩學淵源八卷	民國十九年鉛印本
王逸塘 1877-1948	安徽合肥人，光緒三十年進士，曾留學日本，官兵部主事等職，民國後在袁世凱、段祺瑞、汪精衛政府任要職	今傳是樓詩話	原於民國十六年連載於天津國聞周報，達數年之久 今有民國二十二年大公報鉛印本
由雲龍 1877-1961	雲南姚安人，光緒二十三年舉人，光緒三十年赴會試未第，後畢業於京師大學堂，官候補學部主事，民國後，任雲南都督府秘書長，雲南教育司長，清史館協修，曾參與反袁世凱護國一役之謀畫	定庵詩話二卷	民國二十三年雲南智公司排印本
		定庵詩話續編二卷	
楊香池 ？	雲南順寧人	偷閒廬詩話二卷	民國二十三年鉛印本
郭則澐 1882-1946 字嘯麓，號蟄園，別號龍顧山人	福建侯官人，光緒二十九年進士，授翰林院編修，簡任浙江溫處兵備道，署浙江提學使。民國後，任北洋政府政事堂參議、銓敘局局長等職，曾編讀翰林秘籍，又選清詩。晚年避居天津，著述以終	十朝詩乘二十四卷	北京大學有稿本，民國二十四年郭氏栩樓刊本
王蘊章 1884-1942	江蘇無錫人，光緒二十八年舉人，官直隸州州判，尋出游南洋，曾入商務印書館編輯小說月報，又曾為新聞報編輯。曾在上海辦中國文學院，自任院長，南社成員	然脂餘韻六卷	原載涵芬樓月各月刊，民國七年成書。民國九年商務印書館鉛印本
蔣抱玄輯 1886-1937？	浙江紹興人，曾為民權報編輯	民權素詩話十四種	上海民權素月刊，編輯為民權素粹編
蔣抱玄		聽雨樓詩話一卷	據民國十年上海民權出版部著超叢刊

作者	作者經歷	詩話著作	刊載情形
胡懷琛 1886-1938	安徽涇縣人，諸生，曾任教上海南方大學，上海大學、滬江大學，曾編小說世界等，南社成員	海天詩話一卷	據民國二年廣益書局刊古今文藝叢書
汪國垣 1887-1966	江西彭澤人，民國元年畢業北京大學，長期為中央大學、南京大學教授	光宣詩壇點將錄	原載十四年甲寅週刊，民國二十二年再刊於青鶴雜誌
		光宣以來詩壇旁記	約作於抗日期間
沈其光 1888-1970	江蘇青浦人，光緒三十一年末科秀才，何年肄業於上海震旦學院，曾任教青浦中學，後任江蘇省文史館、上海市文史館館員	瓶粟齋詩話五編二十四卷餘瀋一卷	前編於民國二十九年刊行，有民國三十七年雲間印刷鉛印本
吳宓 1894-1978	陝西涇陽人，早年就讀清華大學，留學美國獲碩士學位，民國十年歸國，任教清華大學、西南師範大學等所院校	空軒詩話	民國二十四年中華書局刊吳宓詩集
林庚白 1897-1941	字學衡，福建福州人，民國初曾任眾議院議員，非常國會秘書長，後又任民國政府立法委員，南社成員，太平洋戰爭爆發，歿於香港	孑樓詩詞話不分卷	民國二十六年七至十一月晨報
		麗白樓詩話二卷	民國三十五年開明書局
錢仲聯 1908-2003	江蘇常熟人，早年任教無錫國學專修學校，後為江蘇師範學院、蘇州大學教授	夢苕盦詩話不分卷	原連載於中央時周報、國專月刊等，迄一九八三年始結集
劉衍文 1920-	浙江龍游人，早年入浙江省通志館為館刊編輯，後為上海教育學院中文系教授，上海市文史研究館館員，上海詩詞學會顧問	雕蟲詩話不分卷	未刊稿本

李鏡池的《詩經》研究

李雄溪
嶺南大學中文系教授

提要

李鏡池曾於《嶺南學報》發表過三篇研究《詩經》的文章，分別為〈詩經中的民歌新探〉、〈詩疊詠譜〉、〈東山詩新解〉。本文將提要鉤玄，介紹此三篇文章的內容，從而說明李氏《詩經》研究的貢獻。

關鍵詞：詩經　李鏡池　疊詠體　東山民歌

一 緒論

李鏡池（1902-1975）從事大學教育工作多年，先後於燕京大學、廣州嶺南大學、華南師範學院任教。李鏡池的研究主要以《易經》為主，至於《詩經》方面，李氏在《嶺南學報》發表過三篇相關的文章，分別為〈詩經中的民歌新探〉（《嶺南學報》第11卷1期，頁176-186）、〈詩疊詠譜〉（《嶺南學報》第11卷2期，頁47-96）、〈東山詩新解〉（《嶺南學報》第7卷1期，頁51-58）。[1]以下將介紹和分析三篇文章的內容，並略談李鏡池《詩經》研究的成就。[2]

二 詩經中的民歌新探

是文分三部分，包括一、敘論；二、疊詠與情歌；三、古代社會的史詩。

「敘論」交代背景，作者開宗明義的指出，「新文學運動以來，學術界無論創作與研究，都注重兩點：一，西洋文學的翻譯與研究；二，民間文學的搜集與研究。」[3]是文就是在當時重視民間文學的情況下寫成的。北京大學在民國七年成立歌謠研究會，李氏以此為起點，介紹民間文學的發展，並嘗試將《詩經》放在民間文學的角度來討論。用李氏自己的話來說，「我這篇文章，是對《詩經》的一種形式以及這個形式所表現的內容，作一翻分析。我的目的，要供給研究民間文學的做參考。」[4]他所謂的形式，是指疊詠體；至於內容，則包括情歌和史詩。

李鏡池在第二部分的「疊詠與情歌」對《詩經》作了整體觀察，得出的結論是：「國風一百六十篇有一百四十篇疊詠體的詩，一百四十篇疊詠詩有九十七篇抒情詩，此外還有祝賀的歌，如〈樛木〉，〈螽斯〉，〈桃夭〉，〈麟趾〉，〈鵲巢〉；寫女性生活的如〈芣苢〉，〈采蘩〉，〈采蘋〉，等，都可以算上，總在百篇以上。在這一百多首抒情詩中，單與男女之情有關的，也有七十多篇。我們可以這樣下一句斷語。《詩經》中表現男女之情的最多；表現男女之情的，用疊詠體為最多。〈小雅〉裡的抒情詩，還是不少，據我所計，有三十一篇；其中寫男女之情的，如〈杕杜〉，〈蓼蕭〉，〈菁菁者莪〉，〈白駒〉，〈裳裳者畢〉（按：應為〈裳裳者華〉），〈頍弁〉，〈都人士〉，〈隰桑〉，〈白華〉

1 黃智明：〈李鏡池著作目錄〉，《中國文哲研究通訊》（臺北市：中央研究院中國文哲研究所）第17卷第4期，頁53-59。

2 承臺灣國立政治大學車行健教授賜告，臺南應用科技大學通識教育中心的陳文采教授著有〈李鏡池《詩經》研究論著述評〉，為中央研究院中國文哲研究所主辦的「新中國六十年的經學研究（1950-2010）」第一次學術研討會宣讀論文。後得以拜讀陳文采教授大文，其論述角度和側重點與本文頗有不同。

3 〈詩經中的民歌新探〉，《嶺南學報》第11卷第1期，頁167。

4 同上，頁168。

等，也有八九篇。〈大雅〉以下就沒有了。」[5]

由是可知，疊詠體是情詩表達的一種重要形式，而情詩當中，李鏡池又指出有男女幽會的詩、男女愛戀相思的詩、倡和歌、失戀之歌，或婚姻不滿的詩、讚美女性或讚美男性的詩。此外，李鏡池同意孔子「思無邪」的觀點，反對王柏（1197-1274）《詩辨說》刪淫詩之說。他認為《詩經》裏面的確有些大胆和露骨的情詩，這正正是民間文學的本色。

朱東潤（1896-1988）在〈國風出於民間論質疑〉[6]一文反對〈國風〉出於民間，作者在第三部分「古代社會的史詩」反駁朱東潤的講法，提出兩點：「徒歌變為樂歌，必經樂師的修改；土地領主間的兼併戰爭，有許多貴族變為平民。」[7]並分析《詩經》當中，尤其是疊詠詩所反映的當時社會。從內容上去分類，包括行役詩、服徭役的訴苦詩、跟領主去打打獵的詩、寫性的掠奪的詩，作者認為「讀這些詩，我們彷彿在讀古代的封建社會史」。[8]

三　詩疊詠譜

是文從疊詠的角度出發去分析《詩經》，是〈詩經中的民歌新探〉的姊妹作。全文分為三部分，第一部分「凡例」，第二部分是「詩疊詠譜」，第三部分是「統計與比較」。第一部分發凡起例，共列七條，清楚說明統計疊詠詩的基本原則和方法。第二部分為材料的羅列，將《詩經》的疊詠體劃分為二章疊詠式、三章疊詠式、四章疊詠式、五章疊詠式、六章疊詠式、七章疊詠式、八章疊詠式、九章疊式詠、十章疊詠式，每式之下，又再細分不同類型，並各引一詩例以為證。第三部分是全文最重要的部分，是在第一，二部分部分的基礎上所提出的觀察。歸納起來，其中值得注意的，有以下各點：

（1）疊詠體共一百三十式，見於二百〇三篇詩。[9]

（2）「疊詠的方式，一方面是極其多樣的，錯綜的，變化的；同時，又是極其整齊的，有規律的，美觀的。」[10]

（3）在分量上，疊詠在〈風〉、〈雅〉、〈頌〉當中甚有差別：「〈國風〉一百六十篇中，有疊詠詩一百四十篇，百分比將佔近百分之八八.五」；「〈小雅〉的疊詠詩，四十五篇，百分比是百分之五六強」；「〈大雅〉的疊詠詩共八篇，百分比

---

5 同上，頁178。

6 《讀詩四論》（長沙：商務印書館，1940年10月），頁14-62。

7 〈詩經中的民歌新探〉，《嶺南學報》第11卷1期，頁181。

8 同上，頁185。

9 《嶺南學報》第11卷2期，頁87。

10 同上，頁93。

是百分之二六弱」;「〈頌〉之中,〈周頌〉沒有一篇;〈魯頌〉三篇,四分之三;〈商頌〉一篇,五分之一」。[11]

(4)「關於疊詠所用章數的多少,在〈風〉、〈雅〉、〈頌〉裡也有升降的分別。(一)二章疊詠的:〈國風〉三十八篇,〈小雅〉一篇,〈魯頌〉一篇。(二)三章疊詠的:〈國風〉八十一篇,〈小雅〉十八篇,〈魯頌〉一篇。(三)四章疊詠的:〈國風〉十七篇,〈小雅〉十四篇,〈大雅〉一篇,〈魯頌〉一篇。(四)五章疊詠的:〈國風〉兩篇,〈小雅〉七篇,〈大雅〉兩篇。(五)六章疊詠的:〈國風〉無,〈小雅〉三篇,〈大雅〉兩篇。(六)七章疊詠的:〈商頌〉一篇。(七)八章疊詠的:〈小雅〉一篇,〈大雅〉三篇,〈魯頌〉一篇。(八)十章疊詠的:〈小雅〉一篇,〈大雅〉一篇。」[12]

由以上的統計數字,李氏作出以下的結論:

(1)疊詠體是〈國風〉詩體上的主要格式。[13]

(2)從疊詠體的出現的比例數量看,「〈小雅〉、〈魯頌〉與〈國風〉近,〈大雅〉其次,〈商頌〉較遠,〈周頌〉最遠。」[14]

(3)「〈國風〉主要的疊詠,用兩章,三章,用四章已比較少了,五章更少,六章以上的完全沒有了。〈小雅〉多用三章四章。〈大雅〉,八章更多,五章六章次之。〈魯頌〉較普遍,長章短章都有,〈商頌〉則只有七章的一篇。」[15]

關於第三點,可見〈國風〉用的章數較少,〈大雅〉用的章數較多,作者又透過統計數字,指出「〈國風〉的來源,大採自民間,民間歌謠,喜用疊詠體,而章數則較少;〈大雅〉的作者,多士大夫,士大夫模仿民歌而作詩,亦間用疊詠體,因為他們有藝術的訓練,可以寫較長,章數較多的詩。民歌出於自然,用兩章三章的疊詠,就可以把情意表達了;較複雜的,就不用疊詠。士大夫講究技巧,雖模仿民歌,寫起來卻會洋洋灑灑地疊它十章八章。」[16]〈國風〉出於民間,〈大雅〉出於士大夫之手,看法並不新鮮,李氏分析《詩經》的疊詠體,為這說法提出有力的旁證。

是文最後還探討一個由顧頡剛(1893-1980)提出的問題:「疊詠是民歌原來如此的?抑或是樂工合樂時湊上去的?」[17]李鏡池先引顧頡剛的看法:「《詩經》中一大部分

11 同上,頁94。

12 同上。

13 同上。

14 同上。

15 同上,頁94-95。

16 同上,頁95。

17 同上。

是為奏樂而創作的樂歌。當改變時，樂工為牠編製若干複沓之章」[18]，又「樂歌是樂工為了職樣而編製的，他看樂譜的規律比內心的情緒更重要；代為聽者計，所以需要整齊的歌曲而奏複沓的樂曲」[19]，然後援引魏建功（1901-1980）、張天廬（？-？）、陸侃如（1903-1978）諸人的講法反駁顧頡剛的觀點。李氏指出「固然《詩經》中的疊詠詩，也有由樂師申述的可能，但說徒歌全是直捷陳述而不複沓，複沓的都是樂工申述加添的，那是否定徒歌的複沓體，便近於武斷了。」[20]

對於這問題，李鏡池持中庸的看法，認為疊詠體的來源有三種：「一，是民歌原來的式樣；二，是樂工根據徒歌而增添的；三，是士大夫模仿民歌或根據樂章而寫作的。」[21]李氏不排除各種可能性，講法雖見保守，但亦有其合理之處。

三　東山詩新解

對〈東山〉詩的解釋，歷來有些不同的看法，李氏認為崔述（1740-1816）在《讀風偶識》中的說法最好，崔氏原文為：「余按首章自敘途中情形，次章代寫家中景象，皆未歸時事，謂之為『完』與『思』，尚屬近之。至第三章明言久別乍逢之喜，故曰，『婦歎于室，我征聿至，』而云『室家望女，』已為誤解，若第四章，乃言夫婦聚首之樂，而借新婚以形容之，然後以『其新孔嘉，其舊如之何，』兩句醒出主意，詞意甚明；今乃以為『樂男女之及時，』是反以襯筆為正筆，失詩人之旨矣。」[22]不過李氏仍然反對崔述對第四章的分析，指出此章並不寫相逢之樂，也不是回憶新婚的情況，而是實寫，描述續娶一事。李鏡池認為「這一首詩，是寫軍人歸家的故事，首章寫歸途之苦，二章寫感念之勞，三章寫家人之慘，末章寫續娶之事。」[23]

李氏提出這看法，關鍵在對《詩》第三章「歎」字的訓釋。第三章有「婦歎于室」句，李氏認為「婦歎于室」是「病在牀上呻吟」[24]，其想法是婦人因思念征夫而病重，詩人用暗示的方式來表達婦人因病而死，故第四章寫征夫續娶。這種理解表面上看似順理成章，但也只能說是李氏的推測，並沒有堅實的證據。

《說文解字》卷二口部：「嘆，吞嘆也。一曰太息也。」[25]又卷八欠部：「歎，吟

18 同上。

19 同上。

20 同上，頁96。

21 同上，頁96。

22 《嶺南學報》第7卷第1期，頁54。

23 同上，頁57。

24 同上，頁55。

25 《說文解字》（北京市：北京師範大學出版社，2000年），頁58。

也。」[26]段玉裁（1735-1815）《說文解字注》謂「按嘆歎二字今人通用，《毛詩》中兩體錯出。」[27]「歎」字在《詩經》中凡數見，但無一指因病呻吟，〈小雅〉〈常棣〉：「況也永歎」，〈王風〉〈中谷有蓷〉：「嘅其嘆矣」，〈曹風〉〈下泉〉：「愾我嘆寤」，以上數例，「歎」皆作「歎息」解，未有解作病中呻吟。李氏在「註」中引〈伯兮〉：「願言思伯，使我心痗」，「痗」即「病」，由此試圖證明本詩的「歎」有因病呻吟之意。這種論證似是而非，〈伯兮〉的詩句只能證明《詩經》中有因思念而心病的描寫，對說明「歎」在〈東山〉之意義，毫無幫助。

〈東山〉詩得歷來說詩者稱道，乃由於寫心理活動的成功，姚際恆（1647-1715）《詩經通論》分析得十分恰當：「解者謂軍中有新娶者，意味索然。鄭氏曰，『其新來時甚善，至今則久矣，不知其何如也，又極序其情樂而戲之』，其意稍近。但其解『如之何』曰『不知其何如』，竟不成語，令人發嘔。彼不知『如之何』者，乃是勝于新之辭也。古、今人情一也，作《詩》者亦猶人情耳；俗云，『新娶不如遠歸』，即此意。若《詩》不合人情，亦何有《詩》哉！」[28]又云：「末章駘蕩之極，直是出人意表。後人作從軍詩必描畫閨情，全祖之。」[29]

本詩的第三，四章，應為遠征士兵的歸途中的想像，第三章想像家中妻子思念自己，第四章回憶新婚的美好情景，只有這樣理解，方能見詩人歸家心切，對妻子用情至深，思想跳躍力之豐富。第四章如是實寫，敘續娶之事，則詩味索然。李鏡池別出新意的理解，或可備一說，沒有充分的證據之下，未足作為的論。

四　小結

李鏡池研究《詩經》的文章不多，僅以上三而已，其中兩篇以疊詠體為研究重點，〈詩經中的民歌新探〉把疊詠體聯繫到民間文學，〈詩疊詠譜〉對疊詠體作了詳細的統計和分析，對研究《詩經》皆提供了很有價值的參考。〈東山詩新解〉大膽提出〈東山〉詩異於前人的分析，雖然未必確鑿可信，但詩無達詁，李氏的「新解」，亦不失為創新的嘗試。

本論文原載《國學新視野》2016年9月秋季號，總第23期，頁93-97。

---

26 同上，頁357。

27 《說文解字注》（杭州市：浙江古籍出版社，1998年），頁60下。

28 《詩經通論》（臺北市：河洛圖書出版社，1978年），頁168。

29 同上。

三禮及大戴禮研究

論〈四代〉對〈三德〉陰陽思想之繼承發展

林素英
臺灣師範大學國文系教授

提要

〈四代〉見於《大戴禮記》，也被歸入《孔子三朝記》之一。雖然《漢書》〈藝文志〉於儒家《論語》類中已列有《孔子三朝記》七篇，且宋代以前對於是哪七篇並無疑義，但歷來研究者相當少。推測其因，主要應以其內容多涉及陰陽、兵刑思想之運用，認為與《論語》〈為政〉之孔子強調以德禮為政有嚴重扞格，而不願採信，其中尤以〈四代〉、〈用兵〉為然。然而追溯〈四代〉、〈用兵〉陰刑、用兵思想之源頭，其關鍵乃在於對陰陽思想之認知及運用，若不能深入陰陽思想以求其義，則難得確解。又因為上博簡〈三德〉亟言天常、天時、天禮、天命，並強調順應天常以合自然之道，若反之，則陰陽失常而為大慼與不祥，整理者李零認為與〈四代〉有類似表達，是故本文乃合併此兩篇而探討其繼承發展關係。由於〈三德〉之思想較原始，而〈四代〉之陽德陰刑思想已相當成熟，因而本文乃從陰陽思想發展之角度，先從陰陽之本義、引申義以及假借義之三層次，論述〈三德〉陰陽思想之內涵，然後再論述〈四代〉對〈三德〉陰陽思想之繼承發展，並試圖從〈四代〉強調三才之德以回歸孔子思想之本質。

關鍵詞：三德　陰陽思想　四代　夏小正　天道自然　人事因應　政治運用

一　前言

〈四代〉見於《大戴禮記》，也被歸入《孔子三朝記》之一，但歷來研究者相當少。《漢書》〈藝文志〉於儒家《論語》類中，即列有《孔子三朝記》七篇。[1]《三國志》〈蜀書〉〈秦宓傳〉也載：「昔孔子三見哀公，言成七卷。」而裴松之則注曰：「孔子三見哀公，作《三朝記》七篇，今在《大戴禮》。」[2]至於王應麟，則於《玉海》明載：「《孔子三朝記》七篇，今考《大戴禮》，〈千乘〉、〈四代〉、〈虞戴德〉、〈誥志〉、〈小辨〉、〈用兵〉、〈小閒〉是也。」[3]可見宋代以前對於《孔子三朝記》之研究即使不多，但至少對於是哪七篇並無疑義。

推測學者甚少研究《孔子三朝記》之緣由，主要應以其內容多涉及陰陽、兵刑思想之運用，而與《論語》所載孔子「道之以政，齊之以刑，民免而無恥；道之以德，齊之以禮，有恥且格。」[4]強調以德禮為政之思想嚴重扞格，故懷疑孔子與哀公如此多篇問答內容之可信度，也不願花費心力深入研究。過去，學界總認為陰陽家之思想始於戰國之鄒衍，而《孔子三朝記》諸篇中多言陰陽，尤以〈四代〉、〈用兵〉為甚，不但明示應以陰刑為輔，且公然宣稱聖人用兵，乃藉以禁殘止暴於天下之大事，因而其內容應為後起之說，以致上述篇章與孔子之關係始終受到懷疑。然而追溯〈四代〉主張陽德陰刑之思想，其關鍵則在於正確認知陰陽思想雖相反，實則相輔相成之事實，更應確切理解其應如何合理運用，方可達到陰陽合德，為人民謀幸福之最高目的。過去因為缺乏足夠的考古資料佐證，因而所論較難服人，如今因為出土文獻及相關考古資料不斷增加，尤其是〈三德〉之公布，整理者李零認為與〈四代〉「子曰：有天德，有地德，有人德，此謂三德。三德率行，乃有陰陽，陽曰德，陰曰刑。」有類似表達，[5]已可相提並論以進行對比研究。

〈三德〉之中亟言天常、天時、天禮、天命，也提及天神、皇天、上帝，並強調應

* 本文為科技部專題研究計畫MOST103-2410-H-003-064-MY2「《荀子》與二戴《禮記》之思想關聯——結合出土文獻之儒學發展史」部分研究成果，已節錄有關〈三德〉陰陽思想之部分內容，另成「論〈三德〉陰陽思想」一文，發表在2015年10月《哲學與文化》第42卷第10期（總497期）頁61-77，在此一併向科技部、《哲學與文化》期刊以及審查人表示感謝。嗣後，全文也發表於南昌大學國學研究院主辦之《正學》（南昌市：江西高校出版社，2018年），頁146-167。

1 〔漢〕班固：《漢書》〈藝文志〉（北京市：中華書局，1962年），頁1717。

2 〔晉〕陳壽：《三國志》〈蜀書〉〈秦宓傳〉（北京市：中華書局，1959年），頁974。

3 〔宋〕王應麟：《玉海》〈漢書藝文志考證〉第8冊（臺北市：大化書局，1977年），頁4018。

4 《論語》〈為政〉，見於〔魏〕何晏集解，〔宋〕邢昺疏：《論語注疏》，收入《十三經注疏（附〔清〕阮元校勘記）》（臺北市：藝文印書館，1985年），頁16。

5 上海博物館編：《上海博物館藏戰國楚竹書（五）》〈三德〉（以下簡稱《上博五》〈三德〉）（上海市：上海古籍出版社，2006年），頁287-303，本文有關〈三德〉之簡文以李零整理者為準，註明所屬竹簡編號，並以通用字呈現，若無特別需要改訂者，則不另標註頁碼。

順天之常，以合乎自然之道；若反之，陽而幽，幽而陽，則必遇凶殃，陷入大惑與不祥。曹峰以為〈三德〉與《黃帝四經》在用詞、用韻以及結構上高度契合，而在原理（如「道—名—法」、「刑德」等）之提煉與論述上，則更原始簡單，屬於《黃帝四經》之前身。[6]范常喜、歐陽禎人則根據〈三德〉之內容，認為「三」應為「相參」之義，具有儒家思想之義。[7]王中江則以〈三德〉在道家之自然理性與儒家之人文理性之外，亦具有宗教神意論色彩。[8]前賢諸說雖然都各有依據，若不釐清陽幽轉化之層次，則難見其全。

雖然〈三德〉並未呈現陰陽明文相對之現象，不過從「陽而幽，是謂大惑；幽而陽，是謂不祥。」相對為說，由於幽更直接表達太陽之光線不明之情形，因而其所謂陽與幽之變化，亦與陰陽反映日照之情形相類，因而〈三德〉雖不直接以陰陽對照，其實與陰陽具有相同作用。由於目前學界並未直接從陰陽思想之角度切入此篇進行研究，[9]然而此問題又攸關全篇思想內涵，關係該篇與《大戴禮記》中德刑思想之聯繫，乃至於如何運用在政治實務中，故有必要深入探討之。職是之故，本文依循下列順序進行討論：前言部分，先論述形成此論題之緣起與重要性；其次，則從陰陽思想之角度切入，藉由二重證據之相對解讀，分別從陰陽之本義、引申義以及應用義之內涵，以深入理解〈三德〉之陰陽思想；復次，再分別從天時、天禮以及天神三層次，討論陽德陰刑思想已相當成熟的〈四代〉，如何對〈三德〉之陰陽思想進行繼承與發展，並試圖從〈四代〉強調三才之德以回歸孔子思想之本質；最後，則形成簡單之結論。

二　〈三德〉中的陰陽思想

〈三德〉提出自然界「陽而幽，幽而陽」之反常現象，乃大惑、不祥之明顯大凶，應反映人類早期生活遵循日出而作、日落而息之規則，並長期觀察以太陽為主之大自然變化，而形成寶貴的經驗總結。以下分從天時、天禮以及天神三層次探討之：

---

6 其詳參見曹峰：《上博楚簡思想研究》〈〈三德〉與《黃帝四經》對比研究〉（臺北市：萬卷樓圖書公司，2006年），頁241-265。

7 范常喜：〈《上博五・三德》札記六則〉，www.bsm.org.cn，2006年5月18日，認為該篇簡文中的「三」與「參」通，是「相參」之意；歐陽禎人：《從簡帛中挖掘出來的政治哲學》（武昌市：武漢大學出版社，2010年），頁80-87，則從簡文內容及上下文意，以該篇為「參德」，而非「三德」。

8 王中江：《簡帛文明與古代思想世界》（北京市：北京大學出版社，2011年），第6章〈《三德》的自然理法和神意論——以天常、天禮和天神為中心的考察〉，頁158-180。

9 較接近者為拙作：〈從〈四代〉再論孔子的禮刑輔政思想——結合〈呂刑〉、〈三德〉之探討〉，收入彭林、單周堯、張頌仁主編：《禮樂中國》（上海市：上海書店，2013年），頁313-330。不過該文之切入點以及關注重點不盡相同。

（一）〈三德〉注重天時觀念乃體現古代陰陽思想之本義

〈三德〉中時常出現之天時與天常、幹常，屬於同一組概念，乃全篇思想之骨幹。此代表自然天道之思想，可體現古代陰陽思想本義，反應自然天候變化狀況之事實。茲分從三方面論述於下：

1 從天文曆法觀之

天文考古學家馮時指出，中國古代在尚未完成樸素的陰陽思辨之前，最早的曆法乃根據太陽之運行而編製。從仰韶文化（約西元前5000-前3000年）、良渚文化（約西元前3000-前2200年）陶器上都出現金烏負日圖像，可以反映當時普遍存在太陽崇拜之現象，生活作息使用太陽曆之系統。從良渚文化的墓葬中出現的大量玉璧和玉琮，且在這些玉器上經常可見雕琢精美的立鳥圖象，也可說明該現象應為太陽神之象徵。由於從卜辭已可見殷人保有祭祀鳥神之習俗，且還有祭祀鳥神祈求止雨日出，而果然放晴應驗之紀錄，則良渚文化的鳥神符或與商代之祭祀鳥神應有類同現象。再觀察玉璧周緣有四組雲紋，每組三枚，共十二枚，或者正可象徵一年十二月。由於古人以雲為氣，故四組雲紋即可代表當時已有二分二至之概念，反映當時已能對於天象運行之週期進行把握。[10]倘若玉璧周緣的雲渦紋確實可如馮時所說，象徵「氣」的存在與流動，則先民認識宇宙中充滿「氣」的概念即相當早。由於雲層之厚薄與移動都會影響日照之或隱或顯，雲的變化更會影響颳風下雨之不同，都會危及先民之生存，因而活在史前時期物競天擇狀況下的先民，對於變幻莫測的天象，不能不早有精密的觀察。〈三德〉中雖未出現陰陽對立之字眼，而是出現「陽而幽」、「幽而陽」之對照組，更可反映當時關懷之主體，乃以太陽為主之天候變化，故對於太陽或隱或顯之變化感覺特別靈敏。

從孔子以「行夏之時，乘殷之輅，服周之冕，樂則〈韶〉舞。」[11]回應顏淵問為邦之道，可見孔子非僅能明顯區分三代文化之長，且能就其所需而決定何者最為恰當，因而在選擇與萬物生長關係最密切之曆法時，能選用夏曆，即可說明夏曆與黃河流域農作物成長週期最為密切。若從顧炎武所言「三代以上，人人皆知天文」，已可見古人將天文曆法常識視為生活必備的重要內容。倘若再從顧氏自言「由〈律書〉之言觀之，乃知聖人所憂者深；由〈制書〉之言觀之，乃知聖人之所見者大。」[12]更可見古代觀象授時之重要意義。馮時指出：由於大火星之出現，關乎進行春耕前燒田時機之掌握，直接影響農作之收成，因此古人很早就以大火星（心宿二 *Antares α Scorpio*）為觀象授時之標

10 其詳參見馮時：《中國天文考古學》（北京市：中國社會科學出版社，2007年），頁196-212。

11 〔魏〕何晏集解，〔宋〕邢昺疏：《論語注疏》〈衛靈公〉，頁236。

12 〔清〕顧炎武著，陳國慶、周蘇平點注：《日知錄》〈天文〉（蘭州市：甘肅民族出版社，1997年），頁1283。

準星。[13]若對照《左傳》「火出，於夏為三月，於商為四月，於周為五月。夏數得天。」[14]之說法，可知夏正建寅，則斗柄東指為春，故而以夏曆為得天四時之正，此也可相對說明孔子選用夏時之原因。倘若再參照《左傳》所載孔子曰：「楚昭王知大道矣。其不失國也，宜哉！「《夏書》曰：『惟彼陶唐，帥彼天常，有此冀方。今失其行，亂其紀綱，乃滅而亡。』」[15]雖然《左傳》所引之《夏書》不在今本《尚書》之中，然對照龐樸以大火曆約在堯舜時代之說法，非僅二者頗能對應，且從其以「天常」為稱，若亂其紀綱，則淪於滅亡，實可見其關乎人類存亡之重要地位。

若配合考古所得，在距今約六千至七千的浙江余姚河姆渡遺址，因為挖掘到廣大厚重之稻米堆積層，而被稱為中國農業始祖區。杜正勝指出：中國從新石器時代以降，人類食糧的主要來源就是農業生產。此時期的農業，配合天時與順應地利之不同，區分成南稻米、北黍稷兩大系統，稻作之栽培也早在新石器時代即逐漸北移。[16]由於夏代之農耕，已出現開溝渠、濬畎澮等必須結合眾多人力之人工灌溉方式，[17]而考古方面也已發現相應的開鑿深井以利灌溉之遺跡，[18]可見夏代之農業已發達到一定的程度，也可相對說明夏代之曆法已相當準確。《竹書紀年》在帝禹夏后氏之大事紀中，已有「頒夏時于邦國」之紀錄，[19]不過還無法確定「夏時」與〈夏小正〉二者是否相同。[20]然而若從孔子

---

13 其詳參見馮時：《中國天文考古學》，頁177-196。龐樸也提出中國古代大約在堯舜時代，確曾存在以火紀時之曆法。龐氏之說，可參考：〈「火曆」初探〉，《社會科學戰線》1978年第4期；〈「火曆」續探〉，《中國文化研究集刊》第1輯（上海市：復旦大學出版社，1984年3月）；〈火曆鈎沉——一個遺失已久的古曆之發現〉，《中國文化》創刊號，1989年。龐氏之〈「火曆」初探〉、〈「火曆」續探〉、〈「火曆」三探〉，已收入楊朝明主編：《孔子文化獎學術精粹叢書．龐樸卷》（北京市：華夏出版社，2015年），頁189-232。

14 《左傳》〈昭公十七年〉，見於〔周〕左丘明撰，〔晉〕杜預注：《春秋左傳正義》，收入《十三經注疏（附〔清〕阮元《校勘記》）》（臺北市：藝文印書館，1985年），頁838。

15 《左傳》〈哀公六年〉，頁1007。

16 其詳參見杜正勝：《古代社會與國家》（臺北市：允晨文化實業股份有限公司，1992年），頁114-120。

17 《論語》〈泰伯〉，頁74，子曰：「禹，吾無間然矣！菲飲食，而致孝乎鬼神；惡衣服，而致美乎黻冕；卑宮室，而盡力乎溝洫。禹，吾無間然矣！」《尚書》〈益稷〉，見於舊題〔漢〕孔安國傳，〔唐〕孔穎達等正義：《尚書正義》，收入《十三經注疏（附〔清〕阮元《校勘記》）》（臺北市：藝文印書館，1985年），頁66，記載禹言：「予決九川，距四海；濬畎澮，距川。暨稷播奏庶艱食；鮮食，懋遷有無化居。烝民乃粒，萬邦作乂」。

18 其詳參見金景芳：《中國奴隸社會史》（上海市：人民出版社，1993年），頁46，引洛陽矬李龍山文化遺址出現寬二至三米、深一米左右之水渠；矬李與邯鄲澗溝文化遺址還同時發現「井」的遺跡，說明夏代農耕已有人工灌溉之特點。

19 王國維：《今本竹書紀年疏證》卷上，收入《竹書紀年八種》（臺北市：世界書局，1989年），頁298。

20 陳久金：《帛書及古典天文史料注析與研究》〈陰陽五行八卦起源新說〉（臺北市：萬卷樓圖書股份有限公司，2001年），頁371，引《禮緯》〈稽命徵〉：「禹建寅，宗伏羲。」認為〈夏小正〉可能與伏羲時代的曆法有關。

所說：「我欲觀夏道，是故之杞，而不足徵也；吾得夏時焉。」[21]則「夏時」與〈夏小正〉之關係，極可能是〈夏小正〉之經文出自沿用杞人所整理的「夏時」，再由孔子加以修訂而成，而傳文，則可能由孔子弟子或後學完成於戰國時期。根據胡鐵珠研究〈夏小正〉所載星象狀況，認為該資料適用於西元前八〇〇年前後使用。換算言之，可適用於夏代至周代。[22]若對照中國農業發展情形，夏曆已極準確。

曾雄生雖然認為天文星象曆與物候曆都可以單獨使用，但天文星象曆較具官方特點，民間更普遍使用物候曆。至於實際使用時，則往往兩曆並存，〈夏小正〉即體現此一特色。[23]〈夏小正〉記錄一年當中每個月的星象、氣象之狀況，即是提供天時之重要資訊；標誌動植物之活動及生產概況，即是提供地利之重要資訊；提示人們應該從事的農事活動，毫無疑義地，即是提供人如何順應天時與地利之重要資訊。故而〈三德〉開頭「天共時，地共材，民共力，明王無思，是謂參（三）德。」可視為古人在長期農業社會生活中累積的經驗總結。一年的農事活動，從正月陽氣始發的「啟蟄」開始，配合閉藏的陰氣調節，在一張一弛相互搭配下，成就大自然的生生之德。

雖然〈夏小正〉之中並無明顯的人事禁忌，然而從人們實際的農事經驗，倘若不遵行時機以行其所當行，即是干犯忌諱。犯忌之後果，輕則勞苦而無所獲，重則遭殃遇禍，其更嚴重者，甚至可能禍延子孫。此即〈三德〉簡二「忌而不忌，天乃降災；已而不已，天乃降異。其身不沒，至于孫子」之說法。尤其當大自然出現異象，顯示陰陽二氣不能調和，造成「陽而幽，幽而陽」顛倒陰陽之錯亂現象，且順此而下，則將導致風雨不時、晦明錯亂，甚至五穀不登，饑饉相迫，旱澇交逼，因而是「大慼不祥」的大災難與憂患。

由於〈三德〉中存在極為素樸，代表自然天象的陰陽二氣，故須從天文曆法之角度觀察方可具體解讀。曹峰所謂〈三德〉屬於《黃帝四經》之前身者，恐怕還應從天文曆法之角度來思考才更清楚。由於此部分之陰陽乃是天地間最重要的陰陽二氣，是極素樸原始的狀況，故而其代表的年代應該相當早，且與〈夏小正〉之關係密切，早於《黃帝四經》應該沒有問題。至於是否屬於道家思想或道法家思想，則已「文獻不足徵」而不必強作解人。由於〈三德〉所屬的年代相當早，故而會有王中江所說的具有宗教神意論色彩，[24]反映早期文化以神意論作為行為宜忌取決標準之現象，因此〈三德〉出現相當多處的天常、天時以及天命，就相當合理。

---

21 《禮記》〈禮運〉，見於〔漢〕鄭玄注，〔唐〕孔穎達等正義：《禮記正義》，收入《十三經注疏（附〔清〕阮元《校勘記》）》（臺北市：藝文印書館，1985年），頁415。

22 其詳參見胡鐵珠：〈夏小正星象年代研究〉，《自然科學史研究》2000年第3期。

23 其詳參見曾雄生：《中國農學史》（福州市：福建人民出版社，2008年），頁91-98。

24 其其詳參見見王中江：〈《三德》的自然理法和神意論——以天常、天禮和天神為中心的考察〉，頁172-177。

2 從文字結構觀之

「陰陽」本作「侌昜」，郭店簡之「侌昜」即讀「陰陽」，「陰陽」乃自「侌昜」而來的後起字。根據《說文》之文字結構而言，「侌」，从云，今聲，乃古文「霒」之省，其義為雲覆日；「昜」，開也，从日、一、勿，其義為日出，為「暘」之初文，甲文於代表太陽之「日」之下，似有代表祭祀之「示」的最初形構「一」與「丨」之組合弧筆，遂似从丂，或加上多寡不一之飾筆。[25]但從《虞書》「分命羲仲，宅嵎夷，曰暘谷。寅賓出日，平秩東作」，《禮記・祭義》「殷人祭其陽」，可見與日出時祭祀太陽有關。

許慎將「陰」釋為「闇也，水之南、山之北也」，「陽」釋為「高明也」，記錄日照之變化所受外在條件之影響。影響日照變化最大者，應屬浮雲遮蔽，或太陽之運行受到山勢地形的阻擋，而造成幽暗不明或溫度降低等狀況，因此加上代表堆土之「阜」以資識別。段玉裁認為當「陰陽」二字大為通行後，本字「侌昜」遂廢而不用。[26]若追溯「侌昜」之本義，無論或「侌」或「昜」，其陰陽之變化，最根本之關鍵即在於「日」之出於暘谷或進入幽都，於是產生晝夜晦明之自然變化。其次，在「出日」之後，太陽上升之高度與位置，也與時間推移、日照明暗、地表溫差等相對變化有關。再其次，則是陽光之強弱，受到雲層之厚薄高低或山勢地形等各種障蔽，轉為幽暗背光、溫度下降之變化，而影響生物之存亡或成長速度之差異。基於生活所需，因而先民極早即密切觀察並記錄太陽之陰陽變化，以為生活之重要參考。

倘若依據陳夢家對甲文有關天象記錄之概括，已將其劃分為月食、日食、日又戠、風、霾、雨、雪、雲、虹、隮（霞雲）、昜日、啓、霽、霚、星，以及其它若干有關氣候之天象變化。[27]在目前可辨認之有限甲文中，已有如此多的類目，可見細微的天象變化非僅攸關農作物之生長，也直接關係萬民之生活。倘若無法清楚認知這些大自然變化之常道，以掌握天道之常，則隨時都有不可預料之危機發生，因而〈三德〉乃首言「天共時」，指出「卉木須時而後奮」的既簡單又重要之事實，故應適時掌握生物生長變化之關鍵時刻，以合乎「天常」。否則，輕則五穀歉收，萬民饑饉，重則六畜暴斃、人民夭亡，國家不存。

3 從傳世文獻觀之

古代聖王重視自然天象以督導百姓掌握農時，促進鳥獸繁殖之具體記載，最早可上推至〈堯典〉，其文云：

---

25 「侌」與「昜」、「暘」之字義，分別其詳參見〔漢〕許慎撰，〔清〕段玉裁注：《說文解字注》（臺北市：蘭臺書局，1972年），頁580、458、306。

26 《說文解字注》，頁738。「侌昜」與「陰陽」之變化，還可分別其詳參見黃德寬主編：《古文字譜系疏證》（北京市：商務印書館，2007年），第4冊，頁3885-3886，第2冊，頁1823-1827。

27 其詳參見陳夢家：《殷虛卜辭綜述》（北京市：中華書局，1988年），頁217-248。

> 乃命羲、和，欽若昊天；歷象日月星辰，敬授人時。分命羲仲，宅嵎夷，曰暘谷。寅賓出日，平秩東作；日中、星鳥，以殷仲春。厥民析，鳥獸孳尾。申命羲叔，宅南交。平秩南訛；敬致。日永、星火，以正仲夏。厥民因，鳥獸希革。分命和仲，宅西，曰昧谷。寅餞納日，平秩西成；宵中、星虛，以殷仲秋。厥民夷，鳥獸毛毨。申命和叔，宅朔方，曰幽都。平在朔易；日短、星昴，以正仲冬。厥民隩，鳥獸氄毛。……汝羲暨和，期三百有六旬有六日，以閏月定四時成歲。[28]

倘若從上述《左傳》「夏數得天」之說法再往前推，則此處所載，已經相當清楚唐堯之時，已確定專掌觀象授時者為羲和之官。雖然無法確證〈堯典〉此處所載的確為唐堯之時的實況，但對照上述考古資料，則此時之發展也相當合理。羲和之官所觀測之對象雖然兼日月星辰而有之，然而從其宅居暘谷、南交、昧谷、幽都東南西北四方位，已凸顯其觀察之對象乃以太陽之運動為主。再從「寅賓出日」與「寅餞納日」之禮敬太陽，且依照太陽之晦明變化週期，區分為二分二至之四時運轉，且執掌天文之官員還要詳查四時農耕與鳥獸之成長，以便建立人事與天時相應的生活秩序，同樣展現人應順乎「天常」而行。透過此二分二至四時流行以成歲之情形，則陽與幽雖然對立相反，實則處於相輔相成、循環往復之狀況。倘若不按此週期變化而行，則天地運行失序，生物生長錯亂，處於天地之間的人也會罹患各種疾病。

如此必須密切注意大化流行之現象，也直接反應在〈洪範〉上天所賜禹的洪範九疇當中，其名列第四的「協用五紀」（歲、月、日、星辰、厤數）以及第八的「念用庶徵」（雨、暘、燠、寒、風）都與大化流行與天候變化有關。該篇清楚記載「曰時五者來備，各以其敘，庶草蕃廡。一極備，凶；一極無，凶。」[29]說明這五種天候之變化都必須遵行一定之週期而行，萬物始可欣欣向榮，倘若其中任何一項過量，或者過少，或者來得不是時候，都會導致災荒凶年降臨。〈三德〉之「陽而幽，是謂大惑；幽而陽，是謂不祥。」也可清楚反映〈洪範〉之思想是相當早期的觀念。

至於由天候不調所致之災疾，則可舉《左傳》秦國名醫為晉侯診斷病情時所言為代表：

> 天有六氣，降生五味，發為五色，徵為五聲。淫生六疾。六氣曰陰、陽、風、雨、晦、明也，分為四時，序為五節，過則為菑：陰淫寒疾，陽淫熱疾，風淫末疾，雨淫腹疾，晦淫惑疾，明淫心疾。[30]

---

28 《尚書》〈虞書〉〈堯典〉，頁21。

29 《尚書》〈周書〉〈洪範〉，頁168、171、176。

30 《左傳》〈昭公元年〉，頁708-709。

此處明白將陰、陽、風、雨、晦、明合稱「天有六氣」，且以陰陽為六氣之首，說明當時對大自然中「氣」之作用與變化已有相當程度的分辨。陰氣過盛則生寒病，陽氣過盛則生熱病，風氣過盛則四肢緩急不靈活，雨濕之氣過盛則生腹腸病，晦夜宴寢過盛則心生惑亂，白晝思慮過盛則心勞生疾。徐復觀即以此為春秋時期陰陽觀念之大發展，代表陰陽已從原來有無陽光之現象，轉而成為獨立之實物存在，且當其成為實物，便開始發生更多的作用，產生更大的影響。[31]

若證諸史籍所載，則《左傳》已記載周內史叔興以陰陽解釋魯僖公十六年（西元前644）發生六鷁退飛之怪現象。[32]《國語》也記載伯陽父以陰陽二氣失調，解釋西周幽王二年（西元前780）涇、渭、洛三川皆震而岐山崩之事件。[33]其實此時期所指的陰陽二氣，都與天體中最重要的「日」之變化而導致供應萬物成長所需的陽氣多寡強弱有關。這種代表生機的陽氣，從《國語》所載古老的農耕傳統可以相應說明：「古者太史順時覛土，陽癉憤盈，土氣震發，農祥晨正，日月底于天廟，土乃脈發。」太史必須掌握天候變化，及時告知農官稷「陽氣俱蒸，土膏其動」之時刻，以利天子帶領臣民迎接春氣並舉行藉田之禮，適時進行春耕。[34]由於夏代農耕已具備開溝渠灌溉之規模，因而可相對說明古代對於陰陽二氣之把握由來已久。

若再參照司馬談〈論六家要指〉之論述陰陽家，仍然立基於大化流行：

> 嘗竊觀陰陽之術，大祥而眾忌諱，使人拘而多所畏；然其序四時之大順，不可失也。……夫陰陽四時、八位、十二度、二十四節各有教令，順之者昌，逆之者不死則亡，未必然也，故曰「使人拘而多畏」。夫春生夏長，秋收冬藏，此天道之大經也，弗順，則無以為天下綱紀，故曰「四時之大順，不可失也」。[35]

陰陽家之所本，應與天道自然之四時運轉流行有關，還要進一步掌握其變化契機，以趨吉避凶、生活順遂。由於要順應大化流行，因而對於攸關變化關鍵之數據與相對位置的些微差距就必須精準掌握，以致有許多或宜或忌之規矩必須遵守。相對於絕大多數不知其所以然者而言，在敬畏難以違抗的天道循環之外，自然感受到受拘束，甚至於不肖者還會假藉神意恫嚇世人，令人心生畏懼。因此究實而言，所謂陰陽家，應是深入研究天道自然變化，且企圖從中掌握自然與人文理想對應的關鍵人物。

---

31 其詳參見徐復觀：《中國人性論史》〈附錄二：陰陽五行及其有關文獻的研究〉（臺北市：臺灣商務印書館，1969年），頁513-518。

32 《左傳》〈僖公十六年〉，頁236。

33 其詳參見舊題〔周〕左丘明著，上海師範大學古籍整理組校點：《國語》〈周語上〉（臺北市：里仁書局，1981年），頁26-27。

34 其詳參見《國語》〈周語上〉，頁15-18。

35 〔漢〕司馬遷撰，瀧川龜太郎會注考證：《史記會注考證》〈太史公自序〉（臺北市：洪氏出版社，1977年），頁1366-1367。

從事此天道自然運行研究之工作者，應如李零研究出土各種古代式法所代表之宇宙模式後的總結：陰陽五行學說並非晚出之支流，也絕非鄒衍一派怪迂之談所能涵蓋，而是由大批的「日者」在「案往舊造說」的情況下，以原始思維為背景，取材自極古老之經驗，再添加一些枝葉而整齊化、系統化之結果，在戰國秦漢之際臻於極盛。[36]概括李零對古代式法之研究所得，對於重新客觀理解古代陰陽思想，至少有兩層意義：其一，古代陰陽思想應結合天文曆法合併觀察，且因此而建立的「禁忌」(*taboo*)，雖未必符合現代科學認知，但對當時之環境與思維模式仍有重大意義。其二，古代陰陽思想之起源，可推遠至更古老的天文觀察者與曆法推定者，不應再以鄒衍為始創者。若以此標準來檢驗〈三德〉中的陰陽思想，當知其尚屬以日照情形、陽氣消長以象徵生機的素樸觀念，乃原始之自然天道思想，是故人必須依照「天常」與「天時」而行之，並非戰國時期已經系統化的陰陽家思想。

(二)〈三德〉注重天禮觀念乃體現陰陽思想之引申義

相對於上述以天常、天時之觀念為〈三德〉思想之主體，以體現陰陽思想之本義，〈三德〉再以天禮、天命之人事因應觀念，形成對陰陽思想之引申義。茲分述如下：

1 由陰陽之自然原理建立人事因應之原則

〈三德〉中的陰陽，除卻反映天道自然，代表素樸之自然科學思想外，也包含進一步抽象化的思想，此從首簡出現「明王無思」之概念與作為已初露端倪。即便首簡已明標「明王無思」，然更正確地說，乃是「明王」充分認知陰陽之本義後，再從陰陽二氣雖相反、實相成之作用，類推至所有對立相反卻又相輔相成之抽象原理，且將其運用於人事因應之道。這種人事因應之道，其實也可與〈洪範〉「庶徵」之部分，要求人王應實踐「休徵」，而避免「咎徵」相呼應：

> 曰休徵：曰肅，時雨若；曰乂，時暘若；曰晢，時燠若；曰謀，時寒若；曰聖，時風若。曰咎徵：曰狂，恆雨若；曰僭，恆暘若；曰豫，恆燠若；曰急，恆寒若；曰蒙，恆風若。……歲月日時無易，百穀用成，乂用明，俊民用章，家用平康。日月歲時既易，百穀用不成，乂用昏不明，俊民用微，家用不寧。庶民惟星，星有好風，星有好雨。日月之行，則有冬有夏；月之從星，則以風雨。[37]

所謂人事因應，即是人相對於陰陽二氣變化情形所採取的對應之道。又因為天子（人

36 其詳參見李零：《中國方術考（修訂本）》（北京市：東方出版社，2001年），頁174-176。

37 《尚書》〈周書〉〈洪範〉，頁177-178。

王）為人間之代表，故而天與人之對應關係，也經常以天子（人王）對於天之認知與態度，代表人建立人事因應的理論依據。因此〈三德〉簡一之「明王無思」，並非指明王完全宿命地「無思、無為、無慮」，純然聽任一切未知之擺布，而是清楚認知天道自然之循環法則，且在深思熟慮後，認為該變化並非人力所可主宰，故不應人為造作。由於理解人王應該順應天道自然，善盡人王應有之責，做到嚴肅莊重、善於治國、深謀遠慮，而非狂妄傲慢、行事錯亂、貪圖逸樂，遂以順乎簡一「天惡如忻，平旦毋哭，暝[38]毋歌，弦望齊宿，是謂順天之常」的「無思、無為、無慮」方式，為最佳的對應模式。「明王」如此因應，已明顯加入人權衡得失之觀念，也反映先知先覺者的思維投射。只不過此時能參透大化流行之道理，且理解人應如何適時對應之人文思想者，僅侷限在「明王」或其他極少數先知先覺者，至於廣大群眾，因為民智未開，故應透過簡二「忌而不忌，天乃降災；已而不已，天乃降異。其身不沒，至于孫子。」一種類狀似「神諭」之方式，以達警告、約束社會大眾之行為。

當「明王」充分理解天道無法違拗，乃人道必須遵循之不二法則後，藉由陰陽二氣雖相反實相成，彼此相輔以共同促成大化流行之道理，再將原本屬於自然原理的陰陽二氣進而抽象化、擴大化，遂以凡是兩者相反相成，且又彼此相輔的兩股力量或原則，均可同以陰陽的概念概括之。例如：天地、天人、君臣、男女、上下、外內、福禍、憂喜等相對概念都可屬之，其中當然也包含自然與人文的對應關係。換言之，將陰陽之概念擴大，且靈活存在於古往今來之廣大界域以後，也會相對增加自然與人文應相互和諧之認知與努力。「明王」雖可理解天道自然與人事因應的重要原理，但是應以何種方式順利傳達此訊息讓絕大多數的群眾理解，且呼籲群眾應該如何做為，則會跨入實踐天禮以達天命之層次。

在具體做為上，「明王」必須先確立人事因應原則，先任命少數熟悉天道循環之法則者，制定合理的人事對應之道，並明訂實踐辦法，帶頭執行。至於對廣大群眾，由於天道難知，而民智又未開，所以通過皇天、上帝等具有宗教信仰的神意表達，則是最便捷有效之方法。從〈三德〉簡二「毋為偽詐，上帝將憎之」，可知其警示意明確。簡七「喜樂無限度，是謂大荒，皇天弗諒，必復之以憂喪」，警示意味更濃。湯淺邦弘認為從簡一出現的「王」以及簡四的「君」，可見其編輯意圖及其所設定的讀者對象，都針對國家統治者，故而通篇屬於國家政治論之內容。雖無法判定此篇是否為儒家所編撰，但可與《詩》、《書》一樣，設想其與周王室之關係，具有與《書》類似的思想史意義。[39]

---

38 原整理者李零本作「明」，然此處應與「平旦」相反，因此參照顧史考：〈上博竹書〈三德〉篇逐章淺釋〉，收入國家圖書館編：《屈萬里先生百歲誕辰國際學術研討會論文集》（臺北市：國家圖書館，2006年），頁271-272之討論加以改正。

39 其詳參見湯淺邦弘：〈上博楚簡《三德》的天人相關思想〉，收入郭齊勇主編：《儒家文化研究》第1輯（北京市：生活·讀書·新知三聯書店，2007年），頁265-283。

湯淺已提出重要的假說，可惜缺乏具體論證。由於筆者也有相同想法，因而全面檢視《詩》、《書》之內容，發現出現「皇天」或「上帝」者比比皆是，[40]甚至於〈周書·召誥〉還有「皇天上帝」之連稱者。由於《詩》、《書》出現「皇天」或「上帝」之篇章，乃以上自夏書下至周初者最多，故可推知〈三德〉之內容可能也是極早之文獻，由於與《書》之內容最為貼近，因而與周王室之關係恐怕不淺，且全篇強烈建議人王應該順乎皇天、上帝之旨意而行。

2 以實踐天禮達成天命圓滿人事因應之道

既然確定人事對應之道的核心，在於實踐「天禮」以完成「天命」，簡文又在「禮」之上冠上獨立無二的崇高之「天」，更加深「天禮」神聖不可侵之尊貴性，也述說其時代之古老。〈三德〉極注重「天禮」之部分，王中江認為可代表儒家透過差序有等的禮儀規範，以建立和維持人與人、人與社會、人與自然有條不紊之秩序。[41]此說固然不差，但更重要的，仍在「禮」代表天地之理序，[42]因而只能遵行而不可違逆。猶如《左傳》引子產所言：

> 夫禮，天之經也，地之義也，民之行也。天地之經，而民實則之。則天之明，因地之性，生其六氣，用其五行。氣為五味，發為五色，章為五聲。淫則昏亂，民失其性。[43]

可見禮之施設，有賴在上者遵行天地自然之道，以為適當之制度規劃，且最注重節而有序，不可貪淫無度。因此〈三德〉簡三將「齊齊節節」列於「天禮」之首位，即導因於態度決定做為；其次，強調「男女有節」，以建立男女有別、夫婦有義、父子有親之基本人倫；再其次，則要「外內有辨」，明辨社群團體彼此之間的親疏遠近關係。

由於禮之本質在於敬，因而簡二明言「敬者得之，怠者失之，是謂天常，天神之〔□〕」，雖然「天神」之下殘缺，然僅從殘存之文，已可見其神聖不可違拗之意。簡三

---

40 「皇天」出現在《詩》的部分：「周頌」的〈雝〉、「大雅」的〈抑〉。「上帝」出現在《詩》的部分：「商頌」的〈長發〉、「魯頌」的〈閟宮〉，「大雅」的〈文王〉、〈大明〉、〈皇矣〉、〈生民〉、〈板〉、〈蕩〉、〈雲漢〉，「小雅」的〈正月〉、〈菀柳〉。「皇天」出現在《尚書》的部分：「虞書」的〈舜典〉、〈大禹謨〉、〈益稷謨〉，「商書」的〈伊訓〉、〈太甲中〉、〈咸有一德〉、〈說命〉，「周書」的〈武成〉、〈微子之命〉、〈梓材〉、〈召誥〉、〈君奭〉、〈蔡仲之命〉、〈顧命〉、〈康王之誥〉。「上帝」出現在《尚書》的部分：「商書」的〈湯誓〉、〈湯誥〉、〈伊訓〉、〈太甲下〉、〈盤庚下〉，「周書」的〈大誥〉、〈康誥〉、〈多士〉、〈立政〉、〈呂刑〉、〈文侯之命〉、〈泰誓〉。

41 其詳參見王中江：〈《三德》的自然理法和神意論——以天常、天禮和天神為中心的考察〉，頁168-172。

42 《禮記》〈仲尼燕居〉，頁854：「禮也者，理也。」《禮記》〈樂記〉，頁669：「禮者，天地之序也。……序，故群物皆別。」

43 《左傳》〈昭公二十五年〉，頁888。

還一再叮嚀應以「敬之敬之」極恭敬的態度遵行之，方可符應「天命」要求，還不忘在簡四加上一句「如反之，必遇凶殃」之警告，甚至於簡五再加重一句「變常易禮，土地乃坼，民乃嚚死」之極嚴重警告，都旨在說明天不可違之意。針對此「嚚死」，李天虹以《大戴禮記》〈易本命〉「人民夭死，五穀不登，六畜不蕃息」為例，認為「嚚死」乃指「夭死」。[44]倘若人變易常禮，不遵農時，則會導致農田荒廢、土地龜裂、五穀不登而人民夭死之嚴重後果。緊接在「民乃嚚死」之後，簡文再從人有趨吉避凶、祈神賜福的心理需求，提出「善哉善哉參善哉，唯福之基，過而改」之說詞，說明致福之良策，必須同時考量天時、地利以及民力三者之調和狀態，如此注重天、地、人之間的平衡協調關係，即是「天禮」之大本，猶如孔子的知命而立於禮之真諦。[45]若再具體言之，則如簡四諄諄勸勉人王應遵從天之所命，「毋詬政卿於神祇，毋享逸安求利。賤其親，是謂罪，君無主臣，是謂危」，以免邦家隳壞。也如簡六所言「凡托官於人，是謂邦固；托人於官，是謂邦竄；建五官弗措，是謂反逆。土地乃坼，民人乃喪。」可見邦國之興衰與人之存亡，乃繫於人王能否實踐「天禮」與任命賢才而定。

倘若人王所行能合於「天禮」，則能承擔「天命」，也可與《左傳》對觀：

> 民受天地之中以生，所謂命也。是以有動作禮義威儀之則，以定命也。能者養以之福，不能者敗以取禍。是故君子勤禮，小人盡力。勤禮莫如致敬，盡力莫如敦篤。敬在養神，篤在守業。國之大事，在祀與戎。[46]

所謂「動作禮義威儀之則」，正是「禮」之表現，即簡五所載之「幹常」。倘若反其道而行，則將導致「小邦則殘，大邦過傷」之結局。此處又提出實踐「禮」之核心，最應注重以恭敬之態度進行祭祀，以與各方神祇相諧。因此〈三德〉簡七載「上帝弗諒，以祀不享」，說明祭以誠敬為主，加上吉凶不相干，因而簡九甚且透過高陽（顓頊）之口，警告不可以凶服享祀。對照〈祭統〉所言「凡治人之道，莫急於禮。禮有五經，莫重於祭。」以及「祭者，教之本也已。」之說法，[47]都說明祭祀乃國之大事，故而人王應敬慎行祭，不可輕忽。

陳麗桂指出〈三德〉之結構稍嫌鬆散，反覆之間充滿禁誡等負面記載，但不忘以天、地、人合德相參與敬畏天常、天禮之理念為宗旨，而對「明王」治政的各層面，作繁複而龐雜的叮嚀與警戒。[48]由於全篇多偏從負面進行陳述，故而全篇罕見的正面論述

---

44 李天虹：〈《上博（五）》零識三則〉，www.bsm.org.cn，2006年2月26日。

45 《論語》〈泰伯〉，頁71：子曰：「興於《詩》，立於禮，成於樂。」《論語》〈堯曰〉，頁180：孔子曰：「不知命，無以為君子也。不知禮，無以立也。不知言，無以知人也。」

46 《左傳》〈成公十三年〉，頁460。

47 《禮記》〈祭統〉，頁830、834。

48 其詳參見陳麗桂：〈上博五《三德》的義理〉，收入氏著：《近四十年出土簡帛文獻思想研究》（臺北市：五南圖書出版公司，2013年11月），頁414-429。

即更形重要，例如：從簡六所言「興興民事，行往視來。民之所喜，上帝是祐。凡托官於人，是謂邦固。」即提醒君王執政應任命賢才，以鞏固邦國發展之基礎。《周禮》的成書雖晚，然其藍圖始自周公擘劃則可確定，而春官宗伯主掌邦禮，建立天神、地示（祇）、人鬼三系合一之祭祀系統，以佐王和邦國之構想也無庸置疑。[49]雖無法確知其執行情況，然從禮壞樂崩之春秋晚期，「國之大事在祀與戎」的觀念仍屹立不搖，可知祭祀乃大事中的大事。由於禋祀特指對昊天上帝之祭祀，血祭則用以祭社稷，人鬼部分則以肆獻祼、饋食以及四時祭享為主，因此簡八至九所言「鬼神禋祀，上帝乃怡，邦家保，乃無凶災」，乃特舉對天神與人鬼之祭禮，以統括整個祭祀體系，旨在呼籲人王應特重祭禮。福田一也則從簡一「弦望齊宿」注重週期性之齋戒，簡九出現「毋凶服享祀，毋錦衣交袒」，強調吉凶不相干，簡十三出現「室且棄，不墮祭祀，為怒是服。凡若是者，不有大禍必大恥」，認為簡文特別強調祭祀之重要。[50]

（三）〈三德〉注重天神等獎懲乃體現陰陽思想之假借義

〈三德〉雖無「陰陽」以及「陽德陰刑」之成組對立語詞，但是藉由皇天、上帝與天神進行獎懲以警示之意味極濃，具有極強的政治運作意義，可以從陰陽思想之假借義觀其詳。茲分述如下：

1 神道設教之政治運用

王中江認為〈三德〉中具有一般文獻少見的「天神」符號，與皇天、上帝異名同實，都指人格性的最高神。全篇可謂在呈現道家的自然理性以及儒家的人文理性之外，又加重儒家的宗教神性論與神意論，認為天會降災、降異以警告和懲罰統治者。[51]較準確地說，王氏所說屬於方便說，利用大家熟悉的儒道觀念進行近似性解讀，因為從〈三德〉之原典，該篇之內容乃儒、道等學術分派前的較原始概念。

皇天、上帝已如前述所言，與《尚書》所載周初以前之政治觀最為接近，且認為皇天、上帝具有喜怒哀樂，會對人間進行賞善罰惡的最高人格神，因而必須謹遵其意而行。至於「天神」雖罕見，它卻是春官所主掌祭祀系統中之首要代表。該系統中，包含「以禋祀祀昊天上帝，以實柴祀日月星辰，以槱燎祀司中、司命、飌師、雨師。」對所有關乎天文氣象變化之諸神，進行各適其性之祭祀，以祈求風調雨順、國泰民安。這些

49 其詳參見《周禮》〈春官〉，頁259、270-285，有關宗伯與大宗伯之相關記載。

50 福田一也：〈上博簡（五）《三德》篇中天的觀念〉，收入郭齊勇主編：《儒家文化研究》第1輯，頁284-298，亦從其注重喪禮之部分，認為〈三德〉與儒家思想更密切。

51 其詳參見王中江：〈《三德》的自然理法和神意論——以天常、天禮和天神為中心的考察〉，頁172-177。

攸關天文氣象之變化，最終又應回歸到幽或陽是否得其時的根本道理。由於易象乃由陰爻與陽爻組合而成，若參照「《易》以道陰陽」[52]之說法，且同時考慮《易》有《連山》、《歸藏》與《周易》三代不同之《易》，都可表示古人注意且記錄陰陽變化之歷史極為久遠。再對照〈觀〉「觀天之神道，而四時不忒；聖人以神道設教，而天下服矣！」[53]也說明抬出神意以行教化之方式，乃聖王治理天下之不易法門，〈三德〉也有此意。

2 藉古代明王之警戒凸顯陽德陰刑之政治運用特點

〈三德〉中的陰陽思想在政治上的運用，除卻進行一般理論論述外，還假借五帝傳說中的皇后（黃帝）、高陽（顓頊）[54]之「口論」，透過「毋 XXX」之方式，從負面警告「明王」不可為之忌諱，反襯簡文之重點在於實踐天禮，恪遵天常、幹常，以避免反逆、大荒等違抗狀況發生，也避免觸怒上帝，導致皇天弗諒而降災降罰，庶幾可達成天命之要求。

如此反覆陳說，雖不見陰陽之字眼，然從其所假借之黃帝與顓頊兩位明王，都各擁重要曆法之事實，正好可為古代帝王必須掌握曆法以傳授農時、增進地利作重要註腳。再從《大戴禮記》〈五帝德〉的相關記載，也可略顯陽德陰刑之訊息：

> 黃帝，……治五氣，設五量，撫萬民，度四方；教熊羆貔豹虎，以與赤帝戰于版泉之野。三戰，然後得行其志。黃帝黼黻衣，大帶黼裳，乘龍扆雲，以順天地之紀，幽明之故，死生之說，存亡之難。時播百穀草木，故教化淳鳥獸昆蟲，歷離日月星辰；極畋土石金玉，勞心力耳目，節用水火材物。……顓頊，黃帝之孫，昌意之子也，曰高陽。洪淵以有謀，疏通而知事；養材以任地，履時以象天，依鬼神以制義，治氣以教民，絜誠以祭祀。……動靜之物，大小之神，日月所照，莫不祇勵。[55]

兩位帝王都以不同之方式生養教化人民，即是有陽德於民的證據，但也都動用代表陰刑之戰爭以解決問題，可見結合陰陽與德刑交相運用的治國之道，乃上法天道自然之原理而來。例如在〈用兵〉之中，孔子就以黃帝大戰蚩尤為例，向哀公解釋聖人用兵之旨在禁殘止暴，而非不祥。[56]《尚書》〈呂刑〉還有「皇帝（顓頊）哀矜庶戮之不辜，報虐

---

52 《莊子》〈天下〉，見於〔清〕郭慶藩：《莊子集釋》（臺北市：貫雅文化事業公司，1991年），頁1067：「《詩》以道志，《書》以道事，《禮》以道行，《樂》以道和，《易》以道陰陽，《春秋》以道名分。」他如《史記》〈太史公自序〉，頁1370亦載有：「《易》著天地陰陽四時五行，故長於變。」

53 《周易》〈觀〉〈彖〉，頁60。

54 曹峰：《上博楚簡思想研究》〈〈三德〉所見「皇后」為「黃帝」考〉，頁233-240。

55 〔清〕王聘珍：《大戴禮記解詁》〈五帝德〉（北京市：中華書局，1983年），頁119-120。

56 其詳參見《大戴禮記》〈用兵〉，頁209。

以威，遏絕苗民，無世在下」，平定苗亂，造福百姓，也有「命重、黎，絕地天通，罔有降格」之記錄，[57]正式設立南正、北正掌理天文之重要職官，而有更具體的裨益民生之道。因此〈三德〉雖不明言「陰刑」，卻已難掩其運用之實。

其實從簡十一所提及的「毋憂貧，毋笑刑」，簡二〇的「致刑以哀，送去以悔」[58]，都已提及用「刑」之問題，雖然數量不多，但都可說明用刑是政治運作無法避免之事。由此兩位帝王所開展的陽德陰刑思想再繼續發展，則〈四代〉所載「子曰：有天德，有地德，有人德，此謂三德。三德率行，乃有陰陽，陽曰德，陰曰刑。」[59]有關陽德陰刑之思想已相當成熟。李零將〈四代〉與〈三德〉相提並論，從陰陽思想脈絡之發展而言，確實有其相通之處。

三　〈四代〉對〈三德〉陽德陰刑思想之繼承發展

孔子在〈四代〉中，不但明白提出「陽曰德，陰曰刑」之說法，且將論述之重點放在有關陽德之各項實踐內容舉證，其實正是對《論語》「道之以政，齊之以刑，民免而無恥；道之以德，齊之以禮，有恥且格」之為政理論，在德與禮之部分作具體施政之指導。至於有關刑之部分，〈四代〉明文論述者不多，只在開頭對哀公言「四代之政刑皆可法也」，還說「棄法，是無以為國家也」，後續雖也提到「德出刑，刑出慮」之補充說明，但是缺乏具體論述。雖無具體論述，不過卻也留下一相當重要的線索，即是在與哀公對話開始不久以及對話結束時，都特別提到在堯舜時期主掌刑典的伯夷，值得深入思考。另外，〈四代〉主從正面論述之方式，與〈三德〉主要藉由負面警戒，提醒人王不可干犯忌諱之方式，二者極不相同，正好也形成陰陽互補之關係，故而要論述陰陽思想在政治上的運用之道，實無法孤立其中之一而得到完整論述。[60]以下將分從四方面論述〈四代〉對〈三德〉在陽德陰刑思想上之繼承發展：

（一）〈四代〉對〈三德〉在「天時」思想上之繼承發展

〈三德〉所謂「天時」，簡一所載「天共時，地共材，民共力」可謂總綱，「明王無

---

57 《尚書》〈呂刑〉，頁296-297。

58 此處之「至（致）刑」採用季旭昇之說，參見〈上博五芻議（下）〉，www.bsm.org.cn，2006年2月18日。「送去（死）」採用顧史考：〈上博竹書〈三德〉篇逐章淺釋〉，頁300。

59 《大戴禮記》〈四代〉，頁170。

60 拙作〈從〈四代〉再論孔子的禮刑輔政思想──結合〈呂刑〉、〈三德〉之探討〉，即是透過整合〈四代〉、〈三德〉對於為政之道正反論述之兩篇，同時還合併〈呂刑〉加入討論，就是希望對「明德慎罰（刑）」有更深的體悟，俾能對孔子的政治理念與實踐之道作較周延之論述。

思，是謂參（三）德」，則為人王上體天、地、人三者之特性而遵循之。故而其先決條件，必先理解天道運行之常軌，且須深明各種生物之特性，因此具體而言，即是人王能掌握準確之曆法，且能明辨地之宜，始能因地制宜，使卉木等萬物可以各遂其生。〈四代〉繼承〈三德〉特重「天時」之做法，也因其位於〈千乘〉之後，故接續孔子已在〈千乘〉所提醒哀公「司徒典春，以教民之不則時、不若、不令，成長幼、老疾、孤寡，以時通于四疆」之作法，教導人民應把握大化流行之契機，以免違拗上天運行之常道。倘若「有闔而不通，有煩而不治」，則會有不若、不令等不善之狀況發生，導致「民不樂生，不利衣食」。[61]〈四代〉又順承〈千乘〉之說法，再藉由哀公之口，提出「長國治民恆幹，論政之大體以教民辨，歷大道以時地性，興民之陽德以教民事」的施行之道。此說具體指出為政者應確實派遣掌管天文之官，執行觀察天象以授農時之工作，使人得知雲行雨施潤澤天下之關鍵時刻，也能教導人民明辨土地特性與作物生長之對待關係，考慮各種生物所需土壤貧瘠肥沃程度不同之差別，而能適時適所耕種不同作物，俾能成就生物適時成長，萬民適時而生之陽德。苟能如此，則可回應〈三德〉首簡「卉木須時而後奮」之說法，也庶幾可達到《周禮》所謂「以天產作陰德，以中禮防之。以地產作陽德，以和樂防之」[62]的天地陰陽交泰而百物化生，世間之萬物也各得其節之狀態。

哀公雖然已知掌握天時以教民從事農耕之重要，不過，孔子仍不忘提醒哀公看似小事，然而實際上卻攸關做事成敗關鍵的工作態度問題。孔子乃舉「《詩》云『東有開明』[63]，於時雞三號以興，庶虞動，蜚征作。[64]嗇民執功，百草咸淳，地傾水流之」，以說明黎明即起，把握節氣變化，勤勉務實工作，是上自君王，下至庶民百工都應該辛勤以赴的。孔子如此關照，又可呼應〈三德〉簡二「敬者得之，怠者失之，是謂天常」之說法。人王倘能秉持此兢兢業業之態度，引導人民適時以進行農耕，且能如子產所言「則天之明，因地之性，生其六氣，用其五行」，則五味、五色以及五聲也才能各能其正，進而也才能使水、火、金、木、土、穀的所謂「六府」之事，皆能各得其長，以成就萬物的生生之德。透過禹與舜以下之對話，可見德政之要點：

---

61 《大戴禮記》〈千乘〉，頁157。

62 《周禮》〈春官〉〈大宗伯〉，見於〔漢〕鄭玄注，〔唐〕賈公彥疏：《周禮注疏》，收入《十三經注疏（附〔清〕阮元校勘記）》（臺北市：藝文印書館，1985年），頁282。

63 《大戴禮記》〈用兵〉，頁166，王聘珍以為《詩》〈小雅〉〈大東〉原作「東有啟明」，因避漢諱，遂以「啟」為「開」。

64 《大戴禮記解詁》〈四代〉，頁165，作「於時雞三號，以興庶虞，庶虞動，蜚征作。」然而根據〔清〕俞樾：《群經平議》（臺北市：河洛圖書出版社，1975年），頁1150，認為「於時雞三號以興」是七字句，以為「興即謂雞也，雞夜而伏，晨而興，故曰『三號以興』也。學者誤讀『以興庶虞』為句，遂重出『庶虞』耳。」今從俞樾所改。

禹曰:「於！帝念哉！德惟善政，政在養民。水、火、金、木、土、穀，惟修；正德、利用、厚生，惟和；九功惟敘，九敘惟歌。戒之用休，董之用威，勸之以九歌，俾勿壞。」

帝曰:「俞！地平天成，六府三事允治，萬世永賴，時乃功。」[65]

舜稱讚禹能平治水土，使水、火、金、木、土之五行各成其敘，故能使生民所仰賴生存之穀物得以成長，而成就「六府」之事。此外，又能以正德率下、利用以阜財、厚生以養民而成就「三事」，共同完成「九功」之德，都應歸功於禹之功勞。倘若再參照〈禹貢〉所載「九州攸同，四隩既宅；九州刊旅，九川滌源，九澤既陂。四海會同，六府孔修；庶土交正，厎慎財賦，咸則三壤成賦。」[66]對於山川水土等地理狀況之合理利用，乃至於以土壤之豐瘠程度訂定稅賦標準之現象，非僅可與〈三德〉首簡「天共時，地共材，民共力」相呼應，舜賴禹而安邦定國之事實，也可與簡六「凡托官於人，是謂邦固」彼此應合。如此注重配合天時、地利以及人和以求平治天下之道理，也可算是對於簡十四「方營勿伐，將興勿殺，將齊勿刳。是逢凶朔，天災繩繩，弗滅不隕」之進一步發展。

（二）〈四代〉對〈三德〉在「天禮」思想上之繼承發展

〈三德〉所謂「天禮」，主要指人王治國所有的政治規畫與人力運用都能各得其理的情形，而「齊齊節節，外內有辨，男女有節」即是最重要的工作指標。首先，應培養敬齋莊重，凡事懂得自我節制之態度，從男女有別、夫婦有義為人倫之起點，推而至於親疏遠近之人倫關係都能如理而行，進而使君臣皆能各盡其職份，各得其所宜，始能達到邦國鞏固安寧之狀態。直接繼承〈三德〉此思想者，應屬〈千乘〉中之孔子以「不淫於色」為仁，且以此為教化行於下之根本道理，再依次達到尊崇、昌盛、和諧國家之道。孔子認為：

立妃設如太廟然，乃中治；中治，不相陵；不相陵，斯庶嬪遵；遵，則事上靜；靜，斯潔信在中。朝大夫必慎以恭；出會謀事，必敬以慎言；長幼小大，必中度，此國家之所以崇也。[67]

透過國君立妃之嚴謹肅穆以為教化國人行為之模範，則由內而外、由親而疏之人倫關係賴此建立，且慎恭敬慎之性格與做事態度也在耳濡目染中不斷成長。〈四代〉乃上承

65 《尚書》〈虞書〉〈大禹謨〉，頁53。

66 《尚書》〈虞書〉〈禹貢〉，頁90。

67 《大戴禮記》〈千乘〉，頁154。

〈三德〉「天禮」最核心內容之「齊齊節節，外內有辨，男女有節」，再高度發揮人文理性之作用，細緻地規畫禮的內容，訂定一套套彼此密切相關的制度，以推動為百姓謀幸福之政策。因此孔子乃在〈四代〉中面告哀公，先王如何以禮先施於民：

> 率禮朝廷，昭有五官，無廢甲胄之戒，昭果毅以聽。天子曰崩，諸侯曰薨，大夫曰卒，士曰不祿，庶人曰死，昭哀。哀愛無失節，是以父慈子孝，兄愛弟敬。

諸侯國任命官員，若參照〈曲禮〉所載，首先應依「禮」挑選賢能之人以為司徒、司馬、司空、司士、司寇等五類官員，以典司五眾。[68]再根據《左傳》所載，由於禮有整民之作用，且具有「朝以正班爵之義，帥長幼之序」的功能，故可達到「征伐以討其不然」之作用，[69]因此為防備不時之需，甲冑等軍事裝備及相關訓練都不可廢，乃是合於禮之措施。同時還因為喪禮為諸多禮儀制度中之尤大者，故而特別強調舉辦喪禮應以盡哀為主，以免哀愛失節，而父慈子孝、兄愛弟敬之人倫義理滅絕。此理也可與〈經解〉「喪祭之禮廢，則臣子之恩薄，而倍死忘生者眾矣！」[70]可見提倡喪禮之相關活動，乃與教孝教忠之道理相貫串。然而要有效推動各項政策與制度，其關鍵仍在於五官之人選是否為賢才，因此孔子即鄭重面告哀公選才之道。

首先，「觀器視才」以任用賢才，乃治國者之首要工作。相當巧妙的是，孔子還能把「盡地利」之方法作為辨識人才的重要方法，不但相當務實，而且還能善於結合「地德」與「人德」之關係，也深刻反映〈三德〉「地共材，民共力」之初始義，也間接表達人參與天地化育之事實。其文曰：

> 平原大藪，瞻其草之高豐茂者，必有怪鳥獸居之。且草可財也，如艾而夷之，其地必宜五穀。高山多林，必有怪虎豹蕃孕焉；深淵大川，必有蛟龍焉。民亦如之，君察之，可以見器見才矣。

孔子更舉號稱以「天德」嗣堯之虞舜，為堯得八元八愷十六賢才，[71]並使賢才主后土、

68 《禮記》〈曲禮下〉，頁81：「天子之五官：曰司徒、司馬、司空、司士、司寇，典司五眾。」鄭注以此為殷制，至於周制，則應為《周禮》之六官系統。

69 其詳參見《左傳》〈莊公二十三年〉，頁171。

70 《禮記》〈經解〉，頁847。

71 《左傳》〈文公十八年〉，頁352-354載：昔高陽氏有才子八人：蒼舒、隤敳、檮戭、大臨、尨降、庭堅、仲容、叔達，齊、聖、廣、淵、明、允、篤、誠，天下之民謂之八愷。高辛氏有才子八人：伯奮、仲堪、叔獻、季仲、伯虎、仲熊、叔豹、季貍，忠、肅、共、懿、宣、慈、惠、和，天下之民謂之八元。此十六族也，世濟其美，不隕其名。以至於堯，堯不能舉。舜臣堯，舉八愷，使主后土，以揆百事，莫不時序，地平天成。舉八元，使布五教于四方，父義、母慈、兄友、弟共、子孝，內平外成。《大戴禮記》〈少閒〉，頁216：昔虞舜以天德嗣堯，布功散德制禮，朔方幽都來服，南撫交趾，出入日月，莫不率俾，西王母來獻其白琯，粒食之民昭然明視，民明教，通于四海，海外肅慎、北發、渠搜、氐、羌來服。

布五教，而得以地平天成、內平外成之例，提供哀公如何在廣大人群中尋找人才之各種方法。國君得賢才之後，應使其具有專職以發揮各自之才能，且應「事必與食，食必與位，無相越踰」，且還提醒「祿不可後」乃重要的用人之道。因為人乃是血肉之軀，不必諱言民以食為天之現實問題，而應依循「食為味，味為氣，氣為志，發志為言，發言定名，名以出信，信載義而行之」的順序，使其無後顧之憂地謀求合乎大義的國家發展，是故在任事必與食祿、地位名實符應之情況下，孔子強調祿不可後是極重要的平衡原理。追溯舜之所以被稱為「天德」，主要因其能舉薦八元八愷之賢才，使其發揮長才以訂定禮制、建立事功，成就大德而安天下，因此孔子向哀公陳述圖德之道，乃在於君臣應共同戮力於聖、知、仁、信、義諸德之實踐，而不可孳孳於利之蓄積，以免肇生妖害，[72]如此方可共同成就天德、地德與人德之三德。若能遵循此三德而行，即是能效法天道有陰陽之事實，於是說「陽曰德，陰曰刑」，效法天地自然以陽氣長養萬物，而以肅殺之陰氣，使生物透過落葉或冬眠等方式，達到潛藏生命力以保存生物生機之目的。換言之，乃藉由陰陽相輔相成之原理，以成就宇宙之間周而復始的大化流行。對照《易》所言「天地交，泰；后以財成天地之道，輔相天地之宜，以左右民。」[73]如此陰陽相輔而行，非僅天道如此，即使人道，亦莫不皆然。孔子遂再進一步指出：「陽德出禮，禮出刑，刑出慮」，說明凡事若能多加思慮，則會降低訟獄之事，而增加社會和諧。此說也可與申叔時之說相呼應，其文云：

> 德、刑、詳、義、禮、信，戰之器也。德以施惠，刑以正邪，詳以事神，義以建利，禮以順時，信以守物。民生厚而德正，用利而事節，時順而物成，上下和睦，周旋不逆，求無不具，各知其極。[74]

申叔時所說雖然是針對子反請問戰爭之道，不過從其所言之內容並不在具體的戰略應用，而是申論戰爭能否致勝的根本原理，因而從其所歸納的「戰之器」原理原則，也可反映治國同樣應遵循此類基本原則。平日治國若能循此六大基本原則以往，乃可成就正德、利用、厚生「三事」之功，以為善政之實。如此一來，一旦有戰事發生，則民可用而戰爭可以致勝。在此六大原則中，仍以禮與刑居首，都可說明德刑相輔之必要，且無論平時或戰時，都是治國之不變法則。綜觀〈四代〉之中，孔子並沒有多為哀公講述用刑之道，其故無他，因為刑只能位居輔弼之地位，無法喧賓奪主。就實際局勢而言，孔子向哀公進言，希望哀公能多行仁政尚且嫌來不及，實不至於多言用刑之道，以啟動哀公施虐於民之歹念。因此反映在〈四代〉之內容上，即是以遵禮行德為主體，而不如

72 《大戴禮記》〈四代〉，頁169-170：聖，知之華也；知，仁之實也；仁，信之器也；信，義之重也；義，利之本也。委利生孽。

73 《周易》〈泰〉〈大象〉，頁42。頁52阮元《校勘記》載：「『財』成天地」，《釋文》作「裁」。

74 《左傳》〈成公十六年〉，頁473。

〈三德〉雖也少直接提及用刑，然而到處可見皇天上帝對於不遵守天常、不實踐天禮者，都會降下天災、異象等各種懲罰，甚至還使「土地乃坼，民乃囂死」，禍延子孫。

至於積極實踐「天禮」之行為，則在於三管齊下，切實踐履「天道以視，地道以履，人道以稽」之原理，不可稍有偏廢或失統，以免影響國祚延續。因此孔子再度叮嚀哀公為政之樞機原理：「君藏玉，惟慎用之，雖慎敬而勿愛。民亦如之。執事無貳，五官有差，喜無並愛，卑無加尊，淺無測深，小無招大，此謂楣機。」此外，孔子還告訴哀公一些徵兆值得警惕，例如：貪於味不讓、願富不久、慕寵假貴、治民惡重、為父不慈、為子不孝、大縱耳目、好色失志、好見小利、變從無節、橈弱不立、剛毅犯神、鬼神過節等，都會妨礙政事之推行，不可干犯。用人之道務必小心，「幼勿與眾，克勿與比，依勿與謀，放勿與游，徼勿與事」，都屬為政之禁忌，不可不慎。尤其是觀察人更應明察入微，因為「貌色聲眾有美焉，必有美質在其中者矣；貌色聲眾有惡焉，必有惡質在其中者矣。」孔子並非鼓勵哀公以貌取人，而是提醒應明察入微，深入探討眾人所以美惡之根本原因。

〈四代〉以非常多的篇幅向哀公論述知人、取人之道，其因無他，乃是「為政在人」的根本道理使然。一旦用人得當，則一國興作；用人不當，則一國亂亡，焉能不慎！此一長篇宏論，也是上承〈三德〉簡六所言「凡托官於人，是謂邦固；托人於官，是謂邦窳；建五官弗措，是謂反逆。土地乃坼，民人乃喪」之道理，再行演繹發揮而來。如此發展之現象，最能代表文明演化之痕跡，已漸次減少對不可知的神意之倚賴，而逐漸添加人文理性之思考，增強對於各項禮制規劃之完善性要求。

(三)〈四代〉對〈三德〉在「天神」思想上之繼承發展

〈三德〉注重「天神」對人間違反陰陽之道者之懲罰，呼籲人應透過各種祭祀之方式與皇天上帝、鬼神等超越界進行良好溝通，以虔誠祭祀鬼神怡悅上帝，使不降凶災，永保家邦。同時還特別藉顓頊帝高陽之口，提醒吉凶之禮有別，不可兩相混淆，呈現相當濃厚的早期神意觀念。至於孔子之時，無論是對天神之概念，乃至於有關祭祀之各種問題都已有相當大的發展，例如在〈千乘〉之中，孔子已呼籲哀公應進行一系列之祭祀：

> 凡民之藏貯，以及山川之神明加于民者，發國功謀，齋戒必敬，會時必節。日、厤、巫、祝，執伎以守官，俟命以作。祈王年，禱民命及畜穀、蜚征、庶虞草。方春三月，緩施生育，動作百物，於時有事，享于皇祖皇考，朝孤子八人，以成春事。[75]

75 《大戴禮記》〈千乘〉，頁157-158。

說明祭祀之工作，已有極複雜的系統：為因應複雜的祭祀需要，已設置日者卜筮、曆正掌曆以及巫、祝等專掌鬼神之執事人員負責規畫舉行。祭祀之範圍則在祖先之外，還包含對萬民生活有關之各種自然神，如〈祭法〉所言「山林、川谷、丘陵，能出雲為風雨，見怪物，皆曰神」之自然神一類，都應謹慎祭祀之。此外，對於有功於安邦定國以及有良法施於民者，亦應一併祭祀之，猶如〈祭法〉所言「法施於民則祀之，以死勤事則祀之，以勞定國則祀之，能禦大菑則祀之，能捍大患則祀之」[76]一類，對有功於國家人民者都有饗食之祭。朝廷並有「春饗孤子」[77]撫卹遺孤之禮，以感念先烈之功績。凡此舉措都可謂上承〈三德〉極度呼籲應尊禮崇敬「天神」之精神而來，然已明顯複雜而系統化，不但對天神地祇之自然神尊崇禮敬有加，更加重對祖先以及有功於家國者的緬懷與崇敬之情，凸顯更多人文關懷之意義。

根據〈祭統〉「凡治人之道，莫急於禮。禮有五經，莫重於祭」之說法，其主要原因乃在於「祭有十倫焉：見事鬼神之道焉，見君臣之義焉，見父子之倫焉，見貴賤之等焉，見親疏之殺焉，見爵賞之施焉，見夫婦之別焉，見政事之均焉，見長幼之序焉，見上下之際焉。」[78]可見祭祀之對象雖為鬼神，然而因為神之範圍，乃包含所有能影響天候變化之日月星辰、山川河海等自然神，也包含由人鬼蛻變為祖先神或人格神之部分，故所謂「事鬼神之道」，實際上乃關係人與天地自然之間的天人對應、和諧之道，也包含人與祖先神或人格神之複雜關係，是安邦定國者必先考慮應如何安頓之重大問題，故而列為祭祀的十倫之首。至於祭祀自「見君臣之義」以下之九項倫理意義，則全屬人世間各種社會秩序與人倫關係安頓之主體，成為治國者最需要妥善規畫的各種禮制之核心內容。

由於〈千乘〉已在司徒之官的職務中凸顯祭祀問題之重要，因而〈四代〉在祭禮方面，為避免同文反覆而使哀公不耐，故僅以重點提示之方式，以「天子盛服朝日于東堂，以教敬示威于天下」為代表，達到引導在下者能尊上之尊尊大義，且昭示天地上下四方之間自有神明存焉，而祭祀乃溝通神人關係之重要管道。此一現象又可與〈表記〉的子言之：「昔三代明王，皆事天地之神明」[79]相對應。至於宗廟祭禮方面，〈四代〉則以「宗廟之事昭有義」以及「燕食昭有慈愛」之扼要說法，彰顯〈大傳〉尊祖敬宗、人道親親之道理。[80]倘若稍加分析〈四代〉之祭祀系統，則可從《周禮》大宗伯之職掌，

---

76 分別見於《禮記》〈祭法〉，頁797、802。

77 《禮記》〈郊特牲〉，頁483。

78 分別見於《禮記》〈祭統〉，頁830、834。

79 《禮記》〈表記〉，頁920。

80 《禮記》〈大傳〉，頁622：自仁率親，等而上之，至于祖；自義率祖，順而下之，至於禰。是故，人道親親也。親親故尊祖，尊祖故敬宗，敬宗故收族，收族故宗廟嚴，宗廟嚴故重社稷，重社稷故愛百姓，愛百姓故刑罰中，刑罰中故庶民安，庶民安故財用足，財用足故百志成，百志成故禮俗刑，禮俗刑然後樂。

而得知該系統乃兼含天神、地祇與人鬼三大系統而合一，藉以溝通天地人三者的密切關係。其文云：

> 以吉禮事邦國之鬼神示：以禋祀祀昊天上帝，以實柴祀日月星辰，以槱燎祀司中、司命、飌師、雨師。以血祭祭社稷、五祀、五嶽，以貍沉祭山林川澤，以疈辜祭四方百物。以肆獻祼享先王，以饋食享先王，以祠春享先王，以禴夏享先王，以嘗秋享先王，以烝冬享先王。[81]

由於祭禮之範圍包含對天地人三界之神明皆有祭，因此於吉（祭）、凶、軍、賓、嘉五禮之中最為廣泛而重要。此一天神、地示（祇）與人鬼三系分立，而周遍天地人三者關係之祭祀系統，不但從天神與人鬼之交攝、地示（祇）與人祖之交融，以凸顯人之特殊地位，且大大彰顯崇德報功的人文崇祀態度，已取代商代迷信鬼神之信仰，也已大幅提昇人性之光輝。[82]相對於〈三德〉僅反反覆覆出現「皇天所惡，雖成弗居」，「喜樂無限度，是謂大荒，皇天弗諒」，「食飲無量計，是謂滔皇，上帝弗諒」，「鬼神禋祀，上帝乃怡」，「上帝喜之，乃無凶災」等必須尊崇神意以免災殃降臨之語，〈四代〉對於「天神」之概念已充分展現人文理性抬頭之一面，具備極高的人文關懷精神。倘若對照《論語》所載孔子稱讚禹的理由之一，即是禹能「菲飲食，而致孝乎鬼神；惡衣服，而致美乎黻冕」[83]，處處節省自己之衣食享受，而恭敬地穿戴盛美之黻冕禮服以進行祭祀，以表達自己孝敬鬼神之心，亦可見〈三德〉所載重視祭祀之現象，與〈四代〉已進入人文崇祀之時代，二者之距離實相當遙遠。更因為宗廟祭禮之先聲，乃是關乎人一生終點的喪禮，因此〈四代〉還不厭其煩地昭示喪禮盡哀之本質，乃先王為政必須先施於民的立國大本，而與〈昏義〉「夫禮始於冠，本於昏，重於喪祭，尊於朝聘，和於射鄉」[84]，特重喪祭禮的說法相當。如此特重喪祭禮的主張，堪稱對〈三德〉之簡八至九以及簡十三之進階發展，都已特別強調祭祀之重要。

(四)〈四代〉與〈三德〉特提之人物應非偶然

〈三德〉特別提出黃帝與顓頊帝，都是結合天道自然與人事因應之重要傳說人物，不宜簡單地以託古人物視之，而應注意其對於人類文明之演進都具有特殊貢獻。〈四

---

81 《周禮》〈春官〉〈大宗伯〉，頁270-273。

82 其詳參見拙著：《古代祭禮中之政教觀——以《禮記》成書前為論》（臺北市：文津出版社，1997年），第5章第2、3節。

83 《論語》〈泰伯〉，頁74，記載子曰：「禹，吾無間然矣！菲飲食，而致孝乎鬼神；惡衣服，而致美乎黻冕；卑宮室，而盡力乎溝洫。禹，吾無間然矣！」。

84 《禮記》〈昏義〉，頁1000-1001。

代〉所指之「四代」，乃指虞、夏、商、周，而孔子與哀公談論之焦點人物，除卻帝堯之外，另有一位跨越帝堯、帝舜時期，明顯以德刑相輔的伯夷。從時代而言，帝堯當然在黃帝與顓頊帝之後，而伯夷即使跨越帝堯、帝舜時期，也明顯晚於黃帝與顓頊帝，此亦足可說明〈四代〉晚於〈三德〉之事實。

〈四代〉之所以特別加入虞舜時期政刑之討論，即使該時期仍屬於古史傳說時期，然而距離三代已經最近，可信度較大。此從《論語》與《尚書》在追溯歷史傳聞時，亦溯自堯舜為起始點都屬於同一道理。〈四代〉中之孔子還特別以極大的篇幅述說舜「取人以色」而舉用十六賢才之事實，且使其揆度百事而各得時序，頒布五教於四方而內平外成，因此當堯駕崩之時而天下如一，同心擁戴舜以為天子。其實根據〈舜典〉所載，舜之功績乃在於「慎徽五典，五典克從；納于百揆，百揆時敘；賓于四門，四門穆穆；納于大麓，烈風雷雨弗迷。」[85]舜之前兩項功績，乃任用八元八愷之施政成果。第三項之功績，根據《左傳》所載，則為流放四凶，將渾敦、窮奇、檮杌、饕餮投諸四裔，以禦魑魅，故能「四門穆穆，無凶人」，[86]締造良好的社會秩序。第四項之功績，則代表其智勇雙全，具備足以帶領萬民的天子之才。至於伯夷雖非古代帝王，然而參照《尚書》中的〈舜典〉、〈呂刑〉相關記載，則知伯夷從虞、舜時執掌三禮以為秩宗，以建立王朝之本的職分，已知其地位之重要性，至於周穆王時代，擔任「降典而折民惟刑」之職務者，又以名為伯夷者擔任之，甚且還指出其地位，在伯夷、禹、稷三位並稱「三后」者之中，還名列首要位置，則其建立人與天地自然之間的各項典律，以安排人間各項禮制之進行，以和諧天人相應關係之重要性乃不言可喻的。[87]

從〈四代〉中孔子與哀公交談，首先確定「四代之政刑皆可法」，且在彼此互動之過程中，特別明白稱譽虞舜具有取相十六人之「天德」，而未提舜流放四凶以安天下之功勳，乃專門針對哀公所需而說，故僅標舉舜之陽德，而不提流放四凶的陰刑輔弼之功。然而從全篇之頭尾雙提伯夷對「建國建政，脩國脩政」之重要地位，已可說明孔子主張以德禮為主，政刑為輔之立場相當堅定，與《論語》〈為政〉之說法並無矛盾之處。此也與〈三德〉特別提出黃帝與顓頊帝，都曾動用「大刑用兵」以締造赫赫之功，而「禁殘止暴於天下」的情形相似，都可謂參天地之德，協助天地人之間建立平衡和諧之關係。

---

85 《尚書》〈虞書〉〈舜典〉，頁34。

86 《左傳》〈文公十八年〉，頁354-355，以渾敦為帝鴻氏之不才子，窮奇為少皞氏之不才子，檮杌為顓頊氏之不才子，饕餮為縉雲氏之不才子。

87 其詳參見林素英：〈從〈四代〉再論孔子的禮刑輔政思想——結合〈呂刑〉、〈三德〉之探討〉，頁313-330。

五　結論

經由上述討論，〈三德〉立本於以陰陽的天常與天時觀念，可與考古資料相呼應。其實在「古史辨」時期，范文瀾已有陰陽五行新說，認為原始陰陽說發生在夏代以前，逐漸盛大在殷商之際，五行說則發生在夏代，經鄒衍之附會擴充，且與舊有之陰陽說合併，而成為新說。[88]此說合乎陰陽思想發展之情形。因為就〈三德〉之內容而言，其陰陽思想，不但包含原始陰陽本義，也包含引申為原始陰陽而來的人事因應之道，且在列舉黃帝與顓頊之事例上，雖已提升到較高階的陽德陰刑思想之雛形，但尚未有〈四代〉發展較成熟的陽德陰刑思想。甚且就〈三德〉之表達形式而言，由於資料所屬的時代較早，因而結構較為鬆散，層次也欠分明，相對於〈四代〉，即顯得相當蕪亂而極少受到注意，故未被收錄於《大戴禮記》當中。然而〈三德〉之簡文問世後，由於保留相當多陰陽思想的原始思維，因此若能結合〈四代〉一併討論，則可望釐清陰陽思想發展之過程與脈絡，自有其價值。

至於〈四代〉，則可從天時、天禮以及天神三方面，看到其上承〈三德〉或明或幽的陽德陰刑思想之痕跡。〈四代〉有可能是記錄孔子與哀公對話之弟子，或孔子後學，受到鄒衍陰陽學說推波助瀾之影響，因而全篇已發展為成熟的陽德陰刑思想。倘若從〈四代〉明顯表彰虞舜舉用十六賢才之功績，旨在積極鼓勵哀公多行仁政，故不再提及舜流放四凶之重要功績，然而黃帝與顓頊也都明顯有陰刑之功以安天下之實，故可與〈用兵〉彼此呼應，則陽德陰刑相輔為用之思想其實相當明顯。能理解陽德陰刑相輔為用在政治運作之功能，則〈四代〉之思想與《論語》〈為政〉之思想，乃是重點發揮之不同，而非核心思想之矛盾。

〈三德〉經過反覆立說後，簡十七再重申「知天足以順時，知地足以固材，知人足以會親」之宗旨，再呼籲理解天地自然之道，乃解決人間世錯綜複雜問題之根本，且以親和人倫關係為核心工作內容，都說明積極實踐「人德」以回應天地之德，乃是達到與天地參最重要之管道，也是孔子積極入世不畏艱難之生命寫照。由於天人關係乃亙古以來之問題，因而也是後世儒、道、陰陽、黃老等各學派思想發展之共同母題，因此學者對於〈三德〉之內容，可各隨其性之所近而進行解讀，且無論或偏於儒，或偏於道，或歸諸神意，都各有其片面道理，只是不夠完全而已。至於〈四代〉，乃孔子周遊列國，自衛反魯，擔任國老以後，與哀公論政之紀錄，因而繼〈千乘〉談論一般諸侯國的治國之道後，再針對哀公的欲法四代政刑之提問，更作具體而詳盡之論述。由於國之興衰存亡主要在於能否任用賢才之問題，因而此篇主要談論舉用賢才之道，並具體說明知人善任之道理，且提醒哀公凡事都應觀察入微，對於有可能妨礙政事進行之徵兆都應瞭若指掌，且切實避免其發生。

---

88 其詳參見范文瀾：〈與頡剛論五行說的起源〉，收入顧頡剛主編：《古史辨》第5冊下編，頁640-648。

過去學界往往把陰陽思想之發展視為戰國以後的事，因此對於《孔子三朝記》中出現相當多與陰陽思想有關的內容，就簡單地以為相關內容應為戰國以後之孔子後學所作，而不願多加研究其內容，故而無法彰顯其內涵意義，殊為可惜。如今因為〈三德〉之問世，雖然結構較為鬆散，層次也欠分明，然而由於所屬資料的時代較早，其內容包含相當可貴之原始陰陽意義，正好可與〈四代〉相結合，而對於陰陽思想之發展過程，提供較清晰之脈絡，也可據此管窺孔子重「夏時」之歷史原因，對於理解《孔子三朝記》其他篇章，乃至於《大戴禮記》其他諸多篇章中，何以多具陰陽思想色彩，都可從務實層面提供重要的思考線索。同時也因〈四代〉明顯提及三才之德，且將重點放在人德之努力實踐天地之德上，與《論語》中孔子之形象與思想都兩相符應，彼此並無矛盾衝突之處。

因祭視域中的包山楚簡禱祠祖先祭品考

鄭雯馨
政治大學中國文學系助理教授

提要

本文從因事而祭的角度，探討包山楚簡禱祠祖先的祭品及其異同原因。首先，觀察東周傳世文獻中因事祭祖的祭品內容，以作為論述楚簡禱祠祖先的背景。其次，包山楚簡禱祠祖先的時間約於西元前三一八至三一六年之間，這三年間祭主昭佗皆任左尹，大夫身分不變，因而轉從受祭者身分與關係著眼觀察用物異同情形，得知祭品兼具共相與參差情形。其三，探討禱祠祭品異同原因，包括祭品因祭主、受祭者、舉禱動機、禮儀種類等整體情境而具有相對性，不同的祭法將影響祭品的種類，祭品與祭法因傳統的權威與規範而帶有固定性，祭品因卜筮程序與禱祠方案者與鬼神的約定等因素而產生變動。值得注意的是，禱祠中的卜筮程序將使祭品的出現富含或然性，因而即使用物現象相同卻不全然能以規則視之，相同的現象不代表本質也相同。上述研究將有助於補充傳世文獻對禱祠記載的不足，提供禮學或楚簡研究者參考。

關鍵詞：因祭　禱祠　祭祖　包山楚簡　祭品

一　前言

國之大事，在祀與戎。祭祖向為中國傳統大事之一。據甲骨卜辭所見商代後期祭祖類型已呈現有具體目的之祭祖儀式、無具體目的之祭祖儀式二種區別，周代仍之。[1]林素英師從動機的角度將先秦祭祖類型區別為常祀、因祭兩類，並明確地說：

> （因祭）乃緣於某些特定事件之發生而行祭於宗廟，因而祭無定時，亦即若缺乏該特定條件之動力因，則不行祭。[2]

常祀是定期、定制的祭祀，用以維繫倫理和社會運作，如月祭、時享。因祭是不定期，因事而祭、具有特定條件與目的方才舉行，以求遂願，如立君建國與巡守、朝會與朝、結婚、疾病、征戰等事件。[3]禱祠屬於因祭中的一類。禱為第一次的祈福祭，祠為遂願後的回報之祭，或稱賽禱；二者泛稱為禱祠。[4]定時定制的常祀與動機鮮明的因祭，反映生活中日常與特殊二類事物的應對方式。

東周時期的常祀與因祭，以春秋時期而言，《國語》〈周語〉說：

> 日祭、月祀、時享、歲貢、終王，先王之訓也。[5]

天子廟祭乃定時定制，各地諸侯有義務為天子助祭。〈楚語下〉載：

> 是以古者先王日祭、月享、時類、歲祀。諸侯舍日，卿、大夫舍月，士、庶人舍時。[6]

依天子、諸侯、卿大夫、士、庶人等身分，祭祀對象與日期各有規定。不僅可知〈周語〉、〈楚語〉對祭祀對象與日期所持觀點相近，也顯示常祀不論有無特殊目的，皆當應時而行。相較之下，因祭的動機性較強，如《史記》〈楚世家〉載春秋時期楚昭王病，

1　詳見劉源：《商周祭祖禮研究》（臺北市：臺灣商務印書館，2007年）。張鶴泉：《周代祭祀研究》（臺北市：文津出版社，1993年）。周何：《春秋吉禮考辨》（臺北市：嘉新水泥公司文化基金會，1970年）。

2　林素英師：《古代祭禮中之政教觀——以《禮記》成書前為論》（臺北市：文津出版社有限公司，1997年），頁175。

3　上述詳參林素英師：《古代祭禮中之政教觀——以《禮記》成前為論》，頁171-175。

4　如《周禮》〈喪祝〉：「掌勝國邑之社稷之祝號，以祭祀、禱祠焉。」賈公彥說：「祭祀謂春秋正祭，禱祠謂國有故祈請。求福曰禱，得福報賽曰祠。」《周禮》〈喪祝〉，卷26，頁397-398。按：本文所引《十三經注疏》，均據〔清〕阮元審定、盧宣旬校：《重刊宋本十三經注疏》（臺北市：藝文印書館，1955年初版，據清嘉慶二十年江西南昌府學開雕本影印），為兼顧版面簡潔與清晰說明，獨立引文時，文末加括號標明卷次、頁碼，不另出注。

5　舊題〔周〕左丘明：《國語》〈周語〉（臺北市：宏業書局有限公司，1980年），卷1，頁4。

6　舊題〔周〕左丘明：《國語》〈楚語下〉，卷18，頁567。

「將相聞是言，乃請自以身禱於神」，為祈求昭王痊癒而舉禱。

戰國時期，楚地九店五十六號墓〈日書〉簡26有「禱祠」，簡41又有「祭祀、禱祠」，「祭祀」係指常祀，[7]「禱祠」為因祭。此可對應《禮記》〈曲禮上〉：「禱祠、祭祀，供給鬼神，非禮不誠不莊」[8]，以及《戰國策》〈趙策二〉「張儀為秦連橫說趙王」章，趙王曰：「寡人年少，奉祠、祭之日淺」。可知楚簡與《禮記》、《戰國策》所載的祭祀類型相同，祭禮的常祀、因祭類型亦適用於楚國。戰國楚簡上的禱祠，當屬動機性較強的「因祭」，是以本文擬從因祭的角度加以探究。

近年來，隨著包山、葛陵、望山、秦家嘴等地出土許多戰國時期卜筮禱祠祖先的竹簡，豐富祭祖材料。在楚地諸墓中，約下葬於西元前三七七年的葛陵墓主平夜君成，為封君階級；約葬於西元前三三一年望山一號墓主悼固，身分相當於下大夫或士；上述二墓出土的簡文殘破，禱祠祖先的記載零星而片段，不易判別情境，如葛陵楚簡說：「……平輿文君各一玉……」（甲三：121），可知在「平輿文君」四字之前至少有一位受禱者；又如「……以其故說之：文君、文夫人歸……」（甲三：176），不僅無法得知「文君、文夫人」的祭品，其後也可能有其他受祭者。而約葬於西元前二八三年的秦家嘴楚墓，墓主身分當為士庶人，目前整體發掘材料尚未公告，僅見輯文。[9]相較之下，湖北省包山崗是未經盜擾、出土時間較早（1986-1987）的墓葬群。因其未經盜擾，作為討論對象，可信度較高。復以出土時間較早，且簡文較為完整[10]，歷年研究成果豐碩，望山、葛陵、秦家嘴等簡文釋讀多據此加以發展。因而若釐清包山楚簡的祭祖內容，當有助於推進其他楚簡研究，是以本文以戰國楚地包山二號墓中禱祠祖先的簡文（以下簡稱包山楚簡）作為研究範圍。

在祭祀中，行禮者以器物作為人神交通的重要連繫[11]，成為研究祭祀的重要面向。以常祀而言，部分祭品相當程度地代表祭主身分，如《國語》〈楚語下〉：

> 祀加于舉。天子舉以大牢，祀以會；諸侯舉以特牛，祀以太牢；卿舉以少牢，祀以特牛；大夫舉以特牲，祀以少牢；士食魚炙，祀以特牲；庶人食菜，祀以魚。上下有序，則民不慢。[12]

---

7 邴尚白：《楚國卜筮祭禱簡研究》（新北市：花木蘭文化出版社，2012年），頁5。

8 《禮記》〈曲禮上〉，卷1，頁14-15。

9 晏昌貴：〈秦家嘴卜筮祭禱簡釋文輯校〉，《巫鬼與淫祀》（武漢市：武漢大學出版社，2010年），附錄二，頁372-373。

10 朱曉雪說：「包山楚簡中卜筮祭禱簡的保存狀況是所有楚卜筮祭禱簡中最完好的，五十四支竹簡均無殘斷，並且占卜的記錄完整，這是研究戰國時期卜筮祭禱問題的珍貴材料。」見氏著：《包山楚簡綜述》（福州市：福建人民出版社，2013年），頁9。

11 〔法〕馬塞爾・莫斯等著，楊渝東等譯：《巫術的一般理論　獻祭的性質與功能》（桂林市：廣西師範大學出版社，2007年），頁193、196。

12 舊題左丘明：《國語》〈楚語下〉，頁564-565。

申言之，祭品不只是以物質形式呈現，更是以其信仰、政治、文化、經濟等意義被奉獻給鬼神，因而備受重視。《國語》〈楚語上〉記載屈到生前命宗老在其死後以芰祭之，宗老欲從之，屈建命去之，並說：

> 夫子承楚國之政，其法刑在民心而藏在王府，上之可以比先王，下之可以訓後世，雖微楚國，諸侯莫不譽。其《祭典》有之曰：國君有牛享，大夫有羊饋，士有豚犬之奠，庶人有魚炙之薦，籩豆、脯醢則上下共之。不羞珍異，不陳庶侈。夫子不以其私欲干國之典。[13]

楚國官方存在具體的祭祀禮書或規定，且深入民心。對照傳世禮書，如：

> 《大戴禮記》〈曾子天圓〉「諸侯之祭，牲牛，曰太牢；大夫之祭，牲羊，曰少牢；士之祭，牲特豕，曰饋食，無祿者稷饋。」[14]
>
> 《禮記》〈曲禮下〉：「天子以犧牛，諸侯以肥牛，大夫以索牛，士以羊豕。」（卷5，頁98）

可知楚國與傳世禮書皆認為常祀中，身分與祭品具固定對應關係。

相對於常祀，傳世文獻鮮少探討禱祠用物，而包山楚簡的內容正提供這方面的認識。包山墓主昭佗獻上物品向鬼神禱祠求福，目前學界的研究方法多為：觀察所有受祭者的祭品，繪製成圖表，進而比較身分（尊卑）不同者的祭品，並探討箇中規律與意義。[15]如：

受祭者／簡數	昭王	文坪夜君	郚公子春
簡199-200	特牛	特豢	特豢
簡201-204			
簡205-206	特牛	特豢	特豢
簡239-241	特牛	特豢	特豢
簡242-244	特牛		

13 舊題〔周〕左丘明：《國語》〈楚語上〉，頁532-533。

14 〔清〕王聘珍：《大戴禮記解詁》（北京市：中華書局，2004年），卷5，頁101。

15 陳偉：《包山楚簡初探》（武漢市：武漢大學出版社，1996年），頁179。楊華：《古禮新研》（北京市：商務印書館，2012年），頁261-262。賈海生：《周代禮樂文明實證》（北京市：中華書局，2010年），頁350-354。宋華強：《新蔡葛陵楚簡初探》（武漢市：武漢大學出版社，2010年），頁215。陳炫偉：《先秦至漢初災異禳除禮俗及救治措施研究》（新竹市：國立清華大學中國文學系博士論文，2013年），頁200-202。

根據受祭者身分與祭品的組合現象，陳偉指出祭祀天神、地祇的二條規律：

> 凡在某一場合享用同一祭品的神祇在另一場合祭品必相同。
> 凡在某一場合享用不同祭品的神祇在另一場合祭品亦必不同。[16]

陳氏並認為人鬼的享祭制度，除了與上述二條規律相似外，還有二點值得留意之處：

> 第一，享祭範圍可能是在常規祭品的基礎上，加以損益隆殺形成的；第二，常規祭品及其隆殺，並不一定會在簡文中表述出來。[17]

享祭與常規可能具有隆殺關係，而常規的禮儀不一定反映在楚簡內容中。陳氏之說為包山楚簡研究帶來重要影響，如于成龍、楊華、鄒濬智、賈海生等學者承繼此說，皆從祭祀類型（常祭、禱疾祭）的觀點著眼，進行禮書與楚簡分析。[18]賈海生對於楚簡記載的用牲進行詳細的比對，得出四項特點，茲舉出與祖先祭祀相關的三項：

> 1. 同一人物祭禱天神、地祇、人鬼，無論是在廟中還是在壇，皆以受祭者身分的高低貴賤確定所用牲牢品物的規格，並不取決於主人身份的高低貴賤。
> 2. 同一人物祭禱同一對象，因祭禱方法不同，可以用不同的牲牢品物。
> 3. 不同人物祭禱同一對象往往用相同牲牢，如平夜君成、左君昭佗、悼固祭禱老童、祝融、鬻熊都用牂，祭禱行都用犬。若不同的人物祭禱同一對象用不同的牲牢，或用相同的牲牢但數量不等而方法亦同，反映彼此相較有高低貴賤的差別，如同是祭禱昭王，平夜君成用太牢，左尹卲佗則用特牛，再如平夜君成舉禱老童、祝融、鬻熊各兩牂而左尹卲佗舉禱老童、祝融、鬻熊各一牂。[19]

賈氏以主祭者、祭祀方法、受祭者為區分標準，探討禱祠用物規律，為後人提供良好的參考基礎。

然學者因關懷不同，在某些議題上仍值得深入討論：

其一，用物規則之間略見參差，未為圓融；且用物不同的原因，仍可進一步探究。如賈海生第一項指出禱祠用物不取決於祭主身分，而第三項論述平夜君成與左尹昭佗的用牲差異，「由平夜君成與左尹卲佗用牲的細微差別，充分證明平夜君成是繼別宗子而

---

16 陳偉：《包山楚簡初探》，頁177-178。

17 陳偉：《包山楚簡初探》，頁178-179。

18 于成龍：《楚禮新證——楚簡中的紀時、卜筮與祭禱》（北京市：北京大學考古文博學院，2004年），頁69。楊華：〈楚禮廟制研究——兼論楚地的「淫祀」〉，《古禮新研》，頁253-255。賈海生：〈楚簡所見楚禮考論〉，《周代禮樂文明實證》，頁294-366。鄒濬智：〈戰國楚簡所見楚人祭祖研究〉，《興大人文學報》第40期（2008年10月），頁188-189。

19 賈海生：〈楚簡所見楚禮考論〉，《周代禮樂文明實證》，頁354-355。

左尹卲佗則是繼禰宗子」[20]，則又論述祭主身分與用牲有關，二說未為圓融。若禱祠用物不取決於祭主身分，那麼當祭法、受祭者皆相同時，為何用物會有所不同？如包山簡203、206載二次不同的禱祠方案，皆以「翌禱」之法向文坪夜君、郚公子春、司馬子音、蔡公子家致意，用物卻呈現有無「酒飲」之別。相同的祭主、祭法、受祭者，用物卻不同的原因，目前未見討論。另一方面，學者留意到不同墓葬群之間出現異同現象，如陳偉指出「在望山簡和包山簡中，對某些神祇採用的祭品往往相同或相應。如包山簡第216-217號記楚先老童、祝融、鬻熊各一牂；第212-215號記太佩玉一環，侯土、司命各一少環，大水佩玉一環，與望山簡第120號加第121號以及第54號簡全然相同。……據包山簡第199-200、205-206、239-241號諸簡所見，文坪夜君的祭品規格低于昭王。而在望山簡第109號和第110號中，地位與文坪夜君相當的東宅公則一再採用跟聖王、悼王同樣的物品。其中原由還有待探究。」[21]面對時有同異的祭品現象，也有待進一步解釋。

其二，以表格定型化的方式誠有助於掌握受祭者與祭品的對應，惟在受祭者與用物的定型過程中，行禮動機不易受到重視。觀察東周的禱祠記載，動機將影響禮儀種類與祭品（詳見下文），值得投入更多關注。

其三，包山簡文大體依天神、地祇、人鬼之序記載禱祠情形，不僅顯示神祇的分類概念，也反映尊卑之序。惟尊卑乃視情境相對而成的一組概念，如在朝，君尊臣卑；在家，臣則轉而為父，尊於其子。同時，尊卑也是一組無形的觀念，須賴具體儀物呈現。[22]面對為數眾多、位階不同的鬼神，如何以適當的祭品表達虔敬又不失禮數、如何恰到好處地禱祠以求遂願，便成為祭主及其執事行禮時，所面臨的重要課題。是以從尊卑來看，禱祠中受祭者身分與關係，及其用物表現，仍可深入討論。

基於上述考量，在前賢研究成果的基礎上，本文擬從動機性較強的因祭著眼，依受祭者身分與關係探討包山楚簡禱祠祖先祭品異同的情形及其可能的原因。首先，觀察東周因祭祖先的用物情形，以說明因祭祖先用物多元，並作為觀察包山楚簡的背景。第二，包山二號墓簡涵蓋的時間約在西元前三一八至三一六年，這三年間祭主昭佗的身分始終是左尹（大夫），不同的是受祭者身分與用物，因而本文從受祭祖先的身分與關係比對用物異同，分為二步驟：其一，觀察尊卑相同之祖先的祭品；其二，觀察尊卑有別之祖先的祭品。第三，討論受祭者與祭品所呈現的對應情形，並探討祭品異同的原因。論述過程中，若資料足以和常祀相比較，將加以對照，冀收辨別之效；若資料不足，則暫時闕如。

20 賈海生：〈楚簡所見楚禮考論〉，《周代禮樂文明實證》，頁355。

21 陳偉：《新出楚簡研讀》（武漢市：武漢大學出版社，2010年），頁46-47。

22 杜正勝：〈周禮身分的象徵〉，《古代社會與國家》（臺北市：允晨文化實業股份有限公司，2005年），頁732。

二　東周傳世文獻中因祭祖先的用物情形

目前學界多致力於探索包山楚簡禱祠祖先用物的規則，然意見時有所異，無法圓融地解釋。面對這樣的情形，擬先分類觀察東周傳世文獻中因祭祖先的情形，以作為理解包山楚簡禱祠祖先的背景。

（一）出行

出行前告祭祖先，本於為人子者遊必有方，「出必告，反必面」，包含巡狩、聘問、朝覲等。以天子而言，《禮記》〈王制〉載天子巡狩「歸假于祖、禰，用特。」鄭注：「假，至也。特，特牛也。祖下及禰皆一牛。」[23]《尚書》〈舜典〉：「歸格于藝祖，用特。」天子以特牛告祭先人，未用常祀的太牢。關於諸侯之禮，《禮記》〈曾子問〉載：「諸侯適天子，必告于祖，奠于禰。……凡告，用牲幣。反，亦如之。」清人孫希旦認為告反所用之牲重於告出，「以〈聘禮〉出釋幣、反釋奠推之可知也。天子巡守歸，假于祖、禰，用特牛，則其出當用特羊，諸侯或歸用特羊，出用特豕與？」[24]因而孫氏以為諸侯告出當用特羊，告反當用特豕。《儀禮》〈覲禮〉載諸侯見天子時，「侯氏裨冕，釋幣於禰」，則是致敬於行主。是以諸侯在宗廟告出與告反、致禮於行主，所用皆不同。大夫之禮，據《儀禮》〈聘禮〉，告出時「釋幣於禰」用玄纁束帛；告入時「筵几於室，薦脯醢，觴酒陳」。大夫告祭用物，未用常祀的少牢饋食禮。因而天子、諸侯、大夫因出行告祭祖先用物不盡然與常祀相同。

23 《通典》〈禮〉十五引子思之言說：「古者天子將巡守，必先告於祖，命史告群廟及社稷，圻內名山大川，七日而徧。**親告用牲**，史告用幣。」見長澤規矩也、尾崎康編：《北宋版 通典（第三卷）》（東京市：汲古書院，1980年），卷55，頁185。《孔叢子》〈巡狩篇〉：「古者天子將巡守，必先告於祖、禰，命史告群廟及社稷，圻內名山大川。告者七日而徧。**親告用牲**，史告用幣，申命冢宰，而後道而出。」又云：「歸，反舍於外次，三日齋，**親告於祖禰，用特**。命有司告群廟社稷，及圻內名山大川，而後入，聽朝。」此又涉及是否親告的問題，然皆告出告入用牲。見傅亞庶：《孔叢子校釋》（北京市：中華書局，2011年），卷3，頁151、152。

24 〔清〕孫希旦：《禮記集解》〈曾子問〉（臺北市：文史哲出版社，1990年），卷18，頁511。按：據《禮記》〈曾子問〉：「天子、諸侯將出，必以幣帛皮圭告于祖禰，遂奉以出，載于齊車以行。每舍，奠焉而後就舍。反必告，設奠卒，斂幣玉，藏諸兩階之間，乃出。蓋貴命也」一段無「牲」的記載，鄭玄指出諸侯「凡告，用牲幣」當為「制幣」之誤。清人孫希旦依〈舜典〉、〈王制〉的內容，認為「主命之禮，所以出者唯幣、帛、皮、圭，牲非所奉以出者，故略而不言耳。謂『告禮無牲』，非也。」見氏著：《禮記集解》〈曾子問〉，卷18，頁525-526。依《禮記》〈曾子問〉各章上下文脈絡來看，孫氏所言較為合理，故從之。

（二）戰爭

古人於征戰前，出境告廟；戰後，於宗廟裡行飲至、獻俘、獻捷。戰爭出境前之告廟，儀節或與出行禮重複，故置於出行禮之後。《禮記》〈王制〉載天子將出征「造乎禰」，「受命於祖，受成於學」，「造」指軍旅、會同、出行等非時祭祖，取「造次之意」。[25]雖有其禮而不明其用物。征戰前告祖內容，以《左傳》〈哀公二年〉較為完整，其云：

> 衛大子禱曰：「曾孫蒯聵，敢昭告皇祖文王、烈祖康叔、文祖襄公，鄭勝亂從，晉午在難，不能治亂，使鞅討之。蒯聵不敢自佚，備持矛焉，敢告無絕筋、無折骨、無面傷，以集大事，無作三祖羞，大命不敢請，佩玉不敢愛。」（卷57，頁996）

獻佩玉於三祖。戰後，獻俘於廟，如：

> 《左傳》〈僖公二十八年〉，城濮之戰，晉國凱還而歸，「獻俘授馘，飲至大賞」。（卷16，頁276）
>
> 《左傳》〈昭公十七年〉，晉滅陸渾，「獻俘于文宮」。（卷48，頁838）

戰勝歸來，在廟中告祭祖先「生擒死獲」的軍功。另《左傳》〈襄公六年〉，齊侯滅萊，「四月陳無宇獻萊宗器于襄宮」，以敗者宗器獻於齊襄公廟。更有甚者，不只獻俘獻器，而用人為牲，《左傳》〈昭公十一年載〉：

> 楚子滅蔡，用隱大子于岡山。申無宇曰：「不祥。五牲不相為用，況用諸侯乎！王必悔之。」（卷45，頁787）

論者或據用人為牲，遂謂楚人不用禮。然從申無宇勸諫「五牲不相為用」，與宋國司馬子魚勸諫勿用鄫子于次睢之社說：「古者六畜不相為用」[26]，二者相近，顯示先秦可能普遍認為祭祀用牲的「種類」具有固定性，楚國也不例外。征戰告祭用物，不僅有別於常祀，也可能隨戰利品而有所變化。

---

25 《周禮》〈大祝〉，卷25，頁384。《周禮》〈大祝〉，賈疏，卷25，頁389。參〔日〕池田末利：〈告祭考──古代中國における祈禱儀禮〉，《中國古代宗教研究：制度と思想》（東京市：東海大學出版社，昭和56年，1981年），頁822-825。

26 《左傳》〈僖公十九年〉，卷14，頁239。

（三）盟誓

盟詛為古人約定合作、約束彼此之法，主要儀節為殺牲歃血，告誓於神靈先君，請以為見證，並處罰背叛者。目前所見，較明確說明盟誓用牲者為以下數條：

> 《左傳》〈昭公元年〉，「楚令尹圍請用牲，讀舊書，加于牲上而已，晉人許之。三月甲辰，盟。」（卷41，頁698）
>
> 《史記》〈平原君列傳〉載：「毛遂謂楚王之右右曰：『取雞狗馬之血來。』毛遂奉銅槃而跪進之楚王曰：『王當歃血而定從，次者吾君，次者遂。』遂定從於殿上。毛遂左手持槃血而右手招十九人曰：『公相與歃血於堂下。公等錄錄，所謂因人而成事者也。』」
>
> 司馬貞《索隱》：「盟之所用牲貴賤不同，天子用牛及馬，諸侯用犬及豭，大夫已下用雞。今此總言盟之用血，故云『取雞狗馬之血來』耳。」[27]
>
> 《五經異義》據《韓詩》云盟牲所用：「天子、諸侯以牛豕，大夫以犬，庶人以雞。」[28]

可知盟誓用牲依身分不同。然許慎、司馬貞所言諸侯、大夫盟誓用牲略異，參《左傳》〈哀公十七年〉，武伯問於高柴：「諸侯盟，誰執牛耳？」鄭玄《駁五經異義》認為盟者「人君用牛」[29]，知諸侯盟誓可用牛牲。可惜的是，大夫盟誓用牲缺乏文獻記載，無法細論，然亦據此得知有別於常祀。

若上述盟誓用牲之說不誤，那麼以祖先為起誓對象者，亦當用牲，如：

> 《左傳》〈僖公二十八年〉：「晉人復衛侯。甯武子與衛人盟于宛濮曰：『……自今日以往，既盟之後，行者無保其力，居者無懼其罪，有渝此盟以相及也，明神先君，是糾是殛。』」（卷16，頁275）
>
> 《左傳》〈襄公十一年〉記載亳之盟載書：「或間茲命，司慎、司盟、名山、名川、群神、群祀、先王、先公，七姓十二國之祖，明神殛之。」（卷31，頁545-546）
>
> 杜預注：先王，諸侯之大祖，宋祖帝乙、鄭祖厲王之比也。先公，始封君。

盟誓用牲，依行禮者身分而異，所用與常祀的太牢、少牢、特牲饋食禮異。

---

27 〔漢〕司馬遷著，〔劉宋〕裴駰集解，〔唐〕張守節正義，司馬貞索隱：《新校史記三家注》（臺北市：世界書局，1993年6版），卷76，頁2367-2368。

28 〔清〕陳壽祺撰：《五經異義疏證》（上海市：上海古籍出版社，2012年），頁138-139。

29 〔清〕陳壽祺撰：《五經異義疏證》，頁138-139。

（四）疾病

商代以來流傳天神、人鬼作祟能致人疾病，因而舉行禱禮除祟。[30]周代因疾而禱祠祖先，祈求痊癒，如：

> 《尚書》〈金縢〉：「若爾三王是有丕子之責于天，以旦代某之身。……今我即命于元龜，爾之許我，我其以璧與珪歸俟爾命。爾不許我，我乃屏璧與珪。」（卷13，頁186）
>
> 《晏子春秋》載齊景公「疥且瘧」，命史官與祝「巡山川宗廟，犧牲珪璧，莫不備具」。[31]

《尚書》〈金縢〉載周公向太王、王季、文王祈禱武王病癒時，許諾以自己的性命、璧與珪作為回報；《晏子春秋》以犧牲珪璧告於山川宗廟。二者皆向祖靈祈禱，祭品或有出入，呈現不固定的情形。

（五）昏禮

昏禮為上承宗廟、下以繼後世的重要關鍵，也是兩個家族締結關係的開始。在昏禮中，祭告祖先是重要步驟。《禮記》〈文王世子〉說：

> 五廟之孫，祖廟未毀，雖為庶人，冠、取妻必告，死必赴。（卷20，頁401）

不論是貴族，還是庶人，昏禮告廟以示孝敬。《左傳》〈昭公元年〉載楚公子圍欲娶鄭國大夫公孫段之女，聘問之禮結束後，公子圍欲派兵士迎娶，子產派人拒絕入城，楚令尹使大宰伯州犁對曰：

> 君辱貺寡大夫圍，謂圍將使豐氏撫有而室。圍布几筵，告於莊、共之廟而來。（卷41，頁697）

雖未見其用物，然可知公子圍前來迎娶之前，曾告祭已故的祖父楚莊王、先父楚共王。

另外，古代婦人婚後、婚後三月亦告祭祖先。女子婚前於公宮或宗室學習婦德、婦言、婦容、婦功，「教成祭之，牲用魚，芼之以蘋藻，所以成婦順也。」[32]魚、蘋藻象

---

30 胡厚宣：〈殷人疾病考〉，《甲骨學商史論叢 初集》（上海市：上海書店，1989年），頁11-13。賈海生：〈禱疾儀式的主要儀節〉，《周代禮樂文明實證》，頁264。

31 〔周〕晏嬰：《晏子春秋》〈諫上〉，《中國子學名著集成珍本初編》（臺北市：中國子學名著集成編印基金會，1978年），第81冊，卷1，頁40。

32 《禮記》〈昏義〉，卷61，頁1002。

徵婦人以「順」為德，並以之祭祖。婚後，若舅姑既沒，三月廟見，「婦執笲菜」奠告於舅姑。[33]婦人婚前祭祖、婚後三月廟見舅姑，用物異於其父、其夫。

（六）受賞

《禮記》〈內則〉載為人子、婦者若受賞賜饋贈，「則必獻其上」、「則受而獻諸舅姑」，待尊長反賜，乃以為己物。事死如事生，因而〈祭統〉指出得君爵祿，「受書以歸，而舍奠于其廟」，以君命之書告祭於祖。金文中同樣可見此種情形。陳夢家根據西周金文，指出受君命得賞錫，一般都要作器紀念祖考並祈求福壽。[34]如約鑄成於周襄王二十年（西元前632年）九月的子犯編鐘，銘文載：

> 子犯佑晉公左右，燮諸侯得朝，王克奠王位。王賜子犯輅車、四馬、衣裳、黼黻、珮。諸侯羞原金於子犯之所，用為和鐘九堵，孔淑且碩，乃和且鳴，用安用寧，用享用孝，用祈眉壽，萬年無疆，子子孫孫永寶用樂。[35]

是以子犯受襄王賞賜後，將輅車、四馬、衣裳、黼黻、珮、鐘等物進呈於宗廟，稟報先人承蒙庇祐，得此殊榮。可以進一步推想的是，各人受賞之物不同，故告祭祖之物亦具變動性。

（七）其他

此類見於文獻記載的數量較少，故合併於「其他」一類觀察用物情形。首先，是《尚書》〈洛誥〉載新邑落成，「烝、祭歲。文王騂牛一，武王騂牛一」。這次的祭祀包含常祀（烝）、祈年豐[36]、新邑落成、冊封周公、宣告還政等目的，屬於多功能的祭祀。值得留意的是，用牲各以一牛祭文王、武王，未用天子之太牢。其次，《大戴禮記》〈諸侯遷廟〉載諸侯遷廟時以酒、脯醢、幣為祭品「告于皇考某侯」[37]，亦不以常祀所用的牢牲為禮。

總之，因祭祖先使用的祭品種類豐富，時異於常祀。其中，出行、盟誓等呈現天子、諸侯、大夫不同階級的用物規範，或因出行與盟誓的準備時間相對較長，可事先安

---

33 《儀禮》〈士昏禮〉，卷2，頁59。

34 陳夢家：《尚書通論》（北京市：中華書局，2007年），頁155。

35 周鳳五師：〈子犯編鐘銘文「諸楚荊」的釋讀問題〉，《故宮文物月刊》第16卷第3期總183期（1998年6月），頁60-65。

36 〔清〕吳汝綸說：「祭歲，祈年也。」見氏著：《尚書故》（上海市：中西書局，2014年），頁224。

37 《大戴禮記》〈諸侯遷廟〉，卷10，頁201。

排。而其他戰爭、疾病、受賞等則因不易預料，因而產生不固定用物的情形。在上文討論各類因祭情形後，得進一步思辨目前包山卜筮禱祠簡的三種情境：出入事王、疾病、時段貞問。[38]

首先，出行祈福。祭主左尹昭佗身為大夫，據上述《儀禮》〈聘禮〉向祖先告出時當用玄纁束帛，告入則「筵几於室，薦脯醢，觴酒陳」。目前簡文內容未見此類用物，因而屬於昭佗向祖禰告出告入的可能性不高。另一方面，祭主也可能為出入事王感到不安，進而舉禱求福。于成龍據包山楚簡、望山簡及天星觀簡，指出：「楚人對待侍王等事與對待疾病發作是一樣的，如有不利情況，則認為是有神鬼作祟。」[39]是則藉此舉行的儀式，將與下文所述的疾病解祟之法相近。

其二，因疾解祟而禱。古人多認為疾病來自於鬼神作祟，須舉禱解祟，方有機會恢復健康。目前所知，包山墓主昭佗患下心疾且不思飲食（簡222）、腹心疾（簡237、239-240、243、247、249），因此疾病解祟為舉禱的動機之一。

其三，時段貞問。包山墓主昭佗分別於西元前三一八、三一七、三一六年占問自己能否一整年沒有災咎，若卜筮結果不吉，將行禮解祟以祈福消災。[40]據簡文內容，包山墓主昭佗因應健康、爵位、人際關係、家宅平安等動機向不同身分的鬼神舉禱，用物相當豐富。進而觀察禱祠「祖先」的動機，多與個人健康（簡237、239-240、242、245、247、249）、「有戚」（簡199、201-202、210、213、217、227）有祟見於祖先（簡222、223、224、225、249）相關，是而性質與上述疾病解祟相近。

職是，本文將在因祭的祈福解祟背景下，觀察包山楚簡卜筮禱祠祖先的情形。

三　受禱祖先之尊卑關係與用物

包山楚墓中的卜筮禱祠簡主要為西元前三一八至三一六年間的記載，在這三年裡，昭佗皆任左尹一職，大夫身分不變，而受禱祖先與祭品或有異動，顯示主祭者身分對用物的影響較小，因而下文轉從受禱祖先之間的尊卑關係切入，觀察用物情形。

---

38 包山楚簡整理小組指出貞問內容主要為出入宮廷侍王是否順利、何時獲得爵位、疾病吉凶三方面內容。見湖北省荊沙鐵路考古隊：《包山楚簡》（北京市：文物出版社，1991年），頁12。陳偉則認為分作歲貞與疾病貞，見氏著：《包山楚簡初探》，頁151-156。李零以卜瘳概括包山卜筮禱祠簡，見氏著：〈楚占卜竹簡〉，《中國方術正考》（北京市：中華書局，2006年），頁216。邴尚白則根據葛陵簡，指出楚人習慣泛問占卜主體在一段時間內休咎的卜筮習俗，不盡然是一整年。見氏著：《葛陵楚簡研究》（臺北市：臺大出版中心，2009年），頁157-158。

39 于成龍：〈包山二號楚墓卜筮簡中若干問題的探討〉，中國文物研究所編：《出土文獻研究（第五集）》（北京市：科學出版社，1999年），頁166。

40 陳偉謂此占卜一年吉凶者為歲貞簡，並指出大致每年舉行一次。陳偉：《包山楚簡初探》，頁155。

（一）同尊卑的祖先及其祭品

對主祭者而言，「同尊卑的祖先」係指相同身分者，如單一受祭的祖先，或同為王、同為遠祖等身分。以下試分述之。

1 楚先

「楚先」為楚國遠祖先公。

與禱楚先老僮、祝融、鬻熊各一羖。（簡217）
與禱楚先老僮、祝融、鬻熊各兩羖。（簡237）

在葛陵、望山等楚簡中，相同的受祭者，亦用羊類，[41]是為楚地禱祠簡的共相。

2 荊王

包山楚簡中，禱祠荊王的情形，如：

與禱荊王：自熊麗以庚武王，五牛、五豕。（簡246）

從熊麗至武王，十九代先王，共享五牛、五豕。

3 殤者

據包山楚簡224-225，殤者為東陵連囂子發。所謂殤者有二義：其一，指未成年而亡，如《儀禮》〈喪服傳〉：「年十九至十六為長殤，十五至十二為中殤，十一至八歲為下殤，不滿八歲以下皆為無服之殤。」[42]此類殤者未行成人禮，不享有成人社會中的權利與地位，並延伸至死後世界。其二，《小爾雅》〈廣名〉：「無主之鬼謂之殤」。包山楚簡中稱東陵連囂為殤，既為連囂之官，年紀應當不小，未成年而亡的可能性較低。[43]依《楚辭》〈九歌〉中的「國殤」，湯炳正說：「『殤』之本義，本為未成年而死。引申言之，凡不終其天年而犧牲的戰士，皆得謂之殤。」[44]因而東陵連囂當為不終其天年之

41 望山楚簡簡101「〔楚〕先老童，祝〔融〕、媸酓各一牂」。見湖北省文物考古研究所、北京大學中文系編：《望山楚簡》（北京市：中華書局，1999年），頁78。葛陵甲三：188、197「與禱楚先老僮、祝融、鬻熊各兩牂」；甲三：214「就禱三楚先純一牂」；乙三：41「與禱三楚先各一牂」；乙一：17「就禱三楚先純一牂」。見邴尚白：《葛陵楚簡研究》，頁46、48、60。

42 《儀禮》〈喪服傳〉，卷11，頁370。

43 陳偉：《包山楚簡初探》，頁167-168。

44 湯炳正：《楚辭類稿》（臺北市：貫雅文化事業，1991年），頁269。劉信芳以為子發為《荀子》中曾帶兵「克蔡」的子發，「為上蔡令」，很可能即死於國事之「殤」。其後，劉氏認為連囂乃官府之一般屬員。帶兵克蔡與一般屬員的身分差異，有待進一步探討。見氏著：《包山楚簡解詁》（臺北市：藝

殤。包山簡文載：

> 與禱東陵連囂肥豕于、酒飲。（簡203）[45]
> 移雁會之祝，賽禱東陵連囂豕于豕、酒飲，薦之。（簡210-211）

殤者東陵連囂單獨受禱，多以豕于為祭品。

4 無後者

無後者，係指沒有後嗣的亡者。無後者可能因缺乏子孫祭祀「無所歸」而為厲，因而古人或以「立祀止厲」祈福於鬼神。[46]禱祠無後者，分見於：

> 與禱兄弟無後者昭良、昭乘、縣貉公各豕于豕、酒飲，薦之。（簡227）
> 與禱於絕無後者各肥豕昔，饋之。（簡250）

禱祠無後者的祭品，或用豕于，或用豕昔。「薦之」、「饋之」等祭法，詳見下文討論。

（二）別尊卑的祖先及其祭品

包山楚簡的卜筮禱祠記錄固定地以「某禱」區別不同身分的受祭者及其祭品，因而本文承此作為區隔的標準，並探討對祭品的處理方法。

1 二重身分

當受祭者為身分不同的二人或二類群體時，呈現二重的尊卑關係。

（1）單一先人與殤

包山楚簡中，昭王與殤或親父與殤受禱祠的情形如下：

> 與禱昭王特牛，饋之；與禱東陵連囂豕于豣，酒飲，薦之；貢之衣裳各三稱。（簡243）
> 與禱（筆者按：親王父）特牛，饋之；殤因其常牲。（簡222）
> 與禱於親王父司馬子音特牛，饋之。……與禱於殤東陵連囂子雙肥豕于，薦祭之。（簡224-225）

文印書館，2003年），頁238。劉信芳：《楚系簡帛釋例》（合肥市：安徽大學出版社，2011年），頁5。

45 此為西元前三一八年四月雁會的禱祠方案部分內容，該方案在東陵連囂之前為對親父母的禬禮，之後為移石被裳之祟，行「代禱」，祭法皆異，因而視為單獨受祭，屬於同尊卑。

46 《左傳》〈昭公七年〉，孔穎達正義，卷44，頁763-764。

以祭品而言，有三點值得注意：

其一，單獨禱祠殤者或殤者與另一先人同時受禱，皆用⿰豕于，則⿰豕于當為禱殤的慣用祭品。殤者未終其天年而亡，地位低於成人而亡者。與殤同時受祭者，不論是昭王還是祖父（司馬子音）皆用特牛。身分尊者用牛，可見禱祠單一先人與殤的二重尊卑對立中，「牛——⿰豕于」為身分表徵。

其二，簡243指出「貢之衣裳各三稱」，獻衣裳於先人較罕見。目前所知，葛陵簡甲三207及簡甲三269皆云：「珥、衣裳，且祭之以一⿰豕昔於東陵。占之：吉」[47]，可相互參照。

其三，簡222的方案說：「殤因其常生」。整理者解為「殤內其嘗養」，嘗為秋祭，指對殤者行秋季供養之祭。[48]陳偉讀為「因其常牲」，並說「『常牲』指常規用牲；『因其常牲』就是因仍常規的犧牲，不作損益」、「東陵連囂仍採用常牲和肥冢，沒有作相應的減損。」[49]今觀《禮記・喪服小記》記載殤者「從祖祔食」，從其祖而食之，「所祭之時，非唯一度，四時隨宗子之家而祭也。」[50]四時可得因祭祖而祭殤。故本文從陳偉說，讀為「因其常牲」。「常」指一般祭祀殤者的禮數。祭殤者使用的牲牢「視親者之品命」，降於成人之禮，具有固定犧牲。[51]以士而言，成人常祀用特牲，殤者受特豚之祭。[52]左尹昭佗為大夫，祭用以羊為首的少牢，降等用豕，符合殤東陵連囂用三歲豬的肥⿰豕于。

就祭法來說，簡210-211、225、243禱於東陵連囂時，「蒿祭之」。目前所見，「蒿」字的釋讀如下：

其一，包山楚簡整理者云：「蒿，借作郊，郊祭。」[53]根據殷墟卜辭、西周甲骨及西周德方鼎等銅器銘文，李學勤認為「蒿」往往讀為「郊」；李零亦從之。[54]賈海生據此進一步指出包山簡205-206、224-225在郊設壇行禮，不為父祖及別子立廟，並說「左尹邵佗是繼禰宗子，與周禮繼禰宗子一樣，無廟祭禱父祖，若有祈禱告請之事皆為壇致祭。」[55]從「蒿」字的解讀，判定墓主昭佗的身分，乃至於廟制，一字之解，關係重大。

然而，「蒿之」的受祭者多為人鬼，特別是殤、無後者，如簡210-211、224-225、

47 邴尚白：《葛陵楚簡研究》，頁48、52。

48 湖北省荊沙鐵路考古隊：《包山楚簡》，頁57，注442-444。

49 陳偉：《包山楚簡初探》，頁179、180。

50 《禮記》〈喪服小記〉，孔穎達正義引庾蔚之言，卷32，頁593。

51 《禮記》〈曾子問〉，孔穎達正義，卷19，頁383。

52 《禮記》〈曾子問〉，鄭玄注、孔穎達正義，卷19，頁382。

53 湖北省荊沙鐵路考古隊：《包山楚簡》，頁55，注410。

54 李學勤：〈釋郊〉，《李學勤文集》（上海市：上海辭書出版社，2005年），頁162-166。李零：〈讀〈楚系簡帛文字編〉〉，《出土文獻研究》第5輯（1999年），頁140。

55 賈海生：〈楚簡所見楚禮考論〉，《周代禮樂文明實證》，頁332。

227、243。傳世禮書中的郊祭，以天地之神為主要受祭者，人鬼為配享。若配享於郊，簡文當敘述一序列的天神、地祇、人鬼，不應只針對特定受祭者標明「郊之」。且若以郊祭的規格致禮於殤者，將隆於皇祖、父考之禮，致不倫之疑。再者於郊禱祠殤者，猶有可說，然簡224-225親父與殤者同時受禱，則將移親父之神主於郊外行禮？

其二，犒之。[56]「犒」為勞之，慰勉、獎勵的意思。「犒」字多用於上對下，且對方已有相當程度的付出，如犒賞軍隊或遠道而來者。此義若用於報答鬼神祐庇的賽禱，或許可行，如簡211「賽禱東陵連囂豕豕、酒飲，蒿之」。但若「犒」字用於第一次的祈求之禱，似為不辭，如西元前三一七年十一月乙酉日卜得有祟見於殤，遂於同年同月丙辰日「與禱於殤東陵連囂子雙肥豕豕，蒿祭之」(簡225)。[57]

其三，以香蒿的芬芳使鬼神歆饗，具體方式或以蒿草泡酒，或以蒿染動物膏脂燃燒，或焚燒香蒿等。[58]

蒿為香草之一，[59]用於祭祀。包山楚簡224-225、243上的「蒿之」與「饋之」相對，就語法而言，「饋」為以熟食進獻祖先[60]，則「蒿」當指對祭品的烹調方式，屬祭法的一種。因而筆者以為「蒿之」可讀如字，指氣蒸出貌。《禮記》〈祭義〉:「其氣發揚于上為昭明，焄蒿悽愴，此百物之精也。」注:「焄謂香臭也；蒿謂氣蒸出貌也。」蒿與歊假借，[61]《說文》:「歊，歊歊，氣上出貌。」這與《禮記》〈郊特牲〉說周人祭祀「尚臭」、以氣味歆饗鬼神之禮俗相符。氣味之祭的作法，依烹調方式可分為兩類：其一，以摻入香草的飲食薦神。《楚辭》〈東皇太一〉:「蕙肴蒸兮蘭藉，奠桂酒兮椒漿。」王逸注:「蕙肴，以蕙草蒸肉也。」[62]祭祀東皇太一時，以增添蕙草香氣之牲體、含桂之酒、含椒之漿作為祭品，取其芬芳。另參九店楚簡〈告武夷〉巫祝向武夷君祝禱，祈求讓病人之魂歸來接受祭祀。告武夷君的祭品之一為「芳糧」，乃以香料調製，用來召請或祭祀鬼神的芬芳米糧，此呼應《楚辭》〈離騷〉:「巫咸將夕降兮，懷椒糈而要之」，

56 湖北省文物考研研究所、北京大學中文系：《望山楚簡》，頁105，補正五。李家浩：〈包山祭禱簡研究〉，見《簡帛研究》(桂林市：廣西師範大學出版社，2001年)，頁30-31。

57 本文從字義與儀式意義探討，范常喜以文獻所見頻率說:「文獻中『犒』多用於軍隊，用於祭祀則相當罕見。」亦以為讀「犒」猶可商。見氏著：《簡帛探微——簡帛字詞考釋與文獻新證》(上海市：中西書局，2016年)，頁99。

58 詳見吳郁芳：〈包山楚簡卜禱簡牘釋讀〉，載《考古與文物》1996年2期，頁76。劉信芳：《包山楚簡解詁》，頁227-228。胡雅麗：〈楚人祭祀勾沈〉，《楚文化研究論集（第五集）》(合肥市：黃山書社，2003年)，頁226。范常喜：《簡帛探微——簡帛字詞考釋與文獻新證》，頁98-103。

59 《詩》〈下泉〉毛傳:「蕭，蒿也。」(卷7-3，頁272)《詩》〈采葛〉毛傳:「蕭，所以共祭祀。」(卷4-1，頁153)《詩》〈蓼蕭〉鄭箋:「蕭，香物之微者。」(卷10-1，頁349)

60 《儀禮》〈特牲饋食禮〉，鄭注，卷44，頁519。

61 〔清〕朱駿聲：《說文通訓定聲》(北京市：中華書局，1984年)，頁329。

62 〔宋〕洪興祖：《楚辭補註》(臺北市：藝文印書館，1996年)，卷2，頁100。

王逸：「椒，香物，所以降神；糈，精米，所以享神。」[63]其二，灼燒香草、祭牲之脂及黍稷。《詩》〈生民〉：「取蕭祭脂」，孔穎達《正義》說：

> 言宗廟之祭，以香蒿合黍稷，欲使臭氣通達於牆屋，故記酌於尸；已奠之，然後燒此香蒿，以合其馨香之氣，使神歆饗之，故此亦用蕭，取其馨香也。（《詩》〈生民〉，孔疏，卷17-1，頁595）

這段話與《禮記》〈郊特牲〉鄭注相互發明。[64]

對照之下，若祭品為酒，如簡243禱東陵連囂以「酒飲，蒿之」，當以香草加入酒中，使其芬芳饗神，近於《楚辭》〈東皇太一〉的作法。若祭品為牲，如簡224-225禱東陵連囂以「雙肥豣，蒿祭之」，因簡文未見黍稷、米糧，或出於省略，實則如孔穎達《毛詩正義》所言以祭肉合黍稷燒之，以增其馨香；或同於《楚辭》〈東皇太一〉、〈離騷〉、九店簡〈告武夷〉以香草為祭品調味，增其香氣。禱無後者的「蒿之」，殆與殤者同。值得留意的是，包山楚簡中的「蒿之」，多用於殤者、無後者，或許反映身分上的差異。[65]

（2）昭王與文坪夜君、郚公子春、司馬子音、蔡公子家

包山楚簡中，受禱祠的男性祖先分別是昭王、文坪夜君、郚公子春、司馬子音、蔡公子家。昭王為墓主昭佗得氏之祖，依《禮記》〈郊特牲〉說：「諸侯不敢祖天子、大夫不敢祖諸侯」，不得將昭王列入族譜內。文坪夜君、郚公子春、司馬子音、蔡公子家則為墓主昭佗的直系男性祖先。[66]上述五位先人的禱祠情形如下：

> 代禱於昭王特牛、大牂，饋之……代禱於文坪夜君、郚公子春、司馬子音、蔡公子家各特豢。（簡205-206）
>
> 與禱昭王特牛，饋之；與禱文平夜君、郚公子春、司馬子音、蔡公子家各特豢。（簡240）

---

63 周鳳五師：〈九店楚簡〈告武夷〉重探〉，《中央研究院歷史語言研究所集刊》第72本第4分（2001年12月），頁950-951。

64 《禮記》〈郊特牲〉鄭注：「蕭，薌蒿也，染以脂，合黍稷燒之，《詩》云『取蕭祭脂』。」（卷26，頁507）《禮記》〈郊特牲〉鄭注：「膟膋，腸間脂也，與蕭合燒之，亦有黍稷也。」（卷26，頁507-508）《禮記》〈祭義〉，孔穎達正義，卷47，頁815。

65 范常喜認為楚祭禱簡中的「蒿之」、「蒿祭之」為燃蒿草以祭祀，並指出「包山楚簡中的『蒿之』只用於『殤』及『無後者』，這可能正是後世『蒿枝』多用來『驅鬼除穢』的源頭。」見氏著：《簡帛探微——簡帛字詞考釋與文獻新證》，頁103。考量到《楚辭》的內容，因而本文分別討論酒飲、犧牲的處理方式，而范氏以蒿祭殤及無後者為「驅鬼除穢的源頭」，或可為一說。

66 詳參拙著：〈戰國包山楚簡205-206禱祠祖先的意涵與相關儀節試探〉，《興大中文學報》第38期（2015年12月）。

昭王與文坪夜君等四人不僅是得氏之祖、直系祖先二重身分，也是君臣關係，因而簡205、206同為西元前三一七年正月癸丑日的禱祠卻特地分書兩簡，當係君臣尊卑的反映，「特牛——特豢」的祭品亦然。

（3）親父、親母

西元前三一八年四月乙未日貞人雁會提出的禱祠方案，部分內容為：

> 䆣於親父蔡公子家特牛、豬、酒食，饋之；䆣親母肥豜、酒飲；與禱東陵連囂肥豜、酒飲。移石被裳之祱：代禱於昭王特牛，饋之；代禱於文坪夜君、郚公子春、司馬子音、蔡公子家各特豢、酒飲；夫人特豬、酒飲。（簡203）

簡文分書䆣與禱的記載。且據簡202背面記載「親父既成，親母既成」[67]、簡204「凡此敝也，既盡移」，指出這次方案獲得實踐。而䆣與禱的實踐，分別載於簡202背面、簡204，反映二者乃不同祭祀。

關於䆣，簡203載：「䆣於親父蔡公子家特牛、豬、酒飲，饋之；䆣親母肥豜、酒飲」，預擬同日致禮於考妣，卻分別以「䆣」字區隔，且祭品不同，顯示區別身分之意。包山簡整理者指出：「䆣，讀作愙，《說文》：敬也。」[68]䆣為恪敬之意，與人交接時，指以客禮相待，如《戰國策》：「孟嘗君客我。」周人在親屬過世後，以喪禮逐漸將其身分轉為賓客。[69]《禮記》〈雜記下〉：

> 或問於曾子曰：「夫既遣而包其餘，猶既食而裹其餘與？君子既食，則裹其餘乎？」曾子曰：「吾子不見大饗乎？夫大饗，既饗，卷三牲之俎歸於賓館。父母而賓客之，所以為哀也！子不見大饗乎！」（《禮記》，卷42，頁740）

喪禮大遣奠畢，士取牲之臂、臑、骼以隨葬。父母原為一家之主，如今包裹餘食而贈之，猶如以賓客之禮待之。《逸周書》〈度邑解〉：「朕不賓在高祖，維天不嘉，于降來省。汝其可瘳于茲」[70]的「賓」，也顯示以對待賓客的態度禮敬先人。因此䆣禮在儀節與禮義上，可能不同於禱祠。

另一方面，昭佗分別致禮於親父、親母，也異於常祀。常祀時，古代夫婦尊卑同

---

67 沈培認為是指已經除去親父、親母所作的祟，見氏著：〈從戰國簡看古人卜占的「蔽志」——兼論「移祟」說〉，《古文字與古代史》第1輯（2007年9月），頁431。

68 湖北省荊沙鐵路考古隊：《包山楚簡》，頁54，注378。

69 拙著：《論《儀禮》禮例研究法——以鄭玄、賈公彥、淩廷堪為討論中心》（新北市：花木蘭文化事業有限公司，2018年），第肆章第三節「士喪禮的吉凶遞移與身分轉換」，頁230-260。

70 孫詒讓云：「朕不得賓于高祖，言不得配祀也。」見黃懷信等撰：《逸周書彙校集注（修訂本）》（上海市：上海古籍出版社，2013年），卷5，頁477。

體，婦人配享於其夫。《儀禮》〈少牢饋食禮〉載大夫筮祭日、筮尸皆言「用薦歲事于皇祖伯某，以某妃配某氏。」[71]清人胡培翬說：

> 遠祖原可稱皇祖，但此經言皇祖，與〈士虞〉、〈特牲〉義同，當是舉皇祖為例，以該曾祖及禰耳。[72]

易言之，常祀遠祖、曾祖及禰等先人，其妻皆配享。而包山楚簡200、203、214-215，昭佗禱祠𥚽親母之物有別於其父，可知未以先母配享先父，異於常祀。

2 三重身分

據上述，包山墓主昭佗分別向先父、先母致禮，是以繼而觀察先王、男性直系祖先、女性直系祖先（母親）三類不同身分所受的禱祠，如下：

> 代禱於昭王特牛，饋之；代禱於文坪夜君、郚公子春、司馬子音、蔡公子家各特豢、酒飲；代禱於夫人特豬。（簡200）
> 代禱於昭王特牛，饋之；代禱於文坪夜君、郚公子春、司馬子音、蔡公子家各特豢、酒飲；夫人特豬、酒飲。（簡203）
> 至秋三月，賽禱昭王特牛，饋之；賽禱文坪夜君、郚公子春、司馬子音、蔡公子家各特豢，饋之；賽禱親母特豬，饋之。（簡214-215）

受祭者分別為王、男性直系祖先、女性直系祖先身分時，禱祠祭品呈現「特牛──特豢──特豬」的尊卑序列。此外，身為大夫的昭佗，不論只禱祠郚公子春、司馬子音、蔡公子家三位祖先（簡248），還是三祖與昭王並禱（簡200、203、205-206、簡214-215、簡240），皆以豢為三祖之牲，顯示禱祠慣例存在的可能性。

綜上所述，就常祀與禱祠的用物觀之，或有同異。相同的部分，如殤者的祭品「視親者之品命」而降於成人之禮、以香草摻入飲食或與用牲合燒的「蒿祭之」。而以「𥚽」禮分別致意考妣、婦人得單獨受禱，則異於常祀的妻配享於夫。凡此，皆豐益後人對禱祠的認識。

就祭品與身分尊卑對應觀之，包山楚簡的禱祠祭品呈現部分共相：楚國遠祖先公用羖，王用牛，殤者東陵連囂用豜，郚公子春、司馬子音、蔡公子家三位先祖用豢，親母用豬。男性成人祖先與殤者受禱的二重身分中，「牛──豜」為身分表徵。男性直系祖先呈二重身分受禱時，「牛──豢」的種類為尊卑的反映。王、男性直系祖先、女性直系祖先呈三重身分受禱時，適反映在「牛──豢──豬」的祭品上。相較於成人

71 《儀禮》〈少牢饋食禮〉，卷47，頁557、558、559。

72 〔清〕胡培翬：《儀禮正義》〈少牢饋食禮〉（南京市：江蘇古籍出版社，1993年），卷37，頁2233。

而亡者，殤與無後者時受「蒿之」之祭法，可能也表現身分有別。此外，仍有部分用物參差，如絕無後者或用豜或用䝒，親母與殤者或有酒飲或無，乃至以衣裳為祭品。箇中原因，待下文進一步探討。

四　禱祠祭品異同的原因

由於包山楚簡中受禱祖先尊卑關係與用物之間，反映部分共相的存在，卻也呈現相當程度的變化，因而下文擬探討可能的原因。

（一）祭品因禮儀情境具相對性

由於西元前三一八至三一六年之間，昭佗始終是左尹（大夫），身分並未改變，遂轉從「受祭者」與祭品的角度觀之，得知祭品因受祭者身分與關係而異，具相對性質。蓋尊卑本為一組相對概念，當受祭者身分與關係不同時，祭品種類亦隨之相應變化。如昭佗的祖父司馬子音，與昭王、文坪夜君、郚公子春受禱時，為尊者（昭王）所厭，皆以特豢為牲（簡200、203、205-206、214、240、248）；當祖父司馬子音與殤者東陵連囂子發一同受禱，祖父司馬子音此時轉為尊者，故得用特牛（簡224）。另一方面，綜合所有受禱祖先及其祭品觀之，符合尊卑關係。以受祭者而言，楚人先公、先王系列，與周人略同：先公指受封立國以後的諸君，先王指稱王以後的諸君。[73]以祭品而言，祭祀以牲為主[74]，依《周禮》〈牧人〉祭祀六牲為馬、牛、羊、豕、犬、雞。今觀包山楚簡中，先公用羊，先王用牛，直系男性祖先多用豢，伸為尊者則用牛。若以六牲順序為標準，對照之下，呈現以先王為尊，次為先公，次為別宗後的祖先，受祭者與祭品的使用仍符合政治上的尊卑倫序。

另參《韓非子》〈外儲說右下〉說：

> 秦襄王病，百姓為之禱，病愈，殺牛塞禱。郎中閻遏、公孫衍出見之曰：「非社臘之時也，奚自殺牛而祠社？」怪而問之。百姓曰：「人主病，為之禱，今病愈，殺牛塞禱。」[75]

戰國時期，百姓禱求社神使秦昭襄王痊癒；王癒，百姓「殺牛塞禱」以報神。其後秦昭襄王處罰相關執事者，乃為去私愛而從公，並未批評禱祠儀節不法。據此可知，即使是

73　陳偉：《新出楚簡研讀》，頁126。

74　《儀禮》〈士虞禮〉，賈疏，卷43，頁508。《禮記》〈曲禮〉，孔穎達正義，卷5，頁99。

75　陳啟天：《增訂韓非子校釋》〈外儲說右下〉（臺北市：臺灣商務印書館股份有限公司，1994年），卷5，頁597。

庶民百姓禱祠，亦得用牛牲。

根據上述，進一步對照常祀與禱祠用物觀念，並思考可能具有的意義。

在常祀中，犧牲種類與用物具有辨別「祭主」身分的作用，如《國語》〈楚語下〉載大夫四時以羊饋祭祖。而傳世禮書《儀禮》〈少牢饋食禮〉、《禮記》〈曲禮下〉、〈王制〉、〈玉藻〉亦載大夫宗廟常祀多以羊為首要用牲，若天子大夫得視情形用牛。常祀中，祭品規格與祭主身分易形成固定的對應關係，穩定的儀物是維持政治秩序的一環，是以《國語》〈周語中〉載晉文公平王子帶之亂，迎周襄王入居王城，「請隧焉」，襄王回答說：「叔父其懋昭明德，物將自至，余何敢以私勞變前之大章，以忝天下，其若先王與百姓何？何政令之為也？」[76]用物制度涉及先人傳統、民心向背、政令等層面，不得輕易變更。上引《國語》〈楚語下〉載子期祭平王，觀射父回答昭王問「祀牲」，逐一說明各階級用牲制度後指出：「上下有序，則民不慢。」以及〈楚語下〉：「祀所以昭孝息民、撫國家、定百姓也，不可以已。」[77]可見常祀中的儀節與祭品是政治秩序穩定的表徵。

在常祀的視野下，包山墓主左尹昭佗身為大夫，以牛牲祭祀先公先王，學者或觀察受禱者與用牲後，釋為楚地尊卑無別。[78]然就禱祠本身來說，人生無常，舉禱的動機多元，不見得有豐富的犧牲可與之相應，乃至形成固定的對應關係。據包山楚簡內容，禱祠得因時段貞問、疾病、宮室不寧、志事、人際關係等諸多因素舉行。然《周禮》〈牧人〉言祭有六牲，而《左傳》載「六牲不相為用」、「五牲不相為用」，可知古人認定可作為犧牲的種類有限，無法完全照應禱祠的舉行動機，遂使祭品與禱祠之間具有豐富而多元的可能性。據上文內容，以牛牲為例，依祭主身分，可用於天子廟祭、天子出行告祭、諸侯廟祭、諸侯盟誓、大夫禱祠先公、百姓殺牛祠社等。依禮儀種類，《周禮》〈牛人〉指出祭祀、賓客之事、饗食、賓射、軍事、喪事、會同、軍旅、行役皆供牛，並視情形提供不同用途的牛。簡言之，犧牲種類的有限性促使其應用場合多元化，故不盡然能單從用牲現象推斷特定意義。

（二）祭品因禱祠方法而有同異

觀察「禱」禮，代禱、與禱、賽禱[79]使用的祭品差異不大。如同樣以昭王、文坪夜

---

76 舊題左丘明：《國語》〈周語中〉，卷2，頁54。

77 舊題左丘明：《國語》〈楚語下〉，卷18，頁564-565；卷18，頁567。另參杜正勝：〈周禮身分的象徵〉，《古代社會與國家》，頁734。

78 楊華：〈楚禮廟制研究——兼論楚地的「淫祀」〉，《古禮新研》，頁258-259。賈海生：〈楚簡所見楚禮考論〉，《周代禮樂文明實證》，頁298-299、300-302。

79 禱儀的區別，參周鳳五師：〈讀郭店竹簡《成之聞之》札記〉，《古文字與古文獻》試刊號（1999年10月），頁47。

君、郚公子春、蔡公子家為對象，簡200、203、205-206為代禱，簡214為賽禱，簡240為與禱，昭王皆用特牛，三位直系祖先皆用特豢。以夫人為對象，簡200、203-204代禱，簡215賽禱，皆用特⿰豕昔為祭品。以殤者為對象，簡203、225、243與禱、簡210-211賽禱，以⿰豕干為祭品。

相較之下，⿰礻客禮與禱祠則略有不同。簡202記載使用⿰礻客禮時，親父蔡公子家受特牛、豕腊與酒飲等祭品，親母受肥⿰豕干、酒飲，此異於禱祠親父的特豢、親母的特⿰豕昔（簡200、203-204、214-215），顯示不同種類的祭法對祭品具有影響力，此誠如前言中賈海生等學者的觀察。

（三）祭品因禱祠程序而有同異

包山楚簡的書寫方式具有相似性：「敘明年月日，卜筮者何人以某法為左尹昭佗貞問某事→卜筮結果：無祟，則就此結束；不順，進而貞問當禱祠的鬼神身分→以其故攻（說、敚）之，提出禱祠方案→貞問鬼神對該禱祠方案的意願：若鬼神未允，則就此結束；若該方案獲得施行，或記錄於簡末、簡背，或另簡書寫，或有不詳的情形」。穩定的簡文書寫模式，反映禱祠進程具有固定性。

當禱祠步驟帶有相當程度的固定性時，意謂著儀式受到傳統的制約，呈現共時的社會力量與集體思維，而非個人的、任意的行為。[80]就共時性而言，望山、葛陵、秦家嘴等楚簡書寫禱祠的模式，也十分相似，足見禱祠進程的規範性與固定性。就歷時性而言，嚴耕望說：「通觀國史，大抵巫鬼淫祀之風，愈南愈盛，其北限亦愈後愈向南退縮。殷商時代，大河南北，其風尚盛；春秋、戰國，其北限已南退至陳、沛；唐、宋時代，北限已在大江南北，至今則惟嶺南較盛矣。」[81]嚴氏指出巫鬼淫祀之風因時而異，誠為洞見，亦啟發日後進一步研究的參考。惟春秋時期，禱祠見行於魯、晉、衛、齊，戰國時期見行於秦、衛、齊、楚等地，故禱祠當為東周時期的普遍行為，而非地域性表現。[82]透過歷時性的實踐，禱祠不僅產生固定流程，更是集體思維的反映。在祭祀中，遵守既有習慣，是為了與鬼神達成有效溝通，造就某種靈驗或神蹟，如消災祈福、風調

---

80 〔法〕馬塞爾．莫斯著，蒙養山人譯：《論祈禱》（北京市：北京大學出版社，2013年），頁60、73。荊云波：《文化記憶與儀式敘事：《儀禮》的文化闡釋》（廣州市：南方日報出版社，2010年），頁5。

81 嚴耕望：〈戰國時代列國民風與生計〉，《嚴耕望史學論文選集》（臺北市：聯經出版事業公司，1991年），頁98-99。

82 春秋時期，見《管子》〈小問〉齊桓公事、《晏子春秋》齊景公事、《國語》〈晉語八〉晉平公事、《國語》〈晉語九〉後衛莊公事、《論語》〈述而〉子路之言。戰國時期，見《韓非子》〈內儲說下〉衛人有夫妻禱者、《韓非子》〈外儲說右下〉秦襄公、《漢書》〈地理志〉齊人不嫁女「為家主祠」、「民至今以為俗」等記載。

雨順。為了造就這種靈驗，祭禮中的祝辭並非日常語言，如《禮記．曲禮下》〈曲禮下〉說：「牛曰一元大武，豕曰剛鬣，豚曰腯肥」。這不僅僅是出自區別祭祀與日常生活、聖與俗，也因為是從祖先那裡流傳下來、舊時就使用的言行，因世代相傳而獲得權威，猶如神諭一般。[83]來自傳統的權威、自幼耳濡目染與親身實踐所養成的習慣、滿足鬼神以求遂願等因素，都將使祭主罕於創新以免造次，並遵從既有程序，使得祭祀禮儀的保守性較為濃厚。[84]而傳統所具有的權威與規範性，或許是禱祠移用常祀祭品的原因之一。

另一方面，禱祠中的卜筮雖為固定程序之一，卻也為儀式帶來變動性：[85]

其一，就祭品而言，賈海生曾指出常祀與禱祠皆須卜牲，然卜問內容與結果不盡相同。[86]常祀用牲的種類，因祭主身分而固定。舉祭時，從圈養之特定種類的犧牲中，[87]擇一占問吉凶。至於禱祠，貞人提出不同的禱祠方案，卜問鬼神同意與否，因而不盡然是固定的祭品種類與數量。職是，同樣經過卜筮程序，常祀與因祭的用牲種類與數量卻可能有所不同。

其二，禱祠動機、對象因卜筮結果而調整，祭品或因之改變。下文將對照西元前三

83 〔法〕馬塞爾．莫斯著，蒙養山人譯：《論祈禱》，頁110。葛兆光說：「因為儀式是用一套清晰的象徵方式，依靠有規律的重複，在人們心裡產生暗示的行為。它是把一些共同的觀念和規則合理化的方式，它所形成的觀念和規則，對儀式參與者會有潛移默化的影響。」亦可參，見氏著：〈從婚禮喪儀想像古代中國〉，《古代中國文化講義》（臺北市：三民書局，2005年），頁47。

84 這種態度最鮮明者莫過於前言所引《國語》〈楚語上〉的記載：屈到嗜芰，遺命祭祀「必以芰」，祥祭時，宗老將薦芰，屈建命去之，遂不用芰。以常祀而言，各階級有固定祭品，不得任意改變，此為楚國之常法。杜正勝考察《左傳》襄公十五年屈到為莫敖，位在大夫，七年後，屈建任莫敖，則屈到以大夫終，而享五鼎羊饋之祭，即周代祭典用鼎之數的規定。職是楚大夫用羊饋，以羊為首，與《儀禮》同。後來左史倚相論及此事說：「子夕嗜芰，子木有羊饋而無芰薦」，顯示遵從傳統的重要性。見舊題左丘明：《國語》〈楚語下〉，頁532-533。杜正勝：〈周禮身分的象徵〉，《古代社會與國家》，頁744-745。《儀禮》〈少牢饋食禮〉，卷47，頁562。按：關於〈少牢饋食禮〉祭品與儀節，可參吳達芸：《儀禮特牲少牢有司徹祭品研究》（臺北市：臺灣中華書局，1985年2版）。韓碧琴：〈《儀禮》〈少牢饋食禮〉、〈特牲饋食禮〉儀節之比較研究〉，《國立中興大學臺中夜間部學報》第3期（1997年11月）。

85 晏昌貴說：「楚卜筮祭禱簡並非楚國家祀典，卜筮祭禱簡所祭禱的神靈只是對墓主人的疾病或事業產生危害或墓主人祈福的對象，在很大程度上是屬於個人宗教信仰的產物，與國家宗教無關。因此，一些文獻記載的楚族先祖並沒有在卜筮祭禱簡中出現……。」晏氏誠留意到楚簡未記載傳世文獻的楚族先祖，然此不足並非完全出自國家或個人信仰的差異，反而可能是禱祠儀式本身的變動性所致。見氏著：《巫鬼與淫祀——楚簡所見方術宗教考》，頁157。

86 賈海生：〈禱疾儀式的主要儀節〉，《周代禮樂文明實證》，頁268。

87 古代圈養犧牲的情形，如《國語》〈楚語下〉言芻豢：「遠不過三月，近不過浹日。」（卷18，頁567）《莊子》〈達生〉祝宗人說彘云：「汝奚惡死？吾將三月豢汝，十日戒，三日齊，藉白茅，加汝肩尻乎彫俎之上，則汝為之乎？」〔東周〕莊周等著，〔清〕郭慶藩：《莊子集釋》（新北市：漢京文化事業有限公司，1983年），卷7上，頁648。《禮記》〈郊特牲〉說：「帝牛必在滌三月」（卷26，頁499）。

一八、三一六年的時段貞問，以清晰呈現箇中變化。[88]

西元前三一八年四月，三次卜問一整年「躬身尚毋有咎」（簡199），自身沒有災殃的願望能否實現。貞人酤吉占得「少有慼於躬身，且志事少遲得」（簡197-198）而未見禱祠方案。貞人石被裳占得「少外有慼，志事少遲得」（簡199-200），提出禱祠昭王特牛，文坪夜君、郚公子春、司馬子音、蔡公子家各特豢與酒飲，夫人特⿰豕昔。貞人雁會占得「少有慼於躬身，且爵立遲踐」（簡201-202），提出與禱宮地主一、愘親父、愘親母；與禱東陵連囂子發，翌禱昭王特牛、翌禱文坪夜君、郚公子春、司馬子音、蔡公子家各特豢與酒飲，翌禱夫人特⿰豕昔與酒飲。

西元前三一六年四月五次卜問一整年「躬身尚毋有咎」（簡226）。這五次分別由不同的貞人卜問、所得結果不一，其禱祠方案也或有異同：貞人酤吉占卜結果是「少有慼躬身」，提出的禱祠方案為與禱⿰金金仌一全⿰豕关，與禱兄弟無後者昭良、昭乘、縣狢公各⿰豕干豕、酒飲，蒿之（簡226-227）。貞人陳乙占得「少有慼於宮室」，於是提出與禱宮行一白犬、酒飲的方案（簡229）。貞人觀綳占得「少有慼也」，提出「思攻祱歸佩、冠帶於南方」的方案（簡231）。貞人五生得到「少有慼於宮室⿱䜌木」的結果，提出「與禱宮矦土一⿰羊古，與禱行一白犬、酒飲，閥於大門一白犬」的方案（簡233）。貞人無吉占得「吉，無咎，無祟。」（簡235）

據上文觀之，占問「躬身尚毋有咎」求得自身平安，所得結果包含個人健康、職事、爵位、人際關係（有惡於王室）、家宅安寧（有慼於宮室）等。經過卜筮程序，所得結果常「多」於先前卜問的事項，為求平安，故因應卜筮結果舉行禱祠，以致禱祠動機與對象在相當程度上受卜筮結果所左右。因而包山楚簡中即使是定時舉行的禱祠，由於卜筮程序可能改變舉禱動機與受祭者身分，連帶地祭品也可能受到影響。

其三，卜筮程序將使祭品的出現富有或然性，且受禱祠方案者的觀點影響，因而禱祠中出現相同的祭品不全等於規則的反映。

禱祠禮中，對部分鬼神屢獻相同祭品，一方面可能在卜筮前提下，將常祀儀注延伸到禱祠，如禱祠殤者不論是單獨受祭或合祭，皆用肥⿰豕干為祭品。根據簡222「因其常牲」，乃移用常祀儀注。由於禱祠得移用常祀儀注，而常祀的基礎在於階級，因而禱祠祭品也呈現相當程度的身分差異，乃至經濟能力之別。以封君階級的葛陵楚墓而言，常用大牢或特牛分別向先人獻祭，如「舉禱於昭王、獻惠王各大牢，饋，棧……」（乙一：29：30）、「……與禱子西君、文夫人各特牛。就禱……」（乙二：24、36）（零：174）、「與禱子西君、文夫人各特牛，饋，延棧鐘之」（零：13）（甲三：200）、「……昭王、文君各大牢……」（零：111）等。包山墓主為大夫多以牛、豬為牲，而士庶人身分

---

88 西元前318、316年皆於四月歲貞並提出禱祠方案，西元前317年不知何故於五月舉行，因其占問一整年是否平安，內容與前、後年相同，故從陳偉所言歸入此類。見陳偉：《包山楚簡初探》，頁151-152。

的秦家嘴楚墓多為集體性地以同一份祭品禱祠多位祖先，如「乙未之日，賽禱五世以至新父母肥豢」（M13簡241、346、489、522、563、837、865、1013、1048、1089、1094）、「……順至新父母眾鬼，特牛、酒飲」（M13簡86、186、241、408、677、727、837、875、1013、1098）。[89]另一方面，相同的祭品或反映時人認為該鬼神喜愛特定用物，行禮時投其所好，以求鬼神歆饗而遂願，因而在相當程度上形成慣例。是以就現象而言，禱祠的祭品似具固定性。看似具有固定性，卻不全然能從常祀的用牲規格、用玉制度等固定規則的觀點與方法探究，乃因其方案仍須經由卜筮獲得鬼神許可，方案施行與否具有相當程度的或然性。

相對地，部分鬼神的祭品卻時有所參差，如同樣在單一先人與殤的二重身分下，以殤者東陵連囂為對象、行與禱之法，簡222、225以肥⿰豕于為祭品，而簡243則用肥⿰豕于、酒飲、衣裳三稱。又如先王、男性直系祖先、女性直系祖先三重身分關係中，簡200代禱夫人用特⿰豕昔，簡203則以特⿰豕昔、酒飲為禮。擴大觀察其他楚墓，同樣存在參差現象，以葛陵楚簡中的文夫人為例，「與禱子西君、文夫人各特牛，饋，延鍾樂之」（葛陵甲三200）、或「禱于文夫人荊牢，樂且贛之；與禱於子西君，荊牢，樂……」（葛陵乙一11），皆用樂，然則前者用特牛，後者為荊牢。

若從禱祠的實踐過程考量，這些變化可能基於常祀儀節、鬼神喜好或其他考量而得，反映的是提出禱祠方案者的經驗與判斷，乃至潛藏的社會文化思維，而和鬼神進行約定，因而較無規律可尋。如葛陵簡說：「與禱子西君、文夫人各特牛，饋，延鍾樂之。定占之曰：吉。是月之……」（甲三200）、「珥、衣裳、且祭之以一⿰豕昔於東陵。占之：吉。……」（甲三：207）、望山簡「……問歸玉於簡〔大王〕……」（簡107），均顯示透過占卜與鬼神約定、選擇祭品。職是，祭品種類與數量表面上的相似，不全然等於祭品本質帶有規律性；現象或許反映規則的存在，但並非所有現象皆為規則的表現。禱祠儀式兼具固定與變動的性質，為祭品複雜豐富的根源之一。

綜上所述，禱祠祭品種類與數量差參的現象，至少須從動機、受祭者身分與關係、祭法、歷時性的慣習、移用常祀、卜筮帶來的變動性、社會的普遍思維、禱祠方案者與鬼神的約定等諸多因素加以考量。而且對應上述東周傳世文獻中的因祭，部分禱祠似另有一套準則呈現尊卑觀，如出行時以牛羊豕幣、盟誓時用雞狗馬等作為區別身分的表徵。因而在部分禱祠禮儀中，祭主的階級仍發揮影響力。

五　結語

承前賢的研究成果，本文從因事而祭的角度，微觀探討包山楚簡禱祠祖先用物情形

89　晏昌貴：〈秦家嘴卜筮祭禱簡釋文輯校〉，《巫鬼與淫祀》，附錄二，頁372-373。

及其異同的可能原因。

文中首先根據傳世文獻，觀察周代因祭祖先的祭品。從行禮動機來看，出行、盟誓的祭品或因具有較長的準備時間而別具規範體系，戰爭、疾病、受賞等祭品則因無法預料而不固定。進一步考察包山楚簡出入事王、疾病、時段貞問三類內容，歸結出禱祠祖先的動機以祈福解祟的性質為主。

以傳世文獻提供的因祭用物為背景，慮及昭佗在西元前三一八至三一六年之間大夫身分不變，受祭者與祭品卻呈現變化，因而轉從受祭者的角度觀察禱祠用物。就常祀與禱祠的用物異同而言，殤者的祭品「視親者之品命」降於成人之禮、以香草摻入飲食或與用牲合燒的「蒿祭之」等，皆同於常祀。而禱祠時，夫婦得各享祭品，則有別於常祀的婦人配享於其夫。

對應禱祠祭品與身分尊卑來看，呈現部分共相：楚國遠祖先公用羖，王用牛，殤者東陵連囂用豜，鄗公子春、司馬子音、蔡公子家三位直系先祖用豢，親母用豬。男性成人祖先與殤者受禱的二重身分中，「牛——豜」為身分表徵。男性直系祖先呈二重身分受禱時，「牛——豢」的種類為尊卑的反映。王、男性直系祖先、女性直系祖先呈三重身分受禱時，適反映在「牛——豢——豬」的祭品上。相較於成人而亡者，殤與無後者時用「蒿之」之法，可能也表現身分的差異。此外，祭品的種類、數量、有無等仍有部分參差之處。

於是後續探討禱祠祖先用物異同的可能原因：

其一，禱祠祭品因整體情境而具有相對性。祭品因受祭者之間的尊卑關係而有異同，如墓主昭佗的祖父司馬子音與昭王同時受禱，為尊者所厭，故用特豢為牲；當與殤者東陵連囂共同受禱，此時轉為尊者，故用特牛為牲。從「受祭者」的立場，依《周禮》〈牧人〉六牲順序觀之，祭品仍相當程度地表現尊卑關係。相較於祭品與祭主身分形成固定對應關係的常祀，禱祠則因舉禱動機多元而祭品種類有限，將促使用牲場合多元化，單從用牲現象不盡然能推斷特定意涵。

其二，祭法將影響祭品的種類，如禱祠與𥛚禮用牲不同，而代禱、與禱、賽禱等同為「禱」，使用的祭品種類差異不大。

其三，禱祠進程具相當程度的固定性，不僅受傳統制約，亦呈現共時的社會力量與集體思維，而非個人的、任意的行為。來自傳統的權威與規範，或許是移用常祀作法與祭品的原因之一，祭品也因此具有相當程度的穩定性。

其四，卜筮程序將為禱祠帶來變動性，包含祭品種類與數量、舉禱動機與受祭者及其祭品等。在此過程中，相同的祭品或許反映鬼神喜好、移用常祀祭品的結果。參差的祭品則表現禱祠方案者的經驗與判斷，乃至社會文化思維。值得注意的是，卜筮將使祭品的出現具有或然性，因而即使出現相同祭品也不全然等於規則，現象相同不表示本質一致。

進言之，常祀的祭品與祭主身分具有固定對應關係，而禱祠祭品則屬相對性或另有一套規則，那麼以常祀中的「僭越」來評價包山墓主或許值得重新商榷。再者，當禱祠兼具變動與固定性質時，將衍生出常祀與因祭的交疊，這種情形該如何理解、有何意義。而且依《史記》所言，戰國時君世主「營於巫祝、信禨祥」，頻繁地施行禱祠，並使用非常祀的祭品，那麼守禮、僭禮及淫祀之間的區別與轉移，亦頗值得思考。特別是參照《黃帝內經》、《五十二病方》等古醫書，戰國到漢代的醫學知識開始發展，人們已掌握一些生理、心理、飲食等病因時，以及處於春秋戰國人文精神昂揚的時代，禱祠禮儀仍並行不衰，直至現代，其意義為何。凡此將為日後進一步研究的課題。

復原古《周禮》的發展史

葉國良
臺灣大學中國文學系教授

提要

本文主旨，首在陳述宋人的「冬官不亡說」及「復原古周禮」，羅列自宋至清共計一十三家「復原」的具體主張。然後針對此種主張提出評論，大致認為此種主張既誤以偽古文《尚書・周官篇》為依據，對《周禮》篇章字句的移改亦太主觀，缺乏有力證據，故今日學界已無人再提「復原古周禮」之事。唯清末民初劉師培《西漢周官師說考》及《周禮古注集疏》二書所述〈地官〉鄉、遂分屬周宗與成周二區之事，將局部改變學者對《周禮》一書之認識，學界仍不妨注意。結論則為：《周禮》所述制度，雜有西周以來學者之理想，亦有戰國始有之制度，乃未真正實施之書，但對後世仍有一定之影響。

關鍵詞：《周禮》　〈冬官〉不亡說　復原古《周禮》　劉師培

一　前言

《周禮》一書，其職官之架構，〈天官・小宰之職〉稱：

> 以官府之六屬，舉邦治。一曰天官，其屬六十，掌邦治，大事則從其長，小事則專達。二曰地官，其屬六十，掌邦教，大事則從其長，小事則專達。三曰春官，其屬六十，掌邦禮，大事則從其長，小事則專達。四曰夏官，其屬六十，掌邦政，大事則從其長，小事則專達。五曰秋官，其屬六十，掌邦刑，大事則從其長，小事則專達。六曰冬官，其屬六十，掌邦事，大事則從其長，小事則專達。

則其書若完整，當有六官計三百六十職。然其書初出之時，有三百四十六職，而缺〈冬官〉，漢人以〈考工記〉補之，而視為殘缺之書。

宋人胡宏（1105-1162）首發「〈冬官〉不亡」之論，程大昌（1123-1195）繼倡「復原古《周禮》」之說，於是元、明、清三朝以為今傳《周禮》非古本原貌而可予以復原者，其說不絕，迄劉師培（1884-1919）《周禮古注集疏》，猶以為其〈地官〉序官之安排須予以調整然後可讀。然則復原古《周禮》者，固經學史上可注意之事。

昔余由屈翼鵬（萬里）先生指導撰寫碩士論文《宋人疑經改經考》[1]，曾探討宋人議論此事之始末，而繼余之作者，有東吳大學徐玉梅《元人疑經改經考》[2]、陳恆嵩《明人疑經改經考》[3]，三書均有復原古《周禮》之相關章節，徐書甚簡，陳書則陳述頗詳。然三書均按朝代分述，學者讀之，未能盡悉此說之發展脈絡，每引以為憾。

茲逢經學界為同門學長林慶彰教授在京都舉辦榮退學術研討會，特撰此文，以誌其畢生倡導經學史研究之功。

二　宋人的冬官不亡說

首發「〈冬官〉不亡」之說者，宋人胡宏也。其說云：

> 《周禮》之書，本出於孝武之時，為其雜亂，藏之秘府，不以列於學官。及成、哀之世，（劉）歆得校理秘書，始列序為經。……假託〈周官〉之名，剿入新說，希合賊莽之所為也。〈周官〉，司徒掌邦教、敷五典者也；司空掌邦土、居四民者也。世傳《周禮》闕〈冬官〉，愚考其書而質其事，則〈冬官〉未嘗闕也，

1　葉國良：《宋人疑經改經考》，臺灣大學中國文學研究所碩士論文，屈萬里先生指導，1977年。後收入國立臺灣大學文學院《文史叢刊》之55。

2　徐玉梅：《元人疑經改經考》，東吳大學中國文學研究所碩士論文，許錟輝指導，1988年。

3　陳恒嵩：《明人疑經改經考》，東吳大學中國文學研究所碩士論文，賴明德指導，1988年。

> 乃劉歆顛迷，妄以〈冬官〉事屬之〈地官〉。[4]

「司徒掌邦教、敷五典，司空掌邦土、居四民」二語，出自偽古文《尚書・周官》，胡宏據以疑《周禮》，而謂劉歆誤將〈冬官〉之職官併入〈地官〉之中，其實〈冬官〉未嘗闕。當時學界尚未懷疑〈周官〉出於偽作，胡宏之說本失理據，然其說遂啟學界之疑竇，且當時疑經改經風氣漸開，遂有學者主張：漢代以來所傳《周禮》非古本原貌，可予復原。

以〈冬官〉為可補者，肇於程大昌，其說云：

> 五官各有羨數，〈天官〉六十三，〈地官〉七十八，〈春官〉七十，〈夏官〉六十九，〈秋官〉六十六，蓋斷簡失次。取羨數凡百工之事歸之〈冬官〉，其數乃周。[5]

其意謂：六官當有三百六十之數，今五官共得三百四十六，乃古〈冬官〉散入五官中之故，若將五官所見百工之職別出，則得〈冬官〉。程氏雖未具體予以復原，而其說之理念與方法甚為明確，於是葉時、真德秀、趙汝騰、趙彥衛、車若水、金叔明、黃震等均著論贊成補〈冬官〉之說，而俞庭椿、王與之及某氏各有具體意見傳世。[6]

俞庭椿《周禮復古編》[7]以為：除〈冬官〉散入五官之中者外，五官亦有互訛或重出者。遂以〈天官〉之獸人、𩚧人、鼈人、獸醫、司裘、染人、追師、屨人、掌皮、典絲、典枲十一職改入〈冬官〉，以〈春官〉之天府、世婦、內宗、外宗、太史、小史、內史、外史、御史九職改入〈天官〉，又謂〈天官〉世婦與〈春官〉世婦為一職重出，而得〈天官〉之職六十。以鼓人、舞師二職改入〈春官〉，以封人、載師、閭師、縣師、均人、遂人、遂師、遂大夫、土均、草人、稻人、土訓、山虞、林衡、川衡、澤虞、卝人、角人、羽人、掌葛、掌染草、囿人、場人二十三職改入〈冬官〉，而得〈地官〉之職五十三。以〈春官〉之典瑞、典同、巾車、司常、塚人、墓大夫六職改入〈冬官〉，又以天府等九職改入〈天官〉，合自〈地官〉增入者二職，自〈秋官〉增入者八職，而得〈春官〉之職六十五。以〈夏官〉之弁師、司弓矢、槀人、職方氏、土方氏、形方氏、山師、川師、邍師九職改入〈冬官〉，而得〈夏官〉之職六十，但〈夏官〉環人與〈秋官〉環人一職重出，併歸〈春官〉，故得〈夏官〉之職五十九。以〈秋官〉之大行人、小行人、司儀、行夫、掌客、掌訝、掌交、環人八職改入〈春官〉，且與〈夏

4 〔宋〕胡宏：《五峰集》，卷四〈皇王大紀論〉，《四庫全書》，臺北市：臺灣商務印書館。

5 〔宋〕王應麟：《困學紀聞》，卷四，謂：地官七十八者，不計司稽下胥之職。《四庫全書》，臺北市：臺灣商務印書館。

6 參葉國良：《宋人疑經改經考》，第四章〈三禮〉，第一節〈二、古周禮之復原〉。

7 〔宋〕俞庭椿：《周禮復古編》，《四庫全書》，臺北市：臺灣商務印書館。《四庫全書總目提要》曰：「是書宋〈志〉作三卷，今本作一卷，標曰『陳友仁編』，蓋友仁訂正《周禮集說》，而以此書附其後也。」

官〉環人重出，而得〈秋官〉之職五十八。而自五官分出者 得〈冬官〉之職四十九。此外，俞氏又謂〈冬官〉大司空、小司空之職亦未嘗亡，乃雜入他官中，因取大司徒、小司徒、大司馬之職中之一部分以實之，而得〈冬官〉之職五十一。合計仍得三百四十六職，與未計〈考工記〉之職數相同。

王與之著有《周禮訂義》[8]，其卷七十曾述及復原之說云「秦火之餘，簡編脫落，司空之屬，錯雜五官之中，...其實司空一官未嘗亡也」，然其書仍依漢以來所傳次第為注，惟將序官割裂分置各職之下，遂啟元明人割裂《周禮》原書之風。至於如何復原，其說蓋別見於其《周官補遺》中。《周官補遺》今佚，其詳不得而知，而略見於元朝丘葵《周官補亡》[9]各卷中，與俞庭椿說頗有相同者，其微異而可考知者，如謂夏官量人乃司空度地職，宜刪入冬官，又謂秋官犬人當屬冬官，環人當與夏官環人合為一，但不若俞氏主二者當合一而併入春官。

某氏說見南宋末林希逸（1193-1272）《竹溪鬳齋十一稿續集》[10]。某氏以為除〈考工記〉三十工外，加〈天官〉之掌皮、司裘，〈地官〉之鼓人、廛人、掌節、丱人、角人、羽人、掌染草，〈春官〉之典瑞、典同、磬師、鐘師、鎛師、巾車、車僕、司常，〈夏官〉之射人、司甲、司兵、司戈盾、司弓矢、繕人、槀人、服不氏、射鳥氏，〈秋官〉之職金、柞氏、庭氏共三十職（筆者按：實僅二十九職），當即〈冬官〉之屬六十，故〈冬官〉未嘗亡闕。

以上三家，雖各有其說，但並未據以重編《周禮》，惟王與之《周禮訂義》將序官割裂分置各職之下，可謂仍處於疑經之階段，未便即稱為改經。而元明人繼之，則逕行割裂原書為注，進入改經階段，漢代以來《周禮》之面目遂全非矣。

三　元人的古周禮復原說

率先逕行復原《周禮》者，丘葵（1244-1332）也，著有《周禮補亡》。其書六卷，天、地、春、夏、秋、冬各為一卷，冬官取各官所刪而成，故稱「補亡」。卷首稱參考淳熙間俞庭椿《復古篇》、嘉熙間王與之《周官補遺》及諸家之說，重訂為〈天官〉之屬六十、〈地官〉之屬五十七、〈春官〉之屬六十、〈夏官〉之屬五十九、〈秋官〉之屬五十七、〈冬官〉之屬五十四，合計三百四十七職。除〈冬官〉卷前加「惟王建國，辨方正位，體國經野，設官分職，以為民極。乃立冬官司空，使帥其屬，而掌邦事，以佐王富邦國。事官之屬」云云外六官均以己意重為編次而注之，又仿王與之《周禮訂義》將

8　〔宋〕王與之：《周禮訂義》，卷70，《四庫全書》，臺北市：臺灣商務印書館。

9　〔元〕丘葵：《周官補亡》，北京圖書館藏明弘治十四年錢俊民刻本，《四庫全書存目叢書》，臺南縣：莊嚴文化事業有限公司。

10　〔宋〕林希逸：《竹溪鬳齋十一稿續集》，卷29，《四庫全書》，臺北市：臺灣商務印書館。

序官割裂分置各職之下。

天官之屬原六十三，取俞庭椿、王與之二家說，而得六十之數。〈地官〉之屬原七十九（多計司稽下胥一職），略本俞、王之說，但刪封人、牧人、牛人、充人、載師、閭師、縣師、均人、土均、草人、稻人、山虞、林衡、川衡、澤虞、卝人、角人、羽人、掌葛、掌染草、囿人、場人二十二職，其異者，不刪遂人、遂師、遂大夫、土訓，而多刪牧人、牛人、充人，而得五十七之數。〈春官〉之屬原七十，依略俞、王之說刪併，以〈地官〉之鼓人、舞師二職，〈秋官〉之大行人、小行人、司儀、行夫、掌客、掌訝、掌交七職改入〈春官〉，又刪雞人、天府、典瑞、司服、內宗、外宗、冢人、墓大夫、典同、大史、小史、內史、外史、御史、巾車、典路、車僕、司常以及世婦計十九職，而得六十之數。〈夏官〉之屬原六十九，據俞氏說刪職方氏、土方氏、形方氏、山師、川師、邍師、弁師、司弓矢、稾人九職，據王與之說刪量人一職，分入〈冬官〉，而得五十九之數。〈秋官〉之屬原六十六，據俞氏說，以大行人等七職歸〈春官〉，據王說以犬人屬〈冬官〉，環人與〈夏官〉環人合一，而得五十七之數。至於〈冬官〉，除據俞氏說補小司空之職外，合上所述刪入者，共得五十四之數。合計三百四十七職。

據上所述，丘葵此書，大抵取俞、王二氏說而成，差異處甚微。其重點仍在力主「冬官不亡」與「古周禮可予復原」之上。復原之法，則依治官、教官、禮官、政官、刑官、事官之性質，分別檢視各職官，重新分類，各歸其屬。

吳澄（1249-1333）年齒略小於丘葵，兩人俱臻耄耋。其《吳文正集》卷一〈三禮敘錄〉，述其纂次禮書之體系，有《儀禮》十七篇，《儀禮逸經》八篇，《儀禮傳》十篇，《周官》六篇、其〈冬官〉一篇闕，《小戴記》三十六篇，《大戴記》三十四篇。其〈周官敘錄〉稱：「〈冬官〉雖闕，今仍存其目，而〈考工記〉別為一卷，附之經後云。」可見在其禮學體系中本無復原古《周禮》之說。然而世傳有所謂《三禮考註》[11]一書題吳澄撰，不僅《儀禮傳》增至十五篇，其《周禮考註》亦離合五官為之，體系與吳澄生前主張不同。書中所附楊士奇（1364-1444）〈三禮考註跋〉云：「嘗聞長老言：吾邑康震宗武受學於公，元季兵亂，其書藏康氏。亂後晏壁彥友從康之孫求得之，遂掩為己作。……豈壁所增耶？」以此推知《周禮考註》僅能稱明某氏著，不得視為吳澄之作矣。徐玉梅《元人疑經改經考》、陳恆嵩《明人疑經改經考》未考吳澄對古禮書之主張及可靠著作，以訛傳訛，均誤以《三禮考註》為吳澄主張移改《周禮》之具體意見。[12]

---

11 《三禮考註六十四卷・序錄一卷・綱領一卷》，舊題〔元〕吳澄撰，北京師範大學圖書館藏明成化九年謝士元刻本，《四庫全書存目叢書》，臺南縣：莊嚴文化事業有限公司。

12 另參考劉千惠：〈吳澄《三禮考註》之真偽考辨〉，《中國學術年刊》第34期，臺灣師範大學國文學系，2012年9月。

四　明人的古周禮復原說

明人以意逕行復原古《周禮》者頗多，其九家，陳恆嵩《明人疑經改經考》業已分述之矣。茲未能於陳書之外有所增補，故略舉其姓名、相關著述及移改經文之主張，述其大概而已。

方孝孺（1357-1402），世稱正學先生，著有《周禮考次目錄》，書未見，方氏《遜志齋集》僅存其〈序〉[13]，故未能知其大略。大端謂冢宰主治，宗伯典禮，司馬主兵，司寇掌禁，司空掌土，乃世傳《周禮》，「冢宰之下者，預政之臣不過數人，而六十屬皆庖廚之賤事，攻醫制服之淺技」。司徒以五典施教，「而自鄉師以下，近於教者止十二屬，餘皆〈春〉、〈秋〉二官之事。而〈冬官〉為最多。…土地，〈冬官〉職也，何與乎教？」故依其對周代禮制之瞭解，大事移易。

何喬新（1427-1502），著有《周禮集註》七卷[14]，繼宋元人之後重加考訂。基本上認為〈冬官〉之文雜出於〈地官〉者最多，而凡獸人、獸醫、司裘、掌皮等與服飾有關者，及載師、封人、均人、土均、草人、稻人等，與山川、土地、稼穡之事相關者四十餘職，均應隸屬〈冬官〉，又以量人、山師等十職與山林、土地有關而與司馬職掌無關者，自〈夏官〉移入〈冬官〉。另以原〈春官〉之大司樂、樂師、磬師、鐘師等與音樂有關者二十職移入〈地官〉。其餘較小幅度之移易各有差別。其以司徒掌禮樂。邦教，司空掌土地、稼穡之觀念，與方孝孺相近。

舒芬（1484-1527），著有《梓溪文鈔》，其《梓溪內集》中有《周禮定本》[15]四卷，內容包含〈五官敘辨〉五篇、〈六官圖說〉一篇、〈周官剔偽〉一篇、〈周禮正經〉六篇。其改易之主張，大抵謂載師、閭師以至稍人、委人、舂人、槀人等四十職與地利有關者，及掌畜、職方氏、山師、川師等八職與川原、鳥獸有關者，均當移入〈冬官〉。大司樂、樂師等二十職與禮樂、教化關有者均當改隸〈地官〉。故其主張之大端亦同於方孝孺以下。較特殊者，舒芬認為《周禮》有多處錯簡，均加以移易。

陳鳳梧（1475-1541），著有《周禮合訓》六卷，其書未見，而其〈重刻周禮序〉與所刊定之《周禮白文》[16]暨〈重刻六經序〉尚存，賴以知其所以移易之觀點。其法亦大致與方孝孺、何喬新相同，以當入〈地官〉、〈冬官〉者為最多。

---

13 〔明〕方孝孺：〈周禮考次目錄序〉，《遜志齋集》，卷12。《四庫全書》，臺北市：臺灣商務印書館。

14 〔明〕何喬新：《周禮集註》，中國科學院圖書館藏明嘉靖七年褚選刻本，《四庫全書存目叢書》，臺南縣：莊嚴文化事業有限公司。

15 〔明〕舒芬：《周禮定本》，北京圖書館藏明萬曆四十八年刻梓溪文鈔本，《四庫全書存目叢書》，臺南縣：莊嚴文化事業有限公司。

16 陳鳳梧刊有《六經白文》，其〈重刻六經敘〉，明嘉靖六年新安郡刊本，蓋有「國立中央圖書館藏」印記。

貢汝成（1477-1539），正德八年（1513）舉人，著有《三禮纂註》[17]四十九卷，其中《周禮》六卷。其說略謂與服裘、帷幄相關者當入〈春官〉，供宮中飲食者亦當入〈春官〉，以內史、外史及卜筮占夢等有關者當入〈天官〉，與土地、川澤、物產相關者當入〈冬官〉，與音樂、教化相關者當入〈地官〉。其說亦與上舉諸家略有出入。

陳深，嘉靖四年（1525）舉人。著有《周禮訓雋》[18]、《周禮訓注》二書，其《周禮訓注》未見。《四庫全書總目》與《經義考》載有深書，而書名稱「訓箋」。《四庫全書總目提要》稱此書：「是書固無考證，而割裂五官歸於〈冬官〉。」

金瑤，生平未詳，嘉靖十年（1531）選貢生。著有《周禮述註》[19]六卷。柯氏以為與醫藥無關者當移入〈春官〉，與音樂及邦教有關者二十職當移入〈地官〉，與土地、川澤、物產相關者當移入〈冬官〉，大行人以下九職掌賓禮，不得列於〈秋官〉。其說與前人並無大異。

徐即登，萬曆十一年（1583）進士。著有《周禮說》十四卷，末卷為〈冬官闕疑〉[20]。徐氏雖批評諸家所改：「一內史、外史也，或以歸大宰，或以歸宗伯。一司裘、司服也，或以屬〈春官〉，或以屬〈冬官〉。一〈冬官〉也，或以〈地官〉屬補，或以各官屬補。諸如此類，紛爭靡定。甚至倣篇首以作經，援〈王制〉以附論，如王、丘、吳、何諸子之所為者。」可見諸家見解分歧之多，然徐氏亦不能避免加入紛爭之中，凡移補五官中之四十二職入〈冬官〉。

柯尚遷（1500-1582），生平不詳，著有《周禮全經釋原》[21]。其書最主要之論點為主張：遂人即小司空，經人易名後，次於掌節之後，大司空遂無所附。遂刪去「大司空之職」五字，舉而合併於大司徒之中。而十二教本為大司徒之職，因次於土會五地物生之後，文意不相屬，遂妄增「因此五物者民之常」八字於十二教前。遂人自旅下士正六十人，與五官序官同，且有「旅」字加以區別，可知遂人以下皆為司空之職。且據〈天官〉辨職所言，〈地官〉言安言擾，〈冬官〉言富言養，則舉凡土地之圖，封疆之制，俱非〈地官〉之職。陳氏遂將遂人、遂師、稍人、草人、山虞、囿人、司稼、稾人等三十九職移入〈冬官〉。陳氏不輕易移補，故《四庫全書總目提要》稱：「其說較諸家頗為有據。」

以上所改，凡九家，大抵以為〈地官〉之職多與土地、川澤、物產相關，當入〈冬

---

17 〔明〕貢汝成：《三禮纂註》，北京大學圖書館藏明萬曆三年陳俊刻本，《四庫全書存目叢書》，臺南縣：莊嚴文化事業有限公司。

18 〔明〕陳深：《周禮訓雋》，浙江圖書館藏明萬曆刻本，《四庫全書存目叢書》，臺南縣：莊嚴文化事業有限公司。

19 〔明〕金瑤：《周禮述註》，山東省圖書館藏明萬曆七年瑠溪金氏一經堂刻本，《四庫全書存目叢書》，臺南縣：莊嚴文化事業有限公司。

20 〔明〕徐即登：〈冬官闕疑說〉，《周禮說》，卷14，明萬曆間原刊本影本，藏中央圖書館。

21 〔明〕柯尚遷：《周禮全經釋原》，《四庫全書》，臺北市：臺灣商務印書館。

官〉，大司樂、樂師等二十職與禮樂、教化關有者均當改隸〈地官〉，至於其他，分歧甚多。其評論請參本文第六節。

唯明儒亦有不趨附時潮，堅持漢人所傳鄭玄所注古本者。如王應電（生卒年不詳）《周禮傳》十卷、《周禮圖說》二卷、《周禮翼傳》二卷，萬曆年間郭良翰（生卒年不詳）《周禮古本訂註》五卷，《考工記》一卷，又有王志長（1585-1663）《周禮注疏刪翼》三十卷，天啟年間郎兆玉（生卒年不詳）《注釋古周禮》六卷、〈提要〉一卷，明陳仁錫《重校古周禮》六卷等，均堅持或羽翼古本。郭良翰、陳仁錫書名強調「古本」、「古周禮」者，指未經移補經文之本，展現反對移補改經文之態度，不從舒芬「周禮定本」、柯尚遷「全經釋原」之說，是乃時代逆流中之逆流也。[22]

五　劉師培的古周禮復原說

劉師培晚年，心力集中於《儀禮》、《周禮》二書，所著《禮經舊說》、《西漢周官師說考》二卷、《周禮古注集疏》二十卷三書值得學界注意。後書缺第一卷至第七卷，第十三卷缺閽胥以下，十四卷缺，十五卷、第二十卷部分缺，以下全缺，亦即〈天官〉大府以下及〈春官〉序官以全缺不傳。現存內容中，以劉氏關於〈地官〉中與王畿疆域及相關管理土地之職官之討論最為重要。

《周禮．大司徒職》述王國之制言：「制其畿，方千里而封樹之。」述〈大司馬職〉言：「方千里曰國畿。」述〈大行人職〉稱：「邦畿方千里。」均謂王畿之地方千里。但畿中之規劃，名稱頗為紛雜，令人疑惑。關於田制，有十夫有溝、九夫為井之異，關於授田，有上中下地、不易一易再易之別，關於鄉、遂、郊三者，遠近不甚分明。何以如此？杜子春、許慎、賈逵、鄭眾、馬融、鄭玄說多不同，而均謂王城僅一，位在成周，鄉、郊、遂指距王城遠近而言，鄉在郊內，近王城，而遂在郊外，遠王城[23]。若如此說，王畿乃一正方形。然周初在宗周之外，已另有成周之設置，宗周、成周是否均有鄉、郊、遂之設計？各由何人掌之？鄭玄等諸儒以為無別，但詳究之，則實語焉不詳。且若依鄭玄於〈天官．序官〉「惟王建國」句下云：「周公居攝，而作六典之職，謂之

---

22 王應電於其〈冬官司空補義〉中雖對冬官所缺職官有所設想，如以為當有工師、梓人、廬人、棹人、器府、壘壁氏、準人、嗇夫、左史、右史、豕人等，但並未實際進行改補。詳其《周禮翼傳》，卷1，《四庫全書》，臺北市：臺灣商務印書館。

23 《周禮．地官．鄉大夫》鄭玄注：「六鄉地在遠郊之內，則居四同。鄭司農云：『百里內為六鄉，外為六遂。』」賈公彥疏：「六鄉地在遠郊之內，則居四同者。案《司馬法》：『王城百里為遠郊，於王城四面則方二百里，開方之，二二如四。』故云『居四同』，破賈、馬六鄉之地在遠郊五十里內，五十里外置六遂。鄭司農云：『百里內為六鄉，外為六遂。』者，司徒掌六鄉，在百里內。上以（已）釋訖。百里外為六遂，以其遂人掌六遂。案〈遂人職〉云：『掌邦之野。』郊外曰野，故知百里外為六遂。」

《周禮》。營邑於土中，七年致政成王，以此《禮》授之，使居雒邑治天下。」則是《周禮》乃周公為遷都成周後之制度而預作之書，周公既建議遷都，宗周舊地又將如何處理？亦未見論說。但宗周既未遷都且維持兩都狀態，則《周禮》乃未嘗實行之書[24]。周公、宗周、成周與《周禮》間之關係，果如此乎？實有探究之必要。

劉師培取《逸周書・作雒解》與《漢書・王莽傳》互證，推知《周禮》所見王畿之規劃似若紛雜者，乃其中有宗周及成周兩套不同制度並行之因素。〈作雒解〉載周公將致政：「作大邑成周於土中，以為天下大湊。……制郊甸方六百，因西土為方千里，分以百縣」，亦即周之王畿雖為方千里，乃指截長補短而言，並非正方形，亦即宗周方八百里，方百里者八八六十四，成周則方六百里，方百里者六六三十六，故以方百里為一縣，則得百縣。〈王莽傳〉載天鳳元年莽下書：「長安西都曰六鄉，眾縣曰六尉，義陽東都曰六州，眾縣曰六隊。」然則王莽之制，王畿分為東西二區，正與〈作雒解〉相呼應。莽制都與縣之名稱有鄉、州、尉、隊之不同，隊即遂，鄉、遂之名，與《周禮》相呼應。以此反觀《周禮》，劉氏推斷云：「六鄉，西都之制。郊及六遂，均謂東都。……西都之田，九夫為井，授田之灋，不易之田家百畝，合井邑丘甸縣都，以任地事。東都之田，十夫為溝，授田之灋，上地食者三之二。非以距都遠近異制也。」經其分析，而知原似糾結極甚者，應區分為西都、東都兩套制度，有〈作雒解〉及王莽時據西漢師說所述制度為證。果如劉氏此說，六鄉在宗周，郊及六遂在成周，授田之法不同，制賦之法亦異，六鄉出軍，六遂賦役。則《周禮》所述田土制度，與鄭玄諸儒所解完全不同，而能大致反映西周王畿分為東西二區之狀況。

劉師培對《周禮》一書之結構，雖無特殊論述，亦未移易五官之職入於〈冬官〉，然其《西漢周官師說考》、《周禮古注集疏》二書所論，以為鄉師、鄉大夫以下與遂人、遂師、遂大夫以下，乃分掌東西二區之職官，農夫授田之法各自不同，制賦之法亦異，且鄉、遂職官不相隸屬，則經文不當連讀也。其說雖未直接改經，但可據知劉氏認為鄉、遂乃東西二批職官，當在序官中分別二者之屬性，若視王畿僅一，不分鄉、遂，牽連讀之，則誤矣。然則劉師培之說，亦可視為主張復原古《周禮》，唯僅須區分經文、使職務有別之職官不相隸屬、不需移改字句耳。

24 鄭樵《通志》引孫處之言曰：「周公居攝六年之後，書成歸豐，而實未嘗行。蓋周公之為《周禮》，亦猶唐之《顯慶》、《開元》禮，預為之，以待他日之用，其實未嘗行也。惟其未經行，故僅述大略，俟其臨事而損益之。故建都之制，不與〈召誥〉、〈洛誥〉合；封國之制，不與〈武成〉、《孟子》合；設官之制，不與〈周官〉合；九畿之制，不與〈禹貢〉合。」此說即本上引鄭玄說而來。見《四庫全書總目・周禮注疏提要》引，惟查《通志》，則未見。

六　對宋代以來移改《周禮》的評論

據上所述，宋代以來，主張「冬官不亡」、「《周禮》可復原」者，不下十餘家，而歷來但有零星評論，無專就先秦暨漢代以後官制予以檢討者，茲姑嘗試為之。

《漢書・百官公卿表》記漢代官制，自朝廷百官之設立至地方官吏之建置，靡不敘及。由於先秦兩漢官制非無因革關係，故可推溯往古，考察《周禮》職官設置安排之故。持復原古《周禮》之說者，均謂〈天官〉冢宰、〈地官〉司徒、〈春官〉宗伯、〈夏官〉司馬、〈秋官〉司寇、〈冬官〉司空，是為六卿，各有徒屬，用於百事。茲以秦漢官制驗之。

漢官有奉常主宗廟禮儀，景帝時更名太常，其屬官有太樂、太祝、太宰、太史、太卜、太醫六令丞，又均官、都水兩長丞，又都廟寢園食官令長丞，有廱太宰、太祝令丞，五時尉各一。又博士及諸陵縣皆屬焉。然則太常之屬，以飲食、音樂、祭祀、醫卜侍奉帝后嬪妃。此在《周禮》，當屬天官之職，而俞庭椿、方孝孺等以為多「庖廚之賤事，攻醫制服之淺技」，當入〈冬官〉，不知該等職務僅以服侍帝后嬪妃為限，不服侍群臣也。漢官又有少府，亦本秦官，掌山海池澤之稅，以給供養，有六丞，屬官有尚書、符節、太醫、太官、湯官、導官、樂府、若盧、考工室、左弋、居室、甘泉居室、左右司空、東織、西織、東園匠十六官令丞，又胞人、都水、均官三丞，上林中十池監，又中書謁者、黃門、鉤盾、尚方、御府、永巷、內者、宦者八官令丞。諸僕射、署長、中黃門皆屬焉。然則少府之屬，職在供給宮中帝后等之所需，此在《周禮》，亦當屬〈天官〉之職，而何喬新等以為凡與獸人、獸醫、司裘、掌皮等與服飾有關者，當自〈天官〉移至〈冬官〉，不知該等職乃供給宮中所需，非供給百姓者也。

凡持復原古《周禮》之說者，自胡宏以來，皆謂自〈冬官〉誤入〈地官〉者最多，大司徒、小司徒乃教官之屬，當以教化百姓為務，而其職掌乃有草人、稻人、山虞、林衡、掌荼、同稼等。故俞庭椿等將封人、載師、閭師、縣師、均人、遂人、遂師、遂大夫、土均、草人、稻人、土訓、山虞、林衡、川衡、澤虞、丱人、角人、羽人、掌葛、掌染草、囿人、場人二十三職改入〈冬官〉。不知封人、載師、閭師、縣師、遂人、遂師、遂大夫等乃地方上理民之職官，非實際從事生產者。至於山虞、林衡、川衡、澤虞乃管理山林、川澤、物產者，亦非生產者。俞庭椿等均視之為生產者，將之移入〈冬官〉，是未認清其官之性質也。

至於何喬新等以原〈春官〉之大司樂、樂師、磬師、鐘師等與音樂有關者二十職移入〈地官〉，係基於司徒掌邦教，而不知《周禮》明言：「大宗伯之職，掌建邦之天神人鬼地示之禮，以佐王建保邦國，以吉禮事邦國之鬼神示。……」然則凡與音樂、祭祀、星象、占卜相關者入於〈春官〉，本無可議，乃何喬新等將之移入地官，失理致矣。

總之，《周禮》一書，其職官之配置，至今仍有無法證實其確實曾經存在者，吾人固不必全盤接受，然其書大要，本基於古代社會、國家之架構與思維，亦非全然憑空杜撰者。[25]宋代以來有不此之思者，率意割裂移改，其取徑終為學界所棄，固非偶然也。

七 結論

《周禮》一書，乃經學史上最受爭議之經書。原因甚多，其一乃結構不完整，且內容不無自相牴牾之處，〈小宰之職〉既自言六官各六十職矣，乃全書合計為五官三百四十六職，故啟後世無窮之疑。胡宏首發「〈冬官〉不亡」之說，元明人據之繼改其經，各逞私智，率意割裂，數百年間，莫衷一是。蓋胡宏等之所據，「司徒掌邦教、敷五典，司空掌邦土、居四民」，語出偽古文《尚書・周官》，又未究察與「掌邦教」與「掌邦土」之實際內涵，本不足以取信後世，而其割裂移補，復無確鑿理據故也。故後人除劉師培持鄉、遂不相隸屬之說，有西漢師說及王莽之政為據，然尚待探討是否果為西周之制外，[26]無再發「復原古《周禮》」之議者。經學史上此一段歷史，遂成往日雲煙，鮮有學者提及。

蓋自秦漢以下，職官之設置，非無與《周禮》所言脈絡相連者，如上文言西漢太常、少府略同〈天官〉之職。又如東漢司徒乃宰相職，為治民之官，《續漢書・百官志》云：「掌人民事。凡教民孝悌、遜順、謙儉，養生送死之事，則議其制，建其度。凡四方民事功課，歲盡則奏其殿最而行賞罰。凡郊祀之事，掌省牲視濯，大喪則掌奉安梓宮。凡國有大疑大事，與太尉同。」是乃掌教化之官，與《周禮》大司徒所掌十二教相同。司空則「掌水土事。凡營城起邑、浚溝洫、修墳防之事，則議其利，建其功。凡四方水土功課，歲盡則奏其殿最而行賞罰。凡郊祀之事，掌掃除、樂器，大喪則掌將校復土。凡國有大造大疑，諫爭，與太尉同。」則其所掌乃築城及水利工程等，並不掌百工之事。然則東漢司徒所掌固與《周禮》有同有異，司空所掌則與《周禮》不同。可知《周禮》之於吾國歷史，固有一定之影響，而制度演變，亦有時代使然者，讀《周禮》者，亦不可不知。

蓋《周禮》者，固非所謂「周公致太平之跡」，亦非所謂「六國瀆亂之書」，乃後人收集周初以來施政之佚聞，雜以戰國時代始有之禮俗制度，綜合纂集而成，[27]其中固蘊含治國之理想，而亦有失之嚴苛難行者，是乃未及施行之書。其後王莽、王安石部分仿行，終未成功。用知經學論述不得以虛假之事實為依據矣。

本文原宣讀於「經學史研究的回顧與展望」——林慶彰先生榮退紀念學術研討會」。京都：京都大學，二〇一五年八月二十至二十一日。

---

25 參張亞初、劉雨：《西周金文官制研究》（北京市：中華書局，1968年5月）。

26 參葉國良：〈論劉師培的《周禮》研究〉，文收入《禮學研究的諸面向續集》，新竹：國立清華大學出版社，2017年12月出版。

27 參錢穆：〈周官著成年代考〉，收入《燕京學報》第11期（1932年6月），燕京大學國學研究所。

南北朝交聘記的基礎研究
——以《酉陽雜俎》為中心

史　睿
北京大學歷史學系副研究館員

提要

南北朝交聘的研究向以政治史、戰爭史、交通史為取向，近年始有學者從國家禮制角度加以研究。在交聘的禮制史、文化史研究中，學者多取資於正史紀傳、禮志和筆記小說。筆者在前輩學者啟發下，關注南北朝交聘使所撰「交聘記」，以求為交聘研究補充新史料。南北朝交聘記均已散佚，唯唐代段成式《酉陽雜俎》、段公路《北戶錄》中尚有引用，可與其他史料相釋證。段成式為唐初功臣段志玄之後，名相段文昌之子，幼承家學，曾在李德裕幕府飽讀異書，入仕為集賢校理，又遍覽內府秘藏。《酉陽雜俎》、《北戶錄》所引南北朝交聘記極有可能來自唐代集賢書院藏書。目前確知《酉陽雜俎》引用的交聘記有兩種：《聘北道裡記》和《封君義聘梁記》（又名《封君義行記》），有些條目可能出自《魏聘使行記》或《朝覲記》等書。據此還可以比定其他中古時代的史傳和筆記小說中也有南北朝交聘記佚文。這些交聘記豐富了我們對於南北朝交聘的認知，包括聘使的姿容、學問、手采、音韻對於交聘的意義和影響，交聘儀節的文化內涵，交聘使收集情報的內容和範圍等等，而南北朝交聘記在後代的散佚也值得探討。

關鍵詞：南北朝交聘記　酉陽雜俎　段成式

一　導言

南北朝時期不同朝廷之間的官方交聘，既是政治活動，又表現為國家禮儀。作為政治史的南北交聘研究是主要面向，這方面的研究者有周春元、蔡宗憲等人，而從國家禮儀角度著手者較少，近年始有學者關注。[1]至於南北朝交聘禮的基礎史料，以往學者多從南北朝正史禮志、傳記和筆記小說中發掘。筆者承前代學者啟發，關注當時親歷交聘人物所著的交聘記，以求為南北朝交聘禮研究奠定史料基礎。當時交聘記多已散佚，唯唐代段成式（西元803-863年）《酉陽雜俎》尚有引用，尤其值得關注，可與南北朝隋唐時期目錄、史傳及筆記小說等文獻互相釋證。最早注意《酉陽雜俎》中南北朝交聘史料的是清代學者章宗源（約1751-1800），他曾協助章學誠（1738-1801）撰《史籍考》，關於隋代部分題作《隋書經籍志考證》刊行，此書將隋志著錄的南北朝交聘記與《酉陽雜俎》引用的交聘記聯繫起來。[2]此後清代學者姚振宗（1842-1906）將《隋志》的著錄、史傳和《酉陽雜俎》的引用結合起來，並對各種交聘記之間的關係作了梳理，將文獻研究推進一步。[3]周一良《魏晉南北朝史札記》「《酉陽雜俎》記魏使入梁事」詳細考證了此書出現的東魏、北齊聘使人物，梁朝接使人物及交聘時間，並對此項史料的研究價值作了提示。[4]逯耀東、王允亮、蔡宗憲等關於南北朝交聘記的研究也十分精到。[5]吉川忠夫《島夷與索虜之間》一文則將聘使行記作為典籍交流史上的重要內容加以研究，使我們更加注意這類典籍的文化史內涵。[6]

1　周春元：《南北朝交聘考》（貴陽市：貴州師大學報編輯部，1989年）。蔡宗憲博士論文：《南北朝交聘與中古南北互動（369-589）》（臺灣大學歷史系，2006年）；《中古前期的交聘與南北互動》（臺北市：稻鄉出版社，2008年）。以上為交聘的政治史研究，而牟發松：〈南北朝交聘中所見南北文化關係略論〉（《魏晉南北朝隋唐史資料》第14輯，頁30-38）側重文化史，王友敏：〈南北朝交聘禮儀考〉（《杭州教育學院學報》1996年第3期，頁38-45）則偏重作禮制史的研究。

2　章宗源：《隋書經籍志考證》卷6〈地理類〉，《二十五史補編》本（北京市：中華書局，1955年），頁4996-4997。

3　姚振宗：《隋書經籍志考證》卷21〈地理類〉，《二十五史補編》本，頁5410-5411。

4　周一良：《魏晉南北朝史劄記》之《梁書劄記》「酉陽雜俎記魏使入梁事」（北京市：中華書局，1985年，頁277-279。

5　逯耀東：《〈北魏與南朝對峙時期的外交關係〉，《從平城到洛陽──拓跋魏文化轉變的歷程》（臺北市：東大圖書公司，2001年，此據北京中華書局，2006年），頁256-289。王允亮：〈南北朝聘使往來略論〉，《語文知識》2008年1期，頁12-17。蔡宗憲：〈南北朝交聘使節行進路線考〉，《中國歷史地理論叢》第20卷第4輯（2005年），頁49-61。

6吉川忠夫：〈島夷と索虜のあいだ──典籍の流傳を中心とした南北朝文化交流史〉，《東方學報》（京都）第72冊，2000年，頁133-136。

二　段成式和《酉陽雜俎》

段成式之父段文昌（西元773-835年）係唐初功臣志玄之後，長於詞藻，年輕時以文章投獻李吉甫，倍受賞識，官至宰相。[7]段成式是唐代後期百科全書式的學者，讀書廣博，學問該洽，終唐一代，罕有其匹。成式幼年即有非凡的觀察力，且素有以一事不知為恥的精神，[8]加之「精學苦研」，故能成為大家。[9]所著《酉陽雜俎》不僅名著當時，而且流傳千古，最能展現段成式的學問。此書引用古書多有不傳於世者，值得文獻家和史學家關注。成式幼承家學，一如其父段文昌，亦有藝文該贍之譽。《玉堂閒話》云：

> 〔段〕成式多禽荒，其父文昌嘗患之。復以年長，不加面斥其過，而請從事言之。幕客遂同詣書院，具述丞相之旨，亦唯唯遜謝而已。翌日，復獵於郊原，鷹犬倍多。既而諸從事各送兔一雙……其書中徵引典故，無一事重迭者。從事輩愕然，多其曉其故事。於是齊詣文昌，各以書示之。文昌始知其子藝文該贍。[10]

徵引典故是詩文寫作的重要基礎，熟練運用典故，需要深厚的功力和扎實的學養。〈寺塔記〉多附徵事或聯句，可見段氏藝文素養之深厚。宋黃伯思評價甚高，其略云「段柯古博綜墳素，著書倬越可喜。嘗與張希復輩游上都諸寺，麗事為令，以段該悉內典，請其獨徵，皆事新對切」。[11]二十三歲成式隨父居長安，與四門助教史回等互相切磋學問。二十五歲赴浙西依李德裕（西元787-850年），《酉陽雜俎》續集卷四〈貶誤〉記太和初年聞李德裕論唐朝詞人優劣事：

> 予太和初從事浙西贊皇公幕中，嘗因與曲宴，中夜，公語及國朝詞人優劣，云：「世人言靈芝無根，醴泉無源，張曲江著詞也。蓋取虞翻《與弟求婚書》，徒以『芝草』為『靈芝』耳。」予後偶得《虞翻集》，果如公言。[12]

---

7 《舊唐書》卷167〈段文昌傳〉（北京市：中華書局，1975年），頁4368。

8 《酉陽雜俎》卷17〈蟲篇〉記載段成式幼時觀察螞蟻事（頁167），又同書前集卷八〈黥〉後記云：「成式以君子恥一物而不知，陶貞白每云，一事不知，以為深恥。」（北京市：中華書局，1981年，頁80）

9 《酉陽雜俎》卷17〈蟲篇〉云：「長安秋多蠅，成式嘗日讀百家五卷，頗為所擾，觸睫隱字，驅不能已。」（第168頁）段成式少年及任集賢校理時期皆在長安，此為當時「精讀苦研」的寫照。

10 王仁裕著、蒲向明評注：《玉堂閒話評注》（北京市：中國社會出版社，2007年），頁98。《新唐書》卷89〈段成式傳〉（北京市：中華書局，1975年，頁3764）亦記此事，方南生認為源出《玉堂閒話》，且繫於唐長慶元年（西元821年），即段成式十九歲隨侍其父段文昌於西川時，參方南生：《段成式年譜》，《酉陽雜俎》附錄，頁317-318。

11 黃伯思：《宋本東觀餘論》卷下〈跋段柯古靖居寺碑後〉（北京市：中華書局，1988年），頁292-293。游原作斿，據通行本改。

12 《酉陽雜俎》續集卷4，頁230。

李德裕是趙郡李氏高門，儒素傳家，史載「德裕幼有壯志，苦心力學，尤精《西漢書》、《左氏春秋》」，「好著書為文，獎善嫉惡，雖位極臺輔，而讀書不輟」[13]李德裕不僅有如《虞翻集》之類古代典籍，而且當時名流也多有投贈，其藏書數量應相當可觀。[14]可以推測段成式在李德裕幕府曾經受到良好的教育，也曾飽讀書史。[15]迨開成二年（西元837年）段成式以門蔭入仕，任秘書省校書郎，兼集賢校理，得以遍讀秘閣之書。段氏自述云：「開成初，予職在集賢，頗獲所未見書。」[16]這是他博覽群書的重要時期。史載，段成式「精研苦學，秘閣書籍，披閱皆遍……家多書史，用以自娛，尤深於佛書。」[17]直至會昌六年（西元846年）間，段成式一直留居京洛一帶，與集賢書院的同僚張希復、鄭符以及大德高僧等切磋學問、遊覽寺塔古跡。成式繼承了家族藏書，本人也續有收藏，故史云家多書史。[18]此後，成式對於自己的學養已經頗有信心，《金華子》曾記錄一個故事，足以證明：

> 段郎中成式，博學精敏，文章冠於一時，著書甚眾，《酉陽雜俎》最傳於世。牧廬陵日，嘗遊山寺，讀一碑文，不識其間兩字。謂賓客曰：「此碑無用於世矣，成式讀之不過，更何用乎？」客有以此兩字遍諮字學之眾實（賓），無有識者，方驗郎中之奧古絕倫焉。[19]

按，此事在成式牧廬陵日，即任吉州刺史（西元847-853年）期間，當時年紀約在四十五至五十一歲，正是學問的成熟期。大中十三年（西元859年）後，閒居襄陽，曾參山南西道節度使徐商幕府，與溫庭筠、溫庭皓、余知古、韋蟾、周繇等唱和往還，尤其與溫庭筠相善，詩作收入《漢上題襟集》。[20]

段成式《酉陽雜俎》歷來受到學人高度評價，《四庫全書總目》云：「其書多詭怪不經之談，荒渺無稽之物，而遺文秘笈亦往往錯出其中，故論者雖病其浮誇，而不能不相徵引。」[21]本文所討論的南北朝交聘記即屬「遺文秘笈」，此外，《酉陽雜俎》引用大約

13 《舊唐書》卷174〈李德裕傳〉，頁4509，4528。

14 孫光憲：《北夢瑣言》云：「劉禹錫大和中為賓客，時李德裕同分司東都。禹錫謁於德裕曰：『近曾得白居易文集否？』德裕曰：『累有相示，別令收貯，然未一披。今日為吾子覽之。』及取看，箱笥盈溢，沒於塵坌。」（北京市：中華書局，2002年，頁24）

15 段成式與李德裕的交誼深厚，直至李氏臨終之前，兩人尚有書信往還，參方南生：《段成式年譜》，頁336，許逸民：〈酉陽雜俎注評前言〉，《酉陽雜俎注評》（北京市：學苑出版社，2001年），頁5-6。

16 《酉陽雜俎》續集卷4〈貶誤〉，頁230。

17 《舊唐書》卷167〈段文昌附成式傳〉，頁4369。

18 《酉陽雜俎》續集卷5〈寺塔記序〉云：「及刺安成，至大中七年歸京。在外六甲子，所留書籍，揃壞居半。」（頁245）可知任京官時家藏典籍皆在長安，任外官時以部分典籍留京，部分自隨。

19 劉崇遠：《金華子》卷上（上海市：中華書局上海編輯所，1958年），頁37。

20 參方南生：《段成式年譜》，頁341-344。

21 《四庫全書總目》卷142《酉陽雜俎》提要（北京市：中華書局，1965年），頁1214。

同時的典籍還有陶弘景（西元456-536年）《本草經集注》、任昉（西元460-508年）《述異記》、鄭緝之《永嘉郡記》、酈道元（西元466或472-527年）《水經注》、吳均（西元469-520年）《續齊諧記》、梁元帝蕭繹（西元508-554年）《金樓子》、失名《梁職儀》、魏收（西元506-572年）《魏書》、陽松玠《談藪》、甄立言（西元545-？年）《本草音義》、孫思邈（西元581-682年）《千金方》、侯白《旌異記》、李百藥（西元565-648年）《北齊書》、李延壽《北史》、《南史》等書，可謂琳琅滿目。我們可以從中獲知段成式讀書範圍，同時又提示我們需將相關典籍與《酉陽雜俎》所引南北朝交聘記互相參證。

二　史志目錄著錄的交聘記

目前所知的南北朝交聘記為數較少，《隋書》〈經籍志〉著錄如下：

《魏聘使行記》六卷
《聘北道里記》三卷，江德藻撰
《李諧行記》一卷
《聘遊記》三卷，劉師知撰
《朝覲記》六卷
《封君義行記》一卷，李繪撰[22]

新舊唐書經籍藝文志僅著錄《魏聘使行記》五卷，[23]《通志藝文略》著錄雖與《隋志》相似，但主要來源於前代史志目錄，並非真見其書。[24]此外，江德藻（西元517-570年）著《北征道里記》見於《陳書》本傳及《冊府元龜》，[25]姚察（西元533-606年）撰《西聘道里記》見於《陳書》本傳及《冊府元龜》，[26]劉師知（？-567）著《聘遊記》見於《冊府元龜》。[27]《酉陽雜俎》引用此類交聘記為數最多，明引者有江德藻《聘北道記》、李繪《封君義聘梁記》，雖然書名與史志目錄略有不同，但作者與紀事相同，無疑應是同一典籍。暗引者或有《魏聘使行記》和《朝覲記》（詳下文）。

關於記錄南北朝時代聘使的史源，歷來史傳少有說明，《南齊書》〈劉繪傳〉云：「後北虜使來，繪以辭辯，敕接虜使。事畢，當撰《語辭》。繪謂人曰：『無論潤色未

22　《隋書》卷33〈經籍志〉（北京市：中華書局，1973年），頁986；卷35集部《梁魏周齊陳皇朝聘使雜啟》（按，皇朝謂隋朝也）亦與交聘相關，頁1089。

23　《舊唐書》卷46〈經籍志〉，頁2016；《新唐書》卷58〈藝文志〉，頁1505。

24　鄭樵：《通志》卷66〈藝文略〉，王樹民點校《通志二十略》（北京市：中華書局），頁1583。

25　《陳書》卷34《文學》〈江德藻傳〉（北京市：中華書局，1972年），頁457；《冊府元龜》卷560《國史部》〈地理〉（北京市：中華書局，1960年），頁6731。

26　《陳書》卷27〈姚察傳〉，頁349；《冊府元龜》卷560《國史部》〈地理〉，頁6731。

27　《冊府元龜》卷560《國史部》〈地理〉，頁6731。

易，但得我語亦難矣。』」[28]姚振宗《隋書經籍志考證》引此為證，說明「南北朝奉使接伴，兩國必有所記，其書至多，以上數種（按，即《隋志》所著錄的交聘記）乃其僅存者耳」。[29]筆者認為姚氏所論甚是，並可引《南齊書》〈王融傳〉作為注腳：

> 〔王融云〕:「但聖主膺教，實所沐浴，自上〈甘露頌〉及〈銀甕啟〉、〈三日詩序〉、〈接虜使語辭〉，竭思稱揚，得非『誹謗』。」[30]

此處《接虜使語辭》正與劉繪（西元458-502年）所需撰集《語辭》同屬一類文獻。《北史》〈李崇附李諧傳〉亦云：

> 梁使每入，鄴下為之傾動，貴勝子弟盛飾聚觀，禮贈優渥，館門成市。宴日，齊文襄使左右覘之，賓司一言制勝，文襄為之拊掌。魏使至梁，亦如梁使至魏。[31]

是則東魏、北齊接南朝來使亦有記錄。我們可以推知凡接伴來使事畢，皆須記錄往還之語，奏上並存檔，惟考知書名作者極少。史志目錄所著錄的交聘記與以上《語辭》稍有不同，不僅限於賓主往還的言語，更有人物、地理、禮制、風俗、酒食、名勝等等，故雖著錄於地理類，但姚氏云:「所記不必地理，故亦有變例列之傳記雜錄者。」[32]

同時，姚振宗對於《隋志》中《封君義行記》等書的著錄提出疑問，他認為既然書名題作《封君義行記》，那麼此書應為封君義所撰，何以又題作李繪撰呢？他提出一個大膽的猜想，即《李諧行記》一卷、《封君義行記》一卷皆是李繪撰集，且兩書皆在《魏聘使行記》六卷之中，其後《魏聘使行記》散佚，故有《封君義行記》及《李諧行記》單出別行。姚氏又引《北齊書》〈李渾傳〉云：渾子湛為太子舍人，兼常侍、聘陳使副。又曰渾與弟繪、緯俱為聘梁使主，湛又為使副，是以趙郡人士目為四使之門。案此四人並同時，殆以父子兄弟咸以奉使著名，故繪集為此記，雖未得明文，而其事固可想見矣。[33]

三 《酉陽雜俎》引用交聘記考

《酉陽雜俎》引用交聘記凡兩種，一為《聘北道里記》，一為《封君義聘梁記》。《雜俎》續集卷四〈貶誤〉「露筋驛」條云：

---

28 《南齊書》卷48〈劉繪傳〉（北京市：中華書局，1972年），頁842。

29 《隋書經籍志考證》卷21〈地理類〉，頁5411。

30 《南齊書》卷47《王融傳》，824頁。

31 《北史》卷43〈李崇附李諧傳〉（北京市：中華書局，1974年），頁1607。

32 《隋書經籍志考證》卷21〈地理類〉，頁5411。

33 《隋書經籍志考證》卷21〈地理類〉，頁5410，5411。

相傳江淮間有驛，俗呼露筋。嘗有人醉止其處，一夕，白鳥姑嘬，血滴筋露而死。據江德藻《聘北道記》云：「自邵伯棣（埭）三十六里，至鹿筋。梁先有邏。此處足白鳥，故老云有鹿過此，一夕為蚊所食，至曉見筋，因以為名。」[34]

《太平寰宇記》引江德藻《北道記》與此相似，其略云：

江德藻《北道記》云「江淮間有露筋驛」，今有祠存，一名鹿筋驛。云「昔有孝女為蚊蚋所食，唯有筋骸而已」。[35]

按，《北道記》即《聘北道里記》之縮略，所引僅片段，與《酉陽雜俎》所引頗有出入，疑文字有訛誤，或者轉引自他書。同卷「北朝婚禮」條云：

今士大夫家昏禮露施帳，謂之入帳，新婦乘鞍，悉北朝餘風也。《聘北道記》云：「北方婚禮必用青布幔為屋，謂之青廬，於此交拜。迎新婦，夫家百餘人，挾車俱呼曰：『新婦子，催出來。』其聲不絕，登車乃止，今之催妝是也。以竹杖打婿為戲，乃有大委頓者。」江德藻記此為異，明南朝無此禮也。[36]

以上明引江德藻《聘北道記》，又同書前集卷一〈禮異〉亦引此條，[37]雖未明言，但肯定出自《聘北道里記》。又同書續集卷九〈支植〉上「木龍樹」條云：

木龍樹，徐之高塚城南有木龍寺，寺有三層磚塔，高丈餘。塔側生一大樹，縈繞至塔頂，枝幹交橫。上平，容十餘人坐。枝杪四向下垂，如百子帳。莫有識此木者，僧呼為龍木。梁武曾遣人圖寫焉。[38]

此為暗引《聘北道里記》，此條又見段成式兄子段公路《北戶錄》卷三：

《聘北道里記》云：木龍寺，寺有三層磚塔，側生一大樹，縈繞至塔頂，枝幹交橫。上平，容十餘人坐。枝杪四向下垂，團團如百子帳。經過莫有辨者，梁武帝曾遣人圖寫樹形還都。大體屈盤似龍，因呼為木龍寺。

兩者相較，非常相似，《北戶錄》明引，無疑當是原文，而《酉陽雜俎》則略有刪改。

---

34 《酉陽雜俎》，頁237。棣當作埭，謝安築埭於新城北，後人稱為「邵伯埭」，見《晉書》卷79〈謝安傳〉（北京市：中華書局，1973年，頁2077）及《元和郡縣圖志》（北京市：中華書局，1983年，頁1072-1073）。《大戴禮記》卷2云，白鳥也者，謂蚊蚋也。（黃懷信主撰，孔德立、周海生參撰《大戴禮記彙校集注》，西安市：三秦出版社，2005年，282-284頁）

35 《太平寰宇記》卷130〈淮南道泰州〉（臺北市：文海出版社，1980年），頁3a-3b。

36 《酉陽雜俎》，頁241。「挾車俱呼」，挾車原屬上句，據劉傳鴻：〈《酉陽雜俎》點校訂補〉（《古籍整理研究學刊》2002年6期，頁67）改。

37 《酉陽雜俎》，頁7-8。

38 《酉陽雜俎》，頁284。

又，段公路《北戶錄》卷三「相思子蔓」條亦引江氏書：

> 《聘北道里記》引許有「韓憑塚」、「宋王史」也，《四部目錄》有《韓憑書》，敘事委悉而辭義鄙淺，不復具記。

此條僅見於《四庫全書》本《北戶錄》，他本失載。考《酉陽雜俎》兩處引江氏書皆作《聘北道記》，而《北戶錄》皆作《聘北道里記》，疑《酉陽雜俎》脫「里」字。段公路為成式兄子，所讀或為成式抄自秘閣的家藏之書。

綜觀以上四條《聘北道里記》，涉及三處地名，即「邵伯埭」、「高塚城」、「韓憑塚」。邵伯埭為謝安（西元320-385年）出鎮廣陵時所築，《輿地紀勝》引《元和郡縣圖志》〈淮南道〉佚文云：

> 邵伯埭，在〔江都〕縣東北四十里。晉謝安鎮廣陵，於城東二十里築壘，名曰新城。城北二十里有埭，蓋安所築，後人思安，比於召伯，因以立名。[39]

廣陵是南朝使臣北上必經之地，由此經邗溝水路行進，約四十里至邵伯埭，再三十六里，至鹿筋驛。高塚城在漢徐縣界，南北朝時期北魏屬南徐州，梁屬東徐州興安郡，東魏屬東楚州高平郡高平縣，[40]其因革見《太平寰宇記》：

> 高塚城，魏義興郡城也，在徐城縣西北七十里平地。舊經云：「梁以為興安郡領高塚城，屬東徐州，高齊初廢。」[41]

又云此地「本徐城縣地，地當水口，為南北禦要之所」。[42]所謂地當水口，是指此地「南臨淮水」，[43]是軍事重地，梁天監五年（西元506年）臨川王蕭宏副將張惠紹與假徐州刺史宋黑北伐，攻擊宿豫，先圍高塚戍，可見此地確為南北禦要之所。[44]聘使往來，必經此地。揚州和東徐州原屬梁朝，侯景亂後，武定七年（西元549年）為東魏所得，後入北齊。故陳朝使節江德藻北聘，所經邵伯埭、高塚城及木籠寺等地已屬北齊，雙方劃江而治。然梁朝之事（如露筋驛梁設有兵站，梁武帝遣人圖寫木龍樹等）仍在人耳目，江氏得以筆之於書。此前東魏與梁朝交聘時，雙方界首尚在高塚城之北的下邳一

---

39 《元和郡縣圖志》，頁1072-1073。

40 《魏書》卷106中〈地形志〉及校勘記（北京市：中華書局，1974年），頁2553，2602-2603；《隋書》卷31〈地理志〉，頁872。《元和郡縣圖志》，頁231-232。

41 《太平寰宇記》卷16〈泗州臨淮縣〉，頁5a。

42 《太平寰宇記》卷16〈泗州臨淮縣〉，頁3b。

43 《元和郡縣圖志》，頁231。

44 《魏書》卷73〈奚康生傳〉，頁1631。此處高塚戍即高塚城，《梁書》卷2〈武帝紀〉云，「〔天監五年〕五月辛未，太子左衛率張惠紹克魏宿預城」（北京市：中華書局，1974年，頁43），宿預（豫）與高平相鄰，故知高塚戍即高平之高塚城。

帶。下邳又稱武州，使節來聘，對方需迎接於此。梁大同四年（西元538年），兼散騎常侍劉孝儀等聘魏，東魏邢昕兼正員郎，迎於境上，即是此例。[45]《酉陽雜俎》卷十二〈語資〉云：

> 梁徐君房勸魏使尉瑾酒，一吸即盡，笑曰：「奇快！」瑾曰：「卿在鄴飲酒，未嘗傾卮。武州已來，舉無遺滴。」[46]

尉瑾之所以強調「武州以來」，正是因為武州是界首之故。韓憑塚在濟州東平郡壽張縣，見《太平寰宇記》。[47]據蔡宗憲《南北朝交聘使節行進路線考》，濟州碻磝城是聘使必經之地，韓憑塚距碻磝城不遠。以上《酉陽雜俎》所引《聘北道里記》為我們瞭解陳朝交聘路線提供了詳細的資料。

關於江德藻、劉師知出使的時間，史書記載頗有出入。《陳書》〈南康愍王曇朗傳〉云「天嘉二年（西元561年）齊人結好，（中略）乃遣兼郎中令隨聘使江德藻、劉師知迎曇朗喪柩，以三年春至都」，[48]是則江德藻與劉師知使北齊在陳天嘉二年至三年間。然《陳書》〈江德藻傳〉云「天嘉四年，兼散騎常侍，與中書郎劉師知使齊」，[49]較前說為晚。按，《資治通鑒》〈陳紀〉「天嘉三年」云：

> 齊揚州刺史行臺王琳數欲南侵，尚書盧潛以為時事未可。上移書壽陽，欲與齊和親。潛以其書奏齊朝，仍上啟請且息兵。齊主許之，〔天嘉三年二月〕遣散騎常侍崔瞻來聘，且歸南康愍王之喪。……〔四月〕乙巳，齊遣使來聘。……〔七月〕上遣使聘齊。[50]

《北史》〈齊武成帝紀〉云：

> 〔大寧二年（西元562年）二月〕詔散騎常侍崔瞻聘於陳。……〔河清元年（西元562年）七月〕戊午，陳人來聘。冬十一月丁丑，詔兼散騎常侍封孝琰使於陳。[51]

---

45 《魏書》卷85《文苑》〈邢昕傳〉，頁1874。關於主客對聘使的接待，參逯耀東：〈北魏與南朝對峙期間的外交關係〉，《從平城到洛陽》，頁268-270。

46 《酉陽雜俎》，頁113。

47 《太平寰宇記》卷14《濟州鄆城縣》，頁9b。又《元和郡縣圖志》卷10〈河南道〉云：「鄆城縣……後漢及魏皆為壽張縣地，隋開皇四年改為萬安縣。」（頁261）

48 《陳書》卷14〈南康愍王曇朗傳〉，頁211。

49 《陳書》卷34〈文學・江德藻傳〉，頁457。

50 《資治通鑒》卷168〈陳紀〉「天嘉三年」（北京市：中華書局，1956年），頁5221，5223，5225。參《北齊書》卷32〈王琳傳〉（北京市：中華書局，1974年），頁435；同書卷42〈盧潛傳〉，頁555；同書卷23〈崔㥄附子瞻傳〉，頁336。

51 《北史》卷8〈齊武成帝紀〉，頁282，283。

綜上所述，可以梳理出如下結論，陳文帝得知北齊揚州刺史王琳與揚州道行臺尚書盧潛不和，於是遣人與盧潛通信，要求和親。盧勸說新登基的武成帝高湛與陳結好，以弭邊患，高湛許之，遂於東魏大寧二年二月遣崔瞻聘於陳，四月抵達陳都建康，表明北齊願意息兵，並歸還南康王陳曇朗的靈柩。同年，即陳天嘉三年（東魏河清元年）七月，陳使江德藻、劉師知抵達鄴城，十一月陳使與齊使封孝琰扶陳曇朗靈柩返回陳朝。這次聘問中，崔瞻在建康與劉師知的交往史籍亦有記載：

> 大寧元年，除衛尉少卿，尋兼散騎常侍、聘陳使主……瞻經熱病，面多瘢痕，然雍容可觀，辭韻溫雅，南人大相欽服。陳舍人劉師知見而心醉，乃言：「常侍前朝通好之日何意不來，今日誰相對揚者。」其見重如此。[52]

一般接使的主客、舍人等同時也擔當聘使的任務，劉師知即是，惜所撰《聘遊記》不見《酉陽雜俎》等書引用，故湮沒無聞。

《酉陽雜俎》引用《封君義聘梁記》見續集卷四〈貶誤〉，其略云：

> 今軍中將射鹿，往往射棚上亦畫鹿。李繪《封君義聘梁記》曰：「梁主客賀季指馬上立射，嗟美其工。繪曰：『養由百中，楚恭以為辱。』季不能對。又有步從射版，版記射的，中者甚多。繪曰：『那得不射麞？』季曰：『上好生行善，故不為麞形。』」自麞而鹿，亦不差也。[53]

從《酉陽雜俎》所引《封君義聘梁記》看，此書並不專記封君義出使之事。封君義聘梁在東魏興和二年（西元540年），而李繪聘梁在興和四年。這表明《封君義行記》很有可能包括了東魏時期一系列聘梁活動的記錄。封君義聘梁的時間史無明文，姚振宗考證在東魏興和三年：

> 《南史》〈梁武帝本紀〉大同六年（西元540年）秋七月遣散騎常侍陸宴子報聘。七年夏四月戊申東魏人來聘。蓋即李騫、封述為使。報陸宴子之聘也。時為東魏孝靜帝興和三年（西元541年）。[54]

按，梁大同六年陸宴子、沈警聘使東魏，七月自梁出發，[55]十月到達東魏，[56]同年，即

52 《北史》卷24《崔逞附六世孫瞻傳》，頁876。參《北齊書》卷23〈崔㥄附子瞻傳〉，頁336。

53 《酉陽雜俎》，頁237-238。李繪原作李績，據《隋書經籍志》改。《封君義聘梁記》，方南生點校本《酉陽雜俎》作封君義《聘梁記》，按《隋書經籍志》作《封君義行記》，故知「封君義」應入書名。

54 《隋書經籍志考證》卷21〈地理類〉，頁5410。

55 《南史》卷7〈梁武帝紀〉（北京市：中華書局，1975年），頁215。

56《魏書》卷12〈魏孝靜帝紀〉，頁304。

東魏興和二年十二月兼散騎常侍崔長謙、兼通直散騎常侍陽休之報聘，[57]而《北齊書》〈封述傳〉明確記載封述亦是因報陸宴子之聘出使，[58]當在是年，而非興和三年。李騫出使在興和三年八月，是報梁使明少遐、謝藻大同七年之聘，非報陸宴子之聘。[59]據此推測，封述聘梁是與崔長謙、陽休之同行，而非與李騫同行。[60]李繪出使的時間，史傳所載亦有抵牾。《北齊書》本傳云武定初為聘梁使主，姚振宗據《魏書》〈孝靜帝紀〉指出當在興和四年，[61]確實如此。李繪是高歡主要僚佐，《北齊書》本傳記其才學風姿云：

> 時敕侍中西河王、秘書監常景選儒學十人緝撰五禮，〔李〕繪與太原王乂同掌軍禮。魏靜帝於顯陽殿講《孝經》、《禮記》，繪與從弟騫、裴伯茂、魏收、盧元明等俱為錄議……天平初，世宗用為丞相司馬。每罷朝，文武總集，對揚王庭，常令繪先發言端，為群僚之首。音辭辯正，風儀都雅，聽者悚然。[62]

正因李繪博通經史，才兼文武，音辭辯證，風儀都雅，加之出自頓丘李氏高門，所以能夠擔當聘使。如《酉陽雜俎》引《封君義聘梁記》所載，梁朝引聘使參觀馬上立射和步射等講武活動，向來使展示國力。李繪曾主持修纂軍禮，故應對深得禮義。《北齊書》本傳載李繪與梁武帝、袁狎等人的對話云：

> 梁武帝問繪：「高相今在何處？」繪曰：「今在晉陽，肅遏邊寇。」梁武曰：「黑獺若為形容？高相作何經略？」繪曰：「黑獺游魂關右，人神厭毒，連歲凶災，百姓懷土。丞相奇略不世，畜銳觀釁，攻昧取亡，勢必不遠。」梁武曰：「如卿言極佳。」與梁人泛言氏族。袁狎曰：「未若我本出自黃帝，姓在十四之限。」繪曰：「兄所出雖遠，當共車千秋分一字耳。」一坐大笑。[63]

所謂高相「今在晉陽，肅遏邊寇」是指高歡於興和三年五月自晉陽巡北境，遣使與柔然通和，所謂「蓄銳觀釁，攻昧取亡」是指高歡積蓄力量，準備出擊西魏，興和四年九月高歡西征，十月圍攻玉壁城，皆與當時形勢相應。[64]姚振宗推測以上文字出自李繪《封君義行記》，筆者認為極有可能。

《酉陽雜俎》除以上明引《聘北道里記》和《封君義行記》之外，還有若干條涉及

---

57 《魏書》卷12〈孝靜帝紀〉，頁304。《北齊書》卷42〈陽休之傳〉，頁573。

58 《北齊書》卷43〈封述傳〉，頁573。

59 逯耀東：〈北魏與宋齊梁使節交聘表〉，《從平城到洛陽》，頁287。

60 《酉陽雜俎》卷3〈貝編〉（頁38）、卷7〈酒食〉（頁67-68）、卷12〈語資〉（頁112，113）凡四條皆有魏使李騫、崔劼同時出現，未見封述之名，或可做為旁證。

61 《隋書經籍志考證》卷21〈地理類〉，頁5410。

62 《北齊書》卷29〈李渾附弟李繪傳〉，頁395。

63 《北齊書》卷29〈李渾附弟李繪傳〉，頁395。

64 《北史》卷6〈齊神武帝紀〉，頁227。

南北聘問、折衝樽俎的紀事，如卷一〈禮異〉「梁正旦」條，「魏使李同軌、陸操聘梁」條，「梁主常賜歲旦酒」條，「北朝婦人」條，卷三〈貝編〉「魏使陸操至梁」條，「魏李騫、崔劼至梁同泰寺」條，卷七〈酒食〉「梁劉孝儀食鯖鮓」條，卷十一〈廣知〉「梁主客陸緬」條，卷十二〈語資〉「庾信作詩」條，「梁遣明少遐」條，「梁徐君房勸酒」條，「梁宴魏使魏肇師」條，「梁宴魏使李騫」條，卷十八〈木篇〉「葡萄」條，皆為東魏使節與梁人周旋的記錄，有可能源出《魏聘使行記》；卷一〈禮異〉「北齊迎南使」條記載北齊迎使依仗，似為《朝覲記》遺文；然皆無明證，茲不詳論。

四　其他筆記小說引用交聘記考

《酉陽雜俎》所引交聘記並非僅見，南北朝後期的筆記小說中多有引用，惟此類典籍大多散佚放失，僅存者亦未必注明所引書名，多在若存若亡之間，令人難以探其究竟。通過上文對於《酉陽雜俎》所引交聘記的分疏，我們可以大致獲得其文獻特徵，據此特徵，我們可以試將今存南北朝後期筆記小說中的交聘記鉤稽出來，並就史籍加以按驗參比。

據《隋書經籍志》，東魏、北齊時代的李諧曾著《李諧行記》，今見於陽松玠《談藪》者多條。陽松玠博學多識，《談藪》云：

> 楊玠娶博陵崔季讓女。崔家富圖籍，殆將萬卷。成婚之後，頗亦遊其書齋，既而告人曰：「崔氏書被人盜盡，曾不之覺。」崔遽令檢之，玠捫腹曰：「已藏之經笥矣。」[65]

故知陽松玠飽讀崔氏藏書，腹笥便便，《談藪》所引篇章出自某種交聘記，應非意外。《談藪》云：

> 北齊頓丘李諧，彭城王嶷之孫，吏部尚書平之子。少俊爽有才辯，（中略）除散騎常侍，為聘梁使。至梁，遣主客范胥迎接，胥問曰：「今猶可暖，北間當少寒於此。」諧答曰：「地居陰陽之正，寒暑適時，不知多少。」胥曰：「所訪鄴下，豈是測景之地？」諧曰：「是皇居帝里，相去不遠，可得統而言之。」胥曰：「洛陽既稱盛美，何事遷鄴？」諧曰：「不常厥邑，於茲五遷。王者無外，所在關河。復何怪？」胥曰：「殷人毀厄，故遷相圮耿。貴朝何為遷？」諧曰：「聖人藏往知來，相時而動，何必候於隆替？」胥曰：「金陵王氣，肇於先代，黃旗紫蓋，本出東南。君臨萬邦，故宜在此。」諧曰：「帝王符命，豈得與中國比隆。

---

65 陽松玠著，程毅中、程有慶輯校：《談藪》（北京市：中華書局，1996年），頁5。輯校者在〈輯校說明〉中已經指出此條楊玠即陽松玠（頁1）。

紫蓋黃旗，終於入洛。」胥默而無答。江南士子，莫不嗟尚。事畢，江浦賦詩曰：「帝獻二儀合，黃華千里清。邊笳城上響，寒月浦中明。」[66]

《談藪》所引李諧與范胥對答與《魏書》〈李諧傳〉對比，幾乎完全一樣。稍有不同的是《魏書》此前一段李諧與范胥對答及此下李諧與梁武帝問答不見於《談藪》，[67]姚振宗云，《魏書》〈李諧傳〉載李諧與梁主客范胥及梁武問答諸條，《李業興傳》載李業興朱異及梁武問答經義諸條，似即本於《李諧行記》。[68]按，李諧聘梁在東魏天平四年七月，正使為李諧，副使為盧元明和李業興，[69]此為東魏首次正式遣使梁朝，故聘使遴選非常嚴格，而且較通常規格增加了一位副使。此前，即東魏天平二年（西元535年）十二月，自洛陽遷都於鄴城，[70]故范胥問及鄴城的地理位置和遷都原由，而梁武帝則更加關心掌握東魏命運的高氏父子及其主要僚佐的情報。此次聘梁，接續了中斷了近四十年的南北睦鄰關係，獲得極大成功。

梁朝迎接東魏聘使的主客官員也是經過認真遴選的，史云「〔范〕胥有口辯，大同中，常兼主客郎，對接北使」。[71]與范胥同時接待李諧一行的還有蕭撝，《周書》云「東魏遣李諧、盧元明使梁，梁武帝以撝辭令可觀，令兼中書侍郎，受幣於賓館」。[72]而且范胥兼任職位較低的主客郎，是為「降級攝職」，李諧與范胥專門討論過此事：

諧問胥曰：「主客在郎官幾時？」胥答曰：「我本訓胄虎門，適復今任。」諧言：「國子博士不應左轉為郎。」胥答曰：「特為接應遠賓，故權兼耳。」諧言：「屈己濟務，誠得事宜。由我一介行人，令卿左轉。」胥答曰：「自顧菲薄，不足對揚盛美，豈敢言屈。」[73]

此後，凡重要客使來聘，對方接待官員皆以降級攝職方式表示尊重，並成為慣例。[74]

梁朝君臣首次與北方士大夫接觸，印象深刻，史載：

---

66 《談藪》，頁26-27。

67 《魏書》卷65〈李平附子諧傳〉，頁1461。

68 《隋書經籍志考證》卷21〈地理類〉，頁5410。

69 《魏書》卷12〈魏孝靜帝紀〉，頁301。李業興原作李鄴，據《北史》卷43〈李崇附李諧傳〉（頁1604）、《魏書》卷84《儒林》〈李業興傳〉（頁1862）改。

70 《魏書》卷12〈魏孝靜帝紀〉，頁299。北魏後期，宣武帝行幸鄴城，李諧之父李平上疏諫止（《魏書》卷65〈李平傳〉，頁1451-1452），而李諧出使梁朝，則需為高歡遷都之舉作合理辯護。

71 《梁書》卷48《儒林》〈范縝附子胥傳〉，頁671。

72 《周書》卷42〈蕭撝傳〉（北京市：中華書局，1971年），頁751。

73 《魏書》卷65〈李平附子諧傳〉，頁1460。

74 《北齊書》卷39〈祖珽附弟孝隱傳〉云：「徐君房、庾信來聘，名譽甚高，魏朝聞而重之，接對者多取一時之秀，盧元景之徒並降級攝職，更遞司賓。」（頁521）。

> 梁武使朱異覘客，異言諧、元明之美。諧等見，及出，梁武目送之，謂左右曰：朕今日遇勍敵，卿輩常言北間都無人物，此等何處來？謂異曰：過卿所談。[75]

之所以如此成功，端在於東魏聘梁使節的嚴格遴選，其間還經過了一番推讓，史傳云：

> 天平末，魏欲與梁和好，朝議將以崔㥄為使主。㥄曰：文采與識，㥄不推李諧；口頰顧顧，諧乃大勝。於是以諧兼常侍，盧元明兼吏部郎，李業興兼通直常侍聘焉。[76]

其實崔㥄的才能、門地均符合擔當聘使的條件，惟崔氏自認應對機敏不如李諧，故推為使主。然而李諧「為人短小，六指，因瘻而舉頤，因跛而緩步，因謇而徐言，人言李諧善用三短」。[77]一般有口吃之症的人都無法擔任聘使或接使的任務，如南齊「〔謝〕朓少好學，有美名，文章清麗……隆昌（西元494年）初，敕朓接北使，朓自以口訥，啟讓不當」。[78]李諧善用三短，將缺陷轉變為優勢而頗具風致，其特徵就是言動徐緩、意態蹇傲。與李諧並稱鄴下風流之士的崔瞻也有共同的特徵，史云「瞻性簡傲，以才地自矜，所與周旋，皆一時名望」，他雖曾患「熱病，面多瘢痕」，然仍不失「雍容可觀，辭韻溫雅」的評價。任吏部郎中期間，因「舉指舒緩「，被性格褊急的吏部尚書尉瑾以不堪繁劇為名罷了官。[79]士人若無此風致，即便有一流的才學、門第，仍不能擔當交聘的職責。溫子升（西元495-547年）便是東魏首屈一指的大文士，然而正因不修容止，沒有蹇傲徐緩的風致，所以不敢承擔接受梁朝國書的重任。他不得不感歎「詩章易作，逋峭難為」。[80]所謂「逋峭」，辭書解釋為「屋柱曲折貌，引申指人有風致」，然稍感隔膜，若以緩步、徐言、舉頤的李諧形象作為注腳，倒是十分恰當。

五　餘論：交聘記的散佚

鑒於南北朝的交聘記錄多以檔案形態保存，受朝代更迭影響極大，僅有極少數以著作的形式流傳，並由史志目錄著錄，但至今久已散佚不存。《酉陽雜俎》是現存明確引用南北朝交聘記最豐富的古籍，雖篇幅無多，但彌足珍貴。我們據此可以蹤跡到同類筆記小說，如《談藪》、《啟顏錄》等書中，尚存在不少交聘記的佚文，而正史也曾取材於交聘記，故能互相參證。從著錄情形觀察，《隋書經籍志》所見的六種交聘記，至盛唐

75 《北史》卷43〈李崇附李諧傳〉，頁1604。

76 《北史》卷43〈李崇附李諧傳〉，頁1604。

77 《北史》卷43〈李崇附李諧傳〉，頁1604。

78 《南齊書》卷47《謝朓傳》，頁825，826。

79 《北齊書》卷23〈崔㥄附子瞻傳〉，頁337。

80 《魏書》卷85〈溫子昇傳〉，頁1877。

開元（西元713-741年）時僅存一種，即《魏聘使行記》，五代後晉編纂的《舊唐書經籍志》全依開元《四部書錄》，可以推知。宋初編纂《新唐書藝文志》雖在《舊志》的基礎上多有增補，但所見交聘記仍止一種而已。宋代官私目錄，如《崇文總目》、《直齋書錄解題》、《郡齋讀書志》和《遂初堂書目》等，史志目錄，如《文獻通考經籍考》等，均未見任何南北朝交聘記的記載。《通志藝文略》雖然著錄較多，但文獻學家一直認為此書多鈔錄前代書目，並未親見其書，故難以為憑。同時，唐宋大型類書也未見引用，《初學記》引用一條《北征道里簿》，是否即《隋志》著錄的江德藻《聘北道里記》，尚在疑似之間。另外，江德藻《北道記》僅在地理總志類的《太平寰宇記》中略有引用，然與《酉陽雜俎》所引稍有出入，尚難斷定直接引自《聘北道里記》，抑或轉引自他書。南北朝交聘記究其散佚原因，大約是交聘僅限於分裂時代，自隋唐之後，天下一家，交聘記所載折衝樽俎的外交語辭無所施用，而其所記的人物、地理、禮制、風俗、酒食、名勝等內容，又被逐漸興起的各類專書，如方志、圖經、書儀、食經等，慢慢取代。且此類典籍在南北朝時期多保存於皇室、官府，並非家有其書，唐代也僅在秘閣或集賢書院才能讀到，成了一般文人學士難得一見的珍秘圖書，倘非博學如段成式者轉相引用，恐怕我們今天就難以窺豹了。

《禮記》陸、孔釋義異同辨析*

孫致文
中央大學中國文學系副教授

提要

本文對照分析《禮記正義》與《經典釋文》異同，一則試圖探究孔穎達等人編纂《五經正義》時是否曾參照陸德明《經典釋文》；再則試圖重新省視《經典釋文》的解經意義。本文並非僅憑釋義的相同或差異判斷《禮記正義》與《經典釋文》的關係，但從同、異的細微分析中發現：孔穎達等人編纂、刪定《禮記正義》時，有襲用《經典釋文》釋義及文獻徵引的痕跡；在經典的詮解上，《禮記正義》也對《經典釋文》有隱微辨正。

我們認為，《經典釋文》不應只被視作考察語音變異的語料，重探《經典釋文》的價值與得失，當是研究隋、唐經學與經學史重要的工作，也是客觀理解經、注重要的依循。

關鍵詞：五經正義　經典釋文　孔穎達　陸德明　禮記

---

* 出席「經學史研究的回顧與展望——林慶彰先生榮退紀念國際學術研討會」時，筆者以〈試析日本奈良興福寺藏《經典釋文・禮記音義》殘卷的「經學」意義〉為題，提交草稿向林先生致敬，並就教與會學者。論文撰作、修訂期間，思考面向頗有改變，是以改換今題，另撰新稿。新題初稿，曾於（北京）清華大學中國禮學研究中心主辦的「第四屆禮學國際學術研討會」（2018年8月25-26日）宣讀。兩次會議，皆蒙與會先進賜教，謹此致謝。

一 前言

考量讀經者的便利，南宋合刊經、注或經、注、疏時，以夾注形態將《經典釋文》的條目附刻於相應的經注文句下。然而陸德明《經典釋文》原本獨立成書，只標明所釋的語段，不與經、注併行。據學者考察，《經典釋文》之刊刻，始自後周顯德二年（西元955年），但當時並非全書整體刊行。據文獻所見，至少在北宋景德二年（1005）以前，《經典釋文》各經單刊單行[1]。此種單刊單行的《釋文》，是否與各經正文一同刊印、流通，目前無法確知。至南宋，雖將《釋文》附刊於該經、注之末，但仍保持《釋文》逐條依次羅列的形態；如南宋淳熙四年撫州公使庫所刻《禮記》經、注，書末即附刻《禮記釋文》四卷[2]。各經《釋文》與經注正文同時刊行，雖未分卷附於各卷之末，但其性質與佛藏所見「隨函錄」較近。為了更方便讀者查檢，南宋開始，「私刻、坊刻本經書，則多為散入釋文的版本，即將《釋文》內容打散，逐句附入經注原文之下，這樣讀者閱讀起來一目了然，更加方便。」[3]此種「經注附釋文」或「經注疏附釋音」的形式，在南宋以後刊印經書時常見，也似乎早被讀者視為理所當然。

刊刻經、注時，《釋文》各條音義附於所釋文句之下，自無不妥。然而，一旦經、注、疏合刊時，也將各條音義附刊其中，是否也妥當？

《經典釋文・序錄》首列「條例」開端即言：

> 先儒舊音，多不音注；然注既釋經，經由注顯，若讀注不曉，則經義難明。混而音之，尋討未易；今以墨書經本、朱字辯注，用相分別，使較然可求。

由此可知，陸德明作《釋文》時，兼及經、注；《釋文》與經、注有從屬關係，自不待言。「疏」的解釋對象雖然同是經、注[4]，但即便針對同一文本，注疏家所作闡釋卻未必全然相同。更何況，近時學者已指出：「疏不破注」並非義疏的通則[5]，因此《釋文》與

---

1 參見虞萬里：〈《經典釋文》單行單刊考略〉，收入氏著《榆枋齋學術論集》（南京市：江蘇古籍出版社，2001年），頁732-759。

2 此本《禮記釋文》原附於《禮記注》之末，但收入「中華再造善本」（北京市：北京圖書館出版社，2006年）時，卻又單獨刊行。

3 參見張麗娟：《宋代經書注疏刊刻研究》（北京市：北京大學出版社，2013年），頁131。

4 龔鵬程早已指出：昔人「以為注乃解經，疏則解注而已，不知其非也。」參見氏著《孔穎達《周易正義》研究》（臺灣師範大學國文系1979年碩士論文，收入「中國學術思想研究輯刊」初編第三冊，臺北縣：花木蘭文化出版社，2008年），頁44。

5 參見前引龔鵬程著作。又見張寶三：《五經正義研究》（臺灣大學中文系1992年博士論文，收入「臺灣國學研究叢書」，上海市：華東師範大學出版社，2010年），頁387-395。亦見呂友仁〈《五經正義》識小〉「論孔穎達《五經正義》中有疏家破經之例」一節、〈《尚書》識小〉「《尚書正義》中孔疏的直言破注與微言破注」一節，收入氏著《讀經識小錄》（上海市：上海古籍出版社，2017年），頁69-76、90-121。

「疏」對所釋之「注」(甚至「經」)可能各持立場。《釋文》與「疏」不僅沒有從屬關係，兩者可能平行、甚至相對。職是，經、注、疏與《釋文》合刊，未必是相同主張的資料匯集，如遇兩說不同甚或兩相對立的解釋，讀者該如何去取？

可怪的是，在經學史上，關注《詩經》毛、鄭異說者有之，辨析《尚書》鄭、王異說者有之，揭露《五經正義》「疏家破注」者亦有之；然而，指陳《經典釋文》與各經經疏訓解異同者，似不多見[6]。這未必是《釋文》對字詞的訓解與注、疏全同，追根詰柢，恐怕是後人並不看重《經典釋文》的釋義成果。

既名「音義」，這類著作的目的便不只在標明音讀。學者黃坤堯〈音義綜論〉一文即以陸德明《經典釋文》為主要對象，對「音義」類著作有概括的說明：「音義之學，以標注讀音為主。……注音在於明義，必須揭示句意，分析句讀，辨明假借改讀，審定版本異文等。」[7]可惜，如今多數學者只將《經典釋文》視作音韻研究的「語料」，卻忽視它的訓詁價值。本文即試圖辨覈《經典釋文．禮記音義》與孔穎達《禮記正義》釋義的異同，省思《釋文》與經、注、疏合刊的意義。

陸德明《經典釋文》所釋對象雖有十四種，但本文特以《禮記》為考察對象，實因傳世文獻中，《禮記音義》與《禮記》經、注、疏配應的形式最完備：既有《禮記音義》的唐寫本[8]、日本寫卷[9]，又有前述南宋淳熙四年附於撫州公使庫所刻《禮記注》書

再者，近時，臺灣年輕學者也有詳論此議題者。如謝明憲於所著《釋奠與權力：初唐國家教化的理解與建構》(新北市：華藝學術出版社，2016年)第三章〈從「南北學」的眾說紛紜到定於一的「正義」〉，於「疏不破注」的命題也有專節討論。該書由作者博士論文《師說、釋奠與講學：初唐國家教化對於漢代經術的理解與實踐》(新竹市：清華大學中文系博士論文，2013年)修訂而成。再如姜龍翔：《經學守舊考：以清儒所構建之經學守舊現象為探討核心》(高雄市：麗文文化出版社，2017年)一書全書五章，討論漢代經學「師法、家法」、唐代經學「疏不破注」兩項學術史問題。

6 據筆者所見，僅李洛旻《賈公彥《儀禮疏》研究》(臺北市：萬卷樓圖書公司，2017年)一書第六章〈《儀禮疏》與《禮記正義》之比較〉中指出：「考察《儀禮疏》與《禮記正義》與陸氏書的關係，發現孔氏《正義》對陸書內容多所因襲，賈氏書則並無明顯參考《釋文》之跡。」(頁236)李書又以〈曲禮〉上下、〈檀弓〉上下四篇為例，指出《禮記正義》有「直接襲用《釋文》」、「參合鄭注及《釋文》」、「因襲《釋文》鋪排」者(頁239-252)。李氏雖孤明先發、指證歷歷，但該書焦點本不在《禮記正義》，且所舉例證有限，筆者雖受啟發，但仍感尚有未盡之意。

7 參見黃坤堯：《音義闡微》(上海市：上海古籍出版社，1997年)，頁15。

8 相關寫卷收載於張金泉、許建平：《敦煌音義匯考》(杭州市：杭州大學，1996年)，其後又收錄於張涌泉、許建平編：《敦煌經部文獻合集》冊九(北京市：中華書局，2008年)。二書皆有錄文，前者則又有校記。

9 日本奈良興福寺所藏《經典釋文．禮記音義》鈔本殘卷，最早由京都大學已故漢學家狩野直喜教授發現並整理刊布。此卷完整刊布於一九三五年出版的【京都帝國大學文學部景印舊鈔本．第二集】中，狩野教授以漢文為此殘卷撰寫說明，並作「校記」。近時，近時，旅日學者黃華珍所著《日本奈良興福寺藏兩種古鈔本研究》(北京市：中華書局，2011年)不但有《經典釋文》殘卷書影，且有較為深入的研究與校記。

末的單刊本，更有南宋紹熙年間將音義散入經、注之下的《禮記鄭注》本[10]；此外，將釋文附於經、注、疏之下的宋刊《附釋音禮記注疏》十行本，原書雖不存，但仍有清乾隆和珅翻刻本，以及元、明、清三代以「十行本」為底本的各種附釋文的注疏本[11]。

以下，即舉數例，以考察陸德明、孔穎達[12]對《禮記》理解的異同。

二　陸德明《禮記音義》與孔穎達《禮記正義》的關係

清乾、嘉之際學者許宗彥認為：「元朗于貞觀初拜國子博士，《五經正義》之作，元朗于時最為老師，未必不預其議。故《正義》用南學，與《釋文》合。」[13]近人馬宗霍於《中國經學史》中引許氏此語，不僅認為《五經正義》經注宗尚的選擇受陸德明影響，且甚為肯定《經典釋文》於解經的貢獻[14]。然而，許宗彥所言「未必不預其議」，是僅限於「《正義》用南學」的學術原則問題？或是認為陸德明對《五經正義》具體內容也有影響？近時有學者強烈反對此說，韓宏韜認為：

> 至於《釋文》對《正義》是否有影響的問題，……我們認為兩者沒有必然的聯繫。……《毛詩正義》甚至包括孔穎達主編的所有的《五經正義》對於陸德明的《毛詩釋文》沒有一引。[15]

韓文比對了《毛詩正義》與《經典釋文．毛詩音義》二書的引文，發現二者相同處少、相異者多，有些觀點甚至有明顯的分歧和對立，因而斷言二書沒有關聯。其中原因，韓文認為是「孔穎達等《毛詩正義》的編撰者在編撰《正義》之前可能沒有見到《毛詩釋文》；他說：

> 因為《毛詩正義》所引最晚的書應該是隋末劉焯、劉炫的義疏以及初唐顏師古的《五經定本》，陸德明的《經典釋文》應該在它們之間，或者更早。如果見到這樣的一部如此博學的研究《詩經》音義的專書，不可能不加徵引，如果引經徵引，沒有理由隱晦其名。孔穎達等在貞觀十二年沒有見到《經典釋文》的可能是

10　《禮記》，影印南宋紹熙建安余氏萬卷樓校刊本，收入「中華再造善本」（北京市：北京圖書館出版社，2003年）。

11　詳見前引張麗娟：《宋代經書注疏刊刻研究》，頁354、359。

12　本文雖以「孔穎達」與「陸德明」對稱，但只是以「孔穎達」為《五經正義》編纂、刪定、裁定諸位儒臣之代稱。

13　許宗彥：〈記南北學〉，《鑑止水齋集》（影清嘉慶廿四年許氏家刻本，收入《續修四庫全書》集部冊1492。上海市：上海古籍出版社，1995年），卷十四，頁十七下。

14　馬宗霍：《中國經學史》（臺北市：臺灣商務印書館，1992年臺一版七刷），頁100-101。

15　韓宏韜：〈《毛詩正義》與《毛詩釋文》關係考辨〉，《國學論衡》2012年第2期，頁135-139，引文見137-138。

很大的。陸德明的《經典釋文》是私人著述，抄本一定很少，直到貞觀十六年（642年）唐太宗才看到此書。……如此孔穎達見到此書，有可能是在貞觀十六年之後，而這時《五經正義》已基本完工。[16]

韓文藉二書引用文獻的對比，及二書成書背景的推論，確實言之成理；在當今研究《五經正義》的論著中，韓文罕見地關注了《經典釋文》的影響，令人有耳目一新之感。然而所論是否確然無疑，則似可再斟酌。

唐高祖武德四年（西元621年），陸德明、孔穎達即被時秦王的李世民徵聘為文學館學士；武德九年（西元626年）閻立本還奉命繪製「十八學士寫真圖」[17]。陸德明早負盛名，陸、孔二人即使交情不篤，也必然相知，孔穎達卻應該知悉陸氏有《經典釋文》一書。再者，《五經正義》雖大致於貞觀十二年（西元638年）至十六年（西元642年）間撰成，但孔穎達等人於貞觀十六年奉詔複審；貞觀廿二年（西元648年）孔穎達去世，《正義》仍未刊定。高宗永徽二年（西元651年），長孫無忌等人再受命總領刪修，直至永徽四年（西元653年）才正式完成《五經正義》的刊定，並由高宗下詔頒布。若此，太宗閱後「甚嘉之」[18]的《經典釋文》應不至於在貞觀十六年後《五經正義》複審時期仍被束諸高閣。至於徵引標名，或許正因時代相近，且同為太學博士，因而在官修《五經正義》中未標舉名姓。

當然，上述都僅只於推測；孔穎達等人修撰《五經正義》時是否參照陸德明《經典釋文》，仍應從疏文中推探。前引韓宏韜比對二書引用文獻之異同，固然是考察之一途，但從釋義著手，或許更為明確。

三　陸、孔釋義相同、相近舉隅

（一）相同、相近，卻未能證其相關者

要說明《經典釋文》與《五經正義》對經、注的理解有直接關聯，從二書相同處考察較為困難，且論證力量較薄弱。畢竟，二書都面對相同的文本。以《禮記》而言，二人所據經、注版本雖不同，但都是《禮記》與鄭玄《禮記注》。因此，二書釋義相同自不足為奇。如：

---

16 韓宏韜前揭文，頁138。

17 《唐會要》卷六四〈文學館〉記載此事，參見《唐會要》（國學基本叢書本，上海市：商務印書館，1935年），頁1117。

18 《舊唐書．儒學傳》記載：「（陸德明）貞觀初，拜國子博士，封吳縣男。尋卒。撰《經典釋文》三十卷、《老子疏》十五卷、《易疏》二十卷，並行於世。太宗後嘗閱德明《經典釋文》，甚嘉之，賜其家束帛二百段。」《舊唐書》（北京市：中華書局，1975年），頁4945。

1.〈曲禮上〉「僚友稱其弟也」，鄭注：「僚友，官同者。」（卷一頁三下）陸、孔分別謂：

> 陸：僚友，同官者。（頁二下[19]）
>
> 孔：僚友，同官者也。（卷二頁十一上[20]）

二者皆本於鄭注，最無爭議。此類之例甚多，不煩殫舉，皆無法說明陸、孔是否有直接關聯。

2.〈曲禮上〉「儼若思」一句，鄭注：「儼，矜莊貌。人之坐思，貌必儼然。」（卷一頁一上[21]）

> 陸：嚴，魚檢反，本亦作「儼」，同，矜莊皃。（頁一上）
>
> 孔：儼，矜莊貌也。（卷一頁一上）

陸德明所據之本雖作「嚴若思」，但仍標示異文作「儼」；至於詞義，陸、孔皆作「矜莊貌」，也顯然根據鄭注，不見得有承襲關係。

3.〈檀弓上〉「未仕者不敢稅人」，鄭注：「稅，謂遺予人」（卷二，頁廿二下），《釋文》（頁十九上）、《正義》（卷十一頁廿三下）同作「謂以物遺人也」。用語雖與鄭注不同，但陸、孔所釋「稅」之詞義仍據鄭注而來；因此，即便陸、孔用詞全同，我們也不敢冒然視為沿襲。

4. 又有鄭注未釋，而陸、孔釋義相同者，在沒有確證的情況下，也只能說是二人所見相同。如：〈曲禮上〉「前有塵埃則載鳴鳶」，鄭注：「鳶鳴則將風」（卷一頁十四下），未釋「鳶」為何禽。《釋文》「鳴鳶，悅專反，鴟也。」（頁七下）《正義》：「鳶，今時鴟也。鴟鳴則風生，風生則塵埃起。」（卷四頁廿一上）陸、孔皆以「鳶」為「鴟」。《正義》是否承襲《釋文》，實難有確證。

陸、孔釋義相同、相近者，實為常見。以上所舉四種類型，有直承鄭注、間接化用鄭注，也有補鄭注所未釋者；即便相同或相近，也未能確認《正義》受《釋文》影響。

---

19 下文引陸德明《禮記》音義，除別有說明，其餘皆據「中華再造善本」所影南宋淳熙四年撫州公使庫所刻《禮記釋文》（北京市：北京圖書館出版社，2006年）。

20 下文引孔穎達等《禮記疏》，除別有說明，其餘皆據《影印南宋越刊八行本禮記正義》（北京市：北京大學出版社，2014年）。

21 下文引《禮記》經、注，除別有說明，其餘皆據「中華再造善本」所影南宋淳熙四年撫州公使庫所刻《禮記注》（北京市：北京圖書館出版社，2003年）。

(二)相同、相近,其間顯露二者關係者

「同有所本」或「其理至顯」雖見二者承繼關係的例子外,以下試再舉相同、相近較特殊之例,其間似可窺見《釋文》、《正義》微妙關係。

1.〈中庸〉引《詩・小雅・常棣》「宜爾室家,樂爾妻帑。」鄭注:「古者謂子孫曰帑。」(卷十六頁五上)《釋文》「妻帑」條謂:

> 音奴,子孫也。本又作「孥」,同。《尚書傳》、《毛詩箋》並云「子也」。杜預注《左傳》云「妻、子也」。(頁九八上)

陸氏提及的「《尚書傳》」,當指〈甘誓〉「予則帑戮汝」一句之《傳》(卷七頁二上[22]);至於「《毛詩箋》」,實應是〈常棣〉毛《傳》(卷九之二頁十七上[23])。關於「帑」字,〈中庸〉孔疏謂:

> 帑,子也。古者謂子孫為帑,故〈甘誓〉云:「予則帑戮汝」。於人則妻為帑,於鳥則鳥尾為帑,《左傳》云「以害鳥帑」是也。(卷六十頁十四下)

此則疏語一則以「帑」為子,再延申其義為「子孫」,與鄭注、《釋文》同;所引〈甘誓〉,也與《釋文》提及「《尚書傳》」相呼應。然而,《正義》由「子」而延申至「妻、子」,何以再言及「鳥尾」,實令人困惑。

其實,孔穎達在《左傳》也對「帑」的詞義也作了辨析,與〈中庸・疏〉應合觀。《左傳》文公六年十一月「賈季奔狄,宣子使臾駢送其帑」一句之下,杜注:「帑,妻、子也。」《左傳正義》於此句之下特加辨析,謂:

> 《詩》云「樂爾妻帑」,文已有「妻」,故《毛傳》以「帑」為「子」;此傳無「妻」,故杜並「妻」言之。帑者,細弱之號,妻、子俱得稱之。傳稱「以害鳥帑」,鳥尾猶尚稱「帑」,況妻、子也?《說文》云:「帑,金幣所藏」,字書「帑」從「子」,經、傳「妻帑」亦從「巾」。(卷十九上頁十下[24])

「以害鳥帑」見於襄公廿八年《左傳》,杜預注中正有「鳥尾曰帑」之語;孔疏在該處又重申「妻、子」與「鳥尾」皆稱「帑」之意:

---

22 《附釋音尚書注疏》,影清嘉慶二十年南昌府學重刊宋本(臺北市:藝文印書館,1989年)。又,今所見《尚書・甘誓》此句作「予則孥戮汝」,「孥」字从「子」,不从「巾」。

23 〈常棣〉「宜爾室家,樂爾妻帑」句下,《傳》云「帑,子也」,《箋》則謂:「族人和,則得保樂其家中之大小」。可見《釋文》所云釋為「子也」者,實係《毛詩傳》。見《附釋音毛詩注疏》,影清嘉慶二十年南昌府學重刊宋本(臺北市:藝文印書館,1989年)。

24 《附釋音春秋左傳注疏》,影清嘉慶二十年南昌府學重刊宋本(臺北市:藝文印書館,1989年)。

> 帑者細弱之名，於人則妻、子為帑，於鳥則鳥尾曰帑。妻子為人之後，鳥尾亦鳥之後，故俱以帑為言也。（卷三十八頁廿三下）

與文公六年疏文不同，襄公廿八年疏文除了以「細弱」為說，又以「妻、子」與「鳥尾」皆有「後」義闡釋「帑」之語義。這段解說頗見巧思，然而，在〈中庸〉疏中，孔穎達謂「帑」尚有「妻」、「鳥尾」二義，非但與鄭注、《釋文》不同，就〈中庸〉而言顯然是節外生枝。

試究其原因，恐怕是因《釋文》「杜預注《左傳》云『妻、子也』」而引生。〈中庸〉所引〈常棣〉詩文「樂爾妻帑」，句中已別有「妻」字，《毛傳》明言「帑，子也」，《禮記注》也說「古者謂子孫曰帑」，此句之「帑」實不含「妻」意；《釋文》引杜預《左傳注》「妻、子也」已屬多餘，《正義》卻又因而將《左傳》兩處疏解的結論引入，實在有失刪汰。試想，若無《釋文》「杜預注」云云，《正義》應不至有此蛇足。

2.〈中庸〉「國之將亡，必有妖孽」，鄭玄未注「妖孽」詞義（卷十六頁十下），《釋文》出「妖」、「孽」二條，於「妖」下引《左傳》「地反物為妖」，又謂「《說文》作『祅』，云衣服歌謠草木之怪謂之祅。」「孽」下則謂「《說文》作『蠥』，云禽獸蟲蝗之怪謂之蠥。」（頁九九下）孔疏於此句之下亦引《左傳》、《說文》，且文詞與《釋文》全同（卷六十頁卅二下）。《釋文》、孔疏所引《左傳》，見於宣公十五年傳文；至於所引《說文》，則見於〈蟲部〉「蠥」字下[25]。

陸、孔同引《左傳》、《說文》，自然不足為奇，但值得留意的是，《說文・示部》「祅」字下的說解，也正作「地反物為祅也」；陸、孔既見《說文》「蠥」字說解，何以竟都未見「妖」字說解，卻同時據《左傳》為說？如此看來，陸、孔同引《左傳》、《說文》就未必只是巧合。

3.誠如前引黃坤堯的見解，《釋文》不僅標示音讀，也同時擔負了釐清訓詁、版本校勘、句讀等任務。除上述功能，〈緇衣〉首章《釋文》為首句「子言之曰」四字出一條目，不為標音，也不作釋義，性質特殊；《釋文》此條言：

> 此篇二十四章，唯此一「子言之」，後皆作「子曰」。（頁一〇四上）

此條指出〈緇衣〉首章與其餘廿三章用語的差異。無獨有偶，孔疏也指出：

> 此篇凡二十四章，唯此云「子言之曰」，餘二十三章皆云「子曰」，以篇首宜異故也。（卷六二頁二十上）

---

25 《說文》大徐本、小徐本、段注本皆同。呂友仁整理本《禮記正義》於校勘記下謂「《說文》無此說解。」（頁2035）其後已於〈校點本《禮記正義》諸多失誤的自我批評〉更正，收入呂著《讀經識小》，頁433。

陸、孔用意相同，但《釋文》只指出差異，孔疏則較詳細，說明首章獨異的原因。雖有詳略之別，但陸、孔的用意相同、用語相似，恐怕不是出於偶然。

以上三例，《正義》雖未稱引《釋文》，但經以上分析，似也難以否絕孔穎達等《正義》編撰者確見陸德明《禮記釋文》的可能。

四　陸、孔釋義相異相違舉隅

詞、句是否需注解，注疏家自可有不同的考量；若前人已注，後人可略；前人未注，後人可增補。這類差異，實不易看出前後注家的影響或承繼關係。因此，此節所謂「相異」，並不包括釋義「有、無」之異。

（一）相異相違，卻未能證其相關者

對詞義的說解，《正義》有完全異於《釋文》者，如：

1.〈曲禮上〉「獻米者操量鼓」，鄭注：「量鼓，量器名。」（卷一頁十一下）

> 陸：鼓，《隱義》云：樂浪人呼容十二石者為鼓。（頁六下）
>
> 孔：量是知斗斛之數，鼓是量器之名也。《隱義》云：東海樂浪人呼容十二斛者為鼓，以量米，故云量鼓。（卷四頁八上）

《正義》「十二斛」與《釋文》所作「十二石」不同，應是各有所據。

2.〈曲禮上〉「君臣、上下、父子、兄弟，非禮不定」一句，「上、下」是常用的相對詞，鄭玄並未出注，陸、孔二人卻都特別申明其指涉對象。

> 陸：上謂公卿，下謂大夫、士。（頁二上）
>
> 孔：上謂公卿大夫，下謂士也。君父南面，臣子北面，公卿大夫則列位於上，士則列位於下。（卷二頁二上）

《正義》詳解「上下」是否因不滿於《釋文》而出，既無確證，不宜妄加揣測。大夫屬「上」或屬「下」，應從相對於「公卿」，或相對於「士」而言，陸、孔的差異，難有是非可言。

3.〈檀弓下〉「人喜則斯陶，陶斯詠，詠斯猶，猶斯舞，舞斯慍，慍斯戚」，鄭玄於「舞斯慍」下注云：「慍，猶怒也。」（卷三頁八上）孔疏則申說：「舞斯慍者，慍，怒也，外竟違心之謂也。凡喜怒相對，哀樂相生。故若舞而無節，形疲厭倦，事與心違，故所以怒生。怒生由於舞極，故云『舞斯慍』也。故〈曲禮〉云『樂不可極』，即此謂也。何胤云：『樂終則慍起，非始之慍，相連繫也。』」（卷十三頁十一下）對句中「舞

斯慍」，孔穎達非但不覺突兀，反而引〈曲禮〉為證，並引何胤之說闡釋。然而，陸德明卻主張「舞斯慍」為衍文。《釋文》云：「此喜、慍哀樂相對[26]，本或於此句上有『舞斯慍』一句，并注皆衍文。」（頁廿一上）《釋文》以校勘手法，將經「舞斯慍」、注「慍猶怒也」皆視作衍文；如此一來，「喜斯陶」等四句，與「慍斯戚」等四句正相對。《正義》則根據既有文獻，不僅解通文句，也強調〈檀弓〉此章與〈曲禮〉相應。二者都顧及經文結構，用心相似。平情而論，《釋文》所據沒有「舞斯慍」的版本，似較平易可通，且符合〈檀弓〉此章主旨。以此例而言，陸、孔解經手法不同，難以見出二者有攻駁關係。

4.〈檀弓上〉「（申生）再拜稽首乃卒」，鄭注：「既告狐突，乃雉經。」（卷二頁五上）注中「雉經」一詞，《釋文》、《正義》皆有訓解。

> 陸：雉經，如字，徐古定反，如雉之自經也。（頁十四上）
>
> 孔：雉，牛鼻繩也。申生以牛繩自縊而死也。故鄭注〈封人〉云：「絼，著牛鼻繩，所以牽牛者也。今時人謂之雉。」或為雉耿介，被人所獲，必自屈折其頭而死。《漢書》載趙人貫高自絕亢而死，申生當亦然也。傳云「申生縊死。」〈晉語〉申生使猛足辭於狐突，乃雉於新成廟。（卷八頁十九下）

從《釋文》「如雉之自經」可知，陸德明以「雉」為有意識之物，當是指雉雞。孔疏雖以「或為雉性耿介」云云兼存異說，但終究仍以「牛鼻繩」釋「雉」，因此在語末又重申「傳云：申生縊死」、「乃雉於新成廟」。於此可知，孔疏終究未採《釋文》「如雉之自經」的說解。

此例中，《正義》「或為雉耿介」云云，固然可能是針對《釋文》而發，卻也可能引自其他典籍或傳說。

5.〈王制〉「天子之縣內，……名山大澤不以朌」，鄭注：「朌，讀為『班』。」（卷四頁三上），對「朌」之詞義，《釋文》、《正義》明顯不同。

> 陸：朌，音班，賦也。（頁廿五下）
>
> 孔：「名山大澤不以朌」者，畿外列士諸侯有封建之義，故云「不以封」；畿內之臣，既不世位，有朌賜之義，故云「不以朌」。所以不以朌者，亦為與民共財，不障管也。雖不障民取，其財物亦入之玉府，即《周禮》山虞、澤虞所掌是也。（卷十五頁十四下）

孔氏所言「畿內之臣」及「不以封」云云，係指此前〈王制〉專論「四海之內九州」封

26 「喜慍哀樂相對」，《釋文》各本同，阮元《禮記注疏》所附《釋文》「慍」作「怒」，且以「怒」為是。然而，陸氏之意，蓋謂〈檀弓〉「喜斯陶」、「慍斯戚」相對，並非泛言「喜怒哀樂」相對，阮校不確。

建之法一節，其間有言「名山大澤不以封」，與此節「名山大澤不以肦」正相對應。該節鄭注云：「名山大澤不以封者，與民同財，不得障管，亦賦稅之而已。」（卷四頁二下），孔疏云：「云『不得障管，亦賦稅之而已』者，既不封諸侯，其諸侯不得障塞管領、禁民取物；民既取物，隨其所取，賦稅而已。」（卷十五頁十一二上）兩節對照即可知，鄭、孔之義，「名山大澤」不封、不肦，雖是「與民共財」，但仍有賦稅之制；若據《釋文》解「肦」為「賦」，則天子縣內的名山大澤不僅供百姓田漁取物，且不需繳納賦稅。《正義》所解，實較能與《周禮》相應。

（二）相異相違，其間顯露二者關係者

就目前披閱所見，《正義》之異於《釋文》者，或有明確針對關係。如：

1.〈曲禮上〉「執策分轡，驅之五步而立」，鄭玄於此句下僅言「調試之」（卷一頁十六下），未釋個別詞語之義。陸、孔則都針對「執策分轡」而言「四馬八轡」：

> 陸：分轡，悲位反。四馬八轡，故云分。（頁八下）
>
> 孔：「執策分轡」者，策，馬杖也；轡，御馬索也。……每一馬有兩轡，四馬八轡，以驂馬內轡繫於軾前，其驂馬外轡并夾轅兩服馬各二轡六轡在手，分置兩手，是各得三轡，故《詩》云「六轡在手」是也。今言「執策分轡」，謂一手執杖，又六轡以三置空手中，以三置杖手中，故云「執策分轡」也。（卷五頁十三上～下）

對經文「執策分轡」一句，陸、孔雖然都說「四馬八轡」，但陸氏逕言「故云分」，《詩・秦風》中〈駟驖〉、〈小戎〉皆有「六轡在手」之句，〈曲禮〉雖未述及，但孔穎達等人兼綜二經，因此詳述「分置兩手，各得三轡」的道理。孔疏確實較符合周代馬車繫駕之法，娓娓細述，又似有隱微糾正《釋文》之義。

2.〈表記〉「其民之敝，惷而愚，喬而野，朴而不文」，鄭注：「以本不困於刑罰，少詐諼也。」（卷十七頁六下）《釋文》出「詐諼」條，謂：「（諼），況袁反，詐也，忘也。」（頁一〇三上）

按，《釋文》「詐也，忘也」應是合釋「詐諼」一詞，並非分釋「詐」、「諼」二詞，否則即是以「詐」釋「詐」，當無此理。《正義》釋鄭注曰：

> 以夏尚仁恩，其民不困苦於刑罰。及其衰末，猶有先世遺風，少有詐偽諼妄。（卷六二頁三上）

此正以「詐偽諼妄」釋鄭《注》「詐諼」一詞。《正義》接著又引《爾雅》釋「諼」字詞義：

《爾雅》訓[27]云「蕿、諼，忘也」，則「忘」字「亡」下著「心」；今與「詐」相對，則諼之義當「亡」下著「女」也。」（卷六二頁三上）

據《正義》所言，釋〈表記〉鄭注「少詐諼」之字應作「妄」，而非「忘」[28]。細究孔疏，《爾雅》「諼，忘也」之訓，既非鄭注所本，也不符〈表記〉理解需要，疏文似不必特加辨正。我們懷疑，《正義》「諼之義當『亡』下著『女』」云云，應是就《釋文》「詐也，忘也」而發。《釋文》「忘」字很可能是誤據《爾雅・釋訓》立說；孔穎達等人見《釋文》此誤，於疏中特加駁正。由此例，則正顯示，孔穎達等人作《禮記正義》確實參閱了陸德明《經典釋文》，對《釋文》的失誤，也作了糾正。

附帶一提：京都大學藏日本鈔本則作「妄」[29]，狩野直喜〈校記〉謂「今鈔本『忘』作『妄』，義長」[30]，黃華珍則引《玉篇》「諼，忘也」，謂鈔本作「妄」者誤[31]。就理解〈表記〉鄭注而言，狩野所言雖是，但作「妄」字恐怕不是《釋文》原貌。我們推測：鈔本《釋文》如果不是筆誤，便很可能是因見了《正義》而將《釋文》「忘」字改作「妄」。

五　結語

陸德明在陳、隋之時即以文學知名，唐初被徵聘為秦王府文學館學士，貞觀初又拜國子博士，封吳縣男。所著《經典釋文》，近時學者推斷「成書年代應為隋大業三年以後唐高祖建國以前」[32]。以陸氏的名聲，與唐初撰定「五經義疏」的需要，料想孔穎達等學者不該對《經典釋文》置若罔聞。現今不僅有敦煌唐寫本《經典釋文》殘卷傳世，又有日本天平二十年（西元749年，唐玄宗天寶八年）《釋文》東傳日本的紀錄[33]；而成書於寬平年間（西元889-897年）的《日本國見在書目錄》中，也著錄了「《經典釋文》三十卷，陸德明撰」[34]，可見《經典釋文》在唐時頗受重視。然而，遍檢唐代幾部重要

---

27 阮元校勘記引孫志祖校云：「此《爾雅・釋文》文，『訓』上當有『釋』字。」（《禮記注疏校勘記》卷54，頁7上；《皇清經解》卷935，頁6下）

28 宋元遞修本《釋文》（卷四頁六下）、南宋紹熙余氏萬卷樓校刊本《禮記鄭注》所附《釋文》，於此皆作「忘」字。

29 黃華珍：《日本奈良興福寺藏兩種古鈔本研究》，圖版頁129行1。

30 《京都帝國大學文學部景印舊鈔本・第二集》〈校記〉（京都市：京都帝國大學文學部，1935年），頁4下。

31 黃華珍：《日本奈良興福寺藏兩種古鈔本研究》，頁323。

32 王弘治：〈《經典釋文》成書年代釋疑〉，《語言研究》2004年第2期，頁105。

33 詳見黃華珍：《莊子音義研究》（中文本）（北京市：中華書局，1999年）。

34 參見《日本國見在書目錄・論語家》，孫猛《日本國見在書目錄詳考》（上海市：上海古籍出版社，2015年），頁336。

典籍的注釋：顏師古《漢書注》、李善《文選注》、司馬貞《史記索隱》，都未有明確徵引《經典釋文》者[35]。據筆者蒐檢，慧琳撰作於唐德宗建中末年（西元783年）至憲宗元和二祀（西元807年）的一百卷本《一切經音義》[36]中，曾有兩處明引《經典釋文》，其一為卷七釋《大般若波羅蜜多經》卷五六一「飄轉」一詞時，引《老子音義》「顧飄」條；其二則為卷七七釋《釋迦譜》序卷「大椿」一詞時，引《莊子音義・逍遙遊》「大椿」條。目前檢得僅此兩條，且皆非儒家經典音義。宋代以各種形式刊印《經典釋文》之前，此書對研讀經典的價值究竟多大？在與經、注、疏合刻之後，經典閱讀者又如何看待陸德明此書與經、注、疏的關係？

近時，《十三經注疏》、《老子》、《莊子》等書的點校整理成果可觀，新整理本（如上海古籍出版社本《十三經注疏》）仍於經、注、疏後附載《釋文》。宋代至今的「附釋音」本，對讀者而言究竟是「資料匯編」，或是「足資參照」？

以本文所舉之例而言，《禮記正義》與《釋文》相同者固不在少數，但相異甚至相悖者也不容忽視。若孔穎達等人，已在《五經正義》編纂、刪定、裁定時對《經典釋文》作了去取、檢討，甚至隱微地辨正，則《釋文》音讀之外的資料都不必再隨《正義》刊行。但若後世讀者意識到《正義》可能有偏頗之失，則閱讀單刊或合刊《釋文》本時，自應用心考其同異。否則，在音讀既異、詮釋多元的當代，整理《十三經注疏》時附載《經典釋文》，恐怕只是多餘之事。

我們認為，《經典釋文》不應只被視作語料，而應重新省視其解經意義。比對《正義》與《釋文》，正為了能在《五經正義》外發掘隋、唐經學。

---

35 《文選》郭璞〈遊仙詩〉「千歲方嬰孩」一句，李善注中有「釋文曰人初生曰嬰兒」之語，見《文選李善注》（影清嘉慶十四年鄱陽胡克家重刊宋淳熙本，臺北市：藝文印書館，1971年）卷廿一頁廿六下；又，足利學校藏宋刊明州本《六臣注文選》（《足利學校藏宋刊明州本六臣注文選》，北京市：人民文學出版社，2008年3月）卷廿一，頁廿八下亦同。但詳查《經典釋文》，並無相同或相似之句；李善所引「人初生曰嬰兒」，當引自東漢・劉熙《釋名・釋長幼》「人始生曰嬰兒」；《文選李善注》各本「釋文」顯係譌字。

36 慧琳《一切經音義》成書年代，參考徐時儀：《玄應和慧琳《一切經音義》研究》（上海市：上海世紀出版集團，2009年），頁93-94。

八行本《周禮疏》不同印本的文字差異[*]

張麗娟
北京大學《儒藏》編纂與研究中心研究員

提要

本文比較了宋刻八行本《周禮疏》不同印本的文字差異，指出北大藏早期印本較多保留了原刻面貌，也有刻工偶誤；國圖及臺北故宮藏後印本既有校訂原刻之處，亦有誤改及新的刊刻訛誤。此外還探討了民國間董康影印及影刻八行本《周禮疏》的底本問題，以及阮元《周禮注疏校勘記》所引惠校本異文來源問題等，以為讀者利用八行本《周禮疏》之參考。

關鍵詞：八行本　周禮疏　董康　惠校本

* 本文為二○一四年度國家社會科學基金項目（項目批准號：14BTQ020）成果之一。

宋刻八行本《周禮疏》為今存最早的《周禮》注疏合刻本，其重要的版本校勘價值已為世所公認。惟今存宋刻八行本《周禮疏》有早印、後印，原版、補版之別，不同印本間有一定的版刻與文字差異，需加辨別。本文比較了宋刻八行本《周禮疏》不同印本的文字差異，兼及民國間董康影印及影刻八行本《周禮疏》的底本問題，以及阮元《周禮注疏校勘記》所引惠校本異文來源問題等，以為讀者利用八行本《周禮疏》之參考。

一 宋刻八行本《周禮疏》校異

宋刻八行本《周禮疏》今存主要有三部傳本。其中北大藏一部殘本，印刷時間最早。此本存卷一至二，十三至十四，二十七至四十七，四十九至五十，並卷前序。版葉可分為兩類，一類為原版，刻工毛昌、毛期、梁濟、梁文、孫中等皆南宋初年江浙地区良工，斷版較多，字畫渾厚，書版四角及下部字樣稍有漫漶。一類為少量宋代補版，刻工王恭、王玩、丁之才等皆南宋中期刻字工人，補版字體更趨方正精整，筆畫銳利清晰，版心上部多刻有本版總字數。另中國國家圖書館、臺北故宮博物院各藏一部全本，印刷時間大體相當，皆經宋、元及明代多次遞修（以下僅舉國圖本為例）。與北大藏本相較，國圖藏《周禮疏》增加了大量元代及明代修補葉。如卷一總二十二葉，國圖本與北大本同版者僅第二、三、六、十二共四葉，其他十八葉皆為後代補版。卷三十三總二十八葉，國圖本與北大本同版者共十五葉，其他十三葉皆後代補版。兩本同版版葉中，國圖本斷版、漫漶更為嚴重，有的在版葉四角及上、下部加以局部剜補，如卷一第二葉國圖本與北大本為同版，但下部兩排字已經局部補刻，與北大本明顯不同。

北大本與國圖本《周禮疏》既有如此眾多的異版，同版版葉中又多見局部補刻，兩本的文字差異自然不容忽視。一般來說，初印本或早期印本因較好保留原刻面貌，文字上訛誤較少；修補后印本則在修補過程中容易形成版刻誤字，不過也有的後印本對原刻本加以修訂，文字反勝原本。從北大本與國圖本比較情況看，北大本雖有一些刊刻偶誤，但較多保留了原刻面貌，文字更勝；國圖本有修正北大本訛誤之處，有兩通異文，同時也形成不少新的刊刻誤字。今以卷一及卷三十三為例，校兩本異同如下（以北大藏宋刻八行本《周禮疏》為底本，校國圖藏本，並參考單疏本《周禮正義》、阮元本《周禮注疏》）：[1]

1.卷一（下同）第一葉上二行「冢，大。宰者，官也」，國圖本補刻葉「大」後增「也」字。案：單疏本、阮元本同國圖本，「大」後有「也」字。

2.第一葉上三行「釋曰：鄭玄象天者，周天有三百六十余度」，國圖本補刻葉「玄」

---

1 國圖本用《中華再造善本》影印本；單疏本用日本京都大學藏舊抄本，見京都大學圖書館「貴重資料畫像」；阮元本用中華書局一九八○年影印本。

作「云」。案：單疏本、阮元本同國圖本作「云」。

3.第一葉下二行「或云注，或言傳不同者，立意有異，無義例也」，國圖本補刻葉「言傳」作「云傳」。案：單疏本、阮元本同北大本，作「言傳」。

4.第一葉下末行「案桓二年《左氏傳》云」，國圖本補刻「桓」作「栢」。案：此國圖本明顯誤刻，單疏本、阮元本皆作「桓」。

5.第四葉上二行「理應先定宮廟等位未成，先正君臣面位乎」，國圖本作「理應先定宮廟等位，豈有宮廟等位未成，先正君臣面位乎」，增入「豈有宮廟等位」六字。案：單疏本、阮元本同國圖本，「等位」下有「豈有宮廟等位」六字。據上下文義，「豈有宮廟等位」六字當為北大本脫字，此蓋涉上「宮廟等位」而誤脫。國圖本為增入六字，遂將「豈有宮廟等位未成先正」數字刻作小字雙行，以不影響原本行字起訖。

6.第四葉上五至六行注「左祖右祖，面朝後市」，國圖本補刻葉，下「祖」字作「社」。案：諸本下「祖」字皆作「社」，北大本當涉前「祖」字誤刻，國圖本補刻時訂正。

7.第四葉下三行「案戴師職云」，國圖本補刻葉「戴」作「載」。案：單疏本、阮元本同國圖本。此引《周禮》載師職之文，北大本原刻葉為明顯誤字。

8.第五葉上末行「若言王國恐不兼諸侯」，國圖本補刻葉「恐」作「悉」。案：單疏本、阮元本同北大本作「恐」。

9.第七葉上末行「徒給使役」，國圖本補刻葉「役」作「投」。案：單疏本、阮元本皆同北大本作「使役」，國圖本「使投」義不通，蓋補刻時因字形相近致誤。

10.第七葉下首行「釋曰：案在下宰夫八職云」，國圖本補刻葉無「在」字，此處為空格。案：單疏本、阮元本無「在」字，此蓋北大本衍字，國圖本刪除。

11.第八葉下七行「一者，他官供物，已財暫掌之而已」，國圖本補刻葉「財」作「則」。案：單疏本、阮元本同國圖本作「則」。北大本「財」或可作「纔」解，但結合上下文義，似「則」字義為優。

12.第九葉上二行「謂若宮正宮伯，同主宮中事」，國圖本補刻葉「主」作「上」。案：單疏本、阮元本皆同北大本作「主」，國圖本蓋補刻偶誤。

13.第九葉上七行「是《小雅》剌幽王詩」，國圖本補刻葉「王」作「主」。案：單疏本、阮元本皆同北大本作「王」，此為國圖本明顯誤刻。

14.第十二葉下末行「故納冰可用夏正月也」，國圖本此葉為原刻同版，局部漫漶處有補刻，此句「冰」字正在末行首字補刻處，誤為「豕」。

15.第十三葉上七行「上大夫二十」，國圖本補刻「夫」作「大」。案：此為國圖本明顯誤刻，單疏本、阮元本皆作「夫」。

16.第十六葉上六行「總斷一歲之大計，故與同會同在此也」，國圖本補刻「同會」作

「司會」。案：單疏本同北大本作「同會」，阮元本同國圖本作「司會」。阮氏《校勘記》云：「此本司誤同，今據閩、監、毛本訂正。」知《校勘記》底本與單疏本、北大本同，亦作「同會」。上文有「司會」職，注「主天下之大計」，此釋「職歲」職「總斷一歲之大計」，故與司會同在此，「司」字當為國圖本有意改刻。

17.第十六葉下末行「內宰治婦人之事，故名內宰」，「案其職云掌治王內之政令」，國圖本補刻葉「名」作「主」，「王」作「名」。案：單疏本、阮元本與北大本同，國圖本義難通。究其致誤之由，蓋因「名」、「王」二字小字雙行並列為末行首字，國圖本補刻時誤將兩字倒置，又誤認「王」為「主」，遂導致此處誤刻。

18.第十七葉下首行注文「閽人司昏晨以所啟閉者」，國圖本補刻葉無「所」字。案：諸本同國圖本無「所」字，此蓋國圖本補刻時有意刪略。

19.第十七葉下四行「言中門則唯雉門耳」，國圖本補刻「中」作「之」。案：單疏本、阮元本皆同北大本作「中」，國圖本「之」字義不通，蓋誤刻。

20.第十九葉下五行「彼不云女御而云御妻，猶進也法故引為一物也」，國圖本「猶進也法」作「猶進后法」。案：單疏本同北大藏本，阮元本此句作「彼不云女御而云御妻，御進也，故彼引為一物也」。《校勘記》云：「惠校本作『猶進后法也』。案此釋御為進，釋妻為后也，當據以訂正。」「猶進后法」語似較通，但北大本、單疏本皆作「猶進也法」，當有所據，兩存可也。

21.第二十葉下五行「內司服，主宮中裁縫官之長」，國圖本補刻「內」作「自」。案：單疏本、阮元本皆同北大本，國圖本「自司服」義不通，蓋補刻時偶誤。

22.第二十一葉上首行「故名女御也」，國圖本補刻「名」作「云」。案：單疏本、阮元本同北大本作「名」。

23.卷三十三（下同）第六葉上二行「司馬火官故在此」，國圖本補版葉「此」作「北」。案：「北」為國圖本明顯誤刻，單疏本、阮元本皆作「此」。

24.第六葉上三行「西岳亡玉羊」，國圖本補版「亡」作「云」。案：此亦國圖本明顯誤字，單疏本、阮元本皆作「亡」。

25.第六葉上末行「故引燕俗以湯熱為觀」，國圖本補版「湯」作「傷」。案：此為國圖本誤刻，單疏本、阮元本皆作「湯」。

26.第八葉下七行「倅副伐父者」，國圖本此葉為同版原刻，「伐」字剜改為「代」字。案：單疏本、阮元本皆作「代」。

27.第十一葉下末行「乃入繕人以共王」，國圖本本葉為同版原刻，末行經局部改刻，「共」誤為「失」。

28.第十五葉上六行「釋曰：在此者，以其掌養馬也。圉人至一人」，國圖本補刻葉無「圉人至一人」，相應位置為空格。案：此處經文「圉師，乘一人，徒二人。圉人，良馬匹一人，駑馬麗一人」，注文「養馬曰圉。四馬為乘。良，善也。麗，耦也。」單疏本此處疏文云：「圉師至二人　釋曰：在此者，以其掌養馬也　圉人至一人　注養馬至耦也　釋曰：在此者，按其職云掌養馬芻牧之事，以役圉師。亦是為馬，故亦連類在此也。」北大本「圉人至一人」五字乃沿單疏本而來，因與《周禮疏》整體體例不符，故國圖本補刻時予以剜除。

29.第十五葉下三行「官尊而人多，以具主天下人民貢賦之事，事煩故也」，國圖本補刻葉「具」作「其」。案：單疏本、阮元本皆作「其」，此蓋北大本誤刻，國圖本補版改訂。

30.第十六葉上三行注文「合氏主合同四方之事」，國圖本亦原刻版葉，挖改「合氏」為「合方氏」。案：此句為「合方氏」職注文，北大本明顯脫字，國圖本補刻後印時挖改增入「方」字。

31.第十六葉上七行「故逮類在此也」，國圖本為原刻版葉，挖改「逮」為「連」字。案：單疏本、阮元本皆作「連」，北大本「逮」蓋誤字。

32.第十八葉下四行「知九儀中唯有諸侯諸曰」，國圖本為原刻版葉，挖改「曰」為「臣」。案：單疏本、阮元本皆作「臣」，北大本「曰」字誤。

33.第十九葉下四行經文「比小事大以和邦國」，國圖本補刻葉「大」作「火」，為明顯誤刻字。

34.第二十葉首行注文「諸侯有違王命，則出兵以征代之」，國圖本補刻葉「代」作「伐」。案：諸本皆作「伐」，北大本「代」字明顯誤刻，國圖本補刻改訂。

35.第二十葉下六行「上二人各有其一」，國圖本補刻葉「人」作「文」。案：單疏本、阮元本皆同國圖本作「文」。上文云「暴內即上云賊賢害民是也，陵外即上云馮弱犯寡是也」，「上二文」指此，「人」字蓋北大本誤刻，國圖本補刻時加以改正。

36.第二十一葉下首行「以其罪使直侵之而已也」，國圖本補刻葉「使」作「輕「。案：單疏本、阮元本皆同國圖本作「輕」。此釋注文「用兵淺者」，罪輕故用兵淺，「輕」字是。

37.第二十一葉下二行注文「春秋傳二十八年冬」，國圖本補刻葉「傳」作「僖」。案：此蓋國圖本修訂改字。

38.第二十二葉首行「若蹙父弒二君」，國圖本補刻葉「蹙」作「慶」。案：單疏本、阮元本皆作「慶」，慶父春秋魯國人，「蹙」字當為北大本誤刻。

39.第二十五葉上六行經文「中春教振放」，國圖本「放」作「旅」。案：諸本皆作「旅」，注文云「凡師出曰治兵，入曰振旅」，「放」字誤。北大本此葉為宋代修補葉，刻工為王誠，此字或為宋代修補時誤刻。

40.第二十六葉下首行注文「鐃讀如讙堯之曉」，國圖本「堯」作「嘵」。案：諸本皆作「嘵」，「堯」字蓋北大本誤刻。

41.第二十六葉下五行「在軍兼用地，先鄭云辨最鐸鐲鐃之用」，國圖本「地」作

「也」,「最」作「鼓」。案：單疏本、阮元本同國圖本作「也」、「鼓」，國圖本是。

42.第二十六葉下末行「云提謂馬上執者」，國圖本「執」作「鼓」。案：單疏本、阮元本同國圖本作「鼓」。此釋注文「提讀如攝提之提，謂馬上鼓」,「鼓」字是。

43.第27葉末行至28葉首行注文「春田主祭社者，士萬施生也」，國圖本「士萬」作「土方」。案：諸本皆作「土方」，北大本蓋誤刻。

二 異文成因

以上《周禮疏》北大本、國圖本校異中，有北大本明顯誤刻者，如「載」誤為「戴」、「旅」誤為「放」、「其」誤為「具」、「伐」誤為「代」、「代」誤為「伐」等，此蓋初刻刻工偶誤，國圖本皆加修正。第十、十八條北大本衍字，國圖本皆刪除。第五條北大本脫六字，第三十條北大本脫一字，國圖本皆予增補。類似的例子還有如卷三十一第八葉，此葉國圖本與北大本同版，版心上刻本版總字數，刻工「方至」，當為宋代中期補版葉。北大本下半葉第五行大字經文「若以書使於四方則書其令」下缺注文，國圖本在相應位置進行剜改，增入小字注文「注：書王令以授使者」數字。卷三十九第十四葉，北大本為原刻葉，國圖本為補刻葉。本葉上半葉五至六行「懷方氏」云云下，北大本缺疏文。國圖本則於經文下擠入「釋曰：既職名懷方，懷來也，故來遠方之民，及致方貢之等」小字疏文。由此可見，北大本作為較早印本，文字並非盡善，國圖本後印修訂的情況不少。

不過，雖然北大本有一些文字訛誤和脫漏，但其文本淵源有自，更多保留了經書早期文本的面貌。國圖本改訂初刻訛誤或脫漏，但也有改訂不當之處，反失舊貌。如北大本卷二第十八葉注文「《孟子》曰：鄉田同井，出入相友，守望相助，疾病相扶，則百姓親睦。」國圖本此葉為補刻葉，「扶」下增一「持」字。阮刻底本同國圖本有「持」字，《校勘記》指出：「『疾病相扶持』，嘉靖本作『疾病相扶』，無『持』字。案疏中引注，正作『疾病相扶』，今諸本有『持』字者，淺人據今本《孟子》所增，當刪正。」2 檢國圖藏宋婺州本《周禮》及金刻本《周禮》，皆無「持」字，與嘉靖本及北大藏八行本《周禮疏》同。而《四部叢刊》影印明翻岳氏本、國圖藏宋刻《纂圖互注周禮》有「持」字，與阮刻底本及國圖藏八行本《周禮疏》同。按嘉靖本《周禮》乃翻宋本，公認其淵源甚古，宋婺州本及金刻本《周禮》亦皆不附釋音，當皆出自監本一脈，與八行本《周禮疏》經注文本有相同淵源。而阮刻底本（十行本）與纂圖互注本皆坊刻一系，為後起文本。八行本《周禮疏》初刻無「持」字，當為早期官本經書原貌，補版後印時據坊刻後起之本增一「持」字，變亂了原本面貌。

2 《周禮注疏校勘記》卷1,《續修四庫全書》影印本《十三經注疏校勘記》，第181冊，頁107。

除有意改字外，國圖本在多次補版過程中，因修補工作的重視程度不同，有的補版葉常常形成新的訛誤。因字形相近致誤者最為常見，如上述第九條「役」誤為「投」，十二條「主」誤為「上」，十三條「王」誤為「主」等。特別是版面上下、四角局部修補之處，或出自刻工率意為之，最易誤刻。如第二十七條局部補刻「共」誤為「失」，在當葉末行。第十七條局部補刻「名」誤作「主」，「王」誤作「名」，在當葉左上角。蓋此類局部修版較之整版補刻更為隨意，付印時發現某葉邊角有缺損隨即修補，未必經專門人員核對文字，遂導致此類誤刻。最明顯的補版訛誤，見於卷二第八葉，此葉國圖本與北大本同為原刻，北大本右上角第一排從右至左分別為「道」、「身」、「放」、「八」、「言」、「是」、「事」、「唯」八字，前後文字順暢。國圖本此八字殘損補刻，從右至左分別為「幽」、「有」、「明」、「意」、「理」、「彖」、「象」、「象」八字，與原刻完全不同，前後文意根本不通。

上列諸條異文，故宮本皆與國圖本同。[3]昌彼得先生曾指出故宮本《周禮疏》卷五十第十三葉注疏合刻體例與全書體例不一致的問題，文云：「此經編輯之體例，釋經之疏，徑接經文，故轉列注文之前，而下以一大「注」字別之，再釋注文。倘無釋經之疏，其注徑接經文者，則冠以小「注」字別之（按：卷五十第十三葉經「今夫茭解中有變焉故校」句下，獨以注接經，釋經之疏列注文下，以圓圈隔開，不標經文起止。再引注某某至某某，最後列釋經之疏，與全書編輯體例異，而與八行本他經略近。察此葉為宋末或元初補刊之版，版心上方除記大小字數外，並刻有「寫本」二字，殆補版時未能覓獲原書，乃依當時通行之本仿寫補入，故體例與全書獨異也。）」[4]檢國圖本此葉與故宮本同版，版心亦有「寫本」二字。而北大本此葉，則為宋刻原版，其體例與全書體例一致，而與國圖本、故宮本不同。北大本保存了宋刻原版，反映了原本面貌，是其可貴處。

三　董氏誦芬室影印及影刻八行本《周禮疏》

民國間董氏誦芬室曾影刻、影印八行本《周禮疏》，令學界一窺宋刻八行本《周禮疏》面目，成為《周禮疏》佳本，影響廣泛，至今不衰。影刻本卷末有一九四〇年十二月董康跋，云：「唐所刊五經獨《周禮》最為罕覯，此書以中秘所藏得免劫燹，閱千余年復出于世，若有鬼神為之呵護，亦可異矣。惟原書間有配頁，知是刻明季即鮮覯完本。德化木齋先生曾得《周禮》殘本，審其筆畫，知與茲刻同出一源。取校缺頁，往往而在。鼎革後內府所藏悉歸故宮博物院，爰商得主者，假得原書，付諸影刻，並以李氏

3　故宮藏八行本《周禮疏》，用一九七六年臺北故宮博物院影印本。

4　昌彼得撰：〈跋宋浙東茶鹽司本《周禮注疏》〉，《增訂蟫庵群書題識》（臺北市：臺北商務印書館，1997年），頁10。

舊藏參互校補，俾黃唐精槧頓復舊觀。」「德化木齋先生」《周禮》殘本，即今北大本《周禮疏》，為李盛鐸舊藏。「內府所藏」本，即今台北故宮博物院藏本。據董跋所云，影印、影刻《周禮疏》似主要以故宮藏八行本為據，以今北大本校補而成。

按董氏影印本《周禮疏》有牌記「歲次庚辰（1940）孟春董氏誦芬室用宋槧影印」，並未對底本各卷情況加以明確說明。我們將影印本與北大本、故宮本相比對，可知影印本底本實以北大本為主，以故宮本為輔。具體來說，其卷一至二，十三至十四，二十八至四十七，四十九至五十共二十六卷據北大藏早期印本影印（北大本卷27殘破嚴重，故未用），卷三至十二，十五至二十七共二十三卷及卷前序據故宮藏後印本影印。卷四十八比較特殊，其底本並非北大藏本（北大藏本無此卷），亦非故宮本，其來源有待探究。影印北大本各卷，遇北大本有缺葉或版葉殘破嚴重者，則用故宮本補。如北大本卷一第二葉殘破，用故宮本補。北大本卷三十二第五葉缺，亦用故宮本補。不過，也偶見少數版葉，北大本完好無缺，而影印本仍用故宮本版葉，如卷三十七第二葉（北大本刻工「余永」），第十一葉（北大本刻工「包」），卷三十八第一葉（北大本刻工「王全」）。總體上看，董氏影印本可說是八行本《周禮疏》兩個不同時期印本的混合，混雜了兩個不同印本的異文特征，這是利用董氏影印本《周禮疏》時需要特別留意的。加藤虎之亮先生《周禮經注疏音義校勘記》所用八行本《周禮疏》（「浙東轉運司本」，簡稱「浙本」）即據董康影印本，校勘記中列「浙本」異文，有的與國圖、故宮本不同，原因正在此。

董氏影刻本跋云：「此書開雕于丙子（1936）春，殺青於庚辰（1940）嘉平，閱時五年，糜資萬有奇。」董氏影刻八行本《周禮疏》開雕於一九三六年，一九四〇年刻成，與影印本同年印行。影刻本刊刻精美，版式、字體包括版心下刻工，皆依底本照刻，甚至底本藏書印亦原樣翻刻，今日古籍拍場仍頗受追捧。因影刻本一絲不苟照刻底本刻工及原藏書印，故通過影刻本與北大本、故宮本之比較，可判斷影刻本各卷、葉底本究為何本。從影刻本實際情況看，影刻本與影印本情形相同，其刊刻底本仍以北大本占主要地位，北大本缺卷、缺葉或殘破嚴重的卷、葉，方據故宮本影刻。影刻本在文字上作了少量校正工作。如卷一、卷三十三皆據北大本影刻，上列四十三條北大本與國圖本、故宮本異文中，影刻本絕大多數同於北大本，但其中有五條異文與北大本不同，而與國圖本、故宮本相同：第六條「左祖右社」、第三十條「合方氏」、第三十一條「連類在此」、第三十四條「征伐之」、第四十條「讙嘵之嘵」。此五條皆北大本明顯誤刻，影刻本改正，說明影刻本進行了一定的校訂工作。但是也有不少北大本訛誤之處，如第5條脫「豈有宮廟等位」六字，第七條「載師」誤「戴師」，第三十九條「振旅」誤「振放」，以及上文提到的卷三十一第八葉「若以書使於四方則書其令」下缺注文，卷三十九第十四葉「懷方氏」下缺「釋曰：既職名懷方，懷來也，故來遠方之民，及致方貢之等」小字疏文等等，影刻本並未據故宮本改訂，說明其校訂工作做得並不徹底。

四　關於《周禮注疏校勘記》「惠校本」異文來源

阮元《周禮注疏校勘記》引據各本書目有「惠校本周禮注疏四十二卷」，小字注云：「盧文弨曰：東吳惠士奇暨子棟以宋注疏本校疏，以余氏萬卷堂本校經注、音義，書于毛氏本。何焯云：康熙丙戌，見內府宋板元修注疏本，粗校一過。惠棟云：盧見曾嘗得宋槧余仁仲周禮經注，校閱一過。……」[5]又卷一首條「周禮正義序」下云：「盧文弨曰：東吳惠半農名士奇，暨子定宇名棟，以宋本校正疏，以余氏萬卷堂本校經注音義。今均稱『惠校本』云。」「惠校本」為《周禮注疏校勘記》最重要校本之一，尤其《周禮注疏》疏文中的訛誤多據之修正。昌彼得先生曾提出《校勘记》「惠校本」异文出自何焯校內府藏宋注疏本，很可能即是故宮所藏八行本《周禮疏》。[6]筆者以「惠校本」異文與八行本相校，兩者文字絕大部分相合。[7]特別是當北大藏八行本與國圖、故宮藏八行本文字相異之處，「惠校本」又皆與國圖、故宮本相合，而與北大本不同。如上文所列第三條，北大藏八行本作「或云注，或言傳不同者，立意有異，無義例也」，國圖本、故宮本為補刻葉，「言傳」作「云傳」。此處阮元本同北大本作「言傳」，《校勘記》出校云：「惠校本『言』作『云』。」。惠校本與國圖本、故宮本同，與北大本異。第八條，北大本作「若言王國恐不兼諸侯」，國圖本、故宮本為補刻葉，「恐」作「悉」。此處阮元本同北大本作「恐」，《校勘記》出校云：「惠校本『恐』作『悉』，此誤。」惠校本與國圖本、故宮本同，與北大本異。又如上文所述，北大藏八行本卷二第8葉，右上角第一排從右至左分別為「道」、「身」、「放」、「八」、「言」、「是」、「事」、「唯」八字，文意順暢。國圖本、故宮本本葉為局部補刻，此八字誤刻為「幽」、「有」、「明」、「意」、「理」、「象」、「象」、「象」，導致前後文意完全不通。阮元本此八字同北大本，《校勘記》於「身」字出校，云：「惠校本『身』作『有』。」惠校本「身」作「有」，亦出自國圖本、故宮本。此類八行本不同印本有異之處，「惠校本」皆與國圖本、故宮本同，而與北大本不同，說明「惠校本」所據八行本乃修補後印本。

了解八行本《周禮疏》不同印本的文字差異及「惠校本」異文的來源，有助於我們對《校勘記》異文是非的判斷。如「若言王國恐不兼諸侯」一條，《校勘記》認為底本「恐」字誤，以惠校本「悉」字為是。實際上，北大藏八行本《周禮疏》，以及日藏單疏本《周禮正義》，此處皆與阮氏底本同作「恐」。核上下文：「《周禮》以邦、國連言者，據諸侯也。單言邦、國者，多據王國也。然不言均王國，而言均邦國者，王之冢宰若言王國，恐不兼諸侯，今言邦國，則舉外可以包內也。」「恐」字義通，當非誤字。

5　《十三經注疏校勘記》，《續修四庫全書》第181冊，頁98。

6　〈跋宋浙東茶鹽司本《周禮注疏》〉，《增訂蟫庵群書題識》，頁11。

7　筆者有〈《周禮注疏校勘記》「惠校本」及其他〉一文，具體考察了「惠校本」異文的版本來源，認為「惠校本」異文當主要源自八行本，此外亦有少量其他來源，見《文獻》2016年第4期。

又如八行本卷二第八葉右上角，後印本局部補刻形成「幽」、「有」、「明」、「意」、「理」、「彖」、「象」、「象」八字誤刻，「有」字與其他七字同樣是誤字。《校勘記》獨於「身」字出校云「惠校本『身』作『有』」，未作判斷，若明後印本補刻實情，則此條異文是非可立判。又上述「疾病相扶持」一例，《校勘記》僅舉嘉靖本為據，證「持」字為淺人所增，未云惠校本為何。蓋惠校八行本為後印改訂之本，已增入「持」字，與俗本無異，惠氏自無所校。今北大藏早期印本《周禮疏》無「持」字，可為《校勘記》的按斷提供有力的版本支持。

兩宋皇家原廟及其禮俗意義淺探

彭美玲
臺灣大學中國文學系教授

提要

中國歷代皇家除正統的「宗廟」(太廟)以外,又有所謂「原廟」。原廟即重廟,始自漢惠帝採叔孫通之議,施行於西漢前期,其事不經,屢遭後人譏評。久歷年所之後,兩宋卻大肆仿行漢原廟之制,不僅造成享祀繁黷,甚至流於「重原廟而輕太廟」的非常現象。究竟宋皇家原廟實情如何,何以致之,本文略就禮俗視野考察相關現象及其意義,可發現「太廟」與「原廟」構成「正禮/別俗」相對照的互補類型。而宋之所以復行原廟,不僅因為真宗編造遠祖祀典以強化王權基礎,猶與唐以來國家最高層供奉先帝「御容」、假佛寺道觀設立先人「影堂」、「功德寺」具有明顯的因果關係。原廟做為太廟的支流與裔,不受邦國祀典拘牽,甚且容許佛、道宗教儀軌滲入,相較於古制儒禮宗教意味淡薄,未曾措意究心於身後世界,適能填補其所遺留的空缺之處,為當事人帶來更多的心靈安頓。要之,兩宋太廟與原廟之間構成「禮(嚴敬)/俗(親昵)」對比,反映「禮典」與「情性」微妙的拉鋸關係,實為中國禮制史上深富趣味的案例。

關鍵詞:太廟　原廟　御容　神御殿　景靈宮

一　引言

中國古代吉、凶、軍、賓、嘉五禮以祭為首，在思想、文化上向來最受重視的莫過於「敬天法祖」，由此建構出一整套鄭重繁富的祭祀傳統，以家門為分界而含括外祭和內祭。自兩周宗法制度發展到秦漢以降皇帝制度，中國政體最高統領者——天子、皇帝，其統治權力來源無非訴諸天命與祖宗，故皇朝禮典乃以「郊」、「廟」（郊天與宗廟）二祭為頭等大事。[1]近半世紀以來，日本學界基於對天皇制的高度關切，連帶重視中國古代王權和國家祀典間的關係。西嶋定生首先提出，中國古代王權具有「天子」和「皇帝」雙重性，此說久為學界共識，並促成漢、唐郊廟研究的日趨成熟。[2]

而本文擬討論的主題，則是兩宋盛極一時的皇家原廟制度。「原廟」即重廟，皇家原廟意指在正規太廟外又別立祭祖奉先的場所。漢惠帝採納叔孫通之議首開其端，後因不合古制正禮而遭罷廢。大約自南北朝以降，皇家祭先日益兼採「像設」，即在太廟神主外，復於他所別設先帝塑畫御容以奉祀之，亦即以注重寫貌圖形的影像代替寫意象徵的神主。[3]王豔云指出，至遲由南北朝起，歷代皇家為供奉、祭祀、瞻仰之需，專門繪寫、雕鑄、織造或拍攝[4]帝王后妃的圖與像，稱為「御容」，並發展出「神御殿」的祭祀活動。而南北朝帝王等身像及等身御容的出現，正是當時「帝王即佛」觀念的直接體

1　參〔日〕小島毅：〈天子と皇帝——中華帝國の祭祀体系〉，〔日〕松原正毅編：《王權の位相》（東京市：弘文堂，1991年），頁333-350；〔日〕渡邊信一郎撰，徐冲譯：《中國古代的王權與天下秩序：從日中比較史的視角出發》（北京市：中華書局，2008年），頁128。

2　論者如日人西嶋定生、尾形勇、金子修一等。參〔日〕金子修一：《中國古代皇帝祭祀の研究》（東京市：汲古書院，2001年）。此外可參考章群：〈宗廟與家廟〉，《中國唐代學會會刊》第4期（1993年11月），頁1-36；高明士：〈禮法意義下的宗廟——以中國中古為主〉，《東亞傳統家禮、教育與國法（一）》（臺北市：臺大出版中心，2005年），頁23-86；甘懷真：《皇權、禮儀與經典詮釋：中國古代政治史研究》（臺北市：臺灣大學出版中心，2004年）；朱溢：《事邦國之神祇：唐至北宋吉禮變遷研究》（上海市：上海古籍出版社，2014年），關於當代唐宋禮制研究，朱書首章提供了翔實的學術史回顧，見頁9-37。

3　茲以南朝梁為例，梁武帝天監十六年，「起至敬殿，景陽臺立七廟座，月中再設淨饌」，並且「宣脩容奉造二親像，朝夕禮敬，虔事孜孜」。爾後梁元帝亦「竊慕考妣之盛則，立尊像供養於道場，內設花、幡、燈、燭，使僧尼頂禮」，其云：「雖復於禮經無文，家門之內行之已久。」要之，梁武帝於宗廟外復營別所，於神主外復為尊親立像，乃至元帝種種舉措，實已近乎「功德寺」（詳下文）雛形，預告後世原廟儒禮與釋、道交融的先聲。以上分參〔唐〕魏徵等：《隋書》（北京市：中華書局，1973年），卷7，〈禮儀志二〉，頁134；南朝梁．蕭繹：《金樓子》，收入《文淵閣四庫全書》子部第154冊（臺北市：臺灣商務印書館，1983年），卷4，〈立言篇九上〉，頁837。

4　此言「拍攝」，其事甚晚。遲至清末慈禧太后，始由滿人裕勳齡以玻璃底片為之拍攝影像，參向斯：《慈禧私家相冊》（臺北市：知本家文化公司，2011年），卷首〈題記〉，頁2-4。今北京故宮博物院、美國弗利爾和賽克勒美術館（The Freer Gallery of Art and The Arthur M. Sackler Gallery）收藏有慈禧當時的照片。

現。[5]唐閻立本（西元600-673年）流傳有《歷代帝王圖》，現藏波士頓博物館，畫家為漢昭帝至隋煬帝等十三位帝王繪像，其主要創作意圖應在於以史為鑑。[6]然而歷代帝后影像每奉設於內廷、民間和寺觀等處，旨在供宮廷祭祀和臣民瞻仰[7]，顯然帶有現實致用的功能。清故宮南薰殿藏歷代帝后像質量俱優，今藏臺北故宮博物院。[8]其中「宋代帝后像二十九軸皆出宋代，大多是各處神御殿、天章閣及欽先、孝思殿所供奉」。[9]事實上兩宋皇家不只重視御容，更大幅發揚沉寂已久的原廟制度，於太廟外興立原廟以供奉御容，原廟不只數量眾多，規模可觀，其間投注的人力、物力尤不可勝計，以致當朝臣子屢興奏議，或參贊建言，或針砭規諫。究竟兩宋皇家緣何特重原廟，皇室本身抱有何種心態，禮官儒臣又持以何種立場，箇中錯綜複雜，在在形成有趣的禮俗議題足資探討。

前代史志、政典、禮書，存在不少宋原廟的相關資料。近年山內弘一[10]、伊佩霞[11]、汪聖鐸[12]、劉長東[13]等陸續投入研究，諸家固然各有發明，若干面向或仍有補苴空間。說到本文主要的思考脈絡，乃將「太廟」、「原廟」置於古禮的「源流」與「型態」關係中，視之為既相依又對照的兩種類型。如所周知，古代天子郊廟之禮，壇墠郊天、宗廟祭祖兼行，藉以體現皇權之兩源——「天命」與「祖宗」，然則「太廟」絕不止於一般私領域的家廟，而是帶有昭告天下「皇權所出」的重大意味。至於後世皇家原廟既屬別設重立，應不足以取代太廟固有的地位，故原廟之設必另有其動機和禮俗上的功能與意義。惟目前所見相關研究，多偏重制度史、現象面，較少觸及上揭的問題意識，是以本文希望掌握禮俗意義層面深入抉探。

---

5 參王豔云：〈帝王即佛——佛教造像對南北朝帝王等身御容的影響〉，《故宮文物月刊》第359期（2013年2月），頁112、115。

6 參陳葆真：〈圖畫如歷史：傳閻立本《十三帝王圖》研究〉，《美術史研究集刊》第16期（2004年3月），頁1-48。陳文以為原畫家有意透過圖像上的對比，以品評南北朝雙方的得失長短。

7 參周晉：《寫照傳神：晉唐肖像畫研究》（杭州市：中國美術學院出版社，2008年3月），頁11。

8 參〔清〕胡敬：《胡氏書畫考三種》，收入《續修四庫全書》子部第1082冊（上海市：上海古籍出版社，1995年），卷上、下，〈南薰殿圖像考〉，頁4-30。又蔣復璁：〈國立故宮博物院藏清南薰殿圖像考〉，《中華文化復興運動與國立故宮博物院》（臺北市：臺灣商務印書館，1977年），頁254-281。

9 蔣復璁：〈國立故宮博物院藏清南薰殿圖像考〉，《中華文化復興運動與國立故宮博物院》，頁277。

10 〔日〕山內弘一：〈北宋時代の神御殿と景靈宮〉，《東方學》第70期（1985年7月），頁46-60；又〔日〕山內弘一：〈北宋時代の國家祭祀と道教〉，《東洋文庫歐文紀要》第58期（2000年），頁1-18。

11 〔美〕Patricia Buckley Ebrey（伊佩霞）, "Portrait Sculptures in Imperial Ancestral Rites in Song China", *T'oung Pao* 83（1997），pp. 42-92.

12 汪聖鐸：〈宋代寓於寺院的帝后神御〉，收入姜錫東、李華瑞主編：《宋史研究論叢》第5輯（保定市：河北大學出版社，2003年），頁241-264。該文大抵著重史料的排比與考辨。

13 劉長東：〈附錄一・宋代神御殿考〉，《宋代佛教政策論稿》（成都市：巴蜀書社，2005年7月），頁381-390。劉文所揭要點是：宋神御殿原則上建於祖宗嘗臨幸處；宋神御殿沿襲唐五代寺觀御容制度，而唐寺觀御容又可上溯中古盛行的「丈六等身像」；宋神御殿寺觀因地位崇高而享有國家給予的特殊優待。

初步看來，當太廟、原廟相對，太廟顯然具有公門範疇的形象意味，反之原廟則無妨畫歸私家場域[14]，一如尾形勇所辨析「君臣之禮」和「家人之禮」的明顯相對性。他界定中國古籍常見的「家人之禮」就是「私家之禮」，儘管其最大義界是「規定各種『家』（包括皇帝的『家』）的內部秩序的禮儀」，多數情況下「家人」實際上等同「庶人」之意。[15]誠如尾形氏所言：

> 皇帝對近親者不應該輕易地使用「家人之禮」，應該把「君臣之禮」奉為第一義。但這並不意味著，在皇帝周圍「家人之禮」全都不存在。[16]

將這段微妙的話語置放行文之初，應可為理解「太廟」、「原廟」異同提供必要的起點。

二　略述歷朝皇家原廟流變及其評價

《說文》：「廟，尊先祖皃也。」[17]據晚商甲骨文反映，商王室已建立頻繁的祖妣周祭制度。而自周初施行宗法封建、制禮作樂以來，貴族宗廟制度更高度呈現規範化——天子七廟，諸侯五，大夫三，士一，庶人無廟而逕祭於寢。[18]《史記》載漢孝惠五年（西元前190年）「以沛宮為高祖原廟」，這是正史所見「原廟」最早的紀錄，其基本定義即重廟[19]，乃為同一祭祀對象重複設廟之意[20]，不嚴格地說亦可稱為別廟。[21]後世皇

---

14 賈福林以為：「在太廟祭祀祖先，既是家族行為，又是國家行為，所以太廟不僅僅是『家廟』。（明清）皇帝純粹的『家廟』是在紫禁城內的奉先殿。」見氏著：《太廟探幽》（北京市：文物出版社，2005年5月），頁229。按：明清奉先殿即屬有別於太廟的皇家原廟。

15 〔日〕尾形勇著，張鶴泉譯：《中國古代的「家」與國家》（北京市：中華書局，2010年），頁154-164。

16 〔日〕尾形勇著，張鶴泉譯：《中國古代的「家」與國家》，頁159。

17 〔清〕段玉裁：《說文解字注》（臺北市：漢京文化公司，1983年），9篇下，頁446。

18 分參漢鄭玄注，唐孔穎達疏：《禮記注疏》（臺北市：藝文印書館，1955年），卷12，〈王制〉，頁241；卷23，〈禮器〉，頁451；卷46，〈祭法〉，頁799。〈祭法〉間有適士（上士）二廟的些許殊異。

19 南朝宋裴駰云：「謂原者，再也。先既已立廟，今又再立，故謂之『原廟』。」唐顏師古云：「原，重也。言已有正廟，更重立之（本作「也」）。」分見〔漢〕司馬遷：《史記》（臺北市：啟業書局，1977年），卷8，〈高祖本紀〉，頁393；〔漢〕班固：《漢書》（臺北市：鼎文書局，1991年），卷22，〈禮樂志二〉，頁1045。

20 例如孔廟，「漢孔廟不出闕里，許天下建原廟，自唐貞觀始。」「孔子廟徧天下，皆原廟也。」分見〔明〕程敏政：《新安文獻志》，收入《文淵閣四庫全書》集部第314冊，卷14，〔元〕方回：〈徽州重建紫陽書院記〉，頁215；〔明〕程敏政：《新安文獻志》，收入《文淵閣四庫全書》集部第315冊，卷95上，〔元〕方回：〈定齋先生汪公墓銘〉，頁590。

21 唐王朝宗廟外又出現不少「別廟」，乃為故去的皇帝甚或皇后、諸太子所建，「大多遠離皇城裡的太廟，而散佈於長安城的不同坊里」。參雷聞：《郊廟之外——隋唐國家祭祀與宗教》（北京市：生活．讀書．新知三聯書店，2009年），頁92-96。故知「原廟」可稱為「別廟」，但「別廟」未必是「原廟」，狹義的別廟乃為不能入太廟者單獨設立。

家原廟多供奉祖容，故又稱「影殿」、「真殿」，衍生「神御殿」之稱，如《宋史》云：「神御殿，古原廟也，以奉安先朝之御容。」[22]《元史》亦云：「神御殿舊稱『影堂』，所奉祖宗御容，皆紋綺局織錦為之。」[23]皆為其例。

根據清嵇璜（1711-1794）《續通典》纂述，可略知歷代皇家原廟的流行概況。嵇氏採取通說，以漢惠帝納叔孫通之議為原廟起源[24]，爾後間有：

- 「北魏明元帝永興（西元409-413年）時，立太祖道武帝廟於白登山，又立太祖別廟於宮中」
- 「唐中宗神龍（西元705-707年）後，東西二都（按：洛陽、長安）皆立廟，歲時並享」
- 「宋真宗景德（1004-1007）間建神御殿，又奉安御容於禪院；仁宗皇祐（1049-1054）時於滁、并等州遣使奉安御容」
- 「遼、金、元皆有神御殿，明建奉先殿以奉神御」[25]

嵇氏將以上事例分成兩類：前三則「倣漢郡國廟之意，……與太廟典禮略同」，後一則「本漢原廟之意」，亦即各屬漢「郡國廟」、「原廟」兩源。[26]近時論者則依據修建地點的不同，將西漢諸廟區分為：京師城內的「京廟」、陵寢近處的「陵廟」、正廟以外另設的「原廟」，及立於郡國的「郡國廟」。[27]而本文所稱之「原廟」，寧採取涵容較寬的定義，即相對於中樞太廟（正禮宗廟）別設的先帝后祭所，無論其地點在京畿或外郡[28]，亦無論是否附設於陵墓，概以「原廟」視之。

原廟扼要界定如上，且由漢制追溯其來源背景。歷經東周禮壞樂崩、嬴秦焚書坑儒，入漢典籍散亡，文獻難徵，兩漢廟制迭經議論、因革，竟成為當朝深感棘手的課題。漢初高祖「令諸侯王都皆立太上皇廟」，此即郡國廟的由來，爾後帝所行幸、巡狩處亦立廟，「凡祖宗廟在郡國六十八，合百六十七所」，諸帝王陵旁復各立廟，陵園中各

---

22 〔元〕脫脫：《宋史》（北京市：中華書局，1977年），卷109，〈禮志十二〉，頁2624。

23 〔明〕宋濂等：《元史》（北京市：中華書局，1976年），卷26，〈祭祀志四〉，頁1875。

24 前人於此非無異議，如清江永主張：「原廟不始漢惠帝，周時已有之。」並舉《周書》〈作雒解〉洛邑諸宮及《左傳》襄公十二年魯之周廟為證，見《群經補義》，收入《文淵閣四庫全書》經部第188冊，卷2，頁22。

25 〔清〕嵇璜：《續通典》（臺北市：臺灣商務印書館，1987年），卷51，頁1437。

26 〔宋〕徐天麟談到西漢前期制度，亦分言「郡國之立祖宗廟，京師之立原廟」，見氏著：《東漢會要》（北京市：中華書局，1991年），卷4，頁39。

27 參郭善兵：〈學與制：儒家經學與西漢國家禮制之間的關係——以西漢皇帝宗廟禮制為考察中心〉，《齊魯文化研究》第10期（2011年），頁164。

28 宋程大昌云：「廟之立於郡國者，得稱『原廟』也。」見氏著：《考古編》，收入《文淵閣四庫全書》子部第158冊（臺北市：臺灣商務印書館，1983年），卷8，〈廟在郡國亦名原廟〉，頁51。

有寢、便殿。[29]日祭於寢，四上食；月祭於廟，歲二十五祠；時祭於便殿，歲四祠。又月一游衣冠。職是之故，諸廟祭祀、諸陵上食，所用衛士、祝、宰、樂人、犧牲數以萬計[30]，洵可謂糜費無度。

直到元帝時期（西元前48-前33年），距漢朝初立（西元前206年）約莫百六十年，朝廷始折衷採納韋玄成之議，全面釐定廟制，尊高祖為太祖、文帝為太宗、武帝為世宗，祖宗廟世世奉祠不毀；其餘各序昭穆，親盡迭毀。[31]高祖原廟一度廢而復行，郡國廟則遭罷黜，並罷游衣冠。其間，永光四年（西元前40年）詔透露了相關的政治考量：「往者天下初定，遠方未賓，因嘗所親[32]以立宗廟，蓋建威銷萌、一民之至權也。」[33]其既闡明當年郡國廟的特殊用心，遂經群臣禮議罷郡國廟，將分散諸侯的祭祀權收歸中央王廷。[34]東漢初年或為一時便宜，「乃合高祖以下至平帝為一廟，藏十一帝主於其中」[35]，隨後明帝遺詔帶來重大轉變──改「別代異廟」為「同堂異室」，自此皇家宗廟建築規制大幅縮減，迄唐沿承不改，演為歷朝核心制度。

如前所述，西漢前期廟制未上軌道，王畿、郡國乃至陵寢諸廟林立，祠祀繁複，引致後儒深惡痛絕的評價。如清萬斯同（1638-1702）枚舉十二失，包括：立天子廟於郡國；既有宗廟，復設原廟；日祭、月享、歲祠，禮儀繁數；衣冠月出游等，故指斥西漢廟制「最為不經」。[36]其中「原廟」源自惠帝時偶發事端，叔孫通權宜獻策所造成，尤引來後世議評。《漢紀》〈平帝紀〉記載：

> 初，惠帝為出遊長樂宮，方築復道，在高廟道上。叔孫通曰：「子孫奈何乘高廟道上行？」帝懼，遂急毀之。叔孫通曰：「人君無過舉。願陛下因為原廟，渭上衣冠出遊之處立廟。」[37]

---

29 「園者，於陵上作之，既有正寢以象平生正殿，又立便殿為休息閑宴之處耳。」見〔漢〕班固：《漢書》，卷6，頁159，〔唐〕顏師古注〈武帝紀〉。

30 參〔漢〕班固：《漢書》，卷73，〈韋玄成傳〉，頁3115-3116。

31 〔唐〕杜佑：《通典》（北京市：中華書局，1996年），卷47，頁1301-1302。

32 「親，謂親臨幸處也。」見〔漢〕班固：《漢書》，卷73，頁3116，〔唐〕顏師古注〈韋玄成傳〉。

33 〔漢〕班固：《漢書》，卷73，〈韋玄成傳〉，頁3116。

34 有關西漢郡國廟的興廢問題，林聰舜曾予中肯的析論，詳《漢代儒學別裁：帝國意識形態的形成與發展》（臺北市：臺灣大學出版中心，2014年），第七章〈西漢郡國廟之興毀──禮制興革與統治秩序維護之關係之一例〉，頁181-211。

35 〔漢〕蔡邕：《獨斷》（北京市：中華書局，1985年），卷下，頁21。

36 〔清〕萬斯同：《群書疑辨》，收入《續修四庫全書》子部第1145冊（上海市：上海古籍出版社，1995年），卷7，頁560。

37 〔漢〕荀悅：《漢紀》（臺北市：鼎文書局，1977年），卷30，〈平帝紀〉，頁208。《史記》、《漢書》叔孫通本傳稍詳其事。

當時長安已立高廟，渭北又復設一座高祖廟[38]，初衷固為掩飾惠帝築複道以出遊的過當之舉。東漢班固直斥其事「非正」[39]，後世指摘叔孫者亦夥。如宋賈昌朝（西元998-1065年）以為「廟無二主」，譏叔孫通「苟出胸臆，趣時失古」，甚至造成「後世祠祀叢複，儀典煩褻」的後遺症。[40]按賈氏官至宰相（同中書門下平章事），撰有《太常新禮》四十卷、《慶曆祀儀》六十三卷等禮書儀注[41]，綜考各方線索，其所謂「後世」自非「炎宋」莫屬。無獨有偶，司馬光（1019-1086）在上呈神宗的《資治通鑑》中，亦執「臣光曰」之史筆，指責叔孫通「是教人君以文過遂非」[42]，忠言譎諫，用心良苦，後人紛紛表示附從。[43]清秦蕙田（1702-1764）措辭尤為嚴厲：

> 叔孫通號為習禮，隨時迎合上意，因陋就簡，一切為權宜之制，于是古先制度斋滅幾盡。……伊古迄今，祭禮之壞亂，未有甚於西京者也。[44]

至於為叔孫通緩頰者尚不乏人，如宋秦觀（1049-1110）基於「禮以義起」，對叔孫通立原廟、獻櫻桃之請表示寬貸。[45]晁補之（1053-1110）亦云：「其一時損益，固不必皆出先王。」[46]清李驎（1634-1710）則以為「因事導人主以孝，而非徒為人主遂過」。[47]有趣的是，上揭意見無論正反依違，總以宋人、清人為多。[48]

綜上所見，漢高祖原廟的設立並不具有必要性、合理性，無怪屢遭世人非議，直到唐代為止，亦未曾獲得各朝的支持與實踐，這個情況到了宋代卻大有轉變。取資唐杜佑

---

38 今江蘇沛縣立有漢高祖原廟，世界劉氏宗親總會每年於此舉行祭典，以示追崇紀念。二〇一四年五月十八日甫舉行漢高祖誕辰二二七〇週年祭典。參「中國清明網」http://www.tsingming.com/news/show/956724500980（2015年7月17日上網）。

39 〔漢〕班固：《漢書》，卷27上，〈五行志上〉，頁1338。

40 〔宋〕賈昌朝：《群經音辨》（北京市：中華書局，1985年），卷7，頁153。本文所敘語稍檃括。

41 〔元〕脫脫：《宋史》，卷204，〈藝文志三〉，頁5132、5135。

42 〔宋〕司馬光：《資治通鑑》（北京市：古籍出版社，1956年6月），卷12，〈漢紀四〉，頁416，事繫漢惠帝四年。

43 分見宋劉才邵：《檆溪居士集》，收入《文淵閣四庫全書》集部第69冊（臺北市：臺灣商務印書館，1983年），卷10，〈叔孫通論〉，頁549-550；〔清〕彭孫貽：《茗香堂史論》，收入《續修四庫全書》史部第450冊（上海市：上海古籍出版社，1995年），卷1，頁502；〔清〕陸隴其：《四書講義困勉錄》，收入《文淵閣四庫全書》經部第203冊（臺北市：臺灣商務印書館，1983年），卷22，頁486。

44 〔清〕秦蕙田：《五禮通考》（桃園中壢：聖環圖書公司，1994年），卷90，頁3。

45 〔宋〕秦觀：《淮海集》，收入《文淵閣四庫全書》集部第54冊（臺北市：臺灣商務印書館，1983年），卷19，〈韋元（玄）成論〉，頁523。

46 〔宋〕晁補之：《雞肋集》，收入《文淵閣四庫全書》集部第57冊（臺北市：臺灣商務印書館，1983年），卷38，頁707。

47 〔清〕李驎：《虬峰文集》，收入《四庫禁燬書叢刊》集部第131冊（北京市：北京出版社，2000年），卷14，〈論叔孫通〉，頁398。

48 姑揣度箇中原因或不相同。宋人本身見識到當朝駸駸其盛的原廟制，感受必格外深切；而清皇室並未特別凸顯原廟制，論者心中理應兼有對古禮的學術暨實踐關懷。

（西元735-812年）《通典》、清嵇璜《續通典》並觀，吉禮部分「原廟」子目出現了前無後有的差異，[49]可以略窺歷史消長。漢高祖原廟之後，各朝事例零星散見，反觀宋、遼、金[50]、元則皆有「神御殿」，「遼諸帝各有廟，又有原廟，如『凝神殿』之類」[51]，「金太廟[52]、原廟、神御殿略如宋制」。[53]資料顯示，遼所奉不乏帝后石像[54]，金所奉皆稱御容，蓋以畫像為主。蒙元踵繼其後，原廟尤盛，其建置包含儒、釋、道、景四大系統，尤以佛寺所佔八成上下的比例為高，並設有五類管理機構。[55]當時神御殿制度盛行，屢見「御容」、「影堂」相關記載，[56]此不只因為蒙元崇信佛教、廣設寺院，亦當與草原民族素有偶像崇拜之風習有關。

相對看來，明、清皇室雖亦仿行原廟，較諸往代則顯得相當節制，不再構成朝廷典制的議論話題。「明太祖洪武三年（1370）冬，上以太廟時享未足以展孝思，復建奉先殿於宮門內之東，以太廟象外朝，以奉先殿象內朝。」職是之故，奉先殿又俗稱「內太廟」，[57]「製四代帝后神位、衣冠，其祔祧送遷之禮，如太廟寢殿儀」，爾後成祖遷都北京，仍營建如制。[58]清道光皇帝頒諭：「其奉先殿、（景山）壽皇殿、（圓明園）安佑宮，乃古原廟之制，庶可遵循舊制。」[59]在清廷保守的態度措施背後，乾隆皇帝猶透露

---

49 清嵇璜云：「杜典載唐以前廟制，原廟本略，故無專條。今詳考唐宋以後典制，別為一條。」見〔清〕嵇璜：《續通典》，卷51，頁1437。

50 當時西夏亦建有「聖容寺」，見於漢文、西夏文文獻記載。論者以為它應是安放西夏帝后神御的特殊寺廟，係仿自宋代的做法，並「吸取吐蕃民族『佛、祖合一』的思想」而創建。參彭向前：〈西夏聖容寺初探〉，《民族研究》第5期（2005年9月），頁102。另詳梁松濤、楊富學：〈西夏聖容寺及其相關問題考證〉，《內蒙古社會科學》第33卷第5期（2012年9月），頁66-69。

51 〔清〕嵇璜：《續通志》（臺北市：臺灣商務印書館，1987年），卷113，頁3924。

52 宋楊奐曾實地考察金朝太廟，云：「今汴梁（即汴京，現為開封市）太廟法度，故家具有圖說。自己亥春定課，時有告隱匿官粟者，親入倉檢視，而倉即太廟也，因得考其制度焉。」楊氏生當孝宗至理宗年間，所言「己亥」應為理宗嘉熙三年（1239），時距南宋聯合蒙古滅金（1234）已五年，宋人一度得返故都，楊氏因考得金太廟正殿凡二十五間，奉祀始祖及歷代君主。東西夾室除外，各室通例為石室在西壁，每間門一牖一，門左牖右。參〔清〕海忠修纂：《（道光）承德府志》（上海市：上海書店，2006年），卷50，〈與姚公茂書〉，頁426。

53 〔清〕秦蕙田：《五禮通考》，卷82，頁31。

54 遼代所建華嚴寺在大同府城西門內，「北閣下銅、石像數尊：中石神主五人，男三女二；銅神主六，男四女二。內一銅人袞冕帝王之像，垂足而坐，餘皆巾幘常服危坐，乃遼帝后真形。」參〔明〕李侃、胡謐纂修：《（成化）山西通志》，收入《四庫全書存目叢書》史部第174冊（臺南市：莊嚴文化公司，1996年），卷5，頁138。

55 參許正弘：〈試論元代原廟的宗教體系與管理機關〉，《蒙藏季刊》第19卷第3期（2010年9月），頁54-55。

56 〔清〕嵇璜：《續通典》，卷51，頁1438。

57 〔清〕孫承澤撰，王劍英點校：《春餘夢明錄》（北京市：北京古籍出版社，1992年），卷6，頁49。

58 〔清〕嵇璜：《續通典》，卷51，頁1438。

59 〔清〕王先謙：《東華續錄》，收入《續修四庫全書》史部第375冊（上海市：上海古籍出版社，1995年），道光朝卷60，頁742，道光30年春正月。

對原廟制度的負面看法：

> 若繼體之君，皆欲特為所生崇祀，以展孝思，於父皇平日居處燕息之地奉安御容，非特於禮制未符，而宮庭之內供奉亦無餘地，且增設處所過多，豈能一一躬親行禮，勢必別遣恭代，轉非精禋專壹之義。[60]

乾隆此諭值得留意，他明白指陳原廟失當之處：其一，不符禮制；其二，宮中無餘地；其三，天子未便躬行其禮。倘挪借以稽考兩宋原廟（詳下文），誠可謂若合符節，切中要害。

歷朝皇家原廟源流略如上述，相對顯見宋皇室原廟頗為突出。宋於正規太廟外多設原廟，崇奉原廟的程度甚且還超過太廟，究竟趙宋皇室基於何許情由而形成「輕太廟、重原廟」的現象，箇中意涵引人興味，有待下文展開探究。

三　考察兩宋皇家原廟之歷史現象

上節通觀歷朝原廟因革演變，本節則聚焦瀏覽兩宋皇家原廟的情形大要。日本史學界「唐宋變革論」眾所周知，論及宋禮，仍不妨參考神宗元豐元年（1078）陳襄等所言：「國朝大率皆循唐故，至於壇壝神位、法駕輿輦、仗衛儀物，亦兼用歷代之制。其間情文訛舛，多戾於古。」[61]略考宋廟制、祭儀，足證斯言不虛。論者指出「御用道教」乃宋道教一大特點，並說：「宋代御用道教利用道教的宗教形式，結合儒教的一般特徵，形成了自己的神仙體系、宮觀體系、職官結構以及齋醮儀規等。……其作用主要是神化皇權，宣揚君權神授。」[62]此一論斷大致可取。知者，宋代道教的發展高峰首推真宗、徽宗兩朝，真宗景德元年（1004）為緩解契丹壓境而締結澶淵之盟，爾後不遺餘力「封泰山、祀汾陰，天書、聖祖崇奉迭興」[63]，尤成為宋代推行原廟具關鍵性的歷史因素，所興築玉清昭應宮、景靈宮等實屬大型道觀，皇帝卻在此處舉行儒家屬性的祭祖儀典。不只如此，「國家道觀佛寺，並建別殿，奉安神御」[64]，皇家廟祭重心明顯從「太廟」轉移至「原廟」。此類原廟的特色端在：「略于七廟之室，而為祠於佛、老之側；不為木主，而為之象；不為禘祫烝嘗之祀，而行一酌奠之禮」[65]，無怪招致「情文

---

60 〔清〕王先謙：《東華續錄》，收入《續修四庫全書》史部第374冊，乾隆朝卷120，頁362，乾隆60年冬十月戊戌。

61 〔元〕脫脫：《宋史》，卷98，〈禮志一〉，頁2422。

62 石濤：〈宋代的御用道教〉，《山西大學學報（哲學社會科學版）》第4期（1998年11月），頁60-61。

63 〔元〕脫脫：《宋史》，卷98，〈禮志一〉，頁2421。

64 〔元〕脫脫：《宋史》，卷106，〈禮志九〉，頁2569。

65 參〔宋〕朱熹撰、陳俊民校訂：《朱子文集》第7冊（臺北市：德富文教基金會，2000年），卷69，〈禘祫議〉引宋李清臣說，頁3453。

訛舛，多戾於古」的譏評。

回顧寺觀之奉祀「御容」源流匪淺，直可追溯南北朝佛教（像教）的文化影響。其時盛行「轉輪王即佛」的思想論調，亦即主張世間「人王」無異「法王」，故有「皇帝菩薩」之稱，伴隨著大乘佛教提倡的造像崇拜，遂使中土原有的帝王形象突破「成教化、助人倫」的禮教意義，更進一步與崇奉、祭祀活動相結合。[66]自此以往，皇室與佛、道二教的往來關係日形密切，如「隋文帝仁壽元年（西元601年），建舍利塔於恆嶽寺，詔吏民皆行道七日[67]，人施十錢，又自寫帝形像於寺中」。[68]一方面，世俗有力人家樂於出資捐助道場事業，甚或「捨產（宅第園田）為寺」，期以積功德、修福報；相對更有唐以來王室暨高層顯貴，往往採取「影堂」制度，寄託先人塑畫形影於寺觀，委託僧道設懺修福[69]，從而發展為豪門巨族專屬的「功德寺院」（鄰近墓葬者又稱「墳寺」）[70]，其基本特點是「買田置屋，招僧住持，藉田養僧，藉僧養墳」。[71]此風延續入宋，甚且由王室高層日益流播臣民之家。[72]

隨著功德寺院的擴大發展，其所採用的影祭亦大行其道。趙旭指出：「唐代自上至下，形象（畫像和塑像）祭祀已然十分普遍。這與漢代以來民間刻木為偶像、繪影圖形的祭祀方式有關，亦與帝王受宗教文化影響，於宮廷祭祀先帝真容，於佛寺、道觀、景教廟宇內供奉當世皇帝的塑像（偶爾是畫像）有關。」例如唐玄宗不僅於別殿祭祀太宗、高宗、睿宗真容，又將一己塑像（偶或為畫像）頒於各地寺觀加以供奉，「迄今可

66 參王豔云：〈帝王即佛——佛教造像對南北朝帝王等身御容的影響〉，頁112-117。古正美：《貴霜佛教政治傳統與大乘佛教》（臺北市：允晨文化公司，1993年），卷首〈導言〉。

67 「行道」意指做法事，如北魏沙門道登卒，高祖孝文帝深為悼惜，「設一切僧齋，并命京城七日行道」，參〔北齊〕魏收：《魏書》（北京市：中華書局，1988年），卷114，〈釋老志〉，頁3040。

68 〔宋〕陳思：《寶刻叢編》，收入《文淵閣四庫全書》史部第440冊（臺北市：商務印書館，1983年），卷6，〈隋恆嶽寺舍利塔碑〉，頁281。「從隋文帝起，佛教寺院就開始建立皇帝造像，其後……擴大至道觀甚至景教寺院，在唐玄宗時甚至成為國家制度而遍佈全國。」隨著皇帝崇拜的普及，使得皇帝的神聖性更為增強。參雷聞：《郊廟之外——隋唐國家祭祀與宗教》，頁108。

69 例如：唐長安城西北隅興福寺，「本右領軍大將軍彭國公王君廓宅，貞觀八年太宗為太穆皇后追福，立為宏福寺，神龍中改為興福寺。」見〔宋〕宋敏求：《(熙寧）長安縣志》（南京市：鳳凰出版社，2007年），卷10，〈唐京城四〉，頁361。「大慈寺御容院，有唐明皇鑄像在焉，又有壁畫《明皇按樂十眉圖》。」見〔宋〕范鎮：《東齋記事》（北京市：中華書局，1980年），卷4，頁32。

70 參黃敏枝：〈宋代的功德墳寺〉，《宋代佛教社會經濟史論集》（臺北市：臺灣學生書局，1989年），頁241-300；劉淑芬：〈唐宋時期的功德寺——以懺悔儀式為中心的討論〉，《中央研究院歷史語言研究所集刊》第82卷第2期（2011年6月），頁261-323；〔日〕竺沙雅章：〈宋代墳寺考〉，《中國佛教社會史研究》（京都市：朋友書店，2002年），頁111-143。

71 黃敏枝：《宋代佛教社會經濟史論集》，〈序言〉，頁III。

72 黃敏枝談到宋敕賜功德墳寺之所以蓬勃發展，原因有三：家廟、祠堂制度不及僧寺久遠，士大夫徙居風氣盛行，墳寺享有諸多特權。元明情況有所改變，時人固多於先人墓側買田置庵，但不再委託僧道奉祠。參〈宋代的功德墳寺〉，《宋代佛教社會經濟史論集》，頁247、265。

考者仍有三十七處之多」。[73]宋真宗屢謁啟聖院太宗神御殿，又於景德四年（1007）二月詔西京建太祖神御殿，大中祥符五年（1012）十二月作景靈宮。[74]自唐入宋，可看出御容制度確立的過程，這也促成了太廟的次生型態——宋原廟於焉復出。

下文續及宋原廟的整體發展沿革。北宋前期，皇家御容或散置外郡，為宗室所擁，或寄寓方外，廣佈道場，形成原廟眾多的奇特景象。時人曾予追述：「我國朝陪京及車駕嘗所臨幸[75]，咸即寺觀創殿，以奉安神御；而洛師之應天、啟聖，則又即誕生而紀瑞也。」[76]據此可知宋原廟常見的幾種來歷。其一，北宋初年，屢為彰顯、紀念先帝戰績勳勞，而於外郡相關地點增設原廟。如：

- 建隆元年（西元960年），太祖親討李重進之亂，駐蹕揚州，後即其地為原廟，天子每歲五度遣使獻祠——值得留意的是，「以家人之禮進於廟下」。[77]此即揚州建隆寺，立彰（或作「章」）武殿以奉太祖容。[78]
- 仁宗以太祖擒皇甫暉於滁州為「受命之端」；太宗取劉繼元於并州為「太平之統」；真宗歸契丹於澶州為「偃武之信」，故於三州「因其舊寺建殿，以奉安神御」。[79]

這些措施猶如為先帝營造專屬的紀念堂，深具表彰崇仰、追思緬懷的精神意味。

其二，兩宋最具代表性的原廟當推「景靈宮」[80]，大中祥符五年（1012）創設，九年（1016）五月落成，凡七百二十六區[81]，最初旨在崇奉真宗編造的宋室始祖「聖祖」

---

73 趙旭：〈唐宋時期私家祖考祭祀禮制考論〉，《宋遼金元史》第1期（2009年2月），頁10。

74 分參〔元〕脫脫：《宋史》，卷6，〈真宗紀一〉，頁114；卷7，〈真宗紀二〉，頁132、133；卷8，〈真宗紀三〉，頁147、152。

75 「古者天子巡幸所至，郡國必建原廟，所以廣孝恭、示後世。」見〔宋〕張耒：《張右史文集》，收入商務印書館編：《四部叢刊初編》（上海市：上海商務印書館，1936年），卷49，〈咸平縣丞廳酴醾記〉，頁354。

76 〔元〕徐碩：《至元嘉禾志》，收入《文淵閣四庫全書》史部第249冊（臺北市：臺灣商務印書館，1983年），卷18，〈興聖寺記〉，頁154。

77 〔宋〕沈括：《長興集》，收入《文淵閣四庫全書》集部第56冊（臺北市：臺灣商務印書館，1983年），卷9，〈揚州九曲池新亭記〉，頁298-299。

78 參〔宋〕王林：《燕翼貽謀錄》（臺北市：臺灣商務印書館，1979年），卷32，頁15。

79 〔宋〕李攸：《宋朝事實》（上海市：商務印書館，1935年），卷6，頁98。

80 大中祥符元年（1008）營建「玉清昭應宮」，固為當時原廟之首，史載「作玉清昭應宮尤為精麗，屋室有小不中程，雖金碧已具，必毀而更造，有司不敢計其費」，七年（1014）落成，府庫殆為之窮竭。孰料仁宗天聖七年（1029）猝遇雷擊，三（或作「二」）千六百餘楹幾付之一炬，歷時僅十五年耳。分參〔宋〕李燾：《續資治通鑑長編》第4冊（北京市：中華書局，2004年），卷81，頁1839，大中祥符6年秋7月乙未條後；李燾：《續資治通鑑長編》第5冊，卷108，頁2515，天聖7年夏6月丁未條。

81 〔宋〕唐士恥：《靈巖集》，收入《文淵閣四庫全書》集部第120冊（臺北市：臺灣商務印書館，1983年），卷5，〈景靈宮頌〉，頁555。

及先代列聖，在諸廟中獨具特出的地位。「凡七十年間，太祖以下神御在宮者四，寓寺觀者十有一。（神宗）元豐五年（1082），始就宮作十一殿，悉遷在京寺觀神御奉安。累朝文武元勳十餘人，圖形兩廡為配享。」[82]自神宗此番大幅改制後，景靈宮遂成為諸帝后神御殿集中的京師原廟，兼行「圖畫功臣」的王廷盛事，受重視的程度甚且不亞於太廟。北宋末年，徽宗又為神宗、哲宗帝后增建神御殿，「兩宮合為前殿九、後殿八、山殿十六，及齋宮廊廡，共二千三百二十區」[83]，即此數字，不難想見其規模浩大，氣象萬千。

其三，「神御殿……自宣祖、太祖而下，匪直諸宮院有之，『睦親』、『廣親』二宅亦竝建神御殿。」北宋睦親宅、廣親宅，本是皇室宗親集居的大型宅第，其中同樣設有神御殿，供宗室禮拜先帝之用。[84]仁宗嘉祐三年（1058），適逢天寒休役，劉敞以「明正統、尊一人」為由，進言睦親宅神御殿「不合王制，不應經義」[85]，於是詔罷修睦親宅[86]，廣親宅則仍存續不廢。

值此檢視神宗時原廟制的大幅更革，格外令人矚目，事分兩階段進行。其初禮院進言：「禮：諸侯不得祖天子，公廟不設於私家。今宗室有祖宗神御，非所以明尊卑、崇正統也。」[87]基於此，熙寧四年（1071）「詔……諸宗室宮院祖宗神御迎藏天章閣。自是臣庶之家凡有御容，悉取藏禁中。」[88]事隔十年，元豐五年（1082）復採取措施：「作景靈宮十一殿，而在京宮觀、寺院神御皆迎入禁中。」所存惟萬壽觀三殿而已。[89]晁補之描述：

> （當朝）其在宗廟，所以觀德於天下者，禮既備矣。而老、佛之宮，往往祖宗神御所在。意者嚴事未極，故合諸一宮，因漢制為原廟，歲時饋食，如家人禮。[90]

數語之間適凸顯宋皇家原廟特殊的文化圖景——除循例設太廟以備禮數外，頗不乏就寺觀以奉神御，至神宗時始「合諸一宮」，轉型發展出前所未有的群聚型原廟，洵為兩宋

---

82 〔明〕柯維騏：《宋史新編》，收入《續修四庫全書》史部第308冊（上海市：上海古籍出版社，1995年），卷27，頁644。

83 〔明〕柯維騏：《宋史新編》，收入《續修四庫全書》史部第308冊，卷27，頁644。

84 宋宗室地位、活動及其與王朝的關係，詳〔美〕賈志揚著，趙冬梅譯：《天潢貴胄：宋代宗室史》（*Branches of Heaven: A History of the Imperial Clan of Sung China*）（南京市：江蘇人民出版社，2010年）。

85 〔宋〕劉敞：《公是集》，收入《文淵閣四庫全書》集部第34冊（臺北市：臺灣商務印書館，1983年），卷31，〈上仁宗論睦親宅不當建神御殿〉，頁668。

86 參〔元〕脫脫：《宋史》，卷12，〈仁宗本紀〉，頁242。

87 〔宋〕李燾：《續資治通鑑長編》第9冊，卷225，頁5489，熙寧4年秋7月庚子條。

88 〔清〕嵇璜：《續通典》，卷51，頁1437。

89 〔元〕脫脫：《宋史》，卷109，〈禮志十二〉，頁2626。

90 〔宋〕晁補之：《雞肋集》，收入《文淵閣四庫全書》集部第57冊，卷38，頁707。

原廟史大事一樁。神宗行事素稱幹練有為，此類輯斂皇家祭所的舉措，不啻化繁為簡，一來宣示祭祀權集中收歸皇朝中樞，二來亦可減免皇帝分身躬祭、四處奔勞的窘境[91]，此與漢元帝之罷郡國廟，有部分異曲同工之處。要之，宋原廟制度可謂奠基於真宗，神宗時則臻乎完備成熟。徽宗大觀四年（1110）十一月置編政典局，「張商英請編熙寧、元豐事，號《皇宋政典》」，便將「原廟」列為神宗施政要項諸篇目之首[92]，足見上揭情事的重要意義。

時至南宋，高宗渡江後力圖恢復，「自聖祖已下神御皆寓溫州天慶宮（按：以開元寺為之）」。可想而知的是，紹興初年局勢擾攘，物議紛紜，就連異地創建明堂、太廟之舉，也引發臣民諸多的揣測疑慮，認為朝廷「將以臨安府為久居之地，不復有意中原矣」，論者憂心將因此引起蕃敵窺伺，甚至使我方軍心士氣渙散。[93]姑不論高宗所懷一己之圖，迨和議成，紹興十三年（1143）——南渡十七年後於臨安（今杭州市）重建景靈宮，通為三殿，以奉聖容[94]，始備太廟[95]、原廟之制，自此南宋廟制大抵仍遵行不替。

以上略述兩宋原廟源流梗概，下文將取資太廟以為比對，就若干主題進行探討，先討論象神樣式，次討論祭祀儀物。

基本上，宋太廟與原廟的重大差別，在於太廟源自古制周禮，以「木主」為象神的核心樣式；反之，原廟做為附設的重廟，各方面比較不受正禮制約，故所奉祀的象神樣式改採「像設之道」，或塑或繪，以高度視覺化、形象化的先人影像為主。據記載：

> 蓋宋都汴京時，太廟奉塑像，龍圖閣奉畫像，景靈宮奉棬樾像——像甚輕，故靖康之亂、建炎之遷，藏于福州。[96]

此處敘及「太廟奉塑像」，語用「蓋」字，不知是否一時誤說；若果屬實，不言神主而特言塑像，或因為「廟必有主」乃毋庸置疑的常態與常識，「文不具」耳。[97]相對於太

---

91 宋元符三年（1100）八月（按：哲宗崩於春正月），蔡京建請新君徽宗作景靈西宮，以奉厝神宗、哲宗館御。右正言陳瓘力主其不可者五，除基地選址等疑慮外，理由之一是神宗既合祖宗神御於一宮，「今乃析為兩處，則鑾輿酌獻，分詣禮繁」，可知原廟分散確然帶來「分詣禮繁」的困擾。參〔宋〕陳均：《宋九朝編年備要》，收入《文淵閣四庫全書》史部第86冊（臺北市：臺灣商務印書館，1983年），卷25，頁683。

92 〔宋〕陳均：《宋九朝編年備要》，收入《文淵閣四庫全書》史部第86冊，卷27，頁749。

93 〔宋〕李心傳：《建炎以來繫年要錄》，收入《文淵閣四庫全書》史部第84冊（臺北市：臺灣商務印書館，1983年），卷85，頁191，紹興5年2月己丑條。

94 〔宋〕李心傳：《建炎以來朝野雜記》（揚州市：江蘇廣陵古籍刻印社，1981年），甲集卷2，〈景靈東西宮〉，頁9-10。

95 一九九五年杭州市上城區紫陽山東麓發現了南宋太廟建築遺蹟與遺物，見唐俊杰：〈南宋太廟研究〉，《文博》第5期（1999年10月），頁73。

96 〔元〕劉壎：《隱居通議》（北京市：中華書局，1985年），卷17，〈劉會孟題本朝（按：此指宋）列聖遺像〉，頁187。

97 《宋史》明言：「東京以來奉先之制，太廟以奉神主。」見卷109，〈禮志十二〉，頁2624。

廟神主，原廟則以像設為常，包括立體雕塑[98]、平面繪畫，乃至質量輕巧的棬樧像[99]等。如「咸平（西元998-1003年）初，真宗始令供奉僧元藹寫太宗聖容于啟聖後院、玉清昭應宮（後改為萬壽觀），范金以肖祖宗像，餘多塑像」[100]，其造像技法涉及寫真、金鑄[101]、泥塑等。據前人纂述，宋代屢為先帝后「塑製神御」，官方乃至設有「塑製神御所」。[102]與「塑」相對的是「畫」，徽宗宣和（1119-1125）年間，畫師朱漸遍寫六殿御容。[103]陳騤（1128-1203）《南宋館閣錄》著錄「御容四百六十七軸」[104]，畫像顯為大宗。陳氏卒於寧宗之際，若往上歷數十三帝，則平均每人逾三十五幅，縱使考慮扣除諸后像，諸帝御容的製作數量仍不在少數。

其次，有關宋皇家太廟、原廟的祭祀頻率和供奉品物，為求眉目清醒，姑列表呈現如下：[105]

---

98 一般而言，雕屬於減法，塑屬於加法。「泥塑須在黏土中攙進適當比例的纖維（如麥秸、稻草、棉花等），多經手捏而成。造型較大的泥塑須先搭結構架，然後多層次貼泥，經打磨光滑後，有的還上粉底，在粉底上施彩繪。」見劉鳳君：《考古學與雕塑藝術史研究》（濟南市：山東美術出版社，1991年），頁21。

梁思成指出宋代造像的特點：「就材料言，除少數之窟崖外，其他單像多用泥塑、木雕，金像則銅像以外尚有鐵像鑄造，而唐代盛行之塑壁至此猶盛。普通石像亦有，然不如李唐之多矣。」見氏著：《中國雕塑史》（香港：三聯書店，2000年），頁179。所言或以宗教造像為主，然亦不妨推演於人物造像。

99 「棬樧」一詞罕見，初疑係音近訛混為俗稱的「剪黏」——或稱「剪花」，乃結合泥塑與鑲嵌，為中國南方特有的傳統工藝。其先以鐵絲紮束骨架，次以灰泥摶塑雛形，再將陶瓷片黏附灰泥表面，如遇人臉部，則用陶土捏塑燒製後嵌接。然而前引劉壎特言「像甚輕」，竊以為更可能是「夾紵像」，謂之「棬樧」，蓋由於內部用木為胎，外層既捲復黏之故。論者謂夾紵像又稱「乾漆像」、「脫空像」、「摶換像」、「脫沙像」等。其製法大體先塑以泥胎，復於表面貼傅麻布，塗漆，如此層層貼塗髹飾，最後除去胎泥即成。此類夾紵佛像質地甚輕，便於抬舉巡行，常用於「行像」活動。參陳少豐：《中國雕塑史》（廣州市：嶺南美術出版社，1993年），頁276。

100 〔宋〕李攸：《宋朝事實》，卷6，頁98。

101 萬壽觀有黃金所鑄真宗像及后像，上曰：「置金像外方，人所側目，若不取入，是誨為盜也。」參〔宋〕王象之：《輿地紀勝》，收入《續修四庫全書》史部第584冊（上海市：上海古籍出版社，1995年），卷1，頁14，「景靈宮」下原注載《中興小曆》。

102 其例甚夥，分參〔宋〕禮部太常寺纂修，〔清〕徐松輯：《中興禮書》，收入《續修四庫全書》史部第823冊（上海市：上海古籍出版社，1995年），卷105、108、247、254、258、262、275；〔宋〕禮部太常寺纂修，〔清〕徐松輯：《中興禮書續編》，收入《續修四庫全書》史部第823冊，卷77、78、79多處，茲不一一。

103 〔宋〕鄧椿：《畫繼》，收入《文淵閣四庫全書》子部第119冊（臺北市：臺灣商務印書館，1983年），卷6，頁534。

104 〔宋〕陳騤：《南宋館閣錄》，收入《文淵閣四庫全書》史部第353冊（臺北市：臺灣商務印書館，1983年），卷3，頁426。

105 主要依據《建炎以來朝野雜記》，甲集卷2，〈太廟景靈宮天章閣欽先殿諸陵上宮祀式〉，頁4；〈內中神御殿〉，頁11。

地　點	象神樣式	祭日&祭儀	行　禮　者
太廟	神主	歲五享	宗室諸王[106]
		朔日祭 月薦新	太常寺卿
景靈宮	塑像	歲四孟饗	皇帝
		帝后大忌	宰相率百官（行香），僧道（做法事），后妃六宮繼往
天章閣	畫像	時節、朔望、帝后生辰以薦	內臣
欽先、孝思殿[107]	神御	日焚香	皇帝
		朔望、節序、帝后生辰酌獻行香（蓋用家人之禮）	皇帝
諸陵上宮	御容	時節酌獻（如天章閣） 寒食、十月朔朝拜	宗室內人

朱熹（1130-1200）說詞首先引人注意：「（祭禮）灌獻爇蕭，乃天子、諸侯禮。爇蕭欲以通陽氣，今太廟亦用之。」[108]而原廟系統的神御殿「焚香」、「行香」，屬佛、道儀軌，畢竟與太廟正禮不同。[109]其次攸關重點的是，「太廟之祭以俎豆，景靈宮用牙盤，

106 神宗熙寧五年春正月己亥詔：「自今奉祠太廟，命宗室使相已上攝事。」事出有因，蓋原先慣遣外朝大臣「奉郊廟四時獻享之禮」，「郊廟大祀，常以宰臣攝太尉，受誓致齋，動經累日，中書政事多所廢滯」，不只有違情理，尤淹廢政務。然而熙寧十年春正月庚辰大臣復建言：「宜申約束：自今宗室使相合赴太廟行事者，毋得臨時以疾苟免，委宗正司舉劾。」所謂「臨時以疾苟免」，透露太廟祭祀庶幾流於形式，以致當事人心存怠忽，等閒視之。以上分參〔宋〕李燾：《續資治通鑒長編》第9冊，卷229，頁5570；第11冊，卷280，頁6857。

107 據載：景命殿前廊福寧殿為至尊寢所，「自福寧至孝思殿，前一殿即欽先。欽先奉諸帝，孝思奉諸后，帳座、供具皆在。」見〔宋〕鄭剛中：《北山集》，收入《文淵閣四庫全書》集部第77冊（臺北市：臺灣商務印書館，1983年），卷13，頁141。

108 〔宋〕黎靖德編：《朱子語類》（北京市：中華書局，1999年），卷90，頁2315。

109 按《禮記》〈郊特牲〉：「蕭合黍稷，臭陽達於牆屋。故既奠，然後焫蕭、合羶薌。」鄭《注》云：「蕭，薌蒿也。染以脂，合（本作「合」）黍稷燒之。」見〔漢〕鄭玄注，〔唐〕孔穎達疏：《禮記注疏》，卷26，頁507。朱熹此處刻意辨正，道家「焚香」係以香氣供養神明，異於禮書「爇蕭」之「通陽氣」。竊以為古來祭祀用香，儒、釋、道各有源流，其間異同瓜葛尚須細辨。惟從祭祀原理思之，林素娟指出古代祭儀往往瀰漫各式氣味，眾氣氤氳之下，「透過『氣』而歆饗神祇」，「透過氣所交融成的氣氛生動之場域而與天地祖先感通」。參林素娟：〈氣味、氣氛、氣之通感——先秦祭禮儀式中「氣」的神聖體驗、身體感知與教化意涵〉，《清華學報》第43卷第3期（2013年9月），頁

而天章閣等以常饌，用家人之禮云，迄今不改。」[110]「俎豆」與「牙盤常饌」無疑呈現古今之別，宋太祖初年掌故便充分反映妙趣：

> 先是，上入太廟，見其所陳籩豆簠簋，問曰：「此何等物也？」左右以禮器對，上曰：「吾祖宗寧識此！」亟命撤去，進常膳如平生。既而曰：「古禮亦不可廢也。」命復設之。[111]

太祖面對古禮制訂的器物，當下出乎自然反應，秉持「事死如事生」的原則，為自家祖先將心比心而逕予排斥，故撤除稀奇的往古禮器，改設先人熟習的常饌。孰料其後態度又生反覆，遂比照唐玄宗天寶五年（西元746年）故事：「享太廟，禮料外，每室加常食一牙盤。」[112]宋太祖此類事件，十足說明了任何一名當事人（即令貴為天子）面對古禮古物可能的反應，箇中心態不言可喻。然而不只太廟殿堂出現古今禮俗的拉鋸之戰，宋初原廟景靈宮別有來歷，同樣發生古今失諧、禮俗不調的異狀，其一即奉祀對象的形容裝束，其二即祭薦所用的器皿和供品。朱熹指出：

> 景靈宮（哲宗）元符（1098-1100）所建貌象，西畔六人東向。其四皆衣道家冠服，是四祖；二人通天冠、絳紗袍，乃是太祖、太宗。
>
> 元初奉祀景靈宮聖祖，是用簠簋、籩豆，又是蔬食；今若祔列祖主，祭時須用葷腥、須用牙盤食，這也不可行。[113]

知者，當年宋真宗納王欽若之議，行封禪、奉天書以期懾服契丹，又創建景靈宮尊奉始祖「聖祖」趙玄朗，及趙匡胤高祖以下四祖（僖、順、翼、宣）。基於「神道設教」的考量，聖祖被宣稱為人皇九皇之一，且神化為道教天尊，景靈宮內聖祖殿因此獨立設於前殿，位在諸帝后神御殿之前。要之，「聖祖是一位道教的神」，景靈宮「始終是一所道教宮觀」[114]，然則四祖「衣道家冠服」自是不難理解。此外「景靈宮祭聖祖用素饌」[115]，亦為求符合道教清淨戒殺的教義思想之故，如斯作法，顯然違異「宗廟血食」——儒禮奉牲牢、饈羞以享獻的慣例成規。

值此猶須補充說明，舊時「牙盤」顧名思義，原係採用象牙、雕飾精美的食盤，祭

389。要之，「焚香」、「爇蕭」所涉事物表面容有差異，其本質用意或未必有別。

110 〔宋〕李心傳：《建炎以來朝野雜記》，甲集卷2，〈太廟景靈宮天章閣欽先殿諸陵上宮祀式〉，頁4。

111 〔宋〕李燾：《續資治通鑑長編》第1冊，卷9，頁211，太祖開寶元年11月條。

112 〔宋〕高承：《事物紀原》，收入《文淵閣四庫全書》子部第226冊（臺北市：臺灣商務印書館，1983年），卷2，頁43。

113 〔宋〕黎靖德編：《朱子語類》，卷107，頁2661。

114 參汪聖鐸：《宋代社會生活研究》（北京市：人民出版社，2007年），頁38-39。

115 〔宋〕樓鑰：《攻媿集》，收入任繼愈、傅璇琮主編：《文津閣四庫全書》集部第385冊（北京市：商務印書館，2006年），卷24，頁757。

祀或用此盤進奉食物以示隆重，故有「牙盤食」之稱。[116]牙盤之進奉太廟與否，宋群臣各持異見，每成為當朝游移難定的抉擇。如神宗元豐四年（1081）「詳定禮文所」本唐人議奏言：「宴私之饌可薦寢宮，而不可瀆於太廟。」故請罷牙盤上食，從之。[117]哲宗元祐七年（1092），禮官呂希純陳詞：

> 宋有天下，距商周之世千有餘年，凡飲食器皿，先帝先后平日之所饗用者，與古皆已不同，則於宗廟之祭不可專用古制，亦已明矣。

慮及「歲時奉祀，必求祖宗顧享」，故請復牙盤食，以期「禮義、人情咸得允當」，詔太廟復用之。[118]孰料紹聖元年（1094）七月，旋又罷太廟牙盤食[119]，緣於陸佃（1042-1102）所言：

> 太廟用先王之禮，於用俎豆為稱；景靈宮、原廟用時王之禮，於用牙盤為稱。[120]

卒從佃議。

綜上所見，牙盤常饌用或不用時陷兩難，當局立場竟如此反覆不定，時人禮議則多主張「禮緣人情，隨時變古」。先前唐開元二十四年（西元736年）崔沔（西元673-739年）本於晉盧諶《家祭禮》而議曰：

> 觀其所薦，皆晉時常食，不復純用禮經舊文。然則當時飲食，不可闕於祭祀明矣，是變禮文而通其情也。[121]

朱熹亦贊同折衷古今：

> 行古禮，須是參用今來日用常禮，庶或饗之。如太祖祭，用簠簋、籩豆之外，又設牙盤食，用椀楪之類陳於床，這也有意思。[122]

---

116 仁宗皇祐元年文彥博嘗奏：「臣近以差攝祠官祭享太廟，于點膳之日親閱牙盤食器，並精皆潔，塗金、銀鑲、朱裏漆器，列于簠簋之次。」見〔宋〕歐陽脩：《太常因革禮》，收入《續修四庫全書》史部第821冊（上海市：上海古籍出版社，1995年），卷13，頁401，錄《禮院儀注》。程大昌謂「牙盤」原係「以牙飾盤」，惟「今世上食，止是髹盤，亦不飾牙」，見〔宋〕程大昌：《演繁露》（北京市：中華書局，1991年），卷2，頁21。漢末曹操〈上雜物疏〉所敘御物有「銀畫象牙盤五具」，見〔清〕嚴可均：《全上古三代秦漢三國六朝文》第2冊（北京市：中華書局，2009年6月），〈全三國文〉卷1，頁1058。

117 〔宋〕李燾：《續資治通鑑長編》第13冊，卷318，頁7681，元豐4年冬10月丁卯條。

118 〔宋〕李燾：《續資治通鑑長編》第19冊，卷476，頁11345，元祐7年8月乙丑條。

119 〔宋〕李埴：《宋十朝綱要》（上海市：上海古籍出版社，2013年），卷13，頁561。

120 〔元〕脫脫：《宋史》，卷343，〈陸佃傳〉，頁10918。

121 〔後晉〕劉昫等：《舊唐書》（北京市：中華書局，1975年），卷188，〈孝友傳〉，頁4929。

122 〔宋〕黎靖德編：《朱子語類》，卷90，頁2293。

總言之，宋之去周已逾千年，其間物質文化、生活習尚迭經變遷，必然形成明顯的古今之異，即令是高高在上的廟堂禮典，也不能不適度加入時代變化的成分調整改易。宋人在學術思想上既勇於「疑經改經」，面對禮數成規亦日趨通俗化、簡易化、實用化，「折衷古今、因時制宜」便成為理想的制禮原則，太廟之外復立原廟，似乎也成為眾人恬然不以為忤的「時王之制」。

四 試揭兩宋皇家原廟之禮俗特色

欲明原廟的禮俗特色，應同時兼顧太廟乃至陵廟寢園之禮。一般而言，宋禮正規情形大抵是：

> 親享太廟，則用牲牢、籩豆、鉶登，存古禮而不尚褻味；至于寢園，則朔望薦食，各以牙盤，備極諸品。……故廟一歲而五享，寢園一月而二薦。享尚氣臭，敬之至也；薦用褻味，情之盡也。[123]

據此，太廟、寢園判分為不同的行禮氛圍。然而神宗元豐六年（1083）春正月，太常博士何洵直言：

> 春秋遣官拜陵，用牲牢、俎豆，具祭服行事，殊不應禮。……今四時孟月朝獻景靈宮，純用時王之制，則與陵寢義歸一體。伏請自今朝拜諸陵，並薦牙盤食，獻官常服行事。[124]

所奏內容卻透露當時上陵違禮的異常現象──幾與宗廟正禮無別，議者以為不可，因此建議改從原廟禮制，可見得太廟宜與原廟、陵寢分成兩系，原廟雖為太廟的分支別裔，其禮儀屬性反而較接近寢園之禮。至此且為太廟、原廟區隔其分野特色：

廟別／項目	地點	從屬對象	供設	禮數	屬性
太廟	京師皇城	國家（公眾）	象徵性木主	儒式古禮官儀（用太常禮樂）	正禮
原廟	外內不拘 寺觀尤多	皇家（私家）	寫實性影像	世俗家人之禮 釋道宗教儀軌	別俗

相對於正宗太廟，兩宋皇家原廟兀自展現如下特點：

---

123 〔宋〕章如愚：《山堂考索》（又名《群書考索》）（北京市：中華書局，1992年），續集卷26，頁1066。

124 〔宋〕李燾：《續資治通鑑長編》第13冊，卷332，頁8008，元豐6年春正月癸卯條。

1 祭祀空間的彈性擴充

自東漢明帝遺詔頒行以來，天子宗廟由「異代別廟」大幅限縮為「同堂異室」，固然減省了大量的空間資源，相對則帶來實際利用上的不便。如朱熹以為，宗廟「同堂異室」後效堪虞：「蓋其別為一室，則深廣之度，或不足以陳鼎俎。而其合為一廟，則所以尊其太祖者，既褻而不嚴；所以事其親廟者，又厭而不尊。」如此一來，宗廟之禮不能不淪為虛文，然而人子祭祖奉先的孝心終不能自已，反造成「原廟之儀不得不盛」。[125]

參酌朱說，足以說明後世原廟制度等於變相的救濟手段，眾祖先除以神主樣式集居於最具代表性的惟一太廟之外，並得以透過高度寫實的塑繪影像複製再現祖靈「分身」，使之別居於數額未曾設限的原廟，無怪論者或謂：「生者尚有離宮別館之奉；原廟之設，擬諸離宮別館，宜亦為神靈所降集。」[126]將原廟比擬為人主行館，不失為引人莞爾的妙喻。

2 祭祀儀物的從俗由便

傳統太廟禮數乃是典型的「以質為貴」，相關儀物必以復古、淳樸為尚，亦即質性和當今年代愈有差距，則愈顯出相對的尊崇感，因此太廟中舉凡服裝、器物乃至用樂，每每強調遵奉古式，惟古是好。相形之下，原廟本非為禮制目的所產生，往往容許遊走於規矩法度之外。姑以漢初高廟「月一游衣冠」為例，其與高踞宗廟儼然矜莊、不涉先人形貌的神主相去甚遠，既不以具象的模擬展演為諱，不難揣想它可能較接近草野民俗思維與慣習——無可否認的是，劉邦乃中國史上第一位平民皇帝，親信近臣亦多出身草野，君臣素不諳禮制，類此聯想或有一定程度的佐證力。

回到宋代來說，官方儀典太廟謂之「大享」，景靈宮謂之「朝獻」[127]，換言之，前者屬「祭」而後者屬「薦」，析言對文，意味兩者「正式／非正式」的差別——祭享為邦國宗廟大事，薦獻屬私家（含皇家）「追養繼孝」之舉，前者必多設規條禁忌，後者則容許伸張私情，便宜行事。舉例言之：

> 中興以來，九廟之外既有已祧者，惟禘祫則合食于太廟，時享則分祭于原廟（原注：景靈宮是也）。所謂原廟孟（按：指四孟月）享，各於其室，春祠、夏禴、秋嘗、冬烝，與臘享而五也。無事則（今上）親享，有事則命官攝事也。[128]

---

125 〔宋〕衛湜：《禮記集說》（臺北市：大通書局，1969年），卷30，頁17124，引〔宋〕朱熹：《四書或問．中庸或問》。

126 〔清〕王元啓：《祇平居士集》，收入《續修四庫全書》集部第1430冊（上海市：上海古籍出版社，1995年），卷1，〈祧主不宜毀瘞論一〉，頁481。

127 〔宋〕黎靖德編：《朱子語類》，卷128，頁3065。

128 〔宋〕章如愚：《山堂考索》，續集卷26，頁1066。

由此看來，太廟祧主固已毀廟而未瘞，藏於夾室或別殿，遇重大禘祫始得合食[129]，今依南宋制度卻得於原廟接受「歲五祠」的禮遇，甚至皇帝本身無事必躬身舉祭，可見孝思親情的成分促使禮數加隆。

伊佩霞專文詳述北宋到南宋高、孝時期皇家原廟的沿革，並指陳宋太廟、原廟之別。其中兩點值得留意：由於古禮廟有祧、毀，木主年久代遠輒有「退休」之虞，原廟塑畫御容則無此規矩；再者，後世太廟幾乎全由男性舉祭行禮，而原廟則對女性有更大程度的開放。[130]另方面，「皇后附于太廟，古之大典，一帝配以一后，禮之正儀。妃不入太廟。」[131]然而宋原廟卻出現一帝配以數后的奉祀型態，意味原廟場域不再以儒禮唯尊，而能彈性包容更多規制上的突破。

3 祭所氛圍的親切平易

針對宋太廟、天章閣、景靈宮各奉神主、繪像及塑像的差別，清蔣超伯抒發己見：「（景靈宮）惟其塑像謦欬如生，所以歲四孟饗，天子親行也。」[132]此話或許未盡周延，卻也不無理據。單就古今象神樣式源流來說，可大別為「主」、「影」（神主與像設）兩系，箇中牽涉頗為複雜，此處不贅。[133]簡言之，依《公羊》家古禮經說，先秦天子諸侯宗廟祭祖奉先，立「木主」以為敬奉膜拜的對象，長期流衍為中國歷代「廟必有主」的祭祖文化傳統。然而秦漢以降「尸事廢而像事興」，像設之道日益發展，因而別以雕塑、繪畫等樣式再現先人形影。職是之故，後世無論經義禮說或具體實踐，經常出現各持一端的「主／影之爭」。前引蔣氏的意見，顯然屬意於寫實取向的人物塑繪造像，欣賞其「謦欬如生」的特點，將之與「天子親行其禮」做因果連結，透露出普天下眾多人子真切的心理反應。基於上述，可想見原廟御容別具逼真傳神的視覺效果，最足以觸動人子的思親孺慕之情，連帶滋生的心理效應，遠非太廟單調枯寂的木主所能比擬。

正由於原廟的靜態陳設、動態禮節更合乎「事死如事生，事亡如事存」，往往便於突破成規格套，世俗珍玩諸物亦在進獻之列。蔡絛（蔡京之子）敘及：「吾待罪西清時[134]，

---

129 舊說宗廟時祭不及毀廟祧主，惟據東漢許慎《五經異義》引《左氏》古文家說，時享及於二祧。參〔清〕黃以周：《禮書通故》第2冊（北京市：中華書局，2007年），卷18，頁919。

130 參〔美〕Patricia Buckley（伊佩霞）, "Portrait Sculptures in Imperial Ancestral Rites in Song China", pp.88、90。

131 〔清〕楊潮觀：《古今治平彙要》，收入《四庫禁燬書叢刊》子部第31冊（北京市：北京出版社，2000年），卷7，頁177。

132 〔清〕蔣超伯：《南漘楛語》，收入《續修四庫全書》子部第1161冊（上海市：上海古籍出版社，1995年），卷6，〈南北宋二十四臣〉，頁344。

133 詳彭美玲：〈「立主」與「懸影」——中國傳統家祭祀先象神樣式源流之抉探〉，《臺大中文學報》第51期（2015年12月），頁41-98。

134 「〈司馬相如傳〉『青龍蚴蟉於東箱，象輿蜿蟬乎西清』，（顏）師古曰：『西清者，西箱清淨（本作「靜」）之殿（本作「處」）也。』其東曰箱，以形言也，即上文謂殿旁之房也；其西曰清，以清淨

於原廟祖宗神御諸殿閣，遇時節則皆陳設玩好之具，如平生時。」其中得見宵夜圖，「皆象牙局[135]為元宵夜起自端門及諸寺觀，作游行次第」[136]，將消遣娛樂用的元宵夜圖進奉於祖宗神御之前，誠可謂「舜五十而不失孺慕之心」。南宋景靈宮「上元結鐙樓，寒食設鞦韆，七夕設摩睺羅[137]」[138]，更是費盡心思將俗節應景事物呈現祖靈跟前，但求娛樂親心。

綜上可知，兩宋原廟的特出現象即廣設神御殿，相對於正宗太廟，採取「設像懸影」為象神核心樣式，不僅別立於京師宮闈，又經常分設於各地寺廟宮觀。太廟貴為古禮、正典的重鎮，恪遵古制儒禮；原廟則自始與儒禮的脈絡統緒兩不相應，儘管時而背負罵名，卻別具太廟所無的彈性空間，朝向人情化、世俗化發展，不只「上親行其禮」，更為僧、道儀式之參用另開方便之門。誠可見自唐迄宋，功德寺觀大力催生了兩宋原廟，兩宋原廟因而採納佛道禮儀，在看似理所當然的移植嫁接過程中，將之融入原有的儒式廟祭系統中。

然而，兩宋皇家原廟既表現上述特點，連帶也難免產生各種流弊：

1 當局輕太廟而重原廟，有失體制

以本始的形象地位來說，「太廟」乃皇家祖靈安奉、木主長駐之所，尊貴性自不待言。然而宋太廟、原廟之間，竟隱然有炎涼差別。建置方面，太廟以「堂」而原廟以「殿」，「向時太廟一帶十二間，前堂後室，每一廟各占一間」[139]，後者則是「規制宏壯，每帝各居一殿[140]，不如太廟之共處一堂」。[141]資料屢見宋太廟地狹室淺，不足以為禮。北宋太廟「廟室前楹狹隘，禘祫序昭穆，南北不相對。（仁宗）嘉祐親祫，增築土

言也，謂其地嚴潔，無囂塵也。……本朝汴京大內御藥院、太清樓在西，祖宗書閣自龍圖以下皆在其前，故進職帶殿閣者，訓辭多用西清，正本此也。」見〔宋〕程大昌：《雍錄》（北京市：中華書局，2002年），卷10，〈東西廂〉，頁212。

135 元官制有「犀象牙局，秩從六品。……掌兩都宮殿營繕犀象龍床卓器繫腰等事」，其屬附見雕木局、牙局。參〔明〕宋濂：《元史》，卷90，〈百官志六〉，頁2280-2281。

136 〔宋〕蔡絛：《鐵圍山叢談》，收入《文淵閣四庫全書》子部第343冊（臺北市：臺灣商務印書館，1983年），卷5，頁598。

137 「摩睺羅，泥孩兒也。有極巧、飾以金珠者。七夕用以饋送，以作天仙送子之祥。」見〔清〕張岱：《夜航船》（杭州市：浙江古籍出版社，1987年），卷1，頁49。

138 〔宋〕李心傳：《建炎以來朝野雜記》，甲集卷2，〈今景靈宮〉，頁10。

139 〔宋〕黎靖德編：《朱子語類》，卷107，頁2663。

140 神宗元豐八年十二月劉摯奏言：「今景靈宮……帝之與后各建殿室，蓋緣舊來神御散在諸寺，故亦各殿，乃出于一時規畫，別無義據。」見〔宋〕劉摯：《忠肅集》，收入《文淵閣四庫全書》集部第38冊（臺北市：臺灣商務印書館，1983年），卷4，〈論景靈宮帝后同殿乞下近臣疏〉，頁490。

141 〔元〕馬端臨：《文獻通考》，收入《文淵閣四庫全書》史部第370冊（臺北市：臺灣商務印書館，1983年），卷94，頁274。

階，張幄帟，乃可行禮」。[142]據宋祁（西元998-1061年）描述，太廟內神御物「在祖宗（按：指太祖）之時其數尚少，故就致夾室，不須他處。及時歷三聖（按：指太宗、真宗、仁宗），崇奉益恭，而寶盝、鈿牀[143]充滿二室」，然而「今廟地狹隘，不可別為庫室」[144]，窘迫之際，只得另建太廟神御庫於宗正寺西。[145]南宋情況依舊，紹興十六年（1146）「新祭器將成，而太廟室隘，至不能陳列」，後設法增建，始獲改善。[146]朱熹亦云：「近因在朝，見太廟之堂亦淺。祫祭時，太祖東向，乃在虛處；群穆背簷而坐，臨祭皆以帟幙圍之。」[147]反之，「景靈宮會靈觀殿宇宏壯」[148]，卻是北宋前期早已顯現的優越態勢。諸如此類，太廟之經營慘澹，與原廟之宮觀宏麗，在在形成強烈的對比。

富弼（1004-1083）曾指出，宋制皇帝每三年必親行南郊之祀，誠恪事天，可謂得禮；相反的則是，「獨於宗廟，祇遣大臣攝行時享而已，親祀未講，誠為闕典」。[149]故而楊時（1053-1135）批評：

> 今太廟卻閒了，只嚴奉景靈宮，是舍先王之禮，而從一謬妄之叔孫通也。[150]

所謂「閒」及「嚴奉」，大可對照出太廟、原廟冷熱不同的待遇。又如南宋楊復云：「自漢以來，宗廟之禮不合古制者，其失有二：混禘祫為一事，一失也；輕宗廟而重原廟，二失也。」[151]其所譏議非宋莫屬。他又說：

> 宗廟之體極乎嚴，原廟之體幾乎褻。人情常憚於嚴而安於褻，則親祀之禮反移於原廟，故宗廟之禮雖重，而反為虛文矣。[152]

---

142 〔宋〕王應麟：《玉海》（南京市：江蘇古籍出版社，1987年），卷97，〈建隆四親廟、嘉祐八室圖〉，頁1770-1771。

143 寶盝蓋指貯放珍寶的小型匣盒，鈿床則指裝飾金玉的置物架。按《金史》載有「舁寶官捧寶盝，門下侍郎奉置於寶牀」，可知盝、床二物上下搭配，見〔元〕脫脫：《金史》（北京市：中華書局，1997年），卷32，〈禮志五〉，頁781。

144 〔宋〕宋祁：《景文集》，收入《文淵閣四庫全書》集部第27冊（臺北市：臺灣商務印書館，1983年），卷27，〈乞置太廟神御庫〉，頁235。

145 〔宋〕李燾：《續資治通鑒長編》第5冊，卷129，頁3058，仁宗康定元年12月癸巳條後。

146 〔宋〕李心傳：《建炎以來朝野雜記》，甲集卷2，〈今太廟〉，頁9。

147 〔宋〕黎靖德編：《朱子語類》，卷107，頁2662。

148 〔宋〕包拯：《包孝肅奏議》，收入《文淵閣四庫全書》史部第185冊（臺北市：臺灣商務印書館，1983年），卷8，〈請不修上清宮〉，頁157-158。

149 〔元〕馬端臨：《文獻通考》，收入《文淵閣四庫全書》集部第370冊，卷102，頁434。

150 〔宋〕楊時：《龜山集》，收入《文淵閣四庫全書》集部第64冊（臺北市：臺灣商務印書館，1983年），卷12，頁226。

151 〔元〕馬端臨：《文獻通考》，收入《文淵閣四庫全書》集部第370冊，卷100，頁403。

152 〔清〕秦蕙田：《五禮通考》，卷78，頁2。

《續通典》並歷歷指陳，唐以來每歲太廟五享，原屬國家重要祀典，「自開元時遣官攝祭，後乃相沿成習。至宋之世，終三百年未一親行，甚至禘祫大禮，亦命有司攝事，惟郊祀時先期朝享，乃親行之。」與此相對的則是「景靈神御時復駕臨，仍後代之失，乖先王之典」。[153]凡此物議，均可見事態的嚴重悖反性。

2 營建原廟，廣佔地皮，多費土木

不同於太廟獨設，原廟乃分立的祭所。北宋原廟由奠立到擴張，頗有孳衍不息之勢。起初，「太祖、太宗御容在京師者，止於興國寺、啟聖院而已；真宗御容已有數處」，而仁宗至和二年（1055）八月，范鎮（1007-1088）因并州神御殿火災，以「天意示警」為由奏曰：「近日又聞下并州復加崇建，是徒事土木以重困民力，非以答天意也。」[154]仁宗嘉祐七年（1062），帝為先皇真宗改壽星觀為崇先觀，時任諫官的司馬光進言：「……乃更求開展觀地，別建更衣殿及諸屋宇將近百間，制度宏侈，計其所費踰數千萬，向去增益，未有窮期。」可知擴建規模之驚人，故其諫請「創添一切停寢」。[155]元豐八年（1085）十二月，神宗神主既祔太廟，又將於景靈宮為之別建神御殿，劉摯奏言：「伏緣宮中地步今已隘逼，若或開展民區，則理有未安。」故建議仿宗廟之制，帝后同御一殿。[156]

另據歐陽脩（1007-1072）嘉祐三年（1058）所奏，更深刻揭露現實中隱藏的面向：

> 臣伏見近日京師木土之功，糜耗國用，其弊特深。原其本因，只為差內臣監修，利於偷竊官物，及訖功之後，僥求恩賞，以故多起事端，務廣興作。其甚則託以祖宗神御，張皇事勢。近年以來，如此興造，略無虛歲。[157]

然則當朝原廟大興，竟不只是宸綱獨斷的皇權意志展現，隨著包辦工程、承攬業務而湧現大量利益空間，屬下經手之際，營私舞弊、巧取豪奪，病象更是層出不窮。

要之，北宋朝再三擴增原廟，不惜大興土木，投入大量土地、人力、物力成本，朝臣則為此迭相進諫。南宋紹興十三年，猶見洪皓（1088-1155）沉痛發言：「錢塘暫居，

---

153 〔清〕嵇璜：《續通典》，卷52，頁1445。

154 〔宋〕李攸：《宋朝事實》，卷6，〈范鎮乞罷修并州神御殿〉，頁100。

155 〔宋〕李燾：《續資治通鑑長編》第8冊，卷197，頁4780-4781，嘉祐七年秋九月戊辰條。

156 〔宋〕劉摯：《忠肅集》，收入《文淵閣四庫全書》集部第38冊，卷4，〈論景靈宮帝后同殿乞下近臣疏〉，頁490。

157 〔宋〕歐陽脩：《歐陽脩全集》（臺北市：河洛出版社，1975年），卷4，〈論郭皇后影殿劄子〉，頁247。本則文字又見〔宋〕劉敞：《公是集》，收入《文淵閣四庫全書》集部第34冊，卷32，〈上仁宗論景靈宮不當建郭后影殿〉，頁678。今按〔宋〕趙汝愚：《諸臣奏議》（臺北市：文海出版社，1970年），卷88，頁3018-3019，同時收錄歐陽脩〈上仁宗論景靈宮不當建郭后影殿〉及劉敞〈上仁宗論睦親宅不當建神御殿〉，二文前後正相毗鄰，或緣於此，後人編輯時混淆致誤？

而太廟、景靈宮皆極土木之華，豈非示無中原意乎？」[158]有清秦蕙田向來反對原廟，立場鮮明，故不忘嚴詞批評：「七廟，禮也；景靈宮，非制也。南渡以後，尚不悟其非，而重建景靈宮，何耶？」[159]趙宋原廟制之強固，洵可謂積重難返。

3 原廟祠祀勞師動眾，耗蠹錢財

兩宋原廟做為皇家極其重視的祭祖場所，不只營建之初有土木工役等龐大開銷，建成後並須配置人員編制[160]，再加上例行祭祀乃至重大儀式的各種花費，無疑增添國家沉重的財政負擔。仁宗慶曆三年（1043）某次君臣對話殊堪玩味，監察御史蔡稟規諫：「周制四時饗親之禮有九，今寺觀（按：指各處原廟）則車駕一歲再臨，未嘗薦獻，非奉先教民之意。」上謂輔臣曰：

> 朕三歲一祠郊廟，而賚及天下；今若歲親行之，則人皆有覬賞之心。朕朝夕奉三聖御容於禁中，未嘗敢怠也。[161]

仁宗一則表明平日於宮中晨昏拜謁神御，自認無愧於人子孝親之禮，再則透露了天子巡幸行禮、賞賜多費的苦衷。尤其是唐宋皇帝親行郊廟，久為邦國盛典，然而因增設原廟之故，宋制遂演成「先郊二日而告原廟，一日而祭太廟」。哲宗元祐八年（1093），禮部尚書蘇軾為此奏言：

> 自真宗以來三歲一郊，必先有事景靈，徧饗太廟，乃祀天地，此國朝之禮也。……自秦漢以來，天子儀物日以滋多，有加無損，以至於今，非復如古之簡易也。今所行皆非周禮。[162]

其抨擊時制「三年一郊非周禮」，其實意在針對先廟後郊，連日繁文縟節、所費不貲而發。元馬端臨（1254-1323）亦表示：

> 蓋近代以來，（郊祭）天子親祀，其禮文繁，其儀衛盛，其賞賚厚，故必三歲始能行之。而郊祀……於宗廟無預，故必假告祭之說，就行親祀宗廟之禮焉。於事則簡便矣，謂之合禮則未也。[163]

---

158 〔宋〕李心傳：《建炎以來繫年要錄》，收入《文淵閣四庫全書》史部第85冊，卷148，頁71，該年2月乙酉條原注。

159 《五禮通考》，卷82，頁5。

160 南宋景靈宮「掌宮內侍七人、道士十人、吏卒二百七十六人」，見《建炎以來朝野雜記》，甲集卷2，〈今景靈宮〉，頁10。

161 〔宋〕李燾：《續資治通鑑長編》第6冊，卷142，頁3423，慶曆3年秋8月乙卯條。

162 〔宋〕李燾：《續資治通鑑長編》第19冊，卷481，頁11454，元祐8年2月壬申條。

163 〔元〕馬端臨：《文獻通考》，收入《文淵閣四庫全書》集部第369冊，卷71，頁625。

換言之，唐宋郊祭必先告祭宗廟（含原廟），諸禮貫串結合，踵事增華，固然有利於宣揚皇權天威，隨之而來的賞賚開支則益發難以估算。[164]

不只如此，舊時國朝演禮、鑾駕出行，無不是萬民欣忭觀瞻的大型展演，必極盡耳目聲色娛樂之能事，為此備辦的車馬、鹵簿、儀仗、隨從陣容可想而知。[165]真宗以降、神宗以前，宋朝諸原廟祖宗神御，「皆舊寓于老、佛之祠，布在都邑與夫郊野之外。歲時奠謁，或不克躬行，而清蹕所臨，動涉塗巷，百工執事，疲于奔走，陟降跛倚而不恭。」[166]以上生動的描寫正點明原廟禮儀勞師動眾的境況。

又如前已述，兩宋廣設原廟，不僅建築本身佔用諸多地盤，時與官民爭地，倘舉行重大禮儀，皇家大隊人馬出動，也免不了干擾民生，甚且破壞民居。尤其南宋初，行都杭州短時間湧入大量移居人口，原本熱鬧的城市變得更加擁擠不堪，房舍密度提高，自然出現交通動線、流量等問題。紹興十三年原廟重建之際，高宗便曾表示：「將來郊祭詣景靈宮，可權宜乘輿。蓋此去十里，若乘輅，則拆民居必多。」[167]約當南宋中期，張皤（一作璠，宋寧宗嘉定四年〔1211〕擢第）經筵上疏，再度反映類似的問題：

> 邇者郡民咸稱：乘輿（按：此當指理宗）將祀原廟，事竣臨幸龍翔[168]，所經之途，截鋸人家屋簷，加闢舊來路陌。雖被截之家，有司皆有供給，而物情不協，議論譁然。……況回鑾之後更行錫賚，又將有名器濫干之懼，費繁弊滋，莫此為甚。[169]

由此可見，南宋天子為赴原廟行禮，法駕所過之處，不惜拓寬道路、拆坼民宅，縱使官家給予補償，其數值往往不能相當；事後回程於侍從人員又勢必多行賞賚。此番疏奏情辭剴切，果然獲致行幸事寢的效果。

4 原廟或寄寺觀、或附塋域，奉於僧道，違古非禮

宋原廟的類型之一，既隸屬功德寺、墳寺之流，不只淆亂了廟祭與墓祭原有的畛

---

164 以原廟奉安禮為例，「禮成，宴百官於紫宸殿，酒九行罷。教坊已下支賜，凡絹一千一百餘疋，錢四百餘千，紅錦一端，銀椀十四口，用正旦例也。」見〔宋〕龐元英（仁宗至哲宗時人）：《文昌雜錄》，收入嚴一萍選輯：《學津討原》第19函（臺北市：藝文印書館，1965年），卷2，頁6。

165 伊佩霞曾析論北宋開封行幸鹵簿所展示的皇朝圖景和視覺文化，參"Taking out the Grand Carriage: Imperial Spectacle and the Visual Culture of Northern Song Kaifeng", *Asia Major* 12.1(1999), pp. 33-65。

166 〔宋〕李攸：《宋朝事實》，卷6，頁101。

167 〔宋〕熊克：《皇朝中興紀事本末》（北京市：北京圖書館出版社，2005年3月），卷61，頁1144。

168 理宗淳祐七年（1247）春二月，「詔改潛邸為龍翔宮」，見〔元〕脫脫：《宋史》，卷43，〈理宗本紀〉，頁837。據咸淳《臨安志》：臨安龍翔宮在後市街，宮門之左曰「福慶殿」；度宗咸淳二年（1266）改為理宗神御殿。參〔清〕胡敬：《胡氏書畫考三種．南薰殿圖像考》，收入《續修四庫全書》子部第1082冊，卷上，頁10。

169 〔清〕林春溥纂、盧鳳琴修：《道光新修羅源縣志》（上海市：上海書店，2000年），卷19，頁584。

域，其與方外佛、道關係深厚，尤使醇儒之士為之側目。北宋神宗朝狀元鄭獬（1022-1072）直言批評：

> 而今之祖宗神御，或寓之浮屠之便室，虧損威德，非所以致肅恭尊事之意也。此則變吾之宗廟之禮而為夷矣。[170]

南宋岳珂（1183-1234）更談到：「祖宗以景靈為原廟，每國忌用時王禮，集緇黃以薦時思焉。……僧、道各二十五員，以為常制。」較諸唐制動輒數百千人，「唐制固甚侈，今幾止二十之一」，「然祝唄之詞，……要於宗廟非所宜言，亦鄰於俚云。」[171]知者，傳統佛教多行誦經拜懺，道教則採修齋建醮，或為信眾消災祈福，或為先人超度救拔[172]，宋皇家原廟既多採佛道科儀，其勢力尚不免漸染儒禮重地——太廟。如孝宗淳熙十五年（1188）三月二十六日高宗神主升祔太廟，「自有細仗鼓吹，導其僧道威儀」。[173]權禮部官倪思等鄭重表示異議：「蓋從來太廟事體，與景靈宮原廟不同。」詔依之，始減去僧道威儀。[174]

南宋張栻（1133-1180）以為墓祭與原廟同屬不可行，理由是「不知禮而徒徇乎情，則隳廢天則」。[175]陳宓亦認為「所謂奉塋之僧舍，皆後世流俗之所有」，故反對「營廟於墓」。[176]而無論漢、宋原廟，朱熹一概斥為「非禮」。[177]清秦蕙田云：「漢立原

---

170 〔宋〕鄭獬：《鄖溪集》，收入《文淵閣四庫全書》集部第36冊（臺北市：臺灣商務印書館，1983年），卷16，〈禮法論〉，頁261。

171 〔宋〕岳珂：《愧郯錄》（北京市：中華書局，1985年），卷9，〈國忌設齋〉，頁112-113。

172 約自南北朝起，世俗習為亡者舉行「七七」、百日、周年、三年等追薦活動，大抵源出佛、道，參彭美玲：〈近代方俗三十六月除喪考——傳統禮俗學理與現實的對勘〉，收入臺灣大學中國文學系主編：《孔德成先生學術與薪傳研討會論文集》（臺北市：臺灣大學中文系，2009年），頁35-70。漢傳佛教有《地藏懺》，「其儀式與《藥師懺》、《淨土懺》略同，是較晚出的懺法之一。凡報親恩祈父母冥福之法事，多禮此懺。」參佛教編譯館主編：《佛教的儀軌制度》（臺北市：佛教出版社，1986年），頁102。道教齋醮方面，南朝道士陸修靜制訂靈寶派「黃籙齋」，旨在超度家先，爾後演為主流，南宋更進一步流行「煉度儀」，參盧國龍、汪桂平：《道教科儀研究》（北京市：方志出版社，2009年），頁179-184。宋仁宗時，宋祁曾諍諫朝廷「大有三冗，小有三費」，三費之首即「道場齋醮無日不有」，事態可見一斑，參〔宋〕宋祁：《景文集》，收入《文淵閣四庫全書》集部第27冊，卷26，〈上三冗三費疏〉，頁225-226。

173 「僧道威儀」，概指「僧道必具旛幢螺鈸遠迎，僧錄、道錄騎馬引駕」諸場面，參〔宋〕釋贊寧：《大宋僧史略》，收入《續修四庫全書》子部第1286冊（上海市：上海古籍出版社，1995年），卷下，〈內供奉并引駕〉，頁689。

174 〔宋〕禮部太常寺纂修，〔清〕徐松輯：《中興禮書續編》，收入《續修四庫全書》史部第823冊，卷69，頁640。

175 〔宋〕張栻：《南軒集》，收入《文淵閣四庫全書》集部第106冊（臺北市：臺灣商務印書館，1983年），卷20，〈答朱元晦祕書〉，頁586。

176 〔宋〕陳宓：《復齋先生龍圖陳公文集》，收入《續修四庫全書》集部第1319冊（上海市：上海古籍出版社，1995年），卷11，〈回真西山書〉，頁380。

廟，議者非之。宋迺復襲其名建立神御殿，至不可數。而以帝王之尊，雜處于浮屠、道家之宇，先王之禮掃地盡矣。」[178]沈欽韓（1775-1831）亦指斥宋之神御殿「多行鄙倍，動違典禮」。[179]要之，宋原廟踵武西漢，負面加以否定的聲浪始終未曾休歇。

話雖如此，久保田和男卻注意到「皇帝行幸」的問題，進而提出另類解讀。初期宋太祖、太宗多因親征、戡亂而出行；真宗兼好祥瑞，行幸特多。仁宗以下以首都內的行幸為主，「皇帝奔赴寺觀，參拜神佛或先帝的神御『為民祈福』之事貫穿整個北宋」。經整理北宋皇帝行幸開封景靈宮的紀錄是：真宗十三次、仁宗十五次、英宗一次、神宗十六次、哲宗三十四次、徽宗十二次，又以上諸帝駕臨道觀／寺院的次數依序是：81／62、46／47、1／3、26／26、36／11、24／3。[180]參考陳瓘（1057-1124）所云：「況自祖宗以來，乘輿初出，必正其名。若非為民祈禱，即因謁見宗廟。」[181]實則宋帝王謁廟目標更可能是分散各處、為數眾多的原廟，可想而知原廟連帶提高了皇帝行幸的頻率。要之，久保田氏認為宋之行幸，可說已發展成「帶有強化皇帝和首都居民一體感的政治性的裝置」[182]，這樣的意見倒是為原廟難得地正向加分。

五　綜論兩宋皇家原廟之禮俗意義

近數十年來，東亞史學界著力考察唐宋皇帝郊廟禮制，關注焦點多在於政體與皇權的問題上。高明士論及中古宗廟制，進一步提出富於洞見的析論：「秦漢以後，本欲藉廟制來強化治統的威勢，所以由孝而忠，由親親而功德。」正面看來廟制確足以鞏固皇權；反之，卻也成為儒臣議禮時制衡君權、伸張道統的利器。唐宗廟祖靈既被視為當朝皇權的重要來源之一，皇帝奉祀之於宗廟，實兼具公、私雙重身分。[183]至於本文則認

177 〔宋〕黎靖德編：《朱子語類》，卷54，頁1302。只不過，朱熹固不以原廟為是，他本人卻深懷黍離麥秀之思，致書向伯元云：「祠祿將滿，未敢再請，而朝廷記憶，遂有鴻慶之命。……然舊京原廟隔在異域，每視（祠官）新銜，不勝悲憤之填膺也。」見〔宋〕朱熹撰，陳俊民校訂：《朱子文集》第10冊，別集卷4，頁5177。又〈拜鴻慶宮有感〉詩云：「舊京原廟久煙塵，白髮祠官感慨新。北望千門空引籍，不知何日去朝真。」見前書，第2冊，卷9，頁305。

178 〔清〕秦蕙田：《五禮通考》，卷81，頁28。

179 〔清〕沈欽韓：《漢書疏證》，收入《續修四庫全書》史部第267冊（上海市：上海古籍出版社，1995年），卷32上，頁75。

180 〔日〕久保田和男：〈關於北宋皇帝的行幸——以在首都空間的行幸為中心〉，收入〔日〕平田茂樹、遠藤隆俊、岡元司編：《宋代社會的空間與交流》（開封市：河南大學出版社，2008年12月），頁122-123，統計參頁106附表。

181 〔宋〕陳均：《宋九朝編年備要》，收入《文淵閣四庫全書》史部第86冊，卷25，頁684，繫於哲宗元符3年9月。

182 〔日〕久保田和男：〈關於北宋皇帝的行幸——以在首都空間的行幸為中心〉，收入〔日〕平田茂樹、遠藤隆俊、岡元司編：《宋代社會的空間與交流》，頁124。

183 高明士：〈禮法意義下的宗廟——以中國中古為主〉，《東亞傳統家禮、教育與國法（一）》，頁64。

為，古代皇家禮儀除了必然的政治面向之外，也有必要改從禮俗角度加以看待。從以上兩宋「太廟」與「原廟」的對比不難發現，距離漢儒建構的三《禮》學相去千年之遙，宋室的思維心態已然隨時發生明顯的變改。在前揭的堂皇制度傳統之下，在經師儒臣苦口婆心的諫諍之餘，兩宋諸帝卻熱衷營設原廟，甚且輕太廟而重原廟，這樣的反常現象不能不考慮從其他層面——禮俗，來尋求可能的理解。

回顧唐以來皇帝郊廟之禮暗生的變化，或可為上揭論題抉取若干線索。金子修一指出：唐代皇帝親祭郊廟之禮日趨世俗化，宗教性日低而展示性日高，皇帝本身對郊廟的重視已漸不如以往。[184]雷聞同樣以為，唐代禮制的重要現象之一就是「吸收民俗入禮典」，隋唐國家祭祀頗有將祭祀對象「人格化」、「偶像化」的特徵，從而使原先抽象的儒家原則朝向世俗化發展。[185]朱溢也論證了自唐玄宗到北宋後期太廟祭祀的顯著變化，端在於「私家因素的成長」，其跡象包括：掌理者由太常寺改為宗正寺[186]；宗親與祭程度不斷加深；廟室奉祀形式由一帝一后轉變為一帝數后；增設朔望薦食，祭品加入常饌。[187]究其實，這類改變頗與宋原廟的偏榮聲氣相通。從政治的角度觀之，或如朱溢所言，這些現象「體現了皇權的膨脹」；從禮俗的角度觀之，則可謂「人情」日益凌駕於「禮典」，也就是「緣情制禮」、「以情入禮」的呼聲愈見高漲。[188]

但是，禮教、人情向來互有消長，其間的張力與拉鋸關係無時無之。周秦以來王朝政權結構與禮儀典制長期緊密結合，使得出於俗情的原廟自始備受批評，被指責為於古不合、失禮不經，亦即不符合邦國政教運作機制的基本要求，不難窺知朝臣儒士「非禮」之議背後的恐懼，無非是「政權不合體統」的恐懼。相對看來，宋皇室本身由太廟轉而傾向原廟，則不妨說是從古至今人情普遍「由禮轉俗」、試圖解套鬆綁而有所傾斜的表現之一。

太廟供奉的是簡質莊重的正規木主，原廟卻採用寓目動心的「像設之道」。高度寫真的塑像、畫像，與源自古禮、事屬寫意的木主明顯異調，一般而言不可能直入太廟重地，反而仿效起佛門禪院祖師「影堂」，假借寺觀一隅安奉先人影像，既便於生者瞻仰、憑弔、禮拜，亦利於委請僧、道追懺祈福。至遲隋唐以來，皇族、高官顯宦等多為

---

184 參甘懷真：〈第五章：禮制〉，收入胡戟等主編：《二十世紀唐研究》（北京市：中國社會科學出版社，2002年），頁183。

185 參《郊廟之外——隋唐國家祭祀與宗教》，頁98-100。

186 所謂「太廟掌理者由太常寺改為宗正寺」，就官制的長期流變看來，應是回歸返正而已。朱溢將之並列為論據之一，宜有較周延的說明。

187 朱溢：〈唐至北宋時期太廟祭祀中私家因素的成長〉，《臺大歷史學報》第46期（2010年12月），頁76。

188 以北宋末年官訂的《政和五禮新儀》為例，其祭祀儀節「吸納了許多道教與民間信仰的因子」，冠婚喪禮也「加入了許多庶人的儀節」。參張文昌：〈唐宋禮書及其研究的回顧與展望〉，黃俊傑編：《東亞儒學研究的回顧與展望》（臺北市：臺灣大學出版中心，2005年），頁164。

家先設立功德寺，往來佛寺道觀，其中頗不乏供奉帝王御容者，自然擴充發展為皇家祭祀行禮的場所，更進一步在宋代演化成原廟。換言之，有宋皇家原廟固然受到漢高祖原廟的啟發，隋唐以來皇室「御容」、高層「功德寺」及佛門「影堂」的交錯影響，尤其不容忽視。

另一方面，原廟的禮俗性格亦有待釐清。中國皇家祭祖歷來牽連重大，遠超乎常民百姓「家人之禮」，而攸關王朝社稷「政統」之所繫。漢代以降，國朝典制莫不以儒家經義禮說為最高指導，「遵古守禮」幾乎是政權合法性的不二保障。然而歷經長期世變，儒家禮文固然仍主導、掌控國家檯面上的政教運作，一旦事涉喪、祭，觸及死生課題，則向來淡漠鬼神的儒式禮教，便顯得捉襟見肘，無法有效安頓世俗大眾面對死生物化的憂怖不安之感，中古以降佛道勢力日興，正是為了填補人心的這部分空缺，從而衍生古禮、儒禮、正禮時受「異端」文化侵蝕的蝕病現象。上述的「病徵」，同樣體現於宋代復行的皇家原廟制，原廟做為有別於「太廟」的另類型態，一開始即顯示出與「正宗本源」分道揚鑣的性格，不再受制於格套規範，基本上得以比照「庶人祭於寢」，「以『薦』代『祭』」（按：此指嚴格的古義），改採簡便易行、無多拘束的家人之禮，這對肩負神器的天子毋寧說是一種難得的「開釋」，故容許兼採僧道儀軌，滿足人間子孫為亡親設懺修福的實際需求。

本文探討兩宋原廟，固以「禮俗意義」為考察旨趣所在，不過，我們仍不能忽略大環境中歷史現實的強大作用。朱溢指出：「唐至北宋時期的禘祫禮儀在很大程度上擺脫了魏晉以來禮制和禮學的束縛：尊崇正統、體現名分的功能有所淡化，敬奉祖先、著眼本宗的考量不斷凸顯；漢魏禮學家對儒家經典的解釋已經無法左右禮制的調整，現實需要和經典的當下解讀才是決定性的。」[189]如前已述，真宗朝東封西祀，大肆崇道，將趙宋聖祖打造為道家天尊，本質上即與儒式太廟扞格，為此別設祖宗原廟，越界兼採佛道儀式的同時，猶勉與國朝正禮相容，終究不敢棄儒禮廟祀於不顧，實乃勢所必至的權宜之舉。故如同吳羽所觀察：從真宗朝的玉清昭應宮開始，京師若干重要的皇家宮觀（包括景靈宮在內），成為國家大禮運行不可或缺的要角，但這些道觀之行禮如儀，絕非由道士和道教儀式佔主導地位，而是「傳統國家大禮的一種變通形式」。[190]朱溢的分析同樣值得採納：

> 真宗通過聖祖的虛構來強化宋朝的統治合法性，並使景靈宮帶上了鮮明的趙宋色彩，與太清宮之於李唐王朝的意義相似，所以，景靈宮朝獻成為皇帝親郊前的一個固定儀式，用於加強統治合法性的展現。[191]

189 朱溢：〈唐至北宋時期的太廟禘祫禮儀〉，《復旦學報（社會科學版）》第1期（2012年1月），頁84。

190 參吳羽：〈宋代國家的禮制宮觀：道教與國家禮制互動的空間〉，《唐宋道教與世俗禮儀互動研究》（北京市：中國社會科學出版社，2013年），頁93。

191 朱溢：《事邦國之神祇：唐至北宋吉禮變遷研究》，頁126-127。

個人以為，正由於真宗重啟原廟機制，藉以安頓聖祖、先皇，以期鞏固趙宋皇權來源的政治神話，並凸顯帝王崇拜，自此以往，宋室繼位諸帝莫不因崇奉「祖宗家法」之故[192]，數百年間遵行不替，蔚為一代奇觀。張文昌鳥瞰唐宋禮書及其研究，認為「唐、宋禮儀禮制的變化」仍頗有研究空間，例如「國家禮典所代表的『公禮』，與家禮所代表的『私禮』」之關係，足以納為「唐宋變革論」的議題之一。[193]本文討論的宋皇家原廟，卻是界於「公／私禮」的過渡地帶，為禮俗史留下異乎尋常的文化印記，諸如象神樣式改採塑畫像設，陳設薦獻改用牙盤常饌、珍寶玩具，行禮儀節傾向時王之制、家人之禮，乃至兼容佛道法事等。而當我們轉由心理的、文化的層面看待原廟，或不至於片面強調古禮有本有源的正統性，對於類似的禮俗變遷，也就能給予更多的包容和理解。

後記

本論文初稿於二〇一五年八月二十一日宣講於「經學史研究的回顧與展望——林慶彰先生榮退紀念研討會」，日本京都大學大學院文學研究科中國哲學史專業主辦，北京大學禮學研究中心協辦。原文刊登於成功大學中國文學系出版之《成大中文學報》第52期（2016年3月），頁67-114。今轉載時略加修訂。

192 「趙宋的『祖宗之法』，開創於太祖、太宗時期，當時陸續奠定的政策基調和一系列做法，是宋初政治的中心內容，……將其明確稱之為『祖宗典故』、『祖宗之法』，並且奉之為治國理事之圭臬，則肇始於北宋真宗至仁宗前期。」見鄧小南：《祖宗之法：北宋前期政治述略》（北京市：生活·讀書·新知三聯書店，2006年），頁15。

193 參張文昌：〈唐宋禮書及其研究的回顧與展望〉，黃俊傑編：《東亞儒學研究的回顧與展望》，頁174-175。

宋元明官箴書中的三《禮》、祭祀措施與禮教*

劉柏宏

中央研究院中國文哲研究所助研究員

提要

本文旨在探討三《禮》對宋代以降官箴書產生之影響情形，進而涉及禮教思想進入地方治理層面的變異表現。全文首先歸納《周禮》、《禮記》對祭禮的相關論述，得出祭禮在儒家經典中所代表「以祭教敬，以敬成義」的禮教精神。其次考察宋元明三朝二十七部官箴著作，歸納分析其中論及祭祀的相關內容，得出普遍存在的兩項施行原則，與五項具體辦法。另由官箴書對祭祀行為的諸多規範，體現出「去害」與「防弊」兩項目的，而不同於祭禮的禮教精神。據此，一方面足以說明禮教思想進入後世治理實務層面所發生的變化，另方面也可為宋元明時期三《禮》的擴散與影響，提供具體例證。

關鍵詞：三《禮》　祭　禮教　官箴　經典

---

* 本文原以〈宋明官箴書的祭祀與教化〉為題，於二○一五年八月二十至二十一日假日本京都大學舉辦之「經學史研究的回顧與展望——林慶彰先生榮退紀念學術研討會」會中宣讀。感謝臺灣大學中國文學系黃啟書教授於會中提問，另外本刊兩位匿名審查人所給予的寶貴意見，也使本文缺漏處能減少許多。特此一併謹致謝忱！然礙於自身學力，文章必定仍有諸多不足及錯誤，這自然是筆者所應承擔文責，還望方家不吝指正。

一　宋元明官箴書性質與禮學信息介紹

官箴書是針對官員治理實務需要而撰著的指南，內容以從仕守則為主，兼含職掌典故，主要目的可借用《四庫全書總目．百官箴提要》所云：「具列官邪，風戒有位，指陳善敗，觸目警心」，[1]達到「激勸官方」[2]的效果。本文旨在通過宋、元、明時期官箴書的內容探討禮制在治理實務中的意義云何？藉此對「禮教」一詞進行思考。也希冀通過本文的考察，以說明三《禮》對宋明官箴書的影響情實。

一般探討官箴書的發展歷程，多上溯至《左傳》〈襄公四年〉所記周朝〈虞箴〉。該箴文的目的係以針砭周王闕失為主。[3]這雖然是目前文獻可見最早出現「官箴」一詞的例子，[4]但從設定的讀者身分來說，〈虞箴〉的性質較接近君王諫言，與後世就官吏而設的官箴稍有不同。然而以規範為官之道的立場來檢視先秦典籍，那麼至少在《尚書》中便有不少告誡官員操守的言詞，例如〈胤征〉有云：「惟時義和，顛覆厥德，沉亂於酒，畔官離次，俶擾天紀，遐棄厥司。乃季秋月朔，辰弗集于房。瞽奏鼓，嗇夫馳，庶人走。義和尸厥官，罔聞知。昏迷於天象，以干先王之誅」；[5]〈伊訓〉則具體列舉「三風十愆」為官敗德，曰：「制官刑，儆於有位。曰：敢有恆舞於宮，酣歌於室，時謂巫風；敢有殉於貨色、恒於遊畋，時謂淫風；敢有侮聖言、逆忠直、遠耆德、比頑童，時謂亂風。」國君百官卿士全員若有牽涉，則「卿士有一於身，家必喪；邦君有一於身，國必亡；臣下不匡，其刑墨，具訓于蒙士」，[6]此應可視為官箴的早期型態。

官箴書內容的基本架構最晚在秦代已發展完備，從秦簡〈為吏之道〉便可窺知。在該文中對官德吏術皆有論及，如具體歸結出「吏有五善」、「吏有五失」等為官準則；文末採用當時謠諺韻體「相」記載治事率人應留心事項，具有方便記誦的效果，反映該文的實用性導向。據竹簡整理者指出，文中「有不少地方與《禮記》、《大戴禮記》、《說苑》等相同」，[7]雖然大小戴《禮記》與《說苑》成書於漢代，但其中部分內容和〈為吏

1　〔清〕永瑢等編纂：〈百官箴提要〉，《四庫全書總目》〈史部三十五．職官類〉（北京市：中華書局，1987年），上冊，卷79，頁687中。

2　語出自《四庫全書總目》〈職官類序〉，原文為：「今所採錄，大抵唐宋以來一曹一司之舊事，與儆戒訓誥之詞。今釐為官制、官箴二子目，亦足以稽考掌故，激勸官方。」見《四庫全書總目》〈史部三十五．職官類序〉，上冊，卷79，頁682上。

3　《左傳》〈襄公四年〉「昔周辛甲之為大史也，命百官，官箴王闕。於虞人之箴曰：『芒芒禹跡，畫為九州，經啟九道。民有寢、廟，獸有茂草；各有攸處，德用不擾。在帝夷羿，冒于原獸，忘其國恤，而思其麀牡。武不可重，用不恢于夏家。獸臣司原，敢告僕夫。』〈虞箴〉如是，可不懲乎！」

4　楊建祥：《儒家官德論》（南昌市：江西人民出版社，2006年），頁139。

5　〔漢〕孔安國傳，〔唐〕孔穎達正義，黃懷信整理：《尚書正義》〈胤征第四〉（上海市：上海古籍出版社，2012年），卷7，頁272。

6　《尚書正義》〈伊訓第四〉，卷8，頁305。

7　上述秦簡〈為吏之道〉的介紹係參考自睡虎地秦墓竹簡整理小組編：《睡虎地秦墓竹簡》（臺北市：

之道〉相似，乃是沿襲自通行於春秋戰國時期的格言熟語而來。官箴雖自周秦以降歷經漢代揚雄〈州官十二箴〉、崔駰〈太尉箴〉〈司徒箴〉〈大理箴〉等文的發展，但由於受到早期箴體文四言格式的限制，是以內容主要仍以連綴經典文句、闡揚官德為多。直至唐代《臣軌》改以駢散互見的方式著述後，官箴書的內容纔能較不受書寫格式的影響，而可多元地記載為官從仕的各項知識技術，使官箴書的功能由原則教條轉為參考指南。[8]本文探討的對象——官箴書中的禮儀制度，也是在此條件下纔得以被記錄於官箴書當中。

歷來官箴書研究多循法制研史研究視野，而少有就其禮學、禮制意義進行探究。歸納目前管見研究成果，可知官箴研究主要議題集中在七大項，包括有屬於中國制度史研究領域中關於司法訴訟的法制史研究、古代官吏制度探討、古代救荒制度研究。屬於古典文獻與文學領域者，則有古典文學中的箴體文發展研究、歷代官箴文獻流衍與近代傳播。從思想精神層面的討論，則關注在官箴書所反映的胥吏官德與清廉勤政觀念。除此之外另有個案研究，主要集中在秦簡〈為吏之道〉、漢代揚雄、唐代《臣範》、宋代呂本中、元代張養浩、明代薛瑄、清代《福惠全書》等文獻與作者。本文嘗試在上述視野之外，從經學與禮學的角度出發，探討禮儀制度在治理實務中的意義。藉此亦可回應如《周禮》〈大司徒〉「施十二教民」等禮教觀點，是如何落實在後代的治理行為當中。

本文根據一九九七年黃山書社發行之《官箴書集成》叢書當中收錄宋元明三朝二十七部官箴書內容進行觀察，分別有（1）宋朝：陳襄《州縣提綱》、李元弼《作邑自箴》、呂本中《官箴》、胡太初《晝簾緒論》、許月卿《百官箴》。（2）元朝：葉留《為政善報事類》、張養浩《為政忠告》、《牧民忠告》、《風憲忠告》、《廟堂忠告》。（3）明朝：薛瑄《薛文清公從政錄》、宣宗朱瞻基《御製官箴》、汪天錫輯《官箴集要》、楊昱輯《牧鑑》、徐榜《宦遊日記》、江東之《撫黔紀略》、呂坤《新吾呂先生實政錄》、劉明俊《居官水鏡》、不著撰者《新官到任儀注》、不著撰者《新官軌範》、蔣廷璧《璞山蔣公政訓》、不著撰者《牧民政要》、不著撰者《初仕要覽》、吳遵《初仕錄》、不著撰者《居官必要為政便覽》、不著撰者《居官格言》、佘自強《治譜》。這二十七部宋元明時期的官箴書，部分內容涉及從政為官的禮制訊息，以下針對這些訊息的概要、屬性與分佈情形進行說明。

宋明官箴書中所見禮制內容，以五禮性質的分類標準而言，主要集中在吉凶賓嘉四禮。其中以嘉禮種類為最，包括有宴會、婚禮、鄉飲射、學禮與養老禮。賓禮則以記載官員相見往來禮節為多。凶禮主要係以荒禮賑濟為主，亦有部分關乎民間喪葬習俗規範。吉禮內容除有官員常用祭禮儀注，另有反對淫祠之風的相關言論。此外，多數官箴

里仁書局，1981年），頁543-557。又引語出自頁543。

8 關於古代箴體文的發展，及其對官箴書的影響，可參考裴傳永：〈「箴」的流變與歷代官箴書創作——兼及官箴書中的從政道德思想〉，《理論學刊》1999年第2期，頁94-98。

書對官員自身的日常起居、言談威儀、服輿器用都有論及，這類內容帶有曲禮的色彩。謹將二十七部官箴書的禮學資訊表列於本節後。

根據該表所反映宋元明官箴書的禮學資訊分佈情況，可知隨著時間的發展官箴書的禮制內容漸趨豐富，此表中以明代官箴書對禮制的記載最為詳盡，甚而有《新官到任儀注》這類儀注專書存世。儀注是典禮的程序規劃與備註記要，專供行禮參考使用，儀注類官箴的出現體現出實用化的發展趨勢。在重視實用的目的下，官箴書對於禮制的記載多採簡明扼要的記述方式，較少觸及深刻的禮學知識或經典解釋。從比較的視野而論，透過官箴與禮書經說的比對，探討經書義理與治理實務導向之下，禮所產生的意義變化。對於該變化之掌握，可為禮教的目的與實踐提供部分的說明。

表一　宋元明官箴書禮制分佈表[9]

	著作	子目	吉	凶	賓	嘉	曲
宋	州縣提綱	潔己、燕會宜簡、晨起貴早				✓	✓
	作邑自箴	正己、勸諭民庶榜、勸諭牓	✓		✓	✓	✓
	晝簾緒論	賑恤		✓			
元	牧民忠告	告廟、勉學、恤鰥寡、毀淫祠、多方救賑、祈禱	✓	✓		✓	
明	御製官箴	禮部箴、各府箴、各州箴、各縣箴	✓	✓		✓	✓
	官箴集要	禮體、正婚喪、興學校、師巫、毀淫祠、以禮下人、賑濟法、詔旨、祭祀、迎春、肅公宴、祭祀儀物	✓	✓	✓	✓	✓
	牧鑑	言貌、服御、教化、祠祀、困窮	✓	✓		✓	✓
	撫黔紀略	賑穀流通議、振鐸長言序、貴陽府儒學記		✓		✓	
	新吾呂先生實政錄	教官之職、弟子之職、存恤煢獨、收養孤老、賑濟饑荒、興復社學、修舉學政、禁約風俗	✓	✓		✓	
	居官水鏡	崇祀類、請舉類、旌善類	✓			✓	
	新官到任儀注	見注腳。[10]	✓			✓	

9　本次考察宋元明時期官箴書二十七部，其中十一部內容無論及禮制，未列入表中。此十一部分別為：宋代：《官箴》、《百官箴》。元代：《為政善報事類》、《為政忠告》、《風憲忠告》、《廟堂忠告》。明代：《薛文清公從政錄》、《宦遊日記》、《牧民政要》、《初仕要覽》、《居官格言》。

10　《新官到任儀注》內容有：在外開讀禮儀、天壽聖節正旦冬至進賀禮儀、千秋節慶賀禮儀、鄉飲酒禮儀註、釋奠禮圖、釋菜禮儀、祭社稷儀註、祭風雲雷雨山川城隍儀註、祭嶽鎮海瀆帝王陵廟禮儀、守禦官祭旗纛禮儀、祭無祀鬼神禮儀、里社、鄉厲、祭祖先、日蝕儀註、月蝕儀註、鞭春儀註、朔望行香儀註、新官到任儀註、文武官服色。

	著作	子目	吉	凶	賓	嘉	曲
	新官軌範	上任、民情、公務、禮儀、禦災、詞訟	✓	✓	✓	✓	✓
	璞山蔣公政訓	慎儀節、重鄉飲、恤孤老、潔祭祀	✓	✓		✓	
	初仕錄	視學、救災荒、謹儀節、肅公宴、正風化、勵學校、禮士夫、恤孤老		✓		✓	✓
	居官必要為政便覽	未設子目。	✓	✓	✓	✓	✓
	治譜	辭禮、公宴、言語、拜士夫、賓館會客、往見上司、見上司送禮、見上司禮、送各廳禮、起居宜慎、變化氣質、婚姻、鄉飲迎科舉、賑濟		✓	✓	✓	✓

二　祭祀的禮教意義

官箴書的撰寫目的是提供有效合宜處理政務的原則供官員參考使用，它的實用性主要展現在兩個面向，一是民政庶務的治理之法，一為官場的安身立命之道。前者涉及祭祀、婚嫁、賑恤、鄉飲養老、學校等典禮；後者主要反映在平時起居待人、同僚長官往來與宴會等禮儀。《左傳》〈成公十三年〉記載：「國之大事，在祀與戎。祀有執膰，戎有受脤，神之大節」，祭祀不僅是居五禮之首吉禮的主要內容，且依照《儀禮》記載，無論是冠、婚、喪等與身分轉變有關的重要典禮皆於宗廟舉行，與祭祀敬神關係密切。且從中國神道設教的政治傳統而論，舉凡祭祀的對象、地點、時間、禮服器具、犧牲粢盛，無一不具象徵意義，發揮政教功能。[11]職是之故，以下謹就官箴書的祭禮相關記載進行討論，梳理經典義理與官箴書內容間的聯繫及差異，以闡明教化觀念的承繼與發展情形。

將祭祀活動視為治理的一環，是禮教的核心觀念，相關的言論在儒家經典中屢見不鮮。探究此觀念的由來，從禮發展的角度來說，禮學論述往往將典禮、禮制視為早期國家政治實務的表現，此論點至少在歐陽修《新唐書》〈禮樂志〉所提出「治出於一」達到成熟。後代陸續皆有承襲此觀點的言論，以管見所及至少如黃宗羲曾言：「六經皆載

11 學界對祭祀與政治關係的討論成果豐碩，以影響古禮發展深遠的周代祭祀為例，林素英老師在《古代祭禮中之政教觀——以《禮記》成書前為論》（臺北市：文津出版社有限公司，1997年）書中討論祭祀的各面向，並側重闡發儒家經書賦予祭祀的禮義精神，進而展開政治思想層面意義的探究。另外大陸學者劉源則以商、周祭祖為研究對象，結合甲金文字史料與經典義訓，藉由比較對照的方式，以凸顯兩代祭祖儀式的特色。並且從禮文層面回推當時親族關係結構，與政治倫理樣態。請見劉源：《商周祭祖禮研究》（北京市：商務印書館，2004年）。謹舉上述兩部著作代表目前學界對此議題所採取之研究進路。

道之書，而《禮》其節目也。當時舉一禮必有一儀，要皆官司所傳、歷世所行，人人得而知之，非聖人所獨行者。大而類禋巡狩，皆為實治；小而進退揖讓，皆為實行」，[12]清末民初劉師培著有〈典禮為一切政治學術之總稱考〉，大致也是循此思路所作。禮儀之所以持續在政治場域產生作用，究其原因應與此有關。

從祭祀與政治的聯繫來說，《易》〈觀卦・彖傳〉有云：「聖人以神道設教，而天下服矣」，祭祀被視為神道設教的實踐，是聖人教化天下的管道，《周禮》描述大司徒掌管民政，其中提到以十二種方式來教化百姓，首重以祀禮教民敬德。[13]視祭祀得以在政治上產生治理效果，除了如前段所說是源於禮儀的歷史發生觀影響外，另項原因在於類比了祭祀行為與國家治理，將祭祀視為政治的象徵。〈祭統〉對祭祀的闡釋反映此般思維：

> 廟中者竟內之象也。祭者澤之大者也。是故上有大澤則惠必及下，顧上先下後耳。非上積重而下有凍餒之民也。是故上有大澤，則民夫人待于下流，知惠之必將至也，由餕見之矣。故曰：可以觀政矣。[14]

此段雖在解釋祭祀餕儀（食尊者餘）的用意，但間接可以看出象徵聖域的廟堂與人世的疆域，在祭祀時呈現出聖俗空間疊合的關係。祭祀流程中尸食鬼神之餘、君食尸之餘、臣食君之餘的餕儀流程，象徵現實的恩惠遍施全境的過程。因此祭祀鬼神與治理國家在儀式象徵的層面具有交集。這也能解釋何以祭祀行為被視為治理天下的方式之一。

儒家經典對祭祀產生的教化作用與治理效果都有關注。從教化效果來說，經典往往強調「敬」德的養成。除上述〈大司徒〉以祀禮教敬之外，如〈祭統〉：「祭敬則竟內之子孫莫敢不敬矣」；〈坊記〉：「修宗廟，敬祀事，教民追孝也」；《穀梁傳》〈成公十七年〉：「祭者，薦其時也，薦其敬也，薦其美也，非享味也」，都強調祭祀之於形塑敬德的教化成效。從心理層面分析祭與敬的關聯，誠如《禮記》〈祭統〉所云：「祭者非物自外至者也，自中出生於心者也，心怵而奉之以禮，是故唯賢者能盡祭之義」，[15]由於鬼神無形，世人易生褻慢之心，賢者祭祀猶能有祭如在之情，自願嚴整己心來祭祀。[16]從

---

12 〔清〕黃宗羲撰：〈學禮質疑序〉，《黃梨洲文集》〈序類〉（北京市：中華書局，2009年），頁311-312。

13 《周禮》〈大司徒〉「因此五物者民之常，而施十有二教焉：一曰以祀禮教敬，則民不苟。」又孫詒讓以為此十二教不僅止於庶民，而「事通於貴賤」。見〔清〕孫詒讓著：《周禮正義》〈地官大司徒〉（北京市：中華書局，1987年），卷18，頁705。

14 〔漢〕鄭玄注，〔唐〕孔穎達正義，呂友仁整理：《禮記正義》〈祭統第二十五〉（上海市：上海古籍出版社，2008年），下冊，卷57，頁1875。

15 《禮記正義》〈祭統第二十五〉，下冊，卷57，頁1865。

16 〈大司徒疏〉：「凡祭祀者，所以追養繼孝，事死如事生。但人於死者不見其形，多有致慢，故《禮》云『祭，極敬也』。是以一曰以祀禮教敬，死者尚敬，則生事其親不苟且也。」賈〈疏〉不僅有助釐清「祭」與「敬」的關係，同時也帶出「孝」在其中的意義。見〔漢〕鄭玄注，〔唐〕賈公彥

道德教育視之，帶有自律而非他律的色彩。從禮實踐而言，祭祀前的齋戒行為，是循由外鑠內的路徑來強化祭祀參與者敬意的凝斂，也能帶來形塑敬德的教化效果。由此觀之，經典中儼然有一套以祭祀培養敬德的禮教方式。

敬德的推展與施行有助確保身分秩序的穩定，這是敬德在治理層面的意義。如〈哀公問〉有云：「君子興敬為親，舍敬是遺親也。弗愛不親，弗敬不正。愛與敬，其政之本與」，[17]孔〈疏〉順著「弗愛不親，弗敬不正。愛與敬，其政之本與」而說，強調愛、敬在政治倫理中的意義，〈疏〉曰：

> 愛，謂親愛，則仁也。敬，謂尊敬，則義也。是仁義為政教之本。[18]

孔〈疏〉有意強調相對於仁愛所能產生相親的作用，「敬」可使親而有別，進而達到名實合宜（義）的正名目標。這是敬德教化落實到政治倫理時所帶來的正面價值。綰合上述可知經書所傳達的祭祀政教觀可歸結為「以祭教敬，以敬成義」的觀點。

如上所言可見祭祀之於教化甚是重要，維繫正統祭典遂成為施政教化的重點工作。《尚書》〈呂刑〉有云：「伯夷降典，折民惟刑」，伯夷以典禮教民，一旦失禮則以刑律懲治，不容絲毫模糊曖昧，典禮在此是王政良善價值的表徵。〈曲禮下〉更明言「凡祭，有其廢之，莫敢舉也；有其舉之，莫敢廢也。非其所祭而祭之，名曰淫祀。淫祀無福」，[19]此段前半強調擅恣興廢祭典是謂瀆神之舉，亦即不可任意增汰既有的祭祀神祇。此外，各身分也有相合稱的祭祀對象，不可躐等僭越而祭，[20]此屬妄祭淫祀，鬼神不會接受犧牲粢盛，自然也不會降福回報。

通過上述梳理，可以粗略說明源自經書的禮教論述對祭祀教化的看法為：積極性的表現是以祭祀化民成就敬德，消極性的作為則是要遏制淫祀濫祭的現象存在。以下將從指導原則與具體規劃兩個層次檢視宋元明官箴書對於祭祀的規範內容，及其與禮教論述的聯繫情形。

三　官箴書的祭祀教化原則

官箴書主要供官員治民使用，較不重義理闡述，是以在宋元明官箴書內容當中鮮少

疏，彭林整理：《周禮注疏》〈地官司徒第二〉（上海市：上海古籍出版社，2010年），上冊，卷9，頁340。

17 鄭〈注〉以「相敬則親」解釋經文「興敬為親」，這是依循經文原本談論婚禮親迎的脈絡而說。見《禮記正義》〈哀公問第二十七〉，下冊，卷58，頁1915。

18 《禮記正義》〈哀公問第二十七〉，下冊，卷58，頁1918。

19 《禮記正義》〈曲禮下第二〉，上冊，卷7，頁204。

20 如〈曲禮下〉「支子不祭，祭必告于宗子」，〈疏〉曰：「若濫祭，亦是淫祀。」見《禮記正義》〈曲禮下第二〉，上冊，卷7，頁207。

見到直接援引或申論儒家經典大義的情形。[21]然而在宋元明二十七部官箴書之中，明人楊昱「集經史百家之格言懿蹟，有關於政者，為牧人者之鑑」所著《牧鑑》，該書設有四類三十五目，在應事類祠祀目自經典中蒐集與牧民治世相關經句。藉由所選用的經句，可以推測官員在處理民間祭祀時的主要依循原則為何。以下就此申述之。[22]

《牧鑑》祠祀類共錄八則經文，其中有六則選自《禮記》〈祭統〉、〈曲禮下〉、〈王制〉、〈禮器〉，《論語》〈八佾〉、《穀梁傳》〈成公十七〉各選用一條。這八則經句在原書中的引錄情形如下（編號為筆者所加）：

（1）〈祭統〉曰：凡治人之道，莫極於禮，禮有五經，莫重於祭。夫祭者非物自外至者也，自中出生於心者也。心怵而奉之以禮，是故惟賢者能盡祭之義。

（2）又曰：及時將祭，君子乃齊。齊之為言齊也，齊不齊以致其齊者也。是故君子非有大事也，非有恭敬也則不齊，不齊則於物無防也，嗜欲無止也。及其將齊也，防其邪物訖其嗜欲，耳不聽樂，故記曰：齊者不樂，言不敢散其志也。心不苟慮，必依於道；手足不苟動，必依於禮。是故君子之齊也，專致其精明之德也。故散齊七日以定之，致齊三日以齊之。定之之謂齊，齊者精明之至也。然後可以交於神明也。

（3）《論語》曰：祭如在，祭神如神在。子曰「吾不與祭，如不祭」。

（4）〈曲禮〉曰：祭祀不言凶。

（5）《穀梁傳》曰：宮室不設不可以祭，衣服不脩不可以祭，車馬器械不備不可以祭，有司一人不備其職不可以祭。祭也者，薦其時也，薦其敬也，薦其美也，非享味也。

（6）〈王制〉曰：祭，豐年不奢，凶年不儉。

（7）〈曲禮〉曰：凡祭，有其廢之，莫敢舉也。有其舉之，莫敢廢也。非其祭而祭之，名曰淫祀，淫祀無福。

（8）孔子曰：我戰則克，祭則受福，蓋得其道矣。[23]

綜觀上述八則經文，實則傳達以祭祀推行教化的兩項原則，即主敬、合制。以下分述之。所收（1.2）〈祭統〉與（3）〈八佾〉經文主要在傳達祭祀主敬的觀念。（4）〈曲禮下〉：「祭事不言凶」，強調吉凶有別不得相干的原則。《周禮》〈秋官・蟈氏〉有云：「凡

21 從筆者目前所見，官箴書中引錄經典格言的情況也隨時代而不同。宋元時期官箴書中尚可見得書中有專章蒐集經典嘉言、歷史事蹟以供讀者參鑑的情形，然至明代，官箴書中較少見到此類內容。

22 〔明〕楊昱輯：《牧鑑》（合肥市：黃山書社，1997年《官箴書集成》本），第1冊，卷7，頁10a-11a，總頁356。

23 最末句出自〈禮器〉，然原書未標出處。

國之大祭祀，令州里除不蠲，禁刑者、任人及凶服者」，不蠲即不潔，凶服與犯刑者皆屬之。由於視凶事為不潔，為求祭祀過程不受侵擾，因此過程中要完全避免出現凶服凶事，方可展現虔敬之意，〈祭義〉:「郊之祭也，喪者不敢哭，凶服者不敢入國門，敬之至也」的說法即是據此而來。[24]（5）《穀梁傳》成公十七年經文目的在說明事物齊備方可為祭，[25]若未充份準備便貿然行祭則是不敬的表現。〈祭義〉以「慮事不可以不豫，比時具物，不可以不備，虛中以治之」描寫孝子祭祀前的準備狀態，不僅須事前設想周全，專注於祭事，更要「在祭之先以備具於物，至於祭時，不可以不備具」，[26]這與《穀梁傳》備具為敬的說法一致，皆強調敬德之於祭祀的重要。

八則經句的後三則可視為第二組。（6）〈王制〉言祭祀規模不因歲收而有變化，相對於其他國用開銷會隨豐凶年收而有增減，祭祀與喪葬因屬國家重典故不可輕易更制。在此同時提醒主政者應就一年祭祀所需器用財物預做規劃，以免經費支絀。（7）〈曲禮〉所言淫祀之事前已詳述，官箴以此強調應對民間祭祀多所留意控管，以杜絕淫祀之弊。相對於邪道淫祀鬼神不饗，合禮之祭則可致福，（8）〈禮器〉:「我戰則克，祭則受福，蓋得其道」便是回應於淫祀無福之說。然所「得其道」云何？就〈禮器〉原文脈絡而言，在於行禮有紀，所謂「君子行禮也，不可不慎也，眾之紀也。紀散而眾亂」。進一步追問行禮之紀為何？由〈禮器〉此段之前所舉管仲行禮過奢、晏平仲行禮儉隘的事例推斷，官箴應是借〈禮器〉告誡主政者行禮應合乎制度，此不僅可招致福報，亦呼應前揭〈王制〉:「祭，豐年不奢，凶年不儉」的原則。

總結上述，官箴運用以《禮記》為主的儒家經說作為管理民間祭祀的指導原則。抽繹官箴書引用的經說內容，可歸結出兩大方針：一為祭祀主敬，一為祭祀合制。宋明官箴書中多數與祭祀相關的規劃與辦法，皆不脫此兩大原則。

四　官箴書的祭祀辦法與教化方式

宋元明官箴書中少有專章記錄祭祀制度，多是散見於不同篇章。從其中可以知悉與地方官員政務密切相關的祭典如下表所示：[27]

---

24 宋人則以「哀樂之情不可以貳也，貳則不誠不足以奉大事」來解釋吉凶異道不可相干的原則。見〔宋〕衛湜著：《禮記集說》〈曲禮下第二〉(《文淵閣四庫全書》版)，第117冊，卷10，頁32a所收藍田呂氏之語。

25 《穀梁傳》〈成公十七・疏〉曰:「家國備然後享」、「徐邈云：宮室謂郊之齊宮，衣服、車馬亦謂郊之所用，言一事闕，則不可祭。」

26 語出〈祭義疏〉。見《禮記正義》〈祭義第二十四〉，下冊，卷55，頁1816。

27 謹據〔明〕劉明俊《居官水鏡》、〔明〕不著撰者《新官到任儀注》內容製表。

表二　地方官所行祭禮相關內容表

祭典	祭期	祭祀對象
釋奠與釋菜	春秋仲月上丁日	孔子、賢哲
祭祀社稷	仲春仲秋上戊日	社之神、稷之神
祭祀風雲雷雨山川城隍	春秋仲月上旬	風雲雷雨、山川、城隍
祭祀嶽鎮海瀆帝王陵寢	春秋仲月上旬	五嶽、五鎮、四海、四瀆、帝王陵寢
守禦官祭旗纛禮儀	驚蟄、霜降	軍牙六纛
（城）祭無祀鬼神禮儀	清明、七月十五、十月一日	城隍、無祀鬼神
（鄉）祭鄉厲		無祀鬼神
祭里社	仲春、仲秋	五土之神、五穀之神
祭祖	孟春夏秋冬	曾、祖、考妣
日月食儀	日食　月食	日、月
鞭春	立春	勾芒神
新官到任儀	到任日	城隍廟總祭應祀諸神
崇祀名宦列女		地方賢良官員、貞婦

在上述祭典當中有不少儀節具有化民成俗的目的。例如《新官到任儀注》記載春秋里社祭祀。《儀注》記載祭社目的乃在「恭敬神明、和睦鄉里，以厚風俗」。祭社結束後便集結村民舉行會飲，會飲前有「先令一人讀〈抑強扶弱〉之誓」的儀式，誓詞提到要求里人遵守禮法，毋恃強淩弱。對於貧弱或婚喪有乏者應給予周濟。不過對於貧弱者也非無止境的濟助，倘若「三年不立，不使與會」。而作奸犯科危害鄰里之人，亦「不許入會」。藉由公共權利與正常身分的予奪，以達到改進行為與觀念的目的。俟誓詞讀畢則可依長幼之序入席共歡。由此可見禮教之治的機制係立基在社群共通的價值判斷，展現出的行為差別對待，甚至可能是透過輿論氛圍等方式，以達到規範行為的效果。[28]

此外，祭典的讀祝儀節也可能成為推行禮教的管道。例如祭無祀鬼神於城隍廟時，向城隍誦讀的祝文，也有宣導行禮有節，禮有等第毋躐等而祭的目的，文曰：「天子祭天地神祇，及天下山川。王國各府州縣，祭境內山川及祀典神祇。庶民祭其祖先及里社、土穀之神。上下有禮，各有等第，此事神之道如此」、「在京都有泰厲之祭，在王國有國厲之祭，在各府州有郡厲之祭，在各縣有邑厲之祭，在一里又各有鄉厲之祭，期於神依人而血食，人敬神而知禮」，期以此禮展現敬神知禮之德。更積極主張通過祭祀產生維繫地方秩序的效果，祝文曰：

28 上述引文請見《新官到任儀注》〈里社〉（《官箴書集成》本），第1冊，頁29a，總頁724。

> 其不昧來饗此祭，凡或一府州縣境內人民，倘有忤逆不孝、不敬六親者；有奸盜詐偽、不畏公法者；有拗曲作直、欺壓良善者；有躲避差徭、靠損貧戶者。似此頑惡奸邪不良之徒，神必報於城隍，發露其事，使遭官府。輕則笞決校斷、不得號為良民。重則徒流較斬，不得生還鄉里。若事未發露，必遭陰譴，使舉家並遭瘟疫，六畜田蠶不利。

通過祈禱誦祝的方式，一方面訴諸鬼神降禍報應的信念，另一方面替行善守道之人祈福，以為「如有孝順父母、和睦親戚、畏懼官府、遵守禮法，不作非為良善正直之人，神必達之，城隍陰加護佑。使其家道安和、農事順遂」，以此達到淳化良俗的目標。[29]

明人吳遵告誡初仕官員應秉持「大率禮儀以豫講素閑為貴，儀注必先定，舉行必中節，僚屬下人必先戒諭，則儀範端而觀望肅矣」[30]的態度來處理祭典事務，歸納宋明官箴書的內容，可得出下列五項重點。

（一）齋戒禮數齊備

祭祀之前舉行齋戒的重要性，最晚在秦漢時已被意識並賦予理論的意涵，〈祭統〉有云：

> 及時將祭，君子乃齊。齊之為言齊也。齊不齊以致齊者也。是以君子非有大事也，非有恭敬也，則不齊。不齊則於物無防也，嗜欲無止也。及其將齊也，防其邪物，訖其嗜欲，耳不聽樂。故記曰：「齊者不樂」，言不敢散其志也。心不苟慮，必依於道；手足不苟動，必依於禮。是故君子之齊也，專致其精明之德也。故散齊七日以定之，致齊三日以齊之。定之之謂齊。齊者精明之至也，然後可以交於神明也。[31]

祭祀前齋戒的目的主要齊整心志，致精明之德，期能虔敬以祀神明。齋戒的重點在於克除內心嗜欲，以免心志受到影響而曲邪。具體而言，齋戒分為「散齋」、「致齋」兩個階段，據上述可知齋戒時應耳不聽樂、心不苟慮、行不苟動，也就是減少旁騖，達到滌蕩心思意念的效果。根據目前尚存最早且完整的禮典《大唐開元禮》描述，散齋時官員辦公理事比照平日，唯須遵循前述吉凶不可相干的原則，凡與凶喪不潔相關者皆不可接觸，是以不可弔喪問疾、署理刑殺裁罰案件。致齋時必須專心於祭祀之事，是以「惟祀

---

29 上述引文出自《新官到任儀注》〈祭無祀鬼神禮儀〉（《官箴書集成》本），第1冊，頁26b-28a，總頁723-724。

30 〔明〕吳遵著：《初仕錄》〈禮屬．謹儀節〉（《官箴書集成》本），第2冊，頁28a，總頁49。

31 《禮記正義》〈祭統第二十五〉，下冊，卷57，頁1870-1871。

事得行，其餘悉斷」。[32]宋明官箴書對於官員齋戒時的處事與態度都有說明，例如明代《新官軌範》〈上任第一〉提到預備祭禮的過程中，除應要求禮生須預先習儀之外，還得「令兵房戒諭諸色人等，不得喧嘩、不得擠塞觀望，亦不遽然行刑」，[33]此正是自〈祭統〉、《開元禮》沿襲而來。此外齋戒重視肅靜，不可作樂擾志的經訓要求，官箴書中亦加以落實，如《初仕錄》、《新官軌範》皆規定祭前齋戒時，不可置酒辦飯、會飲僚屬。[34]凡此皆是透過行為與環境的塑造，以避免褻瀆神明，追求符合「祭祀主敬」的禮教目標。

齋戒不僅對與祭官員職司有行為上的要求，更有助主官個人官德的養成，元人張養浩《牧民忠告》論及救荒祈禱前的齋戒時，說到：

> 齋居三日以思己愆。民有冤歟？己有贓歟？政事有未善歟？報國之心有未誠歟？無則如儀行事，有則必俟追改而後禱焉。夫動天地感鬼神，非至誠不可。纖毫之慝未除，則彼此邈然矣。[35]

在此，齋戒行為不只是祭祀前的身心預備過程，不止於敬神信仰的意義。雖然齋戒的目的是透過敬誠之心達到感天動地的目的；但同時也促使主官自省為政治民是否盡忠職守，有無貪贓枉法。齋戒本是出於鬼神崇拜、禳災祈福的信仰行為，在儒家經典的脈絡下轉化成為以敬德維繫群倫的禮教措施。而在為官治理的實用需求下，齋戒儀節遂被運用成為官者反躬自省忠德的修養工夫。

祭祀前除透過齋戒調節參與者的身心狀態，此外也必須準備祭祀禮器、犧牲粢盛，以求慎重周全。古禮書規範主祭官祭前必須「省牲」、「視滌濯」，如《周禮》〈大宗伯〉曰：「凡祀大神、享大鬼、祭大示，……眡滌濯，涖玉鬯，省牲鑊」；〈小宗伯〉曰：「大祭祀，省牲，視滌濯」。滌濯，鄭〈注〉以為「溉祭器」，也就是要求確認清潔祭器。省牲，《周禮》〈肆師〉曰：「大祭祀，展犧牲，繫於牢，頒於職人」，鄭〈注〉：「展者，省閱」，賈〈疏〉：「牧人以牲與充人之時，肆師省閱其牲，看完否及色堪為祭牲，及繫於牢頒付於職人」，派遣專人或親自檢視犧牲的狀態是否完善，以免褻瀆神明。確認禮器潔淨、犧牲完善的程式也同樣可見於官箴書的祭祀禮數當中，如《新官軌範》有規定「臨祭須自巡視祭品」；[36]《璞山蔣公政訓》叮囑官吏「凡祭祀俱要豐潔，分付各里甲須要好生看守，不可分毫先動」。[37]主官須親自省牲器不僅是為求完備，以展誠敬；更

32 〔唐〕蕭嵩等奉敕撰：《大唐開元禮》〈序例下・齋戒〉（北京市：民族出版社，2005年影印洪氏公善堂刊本），卷3，頁8a，總頁32。

33 〔明〕不著撰者：《新官軌範》〈上任第一〉（《官箴書集成》本），第1冊，頁15b，總頁740。

34 《初仕錄・禮屬謹儀節》，頁27b，總頁49。《新官軌範》〈禮儀第七〉，頁32b，總頁749。

35 〔元〕張養浩著：《牧民忠告》〈救荒第七・祈禱〉（《官箴書集成》本），第1冊，頁8a，總頁218。

36 《新官軌範》〈禮儀第七〉，頁32b，總頁749。

37 〔明〕蔣廷壁著：《璞山蔣公政訓》〈治體類・潔祭祀〉（《官箴書集成》本），第2冊，頁29b，總頁15。

重要的是要確認器具牲口是否短缺，明代汪天錫《官箴集要》提到「凡祭祀境內山川社稷及風雲雷雨，載在祀典等神，皆須齋戒嚴潔然後行事。祭祀之物必當親身點視，不得委之吏胥，大抵此輩多無顧忌」，[38]提醒為官者必須確實清點祭祀器物，以杜絕職司貪贓欺瞞或隨意處理之弊。在此可看出原本用意是在重視禮備的省牲器儀節，在實際運用時成為防弊的手段。

此外，〈明堂位〉描述祭祀前必須「各揚其職，百官廢職服大刑，而天下大服」，[39]要求祭祀時動員全體，典禮各職司不可廢弛，在祭祀前要告誡提醒各員職責，〈大宰〉曰：「祀五帝，則掌百官之誓戒，與其具脩」，鄭〈注〉言「誓戒，要之以刑，重失禮也」，[40]嚴禁祭祀中怠忽職守造成失禮，故訴諸刑律以警戒之。明代《居官必要為政便覽》曰：「凡慶賀習儀拜牌救護祈晴禱雨，須預出告示諭僚屬人等。至期齊集行禮。如有失誤依律究罪」，[41]即是循此法而來。又齊集行禮之儀，可見於隋大歷七年禮儀使楊綰奏請先集齊赴祭所一事。[42]由此可知，祭前誓戒百官關乎失禮與否，且經書強調此禮具有服天下大眾的效果，是以被運用在後世的治理實務之中。

（二）留意祭祀耗費

前述省牲器時曾提及主官必須確認祭祀器用犧牲是否合制，不僅免於失禮瀆神，更實際的是可除徒耗公帑、勾結舞弊情事。這類叮囑在明代官箴書中屢見不鮮。就對象來說，涉及官辦祭典與民間賽會兩類。官箴書對此二類祭祀的銷耗皆有注意。以前者而言，官箴書提醒新任官員應瞭解以往祭祀耗費，並透過預算編列的方式控管祭祀支出，如汪天錫《官箴集要》所說：「祭祀及鄉飲酒、新官到任、舊官辭神，會計每年合用豬羊等物若干，斟量合用物價若干，派定坊廂都分。某坊廂辦正月鄉飲，某坊廂辦十月鄉飲，一都春祭文廟，一圖二圖買豬，三圖四圖買羊，二都春祭社稷，三都祭山川，四都祭清明，五都祭文廟，六都秋祭社稷，七都辦新官到任、謁神之類」，此舉可達到「革權要爭賣豬羊、多取價利之弊」的效果。[43]或如《新官軌範》所言：「凡遇祭祀先期查照舊案價值，支錢與牙行收買牲口等項，完算以備公用。不可逼勒賒買，及容情貴買」，[44]

---

38 〔明〕汪天錫輯：《官箴集要》〈禮儀篇．祭祀〉（《官箴書集成》本），第1冊，卷下，頁37b，總頁302。

39 《禮記正義》〈明堂位第十四〉，中冊，卷41，頁1265。

40 《周禮注疏》〈天官冢宰第一〉，上冊，卷2，頁61。

41 〔明〕不著撰者：《居官必要為政便覽》〈禮類〉（《官箴書集成》本），第2冊，頁11b，總頁62。

42 〔唐〕王涇著：《大唐郊祀錄》〈凡例上．齋戒〉（臺北市：藝文印書館，1965年《百部叢書集成》本），第1冊，卷1，頁8a。

43 《官箴集要》〈禮儀篇．祭祀儀物〉，頁39b，總頁303。

44 《新官軌範》〈禮儀第七〉，頁32a，總頁749。

如此既可使祭典合度避免失禮，亦可樽節防弊。

針對祭典賽會，民眾容易耗費甚鉅，使不肖者從中斂財，敗壞民風，明代《新吾呂先生實政錄》當中呂坤即主張「士民祭賽惟有土穀及先祖之神」，其餘諸神俱不宜賽。呂坤以為：

> 高搭棚台、盛張錦繡、演搬雜劇、男女淫狎。街市擁擠，奸盜乘機，失節喪命者往往有之。豈惟褻瀆神明耗費財帛而已哉。至於修蓋廟寺、鑄塑神尊，金碧輝煌、棟樑巍聳。要福不得，惑眾實多。[45]

文中列舉民間賽會帶來的負面影響，舉凡鋪張浪費、傷風敗俗、蕩惑人心，不一而足。呂故而主張「違者收其會錢糴穀備賑，會首依律坐罪」。《新官軌範》亦云：「祭神廟賽，小處則當禁止，大處人眾不可過者，須與會賽日差人檢束，收其香錢公用，勿容會首克落」，[46]若遇大型廟會無法禁止，則官方應派人主動查收香油錢，以免落入地方權勢，中飽私囊。

通過官箴書對於祭典耗費的諸多顧慮與防範，回對〈王制〉：「祭，豐年不奢，凶年不儉」的經訓，可知要求祭典合乎規制，過猶不及皆應避免，其用意不僅是積極地追求合乎禮數以展敬意，同時也有防範施行祭典時，因追求福報造成濫祭無度所產生的負面效應。由此可知禮之訂定尚具有降低社會風險、減少弊端的作用。

（三）重視分胙程式

祭祀以牲牢為祭品，進獻犧牲的儀節象徵人向神祇表達祈求的過程，俎肉在祭禮當中被賦予連結神與人的媒介功能。[47]而在祭祀的後半段透過主祭官及現場會眾共同分享俎胙的流程，象徵神所賜福惠遍及眾人。分胙的意義已不止於實質食物的授受，獲得胙肉更象徵接受到來自於神的祝福。在儒家經說中更進而連結分胙儀節與政治倫理，如〈祭統〉曰：「俎者，所以明惠之必均也。善為政者如此，故曰：見政事之均焉。」值得注意的是，分胙儀節通過〈祭統〉揭示「均」的觀念，將原先強調神施惠予人的神人關係連結，轉化成為眾人共用恩惠，使其具有連結人與人關係的意義。〈大宗伯〉：「以脤膰之禮，親兄弟之國」的說法正是承此而來，鄭玄所謂「脤膰，社稷宗廟之肉，以賜同姓之國，同福祿」的「同福祿」之說，正點出分胙儀節透過「均」、「同福祿」等觀念

---

45 〔明〕呂坤著：《新吾呂先生實政錄》〈民務卷之三查理鄉甲〉（《官箴書集成》本），第1冊，頁479。

46 《新官軌範》〈禮儀第七〉，頁32a，總頁749。

47 何長文：〈中國古代分胙禮儀的文化蘊含〉，《東北師大學報（哲學社會科學版）》1999年第3期，頁49-53。

以達到凝聚整合社群的禮教效果。[48]

官箴書承襲「分胙重均」的觀念，往往強調祭畢時分胙必須格外謹慎，以免不均、遺漏而失禮。如《官箴集要》言道：「至於頒胙亦宜均」。[49]並且為了避免主官分胙有誤，因此特別告誡要查閱過去分胙的紀錄以確認人員名單及數量，如《新官軌範》建議：「到任三日之後吊取禮房舊日分散胙肉歷日、士大夫簿籍，查勘明白。」[50]《璞山蔣公政訓》更明確描述分胙的工作流程與人員配置：

> 享胙酒、食分胙先將閑人打開，只用二皂分站立堂上，只用禮房吏一人查簿。人各一分肉照依舊規，分散不可多不可少。先從二衙學中分了，方散士分。里老一一俱到，不可簡略私己。斷不可令人叢倒分肉，有失大體，抑且致偷。[51]

分胙時必須留意不可為閒雜人等干擾甚至是偷竊，必須先清場始可分胙。分胙時依簿冊名單而各取一份。《初仕錄》更建議採取「具帖分送」的方式，由官府委專人發送，能減少因比較多寡而衍生的紛爭，同時能達到確保均分的目的。《初仕錄》更建議祭祀結束後可將「餅飯散給孤老、獄囚，亦惠下之一端也。」[52]在專程分送胙肉時，更能探訪在地耆老並徵詢意見，如《新官軌範》曰：「祭物有餘，分給父老。吏典問以縣中急務。」[53]根據上述，原在禮書經典中強調分胙具有的凝聚成員、連繫情感的意義，在官箴書中得到擴充，將分胙儀節賦予恤濟窮困、尊優養老、探訪民意等實質的治民功能。

（四）凶荒祈禱護民

災荒容易造成民眾離散，地方官員此時職責在於匯聚、生養眾民。凡此而設各項因應之道，在五禮性質中屬於凶荒之禮。《周禮》〈地官・大司徒〉言「以荒政十有二聚萬民」，列舉十二大項因應災變的方法。根據第一節的表格內容可知重視荒政的傳統在宋明官箴書中得到延續，其中有為數不少篇幅與災荒賑恤有關。本段僅就涉及祭祀內容之處加以說明。

〈大司徒〉十二荒政與祭祀最為直接者為「眚禮」與「索鬼神」，[54]此外也常運用

---

48 上引〈大宗伯〉原文，請見《周禮注疏》〈春官宗伯第三〉，中冊，卷19，頁673。

49 《官箴集要》〈禮儀篇・祭祀〉，頁37b，總頁302。

50 《新官軌範》，頁1b，總頁733。

51 《璞山蔣公政訓》〈治體類・潔祭祀〉，頁29b，總頁15。

52 《初仕錄》〈禮屬謹儀節〉，頁27b，總頁49。

53 《新官軌範》〈上任第一〉，頁16b，總頁741。

54 賈公彥〈大司徒疏〉注解「眚禮」為「吉禮之中，眚其禮數」，節省吉禮禮數。「索鬼神」亦即「搜索鬼神而禱祈之。」孫詒讓曰：「以凶荒，恐舊在祀典，今或廢缺，鬼神怨恫，而為此災，故搜索修舉而祭之。」見《周禮正義》，第3冊，卷19，頁743。

祈晴禱雨之禮，如〈祭法〉：「雩宗，祭水旱也」，[55]《左傳》〈昭元〉：「山川之神，則水旱疫癘之災，於是乎禜之。日月星辰之神，則雪霜風雨之不時，於是乎禜之」。主導祈晴雨祭祀的主要是「以類致類」與「厭勝」兩種禳災思維，[56]但共通處都是祈禱者必須要專志精誠，方可感通天地。誠如〈祭統〉所說「身致其誠信，誠信之謂盡，盡之謂敬，敬盡然後可以事神明，此祭之道也」；或《尚書》〈太甲下〉所謂「鬼神無常享，享於克誠。」此外《國語》〈楚語下〉有云：「民之精爽不攜貳者，而又能齊肅衷正，……如是則神明降之」，[57]可見至誠事神乃先秦以降普遍認知。官箴書據此告誡祭祀者在祈禱晴雨時須格外誠敬，[58]《初仕錄》：「至於日月之蝕，則有救護；雨暘愆期，則有祈禱，關係甚重，務宜自竭精誠，督率僚屬。如救護悉照常行禮儀，嚴禁喧雜如祈禱，務在精誠感格，不為靡文」，[59]祭祀重點不在耗費逾矩的排場，而在全員的精誠意念。

此外，祭祀本為在地大事，為求靈驗降福，往往動員眾夥，要求齊心合意參與。然遇荒災則須避免擾民，如《新官軌範》規定「凡祈禱雨澤，不可點集里老人等行禮，但當省諭耆宿……其他役放歸，自行救濟田業」；[60]《初仕錄》亦曰：「當省諭耆宿。僧道隨行祠禱。不可濫集人眾，以妨農工。真如痌瘝切身，天人自當感應也」，[61]官箴書提醒主官與胥吏、生員應該竭誠祝禱，但不應干擾百姓。另外應減免徭役釋放勞動力，不僅是體恤民情，更有助加速重建復原。凡此舉措實本自〈大司徒〉十二荒政中「弛力」、「眚禮」之說而來，展現懷柔恤民的教化精神。

（五）控管淫祀師巫

趨吉避凶本是人之常情，民間常見師巫與非正統的祭祀行為、宗教組織，之所以歷久不衰的根本原因即在乎此。換言之，這類民間淫祀雖如前文所言，在儒家經典被視為無德無福之祭而應禁制，但卻因植基在民眾的普遍需求而難以斷除。成為治理時不得不面對的問題。然而觀察官箴書的內容可以發現，真正驅動官員掃除淫祀、地下宗教組織的原因，並非是出於恪遵經典的文化使命感，而是信仰行為所引發的各種實際的社會問題。

---

55 鄭玄〈祭法注〉以為「宗」當作「禜」，即「營域」，為壇而祭之意。見《禮記正義》〈祭法第二十三〉，下冊，卷55，頁1787。

56 〔清〕秦蕙田編著，〔清〕盧文弨、姚鼐等手校：《五禮通考》〈吉禮．大雩〉（中壢區：聖環圖書股份有限公司，1994年據味經窩初刻試本影印），第1冊，卷22，頁8b，「案曰」。

57 「精爽不攜貳，齊肅衷正」指內心專一不雜而顯現肅敬，見徐元誥集解，王樹民點校：《國語集解》〈楚語下第十八〉（北京市：中華書局，2002年6月），頁512-513。

58 《官箴集要》〈禮儀篇．祭祀〉：「及若祈晴禱雨，尤宜極其誠敬。先儒謂有其誠則有其神，無其誠則無神，可不謹乎。」（頁37b，總頁302）

59 《初仕錄》〈禮屬謹儀節〉，頁27b，總頁49。

60 《新官軌範》〈禦災第八〉，頁33b，總頁749。

61 《初仕錄》〈禮屬謹儀節〉，頁27b，總頁49。

以經濟層面而言，非法祭祀蠶食鯨吞百姓財產，例如宋代李元弼在《作邑自箴》當中提到民間會社往往以禳災祈福為名，但卻「更率斂錢物造作器用之類，獻送寺廟。動是月十日，有妨經營。其間貧下人戶多是典剝取債，方可應副」；[62]「社會祈神禱佛多端率斂，或為奇巧之物貢獻寺廟，動經旬月奔走失業，甚則傷財破產，意在求福禳災而已。」[63]從影響良善風俗的層面來說，民間祭祀從事者往往競相表現，缺乏節度，所謂「眾喜成俗爭氣相高，以不隨眾為恥」，[64]不僅耗損物力更致奢靡成習。此外，民間宗教組織較難避免受到成員間共同利益的干擾，[65]甚至可能訴諸現實利益做為維繫成員的媒介，卻又假託神鬼禍福之名而行，使其中成員受該思維左右而不自知，而在思想上與禮教核心的血緣倫理秩序觀產生扞格，做出違禮犯禁之事。例如明代《官箴集要》曰：

> 因有傾貲竭產，祭祀淫昏之鬼。其病偶爾自癒，則曰神之力也。否則曰爾祖之不蔭也。愚懵子孫，從而信之，廢其祭祀，或掘遷墳塋，毀其神主者有之。[66]

迷信的成員依循組織內部的邏輯祈福避禍，無視於親情倫理致使家族失和，無怪李元弼感嘆道：「愚民無知，求福者未必得福，禳災者未必無災。汝輩但孝順和睦，省事長法，不作社會，獻送自然。天神祐助，家道吉昌。汝若不孝不睦，非理作事，雖日日求神禱佛，亦不免災禍也。」元代張養浩《牧民忠告》有云：「毀淫祠，非燭理明而通道篤者不能，非行己端而處心正者不敢」，[67]淫祀造成危害的原因，不單單只是如鄭玄〈曲禮下注〉所說「妄祭神不饗」；擴大至家族社會的層面而言，更顯明淫祀迷信的封閉思想系統，無法與血緣倫理的文化傳統有效整合，是淫祀造成社會動盪的深層原因。[68]由於事關思想系統差異所產生的判準落差，因此張養浩特別強調主官在面對淫祀時，自身的文化涵養必須明理通達，心思行為則要端正，方能處理得宜。

由於本文僅設定探討宋明官箴書內容所呈現出的祭祀原則、辨法與教化目的，尚未觸及官箴書對於官員治理的實質影響，因此無法說明官箴書對於淫祀的立場與主張是否在官員治理的過程中得到充分的反映與落實。且考慮到〈祭法〉另外標舉判斷祭祀對象的積極性原則——「有功烈於民」，[69]正好與前揭〈曲禮下〉：「非其祭而祭之為淫祀」

62 〔宋〕李元弼著：《作邑自箴》〈規矩〉（《官箴書集成》本），第1冊，卷5，頁31a，總頁84。

63 《作邑自箴》〈勸諭牓〉，卷9，頁46a-b，總頁92。

64 《作邑自箴》〈勸諭牓〉，卷9，頁46b，總頁92。

65 〔美〕楊慶堃著，范麗珠譯：《中國社會中的宗教——宗教的社會功能與其歷史因素之研究》（上海市：上海人民出版社，2006年），頁66、86。

66 《官箴集要》〈師巫〉，頁19b-20a，總頁271-272。

67 《牧民忠告・宣化第五・毀淫祠》，頁17b，總頁214。

68 若更為深刻分析淫祀與家族倫理的衝突，或可回應宗教信仰在傳統中國社會脈絡下的特殊性。然因非本文旨趣所在，尚待另文探討。

69 〈祭法〉曰：「夫聖王之制祭祀也：法施於民則祀之，以死勤事則祀之，以勞定國則祀之，能禦大菑的消極性原則相輔相成，成為訴諸於經典傳統力量，以控管民間祭祀行為、維繫禮教秩序的機制。官員如何運用和地方宗教勢力互動，成為值得深究的課題。[70]

五　結論

本文主要以宋元明時期的二十七部官箴書為對象，探討其中祭祀相關內容，藉此處理三項議題——三《禮》對後世官箴書的影響情形、祭祀在治民實務中的意義、禮教思想在官箴書中的運用。處理方式先通過歸納以三《禮》為主的儒家經典當中關於祭祀的內容，歸結出「以祭教敬，以敬成義」的祭祀教化觀點。進而透過官箴書引述儒家經典的內容歸納祭祀在治理實務中的施行原則。最後分析官箴書中有關祭祀的舉行辦法與重點事項，據此知悉祭祀對治理工作的意義，與其中禮教思想的變化。

據本文初步的考察可知三《禮》對官箴書當中的祭祀內容具有實質的影響，此影響表現在規畫祭祀的原則方針、實施重點兩個層面。從祭祀的原則而論，官箴書受到《禮記》內容的影響，[71]強調祭祀行為應以「主敬」為最高原則，對應此原則所延伸出的第二項原則為「祭祀合制」，任何妄祭淫祀不合規矩者，皆應禁制。從實施辦法來說，官箴書所強調的五項工作重點：「齋戒禮數齊備」、「留意祭祀耗費」、「重視分胙程序」、「凶荒祈禱救護」、「控管淫祀師巫」皆可在三《禮》當中找到義理根據，由此可見三《禮》對宋明官箴書的影響程度及被運用的情形。此可做為研究者未來探討宋代以降三《禮》外部影響與擴散的參考個案。

則祀之，能捍大患則祀之。……此皆有功烈於民者也。及夫日月星辰，民所瞻仰也；山林川谷丘陵，民所取材用也。非此族也，不在祀典。」《禮記正義》〈祭法第二十三〉，下冊，卷55，頁1802-1803。

70 雷聞探討唐代新官到任謁廟時，提到唐代對於地方祭祀的管理，除國家禮典記載通行天下的祭典之外，地方官有權力斷定在地祭祀行為屬於合法或是淫祀，雷曰：「對它們（祭祀行為）合法性的判定，既是基於儒家禮典的祭祀原則，也是由地方政府靈活掌握的一種權力。」雷聞：《郊廟之外——隋唐國家祭祀與宗教》（北京市：生活．讀書．新知三聯書店，2009年），頁246-247。

71 此處提出官箴書受到《禮記》影響的意見，多少帶有封閉解釋的色彩。因為文章既為討論三《禮》（尤以《禮記》、《周禮》）對官箴的影響而設計，得出官箴書受到《禮記》影響的看法，當然就會如同審查人所說「這結論不意外」。然而本文目的不在於檢證三《禮》有無對官箴書產生影響，而是說明三《禮》經書的哪些資源產生影響，官箴書中的哪些層面受到影響。換言之，本文嘗試在看似理所當然、無庸置疑的現象裡，掘發較未被討論者意識到的內容。當然，本文提出的意見還有諸多尚待商榷之處，不過對於本文的撰寫動機與目的，希望能藉此說明。另外也感謝審查人提醒《論語》對官箴書的影響也應該留意。但礙於為文動機與目前學力，尚無法針對官箴書運用《十三經》的情形展開全面檢索考察，以確認究竟何部經書影響程度較大。此外，補充說明的是：就經典的接受者、使用者來說，所承襲的經典資源很少是存在單一對應的情形；就研究者而言，指出受到某部經典的影響，並不意味著排斥其他可能存在的情形。在此若因行文不夠精確，導致讀者與審查人無法清楚掌握，尚祈見諒。

通過官箴書揭櫫祭祀的五項工作重點內容，有助於說明祭祀在治理實務中的意義主要有二：「去害」、「防弊」。「去害」，亦即群體風險成本的減低或有效的管控。這點主要表現在控制祭祀耗費、禁止淫祀師巫兩項。「防弊」則是杜絕胥吏在處理祭祀庶務時營私牟利、勾結舞弊。〈經解〉曰：「夫禮，禁亂之所由生，猶坊止水之所自來也」、「禮之教化也微，其止邪也於未形，使人日徙善遠罪而不自知也」；[72]《大戴禮記》〈禮察〉亦云：「禮者，禁於將然之前；而法者，禁於已然之後。是故法之用易見，而禮之所為生難知也」，[73]為因應治民的實際需求，官箴書特別突出祭祀應發揮去害、防弊的作用。由此回對經典原初強調祭祀的教化目的在於「以祭教敬，以敬成義」，彼此呈現出明顯的差異，正是官箴書運用禮教思想所轉出的新意。

本論文原刊載《經學研究集刊》第24期（2018年5月），頁71-91

72 《禮記正義》〈經解第二十六〉，下冊，卷58，頁1909、1911。

73 〔清〕王聘珍撰：《大戴禮記解詁》〈禮察第四十六〉（北京市：中華書局，2008年），卷2，頁32。

乾隆初年「禮會」述議

張　濤

（北京）清華大學中國經學研究員副研究員

提要

「禮會」是乾隆初年形成的一個從事三禮尤其是《儀禮》學研討的學人群體，主要由三禮館部分纂修官組成，而以福建人士居多，他們研究《儀禮》，講論儒學，《儀禮紃解》一書中留有當時討論辨難的記錄。「禮會」在清廷纂修《三禮義疏》的背景下形成，受到李光地一脉學人的強烈影響，是乾隆初年禮學學風的鮮活體現，也成為福建學者構建學統的歷史資源。

關鍵詞：禮會　乾隆　《儀禮》　李清植　王士讓　李光地

乾隆元年（1736），乾隆帝下詔纂修《三禮義疏》。[1]部分三禮館臣除從事日常纂修外，還自發組織了半官方、非正式的《儀禮》學研討活動，名為「禮會」。這不但是乾隆初年學術史的重要事件，直接左右了《儀禮義疏》的修成，更成為後來福建學者追述學統淵源的歷史資源。瞭解「禮會」，有助於對清代《儀禮》學發展形成更加深入的認識，本文嘗試對此進行初步探索。

一　「禮會」的成立

三禮館是官方設立的修書機構，三禮館臣咸食朝俸。而在纂修《三禮義疏》期間，三禮館這一正式組織以外，也有其他一些自發形成的官僚士人群體，研討禮學，講論儒經。三禮館中，正總裁之一的鄂爾泰禮賢下士，又性愛吟咏，故能為一班儒士大夫所重，成為三禮館臣交遊核心。其他如副總裁方苞、李紱身邊，皆圍繞著一些館臣與館外人士，在三禮館這一官方禮學群體之外，形成若干鬆散的儒士交遊圈。而由李清植組織的「禮會」，最為引人矚目。

李清植字立侯，號穆亭，福建泉州府安溪縣人，雍正二年甲辰科（1724）進士，雍正末升為侍讀，著有《儀禮纂錄》等書。三禮館開館後，李氏即已入館為纂修官，乾隆八年（1743），升任副總裁而掌《儀禮》，後又任禮部左侍郎，在其身邊聚集了多名三禮館纂修人員，討論編書事宜。據曾經參與其事的官獻瑤記載：「上覆命穆亭宗伯主《儀禮》事。穆亭宗伯嫻於禮，性好問，尋日輒延諸名士為『禮會』。……遇節目疑難之處，彼此各持一見，辨論轟起，如風生波涌。」[2]以「風生波涌」來描寫「禮會」諸人的辨論轟起，可謂是相當形象。從這一記述可知，李清植是「禮會」的主要發起人，因為他精通禮學，在三禮館中負責《儀禮義疏》的纂修，加之他也喜歡與同僚就禮學問題展開討論，這才導致在三禮館纂修事業之外又形成了一個以研究《儀禮》為主的小型學術群體。官獻瑤還說，有一段時間這些人同寓於「李穆亭宗伯邸中」，可見「禮會」就設於李清植家中，亦即李光地舊宅。李清植之孫李維迪追述其事，謂當時「海內知名士應詔雲集，而同邑官石谿、王南陽兩先生亦與編纂，同寓先文貞公賜邸。先祖父因設禮會，旬日則延諸同事辨析異同得失，發其歸趣」。[3]這為諸人講經執難、編纂《三禮義疏》提供了很大方便。李清植乾隆元年六月十八日出任浙江鄉試副考，事竣疾作，乾隆二年秋間返鄉南下，家居數年，至五年仍在籍。「禮會」之設，當在其還京之時，尤其

1　參見張濤：《乾隆三禮館史論》（上海市：上海人民出版社，2015年）。

2　官獻瑤：〈刻儀禮紃解序〉，載王士讓：《儀禮紃解》卷端，《續修四庫全書》第88冊（上海市：上海古籍出版社，2002年），頁5。下引此書但標卷數頁碼，不再出注。

3　李維迪：〈敬鐫儀禮纂錄成書後〉，載李清植《儀禮纂錄》卷端，《榕村全書》本，頁1B。官石谿即官獻瑤，王南陽即王士讓。

是升任副總裁以後。迨乾隆九年（1744）三月十八日，李清植卒於京邸，在此之前，「禮會」蓋即結束。

參與過「禮會」的學者主要有如下幾位：

蔡德晉，字宸錫，一字仁錫，江南常州府金匱縣人，雍正四年（1726）舉人，乾隆元年七月首批進入三禮館的纂修官之一。在纂修《三儀禮疏》及參與「禮會」之外，蔡德晉還是秦蕙田《五禮通考》的共同編纂者。所撰有《通禮》、《禮經本義》、《禮傳本義》，或殘或不傳。

程恂，字栗也，一字燕侯，江南徽州府休寧縣人，雍正二年（1724）進士，後因事革職，乾隆元年博學鴻詞科考取二等，再入翰林院為檢討。後遂入三禮館為纂修官，此外還在武英殿經史館充任校勘。著述多不存於世。

吳紱，字方來，號泊村、泊堂，一號仰朱，江南常州府宜興縣人，乾隆二年（1737）進士，四年四月授編修，隨後進入三禮館，致力於編纂《儀禮》、《禮記》二經，亦曾協助副總裁方苞編過《周官義疏》。著述多亡佚。

官獻瑤，字瑜卿，號石溪，福建泉州府安溪縣人，乾隆四年進士。乾隆元年首批進入三禮館，七年授編修，九年主浙江鄉試，外放廣西等地學政，乃離館。有《讀周官》、《讀儀禮》等書存世。

吳廷華，字中林，號東壁，浙江杭州府仁和（一曰錢塘）縣人，康熙五十三年（1714）舉人，曾任中書舍人、福建海防、興化同知等官，後致仕，乾隆三年（1738）春再起為三禮館纂修官，在館凡十年，除纂修《義疏》外，還參與校正《禮圖》。著有《儀禮章句》、《三禮疑義》等，前者曾收入《清經解》，而後者殘闕幾半。

王士讓，字尚卿，福建泉州府安溪縣人，雍正十年（1732）副貢生。乾隆七年入三禮館，在館中承擔《儀禮》、《禮記》兩經的纂修工作。主要著作有《儀禮紃解》。

王文清，廷鑒，號九溪，湖南長沙府寧鄉縣人，雍正二年進士，也是元年七月首批入館的纂修官，並曾充任經史館校勘經史翰林，他在三禮館服務長達十一年之久。著述甚夥，但多未刻，於禮有《儀禮分節句讀》。

諸錦，字襄七，號草廬，浙江嘉興府秀水縣人，雍正二年進士，乾隆元年召試博學鴻詞中一等第三名。乾隆二年夏為三禮館纂修官，直至十九年閉館，是在館時間最長的纂修官。著述甚多，於禮有自纂稿件《儀禮義疏稿》及《補饗禮》、《夏小正詁》等書。

其中像蔡德晉、王文清、王士讓等人在三禮館纂修工作基本完成後，都由朝廷議敘一等，可見他們是纂修《三禮義疏》的主力軍。他們都曾參與「禮會」，則「禮會」在三禮館纂修期間，乃至在乾隆初年禮學史上的地位可以想見。

「禮會」興起雖在李清植任副總裁前後，然其招致賓客，研討學問，卻非一時雅興所至。除上述諸人外，還有楊名時、王蘭生、徐用錫等一班李光地的白頭老門生，曾在纂修初期與李清植取《儀禮》及李光地之書「切磋究之，……相過摘疑義論辨，自巳至酉乃去」，「彷彿如從文貞公時」。[4]李清植當時年輩與地位皆亞於楊、王等人，而之所以享有如此號召力，恐與其身份為李光地嗣孫有關；可惜三禮館開館未久，這些人便已下世，未能參與後來的「禮會」。又有姚範，字南菁，號姜塢，江南安慶府桐城縣人，乾隆七年（1742）進士，後任三禮館纂修官，似曾參加「禮會」討論。像李清植父輩的光墺、光型兄弟亦曾從事纂修，與「禮會」關係如何，尚待詳考。

二　「禮會」的背景與成因

「禮會」在乾隆初年出現，有其特定的歷史背景與形成原因。綜合考慮，約有如下三點：

第一，是三禮館的召開，為「禮會」的形成提供了最重要的契機。

乾隆元年（1736），新君弘曆登極未久，乃於六月十六日設立三禮館。洎乾隆十九年（1754）《三禮義疏》書成付刊，凡此十九年間，在朝廷扶持下，入館修書者，前後百餘人，為清代中期《四庫全書》館以前頗具規模的官方書館。三禮館是弘曆所設首個書館，修書對象又是儒家經典三禮，是儒學發展實際進程中的標杆性事件，也是「禮會」之所以形成的最重要的契機。

朝廷先要纂修《三禮義疏》，「禮會」才應運而生。假如乾隆元年沒有詔開三禮館，則「禮會」是否能在當時的北京出現，是很可懷疑的。三禮館為「禮會」提供了人員保障與制度便利，尤其三禮館中往來無白丁，纂修官頗多湛深禮學，著述宏富，如成書於三禮館之前者，有方苞之《周官析疑》、惠士奇之《禮說》、姜兆錫之《周禮輯義》；與纂修事業同時併進者，有王士讓之《儀禮紃解》、王文清之《考古源流》、《儀禮分節句讀》；寫於離館之後者，則有方苞之《儀禮析疑》、官獻瑤之《讀周官》等，併為一時三禮研究重要成果。蓋京城文化條件優渥，本為風氣所萃，而乾隆朝伊始，氣象更新，開館修書，引來飽學之士。人才集聚，響應了官方三禮館纂修《義疏》的號召，連帶促進了「禮會」這一半官方的學術群體的形成。

蓋博堅曾指出，康熙時期清廷對士人群體的籠絡有兩個缺點，其一就是官方儒學士人局限於京師一地，而並非所有地方上具有創造力的學者都有進入北京交遊圈的機會。[5]實際上，乾隆初年儒學界仍然延續了這種狀況。雖然三禮館開館引發學者聚首京華，但

4　王誠：〈皇清賜進士出身通奉大夫刑部右侍郎管禮部侍郎事顯考坦齋府君行狀〉；徐用錫：〈皇清賜進士出身通奉大夫刑部右侍郎管禮部侍郎事坦齋王公墓志銘〉，均載王蘭生：《交河集》卷端，道光間刊本，頁10A-10B、18B。

5　R. Kent Guy, *The Emperor's Four Treasuries : Scholars and the State in the Late Che'ien-lung Era,* Cambridge : Harvard University Press, 1987, pp21-22.

就學人群體構成來分析，當時京城學界仍屬偏而不全，「禮會」的地域色彩更為明顯，這是其特點，也是局限。

第二，三禮館臣交遊、商討、著述的風氣是「禮會」得以實現的現實依托。

開館修書，館臣於纂修工作之外，不廢交遊；修書與游燕之時，商量學術不輟。[6]三禮館臣原本在京居官者不少，而纂修官一級中則不乏尚未進身之輩，或因三年大比，或應制科，或專為修禮，或先或後，從五湖四海彙聚京城。文儒齊集，詩酒往還，歷來不免自發形成若干鬆散交遊圈。而京華冠蓋輻輳，名公巨卿有招徠才俊之意，寒儒甚至初獲功名者，亦需依附在上之人，既為謀生，也是躋身翰苑的捷徑。遇有同館壽誕、喪祭之事，聚集尤頻。而大小糾紛，難免隨之而至。但總體而言，仍以商討學問為主。館臣游燕，既帶娛樂性質和交際功能，也富於學術意義。

上文已列舉，三禮館臣多有禮學著作，參與「禮會」者尤其如此。他如杭世駿主修《禮記》，雖未參加「禮會」，但也是當時商討、纂述的代表之一。杭氏名著《續禮記集說》從同館朱軾、方苞、任啟運、姜兆錫、吳廷華等人相關著作中采錄禮說頗多，據其自稱，「備員詞館，與修《三禮》，日與同館諸公往復商榷，存其說於篋衍」，[7]則書中采錄與三禮館同僚疑義相析、逸在諸家著作之外者，當為數不鮮。就此而言，與《儀禮紃解》類似，《續禮記集說》反映著纂修《禮記義疏》諸人的見解。在這種風氣影響下，《禮記義疏》纂修官當時很可能也形成過「禮會」這般非正式的學術交遊群體。

第三，「禮會」影響甚大，部份原因當追根於李清植祖父李光地的影響。

「禮會」之所以能夠集聚眾多學者，並且這一群體以李光地後學為主，事出有因。李光地為康熙朝名臣，身後褒貶不一，但以曾助玄燁編纂經書，故頗為後來書館所標榜。而且他生前注重嘉納人才，獎掖後進，雍正、乾隆初，餘威猶在。而門下諸士亦頗以同氣相應，彼此提攜，不遺餘力。初期三禮館與「禮會」，亦為此一氛圍所籠罩。[8]弘曆即位後汲汲重用之朱軾、楊名時、王蘭生、徐元夢以及李紱、方苞等人，皆受知於李光地，或為其科舉取士，或曾受其引薦庇護，為私淑弟子。諸人雍正朝已漸至顯位，其間數人雖不無波折，但沉浮宦海已久，時受再度重用。獨一徐用錫，康熙末即遭罷官，蕭然裡居，其所以能夠於此時再起，則全仗師門好友扶持。而自徐用錫觀之，纂修《三禮義疏》，堪稱李氏一派復盛之始，對舊日同學蔡世遠不及見今日之盛，徐氏甚感惋惜。[9]而李門內部此種團結氣象，非獨存於故友之間，也對新朋有所流露。王文震出楊

6 可參王記錄：《清代史館與清代政治》（北京市：人民出版社，2009年），頁133-142。

7 杭世駿：《續禮記集說》〈姓氏〉，《續修四庫全書》第101冊，頁8。

8 林存陽曾指出此點，參見氏著：《三禮館：清代學術與政治互動的鏈環》（北京市：社會科學文獻出版社，2008年），頁120-121。

9 徐用錫：〈皇清賜進士出身通奉大夫刑部右侍郎管禮部侍郎事坦齋王公墓志銘〉，載王蘭生：《交河集》卷端，頁10A-10B；徐用錫：〈蔡梁村先生小傳〉，《圭美堂集》卷13，《四庫全書存目叢書補編》第7冊，頁228。

名時之門，徐用錫回京後始識之，但因其在楊名時病重期間盡力盡禮，使徐氏心中感激之情不禁油然而生。先是，徐用錫宗侄徐鐸以楊名時之薦入三禮館為纂修。二年正月，王文震則以徐元夢薦編輯《日講禮記解義》，並受賞國子監助教銜。[10]同道推舉之功，較然明白。「禮會」即在這種情況下孕育而成。

三禮館前後數十名纂修官中之李氏後學，除前述諸位外，還有李光地從弟李光墺（以及李光型）和惠士奇、諸錦等。內中僅少數幾人似較游離，其餘均甚為抱團。參與「禮會」之人圍繞在李清植周圍，切磋琢磨，對李光地祖孫二人顯示出極高的認同度。諸錦贊美李光地是「儒林宰相」，能夠昌明六經正學，而他們這些後學則「擬將著錄問曾孫。」[11]王文清並非李氏一系學者，亦從旁贊嘆，有詩云：「天子有道飭《周官》，大搜文獻開玉局。太史家學傳榕村，名流輩輩由公門。」[12]李光地門下名流輩出，而以能傳家學之太史李清植號稱最得學術宗統，他少年時即從長輩受教，當李光地與同仁論學之際便「悉從旁點而識之，至音律、曆算、字學無所遺」，[13]如今遂成為「禮會」核心。李氏後學中不少人想借新君登極的機會有所作為，所謂「方喜得再振師門之緒」，[14]這正是「禮會」形成並產生影響的思想與人事基礎。

三　「禮會」的學術史意義——以《儀禮紃解》為中心

清代書館眾多，但館內學術討論實況則很少留存。就三禮館而言，雖有稿本留存，但附著其上的學術討論遺痕零散雜亂，深入理解維艱。而「禮會」作為與三禮館之下半官方、非正式的學人群體的學術活動，卻有重要資料留存，成為清代書館學術討論與當時經學儒術發展的一個實例。「禮會」諸人著述，陳壽祺嘗稱官獻瑤《讀儀禮》、李清植《儀禮纂錄》和王士讓《儀禮紃解》三書可以並傳，然官氏書僅存草稿，反復修改，迄未寫定，李氏書乃後人據李氏個人所藏汲古閣本《儀禮注疏》眉端「蠅頭細字」識語及他書轉錄，皆一家之言，[15]唯有王士讓所著兼存眾家之說，睹此一書而「禮會」諸君意見皆備。

王士讓乾隆元年由督學周學健題薦博學詞報罷，適逢官獻瑤與李清植同備官入禮館，王、官二人即皆借居李氏宅中，逮周學健入禮館，王氏又為周學健代筆《義疏》稿

---

10 《清高宗實錄》卷35，《清實錄》（北京市：中華書局，1985年），頁658；《乾隆朝軍機處隨手登記檔》第1冊（桂林市：廣西師範大學出版社，2000年），頁59。

11 諸錦：〈讀李光地全集〉，《絳跗閣詩稿》卷8，《四庫全書存目叢書》集部第274冊，頁646。

12 王文清：〈送同館李粟侯太史歸裏〉，《鋤經餘草》卷6，《四庫全書存目叢書》集部第274冊，頁420。

13 莊亨陽：〈禮部侍郎李公穆亭墓志銘〉，頁3079。

14 全祖望：〈神道碑〉，載王蘭生：《交河集》卷端，頁5B。

15 李維迪：〈敬鐫《儀禮纂錄》成書後〉，載李清植《儀禮纂錄》卷端，《榕村全書》本，頁1B-2A。

件，並托官獻瑤向方苞引介，冀為纂修。據前引官獻瑤《刻儀禮紃解序》，王士讓對《儀禮》的興趣正是從乾隆元年詔修《三禮》時開始的，此後他究心於此，參加「禮會」，則「正襟肅聽，有得則躍然持片紙細書不少停，夜歸亟錄之於策」（卷端，頁5）。王士讓在「辨論轟起，如風生波涌」的「禮會」現場「正襟肅聽」，隨後將同仁議論與自己心得記錄下來，不斷打磨，終成《紃解》一書。吳紱序此書，也說王氏「博采同館諸君子所論撰而斷之以己意」（卷端，頁2），則書中所記出於當日「禮會」論辯者自不在少。

《紃解》中有王氏自己意見，也引用前賢訓釋，甚至像朱軾、方苞這樣的館中前輩，雖很少能夠參加「禮會」，王氏也采錄了他們的觀點。而所采時人諸說如李清植、吳紱、蔡德晉、程恂、王文清、諸錦、吳廷華、姚範等輩，或僅存片段經說於此書中，或有著作而與此書不同，洵可寶貴。比如吳紱將在館纂修稿件匯為《纂修三禮稿》，携帶回鄉，[16]可惜今已不傳；胡培翬《儀禮正義》引用吳說近百條，多出於此書，而此書所載吳氏在「禮會」發表的意見，數量倍於《正義》所引。又如蔡德晉著述僅《禮經本義》收入《四庫全書》，今較常見，而更重要者已不存，只有後人輯本《敬齋經說》和蔡氏曾參與其事的《五禮通考》頗存其見解，則《紃解》中標明「蔡氏宸錫曰」的二十余條自然成為後人瞭解蔡氏經說的依據之一。尤有進者，書中載有所謂「三禮館議」將近二百條，王氏云：「凡經數手刪添、數人論辨者，歸之『三禮館議』，竊取白虎通式云。」（卷一，頁11）王士讓在離館後又增添不少資料，總共六易其稿，不過，由「禮會」蘊育出之王氏《紃解》，堪稱三禮館內討論最生動的記錄，也可見乾隆初一時學術風尚。以下略舉數例言之。

《儀禮義疏》中不少案語頗有見地，核對王士讓此書，則可以推知其說出於誰氏。如駁賈疏冠有常月之說，推闡國君待寄公不同於民之義，出於王士讓（卷一，頁12；卷十一，頁232）；父卒為繼母嫁者報服杖期推之於繼妻等人，又釋女子子歸宗之義，則出於吳紱（卷十一，頁224）；引《左傳》以解《聘禮》命卿者，姚範是也（卷八，頁159）；論《士喪》「薦車」非敖氏所謂「遣車」者，蔡德晉是也（卷十三，頁282）。其中王氏自己之說以外，以采錄吳紱之語最多。則此書請吳紱作序，並非偶然；官獻瑤所謂王氏與「泊村交最密，獲益最多」，確為寫實。

《義疏》於加冠祝辭，總論引陳祥道「始曰順德，再曰慎德，三曰成德。能順德然後能慎德，能慎德然後能成德」云云，[17]實為王士讓對《禮書》卷六十四論冠禮大義要旨的概括，《紃解》並多出皮弁朝服、爵弁祭服之說。王氏復詳載周學健之說與吳紱對

16 《(嘉慶) 重刊荊溪縣志》，光緒間刊本，頁26A。

17 《儀禮義疏》卷2（長春市：吉林出版集團有限責任公司影印《摛藻堂欽定四庫全書薈要》本，2005年），頁36A-36B。

陳、周二說的詰難：「力堂周師曰：三加備三代之禮，重其始也。初用緇，夏尚黑也；再用素，殷尚白也；三用纁，周尚赤也。初加服，猶未盛，故裳黃雜亦可。」「近聞之於泊村吳先生云：陳氏以皮弁為朝服，亦假借言之，諸侯不以皮弁視朝，士安得用之？玄端亦祭服，爵弁特助祭于君者耳。又曰：『三王共皮弁素積』，是白非獨商禮也。」王氏未作裁斷，總結說：「竊謂吳駁亦是。然陳氏及周師說自好，因並存之。」（卷一，頁20）周學健雖曾擔任此經副總裁，看來《義疏》最終采納了吳紱之見。若無《紃解》一書，我們恐怕難以明瞭館臣對這個問題的爭論。

乾隆初尚處在學風轉變期，「禮會」學人體現著若干宋學風尚，而與後來所謂漢學有別。如《儀禮》經文分節，此書云：「古本經不分章，朱子始分以節目，便於肄習，今從之。間有少異者，據敖氏本及他本，或併或分，或另標目，大概不離朱子本意。」（卷一，頁13）朱子《儀禮經傳通解》對元明儒學頗有影響，尤其在移動經記文字方面，治《儀禮》者無不重之。三禮館整體還帶有朱子後學氣息，在定本《義疏》中仍用分節法，只不過在此弱化了對朱子特別的敬意，又主張「以經還經，以記還記」，修書遵用古本。[18]「禮會」學人顯然尊朱更甚，雖將《儀禮記》照注疏本列在每篇之後，標為「記古本」，但對朱子拆移入經正文各節者，仍兼存於經，相關訓解也附於彼，即「凡記補經義、舊在本經之後者，朱子悉分附各節末，今俱從之」（卷二，頁33）；而篇末記則僅有白文，以存舊貌，所謂「一以遵朱，一以存古也」（卷一，頁27）。而後來像胡培翬《儀禮正義》儘管也用分節法，卻並不特別向朱子致敬。可見「禮會」治經對朱子仍然十分尊崇，與後來乾嘉諸老迥異。由於他們對朱子非常熟悉，所以朱子成為他們重要的學術資源，論經之際常會牽連及之，如釋字冠者之辭，遂謂：「後世冠禮不如古，成人鮮有德。考之朱子冠而字，劉屏山先生為作字辭，朱子果能力踐其說，不愧父師之望也。辭見《性理大全》。」（卷一，頁22）

當時敖繼公影響甚熾，「禮會」諸君自覺不自覺的就會遵從敖說。如〈士昏〉「納采」節「賓降，出；主人降，授老雁」，鄭以士無臣，故謂「老」為群吏之尊者，而王士讓傾向敖說，認為老即室老，乃大夫士之貴臣、隸子弟之長，並引〈特牲記〉「私臣」、〈曲禮〉「家相」之目及〈服傳〉為證（卷二，頁33）。吳廷華亦主此說。[19]而後《儀禮義疏》遂列鄭注為存疑。[20]〈士相見禮〉「宅者，在邦則曰市井之臣，在野則曰草茅之臣」，鄭謂指致仕之人言，敖謂指未仕而家居者，王士讓按：「《孟子》云市井草莽之臣，皆就未為臣言，故劉氏敞〈補士相見義〉亦謂未仕而見於君者，在邦曰市井之臣，在野曰草莽之臣。注以〈載師〉『宅田』之宅釋此宅字，但主致仕者之居宅。夫臣

18 《儀禮義疏》〈凡例〉，頁1B-2A。

19 吳廷華：《儀禮章句》〈士昏禮第二〉，《清經解》卷272（上海市：上海書店，1988年），頁342；另參《儀禮正義》卷3。

20 《儀禮義疏》卷3，頁13B-14A。

雖致仕，向嘗備職，似不應以市井、草莽自混，今據敖氏《集說》為正。」（卷三，頁60）這是旗幟鮮明的主張敖說，反對鄭注。鄭注雖引《周禮》，實則僅是旁證，鄭玄所以講此段解為致仕者，更重要的依據在於此段前有士大夫在朝為臣者，後有庶人，則中間必為致仕者。三禮館臣姜兆錫就說：「愚按此以市井草莽之臣謂士大夫，而下別云『庶人曰刺草之臣』，故注以致仕者訓之，與《孟子》不同。」[21]可惜《儀禮義疏》左王而右姜，從敖而駁鄭，[22]可見「禮會」的影響。《紃解》之中甚至有將敖繼公《集說》所載經文看作是一種可以校勘的版本的案例，雖然方法上不得當，但有時也會得到正確的認識（卷六，頁128）。尊敖，儘管結果有得有失，但在當時卻是一種風氣。「禮會」諸君並非沒有遵鄭駁敖之處，如李清植駁敖繼公解〈鄉射記〉「三笙一和而成聲」之說（卷五，頁86），最終《義疏》亦以鄭注為正義，而存異敖說。[23]不過，就解經方式與禮學觀點來看，「禮會」諸人還是受敖繼公影響較大，王士讓此書呈現得頗為明顯。若謂「其人其書亦皆在敖氏樊籬之內，所作紃解，大多以敖說為指歸」，[24]自不為無因。

《紃解》還體現出「禮會」的一大特徵，即其核心是李光地後學一脈。「禮會」參與者以李氏後學為主，則《紃解》采錄名氏也以此輩居多，原無足怪。本來乾隆初元，李氏門生陸續獲得啟用，重聚京華李宅，就思圖大有作為，李光地曾與修康熙四經，此時繼踵而纂修三禮，尤有象徵意義。官獻瑤記楊名時諄諄教誨之語，有云「周、程子之書至朱子而大明，朱子之書至李文貞公而大明」，又曰「文貞公之書，如〈大學中庸解〉，不可一日離。」[25]從李氏祖孫三代的學行來看，禮學彷彿已成為其家學，而李光地生前於禮學泛論者多，細緻解詁者少，[26]故「禮會」沒有大肆討論，但王士讓此書也曾稱引其說，卷十一還特將「李皋軒先生《儀禮述注》」所定〈五服正降義服圖〉附入，皋軒就是李光地胞弟李光坡。李光地長子李鍾倫專精六典，作有《周禮纂訓》一書，也名列「禮會」參考書內，官獻瑤記其事，稱「獻瑤不敏，亦承乏淺諸君子後。大

---

21 姜兆錫：《儀禮經傳內編》卷10〈賓禮三・朝見之禮三之一〉，《續修四庫全書》第87冊，頁338。

22 《儀禮義疏》卷5，頁44A-44B。

23 《儀禮義疏》卷10，頁19A-19B。

24 彭林師：〈清人對敖繼公之臧否與鄭玄經師地位之恢復〉，《文史》2005年第1期，頁233。

25 官獻瑤：〈追紀江陰楊文定公語〉，《官石溪文集初刻》卷3，道光間刊本，傅斯年圖書館藏，頁3-4。

26 李光地的學術概貌，可參鍾彩鈞：〈李光地的儒學志業〉，載馮天瑜主編：《人文論叢2006年卷》（武漢市：武漢大學出版社，2007年），頁622-633；龔書鐸主編：《清代理學史》上冊（廣州市：廣東教育出版社，2007年），頁186-203。有關其在禮學方面的論說，可參林存陽：《清初三禮學》（北京市：社會科學文獻出版社，2002年），頁235-247。而王汎森則特別注意到晚清邵懿辰挖掘並張大了李光地《禮經》「四際八編」的學說，參王汎森：〈清季的社會政治與經典詮釋——邵懿辰與《禮經通論》〉，《中國近代思想與學術的系譜》（石家莊市：河北教育出版社，2001年），頁27-45。李光地編成《朱子禮纂》，又曾有《禮學四際約言》和《禮記纂編》，後二者皆不傳，他以冠婚、喪祭、鄉射、朝聘統駕《儀禮》的說法保留在一篇〈序〉裡，可惜「禮會」似乎對此未曾著重討論。

江南北老師耆宿咸集闕下，旬講月會，商質疑難，相持未決，退而發菜園先生之書，則粲然成理，纍纍如玉編而珠貫，彌歎讀經之難」云云。[27]李氏一門禮學，其受重視如此。而隨著李清植與眾多李氏後學的去世，這一派的力量嚴重削弱，「師門之緒」漸次消息，只有王氏之書可以算作李氏後學禮學學風的一塊化石。

四 餘論

李氏後學打在「禮會」之上的烙印是非常明顯的，這導致「禮會」的成果僅能代表當時接近官方的儒學群體所達到的禮學水平。由於政治文化氛圍的變化，晚明清初士人結社會講的境況已成明日黃花，而幕府的繁榮還未到來，因此，在乾隆初年形成了「禮會」這樣一個官方書館的衍生品。「禮會」在禮學研討方面取得了一定成績，但是，如果放眼當時儒學界，就會發現在此之外，不乏獨立的禮學學者為《儀禮》研究作出更重要的貢獻；甚至三禮館內一些邊緣學者的看法，也沒有被「禮會」所接受。[28]「禮會」的價值，更多的是一種體現在禮學史上的意義。

一九二二年，陳衍回憶清末參與禮學館的生涯，作詩一首，其中有「昔年議禮談經地，頗似安溪極盛時」之句，並自注云：「清初三禮館纂修，皆安溪相國一家人及其友人。光緒禮學館則張鐵君郭春榆兩侍郎、陳弢庵閣學及余，皆閩人。」[29]如此看待三禮館既可謂一針見血，又難免有些以偏概全，移來評價「禮會」卻很恰當。

近世學人鮮言閩學。實則由於李光地推廣學術、拔擢賢才的努力，[30]直至三禮館當時，李光地餘威猶在，館臣中李氏後學尤多，澤被鄉里人士甚眾。「禮會」即以閩人及李氏後學為主，作了一次閩學的集中展示。而福建當地經學禮制發展也不無可觀，如官獻瑤以經筵講《周官》聲著於時，離館歷任廣西、陝甘學政，乞歸後「撫愛諸子弟，修大小宗祠，增祭田祭器，考禮經，遵國制，以定儀式，立鄉規以教宗人，置義租以恤親族之孤煢窮乏者」。[31]官氏老來溫經，於禮尤密。敖繼公也是閩人，「禮會」尊敖有此因素否，亦未可知。嗣後閩學不絕如縷，嘉道間陳壽祺父子相繼崛起，雖導源於浙，而鄉土熏陶，由來尚矣。陳壽祺曾序王士讓《訓解》，追述福建《儀禮》學，以為「治《儀禮》者，自唐以後寖微，吾鄉則宋朱子、黃文肅，元敖君善其最著也」，又懷想乾隆初

---

27 官獻瑤：〈序〉，載李鍾倫：《周禮纂訓》卷端，《榕村全書》本，頁2A-2B。案菜園先生即李鍾倫。

28 參見張濤：《乾隆三禮館史論》（上海市：上海人民出版社，2015年）。

29 陳衍：《石遺室詩續集》卷1〈為曹纕蘅題春曹話舊圖〉，《陳石遺集》（福州市：福建人民出版社，2001年），頁337。

30 參楊菁：《李光地與清初理學》，《中國學術思想研究輯刊二編》第22冊（臺北市：花木蘭文化出版社，2008年），頁68-69、184-190。

31 陳壽祺：〈東越儒林後傳．官獻瑤傳〉，清刻本，頁35A。

修禮盛景，略謂「當是時，穆亭侍郎善於禮而好問，旬日輒延諸名士為『禮會』。……發疑辨難，同異風生，令人復見漢甘露建初講五經故事，於乎盛矣」。[32]與事者自詡為白虎觀講經，後來者比之為石渠閣禮議，「禮會」已成為清代福建禮學的一個象徵。

32 陳壽祺：〈儀禮紃解序〉，《左海文集》卷6，《續修四庫全書》第1496冊，頁246-247。

清代禮學之中的「歷史性觀點」的淵源與展開

——以沈垚〈為人後者為所生服議〉為中心

新田元規
德島大學綜合科學部准教授

提要

沈垚（1798-1840）在《落帆樓文集》之中遺留下了幾篇禮學論說，尤其是對宗法、為人後禮、喪服等親族禮制的解釋值得關注。從這些論說中，我們可以看出沈垚擁有某種一貫性的觀點。本文以沈垚〈為人後者為所生服議〉上下篇為中心，分析出沈垚禮制解釋中的「歷史性觀點」，且試圖將這個觀點置於禮制解釋史中。

關於為人後禮的喪服，沈垚主張應該在當代放寬古禮的原則來允許為人後者為本生父母服本服。據沈垚說，在古代禮制中，「為後」關係裡包含著大宗的繼承關係與附隨大宗的特權，所以為了表示對大宗的尊重，需要特意為本生父母降服。與此相反，當代的「為人後禮」是被泛用化的，其「為後」關係裡也已經不包含大宗的重要性，所以無需為本生父母降服。在這個議論之中，沈垚把「為後」關係與封建制下的條件結合起來，而且重視具體的封建特權，將其作為「為後」關係的構成要素。這一基本觀點在沈垚探討宗法與爵位之中的關係的時候也有類似的發揮，我把這一觀點叫做「歷史性觀點」。

屬於沈垚前一代的淩廷堪，也持有與沈垚類似的歷史觀點，他特意用「封建之尊尊」這個概念來重新表述。淩氏所提出的「封建之尊尊」意味著「在古禮中，親族秩序反映了政治身分」，實質上相當於沈垚所說的「古於親親之中，寓貴貴之意」。淩廷堪、沈垚的這樣的歷史性觀點，在禮制解釋史上不是孤立的，而是於嫡孫承重服、為人後禮、宗法的解釋中反復見到的，淩、沈只是各自提出新概念將「歷史性觀點」表述得更加明確。

關鍵詞：禮學　為人後禮　沈垚　封建之尊尊　淩廷堪

導論

沈垚（嘉慶三年〔1798〕-道光二十年〔1840〕）是出生於浙江烏程的學者，在科舉、官途方面不得志，在窮困的處境下因疾病而中年早逝。沈垚沒有遺留下關於特定題目的專著，但是通過他的朋友們將其遺稿編輯成的《落帆樓文集》二十四卷[1]，能大致把握他的思想、學問。根據現代的評價，沈垚在思想、學術上的貢獻，有以下兩項是得到公認的。第一項是，沈垚率先著手研究西北地理學[2]，第二項是，他就士與庶、士與商等身分上的互動關係展開了獨特的議論[3]。沈垚的這些成就都不是體系性的，他的特點在於敏銳地察覺到問題之所在，並以獨特的表現方式來表明自己的觀點。總的來說，沈垚的成就被認為是體現了嘉慶、道光時期士人的風氣，也可以說，在他身上反映出該時代所具有的過度性特徵[4]。

《落帆樓文集》在禮學方面也收錄了幾篇引人注目的文章。如〈為人後者為所生服議〉上、下篇、《殤不當立後議》等的論說，都把禮制詮釋史上紛紛聚訟的問題提出來討論。《落帆樓文集》還收錄了幾篇寄給他的畏友張履的書簡，其中也詳細地討論了宗法、為人後禮（尤其是殤後立繼）、毀廟的方式，以及對程瑤田《喪服文足徵記》的評價。如將這些書簡與張履《積石文稿》中收錄的書簡對照，能大致重新構成沈垚、張履之間展開的討論，使我們窺見兩人的禮學研究水平如何。無論在哪一篇論說、書簡中，沈垚都把焦點放在比較狹小且相當重要的論題上，用一貫的觀點來分析。我從沈垚的禮學詮釋裡看出的這一「一貫的觀點」就是本文標題中提出的「歷史性觀點」。

在清代展開的考證色彩濃厚的學術潮流之中，禮學領域也積蓄了不少成就，可以推測沈垚也吸收清代前中期的禮學成就來進行自己的禮學研究。那麼具體來說，沈垚從先行的成就裡接受了哪些影響？他特有的貢獻在何處？為了避免用「對漢代經學的尊重」、「實證的研究」等含糊的標識來說明，而是就特定的禮學論題來具體地說明沈垚禮學的特點以及他與先行學者的關係，我試圖把焦點定在我所說的「歷史性觀點」這一問題上來探討沈垚的禮學。

1　〔清〕沈垚：《落帆樓文集》24卷，本稿使用《續修四庫全書》第1525冊（上海市：上海古籍出版社）所收影印吳興叢書本。

2　關於沈垚在西北地理學方面做出的成就，見郭麗萍：《絕域與絕學——清代中葉西北史地學研究》（北京市：生活·讀書·新知三聯書店，2007年），第5章〈再談經世：學以致用的努力〉。

3　余英時：《中國近世宗教倫理與商人精神》（臺北市：聯經出版公司，1987年），下篇第一章〈明清儒家的「治生」論〉，頁97-99。

4　其他，作為嘉慶、道光時期士人風氣的一個典型事例，提到沈垚士所講的士風論的論著有，嚴壽澂：〈道光朝士風與學術轉向——讀沈垚《落帆樓文集》〉，《近世中國學術思想抉隱》（上海市，上海人民出版社，2008年），張瑞龍：〈從鑑戒到取法：清嘉道間對明代士習風俗的評論與再定位〉（香港中文大學中國文化研究所發行《中國文化研究所學報》第58期，2014年）

本文首先提出沈垚撰的〈為人後者為所生服議〉上、下篇來詳細地討論他的禮制詮釋。為人後禮不僅是清代禮學中引起不少爭議的重要問題，而且是在禮制詮釋中能夠發揮歷史性觀點的典型性論題。論者如何理解為人後禮的原型及其與古代社會的歷史條件——尤其是親族、身分的條件——之間的關係，直接關係到論者如何看待為人後禮在當代的可行性。可以說，如想了解沈垚禮制詮釋的歷史性觀點及他的禮學研究中含有的實踐性意義，圍繞為人後禮的議論進行考察是最恰當的。

本稿重視沈垚於為人後禮解釋上發揮的「歷史性觀點」的意義，但是並不認為他的這一觀點突出於清代禮學一般水平，倒是認為這是清代一些論者共有的。更進一步，可以說「歷史性觀點」是禮制詮釋史上持續存在的一種思考類型。因此，在探討沈垚關於為人後的議論後，第二章將探討乾嘉時期的所謂漢學家是如何共有沈垚的歷史性觀點的。具體來說，就是以淩廷堪的「封建之尊尊」為題材，試圖把握他與沈垚共有的基本觀點。最後，考慮沈垚的禮學詮釋與他的身分論的關係，重新闡明沈垚在所謂歷史性觀點論者之中佔據著什麼位置。

一　沈垚〈為人後者為所生服議〉上、下篇之中的「歷史性觀點」

(一)「為本生親的喪服」問題

關於沈垚的禮制詮釋，值得注意的大多數主張是在寄給他的畏友張履的書簡中片段性地表明的，內容也不多。書簡以外，以獨立成篇的論說形式表明的有〈為人後者為所生服議〉上下篇、〈殤不當立後議〉、〈晉書賀循傳書後〉、〈喪服足徵記後〉(皆收錄在《落帆樓文集》卷二)。並且在張履的書簡中，對所有論說都有補足性說明。其中，本報告主要探討的是〈為人後者為所生服議〉上、下篇。

〈為人後者為所生服議〉上、下篇裡提出的論點並不是古代禮制中為人後禮的原型究竟如何，而是作為古代禮制的為人後禮的某項原則應該如何適用於沈垚所處時代的禮制[5]。按照為人後禮的原則，為人後者，則應當把為本生父母服的喪服等級從斬衰三年降到齊衰不杖期。那麼，在郡縣之世仍應當遵守古禮的降服規定，還是可以放寬古禮的原則，依本服的等級而服斬衰三年？這是〈為人後者為所生服議〉所討論的焦點。圍繞這一論點，沈垚傾向於「在當代可以放寬古禮的原則來為本生父母服本服」這一立場。

5　關於為人後禮，清代學者進行的考證與其思想內涵，參照張壽安：《十八世紀禮學考證的思想活力——禮教論爭與禮秩重省》(臺北市：中央研究院近代史研究所，2001年)，第3章〈「為人後」：清儒論「君統」之獨立〉

那麼在為人後禮中的為本生父母的喪服問題上，為什麼無需依古禮的原則降服？不僅為本生父母服降服符合古禮的規定，而且現行禮制——作為「時王之制」的《大清通禮》——也是依古禮的原則來制定斬衰三年服的。加之，「同一個人不應該服兩次斬衰服」（「不貳斬」）這一原則，通過北宋關於繼承的爭論（所謂「濮議」），在人們的頭腦裡更牢固了。在這樣的背景下，沈垚是如何抵抗古禮原則、時王之制及宋儒權威，而為改變古禮原則賦予正統性的呢？為了論證改變古禮的正統性，沈垚關注的是「為人後」關係的內涵是如何隨著體制的轉變而變化的。

（二）「為人後」關係的原義與其內涵的變化

在〈為人後者為所生服議〉上篇裡，沈垚舉出「禮緣義起，制隨時變」這一原理，主張如果依古禮的原則把為本生父母的喪服規格降低，就會有礙於哀悼本生父母去世的痛切情愛，這實際上相當於「奪情」行為。單從表面上看此議論的話，沈垚的主張可以概括為「重視人的自然人情，結果放寬了嚴格的原則」。但是沈垚不是單純地只依靠「尊重人情」這一根據，而是主要基於歷史性觀點，以「為人後」關係的內涵之變化（「立後之意，近古絕殊」）為立論根據，來證明放緩古禮原則是正當的。以下繼續詳細地看〈為人後者為所生服議〉上篇的議論。

原來古禮中的為人後禮的旨趣是，大宗沒有後嗣時，為了使大宗存續，將小宗的兒子作為大宗後嗣。按照古禮的規定，出而為人後者為所為後者服斬衰三年之喪，而為本生父母則降本服而服齊衰不杖期。正如這樣，實施為人後禮只限於企圖維持大宗的情況，並且為了維護大宗的尊嚴，為人後者與本生父母之間的關係甚蒙限制。關於為人後禮，這樣來理解原來的旨趣及原則，在後代學者中大概是沒有異議的。

沈垚獨闢蹊徑的議論由此開始。他說，當代一般舉行的所謂為人後禮（「立繼」、「過繼」）是解除了「只適用於大宗」等古禮的限制而廣泛通行的禮制。為人後禮本身已經放寬限制而變成通行性的禮制。而雖然禮制本身發生了不少變化，但是只有為本生父母服的喪服等級這一點仍遵守古禮的原則，並將「不貳斬」原理適用於與本生父母的關係，這不得不說是欠妥當的權衡（「予奪之不當」）。

> 古者惟大宗立後，今則無人而不立後，今所謂不可絕者，古所謂可絕者也。以可絕之宗，而亦服後大宗之服，是過禮也。非受重於大宗，而亦降所生創鉅痛甚之服，則奪情也。予奪之不當，莫此為甚。（沈垚：〈為人後者為所生服議上〉，《落帆樓文集》卷2，頁372）

那麼，是否應該再把為人後禮的原則恢復起來，限制實行為人後禮？確實有些論者，為了抑制圍繞立繼的糾紛——尤其是財產糾紛——特意對實行為人後禮設了限制，但是沈垚並不採取那種注重原則的立場。因為該時代需要實行通行化的為人後禮，沈垚說，之所以這樣是緣於喪禮、祭禮、財產繼承的必要。

在古代，有人死亡時，即使沒有為那個死亡的人立為其「後嗣」的「後」，也一定要從那個死亡者的族人之中選出執行喪葬的「喪主」。擔任作為「喪主」的「後」者，無需考慮血緣上的關係。但是在沈垚這一時代，選出「喪主」的做法已經消失，結果為了確保有人主持喪葬，不得不把為人後禮改為泛用化禮制來確保「後嗣」的「後」，以使那個「後嗣」的「後」擔任作為「喪主」的「後」。這一切都緣於實踐喪禮的必要。

第二是緣於祭祀的必要。在古代，殤者或無後者被共同祭祀於宗子之廟。但是，在該時代，宗法已經衰退，共同祭祀的基礎消失了。所以大宗以外的一般家中也為了繼續祭祀而需要分別立後以確保有人執行祭祀。第三是緣於財產繼承的必要。在古代，共同擁有財產，但是當代每個家形成家產，因此，如每個家不分別立後嗣的話，自然會引起圍繞財產的糾紛。

如上所列舉，隨著親族形態的變化，在喪祭禮儀、財產繼承方面出現了許多運作上的障礙。為了消除這些障礙，需要放寬古禮的原則來允許人們廣泛地實行為人後禮。如何確保有人執行喪祭禮儀、如何控制財產糾紛等課題，也許只要恢復宗法制就能解決。但宗法制是與井田、封建密切關聯的制度，貿然恢復宗法制是不現實的。既然不能恢復宗法，便不得不認可大宗以外的一般家廣泛地實行立後制（即被泛用化的為人後禮）[6]。

對於經過這樣的歷史過程而被泛用化的為人後禮來說，在其「為人後」關係裡已經不包含「使大宗存續」這一意義。原來在古代禮制中，維護大宗的尊嚴正是抑制為人後者與本生父母之間的關係的根據。既然當代的「為人後」關係中不包含「尊重大宗」的意義，就無需抑制為人後者與本生父母之間的關係，而適用「不貳斬」原則便與制禮之旨趣背道而馳。總之，就該時代被泛用化的為人後禮而言，按照「義」與「情」，出而為人後者可以為所為後的父母與本生父母全都服斬衰三年。

就為人後者為本生父母服的喪服等級而言，盡管現行禮制符合古禮的規定，但是沈垚主張應該放寬古禮與現行禮制中的規定而允許服本服。對於這一改制的正當性，沈垚不是根據單純的重視人情的立場來說明，而是根據為人後禮的原義及其內涵的變遷來論證。在沈垚展開的這樣的議論中，構成其特徵的是考慮到禮制與其背後的歷史條件的關係的看法，這就是「歷史性觀點」，這一點也許與強調古禮之普遍可行性的論者形成了對立。以下，對沈垚的這一「歷史性觀點」加以更詳細的探討。

---

6 在明代已經被提出了關於為人後禮經過何如過程來被泛用的說明，代表是田汝成〈立後論〉上下篇（《田叔禾集》卷7所收）

（三）於郡縣之世的虛擬性大宗與其為人後禮

按照沈垚〈為人後者為所生服議〉上篇的看法，在該時代，出而為人後的人之所以可以為本生父母服本服，是因為廣泛化的為人後禮中的「為後」關係之內涵已不是「大宗之重」，無需把為本生父母的喪服降低，以顯示大宗的尊嚴。如果根據在〈為人後者為所生服議〉上篇裡發揮的歷史性觀點，即使在該時代——即郡縣之世——也有些家族應當遵守古禮規定實行為人後禮。比如在維持家門，尤其是在維持相當於封建制下的大宗的名族，來為該家門後嗣的族人，應當把為本生父母的喪服降到齊衰不杖期，是因為在這些家門的「為後」關係中仍然包含著相當於大宗的重要性。《為人後者為所生服議》上篇裡指出了在該時代固執於「不貳斬」原則的錯誤，可是到下篇就轉換了論點，說即使在郡縣之世，如滿足了某種條件，仍應依古禮貫徹「不貳斬」原則。

在沈垚生活的時代，有些家門仍具備相當於古代大宗的實質。具體來說，沈垚作為具備大宗實質的家門，列舉親王家或者保有封爵、世職的家等，認為這些家門相當於古之同姓諸侯、異姓諸侯、世祿之家等，從民間發跡得到地位的家也採用單獨繼承方式來維持特殊的家世的話，就可以被認為具備宗法的實質。在這些家門立後時，自然應該按古禮的降服規定，適用「不貳斬」原則，而使為後的族人降為本生父母服的喪服。即使是大官，如不採用單獨繼承的方式來繼承地位，也不得不認為喪失了宗法之實質，所以如〈為人後者為所生服議〉上篇所述，應放寬古禮的規定與原則，為人後者可對所為的父母以及本生父母都服斬衰三年。

> 今宗法雖不行，然特不襲其名耳。未嘗無其實也。何以言之。周之宗法，非封建之天下，不能行，後世當以殷制為準。今之親王，猶古之同姓諸侯也。今之有大功受封爵者，猶古之異姓諸侯也。……豈非不襲宗法之名，不能不有宗法之實者哉。夫有大宗之實，而為之後者，不如後大宗之制，則悖於禮矣。故王公、貴人，凡有官祿嫡長相承者，其立後，當仍用古後大宗不貳斬之禮。……王公，貴人適長相承而立後，則用不貳斬之例。雖為大官而非適長相承，及庶人以止爭而立後、則用並尊得並斬之例。庶幾兩不相悖也。（沈垚：〈為人後者為所生服議下〉，《落帆樓文集》卷2，頁373）

沈垚說到，郡縣之世，在仍然具備大宗性質的家門中，作為大宗之實質，他視為關鍵要素的是世襲的爵位、官職之類的身分條件。可見以為人後禮為典型個案，沈垚用歷史性觀點來論親族禮制時，特別把焦點放在身分條件上。下面接著以宗法與世爵的關係為題材，探討沈垚是如何看待在古代禮制中親族禮制與身分條件之關係的，同時通過圍繞宗法的議論來追溯他的歷史性觀點之淵源。

（四）親族禮制與身分條件——以宗法與世爵的關係為例

在〈為人後者為所生服議〉上下篇裡，沈垚從歷史性觀點來立論，一方面對在郡縣之世的普通之家允許其放寬「不貳斬」原則，來尊重為人後者與本生父母服之間的關係，另一方面對於在郡縣之世也留下類似於封建貴族之要素的家門，要求他們在立後時，依然遵守「不貳斬」原則對本生父母降服。如果把這一歷史性觀點應用在宗法詮釋上，就能導出以下認識。「宗法制是與封建特權（爵位、官職以及封土）的世襲密不可分的禮制，在喪失了「政治身分的世襲」這一關鍵條件的情況下，宗法無法有效地運作」。

在趙宋，程頤、朱熹提倡將宗子主祭方式的祭禮引進以一般士人為對象的家禮，對於後代的家禮構想有不少影響。到明代，有些論者開始切實地意識到是否可能整合宗族這一實效性問題，結果那些論者認為，依照古禮的「宗子主祭」原則來實踐宗法，會犯混淆時代的錯誤，這是因為在郡縣之世，族中的嫡系宗子只具有血統上的優越性，並沒有財產或者政治地位上的特權用來保證血統上的優越性，也就是說，於郡縣之世只留下殘跡的宗子（所謂「告朔之餼羊」）已經失去了整合宗族的實力。在清代，毛奇齡發展了明人擁有的歷史性觀點，最激烈地批判了歷史性觀點不足的禮制詮釋——其典型便是宋人的宗法論——，批評其缺少對古代禮制的固有特徵的認識[7]。

對於他們強調宗法與世爵、世祿密不可分的關係來批判在當代恢復宗法的意見，有些論者提出了反駁。如清初的萬斯大正面議論了於封建制下的封爵與宗法的關係，主張「宗法制原來不一定以封爵的世襲為前提」。按照萬斯大的這一觀點，宗法制在郡縣之世也具備與在封建制下相同的意義，能有效地運作。關於宗法，沈垚的畏友張履承襲萬斯大的觀點，與沈垚針鋒相對[8]。

通過〈為人後者為所生服議〉上下篇的主張容易推測，在宗法問題上，沈垚的立場基本上與毛奇齡相同，他認為宗法是以於封建之世的卿大夫為實施主體的制度，宗法當然是與爵祿、封邑等封建特權的世襲分不開的。也就是說，宗法不是不論體制普遍地實踐的禮制，而是在特定的歷史環境下，以特定的階層為對象才能實踐的禮制。

---

7 明人議論之中，批判宗法論的代表是羅洪先〈宗論下〉（《念菴羅先生文集》卷3所收）。毛奇齡《大小宗通繹》、〈復何毅庵論本生祖母承重書〉、〈古禮今律無繼嗣文〉等禮學著作、論說之中，再三以宗法、承重服、為人後禮為題材來批判犯混淆時代的錯誤的禮制解釋。

8 〔清〕萬斯大：《學禮質疑》卷2〈宗法六〉，《萬斯大集》（杭州市：浙江古籍出版社，2016年），頁46，〔清〕張履：〈駁魯氏宗祠主祭議〉，《積石文稾》（光緒刻本）卷5，〈與子敦論宗子不必有爵書〉，同前卷11。關於清人圍繞宗法展開的議論，參照Kai-wing Chow, *The Rise of Confucian Ritualism in Late Imperial China ：Ethics, Classics, and Lineage Discourse* (Stanford University Press, 1994), Ch.4, "Ancestral rites and lineage in early Ch'ing scholarship"，馮爾康：〈清人「禮以義起」的宗法論〉，朱誠如、王天有主編《明清論叢》第2輯（北京市：紫禁城出版社，2001年）。

……夫古之宗法，原行於士大夫，非行於庶民也。有爵祿，故有宗廟。有宗廟，故有宗子。宗子主收族，故孤寡廢疾者得有所養焉。殤與無後者，得有所祭焉。無能而列於庶人者，得有所統焉，所謂以族得民也。若夫蚩蚩之氓，則不但無廟，且有不知其姓者。又安可以宗法部分之哉。（沈垚：〈為人後者所生服議下〉，《落帆樓文集》卷2，頁372）

古人於親親之中，寓貴貴之意。宗法與封建相維。諸侯世國，則有封建。大夫世家，則有宗法。尊意謂宗子可無爵。鄙意竊不謂然。既無爵，安用宗子。既為宗子，安可無爵。（沈垚：〈與張淵甫〉，《落帆樓文集》卷8，頁463）

當然，有關「為人後禮」的詮釋與對宗法制的理解有密切的關聯。據沈垚說，「為後」關係的原義並不像世人所認為的那樣在於「父子」關係。「為人後禮」是為了使大宗存續下去的禮制，總之是以特定身分為實踐主體，并且為具體的特權授受關係。「為後」關係，對於天子、諸侯來說，相當於君位的繼承，對卿大夫來說，相當於爵位的繼承（君位也屬於廣義的爵位）。如果「為後」關係的構成要素主要是身分的繼承關係的話，「為後」關係裡就不一定需要含有父子關係，因此，為人後禮不受輩分關係的限制，即使屬於同一輩分的族人之間，或者間隔一輩分的族人之間，「為後」關係也能成立。雖然經傳上由一條明文說「為人後者為之子」（《春秋公羊傳》成公十五年條），似乎明確地指出「為後」關係一定伴隨著父子關係，但是，根據沈垚的分析，「為人後者為之子」只不過是在昭穆相當者之間成立「為人後」關係時被適用，並不是普遍的通則[9]。

如上所述，在沈垚的禮制詮釋中，做為封建制條件下的禮制，宗法與為人後禮之間有緊密的聯繫。宗法制是以封建制下的世襲貴族為對象的制度，為人後禮既然是適用於宗法的繼承制度，自然就是限於世襲貴族的禮制，其「為後」關係的核心要素也不是父子關係，而是封建特權（爵位、封土）的繼承關係。封建禮制下的為人後禮與在郡縣之世泛用化的為人後禮是有距離的。因為「為後」關係的實質已經變化了，為本生父母的降服規定是應該從當代禮制中刪除的。

如本節所論，在〈為人後者為所生服議〉的背後，沈垚設定了一種歷史性觀點，根據該觀點，他重視親族禮制與身分條件的關係，認為宗法、為人後禮等親族禮制都是與世襲貴族制不可分的禮制。

9　〔清〕沈垚：〈殤不當立後議〉，《落帆樓文集》卷2，頁374，「蓋為後與為子有別，「為人後者為之子」，但據一端言之，未極言其變也。天子、諸侯，繼統不繼世，孫繼祖，兄繼弟，皆為後，非為子也。……卿大夫有田邑者，亦繼爵不繼世。春秋列國大夫有罪見誅，或出亡，其先祀未可滅，則皆得立後，而昭穆不必盡相當。宗子為殤而死，假令兄弟行無可主宗事者，得不以子行為後乎。」

二　清代禮學之中的「封建禮制的觀點」和沈垚的禮學

（一）「封建之尊尊」論和「古人於親親之中，寓貴貴之意」論

沈垚論古代禮制，尤其是為人後禮、宗法等親族禮制時，指出的是「屬於這種類型的親族禮制把政治身分反映在族內序列中」這一個禮制原理。沈垚把這一原理用「古人於親親之中，寓貴貴之意」這個說法表達出來[10]。換言之，這一說法意味著，古代親族禮制中，族內「尊者」（宗子、嫡長子）的「尊」實際上是由政治身分的高貴性支撐著的。雖然〈為人後者為所生服議〉上下篇之中，未在表面上明確採用該說法，但是該文中的想法與「古人於親親之中，寓貴貴之意」有共同的歷史性觀點。在〈為人後者為所生服議〉上下篇裡，「為人後」關係不被認為是純粹的血緣關係，而被視為以政治身分為內涵的關係。針對為人後禮的這一理解，正是沈垚自身所說的「於親親之中，寓貴貴之意」。

而先行於沈垚的前輩學者，對於於親族禮制之中的血緣與政治身分的關係是如何認識的？以下所述的淩廷堪的「封建之尊尊」論便是將「古人於親親之中，寓貴貴之意」用不同的說法表達出來的事例。

「尊尊」是與「親親」對應的概念，基本含義是「於禮制上對尊者表示尊敬」。可是，究竟誰是「尊者」，因脈絡而不同，「尊尊」概念必然有幾種不同的內涵。概括來說，「尊尊」有以下三種用法。

（A）於親族領域之內完結的「尊尊」。例如兒子對父親的關係。

（B）於政治領域之內完結的「尊尊」。例如臣下對君主的關係，有時用「貴貴」概念表述。[11]

（C）將政治領域的身分反映在親族領域之內的「尊尊」上。例如喪服的「尊降」正反映出這一「尊尊」。後代有些論者用「貴貴」概念來表述（C）類型的「尊尊」。

族人對嫡長子、宗子表示尊敬時，如果認為嫡長子、宗子的「尊」是基於作為父親

---

10 〔清〕沈垚，〈與張淵甫〉，《落帆樓文集》卷8，頁463。很早就注意「古人於親親之中，寓貴貴之意」論的是陳寅陳寅恪：《隋唐制度淵源略論稿》（保定市：河北教育出版社，2002年。該書上海商務印書館初版是1946年出版），〈二 禮儀〉，頁9。

11 《禮記》〈大傳〉，「服術有六，一曰親親，二曰尊尊……」，〈鄭玄注〉「親親，父母為首。尊尊，君為首」，《禮記》〈喪服四制〉「貴貴尊尊，義之大者也」，《鄭玄注》「貴貴，謂為大夫君也。尊尊，謂為天子、諸侯」，《漢書》卷80，〈東平思王宇傳〉「蓋聞親親之恩莫重於孝，尊尊之義莫大於忠」。沈垚說「古人於親親之中，寓貴貴之意」的時候，這一「貴貴」正是（B）類型的「尊尊」。

或者始祖的嫡長的血緣上的優越性的話，那麼對嫡長子、宗子的「尊」則相當於（A）類型的「尊尊」。但是淩廷堪並不像這樣認為嫡長子、宗子的「尊」屬於純粹血緣上的特徵。按照淩廷堪的看法，嫡長子、宗子的「尊」不僅基於血統上的優越性，而且還基於嫡長子、宗子繼承的爵位、封土。也可以說嫡長子、宗子所具有的血緣上的優越性是由政治身分支撐著的。綜上所述，以嫡長子、宗子為尊敬對象的「尊尊」，不是 A 類型的「尊尊」，而是 C 類型的「尊尊」。

> 傳所云「持重」者，即所受於大宗之宗廟、土地、爵位、人民之重也。於前則曰受，於後則曰持。皆受於天子、諸侯者，非無形之物也。……封建既廢，無重可傳，不過蚩蚩之氓，志在財帛而已。陋儒仿古，乃有以少子為長子之後者，竟不知持重為何事。（淩廷堪：〈封建尊尊服制考〉，《禮經釋禮》，卷8，頁442）

《儀禮》〈喪服〉中有幾種基於「尊尊」原理的喪服，據淩廷堪說，這些「尊尊」都是屬於（C）類型的「尊尊」。（C）類型的「尊尊」只在政治身分被世襲的條件之下才能有效地發揮作用，由此可見，（C）類型的「尊尊」是封建制特有的關係。所以淩廷堪特意把（C）類型的「尊尊」叫做「封建之尊尊」，甚至說「《儀禮》〈喪服〉中喪服的「尊尊」都是「封建之尊尊」[12]。從淩廷堪的觀點來說，在郡縣之世，政治身分得以世襲這一關鍵條件已經喪失了，嫡長子、宗子的「尊」也徒有虛名，換言之，以嫡長子、宗子為對象的「尊尊」，隨著體制的轉變，從（C）類型的「封建之尊尊」變成了（A）類型的「尊尊」。在「封建之尊尊」的社會基礎已經消失的當代，如果想要依古禮來恢復宗法或者實踐優待嫡長子的禮制（例如嫡孫承重服），就不免被視為缺乏歷史性觀點[13]。

淩廷堪之前，學者都一律地用「尊尊」概念來表示（A）（B）（C）三種內涵不同的關係。雖然有些學者把（C）類型的「尊尊」特意叫做「貴貴」，但是這個概念用法卻使（B）與（C）兩個內涵的差異模糊起來。淩廷堪試圖通過創出「封建之尊尊」這一新概念，來表述「在封建之世，親族禮制與世襲貴族制結成密切關係，親族禮制的序

---

12 〔清〕淩廷堪：《禮經釋禮》13卷，本稿使用彭林點校《禮經釋禮》（臺北市：中央研究院中國文哲研究所，2002年）。淩廷堪：〈封建尊尊服制考〉，《禮經釋禮》，卷8，頁424，「所謂尊尊者、皆封建之服，何休所謂「質家親親，文家尊尊」是也。先王制禮，合封建而言之，故親親與尊尊並重。封建既廢，尊尊之義，六朝諸儒或有能言之者。宋以後儒者、因陋生妄，於其所不知，輒以己意衡量聖人」。其實淩廷堪所述的「所謂尊尊者、皆封建之服」有點兒誇張的氣味，曹元弼恰當地修正淩廷堪所說，創出「親親之尊尊」概念，來指示「父子」等能與封建制離開的「尊尊」。〔清〕曹元弼：《禮經學》，《續修四庫全書》第94冊，卷1，〈明例〉，頁558。

13 〔清〕淩廷堪：〈封建尊尊服制考〉，《禮經釋禮》卷8，頁438，「蓋適庶及宗法，皆因封建而有，瞀儒不知封建久廢，又不知先王尊尊之義，每於嫡庶宗法，逞臆妄談，喋喋不休，禮意遂由此日晦。」

列反映出政治身分」這一個古代禮制的特質。這正是沈垚用「古人於親親之中，寓貴貴之意」恰當而巧妙地表達出來的。

我在此想確認的是，「相當於（C）類型的「尊尊」是封建制特有的關係」這一認識本身不是到清代才形成的。主要圍繞「在郡縣之世是否應該實施嫡孫承重服」這一論點，早在晉代學者中就有人認識到優待嫡子的親族禮制是與政治身分的世襲制分不開的[14]。在北魏、北宋，論者就嫡孫承重服問題，再三確認了在古代親族禮制上爵位、封土等的特權具有重要的意義。並且到了明清時代，不僅是嫡孫承重服、宗法，為人後禮也被視為與封建制下的世襲貴族制密切相關的禮制。例如，在明代中葉的嘉靖大禮議時，霍韜為了論證皇帝的繼承原來不以父子關係為構成要素（所謂張璁、霍韜一派所主張的「繼統不繼嗣」），就上遡到為人後禮的原義。霍韜主張為人後禮原是包括天子在內的諸侯封建貴族固有的繼承制度，當然其繼承關係的構成要素主要是封建特權的繼承關係（霍韜重視祭祀權），並不是父子關係[15]。

到了清初，毛奇齡涉及宗法、喪服、為人後禮，對這些論點展開了議論，本文所謂基於「歷史性觀點」的禮制詮釋在此時系統性地確立了起來[16]。淩廷堪、沈垚發揮的「歷史性觀點」所直接依據的先行學說恐怕也是毛奇齡所獲得的豐碩成果。至少，在淩廷堪、沈垚之前，關於親族禮制的歷史性觀點已經確立起來，「世俗有非禮之禮三焉。

14 圍繞嫡孫承重服的議論，從歷史性觀點立論的最早的事例是庾純。〔唐〕杜佑：《通典》（北京市：中華書局，1988年），卷88，頁2424，〈孫為祖持重議〉「晉侍中庾純云：古者所以重宗，諸侯代爵，士大夫代祿，防其爭競，故明其宗。今無國士代祿者，防無所施。……諸侯無爵邑者，嫡之子卒，則其次長攝家主祭，嫡孫以長幼齒，無復殊制也。又未聞未代為宗子服齊縗者。然則嫡孫於古則有殊制，於今無異等」。沈垚所說的「具備封建世襲貴族的實質的家門應該沿著古禮的原則來實踐為人後禮」這樣的想法也庾純早就達到。「今有王侯有爵土者，所防與古無異，重嫡之制，不得不同。」（同前）

15 〔明〕霍韜：〈大禮議附錄復毛先生書〉，《渭涯文集》（桂林市：廣西師範大學出版社，2015年。影印同治元年石頭書院刻《霍文敏公全集》收錄本），卷5之上，頁1026，「生則竊謂春秋三代嗣繼之說，其諸異乎後世嗣繼之說也。是故古者之嗣帝王也，嗣主夫天地、宗廟、社稷之祀事而已矣，嗣主祖喪若子而已矣。不曰父之也，子之也。古者之嗣諸侯也，嗣主夫封內山川、宗廟、社稷之祀事而已矣，嗣主其喪若子而已矣，不曰父之也、子之也。古者之嗣大夫、士也，嗣主夫家之五祀、宗廟之祀事而已矣，嗣主其喪若子而已矣，不曰父之也，子之也。……曰「為人後者為之子」，三代以前無是論也」。除了霍韜以外的「繼統不繼嗣」論者，以皇帝地位的公共性為根據來主張繼承關係不需要含有父子關係。只有霍韜一個人注視封建禮制的固有性來論證「繼統不繼嗣」。

16 〔清〕毛奇齡：《喪禮吾說篇》（上海市：《續修四庫全書》第95冊），卷9，頁83，〈為後疑義〉，「古為人後者與近世繼嗣不同。古所謂後，必是有地之君。世爵、世祿，顯有國邑可傳者，則為之立後。……降此，非世爵、世祿，則雖大夫士身死，而仍不為後。……故《大記》曰「喪有無後，無無主」，謂喪之所重，但在主喪，而苟其無後，則聽之，而不為理。何則古封建之世，全在爵位，仍以宗祀為之名。故天子、諸侯、大夫、士，惟世傳之家，則或祀七世，或祀五世，或祀三世，絕則繼之。……況封建已亡，宗法不立。繼宗之說，尤為無理，則今之所云為後者，並非古禮。不過曰繼嗣已耳。」

承重也，繼嗣也，葬服也」[17]這一見解最直率地表明了「歷史性觀點」論者的基本立場。淩廷堪、沈垚充分消化禮學詮釋史上的成果，然後各自用又恰當又給後人受下深刻印象的表達方式——「封建之尊尊」、「古人於親親之中，寓於貴貴之意」——更進一步明確地揭示出古禮的特點。

（二）對於禮制詮釋和士大夫生存樣態之關係的注視

沈垚在解釋為人後禮、宗法時擁有的歷史性觀點，是在禮制詮釋史上持續存在的一種典型的立場。尤其毛奇齡、淩廷堪等論者對此進行了系統化，而且往往針對宋人提倡的復古禮制論展開言辭激烈的批判。沈垚原本不是專業的禮學家，就体系化程度而言，他當然比不上毛、淩的成果。但沈垚在如何把古禮的為人後禮適用於當代的立繼這一問題上，發揮了歷史性觀點，加之以「古人於親親之中，寓貴貴之意」這種獨特的說法巧妙地表達了古禮之中的親族與身分的關係，在這兩點上，可以說沈垚做出了特殊的貢獻。

在沈垚的禮制詮釋中，關於歷史性觀點，還有一個相當正式的獨特的見解。沈垚在論古禮及其應用時，也論及後代士大夫的社會生存樣態。沈垚從不同士大夫（「六朝人」、「唐以前士大夫」與「明代士人」、「近代禮家」）的禮制詮釋中看出各種傾向，並且認為各種傾向受到士大夫本身的家、身分條件的影響。沈垚雖然僅屬於初步水平，但是他認識到知識人的歷史認識受到他們本身的社會生存樣態制約。以下，深入地看一下沈垚的這一觀點。

對淩廷堪、沈垚這些歷史性觀點論者來說，宗法、為人後禮等禮制是以「政治身分反映於親族中的關係」（血統上的優越性由政治身分上的優越性支持。要之「封建之尊尊」、「於親親之中，寓貴貴之意」）這一特點為核心的親族禮制，因此，這種禮制只在世襲貴族制的條件之中才有意義。至於郡縣之世的士大夫，他們的身分並不穩定，即使想要勉強實踐宗法，也不能把「貴貴」原理反映於親族序列上。換言之，在郡縣之世，（A）「尊尊」與（B）「尊尊」不相符，不能構成（C）類型的「封建之尊尊」。總之，歷史性觀點論者認為，如果照搬古代禮制來實踐宗法、為人後禮等的禮制的話，就會犯下了混淆時代的錯誤。

沈垚把這種混淆時代的做法，也就是說後代士大夫不能理解「古人於親親之中，寓貴貴之意」的原因，與他們的生存樣態之變化結合起來思考。比如，在明代，階層之間

---

17 〔清〕陳祖范：《經咫》，《景印文淵閣四庫全書》第194冊（臺北市：臺灣商務印書館，1986年），〈禮〉第一條，頁77。〔清〕毛奇齡：〈復何毅庵論本生祖母不承重書〉，《西河集》，《景印文淵閣四庫全書》第1320冊（臺北市：臺灣商務印書館，1986年），卷16，頁124，「今世非封建、家無傳爵，祖父非天子、諸侯，而公然曰承重，曰為後，曰服三年，是為僭逆。」，在這兒毛氏所說的「服三年」指示孫子為庶祖母的斬衰服。

的流動性相當大，不少士大夫是由「草野」昇上來的。此類士大夫缺少階層的穩定性，身分條件與封建貴族相差懸殊，結果他們很難理解「血統上的優越性受到政治身分上的優越性支持」的狀況。與此相反，唐代以前的門閥士族，即使只不過是虛擬性的，也具備世襲貴族的實質，因此，他們能夠更深刻地理解古代禮制的特質。

> 六朝人禮學極精，唐以前士大夫重門閥，雖異于古之宗法，然尚與古不相遠。史傳中所載多禮家精粹之言。至明，則士大夫皆出草野，議論與古絕不相似矣。……明代士人議論，自謂極精者，皆求之古，絕不然者也。其故曲全不講「貴貴」二字耳。垚謂足下既成是書，當求其是，急宜細覈六朝人史傳，不可全據近代禮家之論。不知尊意以為然否也。（沈垚：〈與張淵甫〉，《落帆樓文集》卷8，頁463）

這樣的主張寫在「古人於親親之中，寓貴貴之意」的行文中，沈垚向張履指出「近代禮家」受到來自身分條件的限制，以說明他們的宗法論不足為憑。

「從封建制轉移到郡縣制之後，階層之間的流動性提高了。結果，士大夫喪失了身分的穩定性，他們的親族禮制也受到了體制轉變的影響」這一認識，在致力於家禮的編纂與實踐的明代論者中也已經提出。例如，丘濬〈南海亭崗黄氏祠堂記〉中說「隨著體制的轉變，發生了階層的流動化，在這一社會環境下，為適應於士大夫生存樣態之變化，司馬光、程頤、朱熹等歷代學者想出了提高泛用性的家禮」。丘濬認識到「體制轉變、階層流動性、修訂家禮」這三個要素之間的關聯[18]。沈垚則進一步著眼於轉變到郡縣之世以後不同時代的特質——六朝時代的門閥士族、明代的階層之間的沉浮等，認為每個時代的士大夫的身分條件都影響到他們對古代禮制的認識。不管唐代的門閥士族還是宋代以後科舉體制下的所謂近世士人，論者對於古代制度的認識都受到論者本身生存樣態之影響。沈垚提出的這一看法，雖然既處于萌芽階段，又是片段的，但是使我們想到現代歷史學界視為常識的看法，即將士大夫的生存樣態與他們的思想、學術聯結起來做出解釋。

沈垚的觀點似乎帶來使他能相對地評價禮制詮釋史的效果。在毛奇齡看來，宋明學者詮釋親族禮制時之所以不能理解「血統上的優越性受到政治身分上的優越性支持」這

---

18 〔明〕丘濬：〈南海亭崗黄氏祠堂記〉，《重編瓊臺藁》卷17，《景印文淵閣四庫全書》第1248冊（臺北市：臺灣商務印書館，1986年），頁346，「古人廟以祀其先，因爵以定數，上下咸有定制。粤自封建之典不行，用人以能不以世，公卿以下有爵而無土。是故父為士而子或為大夫，父為大夫而子或為士。廟數不可為定制。且又仕不常，遷徙無定，而廟祀不能有常所。漢、魏以來知經好禮之士、如晉荀氏、賀氏，唐杜氏、孟氏，宋韓氏、宋氏或言於公朝，或創於私家。然議之而不果行，行之未久而遽變、或為之於獨、而不能同於之衆，僅卒其身，而不能貽於後。此無他泥于古，便於私，而不可通行故也。至宋司馬氏，始以意創為影堂，文公先生易影以祠，以伊川程氏所創之主，定為祠堂之制，著於《家禮》〈通禮〉之首。蓋通上下以為制也。」

個古代親族禮制的特質，只不過是由於他們的認識膚淺學術水平低。但是從沈垚的觀點來看，宋明學者之所以難以認識到「古人於親親之中，寓貴貴之意」，不是由於他們整體上的學術水平低，而是由於這些「近代禮家」、「明人」的認識受到「出草野」的身分條件制約，所以存在著只限於討論親族禮制的詮釋這一缺點[19]。

在嘉慶、道光時期興起的思想、學術上的新潮流，一般被評價為起因於該時期士大夫所擁有的閉塞感與對政治、社會問題的危機意識。公羊學於經學領域之中的盛行、明代史研究及西北地理學於史學領域之中的崛起，以及漢宋折衷的傾向，都可說是屬於這一潮流的。在沈垚的學術成果之中，他的禮制考證的基本性質還是被置於禮制詮釋史的漸進性展開上，也許會被認為不如他的西北地理學那麼敏銳地反映出時代的學術潮流。但是，體現在沈垚禮制考證之中的身分論觀點（①重視於古代親族禮制之中的身分關係的重要性。②認為後代士大夫本身的身分條件影響到他們如何理解古代禮制之中身分關係的意義）跟歷代的議論相比，其獨特性是相當顯著的，並且反映出包括沈垚個人在內的同時代士人對身分結構的認識——士與庶或者士與商關係，身分的流動性變化等等。余英時用於證明士、商之間的互動關係發生了變化的身分論[20]，從對於禮制進行詮釋的觀點來看，也可以說是頗有啟發意義的。

三　結論

本報告主要以沈垚《為人後者為所生服議》上下篇為中心，分析他的親族禮制（為人後禮、宗法、喪服）詮釋，來提起我所謂「歷史性觀點」。加之，與淩廷堪的「封建之尊尊」論對照，闡明他們共有的「歷史性觀點」。具體來說，他們注視經傳所載的親族禮制與政治身分的世襲制的結合的關係，強調其封建禮制特有的性格。淩廷堪、沈垚擁有的這樣的歷史性觀點，在禮制解釋史上不是孤立的，而是於嫡孫承重服、為人後禮、宗法的解釋上不斷地主張。淩、沈位置於禮制詮釋史的漸進性展開上，他們各自提起「封建之尊尊」「古於親親之中，寓貴貴之意」等特有的概念、表現，來使封建禮制特有的性格更清晰。

---

19 評價某種思想、學術時，考慮提出或者接受當該思想、學說的人們的階層等生存樣態的話，能相對地評價。沈垚之前，焦循曾在〈良知論〉（《雕菰集》卷8）一篇中以這樣的觀點冷靜地評價朱子學與陽明學各自的意義。淩廷堪也把南北朝諸儒的優越性歸於他們的身分條件。「蓋當時雖不世官，而爵土猶在，應襲者往往爭之，故諸儒說禮，精審若此。」（淩廷堪〈封建尊尊服制考〉，《禮經釋禮》卷8，頁447。）

20 注3所揭余英時：《中國近世宗教倫理與商人精神》，下篇第一章〈明清儒家的「治生」論〉。余英時利用的文章是〈費席山先生七十雙壽序〉（《落帆樓文集》卷24）、〈與許海樵〉（同前卷9）。

經學通論與經學史中的三禮學論述回顧

程克雅
東華大學中國語文學系副教授

提要

經學通論與經學史在經學著述中分別具有學術研究之經學觀、史觀不同的面向，在「經世致用」、「脩己治人」共同引證與闡述的核心價值與文化關懷視閾下，禮義之相關內涵，於《詩》、《書》、《易》、《三禮》、《春秋三傳》之典籍；禮、樂、射、御、書、數等六藝中，皆居一席。今擬就經學通論著作五十八種，經學史著作二十六種，聚焦於三禮學相關論述為探討範疇，冀藉此瞭解「三禮」之學在經學觀與經學史觀的定位、議題、重心及方向之呈現。

首先，就本文所涉經學通論性質的五十八種著作董理後來看，其體例大多以古文家或今文家不同的六經認知次第排列，也就是以經籍為序，各經分述部份，「三禮」之學則分就《周禮》（或題曰《周官》）、《儀禮》、《禮記》三方面，或以筆劄體例條列議禮主題，或以專家專論闡述禮學問題。

其次，就本文所涉經學史性質與題名的二十六種著作來看，其體例則多以歷史的時世變動的概念，依時代先後順序排列；也就是不以經學內部問題為順序，而以時代為準，論述部份采不同形制，一種是在總述後分述單經之史，如「三禮」之學下，又分就《周禮》學（或題曰《周官》）、《儀禮》學、《禮記》學研究史；一種是納入各時代之下綜論經師、經訓、經義、經學思想或經學著述，而不特意區別單經在該時代的表現。或以筆劄體例條列「三禮」學史問題（包含文獻、師傳、禮制、注疏與禮說等），或以專論述說禮學觀念思想的變化。

再者，三禮學論述在經籍方面的研究成果斐然，值得重視並深入研探，但是從個別經籍獨立的單經研究史來看，及置於經學史和經學通論的大範圍中來看，具有不同的徑路和立場，並不僅是宏觀與微觀的差異，還可抉發三禮之學在會通諸經經義旨趣的作用及特色。

在論文的研究方法與步驟而言，筆者擬基於林慶彰先生講論〈幾種經學史中的禮學論述〉為契機，從目錄學、書誌學的方法論背景，就林慶彰先生及編輯團隊三十年來關於《經學研究目錄》七種之體例與著錄，探討三禮學經學論述中與經學史、經學通論相關文獻之歸屬、述說《三禮》在單經研究和「三禮」之學在經學觀、經學史觀反映的不同旨趣，從而闡發《三禮》學術研究在經籍詮釋與禮的作用與意義。

關鍵詞：經學通論　經學史　「三禮」　《三禮》學　目錄學

一　前言

「經」的研讀與「經學」研究具有不同的性質和涵義，自晚清學部頒布《奏定學堂章程》以來，現代學術做為觀照起點的經學與經學研究，環繞於讀經的相關問題與著作，方開始受到熱議與回顧。也就在這一時期，題名為經學通論、導讀、經學史著述為論學者纂述、做為正式課程的講義與專著，大量梓行與流傳。但若究此百餘年來經學通論、導讀、經學史著述內容及撰述體例，則不無紛歧蔓衍。事緣光緒二十九年癸卯（1903），由張百熙、張之洞、榮慶等奏擬《奏定學堂章程》又稱《癸卯學制》，清末學部於一九〇四年頒行。是清朝政府頒布的關於學制系統的文件，該章程是中國近代第一個以教育法令公佈並在全國實行的學制，它根據初等教育、中等教育、高等教育等階段的劃分，對學校教育課程設置、教育行政及學校管理等作了明確規定。對中國近代教育產生的重大影響。《奏定學堂章程》，[1]採西方學術分科觀念改革學制：大學堂分為經學、政法、文學、醫科、格致、農、工、商八科，經學原居於八科之首，經學科又細分為《周易》學、《尚書》學、《毛詩》學、《春秋左傳》學、《春秋三傳》學、《周禮》學、《儀禮》學、《禮記》學、《論語》學、孟子學、理學等十一個學門，章程也規定了各科講授內容。但以上對經學的獨立獨尊，經書分科分門，卻引發不同見解。王國維在〈《奏定學堂章程・經學科大學文學科大學》書後〉中駁議學門的建置，反對張之洞原擬將經學一門形式地獨立獨尊，並一再申彰「不通諸經，不能解一經」「群經之不可分科」，在《經學概論》中則回顧經學變遷。[2]此後，由於王國維的擬議，文科下設哲學、文學、歷史學、地理學四門，哲學門「中國哲學類」列入：《周易》、《毛詩》、《儀禮》、《禮記》、《春秋》、《公羊傳》、《穀梁傳》、《論語》、《孟子》、周秦諸子、宋明理學；文學門「國文學類」則列入：《說文解字》、音韻學、《爾雅》學；歷史學門「中國史」則列入：《尚書》、《春秋》、《左氏傳》。經學不復為獨立學門，十三經也不再分科，包含在新式大學學制的文科內容裏。[3]這使得王國維不贊成獨立出經學學門的本旨產生了流弊，正如林慶彰先生之言：「在古代經學是光明正大地研究的，現在研究經學要偷偷摸摸地藏在其他學科裏面，要培養人才就困難了。」[4]

經學的傳述與化育教民既密不可分，但《周禮》、《儀禮》、《禮記》三禮經籍及內容在經學的知識轉型與傳播中，也不免面臨了種種的考驗。清末學者劉師培曾在〈典禮為

1　張之洞：《奏定學堂章程》（臺北市：文海出版社據1904年湖北學務處刊本影印）

2　王國維：〈《奏定學堂章程・經學科大學文學科大學》書後〉又見氏著：《經學概論》，湯志鈞點校，收入《王國維全集》第6卷（杭州市：浙江教育出版社，2009年）。

3　《教育法令彙編》第5輯（南京市：教育部，1940年）。

4　陳菁霞：〈大陸經學研究時有不該有的硬傷——訪林慶彰〉，《中華讀書報》第7版（2012年9月19日）。http://epaper.gmw.cn/zhdsb/html/2012-09/19/nw.D110000zhdsb_20120919_3-07.htm。

一切政治學術之總稱考〉視禮學對應於文化本體，推崇西周文明，強調：「禮訓為履，又訓為體。故治國之要，莫善於禮。三代以前，政學合一，學即所用，用即所學，而典禮又為一切政治學術之總稱。故一代之製作，悉該入典禮之中，非徒善為容儀而已。」[5]；除了人文的意涵之外，近代學者也正視其思想在抽象、超越的特質，故亦推闡《禮記》「禮者理也」的說法，而延展為「天理」、「情理」、「事理」等不同的方面。這使得「禮」的肄習與「禮學」研究具有不同的涵義。

英國歷史學者柯林烏（R. G. Collingwood, 1889-1943）著有《歷史的理念》（The Idea of History, 1946），書中將歷史的理念與人的自我認識分列為「記憶」「知覺」與「反思」三等級；並強調「問題意識」與「解答」間的呼應，[6]以此理念對勘經學通論與經學史等歷史文獻和著述中所蘊涵的禮學論述，在研究動機及問題意識方面回顧民國初年的經學學術環境背景，冀探討「經學通論」與「經學史」觀念下的三禮學論述所寄託的議題表裡相映，詮解溯源切當與否。再從目錄學、書誌學的方法論背景看，林慶彰先生及編輯團隊三十年來關於《經學研究目錄》七種之體例與著錄，[7]也有資於探討三禮學經學論述中與經學史、經學通論相關文獻之歸屬。從本篇論文的研究方法與步驟而言，筆者擬基於七種經學目錄的著錄及書誌學觀點下所考見的禮學議題及其變化，考察家法師承與經學流派、探尋淵源脈絡。並藉著林慶彰先生在〈幾種經學史中的禮學論述〉篇中所論為契機，[8]《三禮》單經研究和「三禮」之學在經學觀、經學史觀反映的旨趣。文末亦對於經學觀、經學史觀中環繞的觀念：藉考辨經籍文獻重新闡釋，主張復歸原典，再現經籍與經義的本旨，也正是本文試究三禮學論述所依題材呈現的方向，踵步前說，從而闡發《三禮》學術研究在經籍詮釋與禮議的作用與意義。

---

5 劉師培：〈典禮為一切政治學術之總稱考〉《劉申叔遺書》（南京市：江蘇古籍出版社，1997年11月）。

6 柯靈烏著，黃宣範譯：《歷史的理念》（Idea of History）（臺北市：聯經出版公司，1981年3月）。又，陳明福譯（臺北市：桂冠圖書股份有限公司，1984年）。

7 林慶彰先生主編：《經學研究目錄》等七種即包括：林慶彰：《經學研究論著目錄（1912-1987）》（臺北市：中央圖書館漢學研究中心，1989年）。林慶彰：《經學研究論著目錄（1988-1992）》（臺北市：中央圖書館漢學研究中心，1995年）。林慶彰、陳恆嵩主編：《經學研究論著目錄（1993-1997）》（臺北市：國家圖書館漢學研究中心，2002年）。林慶彰主編：《乾嘉學術研究論著目錄（1900-1993）》（臺北市：中央研究院中國文哲研究所籌備處，1995年）。林慶彰、蔣秋華主編：《晚清經學研究文獻目錄（1901-2000）》（臺北市：中央研究院中國文哲研究所，2006年）。林慶彰主編，馮曉庭編輯：《日本研究經學論著目錄》（臺北市：中研院文哲所1993年）。林慶彰主編：《日據時期臺灣儒學參考文獻》上、下冊（臺北市：臺灣學生書局，2000年）。

8 林慶彰：〈幾種經學史中的禮學論述〉，《中正漢學研究》2014年第1期（總第23期）（2014年6月），頁237-240。

二　經學通論中的禮學議題：經學觀的重心及三禮議題的定位

本文所涉經學通論性質的五十八種著作董理後來看，其體例大多以古文家或今文家不同的六經認知次第排列，也就是以經籍為序，各經分述部份，「三禮」之學則分就《周禮》（或題曰《周官》）、《儀禮》、《禮記》三方面，或以筆劄體例條列議禮主題，或以專家專論闡述禮學問題。與大部份的著作依十三經之別而有異的，是其中劉百閔撰《經學通論》，將論述內容分為十二部份，這十二部份依序是：「經學」、「經教」、「經典」、「經師」、「經文」、「經訓」、「經義」、「經行」、「經術」、「經籍」、「經刻」、「經譯」。[9]十二部份其實可以歸納為五個不同的層面：經學思想（「經學」、「經義」）、經學教育（「經師」、「經教」）、經學流派（「經師」）、經術制度（「經行」、「經術」、）、經學文獻（「經典」、「經文」、「經訓」、「經籍」、「經刻」、「經譯」）等。其中，由教學傳播到流派形成，仍有重疊的情形，傳述之人──「經師」即為交集的核心。再就實質論述的份量看，「經學文獻」的內容尤為薈萃淵藪，對應於劉百閔所列的項目來看，細項也最多。把以上的分項區別，對應《經學研究目錄》七種之體例與著錄，[10]在「經學」的大類一項下的安排，以及其次本文所關注「三禮類」的內容來考察，有以下的特徵：

其一、《經學研究目錄》三種與《乾嘉經學研究目錄》、《晚清經學研究文獻目錄（1901-2000）》：以上五種目錄為經學研究論文目錄採集的主要成果，就類目詳表在三禮的部份，先立禮學總論，再分出「三禮通論」、「三禮研究史」、「論文集」等三子目；其次依《周禮》、《儀禮》、《禮記》，個別經籍下各就其內容加以概述，著錄注釋，列舉各分篇研究，並以語言研究、思想研究、單經研究史逐一臚列，著錄歸屬相關的論文篇章。

其二、《日本研究經學論著目錄》：以《東洋學文獻類目》這一書誌學的著錄為錄出基礎，另又涵蓋日本近九十年來未經迻譯、未受重視的經學和經學家相關著作，其中在三禮學研究與經學史的專書方面著體例也承上述《經學研究目錄》等五種目錄。

其三、《日據時期臺灣儒學參考文獻》：本編和前述目錄體式不同，計介紹臺籍或旅臺的學者包括吳德功、洪棄生、胡南溟、章太炎、連橫、張純甫、周定山、林履信、郭明昆、張深切、廖文奎、黃得時、江文也等人，其中林履信與郭明昆有禮學著述傳世；連橫對經學議題有所關注，章太炎、黃得時則任教上庠，也精於經學與清代小學，留有專著。

9　見劉百閔：《經學通論》〈目錄〉（臺北市：國防研究院出版部，1970年）。

10　見林慶彰：〈經學研究論著目錄敘例〉，《漢學研究通訊》第8卷第3期（總第31期）（1989年9月），頁207-208。暨各部《類目詳表》。

若略舉一隅而觀，民國初年學者陳漢章撰述《經學通論》，又對勘諸經注疏，輯成《孔賈經疏異同評‧續評》，說解不拘泥於今古文分野，求通大意，其解異說，例如：「名尸為殯，經典無徵」

> 襄公二十九年《左傳》祓殯而襚，則布幣也。《正義》曰：《檀弓》……所言，即是此事，所異者，此言請「襚」，彼言「請襲」；此言「祓殯」，彼言「拂柩」。……先後不同禮……襚不得為襲也。（康王）卒已逾月，不得柩仍在地，足知殯是而柩非，《雜記》記致襚之禮云「委衣於殯」，……猶致襚也。
>
> 《周禮》〈春官〉〈喪祝〉引《春秋傳》釋曰：襚即襲，之時未殯，而云祓殯者，名尸為殯耳。
>
> 評曰：賈以《喪禮》襚在殯前，故謂襚即襲，又以《檀弓注》云：「已襲則止，巫去桃茢。」今襄公使巫以桃茢先，故從〈檀弓〉請襲之文，但襲時實無柩，更無殯，而謂名尸為殯，經典無徵，不如孔校襄公王楚月日，謂此襚在殯後，鄭《雜記》〈注〉曰：「《春秋》既葬，含、賵、襚，無譏焉。皆受之殯宮。」然則魯文公九年，且於葬後受秦人所歸僖公成風之襚；楚郟敖之元年不於殯後請魯襄之襚乎。[11]

本段孔疏冗長，陳漢章引述乃節錄之，大抵保持引用原典實際文本，其論述在關注《春秋》和《禮記》中有多處可見喪禮之受贈賻儀，助喪盡恩之舉。但徵之經典，竟有在歸葬之後再致送者，這和《春秋》三傳「不及事」之譏與後世的禮俗當否判斷不同。因此就賈疏巧構論說，評議其失之迂曲。其次，同樣關注於春秋禮學的批判和會通，「逆祀」的研討一直是春秋禮學聚訟紛紜之地，陳漢章又舉「以《穀梁》親親尊尊之誼，借事說義」來加以評議孔賈之說：

> 八月，丁卯，大事於大廟，躋僖公。大事，祫也。躋，升也。僖公，閔公庶兄，繼閔而立，廟坐宜次閔下，今升在閔上，（故書而譏之。）
>
> 兄死弟及俱為君，則以兄弟為昭穆，以其弟已為臣，臣子一例，則如父子，故別昭穆也。
>
> 文二年躋僖公，謂以……閔公為昭，僖公為穆，今升僖公於閔公之上為昭，閔公為穆，故曰逆祀。
>
> 評曰：《孔疏》用《公羊》何休《注》，其前如華恆、賀循、徐邈議見於《晉宋書》、《通典》者，並云兄弟同昭穆，然《左傳》有先父之言，《公羊》謂先禰後祖，《穀梁》謂先親後祖，范寧注曰：「親謂僖，祖謂莊。」。楊士勛《疏》非

---

11 見陳漢章撰：《孔賈經疏異同評》一卷，附錄一卷；《叢書集成續編》第2冊（上海市：上海書店出版社，1994年），頁538。

> 之，而賈公彥從之，其後唯朱子及徐乾學、顧棟高並本其義，與張子、馬端臨、萬斯大、顧炎武、任啟運、蔡德晉、秦蕙田說皆異。竊謂此當以《穀梁》親親尊尊之誼，衡之質家親親；如兄弟及而不同昭穆，即不得祀五世。(《呂氏春秋》諭大引《商書》五世之廟可證商禮）文家尊尊，如弟襲兄位，而不異昭穆，即無以分逆順（賈又云：若本同倫以僖公升於閔公之上，則以後諸公昭穆不亂，何因至定公八年《傳》，始云順祀先公而祈乎)。蓋殷周之禮固有此二者，孔、賈《疏》俱失之一偏。[12]

陳漢章在此持平兩存，從歷史現實的視角，衡度不同立場，因此超越了《公羊》說大惡、《公羊》說小惡、《穀梁》說「無祖、無天」等強烈的評價意涵，返回原初事件的描述和敘述，論究孔賈在論述中失之一偏的緣故，用歷史解釋保持了質文不同立場條件隨之而致的批判褒貶意識。

藉著目錄之學對於經學通論、三禮學在文獻和著錄采輯的規劃，足以掌握經學通論中的三禮通論圖譜，在為研究者篇章尋求定位的同時，三禮議題的歸納和內容性質判斷，透過子目的掌握，即使受限於纂編時的現實局限而有遺漏，但既有篇章歸屬和份量比例也足以說明在前揭劉百閔氏著所揭示的十二分項下，關於相關篇目的五種層面及分佈比例：

附圖一　經學通論五十八種中關於三禮通論的議題中涉及五層面的分析

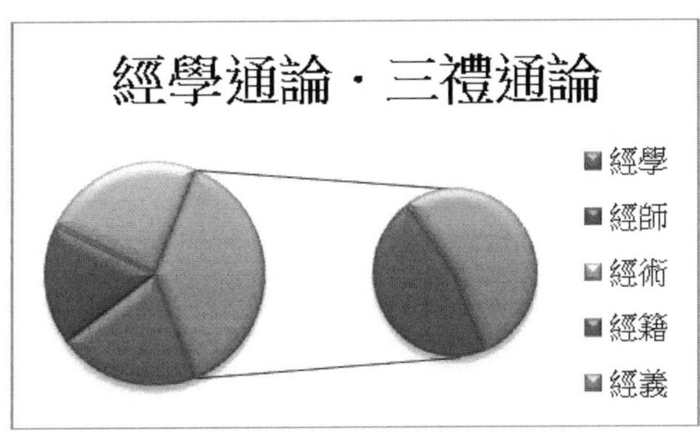

經學百分之二十點八；經師百分之十七點六；經術百分之二十三點八；經籍百分之十七點五；經義百分之二十點三。

圖中所呈現的以經學思想論述最高，分量最多；其次經師與經籍並重，從林先生推崇的「最早的經學史」(其實也可以視為「經學通論」)《漢書・儒林傳》中以師儒相授

12 見陳漢章撰：《孔賈經疏異同評》一卷，附錄一卷；《叢書集成續編》第2冊（上海市：上海書店出版社，1994年6月），頁537。

重其所傳經籍的情形相符，表示在經學通論中與三禮學有關連的，也以三禮典籍經說師法為主；其次為經籍，在經學通論中則逕以三禮通論列述之。但議題層面的分佈，在經學觀的表現與三禮問題的層次方面則大部份仍屬簡要通俗取向的著作難以達成，較受到學界重視的著作如：皮錫瑞《經學通論．三禮通論》、錢玄《三禮通論》、李雲光《三禮鄭氏學發凡》則值得進而細予分析，以對應其議題的不同旨趣和取向。

三 經學史中的禮學議題：經學史觀的成立與禮學研究史的核心

本文所涉經學史性質與書名的二十六種著作來看，其體例則多以歷史的時世變動的概念，依歷代政權時代先後順序排列；也就是不盡以經學內部問題或學術史的劃分為順序，而以政治的世代為準，論述部份采不同形制，一種是在總述後分述單經之史，如「三禮」之學下，又分就《周禮》學（或題曰《周官》）、《儀禮》學、《禮記》學研究史；一種是納入各時代之下綜論經師、經訓、經義、經學思想或經學著述，而不特意區別單經在該時代的表現。或以筆劄體例條列「三禮」學史問題（包含文獻、師傳、禮制、注疏與禮說等），或以專論述說禮學觀念思想的變化。承上節所述，在目錄學及經學通論項下仍有經學史或單經研究史的子目，因此，經學史的意識並不能與經學通論截然分割。藉上文中對於二十六種經學史著作以及經學史性質論文的書誌學著錄加以分析，茲再以附圖二表示其分布如下：

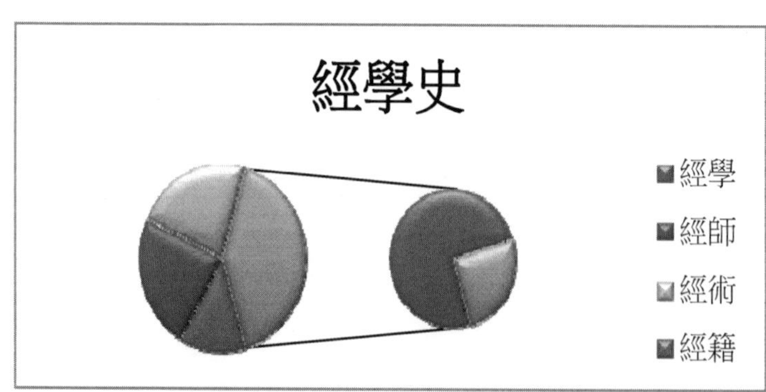

附圖二：經學史著作二十六種中關於五層面的比例

經學百分之十二點六；經師百分之二十三點八；經術百分之二十二點五；經籍百分之三十點八；經義百分之十點三。

圖中所呈現的仍然是經籍的論述最高，分量最多，表示在經學史中與三禮學有關連的也以三禮典籍經注疏文獻為主；其次為經師，在經學史中與三禮學有關連的也以經師以治三禮之學聞名。但議題層面的分佈仍不足以說明經學觀與經學的源流演變敷陳。

林慶彰先生曾說明經學史著作在體例上採取政治時代的區分和學術史時代的劃分，其實有高下之判：

> 一本經學史要把經學的文獻處理好，最重要的就是要反映出經學史的分期。一般經學史的分期大體上都是根據時代的更遞。像劉師培的《經學教科書》就分為先秦、兩漢、三國南北朝隋唐、宋元明、近代五個時期。這種分期，林慶彰認為有很大的不足，因為很多經學新的思潮或者新的發展，往往在前一個朝代的末期就已經開始了。有時候兩個時段的學風幾乎是完全一樣的，不能因為朝代更遞就把它切斷來談。
>
> 對經學史的分期安排比較合理的，還是皮錫瑞。林慶彰認為，皮錫瑞的《經學歷史》是按經學的內在的演變來分期的，分為：經學開闢時代（孔子刪六經）、經學流傳時代（孔門弟子）、經學昌明時代（漢武帝時）、經學極盛時代（漢元帝、成帝時及東漢）、經學中衰時代（東漢末、魏晉）、經學分立時代（南北朝）、經學統一時代（隋唐）、經學變古時代（宋代）、經學積衰時代（元明）、經學復盛時代（清代）。大體來講，這種分期雖然還有可以討論的地方，但對經學史的研究是比較有幫助的。[13]

林慶彰先生以五本經學史著作為例子，包括皮錫瑞《經學歷史》、馬宗霍《中國經學史》、本田成之《中國經學史》、吳雁南《中國經學史》、姜廣輝《中國經學思想史》來討論其中的禮學論述。他說：

> 「禮學」在中國的發展，是非常的複雜的。恰好彭林（1949-）教授他有一本新的作品，叫作《三禮研究入門》，我們就以《三禮研究入門》前面一小部分討論「歷代禮學的演變」的觀點來看這些經學史，他有沒有討論到這些問題。彭先生的著作把禮學分為七個時段。第一個先秦，先秦就是「從禮制到禮學」這個內容。再來兩漢，他是「三禮之學的成熟」。魏晉南北朝是「鄭王之爭」，「鄭王之爭」應該是魏晉南北朝經學其中的一部分，另外一部分就是「喪服」受到重視。所以《儀禮》的〈喪服〉特別發達。再來隋唐時，《三禮義疏》問世。再來宋元明，「禮學極衰」；清代是「禮學極盛」；近現代是「禮學的復興與轉型」。

以彭林先生的七項分期為依據，為經學史的觀照代入禮學的觀點，林先生在重新審視三禮學議題的同時，發現不同時段有不同的三禮學問題的側重：由先秦時的文化禮制，延

---

13 林慶彰：〈幾種經學史中的禮學論述〉，《中正漢學研究》2014年第1期（總第23期）（2014年6月），頁237-240。

及兩漢的經籍與經師流派與傳播；時至魏晉南北朝則變成聚焦在鄭玄、王肅經注的異義和今古文爭持、依違、雜揉、當否的考述，由經注疏的體例問題反映著唐代以降過於重視注疏與正義，則不免又有文獻疑義，枝節歧出。他自述其方法有謂：

> 我怎麼處理這些材料呢？因為有這麼多本經學史，那我先把先秦一直到近現代分成七個階段，按照彭林教授的敘述，我分成七個階段。在這七個階段裡面有談到「禮」的，我就把他錄出來，表示這本經學史有談到某個問題。
>
> 在先秦部分。皮錫瑞《經學歷史》有討論《三禮》的作者問題。該書也有談到《三禮》的流傳狀況。……
>
> 本田成之的《中國經學史》也有討論到禮學的問題、禮學跟學校教育的關係。
>
> 姜廣輝主編的《中國經學思想史》也有不少的篇幅討論到禮的問題。他討論到「禮」、「法」的關係。以及禮的道德意義。還有《大學》新解、以及郭店楚簡與《中庸》的關係，這是先秦的部分。秦漢的部分，本田成之的《中國經學史》，他有討論到《三禮》的作者和內涵。
>
> 姜廣輝的《中國經學思想史》他討論到「禮類的經傳記」，就是「傳記之學」。我有寫一篇文章：〈傳記之學的形成〉，討論到這個問題。還有討論到《周禮》和古代理想的政治，還有〈鄭玄《三禮注》的思想史意義〉。以上是秦漢的部分。秦漢的部分照道理應該有更多的篇幅來討論禮的問題，因為他是《三禮》的形成的一個重要階段，但是只有本田成之和姜廣輝主編的書有討論到而已。
>
> 魏晉南北朝這個時段，可能更讓各位失望，只有本田成之的《中國經學史》有討論到禮的問題。那也就是說彭林教授所討論的，在魏晉南北朝比較值得注意的就是「喪服」的問題。「喪服」受到重視，因為當時重門第，所以「喪服」特別發達。另外「鄭、王之爭」，這些著作都沒有提到；「鄭、王之爭」在彭教授的書裡，非常重視它。[14]

對應於經學史論述的時代觀念，將政治的朝代世系予以對照，在禮學的歷代發展方向予以呼應，則只有單一性質的經籍發展能有細部的觀察，幾乎在經學史中涉及禮學問題意識和重要議題論述的，並沒有採取融合經學史的史觀和問題意識。如此一來豈不僅流於臚列、拼貼經師、經籍之流水帳！相應於既已提出的五種普及性較高的經學史論述，其中三禮學論述的成果與局限明瞭可見，已如林先生所述，但展開目錄學與更大範圍的經學史著述論述，依循林先生所設定的研究步驟與方法，也可以在續加探究的文獻著述中，發現足以補述這部份闕如者，茲就兩方面加以說明：其一，是斷代經學史的方面，

---

14 林慶彰：〈幾種經學史中的禮學論述〉，《中正漢學研究》2014年第1期（總第23期）（2014年6月），頁239。

其二，是日本學者的經學史研究方面。首先就斷代經學史的著作來看，徐復觀撰《中國經學史的基礎》，內容除了討論《〈周官〉成立之時代及其思想性格》的經籍問題之外，實涵括兩方面，一是〈先漢經學之形成〉以及〈西漢經學史〉；另又如程元敏撰《先秦經學史》，也同樣以共時的視角，涵蓋孔門傳習與六藝之教在各家的特色與史料，從而藉著對本源的探尋進而建立共同的經學史觀與經學的問題意識；其次在日本學者的著作方面，包括早期成書的安井小太郎等講述的《經學史》、瀧熊之助所撰《支那經學史概說》、本田成之所著的《中國經學史》，都已採取了現代學術論著的體例與知識結構，但對於禮學議題在經學經籍與經師異議之論的突破方面，加賀榮治所著《中國古典解釋史・魏晉篇》，則集中篇幅在鄭玄與王肅經注經說之異趨，而對照以上的引述，彭林先生所述「歷代禮學的演變」重視鄭、王異說與南北朝士族對「喪服」義的重視和時代性的表徵，確使經學史中的禮義問題顯豁而轉趨精密，也啟迪相關的經學史專題與三禮學專題的經學史涵義的發掘。

四　結語：考辨與闡釋——經籍文獻再現與復歸原典

林慶彰先生講論〈幾種經學史中的禮學論述〉，又云：

> 現在經學史都無法反映禮學發展的實況。這是我們要提出來，對現有的經學史作批判的。就是把現有的經學史拆散，拆散成「易學史」、「書學史」、「詩學史」、「三禮學史」、「三傳學史」……這樣就可以看出哪一本經學史的論述，比較首尾完整的。也就是說，你合起來是一本經學史，拆開的時候是《十三經》的「單經史」。如果能夠作到這個地步的話，這部經學史才算是好的經學史。[15]

在整體的經學史觀下復原單經的流傳及其研究史，其內在問題意識及變化的脈絡上是否契合齊驅，足可論究；但也只有在合一和分殊的同時考量下，經學史中的禮學論述方能具有論述史的意義與價值，從外圍問題看，經注疏文獻體例的分合與裁成，在目前傳世的文本與歷代的經學經籍面貌有大的不同，就形制言，分經坿傳，闌入釋文音義，經注疏單行與合刻，傳抄時不同時代的風尚，不同的版本都足以影響文本解讀；文獻形制和注釋者的認知與說義模式糾結，從義疏之體轉而為正義、集注之體式，更牽掣文本解讀。歷史問題和義理蘄向若能回復王肅、敖繼公、皮錫瑞等人所曾主張的「三禮之學共治」，且重視「得其大旨」，那就不只是注疏間的考辨。林先生提出了以下的看法，重視在學術史的辨偽與回歸原典、尋求本意的取向：

15 林慶彰：〈幾種經學史中的禮學論述〉，《中正漢學研究》2014年第1期（總第23期）（2014年6月），頁240。

> 明末清初的回歸原典運動，不僅僅是辨偽學上的一個問題，而是經學史上判斷經學和儒學的本質……清末民初也有一個回歸原典的問題。……拋開各種注解來看《詩經》的本意到底是什麼，這當然也是回歸原典的一種方式。所以中國經學的研究，每經過幾百年都會有回歸原典的運動發生。這樣的話，是不是跟一般追求本意有衝突呢？……每一個人研究經學都希望能夠得到本意，回歸原典來看本意是什麼。[16]

正如同後人對《戰國策》「薊丘之植植於汶篁」各持異解多主倒文以順釋，但陳寅恪〈薊丘之植植於汶篁之最簡易解釋〉重視直接依其語序、董珊〈薊丘之植植於汶篁新解〉則以新出敦煌文獻《春秋事語》異文假借字，證說其事乃指燕伐齊取齊國宮室椽木營建其宮，事同《左傳》奪人宗廟樑木以建己廬，充盈矜伐上功之意。《三禮》之說，會通諸經，交互參稽的內容和理據，在「經世致用」、「脩己治人」共同引證與闡述的核心價值與文化關懷視閾下，禮義之相關內涵，於《詩》、《書》、《易》、《三禮》、《春秋三傳》之典籍；禮、樂、射、御、書、數等六藝中，皆為說者所極力尋求彌縫。經學通論與經學史在經學著述中分別具有學術研究之經學觀、史觀不同的面向，三禮學論述在經籍方面的研究成果斐然，值得重視並深入研探，但是從個別經籍獨立的單經研究史來看，及置於經學史和經學通論的大範圍中來看，具有不同的徑路和立場，並不僅是宏觀與微觀的差異，更在會通諸經抉發三禮之學經義旨趣的特色及作用方面具有彰顯的價值。

16 林慶彰：〈中國經學史上的回歸原典運動〉《中國文化》（2009年2期），頁1-9。

春秋與三傳研究

《左傳》「獻捷」、「獻俘」、「獻功」事例的省察與詮釋

李隆獻
臺灣大學中文系教授

提要

本文以《左傳》為核心，聚焦春秋軍禮之「獻捷」禮儀，析論其名義、類型等相關問題，勾勒「獻捷」在春秋時代的具體樣貌與儀節之政治意涵，並藉由獻捷實況與《左傳》比勘，探論《左傳》「獻捷義例」是否符合春秋實況及其時代意義。

本文之〈二〉針對《左傳》「獻捷」、「獻俘」、「獻功」三詞交叉分析，可知三者皆指將戰爭俘獲轉送第三方的儀節。所獻品物以生俘、死獲與車馬為主，又以生俘最為常見。〈三〉則區分春秋時代「獻捷」為諸侯獻捷天子與諸侯相互獻捷兩種，其政治意涵有所區別：諸侯獻捷天子旨在凸顯己方遵奉王命征討四方的正當性，同時也確立君臣關係；諸侯相互獻捷的原型應是小國獻捷大國，除宣示效忠，也代表獲得大國／盟主認可征伐的正當性；但齊、楚二大國向魯「獻捷」則是藉以誇示軍功，威逼魯國臣服。〈四〉則探討《左傳》「獻捷義例」的相關問題。

《左傳》載述之獻捷原則有三：一、諸侯對蠻夷戎狄有征伐之功，當獻捷於王，二、華夏諸侯互相征討，無需獻捷天子，三、諸侯不相遺俘；但此義例與春秋時代的獻捷現象多有未合，顯現《左傳》前後立場並不一致。其可能原因，一是《左傳》之「獻捷義例」或許源自較早的禮儀傳統，《左氏》迫於現實，只得如實載錄；另一種可能則是《左傳》並非一人撰成，故而前後立場不一。

關鍵詞：《左傳》　獻捷　獻俘　獻功　義例

一　前言

春秋時代，戰爭頻仍，各國軍事競備，衝突屢起，相關軍禮遂多可考者。如顧棟高《春秋大事表》即整理春秋之軍禮而成〈春秋軍禮表〉，計分為五：蒐狩、軍旅、乞師、獻捷、歸俘，並對其相關儀節有所申述；[1]唯「獻捷」一項，尚頗有討論之空間。

《說文・手部》：

> 捷，獵也，軍獲得也。從手，疌聲。《春秋傳》曰：齊人來獻戎捷。[2]

許慎釋「捷」為軍獲所得，並引莊三十一年《春秋傳》為證；[3]唯並未說明軍獲所得之實質內涵。杜預釋「捷」近同許慎，其解「獻捷」云：

> 捷，獲也。獻，奉上之辭。[4]

杜預認為「獻捷」乃戰勝方將俘獲戰敗方的若干品物進獻給第三方的儀節。[5]顧棟高〈春秋軍禮表〉據《春秋》僅載之莊三十一年「齊侯來獻戎捷」、僖二十一年「楚人使宜申來獻捷」二事，徵引諸家之說以論書法大義；唯揆諸《左傳》，春秋時代之「獻捷」並非僅此二次而已，如成二年「晉侯使鞏朔獻齊捷于周」、成十八年「晉侯使郤至獻楚捷于周」、襄八年「鄭伯獻捷于會」等，《春秋》皆未載錄。[6]

蒐羅相關載述，進而分析比對，或有助於釐清「獻捷」儀節在春秋時期的面貌與意義。如《左傳》除「獻捷」一詞外，與此息息相關者尚有「獻俘」、「獻功」二詞，其涵義究係相同，抑或歧異有別，前賢雖偶有論析，似欠全面深入。[7]復次，《左傳》對莊三十一年《春秋》「齊侯來獻戎捷」，曾解釋其書法，並訂立「義例」：

1　〔清〕顧棟高：《春秋大事表》（臺北市：廣學社印書館影印清・同治癸酉〔1873〕重雕山東尚志堂藏板，1975年），卷18，頁1上-4下。

2　〔清〕段玉裁：《說文解字注》（臺北市：藝文印書館影印清・嘉慶戊辰〔1808〕經韵樓藏版，1974年），卷12，頁54下-55上。

3　〔清〕段玉裁《注》：「莊三十一年《左氏》、《公》、《穀》皆作『齊侯』。按作『人』近是，不必親來。」（同上注，頁55上）

4　〔晉〕杜預注、〔唐〕孔穎達等疏：《左傳正義》，卷10，頁19上。本文引用「十三經」之經文、《傳》、《注》、《疏》、《校勘記》等，皆據臺北：藝文印書館影印清・嘉慶二十年（1815）江西南昌府學開雕之《十三經注疏》本，1976年。為免繁瑣，僅註明卷數、頁碼，讀者察之。

5　所謂第三方，由杜《解》觀之，乃臣屬方尊奉的對象。然而春秋時代之獻捷對象，實非杜預所言僅是單純的「奉上」而已，說詳下。

6　春秋時代尚有一類獻俘，乃在外取得戰功，回國後告廟慶功之禮，與本文探論對外國之獻捷、獻俘、獻功不同，本文僅在有助於釐清問題時述論之。

7　有關「獻捷」，姚彥渠《春秋會要》、王貴民《春秋會要》所論皆較顧棟高齊備，但仍不免疏漏，且有若干問題尚待釐清，下文將逐一述論。

> 齊侯來獻戎捷，非禮也。凡諸侯有四夷之功，則獻于王，王以警於夷；中國則否。諸侯不相遺俘。(《左傳正義》，卷10，頁19下)

明確限定獻捷之儀節、施獻對象與俘獲物的來源。此一義例該如何解讀？春秋時代是否普遍遵行此一義例，亦待察考。

本文擬由分析「獻捷」、「獻俘」、「獻功」三詞之意涵出發，進而詮釋春秋時期眾多獻捷事件具有的樣態與意義，最後則與《左傳》「義例」比對申論，期能釐清「獻捷」之相關議題。

二　「獻捷」、「獻俘」、「獻功」名義考論

(一) 獻捷

「獻捷」一詞，《春秋》僅二見：莊三十一年「齊侯來獻戎捷」、僖二十一年「楚人使宜申來獻捷」;《左傳》則屢見不鮮，而或稱「獻捷」，或稱「獻某捷」，或稱「如某獻捷」，如：

> 鄭伯獻捷于會。(襄八年，《左傳正義》，卷30，頁14上)
> 晉侯使鞏朔獻齊捷于周。(成二年，《左傳正義》，卷25，頁24下)
> 晉侯使郤至獻楚捷于周。(成十六年，《左傳正義》，卷28，頁18下)
> 皇戌如楚獻捷。(成三年，《左傳正義》，卷26，頁2下)

由句式可知，「獻某捷」乃與某國戰伐取得勝利有所獻，而標示戰功之因由與國家；「如某獻捷」則指赴某國獻捷。

欲確實理解「獻捷」之意涵，須先確定「捷」所指涉之實質內涵。關乎此，或可借助三《傳》對《春秋》的詮釋進行理解、分析。首先，《左傳》並未直接辨析／闡釋「捷」之名義，杜《解》亦僅言「捷，獲也」，並未詳加申論。孔穎達疏釋杜《解》則言：

> 捷，勝也。戰勝而有獲，獻其獲，故以捷為獲也。(《左傳正義》，卷10，頁19)

孔《疏》依循杜《解》，由「捷」之字義出發，認為戰勝而取戰敗方之相關品物，「獻捷」即指獻上戰利品。杜、孔並未明確指涉所獻之品物，似乎戰場上之俘獲皆可獻。相對於《左傳》，《公羊》、《穀梁》則有所解釋。莊三十一年《公羊》釋《春秋》「齊侯來獻戎捷」云：

「齊，大國也，曷為親來獻戎捷？」「威我也。」「其威我奈何？」「旗獲而過我也。」（《公羊注疏》，卷9，頁6上）

何休《注》：

旗，軍幟名，各有色，與金。鼓俱舉，使士卒望而為陳者。旗獲，建旗所獲。……（同上）

「旗獲」乃《公羊傳》特殊用語，以此解釋經文之「捷」。何休以為旗之用途如同金鼓，用以指揮軍隊的陣形與進退，「旗獲」指戰爭擄獲的品物。[8]《穀梁》釋僖二十一年經「楚人使宜申來獻捷」云：

捷，軍得也。（《穀梁注疏》，卷9，頁3上）

以「軍得」釋「捷」，與杜、何之說無異，皆泛指戰爭俘獲物。但《穀梁》於莊三十一年《春秋》「齊侯來獻戎捷」下又有所申述：

獻戎捷，軍得曰捷，戎菽也。（《穀梁注疏》，卷6，頁16下）

二文皆以「軍得」為捷，唯又進一步說明齊侯所獻者為戎菽，亦即山戎栽種的胡豆。[9]《穀梁傳》可能認為「捷」可泛指征戰之任何俘獲物，但齊桓公此次獻魯者則為「戎菽」。《穀梁》釋「戎捷」為「戎菽」，可能與《管子・戒》篇有關：

（齊桓公）北伐山戎，出冬蔥與戎叔，布之天下，果三匡天子而九合諸侯。[10]

《管子》謂齊桓北伐山戎，將俘獲之冬蔥與戎菽等農穫，分送天子與諸侯，終於奠定齊國的霸主地位。此說可能流傳於先秦至漢代，而為《穀梁》採用，但其中仍有些微差異：如《管子》，所獻之物除「戎菽」外尚有「冬蔥」，《穀梁傳》則專取「戎菽」立說。不過《穀梁》、《管子》以農穫釋戎捷，又與《說苑》〈權謀〉有異：

8　「旗鼓」《左傳》，如成公二年載鞌之戰：「郤克傷於矢，流血及屨，未絕鼓音，曰：『余病矣！』張侯曰：『自始合，而矢貫余手及肘，余折以御，左輪朱殷，豈敢言病？吾子忍之！』緩曰：『自始合，苟有險，余必下推車，子豈識之？然子病矣！』張侯曰：『師之耳目，在吾旗鼓，進退從之。此車一人殿之，可以集事。若之何其以病敗君之大事也？擐甲執兵，固即死也，病未及死，吾子勉之！』左并轡，右援枹而鼓，馬逸不能止，師從之。齊師敗績。」（《左傳正義》，卷25，頁10上-11上）可知「旗鼓」用以指揮作戰，若為戰利品，即為「旗獲」。故何休謂「旗獲，建旗所獲」。

9　楊士勛《疏》引諸說論證戎菽即胡豆，見《穀梁注疏》，卷6，頁16下。因非本文關鍵，不具引。

10　黎翔鳳：《管子校注》（北京市：中華書局，2004年），頁514。「戎叔」，據黎翔鳳考證即「戎菽」。

齊桓公將伐山戎孤竹，使人請助於魯。魯君進群臣而謀，皆曰：「師行數十里，入蠻夷之地，必不反矣。」於是魯許助之而不行。齊已伐山戎孤竹，而欲移兵於魯。管仲曰：「不可。諸侯未親，今又伐遠而還誅近鄰，鄰國不親，非霸王之道。君之所得山戎之寶器者，中國之所鮮也，不可以不進周公之廟乎？」桓公乃分山戎之寶，獻之周公之廟。[11]

根據《說苑》，齊桓用以籠絡魯國者，並非山戎當地特產之農作，而是寶器——即青銅器等較為高貴的器物。面對文獻存在兩種異說，驟難論定是非，尚須仰賴其他資料始有解決之可能。

（二）獻俘

1 「俘」與「獻俘」探義

《左傳》與「獻捷」相關者，尚有「獻俘」；為標示「俘」之由來，多記以「獻某俘」。如：

五月丙午，晉侯及鄭伯盟于衡雍。丁未，獻楚俘于王：駟介百乘，徒兵千。（僖二十八年，《左傳正義》，卷16，頁23下）

晉侯使趙同獻狄俘于周，不敬。（宣十五年，《左傳正義》，卷24，頁12下）

魯僖二十八年，晉於城濮戰勝，遂獻楚俘於周襄王；魯宣十五年晉攻赤狄，取得豐盛成果，遂獻狄俘予周定王。杜預於莊六年《春秋》「齊人來歸衛俘」條解「俘」為「囚」，[12] 專指擒獲之生俘。杜《解》有一定的文獻依據，如城濮戰後，晉凱旋班師時「振旅，愷以入於晉，獻俘、授馘，飲至、大賞，徵會討貳」。[13]雖屬戰勝歸國告廟論功，與本文之對外獻俘情況不同，但仍有助於釐清「俘」之涵義。楊伯峻釋之曰：

俘為生獲，馘本有生死兩說，《禮記・王制》「以訊馘告」，注云：「訊馘，所生獲斷耳者。」此亦生獲也。《詩・大雅・皇矣》「攸馘安安」，傳云：「馘，獲也，不服者，殺而獻其左耳曰馘。」此死獲也。此授馘當是死獲。授與獻義雖不同，此處則相近。總之，統計生俘若干，殺死若干，以告於廟。[14]

---

11 向宗魯：《說苑校證》（北京市：中華書局，1987年1月），頁324-325。

12 杜《解》：「《公羊》、《穀梁》經、傳皆言『衛寶』，此《傳》亦言『寶』；唯此《經》言『俘』，疑《經》誤。俘，囚也。」（《左傳正義》，卷8，頁11下）

13 《左傳正義》，卷16，頁28下-29上。

14 楊伯峻：《春秋左傳注》（北京市：中華書局，1990年），頁471。

楊伯峻認為，「俘」指生擒的俘虜，「馘」雖也可能指生俘，但與「俘」連用時，則指死獲，即殺敵而割其左耳以驗戰功。如魯宣二年，鄭攻宋，《左傳》載鄭國之功曰：「俘二百五十人，馘百人。」[15]俘、馘之數量分別統計，可知「俘」指生獲，「馘」指殺敵取耳。《清華簡》（貳）《繫年》第二十二章亦載：「晉（烈）公獻齊俘馘於周王。」[16]《繫年》之「獻俘馘」可能分指生俘與死獲，唯亦可能已轉化為獻捷儀節之套語。因第七章記城濮之戰晉文獻俘事，簡文亦記為「獻俘馘」，[17]據《左傳》，晉文此次所獻為「駟介百乘，徒兵千」，並無死獲。則《繫年》之「獻俘馘」竟係套語，抑另有資料來源，以致異於《左傳》，已難稽考。

「獻俘」既可指獻生俘，則《左傳》若干記載雖未明言「獻俘」，仍屬「獻俘」儀節：

> 北戎伐齊，齊侯使乞師於鄭。鄭太子忽帥師救齊。六月，大敗戎師，獲其二帥大良、少良，甲首三百，以獻於齊。（桓六年，《左傳正義》，卷6，頁21上）
>
> 秋，楚子重伐鄭，師於氾。諸侯救鄭。鄭共仲、侯羽軍楚師，囚鄖公鍾儀，獻諸晉。（成七年，《左傳正義》，卷26，頁16上）
>
> 王子伯駢曰：「……敝邑之人不敢寧處，悉索敝賦，以討于蔡，獲司馬燮，獻于邢丘。」（襄八年，《左傳正義》，卷30，頁16上）
>
> 印堇父與皇頡戍城麇，楚人囚之，以獻於秦。（襄二十六年，《左傳正義》，卷37，頁7下）

魯桓六年，鄭太子忽帥師救齊，敗戎師，生擒戎將大良、二良與三百甲士，因獻捷於齊。魯成七年，楚攻鄭，諸侯救鄭，鄭師敗楚，生擒楚鄖公鍾儀而獻捷於晉。魯襄八年，鄭、蔡交戰，鄭俘獲蔡之司馬燮，於邢丘獻與晉國。魯襄二十六年，鄭印堇父與皇頡戍麇以抗楚，遭楚師擒獲而獻與秦國。考察上述載述，與「獻俘」儀節並無二致，唯一區別蓋因這些俘虜身分較高，故特舉其名以別而已。

「獻俘」的「俘」，時或專指生擒的俘虜，有時則為泛稱，不但包括擒獲之人，也兼指擄獲的器物。如前引城濮之戰晉「獻楚俘」於王，傳文明載其所獻為「駟介百乘，徒兵千」，則所獻除俘獲的步兵千人外，尚有戰車百乘。[18]哀十一年《左傳》載吳、魯

15　宣二年《左傳》：「春，鄭公子歸生受命于楚伐宋，宋華元、樂呂御之。二月壬子，戰于大棘，宋師敗績，囚華元，獲樂呂，及甲車四百六十乘，俘二百五十人，馘百人。」（《左傳正義》，卷21，頁6）

16　清華大學出土文獻研究與保護中心編：《清華大學藏戰國竹簡（貳）》（上海市：中西書局，2011年），頁192。以下簡稱《繫年》。

17　《繫年》：「文公率秦、齊、宋及群戎之師以敗楚師於城濮，遂朝周襄王于衡雍，獻楚俘馘，盟諸侯於踐土。」（《清華大學藏戰國竹簡（貳）》，頁153）簡文採寬式隸定。

18　或以為「駟介」指「甲士」，唯由杜《解》：「駟介，四馬被甲也。」（《左傳正義，卷16，頁23下》及《傳》文「百乘」觀之，以指「戰車」為勝。

聯合攻齊事，亦可為證：

> 甲戌，戰于艾陵。展如敗高子，國子敗胥門巢，王卒助之，大敗齊師，獲國書、公孫夏、閭丘明、陳書、東郭書，革車八百乘，甲首三千，以獻於公。（《左傳正義》，卷58，頁24下）

此役吳、魯聯軍，大敗齊師，吳軍除俘獲齊國大臣國書等人，以及甲士三千人外，另有「革車」八百乘，一併獻給魯哀公。「革車」即「戰車」，是則吳國所獻除生俘外，尚有車馬，或許也有死獲。[19]

據上所述，可知「獻俘」一詞之「俘」不必拘泥於「人」，往往還包含擄獲之器物。關乎此，前賢已多論及，如段玉裁即云：「按古者用兵所獲人民、器械皆曰俘。」[20]竹添光鴻也說：「軍獲曰俘，兼人及物。」[21]諸家多認為獻俘不僅指人，也可兼及品物。總結「俘」在文獻中的使用，「俘」指生擒，「馘」指死獲；稱「獻俘」，可指獻生俘，亦可兼指擄獲的生俘、死獲與器物。

2 「獻捷」與「獻俘」的異同

上文探論「獻俘」的名義，可知「俘」指擄獲的人、物與器械，則可進一步探討《左傳》之「獻捷」與「獻俘」究係二事，抑為相同的儀節。關乎此，前賢有以「獻捷」與「獻俘」非指一事者，亦有以為二者實為同一儀節之異稱者。

以為「獻捷」與「獻俘」不同者，如葉夢得。其論莊六年《春秋》「齊人來歸衛俘」云：

> 按《經》書「齊侯來獻戎捷」、「楚宜申來獻捷」；《傳》以「捷」為「俘」，則《經》蓋以「俘」為「寶」，以「捷」為「囚」。當從《經》，不必改「俘」言「寶」也。[22]

葉氏以為「捷」、「俘」名義不同，「捷」指俘獲之囚，「俘」則指擄獲之寶。崔子方論《春秋》「六月齊侯來獻戎捷」則認為：

---

19 「甲首三千」，杜預以下學者多釋為死獲；筆者以為甲首蓋泛指車兵甲士，用以表示擒獲者之身分，可能指生俘，也可能指死獲，不宜拘泥專指死獲。

20 〔清〕段玉裁：《春秋左氏古經》，《段玉裁遺書》（臺北市：大化書局影印〔清〕道光元年〔1821〕經韵樓刻本，1977年），卷3，頁18上。

21 〔日〕竹添光鴻：《左氏會箋》（臺北市：古亭書屋影印明治44年〔1911〕日本明治講學會重刊本，1969年），卷7，頁33。

22 〔宋〕葉夢得：《春秋讞》，《文淵閣四庫全書》（臺北市：臺灣商務印書館，1983年），第149冊，〈左傳讞〉卷2，頁15。關於究係獻「衛俘」抑「衛寶」，例來爭論甚多，因與本文要旨無涉，茲置而不論。

> 彼云「衛俘」，俘，囚也；此言「戎捷」。然則「捷」不獨「俘」矣。[23]

崔氏以為「俘」指人，「捷」則不獨指人，尚包含品物。葉夢得、崔子方之說容或不同，但都主張「獻捷」與「獻俘」並不相等。

以「獻捷」與「獻俘」實為一事者，可以孔穎達為代表。孔氏釋莊三十一年《春秋》「六月齊侯來獻戎捷」云：

> 此《經》言「獻捷」，《傳》言「遺俘」，則是獻捷獻囚俘也。襄八年邢丘之會，《傳》稱「鄭伯獻捷于會」，又曰「獲司馬燮獻于邢丘」，是「獻俘」謂之「捷」也。（《左傳正義》，卷10，頁19下）

孔穎達認為二者相同，其主要證據有二，一為莊三十一年《左傳》：

> 夏，六月，齊侯來獻戎捷，非禮也。凡諸侯有四夷之功，則獻于王，王以警於夷；中國則否。諸侯不相遺俘。（《左傳正義》，卷10，頁19下）

由上下文觀之，《傳》文前稱「來獻戎捷」，後謂諸侯「不相遺俘」，可見「遺俘」即「獻捷」。第二個例證見襄八年《左傳》：

> 五月甲辰，會于邢丘，以命朝聘之數，使諸侯之大夫聽命。季孫宿、齊高厚、宋向戌、衛甯殖、邾大夫會之。鄭伯獻捷于會，故親聽命。大夫不書，尊晉侯也。……
>
> 冬，楚子囊伐鄭，討其侵蔡也。子駟、子國、子耳欲從楚，子孔、子蟜、子展欲待晉。……乃及楚平。
>
> （子駟）使王子伯駢告于晉曰：「君命敝邑：『修而車賦，儆而師徒，以討亂略。』蔡人不從，敝邑之人不敢寧處，悉索敝賦，以討于蔡，獲司馬燮，獻于邢丘。……」（《左傳正義》，卷30，頁14上-16上）

《左傳》載鄭國參與晉國主持的邢丘之會，並獻捷於晉。《傳》文伊始並未詳述獻捷情況，僅載楚伐鄭，鄭大夫有降楚、待晉二派，最後子駟堅持與楚簽訂合約，遂派王子伯駢赴晉告知鄭國的無奈與決定，此時方提及邢丘之會「鄭伯獻捷」的詳細內容，將伐蔡俘獲的司馬燮獻予晉國。由《左傳》載述觀之，前稱「獻捷」，後稱獻司馬燮於晉，可見「獻捷」即「獻俘」。宋．魏了翁、[24]李廉[25]等人大抵踵遵孔說。

---

23 〔宋〕崔子方：《崔氏春秋經解》，《文淵閣四庫全書》（臺北市：臺灣商務印書館，1983年），第153冊，卷3，頁39上。

24 〔宋〕魏了翁：《春秋左傳要義》，《文淵閣四庫全書》，第153冊，卷12，頁15，「齊人、楚人失辭稱捷」條。文長不錄。

「獻捷」、「獻俘」之關係向有二說，故區分春秋史事之作亦有不同歸類，如姚彥渠《春秋會要》「軍禮」下分列「獻捷」、「獻俘」為二，[26]王貴民《春秋會要》則將「獻俘」、「獻捷」歸為一類。[27]

筆者以為孔穎達之說似勝一籌，《左傳》之「獻捷」與「獻俘」應為異稱，實無不同。上文已論證獻俘之俘非單指人，時亦兼及品物，故以單純擄獲人，或尚有擄獲物來區分「獻捷」、「獻俘」，實不足信據。此外，孔穎達所舉二例，亦足證《左傳》「獻捷」、「獻俘」混用無別。另，《左傳》尚有一例，乃孔穎達未及稱引者，即魯僖二十八年載城濮戰後晉文公「獻楚俘于王：駟介百乘，徒兵千」，襄二十五年《左傳》載子產論此事則稱：

> 城濮之役，文公佈命曰：『各復舊職。』命我文公戎服輔王，以授楚捷，不敢廢王命故也。(《左傳正義》，卷36，頁13下)

前稱「楚俘」，後稱「楚捷」，亦可證「捷」、「俘」實可互用無別。據上所論，可知《左傳》「獻捷」、「獻俘」實為一事。唯主張分「獻捷」、「獻俘」為二者，亦非全然無據，彼等著重俘或專指人，又慮及「獻捷」時或涉及品物，遂判「獻捷」、「獻俘」為二，忽略俘在廣義上可兼指俘獲之人與物。

(三) 獻功

《左傳》除「獻捷」、「獻俘」外，尚有「獻功」一詞。如前引莊三十一年《傳》文「凡諸侯有四夷之功，則獻于王，王以警於夷」，即稱諸侯獻四夷之功予周王。另如襄八年：

> 宣子曰：「城濮之役，我先君文公獻功於衡雍，受彤弓于襄王，以為子孫藏。」(《左傳正義》，卷30，頁17)

又如襄二十五年：

> 子產曰：「敝邑大懼不競而恥大姬，天誘其衷，啟敝邑心。陳知其罪，授手於我。用敢獻功。」(《左傳正義》，卷36，頁13上)

魯襄八年，士匄稱述晉文公獻城濮之功於周襄王；魯襄二十五年，子產則因鄭敗陳，遂

25 〔元〕李廉：《春秋諸傳會通》，《通志堂經解》(臺北市：漢京文化事業有限公司影印〔清〕徐乾學輯、納蘭成德校訂本，1979年)，第26冊，卷7，頁16下。文長不錄。

26 姚彥渠：《春秋會要》(北京市：中華書局，1955年)，頁121-122。

27 王貴民：《春秋會要》(北京市：中華書局，2009年)，頁240-243。

向晉獻功。據此數例，「獻功」之意涵似與「獻捷」、「獻俘」無別。唯亦有學者認為獻捷、獻俘、獻功，三者之儀節雖皆相同，細究則有些微差別。如宋儒呂祖謙論莊三十一年「齊侯來獻戎捷」云：

> 「獻捷」亦有兩例，如襄八年邢丘之會，鄭獲蔡司馬公子燮，鄭伯獻捷于晉，親聽命，此是獻其囚，謂之「捷」。二十五年鄭伐陳，陳侯使其眾男女別而纍以待，子產數俘而出，此是獻其功而不獻其俘。今齊侯來獻捷，是獻其俘也。[28]

清儒毛奇齡亦有類似觀點，《春秋毛氏傳》云：

> 鄭子產獻捷於晉，雖不獻俘而獻功，以尊晉也，且戎服以將之，尊之至也。[29]

毛說雖較簡略，基本近同呂說。東萊認為「獻捷」乃總稱，又可區分為「獻俘」與「獻功」：「獻捷」指實際獻囚俘，「獻功」則不獻囚俘。東萊之論據為襄二十五年鄭子產「獻功」事：

> 初，陳侯會楚子伐鄭，當陳隧者，井堙木刊，鄭人怨之。六月，鄭子展、子產帥車七百乘伐陳，宵突陳城，遂入之。……子展命師無入公宮，與子產親禦諸門。陳侯使司馬桓子賂以宗器。陳侯免，擁社，使其眾男女別而纍，以待於朝。子展執縶而見，再拜稽首，承飲而進獻。子美入，數俘而出。祝祓社，司徒致民，司馬致節，司空致地，乃還。……
>
> 鄭子產獻捷於晉，戎服將事。晉人問陳之罪。對曰：「……今陳忘周之大德，蔑我大惠，棄我姻親，介恃楚眾，以憑陵我敝邑，不可億逞，我是以有往年之告。未獲成命，則有我東門之役。當陳隧者，井堙木刊。敝邑大懼不競而恥大姬，天誘其衷，啟敝邑心。陳知其罪，授手於我。用敢獻功。」……
>
> 冬，十月，子展相鄭伯如晉，拜陳之功。（《左傳正義》，卷36，頁9上-14上）

由《傳》文可知，陳恃楚而攻鄭，而且手段暴虐，鄭怨而趁夜攻入陳國都城。陳哀公以亡國之姿準備接受鄭國懲罰；鄭雖戰勝卻不加掠奪，子產點數俘獲後旋即離開，司徒、司馬、司空亦將俘獲、侵擄的人民、兵馬、土地等全數歸還。鄭國達成懲戒目的後，似未帶走任何戰利品，因此子產赴晉獻功，可能僅呈獻戰勝之功績記錄，而無實物上獻。[30]不過亦有學者主張鄭國雖歸還陳國人民、兵馬、土地等，但仍有掠奪寶物，如孔

---

28 〔宋〕呂祖謙：《春秋左氏傳續說》，《續金華叢書》（臺北市：藝文印書館，1972年），第1冊，卷3，頁12上。

29 〔清〕毛奇齡：《春秋毛氏傳》，《清經解》（臺北市：復興書局影印清．庚申〔咸豐十年，1860〕補刊王先謙「學海堂本」，1972年），第12冊，卷147，頁3上。

30 若子產之獻功並未獻物，而僅獻上功績記錄，則其用意應在雖無物可獻，但仍需取得晉認可攻陳之

穎達即云：「子產獻捷於晉，然則無囚而獻其功，空有器物亦稱捷也。」[31]楊伯峻亦認為：「若襄二十五年鄭子產之獻捷於晉，以鄭之入陳，司徒致民，司空致地，則無俘囚可獻，蓋獻所獲寶器耳。」[32]此說亦有可能，《傳》文稱「陳侯使司馬桓子賂以宗器」，則鄭可能接受陳國宗器，而將其中部分獻予晉國。

綜合上述兩種觀點，呂祖謙所論之「獻功」可能指單純呈獻戰功記錄，孔穎達、楊伯峻則認為雖不獻俘囚，而仍獻上寶器：二說皆有可能，若以上下文推測，則前一說可能性較大。呂祖謙之說固有謬誤之處，如以獻俘為獻囚，拘泥以俘為人而不涉及物品，上文已加辯駁。至於區分獻捷為獻俘、獻功二類，若以子產獻功之例衡之，似能成立，不過仍待仔細考核文獻始能確定獻捷、獻俘與獻功三者間之異同。

首先，關於「獻功」與「獻捷」，由《左傳》辭例觀之，二者似乎無別，如襄二十五年，子產自言「用敢獻功」，《傳》文載此事為「鄭子產獻捷於晉」。成二年《傳》文亦可為證：

> 晉侯使鞏朔獻齊捷于周。王弗見，使單襄公辭焉，曰：「蠻夷戎狄，不式王命，淫湎毀常，王命伐之，則有獻捷。王親受而勞之，所以懲不敬、勸有功也。兄弟甥舅，侵敗王略，王命伐之，告事而已，不獻其功，所以敬親暱、禁淫慝也。」（《左傳正義》，卷25，頁24下-25上）

晉獻齊捷而為周王婉拒。單襄公論獻捷之原則，前稱「則有獻捷」，後稱「不獻其功」，可知「獻捷」／「獻功」應無不同。

其次，關於「獻俘」與「獻功」，由《左傳》辭例觀之，二者似亦無嚴格區別，襄八年云：

> 宣子曰：「城濮之役，我先君文公獻功於衡雍，受彤弓于襄王，以為子孫藏。」（《左傳正義》，卷30，頁17）

士匄稱述城濮之戰晉文公曾向周襄王「獻功」，但僖二十八年《左傳》記載此事則稱「獻楚俘于王：駟介百乘，徒兵千」，是則獻俘獲兵士、品物亦可稱「獻功」，足見「獻俘」、「獻功」二詞可以互代。相同的情況亦見襄二十六年：

> 印堇父與皇頡戍城麇，楚人囚之，以獻於秦。鄭人取貨於印氏以請之，子大叔為令正，以為請。子產曰：「不獲。受楚之功，而取貨於鄭，不可謂國，秦不其然。……」（《左傳正義》，卷37，頁7下）

合理性。由之後晉確問「陳之罪」與「何故侵小」等語可證實此一觀點。特別是晉接受子產獻功後，當年十月「子展相鄭伯如晉，拜陳之功」，其中涉及獻捷之作用與意義，說詳下文〈四〉。

31 《左傳正義》，卷10，頁19下。

32 楊伯峻：《春秋左傳注》，莊三十一年《春秋》「齊侯來獻戎捷」，頁249。

楚國俘獲鄭國大夫印堇父與皇頡，將其獻與秦國，子產站在秦國的立場稱此為「受楚之功」，可見「獻俘」亦可稱「獻功」。因此，根據子產獻捷之例，「獻俘」與「獻功」雖似有別，但佐以《左傳》其他事證，可知「獻俘」與「獻功」似亦可以混用，非如呂祖謙、毛奇齡等人主張之兩者相對。據上論證，可知獻捷、獻俘、獻功實可相互代用。

獻捷、獻俘、獻功三詞既可通用，可見《左傳》所載進獻之品物雖偶有歧異，或所用之辭彙偶有不同，實則未必有區別之深意。

上文既已論述《左傳》獻捷、獻俘、獻功所獻品物，則可進一步窺知春秋時期獻捷品物之慣例：據《左傳》所載，以「獻俘」最為常見，如桓六年鄭公子忽將俘獲自北戎之二帥大良、少良與甲首三百獻於齊、宣十五年鄭獻晉俘解揚於楚、成七年鄭獻楚俘鄖公鍾儀於晉、襄八年鄭伯獻蔡俘司馬燮於晉、襄二十六年楚獻鄭俘印堇父與皇頡於秦等，皆可視為獻俘之例。[33]同時獻人與物者，有僖二十八年城濮戰後晉文公獻駟介百乘與徒兵千於周；哀十一年吳與齊戰，獲國書、公孫夏、閭丘明、陳書、東郭書，革車八百乘，甲首三千等，獻之魯哀公。[34]可見春秋時期獻生俘最為常見，其次則是死獲、兵車等。是以上文提及魯莊三十一年齊向魯獻捷事，《穀梁》、《管子》以齊所獻為農作物，其說不符當時獻捷慣例，恐待商榷。[35]特別是向各國獻上山戎特有的農作物，藉以籠絡諸侯，達成霸業之說頗為奇特，不能令人無疑。至於《說苑》謂齊國所獻乃山戎特有之寶器，此由當時獻捷之慣例衡之，亦待商榷。

兩周金文所載，確有「俘器」之例，如〈四十二年逨鼎〉，但俘器是否用於獻捷則未有文獻依據。況且所謂寶器，當指青銅器；而山戎屬北方草原文化民族，其器應為北方式青銅器，亦即青銅短劍、管銎兵器與工具、動物牌飾、車馬器等偏實用器具，與中原文化之著重青銅禮器迥然不同。就此一事實觀之，難以證明山戎有何特殊寶器為南方諸侯國少見而受到器重。[36]楊伯峻即云：

> 然據《說苑・權謀篇》，此所獻者亦以山戎之寶器獻于周公之廟，蓋《說苑》所

---

33 以上諸例見《左傳正義》，卷6，頁21上；卷24，頁8下；卷26，頁16上；卷30，頁16上；卷37，頁7下。

34 以上二例見《左傳正義》，卷16，頁23下；卷58，頁24下。

35 此一問題亦可參考兩周金文記載戰爭之俘獲品物類別，由銘文所見，俘獲除生擒之人民軍士、死獲的馘首，以及兵車、兵器、貝、金（銅）等較常見外，亦有俘獲馬、牛、羊（見〈小盂鼎〉、〈師同鼎〉、〈師袁簋〉）。既未見掠獲農作物者，自然無從獻之。另一種可能是即便有掠獲農作物，但並非重要品物，故未特別記載。

36 關於北方青銅器研究，可參楊建華：《春秋戰國時期中國北方文化帶的形成》（北京市：文物出版社，2004年），頁137。周人重視青銅禮器之文化意義，可參楊曉能著，唐際根、孫亞冰譯：《另一種古史：青銅器紋飾、圖形文字與圖像銘文的解讀》（北京市：生活・讀書・新知三聯書店，2008年），頁368-369、李峰：《西周的滅亡：中國早期國家的地理和政治危機》（上海市：上海古籍出版社，2007年），頁332-333。

載乃戰國、秦、漢間之傳說，未必合史實。[37]

《說苑》成書於西漢末，內容駁雜，或有戰國乃至秦、漢間傳說，此說既與春秋時期慣例不符，楊氏所言蓋是。

總結而言，《左傳》所載獻捷、獻俘、獻功三詞，似皆指相同之外交儀節，而以文獻記載觀之，當時所獻似以俘獲之人與車馬為主。為便討論，下文即以「獻捷」統稱此一儀節。

三 春秋時期「獻捷」的類型與意涵

關於「獻捷」之「獻」義，杜預以為乃「奉上之辭」，歷來無異說。諸侯之獻天子，自屬奉上；諸侯間之互獻，則未必為奉上。另，據《左傳》「獻捷義例」，諸侯獻王乃理所當然，中原諸侯則不能相互獻捷。下文區分春秋時期之獻捷為諸侯獻捷天子、諸侯相互獻捷二類論之。

（一）諸侯獻捷天子

《左傳》載諸侯向天子獻捷者凡五：

一、五月丙午，晉侯及鄭伯盟于衡雍。丁未，獻楚俘于王：駟介百乘，徒兵千。（僖二十八年，《左傳正義》，卷16，頁23下）

二、晉侯使趙同獻狄俘于周，不敬。王弗見，使單襄公辭焉。（宣十五年，《左傳正義》，卷24，頁12下）

三、春，晉士會帥師滅赤狄甲氏及留吁、鐸辰。三月，獻狄俘。晉侯請于王，戊申，以黻冕命士會將中軍，且為大傅。（宣十六年，《左傳正義》，卷24，頁13下-14上）

四、晉侯使鞏朔獻齊捷于周，王弗見，使單襄公辭焉。（成二年，《左傳正義》，卷25，頁24下）

五、晉侯使郤至獻楚捷于周，與單襄公語，驟稱其伐。（成十六年，《左傳正義》，卷28，頁18下）

諸侯獻捷天子之作用，依《左傳》之說，乃「王以警於夷」。此種說解似嫌迂曲，若欲警告四夷務須恪遵王命，實應仰仗武力征伐，而非事後獻捷。此種獻捷之目的主要應在「宣揚戰功」，如文四年《左傳》所載：

---

37 楊伯峻：《春秋左傳注》，頁249。

> 衛甯武子來聘，公與之宴，為賦〈湛露〉及〈彤弓〉。不辭，又不答賦。使行人私焉。對曰：「臣以為肄業及之也。昔諸侯朝正於王，王宴樂之，於是乎賦〈湛露〉，則天子當陽，諸侯用命也。諸侯敵王所愾，而獻其功，王於是乎賜之彤弓一、彤矢百、玈弓矢千，以覺報宴。今陪臣來繼舊好，君辱貺之，其敢干大禮以自取戾？」（《左傳正義》，卷18，頁20上-21下）

衛大夫甯武子至魯聘問，回答其不應對、不答賦之因在魯國僭越禮儀。文中提及「諸侯敵王所愾，而獻其功，王於是乎賜之彤弓一、彤矢百、玈弓矢千，以覺報宴」，意即諸侯出兵討伐不臣天子者，戰勝則將成果獻予周王，天子始予嘉獎。因此「獻捷」不單是宣揚戰功的儀節，更具備以下奉上的觀念，因為諸侯必須「敵王所愾」，主動出擊不臣王命者，並將之歸美於天子，展露尊奉、效忠周室的精神。

「獻捷」之禮，當源自西周，金文可見類似儀節，〈多友鼎〉載：

> 唯十月用玁狁方興，廣伐京師，告追于王。命武公遣乃元士，羞追於京師，武公命多友率公車羞追於京師。癸未，戎伐郇、衣卒俘，多友西追，甲申之辰，搏於邾，多友有折首執訊，凡以公車折首二百又□又五人，執訊廿又三人，俘戎車百乘一十又七乘，卒復郇人俘。或搏於共，折首卅又六人，執訊二人，俘車十乘。從至，追搏於世，多友或又折首執訊。乃[illegible]追至於楊冢。公車折首百又十又五人，執訊三人，唯俘車不克以，卒焚，唯馬驅盡。復奪京師之俘。
> 多友廼獻俘馘訊于公，武公廼獻于王，廼曰武公曰：「汝既靖京師、釐汝，賜汝土田。」丁酉，武公在獻宮，廼命向父召多友，廼迣於獻宮，公親曰多友曰：「余肇使汝，休不逆，有成事，多擒。汝靖京師，賜汝圭瓚一、湯鐘一肆，鐈鋚百鈞。」多友敢對揚公休，用作尊鼎，用朋用友，其子子孫永寶用。（《集成》2835[38]）

〈多友鼎〉記載玁狁騷擾王室，王令武公回擊，武公派遣多友率師出征。幾經追擊，多友取得大勝，奪回京師被俘之人，且俘獲玁狁之軍士、戰車，並折首戎兵。多友獻俘武公，武公轉獻周王。周王遂賞賜武公田地，遂及多友。近似之金文記載尚見〈虢季子白盤〉：

> 唯十又二年正月初吉丁亥，虢季子白作寶盤，丕顯子白，壯武於戎功，經維四方，搏伐玁狁，于洛之陽。折首五百，執訊五十，是以先行，趄洛之陽，折首五

38 本文引用青銅器銘文，皆據中國社會科學院考古研究所編：《殷周金文集成．修訂增補本》（北京市：中華書局，2007年），簡稱《集成》；鍾柏生、陳昭容、黃銘崇、袁國華編：《新收殷周青銅器銘文暨器影彙編》（臺北市：藝文印書館，2006年），簡稱《新收》。引用時標注二書之器物編號，銘文則採寬式隸定。

> 百，執訊五十，是以先行，桓桓子白，獻馘于王，王孔嘉子白義，王各周廟宣榭，爰饗。王曰：「白父，孔覭有光。」王賜乘馬，是用佐王，賜用弓、彤矢，其央；賜用鉞，用征蠻方。子子孫孫萬年無疆。（《集成》10173）

虢季子白亦出兵討伐玁狁，戰勝且有所俘獲，獻馘於周，周王遂對子白有所嘉賞。由〈多友鼎〉與〈虢季子白盤〉，可知西周時期已有獻捷於周王的儀節，用以彰顯戰功。且此儀節明確彰顯天子與諸侯間之上下關係，諸侯銜王命討不庭，頗有「禮樂征伐自天子出」[39]的意味。〈四十二年逑鼎〉記載逑受王命出兵攻討玁狁取得戰功後，周王嘉獎之語云：

> 汝執訊獲馘，俘器、車馬。汝敏於戎工，弗逆。朕親命，釐汝[illegible]邑一卣，田於[illegible]卅田，於[illegible]廿田。（《新收》746）

逑於征戰中有馘首與俘獲，獻予王，王讚其勤於攻伐玁狁，未逆王令。在獻捷彰揚戰功的同時，更明確標舉了周王與諸侯的君臣關係，凸顯臣下具有遵奉王命征討四方的義務。

由上可見，獻捷蓋源於周王對外的征伐權；只是眾所皆知，春秋時期征伐之權已由天子轉至諸侯，甚至降及大夫，獻捷之舉，美其名乃「敵王所愾」，實則早已淪為事後不得不追認的事實。

《左傳》所記五次獻捷，其中第一、五二例為晉獻楚捷，第二、三二例為晉獻戎捷，俘獲對象皆屬蠻夷戎狄，與《左傳》所言「諸侯有四夷之功，則獻于王」一致。唯第4例屬晉獻齊捷，與《左傳》所言義例不合，周天子亦予以拒絕。[40]此外，五次獻捷者皆為晉國，這顯示當時向周天子獻捷極可能是霸主的權力，他國不能僭越。[41]另外一種可能則是只有晉國仍願獻捷天子，蓋與晉之「尊王」政策有關。不過這五條記錄顯示晉獻捷天子，始於魯僖二十八年（西元前六三二）晉文公稱霸，終於魯成十六年（西元前五七五），此後即無相關記錄。可能反映周室地位的日益陵夷，致使晉國最終也不再尊王，因而不再獻捷；另一種可能則是晉國權卿矛盾日益加劇，各自致力於權勢之擴張，不再留心「尊王」事業，亦不再「獻捷」。[42]

---

39 《論語・季氏》：「孔子曰：『天下有道，則禮樂征伐自天子出；天下無道，則禮樂征伐自諸侯出。自諸侯出，蓋十世希不失矣；自大夫出，五世希不失矣；陪臣執國命，三世希不失矣。天下有道，則政不在大夫。天下有道，則庶人不議。』」（《論語注疏》，卷16，頁4。）

40 說詳下文〈四〉。

41 下文（二）「諸侯相互獻捷」將論及其他中原諸侯獻捷的對象除楚國二例外，向霸主晉國獻捷者則有四例。當時可能形成諸侯獻捷霸主，霸主獻捷周王的不成文模式。

42 魯成十六年（晉厲六年，西元前五七五）之後，晉國接連發生「三郤之亡」、「欒氏之滅」等權卿鬥爭，范氏、中行氏、知氏亦先後被滅；晉悼雖史稱「復霸」，實則大權旁落，僅能保住君位而已。

（二）諸侯相互獻捷

《左傳》載諸侯相互獻捷者凡九：

一、夏，六月，齊侯來獻戎捷，非禮也。凡諸侯有四夷之功，則獻于王，王以警於夷；中國則否。諸侯不相遺俘。（莊三十一年，《左傳正義》，卷10，頁19下）

二、楚人使宜申來獻捷。（僖二十一年，《左傳正義》，卷14，頁26上）

三、（晉）使解揚如宋，使無降楚，曰：「晉師悉起，將至矣。」鄭人囚而獻諸楚。（宣十五年，《左傳正義》，卷24，頁8下）[43]

四、春，諸侯伐鄭，次於伯牛，討邲之役也，遂東侵鄭。鄭公子偃帥師禦之，使東鄙覆諸鄤，敗諸丘輿。皇戌如楚獻捷。（成三年，《左傳正義》，卷26，頁2）

五、秋，楚子重伐鄭，師於氾。諸侯救鄭。鄭共仲、侯羽軍楚師，囚鄖公鍾儀，獻諸晉。（成七年，《左傳正義》，卷26，頁16上）

六、五月甲辰，會于邢丘，以命朝聘之數，使諸侯之大夫聽命。季孫宿、齊高厚、宋向戌、衛甯殖、邾大夫會之。鄭伯獻捷于會，故親聽命。（襄八年，《左傳正義》，卷30，頁14上）

七、鄭子產獻捷於晉，戎服將事。（襄二十五年，《左傳正義》，卷36，頁11下-12上）

八、印堇父與皇頡戍城麇，楚人囚之，以獻於秦。（襄二十六年，《左傳正義》，卷37，頁7下）

九、夏，季桓子如晉，獻鄭俘也。（定六年，《左傳正義》，卷55，頁6下）

上述九例，由受獻國觀之，獻晉四、獻楚二、獻秦一、獻魯二。晉、楚、秦、魯四國，僅魯非大國，[44]可見春秋時期諸侯的獻捷對象，主要為大國，特別是晉、楚二霸。至於

說可參拙作：〈先秦傳本／簡本敘事舉隅——以「三郤之亡」為例〉，《臺大中文學報》第32期（2010年6月），頁147-196；〈先秦敘史文獻「敘事」與「體式」隅論——以晉「欒氏之滅」為例〉，《臺大文史哲學報》第80期（2014年5月），頁1-41，二文並收入拙作《先秦兩漢歷史敘事隅論》（臺北市：臺灣大學出版中心，2017年）；〈「晉悼復霸」說芻論〉，《臺大中文學報》第57期（2017年6月），頁105-162。

43 魯宣十五年楚攻宋，晉無意救宋卻派遣解揚赴宋詐言晉已起兵，欲使勿降楚。未料解揚於途中為鄭所俘，鄭獻之楚。此例雖非戰勝之俘獲，但此時鄭附楚，故亦列入諸侯相互獻捷之例。

44 春秋大國為晉、楚、齊、秦，具體顯現於魯襄二十七年的弭兵之會，楚要求晉、楚之從交相見時，趙孟言：「晉、楚、齊、秦，匹也。晉之不能於齊，猶楚之不能於秦也。」（《左傳正義》，卷38，頁7下）

齊、楚向魯獻捷，其性質較為特別，宜分別討論。

此外，《左傳》尚有二例，屬於兩國聯合作戰而將戰獲物獻予對方者，一為魯桓六年北戎伐齊，鄭太子忽救齊，大敗戎師，將俘獲的將領大良、少良與甲首三百獻予齊國；[45]二為魯哀十一年，魯、吳共攻齊，大勝，吳將俘獲的國書、公孫夏、閭丘明、陳書、東郭書等人與革車八百乘、甲首三千獻予魯哀公。[46]此與獻捷予未參與征伐之諸侯意義不同，用意應在宣勞對方之辛勞，順便彰顯己方之軍威。如杜預對吳獻捷於魯即言：「公以兵從，故以勞公。」[47]故此二事例本文不加論析，讀者察之。

1 小國獻捷大國的政治意涵

小國獻捷大國，符合「獻」乃下奉上之義。宣十四年《左傳》記載孟獻子向魯宣公進言曰：

> 臣聞小國之免於大國也，聘而獻物，於是有庭實旅百；朝而獻功，於是有容貌采章，嘉淑而有加貨，謀其不免也。誅而薦賄，則無及也。今楚在宋，君其圖之！（《左傳正義》，卷24，頁4上-5下）

楚派兵攻宋，雖未直接要求魯國支援，但仲孫蔑認為小國若欲免於大國怪罪，平常即應殷勤侍奉，若待大國誅責再供奉進獻，恐已不及。魯宣是其言，遂遣公孫歸父會楚師。《傳》文雖未載述公孫歸父前往的目的，但由上下文可知應有所供奉，以勞楚師。仲孫蔑提及小國平時殷謹服侍大國的外交手段，除了聘問之「獻物」外，尚有朝見而「獻功」。[48]可見獻功乃小國向大國宣示效忠的方式，若征戰有功則藉以歸美大國，討其歡心。鄭國的行為最能呈現「獻捷」的意義：鄭夾處晉、楚二大國之間，只能依據情勢選擇依附何方，[49]故魯宣十五年、魯成三年向楚獻捷，魯襄八年、二十五年則向晉獻捷。[50]

小國向大國獻捷除宣示效忠外，尚可取得大國／盟主認可己方發動戰爭的正當性，免遭大國怪罪。因此小國雖前往獻捷，大國不一定認可／接受。魯襄二十五年子產赴晉獻捷，晉對其獻捷，一開始即先後詢問「陳之罪」、「何故侵小」等，對鄭伐陳的正當性提出質疑。子產詳加申辯、說明後，執政趙武以為其「辭順」，始接受獻捷。同年冬，

45 說已見本文〈二·（二）〉。

46 說已見本文〈二·（二）〉。

47 《左傳正義》，卷58，頁24。

48 此處之「獻功」，未必指戰功，楊伯峻注曰：「獻功，獻其治國或征伐之功也。」（《春秋左傳注》，頁757）蓋是。

49 鄭國的遊移外交，襄八年《左傳》載子駟之語可為註解：「犧牲玉帛，待於二竟，以待強者而庇民焉。寇不為害，民不罷病，不亦可乎？」（《左傳正義》，卷30，頁15上）

50 魯宣十五年至魯成三年乃楚莊王二十年至楚共王三年，當時莊王霸業方興未艾，聲勢正隆；魯襄八年至二十五年乃晉悼公九年至晉平公十年，屬晉復霸階段。

子展佐鄭伯「如晉拜陳之功」，即是感謝晉接受鄭伐陳的正當性。[51]由此角度言之，「獻捷」亦屬政治協調的重要環節。

值得一提的是第八例，受獻的秦雖屬大國，獻捷者卻也是同屬大國的強楚。此種地位均等的獻捷，春秋唯此一例。推敲楚之用意當是借分享利益拉攏秦國。此由鄭企圖以財貨贖回印堇父時，子產表示「受楚之功，而取貨於鄭，不可謂國，秦不其然」[52]得知。子產認為秦既受楚之功，自然沒有必要接受鄭國的財貨。杜《解》：「受楚獻功，大名也；以貨免之，小利，故謂秦不爾。」[53]清楚揭示秦接受楚獻捷在聲名利益上皆有助益，可見楚乃藉獻捷以籠絡秦國。

2 齊、楚獻捷於魯的可能意涵

上文詮解諸侯相互獻捷主要為小國進獻大國，則可進而論析齊、楚向魯獻捷的可能意涵。齊、楚皆為大國，卻向魯獻捷，自不能以「下奉上」目之。此二事例皆見《春秋經》，三《傳》分別有不同詮釋。莊三十一年「六月，齊侯來獻戎捷」，三《傳》釋之云：

> 《左傳》：「齊侯來獻戎捷，非禮也。凡諸侯有四夷之功，則獻于王，王以警于夷；中國則否。諸侯不相遺俘。」（《左傳正義》，卷10，頁19下）
>
> 《公羊傳》：「齊，大國也，曷為親來獻戎捷？威我也。其威我柰何？旗獲而過我也。」（《公羊注疏》，卷9，頁6上）
>
> 《穀梁傳》：「齊侯來獻捷者，內齊侯也。不言使，內與同，不言使也。獻戎捷，軍得曰捷，戎菽也。」（《穀梁注疏》，卷6，頁16）

《左傳》認為齊桓來獻戎捷不合《春秋》義例，故斥以「非禮」。[54]《公羊》亦貶抑齊桓之獻捷，認為此舉實乃威嚇魯國。《穀梁》則認為齊桓有尊王攘夷之功，故雖在外，卻以齊、魯內而不分言之，給予嘉揚。[55]至於僖二十一年「楚人使宜申來獻捷」，《左傳》未有解釋，《公羊傳》釋之曰：

---

51 杜《解》：「謝晉受其功。」（《左傳正義》，卷36，頁14上）即為此意。有關子產獻捷事，說詳下文〈四〉。

52 事件本事為：「印堇父與皇頡戍城麇，楚人囚之，以獻於秦。鄭人取貨於印氏以請之，子大叔為令正，以為請。子產曰：『不獲。受楚之功，而取貨於鄭，不可謂國，秦不其然。若曰『拜君之勤鄭國。微君之惠，楚師其猶在敝邑之城下』，其可。』弗從，遂行。秦人不予。更幣，從子產，而後獲之。」（《左傳正義》，卷37，頁7下）

53 《左傳正義》，卷37，頁7下。

54 有關《左傳》「獻捷義例」之討論，另詳下文〈四〉。

55 范甯《集解》：「泰曰齊桓救中國外攘夷狄，親倚之情不以齊為異國，故不稱使，若同一國也。」（《穀梁注疏》，卷6，頁16。）

> 此楚子也，其稱人何？貶。曷為貶？為執宋公貶。曷為為執宋公貶？……惡乎捷？捷乎宋。曷為不言捷乎宋？為襄公諱也。此圍辭也，曷為不言其圍？為公子目夷諱也。(《公羊注疏》，卷11，頁21上-23上)

《穀梁傳》釋之曰：

> 捷，軍得也。其不曰宋捷，何也？不與楚捷於宋也。(《穀梁注疏》，卷9，頁3上)

范甯《集解》：

> 不以夷狄捷中國。(同上)

《公羊傳》申述夷夏大義，以為楚成王赴魯獻捷乃因勝宋，然宋實有禮，楚則雖強而無義，故不與夷狄之捷中國。《穀梁》亦不認同楚之捷宋，其尊中國攘夷狄之立場與精神，與《公羊》並無二致。

三《傳》對齊、楚赴魯獻捷褒貶不一，其評論旨在申述自我觀點，而少探究齊、楚赴魯獻捷之作用與目的。歷代學者對齊、楚之赴魯獻捷，異說頗多，茲統整為三述論之。

(1) 示好

「示好」說最早見於《管子》、《說苑》，[56]二書對戎捷之「捷」究指農作物抑寶器雖有歧異，但都認為乃向魯示好。《說苑》引管仲之語：「不可。諸侯未親，今又伐遠而還誅近鄰，鄰國不親，非霸王之道，君之所得山戎之寶器者，中國之所鮮也，不可不進周公之廟」，認為應與魯分享山戎罕見寶器，結好二國，並向他國展示齊國親鄰之舉。《管子》則認為齊不僅向魯獻捷，對其他諸侯亦有所獻，故終能達成九合諸侯的霸業。《管子》、《說苑》對獻捷品物的理解恐皆有問題，但解釋齊向魯獻捷乃友好鄰國的舉動則值得注意。後代學者亦有踵承此種觀點而闡發者，如鄭玄《周禮》〈天官〉「玉府」《注》：

> 古者致物於人，尊之則曰獻，通行曰饋。《春秋》曰「齊侯來獻戎捷」，尊魯也。(《周禮注疏》，卷6，頁18上)

鄭玄扣緊獻乃「下奉上」之義，認為齊桓此次獻戎捷，乃以魯為尊的友好舉動。宋・戴溪亦以為：

---

56 說已詳本文〈二・(一)〉。

齊侯親來獻捷，非威我也。魯濟之謀，莊公與焉。捷獲而過我，因歸功於魯雲爾。敵愾獻功，諸侯事天子之禮也，魯與齊皆失之。[57]

戴溪認為齊桓伐山戎前，曾於魯濟與魯莊共商對策，故齊桓戰勝山戎而獻捷於魯，乃歸功於魯之意；但又以為獻功屬諸侯事天子之禮，魯、齊皆於禮有失。戴氏「失禮」之說蓋據《左傳》立說，但仍肯定齊獻捷乃歸功於魯。方苞亦云：

齊、魯釋怨為婚，盟會必同，無為示威；且使人獻捷亦足以示威，而親至魯庭，則損威而傷重多矣。齊侯之來，蓋以報魯莊公三至之勤，用示昵好，而託於獻捷以為名也。[58]

方苞認為齊侯親自赴魯獻捷，若視為示威則反而有損威嚴；此時齊、魯交好，齊桓獻捷實為藉口，蓋意在彰顯兩國的親密友好。

除認為齊桓獻捷於魯乃基於彼此之友好親暱外，亦有學者認為楚成獻捷於魯亦屬友好之舉，如焦袁熹：

秋，楚人圍宋，至是以其軍獲來獻，所以親魯也。凡獻捷，必於其同好之國，如曰彼其不為我下也，而我伐之大有俘獲，奏凱而還，凡我同好宜相慶也。宜申之來此物，此志也。然則魯之內楚而外宋，明也。[59]

焦氏認為獻捷對象都是友好之國，用以表示彼此地位平等，當我有戰功，則宜與之共相慶賀，故楚成伐宋有功，藉由與魯分享慶賀，宣示二國之交好。

上引諸說似皆有待商榷。如鄭玄以為齊尊魯故獻捷，但當時齊桓亟亟然欲就霸業，甚且有取代周王之意，[60]似無尊魯之動機與必要，蓋意在示好、籠絡。不過齊、楚皆赴

57 〔宋〕戴溪：《春秋講義》，《叢書集成續編》（臺北市：新文豐出版社影印民國十八年永嘉黃氏校印本，1989年），第270冊，卷1下，頁23下。

58 〔清〕方苞：《春秋直解》，《續修四庫全書》（上海市：上海古籍出版社影印清．乾隆刻本，1995年），第140冊，卷3，頁45上。

59 〔清〕焦袁熹：《春秋闕如編》，《文淵閣四庫全書》（臺北市：臺灣商務印書館，1983年），第177冊，卷5，頁19下-20上。

60 僖四年《左傳》：「春，齊侯以諸侯之師侵蔡。蔡潰，遂伐楚。楚子使與師言曰：『君處北海，寡人處南海，唯是風馬牛不相及也，不虞君之涉吾地也，何故？』管仲對曰：『昔召康公命我先君大公曰：「五侯九伯，女實征之，以夾輔周室！賜我先君履，東至于海，西至于河，南至于穆陵，北至于無棣。」爾貢苞茅不入，王祭不共，無以縮酒，寡人是徵。昭王南征而不復，寡人是問。』」（《左傳正義》，卷12，頁10下-12下）楚對齊來犯的正當性提出質疑，管仲除提貢賦未至外，更以昭王南征不復作為伐楚之理由，卻未數楚於魯僖元年至三年多次侵鄭之罪，其意便在成為周王的代理人，而非真心體恤諸夏之難。是以召陵之盟後，周室及諸侯並未信服齊桓，如僖五年《左傳》載「秋，諸侯盟。王使周公召鄭伯，曰：『吾撫女以從楚，輔之以晉，可以少安。』鄭伯喜於王命，而懼其不朝於齊也，故逃歸不盟。」（《左傳正義》，卷12，頁21下）周惠王寧將鄭托付楚、晉，足

魯獻捷，魯則獲得若干利益，是以視之為友好之舉亦有其理據。「示好」未必「尊崇」，故本小節以「示好」名之。

（2）誇耀

相對於「尊魯」、「示好」之說，學者或以為齊桓公向魯獻捷意在誇示軍功，如宋·胡安國即謂：

> 齊伐山戎，以其所得躬來誇示。書「來獻」者，抑之也。[61]

胡氏以為齊伐山戎而桓公親來獻捷，意在誇耀戰果，而《春秋》書「來獻」，即是對此行為之貶抑。元·汪克寬據胡氏安國之說詳論齊、楚獻捷事：

> 《春秋》書來獻捷者二：齊桓獻捷而書「齊侯」，所以著其誇服戎之功而譏之也；楚成獻捷而書「楚人」，所以微其挾猾夏之威而抑之也。然於齊書戎捷，而於楚不書宋捷，則所以尊中國而賤荊蠻也昭昭矣。[62]

汪氏以齊桓獻捷乃誇耀服戎之功，楚成獻捷亦為彰顯伐宋之威，《春秋》皆予以貶抑，並蘊含夷夏大義。毛奇齡則認為：

> 獻捷者，獻俘獲也。伐不親往，而親來獻捷，誇我也。[63]

毛氏認為齊桓並未親伐山戎，卻躬來獻捷，意在向魯誇示戰功。這些意見雖多以論齊桓之獻戎捷為主，從中亦能推判楚成獻宋捷蓋亦屬誇耀之意。

（3）威嚇

獻捷可以是誇耀軍功，彰顯軍容盛大；若再進一步，則有威嚇意味。主張向魯獻捷為威嚇者，始見於《公羊傳》:「齊，大國也，曷為親來獻戎捷？威我也。其威我奈何？

見對齊不滿。另，僖九年《左傳》載：「秋，齊侯盟諸侯于葵丘，曰：『凡我同盟之人，既盟之後，言歸于好。』宰孔先歸，遇晉侯，曰：『可無會也。齊侯不務德而勤遠略，故北伐山戎，南伐楚，西為此會也。東略之不知，西則否矣。其在亂乎！君務靖亂，無勤於行。』晉侯乃還。」（《左傳正義》，卷13，頁11下-12上）宰孔甚至批評齊桓葵丘之舉乃「不務德而勤遠略」，勸晉獻可不與會。相關論述，可參魏千鈞：《夷夏觀研究：從春秋歷史到春秋經傳的考察》（臺北市：臺灣大學中國文學系博士論文，何澤恒先生指導，2013年），頁155-157。

61 〔宋〕胡安國：《春秋胡氏傳》，《四部叢刊續編》（上海市：上海涵芬樓影印常熟瞿氏鐵琴銅劍樓藏宋刊本，1934年），卷9，頁10下。

62 〔元〕汪克寬：《春秋胡傳附錄纂疏》，《文淵閣四庫全書》（臺北市：臺灣商務印書館，1983年），第165冊，卷9，頁54上。

63 〔清〕毛奇齡：《春秋毛氏傳》，卷131，頁11上。

旗獲而過我也。」宋・崔子方亦認為齊桓有警示威嚇之意：

> 獻，卑者之事也。齊侯為霸主，而親獻捷於我，非所宜獻也。其有警於我乎！故月之以見譏獻捷例時。[64]

崔氏認為齊桓獻捷意在威嚇，故《春秋》譏貶之。元・趙汸也認為楚成意在威逼魯國就範：

> 楚子既執宋公以伐宋，欲致魯侯來會，故使人獻捷以威脅之。於是公會盟於薄，釋宋公。[65]

《公羊》、崔子方、趙汸皆認為齊桓、楚成均刻意彰顯軍功，暗示魯若不從，下場可知，藉以威逼魯國臣服。

上述三說為歷來學者意見之歸納，不過前賢有時並未等同看待齊、楚之獻捷，如胡安國以為齊桓獻捷乃誇示軍功，楚成獻捷則為威嚇魯國。[66]趙汸以楚成獻捷為威脅，齊桓獻捷則為成兩君之好。[67]

綜觀三說，筆者以為第三說可能性較大。宋儒沈棐之說頗具見地：

> 古者諸侯出師則由王命，伐國則為王討，既戰而勝則獻俘於王，禮也。春秋諸侯，跋扈不臣，出師不由王命，伐國不為王討，所獲之俘又不歸王，而反獻之弱國焉，其意欲誇大己功，使之畏威而屈服也。故《春秋》書「獻捷」皆在齊、楚。夫以齊、楚大國，在春秋最為雄強，區區之魯，臣事之不暇，何為獻捷以奉魯哉？是知所獻之之意，徒欲誇功而耀威耳。
>
> 請考經傳言之：莊三十一年「齊侯來獻戎捷」，《左氏》曰：「非禮也。凡諸侯有四夷之功則獻于王，王以警於夷，中國則否。諸侯不相遺俘。」《公》曰：「威我也，旗獲而過我也。」《穀》曰：「齊侯也。不言使，內與同也。戎菽也。」僖二十一年「楚人使宜申來獻捷」，杜曰：「獻宋捷也。」《公羊》曰：「楚子也，其稱人，為執宋公貶也。」《穀》曰：「不曰宋捷，不與楚捷於宋也。」按莊三十年齊人伐山戎，明年來獻捷，即山戎之所得也。夫齊、魯交好久矣，莊公自二十二年結婚於齊，同盟、告糴、納幣、觀社、奉事、奔走，魯無虛歲。以齊大國、小白

64 〔宋〕崔子方：《崔氏春秋經解》，卷3，頁39上。

65 〔元〕趙汸：《春秋屬辭》，《通志堂經解》（臺北市：漢京文化事業有限公司影印〔清〕徐乾學輯、納蘭成德校訂本，1979年），第26冊，卷12，頁13下。

66 〔宋〕胡安國《春秋胡氏傳》：「齊伐山戎，以其所得躬來誇示，書『來獻』者，抑之也。」（卷9，頁10下）「諸侯從楚伐宋，而魯獨不與，故楚來獻捷以脅魯。」（卷12，頁8上）

67 〔元〕趙汸《春秋屬辭》：「齊桓欲身下諸侯以成伯業，故假獻捷至與國，以成兩君之好。」（卷5，26上）「楚成執宋公伐宋，使來獻捷以威魯。」（卷5，頁35下）

方霸而親來獻捷，非畏魯也。蓋二十六年宋[68]嘗伐戎不克，今齊師克之而遂獻捷於魯，是所以誇之之意也。夫安諸夏、尊王室，霸者之事也。齊侯獲捷不獻之於王，而徒以誇魯，故《春秋》正名其爵以貶之。若曰霸主之賢且猶輕蔑天子，無臣事之意，使當時諸侯誰肯協力以尊王乎？然則書其爵者，所以甚惡齊侯也。《左氏》、《公羊》蓋略得其意，而《穀梁》失之遠矣。

楚自小白之沒，中國無霸，欲驅率諸侯，驟主盟會。宋襄雖有紹霸之心，而力不敵楚，反貽挫辱。故僖二十一年盂之會執宋公以伐宋，是年遂來獻捷，則所獻之捷蓋宋捷也。然盂之會楚強宋弱，實楚為主，陳、蔡、鄭、許匍匐就會，而魯獨不來。楚以魯未服，故假獻捷之禮以耀其威而迫脅之。若曰宋襄大國我俘之，魯弱於宋，必不敢外我而不歸也。觀是年獻捷之後，公遂會諸侯，就盟于薄，則知獻捷而魯遂畏楚，是以屈膝而往盟也。《公》、《穀[69]》之說經意或然。[70]

沈棐對此二次獻捷皆予以貶抑，首段指出「獻捷」源自諸侯聽從王命而征討四方，功成則獻捷以歸功於天子，此一觀點與鄙見符契。接著表示諸侯之征伐皆不由王命，專斷擅意，有俘獲既不歸功於王室，卻獻捷弱國，實有誇耀脅迫之意，故《春秋》書爵以貶。接著沈氏在三《傳》釋經的基礎上展開申論。第二段論齊桓獻戎捷，指出魯莊公自二十二年起即殷勤事齊，齊絕非畏魯而獻捷，其意在魯莊曾於二十六年伐戎失敗，故齊此次取得重大勝利，遂驕而示之，暗示魯應臣服。沈氏表示齊桓身為霸主，當以尊王室、安諸夏為首要之務，其不向王室獻捷顯有輕蔑天子之心，故《春秋》書爵予以貶斥，肯定《左傳》與《公羊》之說，否定《穀梁》釋經之意。第三段則申述楚自齊桓沒後即企圖稱霸，盂之會，楚主盟，鄭、蔡等國皆至，唯獨魯未服楚而不與會，故楚成獻捷於魯，向魯展示宋捷，若謂以宋之軍勢，楚尚足以克之，魯自當衡量己力而參予楚盟，獻捷之後魯僖果然赴會就盟，認為《公羊》、《穀梁》不與楚捷之說符應《春秋》之旨。沈棐析釋齊、楚向魯獻捷之局勢、背景，深中肯綮，齊、楚向魯獻捷，當以威嚇為最終目的。

四　《左傳》「獻捷義例」與「獻捷觀念」的省察

具體論析春秋時期各種獻捷現象及其意涵之後，可進而論析《左傳》「獻捷義例」的若干問題。《左傳》之「獻捷義例」首見於莊三十一年論《春秋》經「齊侯來獻戎捷」：

---

68 「宋」當為「魯」之誤，據上下文意可知；莊二十六年《春秋》:「春，公伐戎」可證。

69 「穀」原作「假」，不成文意，茲據上下文意改。上段評述齊桓獻捷用意後，對《左傳》、《公羊》之說稍表贊同，否定《穀梁》之說。此段評述楚獻捷企圖後，末則肯定《公》、《穀》釋經之意。

70 〔宋〕沈棐：《春秋比事》，《文淵閣四庫全書》（臺北市：臺灣商務印書館，1983年），第153冊，卷10，頁17下-20上。

> 夏，六月，齊侯來獻戎捷，非禮也。凡諸侯有四夷之功，則獻于王，王以警于夷；中國則否。諸侯不相遺俘。(《左傳正義》，卷10，頁19下)

《左傳》以「非禮」批評齊桓向魯莊獻捷，其依據為獻捷應遵循三個原則：一、諸侯對蠻夷戎狄有征伐之功，則當獻捷於王，周王藉以警示四夷臣服不叛。二、中國之諸侯彼此雖有征討，無需獻捷於王。三、諸侯不相遺俘。三原則皆有強烈的夷夏觀，亦即獻捷必須建立在諸侯對蠻夷戎狄征伐的戰功之上。華夏諸侯之相互征討，周王不接受獻捷，其因應在諸侯皆與王室關係密切，甚至可能是同姓或姻親，若接受獻捷，可能造成周王與戰敗方的嫌隙、疏離。諸侯間不相遺俘，用意應在征伐之命出自天子，則戰功自應歸美周王。由此三點觀之，《左傳》之「獻捷義例」實有其道理，且符合春秋時人觀念。如成二年《左傳》載：

> 晉侯使鞏朔獻齊捷于周。王弗見，使單襄公辭焉，曰：「蠻夷戎狄，不式王命，淫湎毀常，王命伐之，則有獻捷。王親受而勞之，所以懲不敬、勸有功也。兄弟甥舅，侵敗王略，王命伐之，告事而已，不獻其功，所以敬親暱、禁淫慝也。……夫齊，甥舅之國也，而大師之後也，寧不亦淫從其欲以怒叔父，抑豈不可諫誨？」(《左傳正義》，卷25，頁24下-25上)

魯成二年晉大敗齊於鞌，晉景遂派鞏朔赴周獻捷，周定王不受，派單襄公推辭，理由正是諸侯只能在對蠻夷戎狄有戰功時始能向周王獻捷，用以懲戒四夷不從王命，進而嘉勉有功之臣。若是兄弟甥舅這些與周王親暱的諸侯不遵從周王法度，周王派遣其前往攻伐，只須告知其事圓滿完成，並不以獻捷彰顯戰功，用意即在親暱之國仍有尊愛之情，只要阻止行為過度荒淫即可。齊乃太公之後，正是所謂的「甥舅之國」。晉獻齊捷予周，意在誇耀戰功，並宣示其霸主地位。但單襄公指出晉之攻齊非稟王命，係擅自出兵，同時也不符獻捷原則，故不予接受。由此條載錄觀之，《左傳》之「獻捷義例」實有一定理據。

《左傳》的獻捷義例雖有其理據，但與春秋時期的獻捷現象比勘，卻未盡符契。在晉向周獻捷的五例中，四例屬晉伐楚、狄，係征伐蠻夷，有功而獻，符合義例；唯成二年晉獻齊捷，屬諸侯間之征討，不應獻捷予王，因其不合禮，故遭周王婉拒。此事晉國失禮，周則恪遵原則不接受獻捷，故仍合乎獻捷義例。至於諸侯間相互獻捷的九例，則完全違反《左傳》義例。此種現象應是春秋時期王權衰落的反映。春秋時代，征伐之令早非天子所能掌控，諸侯間競爭激烈，故往往有征討獻捷之事。

論者或謂《左傳》的「獻捷義例」可能只是一種理想的建構，單襄公之語可能經《左氏》修改，以刻意呼應義例。這自也不無可能，不過筆者大膽臆測：《左傳》的「獻捷義例」可能源自較早的傳統。由本文〈三．(一)〉可知西周金文確有獻捷禮儀，明確標舉周天子與諸侯間的君臣關係，凸顯臣下有奉王命征討四方的義務，與《左傳》「獻捷義例」之精神符應。另外，西周金文所載獻捷的來源，目前所見皆屬被歸類為四夷的玁狁，也符合《左傳》義例的夷夏觀。

《左傳》於魯莊三十一年申述獻捷義例，並於成二年以單襄公拒絕鞏朔獻齊捷之語呼應，看似足以成立，卻也並非毫無問題。如義例既然申明「諸侯不相遺俘」，則《傳》文所載九則諸侯相互獻捷事例，當屬「非禮」，自應有所貶抑，但《傳》文除在莊三十一年批評齊赴魯獻捷為「非禮」外，對其他八例皆未加批判。其中數例或可歸類為《傳》文重心不在獻捷而另有他意者，如宣十五年：

> （晉）使解揚如宋，使無降楚，曰：「晉師悉起，將至矣。」鄭人囚而獻諸楚。楚子厚賂之，使反其言。不許。三而許之。登諸樓車，使呼宋而告之。遂致其君命。楚子將殺之，使與之言曰：「爾既許不穀而反之，何故？非我無信，女則棄之。速即爾刑！」對曰：「臣聞之：君能制命為義，臣能承命為信，信載義而行之為利。謀不失利，以衛社稷，民之主也。義無二信，信無二命。君之賂臣，不知命也。受命以出，有死無霣，又可賂乎？臣之許君，以成命也。死而成命，臣之祿也。寡君有信臣，下臣獲考，死又何求？」楚子舍之以歸。（《左傳正義》，卷24，頁8下-9上）

晉景公雖不欲救宋，卻派解揚使宋，詐言晉已出師，勸宋不可降楚。未料途中即遭鄭擄獲而獻予楚，楚莊令解揚往宋言晉不欲出兵，解揚佯裝應允，至宋後卻仍傳達晉景之命。楚莊欲以無信之罪誅殺解揚，解揚辭以早受晉君之命，唯有死命達成，不能受賂更易，楚莊接受其說解而釋其歸晉。綜觀《左傳》記述此事的重心，應在晉景不救宋卻又欺之的狡詐，藉此凸顯解揚承君之命，臨死不改其志，盡力完成任務之忠貞可貴。至於楚莊本欲殺解揚，但在聽聞其辯詞後，毅然釋放解揚，頗有褒揚楚莊寬大能改之善。是以本事雖涉及獻俘，但重點在藉此貶抑晉景而稱許解揚、楚莊之行事，此蓋其不及評論諸侯相互獻俘合理與否之因。又如成七年：

> 秋，楚子重伐鄭，師於氾。諸侯救鄭。鄭共仲、侯羽軍楚師，囚鄖公鍾儀，獻諸晉。（《左傳正義》，卷26，頁16上）

此年《左傳》記鍾儀遭鄭俘獲獻晉而未加評述，但此事有後續發展，見成九年：

> 晉侯觀於軍府，見鍾儀。問之曰：「南冠而縶者，誰也？」有司對曰：「鄭人所獻楚囚也。」使稅之。召而弔之。再拜稽首。
>
> 問其族。對曰：「泠人也。」公曰：「能樂乎？」對曰：「先父之職官也，敢有二事？」使與之琴，操南音。

> 公曰：「君王何如？」對曰：「非小人之所得知也。」固問之。對曰：「其為太子也，師、保奉之，以朝於嬰齊而夕於側也。不知其他。」
>
> 公語范文子。文子曰：「楚囚，君子也。言稱先職，不背本也；樂操土風，不忘舊也；稱太子，抑無私也；名其二卿，尊君也。不背本，仁也；不忘舊，信也；無私，忠也；尊君，敏也。仁以接事，信以守之，忠以成之，敏以行之。事雖大，必濟。君盍歸之，使合晉、楚之成？」
>
> 公從之，重為之禮，使歸求成。（《左傳正義》，卷26，頁25下-26下）

鍾儀囚晉二年，晉景偶然見之，召問其族屬、職掌與楚王等問題，皆應對合宜，故士燮讚以仁、信、忠、敏，並建議釋放鍾儀，以成晉、楚修好。是以此事雖亦涉及獻俘，但《左傳》側重在鍾儀進對應退允當，晉景、士燮感佩，而能化解衝突以成兩國之好。《左傳》所記獻俘事乃為楔子，實非關懷重點，故未申述獻俘是否合禮。

扣除上類情形，《左傳》未以非禮批評諸侯相互獻捷者尚有數例，其中涵義值得探究。如成三年載：

> 春，諸侯伐鄭，次於伯牛，討邲之役也，遂東侵鄭。鄭公子偃帥師禦之，使東鄙覆諸鄤，敗諸丘輿。皇戌如楚獻捷。（《左傳正義》，卷26，頁2）

《左傳》雖載鄭皇戌如楚獻捷，卻絲毫未駁斥此一諸侯相互獻捷的非禮舉動。《左傳》固然未必事事扣合義例闡發，但對照僖二十一年《春秋》載「楚人使宜申來獻捷」事，便顯得並非如此單純。楚向魯獻捷，以常理推判，《左傳》若不詳載前後經過，至少亦可據獻捷義例批評楚之非禮，但《左氏》於此竟付之闕如，未有任何申述。凡此種種，皆啟人疑竇。

上列未批判諸侯相互獻捷者雖頗可疑，但《左氏》之態度亦難確知。不過《左傳》尚有數例，似乎皆肯定諸侯相互獻捷的正當性，如襄八年載：

> 五月甲辰，會于邢丘，以命朝聘之數，使諸侯之大夫聽命。季孫宿、齊高厚、宋向戌、衛甯殖、邾大夫會之。鄭伯獻捷于會，故親聽命。（《左傳正義》，卷30，頁14上）

魯襄八年，鄭簡公親自參與晉悼公主盟的邢丘之會，將伐蔡所獲之公子燮獻予晉。《左傳》非但未論此舉之「非禮」，反以鄭簡公「親聽命」論之，等同間接承認小國藉獻捷向大國宣示效忠的正當性。最可注意者，當推襄二十五年子產獻陳捷於晉事：

> 鄭子產獻捷於晉，戎服將事。晉人問陳之罪。對曰：「昔虞閼父為周陶正，以服事我先王。我先王賴其利器用也，與其神明之後也，庸以元女大姬配胡公，而封諸陳，以備三恪。則我周之自出，至於今是賴。桓公之亂，蔡人欲立其出，我先

君莊公奉五父而立之，蔡人殺之，我又與蔡人奉戴厲公。至於莊、宣皆我之自立。夏氏之亂，成公播蕩，又我之自入，君所知也。今陳忘周之大德，蔑我大惠，棄我姻親，介恃楚眾，以憑陵我敝邑，不可億逞，我是以有往年之告。未獲成命，則有我東門之役。當陳隧者，井堙木刊。敝邑大懼不競而恥大姬，天誘其衷，啟敝邑心。陳知其罪，授手於我。用敢獻功。」

晉人曰：「何故侵小？」對曰：「先王之命，唯罪所在，各致其辟。且昔天子之地一圻，列國一同，自是以衰。今大國多數圻矣，若無侵小，何以至焉？」

晉人曰：「何故戎服？」對曰：「我先君武、莊為平、桓卿士。城濮之役，文公佈命曰：『各復舊職。』命我文公戎服輔王，以授楚捷——不敢廢王命故也。」士莊伯不能詰，復於趙文子。文子曰：「其辭順。犯順，不祥。」乃受之。（《左傳正義》，卷36，頁11下-14上）

《左傳》詳載子產答覆晉提出「陳之罪」為何、「何故侵小」與「何故戎服」等詰問，子產不卑不亢，引經據典一一答覆，晉最終接受鄭的獻捷。子產此次獻捷，基本上違反「獻捷義例」的兩個原則：一是中國諸侯彼此攻伐不應獻捷，二是諸侯不相遺俘／獻捷。但《左氏》並未根據「獻捷義例」予以貶抑，其因或許如本文〈二‧（三）〉所言，子產此次獻功，僅呈獻戰功紀錄而未呈獻囚俘或實物，與有獻實物之獻俘情況微有區別，故不以非禮斥之。此純屬推測，況且亦有學者主張子產此次獻功亦有寶器諸物，[71] 若然，則《左傳》之立場似不堅定。事實上傳文對此事不僅毫無批判意味，甚至引用「仲尼曰」予以高度肯定、褒揚：

仲尼曰：「志有之：『言以足志，文以足言。』不言，誰知其志？言之無文，行而不遠。晉為伯，鄭入陳，非文辭不為功。慎辭哉！」（《左傳正義》，卷36，頁14上）

《左傳》既引「仲尼曰」為己代言。[72]「仲尼」又引古志「言以足志，文以足言」，謂若言辭未有文飾，則無法有效達成目的，論證以文辭宣達心志的重要性。孔子認為鄭入陳而向晉獻捷，若無子產之文辭即無法成功，對子產之獻捷顯屬褒揚。由此段言論衡之，「仲尼曰」對鄭派子產赴晉獻捷非唯並未貶抑，且肯定子產善於應對，其文辭足為成功範例，可見《左傳》「獻捷義例」與「仲尼曰」明顯矛盾，而《左傳》顯然肯定「仲尼曰」的立場。

《左傳》初始雖有獻捷「義例」，但卻消極的甚少評論諸侯間的相互獻捷，甚至有

---

71 說已見前〈二‧（三）〉所引孔穎達、楊伯峻之說。

72 關於「仲尼曰」與《左傳》敘事的相關討論，可參拙作：〈《左傳》「仲尼曰敘事」芻論〉，《臺大中文學報》第33期（2010年12月），頁91-138，收入拙作《先秦兩漢歷史敘事隅論》。

肯定的趨向。《左傳》前後立場相異的緣由，可能如前所述，「獻捷義例」源自較早的傳統，故在春秋前期的魯莊三十一年，首次諸侯相互獻捷時引述「義例」加以批判；但春秋中後期，王權衰落，諸侯間之征伐屢見不鮮，諸侯相互獻捷也就成為當時的新現象、新規則。《左氏》可能因為歷史的演進，最終接受諸侯相互獻捷的現實，並承認其合理性。另一種可能是，《左傳》並非由單一作者完成，是以前後立場不一，亦即前面的作者可能支持諸侯不能相互獻捷的傳統，但後面的作者則肯定諸侯相互獻捷的作用與意義，因為小國向大國獻捷屬於政治協調的一環，子產的獻捷也展示了突破小國面對大國夾迫的外交困境的可能性。

以上只是筆者的懷疑與推測，並無確切證據。近年來筆者頗懷疑《左傳》僖公以前、文公襄公時期、襄公以後，其文學風格與價值觀念，乃至關懷焦點皆頗有不同：[73] 如襄公以前，《左傳》基本上乃以「霸主」為敘述焦點，聚焦於齊桓、晉文、秦穆、楚莊等人之霸業；襄公以後，敘事焦點明顯降至執政、賢大夫，如以晉之叔向、鄭之子產、吳之季札為主。唯此一懷疑尚須進一步的研究與驗證，謹請海內外博雅君子不吝賜教，寔所盼禱。

五　結論

本文由分析《左傳》「獻捷」之相關記述切入，探討春秋時期「獻捷」的名義，「獻捷」與「獻俘」、「獻功」間的異同；進而討論春秋時期的獻捷現象，並與《左傳》的「獻捷義例」比勘，得出若干結論：

首先，所謂「獻捷」，由文獻可推知乃將戰爭的俘獲，呈送給第三方的儀節。見諸《左傳》，與「獻捷」相關者尚有「獻俘」、「獻功」二詞。歷來對此三「詞」之說解頗有歧異，本文三者獻上的品物互通，且《左傳》「獻捷」、「獻俘」、「獻功」三詞往往混用無別，推論三者所指應為相同的儀節。而由《左傳》記述，可知春秋時期「獻捷」所獻之品物主要以生俘、馘首與車馬、兵器為主，又以生俘最為常見。

---

73 〔清〕馮李驊：《左繡》（臺北市：文海出版社，1967年），〈讀左巵言〉：「前人論全唐詩，有初、盛、中、晚之分，愚于《左傳》亦作此想。隱、桓、莊、閔之文，文之春也：議論如觀魚、納鼎；敘事如中肩、好鶴，規模略具而氣局淳樸，翕聚居多。僖、文、宣、成之文，文之夏也：議論如出僕、絕秦；敘事如鄢陵、城濮，無不大展才情，縱橫出沒。襄、昭之文，文之秋也：議論如觀樂、和同；敘事如偪陽、華向，氣歛詞豐，強半矜麗之作。定、哀之文，文之冬也：議論如梟鼬、夫椒；敘事如艾陵、雞父，又復婉約閒靜，絢爛之極，歸于平淡。作者之精神與春秋之風會相為終始，讀者按其篇籍，通其脈絡，沈潛玩索，知不河漢斯言。」（頁9下-10上）馮氏由文章風格立論，雖未指明風格致異之因由，隱約中似與鄙意暗合。另，何樂士：〈《左傳》前八公與后四公的語法差異〉，《古漢語研究》創刊號（1988年），頁56-65，亦有類似之說；清儒亦有不少類似之見，茲不縷舉。

其次，春秋時期之「獻捷」大致可區分為諸侯向天子獻捷與諸侯相互獻捷二類。向天子獻捷旨在彰揚戰功，並藉此確立君臣關係，凸顯己方遵奉王命征討四方的正當性。然而春秋時期向天子獻捷者只有晉國，似乎當時已形成霸主始獻捷於周的現象。另，晉向周獻捷，始於魯僖二十八年（晉文公五年，西元前六三二），止於魯成十六年（晉悼公元年，西元前五七〇），可能代表周王室在魯成十八年之後已不再被尊奉，或者與晉國之內鬥加劇，國勢寖衰有關。至於諸侯之相互獻捷，其基本原型應是小國向大國獻捷，除有宣示效忠之意，也代表取得大國盟主認可發動征伐的正當性。春秋時期雖以小國向大國、霸主獻捷為主，但也偶有例外，如魯襄二十六年楚康王便透過獻鄭捷拉攏秦國。另外，歷來爭論較多的則有魯莊三十一年與魯僖二十一年齊、楚向魯獻捷二事，蒐羅各家之說可歸結為向魯示好、誇耀軍功與威嚇魯國臣服三種意見。筆者較認同第三種觀點，認為齊、楚二大國藉由「獻捷」誇示己功，進而達到威逼魯國遵從己方的政治目的。

復次，《左傳》「獻捷義例」主要有三個原則：一、諸侯對蠻夷戎狄有征伐之功，則獻捷於王。二、華夏諸侯相互征討，無需獻捷。三、諸侯不相遺俘。此一義例雖與成二年《左傳》單襄公之語符契，但《左傳》對其所載之諸多諸侯間相互獻捷事例並無明顯批判，甚至於魯襄二十五年子產之獻捷，援引「仲尼曰」予以肯定、褒揚，明顯可見前後立場不一。此種矛盾可能出自《左傳》「獻捷義例」係來自較早的禮儀傳統，但此一規則在春秋中後期產生變化，《左氏》迫於現實，遂不得不妥協載述；另一種可能則是，《左傳》並非一人撰成，故而前後立場並不一致。

附識：本文初稿曾以〈《左傳》「獻捷」、「獻俘」、「獻功」考釋〉之名，於「經學史研究的回顧與展望：林慶彰先生榮退紀念研討會」（2015年8月21-22日，日本，京都大學）宣讀；修訂稿惠蒙《政大中文學報》不具名審查委員謬賞，並惠賜針砭，得以補苴訂謬，更易篇名，謹誌謝忱。今又得以收錄於林先生之榮退論文集，榮寵何似！

（本文原載於《政大中文學報》第24期（2015年12月），蒙惠《政大中文學報》編輯委員會同意轉載，謹申謝悃）

許世子弒君問題初探

張曉生
臺北市立大學中國語文學系教授

提要

「《春秋》道名分」，在儒學傳統之中，「君君、臣臣、父父、子子」是家庭倫理以及政治秩序得以穩定的基本條件，如果君臣、父子的道義或是倫序遭到破壞，所造成的影響，將會是價值體系的崩毀。《春秋・昭公十九年》「許世子止弒其君買」的事件中，不只涉及臣弒其君的篡亂，更是子弒父的逆倫，原本應是聖人首誅的大罪，但是在三《傳》的記載中，其弒君的過程、弒君的用意以及其罪責的判定，並非一致，因而引起後世學者的爭論。本文以《三傳》對此事的解釋與評價為基礎，搜集歷代學者對於此一事件的議論加以整理分析，除了條理出此一問題在歷代解釋發展的脈絡，亦嘗試探討歷代學者「如何」以及「為何」選擇他們所相信的真相，及其在《春秋》學史上的意義。

關鍵詞：許世子　許止　許悼公　弒君　原情

一 前言

「《春秋》道名分」，在儒學傳統之中，「君君、臣臣、父父、子子」是家庭倫理以及政治秩序得以穩定的基本條件，如果君臣、父子的道義或是倫序遭到破壞，所造成的影響，將會是價值體系的崩毀。因此歷來《春秋》學者皆以孟子所言「孔子成《春秋》而亂臣賊子懼。」作為解讀《春秋》的最高指導原則。《史記》〈太史公自序〉言「《春秋》之中，弒君三十六」，在這些弒君的事件中，大多數是罪有應得的「亂臣賊子」，但是其中也有情實難斷的疑似之案，「趙盾弒君」以及「許世子弒君」二事，最為《春秋》學者爭論置疑，紛紛不休者。其中「許世子止弒其君買」的事件中，不只涉及臣弒其君的篡亂，更是子弒父的逆倫，原本應是聖人首誅的大罪，但是在三《傳》的記載中，其弒君的過程、弒君的用意以及其罪責的判定，並非一致，因而引起後世學者的爭論。這些議論，有些是針對三《傳》提出質疑，有些是論斷許止之罪，更有些將許世子的事例運用在當世事件的爭論，展現了「《春秋》具列事實，亦人人可解，一知半解，議論易生」[1]的《春秋》學實況。在閱讀了許多的意見之後，筆者發現，此事的真相如何，可能的確是關乎《春秋》褒貶所在，但是歷代學者「如何」以及「為何」選擇他們所相信的真相，在我們研究《春秋》釋經發展上，應該與探究「事實」，有同樣重要的意義。乃匯聚資料，試作此文，以就教於方家。

二 《春秋》及三《傳》對此事的記載及說明

關於「許世子弒君」一事，三《傳》的記載在內容及重點上不盡相同，茲先做引述，作為討論之基礎文獻。《春秋》於魯昭公十九年記「夏五月，戊辰，許世子止弒其君買」、「冬，葬許悼公」，《左傳》於此事的說明：

> 夏，許悼公瘧。五月，戊辰，飲太子止之藥，卒。太子奔晉。書曰：「弒其君」君子曰：「盡心力以事君，舍藥物可也。」[2]

《公羊傳》於「弒君」無傳，於「葬許悼公」下發傳云：

> 賊未討，何以書葬？不成于弒也。曷為不成于弒？止進藥而藥殺也。止進藥而藥殺，則曷為加弒焉爾？譏子道之不盡也。其譏子道之不盡奈何？曰：樂正子春之

1 〔清〕紀昀等纂，四庫全書研究所整理：《欽定四庫全書總目》（北京市：中華書局，1997年），頁328。

2 〔晉〕杜預集解，〔唐〕孔穎達正義：《春秋左傳正義》（整理本）（北京市：北京大學出版社，2000年），頁1590。

視疾也。復加一飯則脫然愈，復損一飯則脫然愈；復加一衣則脫然愈，復損一衣則脫然愈。止進藥而藥殺，是以君子加弒焉爾，曰「許世子止弒其君買」，是君子之聽止也；「葬許悼公」，是君子之赦止也。赦止者，免止之罪辭也。[3]

《穀梁傳》於「弒君」下釋之曰：

日弒，正卒也。正卒，則止不弒也。不弒而曰弒，責止也。止曰：「我與夫弒者，不立乎其位。」以與其弟虺。哭泣歠飦粥，嗌不容粒。未踰年而死，故君子即止自責而責之也。[4]

於「葬許悼公」下曰：

日卒時葬，不使止為弒父也。曰：子既生，不免乎水火，母之罪也。羈貫成童，不就師傅，父之罪也。就師學問無方，心志不通，身之罪也。心志既通，而名譽不聞，友之罪也。名譽既聞，有司不舉，有司之罪也。有司舉之，王者不用，王者之過也。許世子不知嘗藥，累及許君也。[5]

上引三傳對於《春秋》經文的解釋，《左傳》著重在陳述事實：昭公十九年夏，許悼公得到瘧疾，五月戊辰，飲太子許止之藥而卒，其後太子奔晉。《左傳》特別註明「書曰弒其君」，是對於經文書法的一種提示，如果依照杜預〈春秋左氏經傳集解序〉的說法，《左傳》中特別標識「書曰」的經文，即是孔子所作的裁斷，所謂「起新舊，發大義」的書法，則此事應即以「許君為世子所弒」，歸罪於許世子。杜預在註解經文及傳文時，對於為何《春秋》以許世子進藥於父而導致父死，要以「弒」罪之？所做的說明為：「止獨進藥，不由醫。」[6]、「醫非三世，不服其藥，古之慎戒也。人子之孝，當盡心嘗禱而已，藥物之齊，非所習也。許止身為國嗣，國非無醫，而輕果進藥，故罪同於弒。雖原其本心，而《春秋》不赦其罪，蓋為教之遠防也。」[7]，杜預認為醫藥是專業，許世子不懂醫藥，卻要進藥於父，雖有憂疾之心，但是輕率進藥導致父亡，卻是有過，因此要以弒君罪之，作為後世謹事君父之教訓。因此他在後引「君子曰」之言下注：「藥物有毒，當由醫，非凡人所知。譏止不舍藥物，所以加弒之名。」[8]我們從《左

3 〔漢〕何休解詁，〔唐〕徐彥疏：《春秋公羊傳注疏》（整理本）（北京市：北京大學出版社，2000年），頁585-586。

4 〔晉〕范寧集解，〔唐〕楊士勛疏：《春秋穀梁傳注疏》（整理本）（北京市：北京大學出版社，2000年），頁340-341。

5 〔晉〕范寧集解，〔唐〕楊士勛疏：《春秋穀梁傳注疏》，頁341。

6 〔晉〕杜預集解，〔唐〕孔穎達正義：《春秋左傳正義》，頁1590。

7 同上注，引《春秋釋例》，頁1589。

8 同上注，頁1590。

傳》傳文以及杜預的解釋，可知《左傳》對於許世子作為的解釋，是理解其進藥事父之心，但是不寬諒其執意進藥導致父亡的過錯，為了避免後世事君父者重蹈覆轍，《春秋》乃以「弒君」之罪加之，以為警惕。

《公羊傳》在許悼公致死的原因上，理解與《左傳》相同：飲世子止之藥而死。對於《春秋》書法的解釋，也與《左傳》相同，認為孔子以「弒君」之名加於許世子，是「聽止」，也就是「治止罪」，而如此加罪的目的在於批評許世子未盡子道，這個推論也與《左傳》相近。不過《公羊傳》認為《春秋》經文雖然以「弒其君」罪許世子，但是在「葬許悼公」書法處理上，赦免了許世子之罪，這個意見就與杜預及《左傳》所理解的不同。前引杜預之解：「《春秋》不赦其罪」，而《公羊》卻以《春秋》赦止。推考《公羊傳》的文意，他認為所謂「許世子弒其君」其實並非「實弒」其君，只是「藥殺」—其君為藥所害，並非許世子故意弒殺君父；經文中的「弒」字，是孔子所加，是為了批評許世子「子道之不盡」。既然並非實弒，即不成於弒，那麼就沒有所謂「弒君之賊」，不必以隱公十一年《公羊傳》：「《春秋》：君弒，賊不討不書葬」的義例，《春秋》逕書「葬許悼公」，即是表明許世子不是弒君之亂臣賊子，所以《公羊傳》才說「赦止」。[9]

觀察《左傳》和《公羊傳》在《春秋》「罪止」或「赦止」的意見，其間最大的分歧點在於：《左傳》雖然理解許世子事父憂疾之心而進藥，但是其不由醫而輕率進藥，導致君父之死，這是進藥行為的直接結果，為了警惕後世，所以加其弒君之罪，這是基於「行為事實」以及父子、君臣倫理要求下的理解。《公羊傳》則以「子道」做為重點，認為《春秋》加罪於許世子，是因為他不能如樂正子春一般，時時刻刻的心念父母，卻因為進藥疏忽而導致父死，所以書弒以罪之。但是《公羊傳》從許世子之「意」（本欲愈父之病，無害父之意）上著眼，認為《春秋》書許悼公之葬是赦免了世子，也就是不認為許世子的行為是「弒君」，這是基於「求其心意」的理解。

《穀梁傳》的解釋最為繁複，歸納其重點：（一）傳義也認為許世子並非弒君，因為許世子只是「不嘗藥」。[10]（二）《春秋》書弒的原因，是以許世子因為「不嘗藥」而自責，認為與弒君之人同罪[11]，所以《春秋》即因其自責而責止。但是以「日卒時葬」的書法「不使止為弒父」，即有寬赦之意。（三）許止自責，故將君位讓與其弟虺，自己

---

9 何休《解詁》：「原止進藥，本欲愈父之病，無害父之意，故赦之。」〔漢〕何休解詁，〔唐〕徐彥疏：《春秋公羊傳注疏》，頁586。

10 《穀梁傳》傳文在解釋「許世子止弒其君買」經文中只說「止不弒。不弒而曰弒，責止也」並未說緣何而責止？在「葬許悼公」下才說「許世子不知嘗藥，累及許君也。」，乃知《穀梁傳》認為許世子之過在於「不嘗藥」而導致其父為藥所害。〔晉〕范甯集解，〔唐〕楊士勛疏：《春秋穀梁傳注疏》，頁340。

11 范甯於「止曰：『我與夫弒者，不立乎其位。』以與其弟虺。」下注：「止自責曰：我與弒君之人同罪。於是致君位於弟。」〔晉〕范甯集解，〔唐〕楊士勛疏：《春秋穀梁傳注疏》，頁340。

哭泣哀痛，以致不能進食，逾年而死。《穀梁傳》相較於其他兩傳的解釋，在許君死亡的原因方面，不同於《左傳》及《公羊》之「進藥而藥殺」，《穀梁》以「不知嘗藥」（不嘗藥）為止之過，而「進藥而藥殺」與「不嘗藥」不盡相同。「進藥」是「世子為藥主」[12]，而「不嘗藥」則藥不必由世子所進，而世子僅是未盡到「嘗藥」之責；在為何《春秋》以「弒君」罪許世子的解釋上，《穀梁》以《春秋》接受許世子自責並且哀痛致死的心意，以「弒君」責之，而以「日卒時葬」的書法寬宥之，此與《公羊》近似，而與《左傳》不同。

從以上所述《三傳》對於《春秋》「許世子弒其君買」一事的解說，可以看到在許世子所犯過錯、應負的責任，以及《春秋》的褒貶論斷上，三者各有同異，但是基於「《春秋》道名分」的經典核心價值要求，凡是解釋《春秋》者，即無法迴避這些問題，也因此引起繁多的討論。宋黃震於《黃氏日鈔》卷十二〈讀春秋〉「夏五月戊辰許世子止弒其君買」條下所引宋代趙鵬飛、崔子方、鄭樵、陳傅良等人的質疑，即可見其問題紛雜：

> 經書弒，三《傳》皆謂世子非弒。趙木訥曰：「學者不信經而信傳，反從為之辭，若果傳實是，《春秋》誣人以大逆矣！歐陽子固嘗攻之。」西疇崔氏曰：「不嘗藥之過小，而加弒君之罪大，豈先王法哉？且《春秋》所以為法也，向使聖王在上，豈遂以弒君之罪殺止耶？其不然明矣。」夾漈鄭氏曰：「是何言哉！臣弒君、子弒父，何容易加人乎？」止齋陳氏曰：「世子誠不嘗藥爾，何罪而奔晉？」[13]

我們如果藉由上述四位宋代學者的質疑，回頭檢視問題的起點——三《傳》的論說，可歸納其間產生疑義的地方大致為：

（一）經書「弒君」，簡捷明白，《三傳》所述紛紛，究竟應該信經還是信傳？

（二）《左傳》雖以世子不舍藥物為憾，然認為《春秋》並未寬宥，但是《公羊》、《穀梁》卻以為《春秋》責之又赦之。如此，究竟《春秋》對於許止的褒貶如何？

（三）《穀梁》以世子僅是不嘗藥，這樣的過錯足以被視為弒君嗎？

（四）《公羊》、《穀梁》據以認為《春秋》赦止的理由：「書許悼公葬」、「日卒時葬」，這樣的理由足以證明《春秋》寬赦許止之過嗎？

---

12 《左傳》：「飲大子止之藥卒」下《正義》：「言飲大子止之藥，專以止為藥主，是止獨進藥，不由醫也。」〔晉〕杜預集解，〔唐〕孔穎達正義：《春秋左傳正義》，頁1590。

13 〔宋〕黃震：《黃氏日鈔》（臺北市：臺灣商務印書館，1983年影印《文淵閣四庫全書》本），卷12，頁31-32。

以下即就歷代學者對於此事討論的意見加以整理，以呈現其理解。

三 歷代學者論「許世子弒君」

關於「許世子弒君」的討論，歷代學者在經注或專論中所發的議論實在繁多，若一一討論，恐流於蕪雜，筆者在盡量蒐集閱讀之後，將眾人議論歸納為若干主題，以便呈現其觀點及其思考傾向。

（一）質疑三《傳》之說，然於許世子之過未置定論者：

三《傳》之說，雖為《春秋》學術之基礎，但往往也是歧義之源頭。歷代研考《春秋》者對於三《傳》意見，或是摘取質疑、或是系統辨說，成為《春秋》學發展的常見型態。唐劉知幾《史通》外篇〈雜說〉中，對於《公羊傳》中用樂正子春敬慎事親作為許止的對照批評，頗致譏評：

> 《公羊》云：許世子止弒其君，曷為加弒？譏子道之不盡也。其次因言樂正子春之視疾，以明許世子之得罪。尋子春孝道，義感神明，固以方駕曾、閔，連蹤丁、郭，苟事親不逮樂正，便以弒逆加名，斯擬失其流、責非其罪。[14]

劉知幾認為，《公羊》以《春秋》加弒於許世子，是因為「未盡子道」，但是傳文以樂正子春侍奉親疾作為對照，則似乎有「不如樂正子春」者即為「未盡子道」，難道事親不如樂正子春，就可以未盡子道而加之「弒君父」之罪？[15]因此劉知幾認為《公羊》於此的比擬不當，對許止罪責之追究亦不應在於未盡孝道。其後唐陸淳《春秋集傳辨疑》中所引趙匡之言，似乎就是承續劉知幾的意見繼續發揮：

> 《公羊》說樂正子春云云。趙子曰：「經責其輕進藥，令父薨耳，不責其不解醫也。樂正子春加一食、加一衣，能令親愈，即子春之親長不歿乎？」[16]

趙匡于此把劉知幾認為的「子道之不盡」導向於「輕進藥，令父薨」，這是符合《公羊》釋經之意的，但是其後又對於《公羊》引樂正子春之事冷言嘲諷，似在說樂正子春

---

14 〔唐〕劉知幾：《史通》（臺北市：臺灣商務印書館，1983年影印《文淵閣四庫全書》本），卷16，頁3。

15 劉知幾對於《公羊》的批評未盡公允。詳讀《公羊傳》原文，《公羊傳》始終以許世子被《春秋》認為弒君，是因為進藥而藥殺君父，進藥而導致父死，是缺乏細緻的關心，其所引樂正子春之事，是要說明這種細緻的關心及謹慎應當如何，並無意以樂正子春做為裁判許世子是否弒君的標準。

16 〔唐〕陸淳：《春秋集傳辨疑》（臺北市：臺灣商務印書館，1983年影印《文淵閣四庫全書》本），卷10，頁5。

如此周到事親之疾，固然可使親疾早癒，但是人總會離世，子春之親也終將故去，如果一旦樂正子春儘管盡力事親，但其親仍歿，則子春有過或無過乎？觀劉知幾和趙匡對《公羊傳》的批評，可謂尖刻，吾人於其中所可得者，應在於二人對於《公羊》不滿。

宋代劉敞則是對於《穀梁傳》「日卒時葬」之說提出批評：

> 十九年，許世子止弒其君買。《穀梁》曰：「日弒，正卒也」冬，葬許悼公。《穀梁》曰：「日卒時葬，不使止為弒父也」皆非也。州吁、宋萬、商臣、商人、歸生、夏徵舒、崔杼、甯喜，此皆弒其君而書日者，可云皆正卒乎？「春，葬陳靈公」可云不使夏徵舒為弒君乎？[17]

《穀梁》對於《春秋》於許悼公之卒書日解釋成「正卒」，亦即不以許悼公死於非命；書許悼公之葬，則解釋成「不使許止為弒父」，二者皆導向於認為《春秋》寬諒許世子，不以其為弒君之亂臣賊子。劉敞則認為，若是這樣的書法成立，應該一體適用於州吁、宋萬、商臣、商人、歸生、夏徵舒、崔杼、甯喜等人的弒君事件上，《春秋》於上述諸人弒君，亦皆書日，而陳靈公亦書葬，若以《穀梁》所認定的書法，這些人就不應被視為弒君之罪人，但是州吁等人卻實在是弒君犯上之亂臣賊子，可見《穀梁》以《春秋》「日卒時葬」寬解許世子的解釋有誤。劉敞之說，看似合理，但是這樣的批評，其實並不能相應於《穀梁傳》的解釋系統。即以陳靈公書葬為例，陳靈公是在宣公十年五月癸巳為夏徵舒所弒，楚於宣公十一年冬聯合諸侯誅殺夏徵舒，至宣公十二年春，始葬陳靈公，杜注：「賊討國復，二十一月然後得葬」[18]，范寧用范泰說：「書葬以表討賊」[19]，可知陳靈公之葬，是在「賊討」之後才入葬，如此事例與許君書葬並不相同，不應用以質疑《穀梁傳》在許世子事上的理解。劉敞此說，與劉知幾、趙匡質疑《公羊》的議論的意義，可能不在所論是否確實攻破《公》、《穀》，而在於他們所表現對於《公》、《穀》所表現的嚴厲態度。

（二）信經不信傳，以許世子有意弒君者：

《春秋》之學，原本即應以經為主題，傳為輔助，然《春秋》經文簡要，難定旨歸，若無傳之事案，則解經幾同「射覆」；而一經卻有三傳，其事義往往不能盡同，更導致經義不明。韓愈「春秋三傳束高閣，讀抱遺經究終始」之詩，已可見學者回歸經書的要求。宋代歐陽修曾作〈春秋論〉三篇，主張經所書即是褒貶所在，書許世子弒君，

17 〔宋〕劉敞：《春秋權衡》（臺北市：臺灣商務印書館，1983年影印《文淵閣四庫全書》本），卷17，頁14。

18 〔晉〕杜預集解，〔唐〕孔穎達正義：《春秋左傳正義》，頁727。

19 〔晉〕范寧集解，〔唐〕楊士勛疏：《春秋穀梁傳注疏》，頁232。

則許世子實弒其君。他首先以《春秋》謹於褒貶，不應將小惡加以大罪：

> 弒逆大惡也，其為罪也莫贖，其於人也不容，其在法也無赦。法施於人，雖小必慎，况舉大法而加大惡乎？既輒加之，又輒赦之，則自侮其法，而人不畏，《春秋》用法不如是之輕易也。[20]

歐陽修在〈春秋論〉下篇討論兩個被《春秋》指為弒君的人：趙盾及許世子。這兩個人都非親弒其君，三《傳》對於二人，亦多有寬諒的理解，但是歐陽修卻認為，《春秋》為後世樹立典型，不應輕易用法，既加之罪，即不會輕易赦之。他在討論許世子之事時，就設為三種情況，加以一一衡量，討論其行是否當於弒君之罪？

> 今有一人焉，父病，躬進藥而不嘗；又有一人焉，父病而不躬進藥，而二父皆死；又有一人焉，操刃而殺其父。使吏治之，是三人者，其罪同乎？曰：「雖庸吏猶知其不可同也」。躬藥而不知嘗者，有愛父之孝心，而不習於禮，是可哀也，無罪之人爾；不躬藥者，誠不孝矣，雖無愛親之心，然未有殺父之意，使善治獄者，猶當與操刄殊科。况以躬藥之孝，反與操刄同其罪乎？此庸吏之不為也。然則許世子止實不嘗藥，則孔子決不書曰「弒君」。孔子書為「弒君」，則止決非不嘗藥。[21]

歐陽修所說的「三人」，其實是將三《傳》之說化為具體的情境加以衡量，其中「父病，躬進藥而不嘗」之人，可對應到《左傳》「飲太子之藥」及《公羊》「止進藥而藥殺」、《穀梁》「許世子不知嘗藥」等說；[22]「父病而不躬進藥」，則是《左傳》所引君子曰「舍藥物可也」之說；而「又有一人焉，操刃而殺其父」則應是歐陽修有意將經文「弒其君」的文字，脫離三傳纏繞在進藥、嘗藥論述的極端說法，將經文所書許止「弒其君」等同於操刃弒父。這三種情況中，進藥不嘗，或是不進藥，在歐陽修的觀點中，均非有意弒父，以法而論，皆應與手刃其父者罪刑不同，據此而論許止之事，則三《傳》所說的進藥、不嘗藥，與經書「弒其君」在罪刑的份量上根本不同，以他認為孔子《春秋》謹於用法，則可知經書「弒其君」，即絕非進藥、不嘗藥所致，而是許止實弒其君！

歐陽修此論，對於後世在許世子弒君一事的討論上，發生很大的影響。宋代趙鵬飛曾說：

---

20 〔宋〕歐陽修：〈春秋論〉下，《文忠集》（臺北市：臺灣商務印書館，1983年影印《文淵閣四庫全書》本），卷18，頁10。

21 〔宋〕歐陽修：〈春秋論〉下，《文忠集》，卷18，頁12-13。

22 筆者在前文曾特別指出，《左傳》及《公羊》均僅說世子進藥，並未說是否嘗藥；只有《穀梁》才以不嘗藥為許世子之過。歐陽修在此，實將三傳之說混同而論。

《春秋》書許止弒君，而傳以為非弒，學者不信經而信傳，又從而為之辭，吾所不曉。若果傳實而經虛也，則是《春秋》誣人以大逆矣！君子聽訟，辭不實，慊然不安於心，而況大逆之罪，聖人輕以加人乎？此固獰言亂經，被聖人以誣人之罪，其誅重矣！歐陽子固嘗攻之，吾願鳴鼓而先登，是乃闢楊墨之意也！[23]

明白表示他信經不信傳，是繼歐陽修之後而起。其後洪咨夔也主張許世子實弒其君[24]：

此乃聖人耳目所接，謹而日之，實弒無疑也。臣弒其君，子弒其父，極天下之大惡，豈容輕加諸人？止不知嘗藥而加以弒，事有甚於不嘗藥者，何以待之？輕重有權，褒貶有等，《春秋》所以為禮義之大宗。止以弒書，則是奉藥以弒無疑矣！傳者好奇喜異，每以不弒為弒，以實弒為不弒，學者又曲說以濟之，聖人維持綱常之意不明於後世者，豈惟止事哉！夫使止果以不嘗藥弒，又因其哭泣自責而日卒時葬以免之，是篡弒大刑亦可以悔艾自贖，亂臣賊子尚何懼之有？[25]

明代鄭玉在〈讀歐陽公趙盾許止弒君論〉中也認為許世子弒君之事實為三傳所蔽，他更從《左傳》記許悼公卒後世子奔晉一事推論，世子弒君之後避討而奔逃他國，即是其弒君之證：

予觀《左傳》所載皆魯史舊文，明白可信，及丘明稍加檃括，附以議論，然後事跡泯滅，是非乖謬，《春秋》之旨始有不可得而考者矣。及《公羊》、《穀梁》定為義例之說，但有不合，則曰此聖人之微意也。一切舍事實而求之空言，使聖人筆削之妙，下同刻吏弄法之文，而仲尼之志亦復不可見矣！然則《春秋》之不明，《三傳》蔽之也。……許悼公瘧，飲太子止之藥而卒，太子奔晉。夫飲其藥而卒，則是進毒以酖其父矣。父死而奔，則是弒君而避討矣。苟非其弒，父死之後，居喪即位，自有常禮，豈有棄父之喪而奔他國者乎？[26]

---

23 〔宋〕趙鵬飛：《春秋經筌》（臺北市：臺灣商務印書館，1983年影印《文淵閣四庫全書》本），卷14，頁4。

24 洪氏在襄公七年「鄭伯髡頑如會，未見諸侯，丙戌，卒于鄵。」經文下所論，表明了其信經不信傳的立場：「《春秋》為亂臣賊子作，賊不討不書葬，罪舉國無臣子也。鄭伯果以不禮大夫，獨從中國弒而《春秋》隱之，是蔽惡也，是縱姦也，是天下之大刑可私宥也。一字筆削，萬世榮辱，安有實見弒而顧卒之乎？彼趙盾弒也，而曰不越竟，許世子止弒也，而曰不嘗藥，至髡頑道病而卒，昭昭也，而必曰弒，傳者何為故為出入若是乎？學者信傳不信經，又從而遷就為之辭，深切著明者於是乎迂而晦，亂臣賊子奚懼焉？」。〔宋〕洪咨夔：《洪氏春秋說》（臺北市：臺灣商務印書館，1983年影印《文淵閣四庫全書》本），卷21，頁15。

25 〔宋〕洪咨夔：《洪氏春秋說》，卷25，頁8-9。

26 〔明〕鄭玉：〈讀歐陽公趙盾許止弒君論〉，〔明〕程敏政：《新安文獻錄》（臺北市：臺灣商務印書館，1983年影印《文淵閣四庫全書》本），卷35，頁26-28。

我們從這些「信經」而斷定許止有意弒君的論說中，可以看到很明顯的意見傾向，即是以《三傳》之說造成價值混亂，如果要守護《春秋》維持綱常的核心價值，必須要回歸以《春秋》為本位的學術本源。這樣的態度可能可以達到若干正本清源或掃除枝蔓蕪說的作用，但是也可能會遮蔽了《春秋》在人事中所顯示的複雜而細膩的思考。

（三）綜理三《傳》之說，以許世子非有意弒君者：

三《傳》於許世子弒君一事上，對於《春秋》是懲是赦雖有若干分歧，但是在許止行為的記述上則大致相近，因此便有學者認為，三《傳》傳承《春秋》，即使得諸傳聞，也較後世為近實，故「事非目睹，何必翻前人成案？」[27]於是學者便在三《傳》的基礎下綜合、整理、疏通，以求合理。

宋蘇轍於《春秋集傳》解釋經文下說：

> 許悼公瘧，飲世子止之藥而卒，其以弒書之何也？止雖不志乎弒，其君由止以卒，則亦止弒之也。君由止以卒，而不以弒君書之，則臣將輕其君，子將輕其父，亂之道也。故止之弒君，雖異乎楚商臣、蔡般也，而《春秋》一之，所以隆君父也。今律：過失殺人以贖論，過失殺朞尊減殺人二等，過失殺大父母減殺人一等，而和御藥誤，不如法者，死。父子之親，許以情論，至於君臣，則情不勝法，此蓋《春秋》之遺意也。[28]

蘇轍的論點，可謂綜合了三《傳》的意見，而歸結到《春秋》書弒，是為了「隆君父」，並且以當時刑律中對於過失導致親死給予寬赦減刑，但是涉及君王之事，則不容有誤為例，認為「父子之親，許以情論，至於君臣，則情不勝法」，並認為這就是得自《春秋》之意。推究其說，其實與《左傳》之旨相合，同樣是在「行為事實」以及君臣大義的角度所做的判斷。

宋胡安國《春秋傳》在南宋至明代之間影響很大，他對於「許世子弒君」的理解，也是綜合了三傳之說，再加以判斷：

> 按《左氏》:「許悼公瘧，戊辰，飲世子止之藥卒」書曰「弒其君」者，止不嘗藥也。古者醫不三世不服其藥，夫子之所慎者三，疾居其一。季康子饋藥，曰：「丘未達，不敢嘗。」敬慎其身如此也，而於君父可忽乎？君有疾，飲藥，臣先

---

27 皮錫瑞：《師伏堂春秋講義》（上海市：上海古籍出版社，2002年《續修四庫全書》影印清宣統元年本），卷上，頁8。

28 〔宋〕蘇轍：《春秋集傳》（臺北市：臺灣商務印書館，1983年影印《文淵閣四庫全書》本），卷10，頁14。

嘗之；父有疾，飲藥，子先嘗之。蓋言慎也。止不擇醫而輕用其藥，藥不先嘗而誤進於君，是有忽君父之心而不慎矣。自小人之情度之，世子弒君欲速得其位，而止無此心，故曰：「我與夫弒者」不立乎其位，哭泣，歠飦粥，嗌不容粒，未逾年而卒。無此心，故被以大惡而不受，自君子聽之，止不嘗藥，是忽君父之尊而不慎也，而止有此心，忽君父之尊而不慎，此簒弒之萌，堅冰之漸，而《春秋》之所謹也。有此心，故加以大惡而不得辭，書許世子止弒君，乃除惡於微之意也。而或者顧以操刃而弒，與不躬進藥及進藥而不嘗三者罪當殊科，疑於三《傳》之說，則誤矣。必若此言，夫人而能為《春秋》，奚待於聖筆乎？墨翟兼愛，豈其無父？楊朱為我，豈其無君？孟軻氏辭而闢之，以為禽獸逼人，人將相食，後世推明其功不在禹下，未有譏其過者。知此說，則知止不嘗藥，《春秋》以為弒君之意矣。[29]

以上所以不避繁冗的引述胡傳，實為見其解經綜合三傳的作法。他揉合了三傳之說，而將經書「弒其君」的用意歸結到「書許世子止弒君，乃除惡於微之意也。」他所思考的義理重點，在父子之情與君臣分際之間，他選擇以君臣大義作為經文所書的價值判斷，這一點與蘇轍一致。胡氏傳文還有兩點可注意者：一為其「誅心」之論。他從三《傳》所述許世子輕忽進藥、不嘗藥，推出許止有「忽君父之心」，從許君去世之後，世子自承其過、不立其位及哀痛而死等行為，推出世子無「弒君欲速得其位」之心。他根據所推測的許世子用心（心意）作為《春秋》褒貶的依據，衡量取捨之後，看重許世子「忽君父之心」即是有意忽君父之尊，以「尊尊」的標準，論許世子之罪，而他所要杜絕禁止的，也是這種「簒弒之萌，堅冰之漸」的輕忽之心。原本《春秋》學中就有「原情定過」一義，《公羊》及《穀梁》在傳文中所做的「責止」又「赦止」，即是「原情」而做的判斷，在胡安國這裡，他將《公》、《穀》所推原之情，更明白的揭示出來，而側重於君臣大義的罪責許世子，則與《公羊》、《穀梁》兼備「尊尊」與「親親」的判斷不同。其次，胡安國所批評的「或者顧以操刃而殺，與不躬進藥，及進藥而不嘗，三者罪當殊科，疑於三傳之說」其實就是歐陽修之論，但是他把歐陽修精心建構的論述，三言兩語的不置一顧，認為如果《春秋》的褒貶賞罰可以用「常識」判斷，那豈不是人人可作《春秋》？其言有意壓抑歐陽修的意見，但也點出了歐陽修「信經不信傳」在理解《春秋》經義會產生的問題。

張洽在《春秋集注》中也綜合三《傳》，推原許世子用心，主張許世子非有意弒君，但是事奉君父不可以有過，所以他也認為《春秋》書弒以示警。此外，他還考究醫藥，推考許世子所進之藥為何會致死？

---

29 〔宋〕胡安國撰，錢偉彊點校：《春秋傳》（杭州市：浙江古籍出版社，2010年4月），頁425-426。

> 愚案：藥劑所以致人之死者非一端，姑以瘧言之，今之治瘧以砒煅而餌之多愈，然煅不得法而反殺人者多矣，悼公之死，必此類也。然止以弒書之何也？孟子曰：「殺人以梃與刃，有以異乎？曰：無以異也；以刃與政，有以異乎？曰：無以異也。」進藥而藥殺，可不謂之弒哉？其所以異于商臣、蔡般者，過與故不同耳。心雖不同，而《春秋》之文一施之者，以臣子之於君父不可過。[30]

張洽以當時治療瘧疾多用砒石加以煅製為藥，但是煅不得法則反因毒而致死，此論是否？筆者不通醫理，不敢妄議。而張洽所說的「過」與「故」其心不同，其實就是胡安國所說的「忽君父之心」及「弒君欲速得其位之心」，他也一樣的站在君父之尊的角度，解釋《春秋》罪許世子之義。

以筆者所見，明代學者在「許世子弒君」一事上的意見，大致接受胡安國所認為許世子無弒君之心，但有輕忽不慎之意，故《春秋》責之以杜弒君之漸的意見。例如邵寶《簡端錄》所云：

> 許世子止亦書弒，《左氏》稱許悼公飲世子止之藥而卒。止非醫也，其殆自以為能醫者歟？故不由醫而自為之藥。親有疾，召醫而弗擇也，進藥而弗嘗也，謂之不孝，況不由醫而自為之藥乎？飲止藥而死，是死於藥也，非止而誰？雖然，止悔而奔以死，非不孝子也，而不知重其親，不知重其親，無父之漸於是乎在，故《春秋》謹之。[31]

呂柟《春秋說志》：

> 十九年許世子止弒其君買，何曰罪臣子事君父之忽也？忽則不敬莫大焉，又何必操刃為弒君哉？故君子無微而不慎也，而況于藥不嘗乎。止雖不立乎位，以與其弟虺，哭泣，歠飦粥，嗌不容粒，未踰年而死，亦不足贖其罪也。若是，何以書葬許悼公乎？曰：言無賊可討也。穀梁子曰：日卒時葬，不使止為弒父也。[32]

姚舜牧《春秋疑問》：

> 許世子止本無弒父與君之心，但悼公飲世子止之藥而卒，不可謂非弒之事也。張氏謂商臣、蔡般之弒，即律之所謂故，止之弒其父，即律之所謂過，過與故心雖

---

30 〔宋〕張洽：《春秋集注》（臺北市：臺灣商務印書館，1983年影印《文淵閣四庫全書》本），卷9，頁31。

31 〔明〕邵寶：《簡端錄》（臺北市：臺灣商務印書館，1983年影印《文淵閣四庫全書》本），卷9，頁16。

32 〔明〕呂柟：《涇野先生春秋說志》（上海市：上海古籍出版社，2002年《續修四庫全書》影印明嘉靖三十二年謝少南刻涇野先生五經說本），卷5，頁16-17。

不同，而《春秋》之文一施之者，以臣子之於君父，宜慎之又慎，不可偶一過焉而為弒之事也。[33]

比較特別的是，「許世子弒君」這件事在明代學者之間，除了是學術討論的議題之外，也拿來用在「紅丸案」責任追究的爭論上。明光宗因食鴻臚寺官李可灼所進紅丸二粒暴斃，震動朝野，禮部尚書孫慎行上〈綱常大分宜明疏〉，認為進藥之李可灼固然罪無可逭，但是可灼為首輔方從哲所推薦，則方從哲應以「許世子進藥弒君」之例，責以弒君之罪：

《春秋》許世子進藥於父，父卒，世子自傷與弒，不食死，《春秋》尚不少假借，直書許世子弒君。然則從哲宜如何？速劍自裁，以謝皇考，義之上也；闔門席藁，以待司寇，義之次也。[34]

但是也有人認為「許世子進藥弒君」是古事，紅丸案為今事，不宜相提並論：

吏部尚書孫慎行〈綱常大分宜明〉一疏，為皇考賓天，李可灼進藥一節，引《春秋》許世子止、晉趙盾之義，請正舊輔臣方從哲弒逆之罪，……夫大小之獄，未有眾証不到，而可招詳評允者。今許世子、趙盾古律也，進藥新案也，慎行、從哲兩造也，而當日親見各官，不啻眾証也，事關先帝之終，皇上之始，非但從哲要領家族而已。先帝果由可灼而賓天，可灼果由從哲而進藥，此其本末曲折，非親見莫能悉也。《春秋》弒君三十六，獨許世子以不嘗藥，趙盾以不越境討賊，筆之聖人，至今議者紛紛，況以新案傳古人，果徧真心服否？非親見莫能折也。[35]

合觀這些綜合三《傳》之說以解經定罪的意見，其中最明顯而一致的特徵，即是他們都是站在君王的生命以及權威不可受到威脅的角度，嚴格推求許世子之心，並以「忽君父之心」歸罪許世子，這樣的思維，與《公羊》、《穀梁》兼顧父子之情、君臣之義的態度，已經明顯偏向於選擇政治倫理優先的考量。

清代王嗣槐撰有一篇〈許世子論〉，將三《傳》之說加以綜合之後，不但推原世子之心，更推求許國國人之心以及孔子之心，將許世子弒君、悔恨、出奔、哀痛致死以致於孔子書於《春秋》的過程，加以推測描述出來，可謂是三《傳》資料加「誅心之論」的極致發揮：

33 〔明〕姚舜牧：《春秋疑問》（上海市：上海古籍出版社，2002年《續修四庫全書》影印明刊本），卷10，頁30。

34 〔明〕孫慎行：〈劾方從哲疏〉，〔清〕黃宗羲：《明文海》（臺北市：臺灣商務印書館，1983年影印《文淵閣四庫全書》本），卷61，頁1。

35 〔明〕沈國元：《兩朝從信錄》（上海市：上海古籍出版社，2002年《續修四庫全書》影印明刊本），卷14，頁14-15。

許君之疾以瘧，瘧，疾之微者也，不足以死人，其進藥也，獨世子主之，一旦進藥而公卒，非鴆非毒，猝然而死，止之藥殺之也夫！止何為者耶？子之事父，一飲一食，不敢不敬，而况疾病之日乎！國人痛其君之飲藥而死，而莫知其故也，惟止一人進藥而殺之，是其君非死于正命也，臣不敬其君，子不敬其父，使君父死非其命，朝宁之外、宮帷之中，一無可推求，舍許止不問而誰問耶？如以庶民之家，苟且於醫藥之間，不正其罪而誅之，則是亂臣可因君疾而加之君，賊子可因父疾而加之父矣，有國有家者尚可為訓乎？許之國人按其事，譁然不與而歸獄焉，以赴于諸侯，曰：「許世子止弒其君買」以討其國之事君無禮者。夫君死莫知而不得正其終，申此大義，干天下法之所在，止欲自解，亦何從而解之？逮至君死而止哭泣自責矣，以其位讓其弟虺矣，又曰：「我與乎弒君」歠飦粥嗌不容粒矣，舍其室而奔晉矣，國之人徐而察之曰：「此固視疾不以其禮，而進藥不知其性者歟？欲愈其父而速其死，可哀也夫！」于是葬其君而告于諸侯曰：「君葬矣」君葬者，以賊之不必討也。至未踰年而卒，許之國人益大白其心，而所見、所聞、所傳聞者如出一口也。夫子修《春秋》，苟哀其志而削之，似無不可，而仍其舊文，大書弒君，與三姦同罪者，臣子之事君父，一起居食飲之節，無敢不敬，況所關在疾病之大，忘君父之至尊繫社稷臣民之重，一進藥而藥殺之，使許之國人舍是不問，是事君與父誰不可以不敬將之，而亂臣賊子如三姦之弒其君父者，又何所不得行其志乎？苟欲許之國人能原止之心，不以弒君赴于諸侯，是必平日事其親無往不敬，人皆得而信之，其亦庶乎其可也。以許止侍親之疾，不由國人，自為藥主，輕妄自用，以殺其親，其平日子職之不修，使民無所聞焉，亦可知已。國人痛君死非命，讐之疾之而弗與之，又安肯不以弒其君告於諸侯，終事之而不問乎？夫子修《春秋》至此，知必為之三歎也。若曰：「為人臣子，進藥而藥殺其君，其大不敬如是。莒人赴於諸侯而討之[36]，法亦宜然，吾仍其舊文而書之，以杜天下亂臣賊子之有邪謀者」，亦《春秋》謹微之旨也。[37]

王嗣槐認為許世子進藥導致君父死亡之初，是許之國人歸咎於許世子，而赴告於諸侯：「許世子弒君」，其後徐察其行止，乃知其非有意弒君，因而加以寬諒。孔子修《春秋》於此，為杜天下亂臣賊子之邪謀，故仍赴告舊文書之，以杜漸謹微。

這樣的詮解，為原有的資料添上了許多血肉，可謂面面俱到。雖不能看做是解經之正軌，倒也可以看出這件事情在歷史中一再流傳過程中所發生的演變。

---

36 此處之「莒人」，刊本原文如此，應為「許人」之誤。

37 〔清〕王嗣槐：《桂山堂詩文集》（北京市：愛如生數字化技術研究中心《中國基本古籍庫》使用清康熙間清筠閣刊本），卷4，頁79-82。

四　結語

經過以上整理，我們可以看到歷代學者對於「許世子弒君」的看法，大體而言，認為許世子確實有過，但是其有意還是過失弒君，尊經與用傳兩方的意見並不相同。清孫奇逢曾對於這個兩難的情況說過一段話：

> 《春秋》未易讀。程子嘗言：「以傳考經之事跡，以經別傳之眞偽」如歐陽文忠所論魯隱、趙盾、許止三事，可謂篤信聖經而不惑于三《傳》者矣。及胡文定作《傳》，則多用三傳之說而不從歐公，人之所見，何若是之不同！夫聖筆之玅如化工，固不容以淺近窺測，然求之太過，或反失其正意。惟虛心易氣，反覆潛玩，勿以眾說汩之，自當有得也。三《傳》所長固不容掩，然或失之誣，或失之鑿，安可盡以為據乎？謂歐公之論恐未可忽，舍程子兩言亦無以讀《春秋》矣。[38]

孫奇逢的意見，看似執其兩端，但是他所說的，的確是《春秋》學術發展過程中不斷發生的問題。從「許世子弒君」這件事來看，歐陽修所持的「信經不信傳」立場下的解說，要回答「許止如何弒君」這個追問時，他仍然必須用三《傳》的解說才能落實，而我們看三《傳》之說，其實會感覺到一種「層累」的現象，也就是對於許世子行為有添加及美化的成分，在這樣的情況下，如何回歸《春秋》經典正定名分、褒善貶惡的核心價值，歐陽修的尊經態度，自有其意義。

其次，我們在上文的討論中提出一個觀察，即是《左傳》在此事的罪責判斷上，是以「行為事實」以及父子、君臣倫理要求下的理解，而《公羊》及《穀梁》則是兼顧父子之親與君臣之義的衡量，將經文的書寫解釋成「責之」又「赦之」，而唐宋之後以至於明清，幾乎沒有人再提要「赦止」，這其中所涉及的價值基礎（親親或是尊尊）的改變，應該也是研究《春秋》經傳解釋發展中頗值得注意的事。

---

38 〔清〕孫奇逢：《理學宗傳》（上海市：上海古籍出版社，2002年《續修四庫全書》影印清康熙六年刊本），卷22，頁18-19。

經學史中的《春秋》學論述
——對於《經學歷史》等五種論著的初步觀察

陳　韻
中正大學中國文學系兼任教授

提要

群經之中，以篇幅而言，《春秋》三《傳》與三《禮》頗為可觀；就內容而言，《春秋》三《傳》與三《禮》旨遠義深、美富多元，然而歷來經學史著作之中，關於《春秋》三《傳》與三《禮》學術發展樣貌、歷史傳承脈絡的論述如何？篇幅幾何？值得有所瞭解。

林慶彰先生曾選取皮錫瑞（1850-1908）《經學歷史》、本田成之（1882-1945）《中國經學史》、馬宗霍（1897-1976）《中國經學史》、吳雁南等（1929-2001）著《中國經學史》、姜廣輝（1948-）主編《中國經學思想史》五種比較流行的經學史，針對其中討論「禮學」的部分，進行分析比較，認為：以上諸書「大概以姜廣輝著作的篇幅最多，其他的篇幅都不夠多。本田成之的著作算是比較平均的。但是如果以彭林先生的七個時段來說的話，現在經學史都無法反映禮學發展的實況。」[1]同時，並提出極具啟發的見解說：

> 「這是我們要提出來，對現有的經學史作批判的。就是把現有的經學史拆散，拆散成『易學史』、『書學史』、『詩學史』、『三禮學史』、『三傳學史』……這樣就可以看出哪一本經學史的論述，比較首尾完整的。也就是說，你合起來是一本經學史，拆開的時候是《十三經》的『單經史』。如果能夠作到這個地步的話，這部經學史才算是好的經學史。我們現在要衡量一部經學史的好壞，應該從這個角度去看。」[2]

踵武先進，茲亦嘗試觀察各種經學史著作對於《春秋》三《傳》的論述情形，以供省思。本文將就皮錫瑞《經學歷史》、本田成之《中國經學史》、馬宗霍《中國經學史》、吳雁南《中國經學史》、姜廣輝《中國經學思想史》等五種經學史論著，針對其中討論

1 林慶彰：〈幾種經學史中的禮學論述〉，《中正漢學研究》總第23期（2014年），頁240。

2 林慶彰：〈幾種經學史中的禮學論述〉，《中正漢學研究》總第23期（2014年），頁240。

「《春秋》學」的部分，從源流、學者、作品、派別、思想、議題等面向進行觀察，並與趙伯雄所著《春秋學史》對照瞭解。全篇綱目如下：

一、前言

二、從對於《春秋》學「源流」的論述觀察

三、從對於《春秋》學「學者與著作」的論述觀察

（一）《春秋》學學者的傳經、解經

（二）《春秋》學著作

四、從對於《春秋》學「思想」的論述觀察

（一）原典思維

（二）個人思想

（三）時代思潮

五、從對於《春秋》學「派別」的論述觀察

六、從對於《春秋》學「議題」的論述觀察

七、結語

一　前言

經學史秉持著「史」的特質，從歷史的觀點，有的按照朝代更迭次第[3]，有的依據學術流變樣態[4]，從經書、經學家、經學著作、經學思想、經學派別、經學問題等方面，闡述經學演變的脈絡。如果以撰著體例來看，符合現代學術規範的經學史著作，出現於民國初年受到日本學者影響以後，之前則往往類似筆記體的形式，例如：劉師培（1884-1919）的《經學教科書》、皮錫瑞（1850-1908）的《經學歷史》等。體例形式標示著「經學史」研究撰作的時代軌跡，而契合時間先後與變遷實況的著述內容，則是「經學史」呈現經學發展面貌的重要憑依。

走過漫長歲月，經學發展在時間刻度中所留下的痕跡，是否平衡記錄於「經學史」著作之中？「經學史」著作是否可為經學史讀者提供完整的訊息？若不借助各經專史，對於專經狀態，是否可以從「經學史」著作之中通盤瞭解？讀者透過「經學史」著作綜覽全域的同時，是否也能掌握各經的發展情勢？尤其是篇幅可觀、旨遠義深的三《禮》與《春秋》三《傳》，在時間之流的經學系統裡，整體與個體如何互動互涉？在標誌特色的「經學史」論述裡，彼此的縱橫關係是否具體映現？比重幾何？經由實際檢視，或許可以略知一二。

「經學史」著作中，關於「禮學」（三《禮》）的論述，林慶彰先生曾選取五種比較流行的經學史，包括：體例雖舊但有見地的皮錫瑞（1850-1908）《經學歷史》、流傳較廣的馬宗霍（1897-1976）《中國經學史》、符合西方學術著作體例的本田成之（1882-1945）《中國經學史》、近年（2010）才完成全書（四卷）出版的姜廣輝（1948-）所編《中國經學思想史》、以及在姜廣輝所編《中國經學思想史》出版以前比較理想的吳雁南（1929-2001）等所著《中國經學史》，經過分析比較之後，林慶彰先生認為：以上諸書「大概以姜廣輝著作的篇幅最多，其他的篇幅都不夠多。本田成之的著作算是比較平均的。但是如果以彭林先生的七個時段來說的話，現在經學史都無法反映禮學發展的實況。」[5]

至於經學史中的「《春秋》學」（《春秋》三《傳》）論述，情況如何？本文也嘗試先從皮錫瑞《經學歷史》、本田成之《中國經學史》、馬宗霍《中國經學史》、吳雁南《中國經學史》、姜廣輝《中國經學思想史》等五種經學史論著進行觀察。在全面而深入的探討之前，若先掃描上述五種經學史著作，一窺其概況，或許利於進一步瞭解，並可為後續相關研究奠定基礎。掃描的起點，從各書篇章目次開始。茲以編撰者年代先後為

3　如：劉師培（1884-1919）《經學教科書》、馬宗霍（1897-1976）《中國經學史》、本田成之（1882-1945）《中國經學史》等。

4　如：皮錫瑞（1850-1908）《經學歷史》等。

5　林慶彰：〈幾種經學史中的禮學論述〉，《中正漢學研究》總第23期（2014年），頁240。

序，簡述各書目次如下：

（一）皮錫瑞（1850-1908）的《經學歷史》[6]

計分為：經學開闢時代、經學流傳時代、經學昌明時代、經學極盛時代、經學中衰時代、經學分立時代、經學統一時代、經學變古時代、經學積衰時代、經學復盛時代，共十部分。

（二）本田成之（1882-1945）的《中國經學史》[7]

計有：經學底起源、經學內容底成立、秦漢底經學、後漢底經學、三國六朝時代底經學、唐宋元明底經學、清朝底經學，共七章。

（三）馬宗霍 （1897-1976）的《中國經學史》[8]

計有：古之六經、孔子之六經、孔門之經學、秦火以前之經學、秦火以後之經學、兩漢之經學、魏晉之經學、南北朝之經學、隋唐之經學、宋之經學、元明之經學、清之經學，共十二篇。

（四）吳雁南（1929-2001）等所著的《中國經學史》[9]

導論之外，另有：西漢的今文經學、東漢今古文經學之爭、魏晉南北朝經學的多元傾向、隋唐經學的統一與變異、宋代經世致用的功利派經學、宋代經學的性理闡釋、元明時期理學的衰微和心學的興起、清代前期經學的異彩、乾嘉時期經學的興盛、晚清的正統經學與經學異端，共十章。

（五）姜廣輝（1948-）主編的《中國經學思想史》[10]

第一卷內容為「前經學時代」，章節次第，起於第一章，終於第二十三章，並有「前言　經學思想研究的新方向及其相關問題」、「緒論一　重新認識儒家經典」、「緒論二　傳統的詮釋與詮釋學的傳統」。

第二卷內容為「漢唐經學」，章節次第承續第一卷，起於第二十四章，終於第四十六章。

第三卷內容為「宋明經學」，章節次第承續第二卷，起於第四十七章，終於第八十章。

---

6 皮錫瑞：《增註經學歷史》（臺北縣：藝文印書館，1987年2版）。

7 本田成之：《中國經學史》（臺北縣：廣文印書館，2001年再版）。

8 馬宗霍：《中國經學史》（上海市：上海書店影印出版，1987年第2次印刷）（本書根據商務印書館，1937年版複印）。

9 吳雁南、秦學頎、李禹階主編，張曉生校訂：《中國經學史》（臺北市：五南圖書出版公司，2005年）。

10 姜廣輝主編：《中國經學思想史．第一卷》（北京市：中國社會科學出版社，2003年）、《中國經學思想史．第二卷》（北京市：中國社會科學出版社，2003年）、《中國經學思想史．第三卷》（北京市：中國社會科學出版社，2010年）、《中國經學思想史．第四卷》（北京市：中國社會科學出版社，2010年）。

第四卷內容為「清代經學」，章節次第承續第三卷，起於第八十一章，終於第一〇六章，之後有「結語」、「後記」。

以上五種經學史著作，篇幅多寡、內容詳略、論述重點，各不相同，為進一步認識其中所呈現的「《春秋》學」，擬從源流、學者、作品、門派、思想、議題等面向繼續觀察，而後與趙伯雄所著《春秋學史》[11]對照瞭解。

二　從對於《春秋》學「源流」的論述觀察

經學的演變，往往是長期的、逐漸的，而主體核心，自非經籍本身莫屬。經書的形成、經書的作者、經書的流傳、釋經之「傳」的發展等等，都是討論經學源流的重要課題。前列五種經學史論著，對於「《春秋》學」源頭——《春秋》，各有如下的論述：

（一）皮錫瑞《經學歷史》

1. 於整體十部分之中，以第一「經學開闢時代」（孔子之時）、第二「經學流傳時代」（孔門弟子）兩部分，闡述《春秋》的源與流，認為「孔子以前，不得有經」[12]，《春秋》是孔子所作[13]、「乃孔子所手定」[14]，而「經名昉自孔子，經學傳於孔門」[15]，《春秋》三《傳》從而分流。
2. 又於第四部分「經學極盛時代」（漢元、成帝至東漢中葉），評論定孔教於一尊、以《春秋》斷疑，及讖緯與孔子《春秋》、《公羊春秋》等。
3. 又於第七部分「經學統一時代」（隋唐），論及唐代不習三《傳》的情形：

> 「唐之盛時，諸經已多束閣。蓋大經，《左氏》文多於《禮記》，故多習《禮記》，不習《左氏》。中、小經，《周禮》、《儀禮》、《公羊》、《穀梁》難於《易》、《書》、《詩》，故多習《易》、《書》、《詩》，不習《周禮》、《儀禮》、《公羊》、《穀梁》。」[16]

4. 又於第八部分「經學變古時代」（宋代），引司馬光〈論風俗劄子〉所言「讀《春秋》

---

11 趙伯雄：《春秋學史》（濟南市：山東教育出版社，2014年第1版第1刷）（韻按：此為再版。前次出版於2004年，濟南市：山東教育出版社出版）。

12 皮錫瑞：《增註經學歷史》（臺北縣：藝文印書館，1987年2版），頁1。

13 皮錫瑞《增註經學歷史》：「《春秋》自孔子加筆削褒貶，為後王立法，而後《春秋》不僅為記事之書。」（臺北縣：藝文印書館，1987年2版。頁2。）

14 皮錫瑞：《增註經學歷史》（臺北縣：藝文印書館，1987年2版），頁59。

15 皮錫瑞：《增註經學歷史》（臺北縣：藝文印書館，1987年2版），頁36。

16 皮錫瑞：《增註經學歷史》（臺北縣：藝文印書館，1987年2版），頁226。

未知十二公，已謂《三傳》可束之高閣」[17]，進一步論述宋代《春秋》及三《傳》廢絕的情形：

「《春秋公羊》、《穀梁》，漢後已成絕學。《左氏》傳事不傳義，後人專習《左氏》，於《春秋》一經，多不得其解。王安石以《春秋》為斷爛朝報而廢之，後世以此詬病王安石。安石答韓求仁問《春秋》曰：『此經比他經尤難，蓋《三傳》不足信也。』尹和靖云：『介甫不解《春秋》，以其難之也，廢《春秋》非其意。』據尹氏說，安石本不欲廢《春秋》者，然不信《三傳》，則《春秋》已廢矣。若以《春秋》為斷爛朝報，則非特安石有是言，專執《左氏》為《春秋》者皆不免有此意。信《左氏》家經承舊史、史承赴告之說，是《春秋》如朝報矣；不信《公》、《穀》家日月褒貶之例，而概以為闕文，是《春秋》如朝報之斷爛者矣。」[18]

5. 又於第九部分「經學積衰時代」（元明），說明趙汸為孔廣森治《公羊》之源：

「元、明人之經說，惟元趙汸《春秋屬詞》，義例頗明。孔廣森治《公羊》，其源出於趙汸。」[19]

6. 又於第十部分「經學復盛時代」（清代），略述清代《公羊》學的傳承情形：

「陽湖莊氏《公羊》之學，傳於劉逢祿、龔自珍、宋翔鳳」[20]。

7. 又於第十部分「經學復盛時代」（清代），論及清代經學三變，並主張簡明有用之學，於《春秋》學方面的情形是：

「……嘉、道以後，……《春秋》宗《公》、《穀》二傳。……實能述伏、董之遺文，……是為西漢今文之學。……今欲簡明有用，……《春秋》治《公羊》者主何《注》、徐《疏》，兼采陳立之書；治《左氏》者，主賈、服遺說，參以杜《解》」[21]。

（二）本田成之《中國經學史》

於「第二章　經學內容底成立」中，以「第二節　七十子後學者能春秋」與「第三

17 皮錫瑞：《增註經學歷史》（臺北縣：藝文印書館，1987年2版），頁237。

18 皮錫瑞：《增註經學歷史》（臺北縣：藝文印書館，1987年2版），頁271-272。

19 皮錫瑞：《增註經學歷史》（臺北縣：藝文印書館，1987年2版），頁311。

20 皮錫瑞：《增註經學歷史》（臺北縣：藝文印書館，1987年2版），頁352。

21 皮錫瑞：《增註經學歷史》（臺北縣：藝文印書館，1987年2版），頁376-377。

節　春秋傳底興起」兩節，探討《春秋》學源流。細項有：「第二節　七十子後學者能春秋」的「八儒底評論」、「春秋底由來」、「孟子對於春秋的見解」、「春秋是孔子作的嗎」、「禮樂派與春秋派」、「孟子對於詩與書的見解」；「第三節　春秋傳底興起」的「三傳發生於孟子後」、「三傳發生的次第」、「春秋底傳受」、「讖緯書底發生」。

（三）馬宗霍《中國經學史》

以「第一篇　古之六經」、「第二篇　孔子之六經」、「第三篇　孔門之經學」、「第四篇　秦火以前之經學」、「第五篇　秦火以後之經學」等五篇文字，呈現《春秋》學源流。

（四）吳雁南《中國經學史》

於「導論」之中，有「孔子與六經」一項。

（五）姜廣輝《中國經學思想史》

1. 於「第一卷『前經學時代』」，以「第三章　孔子的生命主題及其對六經的闡釋」的「一　傳統與時代」、「二　學問、生命、人格」、「三　『子曰』與六經」，整體論述。
2. 又於「第一卷『前經學時代』」，以「第十七章　《春秋》與三傳」的「一　關於《春秋》三傳的流傳和相互影響」，具體論述。

以上五種經學史論著，在《春秋》學源流方面的論述，或因對於經書源流的認定不同而有差異，如皮錫瑞的《經學歷史》、本田成之的《中國經學史》，僅承認孔子所定的六藝為經；而馬宗霍《中國經學史》，則有引傳說謂六經萌芽於五帝時等過度寬泛的現象，不過，對於孔子與《春秋》的源頭及分流，都有其自成一家的系統。

三　從對於《春秋》學「學者與著作」的論述觀察

經書形成之後，整理者、研究者、解釋者、闡發者等專家，陸續出現，各有特色，也各有不同的貢獻與影響，諸多經學學者與經學著作，都是值得探討的。在《春秋》學方面，學者與著作，表現精采，以下將就前述五種經學史論著所述，分為「（一）《春秋》學學者的傳經、解經」、「（二）《春秋》學著作」兩部分呈現。

(一)《春秋》學學者的傳經、解經

1 皮錫瑞《經學歷史》

(1) 於第三部分「經學昌明時代」(漢武帝時),言及董仲舒、胡母生、公孫弘、劉歆等學者。

(2) 又於第四部分「經學極盛時代」(漢元、成帝至東漢中葉),比較前後漢經學,則後漢學者兼通多經,且多所撰述,「何休作《公羊解詁》……以《春秋》駁漢事六百餘條,作《公羊墨守》、《左氏膏肓》、《穀梁廢疾》。」[22]即是其例。

(3) 又於第六部分「經學分立時代」(南北朝),依據《北史》說明「河北諸儒能通《春秋》者,並服子慎所注」,出自徐遵明門下。

(4) 又於第八部分「經學變古時代」(宋代),敘述宋代重要的《春秋》學者有:

> 「宋人治《春秋》者多,而不治顓門,皆沿唐人啖、趙、陸一派。如孫復、孫覺、劉敞、崔子方、葉夢得、呂本中、胡安國、高閌、呂祖謙、程公說、張洽、呂大圭、家鉉翁,皆其著者,以劉敞為最優,胡安國為最顯。」[23]

(5) 又於第八部分「經學變古時代」(宋代),評論朱熹未能專信《公》、《穀》:

> 「朱子云:『《春秋》義例……不能自信於心,故未嘗敢措一辭。』此朱子矜慎之處,亦由未能專信《公》、《穀》,故義例無所依據也。」[24]

(6) 又於第十部分「經學復盛時代」(清代),引阮元語,謂「孔廣森之《公羊春秋》」為「孤家專學」[25]。

2 本田成之《中國經學史》

於「第七章　清朝底經學」中,以「第二節　乾嘉時代的經學」與「第三節　道咸以後的經學」,分述當時《春秋》學學者,如:「第二節　乾嘉時代的經學」的惠周惕、惠士奇,「第三節道咸以後的經學」的劉逢祿、宋翔鳳、龔自珍、劉逢祿門下其他諸家、廖平、皮錫瑞等。

---

22 皮錫瑞:《增註經學歷史》(臺北縣:藝文印書館,1987年2版),頁129。

23 皮錫瑞:《增註經學歷史》(臺北縣:藝文印書館,1987年2版),頁272。

24 皮錫瑞:《增註經學歷史》(臺北縣:藝文印書館,1987年2版),頁273。

25 皮錫瑞:《增註經學歷史》(臺北縣:藝文印書館,1987年2版),頁352。

3 馬宗霍《中國經學史》

於全書各篇之中，隨文論述當時的《春秋》學學者。

4 吳雁南《中國經學史》

(1) 於「第一章　西漢的今文經學」的「第二節　今文經學的形成」之中，列有「二、一代儒宗董仲舒」一項。

(2) 又於「第四章　隋唐經學的統一與變異」的「第二節　經學思想的活躍」之中，標列「四、啖助、趙匡、陸淳的駁詰三《傳》」一項。

(3) 又於「第十章　晚清的正統經學與經學異端」之中，列有「第二節　康有為的『託古改制』」一節；並在「第三節　漢學的衰落和異端的突起」之下，列有「三、章太炎與劉師培的漢學」一項。

5 姜廣輝《中國經學思想史》

(1) 於「第二卷『漢唐經學』」中，論述董仲舒、何休、啖助、趙匡、陸淳等學者，相關篇目如：

①「第二十五章　董仲舒的春秋公羊學理論體系」的「一　董仲舒：把春秋學推向高峰最有功的人物」。

②「第三十五章　何休的《春秋公羊解詁》」的「一　何休的生平」。

③「第四十六章　中唐啖助、趙匡、陸淳的春秋學」的「一　社會變動引出的思想危機」、「二　《春秋》新學的興起」、「三　新經學的影響與地位」。

(2) 又於「第三卷『宋明經學』」中，以「第四十七章　銳意革新的宋明經學——宋明經學思想概說」，進行簡介，在其「四　宋明時期經學的主要成績——名家名著述要」的「(二) 春秋學」項下，臚列「宋元時期春秋學名家輩出，其中最具創造性且影響較大者，約有四家」[26]：I. 孫復的《春秋尊王發微》、II. 劉敞的春秋學、III. 胡安國的《春秋傳》、IV. 趙汸的《春秋屬辭》。

(3) 續於「第三卷『宋明經學』」中，以四章分述以上四家，相關篇目如：

①「第五十二章　孫復與《春秋尊王發微》」的「一　宋代的春秋學研究」、「二　孫復與其《春秋尊王發微》」、「三　孫復春秋學的幾個特點」。

②「第五十三章　劉敞的經學新解與慶曆新經學」的「一　劉敞春秋學及其對啖、趙、陸之說的繼承與拓展」、「二　劉敞春秋學的特色」、「三　《七經小傳》的經學新說及其對宋代經學的影響」。

---

26 姜廣輝主編：《中國經學思想史・第三卷》（北京市：中國社會科學出版社，2010年），頁29。

③「第六十四章　胡安國《春秋傳》的議論開合精神」的「一　志在匡時，借《春秋》以發宏論」。

④「第七十六章　趙汸的春秋學」的「一　『魯史書法』與『聖人書法』」、「二　總結《春秋》要義」、「三　對公羊學的肯定」。

（4）又於「第四卷『清代經學』」中，以專章分別論述莊存與、孔廣森、劉逢祿、凌曙、陳立、龔自珍等《公羊》學者，相關篇目如：

①「第九十七章　莊存與：清代公羊學的發軔者——兼論孔廣森的《公羊通義》」的「一　從《春秋屬辭》到《春秋正辭》」、「二　上接董、何，闡明《春秋》大義」、「三　『章疑別微，《春秋》之大教也』」、「四　善說《春秋》者，貴『知權』，戒『執一』」、「五　孔廣森自立『三科九旨』的失誤」。

②「第九十八章　劉逢祿與清代公羊學的發皇壯大——附論凌曙和陳立」的「三　闡發『張三世』，傳達時代變動的信息」、「四　闡發『通三統』，論治國『窮則必變』之道」、「五　闡發『王魯』、『黜周』，論『大一統』思想的意義」、「七　從凌曙和陳立反觀清代公羊學復興之艱辛歷程」。

③「第九十九章　龔自珍與晚清經學的嬗變」的「四　《春秋決事比答問》對《春秋》大義的闡發」。

（二）《春秋》學著作

1 皮錫瑞《經學歷史》

（1）於第三部分「經學昌明時代」（漢武帝時），言及董仲舒《春秋繁露》「發明《公羊》三科九旨，且深於天人性命之學」[27]。

（2）又於第五部分「經學中衰時代」（東漢末桓、靈至魏、晉），敘述世傳《十三經》注者，漢代有何休注《公羊傳》，晉朝有杜預作《左傳集解》、范寧作《穀梁集解》，並評論杜預《左傳集解》、范寧《穀梁集解》說：

> 「杜預《左傳集解》多據前人說解，而沒其名，後人疑其杜撰。諒闇短喪，倡為邪說。《釋例》於『凡弒君稱君，君無道也』一條，亟揚其波。鄭伯射王中肩之類，曲為出脫。焦循論預背父黨篡之罪，謂為司馬氏飾，其注多傷名教，不可為訓。范寧《穀梁集解》，雖存《穀梁》舊說，而不專主一家。序於三傳皆加詆諆，宋人謂其最公。此與宋人門徑合耳；若漢時，三傳各守顓門，未有兼采三傳

---

27 皮錫瑞《增註經學歷史》：「董子《春秋繁露》，發明《公羊》三科九旨，且深於天人性命之學。」（臺北縣：藝文印書館，1987年2版。頁85。）

者也。」[28]

（3）又於第七部分「經學統一時代」（隋唐），評論孔穎達《五經正義》之《左氏正義》「首尾橫決」，嚴重程度甚至超過《易》、《書》之疏：

「《左氏正義》，雖詳亦略，盡棄賈、服舊解，專宗杜氏一家。劉炫規杜，多中杜失；乃駁劉申杜，強為飾說。嘗讀《正義》，怪其首尾橫決，以為必有譌脫。考各本皆如是，疑莫能釋。後見劉文淇《左傳舊疏考證》，乃知劉炫規杜，先申杜而後加規；《正義》乃翦截其文，以劉之申杜者列於後，而反以駁劉；又不審其文義，以致不相承接。首尾橫決，職此之由。《易》、《書》之疏，閒亦類此，特未若《左傳疏》之甚耳。」[29]

（4）又於第七部分「經學統一時代」（隋唐），評析陸淳所作《春秋集傳纂例》、《春秋微旨》、《春秋集傳辨疑》能發前人所未發，而背顓門之法：

「唐人經說傳今世者，惟陸淳本啖助、趙匡之說，作《春秋纂例》、《微旨》、《辨疑》。謂：左六國時人，非《論語》之丘明；雜采諸書，多不可信。《公》、《穀》口授，子夏所傳；後人據其大義，散配經文，故多乖謬，失其綱統。此等議論，頗能發前人所未發。惟《三傳》自古各自為說，無兼采《三傳》以成一書者；是開通學之途，背顓門之法矣。」[30]

（5）又於第八部分「經學變古時代」（宋代），評論胡安國《春秋傳》解經不明、崔子方《春秋本例》能明《公》《穀》而《春秋經解》未能專主一家：

「元、明用胡《傳》取士，推之太高；近人又詆之太過，而胡《傳》卒廢。平心而論，胡氏《春秋》大義本孟子，一字褒貶本《公》、《穀》，皆不得謂其非。而求之過深，務出《公》、《穀》兩家之外；鍛鍊太刻，多存託諷時事之心。其書奏御經筵，原可藉以納約。但尊王攘夷，雖《春秋》大義；而王非唯諾趨伏之可尊，夷非一身兩臂之可攘。胡《傳》首戒權臣，習藝祖懲艾黃袍之非，啟高宗猜疑諸將之意。王夫之謂岳侯之死，其說先中於庸主之心。此其立言之大失，由解經之不明也。崔子方《春秋本例》，以日月為本，在宋儒中，獨能推明《公》、《穀》；而所作《經解》，並糾《三傳》，未能專主一家。」[31]

---

28 皮錫瑞：《增註經學歷史》（臺北縣：藝文印書館，1987年2版），頁171-172。

29 皮錫瑞：《增註經學歷史》（臺北縣：藝文印書館，1987年2版），頁218。

30 皮錫瑞：《增註經學歷史》（臺北縣：藝文印書館，1987年2版），頁231。

31 皮錫瑞：《增註經學歷史》（臺北縣：藝文印書館，1987年2版），頁272 - 273。

（6）又於第九部分「經學積衰時代」（元明），針對明永樂敕胡廣等修《五經大全》的《春秋大全》，引述顧炎武語：「《春秋大全》全襲元人汪克寬《胡傳纂疏》」[32]。

（7）又於第十部分「經學復盛時代」（清代），記錄清代稽古右文的情形：

> 「康熙三十八年，欽定《春秋傳說彙纂》三十八卷；乾隆二十三年，御纂《春秋直解》十六卷」[33]。

（8）又於第十部分「經學復盛時代」（清代），言及清代《公》、《穀》著作：

> 「凌曙、孔廣森、劉逢祿皆宗《公羊》，陳立《義疏》尤備；柳興宗《穀梁大義述》，許桂林《穀梁釋例》，皆主《穀梁》，鍾文烝《補注》尤備」[34]

2 本田成之《中國經學史》

於「第六章　唐宋元明底經學」，論述當時《春秋》學者的著作，如：「第二節　五經正義」的「啖助底批評」、「劉知幾底歷史觀」；「第三節　宋底經學」的「孫復與石介」、「胡安國底春秋傳」、「呂祖謙底左氏博議」等。

3 馬宗霍《中國經學史》

於全書各篇之中，隨文評論當時的《春秋》學著作，包含三《傳》義疏的取材（第九篇　隋唐之經學）、《五經大全》之《春秋大全》的編纂（第十一篇　元明之經學）等。

4 吳雁南《中國經學史》

於「第四章　隋唐經學的統一與變異」的「第一節　經學的統一」之中，列有「四、《五經正義》與『九經注疏』」一項。

5 姜廣輝《中國經學思想史》

（1）於「第二卷『漢唐經學』」中，論述何休的《春秋公羊解詁》、杜預的《春秋經傳集解》，相關篇章如：

①「第三十五章　何休的《春秋公羊解詁》」的「二　《春秋公羊解詁》」。

②「第四十一章　杜預的《春秋經傳集解》」的「一　《春秋經傳集解》與魏晉經學研究」、「二　《春秋經傳集解》的哲學思想」、「三　《春秋經傳集解》的政治學說」、「四　《春秋經傳集解》的歷史局限」。

---

32 皮錫瑞：《增註經學歷史》（臺北縣：藝文印書館，1987年2版），頁317。

33 皮錫瑞：《增註經學歷史》（臺北縣：藝文印書館，1987年2版），頁323。

34 皮錫瑞：《增註經學歷史》（臺北縣：藝文印書館，1987年2版），頁353。

（2）又於「第四卷『清代經學』」中，以專章分別論述洪亮吉、孔廣森、江慎中等《公》、《穀》學者著作，相關篇目如：

①「第九十三章　洪亮吉《春秋左傳詁》評述」的「二　洪亮吉的《春秋左傳詁》」。

②「第九十七章　莊存與：清代公羊學的發軔者——兼論孔廣森的《公羊通義》」的「六　孔廣森《公羊通義》的評價問題」。

③「第一〇三章　清後期的春秋穀梁學」的「三　江慎中會通中學西學的《春秋穀梁傳條指》」。

以上五種經學史論著，對於《春秋》學學者與著作，論述雖然各有詳略，但是重要學者與著作，多已觸及。

四　從對於《春秋》學「思想」的論述觀察

經學史論著，除了關注經學家或經學著作之外，經學思想的論述也相當重要。經學原典、研究著作、歷代思潮的體系、特色、演變原因與關鍵等，都不宜忽略。在《春秋》學方面，多元學說與不同時代的互動，影響深遠，以下將就前述五種經學史論著所述，分為「（一）原典思維」、「（二）個人思想」、「（三）時代思潮」三部分呈現。

（一）原典思維

姜廣輝《中國經學思想史》

於「第一卷『前經學時代』」中，以專章「第十八章　春秋公羊義」，進行探討，含有「一　《春秋》重『義』」、「二　公羊義法的發展脈絡」、「三　大一統、張三世、通三統」、「四　『王魯』說、夷夏觀、經權說」、「五　結語」等項目。

（二）個人思想

1　皮錫瑞《經學歷史》

於第七部分「經學統一時代」（隋唐），引唐工部尚書陳商見解[35]，論述《春秋》

35　皮錫瑞《增註經學歷史》：「唐人經學有未可抹撥者，《說郛》令狐澄《大中遺事》云：『大中時，工部尚書陳商立《春秋左傳》學議；以孔子修經，褒貶善惡，類例分明，法家流也；左丘明為魯史載與《左傳》性質不同，宜分不宜合：

> 「自漢後，《公羊》廢擱，《左氏》孤行，人皆以《左氏》為聖經，甚且執杜解為傳義。不但《春秋》一經，汨亂已久，而《左氏》之傳，受誣亦多。孔疏於經傳不合者，不云傳誤，反云經誤。劉知幾《史通》，詆毀聖人，尤多狂悖。皆由不知《春秋》是經，《左氏》是史。經垂教立法，有一字褒貶之文；史據事直書，無特立褒貶之義。體例判然不合，而必欲混合為一。又無解於經傳參差之故，故不能據經以正傳，反信傳而疑經矣。陳商在唐時無經學之名，乃能分別夫子是經、丘明是史，謂杜元凱參貫二義非是，可謂千古卓識。謂《左氏》非扶助聖言，即博士云『左氏不傳《春秋》』之意也；非緣飾經旨，即范升云『左氏不祖孔子』之說也。治《春秋》者，誠能推廣陳商之言，分別經是經，《左氏》是史，離之雙美，毋使合之兩傷，則不至誤以史視《春秋》，而《春秋》大義微言可復明於世矣。」[36]

2 姜廣輝《中國經學思想史》

（1）於「第二卷『漢唐經學』」中，探討董仲舒、何休的《春秋公羊》學說，相關篇章如：

①「第二十五章　董仲舒的春秋公羊學理論體系」的「二　經學內在的邏輯發展與時代機遇的交匯」、「三　《春秋》具有綱紀天下的神聖法典的意義」、「四　『大一統』、『張三世』、『通三統』」、「五　『德刑相兼』、譴告說、經權之說」、「六　董仲舒春秋公羊學說在漢代的盛衰」。

②「第三十五章　何休的《春秋公羊解詁》」的「三　強調社會進化的歷史哲學」、「四　『衰世救失』的政治思想」、「五　何休的災異說」。

（2）又於「第四卷『清代經學』」中，以專章分別論述王夫之、魏源、鍾文烝、廖平、康有為等《公》、《穀》學者思想，相關篇目如：

①「第八十三章　王夫之「六經責我開生面」的經學思想」的「五　《春秋家說》的民族觀」。

②「第一〇〇章　魏源的今文經學與晚清思想解放」。

③「第一〇三章　清後期的春秋穀梁學」的「一　鍾文烝《春秋穀梁經傳補注》

述時政，惜忠賢之泯滅，恐善惡之失墜，以日繫月，修其職官，本非扶助聖言、緣飾經旨，蓋太史氏之流也。舉其《春秋》，則明白而有識；合之《左氏》，則叢雜而無徵。杜元凱曾不思夫子所以為經，當以《詩》、《書》、《周易》等列；丘明所以為史，當與司馬遷、班固等列。取二義乖剌不侔之語，參而貫之，故微旨有所不周，宛章有所未一。」（臺北縣：藝文印書館，1987年2版。頁233-234。）

36 皮錫瑞：《增註經學歷史》（臺北縣：藝文印書館，1987年2版），頁234。

的經學思想」、「二　廖平《穀梁古義疏》的思想」。

④「第一〇四章　廖平的『經學六變』及意義」的「四　廖平的尊孔尊經理論」。

⑤「第一〇五章　康有為的今文經學及其變法思想」的「二　『托古改制』之『通三統』」、「三　『與時進化』之『張三世』」、「四　『大同世界』之『大一統』」。

（三）時代思潮

1 皮錫瑞《經學歷史》

於第六部分「經學分立時代」（南北朝），依據《北史・儒林傳・序》「江左，……《左傳》則杜元凱；河、洛，《左傳》則服子慎……」，說明北學未雜玄學，南學則尚玄虛，並從時尚、文氣等面向，析論《公羊》「大行於河北」「似非實錄」[37]，而《公羊傳何氏解詁疏》撰著人徐彥即徐遵明之說，「尚在疑似之間」[38]。

2 本田成之《中國經學史》

於「第五章　三國六朝時代底經學」的「第二節　晉底經學」，以「杜預底左傳」、「范寧底穀梁傳」等項目，映現三國六朝的時代思潮。

3 姜廣輝《中國經學思想史》

（1）於「第一卷『前經學時代』」，以「第十七章《春秋》與三傳」的「三　《春秋》三傳所反映的時代思想」，進行討論。

（2）又於「第四卷『清代經學』」中，以「第八十一章　解構與重構」的「三　清代後期的春秋公羊學思潮」，進行探討。

本文取材的五種經學史論著中，以馬宗霍《中國經學史》與吳雁南《中國經學史》較少《春秋》學思想方面的論述；而「原典思維」、「個人思想」、「時代思潮」三部分，又以原典思維論述最少。

五　從對於《春秋》學「派別」的論述觀察

經學思想固然複雜，經學家與經學著作固然浩繁，卻往往可藉由某些關聯形成若干

37 皮錫瑞：《增註經學歷史》（臺北縣：藝文印書館，1987年2版），頁182 - 183。

38 皮錫瑞：《增註經學歷史》（臺北縣：藝文印書館，1987年2版），頁183。

派別。各個學派有何主張？如何起伏演變？彼此之間有何異同？都是經學史研究的重點。前列五種經學史論著，對於「《春秋》學」的派別，各有論述如下：

（一）皮錫瑞《經學歷史》

1. 於第五部分「經學中衰時代」（東漢末桓、靈至魏、晉），評論今、古文之學，及師法、家法，以為今學、古學不相混合，「杜、鄭、賈、馬注《周禮》、《左傳》，不用今說；何休注《公羊傳》，亦不引《周禮》一字」[39]；曾先後學習《公羊春秋》、《左氏春秋》的鄭玄，則博通古今；而鄭玄、王肅之學相爭，歷經魏晉，今文師法結絕，《公》、《穀》兩傳浸微，時人乃至以《穀梁》膚淺，不足立於學官。
2. 又於第六部分「經學分立時代」（南北朝），依據《北史》所言「姚文安、秦道靜初亦學服氏，後兼更講杜元凱所注。其河外儒生，俱服膺杜氏」，藉服注《春秋》、杜注《左傳》在南北朝的傳習，說明南學、北學交相折入的情形。
3. 又於第七部分「經學統一時代」（隋唐），引《隋書‧經籍志》言《春秋》「《左氏》唯傳服義。至隋，杜氏盛行，服義浸微」，驗證隋唐經學隨政局統一，而北學從此衰絕。

（二）本田成之《中國經學史》

1. 於「第三章　秦漢底經學」中，論及《春秋》學分派情形，包括：「第三節　傳統與訓詁」的「公羊學底開山祖胡母生」、「穀梁赤」、「左氏傳」，及「第四節　齊學底旺盛」的「孔子為素王」、「西狩獲麟底解釋」、「演孔圖」、「屈周王魯故宋」、「三科九旨」、「齊學與公羊傳」、「齊學與穀梁左氏及易」、「齊學與七緯」等細項。
2. 又於「第七章清朝底經學」的「第三節　道咸以後的經學」中，在「今文派與古文派」項下，簡述當時《春秋》學的派別。

（三）馬宗霍《中國經學史》

以相關各篇，分別呈現當時《春秋》學的派別，如：

1. 「第六篇　兩漢之經學」，論述今文、古文、師法、家法等。
2. 「第七篇　魏晉之經學」，論述鄭學、王學等。
3. 「第八篇　南北朝之經學」、及「第九篇　隋唐之經學」的隋代部分，論述南學、北學等。
4. 「第十篇　宋之經學」，論述宋人「有不守陳義，自闢新術，非一家一派所得而囿者」[40]。

---

39 皮錫瑞：《增註經學歷史》（臺北縣：藝文印書館，1987年2版），頁153。

40 馬宗霍：《中國經學史》（上海市：上海書店影印出版，1987年第2次印刷）（本書根據商務印書館1937年版複印），頁119。

5.「第十一篇　元明之經學」，論述承襲朱子宋學等。
6.「第十二篇　清之經學」，論述漢學、宋學、吳學、皖學、常州今文之學等。

（四）吳雁南《中國經學史》

1. 以「第一章　西漢的今文經學」與「第二章　東漢今古文經學之爭」兩章，討論今古文派，並於「第一章　西漢的今文經學」的「第二節　今文經學的形成」之中，標列「三、春秋公羊學派」一項。
2. 又於「第三章　魏晉南北朝經學的多元傾向」的「第一節　三國西晉經學的衰落」之中，列有「一、王學與鄭學之爭」一項；並在「第三章　魏晉南北朝經學的多元傾向」之下，專列「第三節　北學與南學」一節。
3. 又於「第九章　乾嘉時期經學的興盛」的「第三節　今文經學的崛起」之中，標列「二、常州學派的崛起」一項。

（五）姜廣輝《中國經學思想史》

1. 於「第二卷『漢唐經學』」中，以「第三十九章　今、古文經學之爭及其意義」的「三　今、古文經學爭論的過程」，對照論述。
2. 又於「第四卷『清代經學』」中，在「第九十八章　劉逢祿與清代公羊學的發皇壯大——附論凌曙和陳立」，以「一　公羊家法與今文學復興之統緒」、「二　內部開掘和外部廓清之功」、「六　繼往開來，壯大公羊學派的力量」等項目，進行探討。

以上五種經學史論著，對於「《春秋》學」的派別，各有頗為豐富的論述，歷代重要者，多已有所探觸。

六　從對於《春秋》學「議題」的論述觀察

經學史上，有許多複雜的議題，或者源自於派別、學者的傳承激盪，或者出自於時空、思想的蛻變影響，甚至多重因素交錯牽引，從而受到廣泛關注與討論。前列五種經學史論著，對於「《春秋》學」議題的論述，約有：

（一）皮錫瑞《經學歷史》

於第三部分「經學昌明時代」，論辯《春秋》的今古文之學，並認為「孔子功繼群聖，全在《春秋》一書」[41]。

---

41 皮錫瑞：《增註經學歷史》（臺北縣：藝文印書館，1987年2版），頁91。

（二）吳雁南《中國經學史》

於「第二章　東漢今古文經學之爭」的「附錄　經學與漢代社會」中，列有「三、以經義決獄」一項。

整體而言，本文取材的五種經學史論著，較少針對「《春秋》學」中的特別議題全面進行綜合論述。

七　結語

經學史研究範圍廣泛，不論以何種分期方式論述，都可能有所缺失，依朝代遞嬗而分，容易忽略學術流變的事實；依學術流變而分，又有如何精準分期的難處。本文取材的五種經學史論著，僅皮錫瑞的《經學歷史》不是以朝代分期，然而該書並未完全擺脫朝代分期法的影子。至於對經書源流的認定，倘若有所局限，僅承認孔子所定的六藝為經，如皮錫瑞的《經學歷史》、本田成之的《中國經學史》，則可能遺漏許多重要經學史資料。此外，史觀的平正與否，也是影響信度的重要關鍵，應當避免如馬宗霍《中國經學史》引傳說謂六經萌芽於五帝時等過於寬泛的現象。不過，本文取材的五種經學史論著，每每反映出編撰者學術淵源，例如宗主今文說的皮錫瑞《經學歷史》；日本京都學派的本田成之《中國經學史》；先受業於擅長今文經的王闓運，復為古文學者章太炎入室弟子的馬宗霍《中國經學史》；接受現代思想薰陶的吳雁南《中國經學史》、姜廣輝《中國經學思想史》等，在各具特色的論述中，多少已將《春秋》學作一勾勒，雖然研究方法有別，雖然撰稿人數或許不只一位（如吳雁南《中國經學史》、姜廣輝《中國經學思想史》），雖然在篇幅比例上難以如同專經學史詳盡，但是，若與以朝代為軸的趙伯雄《春秋學史》相對照，可以看出，各書對於基本重心仍然有所掌握。趙書共計九章，分別是：「第一章　先秦《春秋》學的形成與分化」、「第二章　兩漢《春秋》學（上）」、「第三章　兩漢《春秋》學（下）」、「第四章　魏晉南北朝時期的《春秋》學」、「第五章　隋唐五代時期的《春秋》學」、「第六章　宋元明《春秋》學（上）」、「第七章　宋元明《春秋》學（下）」、「第八章　清代《春秋》學（上）」、「第九章　清代《春秋》學（下）」，並曾綜述歷代《春秋》學概況：

> 「《春秋》學的形態與內容，隨著時代的變遷而不斷地變化。漢代《春秋》學的主體是公羊學。為什麼會是這樣呢？因為漢人治經，特別注重實用，公羊學的理論，特別適合漢朝統治者的需要。漢時流行『三統說』，以此作為論證漢朝立國具有合理性、合法性的理論根據。而公羊學說中，正有可以配合三統說的地

方。……他如維護中央集權的『大一統』之義，維護王權、抗禦少數族侵擾的『尊王攘夷』之義，維護統治秩序的誅討亂臣賊子之義等，這些公羊學中的『大義』，都能夠用來解決現實政治問題。加以漢初的公羊學者董仲舒等人又對《春秋》學做了一番符合時代潮流的改造，加進了大量天人感應、災異祥瑞之類的內容，這就使《春秋》學更與當時瀰漫著神祕主義氣息的社會風習相契合。因此《春秋》公羊學成為西漢的顯學，自是情理中事。……代之而起的是《春秋》左氏學。《左傳》以實事解經，較之《公》、《穀》，顯得更為『深切著明』，這與東漢以後的社會普遍高揚的歷史意識是合拍的。唐代經學，當然也包括《春秋》學，明顯表現為缺乏生命力。這是因為漢學的研究已經沒有多少餘地，唐初《五經正義》的頒行，更是統一了經義。《春秋》學的一些理論和原則依然為人所遵奉，……而對《春秋》經傳的研究則用力越來越少。到了宋代，學者開始嘗試擺脫三傳，直接從經文中去挖掘微言大義，這樣不可避免地走上了逞臆說經的道路。……宋人注重內省，耽於玄想，同時迫切的需要用《春秋》來解決現實問題，故捨傳求經是他們最好的選擇。清代學術趨於徵實，學者多在《左傳》的訓詁、校勘、考證上下功夫，在經義上很少有什麼新的發明。此時的《春秋》學，有脫離政治的傾向，而向純學術的方向發展。晚清今文學復興，公羊學又重新被人拾起，公羊學說中的『三統論』、『三世說』以及『孔子改制』等思想，又成了知識分子鼓吹維新變法的理論武器。此時的《春秋》學，似乎是完成了一個輪迴，以《公羊》的崛起為始，中經《公》、《穀》的式微及《左傳》的獨行其道，又以公羊學的重新被提起告終。……此後的《春秋》學，只有在純粹學術研究的領域中才有其意義了。」[42]

這一段論述，不但提示《春秋》學發展史，也具體指出《春秋》學發展史中，存在某種「回歸原典」[43]的現象，值得進一步關注。若結合文獻真偽、義理內涵、時代背景等多

42 趙伯雄：《春秋學史》（濟南市：山東教育出版社，2014年第1版第1刷）（韻按：此為再版。前次出版於2004年，濟南市：山東教育出版社出版），〈自序〉頁1-2。

43 立足經學，從經學文獻演變角度，提出「回歸原典」概念的學者，首推林慶彰教授。林教授自1988年發表〈明末清初經學研究的回歸原點運動〉（《國際孔學會議論文集》，臺北市：國際孔學會議秘書處）以來，陸續於多篇論文（詳見劉柏宏：〈林慶彰先生〈中國經學史上的回歸原典運動〉一文評述〉，臺北市：《中國文哲研究通訊》第16卷第3期，2006年9月1日，頁134-135注4。另有由林慶彰教授講、鄭任釗整理的〈我研究經學史的一些心得〉（《中國思想史研究通訊》，2006年第1期，頁17-19轉頁4。後收錄於陳恆嵩、馮曉庭編《經學研究三十年》，頁594-600）也談及「回歸原典」。）中闡述「回歸原典」，而〈中國經學史上的回歸原典運動〉一文（初為2006年5月8日，中研院中國文哲研究所學術演講、及〔第五十四回〕九州中國學會大會（平成十八年度（2006年5月），長崎大學環境科學部）特別演講口頭稿。而後發表於《中國文化》2009年2期），林教授更以「回歸原典」觀念，綜論經學史整體發展脈絡。此外，劉柏宏：〈林慶彰先生〈中國經學史上的回歸原典運動〉一文評述〉（臺北市：《中國文哲研究通訊》第16卷第3期，2006年9月1日，頁133-143）、楊晉龍：〈中國經學史上的回歸原典運動〉簡評〉（臺北市：《中國文哲研究通訊》第16卷第

重面向同時考量，經學史大脈絡中的《春秋》學樣貌，以及《春秋》學回應時代脈動的表現，從源頭以下，於經於傳，其間未嘗仔細審視的環節，所在多有。姑以居於「承漢學、導宋學」樞紐位置的「啖助學派」為例，逐一觀察。歷經安史之亂、深刻感受時局動盪不安的中唐大曆年間重要經學家、「新《春秋》學學派」奠基人啖助（724-770）、以及含括啖助、陸淳[44]（？-806）、趙匡（[45]）等學者的「啖助學派」，在本文用以參照的專經史——趙伯雄《春秋學史》、以及本文取材的五種經學史著作之中的論述情形，分別如下：

（一）趙伯雄《春秋學史》

於「第五章　隋唐五代時期的《春秋》學」，以「第五節　開『捨傳求經』之風的啖、趙、陸三家」逾十頁篇幅[46]論述，約占全書正文五百八十頁的五十八分之一。

（二）皮錫瑞《經學歷史》

於「七　經學統一時代」之中，以「唐人經說傳今世者，惟陸淳本啖助、趙匡之說，作《春秋纂例》、《微旨》、《辨疑》。謂：左六國時人，非《論語》之丘明；雜采諸書，多不可信。《公》、《穀》口授，子夏所傳；後人據其大義，散配經文，故多乖謬，失其綱統。此等議論，頗能發前人所未發。惟《三傳》自古各自為說，無兼采《三傳》以成一書者；是開通學之途，背顓門之法矣。」[47]近一百六十字（含新式標點符號）論述；又於第八部分「經學變古時代」（宋代），以「宋人治《春秋》者多，而不治顓門，皆沿唐人啖、趙、陸一派。」數語，引介宋代重要的《春秋》學者十三人名姓[48]，約九十五字（含新式標點符號），合計約二百五十五字（含新式標點符號），約占全書正文逾四萬六千字（含新式標點符號）的一百八十分之一。

（三）本田成之《中國經學史》

於「第六章　唐宋元明底經學」的「第二節　五經正義」之中，以「啖助底批評」為標目，論述篇幅將近兩頁[49]，約占全書三百二十頁正文的一百六十分之一。

3期，2006年9月1日，頁145-151）、林慶彰：〈對楊、劉兩先生文評的回應〉（臺北市：《中國文哲研究通訊》第16卷第3期，2006年9月1日，頁153-157）等論文，進一步探討經學史上的「回歸原典」現象。

44 陸淳，字伯沖，晚年因避唐憲宗李純名諱，改名為「質」。

45 趙匡生卒年不詳，其主要事蹟約見於唐代宗大曆年間（766 - 779）。

46 趙伯雄：《春秋學史》（濟南市：山東教育出版社，2014年第1版第1刷）（韻按：此為再版。前次出版於2004年，濟南市：山東教育出版社出版），頁285 - 296。

47 皮錫瑞：《增註經學歷史》（臺北縣：藝文印書館，1987年2版），頁231。

48 皮錫瑞：《增註經學歷史》（臺北縣：藝文印書館，1987年2版），頁272。

49 本田成之：《中國經學史》（臺北縣：廣文印書館，2001年再版），頁234 - 236。

（四）馬宗霍《中國經學史》

於「第九篇　隋唐之經學」近結尾處，以「及乎大歷[50]之間，啖助趙匡陸質　本名淳避憲宗名改　以春秋，……今可見者，惟陸質所作春秋纂例辨疑微旨三書。其說本之啖助趙匡　質與趙匡同師啖助，助傳春秋集傳總例，質為裒錄，請匡損益，匡隨而疏之，質又纂會之，號纂例　，以為左傳解義多謬，其書乃出於孔氏門人，非論語之邱明，公穀口受子夏所傳，密于左氏，但後人據其大義，散配經文，亦多乖謬，失其綱紀。此等議論，前世范升王接劉兆等雖嘗發其端，而三傳並攻，不如此甚，且諸治春秋者，大抵顓門名家，尊傳過於尊經，苟有不通，寧言經誤，啖趙陸氏，則援經擊傳，自謂契於聖人之旨，故其書一出，好異者鶩之，柳宗元至以得執弟子禮於陸氏為榮。」約一頁[51]篇幅論述，約占全書正文一百五十八頁的一百五十八分之一。

（五）吳雁南《中國經學史》

於「第四章　隋唐經學的統一與變異」的「第二節　經學思想的活躍」之中，以「四、啖助、趙匡、陸淳的駁詰三《傳》」約兩頁[52]篇幅論述，約占全書正文五百三十頁的二百六十五分之一。

（六）姜廣輝《中國經學思想史》

於第二卷「漢唐經學」最末的「第四十六章　中唐啖助、趙匡、陸淳的春秋學」，以二十三頁[53]篇幅論述，約為全書四卷正文共三千六百三十二頁[54]的一百五十八分之一。

內容極其豐富的經學，面向亦屬多元，誠非一部經學史論著即能包羅完全，何況規模大小各有差別，文詞繁簡也不相同，加以立論觀點各有取捨，自然形成各種模樣。本文取材的五種經學史論著，若以「啖助學派」一例的觀察結果而言，所占篇幅的粗估比例，或許可以約略顯示各書對此論題著墨輕重的梗概。不過，其他各種關於源流、學者、作品、門派、思想、議題等，尚未觸及、或猶待深入探討的項目，即使規模最大的姜廣輝《中國經學思想史》，也還有許多可以拓展的空間。經學史著作中的《春秋》學論述，仍是現代學者必須持續努力充實的重要課業。

---

50 按：原文作「歷」字，疑應作「曆」。

51 馬宗霍：《中國經學史》（上海市：上海書店影印出版，1987年第2次印刷）（本書根據商務印書館1937年版複印），頁103-104。

52 吳雁南、秦學頎、李禹階主編，張曉生校訂：《中國經學史》（臺北市：五南圖書出版公司，2005年），頁208 - 210。

53 姜廣輝主編：《中國經學思想史‧第二卷》（北京市：中國社會科學出版社，2003年），頁779-801。

54 不包含第四卷下冊的〈后記〉（頁888-900）。

《漢書・五行志》之董仲舒《春秋》災異說
——以論「弒」為中心

宋惠如
金門大學華語文學系副教授

提要

董氏天人理論具有多重面向，論天命可畏，除了由天人理論導出受命說，亦可由董氏對《春秋》災異說的具體說解，說明天命發生之現實內涵。相對於其他史實之片面記載，董氏論災異多與君臣之道相關，所論《春秋》弒君二十五事，又與地理、天象之譴告相徵應，是以本文據此察考董氏《春秋》災異說。〈五行志〉記載一〇四條董氏災異說，確為董氏說，且與弒君相關者二十三條，本文分為地理之變：大水、火、地震、山崩，與天文異象一：星隕、星孛，天文異象二：日食，三部分考察，說明董氏詮釋災異，關聯《春秋》君臣失德之實事，指出時君對於災、異或顯於前、或顯於後的警示，不能應變，是以又續有後患。其說《春秋》災異以陰陽變化為基底，在日食之例又合以分野說，藉以證明人具有與天雙向交感的可能與特殊性，面對天命垂示之災異，人猶有可以應變、改善者。至於當如何應變？則是另一有意義課題。

關鍵詞：董仲舒　災異　〈五行志〉　弒　《春秋》

一　前言

敬畏天命，三代以來皆然，經周秦陰陽五行思想之摶成，天命思想的內涵逐漸繁複。[1]論者有謂，經鄒衍五德終始說，董仲舒推闡其說，將「天命」轉為「王命」，意即由帝王受命說，轉向藉天命以強化王者權威之王命。[2]此一理解下之受命義所指天命說，乃順承其天人系統的架構而來。順承董仲舒天的理論而開展的受命說，部分的說明董仲舒天命說。

總括董仲舒所建構天的理論，可分為兩層面論題，一、對天的構造、性格等有一理論系統說明[3]，二、透對災異理論，對天命如何具體示意展開論述。前者為董氏對天的理論的積極建構與掌握，後者可視為他對實然天命的接受與詮釋。順承董仲舒天人論述所詮釋的災異說，在其理論中固然其系統價值，然而天人理論與災異說，卻不見得有必然的關聯，前者並不保證、也不必然做為理解實然天命的理論基礎。[4]

孔子謂：「君子有三畏：畏天命，畏大人，畏聖人之言。」[5]董仲舒在《春秋繁露》重申這樣的立場，指出：「彼豈無傷害於人，如孔子徒畏之哉！以此見天之不可不畏敬，猶主上之不可不謹事。不謹事主，其禍來至顯，不畏敬天，其殃來至闇。闇者不見其端，若自然也。」[6]意謂有二，一則天命之響應於人間，不惟有所應，且有所害。天命之害，為孔子所畏，是以君子不惟敬天，猶且畏天。特別是天命來殃，有若自然，並不顯明，使人不知其端，亦不明所當處，此又為人所當格外敬慎、恐懼者。

董氏論《春秋》二四二年之文，以當時天下之大，事變之博，曾以十指大略之：

> 十指者，事之所繫也，王化之由得流也。舉事變見有重焉，一指也。見事變之所

---

*　本文曾發表於《當代儒學研究》第19期，2015年12月，頁67-102。

1　請參考陳麗桂：〈天命與時命〉一文對三代以來天命思想內涵之梳理。陳麗桂：〈天命與時命〉，《哲學與文化》第38卷第11期（2011年11月），頁59-82。

2　陳麗桂：〈天命與時命〉，頁62-63。

3　徐復觀：《兩漢思想史》（二）（上海市：華東師範大學，2001年），頁229-236。

4　如馮樹勳指：「董生亦深明如以僵化的宇宙論，把人模擬為天，並依此施諸現實政治時，將會面對巨大的困難。」馮樹勳：〈陰陽五行的階位秩序——董仲舒的天人哲學觀〉，《臺大文史哲學報》第70期（2009年5月），頁22-24。黃啟書《董仲舒春秋學中的災異理論》，自董仲舒之天人理論論災異之緣起與目的。黃啟書：《董仲舒春秋學中的災異理論》（臺北市：臺灣大學中國文學所碩士論文，1995年）。又如周德良論董仲舒災異思想，透過說明災異之起，與天人感應論密切相關，論所謂天人感應則從天的構造來談。周德良：〈論漢儒災異論（上）——以董仲舒、《白虎通》為中心之察考〉，《鵝湖月刊》第25卷第5期（1999年11月），頁17-19。

5　《疏》謂：「畏天命者，謂作善降之百祥，作不善降之百殃。」〔魏〕何晏集解，〔宋〕邢昺疏：《論語．季氏》，《論語注疏》（北京市：北京大學出版社，1999年），頁228。

6　〔漢〕董仲舒：〈郊語〉，《春秋繁露》，《四部叢刊初編》第50-51冊，景上海涵芬樓藏武英殿聚珍版本，卷14，頁5。

至者，一指也。因其所以至者而治之，一指也。強幹弱枝，大本小末，一指也。別嫌疑，異同類，一指也。論賢才之義，別所長之能，一指也。親近來遠，同民所欲，一指也。承周文而反之質，一指也。木生火，火為夏，天之端，一指也。切刺譏之所罰，考變異之所加，天之端，一指也。……木生火，火為夏，則陰陽四時之理相受而次矣。切刺譏之所罰，考變異之所加，則天所欲為行矣。統此而舉之，仁往而義，德澤廣大，大衍溢於四海，陰陽和調，萬物靡不得其理矣。說《春秋》者凡用是矣，此其法也。[7]

在掌握《春秋》綜理天下，以達王事十項指要中，第九指與五行陰陽受命說有關，第十指則與災異有關，而為天所欲為行者。是以探討董氏論天命，當分為二層，如其第九指關乎受命之說，第十指則為天命在具體事物中的各種展現。是以董氏所謂天命，不只受命論，亦有直就天命有所害——災異一層來談。

第十指中董氏所謂「天所欲為行」，蘇輿釋之：「天之所欲，順民而已，惕災修行，民受其福，是天意得行。」[8]意謂著：對於災異，人雖被動的接受上天之降災示意，卻又可在此災異變動中，窺得天命，積極視事，順民而使之受福，以取得應然之天人相應之理，而天意始得行。

由此觀之，災異不僅是董仲舒說明天人關係之一環，同時透過對災異的理解和應對，乃為現實中具體顧慮、掌握天命方式。是以他說：

至於祭天不享，其卜不從，使其牛口傷，鼷鼠食其角。或言食牛，或言食而死，或食而生，或不食而自死，或改卜而牛死，或卜而食其角。過有深淺薄厚，而災有簡甚，不可不察也。猶郊之變，因其災而之變，應而無為也。見百事之變之所不知而自然者，勝言與？以此見其可畏。[9]

人過深淺不同，災之為害亦有不同。如《春秋》記宣公三年郊祀，用以祭祀的牛隻，口傷，於是改卜牛，牛死，是以當年未行郊祀。成公七年，鼷鼠食郊牛角，改卜牛，鼷鼠又食其角，於是免牛為牲，此皆不合禮。[10]董仲舒指出，後來有人因食牛而死，也有食

7 董仲舒：〈十指〉，《春秋繁露》，卷5，頁7。

8 〔清〕蘇輿：《春秋繁露義證》（北京市：中華書局，1992年），頁147。

9 蘇輿：「因其災而之變，應而無為也」蘇輿疑句有誤。蘇輿：《春秋繁露義證》，頁413。

10 《春秋》經載宣公3年：「春王正月，郊牛之口傷；改卜牛，牛死，乃不郊。」楊伯峻〈注〉：「郊祭必先擇牛而卜之，吉則養之，然後卜郊祭之日。未卜日以前謂之牛，既卜日之後改曰牲……此曰『郊牛』，是尚未卜日可知。」楊伯峻編著：《春秋左傳注》修訂本（北京市：中華書局，1990年），頁667。成公7年：「鼷鼠食郊牛角，改卜牛，鼷鼠又食其角，乃免牛。」據楊伯峻僖公31年經注，謂：「免牲者，為郊所準備之犧牲，免而不殺……《穀梁傳》云：『免牲者，為之緇衣熏裳，有司玄端，奉送至於南郊，免牛亦然。』」楊伯峻編著：《春秋左傳注》修訂本，頁484。是「免牛」，乃免而不殺。總言之，成公7年之郊，不僅未卜牛，亦未殺牛，皆不合於禮。

牛沒死的，同時有未食也死了的，受害深淺有所不同。他認為這都是面對災變無所作為，「應而無為」，由此大嘆人面對災變不自知、且任其自然、不作為的情況，不可勝數！所謂天之可畏，當視乎此。

董仲舒對災異的觀察與詮釋來自《春秋》，視災異為上天譴告與示警，而人當有所自省與有所應變，若無所變，傷害便產生了。他說：

> 臣謹案《春秋》之中，視前世已行之事，以觀天人相與之際，甚可畏也。國家將有失道之敗，而天迺先出災害以譴告之。不知自省，又出怪異以警懼之。尚不知變，而傷敗迺至。……[11]

災異乃戒示人當有所應變的譴告與警示。作為災的譴告與異的警示，亦透過參古考今，透過《春秋》災異之記，以知天道，以知人之所當為：

> 孔子作《春秋》，上揆之天道，下質諸人情，參之于古，攷之於今，故《春秋》之所譏，災害之所加也；《春秋》之所惡，怪異之所施也。書邦家之過，兼災異之變，以此見人之所為。其美惡之極，乃與天地流通，而往來相應。此亦言天之一端也。[12]

主張當就孔子《春秋》所揆之天道，所論災異之變，見《春秋》所譏與所惡者，「以此見人之所為」。當中關注重點有三：邦家之過、災異之變、以知人之所為。

其次，災異說是將自然失序與社會失序關聯並置，兩者如何產生關聯，漢代儒者意見不盡相同，至董仲舒提出一套完整的譴告系統，開儒生以災異論政之風。[13]今可見董氏見之於行事的災異說有三，一為〈五行志〉董氏說，一為《全漢文》所錄〈廟殿火災對〉、〈雨雹對〉。董氏說災異，則多見於〈五行志〉。[14]〈五行志〉記錄從魯隱公至西漢王莽三七五件歷史上曾發生過的災異事件，被歸約四十六種災異類型，其中一六二條災

---

11 〔漢〕董仲舒：〈元光元年舉賢良對策〉，〔清〕嚴可均校輯：《全上古三代秦漢三國六朝文》，《續修四庫全書》本，卷23，頁2-7。

12 董仲舒：〈元光元年舉賢良對策〉，嚴可均校輯：《全上古三代秦漢三國六朝文》，《續修四庫全書》本，卷23，頁2-7。

13 陳明恩：〈董仲舒災異說析論〉，《2010年中國文學之學理與應用——紅樓夢國際學術研討會論文集》（臺北市：銘傳大學應用中國文學系所，2010年），頁219-221。黃啟書：〈《漢書．五行志》的創制及其相關問題〉，《臺大中文學報》第40期（2013年3月），頁152。

14 《史記》〈儒林列傳〉述董仲舒：「中廢為中大夫，居舍，著『災異之記』。是時遼東高廟災，主父偃疾之，取其書奏之天子。」謂董氏著有「災異之記」。到劉向，則將己說附入，或為《漢書．楚元王傳》所謂「集合上古以來歷春秋六國至秦漢符瑞災異之記」，是以〈五行志〉所錄劉向災異說，多稱「董仲舒指略同」。參考黃啟書：〈試論劉向、劉歆《洪範五行傳論》之異同〉，《臺大中文學報》第27期（2007年4月），頁134-136。

異事件發生於春秋、戰國時期。[15]劉向以《穀梁》說論災異，後有轉出，然有本於董氏；劉歆亦承以災異論政之風，在〈五行志〉中，留下引述《左傳》解釋災異的各種說法。

就春秋學來說，董氏學是掌握漢代春秋學的主要基礎，論證漢代今、古文經學當以其說為本，這應當也包括不為儒者說經主流的災異說。春秋時代人倫失序之極，在子弒父、臣弒君之亂象頻生，《穀梁》、《左傳》於弒君皆有人倫義理上評判與解釋，均未涉及災異之說，《公羊》亦然。有趣的是，董仲舒說《春秋》雖以《公羊》為據，而在〈五行志〉引董氏論《春秋》之書弒，卻將此人倫失序與自然災異關聯起來，以災異評論之，大異於《公羊》。再者，〈五行志〉中所錄董仲舒災異論一百餘條，當中具體指明為弒君之說者佔二十三例，近四分之一，關聯最多。因此，本文以董仲舒論弒君說為進路，比較《三傳》、《春秋繁露》與〈五行志〉董仲舒所論《春秋》災異說，從中探知董氏以災異實事論天命之詮釋原則與內涵。

〈五行志〉記董仲舒論《春秋》書弒共二十三例[16]，若據《春秋繁露》〈王道〉所錄「《春秋》異之」之異象，則弒君例除「火」為「災」之外，皆入「異」之類[17]，其中十七例聯以日食，六例聯以大水、火、山崩、星隕、地震、星孛。以下分做地理之變：大水、火、山崩、地震，天文異象一：星隕、星孛，天文異象二：日食，三部分申論之。

二　地理之變：大水、火、山崩、地震四例

〈五行志〉中，條記載或明為董仲舒說，或逕以劉向說指「董仲舒說略同」。[18]其

15 桂羅敏：《災異與秩序——《漢書·五行志》研究》，（上海市：上海大學人類學研究所博士論文，2012年12月），頁71。《春秋》災異記述，學者意見不同，或138則、139則，亦有122例之數，陳明恩：〈董仲舒災異說析論〉，《2010年中國文學之學理與應用——紅樓夢國際學術研討會論文集》，頁223，註13。

16 黃啟書將僖公三年「釐公二年『冬十月不雨』，三年『春正月不雨，夏四月不雨』，『六月雨』。先是者，嚴公夫人與公子慶父淫，而殺二君。」、襄公十六年「『五月甲子，地震』劉向以為先是雞澤之會，諸侯盟，大夫又盟。是歲三月，諸侯為溴梁之會，而大夫獨相與盟，五月地震矣。」兩條視為與董仲舒相關之言。（黃啟書：《董仲舒春秋學中的災異理論》，頁111-116。）然二例未見記有董氏說、或「指略同」等疑似董氏語者，故本文不取為董氏說例。

17 董仲舒謂：「日為之食，星如雨，雨螽，沙鹿崩。夏大雨水，冬大雨雪，石於宋五，六退飛。霜不殺草，李梅實。正月不雨，到於秋七月。地震，梁山崩，壅河，三日不流。書晦。彗星見於東方，孛於大辰。鸛鵒來巢，《春秋》異之。」董仲舒：〈王道〉，《春秋繁露》，卷4，頁1。

18 〈五行志〉中之下記「襄公二十八年春，無冰。」〔漢〕班固：《漢書》（北京市：中華書局，1962年），第5冊，頁1407。記董仲舒說，未及弒君論。文後繼之記「一曰，水旱之災，寒暑之變，天下皆同，故曰『無冰』，天下異也。桓公殺兄弒君，外成宋亂，與鄭易邑，背畔周室。」班固：《漢書》第5冊，頁1407-1408。查〈五行志〉中「一曰」之語，記有「一曰：皆王莽竊位之象云」班固：《漢書》第5冊，頁1374。「一曰：王莽貪虐而任社稷之重，卒成易姓之禍云」班固：《漢書》第

中水、火可歸為一類，山崩、地震為一類。

（一）大水、火

〈五行志〉：桓西元年「秋，大水」[19]、昭公九年「夏四月，陳火」。[20]

1 董仲舒舉二事說明「大水」之災：

（1）「桓弒兄隱公，民臣痛隱而賤桓。」[21]

魯桓公弒隱公君後立，《春秋》經文未書，《三傳》對桓公弒兄之事各行闡釋。

《左傳》敘述桓公弒兄首尾，未加評論。《穀梁》論謂「元年春，王，桓無王，其曰王，何也？謹始也。其曰無王，何也？桓弟弒兄，臣弒君，天子不能定，諸侯不能救，百姓不能去。以為無王之道，遂可以至焉爾。」[22]以「無王之道」評論此事。《公羊》論謂：「冬，十有一月壬辰，公薨。何以不書葬？隱之也。何隱爾？弒也。弒則何以不書葬？《春秋》君弒，賊不討，不書葬，以為無臣子也。」[23]從不討不書葬，咎臣子之責。

《春秋繁露》〈玉英〉論謂：「書即位者，言其弒君兄也。不書王者，以言其背天子。」[24]責桓公弒君背天子。

（2）「後宋督弒其君，諸侯會，將討之，桓受宋賂而歸，又背宋。諸侯　　由是伐魯，仍交兵結讎，伏屍流血，百姓愈怨，故十三年夏復大水。」[25]

桓公二年，宋督弒君，魯桓公與齊侯、陳侯、鄭伯會於稷，為平宋亂。然桓公受賄，未助宋討亂。《左傳》述事件本末，又以臧哀伯諫桓公語：「今滅德立違，而寘其賂器於大廟。」[26]不當將受賂之鼎奉於大廟，諫責魯桓公，為此事作評。《穀梁》、《公羊》亦責桓公之過。

5冊，頁1416。「一曰：丁、傅所亂者小，此異乃王太后、莽之應云。」班固：《漢書》第5冊，頁1477。是〈五行志〉一曰當為董仲舒後之說。因此此條不列入董氏說。

19 班固：《漢書》第5冊，頁1343

20 班固：《漢書》第5冊，頁1327。

21 班固：《漢書》第5冊，頁1343。

22 〔東晉〕范甯集解，〔唐〕楊士勛疏：《春秋穀梁傳注疏》（北京市：北京大學出版社，2000年），頁37。

23 〔漢〕何休解詁，〔唐〕徐彥疏：《春秋公羊傳注疏》（北京市：北京大學出版社，2000年），頁？。

24 蘇輿：《春秋繁露義證》，頁76。

25 班固：《漢書》第5冊，頁1343。

26 楊伯峻編著：《春秋左傳注》修訂本，頁89。

董仲舒將桓公十三年夏發大水之災，歸責於桓公；指桓公背宋，致使諸侯伐魯興戰，造成百姓之怨，故「復」大水。

若就董仲舒災異理論謂：

> 凡災異之本，盡生於國家之失。國家之失乃始萌芽，而天出災害以譴告之；譴告之而不知變，乃見怪異以驚駭之，驚駭之尚不知畏恐，其殃咎乃至。[27]

顯然，桓公年發大水，乃為「譴告之災」，然桓公不知應變，繼以受賄滅德，導致魯國戰伐，生民興怨。十三年之大水，顯然不是譴告之災，而為「殃咎」。

總上述，一、董仲舒深責桓公之惡，將水災之責歸於君惡。二、二次水災，首次為譴告，再度為殃咎。

2 大火之災

〈五行志〉記：

> 董仲舒以為陳夏徵舒殺君，楚嚴王（案：即莊王）託欲為陳討賊，陳國闢門而待之，至因滅陳。陳臣子尤毒恨甚，極陰生陽，故致火災。[28]

董仲舒指夏徵舒弒君與楚莊王討夏徵舒，發生在魯宣公十年（西元前599年）、十一年。楚莊王入陳殺夏徵舒後，竟降陳為楚之一縣，幾近滅陳，後因楚大夫申叔時諫言，復封陳國。此後，陳國數度為楚所滅，復立，終滅於哀公十七年（西元前478年）。[29]

《公羊》載楚殺夏徵舒，諸侯本不得專討，然以「上無天子，下無方伯，天下諸侯有為無道者，臣弒君，子弒父，力能討之，則討之可也。」[30]故又許楚莊王之討賊可也。《穀梁》以「輔人之不能民而討猶可；入人之國，制人之上下，使不得其君臣之道，不可。」[31]深責楚莊王之過。

董仲舒所指火災，發生於魯昭公九年（西元533年）。〈五行志〉「陳火」，同《公羊》、《穀梁》二傳，《左傳》記為「陳災」。據《穀梁》昭公九年傳謂：「國曰災，邑曰火。」[32]顯然以陳國已滅，故以「火」稱之。《公羊》立場相同：

> 陳已滅矣，其言陳火何？存陳也，曰存陳，悕矣！曷為存陳？滅人之國，執人之罪人，殺人之賊，葬人之君，若是則陳存悕矣！[33]

---

27 蘇輿：《春秋繁露義證》，頁259。

28 班固：《漢書》第5冊，頁1327。

29 楊伯峻編著：《春秋左傳注》修訂本，頁1311。

30 何休解詁，徐彥疏：《春秋公羊傳注疏》，頁403。

31 范甯集解，楊士勛疏：《春秋穀梁傳注疏》，頁232。

32 范甯集解，楊士勛疏：《春秋穀梁傳注疏》，頁327。

33 何休解詁，徐彥疏：《春秋公羊傳注疏》，頁562。

指魯昭公八年，《經》載「楚王滅陳」。縣邑火災，例本不記，之所以記陳火，在哀傷陳國之滅。此滅國、執罪、殺賊、葬君之罪責，皆在楚王。

《左傳》則不以陳國滅於此，於昭公八年與九年《傳》文，透過晉國史趙與鄭裨灶之語，主張陳國為楚邑，五年後終將復封：

> 夏四月，陳災，鄭裨竈曰:「五年陳將復封，封五十二年而遂亡。」子產問其故，對曰:「陳，水屬也；火，水妃也，而楚所相也。今火出而火陳，逐楚而建陳也。妃以五成，故曰五年，歲五及鶉火，而後陳卒亡，楚克有之，天之道也，故曰五十二年。」[34]

引史趙、鄭裨竈之言，採五行與星象之說，以陳為顓頊之後，水屬；楚之先為祝融，主火事，故陳為楚所治。「火出而火陳」，「火出」之「火」指心宿出現，此時陳又發生火災，是興陳逐楚之象。

宣公十年，楚首次降陳為縣邑，是第一次滅陳，於同年復封，至昭公八年，楚靈王又以討賊滅陳，第二次滅陳，陳為楚縣，九年陳大火，經六十六年。昭公時三年，陳復國。學者指出，陳國未在楚惠王（西元前479年）即魯哀公十六年時絕祀，雖在楚悼王時（西元前381-401年）時曾入楚縣，但未滅其社稷，直至楚宣王（西元前340-369年）終滅於楚。[35]是《左傳》以社稷未滅為準，故稱其「災」;〈公〉、〈穀〉二傳據《經》文稱「滅」，入楚縣，以「火」釋之。

班固〈五行志〉稱「火」，卻又載錄《左傳》鄭裨竈之言，並以《易．繫辭》解釋何以五年後，陳得復國。[36]董仲舒論此則簡單得多，只說因「嚴（莊）王託欲為陳討賊，陳國闢門而待之，至因滅陳」，使陳臣子尤毒恨甚，極陰而生陽，故致大火，毒恨的對象顯然是滅人之國的楚國。是以董氏述陳火之災重點有二：一、以之為楚君之過，楚之侵犯、滅國，使陳臣怨毒。二、以陰陽變化，述其成因。

（二）山崩、地震

1 〈五行志〉：成公五年「夏，梁山崩」[37]

《左傳》和《國語．晉語五》皆記此事，皆述以晉大夫宗伯道途所遇高士之語：「曰：山有朽壤而崩，可若何？國主山川，故山崩川竭，君為之不舉，降服，乘縵，徹

34 楊伯峻編著：《春秋左傳注》修訂本，頁1310。

35 何浩：《楚滅國研究》（湖北：武漢出版社，1989年），頁340。

36 班固：《漢書》第5冊，頁1328。

37 班固：《漢書》第5冊，頁1456。

樂，出次，祝幣，史辭，以禮焉。其如此而已，雖伯宗，若之何？」[38]主張國君敬慎其禮以待，無可奈何。

《穀梁》則將高士轉為拉車車夫，指出：「君親素縞，帥群臣而哭之，既而祠焉，斯流矣。」宗伯以此告知晉伯，又記孔子聞之，曰：「伯尊（即宗伯）其無績乎，攘善也！」[39]評宗伯隱去拉者車夫之名，盜取車夫美言。

《公羊》只說《春秋》記異。《左傳》、《國語》、《公羊》記載平實，董仲舒在《春秋繁露・王道》則指山崩為「《春秋》異之，以此見悖亂之徵」。[40]

〈五行志〉採《穀梁》富有災異色彩之說，並指出董、劉之說：

> 《穀梁傳》曰：廱河三日不流，晉君帥群臣而哭之，乃流。劉向以為山陽，君也，水陰，民也，天戒若曰，君道崩壞，下亂，百姓將失其所矣。哭然後流，喪亡象也。梁山在晉地，自晉始而及天下也。後晉暴殺三卿，厲公以弒。溴梁之會，天下大夫皆執國政，其後孫、甯出衛獻，三家逐魯昭，單、尹亂王室。[41]

這段話重點有三，一、認為山屬陽，為君，水屬陰，為民，山崩若天之警示：君道崩壞，民將失所。後則民哭而流，為喪亡之象。二、喪亡之象從晉開始，而及於天下。三、取史實為證，魯成公十七年，晉厲公殺三卿，而欒書、中行偃又殺厲公。自襄公十六年，諸侯會盟溴梁，齊派大夫高厚與會，後成大夫約盟，是〈五行志〉所稱「天下大夫皆執國政」。[42]襄公十四年衛大夫孫林父、甯殖作亂，使衛獻公出奔齊，魯昭公末年大夫孟孫氏、叔孫氏、季孫氏，三家共逐魯昭公，周室則有單旗、尹氏爭立王子猛、王子朝之亂。因此，君道崩壞，臣子為亂，相應於山崩相應之徵。

2 地震、麓崩

> 文公九年「九月癸酉，地震」、「釐公（案：指僖公）十四年秋八月辛卯，沙麓崩」[43]

〈五行志〉載：

> 劉向以為先是時，齊桓、晉文、魯釐二伯賢君新沒，周襄王失道，楚穆王殺父，諸侯皆不肖，權傾於下，天戒若曰，臣下彊盛者將動為害。後宋、魯、晉、莒、

38 楊伯峻編著：《春秋左傳注》修訂本，頁823。

39 范甯集解，楊士勛疏：《春秋穀梁傳注疏》，頁251。

40 蘇輿：《春秋繁露義證》，頁108。

41 班固：《漢書》第5冊，頁1456。

42 班固：《漢書》第5冊，頁1456。

43 班固：《漢書》第5冊，頁1452、1455。

> 鄭、陳、齊皆殺君。諸震，略皆從董仲舒說也。[44]

當時齊桓公、晉文公為霸，魯僖公為賢君，皆崩。周襄王為避叔帶之難而出奔，失為君之道。楚穆王殺其父成王也。可見得當時諸侯皆不肖，在下陰謀爭權。是以天警示：臣下強盛常為害，後來文公十六年宋人殺其君杵臼，十八年魯襄仲殺惡而立宣公，宣公二年晉趙盾殺其君夷臯，文公十八年莒弒其君庶其，宣公四年鄭公子歸生弒其君夷，十年宣公陳夏徵舒殺其君平國，文公十八年齊人殺其君商人。

《左傳》沒有解釋，《穀梁》和《公羊》釋以記異，《春秋繁露・二端》以山崩乃「《春秋》異之，以此見悖亂之徵」[45]。

〈五行志〉在「僖公十四年秋八月辛卯，沙麓崩」，《左傳》指晉地地震而麓崩，晉卜偃說「朞年將有大咎，幾亡國。」[46]〈五行志〉引董、劉之說：

> 劉向以為臣下背叛，散落不事上之象也。先是，齊桓行伯道，會諸侯，事周室。管仲既死，桓德日衰，天戒若曰，伯道將廢，諸侯散落，政逮大夫，陪臣執命，臣下不事上矣。桓公不寤，天子蔽晦。及齊威死，天下散而從楚。王劄子殺二大夫，晉敗天子之師，莫能征討，從是陵遲。[47]

指沙麓崩（西元前646年），乃因地震麓崩，故與地震同類，相應之徵為臣下背叛、不事上。舉事相證：齊桓為霸，在管仲死後（西元前645年），為德日衰。天若警示，霸業將廢，諸侯散落，政下大夫，陪臣執掌政令，為臣者不事君上。此沙麓崩為一譴告。桓公、周天子仍未醒悟，昏昧不明。至齊桓公死後（西元前643年），數十年間，天下盡於順楚。[48]王劄子殺召伯、毛伯，晉敗天子師，天子無力征討，衰落由此。

班固〈五行志〉又採《國語・周語上》周幽王二年，伯陽父評論西周三川震之語指出：

> 劉向以為金木水火沴土者也。伯陽甫（父）曰：「周將亡矣！天地之氣不過其序；若過其序，民亂之也。陽伏而不能出，陰迫而不能升，於是有地震。今三川實震，是陽失其所而填陰也。陽失而在陰，原必塞；原塞，國必亡。夫水，土演而民用也；土無所演，而民乏財用，不亡何待？昔伊雒竭而夏亡，河竭而商亡，

---

44 班固：《漢書》第5冊，頁1452。

45 蘇輿：《春秋繁露義證》，頁156。

46 楊伯峻編著：《春秋左傳注》修訂本，頁347、348。

47 班固：《漢書》第5冊，頁1455。

48 何浩指出：「齊桓時，楚師北進受阻。齊桓死後，楚成王乘隙北進。中雖經晉文公稱霸，楚再轉兵東向，直至楚莊王（西元前597年）敗晉師於邲，中原諸侯拱手相從。自楚武王至莊王，滅國七十餘。」何浩：《楚滅國研究》，頁4-9。

今周德如二代之季，其原又塞，塞必竭；川竭，山必崩。夫國必依山川，山崩川竭，亡之徵也。若國亡，不過十年，數之紀也。」[49]

以金木水火克土，五行與陰陽之氣釋山川地動。地震是陽道失其所，而填為陰道，致使水源必塞，而使國亡。是劉向以五行說為基底釋地震，以陰陽之變強化君臣失道的詮釋。董氏則僅以山崩、地震為君道崩壞或君德日衰，以致臣子陰謀事上，國亡之徵驗。

三 天文異象一：星隕、星孛二例

在《春秋繁露·天地之行》曾論天執其道為萬物之主，君則執其常為一國之主，並主張：「天不剛則列星亂其行，主不堅則邪臣亂其官。星亂則亡其天，臣亂則亡其君。故為天者務剛其氣，為君者務堅其政，剛堅然後陽道制命。」[50]人君之作為當如天行「剛」，天若不剛，則星亂；人君則為「堅」，並許以「陽道」，君未堅則臣下陰亂。星亂，是天道不剛之徵，亦為君道不堅之應。星亂分星隕（流星）、星孛（慧星）二種，皆與君臣之道相關。

（一）星隕

〈五行志〉：嚴（莊）公七年「四月辛卯夜，恆星不見，夜中星隕如雨」[51]

《三傳》於星隕如雨是何種景象有所討論，為記異之言。

〈五行志〉載董仲舒言：

董仲舒、劉向以為常星二十八宿者，人君之象也；眾星，萬民之類也。列宿不見，象諸侯微也；眾星隕墜，民失其所也。夜中者，為中國也。不及地而復，象齊桓起而救存之也。鄉亡桓公，星遂至地，中國其良絕矣。[52]

二十八宿恆星，為君主之象，眾星則萬民之屬。列星不見，象諸侯衰敗，隕墜則表示人民將不知所措。特別的是，董仲舒根據《公羊》所記「不修春秋」載「不修《春秋》曰：『雨星不及地尺而復。』」[53]指「不及地而復」乃為不及地為反回，象齊桓公霸業

49 班固：《漢書》第5冊，頁1451。

50 蘇輿：《春秋繁露義證》，頁459。

51 班固：《漢書》第5冊，頁1508。

52 班固：《漢書》第5冊，頁1580。

53 《公羊》作「雨星不及地尺而復」，〈五行志〉記「不及地而復」，未有「尺」字。何休釋「不及地尺而復」，指君子修之為「星賈如雨」乃因「不言尺者，賈則為異，不以尺寸錄之。」何休解詁，徐彥疏：《春秋公羊傳注疏》，頁154。

起，救存中國。當桓公薨，星隕落至地，則象中國實將斷絕。

董仲舒依《公羊》所記釋義，隕星又復反回天上，姑且不論事實上是否可能，董氏認為此一隕星復歸，象齊桓公勢起，齊桓之霸又維繫中國存亡命運，齊桓失德衰落，列星亦隕。

（二）星孛

〈五行志〉：文公十四年「七月，有星孛入於北斗」[54]

《公羊》僅志記異。《穀梁》釋星孛，謂：

> 孛之為言，猶茀也。其曰入北斗，鬥有環域也。」[55]

指北斗有其宿位，而孛星入北斗之域。

《左傳》則與人事相應徵：

> 有星孛入于北斗，周內史叔服曰：「不出七年，宋、齊、晉之君，皆將死亂。」[56]

《春秋》記七年內：

> 文公十四年（西元前613年）：九月，甲申，齊公子商人弒其君舍。
> 文公十六年（西元前611年）：冬，十有一月，宋人弒其君杵臼。
> 文公十八年（西元前609年）：夏，五月，戊戌，齊人弒其君商人。
> 宣公二年（西元前607年）：秋，九月，乙丑，晉趙盾弒其君夷皋。

是如其預言，宋、齊、晉皆死於弒亂。

《春秋繁露．王道》以孛星為《春秋》記異。〈五行志〉詳述董仲舒主張：

> 董仲舒以為孛者惡氣之所生也。謂之孛者，言其孛孛有所防蔽，闇亂不明之貌也。北斗，大國象。後齊、宋、魯、莒、晉皆弒君。[57]

以孛星為惡氣所生，入北斗宿位，因其光芒四射而有所防散，因而闇亂不明。他又加上魯、莒之弒君，國家擴及魯、莒。據《春秋》經載：

> 文公十八年（西元前609年）：夏，五月莒弒其君庶其。

---

54 班固：《漢書》第5冊，頁1151。

55 范甯集解，楊士勛疏：《春秋穀梁傳注疏》，頁206-207。

56 楊伯峻編著：《春秋左傳注》修訂本，頁604。

57 班固：《漢書》第5冊，頁1511。

魯國之弒君，為諱之故，不書弒，《春秋》在文公十八年記「子卒」。《左傳》則載：

冬，十月，仲殺惡及視，而立宣公，書曰：「子卒，諱之也。」[58]

書寫仲弒惡的經過。《公羊》亦書「隱之也。何隱爾？弒也。」[59]載魯弒君之事。

董仲舒呼應《左傳》記周內史服叔預言七年間弒君事，以孛星為弒君之記異，在《左傳》述事基礎上，對七年間弒君事件，又補上莒與魯國事件。

四　天文異象二：日食十七例

《春秋》記日食三十七次，除襄公二十一年九、十月兩月頻食，襄公二十四年七、八月兩月頻食，應有錯訛外，餘三十五次為確切史實。[60]〈五行志〉誌《春秋》日食三十七次，董氏論弒君有關有十七條。

（一）隱公三年「二月己巳，日有食之」。[61]

《左傳》未論，《公》、《穀》二傳記異。

〈五行志〉載：「董仲舒、劉向以為其後戎執天子之使，鄭獲魯隱，滅戴，衛、魯、宋鹹殺君。」[62]

以六件事為日食之徵，董、劉所指，各發生在：

1. 戎執天子之史：隱公七年，天王使凡伯來聘，戎伐凡伯于楚丘以歸。[63]
2. 鄭獲魯隱：《公羊傳》隱公六年春鄭人來渝平。渝平，墮成也。狐壤之戰，隱公獲焉。何以不言戰？諱獲也。[64]
3. 滅戴：隱公十年秋，宋人、蔡人、衛人伐戴，鄭伯伐取之。[65]
4. 弒君：隱公四年，衛州籲殺其君完。[66]
5. 弒君：隱公十一年，羽父使賊殺公於寫氏。[67]

---

58 楊伯峻編著：《春秋左傳注》修訂本，頁632。

59 何休解詁，徐彥疏：《春秋公羊傳注疏》，頁367。

60 劉德漢：《從漢書五行志看春秋對西漢政教的影響》（臺北市：華正書局，1979年），頁106。

61 班固：《漢書》第5冊，頁1479。

62 班固：《漢書》第5冊，頁1479。

63 楊伯峻編著：《春秋左傳注》修訂本，頁55。

64 何休解詁，徐彥疏：《春秋公羊傳注疏》，頁63。

65 楊伯峻編著：《春秋左傳注》修訂本，頁67。

66 楊伯峻編著：《春秋左傳注》修訂本，頁35。

67 楊伯峻編著：《春秋左傳注》修訂本，頁80。

6. 弒君：桓公二年春，宋督弒其君與夷。[68]

與戎戰執天子之使，兩國征戰獲君，滅國，弒君，自周天子至小國戴，皆為對君權的威脅。此為日食之驗證。

（二）桓公三年「七月壬辰朔，日有食之，既」。[69]

這一年的日食是「既」，日全食《三傳》記異，未論。

〈五行志〉記：「董仲舒、劉向以為前事已大，後事將至者又大，則既。先是魯、宋弒君，魯又成宋亂，易許田，亡事天子之心；楚僭稱王。後鄭岠王師，射桓王，又二君相簒。」[70]指魯、宋弒君，桓公助成宋亂，楚僭稱王，鄭伯射桓王，二君相簒指桓公十五年鄭國厲公奔蔡而昭公入，高渠彌又殺昭公而立子亹。或君道有虧，或君權受脅，而為日食之徵。此時又逢日全食，表示為亂更甚以往。

（三）嚴（莊）公十八年「三月，日有食之」。[71]

《左傳》、《公羊》記異，《穀梁》為夜食。

〈五行志〉載：「董仲舒以為宿在東壁，魯象也。後公子慶父、叔牙果通於夫人以劫公。」[72]以分野說釋之，宿在東壁，象魯。故有莊公之弟慶父、叔牙通於嫂，莊公夫人哀姜，是以莊、閔之際有慶父之亂，此皆印證曰食之徵。相對而言臣陰亂於下，亦為日食之徵。

（四）三十年「九月庚午朔，日有食之」。[73]

〈五行志〉載：「董仲舒、劉向以為後魯二君弒，夫人誅，兩弟死，狄滅邢，徐取舒，晉殺世子，楚滅弦。」[74]七事以為日食驗徵，分別為：

1. 後魯二君弒：子般為圉人所殺，閔公為薗齡所殺也。

---

68 楊伯峻編著：《春秋左傳注》修訂本，頁85。

69 班固：《漢書》第5冊，頁1482。

70 班固：《漢書》第5冊，頁1482。

71 班固：《漢書》第5冊，頁1483。

72 《漢書》第5冊，頁1483。劉德漢指據王先謙注云：「官本刼作弒。」劉德漢：《從漢書五行志看春秋對西漢政教的影響》，頁109。

73 班固：《漢書》第5冊，頁1484。

74 班固：《漢書》第5冊，頁1484。

2. 夫人誅：哀姜為齊人所殺。
3. 兩弟死：謂叔牙及慶父也。
4. 狄滅邢。（僖公3年）
5. 徐取舒。（僖公3年）
6. 晉殺世子：僖公五年，晉侯殺其太子申生。
7. 楚滅弦。（僖公5年）

後來發生事件為日食之證驗。此日食乃臣下陰亂於上，滅國之徵。

（五）僖公五年「九月戊申朔，日有食之」。[75]

《三傳》記異。

〈五行志〉載：「董仲舒、劉向以為先是齊桓行伯，江、黃自至，南服彊楚。其後不內自正，而外執陳大夫，則陳、楚不附，鄭伯逃盟，諸侯將不從桓政，故天見戒。其後晉滅虢，楚國許，諸侯伐鄭，晉弒二君，狄滅溫，楚伐黃，桓不能救。」[76]

據顏師古《漢書注》，由江人、黃人來盟，可見齊桓之霸：僖公四年，齊桓伐楚，盟于邵陵，故南服彊楚。然因不自正，又見齊桓霸之衰，邵陵盟後，以陳轅濤塗為誤軍而執之，陳不服罪，齊伐之，楚亦自是不復通。僖公五年秋，齊侯與諸侯盟於首止，鄭伯逃歸不盟。[77]

此處日食乃諸侯將不隨從齊桓之政之象，所以上天加以警示。至於僖公五年晉滅虢，僖公六年楚圍許，諸侯伐鄭。晉弒二君即僖公十年晉裡克弒奚齊及卓子。僖公十年狄滅僖、十一年楚伐黃，桓公皆不能救。

因此桓公君德有虧，上天以日食戒示之，後來發生種種桓公霸業衰敗不得救亡圖存之事，為其證驗。

（六）文西元年「二月癸亥，日有食之」。[78]

《三傳》記異。

〈五行志〉載：「董仲舒、劉向以為先是大夫始執國政，公子遂如京師，後楚世子商臣殺父，齊公子商人弒君，皆自立，宋子哀出奔，晉滅江，楚滅六，大夫公孫敖、叔

---

75 班固：《漢書》第5冊，頁1485。

76 班固：《漢書》第5冊，頁1485。

77 班固：《漢書》第5冊，頁1485-1486。

78 班固：《漢書》第5冊，頁1487。

彭生並專會盟。」[79]事各為：

1. 大夫始執國政：指魯莊公弟公子遂。
2. 公子遂如京師：僖公三十年，報宰周公之聘。
3. 文公一年，楚世子商臣殺父，文公十四年，齊公子商人弒君，皆自立。
4. 文公十四年。宋子哀出奔。
5. 晉滅江。
6. 楚滅六。
7. 大夫公孫敖、叔彭生並專會盟。指文公七年冬公孫敖如莒蒞盟，十一年叔彭生會郤缺于承匡。

此日食警示，後有大夫執國政，為臣亂上，弒君、滅國為之證。

（七）（文公）十五年「六月辛醜朔，日有食之」。[80]

《三傳》記異。

〈五行志〉載：「董仲舒、劉向以為後宋、齊、莒、晉、鄭八年之間五君殺死，夷滅舒蓼。」[81]以同「星孛」之記異，以八年間五君被弒，顏師古《注》「文十六年宋弒其君杵臼，十八年夏齊人弒其君商人，冬莒弒其君庶其，宣二年晉趙盾弒其君夷皐，四年鄭公子歸生弒其君夷也。」[82]以及夷滅舒蓼。弒君與滅國，為日食之徵。

（八）宣公八年「七月甲子，日有食之，既。」[83]

《三傳》記異。

〈五行志〉載：「董仲舒、劉向以為先是楚商臣弒父而立，至於嚴王遂彊。諸夏大國唯有齊、晉，齊、晉新有簒弒之禍，內皆未安，故楚乘弱橫行，八年之間六侵伐而一滅國；伐陸渾戎，觀兵周室；後又入鄭，鄭伯肉袒謝罪；北敗晉師於邲，流血色水；圍宋九月，析骸而炊之。」[84]

楚商臣弒父在文公一年，至楚莊王稱霸，當時齊於文公十八年齊人弒其君商人。晉

---

[79] 班固：《漢書》第5冊，頁1487。
[80] 班固：《漢書》第5冊，頁1487。
[81] 班固：《漢書》第5冊，頁1487。
[82] 班固：《漢書》第5冊，頁1487。
[83] 班固：《漢書》第5冊，頁1488。
[84] 班固：《漢書》第5冊，頁1488。

則宣公二年趙盾弒君之事。正值諸夏國弱，而楚大肆侵伐，宣公一年侵陳，三年侵鄭，四年伐鄭，五年伐鄭，六年伐鄭，八年伐陳也。滅國，即八年滅舒蓼。甚至在宣公三年伐陸渾之戎，揚武於周室，宣公十二年入鄭，使鄭伯肉袒謝罪，又北敗晉師於邲。十五年圍困宋國，長達九個月。

此記楚國霸行，征伐諸國，滅人之國，以為日食之證。

（九）（宣公）十年「四月丙辰，日有食之」。[85]

《三傳》記異。

〈五行志〉載：「董仲舒、劉向以為後陳夏徵舒弒其君，楚滅蕭，晉滅二國，王劄子殺召伯、毛伯。」[86]據顏師古《注》陳夏徵舒弒靈公宣公十年，楚滅蕭在十二年，晉滅二國在十五、十六年，王劄子事在十五年。[87]此日食之驗在臣下亂上，滅國二事。

（十）（成公）十七年「十二月丁巳朔，日有食之」。[88]

《三傳》記異。

〈五行志〉載：「董仲舒、劉向以為後楚滅舒庸，晉弒其君，宋魚石因楚奪君邑，莒滅鄫，齊滅萊，鄭伯弒死。」[89]據顏師古《注》楚滅與國舒庸在十七日食之後，晉弒其君在十八年，宋大夫魚石，十五年出奔楚，至十八年楚伐宋，取彭城而納之。莒滅鄫、齊滅萊在襄公六年。襄公七年鄭伯被弒[90]，此條《春秋》經文隱諱未記。此日食之驗在弒君與滅國。

（十一）（襄公）二十三年「二月癸酉朔，日有食之」。[91]

《三傳》記異。

〈五行志〉載：「董仲舒以為後衛侯入陳儀，甯喜弒其君剽。」[92]衛侯在襄公十四年為孫、甯所逐，二十五年入於陳儀。二十六年，甯喜殺剽。日食為弒君之驗。

---

85 班固：《漢書》第5冊，頁1488。
86 班固：《漢書》第5冊，頁1488。
87 班固：《漢書》第5冊，頁1488。
88 班固：《漢書》第5冊，頁1489。
89 班固：《漢書》第5冊，頁1489。
90 班固：《漢書》第5冊，頁1489-1490。
91 班固：《漢書》第5冊，頁1491。
92 班固：《漢書》第5冊，頁1491。

（十二）（襄公）二十四年「八月癸巳朔，日有食之」。[93]

《三傳》記異。

〈五行志〉載：「董仲舒以為比食又既，象陽將絕，夷狄主上國之象也。後六君弒，楚子果從諸侯伐鄭，滅舒鳩，魯往朝之，卒主中國，伐吳討慶封。」[94]

比食又既，指多次日食，又為日全食；襄公十四年、十五年、二十年、二十一年二次日食、二十四年七月日全食，八月又日食，十年間共七次日食。董仲舒以日象陽，日食表示陽氣將斷絕。後以實事證之，二十五年齊崔杼殺其君光，二十六年衛甯喜弒其君剽，二十九年閽殺吳子餘祭，三十年蔡太子班弒其君固，三十一年莒人弒其君密州，昭公一年楚令尹子圍入問王疾，縊而殺之。至於「夷狄」顯指楚國，乃二十四年冬，楚子、蔡侯、陳侯、許男伐鄭。二十五年滅舒鳩，二十八年魯往朝之，至此楚王儼然為中國霸主，又於昭公四年會諸侯，伐吳執慶封。

此條董氏認為日食乃預示弒君之異象，周天子、諸上國之君權受夷狄楚霸之脅之證。

（十三）（襄公）二十七年「十二月乙亥朔，日有食之」。[95]

《三傳》記異。

〈五行志〉載：「董仲舒以為禮義將大滅絕之象也。時吳子好勇，使刑人守門；蔡侯通於世子之妻；莒不早立嗣。後閽戕吳子，蔡世子般弒其父，莒人亦弒君而庶子爭。劉向以為自二十年至此歲，八年間日食七作，禍亂將重起，故天仍見戒也。後齊崔杼弒君，宋殺世子，北燕伯出奔，鄭大夫自外入而篡位，指略如董仲舒。」[96]

董仲舒以此日食為禮義絕滅之象，徵之諸事，當時吳國刑人守門，種下二十九年閽人弒君之禍。蔡世子弒父，莒人亦弒君，此皆子不子、臣不臣，為下犯上，無禮無義之徵。劉向從董氏之意，累計此八年日食七次，日食乃天之警示。

（十四）（昭公）七年「四月甲辰朔，日有食之」。[97]

《公》、《穀》二傳記異。

〈五行志〉載：「董仲舒、劉向以為先是楚靈王弒君而立，會諸侯，執徐子，滅

---

93 班固：《漢書》第5冊，頁1491。

94 班固：《漢書》第5冊，頁1491。

95 班固：《漢書》第5冊，頁1492。

96 班固：《漢書》第5冊，頁1492。

97 班固：《漢書》第5冊，頁1493。

賴，後陳公子招殺世子，楚因而滅之，又滅蔡，後靈王亦弒死。」[98]以日食乃楚靈王弒君，會諸侯，昭公八年執徐子，昭公十一年滅賴、滅陳、滅蔡等種罔蔑禮義、僭越等事，後昭公十三年楚公子比弒靈王。滅國與弒君，為日食之徵應。

（十五）（昭公）十七年「六月甲戌朔，日有食之」。[99]

《公》、《穀》二傳記異。《左傳》論日食國君應對之方。

〈五行志〉載：「董仲舒以為時宿在畢，晉國象也。晉厲公誅四大夫，失眾心，以弒死。後莫敢復責大夫，六卿遂相與比周，專晉國，君還事之。日比再食，其事在春秋後，故不載於經。」[100]以分野說，以宿星在畢，象晉國。證以實事，晉厲公受弒，自此不敢責大夫，六卿因此專擅晉國政事。日食不斷發生，徵證之事在春秋以後，故不載於《春秋》經。此日食之應徵，在晉國臣下之亂。

（十六）（昭公）二十四年「五月乙未朔，日有食之」。[101]

《公》、《穀》二傳記異。

《左傳》論曰：

> 梓慎曰：「將水。」昭子曰：「旱也。日過分無陽猶不克，克必甚，能無旱乎？陽不克莫，將積聚也。」[102]

以陰陽之氣說日食，梓慎預測將發生水災，昭子則以為將發生旱災。

〈五行志〉載：「董仲舒以為宿在胃，魯象也。後昭公為季氏所逐。劉向以為自十五年至此歲，十年間天戒七見，人君猶不寤。後楚殺戎蠻子，晉滅陸渾戎，盜殺衛侯兄，蔡、莒之君出奔，吳滅巢，公子光殺王僚，宋三臣以邑叛其君。它如仲舒。」[103]董氏以分野說，宿星在胃，象魯，故有昭公被季氏所逐，以下犯上之事。同時，劉向指出自昭公十五年至此，天戒有七次，人君未能醒悟。後有楚殺戎蠻子，晉滅陸渾戎，以及衛、蔡、莒之亂，吳滅巢，弒君，宋臣叛君等，如董氏所說。

此日食之徵，主要在魯，有季氏犯上之舉以證之。劉向則指諸國之亂，包括弒君、

---

98 班固：《漢書》第5冊，頁1493。

99 班固：《漢書》第5冊，頁1495。

100 班固：《漢書》第5冊，頁1495。

101 班固：《漢書》第5冊，頁1497。

102 楊伯峻編著：《春秋左傳注》修訂本，頁1451。

103 班固：《漢書》第5冊，頁1497。

滅國。[104]

（十七）（定公）十二年「十一月丙寅朔，日有食之」。[105]

《三傳》記異。

〈五行志〉載：「董仲舒、劉向以為後晉三大夫以邑叛，薛弒其君，楚滅頓、胡，越敗吳，衛逐世子。」[106]此日食之應徵，在晉三大夫叛，薛國弒君，楚滅二國。越、衛之事。具以下亂上、滅國等為之徵應。綜上述，董仲舒以日食為警示，證以一、大夫執國、叛國。二、君道虧失。三、周室遭迫，四、諸侯交征。五、弒君。六、滅國等實事。在董氏未以弒君為說的二十次日食中，論及以下犯上等逐君、叛君等多次。總三十七次日食中，論弒君最多，其次在犯君與滅國。

董仲舒論日食之原理，有以分野說某國之禍，於（三）、（十五）、（十六）條。亦有以陰陽之氣說日食，見（十二）條。若以日食中弒君之例論可見（十七）條，多述犯君之事，楚、晉滅國更是嚴重淩犯周天子君權之舉，顯然董仲舒更傾向於以陰陽之氣說日食者，以日象陽，日食表示陽氣之衰絕。如《春秋繁露．精華》之謂：「陰滅陽者，卑勝尊也，日食亦然。皆下犯上，以賤傷貴者，逆節也。」[107]因此董氏論日食：一、主要以陰陽之氣論日食，不及五行之變，為簡樸之災異論。二、主要以為下犯上，逆節之徵。

如此以下犯上，君權受脅，為《春秋》災異主要警示之況，是以董仲舒《春秋繁露》之〈王道〉總論《春秋》災異謂：

> 周衰，天子微弱，諸侯力政，大夫專國，士專邑，不能行度制法文之禮。諸侯背叛，莫修貢聘，奉獻天子。臣弒其君，子弒其父，孽殺其宗，不能統理，更相伐銼以廣地。以強相脅，不能制屬。強奄弱，眾暴寡，富使貧，並兼無已。臣下上僭，不能禁止。日為之食，星霣如雨，雨螽，沙鹿崩。夏大雨水，冬大雨雪。霣石於宋五，六鷁退飛。霣霜不殺草，李梅實。正月不雨，至於秋七月。地震，梁山崩，壅河，三日不流。晝晦。彗星見於東方，孛於大辰。鸛鵒來巢，《春秋》異之。以此見悖亂之徵。[108]

此論在〈郊語〉、〈奉本〉一再提及。日食、星隕、沙麓崩、大水、地震、山月，星孛，

---

104 此條有吳國弒君事，若僅為劉向之說，此條不列入董氏說，然文末謂「他如仲舒」，若釋為「正如董氏所言」，則可列入。此處視為劉向引董氏說，故列入。

105 班固：《漢書》第5冊，頁1499。

106 班固：《漢書》第5冊，頁1499。

107 蘇輿：《春秋繁露義證》，頁86-87。

108 董仲舒：〈王道〉，《春秋繁露》，卷4，頁2。

占災異近二分之一，是以下淩上，極端至弒君現象，乃董氏觀察《春秋》災異之要點。其次，因下淩上，不能度制法文之禮，而臣弒其君，子弒其父，孽殺其宗，不能統理，以強相脅，不能制屬。強奄弱，眾暴寡，富使貧，並兼無已。臣下上僭，不能禁止；這些「不能」，使「日為之食」，形成各式災異。災異乃上天呼應人事之徵。

五　結論

董氏論天命，不惟由天人理論而來的受命說，當有具體實現於人間社會的災異說。災異為天命顯象的具體掌握處，可以不必順承其天人理論而來，亦不必與天人理論相一致。相對的，不必將天人理論與災異說之不一致，視為董氏災異論之缺失，可就董氏論《春秋》災異之具體內容，具論其天命說之現實實指。

依董氏理論，災異之驗，一再見於《春秋》，在於人無所變。因此災異在某種程度上並非必然，當人無所應變於災異時，便陸續出現實事之驗證，是以董仲舒災異說，功效不在於預言，而在警示。他對《春秋》災異的實質解釋，呼應其災異理論所說「因惡夫推災異之象於前，然後圖安危禍亂於後者，非《春秋》之所甚貴也。」[109]

其次，災異警示說為董仲舒感應思維下之脈絡，是以董仲舒論《春秋》災異，多為應驗之說，以人事可與地理天象交感。這樣的交感現象，可論者有三。一、若以弒君中的災異為例，日食則十一例為先異後事，六例為事一異一事；大水為事一災一事一災；星隕為異一事，火為事一災，地震、沙麓崩為事一異一事與？一異一事，山崩為異一事。[110]據此，則先異十三例，或先事九至十例，數量接近。二、大水、火、地震、山崩之說，皆以君道敗失為說，作為災異之徵驗，其型態為先事後異，在日食之說則以臣下淩上為由，為災異之徵驗。三、如桓公二年大水，桓公不知應變，繼以受賄滅德，而於十三年又發大水。昭公十三陳火（災），董氏以「陳臣子尤毒恨甚，極陰生陽，故致火災」。山崩乃「山屬陽，為君，水屬陰，為民」象君道衰敗。由此君陽臣陰之屬性，有所變，則有交感、影響災異後續發生的可能。第一、二點與《公羊》說災異的基本原則：災隨事而至，異先事而發[111]不甚相符。對於災異，董仲舒有超出《公羊》的思維與系統建構。

又二十三例中，大水、火、山崩、地震四例皆以為君惡、君過。其中一例君惡並臣

---

109 董仲舒：〈二端〉，《春秋繁露》卷6，頁2。

110 參見黃啟書《董仲舒春秋學中的災異理論》歸納模式。黃啟書：《董仲舒春秋學中的災異理論》，頁111-116。

111 即何休《公羊解詁》所云：「災者，有害於人物，隨者而至者。」何休解詁，徐彥疏：《春秋公羊傳注疏》，頁61、「異者，非常可怪。先事而至者。」何休解詁，徐彥疏：《春秋公羊傳注疏》，頁42。

亂者，又以君惡致臣亂。星隕、星孛二例，以星隕一例為齊桓惡，星孛為弒君警示之驗。日食十七例，八例為臣亂於下，四例為君惡，其中一例君臣皆惡，餘六例為弒君警示之驗證。是以除日食之外，董氏皆以為君之被弒乃有其自取者。日食例比較特殊，罪之臣下多者，或在作為臣下之陰勝於上位之陽者，有眼見為憑的不可動搖性，但其中又有四例歸為君惡。因此，董氏災異論是如《漢書》本傳所載：「孔子曰「人能弘道，非道弘人」也。故治亂廢興在於己，非天降命不得可反，其所操持誖謬失其統也。……刑罰不中，則生邪氣；邪氣積於下，怨惡畜於上。上下不和，則陰陽繆盭而妖孽生矣。此災異所緣而起也。」[112]以邪氣積於下，又在上位者「刑罰不中」之失道。因此董氏之天命說，被看做是對君權的聲張與推揚，但就災異一層來看，更重要的是提出對君王的要求。

復次，〈五行傳〉董氏之《春秋》弒君說，主以陰陽為災異之本質，在日食之說曾論以分野說與陰陽變化論災異之理，這兩種說法皆見之於《左傳》[113]，董氏又兩合其說以為詮釋災異基礎。如以陰陽變異解釋《春秋》弒君，董氏認為日食象陽之將絕，如日食之說（十二）條「董仲舒以為比食又既，象陽將絕」，基本上以陰陽解釋日食現象，再加上分野說，可知禍亂之生於何地，如日食之說（三）條「董仲舒以為宿在東壁，魯象也。後公子慶父、叔牙果通於夫人以劫公」。

最後，《左傳》災異說多被視為神異預言，具有天人感應色彩[114]，又有以數術說災異的傾向，這樣思維下的天命，相對於董氏災異說，人的應變與能力是有限的，不能影響天數、天道。董仲舒論災異，明確以災異為警示，強調天人交感的具體關聯，突出人之猶可作為的特殊性，透顯天命之具體發生、生成、相互交感的歷程。如此以天人交感為董氏災異說主要基底時，研究董氏災異說的下一個問題是，人當如何應變？《公》、《穀》幾乎沒有提到，在《左傳》中則以烖禮應之[115]，董氏對於烖禮的立場與態度如何，有何不同於《左傳》的轉折，是另一個有趣的問題。

---

112 班固：《漢書》〈第八冊〉，頁2500。

113 董仲舒道陰陽，未比附五行，如黃啟書所論，董仲舒亦不以《洪範五行傳》詮釋災異。黃啟書：《董仲舒春秋學中的災異理論》，頁100-104。

114 如張高評：〈左傳預言之基型與作用〉，《春秋書法與左傳學史》（臺北市：五南圖書公司，2002年），頁39-55。陳鴻超：〈《左傳》神異預言與中國古代史學傳統〉，《古代文明》第8卷第1期，2014年01月，頁85-91。薛亞軍：〈《左傳》災異預言略論〉（上），《鎮江師專學報》（社會科學版）第1期（1997年 01月），頁19-24。薛亞軍：〈《左傳》災異預言略論〉（下），《鎮江師專學報》（社會科學版）第2期（1997年02月），頁15-21。

115 鄭志明研究指出，關於日食，《公羊》謂「求乎陰之道也」、《穀梁》「言充其陽也」以陰陽之道解釋烖禮中「鼓用牲于社」的作法。《左傳》解釋相對豐富，指烖禮儀式之宗旨在以國君自責為中心。鄭志明：〈左傳災異說探論〉，《鵝湖月刊》第114期（1984年12月），頁15-17。

基於前提討論的經學史研究

——由《左傳》杜注若干問題引發的思考

馬清源

山東大學儒學高等研究院博士後

提要

杜預之前如賈逵、服虔等人注《左傳》，從根本上而言，仍未脫離《公》、《穀》的解經方式——尤其是《公羊》以條例解經方式的影響，在具體問題的闡釋上，也將某些《公羊》理論作為解釋的前提。至杜預開始，在解釋《左傳》的方式上有了較大的轉變。杜預一方面否定了作為先儒解經前提而存在的「條例」，另一方面將複雜解釋簡單化。但是，杜預否定了前提，在無其他來源的情況下，很多解釋只是依據「情理」而已，與真正的事實亦有本質的區別。可以說，在經學理論的討論過程中，某些時候，越是簡單的結論，越是符合常理的註解可能越沒有依據，只不過是注解家依據自己的想象構造出的「合乎情理」的解釋而已，後人所謂解經「平實」的評論，很多情況下可以和「沒有理論基礎的簡單判斷」相掛鈎。總之，賈服注與杜注，代表了兩種不同的解經方式：「依據前提的解釋」與「符合情理的解釋」，今日研究經學史，不當忽視各家的不同前提。

關鍵詞：《左傳》　杜預　賈逵　服虔　解經前提

《春秋》三傳，各有「師法」、「家法」，在現在的經學史研究中，「師法」、「家法」等概念可以被看做是解釋的前提。重師法、家法者，尤以《公羊》、《穀梁》為主。筆者近來關注「魯禮」之研究，曾略涉及《公羊》何注對後世禮學若干問題的影響。其實從漢魏以後的受眾面來看，三傳之中《左傳》自然佔據更重要的地位，《左傳》家關於相關禮制討論，自然更不能迴避。現存《左傳》之注，最早、成系統的首推杜預《集解》一書，自唐人五經正義取之以為《左傳》標準注本，後世影響遠超之前的任何注本，其前各家注《左》之書亦次第亡佚。杜注有所本、亦有所革，其書既名《集解》，則其利用《左氏》先儒之注不言自喻，而杜預之前的《左氏》先儒，首推賈、服，學者對賈服注對杜注之影響，已有較多討論。[1]實際上，杜注與賈服注代表的是兩種不同的解經方法與解經態度，兩相對比，其同者，自不待言。其差異最顯者，通常被概括為賈服受《公》、《穀》影響，杜注依據「事實」，信而有據云云。至於賈服注與杜注之優劣，歷代更是爭論不休，喜杜注者，奉之為圭臬；喜賈服者，則有後人總結之兩次「攻杜浪潮」。[2]

今日之經學史研究，擺脫單純評價學者優劣或對經學理論之簡單判定的做法似已成為相關經學研究者之共同認識。摒棄簡單的是非判斷，轉入對注家何以言此之討論，似乎更有意義。筆者傾向於用經學討論的「前提」來定義這種「何以言此」的研究。基於這種認識，今試圖從這個角度對杜注與賈服注之某些區別、杜注中的某些問題進行重新審視，略陳管見。

一　作為賈服注「前提」而存在的《公》、《穀》條例

賈服之注，今大部已經散佚，有賴輯佚之書，得以略窺其貌。[3]翻檢任何一種輯佚本，或者讀《左傳正義》中所引之賈服說，不難得出賈服注與杜注之最重要區別在於賈服注常明引或暗用《公羊》、《穀梁》為說。

言賈服注受《公》、《穀》之影響，畢竟是一種簡單的概括，具體而言，與《公》、

1　如程南洲先生著有《賈逵之春秋左傳學及其對杜預注之影響》（臺北市：文津出版社，1980年）、《春秋左傳賈逵注與杜預注之比較研究》（臺北市：文津出版社，1981年）、《東漢時代之春秋左氏學》（原為臺灣政治大學中文研究所1978年博士論文，後上海市：華東師範大學出版社2011年新版）等，諸書比勘杜注與賈服等東漢先儒之注，言其中之因襲關係甚詳。

2　何晉先生在詳細對比賈服注和杜注的基礎上，客觀的分析了兩者的差異，指出杜注往往在名物制度、訓詁上不如賈服注精當有據，但其注解有時更簡約平實，不牽強附會。此外，對歷代論兩者優劣以及「攻杜浪潮」的情況，也有详细的论述分析。以上可參閱何晉〈左傳賈、服注與杜注比較研究〉，《國學研究》第4卷（北京市：北京大學出版社，1997年），頁63-96。

3　本文討論所涉及的賈服注，主要參考李貽德《春秋左氏傳賈服注輯述》、劉文淇等《春秋左氏傳舊注疏證》、重澤俊郎《左傳賈服注攟逸》等。

《穀》「條例」相似的《左傳》「條例」成為賈服等解釋《左傳》之重要手段——這是賈服注區別於杜注的最重要特點。對「條例」的認識，又要涉及早期《春秋》學的解經方法。面對簡略的《春秋》經文，從漢代早期開始，「條例」便成為《春秋》學的重要解經方式。

何謂「條例」式解經方式？簡而言之，其可以被看做是一種在比較前後經文的過程中產生（「比經推例」），并反過來再用於解釋經文的雙向解經方法。四庫館臣言：「非互相比較，則襃貶不明」，概括其重要性，簡明扼要。

尤其對《公羊》、《穀梁》二傳而言，因為經文簡略，在沒有其他參考資料（或者說當初本來就排斥其他參考資料）的情況下，只能通過「比經推例」，即比較類似事實經文的不同記載語句，通過字詞之間的細微差異來探究文字背後所隱藏的「聖人深意」。進而，經文不載的事實可由「條例」推出，至於如此推論出的「事實」是否符合歷史真實也不重要。可以說，脫離條例，《公》、《穀》即無法成為經學。《公》、《穀》之有條例，自不必言，《左傳》先儒的解釋，也是將條例作為重要的解經方法，《漢書》〈藝文志〉載劉歆、賈徽等均著有類似《左氏條例》之類的書籍，即便激烈反對《公》、《穀》條例的杜預，本人亦著有《春秋釋例》一書。

然而，條例的解經方式，存在其固有缺點。條例構造依據的是有限的經文，也只適合對篇幅不大的經文進行解釋。並且，隨著後儒的不斷引申，條例不斷增多，接踵而來的是不符合基本條例的特殊情況大量增多，最終甚至導致條例的特殊情況反而超出正常情況，從而使得條例的存在失去價值。另一方面，《公羊》家（甚至包括受《公羊》學影響的鄭玄）的眼裏，條例的作用，除了可以用來得出更多的微言大義之外，更可以借之探究文字之後所隱藏的事實。然而，這種根據條例構造出的事實，其實是一種理想化的推論，在面對更詳細甚至與之矛盾的《左傳》記載之時，其劣勢不言自明。這兩方面的原因，也正是「條例」解釋法在《左傳》興起之後不斷趨於衰落的重要原因。

條例是為簡單的經文準備的，當複雜經文出現的時候，只能有兩種解決方法：一是進一步複雜化，《公羊》的何注乃至《左傳》的賈服注走的大致是這條路，「條例」是賈服解經的「前提」；而與之相反的是完全拋棄條例，杜預選擇的就是這一條道路。

二　杜注對條例的排斥——前提的消亡之一

對「條例」這一「前提」承認與否，直接導致了解釋方式的不同，杜注《左傳》書前先有序言一篇，以問答的形式，詳細介紹了其注《左傳》的宗旨，毫不掩飾的表達了其排斥《公》、《穀》、反對條例的態度，以為《左傳》先儒「而更膚引《公羊》、《穀梁》，適足自亂」，同時闡明了自己的解經方式「預今所以為異，專修丘明之傳以釋經」。

如魯公即位或書或不書，《公羊》皆有條例，杜預《釋例》則言：「隱莊閔僖，雖居君位，或有故而不修即位之禮，或讓而不為，或痛而不忍，或亂而不得。禮廢事異，國史固無所書，非行其禮而不書于文也。」《公羊》認為「事行而國史諱而不書」，杜預認為「事不行故國史不書」，兩者的區別大致如此。下文更以「時月日例」為例，詳細展示杜預的態度及其問題。

「時月日例」是《公羊》家乃至早期《左傳》家解釋經文的重要方法，「條例」之中即以「時月日例」為典型代表。但是，上文提到「條例」的最大問題在於無法涵蓋所有的經文書寫情況，隨著條例的愈趨繁複，特殊情況越來越多，解經者不得不耗費大量精力來彌縫不符合條例的特殊情況，最後乃至於特殊情況超出原有的正常情況。杜預當初所面對的，可能就是這樣一種失去了活力的解經方法，於是杜預一概斥之，杜預對「時月日例」的態度，集中展示在《春秋釋例》〈大夫卒例〉一條中，[4]文煩不備錄，其要旨一言以蔽之：「《春秋》皆不以日月為例」。其否定時月日例的依據：一是認為「國史皆承告而書」，他國之告，不能保證皆有日月。二是推測魯國史官的記載過程，以為最初記載之時，當全具日月，而史官編修之時，「率意以約文」，以致在書寫上有類似「不書日」與「書日」等區別。然而，即便書日，亦有因年代遠近不同而存在的書寫數量上的差別——《春秋》載魯十二公，前六公紀事書日者二百四十九、後六公書日者四百三十二，前後時間略同而書日數量上卻有較大差別，究其原因，杜預言前者書日少乃「久遠遺落不與近同」。故而杜預最終得出「承他國之告，既有詳略，且魯國故典，亦又參差，去其日月則或害事之先後，備其日月則古史有所不載。故《春秋》皆不以日月為例」的結論。

但是，隱公元年冬十二月「公子益師卒」，未記日，《左傳》中明確記載「公不與小斂，故不書日」；桓公十七年「冬十月，朔，日有食之」，《左傳》中亦有明確記載「不書日，官失之也」。這兩條記載明顯與杜預「《春秋》皆不以日月為例」的理論相違背。杜預只能有限的承認《左傳》的「日例」，言《左傳》「日例」僅限於此，同時批評《左傳》先儒依據《公羊》、《穀梁》為《左傳》增加「日例」、創造「月例」做法是他們之所以「乖誤而繆戾」的原因。

杜預否定時月日例，自有其考慮，不妨看做是一種「從《左傳》到《左傳》」的解經方式。在杜預來看，這自然是恪守《左傳》，不雜取他家的優先選擇。不過，杜預否定了時月日例，不明時月日例的某些原理，對《左傳》先儒注解的批評往往不得要領。

僖三十三年經「冬，十二月，公至自齊。乙巳，公薨于小寢。隕霜不殺草，李梅實。晉人、陳人、鄭人伐許」，[5]此處經文「十二月」之下共繫四事，均為十二月發生之

4　〔晉〕杜預：《春秋釋例》，《叢書集成初編》本（上海市：商務印書館，1935年），頁26-28。

5　《春秋左傳注疏》（臺北市：藝文印書館影印阮刻《十三經注疏》本，2007年），頁289上。

事可無疑問。賈逵注解以為此處書月，僅為「公至自齊」、「公薨于小寢」而設，而與「隕霜不殺草，李梅實」及「晉人、陳人、鄭人伐許」二事無關，即杜預所謂「賈氏唯以二事繫月」。[6]依常理來看，賈逵這樣注解自然有難以理解之處，明明四事均繫於十二月之下，一年之中自然又不會有十三月，則其他兩事若不繫於十二月，繫於何月？杜預對此做出了「合乎情理」的批評，并以之為否定「時月日例」的重要論據：「凡四事皆當共繫十二月，賈氏唯以二事繫月，云『月者，為公薨，不憂隕霜李梅實也』。然則假設不憂，即不得書月，不得書月，則無緣知霜不殺草之月，又告至伐許在何月為可去。此亂注記、詭惑後世也。」

假如不懂得賈逵的解經前提、不懂得賈逵所依據的「時月日例」之解釋邏輯，可能會覺得杜預的批評不但合情合理，甚至「一針見血」、是一種「以子之矛攻子之盾」的有力抨擊。但是，賈逵為什麼會有這樣的解釋、真的是先儒「亂注記、詭惑後世」嗎？不得不促使我們去探究賈逵為什麼會有這樣的注解？與其順著杜預的批評，不如反過來探究賈逵的依據、其解經前提是什麼？其實清人已經注意到了這個問題，並對此做出了合乎賈逵本意的解釋。

李貽德《春秋賈服注輯述》此處云：「案十二公之薨，經無不繫月。『至自』及災異，或繫時不繫月，此十二月本為公薨而繫。以至自齊在前，則併書之。『隕霜不殺草，李梅實』，異而不災，無足憂者，不因是而繫月」。[7]劉文淇《春秋左氏傳舊注疏證》申李說：「按李說是也，賈意隕霜、李梅實於例當繫於冬。其日之，則以公薨為重。故退隕霜、李梅實於後也。」[8]其實不必進一步分析，僅依據李、劉二人之說，學者即可對賈逵的解經前提有明確的理解。公平的說，賈逵所依據的「時月日例」是否有更前一步的前提、前提是否可靠不得而知。但是反過來說，杜預又何嘗有依據？

三　情理與事實——前提的消亡之二

杜預《集解》畢竟是建立在前人基礎上的。字義訓詁方面的解釋，多採自前人，可無疑義。較之賈服注，杜注脫離《公》、《穀》的前提，一些貌似更加合理的解釋，實際上也沒有根據，只是從情理上來講更加合理而已。所以如果要簡單回應一下上文提出的問題，則杜預某些解釋的依據唯有情理而已。

先前筆者已言《公羊》家注中之「歷史事實」有據條例推定者，其與事實合與不合，本非《公羊》家所著意；《公羊》家或有據先師之說言事者，先師之說是否有來

6　〔晉〕杜預：《春秋釋例》，頁27。

7　〔清〕李貽德：《春秋左氏傳賈服注輯述》（《續修四庫全書》125冊影印清同治年間刻本，上海市：上海古籍出版社，2002年），頁467。

8　〔清〕劉文淇等：《春秋左氏傳舊注疏證》（北京市：科學出版社，1959年），頁454。

源，已不可考，前提的前提，也非本文所討論的範圍，要之其說本之先師而已。賈服繼承了這種解經方法。[9]至於杜預，對於某些既無詳細記載，又無先儒言及的情況，亦不能免因例求事的做法，[10]顯示了注家在無所依據的情況下所面對的困境及其無奈。進而杜預又有「將複雜事實簡單化」、「以情理言事」的解經方法。

圍繞桓公薨逝所導致的文姜來往於齊魯之間的一系列問題，《公羊》有說、《左傳》有言、賈服有注，而杜預更是創為新說。莊公元年經文「三月，夫人孫于齊」，按桓公十八年四月，桓公與夫人文姜會齊襄公于齊，桓公見殺，此處經文言「夫人孫于齊」，似先前文姜已經返魯，由魯至齊。查此處《公羊傳》云：「夫人固在齊矣，其言遜何？念母也。正月以存君，念母以首事。」[11]《左傳》云：「元年春，不稱即位，文姜出故也。」[12]

《詩》〈南山〉疏言：「何休及賈逵、服虔皆以為桓公之薨至是年三月，期而小祥，公憂思少殺，念及於母，以其罪重不可以反之，故書『遜於齊』耳。其實先在於齊，本未歸也。至二年夫人會齊侯於禚，是從魯往之，則於會之前已反魯矣。服虔云『蓋魯桓公之喪從齊來』，以文姜為二年始來。」[13]

是賈服皆用《公羊》之義，以為莊公元年三月文姜本在齊，經書「三月，夫人孫于齊」乃虛筆，文姜歸魯則在莊公二年冬十二月「夫人會齊侯於禚」之前，至於確切何時則不知，要之在莊公元年三月後、莊公二年十二月之前。而服虔所言「蓋魯桓公之喪從齊來」，「喪」字後疑脫「畢」字，是服虔推測文姜無顏預於桓公之喪事，待桓公三年喪畢之後之莊公二年始歸魯。

杜注經文：「夫人，莊公母也。魯人責之，故出奔，內諱奔，謂之孫，猶孫讓而

---

9 較之杜注，賈服注中有更多「細節」，後來的《左傳疏》中亦常常引之以補充杜注，給人以似乎確有其事的感覺，然而并沒有仔細探究賈服注所言細節的來源。如果仔細探究，可以發現這些所謂的事實細節，其實不少是依據《公羊》條例推得。如文公十五年傳「一人門於句鼆，一人門於戾丘，皆死」，正義曰：「句鼆、戾丘有寇攻門不書者，服虔云『魯國中小寇，非異國侵伐，故不書也』。」其實服虔以經不書，據條例構擬此事，《左傳》正義又取以論證，不啻於一種循環論證。在認識這些經疏的時候，需要理解經疏的解釋邏輯：經疏非正向的邏輯推理，而是反向的先有論點再找論據的過程。並且依經疏體例，是否一定有其事並不重要，重要的是這些「事实」可以補充經疏對經文、注文的疏解。更加重要的是，能夠彌縫的不一定必須是這些細節，甚至可以是任何細節，而無論這些細節是否存在。因此，假如要利用經疏中所載的「事實」來討論真實的歷史存在，需要慎之又慎。

10 如《春秋釋例》〈母弟例〉言：「然則兄害弟者，則稱弟以彰兄罪。弟又害兄，則去弟以罪弟身也。推此以觀其餘，秦伯之弟鍼、陳侯之弟黃、衛侯之弟鱄出奔，皆是兄害其弟者也。」(《春秋釋例》，頁19。)

11 《春秋公羊傳注疏》(臺北市：藝文印書館影印阮刻《十三經注疏》本，2007年)，頁72下。

12 《春秋左傳注疏》，頁137上。

13 《詩・南山》疏所引，見《毛詩注疏》(臺北市：藝文印書館影印阮刻《十三經注疏》本，2007年)，頁195下。

去」。注傳文：「文姜與桓俱行，而桓為齊所殺，故不敢還。莊公父弒母出，故不忍行即位之禮。據文姜未還，故傳稱文姜出也。姜於是感公意而還，不書，不告廟。」[14]揆諸經傳及杜注，可見杜預之基本認識：桓公薨於齊，文姜不敢歸魯，因文姜未還，故傳稱「文姜出」，而莊公因桓公死於齊、文姜在齊未還，故元年正月不忍行即位之禮。「文姜於時感公意而來，既至為魯人所尤，故三月又遜於齊」，[15]是以為文姜以莊公元年正月以後、三月之前還魯，然後三月又因魯人非難，由魯去齊。

兩者分歧之關鍵在於：莊公元年三月「夫人孫于齊」之前，文姜在魯在齊？是本在齊未歸（賈服說），還是由魯奔齊（杜預說）？看似簡單的小小問題，背後反映的是基於不同前提下的不同理解。賈服、何休甚至鄭玄等都基於《公羊》，[16]以《公羊》傳文為前提，提出文姜本在齊未歸之說。而杜預之說其實並無所依，僅僅依據對經文「夫人孫于齊」的字面理解，構擬出「魯人責之，故出奔」的解釋。進一步講，杜預肯定也看到了先儒的解釋，不妨站在杜預的立場上做一理解：經文及《左傳》並無明文，先儒的解釋和《公羊》相關聯，而《公羊》言「夫人固在齊矣」，似亦並無所據，何休注云：「據公夫人遂如齊，未有來文」。據此，是《公羊》僅依據桓十八年經文載「公、夫人姜氏遂如齊」，此後至莊元年經文「三月，夫人孫于齊」之間，并無言及夫人歸魯之事，故而得出莊元年三月，夫人本在齊未歸之說。再往下考慮《公羊》這種由經到傳的闡釋方式，勢必又要涉及《公羊》複雜的「條例」問題。受《公》、《穀》影響的先儒，可以以《公羊》傳文為基礎，直接拿來以之為前提來解釋《左傳》，但秉承「專修丘明之傳以釋經」的杜預，不取這種需要有層層前提為基礎的累積式的解釋方式，拋棄一切前提，以「快刀斬亂麻」的魄力，將事實簡單化，得出貌似更加符合情理之「事實」，亦是自然。

那麼杜預這種解釋，有無依據？無。有無可能？有。但是，即便杜預這種解釋真的與事實相符，也與真正的歷史記載（假設有）存在本質的區別。況且，經學本來就和歷史事實不同。《詩》〈南山〉疏評論說：「杜預創為其說，前儒盡不然也」，也是清楚的認識到了杜預此說並無師承與依據，僅是杜預自己理想的創造而已。

如果說〈南山〉疏有袒鄭之嫌，今引一段《左傳》疏文，可見即便是袒杜之《左傳正義》，對此種情況亦不得不承認。僖公元年傳「『九月，公敗邾師于偃』，虛丘之戍將歸者也」。杜注：「虛丘，邾地。邾人既送哀姜還，齊人殺之，因戍虛丘，欲以侵魯。公以義求齊，齊送姜氏之喪。邾人懼，乃歸，故公要而敗之。」杜注此言，表面來看，細節俱在，言之鑿鑿，似乎邾人確有「欲以侵魯」之事。《正義》曰：

14 《春秋左傳注疏》，頁136上至137上。

15 亦《詩》〈南山〉疏所引，見《毛詩注疏》頁195下。

16 《詩》〈南山〉疏言：「鄭於《喪服小記》之注引《公羊》「正月存親」之事，則亦同於賈服，至二年乃歸也。」（《毛詩注疏》，頁195下。）

> 犖之盟也，邾人在焉。公既盟而敗其師，傳不明言其故，直云「虛丘之戍」，不知虛丘誰地，何故戍之。服虔云：「虛丘，魯邑。魯有亂，邾使兵戍虛丘。魯與邾無怨，因兵將還，要而敗之，所以惡僖公也。」邾之於魯，本無怨惡。僖公奔邾，則為之外主；國亂，則戍其內邑。無故而敗其師，亡信背義，莫斯之甚，非僖公作頌之主所當行也。杜以為不然，故別為此說。此說亦無所據，要其理當然也。案十二月夫人之喪始至，此九月敗邾師而云「以義求齊，齊送姜氏之喪」者，夫人以七月薨，公即求齊，齊既許之，邾聞許而將歸，魯得許而敗邾師耳。[17]

無需進一步分析，僅引上述《左傳》疏文，讀者自可知杜預之言之鑿鑿者，實系「理當然」之推論。

四　結語

本文的目的，不在於引發對《左傳》賈服注與杜注之重新評論，關於這方面的文章，已經很多。亦無意於對杜注有任何貶低，杜注《左傳》，厥功甚偉。只是試圖在「前提」的視角下，提出某些問題，用某些例證，對比賈服注與杜注，反思兩者不同的解經方式，及其在解經時候有無前提，前提是何？同時促使學者進一步思考什麼是經學？經學與事實有什麼區別？偶有一管之見，供大家批評。

如何認識從賈服到杜預的轉變？一方面，從《左傳》先儒到杜預，《左傳》似乎有一種「史——經——史」的轉變。劉歆爭立《左傳》，博士答以「《左傳》不傳《春秋》」，實際上是將《左傳》排除在經學範圍之外。以賈服為代表的兩漢之際、東漢前期的經學家，致力於將《左傳》按經學的方式解釋。這裏所謂「經學的方式」，很大程度上是指《公羊》「條例」的解經方法。而到杜預之時，幾經轉手，《公》、《穀》的精神內涵在杜預眼裏成了可有可無、甚至必須棄之而後快的敝屣。努力拋除《公》、《穀》「條例」的影響，對一些前後異文，以「史文缺亂」、「無義例」作解釋，實際上是將《左傳》恢復成「史」。因此，杜預之《集解》，名為注經，更像是注史。另一方面，杜預面對先儒依據各種前提，層層累積而成的解經現實，其所注所解，亦可以被看做是一種回歸《左傳》本身，快刀斬亂麻式的簡單化解經方式。趨簡避煩，對先儒複雜的解經前提一概拋棄，很有林慶彰先生所言的經學討論「回歸原典」的意味。而杜預似乎引領了《春秋》學這一趨勢，稍後范注《穀梁》，則展示出了更為激進的拋棄前提，依據字面、依據情理來解經的態度。[18]

17　《春秋左傳注疏》，頁198下。

18　如對「躋僖公」及其所涉及的昭穆問題的解釋，《公羊》有「臣子一例」的原則，杜預不取，並迴避複雜的昭穆討論，而范甯將「躋僖公」理解成升僖公神主於莊公之上，更是一種脫離前提的字面理杜預所引領的這種轉變，從整個《春秋》學來看，無疑是《公羊》的衰落，但是《公羊》的某些精神內涵及經學理論，卻一直影響下去，尤其從禮學的角度來看，不少禮學的重要理論，追本溯源，甚至都可以上溯到《公羊》學理論，這一點，希望不要被經學研究者所忽視。[19]

同時，本文的討論也不是探求事實究竟如何？文姜於莊公元年三月究竟在齊在魯？即便某一天有出土資料對此做出清晰的回答，對經學研究來講，亦沒有多大意義，因為我們不能以現代的眼光對古人作居高臨下式的評判，況且對事實的追求已經超越了傳統經學的研究範疇。我們所關注的，正是這種在齊在魯的不確定性所引發的經學討論。可以說，不確定性，正是引發經學研究的催化劑。

說到這裏，似乎可以順便對從古到今經學研究作三種分類，一是有學術背景（師說前提）的討論（如賈服等注《左傳》）；二是依據情理、趨簡避煩的判斷（如杜注某些說法）；時至今日，又有依據現代科學理論、考古發掘的研究。只不過很多時候，依據前提的討論，經常被人批評為「墨守門戶」，而實際上對所謂的不墨守門戶的推崇，反而是沒有認識到「墨守門戶」所代表的遵循前提的解經方式的意義。反過來說，所謂經學視角上的「治學平實」、「符合情理」，很多情況下，似乎可以等同於「沒有學術背景的簡單判斷」。

至於第三種研究方法，現代學術體系建立以後，多傾向於用歷史實證——包含但不限於先秦史研究以及人類學、社會學等知識等來判斷一種經學觀點的成立與否。確實，正如葉國良先生所言「讀禮書讀多了以後，我就發現，某些問題，尤其是某些禮儀，如果追根溯源，往往不是傳統經學所能解決的，無法從前人的解釋中找到答案，特別是沒有文字記載的遠古時代，這時候就要利用人類學，民俗學的方式來探討。嘗試未必會成功，但如果你得到一個假說，能經得起論證，不妨試試看。因為這基本上是古代經學家沒嘗試過的方法。」[20]不可否認，這樣的研究方法，對於加深我們對某些經學問題的理解很有幫助。有些時候，明瞭一些現代人類學理論知識，再反過來看某些經學問題，可以有渙然冰釋的感覺。[21]類似的研究，可以作為一種新時代的「經學研究」被提倡，但

解。吉川忠夫先生曾言「《(穀梁）集解》是以就本文的字義而加以合理解釋為本來目的」，指出范甯認為「解《穀梁》沒有必要一定依據《穀梁》來做出，而目的始終在於『據理』以通經」(〔日〕吉川忠夫著，王啟發譯：《六朝精神史研究》，南京市：江蘇人民出版社，2010年，頁105、107。)

19 如《公羊》及何注「臣子一例」說對後世昭穆問題討論的影響，可參拙文〈「躋僖公」三傳闡釋考〉(《北大史學》第19輯，北京市：北京大學出版社，2015年)；再如《公羊》相關學說對鄭玄《魯禮禘祫義》的理論構造亦有影響，可參拙文〈構造禘祫——論鄭玄之推論依據及特點〉(《原道》2016年第1輯)。

20 〈重建禮教社會——葉國良先生訪談錄〉，彭林等主編《禮樂中國——首屆禮學國際學術研討會論文集》(上海市：上海書店出版社，2013年)，頁520。

21 舉一個筆者熟悉的例子，筆者在研究昭穆問題的過程中，曾拜讀李衡眉先生〈昭穆制度與周人早期

似乎脫離了傳統經學本來的研究範疇，至少不應當成為「經學史」研究的主要領域。

最後需要指出，依據條例構造的事實固然不可靠，但脫離前提的簡單化情理推測，亦不能與「事實」畫等號。隋唐的經學家創作義疏之時，已經認識到了這一點，今天討論經學史之時，對此更應該有清醒的認識。即便這種情理推測法與今天的科學研究可能得出一致的結論，但兩者采取的方法、走的道路完全不同，得出的結論有著本質的不同，僅僅看表面的「殊途同歸」，不能簡單的將兩者等同。某些美術史方面的專家提出，研究上古歷史，要拋棄一切經典的干擾，單依靠考古、社會學等科學理論來研究。這種做法雖然激進，但仍然給我們今天的經學史研究以有益的啟示。所以說，研究經學史，應當注意層層的前提，這層層前提也是經學以及經學史研究的獨特魅力所在，剝離、忽視了附著在經學理論上的層層前提，相關研究也就失去了其獨特價值。相反，如果要研究歷史真相，則應當注意搞清經書體系中的某些歷史事實是如何產生以及它們是否可靠。

（本文原在2015年「經學史研究的回顧與展望——林慶彰先生榮退紀念」學術研討會上宣讀，後正式發表於《中國經學》第22輯。此次收入論文集，僅按要求作了若干格式調整）

婚姻形式〉（《歷史研究》1990年第2期，頁12-25）等一系列論文，其文引用前蘇聯學者謝苗諾夫《婚姻和家庭的起源》一書中的相關人類學知識，以現代理論模型解釋昭穆最初起源之情形，令人印象深刻。

玄應《一切經音義》徵引《左傳》研究

——兼論佛經音義引經底本來源的複雜性

蘇　芃
南京師範大學文學院教授

提要

唐代玄應的《一切經音義》共引《左傳》九十五則，明引杜預注三十一則，暗引十四則，誤將杜注引成《左傳》二則，引服虔注一則。將這些材料逐一梳理，且與日本所藏原本《玉篇》殘卷展開對比研究，發現有的引文直接承襲《玉篇》而來，而非引自唐代傳寫的《春秋經傳集解》。在此基礎上，進一步討論佛經音義援引儒家經典底本來源的複雜性。

關鍵詞：玄應音義　左傳　底本　複雜性

唐代貞觀、龍朔年間，僧人玄應撰作的《一切經音義》（下文簡稱「玄應《音義》」或「《音義》」）是一部注解佛典語彙的名著，敦煌吐魯番文獻中有數種傳抄寫本，日本奈良時代玄應《音義》傳到日本，正倉院《聖語藏》收錄的卷六殘卷即天平年間（西元729-749年）寫本，此後遞有傳寫與刊刻。《音義》中的書證材料大量援取儒家經典，清代學者校勘《十三經注疏》時已用《音義》的書證作為他校資料，但利用尚不全面。本文擬對玄應《音義》徵引《左傳》的相關文獻展開系統檢覈考察。

一　玄應《音義》徵引《左傳》條疏

通過蒐輯查證，玄應《一切經音義》徵引《春秋左傳》凡九十五則，明引杜預注三十一則、暗引十四則，誤將杜注引成《左傳》二則，引服虔注一則。以下將這些引文資料逐一臚列考辨。

（1）或級　《左傳》：「加勞賜一級。」又云：「斬首二十三級。」（頁12，此處為徐時儀先生校注《一切經音義三種校本合刊（修訂版）》相關頁碼，上海市：上海古籍出版社，2012年8月，下同。部分標點為筆者增補。）

案：《左傳》〈僖公九年〉：「加勞，賜一級，無下拜。」（頁219，此處為阮元校刻《十三經注疏》相關頁碼，臺灣藝文印書館股份有限公司，2001年，下同）「又云『斬首二十三級』」實出自《史記》〈樊酈滕灌列傳〉，非《左傳》文。

（2）姦宄　《左傳》：「在內曰姦，在外曰宄。」（又云：「亂在內曰宄」。）[1]（頁18）

案：《左傳》〈成公十七年〉：「臣聞亂在外為姦，在內為軌。」《釋文》：「軌，本又作宄，音同。」（頁484）《漢書》顏注、《後漢書》李賢注引《左傳》皆作「亂在外為奸，在內為宄」，《音義》引文當有倒譌。

（3）胆佞　《左傳》云：「寡人不佞，不能事父兄。」（頁20）

案：《左傳》〈昭公二十五年〉：「寡人不佞，不能事父兄。」（頁895）

（4）惓襲　《左傳》：「凡師輕曰襲。」注云：「掩其不備也」。又云夜戰曰襲。（頁26）

案：《左傳》〈莊公二十九年〉：「凡師有鍾鼓曰伐，無曰侵，輕曰襲。」杜注：「掩其不備。」（頁178）「夜戰曰襲」不見於傳世本《左傳》。

1　徐校：「又云：亂在內曰宄。《麗》《慧》無，據《磧》補。」（「徐校」即徐時儀《一切經音義三種校本合刊》校勘記，下同）

（5）儕類　《左傳》「晋鄭同儕」是也[2]。（頁26）

案：《左傳》〈僖公二十三年〉：「晋鄭同儕。」（頁252）

（6）田疇　《左傳》：「取我田疇。」注云：「並畔為疇。」[3]（頁26）

案：《左傳》〈襄公三十年〉：「取我田疇。」杜注：「並畔為疇。」（頁684）

（7）號哭　《左傳》「豺狼所嗥」是也。（頁35）

案：《左傳》〈襄公十四年〉：「豺狼所嗥。」（頁558）

（8）頑嚚　《左傳》「心不則德義之經為頑，口不道忠信之言曰嚚」是也。（頁38）

案：《左傳》〈僖公二十四年〉：「心不則德義之經為頑，口不道忠信之言為嚚。」（頁257）《音義》「曰嚚」，傳世本作「為嚚」。

（9）滋蔓　《左傳》：「無使滋蔓。」服虔曰：「滋，益也。蔓，延也。謂無使其惡益延長也。」（頁40）

案：《左傳》〈隱公元年〉：「無使滋蔓」（頁36）服虔注「滋，益也。蔓，延也。謂無使其惡益延長也」為服氏《春秋左氏傳解誼》佚文。

（10）頷骨　《左傳》云：「輔車相依。」（頁45）

案：《左傳》〈僖公五年〉：「輔車相依。」（頁213）

（11）創痍　《左傳》曰：「生瘍於頭。」（頁46）

案：《左傳》〈襄公十九年〉：「生瘍於頭。」（頁584）

（12）髡樹　《左傳》：「使人髡之。」（頁48）

案：《左傳》〈哀公十七年〉：「初，公自城上，見己氏之妻髮美，使髡之。」（頁1046）《音義》引文多一「人」字。

（13）而弒　《左傳》：「自虐其君曰弒。」（頁48）

案：《左傳》〈宣公十八年〉：「自虐其君曰弒。」（頁413）

（14）得衷　《左傳》：「楚僻我衷。」杜預曰：「衷，正也。」（頁50）

案：《左傳》〈昭公六年〉：「楚辟我衷。」杜注：「衷，正也。」（頁752）阮元《校勘記》「楚辟我衷。《釋文》『辟』作『僻』，注及下『效辟』亦皆作『僻』。」（頁757）《音義》與《釋文》同。

2　徐校：「《左傳》『晋鄭同儕』是也。《慧》無。」

3　據徐校，此條下《左傳》杜注《慧》無。

（15）偃蹇　《左傳》：「偃蹇，驕傲也。」（頁59）

案：《左傳》〈哀公六年〉：「彼皆偃蹇。」杜注：「偃蹇，驕敖。」（頁1006）此處《音義》引杜注語，非《左傳》文。

（16）級其　《左傳》：（「加勞賜一級」，又云）[4]「斬首二十三級」。（頁60）

案：同（1）。

（17）盟誓　《左傳》曰：「歃如志。」（頁66）

案：《左傳》〈隱公七年〉：「壬申及鄭伯盟，歃如忘。」（頁72）《音義》「志」當是「忘」字形訛。

（18）佞孽　《左傳》：「寡人不佞，不能事父兄。」[5]（頁71）

案：同（3）。

（19）丘慈　《左傳》云：「屈產之乘也。」（頁98）

案：《左傳》〈僖公二年〉：「屈產之乘。」（頁199）

（20）芟除　《左傳》：「芟夷蘊崇之。」（頁99）

案：《左傳》〈隱公六年》「芟夷蘊崇之」（頁72）

（21）諮詢　《左傳》：「訪問於善為諮，諮親為詢。」諮問善道、詢問親戚之義也。（頁100）

案：《左傳》〈襄公四年〉：「臣聞之訪問於善為咨。」杜注：「問善道。」「咨親為詢。」杜注：「問親戚之義。」（頁505）此處《音義》先引《左傳》，之後化用杜注作解。

（22）五兵　《左傳》：「子惡出五甲五兵。」（頁110）

案：《左傳》〈昭公二十七年〉：「子惡曰：『我，賤人也，不足以辱令尹。令尹將必來辱，為惠已甚。吾無以酬之，若何？』無極曰：『令尹好甲兵，子出之。吾擇焉。』取五甲五兵。」（頁908）

（23）頑嚚　《左傳》：「心不則德義之經為頑，口不道忠信之言為嚚。」（頁115）

案：參（8）。《左傳》〈僖公二十四年〉：「心不則德義之經為頑，口不道忠信之言為嚚。」（257頁）此處《音義》引文與傳世本《左傳》同。

4　徐校：「加勞賜一級，又云《麗》無，據《磧》補。」

5　據徐校，此處文字《麗》無，據《磧》補。

（24）卓犖　《左傳》:「犖有力焉，能投蓋于稷門。」（頁116）

案:《左傳》〈莊公三十二年〉:「犖有力焉，能投蓋于稷門。」（頁182）

（25）蜎蜚　《左傳》:「秋，有蜚，不為灾。」（頁117）

案:《左傳》〈隱公元年〉:「秋，……八月……有蜚，不為災。」（頁40）

（26）自韙　《左傳》:「犯五不韙。」注云:「韙，是也。」（頁125）

案:《左傳》〈隱公十一年〉:「犯五不韙。」杜注:「韙，是也。」（頁82）

（27）不豫　《左傳》『公必與焉』是也。（131頁）

案:不見傳世本《左傳》。《左傳》〈文公十三年》有「孤必與焉」（頁333）、《左傳》〈定公十四年》有「戍必與焉」（頁982）。

（28）灾火　《左傳》:「凡人火曰火，天火曰灾。」（頁134）

案:《左傳》〈宣公十六年〉:「凡火，人火曰火，天火曰災。」（頁410）《音義》節引《左傳》。

（29）背傴　春秋宋鼎銘云:「一命而僂，再命而傴，三命而俯。」杜預曰:「俯恭於傴，傴恭於僂。」（頁135）

案:《左傳》〈昭公七年〉:「一命而僂，再命而傴，三命而俯。」杜注:「俯共於傴，傴共於僂。」（頁766）

（30）商估　《左傳》:「荀罃之在楚也，鄭賈人褚中以出。」（頁135）

案:《左傳》〈成公三年〉:「荀罃之在楚也，鄭賈人有將寘諸褚中以出。」（頁438）

（31）委政　《左傳》:「為政事庸力。」杜預曰:「在君為政，在臣為事。」（頁138）

案:《左傳》〈昭公二十五年〉:「為政事庸力。」杜注:「行務以從四時，在君為政，在臣為事。」（頁891）

（32）討伐　《左傳》:「有鍾鼓曰伐。」（頁139）

案:《左傳》〈莊公二十九年〉:「凡師有鍾鼓曰伐。」（頁178）

（33）拜跪　《左傳》:「跪而戴之也。」（頁139）

案:《左傳》〈襄公十八年〉:「跪而戴之。」（頁577）

（34）屬累　《左傳》:「相時而動，無累後人。」（頁140）

案:《左傳》〈隱公十一年〉:「相時而動，無累後人。」（頁81）

（35）詢法　《左傳》:「諮親為詢。」詢問親戚之議也。（頁149）

案:參（21）。此處「詢問親戚之議也」當是杜注。

（36）屋宇　《左傳》:「失其宇。」注云:「於國則四垂為宇。」（頁160）

案:《左傳》〈昭公四年〉:「失其守宇。」杜注:「於國則四垂為宇。」（頁727）

（37）邑中　《左傳》:「凡邑有宗廟先君之主曰都，無曰邑。」（頁167）

案:《左傳》〈莊公二十八年〉:「凡邑有宗廟先君之主曰都，無曰邑。」（頁178）

（38）怨仇　（《左傳》:）[6]「怨偶曰仇。」（頁188）

案:《左傳》〈桓公二年〉:「怨耦曰仇。」（頁97）偶、耦可相通假。

（39）黜而　（《左傳》:「使無黜嫚。」杜預曰:）[7]「黜，放也。」（頁189）

案:《左傳》〈襄公二十八年〉:「使無黜嫚。」杜注:「黜猶放也。」（頁656）

（40）草芥　（《左傳》:「視民如土芥。」）[8]（頁189）

案:《左傳》〈哀公元年〉:「以民為土芥。」（頁992）又，《孟子》〈離婁下〉有「視臣如土芥」之語。

（41）剛愎　《左傳》:「愎諫違卜。」（杜預注曰:）[9]「愎，戾也。」又曰:「強愎不仁。」「愎，恨也。」（頁191）

案:《左傳》〈僖公十五年〉:「愎諫違卜。」杜注:「愎，戾也。」（頁231）《左傳》〈宣公十二年〉:「剛愎不仁。」杜注:「愎，很也。」（頁393）「愎，恨也」，當是暗引杜注。檢《中華再造善本》唐宋編所收海源閣舊藏宋本《春秋經傳集解》杜注亦作「愎，很也。」《說文》:「很，不聽从也。」即違戾義。杜注多處釋「愎」作「很也」，可見《音義》引文「恨」字誤。

《音義》「剛」作「強」，疑為避梁諱改字，詳參下文「引書疑為避梁諱改字之例」。

（42）饕餮　《左傳》:「縉雲氏有不才子貪于飲食，冒於貨賄，斂積不知紀極，天下人民謂之饕餮。」杜預曰:「貪財曰饕，貪食曰飻也。」（頁193）

案:《左傳》〈文公十八年〉:「縉雲氏有不才子，貪于飲食冒于貨賄。……斂積實不知紀極，……天下之民以比三凶，謂之饕餮。」杜注:「貪財為饕，貪食為餮。」（頁355）

6 徐校:「《左傳》、麗》無，據《磧》補。」

7 徐校:「左傳……杜預曰《麗》無，據《磧》補。」

8 徐校:「《左傳》『視民如土芥』《麗》無，據《磧》補。」

9 徐校:「杜預注曰《麗》無，據《磧》補。」

（43）䍦𪋻　《左傳》「湫隘䍦𪋻」是也。（頁194）

案：《左傳》〈昭公三年〉：「湫隘囂塵。」（頁723）

（44）行旅　《左傳》：「羇旅之臣。」杜預曰：「羇旅，寄客也。」（頁213）

案：《左傳》〈莊公二十二年〉：「羈旅之臣。」杜注：「羈，寄也。旅，客也。」（頁162）

（45）躓頓　（《左傳》云：「躓而踣。」案躓猶頓也。）[10]（頁252）

案：《左傳》〈宣公十五年〉：「躓而顛。」（頁409）

（46）諮詢　《左傳》：「訪問於善為諮，諮親為詢。」諮問善道，謂諮問親戚之義。（頁253）

案：同（21）。

（47）憫泣　（《左傳》：）[11]「憫憫然（如農夫之望歲）[12]也。」（頁257）

案：《左傳》〈昭公三十二年〉：「閔閔焉如農夫之望歲。」（頁932）《說文》有「閔」字，無「憫」字，「憫」疑為表哀傷義的「閔」字的後起字。

（48）將暨　《左傳》：「猶懼不暨。」注曰：「暨，至也。」（頁259）

案：《左傳》〈隱公六年〉：「猶懼不蔇。」杜注：「蔇，至也。」（頁71）阮元《校勘記》：「猶懼不蔇。《眾經音義》十二引作『不暨』。案：暨、蔇古今字。〈莊九年傳〉『公及齊大夫盟于蔇』，《公羊》、《穀梁》竝作『暨』。」（頁84）

（49）應襲　（《左傳》：「九德不衍故襲祿。」杜預曰：）[13]「襲，受也。」（頁269）

案：《左傳》〈昭公二十八年〉：「九德不愆……故襲天祿。」杜注：「襲，受也。」（頁914）

（50）鼎沸　《左傳》曰：「昔夏之方有德也，貢金九牧，鑄鼎。」（頁270）

案：《左傳》〈宣公三年〉：「昔夏之方有德也，……貢金九牧，鑄鼎象物。」（頁367）

---

10 徐校：「《左傳》云：躓而踣。案躓猶頓也　《麗》無，據《磧》補。」

11 徐校：「左傳　《麗》無，據《磧》補。」

12 徐校：「如農夫之望歲　《麗》無，據《磧》補。」

13 徐校：「《左傳》：九德不衍故襲祿。杜預曰　《麗》無，據《磧》補。」

（51）拜謁　（《左傳》云：「不謁。」杜預曰：）[14]「謁，白也。」（頁270）

案：《左傳》〈昭公四年〉：「弗謁。」杜注：「謁，白也。」（頁734）阮元《校勘記》：「謁日也。宋本、淳熙本、岳本、足利本『日』作『白』是也。」（頁740）《音義》引文可為旁證。

（52）財賄　（《左傳》：「厚賄之。」注云：「贈送也。」）[15]（頁270）

案：《左傳》〈文公十二年〉：「厚賄之。」杜注：「賄，贈送也。」（頁330）

（53）皮韜　（《左傳》云：「以樂韜憂。」杜預曰：）[16]「韜，藏也。」（頁271）

案：《左傳》〈昭公三年〉：「以樂慆憂。」杜注：「慆，藏也。」（723頁）《說文》：「慆，說也。」即為喜悅義。《說文》：「韜，劍衣也。」即為弓袋義，後引申隱藏、掩藏義。杜注因聲求義，將「慆」字破假借為「韜」。《音義》引文又將杜注及《左傳》正文「慆」字皆改為「韜」。

（54）夷滅　《左傳》：「芟夷。」杜預曰：「夷，煞也。」（頁285）

案：《左傳》〈隱公六年〉：「芟夷蘊崇之。」杜注：「夷，殺也。」（頁72）「煞」、「殺」是因「殺」字小篆字形隸定分化形成的異體字，中古寫本多用「煞」。

（55）韅攝　《左傳》：「晉車七百乘，韅靷鞅絆。」杜預曰：「在背曰韅，在匈曰靷，在頸曰鞅，在足曰絆。」（頁285）

案：《左傳》〈僖公二十八年〉：「晉車七百乘，韅、靷、鞅、靽。」杜注：「在背曰韅，在胷曰靷，在腹曰鞅，在後曰靽。」（頁272）《說文》：「絆，馬縶也。」而無「靽」字。疑《左傳》作「靽」是涉上文從「革」之字類化而成的俗字，作「絆」或是《左傳》原貌。

（56）霖雨　（《左傳》：「雨自三日已上為霖。」）[17]（頁286）

案：《左傳》〈隱公九年〉：「凡雨自三日以往為霖。」（頁76）阮元《校勘記》：「凡雨自三日以往為霖。《禮記》〈月令〉鄭注云：『雨三日以上為霖。』《正義》云隱公九年《左傳》文。」（頁85）《音義》所引與《禮記》鄭注同。

（57）老耄　《左傳》：「老將智耄又及之。」[18]杜預曰：耄，亂也。（頁297）

案：《左傳》〈昭公元年〉：「諺所謂老將知而耄及之者。」杜注：「八十曰耄。耄，亂也。」（頁702）

14 徐校：「《左傳》云：不謁。杜預曰　《麗》無，據《磧》補。」

15 據徐校，此處文字《麗》無，據《磧》補。

16 徐校：「《左傳》云：以樂韜憂。杜預曰　《麗》無，據《磧》補。」

17 徐校：「《左傳》：雨自三日已上為霖　《麗》無，據《磧》補。」

18 徐校：「蔣曰：『智當作至。』」

（58）何與　（《左傳》「公必與焉」是也。）[19]（頁300）

案：同（27）。

（59）貪饕　《左傳》：「縉雲氏有不才子，貪於飲食，冒于貨賄，斂積不知紀極，人民謂之饕飻。」杜預曰：「貪財曰饕，貪食曰飻。」（頁301）

案：同（42）。

（60）玦珏　《左傳》：「金寒玦離。」杜預曰：「玦如環而玦不相連也。」（頁302）

案：《左傳》〈閔公二年〉：「金寒玦離。」杜注：「玦如環而缺不連。」（頁193）

（61）挽出　（《左傳》「或輓之或推之」是）[20]也。（頁303）

案：《左傳》〈襄公十四年〉：「或輓之或推之。」（頁562）

（62）汪水　（《左傳》：「尸諸周氏之汪。」杜預曰：）[21]「汪，池（水）[22]也。」（頁303）

案：《左傳》〈桓公十五年〉：「尸諸周氏之汪。」杜注：「汪，池也。」（頁127）

（63）隈處　（《左傳》：「秦人過析隈。」杜預曰：）[23]「隈，隱蔽之處也。」（頁304）

案：《左傳》〈僖公二十五年〉：「秦人過析隈。」杜注：「隈，隱蔽之處。」（頁263）

（64）貯器　（《左傳》：「取我衣冠而貯之。」杜預曰：）[24]「貯，蓄也。」（頁307）

案：《左傳》〈襄公三十年〉：「取我衣冠而褚之。」杜注：「褚，畜也。」（頁684）阮元《校勘記》：「取我衣冠而褚之。案《呂覽》〈樂成篇〉作『貯之』，元應書引同。盧文弨云《周禮》〈廛人〉注『𥿍藏』，《釋文》云：『𥿍，本作貯，又作褚。』」（頁693）

（65）燈盛　《左傳》：「旨酒一盛。」（頁326）

案：《左傳》〈哀公十三年〉：「旨酒一盛。」（頁1029）

---

19 據徐校，此處文字《麗》無，據《磧》補。

20 徐校：「《左傳》『或輓之或推之』是　《麗》無，據《磧》補。」

21 徐校：「《左傳》：尸諸周氏之汪。杜預曰　《麗》無，據《磧》補。」

22 徐校：「水　《麗》無，據《磧》補。」

23 徐校：「《左傳》：秦人過析隈。杜預曰　《麗》無，據《磧》補。」

24 徐校：「《左傳》：取我衣冠而貯之。杜預曰　《麗》無，據《磧》補。」

（66）掩襲　《左傳》：「凡師輕曰襲。」注云：「掩其不備也。」（頁329）

案：同（4）。

（67）酒烝　《左傳》：「定王享之肴烝。」杜預曰：「丞（烝）[25]，升也。」（頁352）

案：《左傳》〈宣公十六年〉：「定王享之原襄公相禮，殽烝。」杜注：「烝，升也。」（頁410）

（68）貪饕　杜預注《左傳》云：「貪財曰饕，貪食曰餮。」（頁361）

案：同（42）。

（69）擐甲　《左傳》：「擐甲執兵。」杜預曰：「擐，貫也。」（頁366）

案：《左傳》〈成公二年〉：「擐甲執兵。」杜注：「擐，貫也。」（頁423）

（70）郭邑　《左傳》：「凡邑有宗廟先君之主曰都，無曰邑。」（頁366）

案：同（37）。

（71）姦宄　《左傳》：「在內曰姦，在外曰宄。」一云：「亂在內曰宄。」（頁369）

案：同（2）。

（72）暨今　《左傳》：「猶懼不暨。」注云：「暨，至也。」（頁389）

案：同（48）。

（73）批捥　《左傳》：「搉而煞之。」杜預曰：「手搉之也。」（頁396）

案：《左傳》〈莊公十二年〉：「批而殺之。」杜注：「手批之也。」（頁154）阮元《校勘記》：「批而殺之。案今《說文》作搉，無批字，《玉篇》引傳正作『搉而殺之。』」「手批之也。宋本、淳熙本無『也』字。」（頁166）覆覈《大廣益會玉篇》「搉」字：「《左氏傳》：『搉而殺之。』」此處《音義》亦作「搉」。

（74）使覘　《左傳》云『使覘之』是也。（頁397）

案：《左傳》〈成公十七年〉：「公使覘之信。」（頁483）

（75）鯨鯢　《左傳》：「鯨鯢，大魚也。」（頁400）

案：《左傳》〈宣公十二年〉：「取其鯨鯢而封之。」杜注：「鯨鯢，大魚名。」（頁398）此處所引當是杜注，而非《左傳》。《音義》「也」字，傳世本杜注作

---

25 徐校：「丞　《海》作『烝』。」

「名」。《群書治要》引作「鯨鯢，大魚名也。」[26]

（76）注霖　《左傳》：「雨自三日以往為霖。」（頁403）

案：參（56）。

（77）羸瘠　《左傳》：「瘠即甚矣。」杜預曰：「瘠，瘦也。」（頁405）

案：《左傳》〈襄公二十一年〉：「瘠則甚矣！」杜注：「瘠，瘦也。」（頁591）「即」、「則」義近，古書中常相換用。此處似以「即」字義勝。

（78）仕宦　（《左傳》：「乃宦卿之嫡。」注云：）[27]「宦，亦仕也。」（頁411）

案：《左傳》〈宣公二年〉：「乃宦卿之適子而為之田，以為公族。」杜注：「宦，仕也。」（頁366）阮元《校勘記》：「乃宦卿之適子而為之田。此本初刊無『子』字，後剜擠補刊。石經、宋本、岳本亦無。案昭廿八年《正義》、《詩》〈汾沮洳〉、《正義》並引作『宦卿之適以為公族』，亦無『子』字。適，《釋文》云又作嫡。」（頁373）《音義》引文亦為旁證。

（79）匽船　（《左傳》：「匽人無淫者。」杜預曰：「匽，止也。」）[28]（頁422）

案：《左傳》〈昭公十七年〉：「匽民無淫者也。」杜注：「匽，止也。」（頁837）民，《音義》引文作「人」。

（80）襲持　《左傳》：「凡師輕曰襲。」注曰：「掩其不備也。」又夜戰曰襲。（頁423）

案：同（4）。

（81）逆旅　《左傳》：「保於逆旅。」杜預曰：「逆旅，客舍也。」（頁435）

案：《左傳》〈僖公二年〉：「保於逆旅。」杜注：「逆旅，客舍也。」（頁199）

（82）勍敵　《左傳》：「勍敵之人。」杜預曰：「勍，強也。」（頁436）

案：《左傳》〈僖公二十二年〉：「勍敵之人。」杜注：「勍，強也。」（頁248）

（83）能擐　《左傳》：「擐甲執兵。」杜預曰：「擐，貫也。」（頁437）

案：同（69）。

（84）視覘　《左傳》「公使覘之」是也。（頁439）

案：同（74）。

---

26 魏徵：《群書治要》（一），日本宮內廳書陵部藏本，金澤文庫舊藏古寫本（東京市：汲古書院，1989年），頁235。

27 徐校：「《左傳》：乃宦卿之嫡。注云　《麗》無，據《磧》補。」

28 徐校：「《左傳》：匽人無淫者。杜預曰：匽，止也　《麗》無，據《磧》補。」

（85）饕餮　《左傳》：「縉雲氏有不才子，貪於飲食，冒於貨賄，斂積不知紀極，人民謂之饕餮。」杜預曰：「貪財曰饕，貪食曰餮。」（頁450）

案：同（42）。

（86）擐甲　《左傳》：「擐甲執兵。」杜預曰：「擐，貫也。」（頁459）

案：同（69）。

（87）諮詢　《左傳》：「訪問於善為諮，諮親為詢。」諮，問（善）[29]道也。詢，問親戚之議。（頁461）

案：同（21）。

（88）襲師　《左傳》：「凡師輕曰襲。」掩其不備也。（頁463）

案：同（4），「掩其不備也」為注文。

（89）頑嚚　《左傳》：「心不惻德義之經曰頑，口不道忠信之言曰嚚」是也。（頁480）

案：〈僖公二十四年〉：「心不則德義之經為頑，口不道忠信之言為嚚。」（頁257）。《音義》兩「曰」字，傳世本《左傳》作「為」。

（90）中名　《左傳》：「名以制義。」（頁489）

案：《左傳》〈桓公二年〉：「名以制義。」（頁96）

（91）霖淫　《左傳》：「雨自三日已上為霖。」（頁493）

案：同（56）。

（92）佞歌　《左傳》：「寡人不佞，不能事父兄。」（頁495）

案：同（3）。

（93）姬媵　《左傳》：「以媵秦穆姬。」杜預曰：「送女曰媵。」（頁496）

案：《左傳》〈僖公五年〉：「以媵秦穆姬。」杜注：「送女曰媵。」（頁209）

（94）頑嚚　《左傳》：「心不惻（則）[30]德義之經為頑，口不道忠信之言曰嚚。」（頁501）

案：同（8）。

（95）謗讟　《左傳》：「民無謗讟。」杜預曰：「讟，誹也。」（頁507）

案：《左傳》〈昭公元年〉：「民無謗讟。」杜注：「讟，誹也。」（頁698）

29 徐校：「善　《麗》無，據《磧》補。」

30 徐校：「惻　《磧》作『則』。」

通過梳理以上九十五則玄應《音義》徵引《左傳》的材料可以看出，阮元校勘《春秋左傳正義》時，已利用到了《音義》材料，如（64）「貯器」條。又如（48）「不暨」、而（14）「得衷」、（51）「拜謁」、（55）「韉攝」、（56）「霖雨」、（73）「批捥」、（78）「仕官」條，阮元失檢，《音義》引文皆可補正舊說。又如（9）「滋蔓」條引據的服虔注語可作輯佚。其餘條目涉及的《左傳》杜注異文，亦可供文本考證之用。

然而，《音義》徵引《左傳》資料的文獻價值並不局限於此，其中的幾類特殊現象，可以引發更為深入的探討。

二　玄應《音義》引書的幾類現象

下面來討論這些引書中的幾類特殊現象。

（一）引書與原本《玉篇》殘卷一致之例

1　（1）「或級」全文：

羇立反。《禮記》：「級，次也。」《左傳》：「加勞賜一級。」又云：「斬首二十三級。」案師旋，斬首一人賜爵一級，因名賊首為級也。[31]

原本《玉篇》殘卷糸部「級」字：

> 級：畸立反。《國語》：「明等級以道之礼。」賈逵曰：「等級上下等差也。」《左氏傳》：「云降一級而辞。」杜預曰：「下階一級也。」野王案：階之等數名級也，《禮記》：「主人就東階，客就西階，涉級聚足連步以上」是也。《禮記》又曰：「授車以級。」鄭玄曰：「級，次也。」《史記》：「秦始皇賜爵一級。」野王案：官仕自卑之高，猶階梯而升，所以一命一等名為階級也。《左氏傳》「加勞賜一級」是也。又曰：「斬首廿三級。」野王案：師旅斬賊首一人賜爵一級，因名賜首為級也。《説文》：「絲次弟也。」[32]

比較以上兩段文字，玄應《音義》先後徵引《禮記》、《左傳》又云，後加案語，與《玉篇》殘卷文字存在高度的一致性，甚至連錯誤都存在一致，依照《玉篇》殘卷引書體例，「又曰」是承襲前一種引書的省稱，那麼此處「級」字下《左氏傳》後「又曰」的文字亦當引自《左傳》，然而通過核實發現，「斬首廿三級」實際引自《史記》〈樊酈滕灌列傳〉，玄應《音義》引書中的「又云」恰恰承襲了這一錯誤。再者，玄應《音義》

31　（16）「級其」條引書與此條全同，僅省略了《禮記》書名。

32　顧野王：《玉篇》殘卷，《續修四庫全書》第228冊（上海市：上海古籍出版社，2002年），頁592。

下「案師旋」以下文字，與《玉篇》殘卷顧野王案語也存在一致性。因此，可知玄應《音義》這段引書並非據《禮記》、《左傳》等而來，應該直接採自《玉篇》，僅僅稍作變異，如將《禮記》鄭注更為《禮記》，《左氏傳》更為《左傳》，「又曰」更為「又云」，「廿三」更為「二十三」，刪去了「野王」二字，把「師旅」誤寫成了「師旋」。[33]

2 （95）謗讟

> 徒木反。《左傳》：「民無謗讟。」杜預曰：「讟，誹也。」《廣雅》：「讟，惡也。」《方言》：「讟，痛也。」（頁507）

原本《玉篇》殘卷言部「讟」字：

> 徒木反。《左氏傳》「民無謗讟。」杜預曰：「讟，誹也。」《方言》：「讟，痛。」郭璞曰：「謗誣怨痛也。」《廣雅》：「讟，惡也。」字書或為𤻮字在疒部。[34]

此處「讟」字音切及釋義，玄應《音義》與《玉篇》殘卷幾乎全同，疑亦引自《玉篇》。

（二）引書與宋本《玉篇》一致之例

如（73）「批捥」條引書：

> 《左傳》：「搥而煞之。」杜預曰：「手搥之也。」（頁396）

《左傳》〈莊公十二年〉：「批而殺之。」杜注：「手批之也。」「搥」字不見於存世的原本《玉篇》殘卷，然覈諸北宋陳彭年奉旨重修的《大廣益會玉篇》，其中「搥」字書證亦作「《左氏傳》：『搥而殺之』」，正與《音義》引文一致。《大廣益會玉篇》承襲唐代《玉篇》傳本而來，疑與《音義》引書有同源關係。

（三）引書與原本《玉篇》殘卷不一致之例

如（34）「屬累」條，全文如下：

---

33 「廿三」作「二十三」，或是後世傳寫所改，未必玄應原文，宋前古寫本中的「廿」、「卅」、「卌」，在刻本時代以後，多改成為「二十」、「三十」、「四十」，日本金剛寺藏玄應《一切經音義》古寫本此處即作「廿三」；「師旅」誤成「師旋」，亦可能是後世傳寫之誤，日本七寺藏玄應《一切經音義》古寫本此處即作「旅」，皆可為證。（金剛寺、七寺藏本參見國際佛教學大學院大學學術フロンティア實行委員會2006年編集發行的《玄應撰一切經音義二十五卷》）

34 顧野王：《玉篇》殘卷，頁245-246。

之欲反，下力僞反。屬，託也。《說文》：「屬，連也。」《廣雅》：「委、託，累也。」謂以事相屬累也。《左傳》：「相時而動，無累後人。」謂累重也。（頁140）

恰巧原本《玉篇》殘卷糸部全存，因此可以將《音義》文字比對《玉篇》殘卷「累」字釋義。《音義》引《左傳》語，雖然也見於《玉篇》「累」字書證，但前後文，如「謂累重也」，並不見於《玉篇》，和上舉「級」「讄」二字情形大不一樣，可見《音義》引書並非全據《玉篇》。

（四）引書疑為避梁諱改字之例

《音義》徵引《左傳》的資料中，有一處非常獨特的異文，見於上文（41）「剛愎」條，此條引《左傳》〈宣公十二年〉「剛愎不仁」四字作「強愎不仁」，這裡是解釋「剛愎」，無由書證中舉用「強愎」。

結合前文所討論的《音義》引書與《玉篇》的淵源，我們想到了原本《玉篇》引書中也存在的與「剛」字有關的異文現象。筆者在過往的研究發現，《玉篇》殘卷之中的書證材料涉及「綱」改「維」、「剛」改「堅」的嚴格改字現象，而且「卷第廿七」之下的糸部完整無缺，收字頭三九二個，其間「統」、「綱」二字未收，而北宋廣益本《玉篇》糸部卷末分別補進了這兩個字頭，據此可推斷產生這一系列現象的根源是因為避梁諱（「統」避蕭統，「綱」、「剛」避蕭綱）而致。[35]

那麼，《音義》「剛愎」這條釋義，如果像「或級」、「級其」、「謗讄」條那樣全據《玉篇》抄撮而來，「強」與「剛」這組異文產生的原因也就可解了，「剛愎」條引《左傳》作「強愎」，或是承襲《玉篇》「愎」字釋義而來，《音義》的編纂者沒有注意到引文中的避諱改字問題。因此，我們懷疑《音義》某些書證可能承襲了《玉篇》避梁諱改字的現象。

但是這並不意味著《音義》的所有書證都像《玉篇》那樣嚴格避梁諱，首先「剛愎」條就有「剛」字，其次（49）「應襲」條引《左傳》「九德不衍故襲祿」，出現了蕭衍的名諱。

（五）引書疑為避唐諱之例

《音義》中也存有可能因避唐諱而改字之處。如（79）「扈船」條引《左傳》「扈人無淫者」，此處「人」字，傳世本《左傳》作「民」，疑是避唐太宗李世民名諱而致。覈諸唐開成石經，此處「民」字缺筆。

---

35 詳參拙文〈原本《玉篇》避諱字「統」、「綱」發微〉，《辭書研究》2011年第1期。

三 玄應《音義》引經底本來源的複雜性

綜合以上玄應《音義》徵引《左傳》中所出現的幾類現象，似乎可以給出一種粗淺的認識與描述：玄應徵引的《左傳》文本，有部分承襲顧野王《玉篇》而來，其底本年代甚至可以上溯到南朝梁代以前，有部分可能來自唐代傳寫的文獻，如唐代《春秋經傳集解》的傳本。玄應《音義》成書以後，部分文字在傳襲過程中仍有易變，如「廿」易作「二十」、「師旅」訛作「師旋」之類。因此，流傳至今的玄應《一切經音義》中引據的《左傳》底本，時間跨度極大，即使可以借助《音義》各種傳世版本的匯校本來反思其原貌，仍難釐清其引經的底本來源。在經學研究中，唐宋時期典籍的引書資料為大家所重視，如今進入了數據庫時代，挖掘查證古書引文的條件愈加便利迅捷，但利用這些引文展開研究時務須謹慎，對其文本年代不能簡單定位，尤其是涉及異文問題的研究，要慎之又慎。古書，尤其是古注文獻援引儒家經典的底本往往存有多重來源，異常複雜，又有歷時性注本之間的因襲、繼承與影響，使用這些引書文獻時，應當具體問題具體分析。

附記

本文曾在「經學史研究的回顧與展望——林慶彰先生榮退紀念」學術研討會（2015年8月21日）報告，虞萬里、史睿兩位先生分別提出過修改意見，謹致謝忱。原刊於《中國經學》第十九輯，廣西師大出版社，二〇一六年十月。

春秋公羊傳注疏卷一校勘記

馮曉庭
嘉義大學中國文學系副教授

提要

本「校勘記」以今存善本《春秋公羊經傳》、《春秋公羊經傳解詁》、《春秋公羊疏》、《經典釋文．春秋公羊音義》為底本，參酌斠讎唐代以來各式板本暨相關文獻三十四種，撰成「校記」一百一十九則。除訂正各本文字以外，並初步釐清各本《春秋公羊疏》形制。綜理歸納「校記」，則於下列數事或可得識一二：

其一，春秋公羊「經」、「傳」、「注」、「疏」混編結構的歷史進程。

其二，「春秋公羊經傳解詁」、「春秋公羊疏」各自單行時文獻的實質面貌與其關連性。

其三，文獻的時代面貌與特色。

其四，文獻之間的可能因襲關係與淵源。

其五，文獻的優劣與可信程度。

關鍵詞：春秋公羊傳　春秋公羊解詁　春秋公羊疏　公羊音義　校勘記

勘校采徵文獻

一　經傳

（一）唐石經春秋公羊傳〔**唐石經**〕──**《經》、《傳》文底本一**

唐文宗大和七年（西元833年）至開成二年（西元837年）刻石，民國十五年（1926）掖縣張氏皕忍堂摹刻本

北京市：中華書局，1997年10月（《景刊唐開成石經》）

（二）公羊春秋〔**宋刊本**〕

宋刊本

北京市：北京圖書館出版社，2003年2月（《中華再造善本》‧唐宋‧經部）

二　經傳解詁

（一）春秋公羊經傳解詁‧公羊音義一卷坿書後〔**重修本**〕──**《經》、《傳》文底本二《解詁》文底本一**

宋孝宗淳熙年間（1174-1189）撫州公使庫刻，宋光宗紹熙癸醜（四年，1193）重修本

北京市：北京圖書館出版社，2003年5月（《中華再造善本》‧唐宋‧經部）

（二）春秋公羊經傳解詁‧公羊音義配入

1　宋光宗紹熙辛亥（二年，1191）建安余氏萬卷堂刊本〔**余刊本**〕

北京市：北京圖書館出版社，2003年7月（《中華再造善本》‧唐宋‧經部）

2　宋光宗紹熙癸醜（四年，1193）建安余氏萬卷堂重校本〔**余校本**〕──**《解詁》文底本二**

上海涵芬樓借常熟瞿氏鐵琴銅劍樓藏宋刊本景印

臺北市：臺灣商務印書館，1965年5月（《四部叢刊》‧初編‧經部）

三　經典釋文‧公羊音義

（一）春秋公羊經傳解詁‧公羊音義一卷坿書後〔**重修本**〕──**《音義》文底本一**

（二）春秋公羊音義卷二十一〔**宋元本**〕──**《音義》文底本二**

宋刻宋元遞修本

上海市：上海古籍出版社，2016年5月

（三）春秋公羊音義卷二十一〔**通志堂本**〕

清聖祖康熙十二年（1673）至康熙三十一年（1692）徐乾學、納蘭性德輯刊《通志堂經解》本

上海涵芬樓以《通志堂》本景印別據葉石君校宋本撰劄記

臺北市：臺灣商務印書館，1965年5月（《四部叢刊》·初編·經部）

（四）春秋公羊音義卷二十一〔**抱經堂本**〕

清高宗乾隆年間（1736-1795）余姚盧氏抱經堂刊本

上海市：商務印書館，1936年5月（《叢書集成》·初編）

（五）〔清〕盧文弨經典釋文考證〔**盧考證**〕

清高宗乾隆年間（1736-1795）余姚盧氏抱經堂刊本

上海市：商務印書館，1935年12月（《叢書集成》·初編）

（六）黃焯經典釋文彙校〔**彙校本**〕、〔**黃彙校**〕

北京市：中華書局，2011年3月

四　經傳解詁注疏

（一）單疏本

1　春秋公羊疏〔**鈔本**〕——**《疏》文底本一**

日本名古屋市蓬左文庫藏室町時期（1338-1573）鈔本

2　春秋公羊疏〔**殘本**〕——**《疏》文底本二**

上海涵芬樓景印南海潘氏藏宋刊本（殘存卷一至七）

臺北市：鼎文書局，1972年8月

（二）注疏合刊本

1　監本附音春秋公羊註疏〔**明修本**〕——**《疏》文底本三**

宋建刊明代修補十行本

元刊明代修補十行本（元泰定帝〔1323-1328〕前後刊行，明武宗正德四年〔1509〕至明世宗嘉靖四年〔1525〕修補）

日本東京都東京大學東洋文化研究所藏本〔**東藏板**〕

臺灣臺北市國家圖書館特藏文獻組藏本〔**國藏板**〕

金刊明修本

2　春秋公羊傳註疏〔**閩本**〕

明世宗嘉靖年間（1522-1566）福建李元陽刊本

3　春秋公羊傳註疏〔**監本**〕
明神宗萬曆十四年（1586）至二十一年（1593）北京國子監刊本
中書門下牒板心作「萬曆二十年刊」，其餘皆作「萬曆二十一年刊」

4　春秋公羊傳註疏〔**毛本**〕
明思宗崇禎七年（1634）海虞毛氏汲古閣刊本

5　春秋公羊傳注疏．坿考證〔**武英殿本、殿本**〕、〔**考證**〕
清高宗乾隆四年（1739）校刊、清穆宗同治十年（1871）重刊，武英殿刊本

6　春秋公羊傳注疏．坿考證〔**薈要本**〕
清高宗乾隆三十八年（1773）至四十三年（1778）寫《欽定四庫全書薈要》本（《摛藻堂四庫全書》，武英殿本系統）

7　春秋公羊傳注疏．坿考證〔**文淵閣本**〕
清高宗乾隆三十八年（1773）至四十七年（1782）寫《欽定四庫全書》本（《文淵閣四庫全書》（武英殿本系統）

8　監本附音春秋公羊傳注疏．坿阮元挍勘記〔**阮本**〕——《疏》文底本四
清仁宗嘉慶二十年（1815）至二十一年（1816）江西南昌府學刊本（重栞宋本《十三經注疏》）

五　歷代校勘

（一）十三經注疏

1　〔清〕浦鏜十三經注疏正誤（清沈廷芳十三經注疏正字）〔**正誤**〕
《文淵閣》本

2　〔清〕阮元十三經注疏併經典釋文挍勘記〔**挍勘記**〕
阮本
《皇清經解》本（卷991-1001）
清文宗鹹豐十年（1861）兩廣總督勞崇光等補刊本（庚申補刊本）

3　〔清〕汪文臺十三經注疏挍勘記識語〔**識語**〕
清德宗光緒三年（1877）丁醜春月江西書局刊本

4　〔清〕何若瑤春秋公羊注疏質疑〔**質疑**〕
清德宗光緒二十年（1894）廣州廣雅書局刊《廣雅書局叢書》本，民國九年（1920）番禺徐紹棨彙編重印

5　〔清〕孫詒讓十三經注疏校記〔**校記**〕
北京市：中華書局，2009年1月（《孫詒讓全集》，雪克輯校）

（二）相關文獻

1 〔唐〕張參五經文字**〔五經文字〕**
唐文宗大和七年（833）至開成二年（837）刻石，民國十五年（1926）掖縣張氏皕忍堂摹刻本
北京市：中華書局，1997年10月（《景刊唐開成石經》）

2 〔唐〕唐玄度九經字樣**〔九經字樣〕**
唐文宗大和七年（833）至開成二年（837）刻石，民國十五年（1926）掖縣張氏皕忍堂摹刻本
北京市：中華書局，1997年10月（《景刊唐開成石經》）

3 〔清〕陳立公羊義疏**〔義疏〕**
清德宗光緒十一年（1885）至十二年（1886）江蘇江陰縣南菁書院刊《續皇清經解》本（卷1189-1264）
臺北市：鼎文書局，1973年5月
劉尚慈點校本
北京市：中華書局，2017年11月

4 〔清〕王引之經義述聞・弟二十四春秋公羊傳五十四條**〔述聞〕**
清仁宗嘉慶二年（1797）三月二日王引之敘，嘉慶二十二年（1817）春阮元序，清宣宗道光七年（1827）十二月京師西江米巷壽藤書屋刊本（《高郵王氏四種》）

5 〔日本〕杉浦豐治公羊疏校記**〔日校記〕**
日本愛知縣安城市：作者自刊本，昭和29年（1954）9月

6 〔日本〕杉浦豐治公羊疏論考・攷文篇**〔日攷文〕**
公羊疏校記
春秋公羊經傳解詁校定本・隱公—莊公
日本愛知縣安城市：愛知縣立安城高等學校內校友會，昭和36年（1961）11月

7 題〔宋〕嶽珂相臺書塾刊正九經三傳沿革例**〔沿革例〕**
清浙江金德輿桐華館訂正本

春秋公羊疏卷第一　　　　　　隱公一

起序　盡[1]元年正月

漢司空掾[2]任城樊何休序[3] 掾[4]，弋絹反。[5]

疏

漢司空掾[6]

解云　漢者，巴漢之間地名[7]也。於秦二世元年，諸侯叛秦，沛人共立劉季以為沛公。二年八月[8]，沛公入秦，秦相趙高殺二世，立二世兄子子嬰。冬十月，為漢元年，子嬰降。二年[9]春正月，項羽尊楚懷王以為義帝。其年二月，項羽自

1　「盡」，鈔本、殘本皆作「𥁞」。「𥁞」，「盡」異體字。

2　「司空掾」，閩本、監本、毛本皆誤作「司空椽」。

《正誤》：「掾」誤從木旁作「椽」（【校案】：原文「椽」字疑敚。），下同。

3　「漢司空掾任城樊何休序」。

《挍勘記》：唐石經同。《釋文》祇作「春秋公羊序」五字。何挍本、閩本、監本、毛本此題及下〈序〉并《傳》皆低一格，惟《春秋》經文始頂格，通書並然，蓋後人以意為之，非也。此本從唐石經，題、〈序〉、《經》、《傳》皆頂格。「掾」字從手，《釋文》、唐石經、何挍本並同。閩、監、毛本改從木旁，非。《疏》中同。

4　「掾」，明修本、閩本、監本、毛本皆誤作「椽」。

5　余刊本、余校本、明修本、閩本、監本、毛本、阮本刊錄《音義》，內容形制皆同，於文本文字或行簡省。殿本、薈要本、文淵閣本形制雖類同於明修本，而文字益行簡省，凡文本字無關音義說解者，盡皆刪削。

【校案】：重修本後坿《公羊音義》一卷，為今見板本淵源最早且確實可據者。余刊本刊錄余仁仲何休〈序〉後「識語」，云「以家藏監本及江浙諸處官本參校，頗加釐正，惟是陸氏釋音字或與正文字不同……」，則諸本刊錄《音義》，此前或已是常態，而完卷坿後，抑文字分列《經》、《傳》、《解詁》之下，文獻不足，其淵源仍難考信。

【校案】：〈隱公元年〉《經》：「元年，春，王正月」，重修本、宋元本皆作「元年：正月，音征，又音政，後方此」，明修本作「正月，音征，又音政，後方此」，殿本作「正音征，又音政，後方此」，自宋以後，諸本刊錄《音義》，簡省跡象顯然。

6　「漢司空掾」，明修本、閩本、監本、毛本皆誤作「漢司空椽」。

7　「地名」，明修本誤作「也名」。

《挍勘記》：補刊本「地」字誤作「也」，原刻及閩本、監本、毛本不誤。

【校案】：據此例，則《挍勘記》所謂「補刊本」，或類同於明修本東藏板；所謂「原刊」，或類同於明修本國藏板。

8　「二年八月」。

《考證》：應作「三年八月」。

《挍勘記》：諸本同，誤也，「二」當作「三」。

9　「二年」，明修本、阮本皆作「○年」，閩本、監本、毛本、殿本、薈要本、文淵閣本皆作「其年」。

立為西楚霸王，分天下為十八國，更立沛公為漢王，王巴、漢之間四十一縣，都於南鄭。至漢王五年冬十二月，乃破項羽軍，斬之。六年正月[10]，乃稱皇帝，遂取漢為天下號，若夏、殷、周既克天下，乃取本受命之地為天下號云。司空者，漢三公官名也，掾者[11]即其下屬官也，若今[12]之三府掾[13]是也。

任城樊何休序

解云　任城者，郡名；樊者，縣名。姓何名休，字卲公[14]。其《本傳》云：「休為人質樸訥口，而雅有心思，精研[15]《六經》，世儒無及者。大傅[16]陳蕃辟之，與參政事。蕃敗，休坐廢錮[17]，乃作《春秋公羊解詁》，覃思不闚門[18]十有七年。」是也。序者，舒也、敘也，舒展己意以次敘《經》、《傳》之義，述己作

《挍勘記》：毛本「○」作「其」。

【校案】：漢初沿襲秦制，以十月為歲首，「冬十月，為漢元年」，《史記・高祖本紀》「尊懷王為義帝」，所繫仍在元年，據此，則作「其年」於義為宜。《疏》文或本作「二年」，不審漢初制度，以正月為歲首，意義雖與《史記》所錄事實扞格，而原作如是，疑者闕疑，不宜遽改。

10 「六年正月」。

《考證》：應作「其年二月」……舊本並同，未敢遽改。

《挍勘記》：《漢書・高皇紀》五年十二月斬羽，二月即皇帝位。此「六年正月」當本作「其年二月」，淺人未考秦以十月為歲首，故蒙上「五年十二月」之文，改此為「六年正月」也。據上文云「冬十月，為漢元年。其年春正月，項羽尊楚懷王以為義帝」，知《疏》文於此亦本作「其年」。

11 「掾者」，明修本、閩本、監本、毛本皆誤作「椽者」，阮本誤作「祿者」。

12 「若今」，殘本誤作「者今」。

【校案】：「掾者即其下屬官也，若今之三府掾是也」，依殘本則作「掾者即其下屬官也者，今之三府掾是也」，義亦可通。

13 「三府掾」，閩本、監本、毛本皆誤作「三府椽」。

14 「卲公」，重修本、余刊本、余校本、鈔本、殘本、閩本、監本、毛本、殿本、薈要本、文淵閣本、阮本皆誤作「邵公」。

《挍勘記》：閩、監、毛本同。補刊本「邵」作「卲」。○按：此字當作「卲」，从卩，高也，表德之字，無取於地名。

【校案】：《法言・修身》：「公儀子、董仲舒之才之卲也。」《說文解字・卩部》：「卲，高也。」《挍勘記》得其實。

15 「精研」，毛本誤作「精姸」。

《正誤》：「研」，毛本誤「姸」。

《挍勘記》：毛本「研」誤「姸」。

16 「大傅」，阮本誤作「大傳」。

17 「廢錮」，鈔本誤作「癈錮」，殘本字跡湮滅，無可檢覈。

【校案】：《漢書・遊俠傳・樓護》：「終身廢錮。」《後漢書・李固傳》：「邵遂廢錮終身。」則作「廢錮」於古有證，且仕塗禁罷，不涉病疾，作「癈錮」，於義無據。

18 「闚門」，明修本誤作「闚門」。

《注》[19]之意，故謂之[20]序也。

昔者孔子有云

疏

昔者孔子有云

解云　昔者，古也、前也；故《孝經》云：「昔者明王。」鄭《注》云：「昔，古也。」《檀弓・上篇》云：「予疇昔[21]夜夢。」《注》云：「昔猶前也。」然則若對後言之即言前，若對今言之即言古，何氏言前古孔子有云云言也。

吾志在《春秋》，行在《孝經》。

疏

吾志在至《孝經》[22]

解云　案：《孝經鉤命決》[23]云：「孔子在庶，德無所施，功無所就，志在《春秋》，

---

19 「作《注》」，監本、毛本皆誤作「作《註》」，監本、毛本「注疏」、「注釋」之「注」皆誤作「註」，全本皆然。

《挍勘記》：閩本同。監、毛本「注」作「註」，非，下並同。

20 「謂之，鈔本誤作「諸之」。

21 「予疇昔」，明修本、閩本、監本、毛本皆誤作「子疇昔」。

《正誤》：「予」誤「子」。

《挍勘記》：補刊本「予」誤「子」，閩、監、毛本承之。

22 「吾志在至《孝經》」，鈔本、殘本皆作「吾志在《春秋》，行在《孝經》」。

【校案】：鈔本、殘本《疏》文標列被釋《經》、《傳》、《解詁》文字，形制為四：

一、全錄其文：如文本作「治世之要務也（何休〈序〉）」，標示字錄作「治世之要務也」，全盤鈔錄。其後鋪陳《疏》文則皆先冠「解云」二字。

二、全錄其文，尾坿「者」字：如文本作「欲言先王又無謚　（《解詁》）」，標示字錄作「欲言先王又無謚者」，全盤鈔錄於尾末坿「者」字。其後鋪陳《疏》文則多先冠「即」字。

三、節錄啟首數字，尾坿「云云」二字：如文本作「國人謂國中凡人莫知者言惠公不早分別也（《解詁》）」，標示字錄作「國人謂國中凡云云」，節錄啟首數字，於其末坿「云云」二字。其後鋪陳《疏》文則皆先冠「解云」二字。

四、○○至○○：如文本作「歲者揔號其成功之稱　（《解詁》）」，標示字錄作「歲者至之稱」，節錄啟首二字暨尾末二字，當中厠「至」字。其後鋪陳《疏》文則皆先冠「解云」二字。

一、二兩項，頗見於唐人敦煌手鈔經卷，或為唐或唐前謄錄文本常式；三項少見，較諸一、二，其簡省意圖暨痕跡明確；四項為今見各本《經》、《傳》、《注》、《疏》合刊常態，最為簡省。鈔本、殘本所錄，或可為攷視經典鈔刊流傳格式之重要依據。

23 「《孝經鉤命決》」，明修本、阮本皆誤作「《孝經鉤命决》」。

《挍勘記》：閩、監、毛本「决」改「決」，是也。「决」，「決」異體字。

行在《孝經》。」是也。所以《春秋》言志在，《孝經》言行在者[24]；《春秋》者，賞善罰惡之書，見善能賞，見惡能罰，乃是王侯之事，非孔子[25]所能行，故但言志在而已；《孝經》者，尊祖愛親，勸子事父，勸臣事君，理關貴賤，臣子所宜[26]行，故曰行在《孝經》也。

此二學者，聖人之極致，

疏

此二至極致

解云　二學者，《春秋》、《孝經》也。極者，盡也；致之言至也。言聖人作此二經之時，盡己至誠而作之，故曰「聖人之極致」也。

治世之要務也[27]。·治世，直吏反。

疏

治世至務也

解云　凡諸經藝[28]等，皆治世所須，但此《經》或是懲惡勸善，或是尊祖[29]愛親，有國家者[30]最所急行，故云「治世之要務」也，言治世之精要急務矣。〈祭統〉云：「凡治人之道，莫急於禮[31]。」禮者[32]，謂三王以來也[33]。若大道之時，禮

---

24 「《孝經》言行在者」，明修本、閩本、監本、毛本、殿本、薈要本、文淵閣本、阮本皆敚「者」字，誤作「《孝經》言行在」。
《正誤》：下當脫「何」字。
《挍勘記》：下當脫「者」字。

25 「孔子」，明修本誤作「孟子」。

26 「宜」，鈔本、殘本皆作「冝」。全本皆然。「冝」，「宜」異體字。

27 「治世之要務也」。
《挍勘記》：唐石經、諸本同。《疏》云：「考諸舊本，皆作也，若作『世』字，俗誤已行。」按：「也」作「世」，則屬下，讀曰「世傳《春秋》者非一」，俗本是。
【校案】：據唐石經，則讀作「聖人之極致，治世之要務也。傳《春秋》者非一」；據俗本，則讀作「聖人之極致，治世之要務。世傳《春秋》者非一」；據前後文理，則《挍勘記》所言，或為可信。

28 「經藝」，鈔本誤作「經蓺」，監本、毛本、殿本、薈要本、文淵閣本皆誤作「經義」。
《挍勘記》：閩本同。監本、毛本「藝」改「義」，非。
【校案】：「蓺」，「藝」異體字，鈔本寫手或常書此形。

29 「尊祖」，殘本誤作「等祖」。

30 「有國家者」，鈔本誤作「者國家者」。

31 「莫急於禮」，明修本誤作「莫盡於禮」。

32 「『凡治人之道，莫急於禮。』『禮者』，鈔本敚『禮』字，誤作『凡治人之道，莫急於禮。』者」。

33 「以來也」，閩本、監本、毛本皆敚「也」字，皆誤作「以來」。
《挍勘記》：何挍本同。閩、監、毛本脫「也」。

於忠信為薄，正以孔子脩《春秋》[34]，祖述堯、舜，故言此[35]。考諸舊本皆作「也」字，又且於理亦宜然，若有作[36]「世」字者，俗誤已行[37]。

傳《春秋》者非一，

疏

傳《春秋》者非一

解云　孔子至聖，卻觀無窮，知秦無道，將必燔書[38]，故《春秋》之說，口授[39]子夏[40]，度秦至漢，乃著竹帛，故《說題辭》云：「傳我書者，公羊高也。」戴宏〈序〉云：「子夏傳與公羊高，高傳與其子平，平傳與其子地[41]，地傳與其子敢，敢傳與其子壽。至漢景帝時，壽乃共弟子齊人胡毋[42]子都著於竹帛，與董仲舒[43]皆見於圖讖[44]。」是也。故大史公[45]云：「董仲舒，廣川人也。以治《春秋》，孝景時為博士[46]，下帷[47]講誦，弟子傳以久次相受業，或莫見其面。董生相膠西王，疾免歸家，以脩學著書為事，終不治產業。」是也。又〈六藝論〉云：「治公羊者，胡毋生[48]、董仲舒，董仲舒弟子嬴公、嬴公弟子眭

---

34 「孔子脩《春秋》」，毛本作「孔子修《春秋》」，毛本「脩」作「修」，全本皆然。
《挍勘記》：毛本「脩」改「修」，下並同。

35 「故言此」，閩本、監本、毛本皆衍「也」字，皆作「故言此也」。
《挍勘記》：閩、監、毛本下有「也」。

36 「若有作」，明修本、閩本、監本、毛本、殿本、薈要本、文淵閣本、阮本皆敚「有」字，皆誤作「若作」。
【校案】：據文理，則作「若有作」為宜。

37 「俗誤已行」，閩本、監本、毛本、殿本、薈要本、文淵閣本皆敚「行」字，誤作「俗誤已」。
《挍勘記》：何挍本同。此本行字模餬，閩、監、毛本遂脫。

38 「燔書」，殘本誤作「燔萬」。

39 「口授」，明修本誤作「曰授」。

40 「子夏」，監本、毛本皆誤作「子貢」。
《考證》：監本誤作「子貢」，今改正。
《挍勘記》：閩本同。監本「夏」誤「貢」。
【校案】：《考證》改正之說，或可為監本為殿本刊刻依據明證。

41 「傳與其子地」，鈔本敚「平」字，誤作「傳與其子地」。

42 「胡毋」，監本、薈要本皆誤作「胡母」，全本皆然。

43 「董仲舒」，殘本誤作「董仲郐」。

44 「與董仲舒皆見於圖讖」。
《正誤》：按：《通考》作「其後傳董仲舒，以公羊顯於朝」。

45 「大史公」，殘本誤作「大夫公」。

46 「博士」，鈔本誤作「愽士」。

47 「下帷」，殘本誤作「下惟」。

48 「胡毋生」，毛本誤作「胡母生」。毛本「毋」或作「毋」、或誤作「母」。
《挍勘記》：閩本同。監、毛本「毋」誤「母」。

孟、眭孟弟子莊彭祖[49]及顏安樂，安樂弟子陰豐[50]、劉向、王彥[51]。」故曰：「傳《春秋》者非一。」舊云：「『傳《春秋》者非一』者，謂本出孔子，而傳五家，故曰『非一』。」

本據亂而作，

疏

本據亂而作

解云　孔子本獲麟之後，得端門[52]之命，乃作《春秋》。公取十二，則天之數。是以不得取周公、成王之史，而取隱公以下，故曰：「據亂而作。」謂據亂世之史而為《春秋》也。

其中多非常、異義、可怪之論，之論，盧困反，下持論同。

疏

其中至之論

解云　由亂世之史，故有非常異義可怪之事也。非常異義者，即〈莊四年〉齊襄復九世之讎[53]而滅紀、〈僖二年〉[54]實與齊桓專封是也。此即是非常[55]之異義，言異於文武時，何者？若其常義，則諸侯不得擅滅[56]、諸侯不得專封，故曰：

---

49 「莊彭祖」。

《考證》：莊彭祖即嚴彭祖，後漢以明帝諱莊為嚴。

50 「陰豐」，明修本誤作「陰豊」。

《考證》：「陰豐」當作「泠豐」，《前（漢）書・儒林傳》：「顏安樂授淮陽令泠豐……由是顏家有泠、任之學。」是也。

《挍勘記》：《漢書・儒林傳》云：「安樂授淮陽泠豐次君、淄川任公，公為少府、豐淄川太守。」〈六藝論〉之「陰豐」疑即《漢書》「泠豐」之誤。

51 「王彥」。

《考證》：《前（漢）書》無「王彥」而有「王亥」，即與尹更始、劉向、周慶、丁姓同以穀梁議石渠者。《後（漢）書》賈逵「兼通五家穀梁之說」，《注》云五謂尹更始等，又作「王彥」，未知孰是。

《挍勘記》：〈六藝論〉言「劉向、王彥」，《漢書》但言「任公」蓋鄭君所聞，不必與班氏合也。

52 「端門」，明修本、阮本皆誤作「瑞門」。

《挍勘記》：閩、監、毛本作「端」，是也。此誤。

53 「九世之讎」，毛本作「九世之讐」。

54 「〈僖二年〉」，阮本作「〈僖元缺年〉」，阮本所據底本文字原闕。

《挍勘記》：「僖」下空闕一字。

55 「非常」，殘本誤作「非當」。

56 「擅滅」，殘本誤作「檀滅」。

「非常異義。」也。其可怪之論者，即〈昭三十一年[57]〉邾婁叔術妻嫂[58][59]，而《春秋》善之是也。

說者疑惑，

疏

說者疑惑

解云　此說者謂胡毋子都、董仲舒之後，莊彭祖、顏安樂之徒，見《經》、《傳》與奪異於常理，故致疑惑。

至有倍《經》、任意、反《傳》違戾者，

疏

至有至戾者

解云　此倍讀如反背之背，非倍半[60]之倍也，言由疑惑之故，雖解《經》之理，而反背於《經》；即〈成二年〉逢醜父代齊侯當左，以免其主，《春秋》不非，而說者非之，是背《經》也。任意者，《春秋》有三世異辭之言，顏安樂以為從襄二十一年之後、孔子生訖，即為所見之世，是任意。任意者[61]，凡言見者，目覩其事，心識其理，乃可為見，故《演孔圖》云：「文、宣、成、襄，所聞之世也。」而顏氏分張一公，而使兩屬，是其任意也。反《傳》違戾者，〈宣十七年〉[62]「六月癸卯，日有食之」；案：〈隱三年〉《傳》云：「某月某日朔，日有食之者，食正朔也。其或日，或不日者，或失之前，或失之後。失之前者，朔在前也。」謂二日[63]乃食，失正朔[64]於前，是以但書其日而已；「失之後

57 「昭三十一年」，鈔本誤作「照三十一年」。

58 「邾婁叔術妻嫂」，鈔本敓「妻」字，誤作「邾婁叔術婕」。

59 「妻嫂」，鈔本、殘本皆誤作「妻**婕**」，明修本作「妻婕」。
《五經文字》：「嫂，隸省作婕，訛。」
《挍勘記》：閩、監、毛本「婕」作「嫂」，「婕」者，南朝俗字。
【校案】：《玉篇．女部》：「嫂，俗又作婕」；《五經文字．女部》：「嫂，隸省作婕，訛。」則「婕」，「嫂」異體字，南朝已行；鈔本、殘本作「**婕**」，或是因「婕」而誤。

60 「倍半」，明修本、閩本、監本、毛本、殿本、薈要本、文淵閣本皆誤作「倍畔」。
《挍勘記》：舊鈔本同。閩、監、毛本「半」改「畔」，非。

61 「是任意。任意者」，鈔本敓「任意」二字，誤作「是任意者」。

62 「〈宣十七年〉」，殘本誤作「〈宣十六年〉」。

63 「二日」，鈔本誤作「一日」，殘本誤作「之日」。

64 「正朔」，殘本誤作「夫朔」。

者，朔在後也。」謂晦日[65]食，失正朔於後，是以又不書日，但書其月而已。即〈莊十八年〉「三月，日有食之」是也；以此言之，則日食之道，不過晦朔與二日，即〈宣十七年〉言日不言朔者，是二日明矣，而顏氏[66]以為十四日日食，是反《傳》違戾也。

其勢雖問，不得不廣。[67]

疏

其勢至不廣

解云　言說者疑惑，義雖不是，但其形勢已然，故曰「其勢雖」復致「問」；不得不廣引外文，望成其說，故曰「不得不廣」也。一說謂顏、莊之徒，以說義疑惑，未能定其是非，致使倍《經》、任意、反《傳》違戾；是以何氏觀其形勢，故曰「其勢」；維適畏人問難，故曰「維問[68]」；遂恐己說窮短，不得不廣引外文，望成己說，故曰「不得不廣」也。「維」誤為「雖」耳。

是以講誦師言[69]，至於百萬，猶有不解[70]，

疏

是以至不解

解云　此師謂胡、董[71]之前，公羊氏之屬也。言由莊、顏之徒，解義不是，致他[72]問難，遂爾謬說，至於百萬言，其言雖多，猶有合解[73]而不解者，故曰「猶有不解」矣。

---

65 「晦日」，明修本誤作「**晦**日」。

66 「顏氏」，明修本誤作「類氏」。

67 「其勢雖問，不得不廣。」

《挍勘記》：唐石經、諸本同。《疏》云：「一說其勢維適畏人問難，故曰『維問』，『維』誤為『雖』耳。」按：「維」當作「惟」，言其形勢惟問難者多，是以不得不廣為之說也，故下云「是以講誦師言，至於百萬」云云。

68 「維問」。

《挍勘記》：何挍本「維」作「雖」，誤也。

69 「講誦師言」，鈔本《疏》文標列敚「誦字」，誤作「講師言」。

70 「猶有不解」，鈔本《疏》文標列敚「解」字，誤作「猶有不」。

71 「胡、董」，殿本、薈要本皆誤作「胡、黃」。

72 「致他」，明修本、阮本皆誤作「致地」。

《挍勘記》：鈔本同，誤也。閩、監、毛本「地」作「他」，為是。

73 「猶有合解」，明修本敚「有」字，誤作「猶合解」。

時加釀嘲[74]辭，讓嘲[75]，陟交反。

疏

時加[76]釀嘲辭

解云　顏安樂等[77]解此《公羊》，苟取頑曹之語，不顧理之是非，若世人云「雨雪其雱，臣助君虐」之類是也。

援引他經，失其句讀，

疏

援引至句讀

解云　《三傳》之理，不同多矣，群經之義，隨經自合。而顏氏之徒，既解《公羊》，乃取[78]他經為義，猶賊黨入門，主人錯亂，故曰「失其句讀」。

以無為有，

疏

以無為有

解云　公羊《經》、《傳》本無以周王為天囚之義[79]，而公羊說及莊、顏之徒以周王為天囚，故曰「以無為有」也。

甚可閔笑[80]者，

---

74 「釀嘲」，薈要本、文淵閣本皆作「讓嘲」。
《正誤》：「讓」誤「釀」，下同。
《挍勘記》：諸本同。唐石經缺。按：《釋文》作「讓嘲」；讓，相責讓也；嘲，嘲笑也；言時加誚讓嘲笑之辭。作「釀」，誤，當據正。

75 「讓嘲」，抱經堂本作「釀嘲」。
《盧考證》：「釀嘲」○舊「釀」作「讓」，譌，今從「注疏本」正。
《黃彙校》：「讓嘲」○宋本同；盧依注疏本改「釀」作「讓」；阮云「釀」字蓋誤。如本作「釀」字，陸氏當有音。
【校案】：《音義》「釀嘲」作「讓嘲」，則唐人諸本錄何休〈序〉有或作「讓嘲」者。

76 「時加」，明修本誤作「時如」。

77 「顏安樂等」，明修本誤作「顏安樂善」。

78 「乃取」，明修本誤作「乃**取**」。

79 「天囚之義」，監本、毛本皆誤作「天囚之類」。

80 「笑」，唐石經、宋刊本、重修本、余刊本、余校本、明修本、阮本皆作「笑」。「笑」，「笑」異體字。
《挍勘記》：唐石經同。閩、監、毛本「笑」改「笑」，非。

疏

甚可閔笑者

解云　欲存[81]公羊者，閔其愚闇；欲毀公羊者，笑其謬通[82]也。

不可勝記也。

疏

不可勝記也

解云　言其可閔可笑[83]處多，不可勝負，不可[84]具記也。

是以治古學、貴文章者，謂之俗儒。

疏

是以至俗儒

解云　左氏先著竹帛，故漢時謂之古學；公羊漢世乃興，故謂之今學。是以許慎作《五經異義》云：「古者，《春秋左氏》說；今者，《春秋公羊》說。」是也。「治古學」者，即鄭眾、賈逵之徒，貴文章矣[85]。謂之俗儒者，即《繁露》云：「能通一經，曰儒生；博覽群書，號曰洪儒。」則言乖典籍，辭理失所，名之為俗；教授於世，謂之儒。鄭、賈之徒，謂公羊雖可教授於世，而辭理失所矣。

【校案】：《說文解字・竹部・笑・注》：「《干祿字書》云：『「咲」通、「𥬇」正。』《五經文字》，力尊《說文》者也，亦作『𥬇，喜也。从竹，下犬』。《玉篇・竹部》亦作『𥬇』。《廣韻》因《唐韻》之舊，亦作『𥬇』。此本無可疑者，自唐玄度《九經字樣》始先『笑』後『𥬇』，引楊承慶《字統》異說云『从竹，从夭』，……蓋楊氏求从犬之故不得，是用改夭形聲。唐氏從之。自後徐楚金缺此篆，鼎臣竟改《說文》『𥬇』作『笑』，而《集韻》、《類篇》乃有『笑』無『𥬇』，宋以後經籍無『𥬇』字矣。」

81 「欲存」，明修本誤作「欲存」。

82 「謬通」，閩本、監本、毛本、殿本、薈要本、文淵閣本皆作「謬妄」。

《挍勘記》：何挍本同，蓋誤。閩、監、毛本作「謬妄」。

【校案】：據文理，則作「謬通」、作「謬妄」，義皆可通。鈔本、殘本、明修本、阮本皆作「謬通」，不宜遽改。

83 「可閔可笑」，殿本、薈要本、文淵閣本皆敚「可」字，誤作「可閔笑」。

84 「不可」，明修本誤作「不言」。

85 「貴文章矣」。

《正誤》：上「者」字誤「矣」。

《挍勘記》：浦鏜云：「矣」為「者」之誤。

【校案】：據文理，則作「矣」、作「者」，義皆可通。

至使賈逵緣隙[86]奮筆，以為《公羊》可奪，《左氏》可興。

疏

至使至可興

解云　賈逵者，即漢章帝時衛[87]士令也。言緣隙奮筆者，莊、顏之徒，說義不是[88]，故使賈逵得緣其隙漏，奮筆而奪之，遂作《長義》四十一條，云公羊理短、左氏理長，意望奪去公羊而興左氏矣。鄭眾亦作《長義》十九條、十七事，專論公羊之短、左氏之長，在賈逵之前，何氏所以不言之者，正以鄭眾雖扶左氏而毀公羊，但不與讖合，帝王不信，毀公羊處少、興左氏不強，故不言之。豈如賈逵作《長義》四十一條[89]，奏禦幹帝，帝用嘉之，乃知古之為真也，賜布及衣，將欲[90]存立，但未及而崩耳。然則賈逵幾廢公羊，故特言之。

恨先師觀聽[91]不決[92]，多隨二創，

疏

恨先至二創

解云　此先師，戴宏等也。凡論義之法，先觀前人之理，聽其辭之曲直，然以[93]正義[94]

---

86 「緣隙」，唐石經、閩本作「緣隙」，閩本《疏》文「隙」亦作「隙」。
《挍勘記》：唐石經、閩本「隙」作「隙」。
【校案】：「隙」字原形从「小」，从「少」後起。

87 「衛」，監本、毛本、殿本、薈要本、文淵閣本、阮本皆作「衛」，全本皆然。「衛」，「衛」異體字。

88 「不是」，明修本、閩本、監本、毛本、殿本、薈要本、文淵閣本、阮本皆誤作「不足」。
【校案】：據下《疏》文「何氏言先師解義，雖曰不是」，則作「不是」為宜。

89 「四十一條」，明修本、閩本、阮本皆誤作「四十二條」。
《挍勘記》：閩本同。監、毛本「二」誤「一」。○按：〈春秋序〉《正義》云：「賈逵上《春秋》大義四十，以抵公羊。」《後漢書．本傳》則云：「出《左氏傳》大義長者，摘三十餘事以上。」《玉海》引《疏》亦作「四十一條」，是宋世本作「一」不作「二」也。○此本此《疏》上文「遂作《長義》四十一條」，是作「一」不作「二」。

90 「將欲」，阮本誤作「將慾」，「慾」或為「慾」之誤。
《挍勘記》：閩、監、毛本「慾」作「欲」，此當是「慾」之訛。

91 「觀聽」，唐石經作「觀聽」，宋刊本作「觀聽」，余刊本、余校本、明修本皆作「觀聽」。「聽」、「聽」、「聽」，皆「聽」異體字。

92 「不決」，殘本、明修本皆作「不决」，後《疏》文「決」亦皆作「决」。
《挍勘記》：唐石經、諸本「决」作「決」，《疏》同。

93 「然以」，殿本、薈要本、文淵閣本皆衍「後」字，作「然後以」。
《正誤》：「然」下疑脫「後」字。
【校案】：據文理，則作「然後以」為宜。然宋以來諸本皆作「然以」，理雖不暢，而原文如是，則不宜遽改。

94 「正義」，阮本誤倒作「義正」。

決之。今戴宏作〈解疑論〉而難左氏，不得左氏之理，不能以正義[95]決之[96]，故云「觀聽不決，多隨二創」者。上文云「至有背《經》、任意、反《傳》違戾者」，與公羊為一創。又云「援引他經，失其句讀」者，又與公羊為一創。今戴宏作〈解疑論〉，多隨此二事，故曰「多隨二創」也[97]。而舊云公羊先師說公羊義不著，反與公羊為一創；賈逵緣隙奮筆奪之，與公羊為二創；非也。

此世之餘事，

疏

此世之餘事

解云　何氏言先師解義雖曰不是，但有己在，公羊必存，故曰「此世之餘事」。餘，末也[98]；言戴氏專愚[99]，公羊未申，此正是世之末事，猶天下閑事[100]也。舊云何氏云前世之師說此公羊，不得聖人之本旨，而猶在世之末說，故曰「世之餘事」也。

斯豈非守文持論，敗績失據之過哉！

疏

斯豈至過哉

解云　守文者，守公羊之文；持論者，執持公羊之文以論左氏；即戴宏〈解疑論〉[101]之流矣。敗績者，爭義似戰陳，故以敗績言之。失據者，凡戰陳之法，必須[102]據其險勢以自固，若失所據，即不免敗績，若似公羊先師，欲持公羊以論左氏，不閑[103]公羊、左氏之義[104]，反為所窮，已業破散，是失所依據，故

95 「正義」，監本誤作「止義」。

96 「決之」，明修本誤作「決也」。

97 「也」，明修本誤作「決」。

98 「餘，末也」，鈔本敚「餘」字，誤作「末也」。

99 「專愚」，閩本、監本、毛本、殿本、薈要本、文淵閣本皆誤作「專慮」。
《挍勘記》：毛本「愚」作「慮」。

100 「閑事」，毛本作「閒事」。
《挍勘記》：閩、監本同。毛本「閑」改「閒」。

101 「〈解疑論〉」，鈔本敚「解」字，誤作「〈疑論〉」。

102 「必須」，殿本、薈要本、文淵閣本皆作「必先」。
【校案】：據文理，則作「必須」、作「必先」，義皆可通。然宋以來諸本皆作「必須」，倘原本如是，則不宜遽改。

103 「不閑」，毛本誤作「不閒」。

104 「不閑公羊、左氏之義」。
《正誤》：「公羊」二字當衍文。「閑」，毛本誤「閒」。

以喻焉。

余竊悲之久矣。

疏

余竊悲之久矣

解云　何卲公精學十五年[105]，專以公羊為己業，見公羊先師失據敗績，為他左氏先師所窮，但在室悲之而已，故謂之竊悲；非一朝一夕，故謂之久。後拜為議郎，一舉而起陵群儒之上，己業得申，乃得公然歎息。

往者略依胡毌[106]生條例，胡毌，音無。多得其正，

疏

往者至其正

解云　胡毌生本雖以公羊《經》、《傳》傳授董氏[107]，猶自別作「條例」，故何氏取之以通公羊也。雖取以通《傳》意，猶謙未敢言已盡得胡毌之旨，故言略依而已。何氏本者作《墨守》以距敵《長義》以強義[108]，為《癈疾》[109]以難《穀梁》，造《膏肓》以短[110]《左氏》。蓋在注《傳》之前，猶鄭君先作〈六藝論〉訖，然後注書，故云「往者」也。何氏謙，不言盡得其正，故言多爾。

---

105 「十五年」。
《正誤》：「七」誤「五」。
【校案】：《疏》文前引何休《本傳》云「覃思不闚門十有七年」，則此作「十五年」者，非是。

106 「胡毌」，唐石經、余刊本、余校本皆誤作「胡母」，全本皆然。

107 「董氏」，明修本、閩本皆誤作「黃氏」。

108 「何氏本者作《墨守》以距敵《長義》以強義」。
《考證》：「本者」二字，理不可通，「者」字疑當作「著」字，與下句連讀。
《正誤》：「者」疑「著」，字在「敵」字下。
《挍勘記》：浦鏜云：「者」疑「著」之誤，當在「敵」字下。龔麗正云：「何氏不聞著《長義》，此言距敵《長義》，言與賈逵《長義》相距敵也。」按：如龔說，則當讀「著作《墨守》以距敵《長義》」為句，下「以強義（【校案】：阮本「義」誤作「敵」。）」三字似衍。
《識語》：案：「本者」不誤，《疏》以釋「往者」也。「《長義》」疑「《漢議》」之誤，《後漢書．何休傳》：「休以《春秋》駮漢事六百餘條，妙得公羊本意。」《隋書．經籍志》：「《春秋漢議》十三卷，何休撰。」蓋申公羊之書。鄭、服皆有《駮何氏漢議》二卷，麋信有《理何氏漢議》二卷。

109 「癈疾」，閩本、監本、毛本、殿本、薈要本、文淵閣本、阮本皆誤作「廢疾」。
《五經文字》：癈，疾也。「癈疾」作此字，其餘「興廢」之「廢」，並不從「疒」。
《挍勘記》：閩、監、毛本「癈」誤「廢」。
【校案】：《左傳．昭公八年》：「（陳）哀公有癈疾。」則作「癈疾」為宜，且疾病之稱，宜皆从「疒」。今典籍「癈疾」多作「廢疾」，蓋或傳寫假借，或形近筆誤。

110 「以短」，明修本誤作「以舞」。

故遂隱[111]括，使就繩墨焉。隱括，古奪反，結也。

疏

故遂至墨焉

解云　隱謂隱審，括謂檢括[112]，繩墨猶規矩也。何氏言己隱審檢括[113]公羊，使就規矩也。然則何氏最存公羊也，而識記[114]不見者，書不盡言故也。而舊云善射者隱括令審，射必能中，何氏自言己隱括公羊，能中其義也。凡木受繩墨，其直必矣，何氏自言規矩公羊，令歸正路也[115]。

春秋公羊經傳解詁．解詁，佳買反[116]，下音古，訓也。隱公第一[117]　何休學學者，言為此《經》之學，即注述之意。

疏

春秋至第一

---

111 「隱」，宋刊本作「隠」。「隠」，「隱」異體字。

112 「檢括」，明修本、監本、毛本、阮本皆誤作「撿括」。

113 「檢括」，監本、毛本、阮本皆誤作「撿括」。

114 「識記」，殘本誤作「識記」。

115 「正路也」，明修本、閩本、監本、毛本、殿本、薈要本、文淵閣本、阮本皆作「正路矣」。

【校案】：據文理，則作「也」、作「矣」，義皆可通，語尾助辭，不妨大旨。鈔本、殘本與明修本以下用字不同，或所據傳本有別，或刊刻差池。

116 「佳買反」，明修本、閩本、毛本皆誤作「隹買反」。

117 「春秋公羊經傳解詁隱公第一」。

《挍勘記》：《釋文》、唐石經同。閩、監、毛本改此題低一格，非。解云：「舊題『春秋隱公經傳解詁第一公羊何氏』，今定本升『公羊』字在『經傳』上，退『隱公』字在『解詁』之下。」又云：「何休學。」臧琳《經義雜記》曰：「《詩正義》云：『鄭注《三禮》、《周易中候》、《尚書》，皆大名在下。孔安國、馬季長、盧植、王肅之徒，其所注者，莫不盡然。』則《公羊傳》亦本「隱公」小題在上，「公羊」大題在下，定本誤改，故唐人多從之。」臧禮堂曰：「何氏題『何休學』，非也。杜預解《左傳》，止題杜氏；趙岐《孟子章句》，但題趙氏；鄭注《孝經》，但題鄭氏；古人遜謙，不欲自表其名，但著氏族，俾可識別耳。」按：唐石經〈桓公第二〉，「何休學」原刻作「何氏」，後磨改作「何休」。據《疏》引《博物志》，則晉時本已稱「何休學」矣。閩、監、毛本「何休學」三字在此題下，此本移於《疏》後，非也。元板同。

《義疏》：魏晉之儒，如何晏《論語》、郭璞《爾雅》，《釋文》本皆小題在上，尚依漢儒之舊。小題所以在上者，以當篇之記號，欲其顯也；大題所以在下，總攝全書之意也，《五經》並然。

【校案】：《音義》、唐石經、余校本、重修本、余刊本、余校本亦皆作「春秋公羊經傳解詁隱公第一」。據《疏》文，則本作「春秋隱公經傳解詁第一公羊何氏」，乃《義疏》所稱「漢儒之舊」。定本標列，或乃魏晉爾後諸儒意見，時代認知，道理各是，不必遽分是否。

【校案】：自桓公起，諸本皆不復於各公首卷卷首刊錄「春秋公羊經傳解詁〇公第〇　何休學」標題。

解云　案：舊題云：「春秋隱公經傳解詁第一公羊何氏。」則云[118]：「春秋」者，一部之摠名[119]；「隱公」者，魯侯之謚[120]號；「經傳」者，雜縟之稱；「解詁」者，何所自目；「第一」者，無先之辭；「公羊」者，《傳》之別名；「何氏」者，邵公之姓也。今定本則升「公羊」字在「經傳」上，退「隱公」字在「解詁」之下，未知自誰始也。又云何休學，今案《博物志》曰：「何休注《公羊》，云『何休學』，有不解者，或荅曰[121]：『休謙辭受學於師，乃宣此義不出於己。』」此言為允，是其義也。

◎問曰：《左氏》以為，魯哀十一年，夫子自衛反魯，十二年告老，遂作《春秋》，至十四年《經》成。不審《公羊》之義，孔子早晚作《春秋》乎？

○答曰：《公羊》以為，哀公十四年獲麟之後，得端門之命，乃作《春秋》，至九月而止筆，《春秋說》具有其文。

◎問曰：若《公羊》之義，以獲麟之後，乃作《春秋》。何故？大史公[122]遭李陵[123]之禍，幽於縲紲，乃喟然而嘆曰[124]：「是餘罪也。」夫昔西伯拘羑裡[125]演《易》，

---

118 「則云」，殿本、薈要本、文淵閣本皆作「題云」。

【校案】：據文理，作「則云」、「題云」，義皆可通。

119 「摠名」，明修本誤作「摠各」。閩本、監本皆作「摠名」，閩本、監本「摠」皆作「摠」。毛本、殿本、薈要本、文淵閣本皆作「總名」，毛本、殿本、薈要本、文淵閣本「摠」皆作「總」。

《挍勘記》：閩、監本「摠」作「摠」，毛本「摠」改「總」，非。

【校案】：《集韻·上聲·董韻》：「總，《說文》：『聚束也。』一曰：『皆也。』或從手，古作『摠』。」「摠」，「摠」異體字。

120 「謚」，鈔本、殘本、明修本、閩本、監本、阮本皆作「謚」，毛本、殿本、薈要本、文淵閣本皆作「諡」。「謚」，「諡」異體字。

《挍勘記》：毛本「謚」改「諡」，非。

【校案】：《說文解字·言部》，徐鉉作「諡」、段玉裁作「謚」，則「諡」、「謚」或不以是非分。《玉篇》作「**諡**」，又作「謚」（同上）、「諡」（「說文『**諡**』」），則梁時《說文》或作「諡」，與徐鉉同，《挍勘記》所言不確。

121 「或荅曰」，監本、毛本、殿本、薈要本、文淵閣本皆作「或答曰」，監本、毛本、殿本、薈要本、文淵閣本「荅」皆作「答」。

《挍勘記》：閩本同。監、毛本「荅」改「答」，非，下並同。

【校案】：《說文解字·艸部》：「荅，小尗也。」《爾雅·釋言》：「俞、畣，然也。」郭璞《注》：「畣者，應也，亦為然。」邢昺《正義》：「畣，古答字，故為應也。」《經典釋文·爾雅音義》：「畣，古荅字，一本作答。」三者皆不錄「答」字，則《五經》文字，本或無「答」，「答」字後出。

122 「大史公」，明修本、閩本、監本、毛本、殿本、薈要本、文淵閣本皆作「太史公」。

123 「李陵」，明修本誤作「李陸」。

124 「乃喟然而嘆曰」，毛本、殿本、薈要本、文淵閣本皆作「乃喟然而歎曰」。

《挍勘記》：閩、監本同。毛本「嘆」作「歎」。

125 「羑里」，明修本誤作「美里」。

孔子厄陳、蔡作《春秋》，屈原放逐著《離騷》，左丘明失明厥有《國語》，孫子臏腳而論兵法，此人皆意有所鬱結，不得通其道也，故自黃帝始作其文也。案《家語》，孔子厄於陳、蔡之時，當哀公六年，何言十四年乃作乎？

○答曰：孔子厄陳、蔡之時，始有作《春秋》之意，未正作，其正作猶在獲麟之後也，故《家語》云：「晉文之有霸心，起于曹、衛；越王句踐[126]之有霸心，起於會稽。」夫陳、蔡之間，丘之幸也，庸知非激憤厲志，始於是乎者？是其有意矣。

◎問曰：若《左氏》以為，夫子魯哀公十一年自衛反魯，至十二年告老，見周禮盡在魯，魯史法最備，故依魯史記脩之，以為《春秋》。《公羊》之意，據何文作《春秋》乎？

○答曰：案：閔因〈敘〉云：「昔孔子受端門之命，制《春秋》之義，使子夏等十四人求周史記，得百二十國寶書，九月《經》立。《感精符》、《考異郵》、《說題辭》具有[127]其文。」以此言之，夫子脩《春秋》，祖述堯、舜，下包文、武，又為大漢用之訓世，不應專據魯史堪為王者之法也，故言據百二十國寶書也。周史而言寶書者，寶者，保也，以其可世世傳保以為戒，故云[128]寶書也。

◎問曰：若然《公羊》之義，據百二十國寶書以作《春秋》，今《經》止有五十餘國，通戎、夷、宿、潞[129]之屬，僅有六十，何言百二十國乎？

○答曰：其初求也，實得百二十國史；但有極美可以訓世[130]，有極惡可以戒俗者，取之；若不可為法者，皆棄而不錄；是故[131]止得六十國也。

---

126 「句踐」，鈔本誤作「勾踐」。

127 「具有」，明修本誤作「且有」。

128 「故名」，阮本誤作「故云」。

【校案】：據文理，則作「故名」、作「故云」，義皆可通。

129 「宿、潞」，明修本誤作「宿、路」。「宿」，「宿」異體字。

《挍勘記》：閩、監、毛本「路」作「潞」，是也。

130 「但有極美可以訓世」，鈔本衍「但有極美可以訓世」八字，誤作「但有極美可以訓世，但有極美可以訓世」。

131 「是故」，明修本、閩本、監本、毛本、殿本、薈要本、文淵閣本皆作「是以」。

《挍勘記》：何挍本作「是故」。(【校案】：阮本不錄此則。)

【校案】：庚申補刊本刊錄作「是以只得六十國也」，「何挍本作『是故』」，乃別異之辭，可證《挍勘記》準「是以」為說。據《挍勘記》體例，則阮本《疏》文應作「是以」，而今作「是故」，又復刪削此則，則阮本所據應作「是故」，或可確認。

【校案】：據文理，則作「是故」、作「是以」，義皆可通。鈔本、殘本、阮本作「是故」，則宋代諸本，或多作「故是」。明修本作「是以」，淵源未審，或補刊差池，諸本沿襲，明代以後刊板所據，於焉展示。

◎問曰：若言據百二十國寶書以為《春秋》，何故《春秋說》云「據周史立新經」乎？

○答曰：閔因〈敘〉云：「使子夏等十四人求周史記，得百二十國寶書，以此言之，周為天子，雖諸侯史記，亦得名為周史矣。」

◎問曰：〈六藝論〉云：「《六藝》者，《圖》所生也。」然則《春秋》者，即是《六藝》也，而言依百二十國史以為《春秋》何？

○答曰：元本河出《圖》、洛出《書》者，正欲垂範於世也，王者遂依《圖》、《書》以行其事。史官錄其行事以為《春秋》，夫子就史所錄，刊而脩之，云出《圖》、《書》，豈相妨奪也？

◎問曰：案《三統曆》云：「春為陽中，萬物以生；秋為陰中，萬物以成；故名《春秋》。」賈、服依此以解《春秋》之義，不審何氏何名《春秋》乎？

○答曰：公羊、何氏與賈、服不異，亦以為欲使人君動作不失中也。而《春秋說》云：「始於春，終於秋，故曰《春秋》。」者，道春為生物之始，而秋為成物之終，故云「始於[132]春，終於秋，故曰《春秋》」也。而舊云《春秋說》云：「哀十四年春，西狩獲麟，作《春秋》，九月書成，以其春作秋成[133]，故云《春秋》也。」者，非也。何者？案〈莊七年〉《經》云：「星霣如雨[134]。」《傳》云：「『不脩《春秋》』曰：『雨星，不及地尺而復，君子脩之曰：「星霣如雨」。』」何氏云：「『不脩《春秋》』，謂史記也，古者謂史記為『《春秋》』。」以此言之，則孔子未脩之時，已名「《春秋》」，何言孔子脩之，春作秋成，乃名《春秋》乎？

◎問曰：《春秋》據史書而為之，史有左右，據何史乎？

○答曰：〈六藝論〉云：「春秋者，國史所記，人君動作之事，左史所記為《春秋》，右史所記為《尚書》。」是以〈玉藻〉云：「動則左史書之，言則右史書之。」鄭《注》云：「其書，《春秋》、《尚書》其存者[135]。」《記》文先言左

---

132 「始於」，明修本作「始扵」。「扵」，「於」異體字。

133 「以其春作秋成」，明修本、阮本皆誤作「以其書作秋成」。

《挍勘記》：何挍宋監本作「以書春作秋成」，此脫「春」字。閩、監、毛本「書」作「春」。○按：當作「以其書春作秋成」。

【校案】：據文理，則作「以其春作秋成」、作「以其書春作秋成」、作「以書春作秋成」，義皆可通。《疏》文前作「九月書成」，則後作「以其書春作秋成」，文字稍見重複。鈔本、殘本皆作「以其春作秋成」，或可據言明修本、阮本皆誤作「以其書作秋成」，乃「春」、「書」形近故爾。明修本、阮本同誤「書作」，則其板本淵源，或可窺見。

134 「星霣如雨」，明修本作「星𩃬如雨」，下《疏》文皆同。「𩃬」，「霣」異體字。

135 「其存者」，閩本、監本、毛本、殿本、薈要本、文淵閣本皆誤作「具存者」。

《挍勘記》：何挍本同。閩、監、毛本「其」誤「具」。盧文弨曰：「宋本《禮記．注》作『其』，與此合，毛本亦訛『具』。」

史，鄭《注》先言《春秋》，明以左史為《春秋》矣。云云之說，《左氏》首已有成解[136]，不能重載[137]。夫子所以作《春秋》者，〈解疑論〉云：「聖人不空生，受命[138]而製作，所以生斯民[139]、覺後生也。西狩獲麟，知天命去周[140]、赤帝方起，麟為周亡之異、漢興之瑞，故孔子曰：『我欲託諸空言，不如載諸行事。』又聞端門之命，有製作之狀，乃遣子夏等求周史記，得百二十國寶書，脩為《春秋》。故孟子云：『世衰道微，邪說暴行有作，臣弒其君者有之，子弒其父者有之，孔子懼，作《春秋》。』故《史記》云：『《春秋》之中，弒君三十六，亡國五十二，諸侯奔走不得保其社稷者，不可勝數。』故有國者不可以不知《春秋》，為人臣者不可以不知《春秋》；為人君父[141]而不通於《春秋》之義者，必蒙首惡之名；為人臣子而不通於《春秋》之義者，必陷簒弒之誅。」以此言之，則孔子見時衰政失，恐文、武道絕，又見麟獲，劉氏方興，故順天命以制《春秋》以授之。必知孔子制《春秋》以授漢者，案：《春秋說》云：「伏羲作八卦，丘合而演其文，瀆而出其神[142]，作《春秋》[143]，以改亂制。」又云：「丘覽[144]史記，援引古圖，推集天變，為漢帝制法，陳敘[145]圖

【校案】：鄭玄《注》文作「其書，《春秋》、《尚書》其存者」，則作「其存者」為確。明修本「其」字作「**其**」，與「具」近似，諸本誤因，不檢文本，皆誤作「具存者」，舛誤遂乃不刊。

136 「已有成解」，明修本、閩本、監本、毛本、殿本、薈要本、文淵閣本、阮本皆敓「有」字，誤作「已成解」。

137 「不能重載」，明修本、閩本、監本、毛本、殿本、薈要本、文淵閣本皆衍「復」字，誤作「不能復重載」。阮本衍「○」，作「不能○重載」。

《挍勘記》：何挍本作「不能重載」，無「○」，是也。閩、監、毛本「不能復重載」，非。

【校案】：據文理，則作「重載」、作「復重載」，義皆可通。而「復」、「重」字義相疊，似亦不必必存「復」字。阮本作「不能○重載」，淵源未審，或刊錄之際，已見質疑。

138 「受命」，鈔本、殘本皆衍「不」字，誤作「不受命」。

139 「生斯民」，鈔本敓「生」字，誤作「斯民」。

140 「天命去周」，殿本、薈要本、文淵閣本皆敓「命」字，誤作「天去周」。

141 「君父」，監本、毛本皆誤作「臣父」。

《正誤》：「君」誤「臣」。

《挍勘記》：閩本同。監、毛本「臣」誤「君」（【校案】：應作「君」誤「臣」。）。

142 「瀆而出其神」。

《正誤》：「瀆」疑。

143 「作《春秋》」，明修本誤作「赤《春秋》」。

《挍勘記》：「赤《春秋》」，閩、監、毛本作「作《春秋》」。（【校案】：阮本不錄此則。）

【校案】：庚申補刊本作「瀆而出其神赤春秋以改亂制」，據《挍勘記》體例，則阮本《疏》文應作「赤《春秋》」，而今作「作《春秋》」，又復刪削此則，則阮本所據應作「赤《春秋》」，或可確認。明修本、阮本同誤「赤」，則其板本淵源，或可窺見。

144 「丘覽」，明修本、阮本皆作「丘攬」。

《挍勘記》：閩、監、毛本「攬」作「覽」，非也。○按：《說文》：「攬，撮持也。」

錄。」又云：「丘水精治法，為赤制功。」又云：「黑龍生為赤，必告示象[146]，使知命。」又云：「《經》『十有四年，春，西狩獲麟。』赤受命，倉失權[147]，周滅火起，薪采得麟。」以此數文言之，《春秋》為漢制明矣。

◎問：案：〈莊七年〉「星霣如雨」，《傳》云：「『不脩《春秋》』曰：『雨星，不及地尺而復。』君子脩之曰『星霣如雨』。」又〈昭十二年〉「齊高偃帥師[148]納北燕伯于陽[149]」，《傳》云：「伯于陽者何？公子陽生也。子曰：『我乃知之矣。』在側者曰：『子苟知之，何以不革？』曰：『如爾所不知何？《春秋》之信史[150]也，其序則齊桓、晉文，其會則主會者[151]為之，其詞則丘有罪焉爾。』」何故孔子脩《春秋》，有改之者何？可改而不改者何？

◯答曰：其不改者，勿欲令人妄億，措其改者，所以為後法，故或改，或不改，示此二義。

◎問曰[152]：公羊以魯隱公為受命王，黜周為二王後。案：《長義》云：「名不正，則言不順；言不順，則事不成。」今隱公人臣，而虛稱以王，周天子見在上而黜公侯，是非正名[153]而言順也，如此，何以笑子路率爾？何以為忠信？何以為事上？何以誨人？何以為法？何以全身？如此若為通乎。

◯答曰：《孝經說》云：「孔子曰：『《春秋》屬商，《孝經》屬參。』然則其微似之語，獨傳[154]子夏，子夏傳與公羊氏，五世乃至漢胡毋生、董仲舒，推演其文，然後世人乃聞此言矣。」孔子卒後三百歲，何不全身之有？又《春秋》藉位於魯，以託王義，隱公之爵，不進稱王，周王之號，不退為公，何以為不正

【校案】：據文理，則作「覽」、作「攬」，義皆可通。鈔本、殘本同作「覽」，明修本、阮本同作「攬」，則宋元諸本，或已分歧。

145 「陳敘」，明修本誤作「陳叔」。

146 「必告示象」，明修本、阮本皆誤作「於告云象」；閩本誤作「必告云象」。
《挍勘記》：閩、監、毛本「於」作「必」，何挍本同。「云」，監、毛本作「示」。

147 「倉失權」，明修本誤作「倉天權」，文淵閣本作「蒼失權」。
《考證》：「倉」當作「蒼」。

148 「齊高偃帥師」，鈔本敚「帥」字，誤作「齊高偃師」。

149 「伯于陽」，阮本誤作「伯于陽」。

150 「信史」，明修本、阮本皆誤作「信忠」。
《挍勘記》：閩、監、毛本作「信史」。◯按：《昭十二年・傳》作「信史」。

151 「主會者」，明修本誤作「生會者」。

152 「問曰」，阮本誤作「間曰」。

153 「正名」，毛本誤作「臣名」。
《正誤》：「正」毛本誤「臣」。
《挍勘記》：閩、監本同。毛本「正」誤「臣」。

154 「獨傳」，明修本誤作「獨得」。

名？何以為不順言乎？又奉天命而製作，何不謙讓[155]之有？

◎問曰：《春秋說》云：「孔子欲作《春秋》，蔔得『陽豫之卦』。」宋氏云：「夏、殷之卦名也。」孔子何故不用《周易》占之乎？

○答曰：蓋孔子見西狩獲麟，知周將亡，又見天命有改制作之意，故用夏、殷之《易》矣。或言蔔則是龜之辭也，不從宋氏之說。若然，應言「陽豫之兆」，何言卦乎？蓋龜蓍通名，故言蔔矣。

◎問曰：何氏《注》：「《春秋》始乎隱公，則天之數。」不審孔子何以正於獲麟止筆乎？

○答曰：案：〈哀十四年〉《傳》云：「《春秋》何以始乎隱？」《注》云：「據得麟乃作。」「祖之所逮聞也。」《注》云：「託記[156]高祖以來事可及問聞知者，猶曰：『但記先人所聞，辟製作之害。』」「所見異辭，所聞異辭，所傳聞異辭，何以終乎哀十四年。」彼《注》云：「據哀公未終也。」曰：「備矣。」彼《注》云：「人道浹，王道[157]備。必止於麟者，欲見撥亂功成於麟，猶堯、舜之隆，鳳皇[158]來儀。故麟於周為異，《春秋》記以為瑞，明大平以瑞應為効也。絕筆於春，不書下三時者，起木絕火王，製作道備，當授漢也。」是也。

◎問曰：既言始於隱公，則天之數，復言三世，故發隱公何？

○答曰：若論象天數，則取十二；緣情制服，宜為三世。故禮為父三年，為祖期，為高祖、曾祖齊衰三月。據哀錄隱，兼及昭、定，已與父時事，為所見之世；文[159]、宣、成、襄，王父時事，謂之所聞之世也；隱、桓[160]、莊、閔、僖，曾祖、高祖時事，謂之所傳聞之世也。制治亂之法，書大夫之卒，文有詳略，故日月備於隱。如是，有罪之見錄，不日卒於得臣[161]，明有過以見罪；益師不日，著恩遠之辭。

---

155 「何不謙讓」，監本、毛本皆作「何以謙讓」。
《挍勘記》：閩本同，誤也。監、毛本「不」作「以」。
【校案】：據文理，則作「何不」、作「何以」，義皆可通；作「何不」則若順從「奉天命」之義，作「何以」則若彰顯「奉天命」之理。《挍勘記》所言非是。

156 「託記」，毛本誤作「託寄」。
《正誤》：「記」，毛本誤「寄」。
《挍勘記》：毛本「記」作「寄」，誤。

157 「王道」，阮本誤作「歪道」。

158 「鳳皇」，明修本、監本、毛本、殿本、薈要本、文淵閣本皆作「鳳凰」。
《挍勘記》：閩本同。監、毛本「皇」作「凰」，俗字。
【校案】：先秦、兩漢典籍多作「鳳皇」，作「鳳凰」者後起。

159 「文」，明修本誤作「又」。

160 「桓」，明修本誤作「但」。
【校案】：明修本「桓」字皆避宋欽宗趙桓諱闕筆作「**桓**」，「但」字或因形近而誤。

161 「不日卒于得臣」，殘本誤作「不日卒子得臣」。

◎問曰：鄭氏云：「九者，陽數之極。」九九八十一，是人命終矣。故《孝經援神契》云：「《春秋》三世，以九九八十一為限。」然則隱元年盡僖十八年[162]為一世，自僖十九年盡襄十二年又為一世，自襄十三年盡哀十四年又為一世，所以不悉八十一年者，見人命參差，不可一齊之義。又顏安樂以襄二十一年孔子生後即為所見之世。顏、鄭之說，實亦有途，而何氏見何文句，要以昭、定、哀為所見之世，文、宣[163]、成、襄為所聞之世，隱、桓、莊、閔、僖為所傳聞之世乎？

○荅曰：顏氏以為〈襄公二十三年〉「邾婁鼻我來奔」，《傳》云：「邾婁無大夫，此何以書？以近書也。」又〈昭公二十七年〉「邾婁快[164]來奔」，《傳》云：「邾婁[165]無大夫，此何以書？以近書也。」二文不異，同宜一世，若分兩屬，理似不便。又孔子在襄二十一年生，從生以後，理不得謂之所聞也，顏氏之意，盡於此矣。何氏所以不從之者，以為凡言見者，目覩其事，心識其理，乃可以為見。孔子始生，未能識別，寧得謂之所見乎？故《春秋說》云：「文、宣、成、襄，所聞之世。」不分疏二十一年已後，明為一世矣。邾婁快、邾婁鼻我雖同有「以近書」之《傳》，一自是治近升平書，一自是治近大平[166]書，實不相干涉[167]，而漫指此文乎？鄭氏雖依《孝經說》文，取襄十二年之後為所見之世，爾時孔子未生，焉得謂之所見乎？故不從之。

◎問曰：《孝經說》文實有九九八十一為限之言，公羊信緯，可得不從乎？

○荅曰：《援神契》者，自是《孝經緯》橫說義之言，更作一理，非是正解《春秋》之物，故何氏自依《春秋說》為正解明矣。

◎問曰：《左氏》出自丘明，便題云「左氏」，《公羊》、《穀梁》出自卜商，何故不題曰《蔔氏傳》乎？

○荅曰：《左氏傳》者，丘明親自[168]執筆為之，以說《經》意，其後學者題曰「左氏」矣。且《公羊》者，子夏口授公羊高，高五世相授，至漢景帝時，公

162 「僖十八年」，明修本誤作「禧十八年」。

【校案】：《逸周書．謚法解》：「有過曰僖。」而無「禧」。《說文解字．人部》：「僖，樂也。」《說文解字．示部》：「禧，禮吉也。」則兩字義有區隔。公羊《經》、《傳》、《解詁》皆不作「禧公」，《左傳》、《穀梁傳》亦然，知作「禧公」者，世所未行，蓋一時刊錄之誤。

163 「文、宣」，阮本誤倒作「宣、文」。

164 「邾婁快」，鈔本、明修本皆誤作「邾婁怏」，下《疏》文皆同。

165 「邾婁」，鈔本誤作「制婁」。

166 「大平」，監本、毛本、殿本、薈要本、文淵閣本皆誤作「太平」，全本皆然。

167 「實不相干涉」，毛本誤作「實不相于涉」，阮本誤作「雖不相干涉」。

《正誤》：「干」，毛本誤「于」。

168 「親自」，毛本作「親事」。

《挍勘記》：毛本「自」作「事」。

【校案】：據文理，則作「親自」、作「親事」，義皆可通。

羊壽共弟子胡毋生乃著竹帛，胡毋生題親師，故曰「公羊」，不曰[169]「蓟氏」矣。《穀梁》者，亦是著竹帛者題其親師，故曰「穀梁」也。

◎問曰：《春秋說》云：「《春秋》設三科九旨。」[170]其義如何？

◯答曰：何氏之意，以為三科九旨正是一物。若摠言之，謂之三科，科者，段[171]也；若析而言之[172]，謂之九旨，旨者，意也。言三個[173]科段之內，有此九種之意。故何氏作〈文謚例〉云：「三科九旨者，新周、故宋、以《春秋》當新王，此一科三旨也。」又云：「所見異辭、所聞異辭、所傳聞異辭，二科六旨也。」又「內其國而外諸夏，內諸夏而外夷狄，是三科九旨也。」

◎問曰：案：宋氏之注《春秋說》：「三科者，一曰張三世、二曰存三統、三曰異外內，是三科[174]也。九旨者，一曰時、二曰月、三曰日、四曰王、五曰天王、六曰天子、七曰譏、八曰貶、九曰絕；時與日月，詳略之旨也；王與天王、天子，是錄遠近親疎之旨也；譏與貶、絕，則輕重之旨也。」如是三科九旨，聊不相干[175]，何故然乎？

◯答曰：《春秋》之內，具斯二種理，故宋氏又有此說，賢者擇之。

◎問曰：〈文謚例〉云：「此《春秋》五始、三科、九旨、七等、六輔、二類之義，以矯枉撥亂，為受命品道之端、正德之紀也。」然則三科、九旨之義，已蒙前說，未審五始、六輔、二類、七等之義如何？

◯答曰：案：〈文謚例〉下文云：「五始者，元年、春、王、正月、公即位是也。七等者，州、國、氏、人、名、字、子是也。六輔者，公輔天子、卿輔公、大夫輔卿、士輔大夫、京師輔君、諸夏輔京師是也。二類者，人事與災異[176]是也。」

◎問曰：《春秋說》云：「《春秋》書有七缺[177]。」[178]七缺之義[179]如何？

---

169 「不曰」，阮本誤作「不說」。

170 「荅曰：《春秋說》云：『《春秋》設三科九旨。』」，鈔本敚「《春秋說》云」四字，誤作「荅曰：《春秋》設三科九旨。」。

171 「段」，鈔本、殘本、明修本、監本皆作「叚」，全本皆然。「叚」，「段」異體字。

172 「析而言之」，明修本誤作「祈而言之」，閩本誤作「折而言之」。

173 「三个」，閩本、監本、毛本、殿本、薈要本、文淵閣本皆作「三箇」。「箇」，「个」異體字。
《挍勘記》：何挍本同。閩、監本「个」改「箇」。

174 「三科」。
《正誤》：下「三」字毛本誤「二」。
【校案】：毛本「三」字中畫湮滅，非刊刻之誤，《正誤》非是。

175 「聊不相干」。
《正誤》：「聊」疑「了」字誤。

176 「災異」，阮本作「灾異」。「灾」，「災」異體字。

177 「缺」，鈔本、殘本、明修本、閩本、監本、毛本、殿本、薈要本、文淵閣本、阮本皆作「鈌」，全本皆然。「鈌」，「缺」異體字。

○答曰：七缺者，惠公妃匹不正，隱桓之禍生，是為夫之道缺也。文薑淫而害夫，為婦之道缺也。大夫無罪而致戮，為君之道缺也。臣而害上，為臣之道缺也。〈僖五年〉「晉侯殺其世子申生」、〈襄二十六年〉「宋公殺其世子痤」，殘虐枉殺其子，是為父之道缺也。〈文元年〉[180]「楚世子商臣弒其君髡」、〈襄三十年〉「蔡世子般弒其君固」，是為子之道缺也。〈桓八年〉「正月，己卯，蒸[181]」、〈桓十四年〉「八月，乙亥，嘗」、〈僖三十一年〉「夏，四月，四蔔郊[182]，不從，乃免牲，猶三望」，郊祀[183]不脩，周公之禮缺。是為七缺也矣。

元年，春，王正月。元年：正月，音征，又音政，後放此。

疏

元年春王正月[184]

解云　若《左氏》之義，不問天子諸侯，皆得稱元年。若《公羊》之義，唯天子乃得稱元年，諸侯不得稱元年。此魯隱公，諸侯也，而得稱元年者，《春秋》託王於魯，以隱公為受命之王[185]，故得稱元年矣。

元年者何[186]？諸據疑，問所不知，故曰「者何」。

---

178 「問曰：《春秋說》云：『《春秋》書有七缺。』」，鈔本敓「《春秋說》云」四字，誤作「問曰：《春秋》書有七缺。」

179 「七缺之義」，監本、毛本皆誤作「八缺之義」。
《正誤》：「七」誤「八」。
《挍勘記》：閩本同。監、毛本「七」誤「八」。

180 「〈文元年〉」，明修本、閩本、監本、毛本、殿本、薈要本、文淵閣本皆誤作「〈文二年〉」。
《挍勘記》：此本「元」作「示」，訛，今訂正。補刻本及閩、監、毛本作「二年」，誤。
【校案】：據《經》文，則作「〈文元年〉」為確。明修本原或刊錄作「〈文元年〉(〈元示年〉)」，而後「元（示）」字剜去下「儿（小）」，作「〈文二年〉」，痕跡顯明。諸本因循，不檢《經》文，皆誤作「〈文二年〉」，舛誤遂乃不刊。

181 「蒸」，閩本、監本、毛本、殿本、薈要本、文淵閣本皆作「烝」。
《挍勘記》：閩、監、毛本「蒸」作「烝」。
【校案】：據《經》文，則作「烝」為宜。

182 「四卜郊」，殘本、明修本皆誤作「四十郊」。

183 「郊祀」，阮本誤作「𠫤祀」。
【校案】：「𠫤」乃刊刻之誤。

184 鈔本、殘本《疏》文標列被釋《經》文皆直書載錄，諸本沿襲。

185 「以隱公為受命之王」，鈔本敓「受」字，誤作「以隱公為命之王」。

186 「元年者何」。
《挍勘記》：宋余仁仲本同。閩本、監本、毛本上增「傳」字，非，通書並同。

疏

元年者何[187]

解云　凡諸侯不得稱元年，今隱公爵猶自稱侯，而反稱元年，故執不知問。

注諸據至者何[188][189]

解云　謂諸據有疑理而問所不知者，曰「者何」。即〈僖五年〉「秋，鄭伯逃歸不盟」之下，《傳》云：「不盟者何？」《注》云：「據上言諸侯，鄭伯在其中，弟子疑，故執不知問。」〈成十五年〉「仲嬰齊卒」之下，《傳》云：「仲嬰齊者何。」《注》云：「疑仲遂後，故問之。」是也。若據彼難此，即或言「曷為」，或言「何以」，或單言「何」，即下《傳》云：「曷為先言王而後言正月。」《注》云：「據下『秋，七月，天王』，先言月而後言王。」「公何以不言即位。」《注》云：「據文公言即位也。」「何成乎公之意？」《注》云：「據剌欲救紀，而後不能。」是也。而舊解云：案《春秋》上下，但言「曷為」與「何」，皆有所據，故何氏云「諸據疑」者，皆無所據，故云「問所不知，故曰『者何』也」者；非。

君之始年也。以常錄即位，知君之始年。君，魯侯隱公也。年者，十二月之揔號[190]；《春秋》書十二月，稱年是也。變一為元，元者，氣也，無形以起，有形以分，造起天地，天地之始也，故上無所繫，而使春繫之也。不言公，言君之始年者，王者、諸侯皆稱君，所以通其義於王者，惟王者，然後改元立號，《春秋》託新王，受命於魯，故因以錄即位，明王者當繼天奉元、養成萬物。

疏

注以常至始年

---

187 鈔本、殘本《疏》文標列被釋《傳》文皆直書載錄，諸本沿襲。

188 鈔本、殘本《疏》文標列被釋《解詁》文皆先冠「注」字提示，諸本沿襲。

189 「注諸据至者何」。

《挍勘記》：閩本同。監、毛本「注」改「註」，非，下並同。○按：何煌全書內用「据」代「據」，漢人之假借也。

【校案】：《毛詩・豳風・鴟鴞》：「予手拮据，予所捋荼。」《毛傳》：「拮据、戟挶也。」《說文解字・手部》：「據，杖持也。」「据，戟挶也。」「挶，戟持也。」則「據」、「据」本義相隔，通假為之，《挍勘記》得其實。何休〈解詁序〉皆作「據」，《解詁》文皆作「据」，未審初創之際，實情若何。先秦、兩漢典籍，鮮有以「據」假「据」者，則何休《解詁》或本應皆作「據」，作「据」者，或魏晉以後事。

190 「揔號」，閩本、監本皆作「摠號」，毛本、殿本、薈要本、文淵閣本皆作「總號」。

《挍勘記》：余本同。閩、監本「揔」作「摠」，毛本改「總」，非，下並同。

解云　正以桓、文、宣、成、襄、昭及哀皆云「元年，春，王正月，公即位」，故曰「以常錄即位，知君之始年」。

注君魯侯隱公也

解云　案：《春秋說》云：「週五等爵，法五精。公之言公，公正無私。侯之言候，候逆順[191]，兼伺候王命矣。伯之言白，明白於德。子者，孳恩宣德。男者，任功立業。皆上奉王者之政教禮法，統理一國，脩身絜行[192]矣。」今此侯為魯之正爵，公者臣子之私稱，故言「君，魯侯隱公」也。

◎問曰：五等之爵，既如前釋，何名附庸乎？

○荅曰：《春秋說》下文云：「庸者，通也。官小德微，附於大國，以名通。若畢星之有附耳然，故謂之附庸矣。」

注變一為元

解云　以下有二年、三年[193]，知上宜云一年，而不言一年，變言元年，故決之。

注元者至始也

解云　《春秋說》云：「元者，端也，氣泉。」《注》云：「元為氣之始，如水之有泉，泉流之原[194]，無形以起，有形以分，[195]窺之不見，聽之不聞。」宋氏云：「無形以起，在天成象；有形以分，在地成形也。」然則有形與無形，皆生乎元氣而來，故言「造起天地，天地之始也」。

注故上至繫之

解云　《春秋說》云：「王不上奉天文以立號，則道術無原，故先陳春，後言王。天不深[196]正其元，則不能成其化，故先起元，然後陳春矣。」是以推「元」在「春」上，「春」在「王」上矣。

注不言至王者

解云　凡天子、諸侯，同得稱君，但天子不得稱公，故〈喪服〉云：「君。」鄭云：「天子、諸侯及卿大夫，有地者皆曰君。」是也。今據魯而言，不言公之始年，而言君之始年者，見諸侯不得稱元，會假魯為王，乃得稱元。故《傳》言「君之始年」，微欲通魯于王故也。

191　「侯之言候，候逆順」，鈔本敓「候」字，誤作「侯之言候逆順」。

192　「脩身絜行」，毛本作「修身潔行」，殿本、薈要本、文淵閣本皆作「脩身潔行」。《挍勘記》：閩、監本同。毛本作「修身潔行」，非。○按：古書「潔」多作「絜」。

193　「三年」，明修本、閩本皆誤作「二年」。

194　「泉流之原」，鈔本敓「泉」字，誤作「流之原」。

195　「無形以起，有形以分」，敓「以起有形」四字，誤作「無形以分」。

196　「深」，明修本作「深」，全本皆然。「深」，「深」異體字。

春者何？獨在王上，故執不知問。

疏

注獨在至知問

解云　春、夏、秋、冬，皆是四時之名，而夏、秋、冬三時，常不得配王言之，唯有春字常在王上，故怪而問之。

歲之始也。以上繫元年，在王正月之上，知歲之始也。春者，天地開辟[197]之端、養生之首、法象所出、四時本名也。昬門[198]指東方[199]曰春，指南方曰夏，指西方曰秋，指北方曰冬也[200]。歲者，摠號其成功[201]之稱，《尚書》：「以閏月定四時成歲。」是也。·開辟[202]，婢亦反，本亦作闢。之稱，尺證反，下之稱、卑稱同。

疏

歲之始也

◎問曰：「元年」、「春」、「王」、「正月」、「公即位」，實是《春秋》之五始，而《傳》直於「元年，春」之下發言始，而「王正月」下不言始，何？

◯荅曰：「元」是天地之始，「春」是四時之始，「王正月」、「公即位」者，人事之始。欲見尊重天道，略於人事故也。

注春者至之端

解云　《易說》云：「孔子曰：『《易》始於大極[203]，大極分而為二。』故生天地；天

---

197 「開辟」，監本、毛本皆作「開闢」。

《挍勘記》：宋本、閩本同。監、毛本「辟」改「闢」，非。按：《疏》中仍作「開辟」，《釋文》：「『辟』本亦作『闢』」。

198 「昬斗」，重修本、毛本皆作「昏斗」。

199 「指東方」，明修本誤作「捎東方」。

200 「北方曰冬也」，重修本、余刊本、余校本、明修本、閩本、監本、毛本、殿本、薈要本、文淵閣本、阮本皆敚「也」字，誤作「北方曰冬」。

【校案】：鈔本、殘本《疏》文皆標列作「注昬斗指東方曰春，指南方曰夏，指西方曰秋，指北方曰冬也者」，明修本、閩本、監本、毛本、薈要本、文淵閣本、阮本《疏》文皆標列作「昬斗至冬也」，則《解詁》原文作「北方曰冬也」為宜。

201 「成功」，監本、毛本、殿本、薈要本、文淵閣本皆誤作「成名」。

《正誤》：「功」誤「名」。

《挍勘記》：宋本、閩本同。監、毛本「功」誤「名」。

【校案】：據《疏》文「一本云：『歲者，摠號成功之稱也。』」則作「成功」為宜。

202 「開辟」，監本、毛本皆作「開闢」。

《盧考證》：「開辟」◯注疏本作「闢」。

203 「大極」，監本、毛本、殿本、薈要本、文淵閣本皆作「太極」。

《挍勘記》：閩本同。監、毛本「大」改「太」，非，下同。

地有春、夏、秋、冬之節，故生四時也。」言天地開辟[204]，分為四時，春先為端始也。

注養生之首

解云　《乾鑿度》云：「震生萬物[205]於東方，夫萬物始生於震。〈震〉，東方之卦也，陽氣施生，愛利之道，故東方為仁矣。」故言「養生之首」，言是養生萬物之初首。

注法象所出

解云　《周禮·大宰》云：「正月之吉，始和，布政，於邦國[206]都鄙，縣治象之法于象魏，浹日[207]而斂之。」是象魏之法於時出之，故曰「法象所出」矣。

注四時本名也

解云　凡四時，先春、次夏、次秋、次冬，百代所不變，故言「春者，四時本名」矣。

注昬鬥至冬也[208]

解云　皆《春秋說》文也。

注歲者至之稱

解云　四時皆於萬物有功，歲者是兼揔其成功之稱也。若以當代相對言之，即唐虞曰載、夏曰歲、殷曰祀、周曰年；若散文言之，不問何代，皆得謂之歲矣。等取一名，而必取歲者，蓋以夏數為得天正故也。亦有一本云：「歲者，揔號成功之稱也。」

注尚書至是也

解云　此〈堯典〉文，彼鄭《注》云：「以閏月推四時，使啟、閉、分、至不失其常，著之用成歲曆，將以授民時，且記時事。」是也。

---

204 「開辟」，薈要本、文淵閣本皆作「開闢」。

205 「萬物」，殘本「萬」作「万」，衍「物」字，誤作「万物物」。

206 「邦國」，明修本作「邦国」。「国」，「國」異體字。

207 「浹日」，阮本誤作「挾日」。

208 「昬斗至冬也」，殿本作「昬斗至曰冬」。

《挍勘記》：按：今本《注》中無「也」字，「冬」上當有「曰」字。

【校案】：明修本、閩本、監本、毛本、薈要本、文淵閣本《疏》文皆標列作「昬斗至冬也」，與《解詁》文「指北方曰冬」扞格。鈔本、殘本皆標列《解詁》全文，作「注昬斗指東方曰春，指南方曰夏，指西方曰秋，指北方曰冬也者」，則各本刊錄《解詁》皆敓「也」字，證據顯然。殿本、《挍勘記》皆改字從《解詁》，文字雖合，實則更謬。

王者孰謂？孰，誰也。欲言時王則無事，欲言先王又無謚，故問誰謂？

疏

注欲言至無事

解云　時王即當時平王也，若是當時平王，應如下文「秋，七月，天王使宰咺來歸惠公、仲子之賵[209]」是其事也，今無此事，直言王，故疑非是[210]當時之王矣。

注欲言至無謚

解云　正以死謚周道故也。

謂文王也。以上繫王於春，知謂文王也。文王，周始受命之王，天之所命，故上繫天端。方陳受命制正月，故假以為王法。不言謚者，法其生，不法其死。與後王共之，人道之始也。

疏

注以上至王也

解云　春者，端始；文王者，周之始受命制法之王。理宜相繫，故見其繫春，知是文王，非周之餘王也。

◎問曰：《春秋》之道，今有三王之法，所以通天三統，是以《春秋說》云：「王者孰謂？謂文王也。疑三代，謂疑文王。」[211]而《傳》專云「文王」，不取三代何？

○答曰：大勢《春秋》之道，實兼三王，是以《元命包》上文揔而疑之，而此《傳》專云「謂文王」者，以見孔子作新王之法。當周之世，理應權假文王之法，故偏道之[212]矣。故彼宋氏《注》云：「雖大略據三代，其要主於文王者。」是也。

---

209 「仲子之賵」，鈔本誤作「仲子之賵」。

210 「非是」，阮本作「非謂」。

【校案】：據文理，作「是」、作「謂」，義皆可通。

211 「是以《春秋說》云：『王者孰謂？謂文王也。疑三代，謂疑文王。』」

《正誤》：疑。

《挍勘記》：此下文當有脫誤，下「疑三代，謂疑文王」同。○按：當云：「疑三代，不專謂文王。」則可讀。

212 「偏道之」，明修本、阮本皆誤作「徧道之」。

《挍勘記》：閩、監、毛本「徧」作「偏」，此誤。

【校案】：作「偏」，則專主一理；作「徧」，則論述全體；據文理，義皆可通。《疏》文申張「主於文王」之義，於三代獨取於此，據此，則作「偏道之」為宜。

注文王至之王

解云　即〈我應瑞〉[213]云：「季秋之月，甲子，赤雀銜丹[214]書入豐，止於昌戶，昌再拜稽首，受之。」又《禮說》云：「文王得白馬、朱鬣、大貝、玄龜是也。」

注天之至天端

解云　天端即春也，故《春秋說》云：「以元之深[215]，正天之端，以天之端，正王者之政。」是也。

注方陳至王法

解云　孔子方陳新王[216]受命制正月之事，故假取文王創始受命制正朔者，將來以為法，其實為漢矣。

注不言至共之

解云　死謚，周道，文王死來已久，而不言謚者，正言法其生時政教正朔，故曰「法其生，不法其死」也。言「與後王共之」者，不言謚，可以[217]通之於後王。後王，謂漢帝也。

注人道之始也

解云　何氏以見上文亦始尊重天道[218]，皆《傳》自有始文[219]，故不須注云：「天道之始。」今此實天下之始，但略於人事，無始文，故須注云：「人道之始。」也。

曷為先言王，而後言正月？據下「秋，七月，天王」，先言月而後言王。王正月也。以上繫於王，知王者受命、布政、施教所制月也。王者受命，必徙居處、改正朔、易服色、殊徽

213 「《我應瑞》」。

《校記》：〈我應瑞〉，《尚書中侯》篇名。

214 「銜丹」，鈔本誤作「御丹」。

215 「以元之深」。

《正誤》：「氣」誤「深」。

《挍勘記》：浦鏜云：「深」，當作「氣」。

《識語》：浦鏜云：「深」，當作「氣」。案：《春秋繁露・二端篇》亦作「深」，浦校非。

【校案】：下《解詁》文作「《春秋》以元之氣正天之端」，則《正誤》所述，或有可據。《春秋繁露・二端篇》作「《春秋》以元之深正天之端」，則《識語》所述，又得其理。《解詁》、《疏》文，立說取資，或不必盡同，又年代遠隔，雖曰學說淵源一致，而文字或不能絕無歧異。

216 「新王」，殘本誤作「新三」。

217 「可以」，殘本誤作「何以」。

218 「上文亦始尊重天道」。

《正誤》：「亦」疑「言」字誤。

219 「自有始文」，鈔本敓「有」字，誤作「自始文」。

號、變犧牲、異器械，明受之於天，不受之於人。夏以鬥建寅之月為正，平旦為朔，法物見，色尚黑。殷以鬥建醜之月為正，雞鳴為朔，法物牙，色尚白。周以鬥建子之月為正，夜半為朔，法物萌，色尚赤。・徽號，許韋反。器械，戶戒反[220]。夏以，戶雅反[221]，後放此，以意求之。物見，賢徧反[222]，下並見同。

疏

注王者至於人

解云　王者受命，必徙居處者，則堯居平陽、舜居蒲阪、文王受命作邑於豐之屬是也。其改正朔、易服色、殊徽號、異器械者，《禮記・大傳》文。鄭《注》云：「服色，車馬也；徽號，旌旗之名也；器械，禮樂之器及兵甲也。」然則改正朔者，即正朔三而改。下《注》云是也。易服色者，即〈明堂位〉云：「鸞車，有虞氏之路也；鉤車，夏後氏之路也；大路，殷路也；乘路，周路也。」「夏後氏駱馬、黑鬣，殷人白馬、黑首，周人黃馬、蕃鬣。」之屬是也。其殊徽號者，即〈明堂位〉云：「有虞氏之旂，夏後氏之綏，殷之大白，周之大赤。」之屬是也。其變犧牲者，即〈明堂位〉云：「夏後氏牲尚黑，殷白牡，周騂剛。」之屬是也。其異器械者，器即〈明堂位〉云：「泰，有虞氏之尊也；山罍[223]，夏後氏之尊也；著，殷尊也；犧象，周尊也。」《注》云：「泰用瓦著，著地無足；夏後氏之鼓，足。」彼《注》云：「足，謂四足也。」「殷楹鼓。」彼《注》云：「楹，謂之柱，貫中上出也。」「周縣鼓。」《注》云：「縣，縣之簨虡[224]也。」其械者，即兵甲也，何氏〈莊三十二年・注〉云：「有攻守之器曰械。」是。而言異者，即〈釋器〉云：「弓，有緣者謂之弓，無緣者謂之弭。」蓋以為異代相變，故云異也。所以止變此等者，其親親、尊尊之屬，不可改，即〈大傳〉云：「其不可得變革者，則有矣，親親也、尊尊也、長長也、男女有別，此其不可得與民變革者也。」是也。

注夏以至尚赤

解云　凡草物皆十一月動萌而赤，十二月萌牙[225]始白，十三月萌牙始出而首黑，故各法之。故《書傳略說》云：「周以至動，殷以萌，夏以牙。」《注》云：「謂

220 「戶戒反」，殿本、薈要本皆誤作「尸戒反」。

221 「戶雅反」，宋元本誤作「尸雅反」。

222 「賢徧反」，阮本誤作「賢遍反」。

223 「山罍」，阮本誤作「山壘」。

224 「簨虡」，明修本誤作「簨虞」，阮本作「簨虡」。「虡」，「虡」異體字。

225 「萌牙」，毛本作「萌芽」，下《疏》文皆同。
《挍勘記》：閩、監本同。毛本「牙」改「芽」，非，《注》作「牙」。〇按：「牙」者，古書叚借字。

三王之正也。至動，冬日至，物始動[226]也。物有三變，故正色有三；天有三生三死，故土有三王[227]；王特一生死，是故周人以日至為正，殷人以日至三十日為正，夏以日至六十日為正。是故三統三王[228]若循連環，周則又始，窮則反本。」是也。

◎問曰：若如此說，則三王所尚，各自依其時物之色，何故《禮說》云[229]：「若尚色，天命以赤，尚赤；以白，尚白；以黑，尚黑。」宋氏云：「赤者，命以赤烏[230]，故周尚赤；湯以白狼，故尚白；禹以玄珪，故尚黑也。」以此言之，三代所尚者，自是依天命之色，何言法時物之牙色[231]乎？

○答曰：凡正朔之法，不得相因，滿三反本，禮則然矣。但見其受命將王者，應以十一月為正，則命之以赤瑞；應以十二月為正，則命以白瑞[232][233]；應以十三月為正，即命之以黑瑞。是以《禮說》有此言，豈道不復法其牙色乎？

何言乎王正月？據定公有王無正月。

疏

注據定至正月

解云〈定西元年〉「春，王三月，晉人執宋仲幾於京師[234]」，是有王無正月。凡十二公即位，皆在正月，是以不問有事無事，皆書「王正月」，所以重人君即位之

---

226 「始動」，明修本、閩本皆誤作「始功」。

227 「故土有三王」，鈔本敓「王」字，誤作「故土有三」；阮本誤作「故士有三王」。

228 「三王」，殘本作「三正」。

【校案】：據文理，則作「王」、作「正」，義皆可通。

229 「《禮說》云」，鈔本誤作「《禮說》六」。

230 「赤烏」，明修本作「赤**烏**」。

《正誤》：「烏」誤「鳥」。

《校勘記》：案：「烏」字是也，閩、監、毛本誤作「鳥」。

【校案】：鈔本、殘本皆作「赤烏」，明修本作「赤**烏**」，疑或因「赤烏（鳥）」而誤。據文理，則作「赤烏」、作「赤鳥」，義皆可通。文獻不足，難審孰是。

231 「牙色」，殘本衍「牙」字，誤作「牙牙色」。

232 「白瑞」，殘本誤作「曰瑞」。

233 「則命以白瑞」。

《正誤》：脫「之」字。

《校勘記》：按：「命」下當脫「之」。

【校案】：據前後《疏》文「則命之以赤瑞」、「則命之以黑瑞」，則原文或作「則命之以白瑞」為宜，疑諸本皆敓「之」字。

234 「於京師」，阮本作「于京師」。

【校案】：據《經》文，則作「于京師」為確。宋以來諸本皆作「於京師」，或作《疏》之際，原本書「於」。

年矣。若非即位之年，正月無事之時，或有二月王，或有三月王矣。但定公即位在六月，正月復無事，故書三月王也，其正月時不得書王矣。

大一統也。統者，始也，揔繫之辭。夫王者[235]始受命改制，布政施教於天下，自公侯至於庶人，自山川至於草木昆蟲，莫不一一繫於正月，故云政教之始。

疏

大一統也

解云　所以書正月者，王者受命，制正月以統天下，令萬物無不一一皆奉之以為始，故言「大一統也」。

注揔繫之辭

解云　凡前代既終，後主更起[236]，立其正朔之初，布象魏於天下，自公侯至於庶人，自山川至於草木昆蟲，莫不繫於正月而得其所，故曰「揔繫之辭」。

注故云政教之始

解云　亦以《傳》不言始，故足之。

公何以不言即位？據文公言即位也。即位者237，一國之始，政莫大於正始，故《春秋》以元之氣正天之端，以天之端正王之政，以王之政正諸侯之即位，以諸侯之即位正竟內之治。諸侯不上奉王之政，則不得即位，故先言正月而後言即位。政不由王出，則不得為政，故先言王而後言正月也。王者不承天以制號令，則無法，故先言春而後言王。夫不深正238其元，則不能成其化，故先言元而後言春。五者同日並見，相須成體，乃天人之大本，萬物之所繫，不可不察也。

---

235 「夫王者」，明修本、監本、毛本、殿本、薈要本、文淵閣本、阮本皆誤作「天王者」。
《正誤》：「夫」誤「天」。
《挍勘記》：監、毛本同，誤也。宋鄂州官本、元本、閩本「天」作「夫」，《成十五年・疏》、《定元年・疏》引此《注》同，當據以訂正。
【校案】：據文理，則作「夫王者」為宜。今見宋代《解詁》諸本皆作「夫王者」，明修本則作「天王者」，字之舛誤，或起於注疏合刊之際。

236 「後主更起」。
《挍勘記》：盧文弨曰：「主」，疑當作「王」。

237 「即位者」。
《挍勘記》：盧文弨曰：《春秋左氏正義》引此《注》作「公即位者」，多「公」字。

238 「夫不深正」，監本、毛本、殿本、薈要本、文淵閣本、阮本皆作「天不深正」。
《挍勘記》：鄂本、元本、閩本同，作「夫」，誤也。監、毛本「夫」作「天」，是也。《釋文》作「夫不，音扶」：〇按：此陸德明一時誤會，未審其文理也。
【校案】：《解詁》：「《春秋》以元之氣正天之端，以天之端正王之政。」先「元」而後「天」，以「元」正「天」。據此，則作「夫不深正」，於文理亦可得。

之治，直吏反。夫不[239]，音扶。

疏

注據文公言即位也

解云　〈文元年〉「春，王正月[240]，公即位」是也。

◎問曰：桓西元年春亦書即位，《傳》所以不從始而遠據文公何？

○答曰：正以文公正即位之始故也，桓公篡而即位，非其正，故雖即位在文公前，猶不據之。

注即位者一國之始

解云　亦以《傳》無始文，故言此也。

注政莫大於正始

解云　為下作文勢也。言凡欲正物之法，莫大於正其始時，是以《春秋》作五始，令之相正也。

注乃天至不察也

解云　元年春者，天之本；王正月公即位者，人之本；故曰「天人之大本」也。言萬物之所繫[241]者，《春秋》以之為始，令萬物繫之，故不可不察其義。

成公意也。以不有正月而去即位，知其成公意。而去，起呂反，下去同[242]。

疏

注以不至公意

---

239 「夫不」。

《盧考證》：「夫不」○注疏本「夫」作「天」，元本及今官本皆作「夫」。

《黃彙校》：「元年夫不音扶」○阮云：「夫」當作「天」，此陸德明一時誤會，未審其文理也。

【校案】：據文理，則作「天不」為宜，《音義》作「夫不」、又「音扶」，則《經典釋文》以前，諸本或已有誤「天」為「夫」者，唐人因襲，至宋世遂不能勘。

240 「王正月」，鈔本誤倒作「正王月」，殘本「王月」二字湮滅，然「王」字上承「元年春」，清晰可見，則殘本亦誤倒作「正王月」。

241 「所繫」，鈔本誤作「所擊」。

242 「下去同」，抱經堂本作「下去惡同」。

《盧考證》：「而去下去惡同」○舊本脫「惡」字，文不足，今案後文「去惡就善」補。

《黃彙校》：「而去下去惡同」○盧本作「下去惡同」，云舊脫「惡」字，今據下文「去惡就善」補。

【校案】：〈隱公元年〉《傳》：「漸進也。」《解詁》：「去惡就善曰進。」據此，則抱經堂本作「下去惡同」，於義為宜。

解云　下〈十一年〉《傳》云:「隱何以無正月?隱將讓乎桓,故不有其正月也。」然則正月者,是公縣象魏、出教令之月,今公既有讓意[243],故從二年已後,終隱之篇,常去正月以見之,故曰「不有正月」也。然則今此《注》云「不有正月」者,謂從二年恒去正月也,今元年去即位,故知成公意矣。今元年言正月者,公時實行即位之禮,故見之。然則公意讓而行即位者,厭民臣之心故也。舊云:「以有正月而去即位。」云無「不」字;言凡書正月,為公即位出也;以元年有正月,即公實行即位禮,而孔子去即位,知其成公讓意者。非。

何成乎公之意?據刺欲救紀而後不能。刺欲,七賜反,後皆同,更不音。

疏

注據刺至不能

解云　〈莊三年〉[244]「冬,公次於郎」,《傳》曰:「其言次於郎何?刺欲救紀,而後不能也。」然則欲救紀是善事,公不能救紀,是不終善事,而《春秋》書「次於郎」以刺之。今隱公有讓心,實是善事,但終讓不成,為他所殺,亦是善心不遂,而《春秋》善之,故以為難也。

公將平國而反之桓。平,治也。時廢桓立隱不平,故曰平反還之。曷為反之桓?據已立也。桓幼而貴,隱長而卑。長者,已冠也。禮:年二十見正而冠。〈士冠禮〉曰:「嫡子[245]冠於阼,以著代也。醮於客位,加有成也。三加彌尊[246],諭其志也。冠而字之,敬其名也。」「公侯之有冠禮,夏之末造也。天子之元子,猶士也,天下無生而貴者。」.隱長,丁丈反[247],《注》及下皆同。已冠,工亂反,下同。適子,丁歷反[248],下同。醮於,子笑反[249]。

---

243 「讓意」,鈔本誤作「讓門」,殘本「讓」下字湮滅無從稽考。

【校案】:作「讓門」義不可通,據《傳》文、《解詁》文暨下《疏》文「然則公意讓而行即位者」,則作「讓意」為宜。

244 「〈莊三年〉」,殘本誤作「〈莊五年〉」。

245 「嫡子」,閩本、監本、毛本、殿本、薈要本、文淵閣本皆作「適子」。

《挍勘記》:鄂本同。閩、監、毛本「嫡」作「適」,下同。按:《釋文》亦作「適子」。

246 「彌尊」,明修本作「弥尊」。「弥」,「彌」異體字。

247 「丁丈反」,宋元本作「子文反」,字形稍見歧異。

248 「丁歷反」,彙校本誤作「丁曆反」。

249 「子笑反」,重修本、余刊本、余校本、宋元本、明修本、通志堂本、抱經堂本、阮本、彙校本皆作「子笑反」。

疏

注禮年至而冠

解云　若以〈襄九年〉《左傳》言，魯襄公年十二而冠也；依《八代記》，即少昊亦十二而冠；則知天子、諸侯幼即位者，皆十二而冠矣。是以《異義．古尚書說》云：「武王崩時，成王年十三。後一年，管、蔡作亂，周公東辟之，王與大夫盡弁，以開金縢之書。」時成王年十四，言弁，明知已冠矣，是其證也。但隱公冠當惠公之世，從士禮，故二十成人乃冠，是以何氏即引〈士冠禮〉以解之。所以必二十冠者，《異義．今禮戴說》云：「男子，陽也，成於陰，故二十而冠。」是矣。而言「見正」者，欲道庶子不冠於阼階故也。

注士冠至成也

解云　鄭彼《注》云：「每加於阼，則醮之於客位，所以尊敬之，成其為人也。」是矣。凡此〈士冠禮〉及《禮記》〈冠義〉、〈郊特牲〉亦有此文。鄭注〈冠義〉云：「阼，謂主人之北也。適子冠於阼，若不醴，則醮用酒於客位，敬而成之也。戶西為客位，庶子冠於房戶外，又因醮焉，不代父也。」鄭注〈昏義〉云：「酌而無酬酢曰醮，醮之禮如冠醮與！」

注三加至志也

解云　此〈士冠記〉文。「三加」者，先加緇布冠，次加皮弁，次加爵弁也。彼〈記〉云：「始冠，緇布之冠也，大古冠布，齊則緇之。」鄭《注》云：「大古，唐虞以上。」「重古始冠，冠其齊冠也。」「諭其志」者，彼鄭《注》云：「彌猶益也。冠服後加益尊，諭其志者，欲其德之進也。」是矣。注〈郊特牲〉云：「冠益尊，則志益大也。」

注冠而字之敬其名也

解云　亦彼〈記〉之文250。鄭《注》云：「名者，質，所受於父母；冠，成人，益文，故敬之。」是也。

注公侯至造也

解云　此亦〈士冠禮記〉文。彼鄭《注》云：「造，作也。自夏初以上，諸侯雖父死子繼，年未滿五十者，亦服士服、行士禮，五十乃命也。至其衰末，上下相亂，篡弒所由生，故作公侯冠禮，以正君臣也。」引之者，見當時公侯有冠之言[251]。

---

250 「亦彼〈記〉之文」，鈔本敚「亦」字，誤作「彼〈記〉之文」。

251 「有冠之言」。

注天子至貴者

解云　此亦〈記〉文。鄭注〈郊特牲〉云：「儲君副主[252]，猶云士也[253]。明人有賢行著德，乃得貴也。」引之者，見隱公冠時年已二十，宜從士禮明矣。

其為尊卑也微，母俱媵[254]也。俱媵，以證反，又繩證反。國人莫知。國人，謂國中凡人。莫知者，言惠公不早分別也。禮：男子年六十[255]閉房，無世子，則命貴公子，將薨，亦如之。

疏

注國人至別也

解云　古者一娶九女，一嫡二媵，分為左右，尊卑權寵灼然，則朝廷之士[256]，理應悉知。今此《傳》云「國人不知」，明是國內凡人也。雖然，事大非小，若早分別，亦應知悉，故《注》言惠公不早分別，是其義也。

注禮男至如之[257]

解云　男子六十，陽道閉藏，若仍無世子，其正夫人必無有生世子之理，故命貴公子以為世子也。若未滿六十，則無立庶子為世子之法。何者[258]？立而復黜，是乃亂道故也。然則言閉房者，行房之事閉也。知男子六十陽道閉藏者，《家語》云：「男女不六十者不間居。」間居不禁，閉房明矣。言「將薨，亦如之」者，謂未滿六十者，將薨之時，亦命貴公子矣。

《正誤》：「言」當「禮」字誤。

252 「副主」，監本、毛本、殿本、薈要本、文淵閣本皆誤作「副王」。

253 「猶云士也」，殿本誤作「猶云土也」。

254 「媵」，重修本誤作「**媵**」。

255 「禮：男子年六十」，余刊本、余校本、明修本、閩本、監本、毛本、殿本、薈要本、文淵閣本、阮本皆敚「禮」字，引「男子年六十」。

《挍勘記》：鄂本「男子」上有「禮」字，此脫。

【校案】：重修本作「禮：男子年六十」，鈔本、殘本《疏》文皆標列作「禮男至如之」，則《解詁》原文或作「禮，男子年六十」為宜。又據《解詁》前後文「禮：年二十見正而冠」、「禮：適夫人無子」，或可證《解詁》原文宜作「禮：男子年六十」。

256 「朝廷之士」，明修本、閩本、監本、毛本、殿本、薈要本、文淵閣本、阮本皆誤作「朝廷之上」。

【校案】：據文理，則作「士」、作「上」，義皆可通。作「士」則專主朝中公卿大夫，與下《疏》文「國內凡人」相對相成，據此，則作「朝廷之士」為宜。

257 「注禮男至如之」，明修本、閩本、監本、毛本、殿本、薈要本、文淵閣本、阮本皆標列作「注男子至如之」。

【校案】：「禮：男子年六十」，明修本、閩本、監本、毛本、薈要本、文淵閣本、阮本刊錄《解詁》文本皆敚「禮」字，誤作「男子年六十」，故其《疏》文標列亦皆誤作「注男子至如之」。

258 「何者」，殘本衍「者」字，誤作「何者者」。

隱長又賢，此以上皆道立隱所緣。以上，時掌反，他皆放此。諸大夫扳隱而立之，扳，引也。諸大夫立隱不起者，在春秋前，明王者受命，不追治前事，孔子曰：「不教而殺謂之虐，不戒視成謂之暴[259]。」．扳隱，普顏反，又必顏反，引也，舊敷間反。

疏

注諸大至秋前

解云　公子翬弒隱立桓公、仲遂弒赤立宣公，皆貶去公子以起見之。今此諸大夫廢桓立隱，亦是不正，何故不作文貶之以見罪？正以在春秋前，欲明王者受命，不追治前事故也。

注不戒至之暴

解云　此〈堯曰〉文。何氏以不先告戒，比視之而責其成功為暴矣。

隱於是焉而辭立，辭，讓也，言隱欲讓。則未知桓之將必得立也。是時公子非一。

疏

注是時公子非一

解云　隱公疑桓不知得立以否，故知公子非一。

且如桓立，且如，假設之辭。則恐諸大夫之不能相幼君也。隱見諸大夫背正而立己不正，恐其不能相之。能相，息亮反。背正，步內反，下同。故凡隱之立，為桓立也。凡者，凡上所慮二事皆不可，故於是己立，欲須桓長大而歸之，故曰為桓立。明其本無受國之心，故不書即位，所以起其讓也。．為桓，於偽反，《注》同。

疏

注凡者至二事

解云　己若辭立，則未知桓之將得立以否，是其一慮也。假令使桓得立，又恐諸大夫不能相幼君，是其二慮也。

隱長又賢，何以不宜[260]立？據賢繆公與大夫、玃且長以得立。．繆公，音穆。玃且，俱縛反，下子餘反。

259　「謂之暴」，毛本誤作「謂之𣊭」，下《疏》文同。
　《挍勘記》：毛本「暴」作「𣊭」，《疏》同。

260　「宜」，唐石經、宋刊本、重修本皆作「冝」，全本皆然。

疏

注據賢至大夫

解云　《文十二年》〈經〉書「秦伯使遂來聘」，《傳》云：「秦無大夫，此何以書？賢繆公也。何賢乎繆公？以為能變也。」《注》云：「感而自變悔[261]，遂霸西戎，故因其能聘中國，善而與之，使有大夫也。」今此亦善隱能讓，何故不與，使得立乎？故難之。

注貜且長以得立

解云　〈文十四年〉「晉人納捷菑於邾婁」，《傳》曰：「貴則皆貴矣，雖然，貜且也長。」彼以貜且長，故《傳》與邾婁人立之。今此隱亦長，何故不宜立乎？故難之。然則《傳》言長，據貜且；《傳》言賢，據繆公；而何氏先解繆公者，以其事在前故。

立適[262]以長不以賢，立子以貴不以長。適謂適夫人之子，尊無與敵，故以齒；子謂左右媵及姪娣之子，位有貴賤，又防其同時而生，故以貴也。禮：適夫人[263]無子，立右媵；右媵無子，立左媵；左媵無子，立嫡姪娣；嫡姪娣無子，立右媵姪娣；右媵姪娣無子，立左媵姪娣。質家親親先立娣，文家尊尊先立姪。嫡子有孫而死，質家親親先立弟，文家尊尊先立孫。其雙生也，質家據見立先生，文家據本意立後生。皆所以防愛爭。・姪娣，大結反[264]，下大計反。愛爭，爭鬬之爭，下同。桓何以貴？據俱公子也。母貴也。據桓母右媵。母貴則子何以貴。據俱言公子。子以母貴，以母秩次立也。母以子貴。禮：妾子立，則母得為夫人；夫人，成風是也。

疏

注夫人成風

解云　即〈文四年〉「冬，十有一月，壬寅，夫人風氏薨」、〈五年〉「三月，辛亥，葬我小君成風」是也。

春秋公羊疏卷第一

261　「變悔」，明修本誤作「變海」。

262　「適」，宋刊本作「**適**」。「**適**」，「適」異體字。

263　「適夫人」，阮本作「嫡夫人」。

264　「大結反」，明修本、閩本、監本、毛本、殿本、薈要本、文淵閣本、阮本皆誤作「夫結反」。《正誤》：「大」誤「夫」。

義昭筆削與胡安國《春秋》詮釋學
──《春秋》宋學詮釋方法之一

張高評
越秀外國語學院成功大學教授

提要

孔子據魯史記舊文，取捨史料，損益辭文，以體現其孤懷特識，遂成獨斷於一心之歷史哲學。孟子稱孔子「作」《春秋》，則手操筆削之權。《春秋》或筆或削，其中之微辭隱義，孔子都不說破，徒增後人迷思。宋胡安國所謂「史外傳心」，朱熹以為寓含「言外之意」。後儒解經，若以宏觀之視野，系統之思維，按全經之辭而比其事，則思過半矣。若「以所不書，知所書；以所書，知所不書」，則《春秋》筆削之旨、言外之「義」，可以考求而得。本文持屬辭比事為研究視角，選擇胡安國《春秋傳》為研究文本，考察《春秋》筆削去取、因革損益之書法，企圖闡釋《春秋》學史所謂「獨抱遺經」、「無傳而著」之議題。擬從三方面開展課題：其一，筆削魯史，史外傳心；其二，筆而書之，深切著明；其三，削而不書，義見言外。《春秋胡氏傳》以義理解經為主，致議論多而考證少之《春秋》宋學特色，已具體而微凸顯。

關鍵詞：義昭筆削史外傳心　筆而書之　削而不書《春秋胡氏傳》《春秋》宋學

一　前言

《孟子・滕文公》稱「世衰道微，邪說暴行有作」，「孔子懼，作《春秋》」；[1]所謂「作」《春秋》，蓋指孔子據《魯史記》（又稱《不修春秋》、《魯春秋》）之敘載，進行筆削去取。國史事跡當然不容篡改變更，但可以作或詳或略之去取；至於魯史辭文，在不失史實之真與信原則下，孔子自可增損改易，修飾潤色。事跡所以作詳略去取，辭文所以作損易修飾，蓋聚焦於指趣，歸於孔子竊取之「義」而已矣。由於《春秋》之「義」，出於孔子獨斷於一心之別識心裁，故《春秋》一書，孔門高弟游夏之徒不能贊一辭。所謂「筆則筆，削則削」，皆出於孔聖之心手。

孔子之志，《春秋》之義，所謂傳心、褒貶、予奪、重輕、經權，或見於史事之排比編纂，或出於辭文之修飾表述，皆出於或筆或削之互發其蘊，互顯其義而來。而其要歸，則在明是非、定功罪、寓勸懲、正治亂。《孟子・滕文公下》所謂「天子之事」，董仲舒《春秋繁露・俞序》所謂「王心」，指此。就比較而言，《春秋》以敘事見義者，大抵因襲舊文，未加筆削；據事直書，未嘗損益。此承魯史記之史事，孔子不削，直書其事，以同文見義者。如晉董狐書「趙盾弒其君夷皋」（宣公二年《經》），齊太史書「崔杼弒其君光」（襄公二十五年《經》），《春秋》因仍其辭文而未加改易，清萬斯大《學春秋隨筆》所謂以因為義。[2]惟華父督得罪於宋殤公，名在諸侯之策，《春秋》徵信其事跡，而稍變其辭文，遂書曰「宋督弒其君與夷及其大夫孔父」（桓公二年《經》）。里克欲納重耳，於是先後殺奚齊、卓子，《春秋》書曰「晉里克殺其君之子奚齊」（僖公九年《經》）。「晉里克弒其君卓及其大夫荀息」（僖公十年《經》）。孔子《春秋》之所書，與《宋春秋》、《晉乘》事同而文稍殊，《學春秋隨筆》所謂以變為義，皆依循舊史之事而屬辭者也。[3]

孔子因魯史而修《春秋》，「舉得失以彰黜陟，明成敗以著勸懲」，黜陟予奪之際，褒貶勸懲之間，攸關筆削去取，或書或不書。其微辭隱旨，都不說破，必須藉由屬辭比事，互發其蘊，互顯其義，方能破解言外之意。故《公羊傳・定公元年》稱：「定、哀

1　〔戰國〕孟軻著，〔清〕焦循疏，沈文倬點校：《孟子正義》（北京市：中華書局，1987、1996年），卷13〈滕文公下〉，頁452。顧頡剛懷疑《春秋》為孔子所作，見顧頡剛講授，劉起釪筆記：《春秋三傳及國語之綜合研究》（香港：中華書局，1988年），二、〈春秋經論・作者〉，頁5-16。朱維錚不贊同顧氏「關于孔子未嘗作《春秋》的推論」，見氏著：《壺裏春秋》（上海：上海文藝出版社，2002），六九、〈疑《春秋》〉，頁78-79。又朱維錚編：《周予同經學史論著選集》（上海市：上海人民出版社，1983、1996年），〈《春秋》與《春秋》學〉，頁493-495。

2　參考清萬斯大：《萬處士學春秋隨筆》，學海堂《皇清經解》（臺北市：復興書局，1972年），卷50，頁14，總頁767。

3　同上，清萬斯大：《萬處士學春秋隨筆》，《皇清經解》卷50，頁14，總頁767。

多微辭。主人習其讀而問其傳，則未知己之有罪焉爾。」[4]即使起魯定公、哀公於地下而習讀《經》《傳》，義旨難明，亦不知己之有罪。孔子既假筆削，以體現經世之哲學，研治《春秋》者將如何因筆削而求得其中之微辭隱義？元趙汸（1319-1369）著《春秋屬辭》，強調孔子「假筆削以行權」，推崇南宋陳傅良《春秋後傳》，以為「能參考經傳，以其所書，推見其所不書；以其所不書，推見其所書」[5]。《春秋》筆削魯史記，微辭隱義多見於文字之外。今借用「以其所書，推見其所不書；以其所不書，推見其所書」二語，論述胡安國《春秋傳》筆削與言外之「義」之關係，《春秋》宋學之詮釋法亦具體而微指陳。

《春秋胡氏傳》解說《春秋》，比事以觀其指義，最其常法。其史事，依據《左傳》；其義理，間採《公羊》《穀梁》之精微。「大綱本《孟子》，而微旨多以程氏之說為證，近世學《春秋》皆宗之」。[6]由此觀之，《胡氏傳》之為書，以闡發義理之精微為主，其中多宣揚倫常綱紀之道，提示明道正誼之方。標榜史外傳心，以考索微言大義；運化屬辭比事之法，以解讀《春秋》之筆削。徵諸行事，持之有故；析理精深，多見創新。其書涉及言心、言性、言理、言道德者，輒根柢於實事，歸本於經世，於清代漢學家所疵空談臆斷、以意說經之缺失較少。

《四庫全書總目》評論程、朱儒學，「擺落漢唐，獨研義理」；「宋學具有精微，讀書者以空疏薄之，亦不足服宋儒也」；《四庫全書總目．三傳折諸》則批評《胡氏傳》「議論多而考證少」。[7]漢學長於考證，宋學長於議論，漢宋各有得失，顯然此以漢學視點看待宋學。胡安國之《春秋》學，會通諸家。遠紹董仲舒、啖、趙之《春秋》書法，中承程頤《春秋傳》，下啟朱熹之〈春秋綱領〉、《通鑑綱目》。雖無漢學之家法，然自有其傳承之師法。《春秋》學在宋代之理學化，《春秋胡氏傳》為重要之里程碑。《四庫全書總目》對宋學之批判，曰長于義理，流於空疏；曰藐視先儒，穿鑿臆斷；曰標榜門戶，排斥異端。[8]此等劣質學風，要皆宋學末流之不良習氣，胡安國《春秋傳》作為《春秋》理學化之先行者，間或有之，亦不甚顯著。其書容有小疵微瑕，如明清《春秋》學者所謂疑誤，大抵不足以掩其大醇與美瑜。《胡氏傳》為《春秋》宋學一大開

4　〔漢〕公羊壽傳，〔漢〕何休解詁，〔唐〕徐彥疏：《春秋公羊傳注疏》（臺北市：藝文印書館，1955年，《十三經注疏》本），卷25，定公元年，〈春王〉，頁2-3，總頁314-315。

5　〔元〕趙汸：《春秋屬辭》（臺北市：大通書局，1970年，《通志堂經解》本），卷8〈假筆削以行權〉，引宋陳傅良之說，頁2，總頁14801。

6　〔宋〕陳振孫：《直齋書錄解題》（上海市：上海古籍出版社，1987年），卷3，《春秋傳》三十卷解題，頁64。

7　〔清〕紀昀等主纂：《四庫全書總目》（臺北市：藝文印書館，1974年），卷1〈經部總敘〉，頁1-2，總頁62；卷29，《三傳折諸四十四卷》提要，頁21，總頁602。

8　周積明：《文化視野下的《四庫全書總目》》（北京市：中國青年出版社，2001年），第四章第二節〈公之學在于辨漢宋學術之是非——《四庫全書總目》的經學批評〉，頁125-137。

山，胡安國如何詮釋《春秋》？如何解讀筆削？本文擬對此多作闡發。

胡安國（1074-1138）著成《春秋傳》，或稱《春秋胡氏傳》，於兩宋或元明清《春秋》學，皆堪稱大家名家。影響沾溉極為深遠，曾與《三傳》齊名，合稱為《春秋四傳》。故最近學界，以此為研究論著選題者不乏其人。惟二〇〇〇年之前，於胡安國《春秋傳》研究差少；其後經學史、儒學史、學術史中多見順帶略提，要未能專精申論。[9]即使《春秋》學史所述，亦不該不徧，未能得其體要。[10]與此同時，臺灣學界開始探論《胡氏傳》，專書論著亦先後推出，篳路藍縷，富探索開啟之功。二〇一〇年左右，兩岸大學碩士博士論文以《胡氏傳》為課題者漸多，皆各有所見，並有所得。[11]

要之，上述研究成果，多有啟迪觸發之功。惟胡安國《春秋傳》（簡稱《胡氏傳》）〈序〉稱：孔子筆削魯史，《春秋》為「史外傳心之要典」；「空言獨能載其理，行事然後見其用」，學界研究成果於此探論不多，值得關注投入。至於《胡氏傳·進表》所云：「仲尼因事屬辭，深切著明」；僖公十二年《胡氏傳》稱：「屬辭比事，直書于策，而義自見」，在在關涉胡安國如何詮釋《春秋》？《胡氏傳》如何發明《春秋》之微辭隱義？換言之，即是有關《春秋》書法如何解讀之方法。如上之課題，學界多尚未觸及，本文權作嚆矢。《四庫全書總目》批評《胡氏傳》「議論多而考證少」，[12]此以漢學視點看待《春秋》宋學。《胡氏傳》為《春秋》宋學一大開山，本文擬對此多作闡發。

---

9 趙吉惠、郭厚安、趙馥潔、潘策主編：《中國儒學史》（鄭州市：中州古籍出版社，1991年），第三章第一節〈理學南傳與南宋初期的新儒學思想〉，頁571-574。沈玉成、劉寧：《春秋左傳學史稿》（南京市：江蘇古籍出版社，1992年），第八章第三節〈南宋的春秋經傳學〉，一、胡安國：更自覺的借古喻今，頁221-225。章權才：《宋明經學史》（廣州市：廣東人民出版社，1999年），第五章〈以尊王攘夷為理論特色的經學家胡安國《春秋傳》〉，頁156-181。朱漢民等：《中國學術史·宋元卷》（南昌市：江西教育出版社，2001年），第十七章第一節、二、〈胡安國《春秋傳》之尊王攘夷〉，頁562-566。姜廣輝主編：《中國經學思想史·第三卷上》（北京：中國社會科學出版社，2010年），第六十四章〈胡安國《春秋傳》的議論與開合精神〉，頁599-638。

10 趙伯雄：《春秋學史》（濟南市：山東教育出版社，2004年），第七章第二節〈胡安國及其春秋傳〉，頁496-522。戴維：《春秋學史》（長沙市：湖南教育出版社，2004年），第七章第二節、一、〈以胡安國為代表的程學系統〉，頁359-366。

11 羅清能：《胡氏春秋傳研究》（花蓮縣：真義出版社，1989年）；宋鼎宗：《春秋胡氏學》（臺北市：萬卷樓圖書公司，2000年）；簡福興：《胡氏春秋學研究》（高雄市：欣禾圖書公司，1997年）。以《胡安國《春秋傳》研究》為學術論文者有兩部：其一，東吳大學中國文學研究所汪嘉玲碩士論文，1998年5月提出；其二，上海復旦大學王江武中國哲學博士論文，2008年4月提出。另有鄭丞良：《胡安國《春秋傳》與《公羊傳》之比較研究──以三綱思想的考察為主》，中國文化大學史學研究所碩士論文，2000年6月；劉昆笛：《胡安國《春秋》學思想研究》，蘇州大學中國哲學博士論文，2009年5月。康凱淋：《胡安國《春秋傳》研究》，國立中央大學中國文學系博士論文，2012年6月。

12 〔清〕紀昀等主纂：《四庫全書總目》，卷27，經部春秋類二，引《朱子語類》曰：「胡氏《春秋傳》，有牽強處，然議論有開合精神」，亦千古定評也，頁12，總頁558。

二 胡安國論《春秋》筆削，乃史外傳心

北宋熙寧以來，推隆王安石新學，獨於《春秋》，「不以取士、不以設官，不以進讀，斷國論者無所折衷，天下不知所適」。胡安國（1074-1138），受學於程頤（1033-1107）學侶朱長文，與程門弟子楊時、謝良佐游。身處南北宋之際，感激時事，往往借《春秋》以寓意。深知《春秋》載存「聖王經世之志」，「尊君父、討亂賊，闢邪說，正人心，用夏變夷大法略具」；深信《春秋》可以「撥亂世，反之正」，於是著書立說，以崇信《春秋》。高宗紹興六年（1136），奉敕撰進，成《春秋傳》三十卷。[13]胡安國學術既與程子有關，書中徵引闡發，多達八處以上，於是《春秋胡氏傳》遂為程學系統之《春秋》學代表。[14]

元延祐二年（1315）定經義取士條格，《春秋》用《三傳》及胡安國《傳》，合稱為《春秋》四傳，其書始列於學官。當時所謂經義，實《胡氏傳》之義而已。明襲元制，《春秋胡氏傳》獨行。入清以後，廢置不用，誦習漸稀。[15]由此觀之，《胡氏傳》至南宋迄晚明，影響儒林士人長達五百餘年，對於《春秋》，如何接受？如何詮釋？值得學界關注。胡安國之《春秋》詮釋學，為筆者系列探討之課題。今以筆削為主腦，以書法闡釋為課題，持以發明胡安國之《春秋》學。

何謂筆削？國史策書如何可以寓託孔子撥亂經世之志？此牽涉到歷史編纂學之課題，[16]猶言司馬遷紬讀金匱石室之書，欲「述往事，思來者」，於期許究天人之際，通古今之變之餘，如何又能「自成一家」？元趙汸《春秋屬辭》頗有提示。《春秋》有書有不書，猶言有述有作：「其所書者，則筆之；不書者，則削之」。或書或不書，或筆或削，可以互發其蘊，互顯其義。其間，即存在「丘竊取之」之義，則是「作」之空間所在。[17]孔子《春秋》既如此寫作，後世讀《春秋》、治《春秋》，考求其中之微辭隱義，往往回歸筆削原始，往往可見《春秋》「史外傳心」之義。

孔子作《春秋》之義，掌握筆削之書法，容易即器以求道，故曰：「《春秋》之義昭乎筆削。」至於考求筆削之義，不止於「事具始末，文成規矩」為階梯而已。《春秋》

---

13 〔宋〕胡安國：《春秋胡氏傳》（臺北市：臺灣商務印書館，1979年，《四部叢刊》初編本影印上海涵芬樓鐵琴銅劍樓藏宋刊本），卷首〈春秋傳序〉，頁1-2。所謂宋刊本，宋諱避至「慎」字，當為宋孝宗（1163-1189在位）時刊本。本文徵引《春秋胡氏傳》，即據此本。

14 張高評：〈程頤《春秋傳》及其《春秋》詮釋學〉，嘉義大學主辦「宋代學術國際學術研討會」（2019年4月19日），頁1-17。

15 〔宋〕胡安國：《春秋胡氏傳》，張元濟跋：《春秋胡氏傳》，頁136。為稱引便利，或簡稱為《胡氏傳》。

16 何炳松：《歷史研究法》第八章《編比》，劉寅生、房鑫亮編：《何炳松文集》（北京市：商務印書館，1997），第四卷，頁53-61。

17 〔元〕趙汸：《春秋屬辭》，卷8〈假筆削以行權〉，頁1，總頁14801。

具事、成文之轉化衍變，值得關注。章學誠《文史通義》〈答客問上〉，說《春秋》筆削之原委本末，極詳切明白：

> 史之大原本乎《春秋》，《春秋》之義昭乎筆削。筆削之義，不僅事具始末，文成規矩已也。以夫子義則竊取之旨觀之，固將綱紀天人，推明大道，所以通古今之變而成一家之言者，必有詳人之所略，異人之所同，重人之所輕，而忽人之所謹，繩墨之所不可得而拘，類例之所不可得而泥，而後微茫杪忽之際有以獨斷於一心。……此家學之所以可貴也。[18]

章學誠所謂「事具始末，文成規矩」，指比事與屬辭之《春秋》教而言。所謂「《春秋》之義昭乎筆削」，「以夫子義則竊取之旨觀之」，則是回歸比事屬辭最原初之狀態：義，藉由或筆或削昭示出來，故曰：「《春秋》之義昭乎筆削」。筆削之義，因應歷史敘事，或文學敘事，自然轉化為或詳或略、或異或同、或重或輕、或忽或謹的義法來。彼此間，相反相對，而又相輔相成，猶如或筆或削，互發其蘊，互顯其義。無論歷史敘事，或文學敘事，所以能自成一家者，在於有別識心裁。獨斷於一心的義，從「詳人之所略，異人之所同，重人之所輕，而忽人之所謹」等，反常合道而來；當然，略人之所詳，輕人之所重，而謹人之所忽，亦不失為求異之創造性思維。別識、心裁、獨斷、一家之言云云，切合孔子作《春秋》「義則竊取之旨」。竊取之，謂私為之，故以追求創造性為依歸。

「春秋」一詞，除指稱季節外，一名尚含三意：其一，編年史乘之通稱，如《宋春秋》、《燕春秋》、《百國春秋》；《魯春秋》特其中之一，與晉之《乘》、楚之《檮杌》載史之功能相當。其二，魯國史書之專稱，或稱《魯史記》，或稱《不修春秋》，胡安國稱為舊史，即孔子據以筆削，而成《春秋》之祖本，可稱為「魯史《春秋》」。其三，指孔子就魯史，酌加筆削，寓存褒貶勸懲，以見經世致用之著作，可稱為孔子《春秋》，或聖人《春秋》。分辨魯史《春秋》為史，孔子《春秋》為經，乃研治《春秋》之當務之急，[19]胡安國《春秋傳》頗有論說，如云：

> 古者，列國各有史官，掌記時事。《春秋》，魯史爾，仲尼就加筆削，乃史外傳心之要典也。而孟氏發明宗旨，目為天子之事者。[20]
>
> 然則《春秋》何以謂之作？曰：其義則斷自聖心，或筆或削，明聖人之大用。其

18 〔清〕章學誠：《文史通義》（臺北市：華世出版社，1980年），內篇四〈答客問上〉，頁138。

19 孔子《春秋》與魯史《春秋》，同源而異趣，元趙汸：《春秋師說》（臺北市：大通書局，1970年，《通志堂經解》本），卷上，頁4、7；卷中，頁16，卷下，頁2、6，頗有闡說。參考張高評：《春秋書法與左傳學史》（臺北市：五南圖書公司，2002），〈黃澤論《春秋》書法——《春秋師說》初探〉，二、（二）、2、（1），「研治《春秋》，魯史書法與聖人書法應相濟並用」，頁159-166。

20 〔宋〕胡安國：《春秋胡氏傳》，序，卷首，頁1。

事則因舊史，有可損而不能益也。[21]

此一事也，在《不修春秋》則為慶祥；君子修之，則為變異，是聖人因魯史舊文能立興王之新法也。故史文如畫筆，經文如化工。嘗以是觀，非聖人莫能修之，審矣。[22]

孔子作《春秋》，先就魯史舊文（《不修春秋》）事跡進行去取從違之篩選，然後再因革損益其辭文。無論其事之筆削，其文之修飾，要皆「斷自聖心」，而脈注綺交於「丘竊取之」之其義。換言之，《春秋》之義，昭乎筆削；而所謂筆削，即是屬辭比事《春秋》教之落實運用。孔子經世之心，撥亂反正之志，多體現為《春秋》之義，其層面多方。《春秋》根源於魯史，而加筆削，於是經、史有別：「史文如畫筆」，如實呈現；「經文如化工」，體物傳神，離形得似，而以取義為依歸。舊史記實，不容改篡，筆削之道，「可損而不能益」；故胡安國所謂「君子修之」、「作《春秋》」、「削而不書」云云，要皆指辭文之損益修飾而言。《春秋》之別識心裁，涉及予奪、進退、褒貶、勸懲，要皆所謂「天子之事」，如欲藉《春秋》「立興王之新法」，欲以明聖人之大用之類。仲尼筆削魯史，史外傳心，孟軻首揭其事、其文、其義三元素，以為作《春秋》，讀《春秋》，治《春秋》之金鎖匙，堪稱孤明先發。《春秋》所以為聖人經世之書，而與其他史乘有別者，藉筆削以顯義為其中一大關鍵。

胡安國《春秋傳》〈自序〉云：「《春秋》，魯史爾，仲尼就加筆削，乃史外傳心之要典也。」明汪克寬釋之曰：「《春秋》一經，於禮文則或因或革，於事實則或予或奪，皆出乎聖心之權制。讀是《經》者，可以窮理，可以斷事，豈非傳心之要典也？」[23]由胡安國、汪克寬之說，顯示三個重點：其一，《春秋》所以為「史外傳心之要典」，由於曾經仲尼筆削。其二，《春秋》之作，「於禮文則或因或革」，可由屬辭見筆削之功。其三，《春秋》之成，「於事實則或予或奪」，此因筆削成比事之業。總之，探討《春秋》之筆削，似不出屬辭比事之《春秋》教。

《春秋》，本乎魯史舊文，又斟酌乎聖心。為寄寓孔子經世之志，故對舊史有所刪定筆削，此之謂史外傳心。國史不容更動，故所謂筆削刪定，指不沒事實之前提下，而損益修飾文字。晉徐邈研治《春秋》，所謂「事仍本史，而辭有損益。」[24]胡安國云：

隱公見弒，魯史舊文必以實書。其曰「公薨」者，仲尼親筆也。古者史官以直為職，而不諱國惡。仲尼筆削舊史，斷自聖心；於魯君見弒，削而不書者，蓋國史

21 同前註，卷6，〈夏五〉，頁4，總頁27。

22 同前註，卷4，〈有年〉，頁7，總頁21。

23 〔元〕汪克寬：《春秋胡傳附錄纂疏》（臺北市：臺灣商務印書館，1983年，文淵閣《四庫全書》本），卷首上〈序〉，頁1，冊165，總頁13。

24 〔清〕馬國翰：《玉房山房輯佚書》（揚州：廣陵書社，2004），引徐邈《春秋穀梁注義》，頁1408。

> 一官之守，《春秋》萬世之法，其用固不同矣。不書弒，示臣子於君父有隱避其惡之禮；不書地，示臣子於君父有不沒其實之忠；不書葬，示臣子於君父有討賊復讎之義。非聖人莫能修，謂此類也。[25]

實事求是，直書不諱，自是列國史書之通例，不獨魯史舊文如此。魯史舊文，即《魯春秋》，又稱《不修春秋》，為孔子《春秋》之底本。魯隱公見弒，依史官直書之例，當作「魯公子翬弒其君息姑」；今《春秋》不然者，由於「仲尼筆削魯史，斷自聖心」，雖損益辭文，而不沒史事，但書曰「公薨」而已。所謂「書薨，以示臣子之情；不地，以存見弒之實」。[26]見弒者為魯君，孔子身為魯人，情感與傳信必須兼顧，此《左傳》所謂婉而成章之曲筆。《春秋》書法，講究遠近、內外之別。依內辭書例，《春秋》記魯國十二公之死亡，例皆書薨地，書葬時。而隱、桓、閔三公見弒，但書「公薨」，此按以比事屬辭，見其「非常」事，故孔子削而不書，出於特筆見義如此。隱公見弒，不書弒、不書地、不書葬，此以辭文筆削刪定，而又直書史實，此乃「如何書」之法。孔子所以如此裁斷筆削者，欲從中體現魯國臣子之禮、之忠、之義，此則聖心之所繫託，所謂「孔子竊取之」之義。

述與作之多寡消長，決定孔子《春秋》與魯史《春秋》之分野。述多作少，則為史乘；述少而作多，則成《春秋》。其中關涉或筆或削，或書或不書，以及史事之或因或革，辭文之或損或益諸課題。胡安國《春秋傳》於此，頗有闡說，如：

> 此《春秋》之所以為《春秋》，非聖人莫能修之者也。薨則書薨，卒則書卒，弒則書弒，葬則書葬，各紀其實，載於簡策。國史掌之，此史官之所同，而凡為史者，皆可及也。或薨或不薨，或卒或不卒，或弒或不弒，或葬或不葬，筆削因革，裁自聖心，以達王事，此仲尼之所獨，而游、夏亦不能與焉者也。[27]

「各紀其實，載於簡策」之據事直書法，如「薨則書薨，卒則書卒」云云，歷史編纂提供客觀之實錄、信史，此列國史官之所同，「凡為史者，皆可及也」。然《春秋》與其他史乘殊異，「或薨或不薨，或卒或不卒，或弒或不弒，或葬或不葬」，或書或不書之際，即存在「裁自聖心」之「筆削因革」。所謂筆削，指或書或不書，或言或不言，涉及史事之詳略取捨。所謂因革，指辭文之因仍或變革，關係語言文字之修飾調整。或書或不書，或取或捨，或筆或削，或因或革，《春秋》無達辭、無通辭，要皆緣自聖心之裁斷。詳言之，所謂「裁自聖心」，大抵回歸孔子作《春秋》之取義；而孔子之取義，《春秋》之聖心，依《孟子》發明之宗旨，即藉由其事之取捨，其文之損益推求而來。出於

---

25 〔宋〕胡安國：《春秋胡氏傳》，卷3，〈冬十有一月壬辰，公薨〉，頁5，總頁17。

26 同前註，卷10，〈秋八月辛丑，公薨〉，頁3，總頁45。

27 〔宋〕胡安國：《春秋胡氏傳》，卷24，昭公元年，〈冬十有一月，己酉，楚子麇卒〉，頁2，總頁109。

孔子孤懷獨到之裁斷，故高弟如子游、子夏，亦不能贊一辭。

常事不書，合禮不書，而非常、失禮乃書，此《春秋》書法之恒言。若以災異、慶祥而論，異常失禮，《春秋》乃書，其實不盡然如此。胡安國《春秋傳》曾討論《春秋》書「有年」、「大有年」之豐年書寫，反常為異之義特書之，其言曰：

> 舊史：災異與慶祥並記，故有年、大有年得見於經。若舊史不記，聖人亦不能附益之也。然十二公多歷年所，有務農重穀，閔雨而書雨者，豈無豐年，而不見於經，是仲尼於他公皆削之矣。獨桓「有年」、宣「大有年」，則存而弗削者，緣此二公獲罪於天，宜得水旱凶災之譴，今乃有年，則是反常也，故以為異，特存耳。……此一事也，在《不修春秋》則為慶祥，君子修之，則為變異，是聖人因魯史舊文，能立興王之新法也。故史文如畫筆，經文如化工。嘗以是觀，非聖人莫能修之，審矣。[28]

孔子筆削《魯史記》，就史事而言，可以取捨，然不能附會增益，此徐邈所謂「事仍本史」，以忠於客觀真實為依歸。《春秋》十二公，前後二百四十二年，孔子書魯國豐年，僅有兩處：於桓公書「有年」，於宣公書「大有年」，其他豐年概「不見於經」。胡安國《春秋傳》以為：「仲尼於他公皆削之矣！」而於桓公、宣公「則存而弗削」，《春秋》或削或筆如此，必有孔子寄寓之微辭奧義。胡安國以桓公、宣公之作為，「獲罪於天，宜得水旱凶災之譴」；其實不然。乃「有年」、「大有年」，事出反常，《春秋》因以為變異而特書之，天理人道之際，所以貶斥桓宣二公也。孔子轉換史乘之慶祥，而成《春秋》之變異，所謂「因魯史舊文，能立興王之新法」。事之筆削，文之因革，要之，皆「裁自聖心」。《春秋》非聖莫人能修之，以此。

內外之分際，為相對之概念，往往隨時空而轉移，《春秋》相當關注。[29]就中原而言，魯為內，華夏諸邦為外；就華夷而言，華夏為內，夷狄為外。成公十五年《公羊傳》云：「《春秋》內其國而外諸夏，內諸夏而外夷狄」，[30]可作代表。《春秋》據魯史記舊文而筆削其間，內辭與外辭自有區別：內辭，多曲筆諱書；外辭，則以直書見筆削。以《春秋》書葬為例，外諸侯書葬，孔子自有筆削，以見褒貶予奪之義，胡安國提示從闕文見筆削之法：

> 外諸侯葬，其事則因魯會而書，其義則聖人或存或削。……卒而或葬或不葬者

---

28 同前註，卷4，桓公三年，〈有年〉，頁7，總頁21。

29 許倬雲：《我者與他者：中國歷史上的內外分際》（香港：香港中文大學出版社，2009），3，周代封建的天下，頁11-22。

30 〔漢〕公羊壽傳，〔漢〕何休解詁，〔唐〕徐彥疏：《春秋公羊傳注疏》，卷18，成公十五年，〈冬十有一月，叔孫僑如會晉士燮、齊高無咎、宋華元、衛孫林父、鄭公子鰌、邾婁人會吳于鍾離〉，頁7，總頁231。

> 何？……無其事，闕其文，魯史之舊也。討其賊而不葬，諱其辱而不葬，治其罪而不葬，避其號而不葬，聖人所削《春秋》之法也。故曰：知我者，其惟《春秋》乎？罪我者，其惟《春秋》乎？[31]

外辭書諸侯葬，或書，或不書，或存或削，而聖人之義可見。葬，《春秋》削而不書者，情形有四：或為討賊、或為諱辱、或為治罪，或為避號，多有言外之意。魯史舊文必皆書葬，而孔子《春秋》削而不取，所謂損益其文，而不隱沒其事實，以此見孔子竊取之義旨，別識之心裁。胡安國稱《春秋》為「史外傳心之要典」。藉筆削以見義，是其中策略之一；胡安國詮釋《春秋》之微辭隱義，亦可見一斑。

《春秋》之義，多未嘗直白道破，然考察筆削去取，或書或不書，可以互發其蘊，互顯其義。筆削去取，因革損益之際，自有其原則：凡為合禮、常事者，多不書；若失禮、非常，乃書。胡安國《春秋傳》於此頗有論說，如：

> （仲尼）制《春秋》之義，見諸行事，垂訓方來。……而改法創制，不襲虞、夏、商、周之跡。……至《春秋》，則凡慶瑞之符，禮文常事，皆削而不書；而災異之變，政事闕失，則悉書之，以示後世，使鑒觀天人之理，有恐懼祇肅之意。若事斯語……乃史外傳心之要典。[32]
>
> 《穀梁子》曰：「親迎，常事也，不志。此其志，何也？」……所謂常者，其事非一：有月事之常，則視朔是也。有時事之常，則蒐狩是也。有歲事之常，則郊祀、雩祭之類是。也有合禮之常，則婚姻、納幣、逆女、至歸之類是也。凡此類合禮之常，則不志矣。其志，則於禮不合，將以為戒者也。若夫崩、薨、卒、葬即位之類，不以禮之合否而皆書，此人道始終之大變也。其於親迎異矣。[33]

《春秋》志在撥亂反正，其要歸於懲惡勸善。故「災異之變，政事闕失，則悉書之」，大抵違禮異常則書之，以為懲戒資鑑；「慶瑞之符，禮文常事，皆削而不書」，此之謂常事不書，合禮不書。以婚姻而言，合禮、常事皆不書，《穀梁傳》、《公羊傳》、啖助、趙匡說《經》，多有明示。[34]胡安國《春秋傳》歸納「常事」為四大類：月事之常、時事之常、歲事之常、合禮之常，且云：「凡此類合禮之常，則不志矣。」反之，若事出異常、非常，或失禮、違禮，則《春秋》必書之志之，以為鑑戒，亦楚史稱為「檮杌」之

---

31 〔宋〕胡安國：《春秋胡氏傳》，卷1，隱公三年，〈癸未，葬宋穆公〉，頁8，總頁10。

32 同前註，卷首，〈進表〉，總頁4。

33 同前註，卷9，莊公二十四年，〈夏，公如齊逆女。秋，公至自齊〉，頁4，總頁40。

34 〔唐〕啖助、趙匡、陸淳：《春秋集傳纂例》，卷2〈婚姻第十三〉，於納幣、內逆女、外逆女、王女歸、內女歸、內女來、媵、太子生，皆曰「常事不書，合禮者不書」，非常違禮乃書，頁21-30，總頁2377-2381。

義。[35]至於「崩、薨、卒、葬、即位之類」，生命大事、國家大事，雖云「不以禮之合否而皆書」，然若違禮失禮，《春秋》則用「辭有損益」揭示之，屬其辭約其文，固足以見義。如魯因周公大勳，得行郊祭大禮，無異行天子之事。魯行郊祭，習以為常，顯然失禮違禮久矣！《春秋》乃因事而書，以見其非禮、不可，《春秋胡氏傳》稱：

> ……魯何以得郊？成王追念周公有大勳勞於天下，而欲尊魯，故賜以重祭，得郊祭大雩。然則可乎？孔子曰：「魯之郊禘，非禮也。」……天子祭天地，諸侯祭社稷，大夫祭五祀，庶人祭先祖，此定理也。今魯得郊以為常事，《春秋》欲削而不書，則無以見其失禮；盡書之乎，則有不勝書者。故聖人因其失禮之中又有失焉者，則書于策，所謂由性命而發言也。聖人奚容心哉？因事而書，以誌其失，為後世戒。其垂訓之義大矣。[36]

《左傳》成公十三年稱：「國之大事，在祀與戎」，祭祀為國內大事，其重要性與對外之戰爭等同。《禮記‧王制》載：「天子祭天地，諸侯祭社稷，大夫祭五祀」，[37]名位不同祭祀對象亦殊異。魯國為諸侯，非天子，祭祀社稷可也，不當僭越郊祭天地。然魯自周公以來，郊祭天地習以為常，「《春秋》欲削而不書，則無以見其失禮」。於是孔子因「鼷鼠食郊牛，改卜牛」之事，既書其異常，再譏其失禮，《胡氏傳》所謂「因其失禮之中又有失焉，則書于策」，書以誌其失，所以垂訓戒後。總之，或書或不書，或筆或削之際，多足以見義。

胡安國著成《春秋傳》，對於「《春秋》大義，昭乎筆削」，有極深入而專精之理解。《春秋傳‧序》指稱《春秋》，為「史外傳心之要典」；《朱子語類》載朱熹之言，以為《春秋》微辭隱義，「都不說破」，「蓋有言外之意」。[38]綜要言之，皆攸關《春秋》之詮釋解讀，如何經由或書或不書，或筆或削，而互發其蘊，互顯其義。就筆者所見，胡安國《春秋傳》之詮釋策略，筆而書之之法有三：其一，據實直書，其義自見；其二，實與而文不與，特筆示義；其三，書重辭複，徵存其美惡。

---

35 〔周〕左丘明傳，〔晉〕杜預注，〔唐〕孔穎達疏：《春秋左傳注疏》（臺北市：藝文印書館，1955年，《十三經注疏》本），卷1〈春秋序〉，孔《疏》云：「檮杌者，嚚凶之類。興於記惡之戒，因以為名。」頁7，總頁9。

36 〔宋〕胡安國：《春秋胡氏傳》，卷29，哀公元年，〈鼷鼠食郊牛，改卜牛。夏四月辛，巳郊〉，頁1，總頁130。

37 〔周〕左丘明傳，〔晉〕杜預注，〔唐〕孔穎達疏：《春秋左傳注疏》，卷27，成公十三年，劉子（劉康公）曰，頁10，總頁460。漢‧戴聖傳，漢‧鄭玄注，唐‧孔穎達疏：《禮記注疏》（臺北市：藝文印書館，1955年，《十三經注疏》本），卷12〈王制〉，頁16，總頁242。

38 〔宋〕黎靖德編，王星賢點校：《朱子語類》（北京市：中華書局，1986年），頁2152，文蔚錄；頁2149，廣錄。

三　筆而書之，見諸行事，深切著明

漢董仲舒《春秋繁露・俞序》、司馬遷《史記・太史公自序》，先後徵引孔子之言曰：「我欲載之空言，不如見之行事之深切著明也。」[39]胡安國《春秋傳・序》亦援引孔子之言，且申說之云：「空言獨能載其理，行事然後見其用」，孔子筆削魯史以見經世之志，以此。《春秋》或筆或削，或書或不書，以互發其蘊，互顯其義。其筆而書之者，即孔子所謂「見諸行事，深切著明」之類。據胡安國《春秋傳》所示，其詮釋《春秋》，發明聖經，大抵有三大端，論述如下：

（一）據實直書，其義自見

胡安國傳《春秋》，其〈進表〉曾云：「仲尼因事屬辭，深切著明」；〈述綱領〉則謂：「智者即辭以觀義，思過半矣」。由此推之，孔子作《春秋》，固因事而屬辭，吾人憑其辭藉其事，當可以考求聖經之指義。胡安國《春秋傳・序》強調：「空言獨能載其理，行事然後見其用」；蓋事外無理，理在事中，研治《春秋》就事以求義，猶《易》之以象見意，畫之藉形傳神。要之，因言得意，即器求道，猶據實直書，其義自見。《胡氏傳》詮釋《春秋》，常言「比事以觀」，[40]此之謂也。書中以直書見義者，其例頗多，如：

> 《春秋》書曰：「莒人入向」，此所謂斷也。以事言之，入者，造其國都；以義言之，入者，逆而不順。……非王命而入人國邑，逞其私意，見諸侯之不臣也；擅興而征討不加焉，見天王之不君也。據事直書，義自見矣。[41]

隱公二年《春秋》，直書「入向」、「入極」，明示莒人、無駭私意帥師造臨異邦國都，殆與侵略無異。《春秋》直書「入」，其言外之意，為逆而不順，為諸侯不臣，為天王不君，堪稱「一字之貶，嚴於斧鉞之誅」。是所謂據實直書，而其義自見。又如：

> 內大惡，其詞婉，小惡直書而不隱。夫諸侯分邑，非其有而取之，盜也，曷不隱乎？於取之中，猶有重焉者。若成公取鄟，襄公取邿，昭公取鄫，皆覆人之邦，而絕其祀，亦書曰取，所謂「猶有重焉者」此。故取郜、取防、直書而不隱也。

---

39 〔漢〕董仲舒著，〔清〕蘇輿注：《春秋繁露義證》（臺北市：河洛圖書出版社，1975年），卷6〈俞序第十七〉，頁6、頁9。

40 〔宋〕胡安國：《春秋胡氏傳》，卷3，隱公十一年，〈冬十一月壬辰，公薨〉，頁7，總頁18；卷17，宣公九年，〈宋人圍滕〉，頁4，總頁79；卷18，宣公十五年，〈公孫歸父會楚子于宋〉，頁4，總頁84；卷18，宣公十七年，〈夏，葬許昭公，葬蔡文公〉，頁8，總頁86。

41 同前註，卷1，隱公二年，〈夏五月，莒人入向。無駭帥師入極〉，頁5，總頁8。

> 其不言戰而言敗，敗之者為主，彼與戰而此敗之也。皆陣曰戰，詐戰曰敗。[42]

外辭之是非褒貶，《春秋》固多據事直書；即內辭之小惡，《春秋》亦往往直書不隱。事有重輕，故《春秋》或直書、或諱言。事輕惡小者，直書見義；事重惡大者，曲筆諱言。如隱公十年，取郜、取防，《春秋》直書而不隱；然成公六年，取鄟；襄公十三年，取邿；昭公四年，取鄫，「皆覆人之邦，而絕其祀」，事重惡大如此，《春秋》亦書「取」。事異詞同，曲筆諱言而不書滅，所以為魯諱。為尊者諱恥，乃《春秋》三諱之一。

《論語・季氏》：「天下有道，則禮樂征伐自天子出；天下無道，則禮樂征伐自諸侯出。」[43]禮樂所自出，諸侯與天子不同如此。《春秋胡氏傳》於此頗有發明，如：

> 初獻六羽者，始用六佾也。……書「初獻」者，明前此用八之僭也。諸侯僭於上，大夫僭於下，故其末流，季氏八佾舞於庭，而三家者以雍徹，上下無復辨矣。聖人因事而書，所以正天下之大典也。[44]

魯自開國以來，習用天子之禮樂，以祀周公姬旦，僭越非禮，由來已久。《春秋》因魯「初獻六羽」，據事直書之；於是前此用八佾之僭，其義多見於言外。《胡氏傳》稱：「聖人因事而書，所以正天下之大典也」，所謂行事然後見其用。

《孟子・盡心上》：「非其有而取之，非義也。」《春秋》嚴義利之辨，強取城邑、強致寶器，必直書于策，以為鑑戒。胡安國《春秋傳》稱：「取者，得非其有之謂」，筆而書之，而其義自見，如：

> 宋人恃強圍邑，久役大眾，取非所有，其罪著矣。……宋人強取，以王法言，不可勝誅；以天理言，不善之積著矣。……其見弒於亂臣，豈一朝一夕之故哉？凡此類，皆直書于策，按其行事，而善惡之應，可考而知，天理之不誣者也。[45]
>
> 取者，得非其有之稱。納者，不受而強致之謂。弒逆之賊，不能致討，而受其賂器，寘于大廟，以明示百官，是教之習為夷狄禽獸之行也。……聖人為此，懼而作《春秋》，故直載其事，謹書其日，垂訓後世，使知寵賂之行，保邪廢正，能敗人之國家也。[46]

《左傳》稱：「宋殤公立，十年十一戰，民不堪命」；其後孔父嘉因民之不堪命，而弒殤

---

42 同前註，卷3，隱公十年，〈六月壬戌，公敗宋師于菅。辛未，取郜。辛巳，取防〉，頁4，總頁16。

43 〔清〕劉寶楠著，高流水點校：《論語正義》（臺北市：文史哲出版社，1990年），卷19〈季氏第十六〉，「天下有道」章，頁651。

44 〔宋〕胡安國：《春秋胡氏傳》，卷2，隱公五年，〈九月考仲子之宮，初獻六羽〉，頁4，總頁12。

45 同前註，卷2，隱公六年，〈冬，宋人取長葛〉，頁6，總頁13。

46 同前註，卷4，桓公二年，〈夏四月，取郜大鼎于宋。戊申，納于大廟〉，頁4-5，總頁20。

公。[47]《春秋》主防微而杜漸，運用系統思維，原始要終敘戰，以見「不善之積著」，非一朝一夕之故。故宋殤公恃強取長葛，《春秋》乃「直書于策，按其行事」，而善惡自見。《春秋》於桓公二年，先書「公會齊侯、陳侯、鄭伯于稷，以成宋亂」；然後接書「夏四月，取郜大鼎于宋。戊申，納于大廟。」桓公乘亂取鼎，可以知之。桓公弒君之賊，不能致討；今又遂亂取鼎，納于大廟，故《春秋》直載其事，譏其非禮，以為後世之鑑戒。

《禮記．經解》：「屬辭比事，《春秋》教也。」屬辭比事，為作《春秋》、讀《春秋》、治《春秋》之金鎖匙，胡安國《春秋傳》於詮釋《春秋》時，多所提示。排比其史事，連屬其辭文，《春秋》之微辭隱義得以考見，所謂「直書其事，而義自見」。如：

> 襄陵許翰曰：「先乎陽穀之會，為大雨雪。後乎陽穀之會，為大雩。僖公賢君，不能禮佐齊桓，儆其怠忽，而更與之俱肆于寵樂，是以見戒於天如此。以公夫人陽穀之會觀之，齊桓霸業怠矣，故楚人伐黃，不能救。凡此類屬辭比事，直書于策，而義自見者也。[48]
>
> 《左氏》曰：「晉人伐鄭，以觀其可攻與否。」狄閒晉之有鄭虞也，遂侵齊。《詩》不云乎：「戎狄是膺，荊舒是懲」，四夷交侵，所當攘斥。晉文公若移圍鄭之師以伐之，則方伯連帥之職修矣。上書「狄侵齊」，下書「（晉人秦人）圍鄭」，此直書其事，而義自見者也。[49]

排比、對比上下之史事，連屬前後相關之辭文，此孔子作《春秋》時因事而屬辭之歷程。吾人讀《春秋》、治《春秋》，請循其本，故可以即辭以觀義。如胡安國《春秋傳》解讀「公及夫人姜氏會齊侯于陽穀」事，即排比陽穀之會之先後，連屬「大雨雪」、「大雩」之辭文，以見儆戒于天已如此。而推僖公不能禮佐齊桓，又知齊桓怠忽霸業，是所謂「直書于策，而義自見」。僖公三十年，《春秋》先書「夏，狄侵齊」，後書「秋，晉人秦人圍鄭」，固直書其事矣；胡安國為《春秋》作《傳》，運以「上書」、「下書」之屬辭比事解讀之，而晉文公之不伐救齊，不攘斥夷狄，譏諷自在言外。

尊王攘夷，內諸夏而外夷狄，為《春秋》之大義。胡安國身處南北宋之際，「激於時事，語多感慨」，於夷狄亂華之遏抑，用夏變夷之期待，一篇之中三致其意焉。其所褒貶予奪，多寓乎「直書其事」之中，如：

> 執宋公者，楚子也，何以不言楚子執之？分惡於諸侯也。諸侯皆在會，而蠻夷執

---

47 〔周〕左丘明傳，〔晉〕杜預注，〔唐〕孔穎達疏：《春秋左傳注疏》，卷5，頁6，總頁90。

48 〔宋〕胡安國：《春秋胡氏傳》，卷11，僖公十一年，〈夏，公及夫人姜氏會齊侯于陽穀〉，頁11-12，總頁52。

49 同前註，卷13，僖公三十年，〈夏，狄侵齊〉，頁6，總頁61。

> 其會主，拱手以聽，而莫之敢違，其不勇於為義，亦甚矣。故特列楚子於陳蔡之上，而以同執為文。……《春秋》為賢者諱，宋公見執，不少隱之，何也？夫盟主者，所以合天下之諸侯，攘戎狄，尊王室者也。宋公欲繼齊桓之烈，而與楚盟會，豈攘夷狄、尊王室之義乎？故人宋公於鹿上之盟，而盂之會直書其事而不隱，所以深貶之也。[50]

僖公二十一年，《春秋》先書「春，諸侯盟于鹿上」，再書「秋，諸侯會于盂，執宋公，以伐宋。」「執宋公」者，為楚子，今不書楚子執之，卻列序「宋公、楚子、陳侯、蔡侯、鄭伯、許男、曹伯」之名，且「列序楚子於陳蔡之上，而以同執為文」。盂之會，《春秋》所以「直書其事而不隱」者，義在「分惡於諸侯」，深貶諸侯不勇於義，莫敢攘斥夷狄。且鹿上之盟，《春秋》書「宋人」，亦貶宋襄公昧於尊王攘夷之義。

又如《春秋》正法，不與夷狄會同。其書會之敘事，往往以直書其事為書法，而詳略因之，筆削因之：

> 《春秋》正法，不與夷狄會同分類也。書會戎、會狄、會吳，皆外詞也。內中國，故詳；外四夷，故略。今中國有亂，天王不能討，則方伯之責也；又不能討，則四鄰諸侯宜有請矣。而魯方會齊伐莒，晉方求成于狄，是失肩背而養其一指，不能三年而緦小功之察，不亦傎乎？凡此，直書其事，不待貶絕而義自見者也。[51]

《春秋》書法，有詳有略，而褒貶予奪繫之。內諸夏而外夷狄，此《春秋》之大義，而詳略褒貶因之。宣公十年，《春秋》書「癸巳，陳夏徵舒弒其君平國」；為討伐夏徵舒弒君逆賊。十一年夏，「楚子、陳侯、鄭伯盟于辰陵」；《春秋》志在討賊，楚莊能之，故《春秋》無貶抑。中國方有弒君之亂，而魯、晉卻汲汲於「會齊伐莒、求成於狄」，相較之下，魯之伐莒、晉之會狄，為汩亂華夷內外之防，誠夷狄之不若。故《春秋》直書其事，詳人之所略，而略人之所詳，所謂「不待貶絕，而義自見」。

孔子敘魯事，凡魯君可恥可惡者，例為之隱晦其恥，避書其過，所謂諱國惡。然亦有自反而縮，行己有義者，亦直書其事，未加隱晦。《胡氏傳》舉平丘之盟、沙隨之會為例，如：

> 臣子之於君父，隱晦其恥，禮也。十二國會于平丘，公獨見辭，不得與盟，斯亦可恥矣！曷為直書其事而不隱也？……聖人筆削《春秋》，凡魯君可恥者，必為

50 同前註，卷12，僖公二十一年，〈春，宋人、齊人、楚人盟于鹿上〉、〈秋，宋公、楚子、陳侯、蔡侯、鄭伯、許男、曹伯會于盂，執宋公，以伐宋〉，頁7-8，總頁56。

51 〔宋〕胡安國：《春秋胡氏傳》，卷17，宣公十一年，〈公孫歸父會齊人伐莒。秋，晉侯會狄於欑函〉，頁8，總頁81。

> 之隱晦。至會于沙隨，而公不得見；盟于平丘，而公不得與，自眾人常情，必深沮喪以為辱矣。仲尼推明其故，自反而縮，雖晉國之嚴不可及也。彼以其威，我以其理；彼以其勢，我以其義，夫何歉乎哉！直書其事，示後世立身行己之道也。其垂訓之用大矣。[52]

平丘之會，十二國會盟，昭公獨不得與盟，可恥孰甚？然《春秋》直書其事而不隱。《胡氏傳》以為晉主此盟，犯五不韙，「得不與焉，幸也！」成公十六年，《春秋》書「公會晉侯、齊侯、衛侯、宋華元、邾人于沙隨，不見公。」晉不見魯成公，似為魯侯奇恥大辱，當隱避其事不書方是。然《春秋》卻直書其事曰：「不見公」，未嘗隱諱，何也？沙隨之會，魯公後至，晉誤聽譖言，怒公而不見。魯直道而行，曲在晉侯。直書其事，言外自寓微旨，所以垂訓後世。

「假魯史以寓王法，撥亂世反之正」，此胡安國《春秋傳》對孔子作《春秋》之理解。故舉凡可以寓託王法、撥亂反正之事例，孔子為勸懲垂教，經世資鑑，則筆而書之。《胡氏傳》於此，頗有發揮，如昭公之薨、定公之即位：

> 昭公之薨，已越葬期，猶未得返。至於六月癸亥，然後喪至。而定之即位，乃在是月之戊辰。蓋遲速進退，為意如所制，不得專也。……夫即位大事也，宗嗣先定，則變故不生。……古人所以貴於早定國家之本也。今昭公之薨，定公之即位，《春秋》詳書于策。非為後法，乃見諸行事，為永鑒耳。[53]

《論語．季氏》載孔子曰：「天下有道，則禮樂征伐自天子出；天下無道，則禮樂征伐自諸侯出。」又云：「陪臣竊國命，三世希不失矣」。[54]《春秋》所以作，緣禮樂征伐自諸侯出，陪臣竊國命，此所謂「天下無道」。魯昭公「薨於乾侯」，蒙塵在外，終則客死他鄉，可謂國恥。《春秋》未循為尊者諱之書例，卻詳書于策。

定公元年春，《春秋》不書即位，卻遲至夏六月戊辰，方書「公即位」。此中之遲速進退，孰令致之？端視季孫意如之宰制而已，是孔子所尤指斥之「陪臣執國命」。魯政既受制於季孫，一切聽其好惡可否，故昭公之薨在外，已越葬期六月，猶不得返魯。《春秋》定公即位於「夏六月戊辰」，《春秋》筆而書之，直書于《經》。《胡氏傳．序》所謂「行事然後見其用」，據實直書，而貶斥陪臣，早定宗嗣之義，見於言外，足為後世鑑戒。

---

52 同前註，卷25，昭公十三年，〈公不與盟〉，頁3，總頁115。

53 同前註，卷27，定公元年，〈夏六月癸亥，公之喪至自乾侯。戊辰，公即位〉，頁1，總頁124。

54 〔清〕劉寶楠著，高流水點校：《論語正義》，卷19〈季氏第十六〉，「天下有道」章，頁651-652。

（二）實與而文不與，特筆示義

孔子筆削魯史，以作成《春秋》，其事、其文有「因舊史而不革」者，是所謂筆；有「革而不因」者，是所謂削。一般而言，常事、合禮不書，異常、失禮乃書；然有不必書，而仲尼書之者，是所謂存而弗削之特筆。出於孔子獨到之見識與裁斷，最可見《春秋》作成之意義。特筆之揭示，有三大面向：有「非其實而特書以見義者」；有因「人事之變，恆辭不足以盡義」，故特筆以是正者；有「事變而義隱」，特筆因「文異然後疑生，疑生然後義見」者。[55]元趙汸《春秋屬辭》稱：「特筆者，所以正名分，決嫌疑也。」[56]諸說雖出諸後儒，然可以相互發明。

常事不書，合禮不書，唯失常、違禮乃書。然人事之變異，名實之乖違，若仍拘守上述筆削之法，將如刻舟求劍，有不知變通之失。於是《春秋》為凸顯「非其實」之載記，乃揭示特書之體例。換言之，本為常事，可以不書；然其事、其文名實相違，為避免以辭害義，故出以「特筆」是正之。既以端正視聽，又可決疑釋惑。如死亡之名，五爵各有定稱：天子曰崩，諸侯曰薨，大夫曰卒，士曰不祿。書卒一也，而予奪褒貶不同，如：

> 外諸侯卒，國史承告而後書，聖人皆存而弗削。……凡諸侯卒，皆存弗削，而交鄰國，待諸侯之義見矣。卒而或日，或不日者何？……卒而或名或不名者何？……凡此類，因舊史而不革者也。諸侯曰薨，大夫曰卒，五等邦君何以書卒？夫子作《春秋》，則有革而不因者。周室東遷，諸侯放恣，專享其國，而上不請命。聖人奉天討以正王法，則有貶黜之刑矣。因其告喪，特書曰卒，不與其為諸侯也。故曰知我者，其惟《春秋》乎？罪我者，其惟《春秋》乎？[57]
>
> 稱弟，得弟道也。稱字，賢也。何賢乎？叔肸宣弒而非之也。……論情，可以明親親，言義，可以厲不軌，所以取貴乎？《春秋》書曰「公弟」，而稱字以表之也。公子為正大夫而書卒，貴也；不為大夫，而特書卒，賢也。[58]

宋穆公和，爵位為諸侯，其死亡當稱薨，大夫方書卒。今宋公不書薨而書卒，名實顯然相違。依《春秋》書例，外諸侯卒，國史皆承赴告，孔子因仍舊史，存書而弗削不改，

---

55 〔宋〕葉夢得：《春秋考》（臺北市：臺灣商務印書館，1983年，文淵閣《四庫全書》本），卷3〈統論〉，頁1-2，冊149，總頁281-282。元．趙汸：《春秋屬辭》，卷13〈特筆以正名第六〉，頁1，總頁14885。清．方苞：《春秋通論》（臺北市：臺灣商務印書館，1983年，文淵閣《四庫全書》本），卷4〈通例七章〉其二，頁18，冊178，總頁346。

56 〔元〕趙汸：《春秋屬辭》，卷13〈特筆以正名第六〉，頁1，總頁14885。

57 〔宋〕胡安國：《春秋胡氏傳》，卷1〈八月庚辰宋公和卒〉，頁8，總頁10。

58 同前註，卷18，宣公十八年，〈十有一月壬午，公弟叔肸卒〉，頁8，總頁86。

所謂因文見義。胡安國《春秋傳》稱：「因其告喪，特書曰卒，不與其為諸侯也」，此之謂實與而文不與。特書可以發疑，疑乃能是正，不致以文害義。叔肸，為魯宣公同父異母弟，非卿大夫，死而《春秋》書「公弟叔肸卒」者，胡安國《春秋傳》謂：「不為大夫，而特書卒，賢也」。以為叔肸曾非議弒君，不去而又不食宣公之祿，其隆情高義，「可以明親親，可以厲不軌」。叔肸爵雖非大夫，為表彰賢良，亦得特書曰卒。漢董仲舒《春秋繁露》稱：「《春秋》無通辭，從變而移」；又曰：「《春秋》無達辭，從變從義」，[59]《春秋》書「公弟叔肸卒」，褒貶予奪大不相同，唯特書足以釋疑。

春秋時代，諸侯不王，伯者迭興；中國無伯，夷狄猾夏；大夫專兵，諸侯離散。孔子思撥亂而反正，乃筆削《春秋》，而端正名實為務，遂成《春秋》之要義。《公羊氏》傳《春秋》，有所謂「實與而文不與者」六，[60]頗能體現孔子《春秋》筆削之別識心裁。胡安國《春秋傳》詮釋《春秋》，於此多所借鏡闡發，如：

> 人，眾辭。立者，不宜立也。晉雖諸侯之子，內不承國於先君，上不稟命於天子。眾謂宜立，而遂自立焉，可乎？故《春秋》於衛人特書曰立，所以著擅置其君之罪，於晉絕其公子，所以明專有其國之非。以此垂法，而父子君臣之義明矣。未有為子而不受之父也，未有為諸侯而不受之王也。[61]

宗法社會之王位繼承，有其一定之體制。或受命，或未受命，尊卑已自不同；同為受命，或受命于天子，或受命于本國國君，尊卑亦有差異。[62]《周禮》〈春官・大宗伯〉「以九儀之命，正邦國之位」；〈春官・典命〉：掌「諸臣之五等之命」，[63]可為佐證。故程頤《春秋傳》稱：「諸侯之立，必受命於天子；當時雖不受命於天子，猶受命於先君。」[64]公子晉之立為衛君，石碏因眾人所欲而立之，既未受命於天子，又未受命於先君，不合宗法社會王位繼承之規範。故《春秋》於此，特書「衛人立晉」，以明實與而

---

59 〔漢〕董仲舒著，〔清〕蘇輿注：《春秋繁露義證》，卷2〈竹林第三〉，頁1，總頁32；卷3〈精華第五〉，頁20，總頁66。

60 《春秋》「實與而文不與」之書法有六，見〔漢〕公羊壽：《春秋公羊傳注疏》，卷10，僖公元年，〈齊師、宋師、曹師次于聶北，救邢〉，頁2，總頁120；僖公二年，〈春王正月，城楚丘〉，頁7，總頁123；卷11，僖公十四年，〈春，諸侯城緣陵〉，頁9，總頁137；卷14，文公十四年，〈晉人納接菑于邾婁，弗克納〉，頁9，總頁179；卷16，宣公十一年，〈十月，楚人殺陳夏徵舒〉，頁3，總頁202；卷25，定公元年，〈三月，晉人執宋仲幾于京師〉，頁3，總頁315。

61 〔宋〕胡安國：《春秋胡氏傳》，卷2，隱公四年，〈冬，十有二月，衛人立晉〉，頁3，總頁12。

62 錢玄：《三禮通論》（南京市：南京師範大學出版社，1996年），〈制度編・五・九命九錫〉，頁344-351。

63 〔漢〕鄭玄注，〔唐〕賈公彥疏：《周禮注疏》（臺北市：藝文印書館，1955年，《十三經注疏》本），卷18〈春官・大宗伯〉，頁18-21，總頁278-280；卷21〈春官・典命〉，頁1-2，總頁321-322。

64 〔宋〕程頤：《春秋傳》，〔明〕徐必達編，〔日本〕岡田武彥主編：《二程全書》（臺北市：廣文書局，1971、1979，影印中文出版社和刻本），〈冬十有二月，衛人立晉〉，頁7。

文不與之義。胡安國《春秋傳》稱：《春秋》特書「衛人立」，所以「著擅置其君之罪」；於公子晉，削去公子之號，所以「明專有其國之非」。衛人立晉，此為政治之實情；《春秋》特書之，斥其「不宜立」，此趙汸《春秋屬辭》所謂「去名以責實」。[65]又如：

……《春秋》小國之大夫不書其姓氏，微也。其以事接我，則書其姓氏，謹之也。莒慶以大夫即魯而圖婚，接我不以禮者也；邾庶其以地叛其君而來奔，接我不以義者也。以欲敗禮，則身必危；以利棄義，則國必亂。《春秋》禮義之大宗，故小國之大夫接我以利欲，則特書其姓氏，謹之也。……此叛臣何以不書叛？書名書地，而竊邑叛君之罪見矣。[66]

《春秋》書法，內辭外辭有別。成公十五年《公羊傳》云：「《春秋》內其國而外諸夏，內諸夏而外夷狄」。[67]魯為孔子之宗國，故《春秋》書事，凡「接我」者，皆屬內辭。既為內辭，則本不必書者，因「接我」而遂書。如襄公二十一年，《春秋》書「邾庶其以漆閭丘來奔」，邾庶其為小國之大夫，微不足道，本不必書其姓氏，然因來奔而「接我」不以義，故筆而書之。猶莊公二十七年，莒慶以大夫即魯而圖婚，接我不以禮，故《春秋》書曰「莒慶來逆叔姬」。[68]邾庶其來奔，接我以利欲，故特書其姓氏，以為謹戒，此所謂不書而書，特筆示義。

司馬遷《史記．十二諸侯年表序》稱：孔子論史記，而次《春秋》，「約其辭文，去其煩重，以制義法」云云，約其辭文，即屬辭之功。《春秋》謹嚴，或憑一字而見褒貶予奪。如《春秋》書「以」，頗不苟且，如：

師而曰以者，能左右之，以行己意也。宋怨鄭突之背己，故以四國伐鄭；魯怨齊人之侵己，故以楚師伐齊；蔡怨囊瓦之拘己，故以吳子伐楚。蔡弱於吳，魯弱於楚，宋與蔡、衛、陳敵而弱於齊，乃用其師以行己意，故特書曰以。列國之兵有制，皆統乎天子，而敢私用之，與私為之，用以伐人國，大亂之道也。故《穀梁子》曰：「以者，不以者也。」[69]

《左傳》解釋《春秋》經，有所謂「五十凡例」，其二十六曰：「凡師能左右之曰以」。[70]

---

65 〔元〕趙汸：《春秋屬辭》，卷11〈辨名實之際第四〉，頁1，總頁14858。

66 〔宋〕胡安國：《春秋胡氏傳》，卷22，襄公二十一年，〈邾庶其以漆閭丘來奔〉，頁4，總頁103。

67 〔漢〕公羊壽傳，〔漢〕何休解詁，〔唐〕徐彥疏：《春秋公羊傳注疏》，卷18，成公十五年，〈冬十有一月，叔孫僑如會晉士燮、齊高無咎、宋華元、衛孫林父、鄭公子鰌、邾婁人會吳于鍾離〉，頁7，總頁231。

68 〔宋〕胡安國：《春秋胡氏傳》，卷9，莊公二十七年，〈莒慶來逆叔姬〉：「何以書？諸侯嫁女於大夫，而公自主之，非禮也。」頁7，總頁42。

69 同前註，卷6，桓公十四年，〈冬十有二月，宋人以齊人、蔡人、衛人、陳人伐鄭〉，頁4，總頁28。

70 駱成駫：《左傳五十凡例》（成都市：中四川國學院，1927年上沅刊本），卷下，第二十六凡，頁1-2。

《春秋》凡例，不止五十凡；凡例皆起於《春秋》筆削成書之後，讀經治經者歸納《左傳》釋經之條例所得，實無所謂發凡起例。[71]《左傳》五十凡中之「以」，為軍事術語，所謂「能左右之」者，謂進退在己，能遂行己意，指揮裕如，為所欲為。宗法社會講究君臣之政治倫理，不容踰越分際，《胡氏傳》所謂「列國之兵有制，皆統乎天子」，不容諸侯私用私為。故桓公十四年，宋以四國伐鄭，《春秋》特書曰「以」，貶斥宋不宜「以」也。[72]《公羊傳》所謂「實與而文不與」者，指此之類。春秋國際現實如此，宋人亦確實私用私為「齊人、蔡人、衛人、陳人伐鄭」，孔子作《春秋》欲撥亂反正，故約文屬辭書曰「以」，亦示懲戒之義，此之謂「史外傳心」。由此觀之，「文不與」，蓋出於作者之獨斷，寓含別識心裁，歷史哲學。

又如僖公元年，《春秋》書「夫人姜氏薨于夷，齊人以歸。」姜氏薨于夷，齊人擬歸其喪於魯，魯國受之？或不受？事涉兩難。孔子作《春秋》，出於「實與而文不與」之書法，故拈出「以」字而示義。胡安國《春秋傳》曰：

> 夫人薨，不地，其曰「薨于夷」故也，桓公召而殺之也。其曰「齊人以歸」者，以其喪歸于魯也。齊為盟主，義得舉法，是伯者之所以行乎諸侯也。既誅其人，又歸其喪，何居？魯欲拒而勿受乎？則子無讎母之義；受而葬之乎？已絕者復得享小君之禮，典刑紊矣。故特書「以歸」，而不曰「歸夫人之喪」。以者，不以者也。[73]

依《春秋》書法，魯夫人薨，例不書地；於夫人姜氏卻書「薨于夷」，示夫人姜氏不得其死之義，已見於言外；猶書魯桓公死，曰「公薨於齊」然。此即元趙汸《春秋屬辭》論特筆，所謂「人事之變，恆辭不足以見義」，故待聖人特筆是正之，以之正名分，決嫌疑。」[74]魯夫人姜氏淫亂行，弒夫君，淫齊襄。齊桓公既為盟主，義得行誅，故桓公行霸，召而縊殺之於夷。齊桓公既誅姜氏，乃歸其喪於魯。魯人欲拒受而不可，欲受葬又紊亂典型，故特書「以歸」，而不曰「歸夫人之喪」。書「以」者，見其無可奈何，不知所措，《胡氏傳》所謂「以者，不以者也」。

君見弒而賊不討，則不書葬，此《春秋》之書例；如魯隱公、宋殤公之見弒，而逆賊未討，《春秋》不書葬以刺之之類。然《春秋》有臣弒其君、子弒其父，卻特書

---

71 柳詒徵稱：「此諸文全出自筆削之後，孔前絕無模範之文」，不贊同杜預〈春秋序〉所云「其發凡以言例，皆經國之常制，周公之垂法，史書之舊章。仲尼從而修之，以成一經之通體」，持論可取。柳詒徵：《國史要義》（臺北：臺灣中華書局，1973），〈史例第八〉，頁165。

72 駱成駫：《左傳五十凡例》，第二十六凡：「凡師能左右之曰以，……《春秋》以一字為褒貶，此類是也。以者，用也。凡書以，皆不宜以，亦如凡書用，皆不宜用；凡書致皆不宜致也。」卷下，頁1。

73 〔宋〕胡安國：《春秋胡氏傳》，卷11，僖公元年，〈秋七月戊辰，夫人姜氏薨于夷，齊人以歸〉，頁1，總頁47。

74 〔元〕趙汸：《春秋屬辭》，卷13〈特筆以正名第六〉，頁19，總頁770。

「葬」者，如蔡景公見弒於世子般，賊未討而書葬。《胡氏傳》運用系統思維，比其事而屬其辭，推斷孔子所以如此書者，其義在罪諸侯而貶大夫，如：

> 《春秋》大法：君弒而賊不討，則不書葬；況世子之於君父乎？蔡景公何以獨書葬？……聖人深痛其所為，遍刺天下之諸侯也。魯隱、宋殤之賊不討，則不書葬；蔡景公賊亦不討，而特書葬。猶閔、僖二公不承國於先君，則不書即位；桓、宣簒弒以立，而反書之也。何以知聖人罪諸侯之意如此乎？以下文書「會于澶淵，宋災故」，而貶其大夫，則知之矣。二百四十二年之間列會亦眾，而未有言其所為者，此獨言其所為何？遍刺天下之大夫也。[75]

襄公三十年，《春秋》書「夏四月，蔡世子般弒其君固」，則蔡世子般子弒其父，奪父政而有之，為弒君之逆賊，在官者殺無赦，天下人人得而誅之。今世子般弒其君景公，名藏諸侯之策，諸侯卻仍然往會其葬，竟然未見誅之討之，可見是不以世子般為逆賊也。故《春秋》於蔡景公薨，弒君之賊未討，不宜書而特書「葬」字以示義，《胡氏傳》所謂「聖人深痛其所為，遍刺天下之諸侯也」。何以知其然？「葬蔡景公」文下，《春秋》接書「晉人、齊人、宋人、衛人、鄭人、曹人、莒人、邾人、滕人、薛人、杞人、小邾人會于澶淵，宋災故」；連屬前後辭文，對比「葬」與「會」之史事，知會盟為救宋災，已壓勝誅討弒君之賊，反客為主矣。對比敘事，可窺孔子史外傳心之一般。

《胡氏傳》排比對比上下前後之史事，連結全書相關之辭文，於是而知《春秋》之微辭隱義矣。宋劉敞（1019-1068）《春秋傳》釋「會于澶淵，宋災故」稱：「會未有言其所為者，此其言所為何？譏。」[76]元汪克寬（1304-1372）《春秋胡傳附錄纂疏》亦持比事屬辭說經，衡以輕重、緩急、大小、先後，以評騭諸侯之會葬與會于澶淵。[77]相形之下，世子弒其君，而蔡景公薨；諸侯當以誅討為重、為急、為大、為先，而以救宋災為輕、為緩、為小、為後。會葬蔡景公，是不以世子般為弒君之賊而誅討之；十二國會于澶，主要為救宋災，是以輕為重、以緩為急、變小為大，可後為先。《春秋》特書「葬蔡景公」，罪諸侯、貶大夫，譏諷之義見於言外。

彼為一是非，此亦一是非；或因利欲，或緣禮義，或為名分，或隨權變，在春秋特殊之時空下，歷史發展已確實如此，史乘據事直書，不得不「實與」其事。唯孔子作《春秋》，自許撥亂經世，欲定是非猶豫，故往往藉屬辭比事之書法而體現其「文不與」。「文不與」，即《孟子・離婁下》所謂「其義，則丘竊取之」者，此之謂特筆、特

---

75 〔宋〕胡安國：《春秋胡氏傳》，卷23，襄公三十年，〈冬，十月，葬蔡景公。晉人、齊人、宋人、衛人、鄭人、曹人、莒人、邾人、滕人、薛人、杞人、小邾人會于澶淵，宋災故〉，頁5，總頁107。

76 〔宋〕劉敞：《春秋劉氏傳》（臺北：大通書局，1970，《通志堂經解》本），卷11，襄公三十年，總頁12，總頁11038。

77 〔元〕汪克寬：《春秋胡傳附錄纂疏》，卷23，襄公三十年，頁27，冊165，總頁598。

書，出於孔子之獨斷，最見微辭隱義之書法。

（三）書之重辭之複，必有大美惡存焉

孔子筆削《春秋》，「事仍本史，而辭有損益」，為其大原則。其中，舉凡辭文之損益、直曲、繁簡、詳略、虛實，或筆或削之際，《春秋》載記之前，大多已脈注綺交於著述旨趣——義。清方苞（1668-1749）論義法，所謂「義以為經，而法緯之」，[78]一語可以概括《春秋》之纂作歷程。其事、其文，為如何書之法；其義，則為何以書之旨趣。辭文之損益修飾，堪稱史事排比，史義體現之中介環節：憑文可以見事，即辭更可以觀義，故辭文之修飾，於《春秋》詮釋學十分重要。錢鍾書《管錐編》稱：「昔人所謂《春秋》書法，正即修詞學之朔」；又云：「《春秋》之書法，實即文章之修詞」，[79]確為見道之言。

語云：意在筆先，胸有成竹，未下筆先有意。孔子筆削魯史，以作成《春秋》，其中之歷史編纂學亦不例外。孔子《春秋》筆削《不修春秋》，史事之或取或捨，或有或無，或多或少，權衡斟酌之際，其義已隱然穿梭其中，作為裁斷之指南針。同時或稍後，《春秋》之約簡修飾，涉及辭文之損益、曲直、繁簡、詳略、虛實，筆削之際，《春秋》載記之前，大多已脈注綺交於著述旨趣——義。清方苞論義法，所謂「義以為經，而法緯之」，[80]一語可以概括《春秋》之纂作歷程。其事、其文，為「如何書」之法；其義，則為「何以書」之旨趣。就辭文之損益修飾而言，堪稱史事排比，史義體現之中介環節：憑文可以見事，即辭更可以觀義，故辭文之修飾，於《春秋》詮釋學十分重要。錢鍾書《管錐編》稱：「昔人所謂《春秋》書法，正即修詞學之朔」；又云：「《春秋》之書法，實即文章之修詞」，[81]確為真知灼見。

有關《春秋》之修辭學，《公羊》學闡述較多，董仲舒以下，蔚為一派特色。董氏《春秋繁露．祭義》引孔子曰：「書之重，辭之複，嗚呼！不可不察也，其中必有大美惡焉。」[82]《春秋》之辭，簡嚴而婉微；《春秋》之文，殺史見極，[83]何為又重出複沓如

---

78 〔清〕方苞：《方望溪先生全集》（臺北市：臺灣商務印書館，1979年，《四部叢刊》初編本），《方望溪先生文集》，卷2〈讀史．又書〈貨殖傳〉後〉，頁20，總頁40。

79 錢鍾書：《管錐編》（臺北市：書林出版公司，1990年），冊3，《全後漢文》卷1，頁967；冊5，《左傳正義》，一二，「閔公二年」增訂三，頁20。

80 〔清〕方苞：《方望溪先生全集》，頁20，總頁40。

81 錢鍾書：《管錐編》，冊3，《全後漢文》卷1，頁967；冊5，《左傳正義》，頁20。

82 〔漢〕董仲舒著，〔清〕蘇輿注：《春秋繁露義證》，卷16〈祭義第七十六〉，頁16，總頁311。

83 〔宋〕孫奕：《示兒編》（臺北市：臺灣商務印書館，1983年，文淵閣《四庫全書》本），卷4〈經說〉，頁6；冊864，總頁438；〔宋〕方苞：《春秋通論》，卷4，頁22；冊178，總頁348。

此？此猶《詩經》之重章疊唱，有利於傳播，有助於強化印象。[84]董仲舒孤明先發，持修辭觀點，發明《春秋》之義理，歷代《春秋》學者於此，多有闡揚。胡安國《春秋傳》一編之中，尤三致其義。如《春秋》書盟書會，看似複沓詞費，不憚其煩，其中自有美惡存焉，如：

> 臣與宋公盟于折，君與宋公會于夫鍾，于闞、于虛、于龜，皆存而不削，何其詞費也？曰盟者，《春秋》所惡，而屢盟以長亂。會者，諸侯所不得，而數會以厚疑，聖人皆存而不削，於以見屢盟而卒叛，數會而卒離，其事可謂著明矣。是故《春秋》之志在於天下為公，講信修睦，不以會盟為可恃也。[85]

就比事屬辭觀之，桓公於二年之中，君臣兩盟四會，惟宋之故。宋家鉉翁《春秋集傳詳說》稱：「《春秋》書盟會，未有若是頻數者也」；「《春秋》備書以責之，責魯也，亦責宋也」。[86]《春秋》對於魯與宋之斥責，表現在兩年中二盟：盟于折、盟于穀丘；四會：會于夫鍾、會于、會于虛、會于龜。書之重、辭之複，不合《春秋》簡嚴殺史之書寫原則。孔子皆存而不削者，見《春秋》惡屢盟卒叛，數會卒離；屢盟適以長亂，數會引為厚疑。蓋深惡痛絕之，不以會盟為可恃者。

又如會盟同地而再書，書之重，辭之複，亦自有其美惡。如《春秋》書平丘之盟：

> 會與盟同地，再書「平丘」者，書之重、詞之複，其中必有美惡焉，見行事之深切著明，故詞繁而不殺也。是盟蓋或善之，而以為惡，何哉？……《春秋》，禮義之大宗也，曾是以為善乎，詞繁而不殺，則惡其競力不道，為後世鑒也。[87]

昭公十三年，《春秋》書「秋，公會劉子……于平丘」，又書「八月甲戌，同盟于平丘」，同年會盟，而再書平丘。依《春秋》書例，書之重，辭之複，其中必有大美惡存焉。宋劉敞《春秋意林》美之，以為「殆與葵丘明天子之禁無以異，此則《春秋》所貴也」。[88]然《春秋》再書「平丘」，《胡氏傳》於書重辭複之書法，卻以為惡：「詞繁而不殺，則惡其競力不道，為後世鑒也。」楚國稱霸中夏二十年後，晉昭公號召諸夏，會盟于平丘，人知其不能有為，故譏之。宋末元初家鉉翁《春秋集傳詳說》，以為再書平丘

---

84 夏傳才：《詩經語言藝術》（臺北市：雲龍出版社，1990年），〈重章叠唱〉，頁19。

85 〔宋〕胡安國：《春秋胡氏傳》，卷6，桓公十一年，〈柔會宋公、陳侯、蔡叔，盟于折。公會宋公于夫鍾〉；十二年，〈八月，公會宋公于虛。冬十有一月，公會宋公于龜〉，頁2，總頁26。

86 〔宋〕家鉉翁：《春秋集傳詳說》（臺北：臺灣商務印書館，1983，文淵閣《四庫全書》本），卷4，頁11-12，冊158，總頁96-97。

87 〔宋〕胡安國：《春秋胡氏傳》，卷25，昭公十三年，〈秋，公會劉子……于平丘。八月甲戌，同盟于平丘〉，頁2-3，總頁114-115。

88 〔宋〕劉敞：《劉氏春秋意林》（臺北市：大通書局，1970年，《通志堂經解》本），卷下〈同盟于平丘〉，總頁21，總頁11259。

者，示譏：「書同盟，譏主人不當下同列國之盟，且譏晉人不當以兵脅諸侯而與之同盟，是所謂一書再譏也。」[89]是詞繁不殺，或以為惡之說。由此觀之，為美為惡，不可不察也，此微辭所以難曉，朱子之感慨不為無理。

《春秋》二百四十二年，凡一萬六千餘字。平均一年得六十六字，一個月才五點五字而已。《春秋》辭文之簡嚴不贅，殺史見極，可以想見。然《春秋》文字，亦有不憚其煩，不嫌詞費者，以《春秋》約文示義之書法觀之，[90]其中必有大美惡焉，頗耐觀玩。如：

> 《春秋》立義至精，詞極簡嚴而不贅也。若曰：「翬帥師，會伐鄭」，豈不白乎？再序四國，何其詞費不憚煩也？言之重，詞之複，其中必有大美惡焉。四國合黨翬，復會師同伐無罪之邦，欲定弒君之賊惡之極也，言之不足而再言，聖人之情見矣。天地造物，化工運其神；《春秋》討賊，聖筆寫其意。再序四國，而誅討亂臣之法嚴矣。[91]
>
> 隱公四年，諸侯伐鄭，翬帥師會伐，則再舉宋、陳、蔡、衛四國之名。今諸侯伐宋，而單伯會伐，不復再舉三國之名，何也？……會伐者，無貶焉，故其詞平。主謀伐鄭，而欲求寵於諸侯，以定其位者，州吁也。會之者，黨逆賊矣，故其詞繁而不殺，疾之也。再舉而列書者，甚疾四國之詞也。言之不足，故再言之，而聖人之情見矣。[92]

隱公四年，《春秋》書「秋，翬帥師。會宋公、陳侯、蔡人、衛人伐鄭」，列序四國之名，以誅責四國黨翬而同伐無罪之鄭。若止書「翬帥師。會伐鄭」，立義已明；猶嫌言之不足，故再序列四國。要之，再舉四國之書法，正所以誅討亂臣。《胡氏傳》稱：「《春秋》討賊，聖筆寫其意」，此之謂「史外傳心」。莊公十四年，《春秋》書「單伯會伐宋」，事雖同卻不復再舉三國之名，可以作對照：魯命上卿單伯帥師會齊桓伐宋，以示從霸之意，故其詞平而無貶。異於隱公四年，四國會師黨逆賊公子翬，《春秋》甚疾四國之為虎作倀，狼狽為奸，故言之不足，而再舉四國。《春秋繁露》所謂「《春秋》無通辭」，「《春秋》無達辭」，從變從義，由此可見一斑。

《禮記・經解》稱：「屬辭比事，《春秋》教也」，胡安國《春秋傳》解讀《春秋》，多通覽全書，比觀前後，排比其事，連屬其辭，因屬辭比事之法而推求其義，往往見諸言外。如魯宣公汲汲奔齊喪，而不會天王之葬事，《胡氏傳》說之曰：

---

89 〔宋〕家鉉翁：《春秋集傳詳說》，卷24，頁14，冊158，總頁423。

90 張高評：〈因文取義與《春秋》筆削——方苞義法「言有序」之修辭詮釋〉，臺南大學《人文與社會研究學報》第48卷第2期（2014.10），頁1-32。

91 〔宋〕胡安國：《春秋胡氏傳》，卷2，隱公四年，〈秋，翬帥師。會宋公、陳侯、蔡人、衛人伐鄭〉，頁2，總頁11。

92 同前註，卷8，莊公十四年，〈春，齊人、陳人、曹人伐宋。夏，單伯會伐宋〉，頁6，總頁37。

> 文約而事詳者，經也。春（宣公）如齊朝惠公，夏如齊奔其喪。若是，雖不致可也。而皆致者，甚之也。天王之喪不奔，欲行郊禮而汲汲於奔齊惠公之喪。天王之葬不會，使微者往，而公孫歸父會齊惠公之葬。其不顧君臣上下尊卑之等，所謂肆人欲，滅天理，而無忌憚者也。詞繁而不殺，聖人之情見矣。[93]

宣公二年，《春秋》書「冬，十月乙亥，天王奔」；三年，《春秋》書「春王正月郊，牛之口傷，改卜牛；牛死，乃不郊」，通《春秋》上下前後而觀之，於是發現魯宣公有不臣之意：「天王之喪不奔，欲行郊禮」，輕人之所重，重人之所輕，輕重之際，比事以觀，其義自見。宣公九年，《春秋》上書「春王正月，公如齊，公至自齊」，下接書「夏，仲孫蔑如京師」；當歲首而宣公朝于齊，夏乃使大夫聘于京師，君臣上下尊卑之等錯位如此。《胡氏傳》運用屬辭比事解讀之，以為「比事可考，不待貶絕而惡自見也」。卑周而尊齊，義見言外。宣公十年，上書「春，公如齊，公至自齊」；接書「齊侯元卒」，下書「公如齊。五月，公至自齊」，則桓公汲汲於奔齊惠公之喪可知。宣公在位十年矣，於周才一往聘，只遣一大夫往；於齊，則二朝，又汲汲於奔齊惠公之喪。桓公之罔顧君臣尊卑倫理，肆無忌憚，由《春秋》辭文之繁而不殺，可見史外所傳聖人之情、之義。

都邑者，國家之藩衛，百姓之保障。修築都邑，必於農隙之時，以無害稼穡。晉杜預（222-284）《春秋釋例．土功例》云：「凡城都築邑，國之大事。是以《春秋》詳其得失，救患分災，恤病備難。有為而然，則不拘時制。」[94]《胡氏傳》比較「邢遷於夷儀」、諸侯「城邢」、「城楚丘」諸土功，而見詞繁而不殺之書法：

> ……城楚丘，略而不書；城邢、詞繁而不殺，何也？……城楚丘，是擅天子之大權而封國也。邢遷于夷儀，經以自遷為文，則其遷出于己意，其國未嘗滅也。諸侯城邢，是謂同惡相恤，以從簡書，故詞繁而不殺，美救患也。[95]

僖公元年夏六月，《經》書「邢遷於夷儀。齊師、宋師、曹師城邢」，齊桓公率諸侯築城而救患，列序齊師、宋師、曹師之名，美其同惡相恤以救患，故書重詞複，繁而不殺如此。「邢遷於夷儀」與諸侯「城邢」，本是一事，何為複沓言之？《公羊傳》稱：「不復言師，則無以知其為一事也」，[96]此以書重辭複凸顯褒美之義。僖公二年，春王正月，

93 〔宋〕胡安國：《春秋胡氏傳》，卷17，宣公十年，〈夏己巳，齊侯元卒。……公如齊。五月，公至自齊〉，頁6，總頁80。

94 〔晉〕杜預：《春秋釋例》（臺北市：臺灣中華書局，1980年），卷3〈土功例第十九〉，頁5。

95 〔宋〕胡安國：《春秋胡氏傳》，卷11，僖公元年，夏六月，〈邢遷於夷儀。齊師、宋師、曹師城邢〉，頁1，總頁47。僖公二年，〈春王正月，城楚丘〉，頁2，總頁47。

96 〔漢〕公羊壽傳，〔漢〕何休解詁，〔唐〕徐彥疏：《春秋公羊傳注疏》，卷10，僖公元年，〈齊師、宋師、曹師城邢〉，頁35，總頁121。

《春秋》書「城楚丘」，實齊桓公率諸侯築城而封衛；所以不書桓公者，《胡氏傳》稱：「不與諸侯專封也」，貶斥桓公不當僭越天子大權而封人之國。[97]左傳》稱：「邢遷如歸，衛國忘亡」，則安集可知。[98]詞繁、詞簡，筆削各有書法，有如此者。

一般而言，《春秋》屬辭多約簡其文，歸於謹嚴。然其間亦有書重詞複、繁而不殺者。反常而合道，此中必為孔子之特筆，如華元之出奔與歸宋，《春秋》皆不省約其文辭，《胡氏傳》云：

> （華）元之出奔晉，與歸于宋，皆不省文者，著其正也。書之重、詞之複，必有美惡焉。詞繁而不殺，所以與之也。以不賴寵而出奔，以國人與晉皆許之討而後入，正可知矣。蘇轍謂：使元懷祿顧寵，重於出奔，則不能討，此說是也。[99]

宋共公卒葬之後，宋國六卿相互傾軋，引發王位繼承之爭。蕩澤（名山）為司馬，弱公室，殺太子。華元為右師，既不能正、不能治，乃出奔晉。未幾，而華元歸，攻桓氏、殺蕩山、出魚石，國然後乃安定。《胡氏傳》釋經，大抵據《左傳》之敘事傳人。《春秋》書上述宋事曰：「夏六月，宋公固卒」；「秋八月庚辰，葬宋共公。宋華元出奔晉。宋華元自晉歸于宋。宋殺其大夫山。宋魚石出奔楚。」書重詞複，繁而不殺如此者，《胡氏傳》以為《春秋》稱美華元不賴寵，能治亂；又援引蘇轍《春秋集解》之說作為佐助。[100]由此觀之，《春秋》之約文屬辭，實無異文章之修辭。方苞說義法，所謂「義以為經，而法緯之」；約文屬辭，與史事編比，皆為「如何書」之法。

上下舛逆，尊卑錯位，此《春秋》所以作。孔子欲體現經世之志，其層面多方，因書重詞複，繁而不殺，以見褒貶美惡，為其中一端。《春秋胡氏傳》又云：

> 再書「劉子單子」之「以王」，何也？《春秋》詞繁而不殺者，必有美惡焉。劉子、單子蓋挾天子以令諸侯，而專國柄者也。書而未足，故再書于策，以著上下舛逆，為後世之深戒也。[101]

昭公十三年，《春秋》書「王室亂，劉子、單子以王猛居于皇。秋，劉子、單子以王猛

---

97 〔元〕汪克寬：《春秋胡傳附錄纂疏》，卷11，僖公二年，〈春王正月，城楚丘〉，《疏》曰：「僖二十八年，子玉告于晉，請復衛侯而封曹」；宣十一年，「楚復封陳，蓋毀其宗廟，失其爵位，而復命為諸侯，皆謂之封。」頁12，總頁260。

98 〔周〕左丘明傳，〔晉〕杜預注，〔唐〕孔穎達疏：《春秋左傳注疏》，卷11，閔公二年：「僖之元年，齊桓公遷邢於夷儀。二年，封衛于楚丘。邢遷如歸，衛國忘亡。」頁15，總頁194。

99 〔宋〕胡安國：《春秋胡氏傳》，卷20，成公十五年，「秋八月庚辰，葬宋共公，宋華元出奔晉。宋華元自晉歸于宋。宋殺其大夫山，宋魚石出奔楚」，頁6，總頁95。

100 〔宋〕蘇轍：《春秋集解》（臺北：大通書局，1970），卷八，頁8，總頁2606。

101 〔宋〕胡安國：《春秋胡氏傳》，卷26，昭公二十二年，〈王室亂，劉子、單子以王猛居于皇。秋，劉子、單子以王猛入于王城〉，頁1-2，總頁119。

入于王城。」其中，「劉子、單子以」五字，一言之未足，又再言之，據《春秋》約文示義之書法，其中自有褒貶美惡，否則《春秋》經文之修辭，當不致詞繁不殺如此。《胡氏傳》曰：「凡稱以者，不以者也」，書法因「實與而文不與」產生。王猛不能自定其位，受制於劉蚠、單旗，劉、單能廢立王猛，能左右之，故曰以。由此看來，劉子、單子蓋挾持天子，以號令天下諸侯。以臣制君，不可為訓，故一書而未足，又再書之，而上下舛逆，太阿倒持，陪臣僭越之義，見諸辭文之外。

四　削而不書，微辭隱義，見於言外

「爰始要終，本末悉昭」，為古《春秋》記事之成法。魯史記（《魯春秋》）、《不修春秋》）編年記事，始終本末為其敘事要略，所謂魯史策書者是。有始終本末之敘事，方能提供孔子筆削之取資。於是以義為發始或依歸，或筆而削之，深切著明；或削而不書，義見言外。或書或不書，可以互發其蘊，互顯其義，而後都不說破之微辭隱義，藉由或筆或削之書法，或得以考索推求。筆者，載而書之，已論證於前，不贅。今說削而不書，義見言外。

元趙汸著《春秋屬辭》，有「假筆削以行權」一章，稱孔子作《春秋》，「有書，有不書，以互顯其義」，藉筆削之事，以寓其撥亂之志。其中，削而不書之例有三：曰不書，曰變文，曰特筆。且標舉不書之義有五：曰略同以顯異，曰略常以明變，曰略彼以見此，曰略是以著非，曰略輕以明重。換言之，同異、常變、彼此、是非、輕重，為相反相成之五組概念，《春秋》書例，往往略同、略常、略彼、略是、略輕，削而不書，藉互發互顯，而類推《春秋》之義理。特筆已述於前，今據《胡氏傳》，以論證不書與變文。其要歸於《春秋》書法之「削而不書」。所謂「削而不書」，亦有二端：其一，諱述換述，微辭見義；其二，削而不書，去實存名。舉例論證於後：

（一）諱述換述，微辭見義

《春秋》書法，內辭與外辭有別。因有所顧忌，隱而不言謂之諱。閔公元年《公羊傳》揭示《春秋》有三諱：「為尊者諱，為親者諱，為賢者諱」。[102]《穀梁傳》成公九年亦以為：《春秋》所諱者三，「為尊者諱恥，為賢者諱過，為親者諱疾。」[103]唐陸淳

102 〔漢〕公羊壽，〔漢〕何休解詁，〔唐〕徐彥疏：《春秋公羊傳注疏》，卷9，閔公元年，〈冬，齊仲孫來〉，頁14，總頁114。

103 〔春秋〕穀梁赤傳，〔晉〕范甯集解，〔唐〕楊士勛疏：《春秋穀梁傳注疏》（臺北市：藝文印書館，1955年，《十三經注疏》本），卷14，成公九年，〈季孫行父如宋致女〉，頁2，總頁137。

《春秋集傳纂例》釋「諱」字：「蓋諱避之也。避其名而遜其辭，以示尊敬」，[104]較得理實。近人探究《春秋》書法，或以稱謂示褒貶，或以述謂表褒貶。以述謂表褒貶者，換述或諱述，堪稱大宗。[105]今參考上述諸家之說，論證削而不書，義見言外之書法。

《春秋》以諱述為褒貶予奪者，往往損益辭文，所謂變文示義。錢鍾書所謂「《春秋》之書法，實即文章之修詞」，由此可見一斑，如：

> 按《左氏》，……慶父使卜齮賊公于武闈。魯史舊文，必以實書。其曰「公薨」不地者，仲尼親筆也。……《春秋》有諱義，蓋如此。《禮記》稱：魯之君臣未嘗相弒者，[106]蓋習於經文，而不知聖人書薨不地之旨，故云爾。然則諱而不言弒也，何以傳信於將來？曰書「薨」，以示臣子之情；不地，以存見弒之實。何為無以傳信也？凡君終，必書其所，獨至於見弒，則沒而無所，其情厚矣，其事亦白矣，非聖人能修之乎？後世記言之士，欲諱國惡，則必失其實。直書無隱，又非臣子所當施之於君父也，而《春秋》之法不傳矣。[107]

魯慶父弒其君閔公，《胡氏傳》以為「魯史舊文，必以實書」；今《春秋》書「公薨」而不書地，則出於仲尼親筆削之，為尊者諱恥，此內辭諱書之例。依《春秋》書例，公薨必書地，《春秋》書莊公、僖公、文公、宣公、成公、襄公、昭公、定公八君之所同，《胡氏傳》所謂「君終，必書其所」者是。相形之下，唯隱公、閔公書薨不書地，桓公書「薨于齊」，所謂「見弒，則沒而無所」，知隱、桓、閔三公皆意外死亡，非壽終正寢者。魯為孔子之宗國，魯君而見弒，為尊者諱恥，故避其弒君，削而不書地，委婉其辭，以示尊敬，所謂諱述見義。

內辭書弒，多委婉其辭，未直書其事。唐陸淳《春秋集傳纂例》稱：「凡惡事必須書者，則避諱言之」；[108]如《春秋》書魯君盟會事，為尊者諱恥，多見諱而不書，如：

> 古者用夏服夷，未聞服於夷也。乃是之從，亦為不善釋矣。《經》於魯君盟會，不信則諱公而不書，不臣則諱公而不書，棄中國、從夷狄，則諱公而不書。蜀之盟，棄晉從楚，書公不諱，何也？事貶而既同，則從同，同正始之義也。從荊楚而與盟，既諱公於僖十九年齊之盟矣，是以於此不諱，而人諸國之大夫，以見意

104 〔唐〕陸淳：《春秋集傳纂例》，卷9〈諱義例第三十四〉，頁1，總頁2471。

105 池昌海：《先秦儒家修辭要論》（北京市：中華書局，2012年），第九章〈《春秋》筆法分析·《春秋》筆法的構成要點〉，頁264-270。

106 《禮記·明堂位》：「……是故魯，王禮也，天下傳之久也，君臣未嘗相弒也。」《禮記注疏》卷31，頁20，總頁584。

107 〔宋〕胡安國：《春秋胡氏傳》，卷10，閔公二年，〈秋八月辛丑，公薨〉，頁2-3，總頁45。

108 〔唐〕陸淳：《春秋集傳纂例》，卷9〈諱義例第三十四〉，頁1，總頁2471。

也。[109]

《春秋》於魯君之過惡，往往為尊者諱書。如莊公十六年，同盟于幽，盟會不信，《春秋》書之曰：「冬十有二月，會齊侯、宋公、陳侯、衛侯、鄭伯、許男、滑伯、滕子，同盟于幽」；則諱公而不書。僖公二十九年，盟于翟泉，《春秋》書之曰：「夏六月，會王人、晉人、宋人、齊人、陳人、蔡人、秦人，盟于翟泉」；上替下陵，不臣無君，亦諱公而不書。僖公十九年，盟于齊，《春秋》書之曰：「冬，會陳人、蔡人、楚人、鄭人，盟于齊」，則棄中國，從夷狄，故亦諱公而不書。[110]凡此，皆微辭諱述，以見其義。

周天子為諸侯之共主，尊尊之大者焉。《春秋》標榜尊王，天王苟有敗德亂行之事，孔子作《春秋》，大多運以筆削而諱飾之，所謂「避其名而遜其辭，以示尊敬」。削而不書，為其中一端，如：

> 程氏曰：「王師於諸侯，不言『敗』，諸侯不可敵王也。於夷狄不言『戰』，夷狄不能抗王也。不可敵，不能抗者，理也；其敵其抗，王道之失也。桓王伐鄭，兵敗身傷，而《經》不書「敗」，存君臣之義，立天下之防也。劉康公邀戎伐之，敗績於徐吾氏，而《經》不書戰，辨華夷之分，立中國之防也。是皆聖人筆削，非魯史之舊文也。然筆於《經》者，雖以尊君父，外戎狄為義，而君父所以尊，戎狄所以服，則有道矣。[111]

周桓王伐鄭，兵敗身傷，成公元年《穀梁傳》釋之曰：「秋，王師敗績於貿戎。不言戰，莫之敢敵也。為尊者諱敵不諱敗，為親者諱敗不諱敵，尊尊親親之義也。」[112]胡安國《春秋傳》所引程頤《春秋傳》，義本《穀梁傳》可知。誠如《穀梁傳》所云：因王者無敵，故茅（貿）戎之役，經不書「敗」；辨華夷之分，故《經》不書戰，所以存君臣之義，立夷夏之防。

《春秋》敘記戰爭，天王兵敗，孔子不書敗；王師敗績，孔子於《春秋》亦不書戰。此當非魯史之舊文，實經聖人之筆削，蓋尊尊之道。魯為孔子之宗國，故魯國君王之恥辱，自當諱避之，以合尊尊之義。胡安國《春秋傳》於此，頗有發揮，如：

> 《左氏》曰：「公如晉，平丘之會故也。」至是始歸者，晉人止公。其不書，諱之也。昭公數朝于晉，三至于河而不得入，兩得見晉侯，又欲討其罪而止旃，其

---

109 〔宋〕胡安國：《春秋胡氏傳》，卷19，成公二年，〈丙申，公及楚人、秦人、宋人、陳人、衛人、鄭人、齊人、曹人、邾人、薛人、鄫人盟于蜀〉，頁8，總頁81。

110 同前註，卷8，頁7，總頁37；卷13，頁5，總頁61；卷12，頁6，總頁55。

111 〔宋〕胡安國：《春秋胡氏傳》，卷19，成公三年，〈秋，王師敗績于茅戎〉，頁2，總頁88。

112 〔春秋〕穀梁赤傳，〔晉〕范甯集解，〔唐〕楊士勛疏：《春秋穀梁傳注疏》，卷13，成公元年，頁2，總頁128。

> 困辱亦甚矣。……今昭公安於危辱，無激昂勉勵之志，即所謂自暴自棄，不可與有為，而人亦莫之告矣，不亦悲乎？諱而不書，深貶之也。[113]

昭公十三年，魯公如晉，為參與平丘之盟。然而平丘不與魯盟，晉人辭公，而執季孫。十五年冬，公再如晉，逾歲，歷九月之久，始自晉歸。昭公數朝于晉，亦屢困辱於晉，《左傳》釋經稱：「公在晉，晉人止公。不書，諱之也。」[114]《胡氏傳》之說，顯然本諸《左傳》。胡安國稱昭公：「安於危辱，無激昂勉勵之志，即所謂自暴自棄，不可為有為」，今又如晉受辱，將再見譏於諸侯，故孔子書此，為尊者諱莫如深，削去不書。後人讀經治經，發揮比事屬辭之教，排比前後相關史事，探究終始本末以求義，則仲尼筆削之微辭隱旨不難考索。[115]

諱而不書，或損益辭文，或刪削不言，此之謂諱書。又有抽換述語，以乙為甲者，此之謂諱述、換述，或稱異義述謂。[116]《春秋》書法為體現「為尊者諱恥」之史義，諱述、換述之修辭策略，十分普遍。其中一大類，為書魯事之內辭，如：

> ……聖人假魯史以示王法，其於魯事，有君臣之義，故君弒則書「薨」，易地則書「假」，滅國則書「取」，出奔則書「遜」，屈己而與強國之大夫盟則書「及」；叛盟失信，而莫適守，則沒公而書「會」。凡此類，雖不沒其實，示天下之公，必隱避其辭，以存臣子之禮。[117]

《春秋》書法，內辭與外辭有別：外辭多直書，內辭多曲筆。故外辭直書弒君，而內辭曲筆書「薨」，外辭直書滅國，而成公滅鄟、襄公滅邿、昭公滅鄫，皆曲筆書「取」。[118]外辭直書易地，桓公易許田，則《春秋》曲筆書「假」。外辭直書出奔，而《春秋》書

---

113 〔宋〕胡安國：《春秋胡氏傳》，卷25，昭公十六年，〈夏，公至自晉〉，頁6-7，總頁116-117。

114 〔周〕左丘明傳，〔晉〕杜預注，〔唐〕孔穎達疏：《春秋左傳注疏》，卷47，頁14，總頁825。

115 〔元〕汪克寬：《春秋胡傳附錄纂疏》，卷25，昭公十六年：「昭公去年冬如晉，今夏書至，皆受制於大國，踰三時而始反。雖不書『晉人止公』，考其時，則微傳而事著矣。」頁27，總頁644。

116 池昌海：《先秦儒家修辭要論》，分《春秋》筆法的類型有二：其一，稱謂差異示褒貶；其二，述謂差異表褒貶。述謂差異有二：其一為異義述謂：「是指作者在描述某個行為時，不是直接述甲，而是換述為乙的方式，也可稱為換述或諱述。這種方式都是針對某些人物地位至尊，但實際發生的行為卻有不雅不正，甚至受辱等屬性的情況的描寫。」頁264。

117 〔宋〕胡安國：《春秋胡氏傳》，卷20，成公十六年，〈秋，公會晉侯、齊侯、衛侯、宋華元、邾人于沙隨，不見公〉，頁8，總頁96。

118 張高評：〈《春秋》曲筆直書與《左傳》屬辭比事——以《春秋》書薨、不手弒而書弒為例〉，《高雄師大國文學報》第19期（2014.1），頁31-71；張高評：〈《春秋》曲筆書滅與《左傳》屬辭比事——以史傳經與《春秋》書法〉，《成大中文學報》第45期（2014年6月），頁1-62。張高評《屬辭比事與《春秋》詮釋學》，（臺北市：新文豐出版公司，2019年），第四章〈《春秋》曲筆示義與《左傳》之比事屬辭〉，頁163-237；第五章〈《春秋》直書楚滅華夏與《左傳》以史傳經—以屬辭比事之書法為例〉，頁239-343。

文姜出奔齊，哀姜出奔邾、昭公出奔齊，皆曲筆書曰「孫」。[119]內辭之書法，弒君抽換為「公薨」，滅國抽換為「取地」，易地抽換為「假田」，出奔抽換為「孫（遜）國」，皆為諱飾而換述，所謂「隱避其辭，以見君臣之義，存臣子之禮。

滅人家國，亡人社稷，內辭曲筆易滅為取，已見上述。而外辭書亡國，亦有不言滅，而曲筆易之以「執」或「入」者。如哀公八年，《春秋》書「宋公入曹」，《胡氏傳》強調：輕重之權衡，為經世資鑑，亦得以換述改書，如：

> 此滅也，曷為不言滅？滅者，亡國之善詞，上下之同力也。曹伯陽好田弋，鄙人公孫彊……言霸說於曹伯，因背晉而奸宋。宋人伐之，晉人不救。書「宋公入曹，以曹伯陽歸」，而削其見滅之實。猶虞之亡，書「晉人執虞公」，而不言滅也。《春秋》輕重之權衡，故書法若此。有國者妄聽辯言，以亂舊政，自取滅亡之禍。可以鑒矣。[120]

曹伯陽妄聽公孫彊之霸說，背晉奸宋，於是宋人伐之，遂亡其國。《春秋》於哀公七年，書「宋人圍曹」；八年，書「春王正月，宋公入曹，以曹伯陽歸」，明曹國已亡滅矣。宋實滅曹，《春秋》何以書「入」不書「滅」？此猶僖公五年，晉實滅虞，而《春秋》書「晉人執虞公」。《春秋》或書「入」、或書「執」，皆以輕代重，以過程替代結局，而削去曹、虞滅亡之紀實。曰入，曰執，形象歷歷、刻骨銘心，較諸滅、亡之抽象空泛，筆力之千鈞，不可同日而語。

（二）削而不書，去實存名

《論語・子路》載：孔子答子路問「為政奚先？」孔子曰：「必也正名乎！」「名不正，則言不順；言不順，則事不成」云云。《莊子・天下》稱：「《春秋》以道名分」，[121]此真孔子作《春秋》之要旨。所謂名，即世所謂名分、名位；有其名，即有其實，故又稱為名實。論者考察《春秋》正名，有名詞、文法、論理、人倫、政教四大指向，而以人倫政教為最重要。[122]

元趙汸《春秋屬辭・辯名實之際》述之曰：「諸侯不王，而伯者興；中國無伯，而

---

119 參考〔元〕汪克寬：《春秋胡傳附錄纂疏》，卷20，成公十六年，頁43，總頁520。

120 〔宋〕胡安國：《春秋胡氏傳》，卷29，哀公八年，〈春王正月，宋公入曹，以曹伯陽歸〉，頁1，總頁133。

121 〔宋〕朱熹：《四書章句集注》（北京市：中華書局，1983、2012年），卷7〈子路第十七〉，頁142-143；郭慶藩：《莊子集釋》（臺北市：河洛圖書出版社，1974年），卷10下，〈先下第三十三〉，頁1067。

122 陳柱：《公羊家哲學》（臺北市：臺灣中華書局，1980年），〈正名說〉，頁2-5，總頁62-65。

夷狄橫；大夫專兵，而諸侯散，此春秋之實也」。趙汸論及「去名以全實」、「去名以責實」，[123]大多涉及人倫政教之書法。胡安國《春秋傳》解釋《春秋》，凸顯「去實以全名」、「正名以統實」，則削而不書，予奪褒誅之意特重，如：

> 踐土之會，天王下勞晉侯，削而不書，何也？周室東遷，所存者號與祭耳，其實不及一小國之諸侯。晉文之爵雖曰侯伯，而號令天下，幾於改物，實行天子之事，此《春秋》之名實也。與其名存實亡，猶愈於名實俱亡。是故，天王下勞晉侯于踐土，則削而不書，去其實以全名，所謂君道也，父道也。晉侯以臣召君，則書「天王狩于河陽」，正其名以統實，所謂臣道也，子道也。而天下之大倫尚存而不滅矣。[124]

踐土之會，周天子下勞晉文公，《春秋》削而不書；但書曰：「五月癸丑，公會晉侯、齊侯、宋公、蔡侯、鄭伯、衛子、莒子于踐土」。所以如此書者，以之見君道、父道。溫之會，晉伯實召王，《春秋》但書曰「冬，公會晉侯、齊侯、宋公、蔡侯、鄭伯、陳子、莒子、邾人、秦人于溫。天王狩于河陽。」亦削而不書召王，止書「天王狩于河陽」，所以見臣道、子道。要之，《春秋》之義在端正名實；名實所在，可以筆削史事，而損益辭文，婉而成章，出以特筆，亦足以啟疑而示義。城濮之戰，晉勝楚敗，周襄王命晉文公為侯伯，出入三覲，此春秋政治生態之現實；而周襄王貴為天子，號稱諸侯共主，然有名無實，特精神領袖而已。名與實之乖違如此，孔子為維繫政治倫常，故去其實以全名，於天王下勞晉侯，削而不書；河陽之會，晉侯以臣召君，不可為訓，故《春秋》亦諱述換述，書曰「天王狩于河陽」，政教倫理之堅持，固孔子作《春秋》之重要使命。

去實而全名者，亦《公羊傳》書法所謂「實與而文不與」之倫。如僖公十五年，秦晉韓之戰，秦伯伐晉，《經》不書伐；獲晉侯以歸，而《經》不書歸。《春秋》削而不書，其中有何微言大義？胡安國《春秋傳》云：

> 秦伯伐晉，而《經》不書伐，專罪晉也。獲晉侯以歸，而《經》不書歸，免秦伯也。書「伐」書「及」者，兩俱有罪，而以「及」為主；書「獲」書「歸」者，兩俱有罪，而以歸為甚。今此專罪晉侯之背施、幸災、貪愛、怒鄰，而恕秦伯也。然則秦戰義乎？《春秋》無義戰。……君獲不言師敗績，君重於師也。[125]

晉惠公「背施、幸災、貪愛、怒鄰」，而以伐人，《春秋》之義，專在罪晉惠公，故不書

---

123 〔元〕趙汸：《春秋屬辭》，卷11〈辯名實之際第四〉，頁1，總頁14858。

124 〔宋〕胡安國：《春秋胡氏傳》，卷13，僖公二十八年，頁3，總頁60。

125 〔宋〕胡安國：《春秋胡氏傳》，卷12，僖公十五年，〈十有一月壬戌，晉侯及秦伯戰于韓，獲晉侯〉，頁3，總頁54。

秦伐。秦晉戰于韓，獲晉侯以歸，而《春秋》不書歸者，免秦穆公戰晉之罪也。韓原之戰，晉敗秦勝，《經》不言師敗績者，君重師輕，書重可以略輕。筆削重輕之際，自然以人倫政教為取義之歸準。秦伯實攻伐晉惠，然師出有名，晉韓簡所謂「出因其資，入用其寵，饑食其粟，三施而無報」，故《春秋》原其情，實伐而不書伐。晉惠怙惡不悛，罪有應得，師敗而秦穆實獲以歸，故《春秋》但書獲，不書歸。名者，實之賓，重輕之際，書法之所慎。

《春秋》書事，有看似闕文，實乃孔子削而不書，以見微辭隱義者，其例不少。孔子作《春秋》，「事仍本史，而辭有損益」；而辭文之損益，有損之又損，而至於闕文留白者，最耐觀玩。胡安國《春秋傳》於此，頗有發揮，如：

> 凡闕文有斷，以大義削之，而非闕者；有本據舊史，因之而不能益者；亦有先儒傳授承誤而不敢增者。如隱不書即位，桓不書王賵，葬成風王不書天，吳楚之君卒不書葬。皆斷以大義，削之而非闕也。甲戌、己丑、夏五、紀子、伯莒子盟于密之類，或曰本據舊史，因之而不能益者也。或曰：「先儒傳授承誤，而不敢增者也。」[126]

孔子作《春秋》，斷以大義；或以削而不書見義。元趙汸《春秋屬辭．辯名實之際》曾列舉：「天下無王，則桓公《春秋》闕不書王」，指桓公三年至十七年，凡十四年，乃斷大義，非闕文可知（詳後）。趙汸又稱：「中國無伯，則晉靈公之盟會不序」；指文公七年，《春秋》書：「秋八月，公會諸侯晉大夫盟于扈」；文公十七年，書曰：「夏，諸侯會于扈」，皆不列序諸侯之名。見中國無伯，楚之所由興，此名實之際所當辨者。《胡氏傳》所舉不書即位、不書王賵、王不書天、君卒不書葬之例，要之，「皆斷以大義，削之而非闕也」。

魯桓公在位十八年，《春秋》凡十四年皆不書王。或以為闕文，實則乃孔子「斷以大義，削之而非闕者」。胡安國《春秋傳》申說極詳，其言曰：

> 桓公三年，而後經不書王。……安得一公之內，凡十四年皆不書王？其非闕文亦明矣。然則云何？桓公弒君而立，至於今三年……魯之臣子義不戴天，反面事讎，曾莫之恥。使亂臣賊子肆其凶逆，無所忌憚，人之大倫滅矣。故自是而後不書王者，見桓公無王，與天王之失政而不王也。[127]

自桓公三年而後，《春秋》正月不書王者十有三，乃孔子筆削舊史，損益辭文，而以削文示義。桓公弒隱公而立，弒君之逆賊人人得而誅之，而至於十四年間，無所忌憚如

---

126 同前註，卷1〈紀子伯莒子盟于密〉，頁5-6，總頁8-9。

127 〔宋〕胡安國：《春秋胡氏傳》，卷4，桓公三年，〈春正月〉，頁5-6，總頁20-21。

此，故《春秋》闕文不書，譏桓公目無天王，天王亦失政刑而不王。

《春秋》書例，雖無事，履端於始，必舉正月，此《穀梁》家之言。《春秋》十二公，除定公元年不書「正月」外，其餘十一公歲首必書「正月」。換言之，定公元年不書「正月」，是孔子作《春秋》時，削而不書，特筆發疑，而其中微辭隱義，得以抉之發之。胡安國《春秋傳》言：

> 元年必書正月，謹始也。定何以無正月？昭公薨于乾侯，不得正其終；定公制在權臣，不得正其始。魯於是曠年無君，《春秋》欲謹之而不可也。季氏廢太子衍及務人，而立公子宋。宋者，昭公之弟，其主社稷，非先君所命，而專受之於意如者也，故不書正月，見魯國無君，定公無正。主人習其讀而問其傳，則未知已之有罪焉爾。[128]

魯昭公失道，流亡在外八年，終而客死他鄉。季氏與昭公有仇，故捨昭公之子而立昭公之弟。於是季孫氏、叔孫氏、孟孫氏共推定公即君位，是所謂陪臣執國命。孔子作《春秋》，為反應此種政治情狀，故一反平常書寫策略，以削文不書「正月」，示微言大義所在：於是定公元年，《春秋》但書「春王」，下闕「正月」。與《春秋》其他十一公相較，元年皆書「春王正月」，迥不相同，堪稱孔子之特筆。《胡氏傳》解釋「定何以無正月」之筆削，略云：「昭公薨於乾侯，不得正其終；定公制在權臣，不得正其始，魯於是曠年無君」；「故不書正月，見魯國無君，定公無正」云云，說解平正可觀，較諸《公羊傳》、《穀梁傳》圓融通達。《公羊傳》稱：「定哀多微辭，主人習其讀而問其傳，則未知已之有罪焉爾」，[129]闕而不書，削文見義，特其中之一而已。

五　結論

《四庫全書總目．經部總敘》綜論漢代至清初之經學：「要其歸宿，則不過漢學宋學兩家，互為勝負」而已。論宋學之優長，曰擺落漢唐，獨研義理；謂其流弊，曰悍、曰黨、曰肆、曰空疏、曰空談臆斷，考證必疎云云。就宋代之《春秋》學而言，不盡然如此也。宋代《春秋》詮釋學，或捨傳求經，或信經疑傳，或逞私臆決，信口雌黃，如果純以義理解經，以六義比興說經，其空疏無徵誠如《四庫提要》所云。綜考宋代《春秋》學論著，以闡發義理見長者，如胡安國《春秋傳》、陳傅良《春秋後傳》、張洽《春秋集注》，空疏臆斷之病，並不太過。何以見其然？

128 同前註，卷27，定公元年，〈春王〉，頁1，總頁124。

129 〔漢〕公羊壽傳，〔漢〕何休解詁，〔唐〕徐彥疏：《春秋公羊傳注疏》，卷25，定公元年，頁2-3，總頁314-315。

清金聖歎批《西廂記》曾云：「臨文無法，便成狗嘷！」筆者亦云：詮釋《春秋》，若不運用方法策略，但憑逞私臆決，自有空疏無徵之缺失。胡安國《春秋傳》詮釋《春秋》，考求孔子竊取之義，其方法有四：或以筆削顯義，或以比事見義，或因文取義，或以比事屬辭，探究終始。胡安國推求《春秋》之義指，有門可入，有法可尋，自有其詮釋之內在邏輯；大抵非憑空亂道、逞私臆決可以同日而語。胡安國詮釋《春秋》，示學者以規矩準繩，其所以卓犖不群，或由於此。

胡安國學出程頤之門，《胡氏傳》若涉道德性命、明道正誼，義理自有引申闡說；身處南北宋偏安之際，國事如麻，若事涉撥亂反正，攘斥夷狄，則感慨激盪，中多比興寄託。如此之類，則不免流於以義理說經之偏失。清章學誠《文史通義．史德》，說史家之心術貴乎端正；且云：「必通六義比興之旨，然後可以讀春王正月之書。」[130]以比興寄託說經，比物連類，引申而發揮之，可以彌離其本，唯其所欲，而生發無限。胡安國《春秋傳》以比興說《春秋》者，正坐空疏無徵之病，此不能為安國諱，經學之現代化使然！

孔子因魯史舊文，作成《春秋》，胡安國推崇為「史外傳心之要典」；且再三言：「非聖人莫能修之」。其中關鍵，即在或筆或削，皆斷自聖心。所謂聖心，遂主導《春秋》之取義，而形成一書之旨趣。孔子當年因事而書，後世讀《春秋》、治《春秋》者，發揮系統思維，因事即辭以觀義。以其所書，知其所不書；以其所不書，知其所書；於是以虛為實，將無作有。所謂或筆或削，或書或不書，互發其蘊，互顯其義者是。此考察筆削，可以昭明《春秋》之取義，緣由在此。筆削如何而能著明《春秋》之義？胡安國《春秋傳》之詮釋方法，大抵分為筆而書之，與削而不書二大端，各有策略。

筆而書之，則見諸行事，深切著明。其法有三：或據實直書，其義自見；或實與而文不與，特筆示義；或書重辭複，以徵存其美惡。《春秋》書法，外辭與內辭不同。書魯事，為內辭，事輕惡小者直書，事重惡大者諱言不書。魯國以外之諸侯、夷狄，為外辭，事輕惡小者不必書；事重惡大者筆而書之。「比事以觀」，為《胡氏傳》之常言；比事以觀，而直書與諱言可以互顯其義。直書，為史事取捨後之終極呈現；要皆脈注綺交於《春秋》之取義，絕非遇事輒書，固有所為而為乃書。欲考求事實，必須運用比事屬辭之方法，前後連貫比較，就全書作系統考察，褒貶予奪方能正確認知。

《春秋》書法，守經而達權。人事之變遷，名實之乖違，不能拘以常法，於是出於特筆特書之例。所謂實與而文不與，多為孔子親筆裁奪之，以正名實、釋疑惑、定褒貶。如〈衛人立晉〉、〈邾庶其以漆閭丘來奔〉、〈宋人以齊人、蔡人、衛人、陳人伐鄭〉、魯夫人文姜薨于夷，「齊人以歸」；〈葬蔡景公，晉人、齊人、宋人、衛人、鄭人、

130 〔清〕章學誠：《文史通義》，內篇五，《史德》，頁149、150。

曹人、莒人、邾人、滕人、薛人、杞人、小邾人會于澶淵，宋災故〉之類，皆本不必書、不宜以、不宜書；今皆筆而書之，所謂特筆以示義。

《春秋》之文辭，殺史見極，簡嚴而婉微，故載二百四十二年事，才一萬六千餘言。然孔子於《春秋》之辭文，間有書重辭複者，反其道而行，何也？蓋其中必有大美大惡。反常而書，而出以書重辭複，有助強化警示，猶《詩經》國風大雅有重章叠唱者然。如兩年之中，二盟四會，故《春秋》備書之，以斥責魯宋。同年會盟，再書平丘；同伐無罪，則列序四國之名；宣公不臣，再書如齊；王室混亂，再書劉子單子，皆一書而未足，又再書、屢書之，繁而不殺，與《春秋》辭文之簡省微婉，反常合道。《春秋》因事屬辭，讀者可以即辭觀義。

《春秋》書法，殺史見極，削而不書者不少。就全《經》系統考察之，或筆或削，或書或不書，彼此互發其蘊，互顯其義，於是都不說破之微辭隱義，多見於言外。就胡安國《春秋傳》言之，其詮釋之方法有二：或諱逑換逑，微辭見義；或削而不書，去實存名。《胡氏傳》所謂「史外傳心」，筆而削之之策略，最具代表性。元趙汸《春秋屬辭》徵引南宋陳傅良《春秋後傳》，所謂「以其所書，推見其所不書；以其所不書，推見其所書」，此一推求原則，可供筆削顯義之考察。筆者探究《胡氏傳》之筆削，亦頗借鏡之。

《春秋》為尊者諱，為賢者諱，為親者諱。因諱避而書，避其名而遜其辭。就《春秋》損益辭文而言，或諱逑以見褒貶予奪，即所謂變文示義、微辭見義。如魯君見弒，書薨不書地；同盟于幽、盟于翟泉，皆諱莊公、僖公不書；盟于齊，從夷狄，亦諱僖公而不書。王師於諸侯，不言敗；於夷狄，不言戰；其義所以尊君父，外戎狄。《春秋》書法損益辭文，又有抽換逑語，以乙為甲者，此之謂諱敘換逑。此外辭內辭不同，直書與曲筆有異，如書薨不書弒、書假不書易，書取、書執、書入而不書滅，書孫不書出奔之倫，《公羊傳》、《穀梁傳》所稱三諱者大抵類此。

《春秋》於政教倫常之際，最注重正名諱實。《胡氏傳》解釋《春秋》，頗凸顯削而不書，以見孔子「去實以全名」之義，如踐土之會，天王下勞晉文，《春秋》削而不書；會于溫，晉文召王而不書，諱敘換逑書曰「天王狩于河陽」。秦穆伐晉，《經》書及不書伐，書獲不書歸者，亦同此類。《春秋》經文，有孔子斷以大義，削而不書，疑似闕文者，如隱公不書即位，桓公不書王賵，葬成風王不書天，桓三年而後經不書王，定公元年無正月，吳楚之君卒不書葬之類。凡此，皆所謂闕而不書，削文以見指義。

湛若水與季本《春秋》學比較研究

──以對齊桓公的形象與評價為核心

劉德明

中央大學中文系教授

提要

湛若水與季本兩人都是明代有名的心學家，他們與其他心學家不同的地方在於，他們更有豐富的經典注解。本文以湛若水的《春秋正傳》及季本的《春秋私考》兩書為主，對比他們對齊桓公的評價，從中觀察湛、季兩人各自呈顯出的詮釋特點。綜合來看，湛若水與季本的對齊桓公的看法，雖然在大方向上仍承續著程伊川、胡安國的看法而來，如對於桓公與公子糾的長幼問題即是明顯的例子。但湛、季兩人在評價上已有許多地方較伊川等人更為寬鬆，不再堅持事事以最高及最完全的標準來批評齊桓公。這或可視為明代心學家的一個特色，其中季本又較湛若水更推崇齊桓公的霸業。不僅如此，季本在解釋上較湛若水更著重在說明齊桓公「如何」成就其霸業。這種解釋方向，同時也凸顯出《春秋》作為儒學外王學經典的一個重要標誌。

關鍵詞：湛若水　季本　心學　齊桓公　明代

一　標題

論及明代的學術，最有特色的當是在心學上的成就。心學在明代學術中所佔的份量極重。在諸多心學名家中，王陽明的地位最為崇高。陽明上承孟子、象山之說，開啟了有明一代豐富的心學內容。在一般印象中，心學家通常致力於心性關係的討論與內省工夫，對於傳統儒學經典似乎不甚在意。如王陽明在三十七歲時於貴陽龍場「中夜大悟格物致知之旨」後，雖寫了四十六卷的《五經臆說》。[1]但陽明在晚年時對於此書頗不以為意，其弟子錢德洪曾向陽明請求閱讀此書，陽明卻說「付秦火久矣。」並言：「不必支分句析，以知解接人也。」[2]大約也因為如此，所以很容易給人「明代王學學者是活在一個沒有經典的時代」[3]的印象。

大約受了這樣的影響，所以歷來對明代經學，特別是心學家的經學並沒有引起太多的關注。但近年來，有許多學者認為明代經學有一些特質是前輩學者所忽略的。如以較單純的數量觀點來看，明代經學著作並不少。就僅以《春秋》相關著作而論，即超過千種，[4]這個數量甚至超號稱《春秋》學鼎盛的宋代。[5]再從經學演變的大趨向來看，林慶彰即指出明代經學有一重要趨勢：「明末清初的『回歸原典』運動，在個經學演變的過程中，應該是歷次回歸原典要求中，規模最龐大，影響最深遠的一次。」[6]由此而論，明代經學更是有著承先啟後的意義，所以對於明代經學的內容似應有更仔細的研究與評估。也因如此，所以筆者在明代心學家中，先選擇了湛若水與季本對於《春秋》的注解加以對比研究。

明代心學家除王陽明外，湛若水（1466-1560，字元明，學者稱為甘泉先生）也堪稱大家。湛若水的名聲雖沒有陽明響亮，但其曾與王陽明（1472-1529）同時講學，《明儒學案》中言：

1　王陽明：《王陽明全集》〈外集四．五經臆說序（戊辰）〉（上海市：上海古籍出版社，1992年），卷22，頁876及《王陽明全集》〈年譜一〉，卷33，頁1228。

2　王陽明：《王陽明全集》〈續編一．五經臆說十三條〉，卷26，頁976。

3　祝平次：〈王陽明的經典觀與理學的文本傳統〉，《清華中文學報》第1期（2007年9月），頁123。

4　林穎政統計出：「明代《春秋》著作一千一百五十七部，存世三百七十五部，亡佚七百八十二部。」「館臣（按：指四庫館臣）實際見到的文獻比例，佔不到整個明代著作的百分之六。」〈明代春秋存佚錄〉收入《明代春秋學研究》，中央大學中國文學系博士論文，2012年，頁1。又涂茂奇亦同時做了類似的統計，其收錄的書目雖少於林穎政所統計，但亦有「書目有六百三十二條」，見〈明代《春秋》學著作目錄〉，收入《明代學者對胡安國《春秋傳》之檢討研究》之附錄，東吳大學中國文學系博士論文，2012年，頁301。

5　宋代《春秋》學的相關著作約有602種。見張尚英與舒大剛所統計的〈宋代《春秋》學文獻與宋代《春秋》學〉，《求索》，2007年第7期，頁199。

6　林慶彰：《明代經學研究論集》〈明末清初經學研究的回歸原典運動〉（臺北市：文史哲出版社，1994年），頁333-334。

王、湛兩家，各立宗旨。湛氏門人，雖不及王氏之盛，然當時學於湛者，或卒業於王，學於王者，或卒業於湛，亦猶朱、陸之門下，遞相出入也。其後源遠流長，王氏之外，名湛氏學者，至今不絕，即未必仍其宗旨，而淵源不可沒也。[7]

在此，黃宗羲將王陽明與湛若水類比為朱熹與陸九淵，認為兩人是明代心學重要學者。王、湛兩人彼此的論學宗旨不同，陽明以「致良知」為宗，湛若水則高舉「隨處體認天理」。湛若水除心學主張與陽明不同外，其為對待經典的態度也與陽明差異頗大。湛氏一生著述十分豐富，除了《文集》與《聖學格物通》等書為人所周知外，在其著作中至少還有《二禮經傳測》與《春秋正傳》兩部解經著作。

季本（1485-1563），字明德，號彭山，稽會（今浙江紹興）人。《明儒學案》中記其「少師王司輿（名文轅），其後師事陽明。」是為陽明高弟。季本雖為心學的統緒，但其主張「貴主宰而惡自然」、「理者陽之主宰，乾道也；氣者陰之流行，坤道也。」說與陽明及其他同輩學者有別。《明儒學案》認為這是因為：「先生於理氣非明睿所照，從考索而得者，言之終是鶻突。」認為其為學途徑以「考索」經典為主，與王門主流不同。也因如此，季本所寫的〈龍惕書〉一文，雖被王龍溪、鄒東廓等同門批評，但「先生自信其說，不為所動。」[8]也就是說季本不但在理學的見解上與陽明其他弟子不同，其重視經典的為學進路亦頗為特殊。錢明即言季本：「他雖『及門最久，號稱高弟』，但卻未像陽明的其他高足那樣成為『教授師』。」而是擁有「重視儒家經典詮釋的為學特點。」所以錢明將季本與黃綰兩人歸為「浙中王門的經學形態」[9]。季本很早即對《春秋》有所留心，而日後其所著的《春秋私考》實為季本《春秋》學的總歸。季本對於六經典籍的用心至死不變，依季本學生徐渭（1521-1593，字文長）記：「以故疾革之日，猶進門人講《易》學於榻，疾且革，諸子泣請遺訓，亦惟曰讀書而已。」[10]以「讀書」做為核心工夫，歷經數十載直至臨終前仍念念不忘，這在王門心學傳統中實是異數。[11]由此可見季本對於注解經典有著強烈的堅持。

湛若水與季本兩人都屬於明代的心學家，雖然其師承、主張並不相同，但其均投注大量的心力在注經上，尤其難得的是他們兩位都各自注解了《春秋》一書。所以本文擬

---

7 〔明〕黃宗羲著、沈芝盈點校：《明儒學案》〈甘泉學案〉（北京市：中華書局，1986年），卷37，頁876。

8 〔明〕黃宗羲著、沈芝盈點校：《明儒學案》〈浙中王門學案三〉，頁271-272。

9 錢明：《浙中王學研究》（北京市：中國人民大學出版社，2009年），頁101。

10 〔明〕徐渭：《徐渭集》〈師長沙公行狀〉（北京市：中華書局，1983年），卷27，頁649。

11 季本對於諸經的注解頗豐，徐渭言：「先生手自校讎，迄晝夜寒暑無間者，凡二十三年。所著書為《廟制考義》、《春秋私考》、《讀禮疑圖》、《四書私存》、《孔子圖譜》、《樂律纂要》、《律呂別書》、《蓍法別傳》、《說理會編》、《詩說解頤》、《易學四同》，凡十一種，為卷百有二十。」見〔明〕徐渭：《徐渭集》〈師長沙公行狀〉，卷27，頁646-648。

就湛若水與季本的《春秋》學為主，初步對比兩家的異同。至於本文之所以選取兩人對齊桓公的評價做為對比核心，主要的考慮點為：雖然儒學以「內聖外王」為最高理想，但不同經典在性質上實各有偏重，一般即視《春秋》學為「王外」性質的典籍。而自孟子明確提出「以力假仁者霸」、「以德行仁者王」的說法後，「王霸之辨」即成為儒家政治主張的核心。但細繹《論語》與《孟子》兩書，其間對於霸者的代表齊桓公的相關論說，乍看似乎有所參差。所以對齊桓公的評價問題，很早即是儒家內部學說一個重要焦點。而《春秋》中對於齊桓公的相關記錄十分豐富，各家解經者亦多由此各述己見。這個問題在宋代理學家的《春秋》學中已有許多論述。[12]所以透過對比湛、季兩人對於《春秋》中齊桓公的諸多事跡的說解，不但能呈顯出兩人各自的特色，並可由此上溯對顯出在宋明理學家在不同的詮經脈絡中，各自對於齊桓公的想像與評判。

二　湛若水與季本的基本立場與學術脈絡

綜觀湛若水的《春秋正傳》與季本《春秋私考》兩書，這兩位明代理學家的《春秋》學基本立場即有許多差異，這可分為兩點來觀察。

首先就孔子與《春秋》的關係來說：從孟子提出「王者之跡熄而詩亡，詩亡然後《春秋》作」與「衰道微，邪說暴行有作：臣弒其君者有之，子弒其父者有之。孔子懼，作《春秋》。」[13]之說開始，歷來儒都幾乎都將《春秋》視為孔子所作。但孔子是怎麼「作《春秋》」？孔子所作的《春秋》與「舊魯史」之間的關係又是什麼？則儒者間則有各種不同的看法。司馬遷即提出孔子作《春秋》時是「約其辭文，去其煩重。」[14]主張孔子對於《春秋》中的用字有非常慎重的考慮：「至於為《春秋》，筆則筆，削則削，子夏之徒不能贊一辭。」[15]湛若水也同意在孔子之前確有為魯國舊史的「不修春秋」，[16]但湛若水與前人之說不同處在於：他認為孔子作《春秋》時，對於舊魯史「不修春秋」中的文句沒有任何的替換改動，他說：「聖人之作《春秋》，皆因魯史舊文而不改。」[17]湛氏將司馬遷所謂的「筆削」說解為：「筆以言乎其所書也，削以言乎其所去

---

12 劉德明：〈程頤學脈對齊桓公的評價——以程頤、謝湜與胡安國為核心〉，《成大中文學報》第56期（2017年3月），頁1-36。

13 分見（清）焦循注：《孟子正義》（臺北市：文津出版社，1988年），卷16，頁573、卷13，頁453。

14 （西漢）司馬遷：《史記》〈十二諸侯年表序〉（北京市：中華書局，1959年），卷14，頁510。

15 （西漢）司馬遷：《史記》〈孔子世家〉，卷47，頁1944。

16 「不修春秋」一詞最早見於《公羊傳》中莊公七年，對「夜中，星霣如雨」的解釋，《公羊傳》認為「不修春秋」原「雨星不及地尺而復。」而後才改成：「星霣如雨。」〔漢〕何休解詁〔唐〕徐彥疏：《春秋公羊傳注疏》（北京市：北京大學出版社，2000年），卷6，頁153-154。

17 〔明〕湛若水：《春秋正傳》（臺北市：臺灣商務印書館，影印清高宗乾隆38至47年寫文淵閣四庫全書本，1983年），卷2，頁12。

也。」[18]也就是孔子所作《春秋》時，只有刪去某些不合適的內容，其餘的部份則直接抄錄成為現今的《春秋》內容，其間只有刪而沒有改動任何文字。[19]

相對的，季本則認為孟子所謂「作《春秋》」是指從無到有，創作出一本新的經典，反對孔子依「不修春秋」修訂而成《春秋》」的說法。季本認為「《春秋》之書名起於立編年之法，自古無有，實孔子之所作也。」[20]否認在孔子之前有以「春秋」為名的史籍。他說《春秋》的成書過程是：

> 孔子周流四方……謂天下之亂，由於賞罰之不行，故即魯隱公以後所見、所聞、所傳聞二百四十二年之事，參考國史副藏，提綱舉要，刪削而敘正之。[21]

《春秋》是由孔子搜廣各種的史籍，進而寫成的一本全新著作，而不是僅僅削刪舊魯史如此簡單的作法而已。此書是孔子由其「所見、所聞、所傳聞」的諸多史事，再參酌魯國國史而成的全新創作。季本之所以強調孔子是史上第一位將「春秋」用之為書名的人，是因為如此一來，就沒有所謂的「魯《春秋》」或「不修春秋」，於是孔子所作的《春秋》與舊史之間的關係即會大大的削減，而《春秋》也能成為一本完全獨立與其他舊史之外的經典，其與孔子之間的關係也會更加緊密。[22]總而言之，就孔子與《春秋》的關係而言，湛若水與季本兩人雖都認為《春秋》為孔子所作，但兩人對於孔子如何作成《春秋》的看法則是大相逕庭：湛若水認為《春秋》的文字是全然承繼舊文而成，孔子只有刪去「不修春秋」中的某些記載；季氏則主張在孔子之前雖有舊魯史，但其不以「春秋」為名，《春秋》一書完全是孔子全新創作著述的典籍。

雖然湛若水與季本兩人對《春秋》成書的過程看法大有不同，但是湛若水及季本卻都承認《春秋》中確實是富含著孔子的「大義」。問題是，如何才能知曉這潛藏的「大義」呢？因為湛、季兩人對於孔子「作《春秋》」的看法有極大的差異，所以這也影響了他們在解釋《春秋》時的方法。湛若水認為《春秋》文字來自「不修春秋」，所以僅就文字上的使用而言，《春秋》並沒有特別之處，也就是說湛若水並不採取「義例」的方式來解釋《春秋》。湛若水主張要解讀出《春秋》大義必須要依靠「事」與「心」兩個要素。所謂的「事」指的就是《春秋》中所記之事的詳情，湛氏認為要了解《春秋》大義一定要知道當時發生了什麼事。也因為如此，所以湛氏特別看重《左傳》一書。在

18 〔明〕湛若水：《春秋正傳》〈春秋正傳自序〉，頁1。

19 關於湛若水《春秋》學的詳細論述，請參見劉德明：〈湛若水《春秋》學初探——論湛若水對《春秋》定位及詮解方法〉，中興大學《中文學報》第25期（2009年6月），頁165-190。

20 〔明〕季本：《春秋私考》〈春秋私考序〉（上海市：上海古籍出版社，收入《續修四庫全書》第134冊，影印明嘉靖刻本，2002年），卷首，頁4。

21 〔明〕季本：《春秋私考》〈春秋私考序〉，卷首，頁4。

22 關於季本對於《春秋》一書性質的詳細論述，請參見劉德明：〈季本《春秋私考》研究——以對《左傳》的批評為核心〉，《中國文哲研究集刊》第50期（2017年3月），頁101-135。

《春秋正傳》中常見其引述了《左傳》相關文獻後，湛若水即言：「此其實傳也」，採用了《左傳》所述之史事。在了解實事之後，湛若水進一步還要「求之於心」並且「大其心以觀之」，認為由此即可以見孔子作《春秋》的大義。也就是說湛若水相信，若讀《春秋》者對史事有所了解後，即可以其「大心」判斷史事的是非對錯，此時自然就會了解孔子之心與《春秋》之義。湛若水的這種解經方法是建立在他對「大心」的信心，其認為「大心」不但是「合虛與氣」，[23]而且一旦達此境界，則「心與天地萬物同體，又與天地萬物同大，宇宙內事即己性分內事。」[24]於是心與天地萬物、宇宙完全同一。因此湛若水在《春秋正傳》中，十分強調「當大其心胸而觀之，然後得聖人之心。」[25]強調必須以己心去貼合「聖人之心」。如此一來，孔子之心與讀《春秋》者之心都是「虛明純白之本心」，自然毫無差別。在這樣的論述下，湛若水並不贊成「以例解《春秋》」。一者他認為《春秋》文字完全承繼自舊籍，孔子並沒有改訂過，若是如此，如何能夠以「文字用例」來理解孔子所賦予的大義？二來若能以「大心」配合上《左傳》等史籍的記載，自然就能設身處地的理解孔子之意，又何必透過繁苛纏繞的文字條例來理解《春秋》呢？

相較之下，季本則不這麼認為。因為季本主張《春秋》是孔子綜合相關史料，親手修訂而成，所以其文字即含具有權威與神聖內容。所以他主張以「文字用例」來理解孔子大義是必需而且是合理的方法。[26]季本的「以例解《春秋》」的方法，在《春秋》學史中有很長遠的傳統，自三傳起即有這樣的做法，至唐代啖助、趙匡以下更是變本加厲。但以這種方法來解釋《春秋》，常遇到一個難題：《春秋》中的常例雖然頗具說服力，但不符合「常例」的經文其實也並不少見。於是許多《春秋》學家必須發展出各式各樣的「變例」，用以彌合「例」與「史事」中的差距。季本在解經方法上最特殊的地方在於：季本很少用細密苛碎的變例來說明《春秋》大義。他有一個非常明確的原則：《春秋》是一本自足的經典，由於它是孔子所作，因此對於大事不會遺漏不記，同時有

---

23 鍾彩鈞：〈湛甘泉哲學思想研究〉，《中國文哲研究集刊》第19期（2001年9月），頁370。

24 喬清舉：《湛若水哲學思想研究》（臺北市：文津出版社，1993年），頁117。

25 〔明〕湛若水：《春秋正傳》，卷4，頁20。

26 後文有時以通稱的「義例」一詞來指稱《春秋》中透過歸納「文字用例」而探知《春秋》大義。有些《春秋》學家相信《春秋》中對於類似事件有類似的書記格式，解經者相信經由歸納、了解這些格式，即可了解《春秋》之意。但《春秋》學中的「義例」一詞常有不同的指涉，它可以同於「書法」的概念，廣泛的指稱《春秋》的所有書記方式，如張高評即將「書法」分為兩類，一是「側重思想內容」一是「側重修辭文法」。在此筆者所謂的「義例」採最狹義的定義。至於由相關記述的前後對比看出《春秋》之意，或由述敘詳略而見《春秋》大義等等，其內容甚多，本論無法詳論。相關論述見張高評：〈黃澤論《春秋》書法——《春秋師說》初探〉，收入《春秋書法與左傳學史》（臺北市：五南圖書出版股份有限公司，2002年），頁155。趙友林：《《春秋》三傳書法義例研究》（北京市：人民出版社，2010年），頁17-16。

著條例分明的義例。《春秋》一書的文字雖然看似簡要，但只要好好理解前後相接記載，其實它是有其內在的理路。季本認為由「考黨與之離合、趨向之正邪、地理之遠邇、年月之久近、事情之終始、典故之有無」[27]即可了解孔子蘊藏於其中的「大義」。在這樣的預設下，季本在解釋《春秋》時，認為他書（如《左傳》）的說法與《春秋》有所不同時，他即主張《左傳》等典籍中的史事是：「戰國書生，欲干世主，競為異論，以飾己奸，而腐儒傳習，遂信為真。」[28]便推定《左傳》所記為非。所以季本在解《春秋》時，常在沒有其他文獻證據下，即推翻《左傳》等書的紀錄，所憑的僅是《春秋》中前後史事及由文字用例所「推想」出「合理」的歷史樣態。這種捍然排拒《左傳》等書的內容，與湛若水常言《左傳》之說為「此其實傳也」有著極大的不同。

雖然湛、季兩人在對《春秋》成書過程、解經方法及對《左傳》的態度上，有著根本的不同，但是若我們從其他側面來觀察，湛若水與季本兩人對《春秋》理解並非都是南轅北轍，截然有異，他們的《春秋》學至少有兩點非常相近的主張。首先兩人都認為要理解《春秋》，最重要的是能設身處地的理解當時的處境。前文已提及湛若水認為在了解實事之後，還要「大其心以觀之」即是這樣的主張。而季本說《春秋》也有類似的看法，明代唐順之即指出季本解《春秋》的特點是：「獨身處其地，以推見當時事情而定其是非。雖其千載之上不可億知，然以斯人直道而行之心準之，要無甚相遠者。」[29]認為千載之前的相關史籍所載並不一定可靠。而經書所記以及「直道而行之心」才是最終的判準。湛若水與季本雖然對《春秋》、《左傳》等文獻的價值看法不同，但兩人卻同樣十分強調用功於己心，方能合於聖人之心，這可以說帶有非常強烈心學家解經的特質。

湛、季兩人除了具有「此心同也，此理同也」的理學家特色外，他們在實際解經上還有另一個同樣具有理學特色的地方：不論是在《春秋正傳》或《春秋私考》中，兩書均大量引述程頤（1033-1107）、胡安國（1074-1138）等理學家對《春秋》的說法。[30]程頤在理學上的重要性眾所皆知，雖程頤注解《春秋》僅至桓公九年冬，並不是完整的注疏，但其《春秋傳》中的許多說法卻廣為後代理學家們所引述，並有著十分顯著的影響。[31]以《春秋》在莊公九年中對齊桓公的第一筆紀錄：「齊小白入于齊」的解釋為

---

27 〔明〕季本：《說理會編》收入《四庫全書存目叢書．子部》第9冊（臺南市：莊嚴文化事業公司，1995年），卷10，頁34。

28 〔明〕季本：《春秋私考》〈春秋私考序〉，卷首，頁6。

29 〔明〕唐順之：〈季彭山《春秋私考》序〉，收入〈春秋私考前序〉，頁2。

30 關於湛若水《春秋》學受伊川、胡安國的影響，詳見劉德明著：〈湛若水對程頤、胡安國《春秋》學的批評與觀點〉，《當代儒學研究》第6期（2009年7月），頁91-129。

31 程頤所著的《春秋傳》對《春秋》的解釋僅止於魯桓公九年冬而已，其餘部份則是伊川弟子集結師說而成。見〔宋〕程顥、程頤著：《二程集》（臺北市：漢京文化，1983年），〈河南程氏經說〉第4卷。關於程頤《春秋傳》的成書及其大致要點、對胡安國《春秋傳》的影響請參見：劉德明：〈程伊

例，在程頤之前，幾乎所有文獻都認為公子糾為兄而桓公小白為弟，所以齊桓公是殺兄而自立為齊君。[32]但程頤卻提出小白為兄而公子糾為弟的新說，認為「桓公兄也，當立；子糾弟也，不當爭。」[33]程頤這個說法並沒有堅強的文獻證據，他之所以如此主張並非著眼於文獻考證的真實與否，實是程頤認為若非如此，那麼《論語》中孔子贊揚管仲不死，而批評召忽之死為「匹夫匹婦之為諒」便不可理解。因若孔子以管仲日後之功而改變了長幼有序的倫理次序，那麼就會陷入「聖人之言無乃害義之甚，啟萬世反覆不忠之亂乎？」的困境。這實是儒學倫理的大關節所在，也是「義利之辨」下不容退讓的原則。也因如此，程頤的這個說法普遍為其後學及弟子們所接受，如楊時、范祖禹、謝湜、胡安國等人眾口一辭，都是如此主張。[34]流風所及，明代的湛若水及季本也持相同的看法。湛若水言：「桓公與子糾，襄公之二子也，皆未有父命立之，而小白則長而當立。」[35]而季本則言：「小白與糾皆僖公之庶子，而小白為長。」[36]也就是說，不論對《左傳》的信賴度高低，湛若水與季本對《春秋》中的許多的解釋方向，的確都受到程頤以下諸多理學家解《春秋》的影響。這可以由《春秋正傳》與《春秋私考》中隨處都可見他們引述伊川、胡安國、張洽、吳澄等理學家的看法得知。

川《春秋傳》初探〉，《人文學報》第23期（2001年6月），頁41-68。〔日〕齋木哲郎：〈程伊川的春秋學〉，收入姜廣輝主編：《經學今詮四》（瀋陽市：遼寧教育出版社，2004年），頁336-362。葛焕禮：《尊經重義》（濟南市：山東大學出版社，2011年12月），第7章〈程頤的《春秋》學〉，頁224-264。鄭任釗：〈程頤《春秋傳》對胡安國《春秋傳》的影響〉，收入《二程與宋學——首屆宋學暨程顥程頤國際學術研討會論文集》（上海市：華東師範大學出版社，2013年），頁447-456。

32 關於公子糾與小白長幼的問題，毛奇齡言：「況糾桓長次，自《春秋三傳》、《史記》、《漢書》外，其見於他書如《莊子》、《荀子》、《韓非子》、《尹文子》、《越絕書》、《說苑》類，無不曰糾兄桓弟、糾長桓幼。」歷舉諸書都是相同的記載。對於毛氏之說的整理見張崑將：《德川日本儒學思想的特質：神道、徂徠學與陽明學》（臺北市：臺灣大學出版中心，2007年），頁152-153。招祺麟更列舉漢代之後的杜預、孫覺、高閱、程端學等人，也都認為是「糾長桓幼」。在程頤之前，言小白為兄、公子糾為弟的說法僅有《漢書》〈淮南衡山濟北王傳〉中言：「昔者，周公誅管叔、放蔡叔，以安周；齊桓殺其弟，以反國。」分見：毛奇齡：《四書改錯》，卷1，頁12。招祺麟：《王夫之春秋稗疏研究》（上海市：上海古籍出版社，2010年），頁125。〔漢〕班固：《漢書》（北京市：中華書局，1964年），卷44，頁2139；另外尤可注意的是北宋的劉敞說：「糾貴而小白賤。」而孫覺也直言：「桓公小白有大功于一時，而天下受其賜者，凡數百年。然于其入也，與兄爭國，而竟殺之。」也就是說直至北宋前期，對公子糾與小白的長幼幾乎沒有異說。分見劉敞：《劉氏春秋傳》，收入《通志堂經解》冊19（臺北市：漢京文化事業有限公司，1979年），卷3，頁8。孫覺：《春秋經解》，收入《叢書集成新編》冊108（臺北市：新文豐出版股份有限公司，1986年），卷5，頁135。

33 李明復：《春秋集義》（臺北市：臺灣商務印書館，影印文淵閣四庫全書本，1983年），卷13，頁2。

34 李明復：《春秋集義》，卷13，頁3-4。

35 湛若水：《春秋正傳》，卷8，頁8。

36 季本：《春秋私考》，卷7，頁6-7。在此另要說明的是，季本之說與伊川、湛若水等人略有不同，季本認為小白與糾是齊僖公的庶子，而非齊襄公之子。但這不妨礙齊桓公與公子糾的長幼判斷。

三　湛若水與季本對齊桓公相關紀錄的詮釋與評價

總的來說，程頤及其後的理學家們說解《春秋》中關於齊桓公的記載時，往往是以最高的標準去評論，這致使他們在對面三傳種種不同說解時，往往會傾向選擇批評齊桓公的說法，而不願採取對桓公較為寬容的態度。程頤等人或者以細密的《春秋》用例、或者因考慮到齊桓公之行事而可能衍生出的弊病，因而對齊桓公所行諸事都有所批評。透過批評齊桓公行事的不足處，進而論述王者應如何行事，描繪出高遠的理想行事準則。程頤等人之所以會有這樣的態度，其間當然與《孟子》對五霸嚴厲的批評有關。[37]站在「王／霸」的明確的區辨下，他們往往兼採三傳對齊桓公負評的部份，並進一步加以發揮。

若從理學家十分強調與堅持的「王霸之辨」的角度來觀察，湛若水與季本兩人也都承續了這樣的區別，並用以批評齊桓公。如對莊公十三年「春，齊侯、宋人、陳人、蔡人、邾人會于北杏。」一事，湛若水言：

> 著其會之非也。《左氏》曰：「春，會于北杏，以平宋亂」是也。然則平宋亂與國相恤之義也，何以非之？夫平宋亂者，必當上告天子，約與國奉王法以平之，而私相會盟則非矣。首齊侯者，桓公為之主也。此五伯之始也。平宋亂，可也，而列國相與戴齊以為主，是無王也。所謂「功之首，罪之魁也。」《春秋》此書，其喜懼之情見矣。其首齊侯者，盟主也。稱人者，眾稱之詞……胡氏一以為稱人者，「春秋之世，以諸侯而主天下會盟之政，自北杏始，其後宋襄、晉文、楚莊、秦穆交主夏盟，跡此而為之者也。桓非受命之伯，諸侯自相推戴，以為盟主，是無君矣。故四國稱人以誅始亂，正王法也。」一以為齊侯稱爵者，「上無天子，下無方伯，有能會諸侯安中國，而免民於左衽，則雖與之可也。誅諸侯者，正也；與桓公者，權也。」……愚謂：胡氏二說自相矛盾也。夫既人四國以罪之，則不宜爵齊侯矣。爵齊侯以與之，則不宜罪四國矣。蓋齊桓之主伯，四國成之，其是非一體也。凡此皆史氏之詞，不必泥耳。[38]

北杏之會是齊桓公首次與諸侯會盟，起因是在魯莊公十二年，宋國宋萬弒宋閔公，並殺了仇牧、華督等大臣，致使宋國的群公子出奔。《左傳》說此次會盟是為「以平宋亂」。[39]湛若水的說解則有三個重點：一、援引《左傳》相關史事，並認同此次會盟的目的在平息宋萬弒君之亂。二、認為《春秋》對齊桓公召開此會的評價是「功之首，罪

---

37 關於《春秋》與孟子對於齊桓公等人的「人格典範」的看法不同問題請參見：林義正：《春秋公羊傳倫理思維與特質》（臺北市：臺灣大學出版中心，2003年），頁44-50。

38 湛若水：《春秋正傳》，卷8，頁23-24。

39 楊伯峻：《春秋左傳注》（北京市：中華書局，2000年），頁190-194。

之魁」。齊桓公雖平宋亂有功（功之首），但卻是違反了尊王的原則而私下與諸侯會盟（罪之魁）。以「功之首，罪之魁」評齊桓公的說法源於邵雍，如胡安國即引述邵雍之言：「功過不相掩，五伯者功之首，罪之魁也。」做為其《春秋》學中的綱領。而後朱熹與其弟子也以此語評論齊桓公，認為齊桓公是「百般好事他都做，只是無惻怛之誠心。」是假仁義而行並非真欲行仁義。用朱子的話來說，就是僅有「仁之功」而沒有「仁心」。[40]三、湛若水雖大量徵引胡安國之說，但又批評胡氏「自相矛盾」。主要是因為湛氏根本不相信經例，認為《春秋》經文本來是「史氏」之詞，所以解經者不需受到經文的拘泥。而胡安國卻受限於《春秋》經文中稱齊為「侯」、稱宋等國為「人」的義例而立論。但無論如何，胡安國的「正／權」之說事實上與湛若水的「喜懼之情」兩者在評價上是十分接近的。[41]也就是說，雖然齊桓公有大功於當時，但在「王霸之辨」的區判下，齊桓公仍是「無王」的霸主。

季本則在莊公十四年對「春，齊人、陳人、曹人伐宋」的《春秋》經文解釋裡呈顯了類似的看法：

> 必聞被患簡書，不得已而用之，不為專矣。此湯、文所為。以德行仁，交鄰有道，而卒成王業歟！使其行一不義，必不肯為，故甘受夏臺、羑里之囚，而終不蹈挾威震主之罪，齊桓則不可以語此矣。北杏之會，雖為世道憂，然以諸侯而欲主天下之政，專征伐焉，本無王之心也。心本無王，而欲以尊王，令人人誰信之？因人不信，而遂加以兵，蓋霸者以力服人之計也。不可以為以德綏諸侯矣。故齊之伐宋，其摟諸侯以伐諸侯之始事歟！仁義不足而震之以威，下以號令諸侯，上以脅制天子，其功雖高，聖人所不道也。故邵子曰：《春秋》功過不相掩，五霸者，功之首、罪之魁也。學《春秋》者，宜於此來焉。[42]

季本在此也引邵雍的「功之首、罪之魁」之語，用以論評齊桓公的北杏之盟與伐宋之舉。並指出齊桓公本身「仁義不足」，而是「以力服人」。所以雖然其功業雖高，但由於並非出自於「以德行仁」，所以其所行並不是如商湯、周文王的王道，因而「聖人所不道」。於此，我們可以很清楚的看到湛若水與季本兩人對於齊桓公的評價，在大方向上仍依循著程頤等人所清楚區分的「王霸之辨」，認為齊桓公的霸業是有所不足的。

但在此必須強調的是，為了堅守「王霸之辨」而貶低對齊桓公所行的評價，類似的

---

40 分見〔宋〕胡安國《春秋胡氏傳》〈述綱領〉（杭州市：浙江古籍出版社，2010年），頁10。〔宋〕黎靖德編：《朱子語類》（北京市：中華書局，1986年），卷60，頁1449。

41 胡安國之說見《春秋胡氏學》，卷8，頁107。其後胡安國有：「齊侯稱爵其與之乎？上無天子、下無方伯，有能會諸侯、安中國而免民于左衽，則雖與之可也。誅諸侯者，正也；與桓公者，權也。」的論說。

42 〔明〕季本：《春秋私考》，卷8，頁2。

例子在《春秋私考》中並不多見。在《春秋私考》中更多的是，季本對於齊桓公成霸過程所採取策略的闡發。如其在北杏之會條下即言：

> 是時楚人虜蔡侯，宋萬弒閔公，而中國諸侯漫無統紀，此有志世道者之所宜憂也。管仲相齊時方秉政，故教齊桓糾合諸侯以圖霸。此北杏之會所以講歟！古者四方諸侯各有一長，謂之方伯……方伯之下則有連帥，此即唐虞時十二州牧也。在〈王制〉則名連帥耳。如春秋時以小國會盟征伐之賦屬於大國，准附庸附於諸侯之例，而總以霸者統之，此非衰世之所創，故霸者之興，本依方伯之制而為之者也。然古聖王之立方伯，必天子以侯伯之有功德者而加命焉，豈諸侯所得自為哉！而桓公之為此會，則王未有命而自有所經營矣。至十六年，漸就所圖而八國同盟于幽，共推為霸，其謀實自北杏始也。◯約會必先近國，而魯衛及曹皆不至焉，惟宋、陳、蔡、邾預會，而又皆以微者來。蓋於此時，桓公威信尚未孚耳。然救災卹患，討罪攘夷，桓公之志也。當時天下諸侯皆無王矣，強凌弱、眾暴寡，至於臣子弒君，夷狄僭號，則無王之甚者也。桓公獨以尊周為名，首創大義，欲使王法復明於天下。人雖未信，而桓公固已有定謀矣。孔子謂管仲相桓公，霸諸侯、一匡天下，民到于今受其賜。此非其權輿邪！胡康侯曰：「上無天王，下無方伯，有能會諸侯、安中國而免民於左衽，則與之可也。」[43]

季本之說有幾個要點：一、認為北杏之會是因為楚入侵於外，宋又有弒君之賊。華夏諸侯所面臨的危機較湛氏所說的情況更為嚴重。二、齊桓公之所以欲為霸主，正是面對並試圖解決諸夏所面臨的困境，而北杏之會正是一系列行動的開始。季本更說明了為何在此會中僅有宋、陳、蔡、邾等國與會，實是因為創霸初期，齊桓公並未能取得眾國的信任。三、「霸者」之制並非是齊桓公所獨創，也非衰世之時才產生的，它其實源自更早的「方伯之制」。四、齊桓公之志是「欲使王法復明於天下」，所以桓公才費盡心力想成為霸主。但在此時，桓公尚無法擁有霸者的威信，所以參與會盟的諸侯國不多。雖然如此，桓公卻已有一整套行動策略。細繹季本之說，其中雖也有責桓公「豈諸侯所得自為哉！」的批評。但從上下的文脈語氣來看，季本多在發揮桓公之志與其處境，相較於湛若水對於齊桓公的指責無疑是輕了許多。而且進一步觀察，湛若水與季本均有引用胡安國之說，湛氏的引文對桓公是功、罪兩面俱陳，而季本則只引了盛贊桓公之功，其中所透露出稱許齊桓公的意味是不言可喻的。

其實綜觀在說解《春秋》中與齊桓公的相關的條目時，湛若水與季本對於齊桓公的所行的評價，已不如程頤等人那麼嚴苛。如對僖公元年「齊師、宋師、曹師，次于聶北，救邢。」一事，《左傳》認為齊等三國組成的聯軍之所以駐紮在聶北是為了等待時

---

43 〔明〕季本：《春秋私考》，卷7，頁23-24。

機。稍後三國出兵救邢驅逐了狄人，並將邢國的器用收集起來，進而協助邢人在夷儀重新築城。[44]對於齊國此舉，杜預認為《春秋》是「善齊桓委任得人，用兵嚴整。」深具攘夷救夏之功。因為狄人在閔公元年即曾伐邢，齊即出兵救邢。閔公二年十二月，狄人又入侵衛國，齊國又派公子無虧前往協助衛國。相隔一個月，在僖公元年時狄人又回頭侵邢。可見齊國救邢，確費了許多心力。但是程頤則採《公羊傳》的看法，[45]他說：「齊未嘗興大眾，此稱師，責其眾可救，而徒次以為聲援，致邢之不保其國也。」[46]程頤認為三國的聯軍不應該只駐留在聶北遏阻狄人，程頤以《春秋》書「次」是在貶斥齊國攘夷不力，致使邢國遭難。其後胡安國也說：「聶北書次，以譏救邢之不速也。」[47]都認為《春秋》在此對齊桓公有所譏貶。但湛若水則認為：

> 聶北，邢地。次者，止也。書乃止齊焉，頓兵整旅之意。書「齊師、宋師、曹師次于聶北，救邢。」著伯主攘夷崇華之義也。邢雖小中國也，狄人滅之，是夷狄陵中國，冠履之反易矣。桓公為盟主，帥與國之師而往救之，緩而不及，邢人出奔，乃為之城邢焉。然其始終仗義，亦可見矣。而以為書次以譏之者，非也。[48]

湛若水反對程頤、胡安國的說法，批評由書「次」來斷定齊桓公救援不速是不合理的說法。認為由相關前後情勢發展來看，齊桓公確實是盡心盡力在抵抗外族，書「次」則是因軍隊也需要修整，並非故意怠緩遲疑。而由隨後三國幫邢築城一事，更可看出齊桓公「始終仗義」。湛若水此說，一方面是因為他反對「義例」之說，所以可以不受《春秋》中對「次」用法的拘限。另一方面則是依循著《左傳》的說法、相關史事排比而得。就此，對齊桓公的評價就不會因其是「霸」，而必須加以貶抑。至於季本則言：

> 狄兵入衛，久猶未歸，桓公無及於衛，懼狄乘勝而歸將暴邢也，則救邢而已。聶北，邢地，當在邢南。齊桓霸業方新，大合三國之師以救邢，非應故事也。其次聶北，豈緩於事哉！正以遏人自衛入邢之衝也。用兵大事，相機而動，豈以急於求敵為功哉！胡康侯謂救而書次，其次為貶，非矣。[49]

---

44 《左傳》記：「諸侯救邢，邢人潰，出奔師。師遂逐狄人，具邢器用而遷之，師無私焉。夏，邢遷于夷儀，諸侯城之，救患也。凡侯伯，救患、分災、討罪，禮也。」見〔周〕左丘明傳；〔晉〕杜預注；〔唐〕孔穎達正義：《春秋左傳正義》，卷12，頁368。

45 《公羊傳》的解釋為：「救不言次，此其言次何？不及事也。不及事者何？邢已亡矣。孰亡之？蓋狄滅之。曷為不言狄滅之？為桓公諱也……天下諸侯有相滅亡者，桓公不能救，則桓公恥之。」見〔漢〕何休解詁〔唐〕徐彥疏《春秋公羊傳注疏》，卷10，頁232-233。

46 〔宋〕程頤：《二程集》《河南程氏經說》，卷4，頁1111。

47 〔宋〕胡安國：《春秋胡氏傳》，卷11，頁145。

48 〔明〕湛若水：《春秋正傳》，卷12，頁1。

49 〔明〕季本：《春秋私考》，卷11，頁2。

季本雖然主張《春秋》中有「義例」，但他並不認為在此的「次」字有表示褒貶的意思。季本認為此時為齊桓公建霸初期，是真心的要遏止狄人入侵華夏，並非虛應故事，僅陳兵而不戰。至於齊、宋、曹聯軍為何要暫時駐札在聶北？季本認為這正因為齊桓公用兵力求慎重的表現。對比湛若水及季本之說，兩人都不因為要堅持「王霸之辨」的嚴格區分，進而想方設法的找出齊桓公可以貶斥之處。相反的，兩人不約而同的認為《春秋》在此是表彰齊桓公攘夷救患之功。也就是說，不論贊同或反對義例解經方法，兩人均不將「次」字視為貶斥齊桓公的關鍵。季本甚至認為書「次」在於表達齊桓公「相機而動」的智慧。由此，我們可以說季本對齊桓公的評述又比湛若水更為寬容，也更著重在說解齊桓公成為霸主的歷程中所遇到的困難及其策略。也就是說湛若水的說解在「評判」桓公目的與存心的是非對錯，而季本則是著重在說解桓公「如何」成為霸主的策略與步驟。

湛、季兩人在說經時各自呈現出的這兩種不同特色是十分明顯的，如對莊公三十二年「夏，宋公、齊侯，遇于梁丘。」湛若水的說解是：

> 書「宋公、齊侯，遇于梁丘。」譏私遇也。《左氏》曰：「齊侯為楚伐鄭之故，請會于諸侯，宋公請先見于齊侯，夏，遇于梁丘。」愚謂：既非會同之正，而又請先見焉。非私乎？[50]

湛若水依《左傳》所記，在莊公二十八年「秋，荊伐鄭」及僖公元年「楚人伐鄭」，所以此次齊、宋在梁丘相會是為了準備舉行諸侯盟會而進行的會前會。究其本心，這是攘夷之舉，但因並非正式的會盟，所以湛氏認為《春秋》記此是譏貶其「私遇」。也就是認為齊、宋此次私下相會並非合禮的正行。但季本則認為：

> 蓋桓公滅譚、滅遂、降鄣之事，足以使人畏也。自會鄄以來，惟宋從齊最固，無役不從，故就梁丘之地而託宋致魯。若不期而會者，且私推尊之，以示密厚之意。魯服而諸侯之信可孚，此桓公之志也。亦可謂善糾合矣。[51]

季本對於此會詮說的重點在於：齊桓公之所以要與宋桓公相會，是因為想透過宋國來拉攏魯國，一旦魯國也服於齊，則齊桓公的霸業才能得以實現。而齊、宋之所以不舉行正式的會盟之禮，即是因為如此才能表達出齊、宋親厚之意。[52]所以季本認為由此可見齊

---

50 〔明〕湛若水：《春秋正傳》，卷10，頁24-25。

51 〔明〕季本：《春秋私考》，卷9，頁24。

52 季本此說近於《穀梁》：「遇者，志相得也。梁丘在曹邾之間，去齊八百里，非不能從諸侯而往也，辭所遇，遇所不遇，大齊桓也。」只是《穀梁》以梁丘距齊八百里之遠，而齊桓公不辭辛勞「遠遇宋公」，用以說明《春秋》著齊桓公之賢。而季本則更著重在說明齊桓公的策略。〔晉〕范寧集解，〔唐〕楊士勛疏：《春秋穀梁傳注疏》（北京市：北京大學出版社，1999年），卷6，頁117。

桓公善於糾合各國，其後能成為霸主，實賴這種縱橫捭闔的能力。

或許也就是因為季本較湛若水對齊桓公「如何」成就霸業有更多的關注，所以相形之下，他對齊桓公的成就也有較高的評價。如季本對莊公十六年「冬，十有二月，會齊侯、宋公、陳侯、衛侯、鄭伯、許男、滑伯、滕子，同盟于幽。」言：

> 桓公奮興有志，安攘信義，著於諸侯，而同患之國共推為主，故滑、滕小國皆至，而天下人心始一於霸，於是乃有同盟焉。……○同盟推霸實始於此，及晉霸既衰，威信不立，諸侯又復無統，而猶援故事以講同盟，人心屢散，則其盟屢同，雖德愈下衰，而以同心推霸為名則一也。視他盟各因一事，而以主要人者不同矣。[53]

認為由於齊桓的奮起，所以才能統合各個諸侯國以成霸業，這是齊桓公的創舉。在齊桓公之後，僅有晉國能重振這種會盟關係。其餘各國雖然也有君主想要仿效齊桓公之舉，但都無法再現這種盛況。由此可見季本對齊桓公的成就與人格特質，實有很高的評價。相較之下，湛若水一方面承續伊川「上無明王，下無方伯，列國交爭，桓公始霸天下，與之。」稱贊齊桓公能承擔起霸者的責任；另一方面又批評：「禮樂征伐自天子出，諸侯非奉王制也會同而私相會盟，歃血以要神，於是乎盟主專征之事起矣。」認為桓公未能尊王。湛若水對此與其評北杏之會類似，同樣給予齊桓公功、罪並見的評價，並說：「聖人尊周之義，喜懼之情見矣。」[54]相較於季本從正面肯定齊桓公之說，有很大的不同。

季本給予齊桓公的評價之高，相較於湛若水甚至於其他理學家是很特殊的。季本不但設身處地的推想桓公為霸的過程與策略，甚至在某些乍看之下似不相干的條目中也會盛贊齊桓公的影響力。如對莊公二十二年「陳人殺其公子御寇。」的解釋就十分有特色。對於此條，湛若水主要在說明御寇是宣公之子，但殺御寇的究竟是誰、又為何要殺御寇，湛氏認為《左傳》並沒有記述，所以是不可知，也不必深究。[55]總之湛氏透過《左傳》，認為《春秋》在此主要是在表達對陳人殺御寇的厭惡。[56]但季本卻說：

---

53 〔明〕季本：《春秋私考》，卷8，頁9。

54 〔明〕湛若水：《春秋正傳》，卷9，頁4-5。

55 關於湛若水「以事解經」的特長及其侷限，請參見劉德明：〈以事解經方法的實踐與反省——論湛若水《春秋正傳》對《左傳》「以事解經」方法的承續與其反省〉，收入《儒學研究論叢》第2輯（臺北市：臺北市立教育大學儒學中心，2009年），頁133-160。

56 湛若水曰：「謂之陳人者，眾人也。御寇，宣公之子。《左氏》云：「陳人殺其太子御寇。」則知其為君之嫡也。而稱公子者，未命為世子也。書「陳人殺公子御寇」，著殺逆之罪也。或其君殺之，或其大夫殺之，或國人殺之，則皆不可知也。外事宜遠而畧也。胡氏又有稱君、稱國、稱人之別，泥矣！又云：攷於傳之所載以觀經之所斷，則罪之輕重見矣。愚謂：攷傳以觀經，乃治《春秋》之法，即吾今之說也。」這是因為胡安國由稱「人」而認為是「國亂無政，眾人擅殺，而不出於其

> 蓋是時陳從齊霸，每與會盟，而御寇以貴卿當國，必勸其君以急於趨事也。但人習怠心，憚於供億，徵求欲速，未免過嚴。此御寇之所以取怨，而豪強之所以欲殺者也……此國人亂殺大夫之始事也。方有齊桓可仗，威令可行，而姑息苟容，不謀討治，則人將效尤，而下陵上替之漸長矣。然齊當是時始起霸圖，人心未一，威令尚未盡行也。及二十七年盟幽之後，齊霸既定，人知所懲，終桓文之世，以國人殺大夫者無聞矣。[57]

在此季本將陳公子御寇被殺的原因與齊桓公的霸業連結在一起，認為是因御寇力求參與桓公霸業，得罪了陳國的某些貴戚之親，以致於御寇反遭國人所殺。季本由此表達當時人心風氣之差與齊桓公稱霸之難。重點在於強調自從莊公二十七年盟於幽，齊桓公正式稱霸於諸侯後，諸侯間「以國人殺大夫者無聞矣。」由此可見季本不但描繪了一幅齊桓公稱霸過稱的艱辛與不易，也同時讚揚了桓公稱霸之後對當世政治及世風的貢獻。

四　結語

由以上對比湛若水與季本對於《春秋》中齊桓公的評價與說解中，我們可以歸納出三個結論：

一、從《春秋》解經方法的角度來觀察：一般而言，認為《春秋》中有沒有「義例」，似乎是對理解《春秋》大義的內容極其重要，在歷史上《左傳》與《公羊》、《穀梁》的解經之爭，有一部份即是源由於此。但就對僖公元年「齊師、宋師、曹師，次于聶北，救邢。」的解釋來看，湛若水與季本雖然對《春秋》有沒有「例」的看法不同，但兩人對此則中的褒貶解釋卻相差無幾，反而與程頤等人不同。由此可見，對《春秋》是否有「例」的看法，雖然就解釋方法而言是重要的的差異，但最終會對解釋經文會產生什麼影響，則有其他的因素摻雜其間，未必是決定性的因素。又如在「次于聶北」的例子裡，湛若水與季本分別從前後史事及成霸不易的觀點立說，所以兩人不約而同的認為《春秋》並不是貶抑齊桓公，這時對《春秋》是否有義例的看法並不影響兩人之說。而在「遇於梁丘」、「同盟于幽」及「陳人殺其公子御寇」三個例子中，湛、季兩人之說的不同，也不是因為對於《春秋》是否有義例看法不一而產生。也就是說，面對《春秋》不同詮釋時，不宜將是否有「義例」所產生的影響力有著過大的想像。

二、若從大的方向來觀察，程頤、胡安國等人的《春秋》學對於湛若水、季本的影響不可謂不大，這不但可從《春秋正傳》、《春秋私考》中常見其引述程氏、胡安國之說

君。」但湛若水認為胡安國之說不可信，而強調「考傳」對解經的重要性。分見〔明〕《春秋正傳》，卷9，頁16。〔宋〕胡安國：《春秋胡氏傳》，卷9，頁118。

57 〔明〕季本：《春秋私考》，卷8，頁17。

即可得見，也可以從對齊桓公、公子糾的長幼判定中得見。理學家對於倫常的信仰滲透到《春秋》解經中，往往呈現出一步不退的堅持。程頤、胡安國等人對於齊桓公的諸多行為的評價，也在「王霸之辨」、「義利之辨」原則的絕對區分下，總認為齊桓公的諸多行為未甄完善。秉持這種態度，固然可以將天理、人倫推至極高的地位。但如此一來，則將人的所有的行為都歸因於單一的初心（出於利、霸）。這種判斷是否合乎現實的經驗？也就是說，齊桓公某些行為是出自於良心或公心是難以想像的嗎？其次，衡諸經文，齊桓公所事之事，不但在當時確實有功於當時華夏諸侯，若再從《春秋》書例的角度來看，也找不出條條貶斥的證據。更何況在《論語》中，孔子對管仲也大加推崇。也因如此，湛若水與季本都對這樣的態度有所鬆動，對於這兩事兩人分別以「著攘夷狄之義」及「霸者以力服人之計也」，都各自給予齊桓公十分正面的評價。[58]就此而言，明代的這兩位心學家在對齊桓公的評價標準上，較宋代程頤、胡安國等人較為寬鬆，而季本尤為明顯。

最後，因湛若水與季本都不約而同的強調必須透過己心的修養，方能真切的體會《春秋》之意，所以他們能設身處地的去理解聖人之用意及當時的時代處境。或許也因為如此，所以他們較能夠透過想像而回到歷史現場給予同情的理解，而非僅是緊持著某些道德倫理原則而就直接進行評價，這個特質在季本的經說中常常可見。季本在史事的想像上，不完全受拘於相關文獻，常常從而發展出一些獨特的看法。相較之下，湛若水在評價時，很多時候仍然以「尊王」等某些特定的道德倫理準則，用以評價、審查齊桓公之存心、目標而加以褒貶。而季本的說法則著重在齊桓公「如何」一步步完成霸業，想像其中所遇到的困難與其所採取的策略。也因此季本對於齊桓公的整體評價頗高，認為他能在現實世界中完成了困難的任務，也使當時的世界不致惡化到無可挽回的地步。在伊川所建立的《春秋》學中，儒者往往試圖以最高、最完美「道德／不道德」的標準去評判每一個行為。而湛若水與季本，則鬆動了這樣的標準。尤其是就季本來說，他由齊桓公功業之所以成、衰的角度，去理解並予以評論《春秋》相關條目。這就某個角度來說，季本重新發揮了《春秋》這本經典獨有的外王學特質，不僅讓人知道「尊王攘夷」為當行之道，更引領讀者重新去體會、思索並學習如何在艱困情況下，一步步承擔並完成霸主應有的責任。

---

58 分見〔明〕湛若水：《春秋正傳》，卷9，頁13、卷10，頁22。及〔明〕季本：《春秋私考》，卷8，頁15、卷9，頁11。

姚際恆《春秋通論》的「歷史美學」商榷

路新生
華東師範大學歷史系教授

提要

姚際恆是康熙年間學人，《春秋通論》是他《春秋》、《左傳》學的代表作。受「理學清算」思潮影響，《春秋通論》頗多瑕疵，然至今未見學界有比較深入的批評性文論。若以「歷史美學」——借美學之慧眼審視「歷史」和「歷史學」——之方法對《春秋通論》加以剖析，姚際恆對孟子論《春秋》語；詬病杜預說「例」，以及對《左傳》的批評都帶有「歷史美學」視角下的明顯缺陷。辨姚氏而明之，或可於當今「治學」取舉一反三之效。

關鍵字：姚際恆　《春秋通論》　歷史美學　《左傳》　《公羊傳》

姚際恆（1647-？）字立方，康熙年間學人，曾與閻若璩、毛奇齡等著名學者有過交往。《春秋通論》是他《春秋》、《左傳》學的代表作。在姚生活的時代「理學清算」之風正熾。明亡清興，陽明一派的空言心性成為學界反思與撻伐的對象，亡國的責任被推到他們身上。承襲晚明東林士子的遺風，「讀經」已然成了清初學術風尚，各種「注」、「疏」的地位不免要「下」一等。經學史上原已存在的「純淨」經典，即只信孔子「真經」，其它均可懷疑的「疑經」、「疑古」之風遂悄然興起，出現了林慶彰先生所說「回歸原典」的學術運動。姚際恆逃不脫世風的影響，他走上「疑古」之路並非偶然。但姚氏生前不出名。這可能與他寫《九經通論》有一定關係。須知「純淨」經典，旨趣並非拋棄經典，骨子裡還是尊經。姚氏大膽疑經，而且走得太遠，致使他在生前默默無聞。然而，近三百年後姚氏卻又因為「疑古」，在「古史辨」運動中忽然大得暴名。人們都知道崔述對顧頡剛的影響。但真正觸動顧走上考信辨偽之路的實際上是姚際恆。據顧〈古今偽書考序〉，早在十七歲顧就讀了姚氏的《古今偽書考》。「不料讀了之後，忽然我的腦筋起了一次大革命。這因我的『枕中鴻寶』《漢魏叢書》所收的書，向來看為戰國秦漢人所作的，被他一陣地打，十之七八都打到偽書堆裡去了。我向來知道的古人著作毫不發生問題的，到這時都引起問題來了。」[1]顧的〈我是怎樣編寫《古史辨》的？〉也說，看了姚氏的《古今偽書考》後，「這就在我的腦筋裡起了一回大震盪。」[2]緣此，顧曾百般搜尋姚著，希望在古代學者中為「古史辨」運動尋一有力的同調。惜乎姚生前未能「預流」，處在如顧炎武、黃宗羲、閻若璩、毛奇齡等一般人組成的「主流」學界的邊緣，他的著作大部佚散。端賴臺灣「中研院」林慶彰先生為首的團隊多方尋覓，編輯成《姚際恆著作集》煌煌巨著六大冊，使姚著終能大體重見天日，大大方便了學界對姚的重新認識。不過時至今日，學界對姚的研究仍然很不充分，成果主要集中在臺灣及日本，國內的著述近乎空白。姚際恆這樣一位在中國學術發展史上卓有影響的學人不應被學界遺忘。就有限的成果來看，其中又以對姚氏《春秋通論》的剖析最顯薄弱。據筆者僅見有四篇論文，且大多局限於經學史、學術史的傳統作法，未見有用新視角、新方法剖析姚氏者。《春秋通論》瑕疵很多，更未見有比較深入的批評性文論。其實，姚氏之論也可用「歷史美學」，即借美學之慧眼審視「歷史」和「歷史學」——的方法加以解讀。因為《春秋通論》牽涉到大量歷史書寫的一般原則和治學中應當秉持的認識論、方法論問題，具有一定的普適性。用歷史美學的視角審視之，既能取事半功倍之效，也可借此為包括治史在內的治學給出一個與「現代」相關聯的評判新視角。如此做去，對發生在三百年前，且對「古史辨」運動產生巨大影響力的姚氏之說，或許可以開闢出一片研究的新天地也未可知。

1　轉引自林慶彰主編：《姚際恆著作集》第1冊（臺北市：中央研究院文哲研究所，1994年），頁16。

2　載《古史辨》第1冊（上海市：上海古籍出版社，1982年版），頁4。

一　孟子論《春秋》語的再認識

《孟子》〈滕文公下〉：

> 世衰道微，邪說暴行有作，臣弒其君者有之，子弒其父者有之。孔子懼，作《春秋》。《春秋》，天子之事也。是故孔子曰：「知我者其惟《春秋》乎？罪我者其惟《春秋》乎？」

趙岐注：「世衰道微，周衰之時也。孔子懼王道遂滅，故作《春秋》，因魯史記設素王之法，謂天子之事也。知我者謂我正王綱也，罪我者謂時人彈貶者言孔子以《春秋》撥亂也。」

《孟子》〈離婁下〉：

> 王者之跡熄而詩亡，詩亡然後《春秋》作。晉之《乘》，楚之《檮杌》，魯之《春秋》，一也。其事則齊桓、晉文，其文則史，孔子曰：「其義則丘竊取之矣。」
> 趙岐注：「其文，史記之文也。孔子自謂竊取之，以為素王也。孔子人臣，不受君命私作之，故言竊，亦聖人之謙辭。」

按，孟子以上兩段話是後世《春秋》學的典籍淵藪，也是所有《春秋》學的理論源頭。它的重要性，決定了對它解讀、詮釋的必要性。本文也因此須從剖析孟子的兩段話入手。

首先，孟子有「孔子曰」云云，可以肯定孔子說過「其義則丘竊取之矣」的話。而孔子的這個「義」，也就是黑格爾所說的「意蘊」。黑氏說：

> 人「必須在內心裡意識到他自己，意識到人心中有什麼在活動，有什麼在動盪和起作用，關照自己，形成對於自己的觀念，把思考發見為本質的東西凝固下來，而且從他本身召喚出來的東西和從外在世界接受過來的東西之中，都只認出他自己。……在這些外在事物上面刻下他自己內心生活的烙印，而且發見他自己的性格在這些外在事物中復現了。」[3]

黑氏這裡的「外在事物」可以解喻為孟子所說「臣弒其君，子弒其父」等等「外在於」孔子的「邪說暴行」。《孟子》又說《春秋》之「事」「則齊桓、晉文」，可知此「事」即「史」；孔子對《春秋》之「義」有所「竊取」，這個「義」也就是「微言大義」。所謂「微言大義」，是說孔子在敘述春秋二四二年的史事時，採用一些特殊的書寫方法，來表示他的價值取向和判斷。用了齊桓、晉文之「史」，孔子表達了他的「懼」

3　黑格爾：《美學》第1卷（商務印書館，1996年版），頁39。

即「意蘊」，借助於修《春秋》，孔子在齊桓、晉文之「事」上刻下了「自己內心生活的烙印」。又據前引趙岐之「注」，他兩說「素王」。何謂「素王」？「素王」者，未在王位而行王事之謂也。根據趙注，孟子所謂的「王事」，系指貶諸侯、斥大夫之權力。此權力原應由周天子執掌。趙岐「孔子人臣，不受君命，私作之」一語對此下了醒豁而準確的定位。孔子一介「布衣」，他卻在《春秋》中行使了天子之權。正如趙岐後學孔穎達〈春秋正義序〉所說：

因魯史之有得失，據周經以正褒貶。一字所嘉，有同華衮之贈；一言所黜，無異蕭斧之誅。所謂不怒而人威，不賞而人勸，實永世而作則，曆百王而不朽者。[4]

因孔子「越權」，所以才被趙岐稱為「素王」，孔子也才因此有「知我罪我」一說。如此，我們來看姚際恆。他認為《春秋》據事直書，而善惡自見，不惟孔子原無褒貶之心，而《春秋》實亦無所容其褒貶也。[5]

> 孟子「其言《春秋》亦最詳。其曰『《春秋》，天子之事也。』於是述其言曰：『知我者其惟《春秋》乎？罪我者其惟《春秋》乎？』知我者，謂其尊周也；罪我者，謂尊周則諸侯之僭竊自見，惡其害己也。孟子又曰：『《春秋》成而亂臣賊子懼。』此惟指《春秋》所書弒父與君者言之。……」

姚認為，正因為後人錯解孟子「《春秋》天子之事一語，「命德討罪，其大要皆天子之事」，「於是使孔子為僭竊之人，其書為僭竊之書。」[6]又說：

> 謂孔子假南面之權，行賞罰之典，黜陟諸侯，進退百職，以匹夫而為天子，雖以天子之尊，亦不難貶而削之，是亂臣賊子孔子躬實自蹈，而又何以懼天下亂臣賊子乎？汙聖滅經，罪大惡極！[7]

按，歷來說解「《春秋》，天子之事」，均同於趙岐、孔穎達而無有像姚際恆解為「尊王」者。姚氏曾在《春秋通論》中反復強調孔子「尊王」，孔子既尊王，又何罪之有？孔子又何必有「罪我」一說？姚氏自相矛盾，前後說相互枘鑿。「知我」、「罪我」，不計後人褒貶，這正是孔子作為一位史學家的偉大擔當。姚氏謂《春秋》貶諸侯、斥大夫「是亂臣賊子孔子躬實自蹈」，孔子的苦心孤詣他並不理解，此又真真「罪」孔子矣！姚氏說「據事直書，而善惡自見」，因此孔子便「無褒貶之心」。這個推論也不合邏輯。因為「據事直書」本身就可以作為「褒貶」的「書法」——「據事直書」與「無褒

---

4 李學勤主編：《春秋左傳正義》（標點本）（北京市：北京大學出版，1999年版），頁3。

5 姚際恆：〈春秋論旨〉，載林慶彰主編：《姚際恆著作集》第4冊（臺北市：中央研究院中國文哲研究所，1994年6月），頁2。

6 姚際恆：〈春秋論旨〉，《姚際恆著作集》第4冊，頁4。

7 姚際恆：〈春秋通論序〉，《姚際恆著作集》第4冊，頁7。

貶之心」，二者之間不存在因果關係。例如錢大昕就將《春秋》定性為「褒善貶惡之書」，並且指出：「其褒貶奈何？直書其事，使人之善惡無所隱而已矣。」是知「據事直書」亦褒貶的一種方法。《春秋》有書「崩」、書「薨」、書「卒」而不書「死」，曉徵明確指出：這就是《春秋》書寫之「例」（「例」的解析見後文）。《春秋》定此「例」的根據何在？錢大昕認為：「死者，庶人之稱」，即「死」是春秋時「庶人」的特有稱呼，因為「庶人不得見於史」，所以《春秋》也就必須遵循「史」對於庶人的「未有書『死』」之義例。「此古今史家之通例，聖人不能以意改之也。」[8]

二　說「例」與「義」

姚際恆說：

> 「例」之一字，古所未有，乃後起俗字。[9]

「例」字始見於杜元凱《釋例》，以《左氏》之例而釋之也。是例者，實創於《左》而發明於杜也。[10]

這兩段話有一定的道理但也有毛病。首先，「例」字確如姚氏所說起源甚晚。段玉裁《說文解字注》：

> 此篆蓋晚出，漢人少言「例」者。杜氏說《左傳》，乃云「發凡」言「例」。[11]

段玉裁指出「例」字在中國學術史上聲名彰著，蓋因杜預解《春秋》特別是《左傳》時獨創了「例」而起，此說中肯，故姚說有據。但「例」字畢竟非「俗字」，而系晚出的「篆字」。而早在杜預以前何休〈春秋公羊注疏序〉就提到了「條例」，說：「往者略以胡毋生〈條例〉，多得其正，故遂隱括使就繩墨焉。」[12]「條例」可以作為解讀《公羊傳》的「繩墨」，這其中已經蘊含了如杜預之「例」的某些思想芽蘗。因為杜預〈左傳正義序〉這樣說：

> 為例之情有五，一曰微而顯，文見於此，而起義在彼；……二曰志而晦，約言示制，推以知例；三曰婉而成章，曲從義訓，以示大順；四曰盡而不汙，直書共事，具文見意；五曰懲惡而勸善，求名而亡，欲蓋而章。[13]

---

8 錢大昕：《春秋論》，載《潛研堂文集》（上海市：上海古籍出版社，1989年版），頁18。

9 姚際恆：〈春秋通論序〉，《姚際恆著作集》第4冊，頁6。

10 姚際恆：〈春秋論旨〉，《姚際恆著作集》第4冊，頁1。

11 段玉裁：《說文解字注》（上海市：上海古籍出版社，1981年），頁381。

12 李學勤主編：《春秋公羊傳注疏》（北京市：北京大學出版社，1999年版），頁7。

13 轉引自錢鐘書：《管錐編》第1冊（北京市：中華書局，1986年版），頁161。

「情」，一字二訓，既可訓為「情理」之「情」，即《春秋》「按理」本有書寫之「例」；亦可訓為「體味」之「情」，即杜預所認為的「為例」之根據。究竟應當怎樣理解杜預創造「例」之「情」？私意以為，其中有四個層面的問題需要思考。（1）解讀經典之需。這裡可以叔本華的「化石」說為方法論借鑒。叔氏謂：

> 一個思想的真實生命維持至這一思想形之於文字為止——這一思想就以此方成了化石：從此以後這一思想就是死的了，但同時也是無法磨滅的了，……也就是說，一旦我們的思想找到了文字表達，那這一思想就開始為他人而存在，它就不再活在我們的內在了。」[14]

任何思想，一經凝固成「形」，變為文字，其詮釋、解讀權就屬於所有後來的讀者。閱讀一部古書，與把玩一塊化石、鑒賞一尊古瓷器、回望一處古城堡本質上沒有區別。對於古書，它的解讀權屬于「後人」而不再屬於包括作者本人在內的「前人」，即便作者本人還活著，他也只是「後人」——「後」於「書」之人中的一員，他也無法壟斷解讀、詮釋此書的「話語權」，更不用說業已謝世的作者。早在孟子的時代《春秋》已經成為「歷史」。孟子的話也是他對《春秋》的解讀，杜預之「例」，正是他對《春秋》特別是《左傳》的解讀與詮釋，他有這個權力。姚氏一筆抹煞，這不公平。（2）方法論思考。《禮記》〈經解〉：「屬詞比事，《春秋》教也。……《春秋》之失亂……屬詞比事不亂，則深於《春秋》者也。」鄭注：「『屬』猶『合』也。《春秋》多記諸侯朝聘會同，有相接之辭，罪辨之事。」孔疏：「『屬』，『合』也；『比』，『近』也。《春秋》聚合會同之辭，比次褒貶之事，是比事也。」[15]據鄭注與孔疏，將相「合」相「近」之「事」之「言」排比歸類，此即《春秋》之「教」，也可以說是閱讀、理解《春秋》之要害。從方法論的角度看，此法等同於今天所說的「歸納」。「歸納」的特點在歸「類」。亞里斯多德《修辭學》就將「歸納法」的本質定性為「用許多類似的事例來證明」，並指出，討論「類」的問題，「屬於藝術的範圍。」[16]而杜預正是用了這「屬於藝術範圍」的方法——「歸納法」來處理作為「史」的《春秋》和《左傳》，他企圖用五十「凡」即「例」[17]來歸納《春秋》和《左傳》的書寫「規則」。這就又一次證明了「歷史美學」概念的合法性。五經中《春秋》號稱難讀。如元《春秋》學家趙汸之師黃澤即謂五經中「《春秋》為最難，而《易》次之」，「澤於此書，蓋極其勞苦，其求之未得，則日夜以思，粗有所得則喜，得而未快則亦抑鬱，久而後釋然，無所滯礙。」[18]東

14 叔本華：〈論寫作和文體〉，載《叔本華美學隨筆》（上海市：上海人民出版社，2004年版），頁70。

15 《十三經注疏・禮記注疏》（北京市：中華書局影印世界書局本，1980年），頁1609。

16 亞里斯多德：〈詩學〉《修辭學》，羅念生譯（上海市：上海人民出版社，2016年），頁147。

17 杜預：《春秋釋例》卷15：「《左傳》）稱『凡』者五十，其別四十有九。」，見文淵閣《四庫全書》本。

18 趙汸：《春秋師說》卷下，文淵閣《四庫全書》本。

漢桓譚《新論》〈正經〉:「左氏《傳》與《經》,猶衣之表裡,相待而成。《經》而無《傳》,使聖人閉門思之,十年不能知也。」[19]因《春秋》難讀,為便於理解,杜預必須借助於《左傳》「《經》、《傳》聯讀」,並將其中的知識「系統化」、「條理化」。如叔本華所說:

> 「大量的知識」倘若未經讀者「思想的細心加工處理」,其價值就會「遠遠遜色於數量更少、但卻經過頭腦多方反復斟酌的知識。這是因為只有通過把每一真實的知識相互比較,把我們的所知從各個方面和角度融會貫通以後,我們才算是完全掌握這些知識,它們也才真正地為自己所用。」[20]

杜預或許早叔本華千年已經認識了這個道理,因為杜正是按照這個道理進行了學術踐履。《經》、《傳》聯讀的結果,杜預發明了「例」,他將「例」作為「融會貫通」《春秋》、《左傳》的工具,其中一定經過了自己「思想的細心加工處理」和「多方反復斟酌」。而杜預這樣做歸根結底受著「人性」的支配。義大利哲學家維柯就說過,在求知過程中「人心受到本性的驅遣,喜愛一致性」,所以才在認識事物時創造出「歸類」的方法。[21]

杜預造「例」歷經千年,得到了學界的高度評價。如唐陸淳《春秋集傳纂例》:

> 故褒貶之指在乎例,綴敘之意在乎體。所以體者,其大概有三,而區分有十。……知其體,推其例,然後可以議之耳。[22]

《四庫全書總目・春秋釋例》「提要」雖然批評《春秋釋例》「頗有曲從左氏之失」,但基本肯定了此書在《春秋》學、《左傳》學上無可替代的地位,認為此書用心周密,後人無以復加。其例亦皆參考經文,得其體要,非公、穀兩家穿月、日者比。摯虞謂「左丘明本為《春秋》作傳,而《左傳》遂自孤行。《釋例》本為傳設,而所發明何但《左傳》,故亦孤行」,良非虛語。」[23]

姚際恆卻枉顧前哲勞頓,將杜預艱苦思考的結果一棍子打倒,這種輕浮草率的做法不可提倡。實際上,姚際恆用「義」和「書法」來解讀《春秋》,與杜預「名」異而「實」同,本質上姚用的也是歸納法。[24]（3）杜預「為例之情有五」,此「情」雖

---

19 轉引自錢鐘書:《管錐編》第1冊,頁162。

20 叔本華:〈論思考〉,載《叔本華美學隨筆》,頁1。

21 讀者可參閱朱光潛:《西方美學史》(上)(北京市:中華書局,2013年版)。

22 《春秋集傳纂例》(北京市:中華書局,1985年版),頁7。

23 《欽定四庫全書總目》(整理本)(北京市:中華書局,1997年版),頁332。

24 讀者可參閱臺灣學者張曉生:《論姚際恆春秋通論中的「取義」與「書法」》,載林慶彰主編:《姚際恆研究論集》(下)(中央研究院中國文哲研究所,1994年),頁1025。

「杜」撰而非「杜撰」，因為它直接來自於《左傳》。《左傳》〈成公十四年〉：

> 君子曰：《春秋》之稱，微而顯，志而晦，婉而成章，盡而不汙，懲惡而勸善。非聖人孰能修！

〈昭公三十一年〉：《春秋》之稱，微而顯，婉而辯。

這也就是姚際恆所說的「諸例實作俑于《左》。」[25]換言之，在左丘明看來，《春秋》有其書寫規則，杜預則將之總結、提煉成了「例」。這當然是杜預的「推測」，更是杜預潛心研究的重要成果。如前所述，杜預有權解讀《春秋》。而且，他總結的「例」至今並沒有過時，仍然是最足參考，比較具說服力的推測。為什麼這樣說？因為首先，「微而顯，志而晦，婉而成章，盡而不汙，懲惡而勸善」，這五條本身就可以視為左丘明所總結的《春秋》「書寫規則」，杜預體會了這規則（「情」，杜預且謂之「五體」），並將它細化為五十「例」。然而錢鍾書先生指出：

> 竊謂五者乃古人作史時心向神往之楷模，彈精竭力，以求或合者也。[26]

而以此五者衡鑒《春秋》，「《春秋》實不足語於此」，原因就在於《春秋》紀事過簡，有「斷爛朝報」之譏。所以杜預只能根據《左傳》之「事」來「倒推」《春秋》究竟用了怎樣的書寫規則即「例」來表達孔子的「義」即「意蘊」。（4）《春秋》究竟有沒有書寫的規則即有沒有「例」？姚氏堅決否認，云：

> 自古說《春秋》者，莫害於「例」之一字。……嗟乎！自有「例」之一字，而《春秋》之義始不明於天下矣。[27]

如前所述，杜預目的在於探求《春秋》的書寫規則而名之謂「例」，如此而已。亞里斯多德說：「證據分兩種，第一種和它所要證明的論點的關係，有如個別與一般的關係；第二種和它所要證明的論點的關係，有如一般與個別的關係。」[28]杜預希望通過《春秋》的「個別書寫」推導出其「一般書寫」，顯然屬亞氏所說的第一種「證據法」。反觀姚際恆，他其實也是在探求《春秋》書寫規則，而名之謂「義」和「書法」。張曉生先生曾經將姚氏之「義」歸納為十類[29]。通過細讀《左傳》，並據《左傳》來理解《春秋》，《春秋》之「例」的確存在。例如，錢大昕即提供了一條「實例」：

---

25 姚際恆：〈春秋論旨〉，《姚際恆著作集》第4冊，頁7。

26 錢鍾書：《管錐編》第1冊，頁161。

27 姚際恆：〈春秋論旨〉，《姚際恆著作集》第4冊，頁1。

28 亞里斯多德：《修辭學》，羅念生譯（上海市：上海人民出版社，2016年），頁147。

29 張曉生：《論姚際恆春秋通論中的「取義」與「書法」》，載林慶彰主編：《姚際恆研究論集》（下），頁1025。

問：宋儒譏左氏書「周、鄭交質」，以周鄭為二國，不知上下之分，其信然乎？曰：《春秋》譏交質，故《穀梁》云：「交質子不及二伯」，《左氏》亦有「信不由衷」之戒。傳載交質非一事，獨于此引君子之論以見例。凡交質之失，二國共之，君子非專為周鄭言之也。[30]

這裡似可再增一「例」。《經》〈僖公五年〉：「春，晉侯殺其世子申生。」而據《左傳》〈僖公四年〉，驪姬欲除太子申生以「立奚齊（獻公、驪姬所生）」，先騙取申生「祭于曲沃，歸胙（祭品）于（晉獻）公」，驪姬又制毒且歸罪於太子，致使「太子奔新城。公殺其傅杜原款。……十二月戊申，（申生）縊於新城。」太子「自縊」而《經》書「晉侯殺」，是罪在晉侯，此種書寫即可視為《春秋》之「例」。因為《經》〈襄公三十年〉：「天王殺其弟佞夫。」佞夫不知情被殺，殺者為尹言多等周朝五大夫而非周王，《經》卻歸罪於周王。故《左傳》云：「書曰『天王殺其弟佞夫』，罪在王也。」此處之用「殺」，適與《經》〈僖公五年〉同義。

關於《春秋》之「例」，除杜預外，元代趙汸的作法最資參考。趙汸從其師黃澤之教，主要根據《左傳》，分別出《春秋》有襲用《不修春秋》「述而不作」者。其《春秋集傳》總結了孔子作《春秋》時遵循魯國舊史的十五條書寫規則即「策書之例」，指出：「一曰君舉必書，非君命不書；二曰公即位，不行其禮，不書；三曰納幣、逆夫人、夫人至、夫人歸，皆書之……十五曰凡天災物異無不書，外災告則書之」；[31]並又指出，除「策書之例」，《春秋》還有八「筆削之義」，這裡的「筆削」實即孔子未遵魯國舊史而「獨創」者。即所謂「筆削之例有三」、「不書之義有五。」[32]而我們看姚際恆，他解《春秋經》之史實多半取自三傳尤其是《左傳》，如錢鍾書所說：「揚言能覩之於《經》者，實皆陰求之於《傳》，猶私窺器下物而射覆也。」[33]姚氏受《左傳》之恩澤卻棄毀之，飲水不思源，宅心失厚，有違學品。

三　姚氏《左傳》學某些結論之商榷

《春秋通論》名為論《春秋》，實欲破三傳。如其引韓愈「《春秋》三傳束高閣，獨抱遺經究終始」作為研讀《春秋》的準則，[34]又云：「諸例實作俑于《左》，則其害《經》也尤大，又不可不知也」，[35]故《春秋通論》之駁議主要針對《左傳》。我們知

30 錢大昕：《潛研堂文集》（上海市：上海古籍出版社，1989年），頁88。

31 姚際恆：《春秋集傳序》，文淵閣四庫全書本。

32 趙汸：《春秋屬辭》卷8，「假筆削以行權第二」序，文淵閣四庫全書本。

33 錢鍾書：《管錐編》第1冊，頁162。

34 姚際恆：〈春秋通論序〉《姚際恆著作集》第4冊，頁6。

35 姚際恆：〈春秋論旨〉，《姚際恆著作集》第4冊，頁7。

道，姚《九經通論》撰成共費時十四年，是其平均每一經所用約一點五年。這個時間不算長。不像例如趙汸，十九歲始致力於《春秋》學，畢其一生三十餘年皆苦心經營於此，故其所論多精核平允。反觀姚氏，儘管《春秋通論》系晚年之作，其中也有擅場處，但弊病多多。關於《春秋通論》之長，張曉生先生大作《論姚際恆春秋通論中的「取義」與「書法」》已作了充分闡發與表彰，本文不贅。這裡僅就姚氏強辭武斷，持之無故之弊略作解析。

（一）關於左氏

姚際恆云：

> 「左氏固周人，但非親見孔子，亦親見國史也。故與經多牴牾。」[36]左氏「非果親見當時策書而受經于聖人者。」[37]

按，《史記》〈十二諸侯年表序〉：

> 是以孔子明王道，干七十餘君，莫能用。故西觀周室，論史記舊聞，興于魯而次《春秋》，上紀隱，下至哀之獲麟，約其辭文，去其煩重，以制義法。王道備，人事浹。七十子之徒口受其傳指，為有所刺譏褒諱挹損之文辭不可以書見也。魯君子左丘明懼弟子人人異端，各安其意，失其真，故因孔子史記具論其語，成《左氏春秋》。

太史公雖未明說左氏曾親見孔子，但肯定了左氏「親見」孔子所作《春秋》。姚氏以左氏未親見孔子為由，連帶否認左氏曾「親見國史」，否認《左傳》可以掌握除《春秋》以外的其他史料，豈天下史料孔子一人所能壟斷者？這種說法缺乏起碼的史識。《漢書》〈藝文志〉：

> 凡《春秋》二十三家……周室既微，載籍殘缺，仲尼思存前聖之業……以魯周公之國，禮文備物，史官有法，故與左丘明觀其史記，據行事，仍人道，因興以立功，就敗以成罰，假日月以定歷數，藉朝聘以正禮樂。有所褒諱貶損，不可書見，口授弟子，弟子退而異言。丘明恐弟子各安其意，以失其真，故論本事而作傳，明夫子不以空言說經也。[38]

---

36 姚際恆：〈春秋論旨〉，《姚際恆著作集》第4冊，頁7。

37 姚際恆：〈春秋通論序〉，《姚際恆著作集》第4冊，頁6。

38 班固：《漢書》卷30（北京市：中華書局，1962年版），頁1714-1715。

章太炎《春秋左傳讀敘錄》:「『因』之云者，舊有所仍，而敷暢其旨也。」[39]「舊有所仍」，意謂《左傳》必有除《經》以外的其他史料來源。太炎且提供了兩條《經》不書而《傳》書的史料。《韓詩外傳》載荀子〈謝春申君書〉:「故《春秋之志》曰:『楚王之子圍聘于鄭，未出境，聞王疾，返問疾。遂以官纓絞王而殺之，因自立。』『齊崔杼之妻美，莊公通之。崔杼率其群黨而攻莊公，莊公請與分國，崔杼不許；欲自刃于廟，崔杼又不許。莊公出走，逾於外牆。射中其股，遂殺而立其弟景公。』」太炎指出:「此二事皆本《左傳》，稱為『《春秋之志》』。」[40]謹按，此二事之具體經過，《春秋經》均不書，《左傳》書之，荀子引之，必可信。姚際恆膠柱鼓瑟，死扣「傳之解經，經所不書，傳不妄發」的教條而曰《左傳》不可信，這是他的臆斷。

(二)關於《經》不書「即位」

春秋十二公中，惟隱、莊、閔、僖四公《經》不書「公即位」。《經》何以不書？這是一個重大問題，《左傳》不能不作出解釋。對於左氏之解《春秋通論》一概不取而另出新說，其說卻每不通。如 a、隱公。《左傳》:「元年，春，王周正月，不書即位，攝也。」《春秋通論》:

> 《經》凡四公不書即位，此隱公與莊、閔、僖公也。蓋即位於先君之年，故不書也。左氏於此謂「不書即位，攝也」。據謂隱公、桓公鈞非適(同嫡——筆者)，而隱居長，則應自立，豈可謂之「攝」乎？隱在位十一年，生稱「公」，死稱「薨」，與他公同，初無攝之事蹟可證……左氏不得其不書「即位」之義，則創以為攝，尤屬鑿空無據。[41]

按，隱公之母為妾，太史公且謂之「賤妾」，隱公為庶出無疑。故《史記》〈魯世家〉曰:「惠公卒為允(按，桓公——筆者)少故，魯人共令息(按，隱公——筆者)攝政，不言即位」；而桓公為「夫人」所生，隱、桓嫡庶分明。姚氏否認，此不可說而強為之說。且《左傳》〈隱西元年〉已明白告示:「冬，十月庚申，改葬惠公。公弗臨，故不書。惠公之薨也，有宋師，太子少，葬故有闕，是以改葬。」可知惠公生前已立桓公為太子。是惠公且不如姚氏知嫡庶即位之禮哉？隱公「弗臨」惠公改葬，以其位「攝」而退讓「自斂」如此，亦非「無攝之事蹟可證」如姚氏所言者。b、莊公。《左傳》〈莊西元年〉:「不稱即位，文姜出故也。」《春秋通論》:

---

39 章太炎:《章太炎全集》第2冊，頁810。

40 章太炎:《章太炎全集》第2冊，頁811。

41 《春秋通論》,《姚際恆著作集》第4冊，頁15。

不書「即位」，即位於先君之年也。[42]

《經》:「三月夫人孫（出奔）于齊。」姚氏《春秋無例詳考》:

按，下書「三月夫人孫于齊」，則文姜自上年夏公之喪至自齊，時文姜已歸矣，至三月又書「夫人孫于齊」可見。乃謂文姜出，豈非夢語耶？[43]

按，莊公「即位於先君之年」，豈桓公被弒，喪事未辦，莊公於當年即桓十八年便即位？至於《經》書「三月夫人孫于齊」，《史記》〈魯世家〉云:「莊公母夫人因留齊不敢歸魯。」楊伯峻注《左傳》:「則桓公之喪至自己齊，文姜未隨喪歸。及莊公即位，文姜猶未歸。然下文云『三月夫人孫于齊』，則文姜于莊公即位後一度回魯，故《詩》〈齊風・南山序〉鄭玄箋云:『夫人久留于齊，莊公即位後乃來。』」是莊公即位時文姜留齊未歸，待莊公即位後（重點號為筆者所加）乃歸魯，經三月後復出奔齊。鄭玄所說的「後」姚未經措意，抑或未讀《鄭箋》？《史記》〈魯世家〉所用正《左傳》「文姜出故也」之義。姚說不通。c、閔公。《左傳》〈閔西元年〉:「元年，春，不書即位，亂故也。」此「亂」即上年莊公三十二年所載:「八月癸亥，公薨于路寢。子般即位，次於黨氏。冬，十月己未，共仲使圉人犖賊子般於黨氏。成季奔陳。立閔公。」《春秋通論》:

不書「即位」，即位于上年子般卒之後也。[44]

按，姚氏「即位于上年子般卒之後」，與其解莊西元年同樣不通。楊伯峻注:「子般被殺，成季奔陳，杜《注》:『國亂不得成禮。』」杜《注》允當。d、僖公。《左傳》〈僖西元年〉:「元年，春，不稱即位，公出故也。公出復入，不書，諱之也。諱國惡，禮也。」《春秋通論》:

即位于上年，故不書。或曰立于慶父未奔之前，或曰立于高子來盟之後。

姚氏三言不書「即位」皆因新君「即位于上年」，又云:「公薨，嗣君于殯奠畢即於柩前即位，至明年改元，複於正月元日行即位禮，故書『即位』也。亦有殯奠畢即於柩前行即位禮，謂之『即位於先君之年。』」按，先君屍骨未寒，新君「于殯奠畢即於柩前即位」;「亦有殯奠畢即於柩前行即位禮」，未知姚說於禮制之根據何在？新君即位皆急不可耐如此，於情相違於禮不通。關於僖公條，楊伯峻「注」引孔疏:「去年八月閔公死，僖公出奔邾；九月，慶父出奔莒，（僖）公即歸魯。言『公出故』者，公出而複歸，即位之禮有闕。」孔疏最確。關於書還是不書新君「即位」，趙汸《春秋屬辭》有

42 姚際恆:《春秋通論》,《姚際恆著作集》第4冊，頁77。

43 姚際恆:《春秋無例詳考》,《姚際恆著作集》第4冊，頁333。

44 姚際恆:《春秋通論》,《姚際恆著作集》第4冊，頁121。

透徹的解析：

> 國史因書「元年春王正月公即位」，若《春秋》書桓、文、宣、成、襄、昭、哀是也。或有故、不行即位禮，則不書「即位」，猶朝廟、告朔，故書「王正月」，若《春秋》書隱、莊、閔、僖是也。隱攝若位，不行即位禮；莊、閔、僖以繼弑君，不行即位禮，桓、宣亦繼弑君，而行即位禮者，桓、宣躬負篡逆，欲自同於遭喪繼位者，以欺天下後世也。[45]

據趙汸，可知桓、文、宣、成、襄、昭、哀之書「元年春王正月公即位」為「國史」舊文，孔子「因」之；因故而不行即位禮者，如隱、莊、閔、僖，則不書「即位」，但此四公仍然踐行了「朝廟」、「告朔」之禮，故《經》書「王正月」。以趙、姚二說相較，趙長姚多多。

（三）關於天子歸賵

《經》〈隱西元年〉：「秋，七月，天王使宰咺來歸惠公、仲子之賵。」《左傳》〈隱西元年〉：「秋，七月，天王使宰咺來歸惠公、仲子之賵。緩，且子氏未薨，故名。天子七月而葬，同軌畢至；諸侯五月，同盟至；大夫三月，同位至；士踰月，外姻至。贈死不及屍，吊生不及哀，豫凶事，非禮也。」《春秋通論》：

> 此必魯以惠公及仲子之喪同赴于周，故天王亦同賵諸侯，禮也。左氏謂「緩，且子氏未薨，故名。」按：天王下賵諸侯，距隱公改元方七八月，何云緩乎？其云「子氏未薨」，盡人知其謬。賵者，因其來赴告也，世無不赴告而預賵生者之理，蓋誤二年「夫人子氏薨」為仲子也。[46]

按，仲子明明未卒，魯怎麼可能「以惠公及仲子之喪同赴于周」？這分明是姚際恆的猜測。而據《左傳》之「豫凶事」，相較于姚氏，我們當然相信《左傳》。再看《左傳》所說「緩」，楊伯峻注亦足以駁姚氏：

> 「緩」者，言惠公死已逾年。春秋時舊君死，新君逾年始稱元年，此時是隱西元年七月，則已逾年矣。[47]

關於仲子，姚氏認為非子氏即非桓公母，然楊伯峻「注」：

---

45 趙汸：《春秋屬辭》卷1。

46 姚際恆：《春秋通論》，載《姚際恆著作集》第4冊，頁17。

47 楊伯峻編著：《春秋左傳注》（北京市：中華書局，2009年10月），頁16。

「夫人子氏」，杜預以為即桓公之母仲子，是也。隱五年《經》云「九月考仲子之宮」，蓋此時三年之喪已畢，故為仲子之廟而落成之，《穀梁傳》以子氏為隱公之妻，《公羊傳》以子氏為隱公之母，皆不可信。[48]

按，隱二至隱五「蓋此時三年之喪已畢」，故《經》〈隱五〉云「九月考仲子之宮」，《左傳》之史實與《經》之所言，複合觀之於《禮》，三者若合符契，此亦足證《左傳》「解經」，姚氏於此不置一喙，暴露出明顯的破綻。

（四）關於《左傳》之「意蘊」

作為中國傳統史學的不祧之祖，《左傳》的成書肯定經過了「一人之手」。《左傳》作者究竟是誰雖難以確定，但黑格爾在探討形式為「詩」實質為「史」的《荷馬史詩》作者時的說法值得參考。黑氏指出，若從是否能夠「自成一部史詩的有機整體」檢視《荷馬史詩》就會發現，這部巨著「畢竟各自形成一個有內在聯繫的整體」。根據這一原則，黑氏斷定《荷馬史詩》「只能出於一個人的手筆。」[49]借用黑格爾的標準檢視《左傳》，從隱公至哀公《左傳》敘事一氣呵成首尾相應，其內在的「理念」、「意蘊」即「史義」融會圓通邏輯綿密一以貫之，與黑氏「聯貫整體」的要求相符。又，《左傳》〈襄二十四〉：

然二子者，譬於禽獸，臣食其肉而寢處其皮矣。

錢鍾書下按語謂：「此為初見，語詳意豁。二十八年，盧蒲嫳曰：『譬之如禽獸，吾寢處之矣』。再見語遂較簡而意亦不醒。昭公三年，子雅曰：『其或寢處我乎！』三見文愈省，若讀者心中無初見云云，將索解不得。一語數見，循紀載先後之序由詳而約，謂非有意為文，得乎？」[50]此尤可見出《左傳》曾由「一人」改定。黑格爾強調著述須「形成一個有內在聯繫的整體」，貫穿其間的即是作者的「意蘊」。以此人們讀《左傳》，自然應當知曉左氏補敘了哪些《經》所未備的史實，以便據此理解孔子竊取之「義」。但僅僅如此還遠遠不夠。因為孔子有「義」，左氏也有自己的「義」。明瞭後一點才更加重要。例如《史記》「列傳」之首篇〈伯夷列傳〉，「此篇記（伯）夷、（叔）齊事甚少，感慨議論居其泰半，反論贊之賓，為傳記之主」，就是因為「馬遷牢愁孤憤，如喉鯁之快於一吐，有欲罷而不能者。」[51]錢鍾書讀出了太史公的「意蘊」，這才算抓

48 楊伯峻編著：《春秋左傳注》頁21。

49 黑格爾：《美學》第3卷（商務印書館，1979年版），下冊，頁114。

50 錢鍾書：《管錐編》第1冊（北京市：中華書局，1979年版），頁216。

51 錢鍾書：《管錐編》第1冊，頁306。

住了「讀書」的要領。對於《春秋》，《公羊》家有所謂「常事不書」一說，認為《春秋》所載均孔子譏貶之惡事，即如姚氏所說「謂事事皆有貶，皆所以使之懼，每一事必鍛煉成一大罪」，「故謂之『常事不書』，此最惑亂《春秋》，誣罔聖人之邪說。」[52]姚氏對「常事不書」的認識是清醒的。左氏恰恰彌補了《公羊》家的缺陷，即《左傳》不僅載惡事，同時也實錄善事，且借「事」表達其貶惡揚善的「意蘊」，惜乎姚氏於此絲毫未及，這是《春秋通論》最明顯的缺陷。姚氏從《左傳》中擷取的史實而能夠見出左氏「意蘊」者，至少有如下數例：

a、**關於鄭伯克段，《左傳》：「稱鄭伯，譏失教也。」姚氏：**

稱「伯」是其爵，並無譏意。

細繹《左傳》文義，左氏之重點落在「稱」上，即批評鄭伯之失教「不弟」；卻不在鄭伯之稱「爵」還是不稱「爵」。因為「鄭伯克段」之上半段，旨意均在譏切鄭伯之失教「不弟」。姚氏齗齗於鄭伯之稱「爵」還是不稱「爵」，見小遺大，取櫝還珠。且鄭伯失教系蓄意為之，左氏旨在揭露鄭伯之陰險。《左傳》〈隱西元年〉：

> 公（鄭伯）曰：「多行不義，必自斃，子姑待之。」

杜預《注》：「明鄭伯志在於殺。」《正義》：「服虔云：公本欲養成其惡而加誅，使不得生出，此鄭伯之志意也。」按，「養成其惡而加誅」，此正鄭伯「待」之深意。故孔廣森《春秋公羊通義》謂鄭伯「忍陷弟于罪以戾其母。」據《左傳》，鄭伯之毒辣昭然若揭。然鄭伯尚有仁慈孝母的另一面，此為「鄭伯克段」下半段之要旨。段出奔後鄭伯「置姜氏於城潁，而誓之曰：『不及黃泉，無相見也。』既而悔之」，他復聽從潁叔考建議「闕地及泉」，母子相見地下，鄭伯遂作賦：「大隧之中，其樂也融融！」姜氏出而回賦：「大隧之外，其樂也泄泄！」母子複之「如初」。通過鄭伯克段，左氏表達了人性豐富而多面相的意蘊。如黑格爾所說《荷馬史詩》中「每一個英雄」，「都是許多性格特徵的充滿生氣的總和」[53]鄭伯集善惡於一身正如阿喀琉斯，「這種始終不一致正是始終一致的，正確的」。[54]

b、**秦穆姬救弟《經》〈僖公十五年〉：**

> 十有一月壬戌，晉侯及秦伯戰于韓，獲晉侯。

姚氏於此條僅寥寥數字：

52 姚際恆：〈春秋論旨〉，載《姚際恆著作集》第4冊，頁5。

53 黑格爾：《美學》第1卷，頁302-303。

54 黑格爾：《美學》第1卷，頁306。

> 或書「獲」，或書「以歸」，無例。[55]

據《史記》〈秦本紀〉，秦穆公原準備殺晉惠公以祭天：「穆公虜晉君以歸，令于國：齋宿，吾將以晉君祀上帝。」後在秦穆姬（惠公姊）以她及子女自焚相逼迫下秦穆公最終放棄了此念。同年《左傳》：

> 穆姬聞晉侯將至，以太子罃、弘與女簡璧登臺而履薪焉。使以免（wen 喪禮，去冠刮須）服衰絰（喪服，寬一寸白布，交裹額上）逆，且告曰：「上天降災，使我兩君匪以玉帛相見，而以興戎。若晉君朝以入，則婢子夕以死；夕以入，則朝以死。唯君裁之！」乃舍諸靈臺。

此處左氏敘事的主觀立場亟當注意：穆姬視「興戎」為「災」，左氏借穆姬口，蘊涵的則是反對戰爭的理念。此種理念《左傳》嘗書之又書；對於穆姬捨命救弟的巾幗豪女英雄氣概，左氏竭力凸顯並予以了正面的肯定。是左氏自覺認識到了（重點號為筆者所加）穆姬此舉的正當性並予以了表彰。此即錢鐘書先生所說「天倫重於人倫」[56]之義。（另，《左傳》〈桓公十五年〉之雍姬背夫救父亦同理。）

c、貶天子。此可從周鄭交惡及天子封晉成師見出。《左傳》〈隱三〉：

鄭武公、莊公為平王卿士。王貳於虢。鄭伯怨王。王曰：「無之。」故周、鄭交質。王子狐為質于鄭，鄭公子忽為質于周。

周、鄭交惡既為春秋大事，周王與鄭伯互相猜忌「不信」，故《左傳》記錄在案。且周王「貳於虢」在先，遂致「鄭伯怨王」乃至於周、鄭互換人質。故下文左氏「信不由中」之譏主要針對周天子。又，《左傳》〈桓公二年〉：

> 惠（惠，魯惠公）之二十四年（周平王26年），晉始亂，故封桓叔于曲沃。……師服曰：「吾聞國家之立也，本大而末小，是以能固。故天子建國（天子分封諸侯為「國」，是謂「建國」），諸侯立家（諸侯分封采邑予卿大夫，是謂「立家」），……今晉，甸侯也（《禮記》〈王制〉：「千里之內曰甸。」），而建國，本既弱矣，其能久乎？」

按，桓叔即成師，與其長兄仇不和。按照長幼有序原則，仇為嫡長子。晉國都在翼，曲沃面積大於翼，且為晉宗祠所在。周天子卻封桓叔于曲沃，一手造成晉內部之「耦國」之勢，為後來成師一支吞併仇一支埋下了禍根。師服所謂「天子建國」；所謂「國家之立也，本大而末小，是以能固」，左氏借師服口，批判矛頭明確指向周天子。

---

55 姚際恆：《春秋通論》第4冊，頁146。

56 錢鐘書：《管錐編》第1冊（北京市：中華書局，1979年版），頁83。

黑格爾曾經指出：「藝術作品」應當揭示「心靈和意志的較高遠的旨趣」以及「人道的有力量的東西」，使這一切「透過本來只是機械的無生氣的東西中發生聲響」，認為這「就算達到真正的客觀性」。《左傳》的「客觀性」也和「藝術作品」一樣，富含著「心靈和意志的高遠旨趣」與「人道力量」，這也是左氏的「意蘊」所在，最堪體悟玩味。而以上述三條為例，如鄭伯的陰陽兩面；《左傳》之反對戰爭，表彰穆姬；貶天子等等，姚氏或視而不見，或矢口否認，「于先哲之精神命脈，全然未窺」，[57]他的「讀書法」不足為訓。黑氏又說：即便題材「取自久已過去的時代」，但這種作品卻是永永不朽的，因為它的基礎「是心靈中人類所共有的東西」，「是真正長存而且有力量的東西」。[58]知「人」而論世，揭示炎涼世態，反對戰爭，強調人的尊嚴等等，歸根結底重視「人性」，這正是《左傳》彌足珍貴的價值取向。《左傳》的不朽絕不遜色於任何一部「藝術作品」而要超乎其上，原因就在於允許虛構的藝術作品相較於實錄「求真」的史著，後者因其真實可信，對於人心的震撼力要超過前者。面對《左傳》琳琅滿目不暇接的菁華，姚氏卻置若罔聞，給出了一個「解經之語，大半紕繆，與《公》、《穀》等」[59]的評價；他觀待《左傳》絲毫沒有「鑒賞」的雅趣，卻非難其「于文辭浮誇是尚」[60]。然《左傳》之歷史書寫前賢早有定評：「文約而事豐」，「言事相兼，煩省合理，使讀者尋繹不倦，覽諷忘疲。其文典而美，其語博而奧，述遠古則委曲如存，征近代則迴圈可覆」（劉知幾《史通》語）；晚姚際恆近百年的「文士」劉熙載亦嘖嘖稱譽：「文章從容委曲而意獨至，其辭氣不迫如此」；「左氏敘事，紛者整之，孤者輔之，板者活之，直者婉之，俗者雅之，枯者腴之。剪裁運化之方，斯為大備。」[61]是姚氏之責難左氏，既大相徑庭於前哲，復遠遜於後學矣！

四　結語

姚際恆的時代，「回歸原典」實際上並非一純粹的學術現象，而是「理學清算」運動的重要組成部分，本質上帶有濃烈的「政治色彩」。姚際恆身逢其時，未能擺脫時代大格局的影響，這是造成《春秋通論》弊病的根本原因。時人因反思明代滅亡之需，用於治學，他們的議論均不免大膽激切，每每言過其實。如陳確《大學辨》、閻若璩《尚書古文疏證》、毛奇齡《古文尚書冤詞》都帶有這一特點，黃宗羲《明儒學案．姚江學案》為陽明所作非禪之辨，亦強說之辭。姚際恆同樣如此。此種言不符實的學風實際上

---

57 錢鍾書：〈與張君曉峰書〉，載《錢鍾書散文》（杭州市：浙江文藝出版社，1997年版），頁410。

58 黑格爾：《美學》第1卷，頁354。

59 〈春秋通論序〉，《姚際恆著作集》第4冊，頁6。

60 〈春秋通論序〉，載林慶彰主編：《姚際恆著作集》第4冊，頁6。

61 劉熙載：《藝概》（上海市：上海古籍出版社，1978年版），頁2。

並無益於「政治生態」的改善，其對學術本身的傷害卻是實實在在的。世人之情雖可恕，其理則不可取，因為它違背了「實事求是」的學術規範。理學清算運動歸罪於陽明，棄「虛」而蹈「實」，最終導致了乾嘉年間的「理論灰白」，學人的思辨力大幅下降。孰料此風卻契合了三百後「疑古運動」的需要。為了「科學」與「民主」的「政治」之需，無論是胡適、顧頡剛還是錢玄同等等，議論同樣大膽激切。以至於錢玄同竟認為：「與其過而信之，寧過而疑之，這才是實事求是的治學精神」[62]有人對顧頡剛的古史研究工作不理解，認為這是脫離實際，顧不以為然，說：「我們現在的革命工作，對外要打倒帝國主義，對內要打倒封建主義，而我的《古史辨》工作則是對於封建主義的徹底破壞。其要使古書僅為古書而不為現代的知識；要使古史僅為古史而不為現代的政治與倫理，要使古人僅為古人，而不為現代思想的權威者。」[63]以上一段顧先生作於一九八〇年，其中自然不免數十年「思想改造」所帶來的影響，但這一表白仍然多少反映著顧先生當年的真實思想。疑古運動受「科學主義」意識形態工具化的影響無可否認，它對中國傳統文化的破壞也不容否認。余英時在檢討五四新文化運動的不足時指出：「中國知識份子無形中養成了一種牢不可破的價值觀念，即以為只有政治才是最後的真實，學術則是次一級的東西，其價值是工具性的。換句話說，政治永遠是最後的目的，學術與文化不過是手段而已。在這種情形之下，學術與文化是談不上有什麼獨立的領域的。」[64]無論是姚際恆還是「古史辨」運動的健將，均受制於政治的干擾，強將學術比附於政治，因而提升不到如康得所說排除一切「欲望」的美學「鑒賞」境界。因為「缺少了『知性』一環」[65]，不能從精神主體中轉出「知性主體」，所以總不見「學統之開出」即「學術之獨立性」[66]的堅守。此種缺陷，今天看來仍然是學界亟當補正的短板。（路新生，浙江師大歷史系特聘教授）

本文系華東師大「精品力作培育專案」《歷史美學的理論與實踐》之組成部分。批准號2017ECNU--JP010

62 錢玄同：《左氏春秋考證書後》，載《古史辨》第5冊（上海市：上海古籍出版社，1982年版），頁10。

63 顧頡剛：〈我是怎樣編寫古史辨的？〉，《古史辨》第1冊，頁28。

64 余英時：《內在超越之路》（北京市：中國廣播電視出版社，1992年），頁66。

65 牟宗三：《道德理想主義的重建》（北京市：中國廣播電視出版社，1992年），頁13。

66 牟宗三：《歷史哲學》（臺北市：臺灣學生書局，1984年版），頁191。

《春秋左氏傳舊注疏證》所見劉氏一族之義例觀

田　訪

湖南大學嶽麓書院歷史系助理教授

提要

江蘇儀征劉氏一族的《春秋左氏傳舊注疏證》歷來被認為是乾嘉漢學在《左傳》領域的突出代表，是一部用訓詁、考證的方法對《左傳》進行重新注解的巨著。但是少有人論及該書中的春秋義例觀，這對理解劉氏一族的左傳學來說是有缺憾的。本研究網羅式地收集該書中與義例相關的條目二百六十多條，分析了該書作者劉文淇等人的義例觀及其義例論的特色，論述了劉氏義例觀與漢人義例論、三傳義例論之間的關係。

關鍵詞：儀征劉氏　義例觀

儀征劉氏一族的《春秋左氏傳舊注疏證》是一部集大成的《左傳》研究著作。其體例是先收羅東漢賈逵、服虔等人舊注，再為之作新疏。之所以有必要重新為《左傳》作疏，一是由於劉文淇等清代學者普遍對杜預注有所不滿，視其為臆說，且認為其中可觀者乃剽竊舊注之處；又認為漢人去古未遠，學有師法、家法，最能得聖人真意，所以應該取東漢左氏先師之舊注取代杜注[1]。至於孔疏，則劉文淇在《左傳舊疏考證》中揭露其竊取隋代劉炫《述義》等人成果，牽強附會、曲護杜注，因此也應該盡棄以重撰[2]。這是劉氏運用訓詁、校勘、輯佚等考據方法，從經傳之文本、注疏之體裁和詞義之解釋等方面重新審視《左傳》舊有注疏的結果。二是由於自清初以來學者非常重視以典章、制度、禮儀為主的三禮學[3]。而《左傳》中詳盡的歷史記載很多與禮相關。劉文淇注意到這一點，從而提出「治春秋必以禮明之」的理念[4]。這是清人從禮學這一新的角度審視《左傳》的結果。基於上述兩個原因，劉氏一族的《春秋左氏傳舊注疏證》（以下簡稱《舊注疏證》）問世了。在該書中，劉氏一族廣泛搜羅經傳子史中的以賈逵、服虔舊注為中心的漢注，利用與解經相關的注釋、史料以及清代學者的研究成果，對東漢舊注加以闡釋、佐證，並對杜注、孔疏進行了批判。其中，劉氏一族結合三禮以疏通《左傳》大意、考證禮法之處甚多。

實際上，劉文淇作為劉氏一族中《左傳》研究的開啟者，除了「禮」之外還提出了另外兩個研究《左傳》的新角度，即「事」和「例」的角度。其中對於「事」，劉文淇沒有做進一步說明，大概通過訓詁章句而史實自明。至於「例」，劉文淇曾表示將另行著述《五十凡例表》以總結《左傳》凡例，可惜這一著述並沒有完成[5]。其子劉毓崧、

---

1 劉文淇之前已有多位學者補正、批評杜注，提倡漢注，如顧炎武、惠棟、洪亮吉、馬宗璉、焦循、李貽德、丁晏等。前輩學者如張素卿等對此已多有論及，茲不贅述。見《清代漢學與左傳學：從「古義」到「新疏」的脈絡》（臺北市：里仁書局，2007年）。又，劉文淇〈致沈欽韓書〉：「竊歎左氏之義，為杜征南剝蝕已久。先生披雲撥霧，令從學之士復覩白日，其功盛矣。覆勘杜注，真覺疻痏橫生。其稍可覽者，皆是賈、服舊說。洪稚存太史左傳詁一書，于杜氏剿襲賈、服者條舉件系，杜氏已莫能掩其醜，然猶苦未全。文淇檢閱韋昭國語注，其為杜氏所襲取者，正復不少。夫韋氏注，除自出己意者，余皆賈、服、鄭君舊說，杜氏掩取臧證頗多。」

2 野間文史在《春秋正义を読み解く－刘文淇〈左传旧疏考证〉を通して》中說，「劉文淇終於確信，如今的《左傳疏》完全是劉炫的《春秋述義》，以孔穎達為首的唐人所作的部分，乃是對反對杜預說的劉說的反駁，不過百餘條。（——筆者譯）。」東洋古典學研究會，1995年，頁32。

3 關於清初禮學，王汎森指出：「大體而言，清初禮學有兩派：一派充分瞭解文獻之間存在許多不同的時間層次，而主張以嚴格的考證重建古禮；一派是仍然相信今人可以揣摩聖人制禮之心思（如治《儀禮》的方苞），不斤斤計較於登降進反之儀，服物乘色之辨，而是希望由此體會三代之治與聖人彷彿之意。這兩派對清代三禮之學都有貢獻，而以前者影響較大。三禮學的研究是清代經學考證興起的最重要一環。」《權力的毛細管作用：清代的思想、學術與心態》修訂版（臺北市：聯經出版公司，2014年），頁80。

4 《舊注疏證》之「注例」（北京市：科學出版社，1959年）。

5 隱公七年「謂之禮經」下劉文淇云：「今證經傳，專釋訓詁名物典章，而不言例。另為五十凡例表，皆以左氏之例釋左氏。其所不知，概從闕如。」《舊注疏證》，頁42。

其孫劉壽曾繼承父、祖之業，曾分別著《春秋左氏傳大義》、《春秋五十凡例表》[6]，如今二稿亦不知所終。《舊注疏證》雖被視為專釋訓詁名物典章之書，但因東漢舊注闡發微言大義之處甚多，劉氏一族為漢注作疏，其涉及義例之處自然不在少數。據粗略統計，疏中有二六〇多處的論述與義例相關，或者說明此為某例，或者引經據典以證書法大義。若對這些義例之論進行分析，則不難窺見《舊注疏證》義例觀的總體面貌。

前人對劉氏一族的「義例」研究，大都集中於劉師培的義例說，而鮮少觸及《舊注疏證》的義例觀念。具體而言，劉氏一族用何種標準、樹立了哪些義例、如何與杜氏不同，以及如何看待《公》、《穀》之例等問題，尚待解決。正因如此，有學者將劉師培的義例觀與劉文淇等先人的義例觀割裂，得出似是而非的結論[7]。本文以《舊注疏證》中的義例論為中心，力圖呈現劉氏一族義例觀的全貌，以補訂前人之疏漏。

一　梳理義例之成果

上文已指出，《舊注疏證》中隨注而發的義例相關論述甚多。加以分析則不難發現，劉氏一族在義例整理上的成果可以概括為以下四點。

一是提示「傳例」。「傳例」是指《左傳》中以「凡」字開頭的說明性文字，是對禮制或書法的解釋，被總稱為「五十凡」。劉氏一族每每在涉及《左傳》凡例處加以提示：或概括此凡例之名，或解釋此處的用字正與某凡相合。如桓西元年傳「秋，大水。凡平原出水為大水」，疏云：「此大水例也」，乃是為此處凡例命名。又如隱公二年經「夏，五月，莒人入向」，疏云：「傳例，弗地曰入」，乃是用襄公十三年傳例來解釋該處的「入」字。

二是廓清杜預義例說的來源。僖公十五年經「己卯晦」，疏云：「杜注、(孔) 疏從劉歆說」。又如文公五年傳「召昭公來會葬，禮也」，疏云：「杜注：天子以夫人禮賵之，明母以子貴，用古春秋左氏說」。同時，劉氏一族也為賈逵、服虔等漢儒舊說追溯了源頭。例如，宣公十五年經「夏五月，宋人及楚人平」，疏云：「《穀梁傳》：人者，眾辭也。平稱眾，上下欲之也。賈 (逵) 用《穀梁》義」。又如成公三年經「鄭伐許」，疏云：「賈 (逵) 謂夷狄之者，謂例之夷狄相伐。……賈君蓋用二傳舊說」。

三是辨別左氏說與《公》、《穀》二傳說的異同。如成公四年經「鄭伯伐許」，疏云：「《公羊》在國、出會皆稱子，《左氏》則在國稱子，出會當稱爵」。又如成公十三年

6　見程琬《劉先生家傳》、劉恭冕《劉君恭甫家傳》，繆荃孫：《續碑傳集》(文海出版社，1966年)，卷70，頁20；卷74，頁9。

7　羅軍鳳在整個清代《左傳》學史的視野下為學術的發展尋找內在理路，高屋建瓴，思辨性強。但其「劉氏欲專左氏之例釋左氏，估計是不用日月例等義例的」的論斷，恐怕是大智中之偶疏。羅軍鳳：《清代春秋左傳學研究》(北京市：人民出版社，2010年)，頁181。

經「夏五月，公至自京師，遂會晉侯、齊侯、宋公、衛侯、鄭伯、曹伯、邾人、滕人伐秦」，疏云：「《公》、《穀》皆不以見伐為例，則不書戰為《左氏》舊說」。

四是廣泛搜羅經史注疏和清代學者之相關論述，以表明左氏例在於何處。如文公十四年經「晉人納捷菑於邾，弗克納」，疏云：「如炫說，則經不書邾，以捷菑已去邾，不關有于邾之文。」又如成公十六年經「晉人執季孫行父，舍之於苕丘」，疏云：「賈知行父以無罪執者，李貽德云：……此歸而不書至，可證行父以非理見執，無可罪。按，李說深得賈義」。

以上是劉氏一族運用考據之方法為漢注作疏的同時，在義例上所取得的成果。其具體的義例內容和思想傾向，是本文探討的重點。

二　義例論之內容及傾向

具體來說，《舊注疏證》中所提及的「傳例」，去除重複共三十七例。由於該書止於襄公五年，此後的傳例已無從知曉。但劉氏一族在隱公二年經「夏五月，莒人入向」和僖公十三年經「獲晉侯」兩處，分別提到了襄公十三年和定九年的兩條傳例，如此即有三十九例。劉氏一族所提示的傳例雖不完整，但能夠直觀反映其義例的具體內容，故按《左傳》五十凡之次序，用表格的形式列出，以便總覽[8]。又因劉氏一族以批駁杜預義例體系為基礎，故將杜預《春秋釋例》總結之傳例一併列出，以便對照。

杜氏傳例			劉氏一族傳例		
公即位例	會盟朝聘例	戰敗例	同盟稱名	雨霖雪	告例
母弟例	吊贈葬例	大夫卒例	大水例	公行例	送女例
滅取入例	氏族例	爵命例	師行例	鼓牲例	君夫人行例
內外君臣逆女例	內女夫人卒葬例	侵伐襲例	城、築例	馬出入例	師行例
災異例	崩薨卒例	書弒例	災異例	土功例	獻捷例
及會例	搜狩例	廟室例	救患分災討罪例	諸侯薨于朝會王事例	致夫人例
土功例	歸獻例	歸入納例	嗣君在喪稱謂例	啟塞例	赴告再例
班序譜	公行至例	郊雩烝嘗例	以例	即位聘例	諸侯娶夫人例
王侯夫人出奔例	執大夫行人例	書諡例	潰逃例	會盟例	赴告例

8　「同盟稱名」、「雨霖雪」、「取滅入」和「得獲」四例，劉氏一族僅云「此傳例也」而不云例名。此例名乃筆者據內容所擬。

杜氏傳例			劉氏一族傳例		
公即位例	會盟朝聘例	戰敗例	同盟稱名	雨霖雪	告例
書叛例	書次例	遷降例	師行書及書會例	火例	嫡妻子稱謂系公不系公例
以歸例	夫人內女歸寧例	大夫奔例	妾子為君，君弟亦得稱弟例	書弒書戕例	媵女例
逃潰例	弒世子大夫例	作新門廄例	奔例	執例	入、複歸、歸、複入例
作主禘例	得獲例	執諸侯例	君即位，他國來朝聘例	取滅入	得獲
喪稱例	告朔例	戕殺例			

宏觀來看，杜、劉二氏所樹立的傳例名目有相似之處，其探討的「義例」在範疇上有所重合。即二氏都認為，《春秋》在記述君王的行政、喪葬、婚嫁、出行以及國家的災異、祭祀、軍事等各個方面時，都有意識地寓入了微言大義；對此，《左傳》及左氏先師都予以了闡發。例如在「潰逃」一事上，民眾如積水般潰散則稱「潰」，國君棄師而走則稱「逃」，用辭不同，各有所指，此是《春秋》有意區分。因此杜氏設「逃潰例」，劉氏一族也有「潰逃例」。同樣，二氏都設有「土功例」、「災異例」，這表明二氏都認為，《春秋》在土功、災異等事件的記載上亦有其固定書法和特定含義，自然也是寓含微言大義之處。但如果深入研讀則不難發現，杜、劉二氏至少在三個方面存在較大差異。一是對「義例」有無的判定。二是「義例」背後的價值標準。三是對《左傳》凡例來源的看法。

（一）對義例有無的判定

杜預《春秋序》說：「記事者以事系日，以日系月，以月系時，以時系年，所以紀遠近、別同異也」[9]。孔疏由此展開議論，總述杜預「無義例」的觀點。杜、孔認為，《春秋》在記載某一類事件時應當有一定的書法格式，但很多經文都不符合這一規範。其中有些是經聖人修改所致，故而蘊含了微言大義，而另一些則沒有經過聖人修改，故而不存在所謂的微言大義。沒有經過修改又不合乎一般書法的經文之所以存在，是因為：其一，歷史事件本身有違禮法，經文照實書寫，故而與尋常書法不同；其二，舊史出於多位史官之手，故而用語偶有不同；其三，年代久遠，文句遺落的情況再所難免，故而有不合書法之處。同樣，基於上述原因，許多經、傳不一致處，也並非是孔子有意

9 《春秋左傳注疏》（臺北市：臺灣藝文印書館，1955年初版，1960年再版），頁6。

修改經文、寓於大義的結果。如此，由於杜預在梳理義例的同時強調《春秋》據舊史而成的觀點，將諸多書法歸結於史官用辭不同、史籍殘缺等因素，在很大程度上否定了賈逵、潁容、許慎等漢儒所敷衍的微言大義。同時，杜預又強調春秋雖以一字褒貶，但不以「錯文見義」[10]，意即不可僅憑傳文的「某凡」和經文的前後差異敷衍義例，而要依據該類記事在書法上的共通規律，以及傳文於該處經文是否有所發明。因此，記史事之年月時日本來是史書之一般體裁，《春秋》的日月記載，與孔子編撰時所用史書自身的詳略有關，本無義例可言。《春秋》中所書日月關乎義例者，只有「公不與小斂故不書日」和「不書日官失之也」兩處而已。

杜注、孔疏不以日月為例的觀點，正是為了反對東漢左氏先師以日月為例的觀點；而《舊注疏證》捍衛漢說，又對杜注展開了批評。文公十四年傳「齊人定懿公，使來告難，故書以九月」，其下劉氏一族云：

> 杜注：齊人不服，故三月而後定。書以九月，明經日月皆從赴。疏：杜言此者，排先儒日月有褒貶之義。按：據此則先儒日月褒貶之說多為杜所刪汰。其可考者，令（按，疑「令」當作「今」）各於經下說之。此傳明經書九月之義，義不系褒貶。杜欲以概他經日月例，非也[11]。

由此可見，劉氏一族認為孔子以日月之書法為例，經文記載日月之處，大多有其特殊含義。漢儒尚且發明之，而杜預卻否定、刪汰之，以為經書日月幾乎全是照赴告實錄，這是沒有理解孔子之意。

劉氏一族認為，詳書日月究竟暗含什麼微言大義，漢儒根據具體的事件背景已經多有敘述。例如，隱公二年經「十有二月，乙卯，夫人子氏薨」，賈逵注云：「日月詳者吊贈備，日月略者吊有闕」。此處賈注將日月記載的詳細與否，與魯君對臣下施恩的多寡相聯繫。隱公六年經「秋七月」，賈逵、服虔注云：「若登臺而不視朔，則書時而不書月。若視朔而不登臺，則書月不書時。若雖無事，視朔登臺，則空書時月」，則將書時書月與君主的視朔、登臺相對應。又，文公八年經「公孫敖如京師，不至而復。丙戌，奔莒」，賈逵注云：「日者，以罪廢命」，意即經書「丙戌」暗示聖人對公孫敖不遵君命的貶斥。宣公十二年經「晉人、宋人、衛人、曹人同盟於清丘」，賈逵、許淑注云：「盟載詳者日月備，易者日月略」，則將日月記載的詳略與同盟時所寫載書的詳略相關聯。漢儒對時月日書法的解釋，劉氏一族均示贊同，認為這些正是左氏之義[12]。

除「時月日」之外，杜氏否定漢儒提出的部分義例，而劉氏一族斥杜衛漢的態度也

---

10 杜預《春秋序》云：「春秋雖以一字為褒貶，然皆須數句以成言。非如八卦之爻可錯綜為六十四也。固當依傳以為斷。」《春秋左傳注疏》，頁15。

11 《舊注疏證》，頁566。

12 以上四則分別見《舊注疏證》頁16、37、527、677。

反映在書「名氏」等問題上。僖公元年經「夫人氏之喪至自齊」，「氏」前無「姜」，不是常規書法。對此，賈逵注云：「殺子輕，故但貶姜」，杜注反駁：「不稱姜，闕文」。孔疏則力伸杜注，主張經文無「姜」，乃由於年久有缺，且認為賈逵之說是本於《公羊》、《穀梁》[13]。

且不論賈注是否本於《公》、《穀》二傳，於「貶姜」一說，賈注前後抵捂。賈、服曾注云「文姜殺夫罪重，故去姜氏。哀姜殺子罪輕，故不去姜氏」[14]。其中「哀姜殺子罪輕，故不去姜氏」明顯與此處「殺子輕故但貶姜」矛盾。《舊注疏證》注意到這一矛盾，卻說「或賈所注本異於服，今無文明之」，將矛盾歸因於賈注、服注之異。隨後，又於僖公元年傳「夫人氏之喪至自齊」下云：「傳亦稱夫人氏，則賈氏貶姜之說為有據矣」，最終仍贊同賈氏「貶姜」之說[15]。

總之，杜預判斷義例有無的標準是《左傳》對經文是否有所發明，而劉氏的標準則是賈、服等左氏先師是否有所發明。杜預對微言大義的發揮更為謹慎，因而對漢儒的發揮多有否定。劉氏一族因以漢儒舊注為標準，勢必對杜注大加鞭撻。

（二）義例背後的價值標準

不僅杜預「無義例」的主張受到劉氏一族的批評，在杜預、劉氏都認為有義例存在之處，劉氏一族亦不能贊同杜說。這是由於杜預與漢儒持有不同的價值評判標準，所以對同一事件、人物，形成不同的評價，從而總結出不同的大義。漢儒的價值標準在於「尊王」、「尊君」、「尊賢」、「內魯」、「內華外夷」，杜預則具有務實、權變的特點。對於這種分歧，劉氏一族仍多以漢注為是、杜注為非。

僖公二十八年經「楚殺其大夫得臣」，賈注：「不書族，陋也」，將「得臣」之前不書「公子」的原因歸結於楚乃蠻夷之國，僻陋之邦，大夫未賜族；這是典型的「內華外夷」的思想。杜預則云「子玉違其君命以取敗，稱名以殺，罪之」，認為此處的微言大義在於責備子玉違背君命，以致於戰敗，故而直書其名以貶之。針對賈說與杜注，《舊

---

13 孔疏云：「公羊傳曰，夫人何以不稱姜氏。貶。曷為貶。與弒公也。穀梁傳曰，其不言姜，以其弒二子貶之也。或曰，為齊桓諱殺同姓也。賈逵云，殺子輕，故但貶姜。然則姜氏者，夫人之姓，二字共為一義，不得去姜存氏，去氏存姜。若其必有所貶，自可替其尊號，去一姜字，復何所明。于薨於葬未嘗有貶，何故喪至獨去一姜。公羊傳又曰，曷為不於弒焉貶。貶必於其重者，莫重乎其以喪至也。案，禮之成否，在於薨葬，何以喪至獨得為重。喪至已加貶責，于葬不應備文，何故葬我小君復得成禮。正以薨葬備禮，知其無所貶責，故杜以經無姜字，直是闕文，公羊穀梁見其文闕，妄為之說耳。」《春秋左傳注疏》，頁197-198。

14 閔公二年經「九月夫人姜氏孫于邾」，孔疏云：「賈、服之說皆以為文姜殺夫罪重，故去姜氏。哀姜殺子罪輕，故不去姜氏。」《春秋左傳注疏》，頁189。

15 劉氏一族對僖公元年經、傳的解說分別見《舊注疏證》，頁244、246。

注疏證》引李貽德云：

> 《賈子》〈道術〉篇：「辭令就得謂之雅，反雅為陋」。僖二十一年，楚之君爵始列於會，而其臣名氏猶多差錯。得臣書殺而不舉族，陋也。至成二年楚公子嬰齊始得具列，後殺子反亦書公子側矣[16]。

劉氏一族引此，贊成或反對，其態度似乎並不鮮明。但從全書積極引用顧炎武、惠棟、洪亮吉、沈欽韓、李貽德等人的注釋來看，其意恐怕在於為漢注提供論據，至少是可備一說[17]。客觀來看，此處所引賈誼《道術》只從正反兩面論述「品善之體」即人的道德品行，具體體現在人的辭令上就有雅、陋之別，與楚國僻陋的思想並無關係。李貽德牽合賈誼之「陋」與賈逵之「陋」，試圖以賈誼之說佐證賈逵之注；而劉氏一族直引李說以擁護賈注。同樣，文公十年經「楚殺其大夫宜申」，賈注謂因陋而不書族，杜注認為「謀弒君，故書名」，劉氏一族謂此與上述僖公二十八年傳義相同，即贊同賈說[18]。

又如，宣公十一年經「納公孫寧、儀行父于陳」，賈注云「二子不系之陳，絕于陳也。惡其與君淫，故絕之。善楚有禮也。稱納者，內難之辭。」賈注之意，認為經不書「納陳公孫寧、儀行父于陳」，是因為斥責二人與陳靈公共同淫亂，在書法上有意使二人與陳國斷絕關係。而杜注則云：「二子淫，昏亂人也。君弒之後，能外托楚，以求報君之仇。內結強援于國，故楚莊得平步而討陳，除弒君之賊。于時陳成公播蕩于晉，定正君之嗣，靈公成喪，賊討國複，功足以補過。故君子善楚複之」。即杜氏認為，公孫寧、儀行父二人雖然淫亂，但於陳靈公被弒之後能聯楚討賊，最終君仇得報，而陳國得復，故從「報仇復國」的角度來說，二子之功足以抵過。可見，賈注以「尊君」為重而杜預以「報仇復國」為重。對於這種分歧，《舊注疏證》認為賊討國複「非經書納之義」，否定了杜預的說法[19]。

綜上，即使漢儒、杜注都認為義例存在的前提下，二者的具體闡釋也因價值標準不同而存在分歧，而劉氏一族等在評判取捨時依然以漢儒舊說為是、杜注為非。

（三）對《左傳》凡例來源的看法

杜預關於《左傳》凡例的性質和來源的看法也頗受劉氏一族的批評。隱公七年「謂

---

16 《舊注疏證》，頁408。

17 劉文淇致沈欽韓書云：「疏中所載，尊著十取其六。其顧（炎武）．惠（棟）補注、及王懷祖（念孫）．王伯申（引之）．焦里堂（循）諸君子說有可采、咸與登列」，此可證劉氏一族是以贊同的態度而取用前輩諸君子之說。〈劉文淇致沈欽韓書〉，《舊注疏證》附錄一，頁1。

18 《舊注疏證》，頁534。

19 《舊注疏證》，頁670。

之禮經」條下杜預注云：「此言凡例，乃周公所制禮經也。十一年不告之例又曰不書於策，明禮經皆當書於策。仲尼修春秋皆承策為經，丘明之傳博采眾記，故始開凡例」[20]。又於《春秋序》云：「左丘明受經于仲尼，以為經者不刊之書也。故傳或先經以始事，或後經以終義，或依經以辨理，或錯經以合異，隨義而發。其例之所重，舊史遺文，略不盡舉，非聖人所修之要故也。……其發凡以言例，皆經國之常制，周公之垂法，史書之舊章。仲尼從而修之，以成一經之通體。其微顯闡幽，裁成義類者，皆據舊例而發義，指行事以正褒貶。諸稱書、不書、先書、故書、不言、不稱、書曰之類皆所以起新舊、發大義，謂之變例」[21]。

結合「禮經」、「書於策」的含義[22]，可將杜預的觀點概括如下：禮法制度和史官所遵奉的書法等等，都是周公所製作的重要「禮經」，它們都被記載於「策」，從而形成國史等各種禮典。魯國乃周公之國，其國史魯春秋多承「禮經」舊制，頗現周之禮文和史法[23]。因此孔子據魯史修《春秋》，內容、體裁及書法都取材、取法於魯春秋而有所增刪，在統一全書體例的同時融入了微言大義。左丘明兼采魯春秋與眾記，作《左傳》以釋《春秋》。其中五十凡皆是對周公舊法的採集與說明，亦是孔子《春秋》沿襲舊史書法之處，故以發「凡」來表明。另有「書」、「不書」、「先書」、「故書」、「不言」、「不稱」、「書曰」等（被統稱為「不凡」），乃是標示孔子所創之新意，即為「變例」。

對於杜預之見，劉氏一族從兩點提出了批評：一是「禮經即周典，五十凡乃周典中史例，不關周公創制」。意即五十凡只是周典中史籍的書法，不能等同於作為周典總稱的「禮經」，也不是周公創制。二是「先儒之說春秋者多矣，皆云邱明以意作傳，說仲尼之經，凡與不凡，無新舊之例」[24]。意為據賈、服、許、潁等先儒之言，五十凡與「不凡」，都是左丘明一家之言，全屬左氏個人對經義的發明，並無舊典史例與孔子新意之分。

由此可見，杜氏與劉氏一族的區別在於，杜氏特別強調魯春秋與周公之禮的密切關係，視其為反映周禮的重要典籍，並認為其史法得自於周公之舊制，因此將包含禮制與史法的五十凡統稱為「周公禮經」。劉氏一族則廣泛地將周代典籍視為「禮經」，將其中史書的書法稱為史例，如此，則禮經與史例不能成為對等的概念。而凡例是否分新舊這一分歧，則顯示出杜、劉二氏在看待魯史及其史法對《春秋》存在多少影響這一問題時

---

20 《春秋左傳注疏》，頁72。

21 《春秋左傳注疏》，頁11-12。

22 關於「禮經皆當書於策」，岩本憲司認為其具體含義不甚明白。見《春秋學用語集》（東京市：汲古書院，2011年），頁143。筆者另有論文深入探討，此處僅述結論。

23 班固《漢書》〈藝文志〉：「（仲尼）以魯周公之國、禮文備物、史官有法。故與左丘明觀其史記、據行事、仍人道、因興以立功、就敗以成罰。假日月以定歷數、藉朝聘以正禮樂。有所褒諱貶損、不可書見、口授弟子。」

24 此兩點批評均見《舊注疏證》隱公七年傳「謂之禮經」條下之疏，頁42。

的差異。既然魯史中已有史法，而孔子《春秋》的義例都是在舊有史法上的沿襲和修整，那麼《春秋》中哪些書法是對舊例的沿用，哪些是對舊例的修改，哪些是對魯史原文的直接抄錄而不存在義例，對這些問題，杜預都有更進一步的思考。也就是說，杜預認為《春秋》是「半經半史」。劉氏一族否認例有新舊之分，將「凡」與「不凡」一概視為左丘明對孔經書法的解釋，表明其沒有將孔子《春秋》中的「魯史因素」納入思考範疇。換言之，劉氏一族是將《春秋》作為純粹的「經」來看待的。

以上從「對義例有無的判定」、「義例背後的價值標準」和「對《左傳》凡例來源的看法」三個方面，通過與杜預的對比，呈現了《舊注疏證》在義例問題上的基本觀點和傾向。之所以呈現上述義例觀念，是因為劉氏一族對漢儒舊說的尊崇。賈逵、服虔、許淑、穎容、鄭玄、劉歆自不必說，甚至司馬遷、劉向等非《左傳》學人的觀點亦被認為是左氏說（以馬遷說為左氏說，見下節）。僖公三十二年傳「出絳，柩有聲如牛」，劉氏一族云：「劉向雖習穀梁，其解柩有聲如牛，亦必左氏舊說也」[25]。需要注意的是，劉向被認為是《穀梁》學者，實則三傳兼采，其春秋思想乃是本於《公》、《穀》二傳，對《左傳》的利用止於摘取史實和災異現象的層面[26]。劉向引「柩有聲如牛」，將「柩」理解為棺槨，此與左氏是相同的；但劉向引此條的目的，原在於以春秋災異的類型解漢代災異的意義，因此不能籠統認為其解釋必是左氏說。

劉氏一族崇信漢儒舊說，間或還有因漢注而疑經者。莊公三十一年經「六月，齊侯來獻戎捷」，《舊注疏證》引臧壽恭云：

> 案，《公》《穀》經及杜注左氏經皆作齊侯，而許獨引作齊人。蓋許君親從賈逵受古學，所據者乃賈氏經也。賈、服之例，凡傳言諸侯而經書人者皆是貶。此傳云齊侯來獻戎捷非禮也，則經當書人。故知許君所引乃賈經，非字之誤也[27]。

本來，《公羊》、《穀梁》和《左傳》的莊公三十一年經文都作「齊侯」，三傳並無差異，唯獨許慎《說文解字》所引經文作「齊人來獻戎捷」[28]。由於許慎是師從賈逵的古文學者，所以臧氏斷定許慎所引乃是賈逵所傳之古文經。又由於賈、服認為，凡是傳言「諸侯」而經書「人」處皆寓有夫子的貶斥之意，而此處《左傳》正言「齊侯非禮」，故臧氏大膽推定此經當作「齊人」。不難發現，臧氏乃是以賈、服的義例說為圭臬，以賈逵—許慎這一《左傳》傳授譜系為前提[29]，由此推測出了另一個「賈氏經」來否定杜預

---

25 《舊注疏證》，頁450。

26 池田秀三：〈劉向の學問と思想〉，《東方學報（京都）》，1978年50號。

27 《舊注疏證》，頁212。

28 見許慎：《說文解字》十二篇上手部「捷」字所引。

29 許慎之子許沖上漢安帝書中有「臣父故太尉南閣祭酒慎，本從逵受古學」之語。見《說文解字》序，十五篇下。

所傳之經文。《舊注疏證》照錄了臧氏的這一說法而沒有加以否定，亦可見劉氏一族推崇漢說的程度。

三　看待《公》、《穀》二傳義例之態度

在如何看待和取捨《公》、《穀》二傳之義例這一問題上，《舊注疏證》表現出的傾向是：在《左傳》或漢儒有明確的義例解釋之處維護之，以證左氏自有義例，與二傳不同。僖公二十八年經「壬申，公朝于王所」，賈氏云：「欲上月則嫌異會，欲下月則嫌異月」。《舊注疏證》云：

> 按，公羊謂日何錄乎（按，疑「乎」下脫「內」字），穀梁謂謹而日之，則賈說為左氏[30]。

對於此處為何僅書「壬申」而不書「某月」，《公羊傳》認為魯國兩次失禮，將為有義者所惡，故懼而書日[31]。《穀梁傳》認為晉文公謹而朝天子，故書日；以諸侯召天子，上下顛倒、尊卑無序，故不書月[32]。《公羊》、《穀梁》各有己見，賈逵又提出了另一理由：書上月或書下月都有不安之處，故不書月。劉氏一族以賈逵之說為左氏原義，由此得出左氏之義與二傳不同的結論。

但同時，由於劉氏一族致力於廓清學說源流，因而亦不得不指出漢說承襲二傳之處。例如，關於「大無麥禾」，劉氏一族引臧壽恭云：

> 案，劉向是穀梁說，與服虔同，是左氏舊說亦用穀梁說也。……案，臧說是也[33]。

又如僖公三年經「正月不雨，夏四月不雨」，劉氏一族云「賈注此取穀梁傳」；僖公四年經「楚屈完來盟于師，盟於召陵」，劉壽曾云「服用穀梁說也」等等[34]，諸如此類，不勝枚舉[35]。對於賈、服注沿襲二傳，孔疏多有非議，而劉氏一族則多不置可否；僅在隱

30 《舊注疏證》，頁409。

31 《公羊》云：「壬申，公朝于王所。其日何？錄乎內也。」何休注云「危錄，內再失禮，將有義者所惡。不月而日者，自是諸侯不系天子，若自不系於月。」「內」解為魯國。參照岩本憲司：《春秋公羊傳何休解詁》（東京市：汲古書院，1993年），頁235。

32 《穀梁》云：「其日，以其再致天子，故謹而日之……日系於月，月系于時。壬申，公朝于王所。其不月，失其所系也。以為晉文公之行事為已傎矣。」《春秋穀梁傳注疏》（臺北市：臺灣藝文印書館，1955年初版，1960年再版），頁93。

33 《舊注疏證》，頁202。

34 劉氏一族對僖公三、四年經的疏證分別見於《舊注疏證》，頁251、253。

35 其他，如文公三年傳「凡民逃其上曰潰，在上曰逃」，劉氏一族按曰「公羊僖四年傳，國曰潰，邑曰叛，賈、潁所本也」（《舊注疏證》，頁491）；宣公十一年經「納公孫甯、儀行父于陳」，劉氏一族云

公七年傳「謂之禮經」條下疏云，「賈、服間以《公》、《穀》釋《左傳》，是自開其罅隙，與人以可攻」[36]，承認賈、服多取二傳為說，自亂左氏家法。雖然劉氏一族多護漢駁杜，但在區分左氏大義與二傳大義這一點上，表現出實事求是的態度。

此外，劉氏一族依從漢儒舊說，從而得出「三傳大義相通」之結論處亦不在少數。如，僖公二十八年傳「晉文公召周襄王于溫、且使王狩」一事，《舊注疏證》先舍棄杜注而斷定《史記》〈晉世家〉所言大義乃左氏古義，即：彼時晉雖強大，但仍未能使諸侯一致入洛朝見周王，故召王至溫，使其巡狩時「偶遇」諸侯，從而促成諸侯朝拜周王的事實。接著劉氏一族又分別證明《穀梁傳》、《公羊傳》也作如此主張。最後劉氏一族得出結論：「三傳古義無甚殊別」[37]。其實，如上述劉向的情況一樣，《史記》兼采三傳，義例上受到《公》、《穀》二傳的影響，並非代表純粹的左氏說。劉氏一族先預設漢注所言之義為左氏說，再證此「左氏說」與二傳說相通，這種方法和最終的結論都值得懷疑。

除以漢注為準繩主張三傳大義相通之外，劉氏一族還坦言二傳之義有可取之處，表現出不墨守一家的融通態度。僖公二十一年經「秋，宋公、楚子、陳侯、蔡侯、鄭伯、許男、曹伯會于盂。執宋公以伐宋」，《舊注疏證》云：

> 沈欽韓云，按，宋襄雖寡德，中夏之上公也。楚雖強大，荊山之蠻夷也。若云楚執之，則為禮樂之邦羞，俾強梁之志逞。聖人扶陽抑陰，不與楚子之執宋公，故不言楚。此公羊之義，所可從也。杜預于大義全然憒憒。按，沈說是也[38]。

此處「執宋公以伐宋」的主語應當是「楚」，而經文略去不書者，杜預認為孔子欲責備宋襄公「無德而爭盟」。但沈欽韓否定了杜注，認為孔子內華夏而外夷狄，不書「楚」乃欲為宋公遮羞。沈氏又明言「內華夏而外夷狄」雖是公羊大義[39]，卻是可以依從的；劉氏一族贊同了這一說法。總之，劉氏一族既主張左氏有與二傳相異之獨特義例，又指出三傳大義有相通之處，另外還主張援引二傳以補左氏所未發。

「穀梁又云……此賈所本」（頁671）；宣公十五年經「夏五月，宋人及楚人平」，劉氏一族云「穀梁傳：人者，眾辭也。平稱眾，上下欲之也。賈用穀梁義」（頁731）；成公三年經「鄭伐許」，劉氏一族云「賈君蓋用二傳舊說」（頁808）等，皆是此例。

36 《舊注疏證》，頁42。

37 《舊注疏證》，頁434。

38 《舊注疏證》，頁346。

39 何休云：「于所傳聞之世見治升平，內諸夏而外夷狄」。《春秋公羊傳注疏》（臺北市：臺灣藝文印書館，1955年初版，1960年再版），頁17。

四　結論

本文以《舊注疏證》中的義例相關論述為中心，從「梳理義例之成果」、「義例論之內容及傾向」和「看待《公》、《穀》二傳義例之態度」這三個方面，對劉氏一族的義例觀進行了全方位的探討。

首先，從對義例的梳理上來看，其主要成果可概括為四點。一是提示「傳例」，二是廓清杜預和賈逵、服虔等人之義例說的來源，三是辨別左氏說與《公》、《穀》二傳說的異同。四是廣泛搜羅經史注疏和與《左傳》義例相關的材料，以及清代學者之論述，來表明左氏例在於何處。此四點，是劉氏一族為漢注作疏的成果在義例上的體現；在廓清學說源流、辨明學說異同上有突出的貢獻。

其次，從義例論的內容及傾向來看，劉氏一族的義例與杜預義例有顯著差異。一是杜預強調孔經據魯史而成，舊史的異辭、殘缺造成書法的不同，並非義例之所在，故對東漢舊注所發揮的義例多有否定；劉氏一族則以漢注為圭臬，認為包括時月日例在內的微言大義無處不在。二是杜預崇尚務實，而劉氏一族以「尊王」、「內華外夷」等為標準，故杜、劉二氏所總結的義例，旨趣不同。三是杜預認為五十凡乃周公禮經，「不凡」乃孔子新意，而劉氏一族認為五十凡與「不凡」皆是左丘明一家之言，無新舊之別。劉氏一族對杜氏義例的激烈批判，反映出劉氏一族崇漢護漢的傾向，也反映出二者在如何看待孔子《春秋》的性質這一問題上持有根本不同的觀點。

再次，從對待《公》、《穀》義例的態度來看，劉氏一族在《左傳》或漢儒有明確的義例解釋之處維護之，以證明左氏自有義例，與二傳不同。另一方面，劉氏一族看到漢注多取二傳說《左傳》的事實，但由於其以漢說為左氏說，因而往往得出三傳大義相通的結論。此外，劉氏一族還進一步認為二傳義例有可取之處，可援引以補左氏所未發。劉氏一族對比考察三傳義例的方法和結論雖有可商榷之處，但總體上顯出融通的態度。

俞樾《群經平議・春秋左傳》辨正五則[*]

郭鵬飛
香港城市大學中文及歷史學系教授

提要

德清俞樾（1821-1907），[1]字蔭甫，號曲園，晚清樸學大家，徐世昌（1855-1939）《清儒學案・曲園學案》曰：」曲園之學，以高郵王氏為宗。發明故訓，是正文字而務為廣博，旁及百家，著述閎富，同、光之間，蔚然為東南大師。」[2]《群經平議》一書，乃俞樾代表作，亦是經學訓釋鉅著。是書仿效王引之（1766-1834）《經義述聞》而補其未及，識力之精，涉獵之廣，為《述聞》之後，從事經學者不可或缺之典籍。然而，智者千慮，容或有失，今就俞氏《群經平議・春秋左傳》部份，檢其可議之處，略陳己見，以就正於方家。

關鍵詞：俞樾　《群經平議》　《春秋左傳》　經學　訓詁學

---

* 本論文為「俞樾《諸子平議》斠正」研究計劃部份成果，計劃得到香港政府研究資助局優配研究金資助（UGC GRF，編號：145012），謹此致謝。

1 筆者案：〔民國〕徐世昌（1855-1939）等根據《清史稿》、〔清〕尤瑩（1859-1896）《俞曲園先生年譜》與：〔民國〕繆荃孫（1844-1919）《俞先生行狀》所記，定俞氏卒於光緒三十二年十二月二十三日。詳見〔清〕徐世昌等編，沈芝盈，梁運華點校：《清儒學案》（北京市：中華書局，2008年10月），卷183，〈曲園學案〉，頁7034。由此可以推算俞氏卒年當在西元1907年2月5日。

2 同前注，卷183，〈曲園學案〉，頁7033。

一　莊公十四年：且寡人出，伯父無裡言

俞樾曰：

> 《集解》曰：「無納我之言。」樾謹按：「納我之言」，不可但謂之裡言，杜解非也。「裡」當讀為「理」。《荀子》〈解蔽篇〉：「制割大理而宇宙裡矣。」楊倞《注》曰：「『裡』當為『理』。」是「裡」、「理」古字通用。「理」之言治也。「伯父無理言」，謂無訟治之言也。僖公二十八年《公羊傳》：「然後為踐土之會，治反衛侯。」何休《注》曰：「叔武訟治于晉文公，令白王者，反衛侯使還國也。」「訟治」即所謂理矣，古聽訟之官曰理，蓋訟于人謂之理，故聽人之訟，亦謂之理，其義正相因耳。今俗語凡爭辯曲直曰理論，乃古之遺語也，可證理言之義。[3]

本《傳》曰：

> 厲公入，遂殺傅瑕。使謂原繁曰：「傅瑕貳。周有常刑，既伏其罪矣。納我無二心者，吾皆許之上大夫之事，吾願與伯父圖之。且寡人出，伯父無裡言，入，又不念寡人，寡人憾焉。」[4]

俞氏讀「裡」為「理」，又從「訟治」角度釋「理」，再訓「裡言」為「理言」，如此解說，頗覺牽強，且無文獻語例為證，其說未可盡信。王引之曰：

> 十四年《傳》：「鄭厲公使謂原繁曰：『寡人出，伯父無裡言。入，又不念寡人，寡人憾焉。』」杜解「無裡言」，曰：「無納我之言。」家大人曰：「『無裡言』謂不通內言於外，非謂無納我之言也。襄二十六年《傳》：「衛獻公使讓大叔文子曰：『寡人淹恤在外，二三子皆使寡人朝夕聞衛國之言，吾子獨不在寡人。』寡人怨矣。對曰：『臣不能貳，通外內之言以事君，臣之罪也。』」「不通外內之言」即所謂「無裡言」。[5]

王念孫（1744-1832）釋「無裡言」作「不通外內之言」，雖較俞說有據，然以「裡言」表「外內之言」，先秦兩漢文獻未曾多見。「裡」或為表裡之「裡」。《詩》〈小雅・小

---

3 〔清〕俞樾：《群經平議》，《續修四庫全書》（上海市：上海古籍出版據清光緒二十五年〔1899〕刻春在堂全書本影印，2002年），〈經部・群經總義類〉，第178冊，卷25，頁403上。

4 《十三經注疏》第6冊，《左傳注疏》，（臺北市：藝文印書館景印清嘉慶20年〔1815〕重刊《十三經注疏附校勘記》，1981年），頁155下-156上。

5 〔清〕王引之：《經義述聞》（南京市：江蘇古籍出版社據清道光七年〔1827〕王氏京師刻本影印，1985年），卷17，頁403下。

弁〉曰：

維桑與梓，必恭敬止。靡瞻匪父，靡依匪母。不屬於毛，不離于裡。天之生我，我辰安在。

《鄭箋》：

今我獨不得父皮膚之氣乎？獨不處母之胞胎乎？[6]

「裡」為身體之內。「裡言」猶由衷寬慰之言。

二　莊公二十二年：莫之與京

俞樾曰：

《集解》曰：「京，大也。」樾謹按：「莫之與京」，猶云「莫之與競」也。「京」當讀為「勍」。《說文·力部》：「勍，彊也。」凡彊者，謂之勍。相與爭彊，亦謂之勍。僖二十二年《傳》：「勍敵之人。」杜《解》曰：「勍，彊也。」下文曰：「今之勍者。」杜《解》曰：「『今之勍者』，謂與吾競者。」一「勍」字而前後異訓，蓋兩義正相因耳。「勍」從京聲，故此《傳》即以「京」為之，杜讀如本字，而訓為大，然「莫之與大」，不辭甚矣。[7]

本《傳》曰：

初，懿氏卜妻敬仲。其妻占之，曰：「吉。是謂『鳳凰于飛，和鳴鏘鏘。有媯之後，將育于姜。五世其昌，並于正卿。八世之後，莫之與京。』」[8]

賈逵（30-101）注「京」為「大」，[9]杜預（222-284）從之。[10]孔穎達（574-648）亦謂「無與之比大。」[11]劉文淇（1789-1854）、[12]安井衡（1799-1876）、[13]竹添光鴻（1842-

---

6 《十三經注疏》第6冊，《詩經注疏》，頁421下。

7 〔清〕俞樾：《群經平議》，《續修四庫全書》，〈經部·群經總義類〉，第178冊，卷25，頁403。

8 《十三經注疏》第6冊，《左傳注疏》，頁163下。

9 《史記》〈陳杞世家〉〔南朝·宋〕裴駰（生卒年不詳）《集解》引。〔西漢〕司馬遷（前145-？）撰，〔南朝·宋〕裴駰（生卒年不詳）集解，〔唐〕司馬貞（生卒年不詳）索隱，〔唐〕張守節（生卒年不詳）正義：《史記》（北京市：中華書局，2013年）第5冊，卷36，〈陳杞世家第六〉，頁1899。

10 《十三經注疏》第6冊，《左傳注疏》，頁163下。

11 同前注。

12 〔清〕劉文祺：《春秋左氏傳舊注疏證》（京都市：中文出版社，1979年），頁187。

13 〔日〕安井衡：《左傳輯釋》（臺北市：廣文書局，1967年）上冊，卷3，頁35。

1917)、[14]高本漢（1889-1978）[15]等皆持是說。俞樾則提異議，謂「京」當讀為「勍」，意為「彊」，並以「京」為「大」不辭。案：《史記・陳杞世家》、[16]〈田敬仲完世家〉、[17]《風俗通義》〈皇霸・六國〉[18]與同書〈山澤・京〉[19]等均作「京」。俞說並無文獻證明，解說亦甚迂迴。《爾雅》〈釋詁上〉：「京，大也。」[20]，《方言》並同。[21]《春秋公羊傳》桓公九年：

> 京師者何？天子之居也。京者何？大也。[22]

《漢書》〈楊雄傳上〉

> 入洞穴，出蒼梧，乘鉅鱗，騎京魚。[23]

顏師古（西元581-645年）注：

> 京，大也。[24]

「莫之與京」，文意本通，無所謂不辭。楊伯峻（1909-1992）曰：

> 京，大也。與下文「物莫能兩大」之「大」字相照應。[25]

楊說是也。

三　成公十六年：宋齊衛皆失軍

俞樾曰：

---

14 〔日〕竹添光鴻：《左氏會箋》（臺北市：漢京文化事業有限公司，1984年）第1冊，第3，頁63。

15 〔瑞典〕高本漢撰，陳舜政譯：《左傳注釋》（臺北市：國立編譯館中華叢書編審委員會，1979年6月），頁1。

16 《史記》第5冊，卷36，〈陳杞世家第六〉，頁1898。

17 《史記》第6冊，卷46，〈田敬仲完世家第十六〉，頁2268。

18 王利器（1912-1998）：《風俗通義校注》（北京市：中華書局，2010年），上冊，頁44。

19 王利器：《風俗通義校注》，下冊，頁465。

20 《十三經注疏》第7冊，《爾雅注疏》，頁7上。

21 華學誠：《楊雄方言校釋匯證》（北京市：中華書局，2006年），上冊，頁40。

22 《十三經注疏》第7冊《春秋公羊傳注疏》，頁61上。

23 班固（32-92）撰，顏師古注：《漢書》（北京市：中華書局，1964年），卷87上，〈揚雄傳第五十七上〉，頁3550。

24 班固撰，顏師古注：《漢書》，卷87上，〈揚雄傳第五十七上〉，頁3552。

25 楊伯峻：《春秋左傳注》（修訂本）（北京市：中華書局，2016年）第1冊，頁241。

《集解》曰:「將主與軍相失。」《正義》曰:「服虔以『失軍』為失其軍糧。」樾謹按:如杜《解》則直曰師潰可矣,何以謂之失軍乎?如服《解》則又增出「糧」字,疑皆非《傳》義也。軍者,謂營壘也。《說文》〈車部〉:「軍,圜圍也。从車从包省。」《一切經音義》卷十八引《字林》曰:「軍,圜也。」包車為軍,是「軍」字本義,車在其中而包裹其外,正為營壘之象。《傳》文「軍」字,如晉軍函陵、秦軍氾南之類,其本義也。如郤縠將中軍,狐偃將上軍之類,其引申義也。桓六年《傳》:「王毀軍而納少師。」「毀軍」者,毀其營壘也,若是三軍之人,豈可言毀乎?此《傳》言「失軍」者,亦謂失其營壘也。服、杜二《解》皆失之。宣十二年《傳》曰:「君盍築武軍。」杜《解》曰:「築軍營以章武功。」襄二十三年《傳》:「張武軍於熒庭。」《解》曰:「『張武軍』謂築壘壁。」斯得之矣。襄二十七年《傳》:「以藩為軍。」昭十三年《傳》:「乃藩為軍。」可見「軍」字之義。[26]

本《傳》曰:

諸侯遷于制田,知武子佐下軍,以諸侯之師侵陳,至於鳴鹿。遂侵蔡。未反,諸侯遷于穎上。戊午,鄭子罕宵軍之,宋、齊、衛皆失軍。[27]

「失軍」一語,主要有三種解釋,第一是服虔「失其軍糧」說;第二是杜預注「將主與軍相失」[28];第三是俞樾之訓釋,指「軍」為「營壘」,「失軍」即「失其營壘」。

服虔以「失軍」為「失其軍糧」。考《左傳》言軍糧者皆用「糧」字,如《僖公》二十五年:

命三日之糧。[29]

襄公十四年:

以郲糧歸。[30]

哀公十三年:

吳申叔儀乞糧於公孫有山氏。[31]

---

26 〔清〕俞樾:《群經平議》,《續修四庫全書》〈經部‧群經總義類〉,第178冊,卷26,頁419下-420上。

27 《十三經注疏》第6冊《春秋左傳注疏》,頁479下。

28 同前注。

29 《十三經注疏》第6冊《春秋左傳注疏》,頁263下。

30 《十三經注疏》第6冊《春秋左傳注疏》,頁561下。

「軍」字凡二百七十見，無一例可釋為「軍糧」者，可知服說不當。李貽德（1783-1832）《春秋左傳賈服注輯述》懷疑服本「軍」作「餫」，[32]但無確據。

俞樾主「失軍」即「失其營壘。」「失軍」語意模糊，若此語之「軍」真為「營壘」，左氏何不直言「壘」？如成公二年：

以徇齊壘。[33]

成公十六年：

固壘而待之。[34]

是故俞說未可接受。

杜預訓「失軍」一語為「將主與軍相失」。俞樾加以反駁，指《左傳》「直曰『師潰』可矣，何以謂之『失軍』乎？」按《左傳》言「潰敗」者二十七見，「敗績」者三十八見，而「失軍」只一見，則「失軍」一詞應與二者有別。觀乎桓公十三年《經》文：

齊師、宋師、衛師、燕師敗績。[35]

句式與本《傳》文相類，言「敗績」而不言「失軍」，猶可顯示其中必有相異之處。

正本清源，應先分析「軍」字意義成分，方能顯示「軍」字於此間之意義關係。「軍」字有其特定之語義域場，從《左傳》各「軍」字用法，可知「軍隊」乃此語義場之主要元素，如襄公二十七年：

以藩為軍。[36]

沿「軍隊」而有多種下義關係（hyponymy），[37]有為「指揮軍隊」者，如桓公五年：

王亦能軍。[38]

有為「駐軍」者，如桓公六年：

---

31 《十三經注疏》第6冊《春秋左傳注疏》，頁1029下。

32 《續經解春秋類彙編》第3冊，頁2885下。

33 《十三經注疏》第6冊《春秋左傳注疏》，頁423下。

34 《十三經注疏》第6冊《春秋左傳注疏》，頁475上。

35 《十三經注疏》第6冊《春秋左傳注疏》，頁124上。

36 《十三經注疏》第6冊《春秋左傳注疏》，頁645下。

37 John Lyons《Semantics》Vol. I P.291-295. Cambridge University Press 1977。「下義關係」這個譯名是引自李瑞華、王彤福、楊自儉、穆國豪等合譯Geoffrey N. Leech（傑弗里N. 利奇）《*Semantics: The Study of Meaning*》一書中翻譯Lyons的「hyponymy」一語。見《語義學》，頁132（上海市：上海外語教育出版社，1987年8月第1版）。

38 《十三經注疏》第6冊《春秋左傳注疏》，頁106下-107上。

軍於瑕以待之。[39]

有為「攻擊」者，如桓公十二年：

軍其南門。[40]

有為「兩軍對峙」者，如僖公三十三年：

與晉師夾泜而軍。[41]

有為「軍營」者，如成公十六年：

晉入楚軍，三日穀。[42]

「軍」字雖有多種下義關係，始終不離軍事活動。「失軍」應如其主要意義解，即「失去部分軍旅」，亦暗示宋、齊、衛三路兵馬暫時失去軍事活動能力，但並非徹底潰敗。若俞說，戰敗當然失去營壘，無需特別加以描寫。杜說則較為接近，但落於形跡，猶有間隔。服說更無佐證，不可從。

四　襄公九年：棄位而姣

俞樾曰：

《集解》曰：「姣淫之別名。」《正義》曰：「服虔讀『姣』為『放效』之『效』，言效小人為淫，淫自出於心，非效人也。今時俗語謂淫為姣，故以姣為淫之別名。」樾謹按：《說文》〈女部〉：「姣，好也。」《孟子》〈告子篇〉曰：「至於子都，天下莫不知其姣也。」《荀子》〈非相篇〉曰：「古者桀紂長巨姣美，天下之傑也。」《韓詩外傳》曰：「以為姣好邪，則太公年七十二，齳然而齒墮矣。」《鹽鐵論》〈殊路篇〉曰：「毛嬙天下之姣人也。」《史記》〈司馬相如傳〉曰：「姣冶嫺都。」《漢書》〈東方朔傳〉曰：「左右言其姣好。」古書「姣」字竝美好之義，而杜乃以為淫之別名。《正義》又以俗謂證之，陋矣。然如服子慎之說，實亦未安。「姣」當讀為「佼」。《方言》曰：「逞、曉、佼、苦，快也。自關而東或曰曉，或曰逞。江淮陳楚之閒曰逞，宋鄭周洛韓魏之閒曰苦，東齊海岱之閒曰佼，自關而西曰快。」然則「佼」與「逞」同義。「棄位而佼」，與僖二十三

39 《十三經注疏》第6冊《春秋左傳注疏》，頁109下。
40 《十三經注疏》第6冊《春秋左傳注疏》，頁124上。
41 《十三經注疏》第6冊《春秋左傳注疏》，頁291下。
42 《十三經注疏》第6冊《春秋左傳注疏》，頁478上。

年《傳》：「淫刑以逞。」成十六年《傳》：「疲民以逞。」文義相近，言棄位而自快其意也。穆姜，齊女，習於齊之方言，故曰「恔」耳。[43]

本《傳》曰：

姜薨於東宮。始往而筮之，遇《艮》之八䷳。史曰：「是謂《艮》之《隨》䷐。《隨》，其出也。君必速出！」姜曰：「亡！是於《周易》曰：『《隨》，元、亨、利、貞，無咎。』元，體之長也；亨，嘉之會也，利，義之和也；貞，事之幹也。體仁足以長人，嘉德足以合禮，利物足以和義，貞固足以幹事。然，故不可誣也，是以雖《隨》無咎。今我婦人，而與於亂。固在下位，而有不仁，不可謂元。不靖國家，不可謂亨。作而害身，不可謂利。棄位而姣，不可謂貞。有四德者，《隨》而無咎。我皆無之，豈《隨》也哉？我則取惡，能無咎乎？必死於此，弗得出矣。」[44]

《杜注》：

姣，淫之別名。

《孔疏》：

服虔讀姣為放效之效，言效小人為淫。淫自出於心，非效人也。今時俗語謂淫為姣，故以姣為淫之別名。[45]

案：「棄位而姣」，語意不詳，服虔以「姣」為「效」之借字，解作「效小人為淫」。服氏先言假借，再就「效」字加以聯想，解釋過於迂曲。孔穎達反駁服說有理。考《說文》：

姣，好也，从女，交聲。[46]

《孟子》〈告子上〉：

不知子都之姣者，無目者也。

趙岐（西元？-201年）注：

---

43 〔清〕俞樾：《群經平議》，《續修四庫全書》《經部・群經總義類》，第178冊，卷26，頁422下-423上。

44 《十三經注疏》第6冊《春秋左傳注疏》，頁526下-527上。

45 《十三經注疏》第6冊《春秋左傳注疏》，頁526下。

46 丁福保（1874-1952）：《說文解字詁林》（北京市：中華書局，1988年）第13冊，頁12110上。

子都，古之姣好者也。[47]

《荀子》〈非相篇〉：

古者桀、紂長巨姣美，天下之傑也。[48]

唐楊倞（生卒年不詳）注：

姣，好也。[49]

《楚辭》〈九歌·東皇太一〉：

靈偃蹇兮姣服。

漢王逸（生卒年不詳）注：

姣，好也。[50]

《呂氏春秋》〈恃君覽·達鬱〉：

公姣且麗。[51]

東漢高誘（生卒年不詳）注：

姣、麗皆好貌也。[52]

《史記》〈蘇秦列傳〉：

前有樓闕軒轅，後有長姣美人。

唐司馬貞（生卒年不詳）《索隱》：

《說文》云：「姣，美也。」[53]

---

47 《十三經注疏》第8冊《孟子注疏》，頁196下。

48 王天海：《荀子校釋》（上海市：上海古籍出版社，2005年）上冊，頁169。

49 王天海：《荀子校釋》上冊，頁170。

50 〔宋〕洪興祖（1090-1155）撰，白化文等點校：《楚辭補注》（北京市：中華書局，1983年），頁56。

51 見陳奇猷（1917-2006）：《呂氏春秋新校釋》（上海市：上海古籍出版社，2002年）下冊，頁1383。

52 陳奇猷：《呂氏春秋新校釋》下冊，頁1393。

53 《史記》第7冊，卷69，〈蘇秦列傳第九〉，頁2717。

可見「姣」本為「美好」義。安井衡曰：

> 夫人君薨，自稱未亡人，不復修容，避嫌也。穆姜自言棄位而姣，是喜姣好其容飾，淫於他可知矣。不言淫而言姣者，羞不忍言也。[54]

安氏釋「姣」甚的，但「淫於他可知矣」以下之言，未免有臆測之嫌。俞樾本已指出「姣」有「好」義，但別立新說，以「姣」為「佼」之借字，[55]亦未周。

總綰前言，「棄位而姣」應如字解說，意謂背棄本位（寡婦本分），嚴妝以示人。

五　昭公二十九年：官宿其業

俞樾曰：

> 《集解》曰：「宿猶安也。」《正義》曰：「夜宿所以安身，故云：『宿猶安也。』服虔云：『宿，思也。今日當預思明日之事，如家人宿火矣。』」樾謹按：服、杜二說義皆迂曲，疑皆非也。《小爾雅》〈廣詁〉曰：「宿，久也。」「官宿其業」，言官久於其職業也。下文曰：「世不失職」，即「官宿其業」之義。[56]

本《傳》曰：

> 夫物，物有其官，官脩其方，朝夕思之。一日失職，則死及之。失官不食。官宿其業，其物乃至。若泯棄之，物乃坻伏，鬱湮不育。

服虔云：

> 宿，思也。今日當預思明日之事，如家人宿火矣。

《杜注》：

> 宿，猶安也。

《孔疏》：

> 夜宿所以安身，故云宿，猶安也，謂安心思其職業。玄卿以服義大迂曲。[57]

---

54 〔日〕安井衡：《左傳輯釋》上冊，卷14，頁39。

55 《續經解春秋類彙編》第2冊，頁2266上。

56 〔清〕俞樾：《群經平議》，《續修四庫全書》，〈經部・群經總義類〉，第178冊，卷27，頁446。

57 《十三經注疏》第6冊《春秋左傳注疏》，頁923上。

「宿」義於此頗多爭議。沈欽韓（1775-1831）[58]、李貽德[59]、安井衡[60]等支持服說。朱駿聲（1788-1818）則贊成《杜注》[61]。王引之讀「宿」為「佰」，認為是古文「夙」字，釋為「敬」，曰：

> 言居官者能敬脩其業，其所掌之物乃至也。[62]

俞樾則引《小爾雅》〈廣詁〉，訓「宿」為「久」，解作「官久於其職業」。竹添光鴻亦如是說。[63]楊伯峻則以此與《杜注》並存。[64]

各說之中，以服說最弱。以「思」訓「宿」，於古無徵，恐是受前文「朝夕思之」一語影響，但因「宿」、「思」二字義不相涉，今不取。王引之說雖巧，但終究言假借，未敢輕易接受。

杜預注「宿」為「安」，按《孔疏》，「安」似是「宿」義引申。然而，「夜宿」與「安身」並無必然關係，文獻亦不見其引申之跡。孔說較為主觀。就語境言，本《傳》上文「一日失職，則死及之。失官不食」，是失官後果，若要不失其官，似非「安其業」即可，在患失其官之餘，應更思上進，始能轉危為安，而使物至。此亦可見《杜注》之不宜。

俞樾引《小爾雅》釋「宿」為「久」。「久」與「宿」關係密切，二者有下義關係，語義可作引申，文獻上亦有例證。然而，此說與本《傳》不合。失官與否，不在時間長短；物能否至，亦與官能否久其業無甚關係。俞氏又舉下文「世不失職」為證，然亦未安。其一，此句所處語境與本《傳》不同；其二，「世不失職」重點在於「不失職」，而不在於「世」，此更見俞說漏洞。

綜觀前文，可知要不失官，而使物至之主要條件是「官宿其業」，為官之要，在於不失其職，不在於安或久。《說文》釋「宿」為「止」，[65]與「留」或「守」有下義關係，「官宿其業」即「官守其業」而不使失職，這與「世不失職」一語暗合。下文引仲尼之言：

> 民是以能尊其貴，貴是以能守其業。[66]

---

58 〔清〕沈欽韓：《春秋左傳補注》，《續經解春秋類彙編》第3冊，頁2600上。

59 〔清〕李貽德：《春秋左傳賈服注輯述》，《續經解春秋類彙編》第3冊，頁2979上。

60 〔日〕安井衡：《左傳輯釋》下冊，卷22，頁30。

61 〔清〕朱駿聲：《說文通訓定聲》，丁福保：《說文解字詁林》第8冊，頁7465下。

62 〔清〕王引之：《經義述聞》，頁468下。

63 〔日〕竹添光鴻：《左氏會箋》第2冊，第26，頁28。

64 楊伯峻：《春秋左傳注》（修訂本）第4冊，頁1502。

65 丁福保：《說文解字詁林》第8冊，頁7464下。

66 《十三經注疏》第6冊《春秋左傳注疏》，頁926上。

「宿其業」與「守其業」二語可作互參。《荀子》〈王霸〉：

> 若夫論一相以兼率之，使臣下百吏莫不宿道鄉方而務，是夫人主之職也。[67]

「宿道」即「守道」之意。

[67] 王天海：《荀子校釋》上冊，頁491-492。

北大標點本《春秋左傳正義》標點揭誤

方向東
曲阜師範大學特聘教授

提要

北大標點本《十三經注疏》自一九九九年十二月出版以來，為經學的傳播發揮了重大作用，為學界的使用提供了極大的方便，但由於出版較為倉促，整理者水準高下不齊等原因，存在不少文字排版、標點的錯誤。因此問世不久，就受到日本學者野間文史以及國內學人的批評。本文擬就《春秋左傳正義》前三十卷內容存在的標點問題進行討論，供使用此書者參考。

關鍵詞：春秋左傳正義　北大標點本　標點問題

北大標點本《十三經注疏》自一九九九年十二月出版以來，為經學的傳播發揮了重大作用，為學界的使用提供了極大的方便，但由於出版較為倉促，整理者水準高下不齊等原因，存在不少文字排版、標點的錯誤。因此問世不久，就受到日本學者野間文史以及國內學人的批評。《春秋左傳正義》由浦衛忠、龔抗云、於振波、胡遂、陳詠明五位先生整理，楊向奎先生審定。就《十三經注疏》而言，點校質量屬於上乘，但不無瑕疵。本文擬就《春秋左傳正義》前三十卷內容存在的標點問題進行討論，供使用此書者參考。

卷三：

疏：謚法：「暴慢無親曰厲，典禮無愆曰戴。」（中華書局本，頁1724，上欄倒5-4行，據雙行小字行數計，下皆同）

案：「典禮無愆曰戴」為謚法文。北大標點本（頁80，簡體橫排本，下皆同）標點為：典禮：「無愆曰戴。」此因謚法不明而致誤。

卷五：

疏：《魯語》敬姜曰「王后親織玄紞」，則紞必織線為之，若今之絛繩。鄭玄《詩》箋云充耳「謂所以縣瑱者，或名為紞，織之，人君五色，臣則三色」是也。（中華書局本，頁1742，上欄倒7-4行）

案：「或」至「人」七字，北大標點本（頁144）標點為「或名為紞織之人」，作一句讀。此因名物不明而致誤。

卷七：

傳：初，虞叔有玉，虞公求旃。注：旃，之也。（中華書局本，頁1755，上欄倒19-18行）

案：注文「旃」下逗號，北大標點本（頁192）未加，誤。「旃」為「之焉」的合音，故注以「之」釋「旃」。此因詞義不明而致誤。

疏：鄭玄云：「十日者，容散齊七日，致齊三日。」（中華書局本，頁1757，中欄倒28-27行）

案：鄭玄語，北大標點本（頁203）標點為：「十日者容散齊，七日致齊三日」，誤。下午「壬申在乙亥之前三日，是致齊之初日也」，可證。「散齊七日，致齊三日」，齋戒之常法。此因禮法不明而致誤。

疏：鄭玄以為生牲曰餼，唯〈瓠葉〉箋云腥曰餼。（中華書局本，頁1757，中欄倒6行）

案：「唯瓠葉箋」，北大標點本（頁203）標點為「唯瓠。葉箋」，誤。〈瓠葉〉為詩經篇名。此因文獻不明而致誤。

疏：彼言及，此不言及者，《公羊傳》曰：公何以不言及夫人？夫人外也。（中華書局本，頁1759，中欄第15-16行）

案：「羊」原作「並」，南昌府本、江西書局本、脈望仙館本、點石齋本、錦章書局本及武英殿本皆作「羊」，不誤。道光本、世界本增誤。北大標點本（頁212）據誤本標點為「公並，傳曰」，誤。此因版本誤文而致誤。

卷八：

疏：不稱即位，為文姜出故也。（中華書局本，頁1762，中欄倒16-15行）

案：傳文云「不稱即位，文姜出故也」，此疏文即釋傳文，北大標點本（頁217）標點為「不稱即位為文，姜出故也」，誤。此因文例不明而致誤。

卷九：

疏：〈聘禮〉云：「若不親食，使大夫朝服致之以侑幣，致饗以酬幣，亦如之。」（中華書局本，頁1773，上欄第12-13行）

案：此節引《儀禮》〈聘禮〉文，全文作「若不親食，使大夫各以其爵、朝服致之以侑幣，如致饔，無儐。致饗以酬幣，亦如之。」北大標點本（頁259）標點為「若不親食，使大夫朝服致之，以侑幣致饗以酬幣，亦如之」，誤。此因禮文不明而致誤。

疏：〈釋鳥〉云：「鶠，鳳，其雌皇。」（中華書局本，頁1775，上欄25行）

案：《爾雅》以風釋鶠，北大標點本（頁269）標點「鶠」下用頓號，誤。此因名物不明而致誤。

卷十：

疏：傳先說王事使了，後論虢事，以終內史之言，故文倒耳。（中華書局本，頁1783，下欄第14-16行）

案：此據殿本句讀標點。北大標點本（頁300）「使了」下逗號標在「王事」下，誤。「使了後論虢事」，不知所云。此因文意不明而致誤。

卷十一：

傳：《詩》云：「豈不懷歸，畏此簡書。」注：《詩》〈小雅〉。美文王為西伯勞來諸侯之詩。（中華書局本，頁1786，上欄倒15-13行）

案：阮元校勘記云：「宋本、淳熙本、嶽本、足利本『美』作『也』。」阮元並未下斷語。北大標點本（頁303）校記按語云，「依文意，作『也』為宜，據改。」《左傳》

經文引《詩》，注文注明出處，不用「也」者很多，用「也」者極少。且疏文云「《詩》〈小雅・出車〉之篇，美文王勞來諸侯」，作「美」與疏文相應，殿本亦作「美」，可見不當改。此因盲從而致誤。

卷十四：

傳：穆姬聞晉侯將至，以大子罃、弘與女簡璧登臺而履薪焉。（中華書局本，頁1806，中欄倒12-11行）

案：「簡璧」，北大標點本（頁376）「簡」下加頓號，以為二人，蓋據注文云「簡璧，罃、弘姊妹」，以姊妹為二人。楊伯峻《春秋左傳注》不加頓號，為一人。檢《左傳》疏文，有四處言及姊妹，皆指一人。隱公三年傳疏「然則莊姜必非齊僖公之女，蓋是莊公之女，僖公姊妹也」；莊公十五年經疏「文姜，僖公之女，故為桓公姊妹」；成公八年傳「宋華元來聘，聘共姬也」注云：「穆姜之女，成公姊妹，為宋共公夫人」；襄公二十三年傳「悼夫人，晉平公母，杞孝公姊妹」；則姊妹不必指稱二人。且據阮刻本句讀，「罃、弘」間加頓讀，「簡璧」間不加，當從楊伯峻標點為宜。此因文法不明而致誤。

卷十五：

疏：孔安國云：「水土治曰平，五行序曰成。」水土既治，是「地平其化」；五行既序，是「天成其施」。（中華書局本，頁1818，下欄第6-7行）

案：注文云「地平其化，天成其施」。北大標點本（頁423）「是地平」下用逗號，「其化天成其施」為句，誤。此因文例不明而致誤。

卷十六：

疏：《詩》云「踴躍用兵」，則踴躍二事勢相類也。（中華書局本，頁1824，中欄倒22-21行）

案：「踴躍用兵」，出《詩・邶風・擊鼓》。北大標點本（頁444）標點為：「《詩》云踴躍，用兵則踴躍，二事勢相類也」，誤。此因文獻不明而致誤。

傳：仲尼曰：「以臣召君，不可以訓。」故書曰「天王狩于河陽」，言非其地也。疏：此傳稱仲尼之語，即云「書曰」，明是仲尼新意，非舊文也。杜以「書曰」為仲尼新意，亦以此而知之。聖人作法，所以貽訓後世。以臣召君，不可以為教訓，故改正舊史。舊史當依實而書，言晉侯召王，且使王狩。仲尼書曰「天王狩于河陽」，言天王自來狩獵於河陽之地，使若獵失其地，故書之以譏王。然《釋例》曰：「天子、諸侯田獵皆於其封內，不越國而取諸人。河陽實以屬晉，非王狩所，故言非其地，且明德也。義在隱其召君之闕。」是說改史之意也。（中華書局本，頁1827，中欄第9-22行）

案：此段文字，北大標點本（頁457）兩處標點有誤。一是「亦以此而知之」下未加句號。二是「《釋例》」上「然」字屬上句讀。《釋例》與上面的疏文，釋義不同，故用「然」以明其別。此因文意不明而致誤。

卷十七：

疏：鄭又注云：「上公飧五牢，米二十車，禾三十車。侯伯四牢，米禾皆二十車。子男三牢，米十車，禾二十車。芻薪皆倍其禾。」積既視飧，則米禾芻薪與飧同。（中華書局本，頁1833，上欄倒18-15行）

案：鄭注文，北大標點本（頁474）標點引號至「皆倍」，「其禾」二字連下句讀，誤。《周禮．掌客》云「芻薪倍禾」可證。此因禮文不明而致誤。

卷十八：

疏：且社主，《周禮》謂之「田主」，無單稱主者，以張、包、周等並為廟主，故杜所依用。（中華書局本，頁1838，上欄第7-8行）

案：「張、包、周」指張禹、包咸和周氏，周氏其人未詳，見《論語註疏解經序序解》疏。北大標點本（頁489）「張、包、周」之間未加頓號，誤。此因人名不明而致誤。

傳：陽子，成季之屬也。（中華書局本，頁1843，下欄第17-18行）

案：注文云「處父嘗為趙衰屬大夫」，明陽處父為趙衰屬下大夫。北大標點本（頁510）「陽子」下未加逗號，易生誤解。

卷十九上：

傳：夫人因戴氏之族，注：華、樂、皇皆戴族。（中華書局本，頁1846，下欄倒12行）

案：「華、樂、皇」為三氏，北大標點本（頁524）其間未加頓號，文意不明。

疏：楚殺得臣與宜申，賈氏皆以為陋。案楚殺大夫公子側、成熊之等六七人，皆稱氏族，無為獨於此二人陋也。（中華書局本，頁1847，中欄第20-22行）

案：公子側、成熊，為楚國二位大夫。北大標點本（頁526）其間未加頓號，文意不明。

卷二十：

疏：《釋例》曰：「魯之群公以疾不視朔多矣，因有事而見一。」比猶釋不朝王之義，是其事也。（中華書局本，頁1858，下欄第19-20行）

案：比，當從殿本作「此」。北大標點本（頁563）「一」不屬上句讀，而屬下句讀，「一此」文意不明。

疏：服虔案《神異經》云檮杌狀似虎，毫長二尺，人面虎足，豬牙，尾長丈八尺，能鬬，不退。饕餮，獸名，身如牛，人面，目在腋下，食人。（中華書局本，頁1862，下欄第12-14行）

案：「身如牛，人面，目在腋下」，北大標點本（頁581）標點為「身如牛人，面目在腋下」，誤。此因名物不明而致誤。

注：桓族，向、魚、鱗、蕩也。（中華書局本，頁1863，中欄第20-21行）

案：據《左傳》成公十五年注文云：「魚石、蕩澤、向為人、鱗朱、向帶、魚府，皆出桓公」，則「向、魚、鱗、蕩」為桓族四氏。北大標點本（頁584）「魚鱗」之間未加標點，誤。此因氏族不明而致誤。

卷二十一：

疏：放者，緣遣者之意為義；奔者，指去國之人立文；據其所往之處，皆是從外來耳。（中華書局本，頁1865，中欄第4-5行）

案：「為義」與「立文」文相對偶。北大標點本（頁586）「指去國之人」下用句號，「立文」連下句讀，未確。此因文法不明而致誤。

疏：叔牂卑賤，故得先歸，華元見而安慰之曰：往奔入鄭軍者，子之馬自然，非子之罪。（中華書局本，頁1866，中欄倒6-5行）

案：「自然」二字，當屬上句讀，傳文「子之馬然」可證。北大標點本（頁592）屬下句讀，誤。此因文例不明而致誤。

傳：宣子曰：「烏呼！『我之懷矣，自詒伊慼』，其我之謂矣。」（中華書局本，頁1867，中欄倒5-4行）

案：「我之懷矣，自詒伊慼」二句上，各本無「《詩》曰」二字，楊伯峻《春秋左傳注》從金澤文庫本增。北大標點本（頁598）有「詩曰」二字，未出校記。

卷二十二：

注：《豐》上六曰：「豐其屋，蔀其家，闚其戶，闃其無人，三歲不覿，凶。」義取無德而大其屋，不過三歲，必滅亡。（中華書局本頁1873，上欄第5-7行）

案：豐為大義，豐其屋即大其屋。北大標點本（頁614）「大」下加逗號，「其屋」連下句讀，誤。此因《易經》不明而致誤。

疏：定十五年九月「丁巳，葬我君定公，雨，不克葬。戊午，日下昃，乃克葬」。彼云「乃」，此云「而」者，《公羊傳》曰：「『而』者何？難也。『乃』者何？難也。曷為或言『而』，或言『乃』？『乃』難乎『而』也。」（中華書局本，頁1873，下欄倒26-22行）

案：疏言「而」、「乃」之別，就經文「雨，不克葬。庚寅，日中而克葬」中「而」字言。北大標點本（頁618）「彼云『乃』，此云『而』者」，標點為「彼云乃此。云而者」，誤。此因文法不明而致誤。

疏：直言入陳納人，是沒其縣陳本意。言陳國見存，入而納此人耳。（中華書局本，頁1876，中欄第7-9行）

案：傳文「故書曰『楚子入陳，納公孫寧、儀行父于陳』，書，有禮也。」注文云：「沒其縣陳本意，全以討亂存國為文，善其復禮。」北大標點本（頁631）「縣陳」下用句號，「本意」連下句讀，誤。

卷二十三：

疏：師，坎為水，坤為眾，眾行如水，師出之象，故名其卦為師。（中華書局本，頁1879，下欄倒8-7行）

案：師卦下坎上坤。北大標點本（頁640）「師坎」間加頓號，誤。此因《易經》不明而致誤。

疏：水當盈川，而以壅故竭，是「水遇夭塞，不得整流，則竭涸也」。（中華書局本，頁1880，上欄第26-28行）

案：「水當盈川，而以壅故竭」，釋傳文「盈而以竭」。北大標點本（頁641）「故竭」二字連下句讀，誤。此因文例不明而致誤。

疏：案杜注，文十六年傳，蚡冒，楚武王父。不從史記也。（中華書局本，頁1880中欄倒5行）

案：「文」指魯文公。北大標點本（頁644）「文」字連上句讀，以為注文，誤。

疏：彼傳又曰：「晉人執甯喜、北宮遺，使女齊以先歸。衛侯如晉，晉[1]人執之。」（中華書局本，頁1893，中欄第12-13行）

案：「彼傳」指上文所云襄公二十六年傳。「甯喜、北宮遺」二人同為晉人所執，晉人又使女齊先歸。北大標點本（頁688）「甯喜」下用逗號，「北宮遺」連下句讀，誤。此因文意不明而致誤。

疏：鄭眾云：「宮縣，四面縣。軒縣，去其一面。判縣，又去一面。特縣，又去一面。四面，象宮室四面有牆，故謂之宮縣。」（中華書局本，頁1893，下欄倒21-22行）

案：「四面，象宮室四面有牆」，北大標點本（頁691）標點為「四面象宮室，四面有牆」，誤。此因禮制不明而致誤。

疏：服虔引《司馬法》：其有殞命以行禮，如會所用儀也。（中華書局本，頁1895，上欄第5-6行）

---

1 「晉」字原無，據殿本補。

案：《司馬法》文，北大標點本（頁6 96）標點為「其有殞命，以行禮如會所，用儀也」，誤。此因文意不明而致誤。

傳：故《詩》曰：「我疆我理，南東其畝。」注：《詩》〈小雅〉。或南或東，從其土宜。（中華書局本，頁1895，中欄倒7-5行）

案：「或南或東，從其土宜」，是注文釋傳文引《詩》之意。北大標點本（頁698）加引號，誤。此因文獻不明而致誤。

卷二十六：

疏：劉炫以為廧咎如之國即是赤狄之餘，今知不然者，以赤狄之國種類極多，潞氏、甲氏、鐸辰、皐落氏等，皆是其類，並為建國。假令潞氏、甲氏、鐸辰、皐落雖滅，自外猶存，則是不滅者多，止應言討赤狄之類，不得稱「餘」。（中華書局本，頁1900，下欄第9-12行）

案：「鐸辰、皐落氏」分別為赤狄之別種。宣公十六年，「晉士會帥師滅赤狄甲氏及留籲鐸辰」，杜注云：「鐸辰不書，留籲之屬。」閔公二年，「晉侯使大子申生伐東山皐落氏」，杜注云：「赤狄別種也，皐落其氏族。」北大標點本（頁698）「鐸辰、皐落氏」中間不加頓號，誤。

疏：皮弁之服，十五升，白布衣，素積以為裳。（中華書局本，頁1901，上欄倒15-14行）

案：「皮弁之服，十五升，白布衣，素積以為裳」，見《周禮》〈司服〉鄭注。八十縷為一升，升數多少決定布的稀密。素積，《儀禮．士冠禮》鄭注云：「積猶辟也，以素為裳，辟蹙其要中。」北大標點本（頁716）標點為「皮弁之服，十五升白布，衣素，積以為裳」，誤。此因名物不明而致誤。

卷二十八：

疏：劉炫又云：「若君將被殺獲者為重，既書師敗，又書殺獲，即韓之戰獲晉侯，大棘之戰獲華元，雞父之戰獲胡、沈之君是也。」（中華書局本，頁1916，下欄第27-29行）

案：「胡、沈」為二國名。昭公二十三年經云：「胡子髡、沈子逞滅」，傳云：「戰于雞父，吳子以罪人先犯胡、沈與陳，三國爭之」，可證。北大標點本（頁772）「胡、沈」之間未加頓號，誤。此因國名不明而致誤。

卷二十九：

注：洧水出密縣，東南至長平入潁。（中華書局本，頁1928，中欄倒4-3行）

案：殿本此注文作一句讀。《水經注》〈洧水〉：「洧水出河南密縣西南馬嶺山，東南過其縣南，後入於穎」。北大標點本（頁815）「縣」下逗號在「東」字下，誤。此因地理不明而致誤。

疏：〈釋木〉云：「槐小葉曰槚[2]。」郭璞曰：「槐當為楸，楸細葉者為槚。」又云：「大而皵楸，小而皵槚。」樊光云：「大，老也。皵，棤皮也，皮老而麄棤者為楸。小，少也。少而麄棤者為槚。」又云：「椅，梓。」郭璞曰：「即楸也。」（中華書局本，頁1929，上欄第24-27行）

案：北大標點本（頁818）「皮老而麄」下加句號，「椅，梓」之間不加逗號，皆誤。此因名物不明而致誤。

傳：伯明後寒棄之，夷羿收之。注：夷，氏。（中華書局本，頁1933，中欄第4-5行）

案：注文「夷，氏」，下疏文云「此傳再言夷羿，故以夷為氏也。」北大標點本（頁837）「夷，氏」之間未加逗號，不確。

傳：浞行媚於內，注：內，宮人。（中華書局本，頁1933，中欄第7行）

案：北大標點本（頁837）「內，宮人」之間未加逗號，不確。

疏：哀十二年傳曰：「宋、鄭之間有隙地焉，曰嵒、戈、錫[3]」，是也。（中華書局本，頁1933，中欄第20-23行）

案：「嵒、戈、錫」為三地名，見哀公十二年傳。北大標點本（頁837）「嵒、戈」之間未加頓號，誤。此因地理不明而致誤。

卷三十：

疏：〈釋天〉云：「大辰，房心尾也。大火謂之大辰。」孫炎曰：「龍星明者，以為時候。大火，心也。在中最明，故時候主焉。」（中華書局本，頁1941，中欄倒6-4行）

案：孫炎語分釋大辰和大火，見《爾雅註疏》。北大標點本（頁867）「以為時候大火心也」不加標點，誤。此因天文不明而致誤。

疏：《晉語》公子重耳筮得「貞屯、悔豫」皆八，其下司空季子云「是在《周易》」，並於「遇八」之下別言「《周易》」。（中華書局本，頁1942，上欄倒15-13行）

案：內卦為貞，外卦為悔。屯卦和豫卦皆有震，屯卦震在內，豫卦震在外。北大標點本（頁870）標點為「貞、屯、悔、豫」，此因易理不明而致誤。

上述諸例可以看出，錯誤的類型涉及天文、地理、名物、禮制、文獻以及文意理解諸多方面，可見點校古籍的不容易，需要我們進一步加深學養和認真的對待。

---

2 「槚」原作「檟」，據南昌府本改。

3 「錫」原作「鍚」，據阮元《校勘記》改。

四書研究

從《四書》所論之「思」探索儒家為學修身的態度與工夫

吳伯曜
彰化師範大學國文系兼任助理教授

提要

儒家經典中頗多論及「思」者，例如《孟子》曰：「欲貴者，人之同心也。人人有貴於己者，弗思耳。」《論語》〈憲問〉曾子曰：「君子思不出其位。」《左傳》曰：「進思盡忠，退思補過」《尚書》曰：「居安思危」……，可見儒家對「思」的工夫之重視。本文擬以《四書》所論之「思」為進路，試圖探索儒家「思」的工夫，從中瞭解儒家立身處世的態度與視角，並探討其在現代社會中所具有的意義與價值。

綜觀《四書》所論之「思」，大致可分兩種意義的「思」：

> 一是思考、理解之「思」：如《中庸》云：「博學之，審問之，慎思之，明辨之，篤行之。」其中「慎思」即對學問能謹慎地思考理解。又《大學》云：「大學之道，在明明德，在親民，在止於至善。知止而后有定，定而后能靜，靜而后能安，安而后能慮，慮而后能得。」《大學》之「慮」即思慮、思考，且是以「知止」為前提所進行的思慮、思考。

另一是反省、省察之「思」：如《孟子》〈告子上〉孟子曰：「仁義禮智，非由外鑠我也，我固有之也，弗思耳矣。」又曰：「心之官則思；思則得之，不思則不得也。」此處孟子所謂之「思」即省察吾人內在的四端之心或本心良知之意。另外，《論語》〈里仁〉子曰：「見賢思齊焉，見不賢而內自省也。」其中「自省」亦是「思」，即所謂「省思」。又如《論語》〈季氏〉孔子曰：「君子有九思：視思明，聽思聰，色思溫，貌思恭，言思忠，事思敬，疑思問，忿思難，見得思義。」此「九思」即由內而外，以自己的德性良知對自己的五官運作、言行舉止、所做所為進行省察與反思，以求自己的為人處事都能表現得宜，彰顯君子的德性。

從上述對《四書》之「思」的探討，我們可以看出「思」乃是儒家為學修身的重要工夫，儒家主張對成德之學須謹慎地思考理解；對自身內在德性，則須經常進行反省、省察。「思」乃是儒家之學由「體」到「用」之間的橋樑，也是從「學」（知）到「行」

的樞紐。瞭解儒家「思」的工夫，對現代人讀經、做人當有所啟示。

關鍵詞：四書　四書之思　論語之思　孟子之思　思

一　前言

儒家經典中頗多論及「思」者，例如。《易經》〈艮卦・大象〉:「君子以思不出其位。」《尚書》〈周書・洪範〉:「五事：一曰貌，二曰言，三曰視，四曰聽，五曰思。貌曰恭，言曰從，視曰明，聽曰聰，思曰睿。恭作肅，從作乂，明作哲，聰作謀，睿作聖。」《左傳》〈宣公十二年〉:「林父之事君也，進思盡忠，退思補過，社稷之衛也。」《論語》〈季氏〉孔子曰:「君子有九思：視思明，聽思聰，色思溫，貌思恭，言思忠，事思敬，疑思問，忿思難，見得思義。」《孟子》〈告子上〉:「欲貴者，人之同心也。人人有貴於己者，弗思耳。」……，可見先秦儒家對「思」這一修養工夫的重視。[1]本文擬以《四書》所論之「思」為進路，探索儒家為學修身的態度與工夫，並探討其在現代社會中所具有的意義與價值。

二　儒家的「學」與「思」

儒家十分重視「學」與「思」的工夫，認為二者對於追求儒家之道的學者而言，是相需相輔，不可偏廢，必須並重並用的。例如《論語》〈為政〉孔子曾指出:「學而不思則罔，思而不學則殆。」[2]《中庸》亦云:「博學之，審問之，慎思之，明辨之，篤行之。」[3]可見儒家「學」「思」並重的為學態度。就《四書》所論之「思」而言，「思」的作用主要有兩方面：一是作為為學的工夫；二是作為修身的工夫。至於儒家「學」「思」並重之「思」其義為何？此則與儒家之「學」的本質與內涵有關。從《四書》所言以及歷來學者的體認歸結，有助於我們瞭解儒學性質與內涵。例如:《大學》云:「大學之道，在明明德，在親民，在止於至善」，可以看出儒家的學問主要是追求德性的修養與實踐。《孟子》云:「學問之道無他，求其放心而已矣。」[4]按照孟子的觀點，則儒家之學主要在找回放失的善良本心，學問本質上仍為德性修養之學。另外，就歷來學者對儒家之學的體認歸結而言，由於受到孔子所云:「古之學者為己，今之學者為人」[5]之啟迪，於是自宋代以來儒者普遍體認儒學乃「為己之學」[6]—成就自己德性的學問、「為

1　先秦之後，儒者並未特別彰顯「思」的工夫，直至宋代大儒周敦頤始再度提強調「思」的工夫之重要性，指出:「《洪范》曰:『思曰睿，睿作聖。』無思，本也；思通，用也。幾動于彼，誠動于此，無思而無不通，為聖人。不思，則不能通微；不睿，則不能無不通。是則無不通生于通微，通微生于思。故思者，聖功之本。」見《周濂溪集》卷五，〈通書一・思第九〉。

2　見《論語〈為政〉第15章。

3　見《中庸章句》第20章。

4　見《孟子》〈告子上〉。

5　見《論語》〈憲問〉第24章。

6　《宋元學案》、《明儒學案》、《朱子語類》當中即記載許多宋明儒者關於儒家「為己之學」的討論。

著人的本己心靈安頓的學問」[7]。另外，現代學者也稱儒學為「成人之學」，例如曾昭旭、盧偉等學者即認為孔門之學或儒學主要學習如何才能成就理想人格，因此也可稱之為「成人之學」[8]。不論是以「為己之學」為儒學或以「成人之學」為儒學，儒學的本質與內涵都指向德性人格的修養與成就。因此，相應於儒家學問的「思」的工夫，其義除可解作「思考」、「理解」之外，似乎更宜作「反思」、「反省」之義解，也就是將所學的道理「反思」於己身，「反省」自己是否在學習之後能確實地去實踐這些道理。儒學既以成德為主旨，則儒家之為學與修身二者密不可分，作為儒家為學工夫的「思」亦是儒家的一種修身工夫。從這個角度，再來看《論語》〈為政〉孔子所云：「學而不思則罔，思而不學則殆。」和《中庸》所云：「博學之，審問之，慎思之，明辨之，篤行之。」這兩段話，就更能發現「思」的工夫在儒家學習過程中的重要性：學習儒家成德之教，若不審慎深入地加以「思考」、「理解」，「思悟」其理，從而明白、消化其真義，則對於所學的道理將有所困惑、迷惘；另一方面，學習儒家的生命學問，若不能「反思」於己身，作德性實踐的「反省」，如何能受用？如何能真正提升生命、成就德性？若此豈不令人迷惘、困惑？[9]至於「思而不學則殆」亦是「學」「思」偏廢之弊：如果只是自己殫精竭慮、苦思妄想，卻不實際學習求教，吸取前人的經驗智慧，則所思未必周延恰當，貿然施之於行，恐將危而不安。因此《中庸》所云：「博學之，審問之，慎思之，明辨之，篤行之。」亦是告訴我們學習君子成德之教，須「學」（博學、審問）、「思」（慎思、明辨）並用，才能真正明白此成德之學，從而反思於己身，切實篤行實踐所學的君子安身立命之道，誠如荀子所謂：「君子博學而日參省乎己，則知明而行無過矣。」[10]

儒學大師梁漱溟先生寫給中國文化書院的題辭亦云：「孔門之學乃為己之學。」大陸學者葉舟於《論語的智慧》一書的序文，也說：「以孔子為代表的儒學可以說是一種「成德之教」或「為己之學」。

7 見葉舟：《論語的智慧》〈序〉。

8 見曾昭旭：《經典・孔子・論語》（臺北市：麥田出版社，2013年8月），頁98。盧偉：〈《論語》中「學」的地位初探〉，《科教導刊》2011年11月，頁211。

9 明末清初學者李二曲曾指出讀《四書》須反思於己的重要性，他說：「夫《大學》之要在格、致、誠、正、修，吾曹試切己自勘，物果格乎？知果致乎？果意誠、心正、修身以立本乎？《中庸》之要在戒慎恐懼，涵養於未發之前，子臣弟友，盡道於日用之際；吾曹試切己自勘，果或靜或動，兢兢焉惟獨之是慎乎？果於子臣弟友盡道而無歉乎？《論語》之要在於時學習；吾曹試切己自勘，果明善乎？果復初乎？果存理克欲，視聽言動之復禮乎？言果一一忠信，行果一一篤敬，『三畏』、『九思』之咸事乎？《孟子》之要，在知言、養氣、求放心，吾曹試反己自勘，言果知乎？氣果養乎？放心果收乎？不擇純駁，惟資見聞，恐非知言之謂也；不懲忿窒慾，集義自反，恐非養氣之謂也。（見《二曲集》卷29，〈二曲先生讀四書說〉，頁399-400。）

10 見《荀子》〈勸學〉。

三　思考、理解之「思」

綜觀《四書》所論之「思」，其中作為工夫意義[11]者大致可分兩種：一是思考、理解，主要是針對外在事物進行推想考慮；另一是反思、反省，主要是針對自己的身心思想言行進行省察檢討。二者當中較長被用來解釋《四書》「思」字之義的是思考與理解，例如：

（一）《大學》

《大學》：「大學之道，在明明德，在親民，在止於至善。知止而後有定，定而後能靜，靜而後能安，安而後能慮，慮而後能得。」[12]此處之「慮」相當於「思」，可解作思慮、思考，乃是以「知止」（知曉止於至善之境）為前提所進行的思慮、思考。

（二）《中庸》

《中庸》云：「誠者，天之道也。誠之者，人之道也。誠者，不勉而中，不思而得，從容中道，聖人也。」[13]其中「不思而得」指聖人對於道德本體之誠，無須思考，即可掌握。又《中庸》云：「博學之，審問之，慎思之，明辨之，篤行之。有弗學，學之弗能弗措也。有弗問，問之弗知弗措也。有弗思，思之弗得弗措也。……」[14]其中「慎思之」，可解作對所學審慎思考、理解；「有弗思，思之弗得弗措也」則意謂對於學問不思考、理解則已，既要思考、理解，就非想通不可，絕不放棄。

（三）《論語》

《論語》〈為政〉子曰：「詩三百，一言以蔽之，曰：『思無邪』。」[15]王船山認為孔子的這一段話，主要在講「學《詩》之法」，而非指《詩》的內容。船山說：「《詩》雖貞、淫俱在，學《詩》者當以『思無邪』一語為學而取益之，要重在一『思』字。」[16]

---

11 《四書》所論之「思」，有作想要、意欲之義者，如《中庸》：「思脩身，不可以不事親。思事親，不可以不知人。思知人，不可以不知天。」凡此非工夫義者，不在本文探討之列。

12 見《大學章句》首章。

13 見《中庸章句》第20章。

14 見《中庸章句》第20章。

15 見《論語》〈為政〉第2章。

16 見王船山：《四書箋解》「詩三百」章。

又說：「知『思無邪』，則慎思以閑邪，《三百篇》皆興觀之實學也。」[17]依據王船山的說法，《論語》〈為政〉「詩三百」這一章的章旨，應指：學者當用淳善無邪的角度去思考、理解《詩經》作品，從中獲得若干啟示。又《論語》〈衛靈公〉子曰：「吾嘗終日不食，終夜不寢，以思，無益，不如學也。」[18]此處之「思」亦可解作「思考」，此章與孔子所云「思而不學則殆」[19]皆提醒學者不能只有憑空思考而沒有實際的學習。

（四）《孟子》

《孟子》所言之「思」雖亦可解作思考、理解之義，但大部分仍以反省、反思之義[20]解釋較為貼切。例如：《孟子》〈告子上〉孟子曰：「拱把之桐、梓，人苟欲生之，皆知所以養之者。至於身，而不知所以養之者，豈愛身不若桐、梓哉？弗思甚也。」[21]這一段文字，是孟子舉人們都知道照顧培養所種的桐樹、梓樹為例，卻不知照顧培養自己的身心，孟子認為這是因為人們沒有用心思考的緣故。此處之「思」許多學者解釋為「思考」[22]，事實上此處孟子要喚醒人們的是「反思」己心未得其養，用「反思」、「反省」解釋「思」，意義上可能更為貼切。

四　反思、反省之「思」

《四書》所論之「思」，作為工夫意義的另一個解釋是反思、反省。例如：

（一）《大學》

上節提到《大學》：「知止而後有定，定而後能靜，靜而後能安，安而後能慮，慮而後能得。」[23]其中「慮」相當於「思」，可解作思慮、思考，《大學》首章既強調「明明德」、「親民」、「止於至善」之工夫，「慮而后能得」之「慮」（相當於「思」）當是一種回歸明德本體的工夫；「慮而後能得」更貼切的意義應是反思明德本體、由本體進行自

---

17 見王船山：《四書箋解》「詩三百」章。

18 見《論語》〈衛靈公〉第31章。

19 見《論語》〈為政〉第15章。

20 這部分本文將於下一節探討。

21 見《孟子》〈告子上〉第13章。

22 如傅佩榮：《人性向善：傅佩榮談孟子》（臺北市：天下遠見出版公司，2007年10月），頁493。即解釋此章之「思」為「思考」。徐洪興：《孟子直解》（上海市：復旦大學出版社，2004年1月），頁272。將「思」解釋為「動腦筋」，義同「思考」。

23 見《大學章句》首章。

我省察，自然能獲得應然之理。

（二）《中庸》

《中庸》云：「博學之，審問之，慎思之，明辨之，篤行之。」本文第二節曾就儒學本質與內涵，探討這段文字中「學」與「思」的意涵。就儒學為成德之學而言，「思」作為成德的工夫時，對外在事物進行推想考慮的「思考」與「理解」之義，似不若對自己的身心思想言行進行省察檢討的「反思」與「反省」之義，具有更根本性的價值自覺作用。若《中庸》：「博學」、「審問」的對象是德性學問，目的在「明明德」，則明白自身光明德性之後的工夫當是反思省察此明德本體，辨明是非善惡，篤行所當行之道。[24]

（三）《論語》

《論語》〈里仁〉子曰：「見賢思齊焉，見不賢而內自省也。」[25]何以我們看到賢者會「思齊」，看到不賢者會「內自省」？此內心的機制，首先是我們有辨別賢與不賢、善與惡的能力，故能見賢而知其賢、見不賢而知其不賢[26]，且因我們有德性的自我期許，因此見賢的當下，我們反思自己、反省自己，期許自己能有如此之賢德，或發現自己欠缺此賢德，因此才會「思齊」，希望自己能向賢者看齊效法、希望自己能提升德性修養而與賢者一樣；另一方面，也才會在見不賢的當下，以之為借鏡，自我檢討以求改進。所以「見賢思齊」與「見不賢而內自省」當中實有「反思」、「反省」的工夫存在。因此，《論語》〈里仁〉這一段話，除了「內自省」之外，「思」亦有「反思」「反省」之義。又如《論語》〈子張〉子夏曰：「博學而篤志，切問而近思，仁在其中矣。」[27]若所博學、篤志、切問、近思者，非德性之學，何以說：「仁在其中」？明儒王時槐曾云：「心之官則思，中常惺惺，即思也，思即窮理之謂也，此思乃極深研幾之思，是謂近思，是謂不出位，非馳神外索之思。」[28]因此子夏所謂「近思」乃是反歸己身之省思，「思」是內在德性的反省與覺察。又如《論語》〈季式〉孔子曰：「君子有九思：視思

---

24 李二曲針對《中庸》：「博學之，審問之，慎思之，明辨之，篤行之」這一段話曾指出：「『善』乃吾人天然固有之良知也。『博學』而不學此，便是雜學；『審問』而不問此，便是泛問；『慎思』而不思此，便是游思；『明辨』而不辨此，便是徒辨；『篤行』而不行此，便是冥行。」見《二曲集》卷30，〈四書反身錄．中庸〉，頁422。

25 見《論語》〈里仁〉第17章。

26 此即明儒王陽明所謂知善知惡的良知。

27 見《論語》〈子張〉第6章。

28 見黃宗義：《明儒學案》第20卷，江右王門學案五，〈論學書．答曾肖伯〉。

明，聽思聰，色思溫，貌思恭，言思忠，事思敬，疑思問，忿思難，見得思義。」[29]何以君子在視、聽、色、貌、言等九件事的當下，會有相應於此的九種態度反應，而非其他？對於「九思」，李二曲曾闡釋其義說：「思雖有九，所以思則一；一者何？心也。心存則一念惺惺，動輒檢點，視自思明，聽自思聰，色自思溫，貌自思恭，言自思忠，事自思敬，疑自思問，忿自思難，得自思義。此修身、率性、踐形之實，定、靜、安、慮之驗也。故曰：『清明在躬，志氣如神』，又曰：『心之官則思，思則得之』、『思作睿』、『睿作聖』。」[30]因此「九思」事實上是一種工夫，即「自我省察與反思」的工夫；由內而外，以自己的德性良知對自己的視聽言行舉止、所做所為進行省察與反思，自然能意識到自己各方面為人處事應有的態度與作為。

（四）《孟子》

《孟子》所言之「思」是《四書》言「思」當中最凸顯德性工夫意義的。清初大儒王船山曾盛讚孟子：「孟子說此一『思』字，是千古未發之藏，與《周書》言『念』，《論語》言『識』，互明性體之大用。」[31]例如：《孟子》〈告子上〉孟子曰：「耳目之官不思，而蔽於物，物交物，則引之而已矣。心之官則思，思則得之，不思則不得也。此天之所與我者，先立乎其大者，則其小者弗能奪也。」[32]何麗豔指出：孟子「心之官則思」的「思」是對道德心之用的明確表述。就傳統認識論和倫理學來看，心官之「思」兼具「理性思維能力」和「道德心的反思」二者，但就《孟子》文本整體思想而言，「思」之道德價值更為突出。[33]筆者認為孟子所言之「思」何以具有「性體之大用」與「道德價值」？主要是此「思」非對外界事物認知思考理解之「思」，而是對自身德性主體或德性實踐能予「反思」、「省察」之「思」，《孟子》一書在在言明此「思」。又如：《孟子》〈告子上〉孟子曰：仁義禮智，非由外鑠我也，我固有之也，弗思耳矣。故曰：『求則得之，舍則失之』。」[34]此處孟子指出：「仁義禮智」是我們內在本有的德性，其彰顯與否取決於我們「思」或「弗思」。此「思」顯然非「思考」或「理解」仁、義、禮、智，而是反思省察此仁、義、禮、智之德的道德本體。孟子又曰：「欲貴者，人之同心也。人人有貴於己者，弗思耳。」[35]對於孟子的這一段話，牟宗三曾闡釋

---

29 見《論語》〈季式〉第10章。

30 見《二曲集》卷39，〈四書反身錄・論語・季氏篇〉，頁501。

31 見王船山：《讀四書大全說》卷10，〈孟子・告子上篇〉。

32 見《孟子》〈告子上〉第15章。

33 見何麗豔、江萍：〈論孟子之「思」的道德價值〉，《學理論值》第28期，2009年7月，頁143-145。

34 見《孟子》〈告子上〉第6章。

35 見《孟子》〈告子上〉第17章。

說：「思即覺也。……弗思即弗覺。覺則乃知人人分有貴于己之良貴；若非逆覺其本心，焉有所謂『良貴』？『是故誠者，天之道也；思誠者，人之道也。』思誠即逆覺而肯認其本有之誠體也。」[36]牟先生以「覺」、「逆覺本心」闡釋「思」義，事實上也就是指吾人德性的自我「反思」與「省察」。對此，金基柱也指出：「在孟子，內在的道德心性就是道德的根據，也是道德主體自身，因此要成就道德就要呈顯其內在的道德心性，所以其呈顯的過程並不會是認識論的思考過程，一定得是一個反省、反思的過程。……如此看，『思』就是一個『逆覺體證』的過程，乃是自我肯定之過程。總之，『思』就是一個反身自覺的過程，也是內在的道德實體之肯定過程，而且這些過程就成為吾人自覺地作道德實踐的可能根據。由此而言，『思』就是『反身、反思』。」[37]

五　結語

從上述對《四書》之「思」的探討，我們可以看出「思」乃是儒家為學修身的重要工夫。從工夫意義上來說，《四書》所言之「思」，大致可解釋為「思考、理解」與「反思、反省」二義。儒門當中關於義理思想的探討學習，有很大的部份是透過經典的講述與討論，因此要明白儒家經典當中的義理，「思考」與「理解」是學習當中不可或缺的工夫，從這個角度，我們可以用來說明《四書》所言之「思」作為「思考」與「理解」的意義所在。但是我們若回歸到《四書》所謂之「學」或儒家之學的本質和內涵來看，它是一門成德之學；學習儒家學問的目的是希望提升生命的價值、成就德性人格。從這個角度來看，《四書》所言之「思」，若從「反思、反省」的意義上來解釋，當更能相應於此成德之學，此誠如宋儒陸九淵所云：「辭旨曉白，然讀之者苟不切己觀省，亦恐未能有益也。」[38]

從成德之學的角度來看，《中庸》所云：「博學之，審問之，慎思之，明辨之，篤行之。」所揭示的成德之學的為學進程，由「博學、審問」的勤學開始，經由「慎思、明辨」的反思工夫，最終則是「明明德」之後的篤志力行此德性之道。其中「慎思、明辨」的反思工夫實為由「學」到「行」的樞紐。儒家強調有體有用、明體達用；德性明了，才能通達於用。而《四書》「思」的工夫，將所學之道反思於己身以「明體」；繼而發揮德性的價值以「達用」，可以說亦是儒家之學由「體」到「用」之間的重要橋樑。

---

36 見牟宗三：《從陸象山到劉蕺山》（臺北市：臺灣學生書局，1993年3月），頁170。

37 見金基柱：〈如何能真實地必然地呈顯道德——孟子對道德有效性之構想〉，《鵝湖學誌》第23期，1999年12月，頁99-125。

38 見《陸九淵集》卷23，〈白鹿洞書院論語講義〉。

禘莫盛於灌
──由唐寫本《論語》鄭注重探「禘自既灌而往」章的詮解問題

許子濱
嶺南大學中文系教授

提要

《論語》〈八佾〉篇「禘自既灌而往」章只記錄孔子的話語，沒有清楚交代孔子說話的特定語境。加上前人說禘紛然殽亂，甚或互相牴牾，為後人理解《論語》此章平添了許多障礙。唐寫本鄭玄《論語注》的發現，對理解鄭義至關重要。此前，要理解鄭玄對「禘自既灌而往」章的看法，僅能依靠唐疏裡存有的「禘祭之禮，自血腥始」。鄭玄注文幾近完整地保存在唐寫本中。諸家整理寫本，大多把「盛」當成「甚」的誤字，非禮之「甚」就是極為非禮。此說大誤。「禘祭之禮，自血腥始」，意謂禘祭的正祭就從薦血腥開始。「至於尸灌而神事訖」，指灌尸而尸祭於地以求神，神降之後，神事也就此完結。不欲觀，是因為灌尸祭地降神後的儀節，包括朝踐薦血腥、饋食薦熟食及食後酳尸，都是些相當繁縟的人事小節，並非禘禮的大節。按照鄭義解讀「禘自既灌而往」章，孔子的話是說：宗廟禘祭從灌尸獻神完結後的其他儀節，我都不想再觀看了。就義理而言，《易傳》與《論語》每有契合、可相發明之處。馬融、虞翻、王弼以「禘自既灌而往」章說《易・觀》之意。灌祭所包含的禮意精神，在宋代理學家那裡得到進一步的發揮。

關鍵詞：鄭玄　《論語注》　禘　盛　灌　祼

一 緒言

鄭玄（西元127-200年）《論語注》成書於其遭逢黨錮事解之後，與《古文尚書注》、《毛詩箋》、《周易注》同為鄭玄晚年完成的經注，當中以《周易注》的撰作時間為最晚。[1]自北宋以後，鄭玄《論語注》不傳於世，除何晏（西元？-249年）《論語集解》所採及他書引用者外，餘皆散佚。南宋以後，學者雖為鄭注多方輯佚，亦僅得斷章殘句，只能略窺一斑，而難見全豹。直至上世紀六七十年代，敦煌和吐魯番發現三十一件唐寫本《論語注》殘卷。經過一眾中外學者的努力整理，今日差可掌握其書的一半內容。[2]清代之時，鄭玄《論語注》雖僅存吉光片語，但仍受到學者的珍視。俞樾（1821-1907）倡議「《論語》之學，宜以鄭為主」，鑒於鄭注散佚不傳，故刺取《詩箋》、《禮注》之中涉及《論語》者，編成《論語鄭義》，以保存鄭學。[3]只是俞氏所得鄭注遺文不多，所存鄭義自亦有限。即以本文所探討的《論語》〈八佾〉「子曰：『禘自既灌而往者，吾不欲觀之矣』」一章為例，前人輯存，僅有「禘祭之禮，自血腥始」兩語，殘缺嚴重，注文殊不完整，其意實難考知。直至唐寫本《論語注》的出現，世人才得見鄭玄「禘自既灌而往」章的接近完整的注文。學者整理唐寫本，已取得矚目的成果，對「禘自既灌而往」章注文的理解，卻存有偏差，甚至受先入為主之見的影響，錯誤解讀鄭注之旨。本文所論，旨在先準確釋讀鄭注文字，然後結合鄭玄《禮》注，闡明其立言要旨，並辨析其得失所在。此外，本文還將說明漢、宋《易》學所闡發的〈觀〉卦義理，正適用於詮釋鄭義。在辨明鄭義後，本文將對「禘自既灌而往」的主流解讀提出質疑辨惑，冀能藉此凸顯鄭玄《論語注》的價值，並比較合理地詮解孔子之意。筆者學識淺陋，篇中論說，紕繆必多，尚祈大雅君子不吝賜正。

二 唐寫本《論語》「禘自既灌而往」章鄭注重勘發覆

（一）鄭注釋義

鄭玄有關「禘自既灌而往」章的解說，見於唐人所引。一見孔穎達（西元574-648年）《禮記疏》（〈禮器〉）轉引北朝熊安生（西元？-578？年）《禮記義疏》語，熊氏云：

---

1 〔漢〕鄭玄〈《周易注》序〉自言，「黨錮事解，注《古文尚書》、《毛詩》、《論語》，為袁譚所逼，來至元城，乃注《周易》」。王利器《鄭康成年譜》列諸經注於「中平元年甲子（184）五十八歲」之下。事詳車行健：〈論鄭玄《論語注》的經注思維及其經學思想〉，《儒家典籍與思想研究》，2011年，頁110-129。

2 詳參車行健：〈論鄭玄《論語注》的經注思維及其經學思想〉。

3 〔清〕俞樾：《論語鄭義》，《俞樓襍纂弟十三》，嚴靈峰編輯：《無求備齋論語集成》（臺北市：藝文印書館，1966年），第240冊，頁1a。

宗廟之祭無血。鄭注《論語》云：「禘祭之禮，自血腥始」者，謂腥肉有血。[4]

腥之本義是生肉，指牲殺而未煮者。禘祭為宗廟大祭。熊氏節引鄭君《論語注》，欲以此證明宗廟之祭無血。熊氏將鄭玄說的「血腥」看成一物，即帶血的生肉，而不是血和腥二物。另一見賈公彥《周禮疏》，《周禮》〈天官・籩人〉「朝事」鄭玄注云：「朝事謂祭宗廟薦血腥之事」。賈疏云：

> 案：〈司尊彝〉職，除二灌，有朝踐、饋獻，為食前二節，彼又有朝獻、再獻、食後酳尸為一節。又參〈少牢〉，主人酬尸，宰夫羞房中之羞，復為一。揔四節，亦據祭宗廟，故鄭云然也。祭宗廟無血，鄭云「薦血腥」者，鄭注《論語》亦云：「禘祭之禮，自血腥始」，皆謂毛以告純、血以告殺，是為告殺時有血，與朝踐薦腥同節，故連言血耳，非謂祭血也。[5]

依鄭義，「朝事」，祭名，指朝早祭事，專指天子諸侯祭宗廟時薦血腥之事。賈公彥敘述的天子諸侯宗廟大祭的儀節序次為：先祼（或作灌），次獻尸，次朝踐薦血腥，次饋食薦熟食，食後酳尸（王酳尸為朝獻，后酳尸為再獻，諸侯為賓者一獻）。朝事亦稱朝踐，鄭玄《周禮》〈司尊彝〉注云：「謂薦血腥、酌醴，始行祭事。」[6]《禮記》〈祭義〉注云：「天子諸侯之祭，或從血腥始。」[7]「從血腥始」與「自血腥始」語義全同，血腥前皆省一「薦」字。「自」、「從」用法相當，皆為介詞。薦血腥為祭事（正祭）之始。而「二灌」指主人及主婦酌取鬱鬯獻尸，在薦血腥之前舉行。錢坫（1744-1806）《論語後錄》謂「康成所說血腥，是獻在灌之後。」是已。然則，鄭玄何以不言「禘祭之禮，自灌始」？潘維城《論語古注集箋》措意及此，云：「宗廟以灌鬯為始，而言自血腥始，當指降神以後，正祭之始。」「自血腥始」，即從薦血腥開始，所指涉者是降神之後開始舉行的正祭儀節。賈公彥同樣認為祭宗廟無血，鄭注「血腥」不過是殺牲取血以告殺，故與腥連言，並不是說以血為祭。〈籩人〉「饋食之籩，其實棗、𣏌、桃、乾䕩、榛實」鄭注云：「今吉禮存者，〈特牲〉、〈少牢〉，諸侯之大夫士祭禮也。不祼、不薦血腥，而自薦孰始，是以皆云饋食之禮。」賈疏云：「若天子諸侯則有室中二祼，堂上朝踐，薦血腥之禮。」[8]鄭注點明天子諸侯與大夫士之祭禮規格不同，正祭所從始自亦有異。《儀禮》〈特牲饋食禮〉和〈少牢饋食禮〉分別記述諸侯大夫士的祭禮，既「不祼」，即無室

4 〔漢〕鄭玄注，〔唐〕孔穎達正義，呂友仁整理：《禮記正義》（上海市：上海古籍出版社，2008年），頁996。孔穎達斥熊說之非云：「今案：《詩》〈小雅〉論宗廟之祭云『執其鸞刀，以啟其毛，取其血膋』，則是有用血之明文也，熊氏云『無血』，其義非也。」

5 〔唐〕賈公彥：《十三經注疏・周禮注疏》（臺北市：藝文印書館，1989年），頁82。

6 〔清〕孫詒讓撰；王文錦、陳玉霞點校：《周禮正義》（北京市：中華書局，1987年），頁1514。

7 〔清〕孫詒讓撰；王文錦、陳玉霞點校：《周禮正義》，頁1814。

8 〔清〕孫詒讓撰；王文錦、陳玉霞點校：《周禮正義》，頁385。

中二祼，亦「不薦血腥」，即無堂上朝踐，其祭自饋食始，故以饋食禮名篇。可見「自薦孰始」與「自（薦）血腥始」分別標誌貴族階級的兩種不同的正祭之禮。

唐寫本《論語注》所存鄭玄「禘自既灌而往」章的注釋接近完整（見附圖）。唐寫本注文為：

> 既，已也。禘祭之禮，自血星（腥）始，至於尸灌而神士（事）訖。不欲觀之者，尸灌已後人士（事）耳，非禮之盛。[9]

除末尾一字形體下端小有殘缺外，整段注文可以清晰辨認。學者對這段注文的整理，集中於末尾一字。有的用問號標示，表示疑不能定；更多的是認作「盛」字，只是都不讀如字，視作「甚」的誤字。王素《唐寫本論語鄭氏注及其研究》在「盛」下用括號方式附「甚」字，說明「盛」當為「甚」。[10]王先生未出校記。按照其書〈校勘說明〉，誤字、假借字和避諱改字，「一般不出校」。[11]王先生似乎是把「盛」字看成「甚」的誤字。果如是，則「非禮之甚」等於說極為非禮。陳金木《唐寫本論語鄭氏注研究——以考據、復原、詮釋為中心的考察》對鄭玄注文詳加解說：

> 注文「非禮之盛」的「盛」字，吐魯番出土文書寫成「𢦏」（頁536），考校記則作「□」缺文（頁62），金校記補「盛」，旁加「？」（頁25、110）王校記釋文作「盛」並認為其為「甚」字之誤，但無校勘記（頁20），檢視原卷，此字下端有殘缺，但可辨其為「盛」字，而以文義來看，當為「甚」字音近而誤，金校記、王校記所論，可從。[12]

陳金木認為，從文字來看，此字下端雖有殘缺，但其為「盛」字仍清晰可見；從文義看，此字當為「甚」字之誤。陳先生清楚交代其說的理據，說：

> 「禘」指「大禘」而言，是古代天子於宗廟追祭始祖所自出的帝王，而以始祖配祭。……孔子所觀看的「禘祭」，即是在魯國國君所舉行的禘祭。孔子在觀看之後，發抒其感想，說「禘自既灌而往者，吾不欲觀之矣。」即是指在禘祭禮儀進行階段中，自「灌」以下，則不欲觀，為何不欲觀的原因，集解引馬融的注釋，是「亂昭穆」的「逆祀」，朱熹論語集註則以為「（引者按：下引《論語》文，此從略）」而鄭玄則從禘祭在儀式進行中，可觀者為「血腥」而「尸灌」，在「尸

---

9 陳金木：《唐寫本論語鄭氏注研究——以考據、復原、詮釋為中心的考察》（臺北市：文津出版社，1996年），頁381。

10 王素：《唐寫本論語鄭氏注及其研究》（北京市：文物出版社，1991年），頁20。

11 王素：《唐寫本論語鄭氏注及其研究》，頁11。

12 陳金木：《唐寫本論語鄭氏注研究——以考據、復原、詮釋為中心的考察》，頁382-383。所謂「吐魯番出土文書寫成『𢦏』」，大誤。「𢦏」即或字，實為《論語》正文下章「或問禘之說」首字。

> 灌」以後，則因非禮之甚而不欲觀，而此其中的關鍵在「尸灌」以前是「神事」，以後是「人事」，潘維城稱「此章譏既灌而往者之僭禮，不譏魯祭假禘之名。」(頁114)，或可解鄭氏「神事」「人事」之區別。依前季氏八佾舞於庭章、三家以雍徹章、季氏旅於泰山章，此三章，鄭玄皆以「僭禮」「非禮」譏之，此章亦一貫的以「非禮」說之。[13]

原來陳先生讀「盛」為「甚」，是因為參考了何晏（西元？-249年）《集解》和朱熹（1130-1200）《集注》。所謂「集解引馬融的注釋」云云，實為陳先生誤記，《集解》所指為亂昭穆的逆祀說，出於孔安國，馬融（西元79-166年）並無是說。孔安國以為，既灌以後，孔子不欲觀，是因躋僖公而亂昭穆的緣故。朱子引趙匡說，以為魯禘周文王而以周公配祭，是非禮之舉，且從灌地降神之後，魯君臣變得懈怠而不足觀，是「失禮之中又失禮」。[14]儘管《集解》與《集注》立說不同，但都一致認為孔子不觀既灌後事是因為非禮。陳先生更把此章連繫到前面的季氏「八佾舞於庭」、「三家以雍徹」和「季氏旅於泰山」三章，認為鄭玄皆以「僭禮」、「非禮」譏之，則此章亦應以「非禮」說之。

王素和陳金木把末尾一字認作「盛」字，確不可易，但連繫上文的「非禮之」三字，而把它讀成「甚」字，說是「非禮之甚」，則大誤，顯然是被先入為主之見所囿，完全誤解了鄭玄注文的原意。須知「非禮之盛」或「非禮之盛節」一語，後世注疏多有言之。如《禮記》〈少儀〉鄭注云：「天子諸侯祭，有坐尸於堂之禮。祭所尊在室，燕所尊在堂。」孔穎達疏釋其意云：

> 朝事延尸於戶外，故坐尸於堂。若卿大夫以下，祭禮於室，無坐尸於堂也。……故卿大夫士正祭、饋食並在室中，而天子諸侯雖朝事延尸於戶外，**非禮之盛節**，初入室灌及饋熟之時，事神大禮，故云「祭所尊在室」。[15]

孔《疏》區別天子、諸侯與卿大夫以下的祭禮，並辨明天子、諸侯廟祭堂上室中儀節的差異。室中之禮，包括灌神及薦熟饋食，尤以灌神最為隆重，是「事禮大禮」，亦即「禮之盛節」。相較之下，行朝事之禮時，延尸於戶外堂上，薦血腥朝踐，並非事神大禮，即「非禮之盛節」。「非禮之盛」的結構，當劃分為「非」與「禮之盛」兩部分，前者表示否定；譯成今語，等於說不是祭禮最隆盛的儀節。[16]孔氏這段疏文可作鄭玄「禘自既灌而往」章注文的注腳。鄭注的「非禮之盛」不就是孔疏的「非禮之盛節」？禮家

---

13 陳金木：《唐寫本論語鄭氏注研究——以考據、復原、詮釋為中心的考察》，頁383-384。

14 黃懷信主撰：《論語彙校集釋》(上海市：上海古籍出版社，2008年)，頁230。

15 〔漢〕鄭玄注，〔唐〕孔穎達正義，呂友仁整理：《禮記正義》，頁1397。

16 「禮之盛」見後人論著，如唐司馬貞說《荀子》〈禮論〉「大隆」云：「隆，盛也。得禮文理，歸於太一，是禮之盛也。」見王天海：《荀子校釋》(上海市：上海古籍出版社，2005年)，頁763。

所言「盛」有貴盛[17]、豐盛、隆重之意。淩廷堪歸納「禮盛」之例甚夥。[18]其實，在孔穎達之前，漢儒論及「禘自既灌而往」章，往往強調「灌」為宗廟祭禮之「盛」。如馬融說《易》有云：「王道可觀，在于祭祀；祭祀之盛，莫過初盥降神。」[19]馬融解盥為灌，指出初灌降神為「祭祀之盛」，套用孔《疏》之語，就是祭祀之「盛節」。王肅（西元195-256年）說《論語》「禘自既灌而往」章大旨，曾言「以禘為盛」、「觀其盛禮」。[20]稍後於王肅的王弼（西元226-249年），在其《易》注中，更重複提到廟祭之「盛」，說：「王道之可觀者，莫盛乎宗廟。宗廟之可觀者，莫盛於盥也。……盡夫觀盛。」[21]王注再三強調祭廟之「盛」就在於盥（即灌）。孔穎達疏釋王注，不忘補足其意說：「（觀盥）其禮盛也」、「觀盛謂觀盥禮盛」[22]。「禮盛」或「盛禮」可擴充為「禮之盛節」，與「非禮之盛節」恰成正反對立。馬融、王弼二注，說明在廟祭的繁複儀節中，盥（即灌或祼）是極其重要的一環。二人立論及用語蓋本《禮記》〈祭統〉，其文云：「凡治人之道，莫急於禮。禮有五經，莫重於祭。」在五禮的類別中，沒有比祭禮更隆重的。「獻」為祭禮三個重要事項之一，而「獻之屬莫重於祼」，獻酒儀節中，沒有比灌更隆重的了。禮莫重於祭，祭莫重於灌，灌是祭的重中之重，其禮最盛，這是上舉注疏家的共識。灌之所以為祭中盛節，是因為灌為求神，而求神講求誠敬之意，只有備極精誠，達致人與神精神相交的狀態，神才會降臨。薛平仲云：

> 禮莫重於祭，祭莫重於灌。灌之為義，先王所以致精神之交，敬淵泉而貫冥漠也。……周人先求諸陰，故既灌而後逆牲。夫子曰：「禘自既灌而往者，吾不欲觀之矣。」精誠所交，唯灌為至。[23]

道出了祭莫重於灌的道理。

確立了鄭玄注文的文字後，接下來可以詮釋整段注文的大意。而要想準確釋讀注文，不得不先梳理鄭玄《禮》注，歸納出其祼（或灌）說的大要。

祼本身只是一種祭法，而非祭名，即沒有以祼為名的禮典。祼兼用於祭祀和賓客，有祼尸，也有祼賓，同樣包含用圭瓚酌鬱鬯灌漬之義。依鄭玄之義，「祼」，原指以圭瓚

---

17 《儀禮》〈士昏禮〉「乘墨車」，鄭玄注云：「士而乘墨車，攝盛。」〔清〕胡培翬撰、段熙仲點校：《儀禮正義》（南京市：江蘇古籍出版社，1993年），頁170。「攝盛」之盛，取貴盛之義。

18 〔清〕淩廷堪著，彭林點校：《禮經釋例》（臺北市：中央研究院中國文哲研究所，2004年），頁165等。

19 〔清〕李鼎祚：《周易集解》（成都市：巴蜀書社，1991年）頁93引。

20 〔唐〕杜佑：《通典》〈禮九・沿革九・吉禮八〉，頁1381。

21 〔唐〕孔穎達：《十三經注疏・周易注疏》，頁59。

22 〔唐〕孔穎達：《十三經注疏・周易注疏》，頁59。

23 王與之：《周禮訂義》，卷33引，見納蘭性德主編：《通志堂經解》（揚州市：江蘇廣陵古籍刻印社，1993年），第12冊，頁9。

酌鬱鬯始獻尸（〈祭統〉「祼尸」、「亞祼」注）。本無其字，假借「果」字以寄託其義，後來孳乳而新造形聲字「祼」，《說文》云：「祼，灌祭也。」作為灌祭的專用字。《周禮》祭祀、賓客之祼，通作「祼」，又借「果」為之，錯出並見。[24]其餘經典所記祭祀之祼，或通作「灌」。「祼」、「灌」音義相近。鄭玄《周禮．大宗伯》說「祼」云：「祼之言灌，灌以鬱鬯，謂始獻尸求神時也。〈郊特牲〉曰：『魂氣歸于天，形魄歸于地，故祭所以求諸陰陽之義也。殷人先求諸陽，周人先求諸陰。』灌是也。祭必先灌，乃後薦腥薦孰。」[25]鄭玄此注可注意的有五點：一、祼與灌音義相近，故可通用；[26]二、灌以鬱鬯；三、灌行於祭祀初始獻尸求神之時；四、灌，為求形魄於地，有求諸陰之意，乃周人先求諸陰所使然；五、廟祭節次以灌為先，然後朝踐（薦腥）、饋食（薦孰）。注中說灌，既然援引〈郊特牲〉文為證，從記文探明鄭注之意，自是不二之途。

人死而為鬼，宗廟之祭的對象就是人鬼。按照〈郊牲牲〉所呈現的古人的觀念，人生魂魄和合，死則魂魄相離。魂氣升天而為神，形魄降地而為鬼。祭祀旨在以人道奉祀先人，使其魂魄重新聚合。而鬼神杳茫，故祭必求諸陰陽。周祭尚臭，先求諸陰。〈郊特牲〉云：「周人尚臭，灌用鬯臭，鬱合鬯，臭陰達於淵泉……既灌然後迎牲，致陰氣也。」鬯，或稱鬯酒，用秬（黑黍）釀成，稱秬鬯。鬱金香草之汁築煮為鬱。兩者攪和，稱鬱（俗作「鬱」）鬯。《說文》說鬯云：「㠯𩰪釀鬱艸，芬芳條暢，㠯降神也。」[27]以鬯為已和鬱之酒。鄭玄注《周禮．春官．鬯人》云：「鬯，釀秬為酒，芬香條暢於上下也。」[28]又注「秬鬯」云：「不和鬱者。」[29]以鬯為未和鬱。是許、鄭義有同有不同。酌鬱鬯灌地，使香氣通達於地下，求形魄於陰，此記文所謂「臭陰達於淵泉」；又取膟膋，和蕭焫之，求魂氣於陽，此記文所謂「臭陽達於牆屋」。以此祈求鬼神來格來享。要使「臭陰達於淵泉」，把鬯灌注於地，似乎是最簡單直接的做法。就現存文獻材料而言，最早明確說出灌地降神的是《白虎通》〈攷黜〉：「秬者，黑黍，一稃二米。鬯者，以百草之香鬱金合而釀之，成為鬯。陽達于牆屋，陰入于淵泉，所以灌地降神也。」[30]鄭注既然說「灌以鬱鬯，謂始獻尸求神時」，就隱含祭酒灌地降神之意。[31]

---

24 楊天宇：《鄭玄三禮注研究》（天津市：天津人民出版社，2007年），頁381、486、520。

25 〔清〕孫詒讓撰；王文錦、陳玉霞點校：《周禮正義》，頁1330。

26 〔漢〕鄭玄《禮》注兩言「祼之言灌」。依其注例，「凡云『之言』者，皆通其音義以為詁訓，非如『讀為』之易其字，『讀如』之定其音。」許慎撰、段玉裁注、許惟賢整理：《說文解字注》，頁9。

27 〔漢〕許慎撰，〔清〕段玉裁注，許惟賢整理：《說文解字注》，頁384。

28 〔清〕孫詒讓撰；王文錦、陳玉霞點校：《周禮正義》，頁1250。

29 〔清〕孫詒讓撰；王文錦、陳玉霞點校：《周禮正義》，頁1496。

30 〔清〕陳立撰，吳則虞點校：《白虎通疏證》（北京市：中華書局，1994年），頁309

31 王國維：〈再與林博士論《洛誥》書〉以為「先秦以前所用祼字，非必有祼地之義」，「灌地之意，始見於〈郊特牲〉」，「鄭注始以灌地為說」。謂灌地說始於鄭玄注，不確。《觀堂集林》（北京市：中華書局，1984年），頁47-50。

鄭玄《禮》注解說祼法，依經解義，詳略不同，若執著於一注，則僅能窺其一斑，只有合併各注，始得見其全豹。禘祭，由降神之樂領起，樂畢乃祼，祼後又合樂與舞。[32]《周禮．大司樂》「若樂九變，則人鬼可得而禮矣」，鄭玄注云：「先奏是樂以致其神」，「而祼焉，乃後合樂而祭之。」[33]宗廟大祭，先演奏歌樂鼓舞，使人鬼降臨，再以祼鬯為禮。是作樂灌鬯同為求神降臨，而作樂又在祼鬯之前。杜佑（西元735-812年）《通典》謂「前祼及樂，皆為求神，謂之二始。」[34]熊安生則謂大祭有三始，就宗廟之祭而言，樂為致神始，祼為歆神始，腥為陳饌始。(〈郊特牲〉疏引，〈大宗伯〉賈疏說同[35]）作樂降神，灌鬯獻神，薦腥亦獻神。潘維城《論語古注集箋》則藉尸入室與未入室分辨作樂與灌鬯，云：「禘禮，尸未入，先奏〈大韶〉之樂九變，以致其神。然後尸入而行灌禮。」[36]然則負責灌鬯求神的是尸，鄭義亦然。鄭玄注《周禮．司尊彝》云：「灌，謂以圭瓚酌鬱鬯，始獻尸也。」[37]上引〈大宗伯〉注云：「灌以鬱鬯謂始獻尸求神時也。」類近的說法又見於《禮記》〈郊特牲〉注，其文云：「灌謂以圭瓚酌鬯始獻神也。已乃迎牲於庭殺之。」「始」言祭祀初始，「始獻神」指初獻、二獻，相對於後面的朝踐、饋食、酳尸而言。尸為神象，尸、神合一，故注中「獻尸」、「獻神」互稱不別。注文以獻尸、求神連言，視二者為一事，獻尸就是為了求神。此意貫穿於鄭注之中。鄭注〈祭統〉「君執圭瓚祼尸，大宗執璋瓚亞祼」云：「天子諸侯之祭禮，先有祼尸之事，乃後迎牲。」[38]灌即獻，「灌尸」亦即「獻尸」。鄭玄注《禮記．禮器》「諸侯相朝，灌用鬱鬯」即云：「灌，獻也。」[39]是灌屬於獻之一。自始灌至酳尸，「凡九酌，王及后各四，諸臣一，祭之正也。」(〈司尊彝〉鄭注[40]）獻尸之始，君祼尸，大宗代后亞祼，合稱「二祼」，皆行於室中，分屬天子廟祭九獻中的初獻與二獻。鄭玄說祼諸注，相較而言，以注解〈小宰〉「祼將之事」之職最為詳贍，云：

> 謂贊王酌鬱鬯以獻尸謂之祼。祼之言灌也，明不為飲，主以祭祀。唯人道宗廟有

---

32 鄭玄原注為：「禮之以玉而祼焉」，禮之以玉與廟祭無關，為免枝蔓，故刪節。原文見孫詒讓撰；王文錦、陳玉霞點校：《周禮正義》，頁1767。作樂降神，可詳劉源《商周祭祖禮研究》（北京市：商務印書館，2004年），頁186。

33 〔清〕孫詒讓撰；王文錦、陳玉霞點校：《周禮正義》，頁1757。

34 〔唐〕杜佑著，王文錦等點校：《通典》（北京市：中華書局，1988年），〈禮九．沿革九．吉禮八．祫禘上〉，頁1375。

35 〔清〕孫詒讓撰；王文錦、陳玉霞點校：《周禮正義》，頁1765-1766。

36 〔清〕潘維城：《論語古注集箋》，《續修四庫全書》（上海市：上海古籍出版社，1995年），第154冊，頁25。

37 〔清〕孫詒讓撰；王文錦、陳玉霞點校：《周禮正義》，頁1514。

38 〔漢〕鄭玄注，〔唐〕孔穎達正義，呂友仁整理：《禮記正義》，頁1871。

39 〔漢〕鄭玄注，〔唐〕孔穎達正義，呂友仁整理：《禮記正義》，頁968。

40 〔清〕孫詒讓撰；王文錦、陳玉霞點校：《周禮正義》，頁1514。

祼，天地大神，至尊不祼，莫稱焉。凡鬱鬯，受，祭之，啐之，奠之。[41]

此注闡明鄭玄所理解的灌鬯之法，大意為：主人獻鬱鬯於尸，尸受而祭諸地，乃啐之，奠之。獻尸用祼法，即用圭瓚酌鬱鬯以獻，故獻尸亦稱祼尸。鄭注所述天子廟祭祼法，大概是藉《儀禮》推求而得。〈特牲饋食禮〉及〈少牢饋食禮〉分別記述諸侯之士與大夫之祭，皆包含主人及主婦獻尸而尸祭酒、啐酒、奠觶（〈特牲饋食禮〉，亦見〈士虞禮〉）的節次。「明不為飲，主以祭祀」，認為二祼不飲，與其餘七獻皆飲不同。〈司尊彝〉注云：「以今祭禮〈特牲〉、〈少牢〉言之，二祼為奠，而尸飲七矣。」[42]二祼為奠，不計入飲數，故謂「尸飲七」，說與上引〈小宰〉注可相發明。祼求降神，明為祭祀而設。廟祭有祼，賓禮亦有祼，是祼為人道[43]，只用於祭祀人鬼，不適用於天地大神，所以祭天地沒有二祼，只有七獻。[44]若依賈公彥所釋鄭義，王以圭瓚、后以璋瓚酌鬱鬯獻尸，「尸皆受灌地降神，明為祭之。向口啐之，啐之謂入口，乃奠之於地也」[45]，則尸受而祭諸地表明祭諸地為灌地降神。又，賈公彥疏解鄭玄〈大宗伯〉注「灌以鬱鬯，謂始獻求神時」之意云：「凡宗廟之祭，迎尸入戶，坐於主北。先灌，謂王以圭瓚酌鬱鬯以獻尸，尸得之，瀝地祭訖，啐之，奠之，不飲。尸為神象，灌地，所以求神。」[46]賈疏明言，先獻尸，再由尸灌地，以此求神。注中說的祭諸地，在疏中已變成「灌地」。後世說者多沿此解。如明郝敬（1558-1639）《論語詳解》云：「灌，始祭初、亞獻，求神之禮也。主祭者以圭瓚酌鬱鬯之酒授尸，尸受，灌于地。主婦再酌璋瓚授尸，尸受，再灌。是謂二始。既灌，乃迎牲、薦侑、朝踐、饋獻、饋熟，堂事、室事皆在灌以後。唯宗廟有灌，外神無之。」[47]郝敬以為，始祭之初獻、亞獻，主於求神。尸所得主人及主婦之獻皆灌於地，迎牲以至堂事之朝踐、室事之饋獻皆在灌後。郝氏此說蓋推衍鄭義而成，同樣將鄭君「凡鬱鬯，受，祭之，啐之，奠之」概括成「灌于地」。又如黃式三（1789-1862）《論語後案》云：「灌在祭之始也。凡祭之禮，質明而灌謂之晨灌，王以鬱鬯授尸，尸受之以灌地，故又謂之灌尸。初獻，王灌尸；二獻，后灌尸：是謂二始。」[48]黃式三以為，祭始灌地儀節，由王授尸鬱鬯，尸受而灌地，同樣將二始看成降神之灌。由此可見，自賈公彥以後，說祼禮者大多直截了當地將鄭君祭諸地說成「灌

41 〔清〕孫詒讓撰；王文錦、陳玉霞點校：《周禮正義》，頁181。

42 〔清〕孫詒讓撰；王文錦、陳玉霞點校：《周禮正義》，頁1514。

43 〔清〕孫詒讓撰；王文錦、陳玉霞點校：《周禮正義》，頁182。

44 〔清〕金鶚〈天子宗廟九獻辨〉據〈禮器〉「七獻神」之文，以為天子祭宗廟，七獻而已。見《求古錄禮說》（濟南市：山東友誼書社，1992年），頁884。其實，七獻、九獻，視乎是否將二灌計算在內。

45 〔清〕孫詒讓撰；王文錦、陳玉霞點校：《周禮正義》，頁183。

46 〔清〕孫詒讓撰；王文錦、陳玉霞點校：《周禮正義》，頁1330。

47 〔明〕郝敬：《論語詳解》，《續修四庫全書》（上海市：上海古籍出版社，1995年），頁153。

48 〔清〕黃式三：《論語後案》（南京市：鳳凰出版傳媒集團、鳳凰出版社，2008年），頁59-60。

地」。[49]

皇侃《論語義疏》曾引《尚書大傳》鄭注云：「灌是獻尸，尸既得獻，乃祭酒以灌地也。」[50]把尸祭酒視作灌地。後人或疑此文不是鄭玄原注。有謂此說並非鄭義，如黃以周認為此說實出於皇侃之申說[51]；有謂此文是後人增益，非鄭注原文，如俞樾即謂「此數語鶻突，文有闕誤」[52]。黃、俞二氏所言不為無據。即使撇除這條注文不算，遍覽鄭君《禮》注所說祼法，其間雖只說祭諸地，未曾直言灌地，但注中著實隱含灌地之意，上引〈大宗伯〉注可為明證。皮錫瑞（1850-1908）概括鄭義說：「祭者以酒灌尸，尸受，祭而灌於地以降神」。[53]應該說，後儒如賈公彥、皮錫瑞等將獻尸而尸祭諸地坐實為灌地降神，大抵不違鄭義。

釐清了鄭玄《禮》注所說祼義，假設注《論語》時，其說不變，便可掌握「禘自既灌而往」章注文的確切含意。依鄭注之義，禘為宗廟大祭。[54]「既，已也」，有完結之意。「自既灌而往者」指涉既灌之後的儀節。「自血腥始」，指君以圭瓚酌鬱灌尸求神，完結後便出迎牲，待后亞灌之後，就行正祭之始的薦血腥之禮。灌尸完結標誌著神事已訖。這裡的「觀」字固然有觀察、諦視之意，也不妨理解為觀賞。孔子之所以表示不想再觀看下去，是因為灌尸後面的儀節（包括朝踐薦血腥、饋食薦熟食、酳尸等），不過是繁縟的人事小節，並不是最隆重的大節，此即「非禮之盛」精義所在。

（二）鄭玄祼說質疑

鄭玄祼說，可質疑者有如下數端：

---

49 詹鄞鑫：《神靈與祭祀──中國傳統宗教綜論》（南京市：江蘇古籍出版社，1992年）這樣敘述降神禮：「祼祭在奏樂中進行。王在肆師協助下，用圭瓚從彝中酌取鬱鬯，授尸；尸接過鬯酒，先將一部分酒灌澆在地上，接着自己代表神呷一口，然後將剩下的鬯酒陳在供桌上，叫『奠』（以下凡獻酒之禮，尸的動作皆如此）。這樣就完成『一獻』。接着王后在內宰協助下用璋瓚酌鬯授尸，尸灌地嘗酒奠酒如前，叫『亞獻』，這是『二獻』。由於是合祭先祖，每一個神主都有一個尸，所以每獻都應是自太祖尸開始依次而獻。」頁302。所述降神禮，實本於鄭注，再加引伸。

50 〔清〕簡朝亮：《論語集注補正述疏》（北京市：北京圖書館出版社，2007年），頁97。

51 〔清〕黃以周撰，王文錦點校：《禮書通故．禮書通故肆獻祼二》（北京市：中華書局，2007年），頁794。

52 〔清〕俞樾：《論語古注擇從》，嚴靈峰編輯：《無求備齋論語集成》（臺北市：藝文印書館，1966年），第241冊，頁6b。

53 〔清〕皮錫瑞撰，吳仰湘整理：《師伏堂經說．論語》，《中國經學》第13輯，2014年，頁47。

54 《禮記．王制》「祫禘」鄭玄注云：「魯禮三年喪畢而祫於大祖，明年春，禘於羣廟。自爾之後，五年而再殷祭，一祫一禘。」（〔漢〕鄭玄注，〔唐〕孔穎達正義，呂友仁整理：《禮記正義》，頁526）鄭君蓋以《論語》此禘為殷禘（吉禘）。

1 獻尸二祼與祭初降神之祼有別，不能混同：

綜合持說與鄭玄不同的禮家所論，用於宗廟祭祀之祼有二，一為降神，另一為獻尸。鄭注既說「始獻求神」，又說尸受而祭諸地，視獻尸而尸祭地與求神為一事。此說大可商榷。須知〈特牲饋食禮〉所言尸之祭酒，實出於古人飲食必祭之法，說尸祭之、啐之、奠之，其義不應有別。祭諸地與灌地降神，兩義似不相當。也就是說，天子諸侯廟祭，尸受鬱鬯而「祭之」，此即飲食而墮祭，以示報本之意，由於神不能自祭，故以尸代之[55]，與求神無涉。黃以周（1828-1899）《禮書通故・肆獻祼饋食禮通故二》云：

> 《書》曰「王入太室祼」，明王自祼于大室主前也。王入大室親自灌鬯，出而又酌鬯獻其尸，尸直祭之，啐之，奠之，時主在室，而尸在堂，故祼灌自室而獻于堂，祭之之祭與降神之祼迴別。[56]

黃氏由《尚書》〈洛誥〉「王入太室祼」推知，周王之祭，主在室，而尸在堂，王先入太室祼於主前，然後獻尸於堂上，灌鬯與獻尸之節次，一先一後，分別甚明。且負責灌鬯求神與獻尸的是同一人——王（祭者）。降神之祼也好，獻尸之祼也好，都是酌鬱鬯以獻，此二者之所同，故皆稱祼（或灌）。降神之祼，只是灌於地下或束茅之上而已，反觀獻尸之祼，則由尸遵循日常飲食必祭之禮，雖然只是啐之，但畢竟是飲，而不是鄭君說的「明不為飲」。可見灌地是灌地，灌尸是灌尸，二者判然有別。鄭玄及信從其說的後世禮家，將灌地降神之祼與廟祭獻尸（初獻、二獻）之祼視作一事，似有未當。降神之祼，先勿論是酌鬱鬯灌地，還是酌鬱鬯灌茅入地，都在正獻之前；獻尸之祼，授尸啐之，在正獻之中。名同為祼，而實則有異。

小宰贊助祼將之事，以鬱鬯授尸，尸受而祭之，啐之，不卒爵而奠之。「啐」與「嚌」同中有異，「啐」入口，「嚌」至齒，都是嚐的意思。「啐」，《儀禮》今文以為啐酒字，即小歓之意。「啐」雖非一飲而盡，但並非倒於地下，則可斷言。鬯為可飲之物，如《國語・周語上》云「鬱人薦鬯，犧人薦醴，王祼鬯饗醴」，林昌彝（1803-1876）據之云：「祼鬯飲醴，皆飲也。」[57]祼鬯兼行於祭、賓二禮，〈禮器〉云：「諸侯相朝，灌用鬱鬯，無籩豆之薦。」諸侯為賓，「灌用鬱鬯」，鬱鬯可飲，無可疑者。

2 鄭玄與許慎所說祼法迴別

許君《說文》說「莤」之義云：「禮，祭，束茅加於祼圭，而灌鬯酒，是為莤。象

---

55 竹添光鴻：《論語會箋》，第三，頁15。

56 〔清〕黃以周撰、王文錦點校：《禮書通故》，頁795。俞樾：《論語古注擇從》云：「且謂尸受祭而灌於地，似是古人飲食必祭之意。然則此灌也，尸所以伸報之忱，而非祭者所以展降神之敬也。」嚴靈峰編輯：《無求備齋論語集成》，第241冊，頁6b。

57 〔清〕林昌彝：《三禮通釋》（北京市：北京圖書館出版社，2006年11月），頁750。

神歆之也。」[58]「茜」，《左傳》作「縮」，見僖公四年齊桓公伐楚之事。茅兼泲酒（縮酒）與降神二用。《周禮．甸師》鄭玄注引鄭興云：「蕭字或為茜，茜讀為縮。束茅立之祭前，沃酒其上，酒滲下去，若神飲之，故謂之縮。縮，浚也。故齊桓公責楚不貢苞茅，『王祭不共，無以縮酒』。」[59]鄭興此注，蓋據《儀禮．士虞禮》取束茅藉祭為說。依〈士虞禮〉所記，虞祭所陳器具中有束茅。在設饌饗神陰厭時，祝取奠觶祭於苴，即所謂茜或縮酒。其法是：祭神之前，先用包茅漉酒去滓，再把酒倒在包茅之上，酒糟留在茅中，酒汁慢慢滲透流下，像神歆饗一樣。賈公彥認為天子諸侯吉祭也有茅苴。[60]許君所據以立說者，蓋同鄭興；所不同者，許君點明祼事灌酒於茅。[61]皇侃《論語義疏》所記灌法舊說即云：「於太祖室裡龕前東向，束白茅，置地上，而持鬯酒灌白茅上，使酒味滲入淵泉，以求神也。」說同許義。據此，祭初求神之祼，蓋灌鬯於茅，使之滲入淵泉，達致求神的目的，與獻尸二祼不同。鄭玄引述鄭興所言束茅灌祭之法，並補充說斷茅為苴，既用於縮酒，也用於藉祭。《周禮》司巫職掌供給祭祀所用的蒩館，鄭玄注云：「蒩之言藉也，祭食有當藉者。」[62]按「之言」之例，蒩、藉音義相通。注末引〈士虞禮〉苴茅云云，證明苴是藉祭之物，如〈甸師〉注所云。鄭玄引述鄭興注，卻始終沒有正面評說束茅灌祭之法。皇侃引述舊說後，接言「鄭康成不正的道灌地，或云灌尸，或云灌神。」說明鄭玄不從舊說，而是將灌尸、灌神視作一事，其意為：祭者灌尸而尸灌地以降神。若如許慎及皇侃之說，則祭初藉灌鬯於茅苴降神，而不像《白虎通》或鄭玄《尚書大傳》注所言般灌鬯於地。鄭玄把獻尸（實即神）二祼（初獻及二獻）當作求神之祼，把尸祭諸地當作灌地，與許君異義。

3　降神應在尸未入之前

正如孫詒讓所說，天子祭禮，尸未入之前，應先降神，然後迎尸二祼。[63]這點可由《儀禮．特牲饋食禮》「陰厭」推知。〈特牲饋食禮〉記設陰厭以饗神之儀，首云：「主人及祝升，祝先入，主人從，西面于戶內。」鄭玄注云：「祝先入，接神宜在前也。〈少

58 〔漢〕許慎撰，〔清〕段玉裁注，許惟賢點校：《說文解字注》（南京市：鳳凰出版傳媒集團，鳳凰出版社，2007年），頁1301。各本作「歆」，段改作「歆」。

59 〔清〕孫詒讓撰；王文錦、陳玉霞點校：《周禮正義》，頁289。

60 〔清〕孫詒讓撰；王文錦、陳玉霞點校：《周禮正義》云：「至《禮》〈少牢〉、〈特牲〉，大夫士吉祭無茅苴，唯〈士虞〉喪祭有之。彼賈疏據〈司巫〉注，謂天子諸侯吉祭亦有苴。」頁290按：〈士虞禮〉賈疏云：「〈特牲〉、〈少牢〉吉祭無苴。案〈司巫〉『祭祀則供匰主及蒩館』，常祀亦有苴者，以天子諸侯，尊者禮備，故吉祭亦有苴，凶祭有苴可知。」見孫詒讓書，頁2070。

61 《說文》謂「束茅加於祼圭」，孫詒讓《周禮正義》云：「祼圭即圭瓚，用以酌鬱鬯，非束茅所加，許說與禮微迕，不知何據。」頁290。

62 〔清〕孫詒讓撰；王文錦、陳玉霞點校：《周禮正義》，頁2066。

63 〔清〕孫詒讓撰；王文錦、陳玉霞點校：《周禮正義》，頁1330。

牢饋食禮〉曰：祝盥于洗，升自西階，主人盥，升自阼階，祝先入，南面。」[64]說明接神在尸入以前。在尸未入室之前，設饌於奧以饗神，謂之陰厭。淩廷堪《禮經釋例》發凡起例云：「凡尸未入室之前，設饌于奧，謂之陰厭。」[65]「凡尸既出室之後，改饌于西北隅，謂之陽厭。」[66]凡言厭祭，皆指祭時無尸，僅以酒食供神，使其厭飫。祭於室內西南隅幽暗處，稱陰厭；祭於室內西北隅露光處，謂之陽厭。二者一先一後，如郝敬云：「尸未入，神先降，故有陰厭。尸既出，神未散，故有陽厭。」[67]以此例彼，降神顯然要在尸入之前。

4 王與后二祼，如祼賓客，非用以降神；且尸為神象，不應自灌

自從鄭玄將王與后獻尸二祼視作灌地，並計入九獻之內，後儒多沿其說。如黃式三《論語後案》明言：「〈祭統〉『獻之屬莫重於灌』，是灌在九獻之內。先儒說九獻之禮：灌，二獻；朝踐禮，二獻；饋食禮，二獻；朝獻禮，一獻；再獻禮，兩獻。灌在祭之始也。凡祭之禮，質明而灌謂之晨灌，王以鬱鬯授尸，尸受之以灌地，故又謂之灌尸。初獻，王灌尸；二獻，后灌尸：是謂二始。」[68]姚永樸（？-1939）據鄭義謂：「蓋君與夫人灌尸後，尸皆受而灌之地，以求神也。」[69]即如鄭說，王始灌以降神，灌後迎牲，則此時神已降，而謂后亞祼，仍為求神，豈非多此一舉？再者，陳祥道《禮書》云：「其祼尸也如祼賓客，則王與后自灌之矣。……然尸神象也，神受而自灌，非禮意也。」[70]祼尸如祼賓客，由王自灌，理固宜然；尸為神象，要說尸受鬯而自灌，就違悖情理。竹添光鴻（1841/2-1917）對此大感疑惑，說：「所謂灌地降神者，必以為尸之自降其魂魄也。夫尸者神象也。既以為神象，而神乃自求其魂魄，此可謂知幽明之故者耶？即使謂尸秖虛象，而其神必求之天地間，則亦當主其祭者求之。豈有主酌酒獻尸，使尸自取己神耶？」[71]尸為神象，求神之事，理應由主祭者或祝為之。

---

64 〔清〕胡培翬撰，段熙仲點校：《儀禮正義》，頁2114。

65 〔清〕淩廷堪撰，彭林點校：《禮經釋例》，頁490。

66 〔清〕淩廷堪撰，彭林點校：《禮經釋例》，頁494。

67 〔清〕胡培翬撰，段熙仲點校：《儀禮正義》，頁2115。

68 〔清〕黃式三：《論語後案》，頁60。

69 〔清〕姚永樸撰，余國慶點校，吳孟復審訂：《論語解注合編》（合肥市：黃山書社，1994年），頁47。

70 〔宋〕陳祥道：《禮書》，卷85，頁3。周聰俊：《祼禮考辨》（臺北市：文史哲出版社，1994年），頁56引。

71 竹添光鴻：《論語會箋》（臺北市：廣文書局印行，1961年），第三，頁17。

三　馬融、虞翻、王肅《易．觀》注引「禘自既灌而往」章為說及宋儒所論的灌禮

孔子與《易傳》關係密切，《論語》所載孔子言論與《易傳》的眾多相合之處足以提供有力的證明。從義理看，此等相合處實相表裡。[72]馬融、虞翻及王肅引「禘自既灌而往」章注《易》〈觀〉卦辭便是一例。《易》〈觀〉卦辭云：

> 觀，盥而不薦，有孚顒若。

馬融《易傳》云：

> 盥者，進爵灌地以降神也。此是祭祀盛時。及神降，薦牲，其禮簡略，不足觀也。「國之大事，唯祀與戎」。王道可觀，在于祭祀；祭祀之盛，莫過初盥降神。故孔子曰：「禘自既灌而往者，吾不欲觀之矣。」此言及薦簡略，則不足觀也。[73]

謹案：馬融注解「觀，盥而不薦」，將卦名「觀」與卦辭「盥而不薦」連讀，讀成觀盥而不觀薦，從祭禮語境闡釋其意。讀「盥」為灌，謂是進爵灌地以降神，說同《白虎通》。灌地降神的過程，正是整個祭祀儀式中最隆重的時候。等到神降之後，再薦進牲體，「其禮簡略」[74]，故不足觀。注中引《左傳》「國之大事，在祀與戎」（成公十三年），說明祭祀和軍事為國家大事。要觀視欣賞聖王道德之美，沒有比祭祀更清楚的了；而祭禮中沒有比初盥降神更隆重的了。孔子說不想觀看禘祭從已灌後的其他儀節，這是因為薦血腥及其後的儀節，祭者精誠稍減，不比灌時那般慎重。馬融解說「有孚顒若」之義云：

> 以下觀上，見其至盛之禮。萬民信敬，故云「有孚顒若」。孚，信。顒，敬也。

聖王祭廟，當灌地降神之時，為禮至盛，盡顯祭者的誠敬之心，使神明感動，以此教化萬民；萬民受此薰染而生誠敬之心。此卦辭所謂「下觀而化」。

虞翻（西元164-233年）《易》注亦云：

> 盥，沃盥。薦，羞牲也。孚，信，謂五。顒顒，君德，有威容貌。若，順也。坎

---

72 詳參陳雄根：〈從《論語》看孔子與《易傳》之關係〉，嶺南大學中文系學術講座講稿，2013年2月22日。

73 〔唐〕李鼎祚：《周易集解》，頁93引。

74 〔清〕曹元弼針對「其禮簡畧」一語批評馬注，認為「灌後禮節甚繁，不得云略」。見《周易鄭注箋釋》（臺中市：文听閣圖書有限公司，2008年），頁666。誠如曹說，灌後人事儀節，遠比灌祭繁縟。細審馬注，「簡畧」相對「盛」而言，或者不是指儀節或祭器簡略，而是指祭者精神投入有所減少，亦未可知。

為水，坤為器，艮手臨坤，坎水沃之，「盥」之象也。故「觀，盥而不薦」。孔子曰：「禘自既灌，吾不欲觀之矣」。巽為進退，容止可觀，進退可度，則下觀其德而順其化。[75]

虞氏將卦名與卦辭連讀作解，並引孔子語與之互證。抑有進者，虞氏因象立說，解釋「盥」之象。注中讀盥如字，蓋指盥手然後灌祭，說與馬融讀作灌看似不同，實則無別。

王弼（西元226-249年）《易》注云：

王道之可觀者，莫盛乎宗廟。宗廟之可觀者，莫盛於盥也。至薦，簡略不足復觀，故觀盥而不觀薦也。孔子曰：「禘自既灌而往者，吾不欲觀之矣。」盡夫觀盛，則「下觀而化」矣。故觀至盥則「有孚顒若」也。[76]

注文開首暗用馬融「王道可觀，在于祭祀；祭祀之盛，莫過初盥降神」之語，點明「盥」之為禮至盛。及至薦牲，其禮簡略，無足觀者。孔穎達解說注義云：

「觀」者，王者道德之美而可觀也，故謂之觀。「觀盥而不薦」者，可觀之事，莫過宗廟之祭盥，其禮盛也。薦者，謂既灌之後，陳薦籩豆之事，故云「觀盥而不薦」也。……曰盡夫觀盛則下觀而化者，觀盛謂觀盥禮盛，則休而止。是觀其大，不觀其細。此是下之效上，因觀而皆化之矣。故觀至盥，則有孚顒若者，顒是嚴正之貌，若為語辭。言下觀而化，皆孚信，容貌儼然也。[77]

孔《疏》清楚說明宗廟祭盥最能體現王者道德之美。薦指薦籩豆之事，其節次在既灌之後。觀其大而不觀其細，大指大節，細指小節，巧妙地以大小分別代稱灌之「盛」與薦之「細」。是故觀至盥而止。下民觀盥而被感化，容貌顯現敬信。

唐李鼎祚（生卒年不詳）《周易集解》云：

案：鬼神害盈，禍淫福善。若人君脩德，至誠感神，則「黍稷非馨，明德惟馨」。故觀盥而不觀薦，饗其誠信者也。斯即「東鄰殺牛，不如西鄰之禴祭，實受其福」，是其義也。[78]

李鼎祚紹纘馬融、虞翻及孔穎達之說，而又有所引伸。盥為至誠感神所繫，故「觀盥而不觀薦」。「東鄰殺牛」云云，見〈既濟〉卦九五爻辭。引此說明祭祀要在修德信誠，自能得鬼神福佑，不在乎所薦祭品的厚薄。

---

75 〔唐〕李鼎祚：《周易集解》，頁94引。張惠言《虞氏易禮》所引，文字簡略得多。見《清經解》第7冊，頁98。

76 〔唐〕孔穎達：《十三經注疏・周易注疏》（臺北市：藝文印書館，1989年），頁59。

77 《十三經注疏・周易注疏》，59。

78 〔唐〕李鼎祚：《周易集解》，頁94。

漢、唐《易》學家津津樂道的灌祭所包含的深義，在宋代理學家那裡得到進一步的發揮。程頤（1033-1107）、呂大臨（1046-1092）闡發「盥而不薦」的義蘊，可謂淋漓盡致。程頤《伊川易傳》釋〈觀〉卦辭云：

> 予聞之胡翼之先生（引者按：即胡瑗〔993-1059〕）曰：君子居上，為天下之表儀，必極其莊敬，則下觀仰而化也。故為天下之觀，當如宗廟之祭始盥之時，不可如既薦之後。則下民盡其至誠，顒然瞻仰之矣。盥，謂祭祀之始，盥手，酌鬱鬯於地，求神之時也。薦，謂獻腥獻熟之時也。盥者，事之始，人心方盡其精誠，嚴肅之至也。至既薦之後，禮數繁縟，則人心散，而精一不若始盥之時矣。居上者正其表儀，以為下民之觀，當莊嚴如始盥之初，勿使誠意少散，如既薦之後。則天下之人莫不盡其孚誠，顒然瞻仰之矣。[79]

程頤釋「盥」為盥手，並將盥手連繫到灌鬯求神，這樣的話，「盥」便兼有盥手、灌地二義於一身。當灌鬯求神時，祭者竭誠盡敬；及至後面的儀節，即獻腥獻熟之時，禮數繁縟，人心已由精一變得渙散。居君上者為天下表率，臨祭莊敬，下民仰觀而化，而最能感化下民的，莫過於灌地求神一節。這可套用於解釋孔子觀止於灌的原因。如說程頤意中隱然有孔子語在，應不違事實。類近的說法，還見於《伊川易傳》對萃卦象辭「孚乃利用禴」的解說中。程頤云：

> 孚，信之在中，誠之謂也。禴，祭之簡薄者也。菲薄而祭，不尚備物，直以誠意交於神明也。孚乃者，謂有其孚則可不用文飾，專以至誠交於上也。以禴言者，謂薦其誠而已。上下相聚而尚飾焉，是未必誠也。蓋其中實者，不假飾於外。用禴之義也。孚信者，萃之本也。[80]

此「孚」與〈觀〉卦之「孚」同義，都是信誠的意思。祭不在乎厚薄，此意李鼎祚已發之於前。程頤拈出「以誠意交於神明」，作為祭祀的必要條件。《論語》云：「祭如在，祭神如神在。子曰：『吾不與祭，如不祭。』」這則記載與「禘自既灌而往」章同見於〈八佾〉篇，大概是門人所記孔子談論祭祀的誠意。祭祀先祖也好，祭祀外神也好，都必須心存誠敬。朱子《集注》引述范處義說：「君子之祭，七日戒，三日齊，必見所祭者，誠之至也。……有其誠則有其神，無其誠則無其神，可不謹乎？吾不與祭如不祭，誠為實，禮為虛。」[81]誠意充實於心，則能見其神。因此，祭者必先通過滌淨心靈的過程——齋戒。〈祭統〉闡述齋戒之意極為詳贍。齋分散齋和致齋。散齋亦稱戒，七日，

79 〔宋〕程頤：《伊川易傳》，卷2，頁38b-39a，《四庫全書》本。

80 〔宋〕程頤：《伊川易傳》，卷3，頁16a-b，《四庫全書》本。

81 〔宋〕朱熹：《四書集注》（北京市：中華書局，1983年），頁64。

可以外出，但不御、不樂、不弔喪。致齋三日，日夜居於室，靜心修養。要言之，祭祀前行齋戒，旨在摒除嗜欲、雜念，務求精誠一心。唯其如此，才能見到所祭者，這就是《禮記》數數言之的「交神明之道」(〈雜記〉)。〈祭統〉有云：「薦其薦俎，序其禮樂，備其百官，奉承而進之。於是諭其志意，以其慌惚以與神明交，庶或饗之。庶或饗之，孝子之志也。」[82]言孝子思念情深，慌惚與神明交接，見其來格來享。

孔子曾自言祭祀務求與神明相交。《禮記》〈祭義〉記孔子曰「濟濟者，容也遠也。漆漆者，容也自反也。容以遠，若容以自反也，夫何神明之及交？夫何濟濟漆漆之有乎？反饋樂成，薦其薦俎，序其禮樂，備其百官，君子致其濟濟漆漆，夫何慌惚之有乎？夫言豈一端而已，夫各有所當也。」「濟濟」，則不親近；「漆漆」，則自我矜持。祭祀親人而儀容如此，便無法與神明相交感。言下之意，濟濟漆漆不適用於親祭祖先。只有作為助祭的百官，在薦腥、饋食之時，身處這種場面，才表現出濟濟漆漆嚴整肅穆的樣子。《禮記》好言「交神明之道」，蓋據孔子言行而詳加推衍。

呂大臨《易章句》說〈觀〉，當中闡發觀盥的要旨更為朗暢：

> 觀，以下觀上也。惟至誠可以交神明，然後動而為天下信。信，心服也。聖人設教於上，天下不心服而化者，未之有也。祭祀之實，以誠敬交乎神明；誠敬之至，莫先乎盥。當是時也，恍惚以與神明交，使人觀之，斯心可以化天下矣！及乎饋薦之入，則其事也其誠不若盥之始也。「有孚顒若」，不言而信也。荀卿云：「祭祀之未入尸也，大昏之未發齊也，喪之未小斂也，一也。」斯得之矣！「天何言哉？四時行焉，百物生焉」。天之神，道也，惟聖人至誠然後可與天通，此所以「設教而天下服」也。[83]

呂氏在《論語解》裡，更效法漢儒的做法，取《易》與《論語》轉相發明：

> 荀卿言「喪之未小斂也，大昏之未發齊也，祭祀之未納尸也」，正與此意合。禮既灌，然後迎牲迎尸，則未灌之前，其誠意交於神明者至矣，既灌而後特人事耳。故有不必觀也。[84]

呂氏探賾鈎深，道出了盥（灌）的要義。簡言之，灌施於祭初，其時鬼神杳茫，祭者必須竭盡誠敬，方能進入〈祭統〉所說的「恍惚以與神明交」的精神狀態。呂大臨在《易章句》及《論語解》一再引《荀子》〈禮論〉為據，說明未灌之前正是交於神明的重要時刻。〈禮論〉原文云：

---

82 〈祭義〉云：「以其慌惚以與神明交」；〈祭統〉云：「交於神明」；〈郊特牲〉云：「交於神明之義」、「交於神明者」。

83 陳俊民：《藍田呂氏遺著輯校》（北京市：中華書局，1993年），頁95-96。

84 陳俊民：《藍田呂氏遺著輯校》，頁431。

> 大饗，尚玄尊，俎生魚，先大羹，貴食飲之本也。饗，尚玄尊而用酒醴，先黍稷而飯稻粱。祭，齊大羹而飽庶羞，貴本而親用也。貴本之謂文，親用之謂理，兩者合而成文，以歸大一，夫是之謂大隆。故尊之尚玄酒也，俎之尚生魚也，豆之先大羹也，一也。……昏之未發齊也，太廟之未入尸也，始卒之未小斂也，一也。

玄酒、黍稷、大羹三物，表示貴本，尸舉而至齒而已。酒、稻粱、庶羞諸物，可以飽食，表示親用。貴本追溯上古，禮質而未備。親用，切近日用，曲盡人情。[85]太一，指太古時。一謂一於古也，以象太古時，皆貴本之義。《禮記》〈禮運〉有云「夫禮必本於太一」，說明禮雖備成文理，仍要歸於太一，以示不忘本。祭於太廟，以降神為首務，其時尸尚未入室，鬼神既無形可見，祭品亦最單薄，為禮卻最隆盛。此時此刻，祭者的誠敬是能否成功求神的關鍵。只有精誠所至，才能「恍惚以與神明交」，這種精神狀態無疑最值得觀視欣賞，也因此成為神道設教的宗旨所在。

就祭祀而言，只有敬誠在中，專心一意，方能虔誠事神，這是主祭者以至助祭之人不可或缺的精神狀態。程頤對此有非常深刻的揭示。程氏主張涵養功夫全在一個「敬」字。敬為心主，正所謂「主一之謂敬」，「無適之謂一」。其說蓋根源於孔子。《禮記》〈緇衣〉記孔子引書說明南人所言「人而無恆」之弊，其中就有《尚書》〈兌命〉「事純而祭祀，是為不敬。事煩則亂，事神則難」之文。劉台拱（1751-1805）依鄭注，謂「純」當作「煩」，進而論曰：「言爵無與惡德之人，民將立以為正。言倣效之也，引之以明無恆之人不可居民之上。又言事煩之時以臨祭祀，是為不敬。蓋敬者主一之謂。事煩者其心必亂，不主於一。以之事神，不亦難乎？引之以為無恆之人不可交神明。」[86]「敬者主一」即二程所謂「主一之謂敬」，朱熹所謂「只是心專一，不以他念亂之。每遇事，與至誠專一做去，即是主一之義。」[87]無不強調臨祭敬慎、用心專一。

誠敬是禮的根本精神。在具體執行《儀禮》十四種禮典的儀節及禮容時，只有具備恭敬、肅靜、潔淨三項基本禮意，方能支撐禮典的進行。三項禮意相輔相成，以恭敬貫通於其中。以祭禮為例，所謂「祭祀主敬」（《禮記》〈少儀〉），祭祀以恭敬為主，體現於祭祀中人的肅靜和人與禮器等的潔淨。「恭敬者，蘊於內，肅靜、潔淨者形之於外，內外結合，乃能顯示禮意，有誠意，乃有基本禮意可言，有基本禮意可言，各種禮典之主要禮意方可顯現而無憾。」[88]（葉國良先生語）

清代《易》學家，如惠棟（1697-1758）亦有取於漢、唐《易》說，引〈觀〉卦與

---

85 參王天海：《荀子校釋》（上海市：上海古籍出版社，2005年），頁762。

86 〔清〕劉台拱《經傳小記》，《劉端臨先生遺書》（臺北市：藝文印書館，1970年），據清光緒十五年（1889）廣雅書局刊本影印，卷2，頁24a-24b。

87 〔宋〕朱熹：《朱子語類》，《朱子全書》，第16冊，頁2326-2327。

88 葉國良：〈《儀禮》各禮典之主要禮意與執禮時之三項基本禮意〉，「《嶺南學報》名家講座系列」講稿，頁10。嶺南大學，2014年11月11日。

《論語》相為印證。惠棟《周易述》闡釋虞翻之注甚精且詳，並據《周禮》〈鬱人〉「祼事沃盥」之文，證明「盥與灌通」，說明馬融與虞翻之說無別。惠棟在漢、唐《易》說的基礎上略作推衍，說：「以灌禮降神，推人道以接天，所謂自外至者無主不止，故云祭祀之盛，莫過於初盥也。禘行於春夏，物未成熟，薦禮獨略，故云神降薦牲，其禮簡略不足觀也。」[89]說禘行於春夏，兼存〈郊特牲〉及〈祭義〉「春禘」與〈王制〉「夏禘」二說[90]，認為其時物未成熟，導致薦禮簡略，不免拘泥於馬融「其禮簡略」一語。惠氏又解讀「吾不欲觀」之意云：「非不欲觀也，所以明灌禮之特盛，與此經觀盥而不觀薦同義。」[91]孔子說「不欲觀」，無非是為了表明灌禮特盛。

不僅說《易》者如此，清代《論語》注家中亦不乏引《易》說解「禘自既灌而往」章義的例子，但各家持說不一而已。其代表人物及主要說法，歸納起來，大抵有三：一、有認為馬融、虞翻、王弼之說雖不必勝於朱熹《集注》（朱子說，詳下文），但也值得注意，如徐鼒（1810-1862）[92]。二、有批評馬、虞、王說誤解《易》義，但認為以此說《論語》卻於義可通，如黃式三（1789-1862）《論語後案》列舉「禘自既灌而往」章異說，其一即為馬融、王弼、程頤所主之說，云：「《易》『觀盥而不薦』，馬融《注》引此《經》云：『灌時禮盛，及神降薦牲，其禮簡略。』王《注》、程《傳》略同。說《易》雖誤，以說此《經》，於義亦通。」黃氏認為，馬融之說誤解〈觀〉卦辭旨，但適用於詮釋《論語》。三、也有認為馬融等人之說才是《論語》的確解，如丁晏（1794-1875）和錢坫。丁晏《論語孔注證偽》不認為「不欲觀」有譏魯僭禮之意，卻以為馬融、虞翻、王弼之說當得其確解。丁氏強調「禘之可觀，莫盛於此（引者按：指灌鬯之禮）。自是以往，則禮殺矣。」禮殺自無足觀。錢坫主張以《周禮》、《禮記》、《易》參互推求《論語》之意。於是擷取《禮記》〈祭統〉、〈郊特牲〉及《周禮》〈大宗伯〉所記灌祭，指出「祼」、「灌」、「盥」字異而義同，「凡祭重灌，於禘尤甚」，故孔子欲觀之。[93]錢氏意中，《易》「觀盥而不薦」與《論語》「自既灌而往」「不欲觀」語義正相契合，所以馬融、虞翻以《論語》釋《易》自是順理成章。

今人所著《易》注，仍有取用馬融等人之說者，如徐芹庭《細說易經六十四卦》在「觀盥而不薦」下注：「古今賢哲很多解作：觀祭祀前先潔手盥洗，而不觀奉酒食之禮，實則非也，盥洗潔手，人人能之，何必觀看？比之奉獻酒食之禮尤為淺薄汙穢，何

89 〔清〕惠棟：《周易述》（成都市：巴蜀書社，1993年），頁70。

90 四時祭之名義，詳拙著〈《春秋》、《左傳》禘祭考辨〉，《春秋左傳禮制研究》（上海市：上海古籍出版社，2012年），頁214-218。

91 〔清〕惠棟：《周易述》，頁70。惠棟《禘說》亦引錄馬融、王弼《易》注及自撰《周易述》之文，見《清經解續編》，第1冊，頁835。

92 〔清〕徐鼒：《讀書雜釋》〈禘自既灌而往者〉（北京市：中華書局，1997年），頁158-159。

93 〔清〕錢坫：《論語後錄》，《續修四庫全書》，第154冊，頁239。

必觀看？」[94]徐氏準情度理，否定「盥」為盥手，主張沿用馬融說，將盥解作祼（即灌），認為是「把鬱金酒灌在地上，請天神地祇與人之祖先降臨之禮，酒性蒸發於天，下透於地，中聞於四方，故天地人之神明聞而來享受祭祀。」[95]徐氏述說灌法，同馬說，或然，但謂祼通用於天地人之神明，則大誤。鄭玄早已揭示，祼以人道奉祀先人，只用於廟祭人鬼，天神地祇已超出灌祭的適用範圍。

四 鄭玄對〈觀〉卦的注解

鄭玄一生博學多師，就《易》學而言，鄭玄師事第五元先，學今文《京氏易》，其後隨馬融治古文《費氏易》。傳費《易》者初無其書，至馬融才著《易傳》，以之授鄭玄，鄭玄後為《易注》。鄭玄《易注》本於馬融《易傳》的並不多[96]，此治漢《易》者不可不知。對〈觀〉卦的注解，鄭玄持說與馬說不同。現存鄭玄注《易》佚文並未見引《論語》「禘自既灌而往」章為證。鄭注云：

> 坤為地為眾，巽為木為風，九五天子之爻，互體有艮，艮為鬼門，又為宮闕，地上有木而為鬼門宮闕者，天子宗廟之象也。
>
> 諸侯貢士於天子，鄉大夫貢士於其君。必以禮賓之。唯主人盥而獻賓，賓盥而酢主人，設薦俎，則弟子也。[97]

鄭玄認為以象言之，卦爻顯示天子宗廟之象。現今研究鄭氏《易注》的學者一般都認為，跟馬融以灌祭說〈觀〉不同，鄭玄將「盥而不薦」歸屬賓禮飲酒賓主獻酢之禮的類別。[98]鄉大夫貢士於諸侯，諸侯貢士於天子，皆以飲酒禮禮賓。[99]依〈鄉飲酒禮〉，主人獻賓、賓酢主人，都要盥洗，潔淨其手，表示敬意，故注中解「盥」為盥洗。就如〈鄉

---

94 徐芹庭：《細說易經六十四卦》（北京市：中國書店，1999年），頁287。

95 徐芹庭：《細說易經六十四卦》，頁288。

96 〔清〕張惠言《易義別錄》云：「鄭《易》之于馬，猶《詩》之于毛。然注《詩》稱箋，而《易》則否。則本之于馬者蓋少矣。今馬《傳》既亡，所見僅訓詁碎義。就其一隅而返之，大抵以〈乾〉、〈坤〉十二爻論消息，以人道政治議卦爻，此鄭所本於馬也。馬於象疏，鄭合之以爻辰，馬於人事雜，鄭約之以《周禮》。此鄭所以精於馬也。」《清經解》（上海市：上海書店，1988年），第7冊，頁135。

97 〔唐〕賈公彥《儀禮注疏》〈鄉飲酒禮〉引。見鄭玄注、賈公彥疏、王輝整理：《儀禮注疏》（上海市：上海古籍出版社，2008年12月），頁195。互詳胡自逢：《周易鄭氏學》（臺北市：文史哲出版社，1990年7月），頁35-36。

98 詳參羅燕玲：〈《周易》鄭玄注研究〉，香港中文大學中國語言及文學系哲學博士論文，2008年，頁69。又詳蘭甲雲：《周易古禮研究》（長沙市：湖南大學出版社，2008年6月），頁272-273；劉幸瑜：〈《易經》古禮考論〉，臺灣師範大學國文學系碩士論文，2014年，頁60。

99 〔漢〕鄭玄注，〔唐〕賈公彥疏，王輝整理：《儀禮注疏》，頁195。

飲酒禮〉所記，薦脯醢、設折俎，則由後生子弟為之。張惠言《周易鄭氏義》認為，〈彖傳〉既言「觀天之神道，而四時不忒。聖人以神道設教，而天下服矣」，而鄭注也說卦爻有天子宗廟之象，據義〈觀〉卦當兼有祭禮。李道平（1788-1844）亦云：「『神道設教』承『盥』『言之』，謂祭祀也。……鄭注（引者按：指鄭玄〈祭義〉注）云『合鬼神而祭之，聖人之教致之』，是其義也。」[100]曹元弼（1867-1953）《周易鄭注箋釋》作了更深入的推測，認為鄭玄說盥，旨在辨明「凡禮，皆以盥為重」之意，在宗廟之象下當先言及宗廟祭事之盥，順帶談論賓禮之盥，是因為〈觀〉卦六四爻辭「觀國之光，利用賓于王」的緣故。誠如淩廷堪所歸納的禮例：「凡禮盛者必先盥」。[101]曹說合乎禮例，只可惜注文闕佚，無法徵實。[102]

張惠言《易義別錄》云：「馬解觀盥而不觀薦，與經不比，又以盥為灌字。故鄭不從，以為主人盥獻而不設薦俎。」[103]鄭玄原意若如張氏所言，則其不從師說原因有二：一則，馬融將卦名與卦辭連讀，不合經文文理；再則，改讀盥為灌，以通假說經。

張氏援引鄭玄〈震〉卦「震驚百里，不喪匕鬯」注文作解，重新演譯「盥而不薦」之意云：「盥而不薦者，盥以匕牲，盥而酌獻，薦牲則卿大夫為之。」[104]簡言之，就是「主人盥獻而不設薦俎」。曹元弼謂「張說至精確」，並發揮當中包含的禮意說：「人君盥以灌鬯，盥以匕牲，齊莊中正之德，誠中形外，不必事事親為，而卿大夫以下觀感興起，各揚其職。駿奔走，薦牲體。咸孚於其德容之誠敬。」[105]張、曹之說頗有深意，只是由於〈觀〉卦注文闕佚，無法得知鄭注原意是否如此。

五　對「禘自既灌而往」章主流解讀的質疑辨惑

古今學者解讀「禘自既灌而往」章，大多認定孔子自言「禘自既灌而往者」不欲觀之，其中必定涉及失禮、非禮或僭禮（為簡便計，除個別地方外，籠統地稱為非禮）的成份。非禮無疑是主流解讀預設的基調，但如何落實非禮所在，是魯禘本就非禮，還是既灌後面的儀節非禮，也就是說究竟哪個地方出現問題，卻又言人人殊，甚至互相攻訐。究其實，持非禮說的人，所提論據並不一致。就現存文獻所見，最早提出失禮說的是孔安國，見何晏《論語集解》所引，原文蓋出孔安國《論語孔氏訓解》。孔安國認為，禘為廟祭，用於序列昭穆。《說文》示部云：「禘，諦祭也。」言部云：「諦者，審

---

100 〔清〕李道平撰，潘雨廷點校：《周易集解纂疏》（北京市：中華書局，1994年），頁231。

101 〔清〕淩廷堪著，彭林點校：《禮經釋例》，頁142。

102 〔清〕曹元弼：《周易鄭注箋釋》（臺中市：文听閣圖書有限公司，2008年），頁660、664、667。

103 〔清〕張惠言：《易義別錄》，《清經解》（上海市：上海書店，1988年），第7冊，頁136。

104 〔清〕張惠言：《周易鄭氏義》，《清經解》，第7冊，頁112。

105 〔清〕曹元弼：《周易鄭注箋釋》，頁665。

也。」則禘為祭之審諦，乃宗廟審諦昭穆之禮。[106]此為古人所說禘本義之一。孔安國解灌為酌鬱鬯灌於太祖，用以降神；謂既灌之後，不按適當的昭穆序次排列神主，卻將僖公躋於閔公上，犯上逆祀[107]，孔子因此不欲觀。孔安國將孔子不欲觀的原因坐實為逆祀。[108]皇侃（西元488-545年）《論語義疏》承襲孔安國之說，斷言孔子的話旨在譏諷魯祭逆祀失禮，所述禘祭灌地求神之禮則較孔安國詳細。[109]北宋邢昺（西元932-1010年）《論語注疏》，仍然沿用逆祀說，只是略作補訂，指「躋僖公」，不過是說閔、僖二公位次倒逆，並非說二公昭穆有異，由於是逆祀失禮，故孔子不欲觀。[110]邢昺以後，宋儒不乏質疑逆祀說的人。儘管非禮的預設基調不變，但對非禮所在卻有另一番見解。如朱熹《集注》引趙匡說。對禘字本義，趙氏提出有別於孔安國的另一解讀，認為禘是王者大祭，用於祭祀始祖所自出之帝，並以始祖配祭。此為古人所說禘之另一義。趙氏說，成王以周公有莫大功勳，把禘祭賞賜給魯公，但魯行王者之禘，畢竟非禮所當有。朱子則推想，灌地降神時，魯國君臣，誠意未散，仍有可觀，但灌後，漸漸懈怠，無足觀處。這樣說，魯禘已是失禮，灌後無誠意，更是「失禮之中又失禮」，孔子不欲觀，自不待言。觀乎趙匡和朱子二說，可見在宋人的想法裡，不但失禮的焦點已有所轉移，而且已觸及魯禘的正當性問題。[111]朱子的誠意既散說，顯然是以理學家所闡明的祭禮精義（說詳上文）為根本。朱子不取舊注逆祀說，而自行準情度理，重新解讀，為後繼者敞開了想像和推測的空間，為明清之後新說迭見創造了條件。

郝敬（1558-1639）以為，祭帝曰禘，依禮，不王不禘，魯以諸侯而禘文王於周公廟，顯然是非禮。郝氏考索史事，試圖以「平王初年，魯惠公乃請郊禘」證明周成王雖以天子之禮尊周公，但未嘗賜予禘禮，因謂僖公、文公以後「盡用王禮」皆屬非禮。郝氏又推想，魯禘灌用天子禮器，薦獻用天子樂舞，所以孔子不欲觀。[112]

朱子雖不取逆祀說，仍未直斥其非，但到了清人那裡，逆祀說就備受攻擊。毛奇齡

106 〔漢〕許慎撰，段玉裁注，許惟賢整理：《說文解字注》，頁8。

107 《左傳》文公二年云：「大事於大廟，躋僖公，逆祀也。」

108 黃懷信主撰：《論語彙校集釋》，頁229。有關躋僖公及兄弟昭穆異同的討論，可詳拙著〈《春秋》「躋僖公」解〉，《春秋左傳禮制研究》，頁439-466。

109 黃懷信主撰：《論語彙校集釋》，頁229。

110 黃懷信主撰：《論語彙校集釋》，頁229-230。

111 有別於唐代新《春秋》學三子啖助（西元724-770年）、趙匡、陸質（西元？-805年），孫覺（1028-1090）認為禘嘗之禮通行於諸侯，並謂「《論語》之言曰『禘自既灌而往者，吾不欲觀之矣』（〈八佾〉十），〈中庸〉之言曰『明乎郊社之意，禘嘗之禮，治國其如指諸掌乎。』蓋孔子之言魯禘，則譏『既灌以往』。其論治國，則先郊社而後禘嘗。」轉引吉原文昭著、劉怡君譯〈北宋《春秋學》的側面——以唐代《春秋》三子之辨禘義的繼承和批判為中心〉，載林慶彰、張穩蘋編輯：《啖助新春秋學派研究論集》（臺北市：中央研究院中國文哲研究所，2002年），頁605。至於孔子言魯禘，對「既灌以往」之所譏，孫氏則未有明說。

112 〔明〕郝敬：《論語詳解》，《續修四庫全書》，第153冊，頁102。

（1623-1713）對逆祀說提出三點駁難：一、孔子助祭，應在仕魯之時，而其仕魯在定公十四年（西元前481年），當時不遭國喪，不容有吉禘。二、閔、僖逆祀之事發生在文公二年（西元前625年），經歷文、宣、成、襄、昭五公才到定公。定公在位時，依諸侯五廟之制，閔、僖早就毀廟，遷入祧壇；三、況且，定公八年，順祀先公，閔、僖位次得到理順，根本不存在逆祀的問題。毛氏所作批駁，除第一點理據較為薄弱外，第二、三點皆具說服力。毛氏肯定禘為王者大祭，又據〈明堂位〉及〈祭統〉所記，認為魯獲賜重祭，得用天子禮樂，只是「群公雜用，便屬非禮」。[113]至於群公如何雜用，毛氏未作任何說明。莊述祖（1750-1816）亦提出，孔子仕魯在從祀先公之後，不當再譏逆祀。[114]石韞玉（1755-1837）也對逆祀說表示懷疑，認為僖公逆祀，一入廟即見，大可不觀，何須等待既灌之後才發出不足觀之嘆。石氏以為朱子之說「於義為優」。[115]其實，朱說縱然比舊注高明，又何嘗不受到後儒質疑。程廷祚（1691-1767）將舊注逆祀、朱注誠意既散二說一併否定，認為夫子不欲觀，是因為魯禘僭用天子禮樂，且降神之後節文繁多。[116]程樹德（1877-1944）甚至批評朱說空洞，毫無依據，暴露了「以理詁經」之弊。程氏強調，夫子之嘆，「在譏其僭，非譏其怠」。[117]王闓運（1833-1916）後來還斷斷於助祭諸臣「大慢不敬」，似乎已落後於眾人。為遷就諸臣怠慢說，王氏不惜改訓「往」為「往太廟」，增字解經，盡臆測之能事。[118]值得注意的是，不少清人都將矛頭指向魯人的「僭禮」行為，並歸咎於既灌之後的儀節。上舉莊述祖的《論語別記》就是典型的例子。莊氏認為，魯禘，灌祭之時，尚能克制，遵從諸侯之禮，到迎牲以後，卻兼用天子的四代之禮，應該說孔子所譏不在禘，而在既灌之後的僭禮行為。[119]持相近看法的，有戴望（1837-1873），戴氏說魯之禘祭，自迎牲之後，就僭用天子的禮樂[120]；還有宦懋庸（1842-1892），認為灌時未僭，既灌之後，才僭用天子禮樂。[121]至此，非禮說的最大轉變，是把焦點放在迎牲後所用禮樂的僭禮上。

自漢迄清，學者大多熱衷於從非禮的角度詮釋「禘自既灌而往」章。以優劣得失論，逆祀說無的放矢，不能成立，固不待辯。誠意既散說，在缺乏文本依據的佐證下，也難免招致自騁臆說的批評。平心而論，誠意既散說要是能擺脫以非禮為基調的束縛，

113 〔清〕毛奇齡：《論語稽求篇》，《叢書集成初編》（北京市：中華書局，1991年），卷二，頁9。

114 黃懷信主撰：《論語彙校集釋》，頁234。

115 〔清〕石韞玉：《讀論質疑》，《續修四庫全書》，第155冊，頁7。

116 〔清〕程廷祚：《論語說》，《續修四庫全書》，第153冊。

117 程樹德撰；程俊英、蔣見元點校：《論語集釋》，頁170。

118 〔清〕王闓運：《論語訓》，黃巽齋校點：《論語訓　春秋公羊傳》（湖湘文庫甲編）（長沙市：岳麓書社，2009年7月），頁20。

119 黃懷信主撰：《論語彙校集釋》，頁234。

120 〔清〕戴望：《戴氏注論語》，《續修四庫全書》，第157冊，頁84。

121 〔清〕宦懋庸：《論語稽》，《續修四庫全書》，第157冊，頁279-280。

將更可取。較易令人取信的是僭禮說。僭禮說的依據，大抵有二：一是〈禮運〉記孔子所說的「魯之郊禘非禮也，周公其衰矣」；一是《史記》〈禮書〉引述「禘自既灌而往」章後，接著就說：「周衰，禮廢樂壞，大小相踰」，意味魯禘僭禮。[122]至於郝敬提出的「魯惠公乃請郊禘」，以及簡朝亮（1852-1933）說的「《呂氏春秋》云：『魯惠公使宰讓如周請郊禘禮，王使史角止之。』然則成王非賜魯郊禘矣」[123]，恐怕都不足為憑。《呂氏春秋》〈仲春紀・當染〉今本所記為「魯惠公使宰請郊廟之禮於天子」[124]，郝、簡二氏的引文，都把「郊廟」寫成「郊禘」，不知何據。倘若《呂氏春秋》原文不作「郊禘」，禘祭雖屬廟祭之一，但很難說禘祭就包含在魯惠公所請之禮裡面。事實上，僭禮說同樣受到質疑。即便把此禘當作「不王不禘」（《禮記》〈大傳〉）之禘，但〈明堂位〉、〈祭統〉都說周成王因周公有莫大勳勞於天下，於是賜魯重祭。魯得用天子禮樂，得到不少主張非禮說注家的承認。何況《春秋》及《左傳》記魯之禘祭共有九次，雖說各禘的性質難以論定，但可以肯定的是當時的確存在三年吉禘。[125]而且，《左傳》襄公十年記晉大夫荀偃、士匄曰：「諸侯宋、魯，於是觀禮。魯有禘樂，賓祭用之。」是魯有周王之禘樂，用於饗賓及大祭，不但未被視作僭禮，更為時人所樂道。[126]春秋時，不特魯公行禘，晉侯亦然，《左傳》襄公十六年記晉人曰：「寡君之未禘祀」，即為明證。面對魯得用禘的事實，主張僭禮的劉寶楠（1791-1855），除搬出〈禮運〉和《史記》〈禮書〉試圖證明魯禘僭禮外，也只好說「此夫子譏伯禽之失，不當受賜」[127]，不惜將孔子所譏推到魯始封君伯禽的身上。前人預設非禮的基調，細驗之下，疑點重重，經不起嚴格的辯證。最根本的問題在於，試想，如果魯禘非禮，那麼，孔子在一開始時就不應該觀看，為甚麼一直等到既灌之後才譏其非禮呢？儘管前人多方思考，在他們的論著裡都沒有為這個問題提供合理的解釋。當然，不能排除有人刻意迴避此一問題的可能性。

綜上考論，前人從非禮的角度解說「禘自既灌而往」章，大多進退失據，未能自圓其說，讀之不免令人感到困惑。[128]倒是英譯《論語》，譯者只著眼於〈八佾〉本文，才

122 學者向來懷疑《史記・禮書》非出司馬遷之手。說詳鍾宗憲：《先秦兩漢文化的側面研究・第一輯・史記八書初探之一》（臺北市：知書房出版社，2005年）。

123 〔清〕簡朝亮：《論語集注補正述疏》，頁97。

124 陳奇猷：《呂氏春秋校釋》（上海市：學林出版社，1990年），頁96。

125 說詳拙著〈《春秋》、《左傳》禘祭考辨〉，《春秋左傳禮制研究》，頁191-219。

126 楊伯峻：《春秋左傳注》（北京市：中華書局，1990年），頁977。

127 〔清〕劉寶楠：《論語正義》（北京市：中華書局，1990年3月），頁95。

128 現代學者以專文形式探討《論語》孔子言禘的，有左高山的〈論《論語》中的「禘」及其政治倫理意蘊〉（載《孔子研究》，2005年第1期，頁31-41），認為孔子「不欲觀之矣」「很可能在於：第一，魯國的季氏僭禘，從『不王不禘』而言，季氏當道，其祭祀超越了周公所賜魯國舉行祭祀的範圍；第二，魯國在禘祭的過程中，可能出現了不誠敬的情形，僭越了「禘」作為政治秩序的核心原則的意義。第三，孔子本人的原因，因為孔子深知周禮，他可能認為魯國的禘禮不符合他熟知的標準，

得免於非禮論調的糾纏。[129]

六　結論

總結前人的研究經驗，詮釋《論語》部分章節，確定語境最難。[130]〈八佾〉篇「禘自既灌而往」章只記錄孔子的話語，沒有清楚交代孔子說話的特定語境。想是孔子仕魯，作為宗廟助祭的一份子，目睹禘禮的進行，有感而發。應該說，文本透露的語境訊息是相當有限的。況且，禘祭本身就難有確解。就是孔子，在回答別人問禘之說時，也說「不知也」，並說懂得箇中禮義的人，治理國家就好像把東西放在手掌上那麼容易。說禘之難，可想而知。《禮記》言及禘禮最為多見，《周禮》、《春秋》、《左傳》、《國語》等也有一些記載，鄭玄《禮》注曾引用《禘于太廟禮》，惜此書已佚，而鄭玄的《魯禮禘祫志》同樣殘缺不全[131]。禘祭聚訟千餘年，主因是可資憑信的實例確實很少，而相關禮說紛然殽亂，甚或互相牴牾，鄭玄及其後禮家，又往往糾纏於禘祫分合的問題，更為後人理解《論語》此章平添了許多障礙。

唐寫本鄭玄《論語注》的發現，對理解鄭義至關重要。鄭玄「禘自既灌而往」章注文近乎完整地保存在寫本中。要是不發現唐寫本，對鄭義的理解就僅能依靠唐疏引錄的「禘祭之禮，自血腥始」。如果過份解讀殘存的這兩句話，即使是禮學大家也難免會誤解鄭義。[132]

茲再錄鄭玄注文並略說其大旨如下：「既，已也。禘祭之禮，自血腥始。至於尸灌而神事訖。不欲觀之者，尸灌已後人事耳，非禮之盛。」「禘祭之禮，自血腥始」，意謂禘祭的正祭就從薦血腥開始。「至於尸灌而神事訖」，指灌尸而尸祭於地以求神，神降之後神事也就此完結。不欲觀，是因為灌尸祭地降神後的儀節，包括朝踐薦血腥、饋食薦

故不欲觀之矣。」（頁36）所提三種可能，除第三種可取後，其餘兩種欠缺實據，只能看作是臆測罷了。

129 如D.C.Lau, *The Analects (Lun Yü)* (Hong Kong: The Chinese University Press, 1983)譯為："The Master said,'I do not wish to witness that part of the ti sacrifice which follows the opening libation to the impersonator." p.21 又如Simon Leys, *The Analects of Confucius* (New York: Norton, 1997)譯為："The Master said,'At the sacrifice to the Ancestor of the Dynasty, once the first libation has been performed, I do not wish to watch the rest." p.11.

130 如杜維明：《詮釋《論語》「克己復禮為仁」章方法的反思》（臺北市：中央研究院中國文哲所，2015年）指出，要想詮釋「克己復禮為仁」章「需要考慮到語境的問題」（頁4）。

131 詳〔清〕皮錫瑞：《魯禮禘祫義疏證》，收錄於《師伏堂叢書》。

132 〔清〕曹元弼：《周易鄭注箋釋》云：「鄭注《論語》云：『禘祭之禮，自血腥始。』此蓋破馬氏之說。馬注《易》，謂既灌禮略，不足觀；注《論語》當同。鄭破之，謂灌特祭初降神之事，神既降，正祭之禮，自薦血腥始，其禮甚盛，不得云略、不足觀。孔子所謂不欲觀者，自歎魯禘失禮，非汎論禘禮也。」（頁670）曹氏未見鄭注全文，故有此誤說。

熟食及食後酳尸，都是些相當繁縟的人事小節，並非禘禮的大節。按照鄭義解讀「禘自既灌而往」章，孔子的話是說：宗廟禘祭從灌尸獻神完結後的其他儀節，我都不想再觀看了。鄭玄賦予灌祭豐富的內涵，灌與祼音義相通，灌尸與獻神為一事，所言灌尸即獻尸之初獻、二獻（即二祼），相對於後面的七獻而言；灌法為主人獻鬱鬯於尸，尸受而祭於地，乃啐之、奠之。灌法獻尸祭地求神，有求陰之意。

鄭玄此注的漏洞，就表露在對灌法的理解上，其說不能使人無疑。獻尸二祼與祭初降神之祼有別，兩義似不相當，不能混同。降神之祼，灌於地下或束茅之上；獻尸之祼，則按照日常飲食必祭之禮而行。前者在正獻之前，後者在正獻之中。兩者名同而實異。祭初求神之祼，或當如許慎所述般，灌鬯於束茅，使酒滲入淵泉，達致求神的目的。依陰厭之禮類推，降神應在尸未入之前。且祼尸如祼賓客，由王自灌，理固宜然，但尸為神象，不應自降其形魄。

就義理而言，《易傳》與《論語》每有契合、可相發明之處。王弼說《易》往往援引《論語》為證，就是深明箇中精義的表現。事實上，除了王弼，在他之前的馬融和虞翻早就以「禘自既灌而往」章說《易》〈觀〉之意。王弼認為〈觀〉卦表明，要觀視君王的道德之美，沒有比宗廟大祭更合適的了，而要觀視廟祭，則沒有比盥（實即灌祭）更合適。盥為禮最盛，及至薦牲以後，便無足觀處。漢、唐《易》學家津津樂道的灌祭所包含的深義，在宋代理學家那裡得到進一步的發揮。要言之，當灌鬯求神時，祭者竭誠盡敬，一心專注於祭上，只求與神明相交，最為可觀；及至薦腥獻熟，禮數繁縟，人的精誠稍稍渙散。因此，孔子就說觀灌而不觀其餘。姑勿論漢、唐、宋諸儒所言是否合乎〈觀〉卦原意[133]，可以肯定的是，他們述說的〈觀〉卦之意，恰恰可與鄭玄「禘自既灌而往」章注文互相發明。鄭玄受費氏《易》於馬融，但就今存《易注》佚文所見，在解釋〈觀〉卦方面，並未從其師說。

〈八佾〉篇中有多個章節記錄孔子批評季氏等的僭禮之事，如季氏「八佾舞於庭」章、「三家者以雍徹」章、「季氏旅於泰山」章，難怪乎論者大多數認定「禘自既灌而往」章與前列數章一貫，同樣譏諷魯人失禮。這種想法似是而非。其實，同篇中，「或問禘之說」、「祭如在」兩章，與「禘自既灌而往」的關係也許更形密切。尤其是「祭如在」章表明祭祀講求誠意，堪與「禘自既灌而往」章相比照。陳祥道《論語詳解》串講三章的做法無疑值得後人借鏡。[134]

---

133 黃式三引「觀盥而不薦」馬融注，說：「王（引者按：指王弼）《注》、程（引者按：指程頤）《傳》略同。說《易》雖誤，以說此《經》（引者按：指《論語》「禘自既灌而往」章），於義亦通。」《論語後案》，頁59。曹元弼甚至認為，「馬、虞說，似與兩經（引者按：指《易》〈觀〉及《論語》「禘自既灌而往」章）並違。」《周易鄭注箋釋》，頁666。

134 〔宋〕陳祥道：《論語全解》云：「禘之為祭，其文煩而難行，其義多而難知。難行也，故自灌而往者多失於不敬。難知也，故知其說者之於天下如指掌。此孔子所以於禘自既灌不欲觀之，於禘之說，則曰不知也。夫郊社之禮，禘嘗之義，其粗雖寓於形名度數，其精則在於性命道德。明其義者相對於以非禮為基調的主流意見來說，鄭注要優勝得多。只要以鄭玄注為基礎，再結合禮書及漢宋諸儒所闡發的灌祭背後的禮意精神，以此通讀《論語》「禘自既灌而往」章，了無窒礙之處。鄭玄《論語注》的價值，不言而喻。

今以江聲（1721-1799）《論語竢質》為全文作結。江氏云：

> 禘莫盛於灌。孔子觀之，意愜神洽。故曰既灌而往，吾不欲觀。此歎美之言，猶左氏襄廿九年傳季札觀〈韶〉舞而歎觀止也。[135]

江聲以孔子觀禘與季札觀樂互相比擬，指出孔子的言辭純然出於觀賞者對灌祭的讚美。以季札觀樂比照孔子觀禘，以季札觀賞〈韶箾〉嘆為觀止，自〈檜〉以下，因其微小，不復譏評，比照孔子觀止於灌而不觀既灌之後的繁縟儀節，可謂發前人所未發。江說廓清雲霧，予人豁然開朗、意暢神怡之感。

本文原稿發表於「經學史研究的回顧與展望——林慶彰先生榮退紀念學術研討會」（日本京都市京都大學大學院，2015年8月20日）。修訂本已發表於中央研究院《中國文哲研究集刊》，2016年，第48期，頁59-96。此次重刊，承蒙編委會授權，不勝感銘。

君也，能其事者臣也。不明其義，君人不全。不能其事，為臣不全。然則魯之君臣，其不能全也可知矣。所謂祭如在祭神如神在，吾不與祭如不祭。祭如在，事死如事生也。祭神如神在，事亡如事存也。吾不與祭如不祭，此所以禘自既灌不欲觀之也。」卷2，《文淵閣四庫全書》本。江聲《論語竢質》謂「或問禘之說」一章當在「禘自既灌而往」章之後，並解說其文意云：「或因是而意孔子必知其說，故問焉。雖然其禮可觀也，其說難知也，豈觀之而遂敢自信為知之哉。故答以不知。」《論語竢質　附校譌及續校》，《叢書集成初編》（上海市：商務印書館，1937年），頁6。

135〔清〕江聲：《論語竢質　附校譌及續校》，頁6。

《論語》馬融鄭玄異義說
——兼論馬鄭之師承

石立善
上海師範大學哲學與法政學院教授

提要

敦煌、吐魯番出土唐寫本《論語》鄭玄注，解經旨意多異於《論語集解》所見馬融傳，而《後漢書》本傳則以康成師事馬融，馬融、盧植本傳亦云然。近人曹彥遠《子鄭子非馬融弟子考》據《世說新語》注所引《鄭君別傳》及各經注疏，謂鄭康成從馬融受學之事可決其必無，惜曹氏所舉注疏數例具爲禮書。今據西域《論語》康成注之寫卷及清儒以降諸家輯本，比參辨析馬鄭之異同，指出：馬鄭分章有異、句讀有異、訓詁有異、所據文本有異、注解有異、注解似同實異等六點。《論語》鄭玄注不惟注義多異於馬融，其有意立異而違於馬者亦往往有之，其體裁又多破章句之法，旨在解說經文大意，是斷定鄭注《論語》非本於馬，則《後漢書》所載馬鄭師承事，洵不可信。所謂馬鄭師承之說，乃鄭學大行於世，馬門徒輩攀附依託而歸美其師，以張大門庭耳。然馬鄭師承之說之誣且妄也，由來已久，卻在疑似之間，惑人深矣。須知馬融固守章句之學，因文解義，雖語言簡明，而其解往往失之於淺。鄭玄注《論語》不同注他經，不嫌辭費，重構孔子師生言行之時代情境、語境，以實解虛，精深而親切，蓋有推想寄托之深意存焉。

關鍵詞：鄭玄　馬融　論語　後漢書　師承　經學

一 緒言

余曩日負笈東瀛洛京，耽讀敦煌、吐魯番出土唐寫本《論語》鄭康成注，覺康成旨意多異於何晏《論語集解》所見馬融傳，而《後漢書》本傳則以康成師事馬融，馬融、盧植本傳亦云然，反覆而思不得其解，因取清袁鈞《鄭氏佚書》、孔廣林《通德遺書》以下諸家輯本康成注合攷之，益知馬鄭為說不同若天壤之懸隔，則弟子違戾師說莫過於康成者耶！又讀康成《書》、《易》佚注，雖鳳毛麟角，而大都異於馬說，遂疑《後漢書》所載馬鄭師承或有謬誤也。後偶讀曹彥遠《子鄭子非馬融弟子考》[1]，疑惑一朝渙釋，始知先賢讀書精細入微，沾溉覺知歟！管見所及，歷來獨曹氏倡發此說而已[2]。曹氏據《世說新語》注所引《鄭君別傳》及各經注疏，證成厥誼，謂鄭康成從馬融受學之事可決其必無，鄭學冠絕古今，非融所可同年語。此說可謂定讞，惜曹氏所舉注疏數例具為禮書，於《論語》僅云：「融治古文，鄭兼取古、齊、魯三家，從其義長者，是鄭《論語》之學異於融也。」倘彥遠得見西域《論語》康成注之寫卷，必為文補證其誼無疑。康成黨錮事解方注《論語》，可視為晚年定論。不賢識其小，余是以合敦煌、吐魯番寫卷鄭康成注及清儒以降諸家輯本，比參辨析馬鄭之異同，不惟為彥遠之說增一注腳，亦可明康成注之特質耳。

本文所用敦煌、吐魯番出土寫卷《論語》康成注，參考以下諸家之校訂：金谷治《唐抄本鄭氏注論語集成》[3]、王素《唐寫本論語鄭氏注及其研究》[4]、陳金木《唐寫本論語鄭氏注研究──以考據、復原、詮釋為中心的考察》[5]、張涌泉主編《敦煌經部文獻合集》第四冊[6]。

《論語》康成注佚文輯本，參考清袁鈞《鄭氏佚書》、孔廣林《通德遺書》、王謨《漢魏遺書》、馬國翰《玉函山房輯佚書》、龍璋輯《鄭註論語》（《小學蒐佚下編補》）所收諸本及宋翔鳳輯《論語鄭注》、陳鱣《論語古訓》、日本月洞讓《輯佚論語鄭氏注》[7]、鄭靜若《論語鄭氏注輯述》[8]等。

---

1 曹元弼《復禮堂文集》卷七，《中華文史叢書》所收影印民國刻本。

2 蒙北京大學吳飛教授見告，曹元弼之友張聞遠因曹說而撰有《禮樂皆東賦》，並惠示此文照片，謹致謝忱。

3 金谷治《唐抄本鄭氏注論語集成》（東京：平凡社，1978年）。

4 王素《唐寫本論語鄭氏注及其研究》（北京市：文物出版社，1991年）。

5 陳金木《唐寫本論語鄭氏注研究──以考據、復原、詮釋爲中心的考察》（臺北市：文津出版社，1996年）。

6 張涌泉主編《敦煌經部文獻合集》第四冊（許建平分撰，北京市：中華書局，2008年）。

7 月洞讓《輯佚論語鄭氏注》，私家油印本。

8 鄭靜若《論語鄭氏注輯述》（臺北市：學海出版社，1981年）。

《論語集解》用日本正平刊本[9]。《經典釋文》用宋元遞修本[10]。《十三經注疏》用清嘉慶南昌府學阮元校刊本[11]。

二　馬鄭分章有異

【1】子曰：「衣弊縕袍，與衣狐貉者立而不耻者，其由與？」「不忮不求，何用不臧？」子路終身誦之。子曰：「是道也，何足以臧？」（《子罕》篇）

馬曰：忮，害也。臧，善也。言不忮害，不貪求，何用為不善？疾貪惡忮害之詩也。臧，善也。尚復有美於是者，何足以為善也？（《論語集解》）

鄭注：言此者，矯時奢也。褚以故絮曰縕。袍，今時襺也。狐狢，謂裘也。（法藏敦煌寫卷 P.2510）

鄭注：忮，害也。求，謂刺人之過惡。臧，善也。作詩之意，言人之行不有此二者，何用焉不善？言其直者之也。子路於詩士（事）太簡略，故抑之，云「不支不求」之道，何足以為善也。（同上）

善按：《釋文》謂此篇凡三十一章，皇本三十章。《史記．仲尼弟子列傳》「仲由」條引此章，無「不忮不求」以下文字。孔廣森《經學卮言》卷四謂「不忮不求」當別為一章，至碻。細審鄭注之意，正以「不忮不求」以下為另一章。而馬謂「求」為「貪求」，又云此詩為「疾貪惡忮害之詩」，乃因上文「衣敝縕袍」為解，知其仍合作一章解之。然今人整理復原西域出土鄭注寫卷，如《敦煌經部文獻合集》第四冊等竟皆誤合為一章，大謬。又，鄭注謂夫子稱揚子路，乃「矯時奢也」，意在矯正當時奢靡之風氣，直點出其時代之背景。「忮」、「臧」訓詁，馬鄭同本諸《詩．邶風．雄雉》毛傳，然鄭更申說作詩之意，及子路於詩事太簡略，故孔子又以言辭抑之，誡勿囿於記誦因循，而激發其日新不已之志。鄭箋《詩》云「我君子之行，不疾害，不求備於一人」，則釋「求」為求備，即此注「刺人之過惡」，是獨自為說，其分章固與馬不同也。鄭分為兩章，更合於經義。又，定州漢墓竹簡《論語》將二三九號簡「……者立而不佴者其由也」與二四〇號簡「……終身誦之子曰是道也」綴合[12]，竊以為兩簡當分屬兩章，與鄭本分章合。

9　何晏《論語集解》，《四部叢刊》所收影印日本正平刊本。

10　陸德明《經典釋文》（上海市：上海古籍出版社影印宋元遞修本）。

11　《十三經注疏》（臺北市：藝文印書館影印清嘉慶南昌府學阮元校刊本。1970年）。

12　《定州漢墓竹簡 論語》（北京市：文物出版社，1997年），頁44。

三　馬鄭句讀有異

【2】子曰：「君子無所爭必也射乎揖讓而升下而飲其爭也君子。」（《八佾》篇）

馬曰：多筭飲少筭，君子之所爭也。（《論語集解》）

鄭注：仁（人）唯病者不能射，射禮史（使）不中者酒飲，不中者酒所以養病，故仁（人）耻之，君子心爭，小人力爭也。（吐魯番阿斯塔那363號墓8/1號）

善按：此章馬鄭句讀不同，解釋亦異。據《釋文》，鄭於「必也」、「升下」句，則斷作：「君子無所爭必也，射乎！揖讓而升下，而飲，其爭也君子。」又《禮記．射禮》「揖讓而升下」鄭注：「飲射爵者亦揖讓而升降」，亦於「升下」絕句。《毛詩．小雅．賓之初筵》箋引作「下而飲」，此引文斷章實為足句耳，非其句讀有異。何晏《集解》於「無所爭」、「而升」字句，《集解》用馬注，知馬亦然，而與鄭不同。又，馬僅因文解義，謂多筭飲少筭，筭者籌也，多筭者勝。《射禮》鄭注云：「勝者袒，決遂，執張弓。不勝者襲，說決拾，卻左手，右加弛弓於其上而升飲。君子恥之，是以射則爭中。」鄭於此章詳解不中者飲酒，乃所以養病，道出爭中之緣由，較《射禮》注重在解射禮儀式更深一層。射者仁之道，人求中之而辭爵，即辭養也，故以不中為恥，進而揭示君子小人心爭、力爭之別。《毛詩．小雅．賓之初筵》鄭箋云：「射之禮，勝者飲不勝，所以養病也。」是與《論語》此注同義。

四　馬鄭訓詁有異

【3】子曰：「弟子入則孝，出則悌，謹而信，汎愛眾而親仁。行有餘力，則以學文。」（《學而》篇）

馬曰：文者，古之遺文也。（《論語集解》）

鄭注：文，道藝也。（《經典釋文》引）

善按：文，馬泛解古之遺文，鄭專指道藝，訓詁絕然不同。古之遺文者，書諸竹帛之古代遺文也。「道藝」者，六藝也，即禮、樂、射、御、書、數。《周禮．地官司徒．鄉大夫》云：「正月之吉，受教法于司徒，退而頒之于其鄉吏，使各以教其所治，以考其德行，察其道藝。」德行者，六德六行也。鄉大夫考校民眾之中具六德六行及六藝之賢者能者，擬舉薦之。所謂儒以道得民，即教民以六藝之道也。夫子所云孝悌謹信、泛愛眾而親仁，此皆德行之事，唯弟子達其德行，然後可以習學六藝也。鄭注《子罕》“博學而無所成名”云：“美孔子博學道藝，不成一名而已”，亦專指六藝。馬鄭訓詁既異，乃解義迥別，豈可混同而不辨之？

【4】顏淵死，子哭之慟。從者曰：「子慟矣！」子曰：「有慟乎？非夫人之為慟而誰為慟！」（《先進》篇）

馬曰：慟，哀過。(《論語集解》)

鄭注：慟，變動容貌。(《經典釋文》)

善按：馬鄭訓詁似近而實別。馬因文解義，謂慟為哀過。《說文》無「慟」字，古通作「動」，《周禮·大祝》「九摲四曰振動」，杜子春「動」讀為哀動（《釋文》：「杜徒弄反。」）鄭珍《說文新附考》卷五云：「鄭君注者為魯論，而文義兼考之齊、古，蓋古《論語》是『動』字，故以動容解之，魯《論語》作『慟』，漢世字也。」鄭雖注魯論而從古論之字，因「動」字引申之為變動容貌，形容夫子哭顏淵痛惜哀傷之至，以致容貌變動而不自知。又，鄭據齊古正魯讀凡五十事，今見於《釋文》不過二十餘字而已，攷此章「慟」字，知此亦鄭據古論校正為「動」，而陸德明失之載也。余以為《釋文》所載鄭注「慟」字本作「動」，而淺人妄改也。馬據古論為注，讀「動」為「慟」之假借，鄭則讀作本字，以動容貌解之，二者訓釋歧義者若此。

【5】師冕見，及階，子曰：「階也。」及席也，子曰：「席也。」皆坐，子告之曰：「某在斯，某在斯。」師冕出。子張問曰：「與師言之道與？」子曰：「然，固相師之道也。」(《衛靈公》篇)

馬曰：相，道也。(《論語集解》)

鄭注：相，扶也。(《經典釋文》)

善按：馬鄭訓義似近而實別。馬訓相為道，本諸《爾雅·釋詁》，解為相導引瞽者樂師之禮，是據本義。相訓導，文通義順，此章似有此訓足矣，則鄭何必棄舊詁而別訓相為扶耶？自出手眼，其必有深意存焉。鄭訓相為扶，以瞽人無目須扶持之，按《周禮·春官宗伯·眡瞭》「凡樂事相瞽」、《儀禮·鄉飲酒禮》「相者二人」鄭注皆云：「相，扶工也。」蓋師冕來見，必有相者伴隨扶持，而入門後相者立堂下，夫子代其扶持師冕升階及席，並詔告席間諸人名氏及方位所在，使師冕具知悉而得與為禮，故答子張以扶持樂師之道。馬因襲舊詁，解相為導，是僅就夫子所為而施訓，然鄭解作扶，正以夫子代相者行其役而設言，是為引申義。一字之別，可見鄭解經精深親切處，實非馬所能及也。故《鄉飲酒禮》及《周禮·春官宗伯》「令相」鄭注皆引夫子語「固相師之道」釋之，是取《禮》、《論》互證。綱舉目張而聯屬融通，以通群經也。

五　馬鄭所據文本有異

【6】子夏問孝。子曰：「色難。有事，弟子服其勞；有酒食，先生饌，曾是以為孝乎？」(《為政》篇)

馬曰：先生，謂父兄。饌，飲食也。孔子喻子夏曰：服勞、先食，汝謂此為孝乎？未足為孝也。承順父母顏色，乃為孝耳也。(《論語集解》)

鄭注：和顏悅色，是為難也。食餘曰餕。(《初學記·人事部》引)

善按：色難，馬解色為父母顏色，謂為子者承順父母之顏色為難，包咸同馬說。鄭解色作為子者之顏色，謂為子者和顏悅色奉養父母為難，與馬正相反，鄭此說蓋據諸《禮記・祭義》、《內則》。《內則》：「父母在，朝夕恆食，子婦佐餕，既食恆餕」，鄭注：「每食餕而盡之，末有原也。」又，惠棟《九經古義》謂「餕」為「饌」之古文，則何晏《集解》所據本與鄭本文字不同。馬訓饌為飲食，解作動詞，即謂有酒有食，子弟先進與父兄飲食。鄭則云食餘曰餕，今語謂喫父兄所剩食物，乃謂弟子食父兄之食餘，即餕餘之禮，知鄭注本小戴為說。鄭以父兄食不能盡，故子弟當餕食父兄所餘而使之盡，無使有餘而再設。古魯論文字有別，馬從古作「饌」，鄭從魯作「餕」，「饌」為「餕」之假借。訓饌為飲食，常人可為，於孝義為淺，鄭以餕餘解孝，的確意味深長，遠勝馬傳也。

【7】子曰：「法語之言，能無從乎？改之為貴。巽與之言，能無說乎？繹之為貴。說而不繹，從而不改，吾末如之何已也。」（《子罕》篇）

馬曰：巽，恭也。謂恭巽謹敬之言，聞之無不悅者，能尋繹行之，乃為貴也。（《論語集解》）

鄭注：人有過行，以正道告之，口無不順從之者，能必改，乃為貴。選，讀為詮。詮，言之善者。繹，陳也。人心有所達，發善言以告之，無不解說者，能必陳而行之，乃為貴也。末，無也。言人操行如此，我無奈之何也。（法藏敦煌寫卷 P.2510）

善按：馬本作「巽」，鄭本作「選」，所據本子文字不同。作「選」者，乃「巽」之假借。馬訓「巽」為恭，蓋讀作遜。鄭則訓選為詮，謂言之善者，《說文・言部》云：「詮，具也。」則鄭訓善言，是用其引申義。又，馬讀說為悅，鄭則解作本字；馬訓繹為尋繹，謂能尋繹行之乃為貴，而鄭訓繹為陳，本《爾雅・釋詁》文，謂能必口陳說而行之，乃為貴也。馬鄭所據本子文字及訓詁不同若此。

【8】子曰：「不降其志，不辱其身者，伯夷、叔齊與！」謂柳下惠、少連，「降志辱身矣。言中倫，行中慮，其斯而已矣。」謂虞仲、夷逸，「隱居放言，身中清，廢中權。我則異於是，無可無不可。」（《衛靈公》篇）

馬曰：清，純潔也。遭世亂，自廢棄以免患，合於權也。（《論語集解》）

鄭注：發，動也。（《經典釋文》[13]）

善按：馬鄭文字既異，訓釋殊別。臧庸《拜經日記》卷九：「古論假借為『廢』，魯論本字作『發』。馬讀誤，當從鄭，謂發動中權，始與虞仲事合。」陳鱣《論語古訓》卷九云：「馬以為自廢棄，蓋從古作『癈』。鄭所注魯論作『發』，『癈』、『發』音近義亦通。」皇侃《論語義疏》引晉江熙《集解論語》曰：「超然出於塵埃之表，身中清也。晦明以遠害，發動中權也。」江說即本諸鄭注。據《史記》，虞仲避位隱居，而發動中權，

13 《經典釋文》「也」誤作「貌」，貌古字作「皃」，與「也」形近而訛，茲爲訂正。

則馬謂自癈棄以合權，違志而保全其身，固然不若鄭注發動而合權更合夫子之旨意也。

六　馬鄭注解有異

【9】子曰：「射不主皮，為力不同科，古之道也。」（《八佾》篇）

馬曰：射有五善焉：一曰和志，體和也；二曰和容，有容儀也；三曰主皮，能中質也；四曰和頌，合《雅》、《頌》也；五曰興儛，與舞同也。天子有三侯，以熊虎豹皮為之，言射者不但以中皮為善，亦兼取和容也。為力，為力役之事，亦有上中下，設三科焉，故曰不同科也。（《論語集解》）

鄭注：射不主皮者，謂禮射。大射、賓射、燕射，謂之禮射。今大射，非主皮之射，勝者降，然則禮射雖不勝，由（猶）復勝。今大射、鄉射、燕射是主皮之射，將祭於君，班餘慶，射獸皮之射。禮射不主（皮），憂賢者為力役之科，不困仁（人）之力，古之道隨士（事）宜而制祭之，疾今不然。（吐魯番阿斯塔那363號墓8/1號）

善按：馬述射之善，本諸《周禮・鄉大夫職》：「退而以鄉射之禮五物詢眾庶：一曰和，二曰容，三曰主皮，四曰和容，五曰興舞。」而馬傳未及經文「古之道也」四字。鄭說則著眼峻別禮射與主皮之射，進而陳述古之道。《儀禮・鄉射禮》「禮射不主皮」鄭注云：「射禮，謂以禮樂射也。大射、賓射、燕射是也。不主皮者，貴其容體比於禮，其節比於樂，不待中為備也。」鄭於《鄉射禮》注乃兼言射之善即容體與禮節，而於《論語》注則僅述及禮射與主皮射之別，有意回避論述射禮之容體，似其為注故異於馬。又，鄭云「疾今不然」解作夫子批判現實射禮之亂，蓋由經文「古之道也」推知。

【10】周有八士：伯達、伯适、仲突、仲忽、叔夜、叔夏、季隨、季騧。（《微子》篇）

馬曰：宣王時。（《經典釋文》）

鄭注：周公相成王時所生。（《毛詩・大雅・思齊》正義引）

善按：馬以為周有八士當宣王時，劉向亦然（《經典釋文》）。鄭謂成王時（《經典釋文》）。包咸云：「周時四乳得八士，皆為顯士，故記也」（《論語集解》）。《國語・晉語》「詢於八虞」賈逵、唐固注：「八虞，周八士，皆在虞官」（《毛詩・思齊》正義引），則賈、唐以為文王時（陶潛《集聖賢群輔錄》上）。《漢書・古今人表》載周八士在中上，位列於成叔、霍叔前，二人皆文王之子，則班固同賈，亦以為文王時生。《周書・武寤篇》「尹氏八士」注云：「武王賢臣。」《春秋繁露・郊語》：「《詩》云：『唯此文王，小心翼翼。昭事上帝，允懷多福。』謂天之所福也。傳曰：『周國子多賢，蕃殖至於駢孕男者四，四產而得八男，皆君子俊雄也。』此天之所以興周國也，非周國之所能為也。」則董仲舒亦以為八士當文王時也。兩漢諸儒持說紛訟如此，誼馬鄭之不同也。又，馬以為當宣王時，其說何所據也？何焯《義門讀書記》卷四云：「當從子政、季長之說，作宣王時。中興之業所以不能盡復文武之舊者，生材雖盛，而淪于下位也。」鄭以為周公相成王時，所據者何也？孔穎達《毛詩．大雅．思齊》正義云：「鄭以為周公相成王時所生，則不得為文王所詢。如鄭意，則別有八士賢人在虞官矣。」董增齡《國語正義》卷十謂鄭說本於《禮記．射義》「騶虞者樂官備也」。今按董說非是，鄭解作成王時，乃聯上章而為注也，上章周公謂魯公云云，即輔成王之時。武王克商，而徧封功臣同姓戚者，封周公於少昊之虛曲阜，周公不就封，留佐武王，武王卒後，仍輔成王攝行政當國，使子伯禽代就封於魯，「君子不施其親」云云乃周公訓誡魯公伯禽之詞也。鄭以「周有八士」章次列此章之後，故斷定周八士乃周公相成王時所生也。鄭注往往聯屬上下章，糾合前後文而解之。

【11】子畏於匡，曰：「文王既沒，文不在茲乎？天之將喪斯文也，後死者不得與於斯文也。天之未喪斯文，匡人其如予何？」（《子罕》篇）

馬曰：如予何者，猶言奈我何也。天之未喪此文，則我當傳之，匡人欲奈我何？言其不能違天而害已也。（《論語集解》）

鄭注：匡，衛下邑也。靈公問陳於孔子，孔子去衛之陳，匡人以兵遮而脇之。茲，此也，孔子自此其身。後死者，亦孔子自謂。後死，文王先也。孔子見兵來，恐諸弟子驚怖，言以此言照之，文王雖已死，其所已為文者，其道不在我身乎？天若將喪此文王之道，我本不當得與知之也。既言，遂微服而去，兵亦不追也。（法藏敦煌寫卷P.2510）

善按：馬因文解義，而鄭詳述孔子畏於匡之情境，道在孔子一身，遂能微服脫險，而匡兵亦不追也。此章鄭注極詳盡，然末句「既言遂微服而去兵亦不追也」云云史傳不載，乃鄭想像自造而說經也。陳蔡之難，乃孔子生涯之關鍵處，故鄭不嫌辭費。鄭注禮箋詩，言辭簡質，其注字數甚或少於經文，為後儒所稱道，然注《論語》則備詳其說，是有為而發，不得已而為之也。

【12】曾子曰：「以能問於不能，以多問於寡；有若無，實若虛；犯而不校。昔者吾友嘗從事於斯矣。」（《泰伯》篇）

馬曰：友謂顏淵也。（《論語集解》）

鄭注：效，報也。言人見侵犯不報。顏淵、仲弓、子貢等也。（法藏敦煌寫卷P.2510）

善按：何本作「校」（引包注同鄭），鄭本作「效」，文字不同。「吾友」，馬謂專指顏淵，鄭則並舉顏淵、仲弓、子貢三人為其代表，句末有「等」字，又知不止此三人也。馬鄭不同若是。

【13】子張問：「十世可知也？」子曰：「殷因於夏禮，所損益，可知也；周因於殷禮，所損益，可知也。其或繼周者，雖百世，可知也。」（《為政》篇）

馬曰：所因，謂三綱五常。所損益，謂文質、三統。（《論語集解》）

鄭注：世謂易姓之世，問其制度變跡可知。所損益可知者，據時篇目皆在，可教（校）數也。（吐魯番阿斯塔那363號墓8/1號）

善按：馬明解所因、所損益者，所因者三綱五常，不可變革故也；所損益者文質三統，據邢昺《正義》，夏尚文，殷則損文而益質。夏以十三月為正，為人統，色尚黑。殷則損益之，以十二月為正，為地統，色尚白也。周則損益之，以十一月為正，為天統，色尚赤。而鄭統解作制度，因其時傳存文獻之篇目查檢制度因革變遷之跡。馬依據曆法緯書之系統，而鄭則單解制度。

【14】子疾病，子路使門人為臣。病間，曰：「久矣哉，由之行詐也！無臣而為有臣。吾誰欺？欺天乎？且予與其死於臣之手也，無寧死於二三子之手乎！且予縱不得大葬，予死於道路乎？」(《子罕》篇)

馬曰：無寧，寧也。二三子，門人也。就使我有臣而死其手，我寧死弟子之手乎！就使我不得以君臣之禮葬，有二三子在，我寧當憂棄於道路乎？（《論語集解》）

鄭注：病，謂病益困也。子路欲使諸弟子以臣禮葬大夫，君之禮葬孔子。間，瘳也。久矣哉，言子路久有是心，非但今日，孔子昔時為魯司寇，有臣今追（退）去，無臣之也。……毋寧，寧也。孔子以為臣之恩不如弟子之恩至也。大葬，大夫禮葬也。我死於道路乎？言我亦有親昵，將以士禮葬我，何必以大夫禮葬也！凡大夫退，葬以士禮，致仕乃以大夫禮葬也。（法藏敦煌寫卷 P.2510）

善按：馬注僅因文解義，而此章鄭注極詳，尤重於申說臣之恩不如弟子之恩，及大夫禮葬與士禮葬之別，知鄭此注文繁義詳，旨在重構當時之語境，以明夫子之志也。視諸三禮注，鄭注《論語》不嫌辭費，神馳往聖，心得手應，非章句之學所可牢籠也。

【15】子曰：「譬如為山，未成一簣，止，吾止也。譬如平地，雖覆一簣，進，吾往也。」(《子罕》篇)

馬曰：平地者將進加功，雖始覆一簣，我不以其功少而薄之也，據其欲進而與之也。(《論語集解》)

鄭注：匱，盛土器也。以言有人君為善政者少，未成匱而止，雖來求我，我止不往也。何者？人之解倦日日有甚也。覆，猶寫也。以言有人君為善政者，昔時平地，今而日益。雖少行進，若來求我，我則往矣。何者？君子積小以成高大也。（法藏敦煌寫卷 P.2510）

善按：簣、匱，馬鄭文字不同。馬注僅止於解說文意，流於泛說，而鄭則具體揭出人君為善政者，謂其雖少行進，若來求我，我則往之之意，發君子積小以成高大之心。

七　馬鄭注解似同實異

【16】子夏問曰：「『巧笑倩兮，美目盼兮，素以為絢兮』，何謂也？」子曰：「繪事

後素。」曰:「禮後乎?」子曰:「起予者商也!始可與言詩已矣。」(《八佾》篇)

馬曰:倩,笑貌。盼,動目貌也。絢,文貌也。此上二句在《衛風·碩人》二章,其下一句逸也。(《論語集解》)

鄭注:倩兮、盼[ ]容貌。素[ ]成曰絢。言又好女若是,欲以潔白之禮成而嫁之。此三句,《詩》之言。問之者,疾時淫風大行,嫁娶多不以禮者。(《經典釋文》作「文成章曰絢」)

善按:馬鄭近似而異義,鄭訓「成章」者謂成采文之盛,與單訓「文」者實有別。《儀禮·聘禮》「絢組」鄭注:「采成文曰絢。」《考工記》:「凡畫繢之事,後素功。」又下文鄭云:「繪畫,文也。畫繪先布眾色,然後以素分其間,以成其文。喻美女雖有倩盼之美質,亦須禮以成之也。」然則白采後布之,以成其采文之盛美,因知鄭云「文成章曰絢」既鋪設於前,「成」乃貫通全注點睛之字也。較馬止訓文貌,鄭注意尤深。鄭謂「問之者,疾時淫風大行,嫁娶多不以禮者」,再現當時子夏問答之語境。

【17】子貢曰:「我不欲人之加諸我也,吾亦欲無加諸人也。」(《公冶長》篇)

馬云:加,淩也。(《論語集解》)

鄭注:諸之言於。加於我者,謂以加非義之士(事)也。

善按:馬訓加為淩,解作淩加。鄭讀加之本義,進而解所加者為「非義之事」,兩者顯然不同。

【18】子曰:「富與貴,是人之所欲也,不以其道得之,不處也。貧與賤,是人之所惡也,不以其道得之,不去也。君子去仁,惡乎成名?君子無終食之間違仁,造次必於是,顛沛必於是。」(《里仁》篇)

馬云:造次,急遽也。顛沛,偃仆也。雖急遽、偃仆不違於仁也。(《論語集解》)

鄭注:違,由(猶)去也。造次,猶倉卒。顛沛,猶偃仆。倉卒不待文(下殘)(吐魯番阿斯塔那363號墓8/1號)

善按:造次,馬訓急遽,鄭訓倉卒,皆迫從不暇之義。王念孫《廣雅疏證》卷二下云:「倉卒、造次,語之轉。」知鄭合聲為訓,視馬較深也。《易·夬》九四「其行次且」,《釋文》:「次,本亦作趑,或作䟨。鄭作趀,七私反,下同。馬云:『卻行不前也。』《說文》『倉卒也』。」按鄭《易》注同許,與馬訓「卻行不前」全然相反,《易》注馬鄭亦不同如此。又,「違仁」之違,馬作本義解,而鄭則訓去,蓋牽屬上文「君子去仁」,以文義相聯,前後呼應故也。

【19】子之燕居,申申如也,夭夭如也。(《述而》篇)

馬曰:申申、夭夭,和舒之貌。(《論語集解》)

鄭注:申申,伐視貌。夭夭,安容貌。(吐魯番阿斯塔那184號墓18/7b、18/8b)

善按:馬統訓申申、夭夭為和舒之貌,謂孔子燕居時,體貌和舒。鄭則申申訓伐視貌,按伐者去也,蓋謂閉目不視;夭夭訓安容貌,蓋安舒容態之謂。檢敦煌寫卷

S.3339作「申申，減視聽。夭夭，安容皃」，伐、減義同，而吐魯番出土寫卷作「伐」字當為鄭注之原貌。

【20】子曰：「出則事公卿，入則事父兄，喪事不敢不勉，不為酒困，何有於我哉？」(《子罕》篇)

馬曰：困，亂也。(《論語集解》)

鄭注：酒困，困於酒，謂耽亂。(法藏敦煌寫卷 P.2510)

善按：困，魯讀作「魁」，鄭據古正之，則馬同於鄭。然鄭解視馬稍異，訓困為耽亂，「耽」通「媅」，耽亂即媅亂，人困於酒，媅亂失度，較馬單訓「亂」字意更深。

【21】子曰：「吾十有五而志於學，三十而立，四十而不惑，五十而知天命，六十而耳順，七十而從心所欲，不逾矩。」(《為政》篇)

馬曰：矩，法也。從心所欲無非法也。(《論語集解》)

鄭注：言恣心之所為，皆闇合於法則。(《後漢書．班固傳》注引)

善按：馬、鄭解似同而實異。矩者，鄭謂法則即法度，具體而微，馬解作法，大而含混。鄭解「從心」為恣心，乃同義互訓，《說文．心部》：「恣，縱也。」恣心對應闇合，彰顯夫子從心所欲之深意。

【22】子曰：「恭而無禮則勞，慎而無禮則葸，勇而無禮則亂，直而無禮則絞。(《泰伯》篇)

馬曰：絞，絞刺也。(《論語集解》)

鄭注：言此四者雖善，不以禮節之，亦不可行。葸，慤。絞，急也。(法藏敦煌寫卷 P.2510)

善按：絞，馬訓絞刺，直者正人之曲，謂人正直，不以禮節而絞刺人之非也。鄭訓絞為急，謂譏刺人太過急切也。馬鄭訓詁義近，而指向有異。

【23】子欲居九夷。或曰：「陋，如之何？」子曰：「君子居之，何陋之有？」(《子罕》篇)

馬曰：九夷，東方之夷有九種也。君子所居者則化也。(《論語集解》)

鄭注：九夷，東方之夷有九種。疾世，故發此言，欲往居之，云能化也。(法藏敦煌寫卷 P.2510)

善按：九夷，馬鄭訓詁同，蓋同出於故訓。鄭注謂「疾世，故發此言，欲往居之」，乃述說夫子之心境，故較馬為詳盡。又，如《泰伯》篇「舜有臣五人而天下治」章之「亂臣十人」，馬鄭注全同，蓋皆出於故訓。馬鄭注相同者，非鄭因襲馬說，大抵相承故訓，此尚有數例，不贅。

【24】子貢曰：「有美玉於斯，韞匵而藏諸？求善賈而沽諸？」子曰：「沽之哉！沽之哉！我待賈者。」(《子罕》篇)

馬曰：韞，藏也。匵，匱也。藏諸匱中。沽，賣也。得善賈，寧賣之耶？(《論語

集解》)

鄭注：緼，裹也。櫝，匣也。沽，衒賣也。子貢見孔子有聖德，而不見用，故發此言，以視觀其意，有美玉於此，裹匣而藏之，可求善價而衒賣之也。寧有自衒賣此道者乎！(法藏敦煌寫卷 P.2510)

善按：馬鄭所主經文之文字有異，所施訓詁則相近。鄭謂「子貢見孔子有聖德，而不見用，故發此言」云云，乃推演構見語境，更申說其意也。

八　結語

以上臚舉二十餘例，可見《論語》馬融、鄭玄之異義，昭然明白。漢代師法謹嚴，若鄭曾師事馬，即師徒觀點分歧，亦不至於差異如是。今細吟鄭注，不惟注義多異於馬，其有意立異而違於馬者亦往往有之，又體裁多破章句之法，解說經文大意，是斷定鄭注《論語》非本於馬，則《後漢書》所載馬鄭師承事，洵不可信。蓋所謂馬鄭師承之說，乃鄭學大行於世，馬門徒輩攀附依託而歸美其師，以張大門庭耳。然其說之誣且妄也，由來已久，卻在疑似之間，惑人深矣。前人如孔廣林輩不悟其非，乃謂鄭學於馬而二者說同，甚矣！曹彥遠炯察發覆在前，余今踵武證成於後，使讀馬鄭之書者不受范書俗說之欺，而馬鄭二家之異同於是乎明，師承之謬傳亦於是乎辨。又，馬守章句之學，因文解義，語言簡明，其解往往失之於淺。鄭注《論語》不同注他經，不嫌辭費，蓋有寄托推想夫子之深意存焉。旨在重構時代情境、語境，所出多端，覽者詳之。

《四書大全》中的「北山學脈」

陳逢源
國立政治大學中國文學系教授

提要

朱熹之後，歷史地位得以樹立，學術內涵得以彰顯，黃榦最是關鍵人物，為免門人說法歧出，避免陷入門戶之爭，成為黃榦一生用心所在，往浙東傳學，不僅延伸朱熹道統論述的影響層面，開展學術範圍，北山一系學人學之有驗，也代表在學統分立，彼此競逐當中，朱學最終得以勝出的結果。學人在《四書章句集注》之間，反覆辨證，不論是橫向發展，抑或縱向深化，朱學由宋入元，北山四先生何基、王柏、金履祥、許謙一脈相承，代表朱學正傳，四書成為學術核心所在，《四書大全》徵引其中部分內容，其中許謙材料最多，其次為方逢辰、金履祥、王柏、何夢貴、歐陽玄等人，共計一五四條，分析其中，《四書大全》特別留意經文結構分析、文句涵義、研讀方法，以及工夫指引，嘗試在經典詮釋當中，確立朱熹學術的價值與方向，從北山一系學者講論之中，釐清文本內涵，體證與詮釋並進方式，提供後人諸多的思考。

關鍵詞：四書大全　朱熹　黃榦　道統　北山

一 前言

明成祖（1360-1424）於永樂十二年（1414）命胡廣（1369-1418）等人纂修《四書大全》[1]，建立朱熹為尊的經說體系[2]，四書成為明代最重要的經典，《四書大全》也成為明代士人成學、入仕最重要的經說依據。[3]就經學發展而言，唐代《五經正義》整合義疏，完成經學統一，皮錫瑞（1850-1908）《經學歷史》云：

> 唐太宗以儒學多門，章句繁雜，詔國子祭酒孔穎達與諸儒撰定五經義，凡一百七十卷，名曰《五經正義》。穎達既卒，博士馬嘉運駁其定義疏之失，有詔更定，未就。永徽二年，詔諸臣復考證之，就加增損。永徽四年，頒孔穎達《五經正義》於天下，每年明經依此考試。自唐至宋，明經取士，皆遵此本。夫漢帝稱制臨決，尚未定為全書；博士分門授徒，亦非止一家數；以經學論，未有統一若此之大且久者。此經學之又一變也。[4]

博士教授，專主一家，漢人治經，謹守師法，經學傳授分而不合，直到唐代正定文字，統合義疏，經學才終於有的統一版本，《五經正義》成為官方認可的經典文本，皮氏稱之為經學「一變」，言為「經學統一時代」，標示經學極為重要的發展。然而相較於此，明代以《四書大全》統合元儒經說，卻視為敗壞學風的源頭，皮錫瑞直接以「積衰時代」[5]來稱呼明朝經學，立場迥然有異。事實上，此一見解可以溯自顧炎武《日知錄》

---

1 楊士奇等撰：《明太宗實錄》（據北京圖書館紅格抄本影印，臺北市：中央研究院歷史語言研究所校印，1966年），卷158載「上諭行在翰林學士胡廣、侍講楊榮、金幼孜曰：『五經、四書皆聖賢精義要道，其傳注之外，諸儒議論，有發明餘蘊者，爾等采其切當之言，增附於下。其周、程、張、朱諸子性理之言，如《太極》、《通書》、《西銘》、《正蒙》之類，皆六經之羽翼，然各自為書，未有統會，爾等亦別類聚成編。二書務極精備，庶幾以垂後世。』命廣等總其事，仍命舉朝臣及在外教官有文學者同纂修，開館東華門外，命光祿寺給朝夕饌。」，頁1803。

2 蕭啟慶撰：〈元代科舉特色新論〉云：「道學在科舉中的獨尊及成為近世的官學是始於元代，而非宋代。不過，道學在元代僅為儒學各派中的官學，還算不上『正統』學術。因為科舉在當時並非入仕的主要管道，而儒學不過是諸『教』中的一種。道學正統地位的確立是在明朝。」又「成祖永樂十三年（1415）頒行《四書大全》、《五經大全》，成為科舉考試及學校教育的準繩，廢棄舊注疏不用，但這兩部官纂大全與元代科舉所用注疏乃是一脈相承。朱學獨尊的地位自此獲得鞏固。」《中央研究院歷史語言研究所集刊》第81本第1分（2010年3月）頁23、26。

3 張廷玉等撰：《明史》（北京市：中華書局，1974年）卷70〈選舉二〉云：「科目者，沿唐、宋之舊，而稍變其試士之法，專取四子書及《易》、《書》、《詩》、《春秋》、《禮記》五經命題試士。蓋太祖與劉基所定。……永樂間，頒《四書五經大全》，廢註疏不用。」頁1693-1694。由於考試重首場，對於士子而言，四書地位更形重要。參見侯美珍撰：〈明清科舉取士「重首場」現象的探討〉，《臺大中文學報》第23期（2005年12月），頁277-322。

4 皮錫瑞撰：《經學歷史》（臺北縣：漢京文化事業公司，1983年），頁198。案：《五經正義》有百八十卷，並非一百七十卷，說法有誤，詳見周予同注解。

5 皮錫瑞撰：《經學歷史》，頁289。

「經學之廢實自此始」[6]的批評，聲氣甚厲，認為敗壞風氣，莫此為甚，相沿之下，《四庫全書總目》云：「由漢至宋之經術，於是始盡變矣」[7]，孫星衍（1753-1818）〈詁經精舍題名碑記〉云：「胡廣等《四書、五經大全》出，而經學遂微」[8]，清儒對於《四書大全》相當反感。於是同樣官修經說，同樣整合歧異，《五經正義》與《四書大全》評價兩極，其中細節，牽涉既廣，為求釐清，筆者檢視《四書大全》纂修過程，草撰〈四書「官學化」進程：《四書大全》纂修及其體例〉一文[9]，了解《四書大全》建構朱學傳道脈絡，《四書大全》乃是《四書章句集注》「正典化」的結果，之後針對《四書大全》「引用先儒姓氏」，覈以《宋元學案》，撰成〈《四書大全》徵引人物系譜分析〉[10]，得見學脈、宗派而及於宗族鄉里情懷傳衍線索，具有層層累聚的經解形態，循跡而進，黃榦（1152-1221）所傳何基（1188-1268）北山一系，正是《四書大全》得以溯及朱熹的重要關鍵，也是從朱門之下，建立詮釋體系最核心基礎，只是在交疊詮釋的過程當中，線索隱微難辨，為求釐清，撮舉相關資料，分析徵引情形，期以有更深入的觀察。

二　黃榦與北山四先生

朱學傳播，弟子黃榦（1152-1221）最為重要，黃榦字直卿，福州，學者稱勉齋先生，父親黃瑀去世後，往見劉清之（？-1189），清之奇其器，引薦於朱熹，《宋史》〈道學傳〉載其求學：

> 時大雪，既至而熹它出，榦因留客邸，臥起一榻，不解衣者二月，而熹始歸。榦自見熹，夜不設榻，不解帶，少倦則微坐，一倚或至達曙。熹語人曰：「直卿志堅思苦，與之處甚有益。」嘗詣東萊呂祖謙，以所聞於熹者相質正。及廣漢張栻亡，熹與榦書曰：「吾道益孤矣，所望於賢者不輕。」後遂以其子妻榦。[11]

黃榦勤奮成學，深獲朱熹肯定，不僅收為女婿，更寄以傳道重任，病重之時，獲得朱熹

---

6 顧炎武撰：《原抄本顧炎亭日知錄》（臺北市：文史哲出版社，1979年）卷20「《四書五經大全》」，頁926。

7 紀昀奉敕撰：《四庫全書總目》（臺北市：臺灣商務印書館，1985年）卷36「《四書大全》三十六卷」提要，頁742。

8 孫星衍撰：〈詁經精舍題名碑記〉，《孫淵如先生全集．平津館文稿》卷下，收入《續修四庫全書》（上海市：上海古籍出版社，2002年），頁545。

9 拙撰：〈四書「官學化」進程：《四書大全》纂修及其體例〉，《東亞漢學回顧與展望》（長崎市：長崎中國學會，2010年），頁87-102。

10 參見陳逢源撰：〈《四書大全》徵引人物系譜分析〉，《東吳中文學報》（2012年5月）第23輯，頁219-246。

11 脫脫等撰：《宋史》（北京市：中華書局，1985年）卷430〈道學四〉，頁12777。

臨終託付，手書「吾道之託在此，吾無憾矣。」[12]門人當中，最具聲望，全祖望案語云：「嘉定而後，足以光其師傳，為有體有用之儒者，勉齋黃文肅公其人與？」[13]黃榦於朱熹去世之後，撮舉朱熹一生行事，綜整學術所向，撰成〈朱子行狀〉，建構身以衛道的終極情懷[14]，又以〈聖賢道統傳授總敘說〉延續朱熹道統論述，堯、舜、禹、湯、文、武、周公、孔子、顏淵、曾子、子思、孟子聖賢相傳，北宋周敦頤、二程繼承絕學，而最終道統歸之於朱熹身上，揭櫫「居敬以立其本，窮理以致其知，克己以滅其私，存誠以致其實」修養法門，確立朱熹學術核心所在，建構朱熹歷史地位，「道統」成為統合宋代儒學脈絡最重要的概念[15]，黃榦也成為朱熹之後最重要的學門領袖，黃東發《日鈔》云：

> 乾、淳之盛，晦庵、南軒、東萊稱三先生，獨晦庵先生得年最高，講學最久，尤其集大成。晦庵既沒，門人如閩中則潘謙之、楊志仁、林正卿、林子武、李守約、李公晦，江西則甘吉父、黃去私、張元德，江東則李敬子、胡伯量、蔡元思，浙中則葉味道、潘子善、黃子洪，皆號高弟，獨勉齋先生強毅自立，足任負荷。如輔漢卿疑惡亦不可不謂性；如李公晦疑喜怒哀樂由聲色臭味者為人心，由仁義禮智者為道心；如林正卿疑《大易》本為垂教，而伏羲、文王特借之以卜筮；如真公刊《近思》而後《四書》，先生皆一一辯明，不少恕。……凡其于晦翁沒後，講學精審不苟如此，晦庵于門人弟子中，獨授之屋，妻之女，奏之官，親倚獨切，夫豈無見而然哉！[16]

唯恐學脈旁分，憂道不傳，黃榦於同門間，挺身而出，成為朱學干城，不僅是身分上的自覺，更有對於朱熹學術的深切體會，「強毅」出於黃榦的期勉，同時也成為了解黃榦卓然自許的關鍵詞，《宋元學案》黃百家案語引黃榦言：

> 自先師夢奠以來，向日從遊之士，識見之偏，義利之交戰，而又自以無聞為恥，言論紛然，誑惑斯世；又有後生好怪之徒，敢于立言，無復忌憚，蓋不待七十子盡沒，而大義已乖矣。由是私竊懼焉，故願得強毅有立，趨死不顧利害之人，相與出力而維持之。[17]

12 脫等撰：《宋史》卷430〈道學四〉，頁12778。

13 黃宗羲原著全祖望補修：《宋元學案》（臺北市：華世出版社，1987年）卷63〈勉齋學案〉，頁2020。

14 鄭丞良撰：〈百年論定——試論黃榦〈朱子行狀〉的書寫與朱熹歷史形象的形塑〉，《漢學研究》30卷2期（2012年6月），頁131-164。

15 黃榦撰：〈聖賢道統傳授總敘說〉，《勉齋集》（影印文淵閣《四庫全書》，臺北市：臺灣商務印書館，1986年3月）卷3，頁38。

16 黃震《黃氏日鈔》（臺北市：大化書局，1984年）卷40，頁530。

17 黃宗羲原著；全祖望補修：《宋元學案》卷63〈勉齋學案〉，頁2037。

憂之既深，黃榦大聲疾呼，避免門人說法歧出，避免陷入門戶之爭，成為黃榦一生努力所在，朱熹之後，歷史地位得以樹立，學術內涵得以彰顯，學脈得以不偏，黃榦正是關鍵人物，此於元儒袁桷言之甚明[18]，此一貢獻，清代孫奇逢《理學宗傳》更標舉：「直卿歷敘道統，直自堯、舜、湯、文、孔、孟而歸之於朱子。此段公論，在今日固為定評。然直卿當年何以預知其必如是，而遂為成案乎！見道明，故確乎不易，非揣摩臆度之言也。」[19]說明其識見之高，也揭示黃榦表彰之功，從學術而及於道統，形塑朱熹地位，無愧於師，於此可見。事實上，考察明初儒者的家學與師承淵源，往往溯及朱熹，例如「朱熹－詹體仁－真德秀－湯千、湯中」、「朱熹－輔廣－余端臣－王文貫－黃震」、「朱熹－輔廣－韓翼甫－陳普」、「朱熹－蔡淵－陳淳－葉采」、「朱熹－黃榦－何基－王柏－金履祥－許謙」、「朱熹－黃榦－饒魯－程若庸－吳澄」、「朱熹－詹體仁－真德秀－王埜－王應麟－胡三省、戴表元、袁桷」、「朱熹－輔廣－劉敬堂－熊禾」、「朱熹－滕珙－滕鉛－黃智孫－陳櫟」、「朱熹－黃榦、董銖－董琮、董夢程－董鼎－董真卿」、「朱熹－程端蒙－董夢程－胡方平、許月卿－胡一桂、程若庸－董真卿」、「朱熹－黃榦－董夢程－胡方平－胡一桂」、「朱熹－黃榦－何基－王柏－金履祥－柳貫－宋濂」、「朱熹－黃榦－陳安宓－陳址幼－陳真晟－周瑛」[20]，十四組系譜當中，從黃榦而出有六組，可以證明傳學之地位。而考察元儒朱學傳播線索，北方一系由趙復傳入，由趙復而下，包括姚樞（1201-1278）、劉因（1249-1293）、許衡諸儒之學，元入侵宋，於德安俘趙復，而黃榦曾為德安令，可見趙復實由黃榦而得程、朱理學；另一方向，南方有金華一系，包括何基（1188-1268）、王柏（1197-1274）、金履祥（1232-1303）、許謙（1270-1337）諸儒，聲勢最盛，而何基從學於黃榦；其次，江西有饒魯（1193-1264）一系，聲勢雖不及金華，但包括程若庸、吳澄（1249-1333），脈絡清晰，而饒魯為黃榦弟子，元代朱學既盛，南北學術輻湊於黃榦，黃榦於元代開創朱學全幅格局，於此可見，陳榮捷先生〈元代之朱子學〉云：

> 顯證北方之新儒學與南方之新儒學，俱輻輳于朱子。更為精簡言之，亦即輻輳于黃榦所傳之朱子之學。浙之金華一線與江西一線俱源自黃榦。趙復傳于北方之新儒學，即程朱新儒學。雖未言及黃榦，但程朱之學實即朱子之學，而在元代流行之朱子學，其闡揚者厥為黃榦，此俱屬顯然。[21]

---

18 袁桷撰：〈龔氏四書朱陸會同序〉，《青容居士集》卷21云：「抑又聞之，當寶慶、紹定間，黃公榦在，朱子門人不敢以先人所傳為別錄。黃既死，夸多務廣，有《語錄》焉、有《語類》焉，望塵承風，相與刻梓，而二家矛盾大行於南北矣。」袁桷：《清容居士集》（臺北市：臺灣中華書局，1966年），卷21，頁4左-5右。

19 孔奇逢撰：《理學宗傳》（臺北市：臺灣商務印書館，1969年）卷17，頁21左。

20 參見王奕然撰：《朱熹門人考述及其思想研究－以黃榦、陳淳及蔡氏父子為論述核心》（臺北市：臺灣師範大學國文系博士論文，2013年），頁5-8。

21 陳榮捷撰：〈元代之朱子學〉，《朱學論集》（臺北市：臺灣學生書局，1988年），頁302。

系統明晰，脈絡井然，南北學術分別開展，既是歷史機緣，也是黃榦努力成果。由黃榦溯及朱熹，成為元儒建立學術理解的基本樣態，以「道統」形塑朱熹地位，以「四書」建構朱熹學術內容，「道統」、「四書」、「朱熹」三位一體[22]，成為元代理學傳播的主要方式，也正是黃榦核心教義所在，朱學匯聚眾流，龐大的思想體系之中，黃榦梳理出朱熹對於應歷史、回歸於經典的學術成就，歸結於「四書」當中，理學歸於純粹，四書成為了解朱熹學術最重要的依據，也是最能代表朱學成就的典籍，朱熹之後逐漸由宋儒義理講論模式，進入四書義理思索的發展進程，經典成為學者關注焦點，黃榦曾質疑陳淳所錄「《近思錄》，《四子》之階梯」的說法，並不符合朱熹原意[23]，梳理北宋理學脈絡的《近思錄》，與綰合道統體系，回歸聖人的四書，孰者為先，關乎不同學術路徑思考，然而以四書顯揚朱學，以朱學印證四書，黃榦統之有宗，會之有元，傳道遂有明確的方向。

黃榦彰顯朱學，由宋及元，北山一系學人最為重要，全祖望案語云：「勉齋之傳，得金華而益昌。」[24]黃百家（1643-1709）案語云：

> 勉齋之學，既傳北山，而廣信饒雙峯亦高弟也。雙峯之後，有吳中行、朱公遷亦錚錚一時。然再傳即不振。而北山一派，魯齋、仁山、白雲既純然得朱子之學髓，而柳道傳、吳正傳以逮戴叔能、宋潛溪一輩，又得朱子之文瀾，蔚乎盛哉！是數紫陽之嫡子，端在金華也。[25]

世系綿長，代有名儒，金華既是宋元學術重鎮，也成為宋元朱學傳播中心，從脈絡淵源稱之朱學「嫡子」，確然可信，何基成為學脈「鏈接」的關鍵。何基，字子恭，金華人，從父命師事黃榦，黃榦勉以「真實心地」、「刻苦工夫」，一如朱熹於病革之際對弟子的期許[26]，撰有《中庸發揮》八卷、《大學發揮》四卷、《論語發揮》，朱彝尊（1629-1709）《經義考》皆標示為佚[27]，覈其語錄，云：

---

22 參見拙撰：〈「治統」與「道統」——朱熹道統觀之淵源考察〉，《「融鑄」與「進程」：朱熹《四書章句集注》之歷史思維》（臺北市：政大出版社，2013年），頁66。

23 黃榦〈復李公晦二〉云：「真丈所刊《近思》、《小學》，皆已得之。後語亦得拜讀。先《近思》而後《四子》，卻不見朱先生有此語，陳安卿所謂「《近思》，《四子》之階梯」，亦不知何所據而云。朱先生以《大學》為先者，特以為學之法，其條目綱領莫如此書耳。若《近思》則無所不載，不應在《大學》之先。」《勉齋集》卷8，頁91。詳見王志瑋〈經學與理學的思索：論黃榦、陳淳對《四書》與《近思錄》的詮釋〉相關的討論，《陳百年先生學術論文獎論文集》，第8期（2012年2月），頁246-274。

24 黃宗羲原著；全祖望補修：《宋元學案》卷82〈北山四先生學案〉，頁2725。

25 黃宗羲原著；全祖望補修：《宋元學案》卷82〈北山四先生學案〉，頁2727。

26 蔡沈撰〈朱文公夢奠記〉云：「八日，精舍諸生來問病，先生起坐，曰：『誤諸生遠來，然道理只是恁地，但大家倡率做些堅苦工夫，須牢固著腳力，方有進步處。』」蔡有鵾輯；蔡重增輯：《蔡氏九儒書》（《四庫全書存目叢書》集部第346冊臺南縣：莊嚴文化事業公司，1997年）卷6，頁793。

27 朱彝尊撰：《經義考》卷153，頁4、卷157，頁4、卷219，頁8。

以〈洪範〉參之《大學》、《中庸》，有不約而符者；敬五事則明明德也，厚八政則新民也，建皇極則止至善也；至學皇極，有休徵而無咎徵，有仁壽而無鄙殀，則中和位育之應，皇極之極功也。

四書當以《集註》為主，而以《語錄》輔翼之。《語錄》既出眾手，不無失真，當以《集註》之精微，折衷《語錄》之疏密，以《語錄》之詳明，發揮《集註》之曲折。[28]

前者發揮四書義理，後者深化四書義涵，不論是擴之於外，或是究之於內，皆是以四書作為學術核心，尤其《四書章句集注》與《朱子語類》相參的路徑，更是指引後世解讀朱熹四書學非常重要的方向[29]，無怪乎黃宗羲案語云：

北山之宗旨，熟讀四書而已。北山晚年之論曰：「《集註》義理自足，若添入諸家語，反覺緩散。」蓋自嘉定以來，黨禁既開，人各以朱子之學為進取之具，天樂淺而世好深，所就日下，而剽掠見聞以欺世盜名者，尤不足數。北山介然獨立，于同門宿學，猶不滿意，曰：「恨某早衰，不能如若人強健，徧應聘講，第恐無益于人，而徒勤道路耳。然則，若人者，皆不熟讀四書之故也。」北山確守師說，可謂有漢儒之風焉。[30]

何基守之既嚴，甚至認為《四書章句集注》義理自足，熟讀即可，不宜有過多的詮釋，以免破壞原本義理脈絡，以熟讀四書樹立學門宗風，正是傳自黃榦學術的證明，只是慎之又慎的結果，以朱證朱成為可以突破詮釋困境的方式，此於王柏「讀四書，取《論孟集義》，別以鉛黃朱墨，求朱子去取之意」[31]，可以見其類似的操作方式。事實上，何基學術傳於王柏，授予立志居敬之旨，關注四書態度不變，同樣也強調必須深究其內，不必旁伸於外，此於語錄云：「且《集註》之書，雖曰開示後學為甚明，其間包含無窮之味，蓋深求之于意之內，尚未能得其彷彿，而欲求于言意之外乎？」[32]即可為證，崇信四書的立場並無改易，不過細節之間，王柏顯然已有不同的思考，「雖曰」一句，已可透露端倪，王柏重視四書經文本身結構的完整性，更甚於朱熹，包括《大學》格致傳

28 黃宗羲原著；全祖望補修：《宋元學案》卷82〈北山四先生學案〉，頁2726-2727。

29 何基研讀方法，乃是承繼黃榦「集注」與「或問」相參方式擴而及於語錄的結果，黃榦門人陳宓〈論語通釋題敘〉言：「先生合文公《集注》、《集義》、《或問》三書而通釋之。蓋《集注》之辭簡而嚴，學者未能遽曉，於是作《或問》一書，設為問答，以盡其詳，且明去取諸家之意。先生恐學者不暇旁究，故直取疏解《集注》之辭而列之於後，以便觀覽。」《復齋先生龍圖陳公文集．拾遺》（《續修四庫全書》本，上海市：上海古籍出版社，2002年），頁570。此書今已不傳，無法得見黃榦光大師門的成果，然而此一詮釋路徑，已為後人開啟思考方向。

30 宗羲原著；全祖望補修：《宋元學案》卷82〈北山四先生學案〉，頁2727。

31 宗羲原著；全祖望補修：《宋元學案》卷82〈北山四先生學案〉，頁2730。

32 宗羲原著；全祖望補修：《宋元學案》卷82〈北山四先生學案〉，頁2731。

不缺，無需補傳，《中庸》依〈漢志〉《中庸說》二篇，「誠明」以下別為一篇[33]，相歧之處，皆是朱熹《四書章句集注》建構義理詮釋的重點，然而王柏嘗試從結構化解改作問題，採取不同的思考方式，遂有不同於朱熹《四書章句集注》的見解。王柏有關四書類著作，有《訂古中庸》二卷、《大學》、《論語衍義》七卷、《論語通旨》七卷、《魯經章句》、《孟子通旨》、《標注四書》，朱彝尊《經義考》於《大學》、《孟子通旨》標示未見，《標注四書》為存，其餘均言佚。[34]重構四書文本，其實是延續朱熹思考的結果，只是違離朱熹說法，尊背注而求經，奉與違戾之間，立場不免令人疑惑[35]，不過北山謹守朱注的詮釋方式，顯然已有鬆動，相同情形，王柏弟子金履祥也有如此傾向。金履祥，字吉父，學者稱仁山先生，柳貫〈故宋迪功郎史館編校仁山先生金公行狀〉云：

> 文公之於論《集注》，多因門人之問而更定之，其問所不及者，亦或未之備也。而事物名數，又以其非要而略之。今皆為之修補附益，成一家言，題其編曰《論語孟子考證》。[36]

補充名物，以備考證，用意在於補充而非闡釋，《宋元學案》黃百家案語云：

> 仁山有《論孟考證》，發朱子之所未發，多所牴牾。其所以牴牾朱子者，非立異以為高，其明道之心，亦欲如朱子耳。朱子豈好同而惡異者哉！世為科舉之學者，于朱子之言，未嘗不錙銖以求合也。乃學術之傳，在此而不在彼，可以憬然悟矣。[37]

朱熹以一生撰作《四書章句集注》，義理融鑄而進，歷時既久，思之甚深，諸多說法前後不同，甚至留有諸多待解之處，臨終前為《大學》「誠意」章費心竭慮，更是人所熟知之事。[38]後人延續思考方向，嘗試補強經典文本與注解詮釋問題，補足與釐清，成為

---

33 王柏認為《大學》「格致傳」不缺，自「知止而后有定」以下，合「聽訟」一章，為「格致傳，」是受車若水的影響。至於分出《中庸》為兩篇，則是受《漢書．藝文志》「《中庸說》二篇」的啟發，參見王柏撰：〈大學沿革論〉、〈中庸論上〉，《魯齋集》（臺北市：臺灣商務印書館《四庫全書》本，1986年）卷9，頁146、卷10，頁156。

34 朱彝尊撰：《經義考》卷153，頁4、卷157，頁4、卷219，頁8、卷219，頁8、卷219，頁8、卷235，頁5、卷253，頁4。

35 宗羲原著；全祖望補修：《宋元學案》卷82〈北山四先生學案〉黃百家案語云：「後世之宗紫陽者，不能入郛廓，寧守注而背經，而昧其所以為說，苟有一言之異，則以為攻紫陽矣。然則，魯齋亦攻紫陽者乎？甚矣，今人之不學也！」頁2733。

36 柳貫撰：〈故宋迪功郎史館編校仁山先生金公行狀〉，收入《待制集》（影印文淵閣《四庫全書》，臺北市：臺灣商務印書館，1986年）卷20，頁508。

37 宗羲原著；全祖望補修：《宋元學案》卷82〈北山四先生學案〉，頁2738。

38 不著撰人：《兩朝綱目備要》（影印文淵閣《四庫全書》第329冊臺北市：臺灣商務印書館，1986年）卷六「三月甲子朱熹卒」下云：「先是庚申熹臟腑微利，……辛酉改《大學》「誠意」一章，此熹絕

後學建構方向，乃是學術發展之常態，黃百家申明後人應循其求道之心而非墨守其跡，無疑是通達而且正確的看法，既守朱學之教，又發四書之義，有關四書之著作有《大學章句疏義》一卷、《大學指義》一卷、《論語集註考證》十卷、《孟子考證》，朱彝尊《經義考》於前兩種皆言已佚，後二種言未見[39]，所幸《大學章句疏義》、《論語集註考證》、《孟子集註考證》皆收於《四庫全書》之中。金履祥傳之許謙，強調「吾儒之學，理一而分殊，理不患其不一，所難者分殊耳」、「聖人之道，中而已矣」[40]，皆是朱學核心要義，也是心念持守的重要工夫，而許謙得之於四書的心得，云：

> 讀《四書章句集註》，有《叢說》二十卷，敷繹義理，惟務平實。每戒學者曰：「士之為學，當以聖人為準的。至於進修利鈍，則視己之力量如何。然必得聖人之心，而後可學聖人之事。舍其書，何以得其心乎？聖賢之心，盡在四書，而四書之義，備於朱子。顧其立言，辭約意廣，讀者或得其粗而不能悉究其義；或以一偏之致自異，而初不知未離其範圍，世之詆訾貿亂，務為新奇者，其弊正坐此耳。始予三四讀，自以為瞭然，已而不能無惑，久若有得，覺其意初不與己異，愈久而所得愈深，與己意合者亦大異於初矣。童而習之，白首不知其要領者何限？其可以易心求之哉？[41]

朱熹《四書章句集注》言約意廣，深嚼有味，許謙推崇至極，由朱子而得四書義理，由四書而得見聖人，饒富義理進程，只是許謙發揮義理，並不墨守朱注，《四庫全書總目》云：「或有難曉，則為圖以明之，務使無所凝滯而後已。其於訓詁名物，亦頗考證，有足補《章句》所未備」[42]，重視四書，強調朱子，也留意缺失，補正朱注[43]，許謙有關四書著作有《中庸叢說》一卷、《大學叢說》一卷、《讀四書叢說》二十卷，朱彝

筆也。是日午刻暴下，自此不復出書院……。」頁778。蔡沈撰〈朱文公夢奠記〉云：「初六日辛酉，改《大學》「誠意」一章，令詹淳謄寫，又改數字。……午後，大下，隨入宅堂，自是不能復出樓下書院矣。」見蔡有鵾輯；蔡重增輯：《蔡氏九儒書》(《四庫全書存目叢書》集部第346冊，臺南縣：莊嚴文化事業公司，1997年）卷6，頁793。不過錢穆撰：《朱子新學案》第二冊，依江永之說，朱熹最後所改其實並非《大學》「誠意」章，而是《大學》「誠意」二字最先見處之注，將經一章原本「實其心之所發，欲其一於善而無自欺也」中「一於善」改為「必自慊」。頁425。

39 朱彝尊撰：《經義考》卷157，頁4、卷157，頁4、卷219，頁8、卷235，頁5。

40 黃溍撰：〈白雲許先生墓誌銘〉，《文獻集》（影印文淵閣《四庫全書》，臺北市：臺灣商務印書館，1986年）卷8下，頁522。

41 黃溍撰：〈白雲許先生墓誌銘〉，《文獻集》，卷8下，頁524。

42 紀昀撰：《四庫全書總目》（臺北市：臺灣商務印書館，1986年）卷36，頁728。

43 廖雲仙撰〈元代《四書》學的繼承與開創——以元儒許謙為例〉一文，以許謙為例，觀察元代《四書》學，其中有繼承之一面，也有開創的地方。以朱學為學術核心，闡發朱注，為其繼承之處；考訂錯誤，補其缺失，則為其開創的地方。《東海中文學報》第21期（2009年7月），頁67。

尊《經義考》皆云未見[44]，《四庫全書》所收《讀四書叢說》只是四卷殘本，阮元（1764-1849）從元板影錄《論語叢說》三卷，又從吳中藏書家得元板《中庸叢說》足本二卷始得全帙。[45]北山學脈由宋而及元，脈絡清楚於此可見，北山四先生何基、王柏、金履祥、許謙，經黃榦接續朱熹，設教講學，推究義理，昂然挺立，成為宋元之際最重要的朱學重鎮，一方面傳播朱學，延伸學脈；另一方面，闡釋義理，開展議題，證成朱熹《四書章句集注》價值，誠如王柏所言：

> 夫天下所以不可易者，理也。二程子不以漢儒之不疑而不敢不更定，朱子不以二程已定而不敢不復改，亦各求其義之至善而全其心之所安，非強為異而苟于同也。[46]

以動態方式看待朱熹《四書章句集注》，同之與異，唯求義理之善，甚至倡言「道無古今，學無先後，亦在乎人之自勉而已，此僕所以確然有俟乎後之朱子也。」[47]既不執拘定見，又深化朱學成果，四書遂有多元豐富詮釋內容。朱學由宋入元，由注進入疏解的階段，學人在四書與《四書章句集注》之間，反覆辨證，不論是橫向發展，還是縱向深化，貢獻良多，也就無怪乎明代章一陽以「正學淵源」為名，纂輯四先生著作《金華四先生四書正學淵源》十卷[48]，指出由宋及元四書學發展一個重要環節，清戴錡甚至以洙泗、濂洛、關閩、北山一脈相承，云：

> 水行地中，千條萬派，莫不從昆崙發源而來，猶夫學者窮經立說，傳道解惑，有不自洙泗來乎？由洙泗而濂洛，由濂洛而關閩，一脈相承，道統綿綿弗絕，何其盛哉！嗣後有造邪說以亂之，招岐途以引之，而終不能蠱惑人心，必以紫陽為傳道之準，斯時知有南軒張宣公、東萊呂成公，相與扶植而輔翼之，以為功之至鉅者矣。而不知無何、王砥柱於乾道、咸淳之間，必不能傳於金、許，無金、許振興於紹定、大德之時，又何能綿遠於今茲也哉！[49]

北山一脈學人承襲而下，地位於此可見。

---

44 朱彝尊撰：《經義考》卷153，頁8、卷157，頁9、卷254，頁7。

45 阮元撰：《研經室外集》卷3〈《讀中庸叢說》二卷提要〉（北京市：中華書局，2006年），頁1248。

46 王柏撰：《魯齋集》（臺北市：臺灣商務印書館《四庫全書》本，1986年）卷9〈大學沿革論〉，頁146。

47 王柏撰：《魯齋集》卷10〈誠明論〉，頁161。

48 章一陽輯：《金華四先生四書正學淵源》（臺南縣：莊嚴文化事業公司《四庫全書存目叢書》本，1996年）。

49 戴錡撰〈原序〉，許謙撰：《白雲集》（《叢書集成新編》本，臺北市：新文豐出版社，1985年），頁1。

三 《四書大全》徵引之北山學脈

《四書大全》徵引共計一〇六家[50]，其中名列《宋元學案》「北山四先生學案」共計五人，分別為王柏、金履祥、許謙、歐陽玄（1283-1357）、何夢貴（1229-1303）、方逢辰（1221-1276）等人，徵引情形如下：

北山學派					
姓名	《大學》	《中庸》	《論語》	《孟子》	加總
王柏	0	0	3	5	8
金履祥	9	1	0	0	10
許謙	29	34	22	33	118
歐陽玄	0	0	1	0	1
何夢貴	0	0	4	1	5
方逢辰	4	8	0	0	12
加總	42	43	30	39	154

徵引內容共計一五四條，北山一系學人的著作，今多已不傳，《四書大全》徵引其說，無疑是極珍貴材料，尤其在朱學發展當中，北山一脈具有銜接朱門與後學的作用，後人深有共識，吳師道（1283-1344）為許謙《讀四書叢說》撰序言之甚明，云：

> 《讀四書叢說》者，金華白雲先生許君益之為其徒講說，而其徒記之之編也。君師仁山金先生履祥，仁山師魯齋王先生柏，從登北山何先生基之門，北山則學於勉齋黃公，而得朱子之傳者也。四書自二程子表章，肇明其旨，至朱子《章句集注》之出，折衷群言，集厥大成，說者固蔑以加矣！門人高弟不為不多，然一再之後，不泯滅而就微，則泮渙而離真，其能的然久而不失傳授之正，則未有如吾

50 〔明〕胡廣等纂修：《四書大全》（《孔子文化大全》本，濟南市：山東友誼書社，1989年）〈四書大全凡例〉「引用先儒姓氏」，頁21-27。覈查其中，「張氏玉淵」生平今無可考；「晏氏」據《禮記集說》，以及阮元《十三經校勘記》所引，疑為「晏光」；「鄧氏」《四書通》作「名世」，《四書大全》誤作「名亞」；「郭忠孝」《四書通》、《四書大全》作「郭忠厚」；「倪氏」《四書通》、《四書大全》並無列名，據《禮記集說》應為「倪思」；《四書通》、《四書大全》「永嘉薛氏」為「薛季宣」；「李東窗、東窗李氏」應為「李性傳」；「程若庸」《四書大全》分作「徽菴程氏」、「勿齋程氏」，實為一人；「黃仲元」於宋亡更名為「淵」，《四書大全》誤分「黃氏淵」、「四如黃氏仲元」；《四書大全》「朱伸」疑為「朱申」之誤；《四書大全》「宣氏」，據《禮記集說》應是「宣繒」；《四書大全》「趙氏」，比對《四書通》、《四書大全》所引內容，「趙氏」即是趙順孫，《四書大全》卻分為「格菴趙氏」與「趙氏」；《四書大全》「魯齋王氏」下注名「侗」，應是「柏」字之誤，成書倉促，多有訛誤，不過重出之間，顯見《四書大全》有不同的引據來源。

> 鄉諸先生也。[51]

何基、王柏、金履祥、許謙一脈相承，代表朱學正傳[52]，對於後世建立朱熹《四書章句集注》詮釋方式，具有關鍵意義，《四書大全》援取疏解內容，有意保留宋元之際朱學傳布情形，建構朱熹《四書章句集注》注解體系，其中未見何基言論，恐與何基「治經當謹守精玩，不必多起議論，有欲為後學言者，謹之又謹可也」[53]的態度有關，至於王柏、金履祥、許謙當中，許謙徵引最多，則是因為許謙為入元之後發揚朱學最重要人物，《元史》〈儒學列傳〉云：

> 先是何基、王柏及金履祥歿，其學猶未大顯，至謙而其道益著，故學者推原統緒，以為朱子之世適。[54]

許謙於元代，講學四十載，授徒著錄千餘人，發揚朱學不遺餘力，撰作既豐，成果斐然，成為《四書大全》重要徵引對象，乃是理所當然。此外，北山一系學人除四先生外，尚有歐陽玄、何夢桂（《四書通》、《四書大全》皆作何夢貴）、方逢辰三人。歐陽玄，字原功，經史百家，靡不研究，伊洛諸儒源委，尤為淹博，列於「仁山門人」，有《圭齋文集》傳世。方逢辰，字君錫，學者稱蛟峰先生，學術「以格物為窮理之本，以篤行為修己之實，終身顧未嘗有師承」[55]，然而父親方鎔為「朱學續傳」，家學淵源，同是朱學一脈：

> 彼亦有以穎悟為道，以鹵莽滅裂為學者，其說謂：「不由階級，不假修為。」以致知格物為支離，以躐等陵節為易簡，以日就月將為初學，以真積力久為鈍才，誆徒誣人，亦以自誣，天下未有一超徑詣忽焉而聖賢者。
>
> 後之學孔、孟者，其以四書為根本，以六經為律令，格物致知以窮此理，誠意正心以體此理，學之博以積之，反之約以一之。[56]

重申格致之教，闡明窮理之功。由四書而六經，學而有序，歸之於理，朱學提供一條有

---

51 引自朱彝尊撰：《經義考》（臺北市：臺灣中華書局，1979年）第7冊，卷254，頁7。

52 吳師道推崇何、王、金、許北山一系學者，乃是元代後期建構北山——系學術地位的重要推手，《吳正傳先生文集》中有〈請鄉學祠金仁山先生〉、〈代請立北山書院文〉、〈請傳習許益之先生點書公文〉等文章，可以得見其用心所在，至於強調北山一系為朱學嫡傳，則是在柳貫為金履祥所寫的行狀，以及黃溍為許謙所寫的墓誌銘中形成。參見陳雯怡撰：〈「吾婺文獻之懿」——元代一個鄉里傳統的建構及其意義〉，《新史學》第20卷第2期（2009年6月），頁59。

53 宗義原著；全祖望補修：《宋元學案》卷82〈北山四先生學案〉，頁2727。

54 宋濂撰：《元史》（北京市：中華書局，1976年）卷189〈儒學列傳〉，頁4320。

55 宗義原著；全祖望補修：《宋元學案》卷82〈北山四先生學案〉，頁2747。

56 方逢辰撰：《蛟峰文集》（影印文淵閣《四庫全書》，臺北市：臺灣商務印書館，1986年），卷5〈勤有堂記〉，頁540。卷5〈常州路重修儒學記〉，頁545。

進程，有境界的儒學道路，體系嚴然，至於易簡之教，直接聖人，不僅是自誣，而且也誣人，以此分判，方逢辰申朱斥陸，立場至為明顯，黃榦不立門戶，唯求於理，然而於學術推展，北山一脈學人彰顯朱學，也有與陸學爭是非的意義。何夢桂，字巖叟，學者稱潛齋先生，與方逢辰為講友，宋亡不仕，於艱困之中，昂揚挺立，於家國淪亡之際，慨然承傳，在山林鄉野之間，講授不輟，具有以身體道的實踐意義。[57]北山一系代表朱學之後傳播開展第一個階段，近人統計朱熹門人籍貫分布，以第一傳門人而言，福建有八十三人、浙江有三十一人，江西有三十八人；二傳門人福建有四十五人，浙江有二十七人，江西有十四人；三傳門人福建有十六人，浙江有三十一人，江西有二十三人；四傳門人福建有五人，浙江有三十二人，江西有十四人；五傳門人福建有二人，浙江有六十五人，江西有三十二人[58]，可見朱學三傳之後，浙江人數已逐漸增多，五傳之後，更具有絕對優勢，朱學由福建往浙江傳播，影響日趨深遠，北山四先生正是其中核心所在。事實上，朱熹對於呂祖謙死後的浙東學風深有疑慮，永康功利之學，永嘉事功之學，繼之而起，一重實利，一重實事，然而求之於外的結果，心失其和，容易為利所誘，違失根本，為求釐清，朱熹特別表彰金華先儒范浚，並將「心箴」載於《孟子集注》當中，以鄉賢前輩的名望，對治後學馳功逐利的缺失，期許從功利之中，回歸於人心救贖[59]，往浙東開展乃是朱熹宿願所在，只是北山一系學人由黃榦而繼承朱學，另一方面浙東本身也有其學術傳統，呂祖謙（1137-1181）於麗澤書院和明招堂講學，門人眾多[60]，金華原就是眾多學派思潮交會之地，陸學、永康學、永嘉學相互交流，深有調和色彩，《朱子語錄》載錄朱熹分析，云：

> 或問東萊象山之學。曰：「伯恭失之多，子靜失之寡。」
>
> 東萊聰明，看文理卻不子細。……緣他先讀史多，而以看粗著眼。讀書須是以經為本，而後讀史。
>
> 伯恭子約宗太史公之學，以為非漢儒所及，某嘗痛與之辨。……遷之學，也說仁

57 參見方彥壽撰：《朱熹書院門人考》（上海市：華東師範大學出版社，2000年）〈序言〉，頁3。

58 程繼紅撰：〈宋元朱熹門人及後學籍貫地理分布與朱子學傳播區域〉，《朱子學刊》2008年第1輯（2009年6月），頁126-137。

59 朱熹撰：《孟子集注》卷10〈告子上〉，《四書章句集注》（臺北市：長安出版社，1991年）頁335。黃宗義原著；全祖望補修：《宋元學案》卷45〈范許諸儒〉云：「范浚，字茂明，……學者稱為香溪先生。先生之文，世之所誦習者，朱子所取《心箴》而已。」頁1439。黎靖德編：《朱子語類》（臺北市：文津出版社，1986年12月）卷59「《孟子》〈告子上〉」云：「問《集注》所載范浚〈心銘〉，不知范曾從誰學？」曰：「不曾從人，但他自見得到，說得此件物事如此好。向見呂伯恭甚忽之，問：『須取他銘則甚？』曰：『但見他說得好，故取之。』曰：『似恁說話，人也多說得到。』曰：『正為少見有人能說得如此者，此意蓋有在也。』」頁1416。

60 浙江省武義縣政協文史資料委員會編：《呂祖謙與浙東明招文化》（北京市：社會科學文獻出版社，2006年），頁12-26。

> 義，也說詐力，也用權謀，也用功利，然其本意卻只在於權謀功利。……今求義理不於六經，而反取疏略淺陋之子長，亦惑之甚矣！
>
> 婺州士友只流從祖宗故事與史傳一邊去。其馳外之失，不知病在不曾於《論語》上加工。[61]

呂祖謙強調兼納博采，學術路徑重史輕經，然而朱熹認為根源不明，不免於關鍵處偏失，重權謀，求功利的結果，不免讓人違棄仁義，最終讓人誤以為成功即王道，朱熹甚至有意以《論語》救治偏蔽，強調在日用之際，在心念之間，高舉仁義價值，堅持儒學工夫，才能救其偏差，日後與陳亮王霸義利之辨，也是採取相同立場，朱熹對於浙東學風深有憂慮，於此可見。束景南先生即以「平衡浙學與陸學的道學砥柱」標題，說明朱熹於南宋尚虛、尚實學風之間，展開全方位文化論戰，在南宋紛然並起的學術社群當中，具有中流砥柱的作用。[62]門人黃榦往浙東傳學，不僅具延伸朱熹道統論述的影響層面，北山一系學人習之有驗的結果，也代表在學統分立，彼此競逐當中，朱學道統史觀最終得以勝出，只是學術發展更為複雜，朱學既從北山一系學人而深入於浙學，卻也不免濡染浙東以史證經，務求博通的詮釋方式，學術既延伸又相互影響，也就無怪乎《宋元學案》黃百家一方面有「紫陽之嫡子，端在金華」的說法，另一方面又有「豈有心與紫陽異哉」、「發朱子之所未發，多所牴牾」的觀察，甚至於末云：「金華之學，自白雲一輩而下，多流而為文人。夫文與道不相離，文顯而道薄耳，雖然，道之不亡也，猶幸有斯」[63]，黃百家出於浙學，深有感受，可以理解，朱學於浙學發展中入於史，通於文[64]，朱學開枝散葉，枝脈扶疏，影響愈深也歧出愈多，四書義理愈加豐富，卻也漸生歧見，其中矛盾，正來自於學脈繼承與學風交互濡染的結果，尤其後人缺乏朱熹融鑄義理的歷程[65]，各自揣想之下，於經文興發議論，時見新意，卻也時有誤解，甚至以糾彈朱熹說法作為個人學術成就，混淆朱熹四書義理體系，形成後人了解的困擾。此一情形從後人論述當中，可以得見，鄧文原（1258-1328）〈四書通序〉云：

> 近世為圖為書者益眾，大抵於先儒論著及朱子取舍之說有所未通，而遽為臆說，以衒於世。余嘗以謂，昔之學者常患其不如古人，今之學者常患其不勝古人，求勝古人而卒以不如，予不知其可也。[66]

---

61 黎靖德編：《朱子語類》卷122「呂伯恭」，頁2949-2956。

62 束景南撰：《朱子大傳》（北京市：商務印書館，2003年），頁615-633。

63 宗羲原著；全祖望補修：《宋元學案》卷82〈北山四先生學案〉，頁2727、2733、2738、2801。

64 浙東學術重視文獻，也強調文學，乃是地域學術傳統，參見徐永明撰：〈婺州文人群體之構成及其形成之地域文化背景〉，《浙江學刊》2004年第6期，頁130-131。

65 參見拙撰：《「融鑄」與「進程」：朱熹《四書章句集注》之歷史思維》（臺北市：政大出版社，2013年），頁19-21。

66 鄧文原撰：〈四書通序〉，見胡炳文撰：《四書通》（景印文淵閣《四庫全書》第203冊，臺北市：臺灣商務印書館，1986年），頁2。

揭傒斯（1274-1344）撰〈定宇先生墓誌銘〉云：

> 朱子既沒，天下學士，群起著書，一得一失，各立門戶，爭奇取異，附會繳繞，使朱子之說，翳然以昏。[67]

議論紛出，各立門戶，爭奇取異的結果，孰為正解，成為經典詮釋的重要問題，以朱熹為宗，成為後人最終思考方向，回歸於朱學成為建構詮釋主軸最重要的訴求，此一主張於新安一系宗主鄉賢前輩的氣氛中開展[68]，而於明代完成，明代四書「官學」化過程，明成祖以「皇權」威勢刊落歧異，整合前說，分歧當中，歸之於一，終於確立朱熹尊隆學術地位，既是一種整合學術的手段，也是嘗試解決此一朱學傳衍問題的結果。[69]發展之下，北山一系的四書經說內容，於後人剔除歧出，化異求同的調整當中，納入「官學」系統，成為《四書大全》申明朱熹四書體系，闡釋朱熹詮釋經旨的重要材料，明代推崇朱熹地位，北山一系具有學術傳衍意義，也具有階段性發展作用。

四　詮釋轉折與開展

檢視《四書大全》徵引情形，北山一系經說以許謙最多，依次為方逢辰、金履祥、王柏、何夢貴、歐陽玄等人，金履祥考證四書的內容，《四書大全》收錄不多，有關名物訓詁的資料，《四書大全》以張存中《四書通證》為徵引內容，原因所在，可以由其言「學者於余之《通》，知四書用意之深；於《通證》知四書用事之審，推之甚至，今核其書，引經數典，字字必著所出」[70]一窺端倪，考證後出轉精，張存中以補其所出的角度，內容更為豐富，自然成為《四書大全》取用材料，至於王柏有關《大學》、《中庸》文本結構的調整，並未反映於《四書大全》徵引材料當中，顯然關注所在，已有不同。其次，以徵引的數目分析，《四書大全》徵引許謙材料，《大學》部分有二十九條、

67 揭傒斯撰：〈定宇先生墓誌銘〉，收入陳櫟撰：《定宇集》（影印文淵閣《四庫全書》本，臺北市：臺灣商務印書館，1986年）卷17，頁441-442。

68 程曈撰〈新安學系錄序〉云：「新安為程子之所從出，朱子之闕里也。故邦之人於程子則私淑之，有得其傳者；於朱子則友之事之，上下議論，講劘問答，莫不充然各有得焉。嗣時以還，碩儒迭興，更相授受，推明羽翼，以壽其傳。由宋而元，以至我朝，賢賢相承，繩繩相繼，而未嘗泯也。蓋朱子之沒，海內學士群起著書，爭奇衒異，各立門戶，浸失其真。諸先哲秉相傳之正印，起而闢之。故筆躬行之實，心得之妙，乃於聖人之經，濂洛諸書，具為傳注。究極精微，闡明幽奧，朱子之所未發者，擴充之；有畔於朱子者，刊去之，由是朱子之煥然於天下。我太宗皇帝詔修《五經》、《四書》、《性理》，……一惟其言是宗。採錄之以明聖經，淑人心，維民極，而垂教後世，則其有功於聖道正學大矣哉！」程曈輯撰：《新安學系錄》（合肥市：黃山書社，2006年）〈新安學系錄序〉，頁1。

69 拙撰：〈四書「官學化」進程：《四書大全》纂修及其體例〉，《東亞漢學回顧與展望》，頁87-102。

70 胡炳文撰：〈四書通證序〉，《雲峰集》（影印文淵閣《四庫全書》，臺北市：臺灣商務印書館，1986年）卷3，頁762。

《中庸》有三十四條，《論語》二十二條，《孟子》三十三條，數目相當平均，然而以《大學》、《中庸》與《論語》、《孟子》分量不同，即可發覺其中有異，許謙有關《大學》、《中庸》詮釋成果，徵引比例明顯較高，如果與其他人加總計算，《大學》四十二條、《中庸》四十三條、《論語》三十條、《孟子》三十九條，《大學》、《中庸》徵引比例明顯偏多，至於《論語》則明顯偏少，檢覈《金華四先生四書正學淵源》，《大學》、《中庸》各有一卷，《論語》四卷、《孟子》四卷，共計十卷，《論語》、《孟子》並無空缺，經過後人篩選揀擇，《四書大全》似乎更加留意北山一系學人《大學》、《中庸》詮釋成果，而對於《論語》、《孟子》部分關注不深。北山一系學人重視四書進程、體系與境界的討論，對於四書義理的興趣，高於日用之間、事理之際的體悟，朱熹對於浙東學術曾有「不知病在不曾於《論語》上加工」[71]的鍼砭語，似乎也反映於《四書大全》徵引當中。事實上，檢視《四書大全》列舉方式，小注以朱熹《語類》、《或問》內容為主，後文輔以弟子門人意見，最末則以「雲峰胡氏」、「新安陳氏」、「東陽許氏」等元儒詮釋作結，分析徵引結構，前者可見朱熹講論之義理方向，後者可見訓詁與體例的補充，形成朱熹、門人、元儒一系相承的經說體系，至於元儒經說部分，則多數依循饒魯、新安、北山三系為序，許謙說法往往列於徵引之末，闡明章旨的價值與意義，北山一系做為朱學結集後由宋而及元的最初發展階段，後人賡續推究，進行更全面的四書義理思索，其中排序並非偶然，北山一系學人深化與開展之處，列舉如下：

（一）說明經文結構

浙東學人強調文學，留意文本結構，成為《四書大全》援取重點，〈大學章句序〉「外有以極其規模之大，而內有以盡其節目之詳者也」一句，引許謙云：

> 規模節目，以三綱八條對言，則三綱為規模，八條為節目，謂八條即三綱中事也。獨以八條言之，則平天下為規模，上七條為節目，平天下是大學之極功，然須是有上七條，節節做工夫，行至于極，然後可以平天下。[72]

以《大學》而言，三綱為規模，八目為節目，所謂「脩身以上，明明德之事也。齊家以下，新民之事也。物格知至，則知所止矣。意誠以下，則皆得所止之序也」[73]，兩相搭配，乃是極為適切的詮釋，但是否可以更進一步延伸，離三綱而言八目，以平天下為規模，格、致、誠、正、修、齊、治為節目，不無可疑，畢竟缺乏明明德之根本，八目不

71 黎靖德編：《朱子語類》卷122「呂伯恭」，頁2956。

72 胡廣等纂修：《四書大全》（《孔子文化大全》本，濟南市：山東友誼書社，1989年7月）〈大學章句序〉，頁15。

73 胡廣等纂修：《大學章句大全》，《四書大全》，頁49-50。

免有外馳之弊，或許對於元儒而言，平治天下乃是儒者事業所在，也是儒學規模所在，因此寄以無限的期許，也可以了解許衡是將規模與節目視為境界與進程，將三綱與八目視為兩個獨立的文本，運用詮釋模式，留意經文結構，十分明顯。又如《中庸章句》「君子之道，辟如行遠必自邇」章，引許謙云：

> 此章專言行道必自近始，未有目前日用細微處不合道，而於遠大之事能合道者也。君子之道，其理勢必當如此。故於費隱之後十三章，先言修己治人，必恕以行之，而謹其庸德庸言。次十四章，則言正己不求於外。此章則言自近及遠，是言凡行道皆當如是也。引《詩》本是比喻說，然於道中言治家，則次序又如此。[74]

《中庸章句》「君子之道，費而隱」[75]，循此而下，第十三章闡明以恕行之，第十四章說明正己不求於外，第十五言行道自近及遠，層層而進，彼此銜接，各章並非獨立存在，而是申明由近而及遠，日用之間，道無所不在，許氏善用文學分析手法，章旨可以據此而得。此外，比較兩章之間手法，也可以了解經旨所在，《中庸章句》第三十章朱注「言天道也」引許謙云：

> 二十六章言聖人至誠，與天地同道，自天地之道可一言而盡以下，但言天地之盛大，則聖人之盛大自見。此章先言聖人與天地同道，自萬物並育以下，亦但言天地之大，則聖人之大自見。前章則引文王之詩以結之，此章則以孔子之所行起之，二章相表禮，無非形容聖人之德也。[76]

許謙比對《中庸章句》第二十六章、三十章，同樣是言天地之盛大，以見聖人之盛大，鋪排方式相同，至於二十九章引《詩》曰：「在彼無惡，在此無射；庶幾夙夜，以永終譽！」[77]為結，三十章則以「仲尼祖述堯、舜，憲章文、武」[78]破題，前者為文王，後者為孔子，聖聖相承，彼此銜接，至於以孔子作結，《中庸大全》「仲尼祖述堯舜」引方逢辰云：

> 中庸之道，至仲尼而集大成。故此書之末，以仲尼明之。[79]

可見文本所具之肌理脈絡，經典意義結穴所在，揭之而出，遂能彰顯結構用意，既承繼而發展，又遙接而發揮，經典本身原就有道統線索。《朱子語類》朱熹分享經典閱讀經

---

74 胡廣等纂修：《中庸章句大全》，《四書大全》，頁405。
75 胡廣等纂修：《中庸章句大全》，《四書大全》，頁381。
76 胡廣等纂修：《中庸章句大全》，《四書大全》，頁520-521。
77 胡廣等纂修：《中庸章句大全》，《四書大全》，頁515。
78 胡廣等纂修：《中庸章句大全》，《四書大全》，頁516。
79 胡廣等纂修：《中庸章句大全》，《四書大全》，頁517。

驗，言「某從十七八歲讀至二十歲，只逐句去理會，更不通透。二十歲已後，方知不可恁地讀。元來許多長段，卻自首尾相照管，脈絡相貫串」[80]，讀經必須從章句文字的語意層面，深入於文本結構當中，推敲全篇旨趣所在，經典要有體系性的思考，此一方法影響北山一系學人，成為詮釋重要方法，經旨深微，貫串綿密，梳理而出，遂能得見其中奧義。

（二）分析文句涵義

訓解經文為詮釋大宗，分析語意，也辨證義理，《四書大全》收錄北山一系學者此類說解最多，《大學章句》「物格而后知至」一章，引許謙云：

> 凡言必先而后，固是謂欲如此，必先如此，既如此了，然後如此。然而致知力行，並行不悖。若曰：「必格盡天下之物，然後謂之知至，心知無有不明，然後可以誠意。」則或者終身無可行之日矣，聖賢之意，蓋以一物之格，便是吾之心知於此一理為至，及應此事，便當誠其意、正其心、脩其身也，須一條一節，逐旋理會，他日湊合將來，遂全其心而足應天下事矣。[81]

「而后」既是順序之詞，也是一種條件滿足情況的說明，格物、致知、誠意、正心、修身、齊家、治國、平天下八目，關乎工夫進程，茲事體大，《四書大全》引朱熹說法，云：

> 物格而後知至，至心正而後身修，著「而」字，則是先為此而後能為彼也，蓋即物而極致其理矣，而後吾之所知無不至，吾知無不至矣，而後見善明、察惡盡，不容有所自欺而意誠，意無不誠矣。而後念慮隱微慊快充足而心正，心得其本然之正矣，而後身有所主，而可得而脩。[82]

格物乃是修養的關鍵，即物窮理，知明而意誠，朱熹有深刻的思考，所謂「先為此而後能為彼」，正是強調其中順序不可紊亂，然而浙東學術貴通達，許謙強調「致知力行」並進，於是一物之格，誠意、正心同時進行，最終可以逐漸理會，全其心以應天下之事，說法是否符合朱熹原旨，有待深入討論，但對於人無法「格盡天下之物」，因此「終身無可行之日」的問題，遂有可以解決的方向。另一方面，北山學人經典詮釋也有承繼發展的現象，《大學章句》朱注「瑟，嚴密之貌。僩，武毅之貌」，引許謙、方逢辰云：

---

80 黎靖德編：《朱子語類》卷105「論自注書」，頁2630。

81 胡廣等纂修：《大學章句大全》，《四書大全》，頁52-53。

82 胡廣等纂修：《大學章句大全》，《四書大全》，頁51-52。

> 嚴密，是嚴厲縝密。武毅，是剛武彊毅。以恂慄釋瑟僩，而朱子謂恂慄者，嚴敬存乎中，金仁山謂所守者嚴密，所養者剛毅，嚴密是不麤疏，武毅是不頹惰，以此展轉體認，則瑟僩之義可見。
>
> 瑟是工夫細密，僩是工夫強毅，恂慄是兢兢業業。惟其兢業戒懼，所以工夫精密而強毅[83]

金履祥分出所守所養有嚴密與剛毅不同，許謙、方逢辰詮釋承前發展，《孟子集注·告子上》「鄉為身死而不受」一章，引許謙云：

> 三鄉為身，北山先生作一讀，言鄉為辱身失義之故，尚不受嘑蹴之食，以救身之死，今乃為身外之物，施惠於人，而受失義之祿乎，可謂無良心矣。[84]

申明經旨，引何基說法，詮釋層層累聚，於此可見。當然其中也有理解偏失之處，《中庸章句》「不偏之謂中，不易之謂庸」一章，引許謙云：

> 程子謂不偏之謂中，固兼舉動靜。朱子不偏不倚，則專指未發者。[85]

程子兼有動靜，朱熹僅言及未發之中，許氏分別程、朱有不同的詮釋重點，但對於朱熹融靜於敬，涵養更密的方法，體會不深，《四書大全》載錄朱熹弟子陳淳之言，云：「中和之中，是專主未發而言；中庸之中，卻是含二義，有在心之中，有在事物之中，所以文公必合內外而言，謂不偏不倚，無過不及，可謂確而盡矣」[86]，朱熹取程子之說，推而及於內外動靜，內涵更為周延細膩，許氏未能詳究朱熹中和之悟的進程[87]，不免陷於文字之中，未能切中旨趣。

（三）指引研讀方法

朱熹以一生建構四書義理，如何確立有效理解，乃是後人研究的首要之務，〈中庸章句序〉引許謙云：

> 《章句》、《輯略》、《或問》三書既備，然後《中庸》之書，如支體之分，骨節之解，而脈絡卻相貫穿通透。[88]

---

83 胡廣等纂修：《大學章句大全》，《四書大全》，頁68。

84 胡廣等纂修：《孟子集註大全》，《四書大全》，頁2774。

85 胡廣等纂修：《中庸章句大全》，《四書大全》，頁326。

86 胡廣等纂修：《中庸章句大全》，《四書大全》，頁325。

87 拙撰：〈「道南」與「湖湘」——朱熹義理進程之檢討〉，《「融鑄」與「進程」：朱熹《四書章句集注》之歷史思維》，頁197-209。

88 胡廣等纂修：《四書大全》〈中庸章句序〉，頁318。

此一方法與黃榦強調直究原典，以《章句》為根本的方式不同[89]，黃榦標舉的方法，目的在於避免淆亂，然而浙東學術重視文獻，強調取徑開闊，以《章句》為本，佐以《輯略》、《或問》，可以了解朱熹思考進程，轉折之間，《中庸》義理得以顯豁，研讀方法的指引，也見於〈讀中庸法〉引許謙云：

> 《中庸》、《大學》二書，規模不同，《大學》綱目相維，經傳明整，猶可尋求。《中庸》贊道之極，有就天言者，有就聖人言者，有就學者言者，廣大精微，開闔變化，高下兼包，巨細畢舉，故尤不易窮究。[90]

《大學》言綱領，《中庸》明境界，研讀方式，朱熹原就有安排，云：

> 學問須以《大學》為先，次《論語》，次《孟子》，次《中庸》。《中庸》工夫密，規模大。
>
> 某要人先讀《大學》，以定其規模；次讀《論語》，以立其根本；次讀《孟子》，以觀其發越；次讀《中庸》，以求古人之微妙處。《大學》一篇有等級次第，總作一處，易曉，宜先看。《論語》卻實，但言語散見，初看亦難。《孟子》有感激興發人心處。《中庸》亦難讀，看三書後，方宜讀之。[91]

《中庸》標舉天道、聖人，期許學者有以繼之，許氏所言確實符合其中旨趣，至於《章句》、《或問》相參方式，提供深入朱熹義理思考細節，《中庸或問》引方逢辰可以為例，云：

> 《或問》中舊說程子所引必有事焉與活潑潑地兩句，皆是指其實體，而形容其流行發見，無所滯礙倚著之意。其曰必，曰勿者，非有人以必之勿之，蓋謂有主張是者，而實未嘗有所為耳。今說則謂必有事焉而勿正心者，乃指此心之存主處，直謂必此心之存，而後有以自覺，二說不同如何？曰程子必有事焉，謂鳶魚之飛躍，必有所以然者，必有存主處，勿正心，謂無勉強期必，非有心著意也。活潑潑地，是指天理呈露處，此朱子舊說之意，就鳶魚上言。今說卻就看鳶魚之人上言，謂就費視隱，必自存其心，則道理躍如矣。朱子謂只從這裡收一收，這箇便

89 胡廣等纂修《四書大全》〈讀中庸法〉引黃榦云：「《中庸》自是難看，石氏所集諸家說，尤亂雜未易曉，須是胸中有權衡尺度，方始看得分明，今驟取而讀之，精神已先為所亂，卻不若子細將《章句》研究，令十分通曉，俟首尾該貫後，卻取而觀之可也。《中庸》與他書不同，如《論語》是一章說一事，《大學》亦然，《中庸》則大片段，須是滾讀，方知首尾，然後逐段解釋，則理通矣。今莫若且以《中庸》滾讀，以《章句》仔細一一玩味，然後首尾貫通。」頁320。

90 胡廣等纂修《四書大全》〈讀中庸法〉，頁323。

91 黎靖德編《朱子語類》卷14「綱領」，頁249。

在，朱子兩說皆精，但前說恐人無下手處，故改從後說之實。[92]

朱熹為免蹈空入虛，所以特別強調下手工夫，前後之間，趨之於實，朱學精神所在，於此可見。

（四）推究工夫所在

彰顯經典旨趣，揭示其中要旨，最終歸於修養工夫，《大學章句》「《詩》云：『瞻彼淇澳』」章，引許謙云：

> 此節工夫，全在切磋琢磨四字上，《章句》謂治之有緒，而益致其精，治之有緒，謂先切琢而後可以磋磨，循序而進，工夫不輟，切磋以喻學，是就知上說止至善，講習討論，窮究事物之理，自淺以至深，自表以至裡，直究至其極處，琢磨是就行上說止至善，謂脩行者省察克治，至於私欲淨盡，天理流行，直行至極處，瑟兮僩兮謂恂慄，是德存於中者完，赫兮喧兮謂威儀，是德見於外者著。[93]

切磋琢磨，止於至善，許謙由知行兩端，說明工夫所在，誠敬存乎中，尚不足有美盛德之形容，唯有達於至善，內恂慄而外威儀，德容充溢於表裡，才是修養的最高境界，朱熹建構循序而進，融通內外的儒學體系，開展盛德充盈樣態，儒學有工夫、有進程、有境界，豐足飽滿，體察有驗，由經典以入聖人之境，更有自信。《中庸章句》「誠者，天之道也」章，引許謙云：

> 擇善然後可以明善。擇者，謂致察事物之理；明者，謂洞明吾心之理，合外內而言之。擇善，是格物；明善，是知至。[94]

以格物窮理說解經典意涵，擇善而固執正是內外交養的結果。《大學章句》「所謂誠其意者」章，引許謙云：

> 誠意只是著實為善，著實去惡。自欺是誠意之反，毋自欺，是誠意工夫。二如，是誠意之實。自慊，是自欺之反。而誠意之效，慎獨，是誠意地頭。欺慊皆言自，是意之誠不誠，皆自為之，自欺者，適害己；不自慊者，徒為人。惡惡臭，好好色，人人皆實有此心，非偽也。二如字，曉學者當實為善去惡，若惡惡臭，好好色之為也。[95]

---

92 胡廣等纂修：《中庸或問》，《四書大全》，頁626。

93 胡廣等纂修：《大學章句大全》，《四書大全》，頁70。

94 胡廣等纂修：《中庸章句大全》，《四書大全》，頁461。

95 胡廣等纂修：《大學章句大全》，《四書大全》，頁84。

以實釋誠，途徑直捷明朗，為善去惡一出於誠，工夫純由自己，無絲毫勉強，許謙確實掌握了朱學精神。《孟子》〈告子上〉「操則存，舍則亡」章，引許謙云：

> 浩然章論養氣，而以心為主；此章論養心，而以氣為驗。曰志者氣之帥，故謂以心為主。曰平旦好惡與人相近，故謂以氣為驗。集義固為養氣之方，所以知夫義而集之者乃心也，養心固戒其梏亡。驗其所息而可致力者則氣也，彼欲養而無暴，以充吾仁義之氣，此欲因氣之息，以養吾仁義之心。兩章之持志操心之意未嘗不同，而氣則有在身在天之異，然未始不相為用也。[96]

心與氣的關係，言之甚詳，養心驗氣，養氣由心，唯有心氣交養，才能仁義充盈，指出儒學極為重要的修養方法，關鍵之處，並無偏差，《孟子・梁惠王上》「老吾老以及人之老」章，引王柏云：

> 「善推其所為」一句是孟子平生功夫受用只在此。[97]

孟子開展仁義，正是善推其所為，學問在此，修養亦在此，儒學精神於此顯豁，分析及此，切中核心。

五　結論

北山一系學人對於四書義理推究深微，四書乃是學術核心所在，《四書大全》徵引僅是部分內容，自然無法代表全貌，後人特別留意經文結構分析、文句涵義、研讀方法，以及工夫指引的詮釋成果，融通經學與理學，釐清文本內涵，乃是嘗試在經典詮釋當中，確立朱熹學術的價值與方向。明儒建構朱學由宋及元學脈系統，四書經注詮釋體系方能完成，可惜北山一系學人為朱學嫡子，然而延續黃榦「道統」論述成果，並不明顯，《孟子》〈盡心下〉「由孔子而來」一章，《四書大全》乃是引胡炳文說法，云：

> 所向者，人道之始事，所至者，造道之極功。學者不知所向，則非有志於斯道者，不足以知明道。不知所至，則非深造乎斯道者，亦不能真知明道也。趨向之正，造詣之深，庶乎可知明道之所以為明道矣！真知明道，則真知堯舜以至孔孟者矣！善乎勉齋黃氏之言曰：由孔子而後，曾子、子思繼其微，至孟子而始著，朱子出而自周以來聖賢相傳之道，一旦豁然如大明中天，昭晰呈露。然則《集註》所謂百世而下，必有神會而心得之者，朱子亦當自見其有不得辭者矣。[98]

---

96 胡廣等纂修：《孟子集注大全》卷11〈告子章句上〉，《四書大全》，頁2765。

97 胡廣等纂修：《孟子集注大全》卷1〈梁惠王章句上〉，《四書大全》，頁2100。

98 胡廣等纂修：《孟子集注大全》卷14〈盡心章句下〉，《四書大全》，頁3041。

黃榦表彰朱熹繼承道統，朱熹為百世而下，神會而心得之人，北山一系學人直承黃榦，溯於朱熹的學術系譜，應有明確的論述說法，然而以徵引情形，似乎已經讓位於新安一系學人。元代不同宗派，不同學術系統，彼此競逐，《四書大全》取新安而抑北山，或許出於明成祖排除明初開國浙東學人勢力的一種手段，剔除於道統論述之外[99]，然而學術積累，北山一系學人詮釋心得，終不得掩，觀察徵引情形，有如下結論：

一、黃榦彰顯朱學，以傳道為己任，以影響層面而言，由宋及元，北山一系學人世系綿長，代有名儒，金華既是宋元學術重鎮，也成為宋元朱學傳播中心，稱之朱學「嫡子」，確然可信。

二、朱熹從北山一系而深入於浙學，卻也不免濡染浙東以史證經，務求博通的方向，學脈繼承與學風交互濡染的結果，朱學開枝散葉，枝脈扶疏，影響愈深，也漸生歧見。

三、檢視《四書大全》徵引情形，北山一系經說以許謙材料最多，其次為方逢辰、金履祥、王柏、何夢貴、歐陽玄等人，《四書大全》更加留意北山一系學人《大學》、《中庸》的詮釋成果，對於《論語》、《孟子》部分關注不深。

四、北山一系學人對於四書推究深微，《四書大全》徵引特別留意經文結構分析、文句涵義、研讀方法，以及工夫指引成果，強化融通經學與理學的思考方式，成為義理開展基礎。

五、黃榦表彰朱熹，四書、朱熹、道統三位一體，可惜北山一系學人雖然為朱學嫡子，然而《四書大全》取新安而抑北山，延續黃榦「道統」論述成果，卻是新安一系學者。

北山一系學人乃是傳承朱學的重要學脈，也是《四書大全》建構經疏體系的核心，只是幾經轉折，分析結構、推究涵義不免有個人延伸思考，至於深化工夫、指導研讀方法，卻是深有體會，尤其體證詮釋並進的思考方式，更是提供後人諸多義理的參考。只是無

99 胡廣舉薦四十二位儒士一同參與纂修，覈其職銜，乃是以翰林院統合朝中各部郎中、主事，以及地方儒學教授、教諭、訓導等，層面既廣，人數之多，與唐代《五經正義》由學官而及於朝廷大員的纂修過程相較，明代結合中央與地方，掌握元代以來儒學散於地方的情況，既是成祖綜納四方的統治手段，也是朱熹後學深化傳播的影響。覈查地域，江西籍有胡廣、金幼孜、蕭時中、陳循、周述、余學夔、涂順、吳嘉靜、周忱、王選、王復原、傅舟、杜觀、顏敬守、彭子斐、吳餘慶等十六人，福建籍有楊榮、陳全、林誌、李貞、陳景著、黃壽生、陳用、黃約仲、洪順、陳道潛、黃福、王暹等十二人，浙江籍有陳璲、王羽、童謨、吳福、沈升、章敞、吾紳、曾振、留季安、宋琰、陳敬宗、許敬軒等十二人，其他劉永清是湖廣人、王璡、趙友同、陳濟是江蘇人、黃裳是廣東人、段民是直隸人、楊勉是應天府、廖思敬是湖南人、劉三吾是湖南人，人員集中於江西、福建、浙江三地，江西、福建、浙江正是朱熹學術流扇之地，修纂人員與此相符，江西、福建人數遠高於浙江，用意所在，可以想見。參見拙撰：〈四書「官學化」進程：《四書大全》纂修及其體例〉「《東亞漢學回顧與展望》，頁89。

可諱言，《四書大全》徵引內容既多且雜，梳理不易，揭櫫脈絡，猶如管窺蠡測，難免疏忽，尚祈博雅君子，有以諒之。

附記

本文原刊登於《孔子研究》第153期，2016年1月出版，頁51-64。

寶應劉氏《論語》詮釋特點論

柳宏、馮曉斌
揚州大學文學院教授、揚州大學文學院副教授

提要

在清代學術版圖上，寶應劉氏一宗三代，聚焦一經，堪稱「論語世家」。劉台拱《論語駢枝》以「精」取勝，劉寶楠、劉恭冕《論語正義》以「博」名世，一精一博，璀璨奪目，成為中國學術史上的獨特風景。劉氏《論語》詮釋在清代社會風潮和學術嬗變的驅動下，形成了精於考證、漢宋兼采、貫通鑿新的鮮明特點，將《論語》詮釋研究推向新的高峰。

關鍵詞：清代　揚州學派　《論語》詮釋　劉台拱　劉寶楠　劉恭冕

從學術的視角，放眼中國的清代版圖，有一批縣級古城特別炫目。如浙江德清、安徽休寧、江蘇延陵、吳縣，因為這些地方走出了俞樾、戴望、戴震、畢沅、莊存與、劉逢祿、宋翔鳳、惠棟等博學鴻儒。自然，人們在指點古城、敬仰先賢時無法忽視江蘇寶應，這顆鑲嵌在古大運河旁的璀璨明珠，因湧現出王懋竑、朱澤雲、劉台拱、劉寶楠、劉恭冕、朱彬、成蓉鏡等而熠熠生輝。劉師培草擬〈清儒學案序目〉時，曾特立《寶應學案》。[1]可見其在清代學術史上的地位及分量。

寶應之所以耀眼亮麗，一個特別重要的原因是有一個特殊的學術家族。寶應劉氏，一宗三代，文脈相傳，雖涉獵廣泛，有所旁及，但始終能突出重點，聚焦一經，共治《論語》，且均有建樹，皆有影響，堪稱「論語世家」，成為中國學術史上的獨特風景。

在這個「《論語》世家」中，叔祖劉台拱，一生「校書不下千卷」，可惜大都亡佚，留存不多。其治經雖以「三禮名世」，惟《論語騈枝》影響最大。俞樾和章太炎分別寫出了《續論語騈枝》、《廣論語騈枝》。余錫嘉稱其：「精深邃密，實能發千古所未發」[2]，徐世昌評之「精深諦確，能發先儒所未發」。[3]劉台拱之《論語》研究直接影響了其侄劉寶楠及侄孫劉恭冕。劉寶楠五歲時父歿，「先由母親喬氏親授經書，後師事其從叔端臨台拱先生，治漢儒經學」。「多識方聞綴學之士」，接納八方博學碩儒，薰陶德性，砥礪學問。一次「赴鄉闈」的偶然機緣，幾位同道者相約分梳諸經，經發策認領《論語》。自此「屏棄他務，專精緻思」，耗盡後半生二十七年的時間，得數十巨冊長編，薈萃折中，成《論語正義》大部分書稿。劉寶楠未竟事業，其子劉恭冕再續二十七年光陰，認真厘定，詳加訓考，深入審校，終成《論語》研究集大成之作《論語正義》。

在寶應劉氏家族中，劉台拱的《論語騈枝》以「精」聞名於世，而劉寶楠、劉恭冕的《論語正義》則是以「博」聞名於世，一精一博，相輔相成，將《論語》研究推向一個新的發展階段，成為最能代表清代《論語》詮釋成就的名篇巨作。

一

寶應劉氏《論語》詮釋的基本特點是精於考證。

劉氏三代治學，崇尚考據實學，反對空疏附會。這種學行源自鄉里先賢。「寶應學風，從王氏自朱子遺書中整理出許多實際有用的東西以後，加以闡揚宣導，開樸學之先。」「劉台拱便是聞風而起的學者」，「在乾嘉學者中，允推第一流」。[4]江藩《漢學師承記》云：「君學淹通，尤邃於經。解經專主訓詁，一本漢學，不雜以宋儒之說。」

1　張舜徽：《清代揚州學記》（揚州市：廣陵書社，2004年），頁40。

2　余嘉錫：《余嘉錫文史論集》（長沙市：嶽麓書社，1997年版），頁619。

3　徐世昌：《清儒學案》（五）（北京市：中華書局，2008年），頁4197。

4　張舜徽：《清代揚州學記》（揚州市：廣陵書社，2004年），頁40。

劉台拱之樸學造詣、考證水準體現在具體的治經實踐中。

《論語駢枝》釋〈雍也〉第六章「子謂仲弓曰：犂牛之子騂且角，雖欲勿用，山川其舍諸？」時，劉氏開宗明義、一針見血地論斷：「此章之指，先儒皆失之。」為何而失？劉氏考曰：「惠氏〈禮說〉曰：犂牛，耕牛；子，其犢也，騂且角，天牲也。仲弓可使南面，故舉天牲以況之。蘊蘱千載，一旦髮露。可謂卓識。然惠氏謂山川不得用騂牲，以其非禮。故欲勿用。此義非也。」此為一重否定。劉氏申述曰：「天下有歆於上帝而吐於山川者，故曰山川其舍諸？夫既非禮矣，山川豈得享之。此猶沿襲舊注。」接著指出：「人雖不用，神必不舍之說，未合語意。」此為二重否定。劉氏繼續舉例論證：其一：「祭義曰：古者天子諸侯必有養獸之官，犧牷祭牲，必於是取之。民間耕牛，非所以待祭祀，故欲勿用。然有時公牛不足，則耕牛之犢，亦在所取。」其二：「《周禮》〈羊人〉職云：若牧人無牲，則受布于司馬，使其賈買牲而共之。遂人所謂野牲。《曲禮》所謂索牛是也。」……

至此，「先儒」為何「皆失」且「失之何處」，已昭然若揭，按常理劉氏似可收筆，然卻繼續考證分析：「《周禮》用騂牲者三事。祭天南郊，一也；宗廟，二也；望祀南方山川，三也。郊廟，大祀也；山川，次祀也。耕牛之犢而有騂角之材，縱不用諸上帝山川，次祀亦豈得舍之，不得已而思其次之辭也。……《說苑》脩文篇曰：雍也可使南面。南面者，天子也。孫卿子曰：聖人之得執者，舜禹是也。聖人之不得執者，仲尼、子弓是也。楊倞《注》：子弓，仲弓也。顏淵問為邦，夫子告以四代禮樂，三子言志，許以諸侯。仲弓德行亞于顏淵，遠出三子之上。觀夫子所以稱之者，其分量可知矣！然詞意婉曲，寄託深遠，與儀封人木鐸之喻，南宮適禹稷之問，略相似。」

劉台拱先引《周禮》用騂牲祭祀之事，指出山川可用騂牲之祭，此為否定惠氏之說的補證和強化。接著引劉向、孫卿、楊倞諸說，突出仲弓「可使南面」，寄託了孔子對仲弓的稱讚。論據翔實，論證嚴密，闡述新穎。至此，劉氏最後總結陳詞：「……《史記》稱仲弓父賤人，殆由傳合耕犂之指。王肅《家語》謂生於不肖之父，則又緣雜文之訓，而遷就其說。《周禮》沈辜用尨，山林川澤正當用雜色之牲。外祭用尨，則並五嶽、四鎮、四瀆亦有時用雜色者。何故尨牛之子反有勿用之。疑雜文之訓始於揚雄。高誘解《淮南》、王肅注《家語》，一皆承用。《小爾雅》為王肅輩所偽託，故亦云。然微言絕而曲說興，所從來遠矣。」劉氏將先儒誣說產生的源頭定位楊雄，承用曲說的脈絡瞄準高誘、王肅等，一直沿襲至清初惠氏，其源流清清楚楚，其考證精審翔實，其結論允當精密，不能不令人信服。

劉寶楠《論語正義》十分重視文字、音讀方面的考訂。其在考訂校正文字、音讀方面，參考了《爾雅》、《說文》、皇本、高麗本、《考文》、足利本、《唐石經》、《宋石經》、陸德明《經典釋文》、《玉篇》、顧炎武《金石文字記》、惠棟《九經古義》、馮登府《論語異文考證》、阮元《論語校勘記》、宋翔鳳《過庭錄》、臧庸《拜經日記》、翟灝

《考異》等文獻。並通過「舉直錯諸枉」、「君子博學與文」的考證實例以證之。

劉寶楠對於名物制度，亦有精詳考證。如對〈學而篇〉「千乘之國」的解釋，馬融依《周禮》，以「千乘之國」乃地方三百一十六裡有畸；包咸依〈王制〉和《孟子》，認為千乘之國是百里之國；何晏則並存兩說。《正義》則徵引大量先秦古籍和前人考證，證明包鹹的說法較可靠，解決了何晏留下來的疑難。此外，《正義》還大量考證了《論語》中出現的人物、植物、動物、器皿、音樂、服飾及古代的車制、堂制、官制、社制等。

劉恭冕《論語詮釋》亦主要運用考據學之方法。學術史上，曾有人將劉恭冕與戴望、康有為等列為接續常州學派的公羊學代表人物，其重要依據是其代表著作《何休著訓論語述》。其實，劉恭冕與劉逢祿詮釋《論語》有本質區別。劉逢祿是用何休「公羊學」思想直接對《論語》有關經文作出注解，劉恭冕只是將何休注疏中引《論語》詮釋《公羊傳》之有關經文一條條考證摘錄出來。劉恭冕從何休《公羊解詁》、《左氏膏肓》、《穀梁廢疾》三書中，考出何休引用《論語》之經文者，輯錄成書，共五十三條，計屬《解詁》者四十九條，《廢疾》者二條，《膏肓》者二條，這本身就是考據的方法。

劉恭冕不純粹是輯佚之作，有時輯佚文字後再加訓詁。如第四十六條「公羊僖四年」輯出「敏則有功。」後指出：「徐彥《疏》云：『敏，審也。』」考出「君子儒將以明道，小人儒則矜其名」之注釋，緣自何晏。《史記》、《集解》皆「引作何曰」，當指何晏，而《書鈔》所引系誤作何休。再如，通過《古論》、《魯論》之版本比勘，結合《左傳》、《白虎通》、《五經異義》等文獻及許、鄭、包、周等注解，考出《古論》作「問社」，《魯論》作「問主」，而何休之注則從《魯論》。

此外，引用了大量的文獻及諸多注家的解說，涉及的文獻有《春秋繁露》、《白虎通》、《鹽鐵論》、《史記》、《漢書》、《後漢書》、《禮記》、《左傳》、《五經異義》、《韓詩內傳》、《拜經日記》等，涉及的注家包括劉逢祿、宋翔風、戴望及鄭玄、許慎、包咸、劉向、李善、徐彥、臧庸、江永、包慎言等。

值得注意的是，被劉恭冕引用較多者，不是今文派，而是古文家。由此可窺見其精於考證的學術積累與治經訴求。

二

寶應劉氏《論語》詮釋的顯著特徵是漢宋兼采。

漢學與宋學，是中國學術史上的重要概念，既有時間上的分界，也有方法上的區別，還有學術旨趣的差異。總之，漢學主要指漢代章句之學，追求考據、名物、訓詁。宋學主要是宋代學人不滿漢代的煩瑣考據之學，強調從經書的要旨、大義出發，從宏觀角度，追求經書的豐富義理。

揚州學派學術宗尚主要是漢宋兼采，其《論語》詮釋亦是如此。阮元有《論語校勘記》，亦有《論語論仁論》；焦循有《論語補疏》，也有《論語通釋》。劉氏家族亦能不主一家，兼收並蓄。

劉台拱詮釋《論語》不別古今，不分漢宋，做到當褒則褒，當非則貶，科學裁斷。第十一條解釋《鄉黨》第四章「攝齊升堂」句，劉氏先引「孔安國曰：攝齊者，摳衣也。」斷語曰：「謹案：孔注非也。」第一條解釋〈學而〉十五章「如切如磋，如琢如磨」時指出：「《集解》及皇、邢二《疏》並鶻突不分明。朱《注》不用《爾雅》而創為已精益精之說。推是義不過以切琢喻可也，磋磨喻未若，比例雖切，而於聖人之意初無所引申，何足發告往知來之歎？」不管是漢學、宋學，當非則貶。劉氏甚至對《春秋》義例也提出了尖銳的詰難，第三條解釋〈八佾〉十七章「子貢欲去告朔之餼羊」時云：「春秋横以己意為之限斷，書於前而諱於後，存其少而沒其多，何以為信史乎？」可見，劉台拱《論語駢枝》充滿了批判的精神、質疑的勇氣。

劉寶楠《論語正義》是在乾嘉考據學影響之下的集大成之作，治經態度與方法，離不開其時代的學術氣氛，十分重視文字、音讀方面的考訂。如釋〈雍也篇〉「君子博學于文」條云：「《釋文》云：一本無『君子『字，兩得。臧氏琳《經義雜記》：君子乃成德之稱，不嫌其違畔於道。〈顏淵篇〉此章再見，無『君子』字。知此亦無有者為得也。馮氏登府《異文考證》引《後漢》〈範升傳〉亦無『君子『字。」此處引用陸德明、臧琳、馮登府諸說，考訂「君子」二字為衍文。此外，劉寶楠對於名物制度，亦有精詳考證。如〈為政篇〉之北辰、車制；〈公冶長篇〉之瑚璉之器，宰、邑制，守龜、山節、藻稅之制；〈雍也篇〉之釜、鄉、黨、徑、觚；〈鄉黨篇〉之宗廟、朝廷、上大夫、下大夫、公門、紂、練、袗絺綌、緇衣、羔裘、素衣、麑裘、寢衣、玄冠、居室、飲食、車制；〈顏淵篇〉之十一稅；〈堯曰篇〉之天帝、律曆等，均有非常翔實的考證，充分顯示出劉寶楠的考證旨趣和漢學宗尚。

《論語正義》考據居多，然其對於孔子思想中許多重要觀念，如性、天、道、仁、聖等的疏釋，即表現出其清學義理的宋學傾向。如釋〈陽貨篇〉「性相近，習相遠」句時，云：「焦氏循〈性善解〉：性無他，食色而已。飲食男女，人與物同之。當其先民知有母，不知有父，則男女無別也，茹毛飲血，不知火化，則飲食無節也。……以飲食男女言性，而人性善不待煩言自解也。禽獸之性不能善，亦不能惡；人之性可引為善，亦可引為惡。唯其可引，故善也。牛之性可以敵虎，而不可使之咥人，所知所能不可移也。唯人能移，則可以為善矣。是故唯習相遠，乃知其性相近，若禽獸則習不能相遠也。」劉氏引焦循觀點強調：所謂性，不過是飲食男女之食與性而已。人之性所以為善，乃因為人能知；而禽獸之性不能善，因為禽獸不能知。但禽獸之性不能善，亦不能惡，且不可引之；而人之性可引為善，亦可引為惡，然可引為善。是故惟其習而人之性可以移，可以相遠也；而禽獸雖習亦不能移、不能相遠。

由此可見，劉氏在義理闡釋方面亦用力甚勤。《論語正義》一書雖在考據餘風下，努力的繼承了此一學風的特色，完成了一部考據精詳的《論語》注疏，然此書並不局限於煩瑣的飽飣之學，而能在義理的發揮上，呈現清代中期思想的風貌，且反應其開放、相容、集大成等進步思想。

劉恭冕《何休著訓論語述》之目的是「刺取諸文」，輯錄存義。劉恭冕本著實事求是的精神，辨章學術，考證源流，讓世人對何休之《論語》詮釋有一個真實全面的瞭解。故將何休《公羊注》、《膏肓》、《廢疾》中所引《論語》經文輯錄出來，欲存何休用《論語》詮釋《公羊傳》情形之「大概」。劉恭冕是以漢學的方法實現宋學的效果。

劉恭冕漢宋兼采之傾向從其輯佚後的按語中亦可見出端倪。如第九條公羊桓八年「吾不與祭，如不祭」，劉恭冕先言《論語》經文意旨，再以《儀禮》〈特牲．饋食禮〉、賈公彥《疏》證之，最後明確指出：「孔子仕為大夫，得使人攝祭也。今邵公引以證仕禮，劉逢祿《述何》、戴望《論語注》皆用之，非《論語》之旨」。第四十三條，劉恭冕輯出公羊莊十二年、桓二年、僖二年、成九年四則何休《解詁》語：「復發傳者，君子樂道人之善也」。案語曰：「戴望《注》云：『《傳》曰：《春秋》辭繁而不殺者，正也。』」劉恭冕對今文派注解當褒則褒，該貶則貶，充分揭示其實事求是、兼采漢宋的學術宗尚。

三

寶應劉氏《論語》詮釋的突出貢獻是貫通鼇新。

王國維《人間詞話》云：「入乎其內，故有生氣；出乎其外，故有高致」。[5]王國維的「出入說」主要闡述藝術創作的物我關係或審美主體的情理把握問題。強調創作主體對審美客體既要用心體驗，真情投入，乃至「沉迷與癡迷」，同時又要保持「清醒與清晰」,做到入乎其內，情動天地；出乎其外，思入風云。但在經學研究領域，入內主要強調對經學文本的細緻咀嚼，用心涵味，體驗文本主體的情感空間心靈訴求；出外主要是跳出文本的幽思和昇華，重視文本之間的關聯貫通，強調文本和社會政治文化的互動嬗變。做到入乎其內，得其精髓，出乎其外，心游萬仞。

劉台拱對《論語》文本的熟悉程度令人驚歎，每每于文本內自由穿行，比較關聯，時時與聖人精神相遇、心靈交流，引導人們感悟孔子言語的言外之旨，微言大義。如第一條解釋「如切如磋，如琢如磨」句時，否定朱《注》，認為其「比例雖切，而于聖人之意初無所引申，何足發告往知來之歎？」實際上就是指出朱《注》拘泥封閉，自小疆域，入內局促，不能出外超越，引發大義。

5 王國維：《人間詞話》(杭州市：江蘇文藝出版社，2007年版)，頁35。

劉台拱治學範圍廣闊。其不局限於經，而是廣涉經、史、子，包括《論語》、三禮、《大戴禮記》、《韓詩外傳》、《說苑》、《爾雅》、《方言》、《國語》、《漢書》、《荀子》、《淮南子》等等，既博綜群籍，又有所專精。其治學方法主要包括漢學法、宋學法、統計法、以經證經、以史證經、經內互證、跨文本詮釋等，可謂立體多元，虛實結合。形成了高屋建瓴、捭闔縱橫的鮮明特色。

《論語駢枝》中，大量使用統計定量分析法。如訓詁〈雍也〉第六章時統計出「《周禮》用騂牲者三事。」注解〈為政〉第八章時指出「《論語》中言弟子者七，其二皆年幼者，其五謂門人。言先生者二，皆謂年長者。」詮釋〈述而〉第二章時，總結出《論語》「第七篇所記多夫子自道之辭」。這些統計學方法的運用，充分說明劉氏對文獻的熟悉程度和駕馭能力，對文本入乎其內、出乎其外的辯證態度和處理水準，體現出高屋建瓴、縱橫開合的氣勢和境界。

劉台拱《論語駢枝》不僅在博覽中糾偏鑒別，在比較中擇優篩選，還常常獨闢蹊徑，自下己意，給人新穎獨特的體驗和認知。第四條〈八佾〉二十章「關雎樂而不淫，哀而不傷」，劉氏認為「哀而不傷，舊說多異。」劉氏「推尋眾說」，皆「未得所安」。在否定先儒舊說的基礎上，從詩樂分流的藝術發展長河中考據論證，指出遠古時候詩、樂皆有〈關雎〉，但古之樂章皆三篇為一，即詩之〈關雎〉僅只有〈關雎〉，而樂之〈關雎〉則包括〈關雎〉、〈葛覃〉、〈卷耳〉。後來樂亡而詩存，〈論語〉此章〈關雎〉當是據樂而言，據樂而言則應該將〈關雎〉、〈葛覃〉、〈卷耳〉聯繫一起，即：樂而不淫者，〈關雎〉、〈葛覃〉也；哀而不傷者，〈卷耳〉也。〈關雎〉樂，妃匹也；〈葛覃〉樂，得婦職也。〈卷耳〉哀，遠人也。但歷代先儒詮釋此句時卻「徒執〈關雎〉一詩」以求「三篇為一」的〈關雎〉之樂，「豈可通哉」？劉氏之見解新穎別致，給人茅塞頓開之感。

劉寶楠《論語正義》之所以被稱為「集大成者」，主要體現在「容量大」「體例大」「成果大」。該書詳采眾家之說，徵引各種文獻多達五百三十種；全書先引經文，再做疏解，「若對於引文有意見者，則加案語以明之」；該書病皇《疏》「多涉清玄」，邢《疏》「依文衍義」，探三家師說之原貌，存《論語》書中典章、訓詁、名物、象數之實，稽本朝彬彬可觀之注解。張舜徽先生讚歎「遠遠勝過了邢昺的舊《疏》，成為清代經學著述中的出色作品。」[6]

劉寶楠常常在經內互證、經史互證中，融合貫通，整合建構，去舊立新，闡發己意。劉寶楠對既有傳統解經成果均能深入辨析，凡疏漏之處，往往不惜筆墨，詳加校注；採集前人成果時，並不隨意馬虎，而是嚴加選擇，凡有持平之義，甚或相悖之見，亦能附著並存。充分顯示其嚴謹的精神、開放的視野、貫通的胸襟。

---

6 張舜徽：《清代揚州學記》（揚州市：廣陵書社，2004年），頁47。

劉寶楠的創新主要體現在對先賢注疏的識斷及修訂。如疏解〈學而〉「道千乘之國」之「道」字，馬《注》「道謂為之政教」，包《注》「道中，治也。」劉氏指出「融依《周禮》，包依〈王制〉、《孟子》，義疑，故兩存焉。」接著，梳理皇、邢之《疏》，認為「無所折衷，後人解此，乃多轇轕。從馬氏，則以千乘非百里所容；從包氏，則以《周禮》為不可信。紛紛詰難，未定一是。」劉氏在反復互參中大膽斷語，認為清人金鶚《求古錄》之解「最明最詳」。

劉恭冕《何休注訓論語述》主要是輯佚之作。輯佚之作能夠充分證明輯佚主體必須擁有廣博的學術資訊和豐富的知識儲備。且其不多的按語中亦能體現出貫通的學術宗尚和創新的詮釋追求。有直接肯定戴望之注允當者，有指出劉逢祿其不當者，亦有直接指出劉逢祿之述義本於何休之注或由何義引申者；有指出何義不當者，有考證諸家之說與何休意旨相合者，亦有直言何氏糾謬有功者。

第十五條載哀公三年事，《公羊傳》曰：「蒯聵為無道，靈公逐蒯聵而立輒，然則輒之義可以立乎？曰可。其可奈何？不以父命辭王父命，以王父命辭父命，是父之行乎子也。不以家事辭王事，以王事辭家事，是上之行乎下也。」何休《解詁》曰：「雖得正，非義之高者也，故冉有曰『夫子為衛君乎？』子貢曰：『諾，吾將問之。』入曰：『伯夷、叔齊何仁也？』曰：『古之賢人也。』曰：『怨乎？』『求仁而得仁，又何怨？』出曰：『夫子不為也。』」劉恭冕案語云：「此引《論語》以正公羊之誤」。關於輒繼位一事，《公羊傳》認為是「以王事辭家事」，「以王父命辭父命」，是「王法行于諸侯」，是「重本尊統」。而何休則顯然有不同的理解，認為此人「雖得正」，然尚稱不上「義之高者」，並引《論語》經文證之。在孔子眼裡，輒的「仁德」顯然比不上逃位不居、互相讓國的伯夷、叔齊。《公羊傳》評價人物重王法行事，而何休《解詁》則兼顧心性仁德。何休之視野更加開闊，認識更為深刻。「更為重要的是，只有依照何休的理解，《春秋》與《論語》在同一問題上才能保持觀點上的一致性。」[7]還有，劉恭冕「此引《論語》以正公羊之誤」之案語，看似極為簡單，實有舉輕若重、一發千均之點睛之功。他提醒我們重新深刻地認識何氏《解詁》與《公羊傳》之相互關係。劉恭冕告訴我們：何休宗尚「公羊學」，但並不一味盲從，全盤接受，有自己的選擇和見解。

劉恭冕除了與其父共疏《論語正義》外，在理論上也有建樹，其「廣經說」在學術界有著重大影響。劉恭冕第一個提出主張將《荀子》列為經典，儘管此前汪中在《荀子通論》中為荀子翻了案，但不如劉恭冕這樣徹底。劉恭冕不僅如汪中肯定了荀子「有功於諸經」，而且還肯定了荀子其地位「不在孟子之下」，由此可見，劉恭冕的思想既大膽，又前衛。

7　田漢雲：《中國近代經學史》（西安市：三秦出版社，1996年版），頁298。

學術論文集叢書

經學史研究的回顧與展望

——林慶彰教授榮退紀念論文集

下冊

張曉生　主編

目次

上冊

周易研究

尚書研究

詩經研究

三禮及大戴禮研究

春秋與三傳研究

四書研究

下冊

孝經研究

文字、聲韻、訓詁研究

石經研究

經學史研究

文獻學研究

出土文獻研究

國際漢學研究

編輯後記

孝經研究

「孝道」與《孝經》

姜廣輝
湖南大學嶽麓書院特聘教授

提要

孝道觀念是中國古代儒家、墨家、道家和後期法家共同宣導的思想觀念。即使是後來的儒、釋、道三教並行的時代，「孝道」也是能為各家思想所認同的觀念。可以說「孝」是中華民族最核心的價值觀念，這種價值觀念由「報本反始」、「知恩圖報」、「將心比心」三條公理支撐。《孝經》大致成書於戰國中晚期之間，為曾子後學所作，其中明確講「明王之以孝治天下」。提倡孝道，將來可以「移孝作忠」，這可以說是古代儒家政治思想的要訣。

關鍵詞：孝道　「報本反始」　《孝經》　「移孝作忠」　「以孝治天下」。

一　「孝道」觀念是中華文化的內核

中華文化對社會影響最深且久的觀念，不是天、道、德、理、仁、義、禮等觀念，而是「孝」。從傳說時代說起，舜因為「大孝」被推選為堯的接班人。從現代社會來說，中國經歷了「五四」運動與「文化大革命」的激進「反傳統」思潮，「孝道」思想仍然深深紮根於人心之中。

在先秦時期，不僅儒家宣導「父慈子孝」，墨家亦批評當時社會「父子不慈孝」（《墨子．兼愛中》）；道家批評儒家的「仁義」，卻主張「孝慈」：「絕仁去義，民復孝慈。」（《老子》十九章）秦始皇以法家學說統一天下，而後巡遊各地，勒石稱功，其中亦有許多宣揚孝道的文字，如《繹山刻石》即有「孝道顯明」之語。我們可以說孝道觀念是中國古代儒家、墨家、道家和後期法家共同宣導的思想觀念。即使是後來的儒、釋、道三教並行的時代，「孝道」也是能為各家思想所認同的觀念。

《論語．學而》篇載：

> 有子曰：「……君子務本，本立而道生。孝悌也者，其為仁之本與！」

清儒阮元指出，人們原來以為有子所說的這四句話十九字，其實是孔子之語。因為漢代劉向《說苑．建本篇》引孔子曰：「君子務本，本立而道生。」同篇又引孔子曰：「立體有義矣，而孝為本。」劉向在西漢領校秘書，所見傳記百家古說甚多，因之，他所引孔子之語，應有所本。

阮元又引《後漢書》卷九十四《延篤傳》：「篤乃論之曰：……夫仁人之有孝，猶四體之有心腹，枝葉之有根本也。聖人知之，故曰：『夫孝，天之經也，地之義也，人之行也。君子務本，本立而道生。孝悌也者，其為仁之本與！』」就文獻而論，延篤所引聖人（即孔子）之言，前十四字載於《孝經》，已明標「子曰」，即為孔子之言。後十九字則見於《論語》首篇第二章有子之言。漢儒延篤認為是孔子之語。阮元由此認為，兩漢舊說皆以此十九字為孔子之言。而這段話講明了仁、孝二者的關係，即對於「仁」而言，「孝」是更根本的。

《孝經》是對中華「孝道」思想的高度提煉和昇華。鄭玄《六藝論》說：「孔子以六藝題目不同，指意殊別，恐道離散，後世莫知根源，故作《孝經》以總會之。」他認為孔子纂修六經之後，有鑒於六經義理太多，怕人流入支流末節，故作《孝經》，用「孝道」來統會六經義理。鄭玄將《孝經》作者定為孔子，未必可信。但他關於《孝經》用「孝道」來統會六經義理的觀點，則值得重視。這一思想影響了後世許多思想家，如：明初大儒曹端解釋「孝經」二字說：「『孝』云者，至德要道之總名也；『經』云者，出世立教之大典也。然則《孝經》者，其六經之精意奧旨歟！」明末黃道周《孝經集傳序》說：「《孝經》者，道德之淵源，治化之綱領也。六經之本皆出《孝經》。」

近代章太炎先生則將《孝經》看作「萬流之匯歸」「國學之統宗」(章太炎《國學講義》)。這是說,《孝經》不僅是經學的根本,也是全部國學的根本。《孝經》的地位在傳統文獻中是否真的這麼重要,可能在儒家學者中看法是不一致的。但至少有一些學者是這樣看的:中國人的一切道德都是從「孝道」引申出來的。

孫中山先生說:「《孝經》所講的『孝』字,幾乎無所不包,無所不至,現在世界上最文明的國家,講到『孝』字,還沒有像中國講得這麼完全。」中山先生的話值得我們認真思考:一部《孝經》不到兩千字,何以所涵蓋的內容「無所不包」「無所不至」呢?這裡,我們舉一部解釋推衍《孝經》的書為例,這部書叫《御定孝經衍義》,是清代順治皇帝詔令修纂的,體例全模擬真德秀的《大學衍義》。我們來看它包括哪些內容。因為《孝經》說「孝」反映了先王的「至德要道」,那「至德」是什麼呢?是「仁、義、禮、智、信」,所以「孝」包含了「仁、義、禮、智、信」。那「要道」是什麼呢?是父子、君臣、夫婦、兄弟、朋友的五倫之道,所以「孝」包含了這「五倫」之道。「孝」又是「教之所由生」,那什麼是「教」呢?是「禮、樂、政、刑」。所以「孝」包含了「禮、樂、政、刑」。「孝」又分五等之孝,第一等是「天子之孝」,「天子之孝」包括哪些方面呢?包括愛親,而愛親又包括「早諭教、均慈愛、敦友恭、親九族、體臣工、重守令、愛百姓、課農桑、薄稅斂、備凶荒、省刑罰、恤征戍」十二項。「愛親」之後,還要「敬親」,「敬親」包括哪些方面呢?包括「事天地、法祖宗、隆郊配、嚴宗廟、重學校、崇聖學、教宮闈、論官材、優大臣、設諫官、正紀綱、別賢否、制國用、厚風俗」十四項。第二等是「諸侯之孝」,「諸侯之孝」包括哪些方面呢?包括愛親、敬親、不驕、不溢。第三等是「卿大夫之孝」,「卿大夫之孝」包括哪些方面呢?包括愛親、敬親、法服、法言、德行。第四等是「士之孝」,「士之孝」包括哪些方面呢?包括愛親、敬親、事君忠、事長順。第五等是「庶人之孝」,「庶人之孝」包括哪些方面呢?包括愛親、敬親、用天道分地利、謹身節用。你看,一個「孝」字把一個國家上上下下、方方面面的事情都包括進去了!那這一部《孝經》不是正如中山先生所說的「幾乎無所不包,無所不至」嗎?

中國人自古重視現實生活,不重視所謂「彼岸世界」;重視家庭生活,往往為其精神之寄託。而家庭倫理最重要的,就是一個「孝」字。所以胡適先生說:「外國人說我們沒有宗教,我們中國是有宗教的,我們的宗教,就是儒教,儒教的宗教信仰,便是一個『孝』字。」中國許多人看似沒有宗教信仰,把「精神家園」建立在現實的家庭生活之中。他們重視家庭、重視孝道的那種情感,實際亦頗類似於一種宗教的感情。

所以,如果有人問,用哪一個字可以概括中國人的道德精神,或者說,中華民族最核心的價值觀念是什麼?我們的回答是:「孝」。這不是我的個人觀點。《孝經》本身以及《孝經》學派就是這麼認為的。我們來看《孝經》首章「開宗明義章」是怎麼提出問題的:「仲尼居,曾子侍。子曰:『先王有至德要道,以順天下,民用和睦,上下無怨。

汝知之乎？』曾子避席曰：『參不敏，何足以知之？』子曰：『夫孝，德之本也，教之所由生也。』」又，《孝經．聖治章第九》載曾子曰：「敢問聖人之德，無以加於孝乎？」子曰：「天地之性，人為貴。人之行，莫大於孝。」這也就是說，關於儒家的學問，抓住了「孝」，就是抓到了「至德要道」，就是抓到了政教的根本。

在中國人的心中，沒有類似西方基督教那種對「上帝」的信仰，卻有一種「良心」的自我堅守。這種「良心」的自我堅守有三條「公理」來支撐，而所謂「公理」是不言自明，無須論證的。

第一條公理：叫「報本反始」，萬物本乎天，人本乎祖，「報本反始」就是尊禮天地，追孝始祖，由此而有「敬天法祖」的理念。就人類而言，是天地所生，就個人而言，是父母所生，父母又有父母，一直可以上推至遠祖，這樣推上去，許多不同的族群即可能原出於共同的祖先，由此又有「協和萬邦」「四海之內皆兄弟」的理念，有「民胞物與」的理念，等等。

第二條公理：叫「知恩圖報」，知恩圖報是做人的起碼道德。不能知恩圖報，或者恩將仇報，以怨報德，那就是小人，甚至禽獸不如，由此而有君子、小人之分，有人、禽之分。對於儒家學者來講，不僅父母有養育之恩，師友、鄉里、社會、國家以至天地都有恩於自己，應該「知恩圖報」。這是一種報答的感情和心態。在儒者看來，人一生下來，就欠社會許許多多，所以應該「報答」，報答是一種境界，報答越多，境界越高。儒學與基督教、伊斯蘭教等宗教信仰不同，儒學是一種「意義的信仰」，所謂意義，是生命的意義，一個人對社會報答越多，境界就越高，其生命就越有意義。

第三條公理，叫「將心比心」，你孝敬父母，別人也孝敬父母；你慈愛幼子，別人也慈愛幼子。因而推己及人，老吾老以及人之老，幼吾幼以及人之幼。由此得出道德的最基本原則，所謂道德金律：「己所不欲，勿施於人。」、「己欲立而立人，己欲達而達人。」

中國人的「孝道」觀，是建立這三條公理之上的，所以《孝經》說：「夫孝，天之經也，地之義也，民之行也。」不僅中國人的「孝道」觀建立這三條公理之上，中國人的一切道德理論都建立在這三條公理之上。

二　《孝經》的思想特色及其歷史影響

《孝經》與先秦其他儒家文獻相比，有許多相通一致之處，但也具有其本身的思想特色。在這一節中，我們專門從《孝經》中拈出幾個有思想特色的問題來討論。

(一)「天子之孝」

以前儒家文獻談「孝」，一般並不因人的社會等級不同而談不同類型的「孝」，《孝經》則明確談「五等之孝」。我們在先秦儒家文獻中，所能看到的是《大戴禮記・曾子本孝》中載有這樣的話：「君子之孝也，以正致諫。」（注：謂卿大夫）「士之孝也，以德從命。」「庶人之孝也，以力惡食。」（注：分地任力致甘美）從中可以模糊地看到君子之孝、士之孝、庶人之孝的等級。而《禮記・祭義》說：「祀乎明堂，所以教諸侯之孝也。」其下文尚有「所以教諸侯之弟（悌）」「所以教諸侯之德」「所以教諸侯之養」「所以教諸侯之臣」等句，其意是說，西周的一些禮制是為了誘導諸侯能孝、能弟（悌）、能德、能養、能臣。其中的「諸侯之孝」並不是一個專門的名目。

至於「天子之孝」，在先秦其他文獻中從未明確提及，這是非常特殊的。《孝經》說：「愛親者不敢惡於人，敬親者不敢慢於人，愛敬盡於事親，而德教加於百姓，刑（型）於四海，蓋天子之孝。」這是對帝王個人所提出的品德要求，即他雖然貴為天子，也有父母兄弟，也應該像所有人那樣奉行「孝悌」之德。我們在研究董仲舒時，認為他提出的「屈君以伸天」是抬出「天」來壓人君。同樣，《孝經》提出「天子之孝」，也是用「孝」來壓人君，使其行為不致放蕩失檢，而有所顧忌。實際上，用「孝」來壓人君，人君還是比較容易接受的。這裡舉兩個例子：

第一個例子：昔日秦始皇母親與嫪毐穢亂後宮，秦始皇得知，欲治嫪毐之罪。嫪毐恐懼，矯王御璽，發兵為亂。秦始皇使人擊殺之，夷三族。怨母后失行，遷之於雍，與世人隔絕。當時群臣進諫而死者十幾人，齊人茅焦冒死進諫說：「秦方以天下為事，而大王有遷母太后之名，恐諸侯聞之，由此倍（背）秦也。」秦始皇聽後，乃迎太后於雍。這是說即使一向崇尚法家、不可一世的秦始皇也怕背上「不孝」的惡名，而引起天下人的反感。

第二個例子，漢宣帝的第三個兒子叫劉宇，被封為東平王，他對母后不孝。漢宣帝死後，漢元帝即位。東平王母親告到漢元帝那裡，說我沒有這個兒子，我去給先皇守陵園。那時的制度，嬪妃無子，才去守陵園。所以漢元帝派遣太中大夫張子蟜奉璽書責問東平王說：「皇帝問東平王，蓋聞親親之恩莫重於孝，尊尊之義莫大於忠。諸侯在位不驕，以致孝道；制節謹度，以翼天子。然後富貴不離其身，而社稷可保。今聞王自修有闕，……惟王之春秋方剛，忽於道德，……故臨遣太中大夫子蟜諭王朕意。孔子曰：『過而不改，是謂過矣。』王其深惟孰思之，無違朕意。」你看，漢元帝的詔書就好像是給東平王上《孝經》課，這說明《孝經》乃至孝道對當時的皇親貴族是有很大的制約力的。

這兩個例子說明，強調「天子之孝」或「諸侯之孝」，一方面對皇帝本人和皇親貴族有一定的約束力，另一方面也在鼓勵他們為天下人做出表率。

正因為中國人講孝道，所以歷史上每當小皇帝即位時，便引出太后「垂簾聽政」的事情來。小皇帝在親政之前，即使有顧命大臣，許多大的決策都須由太后最後做出。這種情況的發生，正是由傳統文化中的孝道所內在決定的。由此可見，《孝經》中的孝道觀念對中國古代社會的政治生活影響之深遠。

（二）以孝治天下

《孝經》中明確講「明王之以孝治天下」。提倡孝道，對於治理天下真的有幫助嗎？我們的回答是肯定的。這個道理很簡單，因為孝道可以誘導許許多多孩子在家庭成長過程中成為一個馴順守規矩的人，這樣的人將來為國家社會服務也將會是一個馴順守規矩的人。用《孝經》中所引孔子的話說：「君子之事親孝，故忠可移於君；事兄悌，故順可移於長。」這叫「移孝作忠」「移悌作順」。

戰國時期，秦國長期奉行法家政策，曾以「孝悌」為「六虱」之一。秦統一天下後不久便滅亡了，賈誼的千古名篇《過秦論》總結秦王朝覆滅的教訓是：「仁義不施，而攻守之勢異也。」清代的阮元則認為賈誼的認識不夠透徹。在他看來，「秦祚不永，由於不仁，不仁本於不孝，故至於此也。賈誼知秦之不施仁義，而不知秦之本於不知《孝經》之道也。」因為「不孝則不仁，不仁則犯上作亂，無父無君，天下亂，兆民危矣。」[1]相比較而言，阮元的認識可以說是更深刻的。我們贊成他的觀點：秦朝滅亡，其根本原因在於「秦之本於不知《孝經》之道也」。

筆者以前曾納悶：漢朝統治者「以孝治天下」，是誰教給他們的？史書上並未見有人建議他們「以孝治天下」呀！現在筆者明白是因為此時《孝經》一書的出現，告訴了他們這個道理。所以漢代皇帝，自漢惠帝以下，幾乎每個人的謚號都加一個「孝」字。漢代選拔官吏也注重選拔孝者、廉者[2]，稱為「舉孝廉」。「求忠臣必於孝子之家」，這是那時統治者的想法，東漢明帝甚至要求期門、羽林宿衛軍士悉通《孝經》[3]。這些都凸顯了漢代「以孝治天下」的特點。

漢王朝「以孝治天下」，應該說是很成功的。特別是到了東漢時期，知識份子崇尚節操已經蔚成風氣，「依仁蹈義，捨命不渝」，被顧炎武稱讚為「三代以下，風俗之美，無尚於東京者」。

漢王朝「以孝治天下」的政治經驗也影響了後世。唐玄宗不僅親自領銜為《孝經》

---

1 阮元：〈孝經解〉，《揅經室集》上，頁48。

2 《漢書．武帝紀》：漢武帝元光元年（西元前134年），「令郡國舉孝廉各一人」，顏師古注：「孝」謂善事父母者，「廉」謂清潔有廉隅者。

3 《漢書．儒林傳》稱：漢明帝時，「自期門、羽林之士，悉令通《孝經》章句」。《漢書．樊宏傳》所錄樊准奏章也言及漢明帝時「期門、羽林介胄之士，悉通《孝經》」。

作注，而且在全國發佈詔令：「自古聖人皆以孝理（治），五常之本，百行莫先。移於國而為忠，事於長而為順。永言要道，實在弘人。自今已後，令天下家藏《孝經》一本，精勤誦習。鄉學之中，倍增教授。」

北宋時期，禮部規定武學減去《三略》、《六韜》、《尉繚子》等兵學課程，讓武勇之士增習《孝經》、《論語》、《孟子》，被人批評為「迂闊」。程頤出來幫助辯解說「尚未足為迂闊」。

而清朝初期的三位皇帝都曾大力弘揚《孝經》，連續出了三部「御定」本《孝經》：《御定孝經注》（順治）、《御定孝經衍義》（順治、康熙）、《御纂孝經集注》（雍正）。這些都是為「以孝治天下」作理論支撐的。

（三）立身揚名

中國古人的生命觀念是這樣的，即認為由先祖到自己，再到後代是一個生命連續體。一個人雖然死了，但只要有後代接續，那他的血脈就沒有斷。而只要血脈沒斷，他的生命就在延續，他生前的未竟之志，都有機會由其後代來完成。這樣一個生命的連續體非常重視榮譽。前人有德，後人有榮；後人顯名，前人有光。所以古代士人，把「光宗耀祖」當作人生的追求之一。正是在這樣一種文化心理下，曾子提出：

> 身也者，父母之遺體也。行父母之遺體，敢不敬乎？居處不莊，非孝也；事君不忠，非孝也；蒞官不敬，非孝也；朋友不信，非孝也；戰陣無勇，非孝也。五者不遂，災及於親，敢不敬乎？……父母既沒，慎行其身，不遺父母惡名，可謂能終矣。

一個人立身處世，不僅要考慮到自己，也要考慮到父母和家庭，是否會因為自己的不良行為給父母和家庭帶來惡名。這是最基本的人品。

《孝經》則從一種較高的層次提出：

> 立身行道，揚名於後世，以顯父母，孝之終也。

這種「立身行道，揚名於後世」的孝道思想對後世知識份子砥礪氣節，影響很大。這裡舉兩個例子：

第一個例子，《後漢書．范滂傳》記載，范滂少厲清節，舉孝廉。曾任清詔使、光祿勳主事，按察郡縣不法官吏，舉劾權豪，為此得罪了宦官權勢集團。宦官權勢集團製造「黨錮之禍」，陷害忠良，范滂也在被抓名列，他怕逃走連累別人，主動投案自首。她的母親為他送行說：「汝今得與李（膺）杜（密）齊名，死亦何恨！既有令名，復求壽考，可兼得乎？」滂跪受教，再拜而辭，非常悲壯。

第二個例子，《明史・呂維祺傳》記載，明代著名的理學家呂維祺，崇禎年間，官至南京兵部尚書。後歸居洛陽，李自成農民軍攻破洛陽，俘獲呂維祺。農民軍中有人認識這是「呂尚書」，欲釋放之。呂維祺「不辱大節」，北向拜闕，復西向拜父母，乃從容就義。呂維祺著有《孝經本義》，他常說：「我一生精神，結聚在《孝經》，二十年潛玩躬行，未嘗少怠。」他不願意自己的名節受損，有辱祖先，以一死來實踐《孝經》「立身揚名」的精神。這些例子都說明提倡孝道對知識份子砥礪名節起了很大的作用。

當然歷史上也有人為了「舉孝廉」的進身需要而弄虛作假的，但那畢竟是少數人，這裡我們就不去提它了。

三　《孝經》版本、成書年代及作者諸問題

回過頭來，我們來討論《孝經》的版本、成書年代及作者等一些基本問題。就一般而言，這類問題應放在前面來討論。由於《孝經》的版本、成書年代及作者等問題，牽涉到比較專業的文獻學知識，梳理起來比較麻煩，所以我們將它留在最後來處理。

（一）今文《孝經》與《古文孝經》

關於《孝經》一書，班固（西元32-92年）《漢書・藝文志》載錄了兩個最早版本：一是今文《孝經》十八章。（筆者按：未注明來源。）一是《古文孝經》二十二章，顏師古注：「《庶人章》分為二也。《曾子敢問章》為三。又多一章，凡二十二章。」（筆者按：未注所多一章之章題。）《漢書・藝文志》同時載明，《古文孝經》與《古文尚書》同出於孔子故宅屋壁中。今文《孝經》與《古文孝經》的差別，顏師古援引「桓譚《新論》云：《古孝經》千八百七十二字，今異者四百餘字。」這是我們在班固《漢書》和顏師古《漢書注》中所瞭解到的資訊。

五百年後，唐初陸德明（約西元550-630年）撰《經典釋文》，關於《孝經》提供了不少新的資訊。首先，陸德明提出了今文《孝經》來源：「遭焚燼，河間人顏芝為秦禁，藏之。漢氏尊學，芝子貞出之，是為今文。」接著，陸德明又提出，《古文孝經》所多一章章題為《閨門章》。更提出：孔安國曾為《古文孝經》作傳。（筆者按：此說有《孔子家語》作根據，該書《後序》稱孔安國「作《孝經傳》二篇」。）劉向典校古籍，以今文《孝經》比較《古文孝經》，依今文定為十八章。（筆者按：這意味劉向取今文《孝經》與《古文孝經》之優長，作了一個校改本。）接著，陸德明還提及，傳言鄭玄曾為此十八章本作注，但《鄭志》及《中經簿》並未記載鄭玄曾作此書，且「檢《孝經注》與康成注五經不同，未詳是非。」（筆者按：這意味陸德明懷疑所謂「《孝經》鄭注」並非鄭玄所作。）《唐新語》卷九有一條材料，呼應了「《孝經》鄭注」的懷疑：

「開元初左庶子劉子玄（劉知幾）奏議，請廢鄭注《孝經》，依孔注。……略曰：今所行《孝經》題曰『鄭氏』，爰在近古皆云是鄭玄，而魏晉之朝無有此說。後魏北齊之代，立於學官，蓋時俗無識，故致斯謬。今驗《孝經》非鄭玄所注凡十二條。……子玄爭論頗有條貫，會蘇宋文吏拘於流俗，不能發明古義，竟排斥之，深為識者所歎。」

唐人作《隋書．經籍志》基本沿襲了陸德明上述說法，但也提出了新的問題：「梁代，安國及鄭氏二家並立國學，而安國之本亡於梁亂，陳及周齊唯傳鄭氏。至隋，秘書監王劭於京師訪得孔《傳》，送至河間劉炫。炫因序其得喪，述其議疏，講於人間，漸聞朝廷，後遂著令與鄭氏並立。儒者諠諠，皆云炫自作之，非孔舊本。」（筆者按：如所述，《古文孝經》亡於梁侯景之亂，後復出於隋。學者懷疑此復出之《古文孝經》為劉炫所偽造。）[4]

這樣說來，至唐代，無論所謂孔安國的《古文孝經傳》，抑或傳言鄭玄所作今文《孝經注》都已被人懷疑。而這便成了唐玄宗修撰《孝經注》的歷史文化背景。當時今文《孝經》一派宗尚鄭注，《古文孝經》一派宗尚孔注。疑鄭者稱鄭注與鄭玄其他經注不相類，疑孔者稱孔注非孔安國舊本。因此在當時朝廷之上，兩派互相質難，終莫能定。孫奭[5]《孝經注疏序》說：「至有唐之初，……唯孔安國、鄭康成兩家之注，幷有梁博士皇侃義疏，播於國序。然辭多紕謬，理昧精研。至唐玄宗朝，乃詔群儒學官，俾其集議。是以劉子玄辨鄭注有十謬七惑，司馬堅（貞）斥孔注多鄙俚不經。……明皇遂於先儒注中，采摭菁英，芟去煩亂，撮其義理允當者，用為注解。至天寶二年注成，頒行天下。」而《舊唐書．元行沖傳》稱，玄宗自注孝經，特令元行沖撰《御注孝經疏義》，列於學官。此書行世後，孔、鄭二注皆亡。至宋初，邢昺等奉詔撰《孝經正義》，乃據元行沖本而增損之。書成，成為今傳《十三經正義》之一種。

《孝經正義》之外，關於《孝經》的版本尚有司馬光的《孝經指解》，主《古文孝經》，朱熹的《孝經刊誤》，「取《古文孝經》，分為經一章，傳十四章，刪舊文二百二十三字。」是為《古文孝經》改本。宋董鼎撰《孝經大義》，乃據朱熹《孝經刊誤》本而為之。元吳澄根據桓譚《新論》的資訊，斷定隋世所出《古文孝經》為偽作。因為桓譚《新論》稱《古文孝經》一千八百七十二字，與今文《孝經》異者四百餘字，而劉炫本《古文孝經》只有一千八百零七字，除增《閨門》一章二十四字外，與今文《孝經》相異之文僅有二十餘字。所以吳澄斷定隋世所出《古文孝經》為偽作。他在朱熹《孝經刊誤》基礎上重新校訂今文、古文同異，稱為《孝經定本》。這是與朱熹有所不同的第二部《古文孝經》改本。

---

4 劉炫的《古文孝經》本，不知何時後來也失傳了。而收錄於四庫全書的《古文孝經孔氏傳》是從日本傳回來的，刊於一六七二年，前有日本太宰純的序。四庫館臣頗疑其偽，稱其「淺陋冗漫，不類漢儒釋經之體，並不類唐、宋、元以前人語。」

5 或題傳注撰。

入清，《孝經》注釋成了皇帝的專利，順治皇帝先有《御定孝經注》；又有《御定孝經衍義》，體例全模擬真德秀《大學衍義》。此書自順治十三年奉敕纂修，至康熙二十一年告成，康熙皇帝親為鑒定，制序頒行。至雍正皇帝則有《御纂孝經集注》。等等。

（二）關於《孝經》成書年代

關於《孝經》的成書年代，有五條材料指向先秦。其一，東漢蔡邕作《明堂論》，其中曰：「魏文侯《孝經傳》曰：『太學者，中學明堂之位也。」魏文侯為戰國初期有名的賢君，曾以子夏為師。其二，呂不韋《呂氏春秋》曾兩次援引《孝經》之文，其中一次明言「《孝經》曰」，今錄之：「《孝經》曰：高而不危，所以長守貴也；滿而不溢，所以長守富也。富貴不離其身，然後能保其社稷，而和其民人。」(《呂氏春秋》卷十六《察微》）與《孝經》原文全同。其三，《古文孝經》與《古文尚書》同出於孔子故宅屋壁之中。孔子屋壁藏書之年當在秦始皇焚書之時。其四，秦禁書，河間人顏芝藏《孝經》。其五，陸賈《新語》卷上《慎微》：「孔子曰：「有至德要道以順天下。」言德行而天下順之矣。」所引孔子之言，見於《孝經》。而陸賈是秦末漢初之人，則孔子此語當出自先秦之時。唯陸賈未明稱此語出自《孝經》，或可作別種解釋。

魏文侯作《孝經傳》之事，事涉太早，學者多不信從。秦末顏芝藏《孝經》之事，因為其說至唐初方出，似不宜作為證據。陸賈《新語》所引孔子之語因未明標出自《孝經》，似亦只可作為參考，而不作為證據。但《呂氏春秋》曾兩次援引《孝經》之文，且孔子屋故宅壁中藏有《孝經》，據此兩條資料，如說《孝經》成書於先秦，應該可以成立。《呂氏春秋》成於秦始皇即位八年（西元前239年)，這或許可以作為《孝經》成書的下限。

我們考察《孝經》的成書年代，還有一個間接的方法，就是它與《左傳》文字多有雷同，有抄襲《左傳》之嫌。這一點，宋代陳騤《文則》卷上已經指出，今條列如下：

> 一、《左傳・昭公二十五年》：「夫禮，天之經也，地之義也，民之行也。天地之經，而民實則之。則天之明，因地之性。」
>
> 《孝經・三才章》：「子曰：夫孝，天之經也，地之義也，民之行也。天地之經，而民是則之，則天之明，因地之利。」
>
> （此條只有「孝」「是」「利」三字與《左傳》不同。）
>
> 二、《左傳・衛襄公三十一年》北宮文子對衛襄公曰：「故君子在位可畏，施捨可愛，進退可度，周旋可則，容止可觀，作事可法，德行可象。」
>
> 《孝經・聖治章》：「君子則不然，言思可道，行思可樂，德義可尊，作事可法，容止可觀，進退可度。」

（此條「作事可法，容止可觀，進退可度」三句皆見於前引北宮文子之言。其餘文字雖不同，句法卻相同。每句第三字皆為「可」字。）

三、《左傳．宣公十二年》士貞子諫晉景公：「林父之事君也，進思盡忠，退思補過。」

《孝經．事君章》：「子曰：君子之事上也，進思盡忠，退思補過。」

（此條「進思盡忠，退思補過」兩者相同。「君子之事上也」與「林父之事君也」句式亦相同。）

四、《左傳．文公十八年》季文子對魯宣公：「以訓則昏，民無則焉。不度於善，而皆在於凶德。」

《孝經．聖治章》：「以順則逆，民無則焉，不在於善，而皆在於凶德。」

（此條文字稍有不同。）

兩相比較，這裡明顯存在抄襲的問題，是《左傳》抄襲《孝經》，還是《孝經》抄襲《左傳》？《左傳》中凡引《詩》、《書》，皆明稱「《詩》曰」「《書》曰」，為什麼援引這麼多次《孝經》之文，一次也不說明呢？朱熹同樣看到了《孝經》與《左傳》的雷同之處，他指出：這些雷同之語「在《左傳》中自有首尾，載入《孝經》都不接續，全無意思，只是雜史傳中胡亂寫出來，全無義理，疑是戰國時人鬥湊出者。」（《朱子語類》卷八十二）我們贊同這個見解，這是《孝經》抄襲了《左傳》。那麼《左傳》成書在什麼時候呢？《左傳》中記載了陳敬仲後代田氏代齊的占筮預言。西元前三八六年，周安王正式冊命田和為齊侯，姜姓齊國為田氏齊國所取代。《左傳》自當作於「田氏代齊」事件之後，《孝經》既然多處抄襲《左傳》，則其成書不應早於此時。

綜合上面考證，我們或許可以將《孝經》成書定在西元前三八六年至前二三九年的大致範圍之間，這是戰國中期至後期。具體一點說，這正是孟子生年與荀子卒年之間，儒家各個學派很活躍的時期。

（三）關於《孝經》的作者及撰作動機

1 孔子所作

鄭玄《六藝論》曰：「孔子以六藝題目不同，指意殊別，恐道離散，後世莫知根源，故作《孝經》以總會之。」此說認為《孝經》為孔子所自作，其撰作動機是有鑒於六經義理太多，怕使人流入支流末節，故作《孝經》，以孝道來總會六經的義理。

孫奭《孝經注疏序》[6]將當時孔子作《孝經》的情景說得活龍活現：「先儒或云夫子

6 或題傳注撰。

為曾參所說。此未盡其指歸也。蓋曾子在七十弟子中孝行最著。孔子乃假立曾子為請益問答之人，以廣明孝道。既說之後乃屬與曾子。」因為前人提出《孝經》不是孔子所作，是孔子傳授給曾子，由曾子撰作。所以此序作者反駁說，孔子假定曾子為請益之人，以師弟問答的形式寫出《孝經》，寫出後授給了曾子。這樣解釋，看似抬高了《孝經》，卻使孔子有虛構情景之嫌。

清代，由於順治、康熙、雍正三位皇帝都重視《孝經》，乃至親自領銜為《孝經》作注作序，所以清代學者也都致力維護《孝經》的崇高地位，例如阮元就堅決主張《孝經》是孔子自作，並認為是孔子自己定名為《孝經》的，以後儒家諸經綴以「經」字，皆發端於此。釋、道二教名其經典，也襲取於此。他說：

> 「孝經」二字標題，乃孔子所自名。故孔子曰：「吾行在《孝經》。」《史記》：「孔子以曾子為能通孝道，故授之業，作《孝經》。」[7]《漢書・藝文志》曰：「夫孝，天之經，地之義，民之行也。舉大者言，故曰《孝經》。」據此諸古籍，知「經」之一字，始於此書。自此之後，五經、六經、七經、九經、十三經之名，皆出於此。釋、道之名其書曰「經」，亦始襲取於此。[8]

如上所述，以漢鄭玄、宋孫奭、清阮元為代表，認為《孝經》的作者是孔子本人。

2 曾子所作

《古文孝經孔氏傳・原序》，舊傳為孔安國所作，或認為是隋劉炫偽作。真偽不明，作為古人一種觀點，姑引於此：「曾參躬行匹夫之孝，而未達天子諸侯以下揚名顯親之事，因侍坐而諮問焉，故夫子告其誼，於是曾子喟然知孝之為大也，遂集而錄之，名曰《孝經》，與五經並行於世。」這是解釋《孝經》撰作的緣起。但從《孝經》本文看，並非曾子「諮問」在先，孔子始「告其誼」，而是孔子主動傳授曾子的。

司馬遷《史記・仲尼弟子列傳》：「曾參，……少孔子四十六歲，孔子以為能通孝道，故授之業。作《孝經》，死於魯。」司馬遷也主張曾子作《孝經》之說。司馬遷曾從孔安國問學。若上引材料果真出自孔安國的手筆，那兩人觀點倒是一致的。

3 曾子後學

我們在前面談到《孝經》的成書年代時，已論證《孝經》大致成書於西元前三八六年至前二三九年之間，這已經說明《孝經》不能是孔子或曾子所作。更不要說《大戴禮

7　此處阮元理解《史記》原文或有誤。司馬遷做〈仲尼列傳〉時，並未說他作《孝經》，而在作〈仲尼弟子列傳〉講到曾參時說：「曾參，南武城人，字子輿，少孔子四十六歲。孔子以為能通孝道，故授之業。作《孝經》，死於魯。」是說曾參作《孝經》，死於魯。而非說孔子。

8　阮元：〈孝經解〉，《揅經室集》上，頁48。

記》有曾子學派文獻十篇：〈曾子立事〉、〈曾子本孝〉、〈曾子立孝〉、〈曾子大孝〉、〈曾子事父母〉、〈曾子制言上〉、〈曾子制言中〉、〈曾子制言下〉、〈曾子疾病〉、〈曾子天圓〉，其中隻字未提《孝經》之文。這間接說明在曾子本人，以及早期曾子學派應無作《孝經》之事。

曾子學派以重視「孝道」著稱於世，《孝經》當為曾子學派所作應無疑義。不過這應該是後期曾子學派所作，作者為了加強論述的分量和力度，虛構了一個孔子、曾子對話的場景。《孝經》開篇講「仲尼居，曾子侍。」仲尼是孔子的字，在古代，在姓氏後面加「子」或「夫子」是尊稱，是「老師」的意思。若說《孝經》是孔子自作，孔子不應自稱「仲尼」，而稱曾參為「曾子」；若說《孝經》是曾參所作，曾參也不應自稱「曾子」。這是很淺顯的道理。但古人為了維護《孝經》的權威，非要將它說成孔子或曾參所作。其實，從「仲尼居，曾子侍」的敘述方式看，《孝經》明白無誤地是曾子後學所作。

雖然《孝經》不是孔子或曾子所親作，但這不影響《孝經》在中國文化中的特殊重要地位。

王莽的《孝經》解釋與元始明堂祭祀

古橋紀宏
香川大學教育學部准教授

提要

《孝經》〈聖治章〉記載孔子說：「人之行，莫大於孝。孝莫大於嚴父，嚴父莫大於配天。則周公其人也。昔者周公郊祀后稷以配天，宗祀文王於明堂以配上帝。」對於這個明堂宗祀，《孝經》孔安國傳、鄭玄注都解釋爲周公把其父文王配天。但如果這樣解釋，宗祀既然是「嚴父」「配天」，就不必說到郊祀后稷。

西漢王莽、平當對《孝經》的解釋與孔傳、鄭注不同。王莽說：「王者尊其考，欲以配天，緣考之意，欲尊祖，推而上之，遂及始祖。是以周公郊祀后稷以配天，宗祀文王於明堂以配上帝。」平當說：「周公既成文武之業而制作禮樂，修嚴父配天之事，知文王不欲以子臨父，故推而序之，上極於后稷而以配天。」王莽說的「考之意」相當於平當說的「文王不欲以子臨父」。根據他們的解釋，周公忖度文王的孝心，把歷代祖先放在更受尊敬的位置，上至於始祖后稷，才以配天。

西漢元始五年正月在明堂舉行祫祭，當時按照昭穆排列歷代祖先的諸主。這樣祭祀方式適合於王莽所謂「推而上之，遂及始祖」、平當所謂「推而序之，上極於后稷」，是在他們解釋中的郊祀以外的部分，而應該是宗祀。

《南齊書》禮志所引陸澄議、《隋書》宇文愷傳所引《明堂議表》都記載元始五年正月二十二日宗祀文帝於明堂以配上帝。這些史料說明元始五年正月在明堂舉行的祫祭就是宗祀。

關鍵詞：王莽　明堂　孝經　宗祀　祫祭

一　《孝經》〈聖治章〉「嚴父」、「配天」的諸解釋

《孝經》〈聖治章〉云：

> 曾子曰：「敢問，聖人之德，無以加於孝乎？」子曰：「天地之性，人為貴。人之行，莫大於孝。孝莫大於嚴父，嚴父莫大於配天。則周公其人也。昔者周公郊祀后稷以配天，宗祀文王於明堂以配上帝。是以四海之內，各以其職來助祭。夫聖人之德，又何以加於孝乎？」

在此，孔子說：孝行沒有比「嚴父」更為重要的了，「嚴父」沒有比「配天」更為重要的了，其「嚴父」、「配天」的例子是周公舉行的郊祀與宗祀。郊祀是在都城郊外祀天，周公在郊祀時把周室始祖后稷配享於天。除了郊祀之外，還在明堂舉行宗祀，把周公父親文王配享於上帝。

在宗祀中配享文王的「上帝」，《孝經》孔安國傳、鄭玄注都解釋為「天」[1]。按照這兩家的解釋，周公在宗祀時把文王配享於上帝，就是把他父親配天。

但如果這樣解釋的話，宗祀既然是「嚴父」、「配天」，就不須說「郊祀后稷以配天」。對此，皮錫瑞在《孝經鄭注疏》中提到了與孔安國傳、鄭玄注觀點不同的王莽、平當的解釋，並且認同王、平的解釋，云：

> 皆得經旨。不然，經言嚴父配天，但言宗祀文王，不必言郊祀后稷矣。

其王莽的解釋見於《漢書》〈郊祀志下〉所載王莽奏：

> 孔子曰：「人之行，莫大於孝。孝莫大於嚴父，嚴父莫大於配天。」王者尊其考，欲以配天，緣考之意，欲尊祖，推而上之，遂及始祖。是以周公郊祀后稷以配天，宗祀文王於明堂以配上帝。

平當的解釋見於《漢書》〈平當傳〉所載他的上書：

> 孝經曰：「天地之性，人為貴。人之行，莫大於孝。孝莫大於嚴父，嚴父莫大於配天。則周公其人也。」夫孝子善述人之志。周公既成文武之業而制作禮樂，修嚴父配天之事，知文王不欲以子臨父，故推而序之，上極於后稷而以配天。此聖人之德，亡以加於孝也。

1　孔安國傳：「上帝亦天也」，鄭玄注：「上帝者天之別名」。關於《孝經》鄭玄注，參見林秀一《敦煌遺書孝經鄭注復原に關する研究》，《孝經學論集》（東京：明治書院，1976年）。玄宗御注把「上帝」解釋為「五方上帝」，是沿襲鄭玄六天説的觀點。其「五方上帝」是鄭玄所謂「太微五帝」，也就是五天帝（邢疏）。因此其「上帝」也屬於「天」。

按照這兩家的解釋，王莽所謂的「考之意」相當於平當所謂的「文王不欲以子臨父」。根據他們的解釋，周公本來想把文王配天，但忖度文王的孝心，所以把歷代祖先放在更受尊敬的位置，上至始祖后稷才以配天。在他們的理解中，周公實施的「配天」不是「宗祀文王於明堂以配上帝」[2]，而是「郊祀后稷以配天」而已。

那麼王莽、平當怎樣解釋明堂宗祀呢？在《漢書》所載他們對《孝經》的解釋中，郊祀后稷以外的部分可能是對宗祀的說明。

對此，王莽在西漢元始中進行了改制，平當的兒子平晏也參與了這次改制[3]。所以元始改制應該能反映出王莽、平當的學說。因此，依據元始中王莽改制後的制度，可以闡明王莽對《孝經》宗祀的解釋。

二　元始五年明堂祫祭、禘祭與王莽對《孝經》的解釋

《孝經》記載宗祀是在明堂舉行的。根據《漢書》〈平帝紀〉元始四年（西元4年）夏條云：「安漢公奏立明堂、辟廱」，可以得知王莽的明堂是元始四年建立的。

《漢書》〈平帝紀〉云：

> 五年春正月，祫祭明堂。諸侯王二十八人、列侯百二十人、宗室子九百餘人徵助祭。禮畢，皆益戶，賜爵及金帛，增秩，補吏，各有差。[4]

據此可知元始五年正月在明堂舉行祫祭，但不見宗祀。

此外，《後漢書》、《續漢書》所引東漢建武二十六年（西元50年）張純奏也提到元始五年的明堂祭祀：

> 純奏曰：「……。元始五年，諸王公列侯廟會，始為禘祭。又前十八年，親幸長安，亦行此禮。」（《後漢書》〈張純傳〉）

2　關於王莽、平當對《孝經》〈聖治章〉中「上帝」的解釋，可以參考《漢書》〈王莽傳中〉始建國元年（西元9年）王莽規定新朝制度的記載。王莽云：「漢後定安公劉嬰，位為賓。周後衛公姬黨，……，亦為賓。殷後宋公孔弘，……，位為恪。夏後遼西姒豐，……，亦為恪。四代古宗，宗祀于明堂，以配皇始祖考虞帝。」其中「四代古宗，宗祀于明堂，以配皇始祖考虞帝」規定在宗祀把漢、周、殷、夏四代古宗配享於王莽的祖先虞舜。在此把《孝經》〈聖治章〉的「上帝」換成「虞帝」，這說明在王莽的理解中，《孝經》〈聖治章〉的「上帝」不是天（皇天上帝），而是始祖的帝王。參看拙稿《『漢書』元始年間の郊祀・宗祀の紀年に關する一試論》，《中國哲學研究》第28號，2015年。

3　《漢書》〈郊祀志下〉元始五年王莽奏所引的議，平晏也參與了聯名。

4　《漢書》〈王莽傳上〉也云：「五年正月，祫祭明堂。諸侯王二十八人、列侯百二十人、宗室子九百餘人徵助祭。禮畢，封孝宣曾孫信等三十六人為列侯，餘皆益戶，賜爵、金帛之賞，各有數。」

純奏：「……。元始五年，始行禘禮。父為昭，南嚮。子為穆，北嚮。父子不並坐，而孫從王父。」(《續漢書》〈祭祀志下〉)

在此奏中，關於元始五年舉行的明堂祭祀，張純記述了禘祭、禘禮，未言及祫祭。但是，《後漢書》〈張純傳〉李賢注云：

臣賢案：平帝元始五年春，祫祭明堂，諸侯王列侯宗室助祭，賜爵金帛。今純及司馬彪書並云禘祭。蓋禘祫俱是大祭，名可通也。

這說明張純所謂的元始五年禘祭就是《漢書》所載同年春在明堂舉行的祫祭。據此可知元始五年正月舉行的祫祭也稱為禘祭。

關於這次禘祭的內容，依據《續漢書》所引張純奏的描述，是按照昭穆排列諸主的祭祀。而且《後漢書》所引的張純奏也說到建武十八年在長安又舉行了此禮，其李賢注引《續漢書》云：

十八年，上幸長安，詔太常行禘禮於高廟，序昭穆。父為昭，南向。子為穆，北向。

意思是建武十八年在長安高廟確實舉行了按照昭穆排列諸主的禘祭。據此明顯可知元始五年舉行的禘祭是按照昭穆排列諸主的大祭[5]。

這樣的禘祭形式，相當於《漢書》〈郊祀志〉所載王莽對《孝經》的解釋中「推而上之，遂及始祖」的部分，以及《漢書》〈平當傳〉所載平當對《孝經》的解釋中「推而序之，上極於后稷」的部分。這些都是他們《孝經》解釋中的郊祀以外的部分，應該是對宗祀的說明。因此，依據王莽、平當的解釋，元始五年正月的明堂祫祭、禘祭應該是《孝經》所謂的明堂宗祀。

三　元始五年明堂宗祀與王莽對《孝經》的解釋

關於元始五年明堂祭祀的史料，除了《漢書》及張純奏以外，還有《南齊書》、《隋書》中的記載。《南齊書》〈禮志上〉引南齊永明二年（西元484年）尚書陸澄議云：

元始五年正月六日辛未，郊高皇帝以配天。二十二日丁亥，宗祀孝文於明堂配上帝。

《隋書》〈宇文愷傳〉引宇文愷《明堂議表》云：

5　關於元始五年禘祭的詳細情況，參看拙稿《『漢書』元始年間の郊祀・宗祀の紀年に關する一試論》。

五年正月六日辛未，始郊太祖高皇帝以配天。二十二日丁亥，宗祀孝文皇帝於明堂以配上帝。

據此可知元始五年正月舉行了郊祀與明堂宗祀[6]。如上所述，依據王莽、平當對《孝經》的解釋，元始五年正月的明堂祫祭、禘祭應該是《孝經》所謂的明堂宗祀。《南齊書》、《隋書》的記載說明：元始五年正月二十二日在明堂確實舉行宗祀，這就是《漢書》及張純奏所見的元始五年正月在明堂舉行的祫祭、禘祭。

綜上所述，王莽、平當對《孝經》的解釋，可理解為：在王莽對《孝經》的解釋中「緣考之意，欲尊祖，推而上之，遂及始祖」是說明宗祀的部分，在平當對《孝經》的解釋中「知文王不欲以子臨父，故推而序之，上極於后稷」也是說明宗祀的部分，他們都認為在明堂祭祀歷代祖先直至始祖（上帝[7]）是宗祀，而把其始祖配享於天是郊祀。

根據《漢書》〈王莽傳中〉的記載，始建國元年王莽定立了新朝制度，他對於宗祀規定：「皇初祖考黃帝、皇始祖考虞帝，以宗祀于明堂」[8]，而對於郊祀規定：「郊祀黃帝以配天」。從這些規定及王莽、平當對《孝經》的解釋中，可以推斷出在明堂祭祀王莽的歷代祖先直至其始祖黃帝是宗祀，而把始祖黃帝配享於天是郊祀[9]。

關於王莽的經學說，還有許多可以深入探討之處，今後筆者將依據當時的制度進一步加以考察。

---

6 《漢書》記載元始四年正月舉行了郊祀與宗祀，這應是元始五年正月的誤記。參看拙稿《『漢書』元始年間の郊祀・宗祀の紀年に關する一試論》。

7 在王莽的理解中，《孝經》〈聖治章〉的「上帝」是始祖的帝王。參看本稿注2。

8 據《漢書》〈王莽傳中〉始建國元年王莽規定中「宗祀于明堂，以配皇始祖考虞帝」的部分（參看本稿注2），可以推斷出「皇初祖考黃帝、皇始祖考虞帝，以宗祀于明堂」中的「黃帝」、「虞帝」是在宗祀的「上帝」。

9 據王莽、平當對《孝經》的解釋，《南齊書》所引陸澄議、《隋書》所引《明堂議表》的元始五年正月宗祀文帝以配上帝當中，「上帝」是在郊祀時配享於天的漢始祖高祖。

清儒對《孝經》鄭玄注的辯護

吳仰湘
湖南大學嶽麓書院教授

提要

《孝經鄭注》作者問題，是中國經學史上一樁公案。鄭玄自言爲《孝經》作注，《孝經鄭注》自東晉至唐初幾度立於學官，但因東晉以前官私文獻未明載鄭玄《孝經注》，後世屢生疑竇，南齊陸澄首先置疑，陸德明、孔穎達等續加疑辭，劉知幾再設「十二驗」斷言《孝經》非鄭玄所注，王應麟繼而提出鄭小同注《孝經》。清代漢學復興，《孝經鄭注》作者之爭空前激烈，惠棟、錢大昕、阮元、阮福等沿襲舊說，不信鄭玄注《孝經》，而陳鱣、袁鈞、嚴可均、錢侗、侯康、鄭珍、潘任、皮錫瑞、曾朴、曹元弼等前後踵繼，通過求同、釋异的考核證驗，尋出《孝經注》必屬鄭玄的種種內證，同時針對劉知幾「十二驗」逐一辯駁，擊中其要害，又對「鄭小同注《孝經》」說予以否定，破解了這樁千年經學公案。這一典型的案例，具體展示出清代漢學持續發展的歷程與後出轉勝的成就。

關鍵詞：《孝經鄭注》　鄭玄　清代漢學　經學公案

引言：《孝經鄭注》作者問題之由來與再起

《漢書》〈藝文志〉說：「夫孝，天之經，地之義，民之行也。舉大者言，故曰《孝經》。」鄭玄遍注群經，對《孝經》也相當重視。如《禮記》〈中庸〉「大經大本」，他作注說：「大經，謂六藝而指《春秋》也。大本，《孝經》也。」又在《六藝論》中說：「孔子以六藝題目不同，指意殊別，恐道離散，後世莫知根源，故作《孝經》以總會之。」鄭玄將《孝經》視為六藝之根本，並自稱「玄又為之注」，可見他確注《孝經》。東晉、南朝、北魏、北齊、隋及唐初，鄭注《孝經》還幾度立學，士人廣為傳習。

然而，因《鄭志》等原始記載未言鄭玄注《孝經》，《晉中經簿》則僅著錄《孝經鄭氏解》而未明言為鄭玄，所以後世不斷有人懷疑傳世《孝經注》非鄭玄所作。最著者如南齊領國子博士陸澄說：「世有一《孝經》，題為鄭玄注，觀其用辭，不與注書相類。案玄〈自序〉所注眾書，亦無《孝經》，且為小學之類，不宜列在帝典。」[1]尚書令王儉不允陸澄之請，鄭注《孝經》得以繼續立學、流傳。陳末隋初，陸德明又說：「世所行鄭《注》，相承以為鄭玄。案《鄭志》及《中經簿》無，唯中朝穆帝集講《孝經》，云以鄭玄為主。檢《孝經注》，與康成注五經不同，未詳是非。」[2]唐修《隋書》著錄《孝經》時稱：「又有鄭氏注，相傳或云鄭玄，其立義與玄所注餘書不同，故疑之。」[3]孔穎達則在《禮記》〈王制〉疏文中援引《孝經注》時加案語說：「《孝經》之注，多與鄭義乖違，儒者疑非鄭注，今所不取。」唐玄宗開元七年，詔令群儒詳定《孝經》鄭注與孔傳短長，劉知幾立十二驗，指《孝經》非鄭玄所注，主張「行孔廢鄭」，而司馬貞摘駁偽孔之謬，要求「《孝經》鄭注與孔傳依舊俱行」，詔令鄭注《孝經》仍舊行用[4]。然而數年後，偏愛《孝經》的唐玄宗以舊注「踳駁尤甚」[5]，自作新注，立於學官，頒行天下，「御注既行，孔、鄭兩家遂並廢」[6]。宋代《崇文總目》、《直齋書錄解題》雖著錄鄭玄《孝經注》，但又稱「先儒多疑其書」、「先儒並疑之」[7]。元、明以來，不僅鄭注《孝經》書不存世，在公私目錄中也銷聲匿跡。

清代漢學中興，鄭玄之學如火如荼，《孝經》鄭注真偽問題備受關注，考其緣故，主要由以下幾種情形引發：

---

1 《南齊書》〈陸澄傳〉。

2 《經典釋文》〈敘錄〉。

3 《隋書》〈經籍志〉。

4 金良年整理：《孝經注疏》〈孝經序〉（上海市：上海古籍出版社，2009年），頁5-6。

5 金良年整理：《孝經注疏》〈孝經序〉，頁9。

6 《四庫全書總目》卷32。

7 詳見《崇文總目》卷2、《直齋書錄解題》卷3。

其一，在搜輯、考訂《孝經鄭注》或《孝經鄭氏解》時，要判斷此「鄭氏」是鄭玄抑或他人，如嚴可均輯刊《孝經鄭注》時作前後兩敘（稍後又撮合兩敘撰成《孝經鄭注考》），力主鄭玄作注，潘任繼而「就嚴氏所未及以廣證之，又得十五證」[8]，著成《孝經鄭注考證》一卷，而同樣搜輯《孝經鄭注》的陳鱣則認為鄭玄《孝經注》並未寫定，「其孫小同追錄成之」[9]。又如在爭辯日本學者岡田挺之所輯《孝經鄭注》真偽時，錢侗考辨鄭玄曾作《孝經注》，洪頤煊還據岡田本作《孝經鄭注補證》，而阮元、焦循、周中孚等則力言其非，至晚清孫詒讓，仍責斥岡田僅據《群書治要》抄錄成書，「竟署為鄭注，固臆定無左驗，臨海洪氏《孝經補證》遽奉為真鄭義，疏矣」[10]。

其二，在整理《孝經注疏》、講述《孝經》學史、撰作《孝經》新疏時，要討論或確定《孝經注》的作者，如阮元在主持《孝經注疏校勘記》時，聲言「鄭注之偽，唐劉知幾辨之甚詳」[11]，其子阮福承命撰《孝經義疏補》，斷定《孝經注》為鄭小同作，而皮錫瑞撰《孝經鄭注疏》，「駁後儒疑非鄭注者甚詳」[12]，力證《孝經注》必是鄭玄作，曹元弼也在《孝經學》中舉出七證，斷言《孝經》鄭注「確然無疑」[13]。

其三，在為《後漢書》補作《藝文志》時，要考辨《孝經鄭注》的作者，如侯康《補後漢書藝文志》、姚振宗《後漢藝文志》、曾樸《補後漢書藝文志並考》等，均引錄陸澄、陸德明、劉知幾等人對《孝經鄭注》的疑難，然後參稽眾說予以答解，歸之於鄭玄名下。

其四，在編撰鄭玄年譜、考述其生平與著述時，對《孝經注》是否為鄭玄作有所討論，如阮元在增訂孫星衍《鄭司農年譜》時，提出「劉子玄駁《孝經》鄭氏非康成，故疑胤孫所作」[14]，丁晏也採信劉知幾之說，據《太平寰宇記》所載，稱「《孝經鄭注》乃小同所為」[15]，而鄭珍《鄭學錄》、胡元儀《北海三考》等，堅持鄭玄注《孝經》，並判明其作注的時間。

其五，諸家《後漢書》中，唯范曄明載鄭玄注《孝經》，清人對范書疑信參半，「不舉其所注《周禮》而載其《孝經》，致歷齊及唐辯論不決」[16]，在經史札記中各作考

---

8 潘任：《孝經鄭注考證》，光緒二十年潘氏《希鄭堂叢書》活字本，此據錢鍾聯主編《學海月刊》創刊號（1944年7月出版），頁10。

9 陳鱣：〈集孝經鄭注序〉，《孝經鄭注》，乾隆四十七年裕德堂刊本，卷首〈序〉，頁1。

10 阮元：〈孝經注疏校勘記序〉；焦循：〈勘倭本鄭注《孝經》議〉，《雕菰集》卷12；周中孚：《鄭堂讀書記》卷1；孫詒讓：〈日本刊《孝經鄭注》跋〉，《籀廎述林》卷6。詳可參見舒大剛：《中國孝經學史》（福州市：福建人民出版社，2013年5月），頁468-471。

11 阮元：〈孝經注疏校勘記序〉。

12 皮錫瑞：《六藝論疏證》，光緒己亥思賢書局刊本，頁。

13 曹元弼：《孝經學》卷7，光緒三十四年江蘇存古學堂刊本，頁7。

14 孫星衍撰、阮元訂：《鄭司農年譜》，嘉慶十四年揚州阮氏刻本，頁22。

15 丁晏：《鄭君年譜》，同治元年山陽丁氏六藝堂刻本，頁17-18。

16 李慈銘：《後漢書劄記》，張舜徽主編《二十五史三編》第4分冊（長沙市：嶽麓書社1994年12月），頁479。

訂，如王鳴盛《十七史商榷》認為「鄭《注》自魏晉以來有之」，不以《孝經注疏》疑鄭為然，認為范曄《後漢書》載鄭玄注《孝經》可信[17]，錢大昕《廿二史札記》則據《孝經注疏》所述劉知幾諸驗質疑范曄，認為《孝經注》「非鄭所注審矣」[18]，兩位考據大師的意見截然相反；又如孫志祖《讀書脞錄》既不相信范曄之說，也對丁傑將《孝經鄭注》歸於鄭偁加以反駁[19]，而梁玉繩《瞥記》則就《孝經注疏》對鄭注的懷疑，根據《太平寰宇記》所載，認為「康成曾注此經，而成於後人之手」[20]。

可見，清代雖有部分學者沿襲前人之說，對鄭玄注《孝經》仍舊懷疑，但更多的學者針對陸澄、劉知幾等人的疑難，前後踵繼，大作疏解，力加反駁，辨明《孝經鄭注》的作者只能是鄭玄。關於清儒對《孝經鄭注》作者的考辨，民國以來研究者不斷涉及這一重要問題，但迄今沒有專門的評述[21]。因此，本文參考已有成果，廣搜資料，就清代

17 王鳴盛：《十七史商榷》卷35（上海市：上海書店出版社，2005年12月），頁250。按，王鳴盛《尚書後案》卷一另據鄭玄《尚書注》疏解〈堯典〉「五載一巡守，群後四朝」時，引《孝經鄭注》云「諸侯五年一朝天子，天子亦五年一巡守」及熊安生之說，指出：「《孝經注》，先儒疑非鄭注，然此條則是，熊氏推衍亦得鄭意，皆是也。」通過比較，肯定《孝經注》當是鄭玄作。但在《蛾術編》中，他既駁劉知幾之說，引範曄書為證，認為鄭玄實注《孝經》，又信梁載言所謂康成胤孫注《孝經》說，並補充一證：「《孝經注》引偽古文《尚書》兩條，當系東晉偽古文已盛行後所作，則以為康成胤孫作，似確。」詳見《蛾術編》卷八，道光二十一年吳江沈氏世楷堂刊本，頁10；卷59，頁5。

18 錢大昕：《廿二史考異》卷11，陳文和主編：《嘉定錢大昕全集》第2冊（南京市：江蘇古籍出版社，1997年），頁261。

19 孫志祖：《讀書脞錄》卷2，《續修四庫全書》影印嘉慶己未刊本，頁22；《讀書脞錄續編》卷2，《續修四庫全書》影印嘉慶壬戌刊本，頁13。

20 梁玉繩：《清白士集》卷19《瞥記》二，《續修四庫全書》影印嘉慶年間刊本，頁11。按，梁學昌輯《庭立記聞》卷一節錄陳鱣〈集孝經鄭注序〉，可知梁玉繩是采陳鱣之說。

21 比較重要的成果有：楊家駱《清代孝經學考》下篇（載臺灣《學粹》第3卷第2期，1961年）專論《孝經鄭注》問題，言及陳鱣、阮福以《孝經鄭注》為鄭小同作，嚴可均、皮錫瑞則以《孝經鄭注》為鄭玄作，俱錄各家原文，並以一二語作評點；張嚴〈《孝經鄭注》真偽辨疑〉（見《孝經通識》，臺北市：臺灣商務印書館，1970年2版）根據嚴可均《孝經鄭注考》、潘任《孝經鄭注考證》反駁陸澄、劉知幾之說，申明「鄭《注》真偽，可以無辨矣」（詳見該書頁6-13）；陳鐵凡《孝經學源流》（臺灣編譯館，1986年）在論《孝經》鄭注之真時引用曹元弼之結論，在駁陸澄之非時援引嚴可均、皮錫瑞、潘任之考辨，在駁劉知幾之謬時採錄錢侗、嚴可均、阮元、皮錫瑞、潘任諸家之辯駁（詳見該書頁127、頁150-153、頁181-185），都是引以為證，未對清儒辯護《孝經鄭注》的得失作學術評述；耿天勤〈鄭玄注《孝經》考辨〉（載《古籍整理研究學刊》2010年第3期）通過援引陳鱣、嚴可均、侯康、曾朴、鄭珍之說，來反駁陸澄「觀其用辭，不與注書相類」、劉知幾的「十二驗」和「康成胤孫」說、「鄭偁」說，辨明鄭玄晚年避難徐州注《孝經》之事確鑿無疑；謝成豪〈《孝經鄭注》的作者及清儒對其輯佚之探究〉（載《輔仁國文學報》第34期，2012年）重點在評說清代諸家《孝經鄭注》輯本的高下，雖略述《孝經鄭注》作者的爭議，但僅介紹嚴可均和皮錫瑞堅持鄭玄說、阮福主張鄭小同說，對傳世的《孝經鄭注》是否鄭玄作仍表懷疑；舒大剛〈《孝經鄭注》真偽諸說平議〉（載《儒藏論壇》，成都市：四川大學出版社，2012年）和《中國孝經學史》在批評劉知幾時，主要參考陳鐵凡之論，對錢侗、嚴可均、阮元、皮錫瑞、潘任之說加以引述，也沒對清儒辯護《孝經鄭注》問題作專門評析。

學者對《孝經》鄭玄注的辯護作一集中探討，並通過這一典型案例，具體展示清代漢學從乾嘉到同光持續發展的歷程與後出轉勝的成就。

一　內證：對鄭玄注《孝經》的正面辯護

歷來的懷疑論者，均指《孝經注》與鄭玄他經注風格不同或持論相異，如陸澄說「觀其用辭，不與注書相類」，陸德明說「檢《孝經注》，與康成注五經不同」，《隋志》說《孝經注》「立義與玄所注餘書不同」，孔穎達說《孝經注》「多與鄭義乖違」，尤其《孝經注》中俯拾皆是的今文家說，與鄭玄他經注多從古文說大相歧異，甚至彼此矛盾。諸儒由此而懷疑、否定鄭玄注《孝經》，雖未經指實，但似有理致，兩宋以來學者不僅採信其說，而且加以補證，如王應麟舉證說：「《孝經》鄭氏注，陸德明云『與康成注五經不同』，今按：康成有『六天』之說，而《孝經注》云『上帝，天之別名』，故陸澄謂『不與注書相類』。」[22]清代如孔廣林即受前人影響，對《孝經注》作者取闕疑的態度[23]，沈濤指責岡田挺之輯《孝經鄭注》有「上帝，天之別名」一語，「與鄭注他經天為昊天上帝、帝為五帝顯相違戾，其為偽書無疑」[24]，迮鶴壽甚至舉出《孝經注》十數條，認為「以上諸條，義皆醇正，然比諸《詩箋》、《禮注》之典雅古奧，相去遠矣」[25]。然而，堅信鄭玄注《孝經》的清儒前後踵繼，深入探討鄭玄經學尤其《孝經注》，從中尋覓、發掘各種證據，對陸澄等人的疑難作正面回應，為鄭玄注《孝經》力加辯護。

陳鱣針對陸澄之論，反駁說：「夫鄭注《三禮》，與箋《詩》互有異同，安在此注之必類於群經乎？」[26]他從鄭玄《三禮注》與《詩箋》有異，推論鄭玄《孝經注》不必與各經注同。袁鈞則針對陸德明之論，提出「陸氏疑《孝經注》與康成注五經不同，細案之，實未見其不同也」[27]，想到可以尋求鄭玄各經注之同，可惜未列明實證。嚴可均兼釋二陸之疑，說：「鄭氏注書百餘萬言，非旦夕可就，先後不類，

22 王應麟著、翁元圻等注、欒保群等校點：《困學紀聞》（上海市：上海古籍出版社，2008年12月），頁976。

23 按，孔廣林輯《孝經鄭氏解》，敘錄稱：「竊思《孝經注》義多與鄭注他經不合，其非鄭君所作明甚。侍中，鄭君之孫，家學相承，豈有違背之理，侍中作注亦未可信也。徒以前人疑信各半，本傳敘鄭君書有《孝經注》，故附鄭學之末，善會者自能別白耳。」《通德遺書所見錄》，光緒十六年山東書局刊本。

24 引見盛大士《蘊愫閣文集》卷二〈孝經徵文序〉後沈西雍（濤）跋語。

25 引見王鳴盛《蛾術編》卷八，頁12評司馬貞駁議後迮鶴壽校注。

26 陳鱣：〈集孝經鄭注序〉，《孝經鄭注》卷首〈序〉，頁1。

27 袁鈞：《鄭氏佚書目錄敘》〈孝經注〉，陳惠美點校、蔣秋華校訂：《袁鈞集》卷一（臺北市：中研院中國文哲研究所，2013年2月），頁24。

非所致疑。即如五經注，亦或不類。〈坊記〉正義引《鄭志》答炅模云：『為記注時，就盧君先師亦然，後乃得毛公《傳》記古書義又且然[28]，記注已行，不復改之。』〈禮器〉正義亦引《鄭志》云：『後得《毛詩傳》，故與記不同。』若然，辭不相類，《詩》、《禮》多有之，何止《孝經》？」[29]他指出鄭玄不同經注相異不足為奇，不必因此獻疑，因引據《鄭志》，較陳鱣稍有說服力。在《孝經鄭注》後敘中，他又針對二陸所說，提出「是否鄭注，今宜詳考，而注中故實，類不類，同不同，亦宜詳考」，並以《卿大夫章》「法服」鄭注與鄭玄其他經注所說服章相異，認為《孝經注》謂服制「百王同之」乃初定之說，後來自知觸礙難通，注《禮記》、《周禮》、《尚書》時，逐漸區分虞、夏、殷、週四代之制及魯禮，稱「王者相變」，其說益密，因此認為：「大較鄭學積累而成，由疏而漸密。注《孝經》在注《禮記》、注《周禮》之先，用其初定之說，粗舉大綱，後雖累更其前說，猶以《孝經注》小異大同，不復追改。陸澄謂不與注書相類，試問天子服日月星辰，非鄭，誰為此語者？不必致疑。」[30]這是用鄭玄注經有先後，所注諸經各自相異，以釋「不相類」的疑難[31]。另外，在〈聖治章〉「上帝」鄭注「上帝者，天之別名也」句下，他作按語說：

> 鄭以「上帝」為「天之別名也」者，謂五方天帝別名上帝，非即昊天上帝也。《周官》〈典瑞〉「以祀天、旅上帝」，明上帝與天有差等。故鄭注《禮記》〈大傳〉引「《孝經》云『郊祀后稷以配天』，配靈威仰也；『宗祀文王於明堂以配上帝』，泛配五帝也」，又注〈月令〉〈孟春〉云：「上帝，太微之帝也。」〈月令〉正義引《春秋緯》：「紫微宮為大帝，太微宮為天庭，中有五帝座。」五帝，五精之帝，合五帝與天為六天。自從王肅難鄭，謂「天一而已，何得有六」，後儒依違不定。然明皇注此「配上帝」云「五方上帝」，猶承用鄭義，不能改易也。[32]

嚴可均特意對「上帝」為「天之別名」作解釋，認為「五方天帝別名上帝」（即〈典

---

28 按，袁鈞輯《鄭志》據《毛詩》〈南陔序〉正義，作「為記注時就盧君，先師亦然，後乃得毛公《傳》，既古書義又且然」，與嚴可均有異，文意較順暢。

29 嚴可均：〈孝經鄭注〉，《叢書集成初編》本，卷首〈敘〉，頁1-2。

30 嚴可均：《孝經鄭注》，卷末〈後敘〉，頁1-3。按，對嚴可均所論鄭玄先後注《孝經》及《禮記》、《周禮》服章相異之說，皮錫瑞指其解證非是，認為《孝經注》「百王同之」與鄭玄《禮注》義同，專承皮弁素積而言，「嚴可均誤以為並指服章，乃以此注與《禮器》注為鄭初定之說，謂四代皆然，由於誤讀注文，乃並所推鄭意皆失之」，詳見《孝經鄭注疏》卷上，光緒乙未師伏堂刊本，頁13。

31 嚴可均另在《孝經鄭注考》中說：「注《孝經》在先，是初定之說，異日注《禮》、注《書》，是後定之說。陸澄執後定之說，以校初定之說，其疑為不相類，宜也。」「《孝經注》雖不相類，義得兩通，不復追改。學然後知不足，後說未必皆是，前說未必皆非。鄭意如此，固非陸澄之所能考也。」引見《鐵橋漫稿》卷四，道光十八年四錄堂刊本，頁14、頁16。

32 嚴可均：《孝經鄭注》，頁7。按，龔道耕《孝經鄭氏注》稿本有案語說：「王伯厚謂此注為與鄭他經注不同之證，觀嚴說，可無疑矣。」引見頁11。此稿承舒大綱教授影印寄贈，特此銘謝。

瑞〉之上帝、〈月令〉正義之五帝），此外還有一個昊天上帝（即〈典瑞〉之天），「合五帝與天為六天」，證明鄭玄「六天」之說自有理據。他引《禮記注》來解說《孝經注》，揭示出鄭玄各經注之間的內在一致，實是從鄭玄各經注的相合、相通、相同，對陸澄等「不相類」的責難作了否定。可見，從陳鱣、袁鈞開始釋疑解難，到嚴可均明確提出詳考《孝經注》與鄭玄他經注「類不類，同不同」，指明考辨《孝經鄭注》作者的方向，晚清學者繼之而起，從求同、釋異兩方面尋獲到更多、更有力的證據。

侯康專就王應麟的例證，辨析說：「王伯厚以『上帝，天之別名』一語，謂與『六天』之說不符，考《禮》〈大傳〉注云：『《孝經》曰「郊祀后稷以配天」，配靈威仰也；「宗祀文王於明堂以配上帝」，泛配五帝也。』然則上帝者，五帝之總稱，天即五帝中之一帝，郊祀之天非圜丘之天。故云『上帝，天之別名』，與鄭生平宗旨不背，此說亦不足疑也。」他發現鄭玄在〈大傳〉注中，將《孝經》之「天」指明為靈威仰，將「上帝」指明為五帝，而靈威仰正是五帝之一，「上帝」既是五帝的總稱，自可作為五帝之一的「天」（靈威仰）的代稱，可見《孝經注》與鄭玄〈大傳〉注恰相呼應，並不矛盾。侯康通過尋求《孝經注》與鄭玄《禮記注》之同來反駁王應麟，較為有力，可惜對《孝經注》與鄭玄他經注之異未加深究，僅說「至謂與鄭他經注不類，今不盡可考，然康成箋《詩》不同注《禮》，《鄭志》諸說每異群經，博雅通儒固宜有是，亦無可疑也」[33]，這種「今不盡可考」的缺憾，後來經皮錫瑞而得到徹底彌補。

潘任認為嚴可均說「辭不相類，《詩》、《禮》多有之，何止《孝經》」有疏失，轉用求同法，尋出《孝經注》與鄭玄《三禮注》、《毛詩箋》中相同、相合者，證明《孝經注》必屬鄭玄所作。首先，他通過比對，發現〈天子章〉「兆民賴之」注與《禮記》〈內則〉注全同，〈聖治章〉「郊祀后稷」注與《禮記》〈祭法〉注合，《卿大夫章》「守其宗廟」注與《詩》〈清廟〉箋、《禮記》〈祭法〉合，《孝治章》「得萬國之歡心」注與《周禮注》雖不合，但與《禮記》〈王制〉注仍合，「是皆與《禮注》相合者」[34]。其中潘任論〈聖治章〉鄭注與〈祭法〉注相合最為分析入微，茲舉為例。他說：

> 〈祭法〉云「周禘嚳而郊稷」，鄭君注云：「此言禘，謂祭昊天於圜丘也。祭上帝於南郊曰郊，祭五神於明堂曰祖、宗。」是「昊天」即《周禮》〈大宗伯〉之「昊天上帝」，注云「昊天上帝，冬至於圜丘所祀天皇大帝也」。若上帝，非昊天上帝，乃五色帝東方青帝等，即《周禮．小宗伯》「兆五帝於四郊」，注云「五帝，蒼曰靈威仰」云云，亦即〈大宗伯〉「以青圭禮東方」，注云「禮東方以立春」云云。然則〈祭法〉言「郊稷」，乃郊上帝，即《禮》云「祭天於南郊」者

33 侯康：《補後漢書藝文志》卷二，《二十五史補編》第2冊（北京市：中華書局，1955年），頁2113-2114。

34 潘任：《孝經鄭注考證》，頁10-12。

> 是也。但〈祭法〉注稱「上帝」，《孝經注》云「郊，祭天之名」，似嫌互異，不知五帝各名為天，《周禮》〈司裘〉疏云「郊謂祭五天帝於四郊」，是其明證。且后稷配天，此天即五帝中之青帝靈威仰。〈典瑞職〉云「四圭有邸，以祀天、旅上帝」，鄭君注云：「上帝，五帝，所郊亦猶五帝，殊言天者，尊異之也。」疏云：「王者各郊所感生之帝，若周之靈威仰等即是五帝，而殊言天者，是尊異之，以其祖感之而生故也。」觀此說，可知木帝之稱天矣。又〈大傳〉云「王者禘其祖之所自出，以其祖配之」，鄭君注云：「大祭其先祖所由生，謂郊祀天也。王者之先祖，皆感太微五帝之精以生，蒼則靈威仰，赤則赤熛怒，黃則含樞紐，白則白招拒，黑則汁光紀，皆用正歲之正月祭之，蓋特尊也。《孝經》曰『郊祀后稷以配天』，配靈威仰也，『宗祀文王於明堂』，泛配五帝也。」此注與《孝經注》若合符節。[35]

鄭注《孝經》「郊」為「祭天」，注〈祭法〉「郊」為「祭上帝」，乍看有異，但潘任通過援引《周禮》各處文字及其注疏，指出「五帝各名為天」，《孝經》之天「即五帝中之青帝靈威仰」，而上帝「乃五色帝東方青帝等」，上帝實即五帝，為尊異之而「殊言天」，鄭注〈大傳〉將「配天」解為「配靈威仰」，將「配上帝」解為「泛配五帝」，足見在鄭玄筆下，「天」與「上帝」名異實同，由此證明《孝經注》與《禮記注》相合。其次，潘任將〈開宗明義章〉、〈卿大夫章〉、〈諸侯章〉、〈三才章〉、〈孝治章〉、〈感應章〉所引《詩》句的鄭注與《毛詩箋》對照，發現各注皆與箋義相合，只有〈聖治章〉引「淑人君子，其儀不忒」，鄭注「善人君子威儀不差，可法則也」，以「儀」為「威儀」，與《詩》〈鳲鳩〉箋「儀，義也。善人君子執義不疑」有歧異，《毛詩正義》並說「均壹在心，不在威儀。言善人君子執公義之心，均平如壹」，更彰顯出二者之異，潘任疏證說：「考古者書『儀』為『義』，『仁義』之字為『誼』。上章云『其帶伊絲，其弁伊騏』，正指威儀而言。則鄭君云『儀，義也』，是其正字，『執義』即言『執儀』耳。是《詩箋》與《孝經注》仍合矣。」[36]最後，潘任進而指出《孝經注》與鄭玄《禮注》相合，是因為鄭玄注《孝經》正在注《禮》之暇。他論證說：

> 《文苑英華》七百六十六載鄭〈自序〉云：「遭黨錮，逃難注《禮》。」《正義》引無「注《禮》」二字，乃脫文也。是言逃難，即序所謂避難南城山，可知避難南城山，乃注《禮》之時。注《禮》之暇，乃注《孝經》，故序云「餘暇述夫子之志而注《孝經》」，不然，則「餘暇」二字為贅辭矣。鄭君注《孝經》在注《禮》之暇，故注「郊祀后稷」與〈祭法〉注合，注「朝聘」之文與〈王制〉注

35 潘任：《孝經鄭注考證》，頁10-11。

36 潘任：《孝經鄭注考證》，頁12-13。

> 合。又〈祭法〉注引《孝經》曰「宗祀文王於明堂以配上帝」，下即引〈月令〉曰「其帝太皞，其神句芒」云云，是以〈月令〉之文釋《孝經》之「上帝」，而《孝經注》但云「上帝，天之別名」，即謂五帝之別名也。鄭君於〈祭法〉詳之，故於《孝經注》從其略耳，則其為注《禮》之暇明甚。[37]

潘任不僅指出鄭注《孝經》與注《禮》相合，而且提出鄭注兩經互見詳略，實屬創見。總之，潘任考察細密，論證謹嚴，以充分的事實證明《孝經注》多與鄭玄《三禮注》、《詩箋》相合，陳鐵凡因此大加贊譽，稱其「佐證翔實，辨解詳明，非徒逞口舌之比也」[38]。

曾樸《補後漢書藝文志並考》搜集歷代《孝經注》資料最為全面，對《孝經注》的辯護更是別出心裁。首先，他通過訓釋「別名」二字，非常別致地辨析了王應麟對《孝經注》「上帝者，天之別名也」的誤解。他說：

> 鄭所謂「六天」者，即北極耀魄寶及五色帝靈威仰等是也。鄭注諸經，大略以帝嚳、后稷、文王分配六天。以帝嚳配北極耀魄寶，即冬至祀於圜丘者也。以后稷配感生帝靈威仰，即正歲正月祀於南郊者也。以文王泛配五帝，即以四時祀四郊者也。凡經稱「皇天」者，耀魄寶也；單稱「天」者，靈威仰也；稱「上帝」者，泛言五帝也。鄭之宗旨如此，其注《周禮》〈天官・司裘〉、〈春官・大宗伯〉、〈大司樂〉、〈小宗伯〉、〈典瑞〉、〈秋官・職金〉、《禮記》〈月令〉、〈王制〉、〈禮器〉、〈雜記〉、〈大傳〉、〈祭法〉、《尚書》〈君奭〉，均本此意，略無歧說。其中《禮記》〈大傳〉一條，則並明引「《孝經》曰『郊祀后稷以配天』，配靈威仰也，『宗祀文王於明堂以配上帝』，泛配五帝也」，而此注《孝經》「上帝」獨曰「天之別名」，似以「上帝」與「天」並為一談，王氏遂謂與鄭宗旨背謬。樸謂不然。鄭此注與諸經注正合，所以云背謬，乃由王氏不知「別名」二字之古解，而以俗說解之也。俗解解「別名」猶言「一名」、「又名」，對原名而言。古解則異是，「別」字作「分」字解，對總名而言。[39]

曾樸徵引群籍，搜求「別名」的古解：《尚書》〈禹貢〉「岷山導江，東別為沱」，江是總名，沱兼壽江、夏水而言，「雖同於江而實於江別出也，故《毛詩》『江有沱』傳『沱，江之別者也』」；《文選注》引《說文》〈水部〉「勃澥，海之別名也」、〈禾部〉「稗，禾之別名也」，「許君之意亦謂海總名也，海之名非一，勃澥者海分出之一名也。稗亦然」；韋昭《國語解》引賈逵《國語解詁》「鸑鷟，鳳之別名也」，《史記集解》引賈逵《左氏

37 潘任：《孝經鄭注考證》，頁17。

38 陳鐵凡：《孝經學源流》，頁153。

39 曾樸：《補後漢書藝文志並考》卷3，《二十五史補編》第2冊，頁2496。

傳解誼》「東山，赤狄別名」，鳳包括凰、鵷雛、鸑鷟等，赤狄包括東山、潞氏等，「賈此注亦謂鳳、赤狄皆總名，而鸑鷟、東山則於鳳、赤狄中分出之名也」。他更從鄭玄經注中找到兩證：《周禮》〈司徒〉注「州、黨、族、閭、比，鄉之屬別」，賈疏「言皆屬於鄉而名號有別」；《詩》〈大明〉箋「京，周之地小別名也」，周是總名，「京從周別出之名也」。曾樸因此指出：

> 觀此數證，是漢人之所為「別名」者，皆作「別出」解，非如俗解之所云「一名」、「又名」也。今試取以上數端，例之《孝經注》，則江也、海也、禾也、鳳也、赤狄也、鄉也、周也，即鄭此注所謂天也；沱也、勃澥也、稗也、鸑鷟也、東山也、州黨也、京也，即鄭此注所謂上帝也；其沱之壽、夏，鳳之鵷雛，赤狄之潞氏等，即鄭此注上帝中所包之靈威仰等也。是鄭意正以上帝之中有靈威仰等五帝，雖不外於天，而別出於天，故下「別名」二字分出之，猶言「上帝者，天之分別名也」。考《說文解字》……是「別」之本義本作「分」字解，俗解似「又」者，後人引伸之義。鄭君漢人，故猶從本義。是則此注「別名」之說，正與六天合，王氏之言不足疑矣。[40]

曾樸通過歸納法，推尋出漢儒使用「別名」的本義，再用類比法，解說「上帝者，天之別名也」的本來含意，證明《孝經注》與鄭玄群經注所說「六天」正合，考辨極為精彩。其次，曾朴認為陸澄的疑難「不但謂解說之不同，蓋兼文法而言」，特別從「文法」角度舉出三證進行反駁，讓人耳目一新。其一，〈開宗明義章〉「夫孝，德之本也」注「人之行莫大於孝，故曰德之本」，〈三才章〉邢疏引鄭玄《論語注》「人之行莫先於孝，故孝為百行之本」，又〈喪親章〉「為之宗廟」注「宗，尊也。廟，貌也。親雖亡沒，事之若生，為立宮室，四時祭之，若見鬼神之容貌」，《詩》〈清廟〉箋「廟，貌也。死者精神不可得而見，但以生時之居，立宮室象貌為之耳」，「觀此二條，詞旨相同，顯出一手」。其二，〈聖治章〉「容止可觀」注「威儀中禮，故可觀」，《禮記》〈雜記〉「戚容稱其服」注「容，威儀也。《孝經》曰容止可觀」，顯然鄭玄以《孝經》「容止」為「威儀」，並引以注《雜記》，「一人所注，故相合如此」。其三，鄭玄注經喜據緯說，曾樸稽考《周禮》〈太祝〉、〈馮相氏〉、〈校人〉、〈司寇〉與《禮記》〈檀弓〉、〈王制〉、〈月令〉、〈曾子問〉、〈禮運〉、〈禮器〉各處注文「皆據《孝經緯》為說」，《孝經注》也多次引用《孝經緯》，尤其〈諸侯章〉「社稷」注、〈孝治章〉「侯伯子男」注、〈聖治章〉「明堂」注、〈廣至德章〉「教以孝」三句注，均同引《孝經援神契》，「是此注大半據《孝經緯》，與鄭平生注書之旨亦合」。曾樸最後總結說：「由是言之，《孝經》

40 曾樸：《補後漢書藝文志並考》卷3，《二十五史補編》第2冊，頁2496-2497。

鄭注與諸經注幾無一不合，則陸澄之所謂不相類者，後儒可無疑矣。」[41]

皮錫瑞在《孝經鄭注疏》中，從求同、釋異兩個方面，為鄭玄注《孝經》作了最為有力的辯護。他就嚴可均解說《孝經注》服章的缺失，提出鄭玄「各注雖有詳略之異，並無觸礙之處」[42]，強調《孝經注》與鄭玄他經注並不矛盾。他特別指出：「鄭君深於禮學，注《易》、箋《詩》，必引禮為證。其注《孝經》，亦援古禮。」[43]因此，他依據鄭玄以禮注經的風格，指明《孝經注》中多引古禮，與其《易注》、《詩箋》等完全一致，並在具體疏證中，「於鄭注引典禮者為之疏通證明，於諸家駁難鄭義者為之解釋疑滯」[44]，各處援引鄭玄《禮記注》、《周禮注》、《尚書注》、《尚書大傳注》、《毛詩箋》等，附以相關的孔、賈疏解，以《孝經注》與之相同、相合或相近，證明《孝經注》必出鄭玄之手。例如，對〈聖治章〉注「上帝者，天之別名也」，皮錫瑞疏證說：「《文選》〈東京賦〉注引〈鉤命決〉曰：『宗祀文王於明堂，以配上帝五精之神。』《通典》引〈鉤命決〉曰：『郊祀后稷，以配天地。祭天南郊，就陽位。祭地北郊，就陰位。后稷為天地主，文王為五帝宗。』是《孝經緯》說以上帝為五帝，鄭義本《孝經緯》〈鉤命決〉也。鄭君以北極大帝為皇天，太微五帝為上帝，合稱『六天』，故五帝亦可稱天。鄭不以五帝解『上帝』而必云『天之別名』者，欲上應嚴父配天之經文，其意實指五帝，與〈祭法〉注引此經以證祖宗之祭同意。天與上帝之異，猶《周禮》〈典瑞〉注云『上帝，五帝，所郊亦猶五帝，殊言天者，尊異之也』，上帝兼舉五帝，故云『天之別名』。」[45]他繼嚴可均、侯康之後，進一步論證《孝經注》上帝與天的概念與鄭玄各經注相一致，援據充分，論證有力，大得後學推崇，如陳鐵凡說：「是不特足以扶高密一家之學，亦且可以擴充鐵橋未竟之業也。」[46]

對於《孝經注》與鄭玄他經注存在主今文與主古文的歧異，一直無人探究，皮錫瑞根據鄭玄「先治今文，後治古文」的學術經歷，作了很好的解釋。〈孝經鄭氏序〉說：「僕避難於南城山，棲遲岩石之下，念昔先人，餘暇述夫子之志而注《孝經》。」樂史等人據《後漢書》載鄭玄「漢末遭黃巾之難，客於徐州」，認為南城避難是鄭玄晚年避黃巾之難。嚴可均經過考證，認為是避黨錮之難[47]。皮錫瑞採取此說，對鄭玄注《孝經》的時間提出新的看法，並據以答解前人的疑難：「是鄭君注《孝經》最早，其解社稷、明堂大典禮，皆引《孝經緯》〈援神契〉、〈鉤命決〉文。鄭

41 曾樸：《補後漢書藝文志並考》卷3，《二十五史補編》第2冊，頁2497-2498。

42 皮錫瑞：《師伏堂筆記》卷3，民國十九年長沙楊氏積微居刊本，頁1。

43 皮錫瑞：《孝經鄭注疏》，卷首「自序」。

44 皮錫瑞：《孝經鄭注疏》，卷首「自序」。

45 皮錫瑞：《孝經鄭注疏》，卷下，頁1-2。

46 陳鐵凡：《孝經學源流》，頁150。

47 嚴可均：《孝經鄭注》，卷末「後敘」。

所據《孝經》本今文，其注一用今文家說；後注《禮》、箋《詩》，參用古文。陸彥淵、陸元朗、孔沖遠不考今、古文異同，遂疑乖違，非鄭所著。」[48]在疏證《孝經》各處鄭注時，皮錫瑞一再指明鄭玄所采今文經傳、所用今文經說，或指出同於今文某說。例如，〈孝治章〉中，鄭注有云「古者諸侯五年一朝天子，天子使世子郊迎」，皮錫瑞疏曰：

> 鄭注云「諸侯五年一朝天子，天子使世子郊迎」者，《公羊傳》、〈王制〉、《尚書大傳》、《白虎通》〈朝聘〉篇皆云五年一朝。〈朝聘〉篇曰：「朝禮奈何？諸侯將至京師，使人通命於天子，天子遣大夫迎之百里之郊，遣世子迎之五十里之郊矣。〈覲禮〉經曰：『至於郊，王使人皮弁用璧勞。』《尚書大傳》曰：『天子太子年十八曰孟侯，於四方諸侯來朝，迎於郊。』」《御覽》引〈大傳〉曰：「迎於郊者，問其所不知也，問之人民之所好惡、地土所生美珍怪異、山川之所有無。父在時，皆知之。」鄭注：「孟，迎也。十八向入大學，為成人，博問庶事。」是鄭注〈大傳〉與注《孝經》義同。[49]

皮錫瑞指出，鄭注所引五年一朝及世子郊迎的禮制，同於〈王制〉、《公羊傳》等今文經傳，而比較《孝經》與《尚書大傳》兩處鄭注，見出二者義同，由此足見鄭注《孝經》全主今文。在疏證中，皮錫瑞一再指斥前儒不能分曉鄭玄注經先後相異之故，以致妄疑《孝經》鄭注。例如，〈孝治章第八〉「昔者明王之以孝治天下也，不敢遺小國之臣」，鄭注：「古者諸侯歲遣大夫聘問天子無恙，天子待之以禮，此不遺小國之臣者也。」皮錫瑞先引《公羊傳》桓元年「諸侯時朝乎天子」及何注、徐疏，指出何休注中所引《孝經》古說同於鄭說，證明鄭注屬於今文，再引〈王制〉及鄭注、孔疏，寫道：

> 〈王制〉曰：「諸侯之於天子也，比年一小聘，三年一大聘，五年一朝。」鄭注：「比年，每歲也。小聘使大夫，大聘使卿，朝則君自行。然此大聘與朝，晉文霸時所制也。虞、夏之制，諸侯歲朝。周之制，侯、甸、男、采、衛、要服六者各以服數來朝。」疏引鄭《駁異義》云：「《公羊》說比年一小聘，三年一大聘，五年一朝。以為文、襄之制，錄〈王制〉者記文、襄之制耳，非虞、夏及殷法也。」疏又云：「按《孝經注》：『諸侯五年一朝天子，天子亦五年一巡守。』

48　皮錫瑞：《孝經鄭注疏》，卷首「自序」。皮錫瑞晚年再次總結說：「鄭君先治今文，後治古文，自序『遭黨錮，注《禮》』，其注《緯》又在前，注《孝經》亦正在此時。故解社稷、明堂，皆用《孝經緯》〈援神契〉〈鉤命訣〉說。其後注《禮》、箋《詩》，多用古文，故與《孝經注》不同。陸澄、陸德明以此為疑，由不知鄭注書時代先後，本不拘一說也。」見《師伏堂經學雜記》第1冊，稿本，藏湖南師範大學圖書館。

49　皮錫瑞：《孝經鄭注疏》卷上，頁25。

《孝經》之注，多與鄭義乖違，儒者疑非鄭注，今所不取。」錫瑞案：鄭君先治今文，後治古文。注《孝經》在先，用今文說，與《公羊》、〈王制〉相合，自可信據。注《禮》在後，惑於古文異說，見《左氏》昭三年傳子太叔言文、襄之霸，令諸侯三歲而聘，五歲而朝，與《公羊》、〈王制〉說同，故疑其是文、襄之制。又見古《尚書》說虞、夏之制，諸侯歲朝；古《周禮》說周之制，侯、甸、男、采、衛、要服六者各以服數來朝，遂據古文而疑今文。不知古《周禮》、古《尚書》說未可偏據，亦並未言大、小聘之歲數。鄭云〈王制〉作於赧王之後，其時《左氏》未出，不得以《左氏》駁〈王制〉。且公羊家何必用《左氏》義？既用《左氏》，又何至誤以文、襄之制為古制乎？《公羊》、〈王制〉言諸侯事天子之法，《左氏》言諸侯事霸主之法，本不合。即如《左氏》之說，又安知文、襄創霸，非據諸侯事天子之法為事霸主法乎？鄭義當以《孝經注》為定論，不必從《禮記注》。鄭注《禮》、箋《詩》，前後違異甚多。孔疏執《禮注》疑《孝經注》，真一孔之見矣。[50]

鄭玄此處注《孝經》與注〈王制〉兩歧，〈王制〉正義無法加以疏通，遂以前儒懷疑《孝經注》非出鄭玄，斷然加以捨棄。皮錫瑞指出鄭注前後歧異的根源，在其先今後古的經學立場，並且分析《孝經注》用今文古義，優於《禮記注》采古文異說，由此指斥孔疏誤執《禮記注》以疑《孝經注》，「真一孔之見」，大加譏諷。可以說，一旦明晰鄭玄注經是先今文、後古文，即可清楚《孝經注》與鄭玄晚年各種經注歧互的緣故，對於鄭注《孝經》的疑慮自可煙消雲散。

潘任《孝經鄭注考證》刊於光緒二十年，較《孝經鄭注疏》早一年問世，但據《師伏堂日記》丙申年八月十七日載：「煥彬寄來虞山潘任《孝經鄭注考證》，即鐵橋之說而引申之，較詳。」可知皮錫瑞是在《孝經鄭注疏》刊行後才讀到潘任之書。二人不約而同為《孝經》鄭玄注力作辯護，而且採用同樣的方法，堪稱清代學術史上的趣事。

三　外證：對劉知幾十二驗的反駁

前人懷疑《孝經》鄭注的另一大理由，是認為漢、晉以來官私記載未明言鄭玄注《孝經》，如陸澄說「案玄〈自序〉所注眾書，亦無《孝經》」，陸德明說「案《鄭志》及《中經簿》無」，以鄭玄本人、鄭門弟子均不言及，《晉中經簿》著錄「《孝經》鄭氏解」而不明載鄭玄名，試圖否定《孝經注》為鄭玄作。劉知幾兼取二陸之議，並增添各種新說，稱《孝經》「非鄭玄所注，其驗有十二焉」，其要如下[51]：

50 皮錫瑞：《孝經鄭注疏》卷上，頁24-25。

51 《孝經注疏》〈孝經序〉，頁4-5。按，劉知幾原文可見《孝經注疏》、《唐會要》等書，此據鄭珍節錄，見《鄭學錄》卷3，頁12。

一、鄭〈自序〉云遭黨錮注《禮》，事解注《尚書》、《詩》、《論語》，來元城注《周易》，無注《孝經》文。二、《鄭志》言師所注唯有《詩》、《禮》、《書》、《易》。三、《鄭志》目錄經注之外，寸紙片言悉載，無容匿此不言。四、《鄭記》亦不言及。五、趙商作〈鄭先生碑銘〉不載，《晉中經簿》、《周易》九書皆云「鄭氏注，名玄」，《孝經》則稱「鄭氏解」，無「名玄」二字。六、宋均是傳業弟子，注《春秋緯》云「康成《春秋》、《孝經》則有評論」。七、宋均注《孝經緯》云《六藝論》敘《孝經》云「玄又為之注」，而均無聞。八、宋均注《春秋緯》云玄「為《春秋》、《孝經》略說」。九、謝承等史傳皆不載。十、王肅《孝經傳》首有司馬宣王奏，都不言鄭。十一、王肅《聖證》及鄭小失，此若出鄭，被擊應多，而肅無言。十二、魏晉中辨論無一引者。

劉知幾因此主張廢除《孝經鄭注》，當時雖遭司馬貞反駁，朝廷也未聽取其議，但宋代官修《唐會要》、《文苑英華》、《冊府元龜》、邢昺奉敕撰《孝經注疏》、王應麟編纂《玉海》紛紛採錄，後人因此多受影響，如清代惠棟說「康成未嘗注《孝經》，劉子玄嘗辨之」[52]，阮元也說「鄭《注》之偽，唐劉知幾辨之甚詳」[53]，因此鄭珍痛言：「劉議頗多信者，此《注》遂不為康成書矣。」[54]清儒在為鄭玄《孝經注》作辯護時，針對二陸之說尤其劉知幾的十二驗，各作辯駁。

袁鈞輯成《孝經注》後，在序文中說：「萬歲通天初，史承節為〈鄭君碑〉，具載鄭所注解，仍有《孝經》，孔、賈諸疏亦並引用，是當時從鄭《注》者眾也。宋均《孝經緯注》引《六藝論》敘《孝經》云『玄又為之注』，是鄭已自言，可信。吾鄉黃文潔謂『《孝經》鄭康成注主今文』，是京口刻本文潔猶及見之，今斷句流傳正是今文，又可信也。」用鄭玄自言作注和唐人採信、宋人目見等資料，證明鄭注《孝經》可信。宋均引《六藝論》之說，正是鄭玄作《孝經注》之證，袁鈞善加利用反方證據，為後人開闢出一條重要的路徑[55]。他又針對邢昺《孝經注疏》所謂「其驗十一」，指出：「《禮》〈郊特牲〉疏引肅難鄭云：『〈月令〉「命民社」，鄭注云：「社，后土也。」《孝經注》云：「后稷，土也。句龍為后土。」鄭既云「社，后土」，則句龍也，是鄭自相違反。』甚矣，昺之疏也。」[56]袁鈞找出〈郊特牲〉疏

52 惠棟：《後漢書補注》卷9，嘉慶九年馮集梧刊本，頁11。

53 阮元：〈孝經注疏校勘記序〉，嘉慶十三年阮氏文選樓刊本，卷首〈序目〉，頁1。

54 鄭珍：《鄭學錄》卷3，頁12。

55 按，黃遵憲在辨日本所傳《孝經》鄭注真偽時，也指出：「鄭注《孝經》不見於《鄭志》目錄及趙商碑銘，唐人至設十二驗以疑之，然宋均《孝經緯注》引鄭《六藝論》序《孝經》，有云『玄又為之注』，《大唐新語》亦引鄭〈孝經序〉，均《春秋緯》又注云『為《春秋》、《孝經》略說』，是皆作注之證。」引見《日本雜事詩》，《黃遵憲集》上卷（天津市：天津人民出版社，2003年10月），頁31。

56 袁鈞：《鄭氏佚書目錄敘》《孝經注》，《袁鈞集》卷1，頁23。按，袁鈞將劉知幾之說誤系於邢昺，胡元儀《北海三考》卷三引袁鈞此序時指出其疏失。

引王肅難鄭之語明言《孝經注》，堪稱一大學術發現，後來的學者紛紛採用，對劉知幾第十一驗給予致命一擊。

錢侗在重刊岡田挺之輯本《孝經鄭注》時，就針對前人疑議尤其劉知幾十二驗進行考辨，認為宋均《孝經緯注》所引「玄又為之注」、《春秋緯注》所引「為《春秋》、《孝經》略說」以及《大唐新語》所引〈孝經序〉，「皆當日作注之證」，並進一步分析說：「鄭注《春秋》未成，遇服虔，盡以所注與之，《世說新語》實志其事，而云鄭無《春秋注》，非也。《鄭志》一書多為後人羼雜，隋唐所行已非原本，所記容有脫漏。趙商撰鄭碑銘具載諸注、箋亦不言注《孝經》者，猶《後漢書》本傳敘所注《周易》、《尚書》、《毛詩》、《儀禮》、《禮記》、《論語》、《孝經》諸書，而唐史承節碑乃多《周官》而無《論語》，俱載筆者偶然之疏，豈得據墓碑、史傳，並謂鄭無《周官》《論語注》乎？」[57]錢侗從劉知幾驗七、驗八中引出強力證據，反戈一擊，又以「脫漏」解釋《鄭志》諸書、趙商碑銘何以不載鄭注《孝經》，也很有理據，所以後來者紛起仿效，或者直接援引。

嚴可均先指斥陸澄謂鄭玄〈自序〉所注眾書無《孝經》「尤為偏據」，因為《孝經正義》所引鄭玄《六藝論》明言《孝經》為六經之總會，自稱「玄又為之注」，「鄭氏又別為〈孝經序〉，《禮記》〈緇衣〉正義、《大唐新語》、《太平寰宇記》、《玉海》各引一事」，以鄭玄自言為《孝經》作注並有〈孝經序〉傳世，證明〈自序〉遺漏《孝經注》[58]。後來他再作考辨，認為「〈自序〉注《易》時作，稍系晚年所注《書》、《詩》、《論語》，前乎此者置不登載，未可據為《孝經》非鄭注之證也」[59]。他以〈自序〉作於鄭玄臨卒之年，載其晚年著述而不及前期撰、注各書，對其遺漏《孝經注》作了合理解釋，同時強調「〈自序〉無者甚多，豈得《易》、《書》、《詩》、《禮》、《論語》外，皆疑依託」，因此斷言「《孝經》為鄭注，不必問〈自序〉有無也」[60]。這一解釋言之成理，後來如皮錫瑞等人有所吸取。

晚清學者專門針對劉知幾的十二驗作全面反駁，鄭珍、潘任、皮錫瑞、曹元弼堪稱代表。

鄭珍的論證可歸納為四個方面：其一，《六藝論》敘及《孝經》，說「玄又為之注」，「則康成注此經，自言已明」；鄭玄自敘避難南城山而注《孝經》，「則注書之時與地，自言亦明」；又鄭玄〈自序〉止及《易》、《書》、《詩》、《禮》、《論語》，於其所注書僅及十之二三，即《鄭志》目錄、謝承《後漢書》所載，較之《隋志》所著錄，「亦止三分之二，寧得謂此外皆不出康成哉」。此駁劉知幾驗一。其二，《孝

57 錢侗：《重刊孝經鄭注序》，知不足齋叢書，頁。

58 嚴可均：《孝經鄭注》，卷首〈敘〉，頁2。

59 嚴可均：《孝經鄭注》，卷末〈後敘〉，頁1。

60 嚴可均：《孝經鄭注考》，《鐵橋漫稿》卷4，頁16-17。

經注》乃鄭玄晚年客居徐州時所作，「門人當未及傳授」，其稿久淹篋衍，必俟鄭小同長大，「檢得遺稿，始出而傳之，此所以趙商碑銘不及具載，宋均注緯亦曰無聞，諸門人追述師言，匪惟《鄭志》、《鄭記》都不言及，即撰著目錄且無此書，皆以其時注稿未出，並未傳習故也。後來稿出，目錄行世已久，小同自不得增入。謝承、薛瑩、司馬彪、袁山松諸人撰康成傳，止據目錄載之，即《中經簿》亦緣目錄無此，故止從其書題而不加『名玄』二字，非有他也」。此駁劉知幾驗二至驗九。其三，《禮記》〈郊特牲〉正義有王肅《聖證論》駁難鄭玄《孝經注》之說，「〈自序〉猶是虛誣，《聖證》必無假借，則注之為康成審矣」。此駁劉知幾驗十一。其四，「司馬宣王之奏，言各有主，豈宜必及鄭《注》？朝臣辯論時事，鄭之五經注已不勝引，何以必援《孝經》」。此駁劉知幾驗十、驗十二。鄭珍最後批評說：「知幾諸驗，要是止拈出《聖證》所引，紛紛按據，總成虛設，徒鼓二陸之餘波，泄好辨之客氣而已。」[61]

潘任對劉知幾的批駁十分全面，其中較為突出的是以下幾點：劉知幾驗七有宋均《孝經緯注》引《六藝論》敘《孝經》云「玄又為之注」，驗六引宋均《春秋緯注》「《春秋》、《孝經》，則有評論」，驗八又引《春秋緯注》「為《春秋》、《孝經》略說」，對宋均關於鄭玄注經的各種不同說法，潘任解釋說：「均之言有先後之異，其云『評論』、『略說』，當是鄭君未注《孝經》時之言；『玄又為之注』一語，乃注成後之言。」劉知幾認為鄭玄言「又為之注」是泛辭，非事實，潘任責斥「此乃肊度之言耳」。至於宋均說「司農論如是，而均無聞焉」，劉知幾據以提出宋均作為鄭玄傳業弟子，「師有注述，無容不知」，潘任反駁說：「弟子於師不必悉見師著，如太史公從安國問故，而《史記》〈五帝本紀〉悉從今文，且范書鄭君傳《戒子書》云：『所好群書，率皆腐敝，不得於禮堂寫定。』是鄭君所著之書，當時不皆傳佈，均容或有不見者，安得因不見其書，遂謂鄭無《孝經注》乎？」[62]對於《晉中經簿》著錄《孝經鄭氏解》而不明言鄭氏名玄，潘任說：「考《釋文》於《毛詩》、《三禮》皆稱鄭氏，賈公彥《周禮》、《儀禮疏》、孔穎達《禮記正義》《毛詩正義》皆稱鄭氏，而不名玄，可知諸經中專稱鄭氏者甚多，亦不足致疑。」[63]

對劉知幾的批駁，當以皮錫瑞最為詳明。他稱「劉子玄妄列十二證，請行偽孔、廢鄭」[64]，對其極為反感，指出：「子玄通史不通經，所著《史通》〈疑古〉、〈惑經〉諸篇，語多悖謬。近儒駁劉說，辨鄭注非偽，是矣，然未盡得要領。茲謹述鄙見，

---

61 鄭珍：《鄭學錄》卷3，頁12-13。

62 潘任：《孝經鄭注考證》，頁13。

63 潘任：《孝經鄭注考證》，頁17。

64 皮錫瑞：《孝經鄭注疏》，卷首〈自序〉。

用祛未寤。」[65]他認為嚴可均、鄭珍等人對劉知幾的反駁不得要領，於是針對劉知幾的十二驗各加辯駁，其中值得注意的有三點：其一，針對劉知幾的驗一，皮錫瑞指出：「鄭〈自序〉不言注《孝經》者，序云元城注《易》，乃在臨歿之年，故舉晚年所注之書獨詳。序云『逃難』下，《文苑英華》、《唐會要》引多『注《禮》』二字。逃難注《禮》在禁錮時，避難南城山注《孝經》亦即其時，皆早年作。故自序云注《禮》，不云注《孝經》，蓋略言之。注緯候更在先，亦略不言也。」他根據鄭玄此序作於卒年，分析他在序中詳列晚年著作，而對早年所作《孝經注》、《七緯注》有所忽略。此說是繼嚴可均之意而略加補充。其二，針對劉知幾所據宋均之言，皮錫瑞批評說：「宋均引鄭《六藝論》敘《孝經》，云『玄又為之注』。鄭君大賢，必不妄言，自云為注，確乎可信。古無刻本，鈔錄甚艱。鄭君著書百餘萬言，弟子未必盡見。宋不見《孝經注》，固非異事，乃因不見，遂並師言不信而易其名，謂之『略說』，謂之『評論』。呂步舒不知其師書，以為大愚。宋之昏惑，殆亦類是。」他先以宋均引及鄭玄《六藝論》，鄭玄自言為《孝經》作注必然可信，再以鄭玄著述多而抄錄不易，分析宋均不能盡見師門著述，這一答解合乎情理，與潘任所說「弟子於師不必悉見師著」可相呼應。其三，劉知幾驗十一斷言王肅《聖證論》難鄭不及《孝經注》，前人已舉《禮記》〈郊特牲〉正義引王肅難鄭明斥《孝經注》指出劉氏之誤，皮錫瑞更從《孝經注疏》中發現新的例證：

> 王肅《聖證》駁鄭《孝經注》「社，后土」，明見〈郊特牲〉疏，近儒已多辨之。考之邢疏，亦有一證。〈聖治章〉疏曰：「鄭玄以〈祭法〉有『周人禘嚳』之文，遂變郊為祀感生之帝，謂東方青帝靈威仰，周為木德，威仰木帝。以駁之曰：按《爾雅》曰：『祭天曰燔柴，祭地曰瘞薶。』又曰：『禘，大祭也。』謂五年一大祭之名。又〈祭法〉祖有功，宗有德，皆在宗廟，本非郊配。若依鄭說以帝嚳配祭圜丘，是天之最尊也。周之尊帝嚳不若后稷，今配青帝，乃非最尊，實乖嚴父之義也。且遍窺經籍，並無以帝嚳配天之文。若帝嚳配天，則經應云『禘嚳於圜丘以配天』，不應云『郊祀后稷』也。」案：「以駁之曰」以下，是王肅駁鄭之語。肅引《孝經》駁鄭，確是駁《孝經注》。邢疏於下文亦謂是《聖證論》，則「以駁之曰」上必有脫誤。黃榦《儀禮經傳通解續》引《孝經》邢疏「以駁之曰」上，多「韋昭所著，亦符此說。唯魏太常王肅獨著論」十七字，文義完足，所據當是善本，今本邢疏乃傳刻訛奪耳。子玄生於唐時，《聖證論》尚在，乃漫不一考，且謂魏、晉朝賢無引《孝經注》者，王肅豈非魏、晉人乎？

他據此斷定王肅《聖證論》確曾直駁鄭玄《孝經注》，並連帶對劉氏驗十二加以反

---

65 皮錫瑞：《孝經鄭注疏》卷上，頁4。

擊，譏責他對《聖證論》漫不一考，信口胡說：「王肅難鄭明引鄭《孝經注》，劉知幾乃云注出鄭氏而肅無言，失之不考。」[66]皮錫瑞對劉氏十二驗的反駁，以此條最為確鑿。

曹元弼認為《孝經注》經緯聖典，發明大義，「非鄭君不能為，徒以文句較他注易明，以便童蒙，敘錄家偶佚其目，遂致後人疑難百端，霿圛千載」[67]，因此力加辯護。他針對陸德明之說，先引嚴可均的反駁意見，再引阮元、陳澧舉《禮記》〈郊特牲〉正義證明王肅難及鄭玄《孝經注》，然後總結說：「《孝經鄭注》，一見於《六藝論》，再見於王肅《聖證論》，三見於《晉中經簿》，四見於江左中興之立博士，五見於晉穆帝之集講《孝經》，六見於《御覽》所引范氏以前之《後漢書》，七見於范書本傳，確然無疑。」[68]他又針對劉知幾的責難，辨析說：「鄭〈自序〉述歷年撰著不及《孝經》者，蓋注《孝經》又作〈在〉注《禮》前，意鄭君初注《孝經》，欲令童蒙之流一覽而悟，特淺顯其文，俾足順解而止，繼以《孝經》為六藝大本，必究極六藝而後可注《孝經》，前注雖成，未以教授，迨元城注《易》，夢應龍蛇，遂不克修改寫定，故〈自序〉略之，蓋其慎也。前注學者或見或否，又系少作，故趙商〈鄭先生碑〉及《鄭志》、《鄭記》亦略之，而宋均注緯輒云『無聞』。均習於鄭而不知，王肅少治鄭氏學而知之，蓋未定之本出於鄭沒之後，若隱若顯也。凡《六藝論》云『玄又為之注』者，皆實事。《世說新語》稱鄭君注《左傳》未成，以與服子慎，則鄭實注《春秋》矣。《春秋》注而未成，《孝經》成而未定，要其出於碩意足法將來則一也。《孝經注》數典不過數事，已具《詩》、《書》、《禮注》，故魏晉朝賢徵引不及，即東晉立學後朝臣議禮引者亦希，以注本說義多、明事少也。《孝經》文約指明，注又顯白易曉，弟子問難不及，又奚足疑？」[69]

茲將清儒批駁劉知幾十二驗的情形略加統計，列成下表：

劉知幾論	清儒之反駁者
驗一	鄭珍、皮錫瑞、曹元弼
驗二	錢侗、鄭珍、潘任、皮錫瑞、曹元弼
驗三	鄭珍、皮錫瑞、曹元弼
驗四	鄭珍、皮錫瑞、曹元弼
驗五	錢侗、鄭珍、潘任、皮錫瑞、曹元弼

66 皮錫瑞：《孝經鄭注疏》卷上，頁11。

67 曹元弼：《孝經學》卷7，光緒三十四年江蘇存古學堂刊本，頁15。

68 曹元弼：《孝經學》卷7，頁5-7。按，曹元弼第七證取自迮鶴壽校注《蛾術編》之說，實有誤。

69 曹元弼：《孝經學》卷7，頁7-8。

劉知幾論	清儒之反駁者
驗六	鄭珍、潘任、皮錫瑞、曹元弼
驗七	錢侗、鄭珍、侯康、潘任、皮錫瑞、曹元弼
驗八	錢侗、鄭珍、潘任、皮錫瑞、曹元弼
驗九	鄭珍、姚振宗、潘任、皮錫瑞、曹元弼
驗十	鄭珍、潘任、皮錫瑞
驗十一	袁鈞、錢侗、阮元、陳澧、鄭珍、侯康、姚振宗、曾樸、潘任、皮錫瑞、曹元弼
驗十二	鄭珍、曾樸[70]、皮錫瑞、曹元弼

劉知幾謂其十二驗「易為討核」，實則不然，其中多籠統之言、疑似之說、偏頗之論，並無多少實證，更未涉及《孝經》鄭注的具體內容，「惜當時皆懾其名學，謂必不誤，都無抵其巇而破之者」[71]。司馬貞當年針對劉知幾「行孔廢鄭」的意圖，把重點放在指摘孔傳之偽託與陋劣上，未正面回應他對鄭注的無端攻擊[72]。及至鄭注散佚，清儒雖奮起反駁，但書缺有間，斷案甚非易事，因此立論不夠堅實，乃至有一些推測之詞、臆斷之說[73]。不過，曾朴、潘任、皮錫瑞等人通過對鄭注所引典禮的疏證和對鄭玄經學先今後古的剖析，已足以證明鄭玄《孝經注》的真確性，所以他們對劉知幾的反駁雖有乏力之處，但並不影響對鄭注之真的辯護。事實上，自劉知幾提出十二驗以來，千餘年間無人做全面反駁，清儒接踵而起，續加

70 曾朴據《晉書》〈禮志〉，考明東晉元帝太興年間立《孝經》鄭氏博士，「劉知幾乃謂魏晉之朝無有此說，至魏齊始立學官，誤矣。然則博士且立，即不必有撮引之證，而劉說自破」，但他稱《南齊書》〈禮志〉有晉泰始七年祠部郎中徐邈議禮援引鄭玄「郊者，祭天名；上帝者，天之別名也」云云，「此明是晉人議論時事撮引《孝經鄭注》之語，則知幾之第十二驗亦不足驗也」(《補後漢書藝文志並考》卷3，頁2498)，卻與史實不符，引用鄭玄此語者實是南朝宋明帝泰始七年祠部郎王延秀，事見《宋書》〈禮志三〉。

71 鄭珍：《鄭學錄》卷3，頁14。

72 按，司馬貞說：「其注相承云是鄭玄所作，而《鄭志》及目錄等不載，故往賢甚疑焉。唯荀昶、范曄以為鄭注，故昶集解《孝經》具載此注為優。且其注縱非鄭玄，而義旨敷暢，將為得所，雖數處小有非穩，實亦未爽經旨。」(金良年整理《孝經注疏》〈孝經序〉，頁5) 司馬貞此處未確證鄭玄作注，後面數句還留下話柄，如蔡汝堃即說：「所謂『其注縱非鄭玄』、『雖數處小有非穩』，是已承認鄭玄未注《孝經》矣。」(《孝經通考》臺北市：臺灣商務印書館，1937年，頁48)

73 按，蔡汝堃認為：「夫鄭玄如注《孝經》，不容《鄭志》、《鄭記》、趙商碑銘等均不言及，如云失載，亦不容均偶遺漏，宋均之疑，可為鐵證。」他因此指斥潘任、皮錫瑞等駁論為「偶然、揣度之辭」，「不足以當實證」，確有一定道理，但他稱「王肅於《聖證論》上所發鄭短，更難證明其確為駁《孝經鄭注》」(《孝經通考》，頁54、56)，則顯然不顧事實，強詞奪理。

辯護，針對劉知幾的十二驗逐一反駁，力翻陳案，勞績卓著，贏得後人敬重[74]。

四　申證：對鄭小同注《孝經》說的反駁

傳世的〈孝經鄭氏序〉說：「僕避難於南城山，棲遲岩石之下，念昔先人，餘暇述夫子之志而注《孝經》。」句中的「僕」、「先人」究竟指誰？因理解有異，滋生出《孝經注》作者是鄭玄或其孫鄭小同的分歧。唐梁載言作《十道志》解南城山，引《後漢書》「鄭玄漢末遭黃巾之難，客於徐州」，又引此序語，然後做出一個推斷「蓋康成胤孫所作也」，稱其作者可能是鄭玄之孫，本屬疑辭泛論，下文又說「今西上可二里所，有石室焉，周回五丈，俗云是康成注《孝經》處也」，兩說並存，較為模糊，揣度其意，似謂鄭玄注《孝經》，其胤孫作〈孝經鄭氏序〉。及至劉肅《大唐新語》轉引梁載言之說，至「蓋康成胤孫所作也」即截止，復引陸德明說《孝經注》「與康成所注五經體並不同」，卻減去其末句「未詳是非」，最後添上一句「則劉子玄所論，信有征矣」[75]，增成《孝經注》出自鄭玄胤孫的結論，而對梁載言的另說「康成注《孝經》」作了否定。北宋樂史《太平寰宇記》轉錄《十道志》，又將其末句「俗云是康成注《孝經》處」，徑改作「俗云是康成胤孫注《孝經》處」，把《孝經鄭注》歸於鄭玄之孫。南宋王應麟則在《玉海》中稱「鄭氏乃小同，注《孝經》非康成也」[76]，又在《困學紀聞》中引宋代官修《國史志》說：「鄭氏《注》今十八章，相承言康成作，《鄭志》目錄不載，通儒皆驗其非。開元中，孝明纂諸說自注，以奪二家，然尚不知鄭氏之為小同。」[77]王應麟將「康成胤孫」坐實為鄭小同，從此廣為流傳，直到清代，「通儒多以為信」[78]，如閻若璩注《困學紀聞》轉引《玉海》之說，桂文燦《孝經集解》、徐紹楨《孝經質疑》、楊國楨《孝經音訓》均引錄《國史志》之說，最典型者則是阮福，既信劉知幾之說，稱《孝經》「非康成所注無疑」，又稱王應麟說注《孝經》之鄭氏為鄭小同、劉肅謂序鄭《注》者為康成胤孫「確有可據」，引《後漢書》所載鄭玄戒子書，認為鄭玄先世固無講學者，其子益恩又未傳學，只有裔孫小同「非但通經，且以孝聞」，「以此諸證推之，注《孝經》之鄭氏，當是小同無疑」，並將「僕避難於南城山」、「念昔先人」等視為康成裔孫所說，提出「此裔孫之言實為可據，然所謂僕者，自謂也；先人者，指小同也」，「所謂避難者，當是小同之子孫，

---

74 陳鐵凡：《孝經學源流》專列一節「劉知幾十二驗辨正」，引錄嚴可均、錢侗、皮錫瑞、潘任之說，以皮、潘二家之言居多，詳見該書，頁181-185。

75 劉肅：《大唐新語》卷9。按，劉肅在前一條即述劉知幾開元七年奏議，並深以為是。

76 王應麟：《玉海》卷41。

77 王應麟著、翁元圻等注、欒保群等校點：《困學紀聞》，頁978。

78 鄭珍：《鄭學錄》卷3，頁12。

避難在魏晉之間」[79]，執定《孝經鄭注》為鄭小同作。清儒在考辨《孝經注》作者問題時，也對鄭小同注《孝經》說作了反駁，申證《孝經注》必屬鄭玄。

嚴可均針對「近人疑《孝經》鄭小同注」，辨析說：「小同，漢魏間通人，注本倖存，亦宜寶貴，然而舊無此說。《經典序錄》云『世所行鄭注，相承以為鄭玄』，引晉穆帝集講《孝經》云以鄭玄為主。陸澄所見宋、齊本題鄭玄注，《舊唐志》、《新唐志》稱鄭玄注，未有題鄭小同者也。」[80]嚴可均認為鄭小同注《孝經》一說始自宋代，因此以「舊無此說」及晉唐間的記載加以反駁。顧櫰三將王應麟的「鄭小同」說指為「後儒儗度之辭」，分析說：「小同所著有《鄭志》十二卷，與玄弟子同撰集，又有《禮記》四卷，不言注《孝經》。……後為司馬昭所鴆而死，距黃巾之亂相去甚遠，不得云遭黃巾亂避難徐州注《孝經》也。」[81]從鄭小同的著述與生平行事入手，推斷他未注《孝經》，更不可能經歷黃巾之難，論斷相當有力。

潘任認為《孝經注》不可能屬鄭小同作，舉出三證：其一，王肅注經，「不獨《聖證》難鄭，即他經注，亦時多異鄭」，他列出王肅《孝經注》與《孝經鄭注》三處明顯的差異，然後說：「此皆與鄭注相違處，苟為小同注，則肅何必難之？」其二，韋昭《孝經解贊》〈聖治章〉有「東方青帝靈威仰，周為木德，威仰木帝，以后稷配蒼龍精也」，全與《孝經鄭注》相合，韋昭服膺鄭學，其書名「解贊」，必是贊《孝經鄭氏解》，「觀韋氏《孝經解贊》，則鄭君《孝經注》本名為解無疑矣」，因為韋昭與鄭小同雖然同時，「然一為吳人，一為魏人，安有暗合如此？即暗合，亦未有句同若此，其為據鄭君無疑」。其三，《公羊疏》昭公十五年：「何氏之意，以『資』為『取』，言以事父之道事君，所以得然者，敬同也。以此言之，則何氏解《孝經》與鄭稱同，與康成異矣。」又定公四年：「何氏之意，以『資』為『取』，與鄭異。」鄭玄與何休經學多異，解《孝經》「資」字是典型的一例，「一訓『資』為『取』，一訓『資』為『人之行』，是鄭與何異義處，如為小同所注，安得云『與康成異』耶」。潘任從王肅、何休與《孝經鄭注》之異，韋昭與《孝經鄭注》之同，推論《孝經鄭注》的作者只能是鄭玄，不可能是鄭小同，理據充分，讓人信服。他還進一步指出，閻若璩、阮福等信從王應麟的「鄭小同說」，是把〈孝經鄭氏序〉中「念昔先人」指為鄭玄，「故以序屬小同」，為此提出「或鄭君念昔先

---

79 阮福：《孝經義疏補》卷首，道光九年春喜齋刊本，頁第9-10。按，阮福將劉知幾十二驗之說系於陸澄，將梁載言「蓋康成胤孫所作」之語系於劉肅，均誤。

80 嚴可均：《孝經鄭注》，卷首〈敘〉，頁2。按，蔡汝堃持論略同，見《孝經通考》，頁57。

81 顧櫰三：《補後漢書藝文志》卷2，《二十五史補編》第2冊，頁2158。按，《隋書》〈經籍志〉稱「梁有《禮義》四卷，魏侍中鄭小同撰」，《舊唐書》〈經籍志〉、《新唐書》〈藝文志〉》同作《禮記義記》四卷，此處謂「《禮記》四卷」，有誤。民國學者龔道耕作〈《孝經鄭氏注》非鄭小同作辨〉（原載《學志》，今收入李冬梅編《龔道耕儒學論集》成都市：四川大學出版社，2009年），提出八證，其第一證、第五證、第六證與嚴可均、顧櫰三之說基本相同。

人，亦何不可」，並分析說：「觀范書《鄭玄傳》戒子書云：『年過四十，乃歸供養，假田播殖，以娛朝夕。』又云：『問族親之憂，展敬墳墓。』又云：『所憤憤者，徒以亡親墳壟未成。』是皆追念先人之語。《孝經》主乎事親孝養，故〈序〉云『念昔先人』。經為夫子所作，故又云『述夫子之志』。是皆作注之本義。」[82]這一推論有文獻依據，非空言臆說。

皮錫瑞在疏〈孝經鄭氏序〉時，提出「鄭君作《注》之年不明，而小同以孫冒祖之疑亦終莫釋」，把確定鄭玄注《孝經》的時間作為辯駁「鄭小同說」的突破口。他首先指出：「鄭注《孝經》全用今文，當正注《緯》、注《禮》之時，與晚年用古文不合。〈序〉云避難南城，是避黨錮之難，非避黃巾之難。《後漢書》以為『被禁錮，修經業，杜門不出』。而據鄭君〈自序〉，實有黨錮逃難之事，當是黨禍方急，不能不避，後事稍緩，乃歸杜門耳。若避地徐州，有陶恭祖、劉先主為主人，不得有棲岩石之事。」他在嚴可均的啟發下[83]，確定〈孝經鄭氏序〉「避難於南城山」正是〈自序〉所說「遭黨錮逃難」，肯定鄭玄注《孝經》在早年，使前人以為鄭玄晚年注《孝經》未成而留稿於鄭小同的推斷失去了前提。皮錫瑞接著分析說：「鄭小同注《孝經》，古無此說。自梁載言以為胤孫所作，王應麟遂傅會以為小同。梁蓋以《孝經鄭氏解》世多疑非康成，故調停其說，以為康成之孫所作；又以〈序〉有『念昔先人』之語，於小同為合，遂創此論。案：鄭君八世祖崇為漢名臣，祖沖亦明經學。《周禮疏》曰：『玄，鄭沖之孫。』《禮》〈檀弓〉疏皇氏引鄭說，『稱鄭沖云：《小記》云諸侯吊必皮弁、錫衰，則此弁絰之衰亦是吊服也』，皇所引是《鄭志》之文，蓋鄭君稱其祖說以答問。然則鄭君之祖必有著述，〈序〉云『念昔先人』，安見非鄭君自念其祖，而必為小同念其祖乎？」[84]特別是對「念昔先人」一語，皮錫瑞提出鄭玄亦可自念其祖鄭沖，不必釋作鄭小同懷念其祖鄭玄，足解梁載言之誤會，對駁斥「鄭小同說」有正本清源之效。

此外，丁傑據《公羊疏》昭十五年「何氏解《孝經》與鄭偁同，與康成異」一語，提出《孝經注》的作者「當是鄭偁，非康成，並非小同」[85]，但此新說遭到孫志祖的批評，指出：「《孝經注》果屬鄭偁，不應劉知幾、司馬貞輩俱懵然不辨，蓋自有鄭偁注《孝經》，觀徐彥疏云『與鄭偁同，與康成異』，則偁與康成為二家明

---

82 潘任：《孝經鄭注考證》，頁14、15-17。

83 按，嚴可均在《孝經鄭注》卷末〈後敘〉中說：「竊意鄭氏注書三十餘年，論天文七政、注緯候蓋最先，《孝經》逃難時注，以黨事逮捕，故逃難，本序所謂避難南城山者也（樂史以黃巾寇青部當之，非），逾時而禁錮，乃注《三禮》。」前人均將避難南城山理解為避黃巾之難，則鄭玄注《孝經》必屬晚年，結果滯礙難通，頗啟疑竇，如鄭珍《鄭學錄》卷一即對梁載言將鄭玄客居徐州與避難南城並為一事提出懷疑，但因無從考定〈孝經鄭氏序〉所言避難南城注《孝經》，只得仍取前人調停之說，認為《孝經鄭注》是鄭玄晚年客居之作，俟鄭小同年長始檢得此書。

84 皮錫瑞：《孝經鄭注疏》卷上，頁1-2。

85 阮元：《孝經注疏校勘記》。

矣。」[86]後來力主鄭小同注《孝經》的阮福、堅持《孝經注》必屬鄭玄的潘任等，均引錄孫志祖的考辨[87]。

五　結語　千年疑案有定讞

鄭玄在《六藝論》中自言為《孝經》作注，范曄《後漢書》〈鄭玄傳〉也明載其書，東晉至南北朝還將鄭注《孝經》立於國學，「康成此經注，歷魏、晉、宋人無異辭」[88]，但因《鄭志》、《鄭記》、謝承諸家《後漢書》等均未言及，陸澄首發難端，卻不被王儉依從，陸德明雖續有疑辭，仍說「未詳是非」，直到劉知幾設十二驗，斷言鄭玄不注《孝經》，「自後論者或疑小同，或疑康成胤孫，甚有據徐彥疏證為鄭偁作者，紛紛聚訟，莫衷一是」[89]。《孝經鄭注》真偽之爭延續千年，清儒奮起辯駁，全面回應前人疑難，通過求同、釋異的考核證驗，尋出《孝經注》必屬鄭玄的種種內證與外證，有力維護了鄭玄的著作權[90]，「使千百年之蒙蔽，一朝盡發其晦，真鄭氏之功臣也」[91]。民國學者倫明對清儒辯護《孝經》鄭玄注的成績大加肯定，如譽稱潘任《孝經鄭注考證》所舉諸證「皆確鑿不可易，鄭注《孝經》經此論定，遂成鐵案」，肯定曹元弼《孝經學》「其證鄭《注》確為康成作最詳，可息群疑」[92]。當然，民國年間也仍有人採信舊說，對清儒的考辨成績置如罔聞，如蔡汝堃在《孝經通考》中就說「鄭玄是否曾注今文《孝經》，實為經學上一大問題」，然後援引陸澄、陸德明、劉知幾之說辭與王應麟之例證，卻對嚴可均、錢侗、潘任、皮錫瑞等人的辯駁無端斥責，堅稱「檢所謂《孝經鄭注》，實與鄭注五經不同」[93]，竟不知清儒早已駁正二陸之說，糾摘劉知幾之驗，曾樸更已推翻王應麟之證。而為之作序的張西堂，甚至還說「《孝經》有今古文，其真贗與是非及傳授之先後，清儒甚尠論及。孔《傳》晚出，始作偭於王肅，雖屬定讞，鄭注《孝經》

---

86 孫志祖：《讀書脞錄續編》卷2，《續修四庫全書》影印嘉慶壬戌刊本，頁13。

87 阮福：《孝經義疏補》卷首，頁11；潘任：《孝經鄭注考證》，頁16。

88 鄭珍：《鄭學錄》卷3，頁11。

89 曾樸：《補後漢書藝文志並考》卷3，《二十五史補編》第2冊，頁2496。

90 按，鄭珍稱「彥淵、元朗謂與注五經不同，明皇又謂踳駁尤甚，欲廢其業，勢必抑詆，要與此注無與輕重也」（《鄭學錄》卷3，頁14），忽視二陸不相類之說對於鄭注《孝經》的致命威脅，把維護《孝經》鄭玄注的重心放在反駁劉知幾十二驗上，似有輕重倒置之失。

91 潘任：《孝經鄭注考證》，頁10。按，此語原是潘任評嚴可均之語，但用作評潘任、皮錫瑞等人更為確切。

92 《續修四庫全書總目提要（經部）》（北京市：中華書局，1993年），頁832、835。倫明還對錢侗、嚴可均、皮錫瑞等辯護《孝經》鄭玄注加以肯定，指出阮福「偏信唐劉肅《大唐新語》，定鄭《注》為康成之孫小同所作，不免沿誤」，詳見頁814、815、834、827。

93 蔡汝堃：《孝經通考》，頁45，頁56-57。

是否出於康成，猶為疑案」，竟對清儒研究《孝經》的成績全然無睹[94]。可喜的是，現代學者陳鐵凡復承皮錫瑞、潘任之緒，依據《孝經注》敦煌寫本，與鄭玄《周易注》、《尚書注》、《毛詩箋》、《三禮注》、《論語注》對勘核校，再舉十六例，發現「鄭注《孝經》與注他書相類者殆十之七八」，由此「以鄭證鄭，俾釋群疑」，斷言《孝經鄭注》「實與鄭注他書符合，其為康成自著無疑。陸澄妄詆，後儒訾嗷，俱不必論」[95]，使《孝經鄭注》的歷史疑案由此定讞[96]。

---

94 張西堂：〈孝經通考序〉，《孝經通考》卷首，頁1。按，張西堂還專就皮錫瑞辯護鄭玄《孝經注》提出質疑：「《孝經鄭注》，皮錫瑞《疏》據王肅難鄭已稱引鄭注，斷其出自康成，然鄭注與五經不同，陸澄諸儒親見其書，既已獻疑，而據劉肅《大唐新語》引鄭〈自序〉云：『念昔先人餘暇，述夫子之志。』康成先人多屬微賤，所謂『念昔先人』云者實無所指，則是否出於康成，亦未可遽定也。」他以鄭玄先人多屬微賤即不能追念，殊不成理，對皮錫瑞明舉鄭沖以指實其先人竟視而不見，對其書中屢駁陸澄諸儒之論亦毫無覺察，未免太疏。至於清代爭辯《孝經》真贋是非、梳理《孝經》學術源流的成果層出不窮，張西堂居然說「清儒甚尠論及」，有點讓人匪夷所思。

95 陳鐵凡：《孝經學源流》，頁154-159；《孝經鄭注校證》，國立編譯館1987年，〈弁言〉，頁7。

96 舒大剛指出，敦煌遺書為《孝經鄭注》的恢復提供了絕佳材料，「以此為依據，日本專家林秀一、中國學人陳鐵凡皆奮起校錄，分別撰成《孝經鄭注》復原專著，終於使《鄭注》原貌得到最大限度的重現，《鄭注》作者問題也得到徹底解決」，引見《中國孝經學史》，頁438。

文字、聲韻、訓詁研究

王念孫《廣雅疏證》撰作因緣與旨要

虞萬里
上海交通大學人文學院教授

提要

王念孫《廣雅疏證》刊行二百年來，經學與語言學界奉為圭臬，研究論著層出不窮。然對其之所以曾校理《說文》而不注，撰《方言疏證補》一卷而置之，轉而疏證《廣雅》，雖各持一說而尚有融會申發餘地；其疏證《廣雅》之內在理路、撰著旨要，及其疏證過程中發現周秦兩漢經典文獻中聲音貫穿訓詁之奧秘，乃至其後所以與其子合撰《讀書雜誌》和《經義述聞》之意圖，皆忽焉不談或語焉不詳。統觀王氏一生讀書與行事，分析其學術轉折之節點，其疏證《廣雅》，與其受教於戴震時，深知《說文》、《方言》、《廣雅》之訓釋相通，而撰《方言疏證補》時每每引述《廣雅》有直接關係。而疏證過程中，獨得方言聲轉之奧秘，發現聲音貫穿訓詁之旨，導致其完稿後即轉入實施周秦兩漢經典正譌計劃。《疏證》撰著起訖時間，綜合各家意見，亦應定為乾隆五十三年秋至六十年末，延續到嘉慶元年初。

關鍵詞：《廣雅疏證》　撰作因緣　《疏證》旨要　撰作年月

《廣雅》三卷，曹魏博士張揖纂輯。東漢以還，古文興起，凡博學而通古今字指，善《蒼》、《雅》、蟲、篆之學者，多拜博士，若蘇林、邯鄲淳等者是。揖字稚讓，清河人，好《蒼》、《雅》之學，明帝太和中博士。揖雖推崇《爾雅》，以為其「文約而義固」、「精研而無誤」，為「七經之檢度，學問之階路，儒林之楷素」，然其「包羅天地，綱紀人事，權揆制度，發百家之訓詁，未能悉備也」。蓋以兩漢今古文經師及諸子百家訓故遺逸甚多，乃「以所識擇撢群藝，文同義異，音轉失讀，八方殊語，庶物易名，不在《爾雅》者，詳錄品覈，以著于篇」，匯成《廣雅》三卷。南北朝時有分為四卷者，隋秘書博士曹憲因之為音，避煬帝楊廣諱，更名《博雅》。唐時有將曹書分為十卷者，宋時《廣雅音》一卷、三卷、《博雅》十卷並存，而憲之音已附入正文之下。唯此書一千五百多年來為音者曹憲一家而已，而傳抄多塗，分合無常，故魯魚豕亥，舛譌而難以卒讀。清王念孫用十年之功，旁蒐遠討，詳為疏證，以篇幅繁重，每卷復分上下，實二十卷，都八十餘萬字。二百年來，論者夥矣，然猶有足可申發、補苴者。茲僅從王氏撰作因緣、起訖時間、疏證旨要及與《讀書雜誌》、《經義述聞》、《經傳釋詞》之關係諸方面略作申述。

一　王念孫撰作《疏證》因緣

學者之學術道路，一生之著作撰述，跡其始末，皆有因緣。王引之記懷祖從師於戴東原云：「戴東原先生，當代經師，家父所師事也……家父嘗問東原先生曰：『弟子將何學而可？』先生沈思久之，曰：『君之才，竟無所不可也。』其器重如此。」[1]考戴氏始究《方言》之年，段玉裁《戴譜》繫之乾隆二十年（1755），王安國延戴震為懷祖師在二十一年（1756），是則東原教授懷祖時，於《方言》一書必多所論及，甚或以之為啟蒙教授內容之一。時懷祖方讀十三經畢，且旁涉史傳，於《方言》當是初識。彼以齠齔之齡，天縱之才，雖有「弟子將何學而可」之問，幸獲「竟無所不可」之譽，然其對《方言》必深有印象。戴氏〈方言疏證序〉云：「許慎《說文解字》、張揖《廣雅》多本《方言》而自成著作，不加所引用書名。」[2]此研究獨得之秘，亦必傳與懷祖，故懷祖自幼對諸書殊感興趣。二十六歲會試落第，在京師囑李文藻覓汲古閣北宋本《說文解字》，以書價高，竟稱貸而購，欲以「發明字學」，斐然有述作之志。[3]此後數年，用功於《說文》，精湛於小學，為友朋所稱道，並深得朱筠器重。乾隆三十八年（1773），佐朱筠校勘小徐本《說文》並為作敘。復於朱氏椒花吟舫撰成《說文考異》二卷。四十年

1　王引之：〈光祿公壽辰徵文啟事〉，《王伯申文集補編》卷上，羅振玉輯；《高郵王氏遺書》（南京市：江蘇古籍出版社，2000年），第22頁下。

2　戴震：〈方言疏證序〉，《戴震全書》第3冊（合肥市：黃山書社，1994年版），頁5。

3　李文藻：〈送馮魚山說文記〉，《南澗文集》卷上，功順堂叢書本，第26葉A。

（1775）成進士，歲末歸里，居湖濱精舍，以著述為事，尤致力於《說文注》。[4]四十一年，段玉裁在富順縣始作《說文解字讀》長編。富順與高郵，相去千里之遙，至今未見有段、王往來書翰。然段氏於此年六月刻成東原《聲韻考》，八月寄《六書音均表》三部及銀四十兩還東原。[5]附翰是否述及《說文解字讀》一事，東原是否轉述與懷祖，今皆無史料可徵。然懷祖里居湖濱精舍傾力於著述，前後達四年。其精研《說文》，校注《說文》，已傳聲師友，播譽學林，翁方綱、桂馥皆欲一睹其著而竟未得。[6]而懷祖忽已不再賡續其事，轉著《釋大》二十餘篇，復移情作《方言》校本，[7]前後轉捩，頗引人致思。

戴氏館王家時已研究《方言》，至四十一年（1776）完成《方言疏證》後，旋即謝世。孔繼涵為刻於《微波榭叢書》中。懷祖乾隆四十四年（1779）在湖濱輯校《方言》，有稿本。明年入都，輯校本為丁小雅錄去，小雅又轉與盧文弨學士。懷祖在京師，獲乃師戴震《方言疏證》刻本，與之相校，互有異同。[8]此後八九年間，入館學習，出任《四庫》館篆隸校對官，散館任工部都水司主事，升任工部營繕清吏司員外郎、制造庫郎中，校勘《河源紀略》，往勘南河攔黃壩、浙江海塘等，雖官務冗雜，[9]而「廳事樸陋，寢室中惟古書數架而已」，蓋公事外唯讀書校書。此時是否繼續校注《說文》，史無記載。然其服官不久得讀段氏《六書音均表》，當知其已從事《說文注》。據其〈與劉端臨書〉云：「去年夏秋間，欲作《方言疏證補》，已而中止。」隨即云：「去年八月始作《廣雅疏證》一書，是書雖不及《爾雅》、《方言》之精，然周秦漢人之訓詁皆在焉，若不為校注，恐將來遂失其傳。」[10]此翰諸家皆繫於乾隆五十四年，則作輟

---

4 貫田祖有《丙申孟冬同李成裕過王懷祖庶常湖西別業時懷祖正注《許氏說文》奉贈三首》詩，可證懷祖此時曾注《說文》。《貫稻孫集》卷四，《四庫未收書輯刊》第10輯第28冊（北京市：北京出版社），頁611下。

5 段玉裁：〈刻聲韻考序〉，《經韻樓集》卷6，劉盼遂：《段玉裁先生年譜》，《經韻樓集》附（上海市：上海古籍出版社，2008年4月），頁123-124，441。

6 翁方綱：〈送吳亦山進士歸襄陵序〉，《復初齋文集》卷12，《續修四庫全書》第1455冊，頁466下。又桂馥於乾隆四十九年十二月鈔得王念孫所校《說文》校記一百十九條，視為至寶。見王念孫：《說文解字校勘記》前桂馥引言與末之許瀚識語，《續修四庫全書》經部212冊，頁1-10。

7 王引之：《光祿公壽辰徵文啓事》云：「東原先生官於京師，校揚子《方言》。家君旋里亦校是書，後至京師，攜所校與戴校本對勘，則所見多同，其小異者一二事耳。」《高郵王氏遺書》，頁22下。

8 中國科學院圖書館藏有王念孫手校戴氏《方言疏證》殘本七卷，上有硃墨兩色批校，此即王引之云「攜所校與戴校本對勘，則所見多同，其小異者一二事」之語所本。關於王念孫手校戴本情況，可參見華學誠：《揚雄方言校釋論稿》，第五章〈王念孫的方言研究〉（北京市：高等教育出版社，2011年8月），頁133-151。

9 王念孫：〈致劉端臨書第一〉云：「念孫自客歲九月備給事員，十日之中，進科者凡有五六日，一月之中，看書者不過八九日，已與素懷相左。至十一月初，忽派巡城一差，終日碌碌，刻無寧晷。黎明即往飯廠，日晡始能歸家。多病之身不勝其苦。」《王石臞文集補編》，《高郵王氏遺書》，頁11下。

10 王念孫：〈與劉端臨書〉之一，《王石臞先生遺文》卷四，《高郵王氏遺書》，頁152下。

《方言疏證補》轉而從事《廣雅疏證》皆五十三年（1788）夏秋間事。追溯其補疏乃師《方言》所以既作復輟，僅成一卷二十條者，個中原由當細析之。

一九二二年羅振玉購得王念孫未刊遺稿一箱，王國維從中鈔出《方言疏證補》一卷排印出版。《疏證補》體例為先列《方言》正文，次低一格標「疏證」抄錄戴氏疏證文字，次提行以「謹案」二字寫出證補文字，此純是補正體式。比較《疏證補》和《疏證》二書，懷祖雖有從戴氏校改，亦多有補充申證。劉盼遂將兩書對勘，謂「所見多同，其小異者一二事耳」，[11]殆非事實。[12]一卷之書，順次列出二十條，條條有所補證，則全書六百餘條，引而伸之，亦夥頤大觀。何以方展卷而忽移情？劉盼遂之解釋是，「雖有可補苴，然大體既得，所餘鱗爪，其細亦甚，故成《方言疏證補》一卷，即復中止」。劉意殆謂王氏因補苴乃師之著，意義甚微，乃棄去而疏證《廣雅》。至於其輟止《方言》工作，何以不賡續《說文注》之事，或專攻影響更大之《爾雅》？劉氏分析：懷祖初亦有意於《爾雅》、《說文》、《方言》三書之校訂，只因「當時段若膺已成《說文解字讀》五百餘卷，知難驟與爭鋒，故僅成二卷而即棄去。《方言》則有戴氏《疏證》，……至於《爾雅》，同時有邵二雲作《正義》告成，已體大思精」，於是「別啟新途」，疏證《廣雅》。[13]分析《疏證補》二十條案語，可見懷祖於戴震疏證未妥者，多間接指出其誤校、誤證，不正面責難指瑕；即使引述摯友劉端臨之正確校語，亦將其責備戴震之言辭抹去；不得已需要批評戴震者，最後亦情不得已地刊落。可見懷祖雖作補一卷，而心理上始終有如何曲為維護乃師著作之瑕疵。張錦少謂懷祖疏證《方言》是不難於寫什麼，而難於怎樣寫，是「在求是與尊師之間爭取平衡」，認為此乃「導致他欲作《方言疏證補》卻『已而中止』的主要原因」。[14]

筆者認為，懷祖受教於戴氏，深受其影響，文字音韻訓詁功底深厚，於校勘一道慧眼獨具，方法迥異。其先後校勘《說文》、《方言》、《爾雅》三書固皆可校注或疏證，所謂「竟無所不可」也。唯劉氏所謂當時段玉裁《說文解字讀》五百餘卷已成，難與爭鋒，恐非實情。[15]以懷祖之性，即使不願與之爭鋒；而以懷祖之識，未必不能爭鋒。朱

---

11 劉盼遂：《高郵王氏父子年譜》，《高郵王氏遺書》本，頁50下。

12 張錦少在〈王念孫《方言》校本研究——兼論《廣雅疏證》所引方言及郭注〉中指出：「《方言疏證補》中有十八處與《方言疏證》不同，其中有六處是戴震改而王氏未改，三處與戴震所改不同，九處是王氏新改。」足見異同不小。《王念孫古籍校本研究》（上海市：上海古籍出版社，2014年12月），頁21。

13 以上均見劉盼遂：《高郵王氏父子年譜》，頁51下。按，劉氏下文又云「而郝蘭皋之作《義疏》，實昕夕過從先生問雅故，商體製」，此亦不符事實。郝氏撰《義疏》在嘉慶初年，距此尚有十年之遙。參見虞萬里《爾雅義疏及其作者郝懿行》，《辭書研究》1984年第1期，頁162。

14 張錦少：〈《方言疏證補》殘稿王國維鈔本雜志——兼論王念孫校治《方言》的科學方法〉，2014年中國訓詁學研究會年會論文。

15 段氏《說文解字讀》是否有五百餘卷之多，以今發現之《讀》稿本揣量，恐未必然。參見張和生、朱小健：〈說文解字讀考〉，《北京師範大學學報》1987年第5期，頁15-20。

士端轉述懷祖次子王寬夫言，謂懷祖曾注《說文》，因段氏書成而未卒業，遂以稿付之。後見段氏妄改許書，不覺甚悔。[16]寬夫所言以稿付之，當是指《說文考異》或《說文注》，此王家一面之辭。考嘉慶十一年段玉裁與懷祖書有云：「《說文注》近日可成，乞為作一序。近來後進無知，咸以謂弟之學竊取諸執事者，非大序不足以著鄙人所得也，引領望之。」[17]懷祖有《說文》校本和部分注本，乃當時學林所共知，若前輩朱筠、盧文弨，學長翁方綱、李惇，摯友賈田祖、劉端臨等，或於書翰傳之，或於詩文贊之。段氏謂外間傳言其書竊之於懷祖，竊之云者，竊其說而攘為己有也，推知懷祖確實曾將手稿付段，不然，流言何從而起？詳審史語所所藏懷祖《段氏說文簽記》，[18]懷祖於段氏擅改《說文》多持異議，[19]可徵寬夫所言付稿翻悔一事，揆之情理，當屬可信。然付稿之歲月時日，與撰著《疏證》前後矛盾。段王最初相晤，據懷祖《答江晉三論韻學書》云：「己酉仲秋，段君以事入都，始獲把晤。」[20]己酉仲秋為乾隆五十四年八月，此時懷祖已中止《方言疏證補》而從事《疏證》，且已有成稿，段氏見而歎為「天下之至精」之書。[21]懷祖付稿應在把晤之後，而把晤時已作《疏證》。雖可前聞同門有作而不與爭鋒，畢竟難以坐實。陳鴻森揭示懷祖從事《廣雅疏證》之另一原由，是因友摯陳鱣於乾隆五十年前後始著《說文正義》，五十二年入都，與懷祖交往，論學析疑，甚為相得。至懷祖中輟《方言疏證補》時，陳鱣《說文正義》應已屬草過半。[22]陳精於字學，為懷祖所知，故置早年用功之《說文》而整理《廣雅》。此乃近年頗有理據之新說。

檢視《方言疏證補》所正所補內容，可得其「即復中止」之心理。《疏證補》一卷二十條，旨在補正，其於《疏證》非者正之，未盡者申之，未及者補之，本情理中事。乃懷祖於《疏證》之誤而為他人沿用者，唯引他人之說而駁之；《疏證》沿用前人誤本，僅云各本誤；若逢《疏證》之誤，則直抒己說，置戴說而不言；甚至先前有駁，亦終至刪削：[23]其諱言師說非是之心理展露無遺。比較戴校和王校《方言》文本，體味

16 朱士端：《強識編》卷三〈石臞先生注說文軼語〉，《續修四庫全書》第1160冊，頁489上。

17 段玉裁：〈與王懷祖第三書〉，《經韻樓文集補編》卷下，《經韻樓集》（上海市：上海古籍出版社，2008年），頁416。

18 懷祖《段氏說文簽記》數十百條，見李宗焜編撰：《高郵王氏父子手稿》一書所載。中研院史語所珍藏史料暨典籍系列之二（臺北市：中央研究院歷史語言研究所，2000年6月）。

19 參見筆者〈王念孫〈段氏說文簽記〉原意〉一文，「段玉裁誕辰280週年紀念暨段學、清學國際學術研討會」論文，未刊稿。

20 王念孫：〈答江晉三論韻學書〉，《王石臞先生遺文》卷4，《高郵王氏遺書》，頁156下。

21 王引之《光祿公壽辰徵文啓事》云：「段茂堂先生入都，一見是書，愛之不能釋手，曰：『予見近代小學書多矣，動與古韻違異。引書所言聲同、聲近、通作、假借，揆之古韻部居，無不相合，可謂天下之至精矣。』」《王伯申文集補編》卷上，《高郵王氏遺書》頁23上。

22 陳鴻森：《清代海寧學術豐碑——陳鱣其人其學述要》，《中國文化》第38期，頁142。

23 華學誠：〈王氏方言研究的評價〉有論述，見《揚雄方言校釋論稿》，頁154。張錦少更比對《方言疏證補》之草稿和清稿，發現草稿有駁斥戴說者五十餘字，清稿無。王國維在整理時，認為此是「駁

《疏證補》曲筆隱情，設想懷祖撰著時，每逢戴著之誤，可謂觸處皆礙，動輒得咎。在求真與尊師不能兩全之境地下，其方草成一卷，「即復中止」是無奈而必然之結果。

十餘年前校注《說文》，礙於師友或同門先作而捨棄；方始撰著《方言》，復因師說而中止，漢代小學名著，唯餘《爾雅》，而恰在此年（乾隆戊申，1788），邵晉涵《爾雅正義》刊於面水層軒。[24]邵乃四庫館名臣，懷祖任四庫館篆隸校對官時同僚，[25]雖其於聲韻一道稍疏，而史料之熟，名震遐邇。其書新刊，亦不易再作，況先前未有用功於斯。於是轉而傾注於《廣雅》，亦無奈而必然之舉。

然此無奈必然之舉，更有一直接原由，即戴震《方言疏證》卷一前二十條中，有十七條引《廣雅》與《方言》互證。懷祖補證此二十條，於戴氏疏證之正確者，原不必再涉重說，而其竟亦有十條引《廣雅》為說。尤其是「眉梨耋鮐，老也」條和「允訦恂展諒穆，信也」條，戴震未引《廣雅》，而懷祖復引而證之，足見《廣雅》於漢魏訓詁中舉足輕重之地位。戴氏謂「許慎《說文解字》、張揖《廣雅》多本《方言》而自成著作」，《廣雅》與《方言》關係密切，故疏證《廣雅》，仍可對《方言》進行正確詮解，在此進退維谷之際，其傾力疏證《廣雅》，已成為不二選擇。

二　《疏證》撰作旨要

《廣雅》者，廣《爾雅》所未備。《爾雅》多針對經訓，而《廣雅》則「自《易》、《書》、《詩》、《三禮》、《三傳》經師之訓，《論語》、《孟子》、《鴻烈》、《法言》之注，《楚辭》漢賦之解，讖緯之記，《倉頡》、《訓纂》、《滂喜》、《方言》、《說文》之說，靡不兼載」。懷祖謂《廣雅》一書，凡「周、秦、兩漢古義之存者，可據以證其得失；其散逸不傳者，可藉以闚其端緒」。唯「其書之為功於詁訓也大矣」，[26]故欲「借《廣雅》一書以述其所學」。引之謂「其校訂之精，引證之切，觸類引伸之廣，實上追兩漢諸儒。詁訓略其形跡，而取其精華，貫穿該洽，左右逢源」，三易其稿，十年成書，[27]雖非虛語，猶滯形跡。

東原之說，後刪去」。見〈《方言疏證補》殘稿王國維鈔本雜志——兼論王念孫校治《方言》的科學方法〉，2014年中國訓詁學研究會年會論文。

24 黃雲眉：《邵二雲先生年譜》在乾隆五十二年丁未下據《大俞山房詩集》附錄載邵晉涵上同里黃璋先生書三通，其第二通有「晉涵近刻《爾雅正義》……今寄呈一部，伏祈大加誨削」云云，似《正義》刻於五十二年。按，《大俞山房詩集》由黃徵肅刻成於乾隆五十二年，黃璋自序云丁未仲冬（《清代詩文別集》第363冊（上海市：上海古籍出版社，2011年版，頁525），是已歲杪。今觀其第一通云「奉到大集，雒誦再四」，是邵氏收到黃集時已在五十三年，故其第二通書翰亦必五十三年所作，與《爾雅正義》刊本署乾隆五十三年邵氏面水層軒年月相應。黃雲眉繫於五十三年欠妥。

25 王念孫有《與邵二雲書》二通，見收於李慈銘《荀學齋日記》巳集下，足見兩人之相得。

26 王念孫：〈廣雅疏證序〉（南京市：江蘇古籍出版社，1984年影印本），頁1上。

27 王引之：〈光祿公壽辰徵文啓事〉，《王伯申文集補編》卷上，羅振玉輯：《高郵王氏遺書》，頁23。

《說文》重形體，《方言》明言語，《爾雅》、《廣雅》則兼形音義而有之。尤其《廣雅》，多與《方言》相應。戴東原嘗云：「許慎《說文解字》、張揖《廣雅》多本《方言》，而自成著作，不加所引用書名。」[28]故懷祖在無奈放棄《說文》、《方言》撰著之後，毅然傾力於《廣雅》之疏證，非唯《廣雅》與《方言》相通，抑亦循東原所揭示者以趨也。

懷祖疏證《廣雅》之要旨，正如段玉裁讀其部分原稿後於乾隆五十六年八月所序，以為小學有古形今形、古音今音、古義今義。「懷祖氏能以三者互求，以六者互求，尤能以古音得經義，蓋天下一人而已矣」，此謂其能融通古今形音義者也。而又云其「假《廣雅》以證其所得，其注之精粹，再有子雲，必能知之」。何以注《廣雅》而云子雲？此即謂其能以子雲著《方言》，明五方言語之通轉而治《廣雅》也。推想五十四年八月，段、王相晤京師，商訂古韻之外，必各道注《說文》、疏《廣雅》之心得，於東原對《方言》語音通轉之認識，研治之方法，亦必交流無疑。段氏深知懷祖疏證《廣雅》，融通古音，若乃師疏證《方言》之比，故云「再有子雲，必能知之」也，而此正懷祖所向所望、所踐所履者。

東原〈方言疏證序〉總結全書謂「今從《永樂大典》內得善本，因廣搜群籍之引用《方言》及《注》者，交互參訂，改正譌字二百八十一，補脫字二十七，刪衍字十七，逐條詳證之」。懷祖自序亦謂「今據耳目所及，旁攷諸書，以校此本，凡字之譌者五百八十，脫者四百九十，衍者三十九，先後錯亂者百二十三，正文誤入音內者十九，音內字誤入正文者五十七。輒復隨條補正，詳舉所由」。[29]此形跡之相承者也。統計整部《廣雅疏證》，徵引《方言》以證《廣雅》詞義者達一千餘條，可見其雖不得已而移情《廣雅》，仍不忘補證《方言》，遂有將二書合證之意。

戴東原乾隆十八年（1753）《與是仲明論學書》曾云：「字學、故訓、音聲未始相離，聲與音又經緯衡縱宜辨」，「由字以通其詞，由詞以通其道，必有漸」。[30]三年後館王家教授懷祖，必有所指授。二十八年（1763）《與秦蕙田論韻書》曾云：「字書主於訓詁，韻書主於音聲，然二者恒相因。」[31]又《與江永論小學書》引江永云：「本義外，展轉引伸為它義，或變音，或不變音，皆為轉注。其無義而但借其音，或相似之音，則為假借。」又云：「字之本義亦有不可曉者。」此江氏之轉注、假借觀。[32]戴氏則以為：

> 震之疑不在本義之不可曉，而在展轉引伸為它義，有遠有近，有似遠義實相因，有近而義不相因，有絕不相涉而旁推曲取又可強言其義。……六書之諧聲、假借

28 戴震：〈方言疏證序〉，《戴震全集》第3卷（合肥市：黃山書社，1994年版），頁5。

29 王念孫：〈廣雅疏證序〉，頁1下。

30 戴震：〈與是仲明論學〉》，《東原文集》卷9，《戴震全書》第6冊，頁371。

31 戴震：《論韻書中字義答秦尚書蕙田》，《戴震全書》第6冊，頁334。

32 清以還論轉注假借者各不相同，近人總結有數十種之多，此不作討論。

並出于聲。諧聲以類附聲而更成字，假借依聲托事不更製字。或同聲，或轉聲，或聲義相倚而俱近，或聲近而義絕遠。[33]

此敷衍江氏轉注、假借之義，而提出自己「四體二用」說中「二用」之見解。猶可注意者，戴氏明確將雅學訓釋視作轉注，其說云：

《爾雅》〈釋詁〉有多至四十字共一義，其六書「轉注」之法與？別俗異言，古雅殊語，轉注而可知，故曰「建類一首，同意相受」。……由是之于用，數字共一用者，如「初、哉、首、基」之皆為「始」；「卬、吾、台、予」之皆為「我」，其義轉相為注，曰「轉注」。一字具數用者，依于義以引伸，依于聲而旁寄，假此以施于彼，曰「假借」。所以用文字者，斯其兩大端也。[34]

江永逝世於乾隆二十七年（1762），故此函必作於此之前。姑不論四體二用說對後世之影響，即就兩弟子而言，孔繼涵刻戴氏遺著在乾隆四十二（1777）至四十四年（1779）間，段氏每逢朔望，必莊頌東原手札一通，對戴氏可謂恭敬有加，於其四體二用說自無不熟之理。十年後，段、王二人京師敘談，既以《說文注》、《廣雅疏證》為中心議題，則於先師學說絕無不談之理。尤其是戴震逝世前半年所作《六書音均表序》云：「夫六經字多假借，音聲失而假借之意何以得？故訓、聲音相為表裏，故訓明，六經乃可明。」[35]唯其皆能貫徹戴氏六書理論，故段氏不僅用之於《說文注》，亦發之於〈廣雅疏證序〉。而懷祖之自序，更能體現其實踐「二用」說之路向：

竊以詁訓之旨，本於聲音。故有聲同字異，聲近義同，雖或類聚群分，實亦同條共貫。譬如振裘必提其領，舉網必挈其綱。故曰本立而道生，知天下之至嘖而不可亂也。此之不寤，則有字別為音，音別為義，或望文虛造而違古義，或墨守成訓而尟會通，易簡之理既失而大道多岐矣。今則就古音以求古義，引伸觸類，不限形體。苟可以發明前訓，斯淩雜之譏，亦所不辭。[36]

雒誦體味，可知懷祖與段氏皆用不同詞彙語句敷演、闡述乃師戴震四體二用說之理論，而整部《廣雅疏證》，即在運用此一理論，將雅學之同義詞，從語言和聲音角度進行貫穿闡釋。戴震六書理論，僅體現在《方言疏證》中，而懷祖則將之在「《易》、《書》、

---

33 戴震：〈答江慎修先生論小學書〉，《聲韻考》卷4，《戴震全書》第6冊，頁333。按，段玉裁《戴東原年譜》謂「先生此書作於何年未可詳」，繫之於乾隆十年乙丑，楊應芹：《段著東原年譜補正》謂此書內容見諸《經考》卷5，《經考》成書於乾隆二十二年丁丑，則此書當成於丁丑之後。《稗稿且存》（北京市：北京師範大學出版社、合肥市：安徽大學出版社，2010年），頁197。

34 戴震：〈答江慎修先生論小學書〉，《聲韻考》卷4，《戴震全書》第6冊，頁334。

35 戴震：《六書音均表序》，《戴震文集》卷十，《戴震全書》第6冊，頁384。

36 王念孫：〈廣雅疏證序〉（南京市：江蘇古籍出版社，1985年影印本），頁1上。

《詩》、《三禮》、《三傳》經師之訓，《論語》、《孟子》、《鴻烈》、《法言》之注，《楚辭》漢賦之解，讖緯之記，《倉頡》、《訓纂》、《滂喜》、《方言》、《說文》之說，靡不兼載」的《廣雅》中作全面而深層之推闡。汪士鐸謂「戴東原《方言疏證》得高郵王氏《廣雅疏證》足之，始屬《方言》全義，蓋張揖書全載《方言》也」，[37]的是知情之言。宜乎陳奐謂金壇段氏與「高郵王石臞先生淵源同出乎戴，故論學若合符節」。[38]段、王抉字形之藩籬，於聲韻天籟中求詁訓之切合，開啟傳統語文學之新天地，而戴震導夫先路之功，固不可沒。

《疏證》係懷祖人到中年，用七八年時間精心結撰之第一部著作，此在其本人固極可珍視，而尤不可忽視者，《疏證》是懷祖一生學術之起點與支點，由雅學專書所類聚之同義詞中悟徹到聲音貫穿訓詁之旨意，進而推衍到考釋一切先秦以還經史諸子文本中文字譌誤。嘉慶元年《疏證》成書之後，懷祖轉向《讀書雜志》撰作，並命引之習作《尚書訓詁》進而撰著《經義述聞》、《經傳釋詞》，皆由在疏證《廣雅》時獲得之啟迪與形成之方法推衍而成，以致在《雜志》、《述聞》、《釋詞》中留下痕跡。校覈《雜志》中引《廣雅》為說者三四百次，明言「辯（說）見《廣雅疏證》」者近二十次；《述聞》中引《廣雅》為說者近三百次，明言「辨（說）見（詳）《廣雅疏證》」者三次；《釋詞》中引《廣雅》為說者二三十次，明言「辯見《廣雅疏證》」者一次。其明言「說見《廣雅疏證》」者固有從《疏證》中推衍而成，即一般引述《廣雅》訓釋者，亦多本《疏證》所糾正之經典譌誤而立目作解。如《疏證》「竫，善也」下云：

> 竫者，《藝文類聚》引《韓詩》曰：「『東門之栗，有靜家室』，靜，善也。」《史記》〈秦紀〉云「賜謚為竫公」，襄十年《左傳》云「單靖公為卿士」，《逸周書》〈謚法解〉云：「柔德考眾曰靜，恭己鮮言曰靜，寬樂令終曰靜。」「竫」、「靜」、「靖」並通。「靜」與「善」同義，故〈堯典〉「靜言庸違」，《史記》〈五帝紀〉作「善言」。〈盤庚〉「自作弗靖」亦謂弗善也。《傳》訓「靖」為「謀」，失之。

分析竫、靜、靖音同義通，故指出〈盤庚〉孔傳之誤。引之《述聞》本之而立「自作弗靖」條云：

> 「則惟汝眾自作弗靖」，馬注曰：「靖，安也。」某氏傳曰：「靖，謀也，是汝自為非謀所致。」家大人曰：靖，善也。言是汝自作不善所致也。「自作弗靖」，猶言自作不典。不善，即上文所云「先惡于民」也。靖，通作「竫」，又通作

37 汪士鐸：〈胡曉庭方言補注敘〉，光緒七年刻本《汪梅村先生集》卷7，《續修四庫全書》第1531冊，頁654下。

38 陳奐：〈王石臞先生遺文序〉，《高郵王氏遺書》本，頁116。

> 「静」。《小雅》〈小明篇〉「靖共爾位」，《韓詩外傳》作「静」。《漢帝堯碑》「竫恭祈福」，蔡邕〈王子喬碑〉作「静」。《公羊春秋》定八年「葬曹竫公」，《左氏》、《穀梁》並作「靖」。《逸周書》〈謚法篇〉「柔德考衆曰静」，蔡邕《獨斷》作「靖」。《史記》〈周本紀〉「周宣王静」，《漢書》〈古今人表〉作「靖」。《藝文類聚》引《韓詩》曰：「東門之栗，有静家室。」静，善也。《廣雅》曰：「竫，善也。」〈堯典〉「静言庸違」，《史記》〈五帝紀〉作「善言」，《漢書》〈王尊傳〉作「靖言」。是「靖」與「善」同義。

《疏證》由竫而靜而靖依次疏解，《述聞》立足於「靖」，故由靖而竫、靜依次疏解，引例雖有溢出《疏證》外者，立論本之乃父，故題云「家大人曰」。《雜志》、《述聞》、《釋詞》三書涉及經史子集實詞與虛詞之正譌數千條，重點則無不圍繞「訓詁之旨本於聲韻」之原則展開與求證，其於古籍校勘、釋讀創獲之豐，誠可謂冠絕古今。而流風所被，使嘉道以還之學者群趨而思齊之，厥功甚偉。而追本溯源，《疏證》是奠定懷祖校勘經典思想方法之基礎，是蘊於《雜志》、《述聞》、《釋詞》之母體，是古典注釋學中之典範。即此而言，其學術意義，非僅止於一書之成功，而是影響到經典文字在流傳中譌變之認識與整個學術方法與思路之轉變。

三　王念孫疏證《廣雅》起訖時間再議

懷祖疏證《廣雅》之年，皆繫於其《與劉端臨書一》所言。書云：「王念孫再拜端臨先生席前，新正接奉手書，具領一切。念孫前歲差旋過鎮，滿擬入城一晤，並訪若膺先生，同作竟夕之談。詎因水淺，改由焦山閘口渡江，遂不獲如願，悵何如之。……念孫自改諫曹，幸謝部務之擾。去年夏秋間欲作《方言疏證補》，已而中止……自去年八月始作《廣雅疏證》一書。」[39]劉盼遂據之而繫於五十二年（1787）丁未懷祖四十四歲時，今人多有承其說者。[40]近王章濤作二王年譜，所據亦為懷祖與劉端臨書，卻繫於五十三年，第未詳其事略。[41]陳鴻森謂劉《譜》所繫未確，彼云「差旋」一事，「即查勘

39 王念孫：〈與劉端臨書一〉《王石臞先生遺文》卷4《高郵王氏遺書》，頁152下。

40 周祖謨：〈讀王氏廣雅疏證手稿後記〉謂「石臞先生四十四歲始注釋《廣雅》」，《問學集》（北京市：中華書局，1966年版），下冊，頁889。又《讀王念孫廣雅疏證簡論》云：「王念孫注《廣雅》是從乾隆五十二年（1787）著手的。」《周祖謨學術論著自選集》（北京市：北京師範大學出版社，1993年），頁524。賴貴三：《王念孫石臞先生年譜簡編》於乾隆五十二年下云：「八月，始作《廣雅疏證》，期以十年為之。」《昭代經師手簡箋釋》（臺北市：臺灣里仁書局，1999年），頁89。單殿元：《王念孫王引之著作析論》云：「乾隆五十二年（1787）秋天，王念孫開始為《廣雅》作疏證。」（北京市：社會科學文獻出版社，2009年），頁23。此皆承劉盼遂之說。

41 王章濤：《王念孫王引之年譜》（揚州市：廣陵書社，2006年），頁63。

浙江海塘工事」，而據王引之《石臞府君行狀》在乾隆五十二年丁未，乃定與劉函為五十四年，則所謂「去年」乃五十三年。[42]〈行狀〉記云：

> 年四十一，補虞衡司主事；明年，擢營繕司員外郎，保送御史，奉旨記名；又明年，擢制造庫郎中；又明年，從德少司空奉命勘浙江海塘工。年四十五，補陝西道監察御史；明年，轉掌山西道監察御史，尋轉掌京畿道監察御史。[43]

懷祖四十一歲為乾隆四十九年（1784），則五十年（1785）擢營繕司員外郎，五十一年（1786）擢制造庫郎中，五十二（1787）年勘察浙江海塘，五十三年（1788）補陝西道監察御史。既云「前歲差旋過鎮」，則作書自在五十四年（1789）。推知「去年八月始作《廣雅疏證》一書」，正是五十三年。非唯勘察海塘事可證，懷祖自散館授職後，曾抱怨「官務殷繁，久荒舊業」，[44]雖云舊業荒廢，總還時有所作，唯難以有時間專注於一書一事。至五十三年任陝西道監察御史，專掌建言彈劾，擺脫繁瑣官務，方始稍可潛心著述。其先欲撰《方言疏證補》，殆因前曾用功此書，且不滿盧文弨《方言注》之校勘，欲藉補正戴書而證盧校之誤。及其開卷撰述，於盧校可一一批駁，而對戴誤則難以措辭，故轉而疏證《廣雅》。前後因果，甚為清晰，始撰之年，無容置疑。

懷祖天資、勤奮皆超邁時賢，而年屆四十有五，竟無專著行世。故攻治《廣雅》，自立程限，王引之謂其「註釋《廣雅》，日以三字為率，寒暑無間，十年而成書」。[45]《廣雅》計有一萬八千餘字，即略其解釋字，合其雙音節詞，約一萬一千條，故期以十年。懷祖遷官御史，雖可擺脫部務，而官職在身，豈能悠遊墳典。由陝西、山西御史轉京畿道御史，已「事繁任重」，及御史任滿，例可放任知府肥缺，此清水之京官所企望者。懷祖竟以不勝外任，願供京職相辭，殆以志在《廣雅》，恐俗務纏身故也。然好景不長，明年轉吏科給事中，即俗務紛沓，自云十日之中進科者凡五六日，一月之中看書者不過八九日，日注三字，勢必蹉跎。傾此苦悶與摯友端臨，以為「與素懷相左」。已而又派巡南城，「終日碌碌，刻無寧晷，黎明即往飯廠，日晡始能歸家」，城差甫滿，倉差接踵，辛苦更甚。年過五十，精力衰退，而《廣雅》難治，成書不易，先後流露致仕意願。[46]如此作輟相間，至乾隆五十七年，僅成四卷；六十年四月巡視城南時，方成七

---

42 陳鴻森：〈阮元刊刻古韻廿一部相關故實辨正——兼論經義述聞作者疑案〉，《中研院歷史語言研究所集刊》第七十六本第三分，頁457。

43 王引之：〈石臞府君行狀〉，《高郵王氏六葉傳狀碑誌集》卷4，《高郵王氏遺書》，頁27下。按，方濬頤：《王石臞先生傳》謂「少司空德曉峰先生最重先生節操經濟」，而記其偕同勘察海塘之年相同（《二知軒文存》卷29，光緒四年刻本）方氏為王引之再傳弟子，且與王子蘭有齊年之誼，固非泛泛抄錄行狀之比。

44 王念孫：〈答江晉三論韻學書〉，《王石臞先生遺文》卷4，頁156下。

45 王引之：〈石臞府君行狀〉，《王氏六葉傳狀碑誌集》卷4，《高郵王氏遺書》，頁32上。

46 王念孫：〈又與劉端臨書〉曾云：「念孫素好岑寂，人事擾擾，殊非所堪。近患脾泄，日甚一日，衰

卷。雖云感嘆「多病之身，不勝其苦」，[47]而實患「忽忽靡暇，《廣雅》七卷後，竟不能成一字」也。[48]官務與學術之矛盾，使其心情鬱悶，而亦導致其之後八九月，奮力疏證八、九二卷，並指導引之著第十卷以殿之，至年底而蕆事。具體時間節點，微有異說。劉盼遂謂「秋冬間成」，陳鴻森據中研院史語所所藏道光三年（1823）三月王念孫〈答江晉三書〉自言「《廣雅疏證》一書成於嘉慶元年」，「則全書歷七八載」。[49]王章濤云乾隆六十年「歲杪」完稿，復又於嘉慶元年（1796）正月云「得完稿，自序之」。[50]兩歧其說。今考八、九二卷篇幅略遜於其他各卷，自序作於嘉慶元年正月，觀其訂正譌、脫、衍、乙倒之數，必全書已定稿而後可統計，至遲元年正月撰序時已全部完成。因統計需要一定時間，則可推知歲末年初正是《疏證》成稿收尾之時。懷祖道光三年致江晉三函時，上距嘉慶元年已二十七年，籠統云「嘉慶元年」不錯，然其成書實在年初也。

成書後刊刻與刻竣一事，諸家皆未之及。王氏家刻本多未署年月，始刊與刊成年月皆不知。乾嘉學人與二王往返書翰署年月者不多，茲就涉及《疏證》之函，溯其刊成年月。焦循嘉慶三年《致王引之函》云：

> 石臞先生《廣疋疏證》梗概稍聞于阮公，刻成望賜一部。吾兄《釋辭》亦宜早出，與《疏證》相輔而行也。嘉慶三年三月望日。[51]

焦循於阮元處得聞《疏證》梗概，當知已在刊刻，唯知其未刻成，故先此索要。殆嘉慶元年正月之後開雕，三年三月尚未成書。陳鱣嘉慶四年十月〈廣雅疏證跋〉云：

> 越十年，再至京師，適先生擊權貴名振公卿，時權貴已伏誅，而先生杜門謝客。獨鱣往謁，則亟出見，曰：「余待子久矣，《廣雅疏證》二十卷，發奮垂成，惟後二卷命子引之足成之，今付刻甫完，特以初印本持贈，子其為我校閱焉。」[52]

懷祖言甫刻完畢，以初印本相贈，是十月時已成書無疑。而其六月二十九日曾致函孫星衍云：

病之軀，勢難久居京邸，決意於冬底告病，明春二三月命棹南歸……擬於鎮江覓一養病之所，以度餘年、閒冷禪院，可以棲息者，先生幸為我留意焉。切囑切囑。」《王石臞先生遺文》卷四，《高郵王氏遺書》，頁13上。

47 王念孫：〈與劉端臨書一〉，《王石臞文集補編》，《高郵王氏遺書》，頁11下。

48 王念孫：〈與劉端臨書四〉，《王石臞先生遺文》卷4，《高郵王氏遺書》，頁154上。

49 陳鴻森：〈阮元刊刻古韻廿一部相關故實辨正——兼論經義述聞作者疑案〉，《中研院歷史語言研究所集刊》第七十六本第三分，頁457。

50 王章濤：《王念孫王引之年譜》，頁92、94。

51 《昭代經師手簡二編》（上海市：華東師範大學出版社，2104年影印本），第十五葉b。

52 陳鱣：《簡莊文鈔》卷3，《續修四庫全書》第1487冊，頁257上。

念孫《廣雅疏證》近已成書，十年之力，幸不廢於半途，容覓便人寄呈教正。[53]

此時所言「近已成書」，欲覓人寄呈，自是刻本。然則所謂「近」指何時？國圖所藏洪亮吉《廣雅疏證》封面題識云：「己未四月十日，懷祖給事貽本。」[54]蓋嘉慶四年四月已鐫成。洪氏於本年三月二日抵都，派充觀德殿隨班哭臨；四月，派充實錄館纂修官。[55]其從懷祖處獲贈《疏證》當即此時。是《疏證》在嘉慶三年三月以後至四年四月前刊成。據懷祖自言「近已成書」云云，似在四年春季為宜。然國圖所藏洪亮吉點讀本無段玉裁序文，此即段玉裁嘉慶四年八月致函劉端臨，對懷祖不刻其序文表示不解。[56]由此知陳鱣所得之本亦無段序。懷祖何以不刻段序，今通行本段序何時所補，無文字可徵。然嘉慶七年（1802）錢大昕〈致王念孫函〉云：

前歲曾蒙賜寄大製《廣雅疏證》一部，體大思精，於文字、聲音之原本，燭照數計，其啟佑後學，功不在許祭酒、張博士之下。隨附寸函謝教，於去春由都門轉遞，未審得達左右否？[57]

云「前歲」，則嘉慶五年（1800）。若如錢函所說「隨函」是隨即致函之意，而於「去春」轉遞，則其收到《疏證》已在五年冬季。何以老成前輩，寄呈反在後生之後？聯繫嘉慶四年四月前後懷祖畀陳鱣、洪亮吉初印本《疏證》各一部，敦請校閱，意欲有所勘正，則其不刻段序，不贈老成及平輩師友，或與此有關。然陳鱣雖攜是書於車中讀之，稱「間有管見附列於上，俟質諸先生」，至十月跋其書，未聞郵函相質。洪氏於四月廿七日校完卷一，八月十一日校完卷十，亦未聞有校記反饋懷祖。《疏證》刻成初印之後，懷祖是否有所剜補，今亦不得而知，然其延宕七八月之久，至四年底五年初始陸續寄贈師友，誠欲再次校正，不欲遺人口舌也。王氏父子最初刻印《經義述聞》，亦每條先刻印版，不相連續，待不斷修正，始正式刊刻，兩相參覈，可見其著書態度之謹嚴。然錢大昕讀《疏證》，對懷祖認為「未詳」及聲韻、字義相通者，別紙錄出，附於書後，今檢視《疏證》，多未依錢說增補改寫，恐刻成後似無挖改之舉。

《疏證》撰著過程中，有一事不得忽略，即乾隆五十七年盧文弨欲與懷祖合刊《廣雅疏證》事。三月二十一日，校勘學家盧文弨致函懷祖云：

---

53 陳烈主編：《小莽蒼蒼齋藏清代學者書札》（北京市：人民文學出版社，2013年），上冊，頁261。

54 國家圖書館膠捲03021。洪氏在《疏證》卷一至卷十上、下各有校竟後記錄文字，其卷一上校竟在己未四月廿七日，而卷十下校竟在八月十一日，前後達三四月。

55 林逸：《清洪北江先生亮吉年譜》，《新編中國名人年譜集成》第14輯（臺北市：臺灣商務印書館，1981年），頁183。

56 段玉裁：〈與劉端臨二十書〉云：「懷祖何日南來？其《廣雅》發價甚昂，近者補刻表序，而拙序竟不刻，不得其解，便中試為訊之。」《經韻樓文集補編》卷下，《經韻樓集》，頁407。

57 羅振玉編：《昭代經師手簡》，第4葉a。

> 懷祖老先生近安。違教以來，歲星一週矣。遙想名山之業，定已傳諸其人。而弨也衰頹日甚，滯迹毗陵，不獲窺見一二，悵惘奚似？向有意欲詮《廣雅》，畏訓詁之繁難，乃從後逆推而上，已成第九、第十兩卷。中遭大故，繼復為它事所奪，閣寘又五六年矣。有學徒好事，欲請付雕，今年謀再纂輯，而精力更非復前時，外擾又難盡絕，假年之想，豈可倖邀？聞老先生於此書首數卷已有成編，敢請惠寄以為弁冕，庶更為此書增重。弨亦可免於續貂之誚，未知肯俯允否？向來拙刻凡得之友朋者，雖一字一句必明所自，諒高明素能洞鑒也。陽湖洪太史處當有使人往來，賜札可交彼處，是望。文弨頓首。壬子三月廿一日邗江寄。[58]

盧氏長懷祖二十七歲，時已七十六歲。下稱四十九歲之懷祖為「老先生」，雖曰書翰敬稱，卻也恭敬有加。違教一週，殆指十二年前，即乾隆四十五年兩人往返討論校勘《大戴禮記》事。此函所云二事，一是求懷祖《疏證》與其合刊，二是婉轉解釋《方言》校勘之事。

乾隆五十七年，《疏證》僅成四卷，且懷祖正為官務纏身而煩悶，欲告歸以潛心著述。盧氏以垂暮之年，舉二卷之注，欲與合刊，從篇幅而言，絕無可能。而更主要原因，在於二人在古籍校勘上之認識與方法不無異同。乾隆四十五年（1780），盧文弨有〈與王懷祖念孫庶常論校正《大戴禮記》書〉云：

> 讀所校《大戴禮記》，凡與諸書相出入者，竝折衷之以求其是，是足以破注家望文生義之陋。然舊注之失誠不當依違，但全棄之則又有可惜者。若改定正文而與注絕不相應，亦似未可。不若且仍正文之舊，而作案語繫於下，使知他書之文固有勝於此之所傳者。觀漢魏以上書，每有一事至四五見而傳聞互異，讀者皆當用此法以治之，相形而不相掩，斯善矣。[59]

懷祖校《大戴》，凡與諸書相出入者，必折衷各本以著其所認為正確者；而盧氏則以為不能改正文，僅可作案語繫其下。盧氏書翰後列舉多條懷祖所校戴記，希望懷祖重新審定；又取其師戴震所校官本《大戴記》，謂亦有其「所未愜者」，乃感歎云：

> 以東原之博雅精細，與眾人共事，乃亦不能盡其長邪。曩日曾共校此書，其中是者亦棄而不錄，何邪？[60]

設問之後，復又舉十一條，名義上請懷祖「共商榷之」，而實際行文則頗刺耳拂心。如云「今獨改勿勿為忽忽，殊不可通」（〈曾子制言〉「中無忽忽于賤」條）、「曩時但以

58 羅振玉編：《昭代經師手簡》，第23葉。

59 盧文弨：《抱經堂文集》卷20，《抱經堂叢書》本，乾隆六十年刊刻，第一葉。

60 盧文弨：《抱經堂文集》卷20，《抱經堂叢書》本，乾隆六十年刊刻，第三葉。

《學記》正義之說附於後，於本文卻不敢遽刪，不知何以不見從也」(〈武王踐阼〉「王齊三日」條)、「不斷之以理，而惟誤書之是信，豈可哉」(同上「以仁得之」條)、「鄉學究作此語以曉童蒙尚不爾，況作注乎」(〈衛將軍文子〉「終日言不在尤之內」條)。姑不論校勘是非，盧氏在否定懷祖之後，復又對其師戴震之誤橫加指責。設想懷祖感受，盧氏與己之異同，乃屬校勘方法不同；而連累以及戴師，時震逝世才三年，感情上終難以接受。其覆函與否未知。明年，盧氏南還，懷祖與翁方綱、桂馥、程晉芳、周永年、丁杰、劉端臨等為送行，懷祖撰序送之。序不存，不能推其所說。就翁方綱作《書同人贈盧抱經南歸序卷後》提及「又讀學士所與石臞論《大戴記》書而頗有所述者」云云，[61]是盧氏之函，為當時師友所傳知。

盧氏書翰所云「向來拙刻凡得之友朋者，雖一字一句必明所自，諒高明素能洞鑒也」，殆指戴、盧、王三家校《方言》事。乾隆四十四年(1779)，懷祖有《方言》校本，明年攜之入都，為丁杰抄錄，轉贈盧文弨。盧氏彙集眾校，斷以己意，於四十九年刊出《方言校本》。方其彙校之時，當有取捨原則，其乾隆四十七與丁杰書起首即云：

> 《方言》一書，戴君疏證已詳，愚非敢掩以為己有也。然疏證之與校正，其詳略體例微當不同，亦因其中尚有未盡者，欲以愚見增成之，故別鈔一編。今不能即寄，聊舉一二，乞足下審正之。[62]

先表白所以在戴震《疏證》後更作原因，是疏證與校正體例不同，故「別鈔一編」，情不得已。透過盧氏表白，可推想當時物議，蓋戴書作為官書，梓行不足五年，是否有必要重校，而懷祖是最有可能議此事者。為平息物議，盧氏摘錄所校，函示丁氏，恐亦寓有希冀調停之意。校本梓行，懷祖得讀，見校本銜名有戴震、邵晉涵、余蕭客、汪瀋、錢大昭、劉台拱、丁杰而無己之名，意有不適，此從五年後與劉端臨書中可見：

> 念孫己亥年曾有《方言》校本，庚子攜入都，皆為丁君小雅錄去。內有數十條不甚愜意者，往往見於盧紹弓先生新刻《方言》中；其愜意數條，則紹弓先生所不錄。容當錄出就正，然計先生及若膺先生所校必有暗合者矣。[63]

銜名與否不可言，故言其錄與不錄己之校記為說，此意亦必傳之師友，故盧氏三年後致函，云「向來拙刻凡得之友朋者，雖一字一句必明所自，諒高明素能洞鑒也」，顯然有請求理解之意。論者謂盧氏不錄懷祖之名，乃丁氏合諸家校語而未出名姓，[64]此固其一因。然予前謂盧氏與懷祖之校勘原則微有異同，盧氏不僅與懷祖論《大戴記》書中曾有

---

61 翁方綱：《書同人贈盧抱經南歸序卷後》，《復初齋文集》卷17，《續修四庫全書》第1455冊，頁518。

62 盧文弨：〈與丁小雅杰進士論校《方言》書辛丑〉，《抱經堂文集》卷20，第十一葉。

63 王念孫：〈與劉端臨書一〉，《王石臞先生遺文》卷四，《高郵王氏遺書》，第152頁下。

64 張錦少：〈高郵王氏四種作者疑義新證〉，《王念孫古籍校本研究》，第375頁。

表述，其與丁小雅書復又有言云：

> 大凡昔人援引古書，不盡皆如本文，故校正群籍，自當先從本書相傳舊本為定。況未有彫版以前，一書而所傳各異者，殆不可以徧舉。今或但據注書家所引之文，便以為是，疑未可也。[65]

將此與論《大戴記》函合觀，可見盧氏校勘自有其原則方法，而此原則方法正與戴震、懷祖援類書、注疏引文並據之校改原文有異。盧氏校勘以本書相傳舊本為主，懷祖則兼及類書及注疏引文，兩人各臻其極，為清代校勘史上兩座不可踰越之豐碑。唯當初持論分流，殆有難以調和之趨勢。即此異同，已決定盧氏欲與懷祖合併《廣雅》疏證一事，必不能有其結果。懷祖當時如何覆函或是否覆函，今無可徵知，所憾《廣雅疏證》完稿，盧氏已謝世，不克見此傳世名著。

二〇一五年一月三日至十九日稿
二〇一五年六月二十二日修訂

65 盧文弨：〈與丁小雅杰進士論校《方言》書辛丑〉，《抱經堂文集》卷20，第十一葉。

王引之《經義述聞・爾雅》辨疑

留金騰
香港理工大學專業及持續教育學院講師

提要

高郵王念孫、王引之父子，清代樸學巨擘，《經義述聞》是父子二人的學術結晶，一向被奉為讀經者的金科玉律，於經學研究有極為重要的貢獻。王氏父子對《爾雅》詳加稽考，辨析疑義，其見解之精，自清以降，無出其右。然智者千慮，容或有失，書中或有未備之處，本文嘗就《經義述聞・爾雅》中「禕，美也」、「均、弟，易也」和「存，察也」三則加以考察分析，以就正於方家。

關鍵詞：訓詁學　經學　王引之　《經義述聞》　《爾雅》

《爾雅》是中國現存最早以及系統較為完備的漢語辭書，[1]其於中國語文學，包括詞彙學、訓詁學、詞典學，以至中國文化學、自然科學等都有重大影響。[2]歷來研究《爾雅》者甚多，清代乾嘉學者王念孫（1744-1832）、王引之（1766-1834）父子識見尤高，於《經義述聞》一書中，對《爾雅》詳加分析，得二百一十八條。王氏或糾歷代舊說，或橫空而出，發前人之未發。其運思之細，判斷之準，往往一言九鼎，實有劃時代的意義，貢獻極大。然智者千慮，容或有失，今就《經義述聞．爾雅》三則，詳加探討，並作辨正。

一　「禕，美也」條

> 《釋文》：「禕，於宜反。」卲引《東京賦》「矦其禕而」。引之謹案：〈釋訓〉曰：「委委、佗佗，美也。」《釋文》：「委委，於危反。《詩》云「委委佗佗」，是也。諸儒本竝作禕，於宜反。舍人云：『禕禕者，心之美。』引《詩》亦作『禕』。」是「禕」字重言之，亦為美也。今本《釋文》「禕」作「褘」，非。禕，於宜切，美也，字從示。褘，許韋切，後祭服也，字從衣。舍人引《詩》作「禕」，蓋本於三家。[3]

王氏認為「委委」與「禕」字重言義同，皆釋為美，恐有不妥。

王氏引用資料有二，一為〈釋訓〉，一為陸德明《經典釋文》，而《釋文》所據為《詩經．君子偕老》。本文要釐清三個問題：第一，「褘」字是否「禕」字之誤。第二，〈釋訓〉「委委」是否與「禕」同。第三，《詩經》「委委佗佗」的意思。

周祖謨《爾雅校箋》曰：

> 「禕」，宋刻十行本同。《釋文》從「示」作「禕」。音於宜反。唐石經字亦從「示」，不從「衣」。卲晉涵《爾雅正義》及郝懿行《爾雅義疏》同。日本釋空海所纂《篆隸萬象名義》，其文字訓釋皆本《玉篇》。《萬象名義》示部「禕」音於宜反，訓美也，美盛也。「美也」即《爾雅》文，「美盛也」即《爾雅》此條郭注所謂美盛之貌。[4]

《爾雅》〈釋訓〉：

1　管錫華：《爾雅研究》（合肥市：安徽大學出版社，1996年），頁147。

2　管錫華：《爾雅研究》，頁149-170。

3　王引之：《經義述聞》（南京市：江蘇古籍出版社，影印清道光7年〔1827〕重刻本，2000年），頁619下。

4　周祖謨：《爾雅校箋》（昆明市：雲南人民出版社，2004年），頁184。

委委、佗佗，美也。[5]

《郭注》：

皆佳麗美豔之貌。[6]

《詩經》〈鄘風〉〈君子偕老〉：

君子偕老，副笄六珈。委委佗佗，如山如河。[7]

《毛傳》曰：

委委者，行可委曲蹤跡也。佗佗者，德平易也。山無不容，河無不潤。[8]

《釋文》云：

委，於危反，注同。佗，待何反，註同。《韓詩》云：「德之美貌。」行，下孟反，舊如字，委曲如字。易，以豉反。[9]

王先謙（1842-1918）《詩三家義集疏》注：

韓說曰：「委委佗佗，德之美貌。」魯作「禕禕它它」，說曰：「美也。」[10]

《魯詩》作「禕禕」，可見早於《釋文》之前仍從「示」部，不從「衣」部。李富孫（1764-1843）《詩經異文釋》云：

委委佗佗，《釋訓》、《釋文》云：「顧舍人注引《詩》釋『禕禕它它』云：『禕禕者，心之美。』引《詩》亦作「禕」。《讀詩記》引《釋文》作「他他」。《眾經音義・十九》引作「逶迤」。[11]《御覽・六百九十》作「委委蛇蛇」。案：委佗即委蛇，〈小弁〉「予之佗矣」，《傳》云：佗，加也。與《說文》「佗，負何也」義

5 周祖謨：《爾雅校箋》，頁37。

6 阮元等校：《爾雅注疏》，《十三經注疏》（臺北市：藝文印書館，影印清嘉慶20年〔1815〕重刊十三經注疏・附阮元等校勘記，2001年）第8冊，頁55下。

7 阮元等校：《詩經注疏》，《十三經注疏》第2冊，頁110下-111上。

8 阮元等校：《詩經注疏》，頁111上。

9 阮元等校：《詩經注疏》，頁111上。

10 王先謙：《詩三家義集疏》（北京市：中華書局，1987年）上冊，頁223。

11 慧琳（西元737-820年）：《一切經音義》：「逶佗，又作逶迤，同於危反，下徒何反。《廣雅》：『逶佗，窊邪也。』《詩傳》云：『平易皃也。』《韓詩》：『逶佗，德之美皃也。』」慧琳：《正續一切經音義》（上海市：上海古籍出版社，影印清乾隆年間日本獅谷白蓮社刻本，1986年）第1冊，卷9頁13後。

同。古字它字或假作佗。它又加蟲為或體。《玉篇》云:「它、佗、蛇字竝同。」禕、委聲相近,《說文》衣部引《爾雅》「禕禕積積」,當即《釋訓》異文。邵氏曰:「案:委蛇,《韓詩》作『禕隋』。」見《衛尉衡方碑》,舍人以「委」作「禕」,本於《韓詩》。[12]

王先謙《詩三家義集疏》說:

陸引毛訓,故分析注之,而綴韓總義於末。韓為「委委佗佗」四字作訓,非僅以「佗佗」為「德美」。《眾經音義・三十九》引《韓詩》曰:「逶佗,德之美貌也。」是其證矣。「委委佗佗」,猶〈羔羊〉「委蛇委蛇」也。《御覽・六百九十・事類賦十三》引《詩》,「佗佗」即作「蛇蛇」,蓋《詩》字本作「它」,加「蟲」旁則為「蛇」,加「人」旁則為「佗」,「佗」變文又為「他」。《呂氏讀詩記》引《釋文》,作「委委他他」,餘詳〈羔羊〉。「委委佗佗」四字,不宜分釋。[13]

余培林《詩經正詁》認同以上的說法:

佗,音駝,ㄊㄨㄛˊ。委委佗佗,《集傳》:「雍容自得之貌。」《詩經詮釋》:「古疊字往往不重書,但於首字下記以略小之=字。委委佗佗,古蓋寫作委=佗=,當讀作委佗委佗,與〈召南・羔羊〉之委蛇委蛇同。」[14]《韓詩》作逶迤,行路紆曲之貌;狀其行之緩而從容也。[15]

雒江生《詩經通詁》也贊同此說。[16]

另外,《詩經》〈召南・羔羊〉:

退食自公,委蛇委蛇。羔羊之革,素絲五緎。委蛇委蛇,自公退食。羔羊之縫,素絲五總。委蛇委蛇,退食自公。[17]

《注》曰:

委蛇,行可從跡也。……委蛇,委曲自得之貌,節儉而順心志定,故可自得也。

---

12 李富孫:《詩經異文釋》,《續經解毛詩類彙編》(臺北市:藝文印書館,1986年)冊1,頁443上。

13 王先謙:《詩三家義集疏》上冊,頁223。

14 屈萬里《詩經詮釋》云:「疊字往往不重書,但於首字下記以略小之二字。委委佗佗,古蓋寫作委佗,當讀作委佗委佗,與〈召南・羔羊〉之委蛇委蛇同。亦即逶迤,為行路紆曲之狀,言其緩而從容也。〔《眾經音義》(卅九)引《韓詩》云:『逶佗,德之美貌也。』〕」見屈萬里:《詩經詮釋》(臺北市:聯經出版事業,1983年),頁85。

15 余培林:《詩經正詁》(臺北市:三民書局,2005年),頁90。

16 雒江生:《詩經通詁》(西安市:三秦出版社,1998年),頁119。

17 阮元等校:《詩經注疏》,頁57下-58。

委，於危反。虵，本又作蛇，同音移讀此兩句當云「委虵」。沈讀作「委委虵虵」。《韓詩》作「逶迤」，云公正貌。[18]

故此，筆者認為委佗、委蛇、逶迤三者為異文之說可信。三者中「委蛇」及「逶迤」皆通用詞，並非罕見。以下援例證明：《後漢書》〈楊震列傳〉：

俱徵不至，誠違側席之望，然逶迤退食，足抑苟進之風。[19]

《後漢書》〈文苑列傳〉：

振華袂以逶迤，若遊龍之登雲。[20]

《宋書》〈謝靈運列傳〉：

林叢薄，路逶迤，石參差，山盤曲。[21]……蓊榛開逕，尋石覓崖。四山周回，雙流逶迤。面南嶺，建經臺；倚北阜，築講堂。[22]

《宋史》〈樂志・祀嶽鎮海瀆〉：

逶迤百川，誰歟朝宗？蕩蕩大受，於焉會同。[23]

上述諸例，「逶迤」皆表紆曲之狀，與〈君子偕老〉中所言「委委佗佗，如江如河」意義相合。詩中之義乃說明祭服之狀紆曲，如江河之迂迴貌，用了比喻的修辭方法。因此，「委委佗佗」應同時適用於祭服及江河，即紆曲之狀。

當然，江河迂迴之狀有其美麗之處，但這是內含意義，並非「委委佗佗」的表層義，故不可以直釋「委委」為美。王氏這樣解釋，不夠謹慎。

不過，王氏校正「褘」乃「禕」之誤，甚見其訓詁功力。「褘」乃後妃祭服之名，從衣。而「禕」為美之義，從示。《玉篇》云：「禕，於宜切，美皃，又歎辞。」[24]可為佐證。

---

18 阮元等校：《詩經注疏》，頁57下。

19 〔劉宋〕范曄（西元398-445年）撰、〔唐〕李賢（西元651-684年）等注：《後漢書》（北京市：中華書局，1965年）第7冊，頁1771-1772。

20 〔劉宋〕范曄撰、〔唐〕李賢等注：《後漢書》第9冊，頁2642。

21 〔梁〕沈約撰：《宋書》（北京市：中華書局，1974年）第6冊，頁1748。

22 〔梁〕沈約撰：《宋書》第6冊，頁1764-1765。

23 〔元〕脫脫等撰：《宋史》（北京市：中華書局，1985年）第10冊，頁3197。

24 〔梁〕顧野王（西元519-581年）：《大廣益會玉篇》（北京市：中華書局，影印張氏澤存堂本，1987年），頁4上。

二　「均、弟，易也」條

引之謹案：〈夏小正〉：「農率均田。」《傳》曰：「均田者，始除田也。」案：均，易也。「均田」猶《孟子．盡心篇》言「易其田疇」也。邵曰：「《大雅．泂酌》云：『豈弟君子。』〈表記〉引此而釋之曰：『弟以說安之。』《毛傳》作『易以說安之』。是弟為易也。」案：《大雅》〈旱麓篇〉：「豈弟君子，干祿豈弟。」《周語》引此而釋之曰：「夫〈旱麓〉之榛楛殖，故君子得以易樂干祿焉。」亦以豈為樂，弟為易。[25]

《述聞》此條有兩個值得商榷的地方。第一，〈夏小正〉「農率均田」的「均」與《孟子》〈盡心上〉「易其田疇」的「易」意義不盡相同，王氏的說法並不妥當。第二，《詩》〈大雅．旱麓〉和〈泂酌〉中「豈弟君子」的「弟」作「平易」之「易」解，是為二義同條，筆者認為「弟」有「易治」之「易」義，王氏判斷不當。

首先，〈夏小正〉「農率均田」的「均」應通「耘」，指「耕耘田地」，與《孟子》〈盡心上〉「易其田疇」中「易」所表示的「治理田地」意義不盡相同。《大戴禮記》〈夏小正〉云：

農率均田。率者，循也。均者，始除田也。言農夫急除田也。[26]

孔廣森（1752-1786）《大戴禮記補注》曰：

均，讀為「耘」，故《傳》言「始除田也」。古書字少，音同相借。[27]

汪照（生卒不詳，活動期為18世紀）《大戴禮注補》云：

農率均田，《釋文》：「率，謂田正。」孔氏穎達曰：「農率則田畯也，均田則審端徑遂也。」《月令廣義》注：「古田必均，所以修疆畔分遂畝，不相侵越，同賴利澤也。」金氏履祥曰：「率，相率也。」[28]

王聘珍（嘉慶時人）《大戴禮記解詁》說：

農，謂農夫。《爾雅》：「均，易也。」《孟子》曰：「易其田疇。」趙注：「易，治也。」《傳》云「率者循也」者，《爾雅．釋詁》文。云「均田者始除田也」者，

---

25 王引之：《經義述聞》，頁628上。

26 黃懷信等撰：《大戴禮記彙校集注》（西安市：三秦出版社，2005年）上冊，頁169。

27 孔廣森：《大戴禮記補注》，《皇清經解三禮類彙編》（臺北市：藝文印書館，1986年）第3冊，頁2087下。

28 汪照：《大戴禮注補》，《續經解三禮類彙編》（臺北市：藝文印書館，1986年）第3冊，頁2718下。

> 除猶脩治也。云「言農夫急除田也」者，《農書》曰「春草冒撅，陳根可拔，耕者急發」是也。[29]

從上述資料可見，「農率」有兩種解釋，一為田畯，亦即田正，是農官之名；二為農民相率。不過對於「均田」，大致沒有異議，學者皆釋為「除田」，即耕耘、整理田土之意。另外，《禮記》〈月令〉云：

> 田事既飭，先定準直，農乃不惑。[30]

《鄭注》曰：

> 說所以命田舍東郊之意也。準直，謂封疆徑遂也。〈夏小正〉曰：「農率均田。」[31]

對於《鄭注》所引〈夏小正〉「農率均田」，《孔疏》說：

> 云「〈夏小正〉曰『農率均田』」者，〈夏小正〉是《大戴禮》篇也。農率，則田畯也。均田，則審端徑遂也。[32]

孔穎達認為「均田」就是整理田間小徑、小溝。可見「均」有整理、調節之義。《周禮》〈天官塚宰·小宰〉：

> 小宰之職，掌建邦之宮刑，以治王宮之政令，凡宮之糾禁。掌邦之六典、八葯、八則之貳，以逆邦國、都鄙、官府之治。執邦之九貢九賦九式之貳，以均財節邦用。[33]

《地官司徒·均人》：

> 均人掌均地政，均地守，均地職，均人民牛馬車輦之力政。[34]

從《周禮》二例中可見，「均」有「調節」之義，而「均田」就是調節田土，亦即「耕耘」。這和《孟子》〈盡心上〉「易其田疇」意義或有不同。《孟子》〈盡心上〉：

> 孟子曰：「易其田疇，薄其賦稅，民可使富也。食之以時，用之以禮，財不可勝用也。」[35]

---

29 王聘珍：《大戴禮記解詁》（北京市：中華書局，1983年），頁27。

30 阮元等校：《禮記注疏》，《十三經注疏》第5冊，頁288下。

31 阮元等校：《禮記注疏》，頁288下。

32 阮元等校：《禮記注疏》，頁289上。

33 阮元等校：《周禮注疏》，《十三經注疏》第3冊，頁42上。

34 阮元等校：《周禮注疏》，頁210上。

35 阮元等校：《孟子注疏》，《十三經注疏》第8冊，頁238上。

趙岐注曰：

易，治也。[36]

孫奭疏：

易治其田疇而不難耕作，則地無遺其利。又在上者又薄其賦斂而無橫賦，則民皆可令其賦足也。[37]

焦循《孟子正義》云：

《毛詩》〈小雅・甫田篇〉「禾易長畝」，《傳》云：「易，治也。」《呂氏春秋》〈辯士篇〉云「農夫知其田之易也」，高誘注云：「易，治也。易讀如『易綱』之易。」[38]

楊伯峻《孟子譯注》，[39]史次耘《孟子今註今譯》[40]都跟隨以上的說法。「易其田疇」就是治理田地的意思。那麼「易」與「均」兩者意義接近。不過深究兩者，實有不同之處。「治易田疇」是改變田畝，指對土地進行較大的改動，令其土壤變得更適合耕種之用。而「均」通「耘」，是耕耘之義，只是翻動田土，疏通田間的小徑與小溝。從《述聞》中，讀者只見二者的相似之處，但不能明白其中的不同。

其實，「均」的意義很明確，在先秦文獻亦常見，一般釋為「平均」，繼而引申為公平治理，《尚書》〈周書・周官〉：

塚宰掌邦治，統百官，均四海。[41]

《周禮》〈春官宗伯・塚人〉：

凡諸侯及諸臣葬於墓者，授之兆，為之蹕，均其禁。[42]

以上二例「均」皆有「治理」之義，可見「均」為「治」例不乏，王氏引用「率農均田」以釋，不盡精確。

第二，王引之引用「豈弟君子」中「弟」以釋「易」，是取其通假字「悌」的「平

36 阮元等校：《孟子注疏》，頁238上。

37 阮元等校：《孟子注疏》，頁238下。

38 焦循：《孟子正義》（北京市：中華書局，1987年）下冊，頁912。

39 楊伯峻：《孟子譯注》（北京市：中華書局，1996年）下冊，頁311。

40 史次耘：《孟子今註今譯》（臺北市：臺灣商務印書館，1984年），頁356。

41 阮元等校：《尚書注疏》，《十三經注疏》第1冊，頁270下。

42 阮元等校：《周禮注疏》，頁335下。

易」義，與前部分以「治理」釋「易」並不相同。在同一釋例中，用兩個意義不同的訓詞解釋被訓詞的情況，王氏父子稱之為「二義不嫌同條」。不過，這種「二義同條」的情況並不常見，除非真的找不到與訓詞相同的意義例子，否則不可輕言。筆者查閱先秦文籍，發現「弟，易也」中的「弟」也應具有「治理」之義（詳下）。王氏所說或有商榷餘地。至於王氏引《詩經》「豈弟」一詞，先秦並不罕見。《詩經・大雅・旱麓》：

> 豈弟君子，干祿豈弟。[43]

《毛傳》曰：

> 干，求也。言陰陽和，山藪殖，故君子得以干祿樂易。[44]

《鄭箋》：

> 君子，謂大王、王季。以有樂易之德施於民，故其求祿亦得樂易。[45]

《釋文》云：

> 豈弟本作愷，又作凱，苦亥反。弟亦作悌，徒禮反，一音待。豈，樂也。弟，易也。後豈弟皆同。易，以豉反。[46]

《孔疏》曰：

> 豈弟君子，明是德能養民，故為樂易。[47]

《大雅》〈泂酌〉「豈弟君子」，《鄭箋》曰：

> 樂以強教之，易以説安之。[48]

《孔疏》曰：

> 樂者，人之所愛，當自彊以教之。易謂性之和悅，當以安民，故云「悅安之」。[49]

根據以上例子，可見「豈弟」在先秦文獻中是一個成詞，表示和樂平易，一般用以形容君子。除王氏所引二例外，「豈弟」於《詩經》中另有四見，《詩經・齊風・載驅》：

---

43 阮元等校：《詩經注疏》，頁558下。

44 阮元等校：《詩經注疏》，頁558下-559上。

45 阮元等校：《詩經注疏》，頁559上。

46 阮元等校：《詩經注疏》，頁559上。

47 阮元等校：《詩經注疏》，頁559上。

48 阮元等校：《詩經注疏》，頁622上。

49 阮元等校：《詩經注疏》，頁622下。

四驪濟濟，垂轡瀰瀰。魯道有蕩，齊子豈弟。[50]

《詩經》〈小雅・蓼蕭〉：

蓼彼蕭斯，零露泥泥。既見君子，孔燕豈弟。[51]

《詩經》〈小雅・湛露〉：

其桐其椅，其實離離。豈弟君子，莫不令儀。[52]

《詩經》〈小雅・青蠅〉：

營營青蠅，止于樊。豈弟君子，無信讒言。[53]

「豈弟」一詞並不難解，歷來學者並無異議，其中「弟」通「悌」，在先秦文獻尤其常見，如《論語》〈學而〉：

有子曰：「其為人也孝弟，而好犯上者，鮮矣；不好犯上，而好作亂者，未之有也。」[54]

《禮記》〈坊記〉：

子云：「孝以事君，弟以事長，示民不貳也。」[55]

《禮記》〈鄉飲酒義〉：

民知尊長養老，而後乃能入孝弟。民入孝弟，出尊長養老，而後成教。成教而後國可安也。[56]

《春秋左傳》成公十八年：

荀家、荀會、欒黶、韓無忌為公族大夫，使訓卿之子弟共儉孝弟。[57]

可見「弟」通「悌」在先秦是一成例。

---

50 阮元等校：《詩經注疏》，頁200下。

51 阮元等校：《詩經注疏》，頁349下。

52 阮元等校：《詩經注疏》，頁351上。

53 阮元等校：《詩經注疏》，頁489上。

54 阮元等校：《論語注疏》，《十三經注疏》第8冊，頁5下。

55 阮元等校：《禮記注疏》，頁870上。

56 阮元等校：《禮記注疏》，頁1006上。

57 阮元等校：《左傳注疏》，《十三經注疏》第6冊，頁486下。

王氏以「豈弟」之「弟」釋「易」，是其「二義不嫌同條」理論的表現。在這一組釋例中，「均，易也」訓為「易治」之「易」，而「弟，易也」則為「平易」之「易」，筆者認為其中可有商榷之處。《爾雅》這條釋詞不宜看作「二義同條」，因為「弟」於先秦亦可通「次第」之「第」，見《墨子》〈迎敵祠〉：

> 牧賢大夫及有方技者若工，弟之。舉屠、酤者，置廚給事，弟之。[58]

《呂氏春秋》〈原亂〉：

> 亂必有弟，大亂五，小亂三，訓亂三，故《詩》曰「毋過亂門」，所以遠之也。[59]

此外，《說文解字》說：

> 弟，韋束之次弟也。從古字之象。凡弟之屬皆從弟。[illegible]古文弟，從古文韋省，丿聲。[60]

段玉裁《說文解字注》說：

> 以韋束物，如輈五束、衡三束之類。束之不一，則有次弟也。引申之為凡次弟之弟，為兄弟之弟，為豈弟之弟。[61]

可見「弟」本來就有「次第」之義。筆者認為「弟」本為「次第」之「第」，後再引申為「排列次第」，而「排列次第」與「易」的「治理」義相近。《管子》〈度地〉可為佐證：

> 舉有功，賞賢，罰有罪，遷有司之吏而第之。[62]

這裏的「第」便具「治理」之義。王氏以「平易」訓「弟，易也」，並不妥善。實應以「易治」之「易」來訓「弟」，則「均、弟，易也」可為完整而單一的訓釋詞條。

三　「存，察也」條

> 郭曰：「存即在。」引之謹案：《周官·司尊彝》：「大喪存奠彝。」《鄭注》曰：「存，省也。」《荀子·脩身篇》：「見善，脩然必以自存也。楊倞注：使存於

---

58 孫詒讓（1848-1908）：《墨子閒詁》（新編諸子集成）（北京市：中華書局，2001年4月）下冊，頁575。

59 陳奇猷：《呂氏春秋新校釋》（上海市：上海古籍出版社，1997年）下冊，頁1587。

60 丁福保編纂：《說文解字詁林》（含補編）（北京市：中華書局，1988年）第6冊，頁5672下。

61 丁福保編纂：《說文解字詁林》第6冊，頁5673下。

62 黎翔鳳（1901-1979）：《管子校注》（北京市：中華書局，2004年6月）下冊，頁1063。

身。失之。見不善，愀然必以自省也。《大戴記・曾子立事篇》:「存往者，在來者。」在、省、存，皆察也。《孟子・離婁篇》:「存乎人者，莫良於眸子。」亦謂察人之術，莫善於觀眸子也。邵引〈禮運〉云:「處其所存。」〈大傳〉云:「五曰存愛。」《鄭注》俱云:「存，察也。」[63]

王引之所引六例中，有三例值得商榷：第一《大戴禮記》「存往者」之「存」不作「察」解。第二《禮記》〈禮運〉「處其所存」之「存」應該是「保存」，而非「省察」。第三《禮記》〈大傳〉「存愛」亦可作「存有仁愛之心」，而非「察其所愛」。詳細分析如下：

首先，《大戴禮記》〈曾子立事〉曰：

存往者，在來者，朝有過夕改則與之，夕有過朝改之則與之。[64]

對於「存」的解釋，歷來有不同說法，王引之說「在、省、存，皆察也」，乃來自鄭注《周禮》「存，察也」，普遍較為學者所接受。如北周（西元557-581年）盧辯（生卒不詳）注《大戴禮記》曰：

在，猶存也。[65]

汪中（1745-1794）《大戴禮記正誤》曰：

胡珩案「在」當訓察。[66]

孔廣森（1752-1786）《大戴禮記補注》說：

按《爾雅》「存」、「在」皆察也。察人往行來行，知其過改否。[67]

以上各家說法相類，都把「存」、「在」解釋為「察」。此外，第二種說法認為「存」是「恤」的意思，其以往之過，恤而不咎。支持這種說法的有清代王聘珍，曰：

存，恤也。在，察也。與，許也。往者之過則恤之，來者之善則許之。《論語》曰：「與其進也，不與其退也，唯何甚？人潔己以進，與其潔也，不保其往也。」[68]

近人黃懷信也說：

---

63 王引之：《經義述聞》，頁631下-632上。

64 黃懷信等撰：《大戴禮記彙校集注》下冊，頁465。

65 黃懷信等撰：《大戴禮記彙校集注》上冊，頁465。

66 汪中：《大戴禮記正誤》，《皇清經解三禮類彙編》第3冊，頁2172下。

67 孔廣森：《大戴禮記補注》，頁2103下。

68 王聘珍：《大戴禮記解詁》，頁72。

> 存，保存。存往者，既往不咎也。在，察也。在來者，觀其後效也。[69]

「存往者，在來者」是一對句，用以指示如何對待「往者」與「來者」，其後二句說明「過改則與之」，正如黃懷信所說的「既往不咎」，也和王聘珍所引用《論語》「不保其往」的意思一樣。既然是要展望後來所做的事，便應該是「察來者」，而不是「察往者」，因此，這裏的「存」不作「觀察」解，較為合理。

第二，《禮記·禮運》「處其所存」一句，也是有疑義的。一般的說法跟王引之所說的並無二致，把「存」解釋為「察」，且列歷來學者見解於後。《禮記》〈禮運〉：

> 故聖人參於天地，並於鬼神以治教也。處其所存，禮之序也。玩其所樂，民之治也。[70]

《鄭注》曰：

> 存，察也。[71]

《孔疏》亦曰：

> 存謂觀察也。天有運移寒暑，地有五土生殖，廟有祖禰仁義，皆是人所觀察。言聖王能處其人所觀察之事以為政，則禮得次序也。[72]

王夢鷗《禮記今註今譯》譯為：

> 因此，聖人合同天地而為三，與鬼神並立而為兩，以管理眾人之事。處理其體察之所得者，則是禮的秩序。鼓勵其期望所及者，則是人民的幸福。[73]

不過，孫希旦《禮記集解》所說的，則提供另一角度，他說：

> 天地鬼神之道，具於吾身，是聖人之所存也，有以處之，而率履不越，則禮無不序矣。[74]

姜義華《禮記新譯讀本》譯為：

> 以此，聖明的君主總是參贊天地之道，考慮鬼神之事，用以治理國政。處於鬼神

---

69 黃懷信等撰：《大戴禮記彙校集注》上冊，頁465。

70 阮元等校：《禮記注疏》，頁430上。

71 阮元等校：《禮記注疏》，頁430上。

72 阮元等校：《禮記注疏》，頁430上。

73 王夢鷗：《禮記今註今譯》（臺北市：臺灣商務印書館，1984年1月）上冊，頁374。

74 孫希旦：《禮記集解》（北京市：中華書局，1989年），頁605。

> 與人所共存的天地之間，依據萬物共存的自然秩序，形成了禮的序列；使天地鬼神各得其所，便可使民眾得到有效的治理。[75]

任平直《禮記直解》直譯「存」為「存在」：

> 存，存在。[76]

楊天宇《禮記譯注》也譯作「存在」：

> 因此聖人參照於天地，比照鬼神來治理國家。處在聖人所存在的時代，到處是禮的秩序；體味聖人所引以為樂的，是民眾得到治理。[77]

自姜以下各家註譯和孫希旦一樣，為我們提供了一個角度，即聖人參照天地鬼神之法則治理天下。「其所存」的是「禮之序」，「其所樂」的是「民之治」。比照之下，我們可以看到，「禮之序」和「民之治」都是聖人所為，是聖人效法天地之後的作為，才有這兩種結果。那麼，「存」就不應該是「察」，而是聖人刻意維持保存，正如孫希旦所說的「聖人之所存也」。

第三，《禮記》〈大傳〉「存愛」一詞，筆者認為王引之解釋「存」為「察」並不妥善，學者對「存愛」也未有一致的見解，現將資料列於後，以作分析。《禮記》〈大傳〉：

> 聖人南面而聽天下，所且先者五，民不與焉。一曰治親，二曰報功，三曰舉賢，四曰使能，五曰存愛。[78]

《鄭注》曰：

> 存，察也。察有仁愛也。[79]

《孔疏》曰：

> 「一曰治親」者，此治親即鄉者三事，三事若正，則於家國皆正，故急在前。「二曰報功」者，既已正親，故下又報於有所功勞者，使為諸侯之屬是也。緩於親親，故次治親。「三曰舉賢」者，雖已報於有功，若岩穴有賢德之士，未有功者，舉而用之。報功宜急，此又次也。「四曰使能」者，能謂有道藝，既無功德，又非賢能，而有道藝，亦祿之，使各當其職也。輕於賢德，故次之。「五曰

75 姜義華：《新譯禮記讀本》（臺北市：三民書局，1997年），頁334。

76 任平直：《禮記直解》（杭州市：浙江文藝出版社，2000年），頁177。

77 楊天宇：《禮記譯注》（上海市：上海古籍出版社，2004年）上冊，頁273-274。

78 阮元等校：《禮記注疏》，頁617上。

79 阮元等校：《禮記注疏》，頁617上。

存愛」者，存，察也。愛，仁也。治親、報功、舉賢、使能，為政既足，又宜察於民下側陋之中者，若有雖非賢能而有仁愛之心，亦賞異之。[80]

王夢鷗《禮記今註今譯》說：

存愛，鄭注云：「察有仁愛」的意思。按：此處用「治」「報」「舉」「使」為動詞，則「存」亦宜作動詞。其次「親」「功」「賢」「能」，皆指某類之人，則「愛」亦宜為一類。然則「存愛」當是審察所嬖愛的人。〈曲禮〉云：「愛而知其惡，憎而知其善」，是與此同。[81]

姜義華《新譯禮記讀本》也說：

這五項事是：一、按照義禮確定家族親疏關係；二、酬獎有功之臣；三、舉薦和選拔賢德的人；四、任用有才能的人：五，審察所親近嬖愛的人。[82]

王文錦《禮記譯解》亦相同解釋：

第一是治理好本族的親屬，第二是酬報有功的官員，第三是選拔賢良之士，第四是任用有才幹的能人，第五是省察自己所寵信臣佐。[83]

元代吳澄（1249-1333）《禮記纂言》則有不同見解：

存愛，謂仁民。凡天下之民，不問賢愚能否，皆當存愛之之心。《論語》所謂「汎愛眾」也。故「存愛」為五先之五。上言「民不與焉」，此言「存愛」，其所愛者，即民也。乃云「不與」何哉？蓋存愛也者，存愛民之心爾。民也者，行治民之事。先有不忍人之心，而後有不忍人之政也。[84]

任平直《禮記直解》也說：

存愛，愛護民眾之心。[85]

楊天宇《禮記譯注》譯作：

一是整治親屬關係，二是報告有功之臣，三是薦舉賢人，四是任用有才能的人，

---

80 阮元等校：《禮記注疏》，頁617下。

81 王夢鷗：《禮記今註今譯》下冊，頁558。

82 姜義華：《新譯禮記讀本》，頁471。

83 王文錦：《禮記譯解》（北京市：中華書局，2001年）下冊，頁480-481。

84 吳澄：《禮記纂言》，《四庫全書》（上海市：上海古籍出版社，1987年）第121冊，頁445上。

85 任平直：《禮記直解》，頁272。

> 五是存心愛護民眾。[86]

總結以上各家說法，「存愛」之「存」有二種主要解釋，一、釋「存」為「察」；二、「存」是「存有」。至於「愛」也有三種解釋，一、有仁心的人；二、君主嬖愛的人；三、仁心。

《孔疏》的說法是執政有其先後緩急分別，按照孔說，則「報功」比「舉賢」、「使能」更為重要，似乎與聖人之道有所不同。《禮記》〈禮運〉:「大道之行也，天下為公，選賢與能，講信修睦。」[87]理應是「舉賢」與「使能」較為重要，所以筆者認為此五者應該是不分軒輊，那才符合儒家的政治觀。

王夢鷗等將「存愛」改為與前四者並列，皆指君王身邊的人，即親屬、功臣、賢士、能人、寵臣。第一的「治親」，其實已包括省察嬖愛之人，王夢鷗所說的「存愛」，與「治親」有重覆之嫌。

至於吳澄的見解，筆者認為值得參考。「治親」、「報功」、「舉賢」、「使能」都是君主要做的，而最後一個「存愛」指的是愛護民眾之心，這是儒家思想中君主必備的條件。《論語》〈學而〉有云：

> 弟子入則孝，出則悌，謹而信，汎愛眾，而親仁，行有餘力，則以學文。[88]

《孟子》〈公孫醜上〉也說：

> 人皆有不忍人之心，先王有不忍人之心，斯有不忍人之政矣。以不忍人之心，行不忍人之政治天下可運之掌上。[89]

可見儒家政治思想中，是很重視仁治的，而仁治的根本是君主要存有仁心，這與此章「存愛」的意思相符。因此，筆者認為「存愛」解釋為「存有仁愛之心」，這既直接，亦更能彰顯儒家的治道。

綜上所述，王氏父子於上述三則訓釋頗有可議之處，然其精研古籍，學問超卓，《經義述聞》更為巨著，間或有瑕，亦無損其於中國語文學史上之地位。

本論文原刊載於《古典學集刊》（第二輯），頁207-222。

---

86 楊天宇：《禮記譯注》，頁429。

87阮元等校：《禮記注疏》，頁413上。

88阮元等校：《論語注疏》，頁7上。

89阮元等校：《孟子注疏》，頁65下。

宋保《諧聲補逸》之韻部體系考

趙永磊
中國人民大學歷史學院講師

提要

從宋保《諧聲補逸》與王念孫學術淵源言之，《諧聲補逸》之成書過程，歷經兩階段：嘉慶八年《諧聲補逸》稿成之前，宋保親炙王念孫之學，《諧聲補逸》經由王念孫改定，《諧聲補逸》稿本卷內稱引「王先生」云云即屬此例，《諧聲補逸》成稿之後，在嘉慶十六年又經蒙王念孫簽正，宋保依從王念孫簽記，改訂《諧聲補逸》，而後付梓。宋保在聲韻訓詁學上多受王念孫學說之啟發，《諧聲補逸》聲韻體系所具古韻二十一部即為明證。

關鍵詞：宋保　王念孫　《諧聲補逸》　古韻二十一部　清代古韻學史

宋保字定之，一字小城，清江蘇揚州府高郵州人，嘗「入都以廩貢生肄業成均，從學同里王侍御念孫之門，究心聲音、訓詁」[1]。宋保師事王念孫，以今本《說文》失六書諧聲之旨，故撰成《諧聲補逸》，為王氏父子、阮元、孫星衍、姚文田等所推許。《續修四庫全書總目提要》（經部）收錄楊鍾羲所撰提要，[2]李添富先生〈宋保《諧聲補逸》「一聲之轉」條例與章君〈成均圖〉韻轉條例比較研究〉探討《諧聲補逸》所用「一聲之轉」術語[3]，宋保師承王念孫，而《諧聲補逸》與王念孫學說之關係，猶俟考核其實。茲不揣淺陋，特拈出《諧聲補逸》與王念孫學術之淵源，以就正於方家。

一　高郵王氏父子與《諧聲補逸》

宋保《諧聲補逸》以清嘉慶間志學堂刊本為最早，光緒十年張炳翔刻《許學叢書》本，光緒十三年李盛鐸刻《木犀軒叢書》本皆從此刊本出[4]。宋保〈諧聲補逸自序〉及書末所附識語，竝撰於嘉慶八年，是宋書稿成於此時，殆無疑義。是年宋保官居江蘇教職，[5]王念孫署直隸永定河道。

嘉慶十六年王念孫寓書宋保云：「大箸《諧聲補逸》，分別精審，攻究確當，洵為叔重功臣，展讀再三，深喜同志之有人也。閒坿拙見數條，敬侯裁酌。」[6]劉盼遂先生檢視《諧聲補逸》刊本，以為「宋氏此書，先生（引者案：王念孫）為補正惴字、規（案：當作簋）字、蒐字、昏（引者案：當作昬）字、谷字、啻字、萑字、霍字、肥字、刪字、覞字、夏字、鼐（引者案：當作鼏）字、灰字、悲字等音讀，凡十六則。」[7]今覆案《諧聲補逸》刊本引王念孫學說題作「王先生」云云，又有卷二口部吻字、辵部追字、彳部彶字，卷四刀部剈字均有「王先生」云云，此四字為劉先生失錄。《諧聲補逸》刊本卷內多引王念孫學說，劉先生據之以為凡引「王先生」云者，均屬王念孫簽條。

1　《(道光) 續增高郵州志》第3冊，《人物志》〈文苑〉，清道光二十三年刻本，頁13。

2　《續修四庫全書總目提要》（經部）（北京市：中華書局，1993年），頁1096。

3　李添富：〈宋保《諧聲補逸》「一聲之轉」條例與章君〈成均圖〉韻轉條例比較研究〉，收入張渭毅主編：《漢聲：漢語音韻學的繼承與創新》（北京市：中國文史出版社，2011年），頁21-28。

4　案：李盛鐸《木犀軒叢書》本《諧聲補逸》，又參考自藏愛日堂抄本《諧聲補逸》。李盛鐸舊藏愛日堂抄本《諧聲補逸》今藏北京大學圖書館。本文所據《諧聲補逸》刊本為嘉慶間志學堂刻本。

5　案：《(嘉慶) 高郵州志》（清嘉慶十八年刻本）卷九《選舉志》〈歲貢附廩生〉云：「宋保由國子監送部准作歲貢，試用訓導，歷署任碭山、句容、江浦、安東各學校教諭，淮安、通州、安東各學校訓導，淮安、徐州兩府學教授。」是宋保嘗歷署江蘇教職，唯具體年月，各府志、縣志失載。

6　王念孫：《王光祿遺文集》卷4〈致宋小城書〉，清咸豐七年刻《高郵王氏家集》本，頁7。

7　劉盼遂：《高郵王氏父子年譜》，收入《段王學五種》（民國二十五年北平來薰閣書店排印本），頁22。

以常理言之，劉說似有明證，而取宋保《諧聲補逸》稿本比堪之，知劉說並非允當。《諧聲補逸》稿本今藏南京圖書館，現已收入《續修四庫全書》（上海市：上海古籍出版社，2002年3月）第二四七冊，卷中浮簽，原散於稿本各卷之中，影印本則以今存十五條浮簽，一併附於稿本之末。然第五、第六、第十五簽條，文字與王念孫略異，似非王念孫簽記。及檢視臺灣傅斯年圖書館所藏《高郵王氏父子論音韻文稿》，卷內收錄〈簽記宋小城諧聲補逸十四條〉一文，此即王念孫簽記《諧聲補逸》條目，據此文知《續修四庫全書》所附《諧聲補逸》簽條，其中第五、第六、第十五均屬宋保之浮簽，而《諧聲補逸》稿本僅存王念孫簽記凡十二條，脫落二條。[8]故南京圖書館所藏宋保《諧聲補逸》稿本應即嘉慶十六年王念孫之校閱本。

以王念孫簽記十四條比閱劉盼遂先生所舉諸字，知昏、谷、啻、萑、霍、刪、夏、鼐等字並非王念孫簽記，《諧聲補逸》吻、追、役、釗四字雖稱引「王先生」云云，亦非王念孫簽記。檢閱《諧聲補逸》稿本，知原稿本在相應文字下多已作「王先生」云云，故今刊本《諧聲補逸》中引「王先生」云云，並非均屬嘉慶十六年王念孫簽記。

宋保《諧聲補逸》刊本卷七米部粜字引「王伯申」云云，劉盼遂先生據此以為此與嘉慶十三年王引之訂補《諧聲補逸》有關。[9]今按嘉慶十三年宋保以《諧聲補逸》呈寄王引之，王引之覆書有「謹附跋語於卷末」[10]，似未作補正。而檢諸《諧聲補逸》稿本，知原稿本即已引王引之學說，故劉先生所作推論，亦非確鑿。

宋保《諧聲補逸》稿本援引王念孫學說，當與宋保此前從王念孫問學有關，並非嘉慶十六年王念孫簽記。宋保《諧聲補逸》在嘉慶十六年經由王念孫改訂後，而後又從王念孫簽記，重多刪改，故今《諧聲補逸》刊本所見王念孫相關論說如卷一王部瓊字、艸部蒐字，卷四肉部肥字，卷五孰字，卷九火部灰字，卷十心部愢字，已融入王念孫學說，稱引「王先生」云云，卷六貝部字雖無「王先生」云云跡象，仍本諸王念孫簽記。

此外，《諧聲補逸》刊本卷四刀部刪字稱引「王先生」云云，而檢諸《諧聲補逸》稿本未收釗字，王念孫十四條簽記亦未增此字，或當屬嘉慶十六年之後宋保從王念孫學說增訂之例。

二　《諧聲補逸》之韻部體系

上文討論宋保《諧聲補逸》在嘉慶八年之前已引述王念孫學說，而此當與宋保從王

8　另，《續修四庫全書》影印《諧聲補逸》原稿本簽條，均表明原粘貼位置，今比核之，不免錯亂。如簽記第一條當在卷一艸部蒐字下，而今《諧聲補逸》稿本粘於卷首〈諧聲補逸自序〉之後。故《諧聲補逸》稿本相關簽條，其位置仍需加以調整。

9　劉盼遂：《高郵王氏父子年譜》，頁21。

10　王引之：《王文簡遺文集》卷4〈致宋小城書〉，清咸豐七年刻《高郵王氏家集》本，頁11。

念孫遊相關。考（道光）《續增高郵州志》第三冊《人物志》〈文苑〉云：「（宋保）入都以廩貢生肄業成均，從學同里王侍御念孫之門」，又（嘉慶）《高郵州志》卷九《選舉志》〈歲貢附廩生〉云：「宋保由國子監送部准作歲貢」，[11]而宋保肄業國子監之年月，蓋在乾隆五十年初，約與《廣雅疏證》（《廣雅疏證》經始於乾隆五十三年，至嘉慶元年稿成）同步。

嘉慶十三年宋保以《諧聲補逸》寄示河南學政王引之，王引之盛推此書「凡所發明，咸與二十一部相合，而能觀其會通，洵為叔重之功臣，六書之羽翼也」[12]。詳繹王引之「咸與二十一部相合」之語，知宋保分古韻為二十一部，乃沿襲其師王念孫之古音說。

何謂宋保析古韻為二十一部？曰：以合音知之。合音之說，創自段玉裁《六書音均表》。宋保承繼段說，進而發明合音之理：「大抵合音之理，取諸同位，如諄、文入元、寒，取諸異位，如諄、文、元入支、佳。總視其聲之遠近，近者直達遠，遠者每由相近之部分以轉達之，此古音諧聲之理，後世音轉由此而生。」（《補逸》卷四角部觶字）《六書音均表》析古韻十七部，《補逸》間引段書，或從（卷一艸部葩字），或補（卷二口部周字），或正（卷七丂部圅字）。而段氏古韻十七部於《補逸》合音說中粗可考見，茲條舉其要如次：

之尤

古音之、咍與尤、幽最相近。（卷一屮部毒字）

魚蕭

古音魚、虞、模部內字多由藥、鐸轉入蕭、宵、肴、豪韻中。（卷二口部唬字）案：藥為魚之入。

魚侯歌

古音魚、虞、模一轉入侯，再轉入歌、戈、麻，古文多出入。（卷四萑部蒦字）

元魚

古音元、寒、桓、刪、山、仙與魚、模每相合。（卷四𠬪部爰字）

支魚

兒聲、鬲聲在支、佳部內，赤聲在魚、虞、模部內，兩部音近故也。（卷四鳥部鶃字）

東蒸

古音東冬鐘江與蒸登相近。（卷一艸部薨字）

古音東與蒸關通之路最近。（卷七呂部躳字）

東尤

古音冬與尤最相近，每多關通。（卷二牛部牢字）

---

11 《（嘉慶）高郵州志》卷9《選舉志》〈歲貢附廩生〉，頁40。

12 王引之：〈致宋小城書〉，《王文簡公遺文集》卷4，頁11。

侵覃

古音侵、覃兩部分用劃然，其關通之路最近。（卷九石部碞字）

陽歌

杏从可省聲，此陽、唐轉入歌、戈之證。（卷七多部㝖字）

諄元䕨、允古音在元、寒部內，璊、玧古音在諄、文部內，兩部音相近。（卷一王部璊字）

脂支

矢在脂部，知在支部，兩部每多通用。（卷七疒部疾字）

陽魚

竝古音在陽、唐部內，陽、唐與魚、虞、模轉移最近。（卷七日部普字）

元歌

古音元、寒、桓、刪、山、仙與歌、戈、麻最多出入。（卷三門部閔字）

侵尤

古音侵、覃與尤、幽兩部音相近。（卷七穴部穴部窔字）

真元　　庚支

凡从幵聲之字，分見于四部，合之為二類四部者，真、臻、先也，元、寒、桓、刪、山、仙也，庚、耕、清、青也，支、佳也。二類者，一由真入元，一由庚入支也。（卷一二門部開字）

真耕

古音真、庚兩部之字，《易》《彖》《象》《傳》及《楚詞》多以合韻。（卷一四車部軨字）

羿　耕支

熒、冥在庚、耕、清、青部內，冖 在陌、麥、昔、錫，兩部關通最近。（卷一〇焱部熒字）案：陌為支之入。

真脂

古音真、臻、先與脂、微、齊、皆、灰兩部每多出入。（卷一王部玭字）

脂文

古音微韻與文、欣二韻轉移最近。（卷一艸部葩字）

脂歌

（祡）在脂部，隋在歌部，兩部古音相關通。（卷一示部祡字）

前文所舉兩部或三部合音之例，如據其類目歸納合併，則段氏古韻十七部（之、蕭、尤、侯、魚、蒸、侵、覃、東、陽、庚、真、文、元、脂、支、歌），《補逸》中斑斑可考。復次，《補逸》又有緝、盍、祭、質四部獨立說，合前舉十七部，即宋保古韻二十一部之崖略。宋保持古有四聲說，與段古無去聲說有別。合前舉二十一部及古有四聲說，即宋保古音體系之基本規模。

古有四聲說。《補逸》卷八老部耋字：「顧寧人入入為閏聲之說，殆不其然，孔撝約謂中原無入聲，不知古有四聲，猶今之有四聲也，古四聲異于今，猶今四聲異于古也。」此《補逸》持古有四聲說之證。

緝、盍兩部之構成狀況。《補逸》卷十三糸縺字：「疌在合、盍、洽、狎、業、乏部內，習在緝、葉、帖部內。」又《補逸》卷三十部斟字：「斟、湆古音在緝、葉、帖部內」，又《補逸》卷五血部衉字：「盍、枼、緤古音在盍、洽、狎、業、乏部內」。是故緝部由入聲緝、葉、帖構成，合部由入聲合、盍、洽、狎、業、乏構成。

脂部之構成狀況。《補逸》卷一一部元字：「古音術、物、迄、沒為脂、微、齊、皆、灰之入聲」，又《補逸》卷四肉部胔字：「尼、昵、自、矢、米、未、灰皆在脂、微、齊、皆、灰部內」。是故脂部平聲由脂、微、齊、皆、灰構成，術為脂之入。

祭部之構成狀況。《補逸》卷四敊部敊字：「蘖在祭部，古音祭、泰、夬、廢、月、曷、末、鎋、黠、薛為元、寒、桓、刪、山、仙之轉聲」，又《補逸》卷五齒部齔字：「蓋、大、世古音在祭、泰、夬、廢部內」，是祭部由去聲祭、泰、夬、廢及入聲月、曷、末、鎋、黠、薛構成。

至部之構成狀況。《補逸》卷二齒部齔字：「八、七同在質、櫛、屑韻內」，《補逸》卷三攴部徹字：「徹聲、乙聲、蜜聲、必聲在質、櫛、屑部內；鬲聲、戹聲、鼏聲在陌、麥、昔、錫部內」，《補逸》卷四肉部肊字：「乙在質、櫛、屑，意在志、代」，《補逸》卷一十一魚部鯽字：「則，古聲在職、德；即，古音在質、櫛、屑」。據以上所舉四例，知質部由質、櫛、屑構成。

復考《補逸》卷八老部耋字：「至古讀如姪，故偏旁諧聲之字以及古人有韻之文，皆作入聲」。是宋保以从至聲之字為入聲而非去聲。考諸《廣韻》，从至聲之字多在入聲質韻，宋說實確然有據。細思宋說之意，蓋古有四聲說既出，去、入兩聲自不可等同，故从至諧聲之字多至之入。又，王念孫寓書陳奐云：「去聲之至、未、霽……仍是脂、微之入也」，（見前引王念孫〈致陳碩甫書〉）但宋說準之以諧聲，乃實踐歸納所得，與〈致陳碩甫書〉理論構想不同，二者不可視為同一體系。

屋為侯之入。《補逸》卷一玨部玨字：「屋為侯之入聲」，又《補逸》卷九石部硧字：「古音入屋為侯之入聲」。

依前文所考，《補遺》之音系似可列表如下：

第一部	東		
第二部	蒸		
第三部	侵		
第四部	談		

第五部	陽		
第六部	耕		
第七部	真		
第八部	諄		
第九部	元		
第十部	歌		
第十一部	支		錫
第十二部		至	質
第十三部	脂		術
第十四部		祭	月
第十五部			盍
第十六部			緝
第十七部	之		職
第十八部	魚		鐸
第十九部	侯		屋
第二十部	幽		毒
第二十一部	宵		沃

今以《諧聲補逸》韻部體系比勘王念孫古韻二十一部，知《諧聲補逸》韻部體系與王念孫古韻二十一部如出一轍，並無發明，則宋保沿承王念孫學說，較然明甚。

三　小結

綜合前文言之，《諧聲補逸》稿成於嘉慶八年，付梓年月在嘉慶十六年之後，而從《諧聲補逸》與王念孫學術淵源關係言之，《諧聲補逸》成書過程有兩階段：嘉慶八年之前，宋保親炙王念孫之學，《諧聲補逸》成稿經由王念孫改訂，今《諧聲補逸》稿本稱引「王先生」云云即屬此例；《諧聲補逸》稿成之後，在嘉慶十六年又經蒙王念孫簽正，此後宋保依從王念孫簽記，改訂《諧聲補逸》，并以王念孫相關簽記散入正文，而後付梓，今《諧聲補逸》刊本稱引「王先生」云云同於王念孫簽記，即屬明證。

《諧聲補逸》間亦引及「家大人」即宋保之父宋綿初學說，如《諧聲補逸》卷七宀部宋字即然，但《諧聲補逸》發明《說文》文字之聲音通轉，所採用韻部不出王念孫之古韻二十一部之範圍，故《諧聲補逸》之撰定，多受王念孫學說之啟發。

石經研究

章太炎與魏三體石經

蔣秋華
中央研究院中國文哲研究所副研究員

提要

民國初年魏三體石經出土，吸引眾多學者的注意，紛紛投入研究，如章太炎、于右任、胡樸安、蒙文通、吳承仕等，他們不僅撰寫論文，也有不少來往討論的書札。

章太炎獲得友人贈送的魏石經拓本，與他們有書函商榷疑義，並引發他深入考察的興趣，撰成〈新出三體石經考〉一文，所見頗有新意，為學界所重視。友朋之外，他也曾與弟子吳承仕商討，於民國十四年四月、五月間，有與吳承仕討論《尚書》的五封信函，發表於《華國》月刊。此五篇信札之內容，均為兩人對《尚書》今、古文字的討論，其中頗多涉及魏石經者。他們師弟之間的切磋論學，也敦促了章太炎晚年對《尚書》一經的研究。

關鍵詞：三體石經、章太炎、于右任、吳承仕、《尚書》

一　前言

魏齊王曹芳正始年間在洛陽，以古文、小篆、隸書三種字體，將《尚書》、《春秋》、《左傳》（未刻完）刻石[1]，此即所謂「正始石經」，也稱「三字石經」、「三體石經」。後因政局的更迭及戰爭的動亂，導致石經流落遺失，終而湮沒無聞[2]。因此，後人僅能依據極少數的拓本，來探討石經的面貌。

清末民初，魏石經一再重現於洛陽，其中民國十一年（1922）所出者，所獲字數多達二千餘字，為歷來之冠。一時之間，學者撰文考論，興起風潮，如章太炎（1869-1936）、于右任（1879-1964）、胡樸安（1878-1947）、蒙文通（1894-1968）等，就有彼此來往商議的信函[3]。

國學大師章太炎獲友人李根源（字印泉，1879-1965）、于右任，以及弟子潘承弼（號景鄭，1907-2004）所贈拓本，遂與學友、弟子相互研討，並撰〈新出三體石經考〉一文，除詳細考訂石經之文字，復據以注解經書，頗出新見。

章太炎對魏石經的研究，主要是〈新出三體石經考〉一文，利用石經文字考校《尚書》、《春秋》、《左傳》之經文，有許多精闢之論。另外，有與弟子、友人商略的書信，對石經數目及文字等問題，提出各自的見解及辯駁。本文依據章氏所撰相關文章，探究其獲得魏石經的始末及研究情況。

二　李根源贈予拓本

魏石經自從遺逸後，間有拓本、摹本傳世，章太炎〈新出三體石經考〉簡述宋以來魏石經殘字的流傳與考辨情況，曰：

> 宋皇祐時，蘇望摹三體石經，名為《春秋左氏傳》者，至南渡，洪氏錄入《隸續》，古文、篆、隸八百有餘字。洪氏攷《水經注》，乃知正始所刻，與熹平蔡邕

1　孫星衍〈魏三體石經遺字考敘〉曰：「《隸續》所載三字石經，蓋魏正始中立石。宋皇祐時，蘇望得搨本摹刻於洛陽，古文三百七、篆文二百十七、隸書二百九十五，凡八百一十九。為《尚書》〈大誥〉、〈呂刑〉、〈文侯之命〉，《春秋左氏》桓、莊、宣、襄四公經文，亦有傳。」見孫星衍：《魏三體石經遺字考》（北京市：北京圖書館出版社，2005年，《歷代石經研究資料輯刊》本），卷首，頁1上。

2　有關魏石經的存亡情況，可參邱德修編撰：《魏石經初撢——魏石經古篆字典》（臺北市：學海出版社，1978年），頁69-78〈存廢小史〉。

3　如章太炎有〈與于右任論三體石經書〉，《國學彙編》第1集（1923年），頁1-2；又見《華國》第1卷第4集（1923年），頁44-46。胡樸安有〈與于右任論三體石經書〉，《國學彙編》第1集（1923年），頁69-72；〈與章太炎論三體石經書〉，《國學周刊》第29集（1923年11月21日），頁1。蒙文通有〈與胡樸安論三體石經書〉，《國學彙編》第2集（1924年），頁51-53；又見《國學周刊》第44集（1924年），頁3。

> 所書者異事。前此范氏《後漢書》、陸氏《經典釋文》、司馬氏《資治通鑑》皆誤以三體書為熹平所立，趙明誠先辨之。清臧琳、孫星衍氏辨其文句，始識為《尚書》、《春秋》二經。《尚書》則〈大誥〉、〈呂刑〉、〈文侯之命〉，《春秋》則桓公經傳、莊公經、宣公經、襄公經也。自洪氏以下，未有親見石本者矣。[4]

北宋蘇望的摹本[5]被南宋洪适（1117-1184）收入《隸續》中，僅存八百多字[6]，前此諸家均誤認為東漢所刻之熹平石經，趙明誠（1081-1129）[7]、洪适[8]始辨其非是，逮清人臧琳（1650-1713）[9]、孫星衍（1753-1818）[10]，方識其為《尚書》之〈大誥〉、〈呂刑〉、〈文侯之命〉三篇，《春秋》桓公、莊公、宣公、襄公四君，以及《左傳》桓公之文，但他們都未能一睹石本。

民國十二年五月十七日，章太炎撰〈論魏正始三體石經書〉，與易培基（字寅邨，1880-1937）討論石經，述其獲贈正始石經拓本之事，曰：

> 寅邨我兄左右，不通信彙月，近三體石經忽有數碑現世，此實怪絕。先是民國十一年，李印泉贈我一冊，乃《尚書・君奭篇》百廿餘字，字頗蠹蝕，而紙墨不過三數十年。然〈君奭〉為《隸續》所未錄，怪問李君。李君則云：「從長安作客得之，終不能尋其根也。」[11]

對於李根源所贈之石經拓本，紙墨甚新，章氏有所疑惑，問所從來，當時李氏僅告知作客長安時所得，其實際來源則無法察明[12]。章太炎於〈新出三體石經考〉則曰：

---

4 章太炎：〈新出三體石經考〉，《章太炎全集》第7冊（上海市：上海人民出版社，1999年），頁482-483。

5 洛陽蘇望摹刻故相王文康家之本，三體合計凡八百十九字。參見馬衡：〈魏時經概述〉，《凡將齋金石叢稿》（北京市：中華書局，1977年），頁221。

6 洪适〈魏三體石經左傳遺字〉云：「右漢三體石經《左傳》遺字，古文三百七十，篆文二百十七，隸書二百九十五，有一字而三體不具者。」見《隸續》（臺北市：商務印書館，1983年，《文淵閣四庫全書》本），卷4，頁3下。

7 趙明誠〈漢石經遺字〉云：「按：《後漢書》〈儒林傳・敘〉云『為古文、篆、隸三體』者，非也。蓋邕所書乃八分，而三體石經乃魏時所建也。」見《金石錄》（臺北市：商務印書館，1983年，《文淵閣四庫全書》本），卷16，頁13下。

8 洪适〈魏三體石經左傳遺字〉云：「酈氏《水經》云：『漢立石經於太學，魏正始中，又刻古文、篆、儷三字石經。』」見《隸續》，卷4，頁4上-4下。

9 臧琳云：「《隸續》載魏三體石經《左傳》遺字，……琳嘗以《左傳》校之，簡內有《尚書》〈大誥〉、〈呂刑〉、〈文侯之命〉三篇，錯於《左傳》中，蘇氏題為《左傳》遺字，洪氏承之，皆不知有《尚書》，蓋未嘗徧讀而細考也。」見其所著《經義雜記・魏三體石經尚書》，《皇清經解》（臺北市：漢京文化事業有限公司，1980年），卷198，頁30上。

10 孫星衍著有《魏三體石經遺字考》，將石經殘字分繫於諸公。

11 章太炎：〈章太炎論魏正始三體石經書〉，《國學叢刊》第1卷第3集（1923年），頁153。

12 日後，李根源曰：「正始三體石經。民國十一年十一月，在洛陽城東南三十里朱格搭村出土。大小

> 民國十年[13]，友人騰衝李根源，以長安肆中所得石本〈君奭〉古文、篆、隸一百有十字贈余，獨出《隸續》之外，余甚奇之。恨已翦戳成冊，無由識碑石形狀。久之，知其石出洛陽龍虎灘民家，嘗以繫牛，印師劉克明始識之，卒歸黃縣丁氏。後得攝影本，於是識其行列部區也。[14]

新獲李氏所贈的魏石經百餘字拓紙，觀其內容，可知屬《尚書‧君奭篇》，為《隸續》所未收錄，然因已裝訂成冊，無法讓他辨識石碑的原貌。該石經殘石應是清光緒二十一年（1895）發現於洛陽白馬寺村南龍虎灘，其內容為《尚書》〈君奭〉篇，殘石存一一〇字，其中古文三十六字，原石初歸山東黃縣丁樹禎收藏，後歸周進。此時章氏所見拓紙，僅有石碑的正面文字。

三　于右任贈予拓本

在獲得李根源贈本之後，章太炎又獲于右任贈送魏石經拓本，曾寫〈右任贈三體石經〉詩，以詠其事，曰：

> 正始傳經石，人間久不窺。洛符無故發，孔筆到今垂。八體追秦刻，千金笑華碑。中原文武盡，麟出竟何為。[15]

敘述石經出土之事，然詳觀其意，似帶有譏諷的語氣，蓋對當前的混亂局勢，頗有不滿，因而藉題發揮。其〈論魏正始三體石經書〉則詳記此事，曰：

> 今年三月，偶以此事語于右任，右任即取六大幅見贈。《尚書》則〈多士〉、〈君奭〉、〈無逸〉，《春秋》則僖公經、文公經，悉《隸續》所不載，而完好過於李本。問其故，則云：「去歲有人在洛陽廁牏中，見其石壁有古篆文，設法壞壁，得一石，以示人，知為三體石經。洛陽居民轉相傳告。或云：『某廟某寺亦有石

兩石，大石高三尺二寸、寬二尺九寸，小石高一尺四寸、寬九寸五分，兩面刻，大石刻《春秋》三十二行、《尚書》三十四行；小石存《尚書》十一行。大石出土後，為碑估謝某鑿為二段，遂與小石成三石。二石存洛陽縣公署，一石存官礦局。十四年三月，胡勵生督辦令交圖書館保管。」見李根源、何日章編次：《河南圖書館藏石目》（臺北市：新文豐出版公司，1999年，收入《石刻史料新編》第3輯），頁1上。又曰：「開封存石多安陽張省長鳳臺在任時所獲，舊分庋於圖書館及金石編纂處，今年春，余遊汴梁，白於富平胡勵生督辦，收合金石編纂處存石與洛陽所存漢黃腸石、魏正始三體石經，皆歸入圖書館保管。因與館長何君日章，編定目次如右，俾考古之君子得觀覽焉。中華民國十四年三月二十日，根源附識。」（頁21上）

13 據上引文，知應為十一年之誤。

14 章太炎：〈新出三體石經考〉，《章太炎全集》第7冊，頁483。

15 章太炎：〈右任贈三體石經〉，《國學周刊》第6期（1923年），頁3。

> 壁，文字相近。』因共壞之，復得二石。此即得石後所拓也。其石或入官，或歸富人，分散矣。」因歎清世諸老校別石經，不為不勤，獨於此未及，真所謂椅（掎）檢星宿，遺一義娥者也。[16]

從于右任處得到六紙拓本，乃出自洛陽民間，為《尚書》之〈多士〉、〈君奭〉、〈無逸〉三篇，《春秋》僖公、文公二君之經文[17]，也都不見錄於《隸續》，完好程度勝過李氏所贈。于氏交待了獲石拓的經過，且感慨清儒校訂石經者，費盡心力，卻未能寓目，至為可惜。〈新出三體石經考〉亦記此事，曰：

> 十二年，新安張鈁又屬三原于右任以石經拓本六紙未裝者贈余，讀其文，則《尚書》〈多士〉、〈無逸〉、〈君奭〉，《春秋》僖公經、文公經，悉蘇望所未見者。以書問所從來，鈁答曰：「民國十一年十二月二日，洛陽東南碑樓莊下朱圪塔邨民斸藥，得石經於土中，為巨石一，其文表裏刻之，以其重，斲為二，他碎石亦一散於公私。」手摹者鈁也。[18]

此次他所得到的六紙拓本，是張鈁（1886-1966）親自摹寫，並透過于右任轉送的[19]。〈新出三體石經考〉續曰：

> 余視諸石上下不完，此表刻〈無逸〉、〈君奭〉者為上段，丁氏所得〈君奭〉石，乃其下段不全者，其裏則《春秋》僖、文經也。本以一石解析為二，表裏分摹，故為四紙。行列不壞，每面三十二行，其碎石所拓二紙，為〈多士篇〉一、文公經一，則行列亦泯焉。以是六紙與丁本并，古文、篆、隸幾千八百字，視《隸續》一倍而羨。[20]

章太炎將兩次所得拓本仔細研究，發現張鈁所摹本乃由一石剖分為二，正反兩面皆刻，故有四紙。正面所刻為〈無逸〉、〈君奭〉兩篇的上半段部分，丁氏本則屬〈君奭〉下半段；背面則屬《春秋》僖公、文公之經文。另外二紙，則為碎石拓本，屬《尚書・多士》與《春秋》文公經文。總計兩次所得，有古文、篆、隸三體字一千八百多個，比《隸續》超出一倍多。

---

16 章太炎：〈章太炎論魏正始三體石經書〉，《國學叢刊》第1卷第3集（1923年），頁153。

17 馬衡云：「《尚書・多士》殘石，存十一行，行存三字至十六字，後闕二十三行。《春秋》文公存十行，行存三字至十五字，前闕二十二行，與〈無逸〉、〈君奭〉及《春秋》僖公、文公一石，同時出土。亦表裏刻之，上下皆有闕損，故不能知每行之起訖。」見〈魏正始石經尚書多士及春秋文公殘石跋〉，《凡將齋金石叢稿》，頁350。

18 章太炎：〈新出三體石經考〉，《章太炎全集》第7冊，頁483-484。

19 有關張鈁收藏魏石經拓本的情形，可參潘永耀：〈張鈁舊藏三體石經冊考述〉，《東方藝術》2009年第6期，頁24-51。

20 章太炎：〈新出三體石經考〉，《章太炎全集》第7冊，頁484-485。

四　潘承弼贈予拓本

民國二十五年，章太炎的弟子潘承弼又從上海獲得續出兩紙魏石經拓本，其〈書洛陽續出三體石經後〉敘曰：

> 民國二十五年春，余因潘生承弼得洛陽續出三體石經拓本兩紙，前為《尚書》，後為《春秋》，《尚書》存十五行，《春秋》存十四行，每行約十五六字，以通行本《尚書》、《春秋》對校，每行下當尚有七字。其上所損，則三十餘字。此石與十一年所得一石，正相銜接，此石「公子買戍衛」，至「衛」字盡，彼石起「戍」字，而「不卒」兩字則在此石斷泐中，蓋一石被破為二，故衹得十四五行，上段又缺，故每行衹十五六字也。《尚書》亦〈君奭〉經。……此石出土後，為人攜至上海，故潘生由上海碑估得之。其年四月，章炳麟記。[21]

其所獲拓本，應拓自十一年所得之丁氏藏石，蓋其時僅獲正面，即〈君奭〉經文，此次則兼有正背兩面，亦即多出背面之《春秋》經文。

五　與吳承仕的討論

以上所述，為章太炎自言所獲之魏石經拓本，且信其為真者。此外，他曾見其他拓本，卻疑為偽造。民國十三年九月三十日，章太炎〈與弟子吳承仕論三體石經書．第一書〉曰：

> 絸齋足下：來書稱徐君曾赴洛陽，得熹平石經、正始石經殘片，所摹熹平殘片，其跡近真，正始殘片，不知何似？前歲之冬，石經既出，隨有偽作殘片者，自洛陽來。僕因與原石相比，往往取三四字摹刻之，以是不信。隨有偽作三體，以品字式作之者，其篆體肥俗，或疑為宋時嘉祐石經。然此不應出於洛陽，且行列亦不合，決知其偽。乃羅振玉、王國維等尚信之，豈真不辨篆法工拙邪？蓋習于好奇，雖偽者必仞之也。僕意除丁氏所得者，及朱圪塔村所得二石外，如有殘餘，必其篆法瘦逸，而又非在曾得之石之中者，且其文義可讀者，然後始信為真。不知徐君所得，亦有合于斯例乎？暇問之，則可知也。[22]

自從洛陽新出漢、魏石經殘片，偽作者尾隨而出，章氏以其所見，謂熹平石經字跡近乎真，而正始石經則字體可疑。他認為品字式的魏石經，篆文的字體肥俗，頗不相似，疑

21　章太炎：〈書洛陽續出三體石經後〉，《制言》第16集（1936年），頁1-2。

22　章太炎：〈與弟子吳承仕論三體石經書〉，《華國》第2期第4冊（1925年5月），頁31-32。

為宋朝仁宗時所刻的嘉祐石經，但所獲地點不對及行列款式不類，因而判定為偽。對於其他學者不從篆字筆法的優劣，來分辨真偽，是受到好奇心的影響[23]。因此，他指出如何認定三體石經真偽的方式，希望弟子吳承仕（字絸齋，1884-1939）能夠體會。

六　撰寫〈新出三體石經考〉

民國十二年，章太炎撰〈新出三體石經考〉一文，分四次連載於《華國》月刊[24]。民國二十二年，錢玄同與吳承仕發起，由在北平的弟子出資刊刻《章氏叢書續編》，曾將此文收入，修訂重刊，章氏撰寫〈後記〉曰：

> 吳興錢夏，前為余寫《小學答問》，字體依附正篆，裁別至嚴，勝於張力臣之寫《音學五書》。忽忽二十餘歲，又為余書是攷。時勢遷蛻，今茲學者能識正篆者漸希，於是降從開成石經，去其泰甚，勒成一編，斯亦酌古準今，得其中道者矣。槀本尚有數事未諦，夏復為余攷核，就槀更正，故喜而識之。夏今名玄同云。民國二十二年三月，章炳麟記。[25]

弟子錢玄同（原名夏，1887-1939）先前曾用篆體，為其師書寫《小學答問》一書，章太炎稱此舉勝過清康熙時張弨（字力臣）為顧炎武（1613-1682）書寫《音學五書》。然而時隔二十多年，因為世人已鮮有能識篆體者，遂改用唐開成石經的字體書寫〈新出三體石經考〉。同時錢氏也為原稿幾處不夠精確的部分，考核修訂[26]。

章太炎〈新出三體石經考〉根據當時所得見之正始石經拓本，考證其源流，對於書碑者邯鄲淳的生平事略，頗多抉發，並且推測所刻碑數約有四十八石[27]。其文共考石經古文一百二十七件，一百五十九字，另有闕文二件，補定二件，自言：「今所見三體石經盡是矣。」[28]

23　章太炎有另一段相似之語，曰：「未幾，復有偽作三體書者，以古文居上，篆、隸居下分列，俗云鼎足，或云品字式，亦出洛中。余見其篆書肥俗，知為詐，或疑宋嘉祐石經之遺。然彼以篆、隸、真書為三，三體為三行書，既無古文，形式亦殊異。且宋人篆法雖拙，亦未有如彼𦡀腫者。一二好異之士，若羅振玉、王國維，猶信之，亦可哂也。魏世石經既立，無幾，梅氏偽古文作。今石經出於洛陽，而偽作三體以衒賈者旋起，所謂巫者之效禹步已。幸其學蓺不逮梅氏閎雅，足以絕智者之聽。」見章太炎：〈新出三體石經考〉，《章太炎全集》第7冊，頁599-600。

24　章太炎：〈新出三體石經考〉，《華國》第1期第1冊（1923年9月）～第1期第4冊（1923年12月）。

25　章太炎：〈新出三體石經考〉，《章太炎全集》第7冊，頁606-607。

26　章太炎與錢玄同的師生情誼，可參沈世培：〈錢玄同與章太炎的交往〉，《民國春秋》2001年第6期，頁37-41。

27　章太炎推測若將《尚書》、《春秋》、《左傳》全部刻齊，應有一百六十餘石，因《左傳》未刻齊，所刻成者僅四十八碑。

28　章太炎：〈新出三體石經考〉，《章太炎全集》第7冊，頁599。

民國二十一年六月四日，于右任因事拜訪章太炎，持茹欲立（1883-1972）所撰〈章先生新出三體石經考歌〉詩稿相示，章氏欣然為之手定[29]。其詩曰：

> 餘杭先生貌奇古，學通今古無不有。兩京孔、鄭任筆笞，佐以篆籀兼蝌蚪。好事時來就質疑，先生諾諾復否否。蕭然一室供蹀躞，暇或逃禪捧卮酒。民國十二年，洛陽石出土。氈蠟初成遠寄來，欲尋真賞窺庭戶。先生一見喜欲狂，寶完不異陳倉鼓。中原文武掃地盡，麟出今將為誰某？披圖握管手不停，考訂遺經夜至午。蔡邑（邕）石經何時立？邯鄲子叔光生後。熹平下數迄正始，甲子方周未云久。一體未該三體出，乃知邯鄲意別有。石數古今無定說，先生度量求中數。《尚書》卌篇字萬餘，《春秋》經傳又幾許。算及秋毫雖未盡，我信已得十八九。許書郭簡供鉤玫，旁及采漢碑周鹵。文成數千書在紙，蘭陵孫翁應卻走。于先生，亦好古，尋常觀書鄙章句。既驚先生老益勤，更喜絕學有其緒。欲得先生欣然諾，即時鐫勒公傳布。嗚呼！安得十萬五丁開山手？徧掘洛下窮巖藪。石經盡出人盡見，古學光輝燦宇宙。[30]

此詩頌揚章太炎考訂正始石經之功，述及其對書手、石數之考證，可謂推崇備至，讚譽有加。茹欲立字卓亭，筆名大無畏、皮生。陝西涇陽魯橋（今屬陝西三原）人。光緒二十八年（1902），入三原宏道大學堂。光緒二十九年（1903），因宏道大學堂總教習薛壽軒懸牌申斥于右任出言不遜，于右任離校，茹欲立等人向薛壽軒理論，未果。光緒三十年　（1904）初，于右任出任商州中學堂監督，延請茹欲立、李儀祉（1882-1938）擔任教員。此後，于右任到開封參加會試，即由茹、李二人代理校務。當陝西巡撫升允（1858-1931）奉旨捉拿「倡言革命」的于右任，于被迫流亡上海，茹、李也受連累而辭職。一九二八年二月，于右任任國民政府審計院院長，茹欲立應其邀請，於是年秋季，到南京擔任審計院副院長。一九三一年二月，于右任出任監察院院長，審計院改名為審計部，隸屬監察院，茹欲立任審計部部長。可見茹、于之交情匪淺，而茹蓋久慕章氏之名，遂經由于之介紹，使茹與章結識，而其媒介即為〈章先生新出三體石經考歌〉。

七　結語

民國初年的魏石經出土，可謂學界一大盛事，吸引許多學者的興趣，紛紛投入研究，彼此之間，也會相互研討，如章太炎、于右任、胡樸安、蒙文通等，就有不少來往討論的書札。

---

29 參見汪運渠：〈胸有方心身無媚骨──說民國書家茹欲立先生〉，《收藏家》2010年第12期，頁100。

30 茹欲立：〈章先生新出三體石經考歌〉，《國學周刊》第8期（1923年），頁3；又見《國學彙編》第1集（1923年），頁96-97。

章太炎獲得友人贈送的魏石經拓本，與他們有書函商榷疑義。同時章氏亦撰成〈新出三體石經考〉一文，深入考察石經文字，並用以與古籍相校勘，所見頗有新意，為學界所重視。除了友朋之外，他也曾與弟子商討，其中最重要的，當屬吳承仕。民國十四年四月、五月間，章太炎有與吳承仕討論《尚書》的五封信函[31]，發表於《華國》月刊[32]。此五篇信札之內容，均為兩人對《尚書》今、古文字的討論，章氏頻頻舉例，以曉喻吳氏，其中頗多涉及魏石經者。他們師弟之間的切磋論學，也敦促了章太炎晚年對《尚書》一經的研究。

31 〈第一書〉撰於1924年12月26日、〈第二書〉撰於1925年3月5日、〈第三書〉撰於1925年3月11日、〈第四書〉撰於1925年4月3日、〈第五書〉撰於1925年4月4日。著成時間，參見李希泌：〈章太炎先生致吳承仕的六封論學書——兼正《章炳麟論學集・釋文》之誤〉，《文獻》1985年第1期，頁112～113。

32 章炳麟：〈與吳承仕論《尚書》古今文書〉，《華國》第2期第6冊（1925年4月）刊載第一至第三書；章炳麟：〈與吳承仕論《尚書》古今文書續〉，《華國》第2期第7冊（1925年5月）刊載第四、第五書。

民國以來（1912-2014）兩岸儒家石經研究成果綜述

郭妍伶

一貫道天皇學院一貫道學系助理教授

提要

石經係鐫刻於石上之經典，包含儒家及釋家重要經文。儒家石經出現最早的是漢代熹平石經，另有魏正始石經、唐石經、蜀石經、南宋石經、明石經、清石經，釋家則有房山石經、華嚴石經、和日石經牆等。不論是儒家或釋家石經，都具有相當的研究價值。就儒家石經言，漢字發展至東漢時期，由於文字沿用已久，且字體經過隸化改變，產生部件多有混同情況，加以朝廷設經學博士，造成中央及民間儒者對經典定本多存異議，各執一詞，相互攻伐，甚至不惜重金賄賂，擅改皇家保存之漆書，務求經文合於己說，意在從中得利。有鑑於此，漢代首先將整部經文雕鏤石碑上，樹立於太學外，藉政府力量統一經典內容及文字書寫規範，於焉而有熹平石經。爾後歷朝亦面臨此問題，故多刊布石經之舉。正始石經更書三體於碑上，用意大抵相同。自清代以來，許多學者開始留意到這些石經材料，用以核對傳世文獻、考訂文字，意在恢復聖人之旨，或取傳世文獻校訂殘石，欲復原石經本來面貌。民國以來，學者們立足於前賢成果，相繼投入研究，如羅振玉、王國維、馬衡、屈萬里、徐森玉等，在辨偽、復原、考釋文字等方面皆有進步，更援引所見新材料如甲骨文、簡帛文字參照，力求還原、貼近史實，成績更勝以往。民國迄今逾百年，儒家石經早已累積相當豐富的成果，而學者見解紛呈，應予爬梳整理。本文旨在回顧百年研究概況，分類簡要述介，並綜觀百年來發展趨向，以期勾勒民國儒家石經發展樣貌，提供研治石經者參考。

關鍵詞：儒家　石經　石經叢刊　金石

一　前言

儒家石經以其設立之特殊背景、需求，歷來頗受學者關注，舉凡蒐羅殘石、墨拓、題跋，考鏡石經源流、形制、書者及書風，復原石經原圖，考訂石經文字，比較出土與傳世經文內容等，皆為研究對象，所涉範圍甚廣。此前，林慶彰先生主編的《經學研究論著目錄》一至四編（1912-2002），收錄民國以來海峽兩岸石經研究成果，九十年間資料共計二百一十七筆。[1]筆者在此成果上進行增補、續編，查得二〇〇三年至二〇一四年石經研究成果約二百三十條，合計已逾四百四十筆資料，作為本篇撰述之基礎；其後又持續蒐羅，下迄二〇一五年資料，編成〈民國以來儒家石經研究論著目錄〉。[2]今茲就所得所見，回顧百年研究概況，分類簡要述介，以期勾勒民國以來儒家石經發展之樣貌。

二　石經研究成果回顧

石刻經典有儒家經典與佛教經典之別，儒家石經肇於東漢靈帝熹平年間，爾後續有魏之「正始石經」、唐代「開成石經」、後蜀「廣政石經」、北宋「嘉祐石經」南宋「高宗御書石經」、清代「乾隆石經」等。而石經研究可溯源甚早，南宋學者王應麟《困學紀聞》〈經說〉云：

> 石經有七，漢熹平則蔡邕，魏正始則邯鄲淳，晉裴頠，唐開成中唐玄度，後蜀孫逢吉等。本朝嘉祐中楊南仲等。中興高廟御書。後蜀石經，於高祖、太宗諱，皆缺畫。唐之澤深矣。[3]

歷數所知石經有七，且刊刻文字有避諱現象，反映當時文字應用與社會概況，值得留意。明、清之際，顧炎武、萬斯同、錢大昕、翁方綱、孫星衍、阮元、桂馥、嚴可均、丁晏、杭世駿等諸多學者皆見石經考證之作，或考鏡源流，或抉釋文字，亦有將他人研究成果纂輯成專書，如馮登府《石經彙函》、《石經補考》，而其他資料或見於《昭代叢書》、《丁丑叢編》等或學者文集中。[4]民國以來，投身石經研究之學者，有章炳麟、王

1　詳見林慶彰先生主編：《經學研究論著目錄》一編（1912-1987）、二編（1988-1992）、三編（1993-1997）、四編（1998-2002）臺北市：漢學研究中心，1989年、1999年、2002年、2013年。出版者皆漢學研究中心。

2　郭妍伶、何淑蘋：〈民國以來儒家石經研究論著目錄〉，《書目季刊》第50卷第2期（2016年6月），頁103-139。

3　（宋）王應麟：《困學紀聞》（上海市：上海商務印書館，1935年，江安傅氏雙鑑樓藏元刊本，《四部叢刊三編》第225-230冊），卷8，頁145。

4　北京圖書館出版社古籍影印編輯室：《歷代石經研究資料輯刊》（北京市：北京圖書館出版社，2005年6月），〈出版說明〉，頁3。

國維、羅振玉、吳維孝、張國淦等，除對石經源流、文字考釋、碑刻復原提出精闢論點外，也影響來者。以下試略述民國以降石經研究概況。

（一）石經通論

通論性著作最常見的是概述歷代石經的文章，此類篇章以推廣、介紹為主要目的，雖內容淺易，但脈絡分明、解說清楚，便於初學瞭解石經，例如：翁闓運〈石經——最古的版本書〉、李健永〈石經——研究經學史的重要資料〉、徐自強、吳夢麟〈特殊的經書——石經〉、華文〈中國歷代石經簡說〉、蕭東發〈儒家石經及其影響〉、喬萍〈試論「石書」的起源發展與影響〉、黃劍華〈刻在石頭上的教科書〉、楊麗君〈歷代石經簡論〉等。[5]

至於探查儒家石經異代不同狀況或探究其文獻、文化、政治價值與意義，或評騭石經總集優劣，可視為更進一步研究，此類文章有：曾昭聰〈中國古代的石經及其文獻學價值〉、劉千惠〈鐫刻於石頭上的經典——《歷代石經研究資料輯刊》簡介〉、張成亮〈儒家經典石經的變遷探究〉等。[6]

若針對一經綜論歷代石刻，則有：劉起釪〈尚書與歷代石經〉、苗喜霖〈周易碑石考〉、楊麗君《歷代石經《論語》考》等，[7]皆取一部經典作為主軸探究其變化，延伸討論當時的政治、學術主流風尚，並作評論。又如張濤〈《續修四庫全書總目提要》「石經類」校讀記〉則是今人考證清儒論點之作，透過對《四庫全書總目提要》之校記，點評清人石經學。[8]

---

5 翁闓運：〈石經——最古的版本書〉，《文滙報》第3版，1957年3月24日。李健永：〈石經——研究經學史的重要資料〉，《書法》1980年第6期（1980年11月），頁29-30。徐自強、吳夢麟：〈特殊的經書：石經〉，《中國的石刻與石窟》（臺北市：臺灣商務印書館，1994年2月），頁96-104。華文：〈中國歷代石經簡說〉，《華夏文化》1995年第1期（1995年2月），頁39-40。蕭東發：〈儒家石經及其影響〉，《紫禁城》1995年第4期（1995年），頁34-36。喬萍：〈試論「石書」的起源發展與影響〉，《春秋》1998年第5期（1998年），頁48-49。黃劍華：〈刻在石頭上的教科書〉，《文史雜誌》1996年第6期（1996年11月），頁54-55。楊麗君：〈歷代石經簡論〉，《現代語文》2006年第7期（2006年7月），頁127-128。

6 曾昭聰：〈中國古代的石經及其文獻學價值〉，《華夏文化》2002年第1期（2002年3月），頁26-27。劉千惠：〈鐫刻於石頭上的經典——《歷代石經研究資料輯刊》簡介〉，《國文天地》第22卷第3期（2006年8月），頁94-97。張成亮：〈儒家經典石經的變遷探究〉，《蘭臺世界》2015年第7期（2015年3月上旬），頁98-99。

7 劉起釪：〈尚書與歷代石經〉，《史學史研究》1983年3期、1984年1期（1983年9月、1984年3月），頁44-45；頁74-81。苗喜霖：〈周易碑石考〉，《文博》1993年第2期（1993年3月），頁74-75轉52。楊麗君：《歷代石經《論語》考》（曲阜市：曲阜師範大學古典文獻學碩士論文，2007年，單承彬指導）。

8 張濤：〈《續修四庫全書總目提要》「石經類」校讀記〉，「七朝石經學術研討會」會議論文集（上海市：上海交通大學人文學院，2014年12月12-14日），頁171-176。

（二）漢石經

漢石經又名「熹平石經」、「一字石經」，係官方校定儒家「七經」刻石，共刻《易經》、《論語》、《尚書》、《春秋》、《公羊》、《魯詩》、《儀禮》七種儒家經典。民國以來迄今之漢石經研究成果頗豐，約可分為：通論、易、書、詩、禮、春秋（公羊）、論語、辨偽、書法九個主要面向。

「通論」部分，或談熹平石經形制、尺寸、書者身分背景、設立始末、價值等，例如：于大成〈談漢石經〉、馬衡《漢石經概述》、陳怡真〈兩塊東漢熹平石經殘石的故事〉、張國淦《漢石經碑圖》、史梅岑〈漢石經的學術與藝術價值〉、史鑒〈漢末政教與熹平石經〉等。[9]

《易經》方面，主要一部分的論述是針對漢石經周易殘石的集證、體例辨析，而後更涉及石經所載《易經》文字究竟為何家說法，是否即如馬衡、屈萬里主張之梁丘本，並取石經《易》與今文《易》作比較。代表學者如：劉節、屈萬里、馬衡、錢玄同、羅福頤、文素松、徐芹庭、范邦瑾、楊建輝、許東方等，均有論著。

《尚書》方面，學者亦著眼於殘石復原、文字集證、石經異文與傳世文字之比較，代表學者有：屈萬里、朱廷獻、周鳳五、許景元、吳承仕、趙立偉、宋廷位、馬濤等。

《詩經》方面，從事集證與比較異文之代表學者，包括：郭沫若、王樹元、馬衡、方國瑜、莊乾震、楊袒等，而取楚簡記載與石經比較是近年來較特出之處，此一方面的研究則有虞萬里、季旭昇等從事。

《儀禮》方面，劉文獻、羅振玉、馬濤等均投入集證與碑圖復原工作，陳緒波則取武威漢簡與石經、今文本相較。

《春秋》、《公羊》方面，主要貢獻是在集證與考釋文字、校記上，主要研究學者有：葉程義、王獻唐、呂振端等。

《論語》方面，呂振端、朱廷獻、馬衡、田春來、單承彬等皆有論述，單承彬則取定州漢墓竹簡本《論語》與石經相較。

總上所述，漢石經的研究焦點主要集中在《易經》，次則為《尚書》，至於《詩》、《禮》、《春秋》、《公羊》、《論語》皆有學者略為關注，而漢石經由於僅存殘石，也引發了真偽議題，如屈萬里便有〈舊雨樓藏漢石經殘字辨偽〉，對於方若所藏漢石經提出質疑，這是相對其他保存較良好的石經所不會出現的情況。此外，較特別者是關於《樂

9　于大成：〈談漢石經〉，《孔孟月刊》第8卷第11期（1970年7月），頁16-19。馬衡：〈漢石經概述〉，《北京大學百年國學文粹（考古卷）》（北京市：北京大學出版社，1998年4月），頁1-7。陳怡真：〈兩塊東漢熹平石經殘石的故事〉，《中原文獻》第7卷第1期（1975年1月），頁13。張國淦：《漢石經碑圖》（臺中市：文听閣圖書公司，2009年，《民國時期經學叢書》第3輯，第60冊）。史梅岑：〈漢石經的學術與藝術價值〉，《中國地方文獻學會年刊》（1979年1月），頁80-81。史鑒：〈漢末政教與熹平石經〉，《語文建設》1995年第9期（1995年9月），頁45-46。

經》之說，此前均以為秦火後亡佚失傳，王錦生〈《樂經》——佚失的儒家經籍——河南博物院藏熹平石經殘石內容管窺〉一文，則主張藏於河南博物院的三塊熹平石經殘石中，有兩件為亡佚已久的《樂經》，藉此證明《樂經》確實存在，且至少在經歷秦火後的東漢時期，也曾以儒家經書形式立於洛陽，此說打破舊說，惟仍待考證。[10]

（三）魏石經

魏石經又名「正始石經」、「三體石經」，魏文帝時詔令復立於洛陽，然僅刻《尚書》、《春秋》二經。民國以來迄今之魏石經研究，約可分為：通論、尚書、書法三個面向。

關於魏三體石經研究概況，趙立偉〈歷代三體石經研究狀況概觀〉已予詳細論述，主要是將歷代三體石經研究分成「唐宋及清代」、「清末民初」、「建國以來」三階段，標舉各時期研究焦點、代表學者、著作及成果。其云第一階段的學者主要研究對象是拓本及題跋，郭忠恕《汗簡》〈略敘〉所載「開元十三紙」可視為發端，而十三紙的部分內容透過《汗簡》、《古文四聲韻》、《隸續》被保存流傳，影響後世研究者。元明以降至清代，學者致力於「對石經殘石墨拓的搜求」、「對三體石經源流的考證」、「對宋代著錄石經古文的研究」。考證源流方面，標舉萬斯同、徐慶兩家，但認為二人皆未能超邁前賢；考釋宋人著作方面，列出臧琳、孫星衍、馬國翰、馮登府四家，又以孫氏結合《說文》、《汗簡》、《古文四聲韻》及傳世本所得部分漢字構形詮解，迄今仍為不刊之論，馮氏「注意到了出土古文字與石經古文的比較，這是迄今所見最早運用『二重證據法』研究石經古文的著作」，[11]故對二家尤為推重。第二階段因清光緒二十一年（1895）、民國十一年（1922）兩次殘石的發現再掀高潮，此時期代表學者有：杭世駿、羅振玉、王國維、吳維孝、章太炎、王獻唐、張國淦、孫海波等，主要貢獻在考辨源流與考證石經古文。第三階段分論大陸與臺灣，主要成就在取石經古文與出土文字相互印證。大陸方面舉曾憲通、何琳儀著作為例，臺灣則取邱德修《魏石經古文釋形考述》和《魏石經初探》、呂振端《魏三體石經集證》為代表。文中除分述各期特點外，亦分析產生原因，並提出「應在疏證石經古文來源的基礎上側重於形變規律的探求」之研究展望。

依目前所得之石經研究篇目、數量、內容來看，歸納魏石經研究於當前仍著眼於蒐羅殘石墨拓、考證石經源流、考釋前人著錄古文等；而就經籍內容觀之，則完全聚焦於《尚書》之探討，更有取漢魏石經比較者，惟獨不見討論《春秋》。

---

10 王錦生：〈《樂經》——佚失的儒家經籍——河南博物院藏熹平石經殘石內容管窺〉，《中原文物》2014年第1期（2014年2月），頁83-86。

11 趙立偉：〈歷代三體石經研究狀況概觀〉，《聊城大學學報（社會科學版）》2006年第2期（2002年4月），頁94-96轉頁103。

（四）唐石經

唐石經又名「開成石經」，係唐文宗時下令詔刻，完成於開成年間，共刻《周易》、《尚書》、《毛詩》、《周禮》、《儀禮》、《禮記》、《春秋左氏傳》、《公羊傳》、《穀梁傳》、《孝經》、《論語》、《爾雅》十二種儒家經典，立於長安國子監內。開成石經之文字以楷書書寫，保存完善，是後世規範文字之典範，在書法研究上也提供了珍貴材料。民國以來唐石經研究成果，主要可分通論、《易》、《書》、《詩》、《禮》、《春秋》（公羊／穀梁）、《論語》、《孝經》、書法九方面。除通論概述外，《易》、《書》、《詩》、《禮》均各有一篇文章探論，《春秋三傳》則《穀梁》、《左傳》已被王天然、羅軍鳳分別以版本為切入點進行探討，《孝經》則以「石臺孝經」最為人所知。

（五）蜀石經

蜀石經又名「孟蜀石經」、「廣政石經」，係孟昶宰相毋昭裔取唐玄宗注《孝經》、何晏集解《論語》、郭璞注《爾雅》、王弼注《周易》、孔安國傳《尚書》、鄭玄注《周禮》、鄭玄箋《毛詩》、鄭玄注《禮記》、鄭玄注《儀禮》、杜預集解《左傳》，凡十經，連同註文一起刊刻石上。

蜀石經研究除通論概述外，主要研究成果在於《詩》、《春秋》、《孟子》，且皆僅一、二篇之數，論著稀少，尚待來者賡續開發。

（六）宋石經

宋石經有刊立於北宋之「嘉祐石經」與南宋之「紹興石經」區別。「嘉祐石經」又名「二體石經」、「汴學石經」，「紹興石經」別稱「宋高宗御書石經」、「南宋太學石經」。民國以來投入宋石經研究者，除通論外，多聚焦於《禮》，前有羅振玉撰《北宋嘉祐石經周禮禮記殘石》、《北宋二體石經禮記檀弓殘石》，後有晁會元〈北宋太學二體石經新證〉，取私藏北宋太學二體石經為證，梳理近代北宋二體石經拓片之流傳與研究，復依新獲拓片考證北宋太學石經之刻經年代與經數。藉由復原北宋二體石經，作者認為王壽卿應詔寫石經《周禮》和「禮七十八」數字銘文，肯定北宋太學石經有《儀禮》一項。此觀點前所未見，可知二體石經尚待更多探討。

（七）其他

歷來石經研究，主要焦點放在上述各類石經，討論較為豐富；此外，尚有晉石經、清石經、民國石經。晉石經方面，前人多主張儒家石經僅七經而已，典籍雖有西晉曾經刻石之記載，但後人普遍懷疑此說，或以為乃未曾付諸實行之說。范邦瑾對此亦深感興趣，故撰〈晉石經探疑〉探討此疑案。

清石經方面，乾隆五十七年刊立十三經，保存完善，民國以來研究清石經者，所論內容多屬概說，或談論蔣衡與乾隆石經，或推測乾隆石經刊刻動機，或簡介彭元瑞奉詔撰寫之《石經考文提要》，尚未見更深入的探討。

民國石經方面，主要談大易碑林。此碑林設立於八卦城中，集結今、帛、竹書本《周易》，刊於石上，劉大均更撰〈今、帛、竹書《周易》與今、古文問題〉、〈《大易碑林三本石經》前言〉二文昭明其保存文獻之用心。

總體而言，儒家石經研究以漢、魏石經最多，早期多聚焦於溯源流、考文字、又因個別特色而分別著重於某部經典之探討，或轉向書法研究方面。透過上述內容，略可明瞭學者研究重心，及尚待開發研治的課題。

三　石經研究成果綜述

（一）研究論著大幅增加

綜觀兩岸儒家石經研究論著數量，民國初年已有諸多前輩學者如羅振玉、王國維、馬衡、王獻唐等名家投入研究各類石經，加以新出土石經殘石陸續被挖掘、發現，更擴展研究課題至石經之復原及辨偽。無論是專門論著或通論性質文章，在數量上皆較從前為多。然而，由林慶彰先生主編的《經學研究論著目錄》來看，第一編（1912-1987）所收七十五年間石經論文一百五十三篇，第二編（1988-1992）、第三編（1993-1997）、第四編（1998-2002）皆以五年為斷限，分別收錄三十六篇、十六篇、十二篇，似乎呈現研究者及文章數量日益減少的態勢。筆者根據目前所收集到的資料顯示，二〇〇三年至二〇一四年的十二年間，石經研究論著約有二百三十餘筆，其中，二〇〇三年到二〇〇七年的五年間每年平均著作未達十篇（二〇〇五年因叢書刊印增加數量，實際上仍是前人舊作），二〇〇八年以後石經研究論著數量明顯大幅提升，每年皆有十篇以上之數，二〇一三、二〇一四年更接連出現將近四十篇，顯見此一領域研究在近年甚受學界關注。

近年石經論著的激增，主要反映出中國大陸對石經的重視。統觀長期以來兩岸石經研究，國民政府遷臺後，學者成一海相隔之勢，石經研究也各自發展。臺灣方面，羅振玉、王國維以後，立足經學之上，循其路徑者當推屈萬里先生。[12]屈先生執臺灣學界之

---

12 虞萬里論羅振玉、王國維之漢、魏石經研究云：「漢魏石經叢收藏、傳拓、發掘、研究進入到羅王時

牛耳，先後指導了呂振端、劉文獻、范邦瑾、周鳳五、邱德修等人，培養後進卓然有成；惟後來隨著甲骨、簡帛材料不斷出土，研究焦點轉向，石經研究遂不復當年榮景。反觀對岸，學術研究在經學領域雖曾沉寂一段時間，然而近幾年不斷以計畫形式整理、複印石刻文獻，舉凡碑銘、墓誌、造像、界碑、經幢皆在其列，儒家石經則為其中一支，更有以石經為主題舉辦的專題研討會，足見大陸當前的石經研究比臺灣學界更加蓬勃興盛。

（二）石經文獻整理出版

近年來，許多學科領域皆有總結性的整理成果呈現，這些資料以「叢刊」、「匯編」、「集成」等叢書形式出版，例如《中國近代古籍出版發行史料叢刊》、《儒藏》、《中國古文字大系──金文文獻集成》、《說文解字研究文獻集成》、《民國通俗小說書目匯編》、《日治時期臺灣小說匯編》等等。這些經過蒐集整理、薈萃一部的文獻總集，一方面達到回顧前人成就、便利讀者參考、避免學術資源重複的功效，另一方面提供學者立足豐沛材料之上，做出更具新意、更有突破性的成果。

專門石經研究的起源甚早，惟多散見個人著作集或叢書當中，利用頗為不便。許東方主編《石經叢刊》[13]，六冊，收錄清代及民國初年學者石經著作凡二十三種，茲列各冊內容如下：

冊	書名	版本	作者
1	漢石經碑圖圖說	民國二十年排印本	張國淦撰
2	石經攷	石經彙函本	顧炎武輯
	石經攷異	石經彙函本	杭世駿撰
	石經補攷	石經彙函本	馮登府撰
	石經備考一卷附石經考表一卷	鈔本	徐嵩撰
3	漢石經殘字攷	石經彙函本	翁方綱撰
	漢熹平周易石經殘碑錄	民國十九年萍鄉文氏思簡廔景印本	文素松輯寫
	漢熹平石經殘字集錄二卷補遺五卷	民國十八年序上虞羅氏石印本	羅振玉撰

代，並經張國淦演示為碑圖，已上升為名副其實的石經學。繼之而起的祇有屈萬里和其學生呂振端、劉文獻、范邦瑾、周鳳五、邱德修等學者能立足於經學，循沿羅王之路而有所發展，其他多偏重於石經文字研究，雖然取得很大成就，也祇是石經學的一個支派。」詳見虞萬里：《榆枋齋學林》（上海市：華東師範大學出版社，2012年11月），頁5。

13 許東方主編：《石經叢刊》（臺北市：信宜書局，1976年）。

冊	書名	版本	作者
	漢熹平石經殘字集錄續編二卷補遺二卷	民國十八年序上虞羅氏石印本	羅振玉撰
	漢熹平石經殘字集錄補遺二卷補正一卷	民國十九年序上虞羅氏石印本	羅振玉撰
	六經堪藏漢石經殘字	拓本	羅振玉藏
	七經堪續得漢石經殘字	拓本	羅振玉藏
4	儀禮石經校堪記	石經彙函本	阮元撰
	漢魏石經攷	光緒十二年沌城黃氏試館校刊本	劉傳瑩撰
	新出漢魏石經攷	民國十六年石印本	吳維孝撰
	魏三體石經遺字考	石經彙函本	孫星衍撰
	魏石經攷	海甯王靜安先生遺書本	王國維撰
	魏正始石經殘石攷	海甯王忠慤公遺書二集本	王國維撰
5	唐石經校文	石經彙函本	嚴可均撰
6	唐石經攷正	光緒十五年序刊本	王朝榘撰
	蜀石經殘字考一卷	石經彙函本	王昶撰
	北宋汴學二體石經記一卷	石經彙函本	丁晏撰
	石經攷文提要	石經彙函本	彭元瑞撰

此套石經研究叢書網羅重要研究者的著述，包括張國淦、顧炎武、杭世駿、馮登府、徐嵩、翁方綱、文素松、羅振玉、阮元、劉傳瑩、吳維孝、孫星衍、王國維、嚴可均、王朝榘、丁晏、彭元瑞等清代至民國初年學人，研究範圍自漢代熹平石經至清代乾隆石經皆有，主要以漢石經研究為大宗，漢魏兼治者二，治魏石經者三，唐石經者二，蜀石經、清石經各一。是書刊印較早，將以往散見於學者論集之石刻相關文章匯聚裒集成書，依石經時代編次，且標名版本，如張國淦《漢石經碑圖》為民國二十年排印本、徐嵩《石經備攷》為鈔本，便於讀者參考利用，具有指標性的意義。

其後，北京圖書館出版社於二〇〇五年出版賈貴榮主編的《歷代石經研究資料輯刊》，凡八冊，各冊內容如下：

冊	書名	版本	作者
1	大學石經古本	民國二十七年商務印書館影印明萬曆刻本	
	石經考	清咸豐元年維風堂《李養一先生文集》本	李兆洛撰

冊	書名	版本	作者
	石經考辨	清同治六年刻本	雪樵輯
	歷代石經略	清光緒九年刻本	桂馥撰
	石經魯詩	清光緒十年重刻《玉函山房輯佚書》本	馬國翰輯
	漢魏石經考	清光緒十二年沌城黃氏試館寫刻本	劉傳瑩撰
	石經考	清光緒十六年四川尊經書局刻《石經匯函》本	顧炎武輯
	石經考異	清光緒十六年四川尊經書局刻《石經匯函》本	杭世駿撰
2	石經考文提要	清光緒十六年四川尊經書局刻《石經匯函》本	彭元瑞撰
	石經補考	清光緒十六年四川尊經書局刻《石經匯函》本	馮登府撰
3	儀禮石經校勘記	清光緒十六年四川尊經書局刻《石經匯函》本	阮元撰
	石經考	清稿本	
	石經考	清抄本	李兆洛撰
	石經	清抄本	張邦伸纂輯
	石經備考	清抄本	徐嵩撰
	石經	清抄本	張萱撰
	跋石經	清抄本	徐世溥撰
	石刻補敘	清抄本	曾宏父纂述
	漢魏石經考	民國八年重修吳江沈氏世楷堂刻《昭代叢書》本	萬斯同撰
	唐宋石經考	民國八年重修吳江沈氏世楷堂刻《昭代叢書》本	萬斯同撰
	新出漢魏石經考	民國十六年上海文瑞樓書局影《憝齋叢書》	吳維孝撰
4	歷代石經考	民國十九年燕京大學國學研究所鉛印本	張國淦撰
	漢魏石經殘字	民國二十三年山東省立圖書館鉛《海岳樓金石叢編》本	山東省立圖書館編；陳繩甫校

冊	書名	版本	作者
5	熹平石經殘字	清道光間刻本	陳宗彝摹
	舊雨樓漢石經殘石記	民國鉛印本	方若撰
	漢石經殘字考	清光緒十六年四川尊經書局刻《石經滙函》本	翁方綱撰
	漢石經考異補正	民國三年刻本	瞿中溶撰
	漢熹平石經殘字集錄	民國印本	羅振玉撰
	漢熹平石經集錄續編補遺	民國石印本	羅振玉撰
	漢熹平石經殘字集錄三編	民國石印本	羅振玉撰
	漢熹平石經殘字集錄四編	民國石印本	羅振玉撰
	漢熹平石經集錄	民國二十三年上虞羅氏七經堪石印本	羅振玉撰
	漢熹平石經集錄	民國間上虞羅氏石印本	羅振玉撰
6	魏三體石經遺字考	清嘉慶十一年五松書屋刻本	孫星衍撰
	魏石經考	稿本	馮登府撰
	魏石經考	民國五年上海倉聖智大學《廣倉學窘叢書》本	王國維撰
	魏三體石經錄	民國十二年石印本	吳寶煒輯
	魏正始石經殘石考	民國十六－十七年海甯王氏鉛印暨石《海甯王忠公慤公遺書》本	王國維撰
	論魏三體石經古文之來源泉並及兩漢經古文寫本的問題	民國二十八年《齊魯大學季刊》新第一卷鉛印本	孫次舟撰
	新出三體石經考	民國三十三年成都薛氏崇禮堂刻《章氏叢書續編》本	章炳麟撰
	增訂三體石經時代辨誤	民國間刻《水東集初編》本	王小航撰
7	唐石經考正	清嘉慶五年刻本	王朝璩撰
	唐國子學石經	清嘉慶十六年川上草堂刻《秋浦叢抄》本	顧炎武輯
	唐石經校文	清光緒十六年四川尊經書局刻《石經滙函》本	嚴可均撰
	開成石經圖考	清宣統二年江陰繆荃孫刻本	魏錫曾撰
	唐開成經考異	民國二十六年吳縣王氏《丁丑叢編》本	吳騫撰

冊	書名	版本	作者
8	唐石經考異	民國十年上海商務印書館《涵芬樓秘笈》本	錢大昕撰；臧庸撰補；孫毓修輯
	蜀石經殘字	清道光六年三山陳氏重刻本	陳宗彝輯
	後蜀毛詩石經殘本	清光緒十六年四川尊經書局刻《石經匯函》本	王昶撰
	蜀石經校記	民國初年國粹學報社《古學彙刊》本	繆荃孫撰
	蜀石經毛詩考異	民國十一年上海博古齋影《愚谷叢書》本	吳騫輯
	北宋汴學二體石經記	清光緒十六年四川尊經書局刻《石經匯函》本	丁晏撰
	北宋汴學篆隸二體石經跋	清至民國間抄本	王秉恩著 強敦宦抄
	欽定石經目錄	民國二十二－二十五年《武進陶氏書目叢刊》本	
	奏修石經字像冊	清稿本	蔡賡年撰

是書主要將北京圖書館所藏石經研究資料整理刪汰後，擇取五十四種，依通論、漢石經、魏石經、唐石經、蜀石經、宋石經、清石經次第，編排成八冊。書評則有劉千惠〈鐫刻於石頭上的經典──《歷代石經研究資料輯刊》簡介〉，舉出是書優點有三：一、收羅歷代研究資料，二、分類詳明，三、版本著錄詳實。[14]關於所收資料，許書開先於前，本書後出轉精，蒐羅種類較前者多出一倍，內容更加豐富，是其價值所在。而分類上，劉千惠舉張國淦將石經研究文獻分為「考源流」與「考文字」二類，對比此書分類優點則略失久遠，以許書為例，已可見先通論、後依時代編序之例。另外，劉文也提出編輯缺點有二：一、未收入石經拓帖，二、擇取標準未定。[15]關於第一點，編者自言未收拓片實「受篇幅和印製方式的限制，石經拓帖文獻和部分研究資料未予收入，待日後以補編形式出版。」[16]倏忽十年已過，補編迄今猶未出版，而這十年間又陸續增加許多研究材料，則補編之面世，令人相當期待。至於擇取標準不一，主要顯見於版本

14 劉千惠：〈鐫刻於石頭上的經典──《歷代石經研究資料輯刊》簡介〉，《國文天地》第22卷第3期（2006年8月），頁96。

15 同前注，頁97。

16 北京圖書館出版社古籍影印編輯室：〈出版說明〉，《歷代石經研究資料輯刊》，頁3。

上，而格式方面，簡繁體間雜、標注年代偶有脫漏，凡此率皆微疵，實瑕不掩瑜。

文獻整理工作反映學界對石經的重視與研究的需求，綜關現存石經研究文獻總集，較其優缺點，可知未來纂輯收錄範圍，當可自民國初年以降，並及近人專著、單篇論文，避免重複；而對前人著作，應當進行點校整理，此或可作為日後纂輯石刻研究資料叢書集成之參考方向。

（三）專門會議首度舉辦

經學研究的相關專門會議，歷來以群經、各經、斷代、地域等為主題，每年度均見兩岸迭有召開。例如：中央研究院中國文哲研究所依斷代舉辦的「清代經學國際研討會」、「明代經學國際研討會」、「元代經學國際研討會」、「宋代經學國際研討會」、「清代乾嘉學者的治經貢獻學術研討會」等，依地域則有「湖湘學者的經學研究」、「廣東學者的經學研究」、「常州學者的經學研究」、「浙江學者的經學研究」、「四川學者的經學研究」等學術會議；另外，還有中興大學中文系「經學與文化研討會」、中國經學研究會「中國經學國際學術研討會」、中國詩經學會「詩經學國際研討會」、中華民國易經學會「國際易學學術研討會」、山東大學易學與中國古代哲學研究中心「海峽兩岸青年易學論文發表會」等。這些會議的召開，每每成為經學界的盛事。

由上可知，經學會議紛呈，惟以「石經」為專門主題者則罕見。二〇一三年，北京師範大學民俗典籍文字研究中心與陝西師範大學文學院聯合主辦「中國歷代碑刻及碑刻文獻學術研討會」，在陝西師範大學召開。此次會議以「石刻」為主題，舉凡石刻、碑銘、墓誌、造像題記、摩崖刻石等均屬其範圍，議題豐富，然並未聚焦於「石刻經典」之上。直至二〇一四年，在上海交通大學虞萬里教授主持下，由「歷代儒家石經文獻集成」課題組主辦，召開了首次的「七朝石經學術研討會」。為期兩天會議，邀集兩岸二十餘位學者參與，共計發表十六篇論文，[17]探討範圍從漢代熹平石經至清人石經論著，

---

17 「七朝石經研討會」於2014年12月13-14日在上海召開，發表論文包括：顧濤〈熹平石經刊刻動因之分析——兼論蔡邕入仕〉、趙立偉〈熹平石經字形與漢代文字的規範——以石經與後漢簡牘文字的比較為參照〉、虞萬里〈熹平石經《魯詩・鄭風》復原平議——兼論小序產生之年代〉、馬濤〈漢石經《儀禮・鄉飲酒》記文異象經辨〉、趙振華、王恒〈曹魏太學石經三碑六面復原研究：以新獲《尚書・召誥》《春秋・宣公》拓本為中心〉、侯金滿〈《書古文訓》與三體石經尚書古文比較研究——兼及梅頤本古文尚書經文來源問題〉、劉玉才〈松崎慊堂與《縮刻唐石經》芻議〉、虞思徵〈張參《五經文字》刻石年代辨正〉、王天然〈孟蜀石經性質初理〉、晁會元〈北宋太學二體石經新證〉、程克雅〈張慎儀《詩經異文補釋》據石經釋《詩》研究〉、張濤〈《續修四庫全書總目提要》「石經類」校讀記〉、柳向春〈徐森玉先生與漢魏石經〉、郭妍伶〈屈萬里石經研究初探〉、馬楠〈馬融鄭玄王肅本《尚書》性質討論〉、蔡飛舟〈漢石經周易闕文述臆〉，另有盧芳玉、仲威、王慶衛、吳濤分別發表〈國家圖書館藏石經文獻介紹〉、〈上海圖書館藏石經文獻介紹〉、〈西安碑林博物館藏石經文獻介紹〉、〈洛陽墓誌博物館藏石經文獻介紹〉。

所涉研究面向包含文獻學、考古學、文字學等諸多學科，最後則由中國國家圖書館盧芳玉先生，上海圖書館仲威先生，西安碑林博物館王慶衛先生及洛陽師範學院吳濤先生，就各館石經文獻之典藏、編目、整理情況和出版計畫與蒞會學者交流。作為首度召開的石經專門會議，「七朝石經學術研討會」無疑具有重要的推廣意義。

四　結語

前人鑒於「縑湘有壞，簡策非久，金碟難求，皮紙易滅」[18]，故將重要資料刊諸於金石之上，吉金不可多得且容易遭人覬覦，故轉施石上。儒家石刻經典，除政治宣示，替經文內容、文字確立一套標準外，亦兼具保存久遠，以廣傳拓的功能。惟石經久遠，雖能考察經文、歷史，卻因文獻往往不足，或真偽待辨，學者見解紛歧。檢視百年來兩岸石經研究論著，可見此學門之消長與學術趨勢，更可鑑往知來，援引參考。筆者不揣淺陋，試歸納出下列數項看法，作為百年石經學之回顧與展望：

（一）石經研究方面，除了刊登於以大眾閱讀為訴求的期刊報章的推介性文章外，石經概論、通論已逐漸減少，轉而以溯源流、別真偽、考訂文字、書人、書風及經說所屬、刊經之政教動機為主要研究方向，近年來則結合出土之楚簡、漢簡內容，梳理文字規範化脈絡，比較出土文獻與傳世文獻之異同。

（二）石經研究文獻已陸續有叢書、輯刊匯編，然止步於十年前，且所收多為清代至民國初年學者著作，不見近人成果。故今後一方面宜針對前賢著作進行校注、標點，另方面則對近人論著披沙瀝金，揀擇代表性者予以收錄以廣流傳。今時今日或已不復石經刊刻之背景，然文獻輯錄具備傳播、保存之功，適與石經價值有異曲同工之妙。

（三）匯集目前可見的石經研究論著作為基礎，進一步推動建構石經文獻資料庫或數位化平臺，整合各界資源共利共享，消彌時空局限，促進海內外訊息流通，如此積極推廣，定能促使石經研究出現更豐富可觀的成果。

後記：

本文原於「經學史研究的回顧與展望——林慶彰先生榮退紀念學術研討會」（2015年8月20-21日）宣讀，今謹略作修訂刊出；至於二〇一六年迄今（2019）學界新出石經研究成果，筆者將另撰他文評介，故不在本文論述之列。

---

18 語出北齊武平三年（西元572年）唐邕所刻〈唐邕寫經碑記〉，其內容在寫石窟內刻寫佛經之原委。

經學史研究

《荀子》與經籍相合文辭考證
——以《孟子》、《禮記》為例*

何志華

香港中文大學中國語言及文學系教授

提要

歷來學者皆以為荀卿倡言性惡，與孟軻性善論說相違；《荀子・非十二子》又痛詆孟軻，後世因以為孟、荀二家學說牴牾不同。徐復觀《中國人性論史》甚或以為「荀子之對於孟子，只是得之於傳聞，而未嘗親見其書。」本文嘗試通過《孟》、《荀》兩書文本對讀，以兩書之表述方法、文辭義理，乃至字詞用語之相合者，分析兩書可有相合之處。

另先秦禮論研究，嚮重孔、孟、荀三家之學，而《荀子》一書又多與秦漢禮書文獻相關，舉例而言，《荀子・禮論》重見於《禮記・三年問》、《大戴禮記・禮三本》；《荀子・樂論》又重見於《禮記・樂記》、〈鄉飲酒義〉；《荀子・法行》重見於《禮記・聘義》；《荀子・哀公》重見於《大戴禮記・哀公問五義》；《荀子・修身》及〈大略〉二篇均見《大戴禮記・曾子立事》；《荀子・勸學》及〈宥坐〉二篇則見《大戴禮記・勸學》。由此而觀，《荀子》及大、小戴《禮記》三書關係密切。本文考證《禮記》一書文辭多與《荀子》相合，今既知《荀子》《禮記》兩書成書年代相近，則比對二書相合內容，考其同異，當能有助於二書之通讀，於二書文辭訓詁之考釋，亦不無裨益。

關鍵詞：荀子　文辭訓詁　篇章內證

---

* 本文乃香港研究資助局資助之「《荀子》篇章關係研究：古文獻斷代的新嘗試」（Ref. No.: CUHK14606918）部分研究成果。

《荀子》一書多與先秦兩漢文獻相關，其中與經籍重出者，不在少數。筆者蒐集所得，發理《荀子》與《孟子》、《禮記》文辭、義理重合者，遠較過去學者所知為多，今試分別加以闡述。

一　《荀子》、《孟子》文辭義理相合例證

歷來學者皆以為荀卿倡言性惡，與孟軻性善論說相違，後世因以為孟、荀二家學說牴牾不同。蔡仁厚《孔孟荀哲學》云：

> 孟子的意思，認為仁義是先天具備的，是我性分中所固有的。人只要順性而行，自然便可以成就仁義。所以「率性而行」與「由仁義行」，根本是同義語。一切道德都是順人性本然之善而成就，違逆人性便根本沒有道德之可言。所以，只有肯定人性善，然後道德才有根，才有成就善的價值之可能。孟子性善說之所以顛撲不破，其故即在於此。〔……〕荀子隆禮義而反性善。「禮義」與「性善」既已置於相對衝突的位置，則其所謂禮義乃失去人性之基礎與內在之根據，而人之為善成德亦遂失其內發性與自發性矣。然則，由荀子一轉手而為李斯韓非，雖不是荀子始料之所及，而亦非偶然也。[1]

孟、荀論說看似扞格不入，矛盾相違，蔡仁厚的分析的確言之成理，加之《荀子》〈非十二子〉又痛詆孟軻云：

> 略法先王而不知其統，猶然而材劇志大，聞見雜博。案往舊造說，謂之五行，甚僻違而無類，幽隱而無說，閉約而無解。案飾其辭而祗敬之曰：此真先君子之言也。子思唱之，孟軻和之，世俗之溝猶瞀儒，嚾嚾然不知其所非也，遂受而傳之，以為仲尼、子遊為茲厚於後世，是則子思、孟軻之罪也。[2]

可見荀子又曾痛詆思孟學派，孟荀論說相悖不容之說，幾成學術定讞。然而，筆者細意蒐集所得，發現《荀子》一書有與《孟子》文辭、義理相合者，為數甚多，茲舉其中顯例如下：

一、《孟子》〈盡心下〉：「士未可以言而言，是以言餂之也。可以言而不言，是以不言餂之也。是皆穿踰之類也。」趙岐注云：「餂，取也。人之為士者，見尊貴者未可與言而強與之言，欲以言取之也，是失言也。見可與言者而不與之言，不知賢人可與之

1　蔡仁厚：《孔孟荀哲學》（臺北市：臺灣學生書局，1984年），頁332及頁402。

2　王先謙：《荀子集解》（北京市：中華書局，1988年），頁94-95。除非另外注明，本文所引《荀子》正文及注均用此本。

言，而反欲以不言取之，是失人也。是皆趨利入邪無知之人。」[3]

孟子旨在以「未可以言而言」、「可以言而不言」對舉立論，表明兩種行為皆為士人趨利之態，並不足取。同樣以「未可以言而言」、「可以言而不言」對舉立論者，後世尚有荀卿。《荀子・勸學》云：「故未可與言而言謂之傲，可與言而不言謂之隱。」郝懿行云：「傲與敖同。敖者，謂放散也。……此謂君子言與不言，皆順其人之可與不可，所謂『時然後言，人不厭其言』也。」[4]又北大哲學系《荀子新注》云：「隱，隱瞞。」[5]由此可見，荀子以為「未可與言而言」、「可與言而不言」皆不足取，前者放散，後者隱瞞，皆非君子所為。《孟》、《荀》所論重點雖有不同，惟立論表述方法則一。

二、《孟子・盡心下》：「不仁而得國者有之矣，不仁而得天下，未之有也。」趙岐注云：「丹朱、商均，天子元子，以其不仁，天下不與，故不得有天下也。」[6]

可見為政不仁，天下不與，故不仁者可以得國，而未可以得天下也。孟子對比「得國」之於「得天下」，以為「國」或可得，而「天下」未可得，而關鍵在於「不仁」。今考荀卿亦有相近言論，其重點雖不在「仁」，惟對比「得國」與「得天下」則一。《荀子・正論》云：

> 故可以有奪人國，不可以有奪人天下；可以有竊國，不可以有竊天下也。可以奪之者可以有國，而不可以有天下，竊可以得國，而不可以得天下。是何也？曰：國，小具也，可以小人有也，可以小道得也，可以小力持也；天下者，大具也，不可以小人有也，不可以小道得也，不可以小力持也。國者，小人可以有之，然而未必不亡也，天下者，至大也，非聖人莫之能有也。[7]

楊倞注云：「一國之人易服，故可以有竊者；天下之心難歸，故不可也。」可見荀卿亦以為國可得，而天下未可得。此論與《孟子》同出一轍，久保愛分析《荀子》此文亦云：「《孟子》曰：『不仁而得國者有之，不仁而得天下者，未之有也。』與此全同。」[8]可見久保愛亦以為荀卿此文與《孟子》旨意義理全同。由此推斷，實亦《荀子》有取於《孟子》之證也。

---

3 焦循：《孟子正義》（北京市：中華書局，1987年），頁1008。除非另外注明，本文所引《孟子》正文及注均用此本。

4 王先謙：《荀子集解》，頁17-18。

5 北大哲學系：《荀子新注》（臺北市：里仁書局，1983年），頁14。

6 焦循：《孟子正義》，頁973。

7 王先謙：《荀子集解》，頁326。

8 王天海：《荀子校釋》（上海市：上海古籍出版社，2005年），頁713。

三、《孟子》〈梁惠王上〉:「苟為後義而先利，不奪不饜。未有仁而遺其親者也，未有義而後其君者也。王亦曰仁義而已矣，何必曰利。」趙岐注云:「苟，誠也。誠令大臣皆後仁義而先自利，則不篡奪君位，不足自饜飽其欲矣。」[9]

孟子倡言先義而後利，倘大臣以利居先，則篡奪君位，方始饜足，其弊可知。考孟子此義又見《荀子》。《荀子・榮辱》云：「先義而後利者榮，先利而後義者辱；榮者常通，辱者常窮。」[10]《荀子・王霸》又云：「巨用之者，先義而後利，安不卹親疏，不卹貴賤，唯誠能之求，夫是之謂巨用之。小用之者，先利而後義，安不卹是非，不治曲直，唯便僻親比己者之用，夫是之謂小用之。」[11]北大哲學系《荀子新注》云:「安：發語詞，於是。」[12]久保愛云:「恤，思念也。」王天海以為引申為憐惜、照顧之意。[13]荀卿主張先義而後利，則能不顧親疏，不顧貴賤，其所任用者皆誠能之士，故謂之「巨用」；倘人君先利而後義，則不顧是非，不治曲直，其所任用者皆為近親之人，故謂之「小用」，其間差別顯然，優劣立見。北大哲學系《荀子新注》又云:「『巨用之』：立足於大處來治理國家。『小用之』：立足於小處來治理國家。」[14]由此可見，孟、荀皆主先義而後利，兩家義理相同。

四、《孟子》〈梁惠王上〉:「不違農時，穀不可勝食也。數罟不入洿池，魚鼈不可勝食也。斧斤以時入山林，材木不可勝用也。」趙岐注云:「使民得三時務農，不違奪其要時，則五穀饒穰，不可勝食。數罟，密網也。密細之網，所以捕小魚鼈者也，故禁之不得用。魚不滿尺不得食。時，謂草木零落之時。使林木茂暢，故有餘。」[15]

孟子以為務農以時，捕魚以時，伐林以時，則農物、魚鼈、林木皆將有餘，不可勝用。孟軻此義，荀卿全然採信。《荀子・王制》云：

> 聖王之制也，草木榮華滋碩之時則斧斤不入山林，不夭其生，不絕其長也；黿鼉、魚鱉、鰌鱣孕別之時，罔罟毒藥不入澤，不夭其生，不絕其長也；春耕、夏耘、秋收、冬藏四者不失時，故五穀不絕而百姓有餘食也；汙池、淵沼、川澤謹其時禁，故魚鱉優多而百姓有餘用也；斬伐養長不失其時，故山林不童而百姓有餘材也。[16]

9 焦循：《孟子正義》，頁43。
10 王先謙：《荀子集解》，頁58。
11 王先謙：《荀子集解》，頁209。
12 北大哲學系：《荀子新注》，頁205。
13 王天海：《荀子校釋》，頁489。
14 北大哲學系：《荀子新注》，頁205。
15 焦循：《孟子正義》，頁54-55。
16 王先謙：《荀子集解》，頁165。

兩文對讀，可見《荀子》〈王制〉恰似《孟子》〈梁惠王上〉此文注釋。《孟子》謂：「斧斤以時入山林，材木不可勝用也。」趙岐注云：「時，謂草木零落之時。」考《禮記》〈王制〉云：「草木零落，然後入山林。」[17]《荀子》云：「草木榮華滋碩之時則斧斤不入山林，不夭其生，不絕其長也。」可與趙注、《禮記》互證，並皆是也。至若《孟子》謂：「數罟不入洿池，魚鼈不可勝食也。」趙岐注云：「數罟，密網也。密細之網，所以捕小魚鼈者也，故禁之不得用。」以為網目細密，魚鼈難以成長，據此訓解《孟子》；《荀子》則理解為：「黿鼉、魚鼈、鰌鱣孕別之時，罔罟毒藥不入澤，不夭其生，不絕其長也。」以為魚鱉孕別之時，網罟、毒藥不宜入澤；兩解亦可互為補足。至若《孟子》謂：「不違農時，穀不可勝食也。」趙岐注以為「使民得三時務農，不違奪其要時」。焦循正義云：「趙氏云三時者，《春秋》莊公三十一年：『秋，築臺于秦。』《穀梁傳》云：『不正罷民三時。』桓公六年《左傳》云『謂其三時不害而民和年豐也』，杜預注云：『三時，春夏秋。』」[18]可見趙注以《春秋》經傳訓解《孟子》「不違農時」之義，以為專指「春夏秋」三時；荀子則理解為「春耕、夏耘、秋收、冬藏，四者不失時」，與趙注不同，而更為圓通。

五、《孟子．梁惠王上》云：「五畝之宅，樹之以桑，五十者可以衣帛矣。雞豚狗彘之畜，無失其時，七十者可以食肉矣。百畝之田，勿奪其時，八口之家可以無飢矣。」[19]

孟子此義，荀卿亦有取用。《荀子》〈大略〉：「故家五畝宅，百畝田，務其業而勿奪其時，所以富之也。」[20]其謂「五畝宅」、「百畝田」而「勿奪其時」，猶《孟子》所謂「五畝之宅」、「百畝之田」而「勿奪其時」也；其謂「所以富之」，亦猶《孟子》所言「八口之家可以無飢」。兩文如出一轍，是知荀卿全然採信孟子也。

六、《孟子》〈梁惠王下〉：「耕者九一，仕者世祿，關市譏而不征，澤梁無禁，罪人不孥。」趙岐注云：「關以譏難非常，不征稅也。陂池魚梁不設禁，與民共之也。」[21]

檢《荀子》〈王制〉云：「田野什一，關市幾而不征，山林澤梁以時禁發而不稅。」楊倞注云：「幾，呵察也。但呵察姦人而不征稅也。」[22]可與《孟子》趙注互相發明；至於《荀子》所謂「山林澤梁以時禁發而不稅」者，實即《孟子》「澤梁無禁」之意，

17 鄭玄（注）、孔穎達（疏）、呂友仁（整理）：《禮記正義》，《十三經注疏》本（上海市：上海古籍出版社，2008年），頁505。

18 焦循：《孟子正義》，頁54。

19 焦循：《孟子正義》，頁95。

20 王先謙：《荀子集解》，頁498。

21 焦循：《孟子正義》，頁133。

22 王先謙：《荀子集解》，頁160。

兩文義理相同。《荀子》〈王霸〉又云：「關市幾而不征，質律禁止而不偏，如是，則商賈莫不敦愨而無詐矣。」[23]其用語仍與《孟子》相同。

七、《孟子》〈公孫丑上〉：「行一不義，殺一不辜，而得天下，皆不為也。」[24]

檢《荀子》〈儒效〉云：「行一不義、殺一無罪而得天下，不為也。」[25]〈王霸〉又云：「行一不義、殺一無罪而得天下，仁者不為也。」[26]《荀子》兩篇義理、用語均與《孟子》相同，蓋取諸《孟子》也。

八、《孟子》〈梁惠王上〉：「老吾老，以及人之老；幼吾幼，以及人之幼：天下可運於掌。」趙岐注云：「天下可轉之掌上，言其易也。」焦循正義云：「《廣雅・釋詁》云：『運，轉也。』故以轉解運。」[27]又〈公孫醜上〉云：「武丁朝諸侯，有天下，猶運之掌也。……以不忍人之心，行不忍人之政，治天下可運之掌上。」趙岐注云：「運之掌，言易也。」[28]

可見運天下於掌上乃孟子習用譬喻，以言其事之易也。《荀子・儒效》云：「俄而原仁義，分是非，圖回天下於掌上而辯白黑，豈不愚而知矣哉！」楊倞注云：「圖，謀也。回，轉也。言圖謀運轉天下之事如在掌上也。」又俞樾云：「『圖』者，『圓』之誤字。……圓回，猶圓轉也。《淮南・原道篇》曰『圓者常轉』，是其義也。圓回天下於掌上，言天下之大可圓轉於掌上也。」[29]可見《荀子》原作「圓回天下於掌上」，其取譬設喻，皆據《孟子》為說。

九、《孟子》〈滕文公上〉：「夷子曰：『儒者之道，「古之人若保赤子」，此言何謂也？之則以為愛無差等，施由親始。』……孟子曰：『夫夷子信以為人之親其兄之子為若親其鄰之赤子乎？彼有取爾也：赤子匍匐將入井，非赤子之罪也。……』」趙岐注云：「夫夷子以為人愛兄子，與愛鄰人之子等邪。彼取赤子將入井，雖他人子亦驚救之，謂之愛同也。」焦循正義引江聲《尚書集注音疏》云：「赤子無知，或觸陷於死地，惟在保之者安全之，小民亦猶是也。保民如保赤子，則民其安治矣。……詳孟子之意，謂愚民無知，與赤子同，其或入於刑辟，猶赤子之入井，非其罪也。保赤子者，必能扶持防護之，使不至於入井。保民者當明其政教以教道之，使不陷於罪戾，是之謂

23 同上，頁228。

24 焦循：《孟子正義》，頁216-217。

25 王先謙：《荀子集解》，頁120。

26 同上，頁202。

27 焦循：《孟子正義》，頁86-87。

28 同上，頁177、頁232。

29 王先謙：《荀子集解》，頁126。

『若保赤子』。」[30]

孟子以為保民者若保赤子，免其陷於刑辟。孟子譬喻精妙，荀卿多受啟發，每襲用孟說。如《荀子》〈王霸〉云：「上莫不致愛其下而制之以禮，上之於下，如保赤子。」[31]同篇又云：「用國者，得百姓之力者富，得百姓之死者彊，得百姓之譽者榮。……潢然兼覆之，養長之，如保赤子。」[32]另〈議兵〉又云：「故厚德音以先之，明禮義以道之，致忠信以愛之，尚賢使能以次之，爵服慶賞以申之，時其事、輕其任以調齊之，長養之，如保赤子。」[33]凡此均以為保民者如保赤子，其取喻與孟子全同，實紹繼《孟子》為說故也。

十、《孟子》〈萬章上〉：「湯三使往聘之。既而幡然改曰：『與我處畎畝之中，由是以樂堯舜之道，吾豈若使是君為堯舜之君哉！』」趙岐注云：「幡，反也。三聘既至，而後幡然改本之計，欲就湯聘，以行其道，使君為堯舜之君，使民為堯舜之民。」[34]

趙岐訓「幡」為反，以狀改易之意，言之未詳。考「幡然」一詞，除《孟子》外，先秦兩漢文獻僅見《荀子》〈大略〉：「君子之學如蛻，幡然遷之。」楊倞注云：「如蟬蛻也。幡與翻同。」[35]王天海《荀子校釋》亦云：「此喻君子之學，如同蛇、蟬之蛻皮，翻然而變之。」[36]可見荀卿所謂「幡然遷之」者，謂翻然變遷之義，猶如《孟子》所謂「幡然改本」也，兩文用例相同，荀子蓋襲取《孟子》用詞為說。「幡然」又作「反然」，《荀子・彊國》云：「俄而天下倜然舉去桀、紂而犇湯、武，反然舉惡桀、紂而貴湯、武，是何也？」楊倞注云：「反音翻。翻然，改變貌。」[37]用例亦同。

依據以上諸證，可見荀卿確有採用孟子文詞義理者，兩書重合例證甚多，當非文獻偶合現象。

二　《荀子》、《禮記》文辭義理相合例證

《荀子》〈禮論〉重見於《禮記》〈三年問〉、《大戴禮記》〈禮三本〉；《荀子》〈樂論〉又重見於《禮記》〈樂記〉、〈鄉飲酒義〉；《荀子》〈法行〉重見於《禮記》〈聘義〉；

30 焦循：《孟子正義》，頁403-404。

31 王先謙：《荀子集解》，頁220。

32 同上，頁224。

33 同上，頁286。

34 焦循：《孟子正義》，頁654。

35 王先謙：《荀子集解》，頁505。

36 王天海：《荀子校釋》，頁1077。

37 王先謙：《荀子集解》，頁297-298。

《荀子》〈哀公〉重見於《大戴禮記》〈哀公問五義〉;《荀子·修身》及〈大略〉二篇均見《大戴禮記·曾子立事》;《荀子·勸學》及〈宥坐〉二篇則見《大戴禮記·勸學》。由此而觀,《荀子》及大、小戴《禮記》三書關係密切。前賢於《荀子》、《禮記》相合內容,早有論說。汪中《荀卿子通論》云:

> 荀卿所學本長於《禮》,〈儒林傳〉云:「東海蘭陵孟卿善為《禮》、《春秋》,授後蒼、疏廣。」劉向〈敘〉云:「蘭陵多善為學,蓋以荀卿也,長老至今稱之,曰:蘭陵人。喜字為『卿』,蓋以法荀卿。」又《二戴禮》並傳自孟卿,《大戴·曾子立事篇》,載〈修身〉、〈大略〉二篇文;《小戴·樂記》、〈三年問〉、〈鄉飲酒義篇〉,載〈禮論〉、〈樂論〉篇文。由是言之,《曲臺》之禮,荀卿之支與餘裔也。[38]

可見汪中強調大小二戴《禮記》,其實皆本荀卿。梁啟超《要籍解題及其讀法》亦以汪說為然,並進而探究《荀子》《禮記》二書之因襲關係。梁氏云:

> 大小戴兩《禮記》,文多與《荀子》相同……...凡此皆當認為《禮記》采《荀子》,不能謂《荀子》襲《禮記》,蓋《禮記》本漢儒所裒集之叢編,雜采諸各家著述耳。然因此可推見兩戴《記》中其摭拾荀卿緒論而不著其名者或尚不少,而《荀子》書中亦難保無荀卿以外之著作攙入。蓋《荀子》書亦由漢儒各自編寫,諸本共得三百餘篇,未必本本從同。劉向將諸本冶為一爐,但刪其重複,其曾否懸何標準以鑒別真偽,則向所未言也。楊倞將〈大略〉、〈宥坐〉、〈子道〉、〈法行〉、〈哀公〉、〈堯問〉六篇降附於末,似有特識。〈宥坐〉以下五篇,文義膚淺。〈大略篇〉雖間有精語,然皆斷片。故此六篇宜認為漢儒所雜錄,非荀子之舊。[39]

據此可知,梁啟超以為《禮記》與《荀子》相合者,當為《禮記》采襲《荀子》。當然,梁氏乃從《禮記》成書年代在於西漢,因而推知其襲用戰國晚期《荀子》相關內容。然而,梁氏亦以為《荀子》部分篇章或出自漢儒雜錄,已非舊貌。至於從禮學思想傳承考量,學者亦多以為《禮記》承自荀子學派,禮學內容亦居荀子之後,陸建華《荀子禮學研究》云:

> 就《禮記》與荀學的關係來說,《禮記》中有荀子學派的思想,且荀子學派的禮學思想是《禮記》中禮學的主要組成部分。這表明,作為儒家習禮記錄滙編的

---

38 〔清〕汪中著;林慶彰、蔣秋華編審;王清君、葉純芳點校:《汪中集》(臺北市:中研院文哲所籌備處,2000年),頁118。

39 梁啟超:《要籍解題及其讀法》,收錄於《梁啟超講國學》(北京市:華文出版社,2009年),頁44。

《禮記》，其禮學也是不成熟的，且有些禮學內容還居荀子之後。[40]

誠然，學者以為《禮記》居荀子之後，此說尚非必然，近世亦有學者以為《禮記》成書雖在西漢，然其所載四十九篇，成篇年代不一，或有成書於戰國前期者。王鍔《禮記成書考》云：

> 通過考察，《禮記》四十九篇中，〈哀公問〉等十四篇是春秋末期至戰國前期的文獻，其中〈仲尼燕居〉等四篇是孔子之作，〈曾子問〉等二篇是曾子的著作，〈坊記〉等四篇是子思的著作，〈樂記〉是公孫尼子的著作；〈奔喪〉等十九篇是戰國中期的文獻；〈深衣〉等七篇是戰國中晚期的文獻；〈文王世子〉等三篇是戰國晚期整理成的文獻；〈檀弓〉等三篇是戰國晚期的文獻。西漢宣帝甘露三年（前51）至漢成帝陽朔四年（前21）之間，戴聖完成了《禮記》四十九篇的編選工作。[41]

倘以王鍔之說為然，則《禮記》部分篇章容或成書於荀卿之前。然而，荀卿生當戰國晚期，即使《禮記》篇章成書在先，荀卿或其後學取《禮記》相關篇章以為釋讀，其釋讀亦較為近古，實為先秦兩漢經學研究之重要材料，彌足珍貴。姑勿論兩書成書先後之爭議，兩書重文對讀，將有助闡明經義，今就《荀子》、《禮記》兩書重合書證，舉其重點，概述如下：

（一）依據《荀子》闡明《禮記》經義例證舉隅

荀子博學，擅長於《禮》，《荀》書內容多與《禮記》相合，為數極夥；比對兩書相合內容，時有個別字詞之差異，此或《荀子》作者所見《禮記》版本與今本不同，當中異文每能補充《禮記》相關內容義訓，從而闡明《禮記》經義，舉例如下：

十一、《禮記》〈郊特牲〉：「大夫之臣不稽首，非尊家臣，以辟君也。」[42]按此文實見《荀子》〈大略〉云：「大夫之臣拜不稽首，非尊家臣也，所以辟君也。」[43]兩文互斠，《禮記》作「不稽首」，《荀子》作「拜不稽首」，考孔穎達《禮記正義》云：「今大夫家臣於大夫之處拜時不為稽首，非是尊敬此家臣，不令稽首。所以不稽首者，以辟國之正君。」亦指明「不稽首」者，專指「拜時不為稽首」，是其經義，與《荀子》文義相合。

---

40 陸建華：《荀子禮學研究》（合肥市：安徽大學出版社，2004年），頁151。

41 王鍔：《禮記成書考》（北京市：中華書局，2007年），頁19。

42 《禮記正義》，頁1050。

43 王先謙：《荀子集解》，頁493。

再考《荀子》〈大略〉上文云：「平衡曰拜，下衡曰稽首，至地曰稽顙。」[44]復再闡明「稽首」、「稽顙」之別；《禮記・問喪》亦云：「稽顙觸地無容，哀之至也。」[45]義訓亦一致。

十二、《禮記》〈曲禮〉：「賢者狎而敬之，畏而愛之。」[46]鄭玄注云：「狎，習也，近也，謂附而近之，習其所行也。」

案《荀子》〈臣道〉云：「不肖者則畏而敬之；賢者則親而敬之。」[47]此與《禮記》〈曲禮〉文義相互關涉，荀子謂賢者當「親而敬之」，《禮記》謂「狎而敬之」，「狎」可訓為「親習」之義，《左傳・襄公六年》：「宋華弱與樂轡少相狎。」杜預注：「狎，親習也。」[48]似較鄭玄訓「狎」為「習」、「近」之義更為圓通。

十三、《禮記・檀弓》：「孔子曰：是故竹不成用，瓦不成味，木不成斲，琴瑟張而不平，竽笙備而不和。」[49]考《荀子・禮論》云：

> 木器不成斲，陶器不成物，薄器不成（內）〔用〕[50]。笙竽具而不和，琴瑟張而不均。[51]

兩文互斠，可證《禮記》「張而不平」，「平」當訓「均」；又「備而不和」者，「備」當訓「具」，並皆常訓，據《荀子》互文可證。惟《禮記》謂「竹不成用」者，鄭玄《注》云：「成，猶善也。竹不可善用，謂邊無縢。」[52]孔穎達《正義》云：「成，善也。故為器用並不精善也。『竹不善用』，謂竹器邊無縢緣也。」[53]今案《荀子・禮論》作「薄器不成（內）〔用〕。」則知《禮記》所謂「竹不成用」者，蓋專指竹製之薄器，楊倞《注》：「薄器，竹葦之器。」蓋謂器薄不厚，未算精善。

十四、《禮記》〈王制〉：「八十者，一子不從政；九十者，其家不從政；廢疾非人不養者，一人不從政；父母之喪，三年不從政。」[54]

---

44 同上，頁493。

45 《禮記正義》，頁2155。

46 同上，頁8。

47 王先謙：《荀子集解》，頁256。

48 十三經注疏整理委員會：《春秋左傳正義》（北京市：北京大學出版社，2000年），頁971。

49 《禮記正義》，頁305。

50 王念孫以為《荀子・禮論》此文作「內」者，乃「用」字之訛，今據改。

51 王先謙：《荀子集解》，頁386。

52 《禮記正義》，頁305。

53 《禮記正義》，頁306。

54 《禮記正義》，頁576。

孫希旦《禮記集解》謂：「此言復除老者之法，『廢疾』以下，又因不從政而類言之也。」[55]所謂「不從政」者，王引之以為「政」讀為「征」，姜義華《新譯禮記讀本》進一步訓釋其義云：

> 政，通「征」。徭役、兵役等的徵召。[56]

今考《荀子》〈大略〉云：「八十者一子不事，九十者舉家不事，廢疾非人不養者一人不事。父母之喪，三年不事。」[57]可見《禮記》「不從政」，《荀子》皆作「不事」，楊倞《注》云：「事，謂力役。」可見姜義華說與楊倞相合，信而有徵。

十五、《禮記》〈少儀〉云：「為人臣下者，有諫而無訕，有亡而無疾，頌而無諂，諫而無驕，怠則張而相之，廢則埽而更之，謂之社稷之役。」[58]

孔穎達《正義》於「有亡而無疾」下注云：「亡，猶去也。疾，謂憎惡也。君若有過，三諫不從，乃出境而去，不得強留而憎惡君也。」可見「有亡無疾」，謂臣下不得憎惡其君。然則諫而不從，又不得憎惡其上，為人臣下者，又當如何自遣？今考《荀子》〈大略〉云：

> 為人臣下者，有諫而無訕，有亡而無疾，有怨而無怒。[59]

按楊倞《注》云：「怨，謂若公弟叔肸，衛侯之弟鱄。怒，謂若慶鄭也。」可見楊倞歷舉前人為臣下而怨怒其君者，以為佐證。又熊公哲云：「怨，謂自怨自艾；怒，憤怒也。」[60]意指臣下諫君，不獲信任，僅可自怨自艾，而未許遷怒於君。「有亡而無疾」、「有怨而無怒」兩句對文，文義方始圓足。由此可知，依據《荀子》相關互文內容實可發明《禮記》經義。

十六、《禮記》〈玉藻〉云：「廟中齊齊，朝廷濟濟翔翔。」[61]孔《疏》云：「莊敬貌也。」《禮記》〈少儀〉又云：「言語之美，穆穆皇皇；朝廷之美，濟濟翔翔。」[62]孔《疏》又云：「『濟濟翔翔』者，據在朝威儀，濟濟翔翔然。謂威儀厚重寬舒之貌。」可見孔《疏》兩說不一，「濟濟」、「翔翔」，孰為「莊敬」之義？又「威儀厚重」、「寬舒」又何所指？

---

55 孫希旦撰，沈嘯寰、王星賢點校：《禮記集解》（北京市：中華書局，1989年），頁387。

56 姜義華：《新譯禮記讀本》（臺北市：三民書局，1997年），頁216。

57 王先謙：《荀子集解》，頁500。

58 《禮記正義》，頁1389。

59 王先謙：《荀子集解》，頁494。

60 王天海《荀子校釋》，頁1056。

61 《禮記正義》，頁1245。

62 《禮記正義》，頁1393。

今考《荀子》〈大略〉云：「言語之美，穆穆皇皇。朝廷之美，濟濟鎗鎗。」[63]與〈少儀〉相近。《禮記》「濟濟翔翔」，《荀子》作「濟濟鎗鎗」。又考《荀子》楊倞《注》云：「『鎗』與『蹌』同。『濟濟』，多士貌。『蹌蹌』，有行列貌。」可見「濟濟蹌蹌」乃專指朝廷濟濟多士，行列莊嚴，是為「朝廷之美」。此亦孔《疏》所謂「莊敬之貌」、「威儀厚重」之所指。至於孔《疏》謂「寬舒之貌」者，似與楊《注》未合。再考《毛詩》〈楚茨〉：「濟濟蹌蹌。」毛《傳》云：「濟濟蹌蹌，言有容也。」鄭《箋》則云：「有容，言威儀敬慎也。」[64]與《荀子》楊倞《注》並合。由此亦可見，參諸《荀子》互見重文，實可發明《禮記》經義。

（二）　依據《禮記》闡明《荀子》文義例證舉隅：

荀門弟子倡言性惡，[65]與孟軻相違。漢世獨尊儒術，列《孟子》於學官，專設博士，而荀學旁落。及至東漢，趙岐注《孟》，高誘注《呂》，而《荀》書棄置高閣，湮沒無聞，九百餘載，以迄於唐，方有楊倞為之注解。楊《注》書成於唐憲宗元和年間，去古已遠，其〈荀子序〉云：

> 獨《荀子》未有注解，亦復編簡爛脫，傳寫謬誤，雖好事者時亦覽之，至於文義不通，屢掩卷焉。[66]

楊倞既稱《荀》書「編簡爛脫，傳寫謬誤」，則書中文辭難解者，所在多有。惜乎今傳世本《荀子》即為楊倞《注》本，加之楊《注》失誤亦多，謝墉〈荀子箋釋序〉云：

> 此書自來無解詁善本，唐大理評事楊倞所註已為最古，而亦頗有舛誤。[67]

今既知《荀子》文辭多與《禮記》複重，而《禮記》成書年代又遠較楊倞為近古，於《荀》書文辭難解者，實可借助《禮記》推本溯源，考得其實，今試論之如下：

十七、《禮記》〈王制〉云：「行偽而堅，言偽而辯，學非而博，順非而澤，以疑眾，殺。」[68]今考《荀子》〈宥坐〉云：

---

63 王先謙：《荀子集解》，頁494。

64 十三經注疏整理委員會：《毛詩正義》（北京市：北京大學出版社，2000年），頁950。

65 筆者以為《荀子．性惡篇》並非出自荀卿手筆，而為荀門弟子綜合師說，以與孟軻弟子所作〈性善〉相互詰責之用，詳參拙著〈《荀子》述《孟》考：兼論《性惡篇》相關問題〉，香港中文大學，中國文化研究所，《中國文化研究所學報》第60期（2015年），頁1-23，。

66 王先謙：《荀子集解》，頁51。

67 同上，頁14。

68 《禮記正義》，頁556。

人有惡者五，而盜竊不與焉：一曰心達而險，二曰行辟而堅，三曰言偽而辯，四曰記醜而博，五曰順非而澤。[69]

兩文對斠，則知《禮記》「行偽而堅」，《荀子》作「行辟而堅」；孔穎達《禮記正義》謂「行此詐偽，而守之堅固，不肯變改。」而《荀子》楊倞《注》則云：「辟讀為僻。」意謂行為僻邪不正而固執之，據《禮記》可知「行僻」者，蓋言其「詐偽」也。

再考《禮記》作「學非而博」，而《荀子》則作「記醜而博」；孔穎達《疏》謂「習學非違之書而又廣博。」[70]楊倞《注》則云：「醜，謂怪異之事。」王天海則云：「記者，識也，此謂見識；醜者陋也，淺陋也；博，眾多也。此謂識見淺陋而貌似廣博。」[71]解說與楊倞有別，其謂「識見淺陋而貌似廣博」，與《禮記》「學非而博」文義切近，較楊說可信。

十八、《荀子》〈君子〉：「天子無妻，告人無匹也；四海之內無客禮，告無適也。」[72]楊倞《注》云：「『適』，讀為『敵』。」

按楊倞以為「告無適」，當讀為「告無敵」，而與上文「告無匹」對舉為義。北大哲學系《荀子新注》訓解「告無適」云：

「適」，往，指外出作客。一說，「適」通「敵」，指地位相等。[73]

按北京大學哲學系注釋小組訓「適」為「往」，似較從楊倞說讀「適」為「敵」，更合文義。此因《荀子》此文又出《禮記》〈坊記〉，《禮記》〈坊記〉云：

故天子四海之內無客禮，莫敢為主焉。故君適其臣，升自阼階，即位於堂，示民不敢有其室也。[74]

其謂「君適其臣，升自阼階，即位於堂」，意指天子於四海之內皆無作客之禮，莫敢為天子之主；因之，國君往適臣下，亦當從主人阼階登堂，並就坐於堂上主人之位，以示臣下於國君之前，不得視家室為其私有。《禮記》〈坊記〉此文鄭《注》云：「臣亦統於君」，是其義也。由此推論，《禮記》謂「君適其臣」，君仍為「主」，臣下為客，是君無外出作客之意。《荀子》〈君子〉謂之「告無適」，不亦宜乎。此「適」字尤可與《禮記》「君適其臣」一語相關，以明其「外出作客」之意。又《荀子》〈君子〉此文下，劉師培云：

69 王先謙：《荀子集解》，頁520。
70 《禮記正義》，頁561。
71 王天海《荀子校釋》，頁1109。
72 王先謙：《荀子集解》，頁449。
73 北大哲學系：《荀子新注》，頁484。
74 《禮記正義》，頁1974。

「適」字，當讀如本字。《荀子》一書多采《左傳》之說。《左傳．成十二年》：「周公出奔晉。」又言：「凡自周無〔出〕。」[75]《僖二十四年傳》：「天王出居於鄭。」杜注云：「天子以天下為家，故天下無外。」蓋天子無外，故其臣出奔者，亦不書國境。以彼證此，則此文之無「適」，適，即訓「往」。然天子以天下為一家，所經之境，所往之國，均不得謂之「適」。故曰：「告無適也。」又《禮記》〈郊特牲〉云：「天子無客禮，莫敢為主也。君適其臣，升自阼階，不敢有其室也。」所謂不敢有其室者，即表明天子無適之義。[76]

按劉師培據《左傳》、《禮記》〈郊特牲〉論證《荀子》〈君子〉「告無適」之義，所言極是。惜乎劉氏未有言明《荀子》〈君子〉此文內容實與《禮記》〈坊記〉相關，而僅舉〈郊特牲〉為證，仍有未足，今謹列出〈坊記〉相關內容以證成劉說。由此可見，比對《禮記》經文，實能有助闡明《荀子》文辭訓詁。

十九、《荀子》〈仲尼〉：「持寵處位終身不厭之術：主尊貴之，則恭敬而僔；……可貴可賤也，可富可貧也，可殺而不可使為姦也。是持寵處位終身不厭之術也。」[77]楊倞《注》云：「君雖寵榮屈辱之，終不可使為姦也。」

按楊倞以為此文所言乃為君主待臣之道，意謂君主可使臣下寵榮，又或可以屈辱臣下，惟不能使臣下為「姦」。今考《荀子》此文又見《禮記》〈表記〉云：

事君可貴可賤，可富可貧，可生可殺，而不可使為亂。[78]

鄭玄《注》云：「亂，謂違廢事君之禮。」孔《疏》又云：「言事君可使之貴，可使之賤，可使之富，可使之貧，可使之生，可使之死，但不可使為亂也。亂，謂廢事君之禮也。」[79]由此可見，《荀子》此文實言臣下理應自省，深悟「事君」之道，即使自我殺身，亦不願廢棄事君之禮；而非如楊倞注解所謂君主不可使臣下為姦，楊說實可商榷。再考北大哲學系《荀子新注》訓解「可殺而不可使為姦」亦云：

奸：處偽狡詐。可殺而不可使為奸也：寧可殺身而不能使自己去做奸詐的事。[80]

---

75 據《左傳》〈成公十二年〉當有「出」字，今補正。見十三經注疏整理委員會：《春秋左傳正義》，（北京市：北京大學出版社，2000年），頁859。

76 董治安、鄭傑文彙撰：《荀子滙校滙注》，收入《齊文化叢書．文獻集成》（濟南市：齊魯書社，1997年），頁826。

77 王先謙：《荀子集解》，頁110。

78 《禮記正義》，頁2089。

79 同上，頁2089。

80 北京大學哲學系注釋：《荀子新注》，頁99。

可見北大哲學系注釋小組亦以為此乃臣下事君之道，意謂臣下「寧可殺身」，而不能自為「奸詐的事」，是為持寵處位、終身不厭之術。蔣南華、羅書勤、楊寒清《荀子全譯》理解相同，因而翻譯原文云：

> 可以貴，可以賤，可以富，可以窮，可以被殺，卻不可以讓自己去做壞事。這就是保持寵信、保持職位、終身不被君主厭棄的辦法。[81]

說解亦與《禮記》及北大哲學系注釋小組相合，所言皆是。又《荀子》原文作「姦」，當按《禮記》互見文獻訓為「亂」，《左傳・成公十七年》：「臣聞亂在外為姦，在內為軌。」[82]可見「姦」義可訓為「亂」。《禮記》〈表記〉鄭《注》云：「亂，謂違廢事君之禮。」是其義。《荀子》謂「可殺而不可使為姦」，乃指臣下寧可殺身，亦不可自為違廢事君之禮，以為亂事；而非謂君主不可使臣為奸詐之事，兩義有別，不宜混同。可見比對《禮記》經義，亦可闡明《荀子》文義訓解。

二十、《禮記》〈喪大記〉：「既葬，若君食之，則食之；大夫、父之友食之，則食之矣。不辟粱肉，若有酒醴則辭。」

按孔穎達《疏》云：「大夫，謂士大夫食士也。父友，謂父同志者也。其人並尊，若命食，孝子則可從之食也。」[83]可見此章經義明晰，旨在說明尊者賜食之禮。意謂既葬以後，假若君有食之，又或大夫、父之友食之，則皆可食之，以示尊者之命，所不敢辭也。孔《疏》以「若命食」訓解原文「若君食之」，可見「若」字當作「假若」解。今考《荀子》〈大略〉云：

> 既葬，君若父之友，食之則食矣，不辟粱肉，有酒醴則辭。[84]

按梁啟雄《荀子簡釋》云：「《釋詞》七：『若、猶及也，與也。』」[85]似亦可通。蔣南華、羅書勤、楊寒清《荀子全譯》理解相同，因而翻譯原文云：

> 父母安葬之後，君主與父親的朋友用食物來款待自己，是可以吃的。[86]

然對比《禮記》原文，則知「若」倘如梁啟雄說及蔣南華等解譯為「與」，則與《禮記》「假若命食」之義相乖，已非其舊。疑今本《荀子》或有訛誤，其「君若」二字或因歷

---

81 蔣南華、羅書勤、楊寒清注譯：《荀子全譯》（貴陽市：貴州人民出版社，1995年），頁105。

82 十三經注疏整理委員會：《春秋左傳正義》，頁916。

83 《禮記正義》，頁1731。

84 王先謙：《荀子集解》，頁495。

85 梁啟雄：《荀子簡釋》（北京市：中華書局，1983年），頁370。

86 蔣南華、羅書勤、楊寒清注譯：《荀子全譯》，頁557。

代傳鈔而誤倒，當據《禮記》乙正。又今本《荀子》此文標點亦可商榷，各本讀「食之則食矣」為句，其實不辭，原文當作「既葬，若君、父之友食之，則食矣。」文理方為通順。

三　結語

《孟子》、《禮記》兩書文辭多與《荀子》相合，《孟》《荀》兩書義理、措詞、比喻多有相合之處，韋政通、徐復觀均曾以為荀子平生未見《孟子》一書而於《孟子》之理解皆據傳聞。韋政通《荀子與古代哲學》云：

> 綜觀荀子評孟子語，除「略法先王而不知其統」外，其他皆無甚意義。根據我們對孟、荀兩系統的瞭解，荀子似是察覺孟子內轉之偏，而要向外開，朝外王方向轉，但何以對孟子正面立說，若一無所知者？孟子又不是一默默無聞的小人物，何以荀子竟無一言中其說？〈性惡篇〉本針對孟子性善說而發，但細案荀子所傳述孟子意，亦盡屬誤解。先秦儒家在孔子以後，唯孟、荀兩大儒，何以荀子對孟子竟如此疏隔？此誠難以索解矣。我懷疑，荀子一生，根本未見《孟子》一書，所述者或多據失實之傳聞。但復可疑者，依據傳聞而定人之罪，雖小智者，其誣妄亦不至此，荀子何獨肩為？此亦不能索解者。[87]

另徐復觀《中國人性論史》亦云：

> 荀子與孟子，大約相去三、四十年。我根本懷疑荀子不曾看到後來所流行的《孟子》一書，而只是在稷下時，從以陰陽家為主的稷下先生們的口中，聽到有關孟子的傳說；所以在〈非十二子篇〉對子思、孟子思想的敘述中，有「案往舊造說，謂之五行」的話；在今日有關子思、孟子的文獻中，無此種絲毫地形跡可尋，害得今人在這種地方，亂作附會。而他對於孟子人性論的內容，可說毫無理解。假定他看到了《孟子》一書，以他思想的精密，決不至一無理解至此……以當時竹簡流行困難的情形來說，則荀子之對於孟子，只是得之於傳聞，而未嘗親見其書，那是非常可能的。[88]

今既知《孟》《荀》兩書重合者多，則韋、徐兩說實可商榷。筆者以為荀卿當曾細讀《孟子》，於孟軻論說多所採襲，取精用宏，不一而足。上述書證倘能入信，則學者理當重新審視孟、荀關係，不宜妄下論斷以為荀卿依據傳聞論評孟子，痛詆荀卿，有欠公允。

---

87 韋政通：《荀子與古代哲學》（臺北市：臺灣商務印書館，1966年），頁280。

88 徐復觀：《中國人性論史》（臺北市：臺灣商務印書館，1969年），頁237。

又《荀子》、《禮記》兩書成書年代相近，比對二書相合內容，考其同異，當能有助於二書之通讀，於二書文辭訓詁之考釋，大有裨益。

清朱彬《禮記訓纂・自序》云：

> 本朝經學昌明，詔天下諸生習《禮記》者兼用古注、疏，於是洪哲俊彥之倫，鑽研經義，遐稽博考，蓋彬彬矣。不揣檮昧，年逾知命，始取《爾雅》、《說文》、《玉篇》、《廣雅》諸書之故訓，又刺取《北堂書鈔》、《通典》、《太平御覽》諸書之涉是《記》者，虎觀諸儒所論議，《鄭志》師弟子之問答，以及魏、晉以降諸儒之訓釋，撮其菁英，以為輯畧。管窺蠡測，時有一得，亦附於編。鄭君注《禮》，如日月之在天，江河之行地，而千慮之失，亦間有之。後儒規其闕失，補其瑕間，用是知經傳之文，非一人一家之學所能盡也。[89]

朱彬蒐集唐宋以來類書，諸如《書鈔》《御覽》所引《禮記》異文，結合傳統字書訓詁，補正鄭注，多所創獲。古人以經證經，屢有發明。《荀子》與《禮記》成書年代相距未遠，文辭近古，今既知《荀子》亦與《禮記》多有複重，比合兩書重文，再結合《荀子》唐朝楊倞注解，於《禮記》經義之闡明，當有裨益，彌足珍貴。綜而言之，全面比對《荀子》與經籍重合文辭，不惟對經籍義理之發明有所裨益，即於荀卿引用經籍之方法，亦能加深瞭解，意義深遠。

---

89 朱彬：《禮記訓纂》（北京市：中華書局，1995年），〈自序〉，頁2。

《淮南子》與《春秋繁露》論「氣」與「天人感應」

楊　菁
彰化師範大學國文學系教授

提要

淮南王劉安與董仲舒都是漢初的大思想家，他們所處的時代相當，其代表著作《淮南子》與《春秋繁露》亦各為漢初黃老思想與儒家思想的代表作。二書對於「氣」與「天人感應」二概念皆有闡述，由此二書之比較，可見其「氣」論與「天人感應」的論點大部分相近，但《淮南子》於人身之氣的描述較多，且較不具聯貫性與系統性；《春秋繁露》之氣論則在天數十的宇宙圖式下，將天地、陰陽、五行、四時與人聯結，與人副天數的思想緊密結合，形成一具組織與系統性的天人感應架構。且其天人感應更突出表現「人受命乎天」，及「以人配天」的積極性，進而提出「天意」主宰下的「災異譴告」說，使其學說相較於先秦儒學有了重大轉折，而形成其具時代特色的學說體系。由二書的氣論及感應思想，除了可見其對先秦思想與繼承與轉化，同時此二觀點亦幾乎影響整個漢代學術，足見其重要性。

關鍵詞：淮南子　春秋繁露　氣　天人感應

一 前言

淮南王劉安（西元前179年-前122年）與董仲舒（西元前179年-前104年）都是漢初的大思想家，他們所處的時代相當，也都有代表的思想學說，但二人的人生境遇和學說的發展卻迥然不同。劉安雖然身為諸侯王，但因地位威脅到漢武帝，最後被控以謀反罪自殺身亡；董仲舒「獨尊儒術」的思想則受到漢武帝的重用，並且曾經兩國為相[1]，直至去世前都受到朝廷的器重。劉安集結賓客所著《淮南子》，為漢初黃老道家思想的代表作，董仲舒的主要著作《春秋繁露》則為儒家的代表作，雖是如此，因二人都生於先秦諸子百家之後，所以在思想上不免受到各家的影響，劉安雖偏於道家，但也具有濃厚的法家和儒家等觀念；董仲舒雖偏於儒家，其學說則雜有陰陽家、道家之學說。因此，可以說漢初學術大都具有兼綜諸家的特色。

《淮南子》與《春秋繁露》之「氣」與「天人感應」思想，都是漢初深具影響的論說。「氣」的概念，早在《國語》、《左傳》等典籍即有記載，先秦儒家孔、孟、荀諸家，以及道家文獻之《老子》、《莊子》、《管子》等也皆有論及。「感應」的觀念自《易傳》、《呂氏春秋》等書也都有討論。《淮南子》與《春秋繁露》二書對此二概念亦皆有闡述，且氣化宇宙論及天人感應思想幾乎影響整個漢代的學術，故本文欲闡述二家如何綰合「氣論」與「天人感應」思想，進一步比較二書「氣論」與「天人感應」之異同及其特色。

二 《淮南子》論「氣」與「天人感應」

「氣」的概念，在先秦典籍即多記載，且意義繁多，有指為天地間的氣，如具體可見的雲氣、煙氣、水氣和風氣等氣體；也有抽象的精氣、元氣、陰氣、陽氣等精微物質的概念。「氣」也有表現於人生命運動過程中，包括呼吸的氣息、血氣，或指道德精神的和氣、勇氣、志氣、骨氣等。[2]成書於西漢初年的《淮南子》，其氣論可謂綜賅先秦諸說之大成。以下主要由書中「天地自然之氣」及「人身之氣」二方面論之，並討論其氣論與天人相感之關係。

1 董仲舒曾於武帝時期任江都相及膠西王相。

2 張立文認為氣字產生後，便在人類的實踐和認識過程中逐步擴展其涵義。主要表現在四個方面：一是引伸表示絪縕聚散、形成萬物之氣。氣在天地間，除雲氣外，還有煙氣、水氣和風氣等氣體。在此基礎上，又進一步抽象出精氣、元氣、陰氣、陽氣等標誌，這種構成天地人物的精微物質的概念範疇。二是引伸表示人的噓吸氣息。人在其生命運動過程中，不斷吸進和呼出空氣，這種噓吸出入的氣息即是「氣」。三是引伸表示人的血氣，……。四是引伸表示人的道德精神，如和氣、勇氣、志氣、骨氣等，以及表示日月星辰、天地山川等自然氣象。（《氣》，臺北市：漢興書局，1994年5月，頁22-23）。

（一）天地之氣

《淮南子》書認為天地間萬物的形成都是由「氣」所構成，〈俶真訓〉說：「有未始有有始者，天氣始下，地氣始上，陰陽錯合，相與優遊競暢于宇宙之間，被德含和，繽紛蘢蓯，欲與物接而未成兆朕。」[3]此說天地萬物產生的過程中，在未曾有開始的階段，就有「氣」與大道相通，這時的氣只是渾沌一片，尚未施降於萬物；之後，「氣」開始活動，「天氣」下降，「地氣」上升，加以陰陽和合，種種錯雜繁多的物象已經開始醞釀。〈天文訓〉對於宇宙萬物的形成有更完整的描述：

> 天墜未形，馮馮翼翼，洞洞灟灟，故曰太昭。道始生虛霩，虛霩生宇宙，宇宙生氣。氣有涯垠，清陽者薄靡而為天，重濁者凝滯而為地。清妙之合專易，重濁之凝竭難，故天先成而地後定。天地之襲精為陰陽，陰陽之專精為四時，四時之散精為萬物。積陽之熱氣生火，火氣之精者為日；積陰之寒氣為水，水氣之精者為月；日月之淫為精者為星辰，天受日月星辰，地受水潦塵埃。[4]

這段文字是《淮南子》描述宇宙生成最具代表性的文字，其中描述萬物的生成過程為：道→虛霩→宇宙→氣→天地→四時→萬物。作者認為「道」是天地宇宙形成的根源，在由道創生天地萬物的過程中，有「氣」居於宇宙之間，氣之清揚者上升成為天，重濁者下沈為地，有氣之後才有天地；天地之氣的精華結合成陰陽，陰陽之氣的精華聚合而為四時，分散開來則為萬物，而後有日月星辰的形成。故《淮南子》的宇宙論又可詳細圖示為：

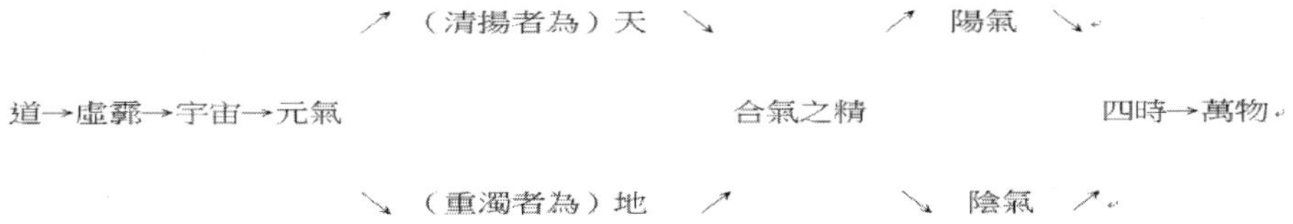

↗（清揚者為）天 ↘　　↗ 陽氣 ↘

道→虛霩→宇宙→元氣　　合氣之精　　四時→萬物

↘（重濁者為）地 ↗　　↘ 陰氣 ↗

由此可知，從道生天地萬物以降，「氣」居於其中，佔有重要地位，由於虛霩、宇宙只是一空間的形成，其中因為有「氣」的運作，才有天地、萬物的產生。故「氣」為天地未成之前的混沌本原之氣，後人又稱此「氣」為元氣。「氣」又有其「精」，當指氣的精華、精萃者。〈精神訓〉也說：

> 古未有天地之時，惘像無形[5]，窈窈冥冥，芒芠漠閔，澒蒙鴻洞，莫知其門。有二神混生，經天營地，孔乎莫知其所終極，滔乎莫知其所止息，於是乃別為陰

---

3 劉文典：《淮南鴻烈集解》（北京市：中華書局，1989年），卷2，〈俶真訓〉，頁44。

4 劉文典：《淮南鴻烈集解》，卷3，〈天文訓〉，頁79-80。

5 「惘象」，原作「惟象」，俞樾謂「惟」乃「惘」字之誤，今據改。

陽，離為八極，剛柔相成，萬物乃形，煩氣為蟲，精氣為人。[6]

在上古還沒有天地的時候，所有的形象尚未形成之時，當中只有一團深遠暗昧、混沌寂寥的氣。之後有「二神混生」，即陰陽二神開始營造天地。陰陽二神又變化出陰陽二氣，於是有天地之八方形成。陽剛陰柔的相互作用，進而有萬物產生，「煩氣為蟲，精氣為人」，雜亂不純的氣形成了動物，細微精純的氣則形成人類。

〈墬形訓〉另外提到：「土地各以其類生，是故山氣多男，澤氣多女，障氣多喑，風氣多聾，……皆象其氣，皆應其類。」[7]不僅論及天氣萬物皆有氣，且各種自然之氣對人的性別、性情、體質、壽夭以及人體大小、美醜皆有影響；生活在不同的環境，體質、性格等也都不同，故說：「皆象其氣，皆應其類」。此外，以不同的食物為主食，也會形成不同的生命特質，「食水者善遊能寒」、「食土者無心而慧」等，進而有：「食氣者神明而壽」、「不食者不死而神」，這些都是《淮南子》論氣的特出處。[8]

由上可知，《淮南子》論宇宙萬物的生成，乃是以「道」作為本原，道是無形象、不可把捉的抽象存在；自「道」以下則由有形質的「氣」的聚散分合構成繁多複雜的天地萬物。「氣」可以說是「道」的具體表現，也是可感知、可把握的實存體，但又是以「窈窈冥冥，芒芠漠閔，澒蒙鴻洞」，無形無象、混沌未分的狀態存在。氣構成天地萬物，其中「煩氣為蟲，精氣為人」，人與人以外的動物等存在都是由氣所構成，自然界中各種氣又對人的性別、性情、體質、壽夭等皆有影響。又《淮南子》區分了人和動物的差別在於「精」與「繁」，也就是氣的精與粗、純粹與駁雜之別。人類稟受了較它物更為精純、優良之氣，也表示更具有可塑性、可期待性，故由「氣」返於「道」的任務，就必須由人類來承擔，因此〈精神訓〉有「聖人法天順情」[9]之說。由此可知，在《淮南子》書中，天人之間的聯貫有一部分是由「氣」來作溝通的。

（二）人身之氣

凡物皆有氣，天地間萬物皆由氣所構成，人自然也不例外，《淮南子》對於人身之氣也多所描述。人身之氣主要為血氣，血氣只是一般的生理現象，極易受外物影響，故必須加以調養；又人的氣與形、神息息相關，血氣的調節也與生命的修養分不開，經過

6 劉文典：《淮南鴻烈集解》，卷7，〈精神訓〉，頁218。

7 劉文典：《淮南鴻烈集解》，卷4，〈墬形訓〉，頁140-143。

8 羅因：「山川地氣對人的體質、健康、品格等多方面的影響，可以說是《淮南子》的創見。又以不同食物為主食的生命，各有其不同的生命特質，這也首見於《淮南子》。」（〈《淮南子》養生思想〉，《華梵人文學報》第13期，2010年1月，頁113）。

9 〈精神訓〉：「是故聖人法天順情，不拘於俗，不誘於人，以天為父，以地為母，陰陽為綱，四時為紀。」（劉文典：《淮南鴻烈集解》，卷7，頁219。）

調節、修練後的氣則為精氣，此氣已經不再只是一般的生理功能與生命現象了，故本節由血氣論起，進而論形、氣、神的關係；節制血氣的方法及精氣的表現。

1 血氣

天地萬物既然都是由「氣」所構成，人也是天地萬物之一，亦是由「氣」所構成，《淮南子》論人身之氣多以「血氣」表示，如〈脩務訓〉云：

> 夫天之所覆，地之所載，包於六合之內，託於宇宙之間，陰陽之所生，血氣之精，含牙戴角，前爪後距，奮翼攫肆，蚑行蟯動之蟲，喜而合，怒而鬥，見利而就，避害而去，其情一也。[10]

天地宇宙之中，凡是陰陽二氣所生，皆是「含血氣之精」，無論是含牙帶角、有爪有趾、有翅膀或爬行的，都含有血氣。人的身上也有血氣流佈，〈精神訓〉云：「是故血氣者，人之華也；而五藏者，人之精也。」[11]五臟是人身體最重要的器官，故稱為「人之精」，此器官中必須有血氣流行，否則只是枯槁之物，所以稱血氣為「人之華」。又「血氣」只是構成生命體的天然材質，血氣的反應只有喜合、怒鬥的本能要求，都有「見利而就，避害而去」的特性，這是「天之性」[12]，並沒有善惡可言。因此，血氣容易受到外物的影響，而使其動蕩不安，〈精神訓〉云：「夫孔竅者，精神之戶牖也；而氣志[13]者，五藏之使候也。耳目淫於聲色之樂，則五藏搖動而不定矣；五藏搖動而不不定，則血氣滔蕩而不休矣。」[14]耳目是精神對外接觸的門戶，血氣則是五臟派出去的守候者。若是耳目過度放縱於聲色之樂，則使五臟搖動而不定，甚而使血氣動蕩不停，精神馳騁於外而無法守住，那麼災禍就隨之而來。

由上所述，血氣是構成生命體的自然材質之一，對於生命體會產生影響，故血氣除了為使生命得以存活的重要元素，更扮演著使精神超越提升的重要角色。

2 形、氣、神的關聯

血氣既然是構成生命體的重要材質，因此血氣必然與形軀相關聯，且血氣的狀態，又與生命體的精神狀態分不開，故《淮南子》書中經常把形、氣、神並提，如〈原道

---

10 劉文典：《淮南鴻烈集解》，卷19，〈脩務訓〉，頁645。

11 劉文典：《淮南鴻烈集解》，卷7，〈精神訓〉，頁222。

12 〈兵略訓〉亦云：「凡有血氣之蟲，含牙帶角，前爪後距，有角者觸，有齒者噬，有毒者螫，有蹏者趹。喜而相戲，怒而相害，天之性也。」（劉文典：《淮南鴻烈集解》，卷7，頁489）。

13 由上文「是故血氣者，人之華也；而五藏者，人之精也。夫血氣能專於五藏而不外越，則胸腹充而嗜欲省矣。」句，可推此「氣志」當為「血氣」。

14 劉文典：《淮南鴻烈集解》，卷7，〈精神訓〉，頁222。

訓〉說：「夫形者，生之舍也；氣者，生之充也；神者，生之制也。一失位，則三者傷矣。」[15]足見形、氣、神三者對生命體來說，是並存且不可偏廢的。〈原道訓〉又說：「夫形者非其所安也而處之則廢，氣不當其所充而用之則泄，神非其所宜而行之則昧。」[16]因為形體是生命的居所，所以重在「安」而處之；氣是「生之充」，最重要的是「充」而用之；精神則是生命的主宰，最重要的是「宜而行之」。總之，三者既是構成生命體的必要存在，又各自有其功用，但論其重要性，「氣」與「神」又重於「形」，〈原道訓〉說：

> 今人之所以眭然能視，營然能聽，形體能抗，而百節可屈伸，察能分白黑、視醜美，而知能別同異、明是非者，何也？氣為之充，而神為之使也。[17]

人之所以能看、能聽，身體可以活動，能分辨黑白、美醜、同異等，都是因為「氣為之充，而神為之使也」，如果沒有充盈的氣及精神的指使，形體是不可能發揮效用的。「氣」與「神」二者，又以「神」為人生命的主宰，因為精神有所繫及精神有所守，才使得人遇到狀況能有正常反應。

3 節制血氣的方法

氣為構成生命體基本的質料或元素，會受到外界的影響而失去平衡，因此必須加以節制、協調，如何可以使血氣受到控制與協調？對於氣的調節、修練，早在先秦諸家文獻即可見到[18]，《淮南子》則提出克制欲望、情緒，加以禮樂教化等方法，〈詮言訓〉曰：

> 故聖人損欲而從事於性。目好色，耳好聲，口好味，接而說之。不知利害，嗜慾也。食之不寧於體，聽之不合於道，視之不便於性。三官交爭，以義為制者，心也。割痤疽非不痛也，飲毒藥非不苦也，然而為之者，便於身也。渴而飲水非不快也；飢而大飧非不澹也，然而弗為者，害於性也。此四者，耳目鼻口不知所取

---

15 劉文典：《淮南鴻烈集解》，卷1，〈原道訓〉，頁39。

16 劉文典：《淮南鴻烈集解》，卷1，〈原道訓〉，頁40。

17 劉文典：《淮南鴻烈集解》，卷1，〈原道訓〉，頁40。

18 對於氣的調節、修練，如《老子》說：「專氣致柔。」（十章）《管子》〈內業〉云：「摶氣如神，萬物備存。」（黎翔鳳撰、梁運華整理：《管子校注》，卷16，〈內業〉，頁943）。「精存自生，其外安榮。內藏以為泉原，浩然和平，以為氣淵。淵之不涸，四體乃固。泉之不竭，九竅遂通。」（黎翔鳳撰、梁運華整理：《管子校注》，卷16，〈內業〉，頁938-939）。《孟子》說：「我善養吾浩然之氣。」足見自先秦以來，即已重視養氣、聚氣的功效，並肯定內氣的充盈對於形體的保養及精神的提升皆有莫大幫助。《莊子》則有直接藉助呼吸以練氣的方法，〈刻意〉云：「吹呴呼吸，吐故納新，熊經鳥申，為壽而已矣。」（〔清〕郭慶藩：《莊子集釋》，卷6上，頁535）。經由呼吸的吐故納新，可以使身體強健、延年益壽。

> 去，必為之制，各得其所。由是觀之，欲之不可勝，明矣。[19]

聖人在於能減損欲望來培養自己的天性，凡各種好色、好聲、好味等嗜欲，都有害於心性，必須以「義」來節制，「義」的主導乃在「心」，凡對於心性有害的各種欲望都以「心」來克制，如此，不為欲望所宰制，血氣得到協調，稱為「正氣」，反之則為「邪氣」。〈詮言訓〉又說：「凡治身養性，節寢處，適飲食，和喜怒，便動靜，使在己者得，而邪氣因而不生。」[20]提到欲治身養性者，必須坐臥有節制、飲食適量、喜怒和諧、動靜合宜，能與己有所得才能使「邪氣」不生。這裡所說，也不外乎欲望和情緒的管理。

除了藉由內在欲望和情緒的控制來調和血氣外，另有禮樂等教化的功能，〈本經訓〉云：

> 陰陽之情，莫不有血氣之感，男女群居雜處而無別，是以貴禮。性命之情，淫而相脅，以不得已，則不和，是以貴樂。是故仁義禮樂者，可以救敗，而非通治之至也。夫仁者所以救爭也，義者所以救失也，禮者所以救淫也，樂者所以救憂也。[21]

《淮南子》在治道上重視「神明定於天下，而心反其初；心反其初，而民心善；民心善而天地陰陽從而包之，則財足而人澹矣；貪鄙忿爭不得生焉。」[22]若能使神明定於天下，人心返於初，則可以不用仁義，所以此則說仁義禮樂「非通治之至」，但在神明未定以前，仍肯定仁、義、禮、樂的功效，以仁來救爭，以義救失，以禮救淫，以樂救憂，這些都有調節血氣的功能。由此部分也可以看出，《淮南子》吸收儒家仁義禮樂等思想之表現。

4 精氣

血氣經由調節、控制後，將使人的精神狀態有所提升與超越，如〈精神訓〉云：

> 夫血氣能專于五藏而不外越，則胸腹充而嗜欲省矣。胸腹充而嗜欲省，則耳目清、聽視達矣。耳目清、聽視達，謂之明。……精神盛而氣不散則理，理則均，均則通，通則神，神則以視無不見，以聽無不聞也，以為無不成也。是故憂患不能入也，而邪氣不能襲。[23]

---

19 劉文典：《淮南鴻烈集解》，卷14，〈詮言訓〉，頁474-476。

20 劉文典：《淮南鴻烈集解》，卷14，〈詮言訓〉，頁476。

21 劉文典：《淮南鴻烈集解》，卷8，〈本經訓〉，頁250。

22 劉文典：《淮南鴻烈集解》，卷8，〈本經訓〉，頁250。

23 劉文典：《淮南鴻烈集解》，卷7，〈精神訓〉，頁222。

血氣如能專一集中在五臟中，那麼便能使胸腹充實，欲望減少，進而使「耳目清」、「聽視達」，處於「明」的狀態。又，精神若能旺盛且氣不散渙，則可使神、氣達到均平、通達及神妙不可測的狀態，甚至可以達到「視無不見」、「聽無不聞」的境地。又，〈精神訓〉云：

> 使耳目精明玄達而無誘慕，氣志虛靜恬愉而省嗜慾，五藏定寧充盈而不泄，精神內守形骸而不外越，則望於往世之前，而視於來事之後，猶未足為也，豈直禍福之間哉！[24]

人精神對外的門戶如能不被欲望誘惑，血氣則能「虛靜恬愉」、五臟也能「定寧充盈」，精神守於內、形骸不外越，則甚至可以觀測過去及未來之事。

由上可知，經由血氣的控制、協調，不僅可以使五臟安寧、血氣充滿，進而可以使精神內守，在生命體的「形」和「神」都能均衡、調和的狀態下，不只形軀的感官功能可以達到極致，心的感知功能也可以有所超越。

故知，精神雖然是生命的主宰，但是精神的狀態又與氣分不開，〈原道訓〉云：「夫精神氣志者，靜而日充者以壯，躁而日耗者以老。是故聖人將養其神，和弱其氣，平夷其形，而與道沈浮俛仰。」[25]把「精神」、「氣志」放一起，二者必須在「靜」的狀態下，日益充實壯大，聖人也必須保養精神、和弱氣志、使形體安穩，才能與「道」沈浮、俯仰。〈俶真訓〉說：

> 古之人有處混冥之中，神氣不蕩于外，萬物恬漠以愉靜，攙搶衡杓之氣莫不彌靡，而不能為害。當此之時，萬民猖狂，不知東西，含哺而游，鼓腹而熙，交被天和，食于地德，不以曲故是非相尤，茫茫沈沈，是謂大治。……古之真人，立于天地之本，中至優游，抱德煬和，而萬物雜累焉，孰肯解構人間之事，以物煩其性命乎？[26]

上古之人因為「神氣」能夠不蕩於外，因此萬物恬和安靜，各種妖異之氣也各自分散，不會帶來災害。所以保持「神氣」內守是修養上極重要的事。

《淮南子》又有以「精氣」來表達血氣調和之後的精神表現，如：

> 夫矢之所以射遠貫牢者，弩力也；其所以中的剖微者，正心也；賞善罰暴者，政令也；其所以能行者，精誠也。故弩雖強不能獨中，令雖明不能獨行，必自精氣所以與之施道。故攄道以被民，而民弗從者，誠心弗施也。[27]

---

24 劉文典：《淮南鴻烈集解》，卷7，〈精神訓〉，頁222-223。

25 劉文典：《淮南鴻烈集解》，卷1，〈原道訓〉，頁42。

26 劉文典：《淮南鴻烈集解》，卷2，〈原道訓〉，頁48-50。

27 劉文典：《淮南鴻烈集解》，卷20，〈泰族訓〉，頁669。

這裡講治國不能單靠法令，而「必自精氣所以與之施道」，治國之要乃是將大道散布到人民身上，其中若沒有「誠心」則做不到。可見，《淮南子》直言「精氣」者雖然不多，但實承認作為物質性生命力的血氣可以轉化為一種寧定的、超然的狀態，此狀態已涵蓋身體（形）及精神（神）兩部分，此當為《淮南子》論氣之特色表現。

（三）《淮南子》論天人相感

《淮南子》書認為物類之間會互相感應，從自然中就可以觀察到，如「月盛衰於上，則蠃蠬應於下，同氣相動，不可以為遠。」[28]月亮的圓缺盛衰，影響蠃蠬的變化，原因在於「同氣相動」。又：「海水雖大，不受胔芥。日月不應非其氣，君子不容非其類也。」[29]海水雖然很大，卻連一塊小腐肉也不接受；日月不與它們不同氣的互相感應，君子也不容納和自己不同類的人。〈覽冥訓〉對此有更多的例子：

> 夫物類之相應，玄妙深微，知不能論，辯不能解。故東風至而酒湛溢，蠶咡絲而商弦絕，或感之也。畫隨灰而月運闕，鯨魚死而彗星出，或動之也。故聖人在位，懷道而不言，澤及萬民。君臣乖心，則背譎見於天。神氣相應，徵矣。故山雲草莽，水雲魚鱗，旱雲煙火，涔雲波水，各象其形類，所以感之。夫陽燧取火于日，方諸取露於月，天地之間，巧曆不能舉其數，手徵忽怳，不能覽其光。然以掌握之中，引類於太極之上，而水火可立致者，陰陽同氣相動也。[30]

此言物類相感之事，有跡可循，一是「各象其形類，所以感之」，如東風吹則酒汁漫溢、老蠶吐絲則商弦斷絕等都是。一是「陰陽同氣相動」，如以燧在太陽光下取火、以方諸在月光下取露水等例。故知，物類與物類之間能夠相感，主要原因乃在於「同氣相動」，由此可見，「氣」乃作為物和物之間聯結溝通的重要橋梁。

除了物類之間可以相感外，《淮南子》進一步提出天、人之間也可以相感通，以下即以「人副天數」、「天人之氣以和相感」及「精誠相感」三層論之：

1 人副天數

除了物類能相感外，《淮南子》書進而論人與天能相通、相感，此觀點包括人副天數、天人感應等觀點，〈精神訓〉說：

> 夫精神者，所受於天也；而形體者，所稟於地也。故曰：「一生二，二生三，三

28 劉文典：《淮南鴻烈集解》，卷16，〈說山訓〉，頁529。

29 劉文典：《淮南鴻烈集解》，卷16，〈說山訓〉，頁535。

30 劉文典：《淮南鴻烈集解》，卷6，〈覽冥訓〉，頁194-197。

> 生萬物。萬物背陰而抱陽，沖氣以為和。」故曰一月而膏，二月而胅，三月而胎，四月而肌，五月而筋，六月而骨，七月而成，八月而動，九月而躁，十月而生。形體以成，五臟乃形。[31]

這一段說到人出生之前十月孕育發展的過程，在這十個月中，「形體以成，五臟乃形」，其中「肺主目，腎主鼻，膽主口，肝主耳」，外部的五官和內部的五官各為表裡，開張歙合，各有法度。人身的結構又與天地的結構相符合：

> 故頭之圓也象天，足之方也象地。天有四時、五行、九解、三百六十六日，人亦有四支、五藏、九竅、三百六十六節。天有風雨寒暑，人亦有取與喜怒。故膽為雲，肺為氣，肝為風，腎為雨，脾為雷，以與天地相參也，而心為之主。是故耳目者日月也，血氣者風雨也。[32]

頭圓象天，足方象地；天的四時、五行、九解、三百六十六日，象人的四肢、五臟、九竅、三百六十六節；天的風、雨、寒、暑，象人的取、與、喜、怒；五臟之膽、肺、肝、腎、脾，象天的雲、氣、風、雨、雷；人的耳目象日月，血氣象風雨。

以上，《淮南子》由形式、數、性質等，設想人體與宇宙整體之間有一對應關係，亦即天之大宇宙與人之小宇宙的對應，此為《淮南子》天人合一觀的基本設想。

2 天、人之氣以和相感

上文以人副天數的角度論天人之間的對應性，《淮南子》進而論人與天皆有相同根本，如同物類同氣相感一樣，天和人能夠相感的基礎，在於人的氣會與天地的氣相通，而天人之氣相通的重要前提又必須在於「和」的狀態。

天地之氣的最佳表現乃是於「和」，即是能和諧、調和，人也必須效法天地的和氣。〈氾論訓〉說：

> 天地之氣，莫大於和。和者，陰陽調，日夜分，而生物。春分而生，秋分而成，生之與成，必得和之精。故聖人之道，寬而栗，嚴而溫，柔而直，猛而仁。太剛則折，太柔則卷，聖人正在剛柔之間，乃得道之本。[33]

天地之氣最重要的在於「和」，因為「和」所以能夠使陰陽調和，日夜分開。春生、秋成，都是「和之精」的表現。聖人之道也要本於天之道，恰到好處地處於剛與柔之間，才是「得道之本」。又和氣的表現，乃在於陰陽的調和，故說：「積陰則沉，積陽則飛，

31 劉文典：《淮南鴻烈集解》，卷7，〈精神訓〉，頁219。

32 劉文典：《淮南鴻烈集解》，卷7，〈精神訓〉，頁220-221。

33 劉文典：《淮南鴻烈集解》，卷13，〈氾論訓〉，頁432。

陰陽相接，乃能成和。」[34]陰氣累積就會下沈，陽氣累積就會飛揚，陰陽必須相接，才能形成和氣。反之，陰陽二氣若相犯，則會帶來不祥，〈說山訓〉說：「天二氣則成虹，地二氣則泄藏，人二氣則成病。」[35]天上陰陽二氣相冒犯就會出現虹，地上陰陽二氣相犯就會泄散地中所藏之物，人身上邪氣犯正氣就會生病，這些都是因為不能「和」的緣故。

3 精誠相感

此外，人透過修養，調和血氣，使之轉化為「精氣」，便能與天地相感。故人能通於天，其要件之一即在於「氣」，〈泰族訓〉云：

> 黃帝曰：「芒芒昧昧，因天之威，與元同氣。」故同氣者帝，同義者王，同力者霸，無一焉者亡。故人主有伐國之志，邑犬群嗥，雄雞夜鳴，庫兵動而戎馬驚；今日解怨偃兵，家老甘臥，巷無聚人，妖菑不生。非法之應也，精氣之動也。故不言而信，不施而仁，不怒而威，是以天心動化者也；施而仁，言而信，怒而威，是以精誠感之者也。施而不仁，言而不信，怒而不威，是以外貌為之者也。故有道以統之，法雖少，足以化矣；無道以行之，法雖眾，足以亂矣。[36]

此段主要言君主法天體道之理，並引用黃帝之言，云「與元同氣」，即有道者須與上天同氣。君主若產生攻伐他國的想法，即會引發犬吠、雞鳴、戎馬驚的景象；反之，當解怨偃兵時，人心自然安逸，妖異之事也不會發作，這些都是因為「精氣之動」的原故，人的精氣可以感動上天，以上天之心來教化人民，這正是以「道」來治國，而不是以「法」治國。又：

> 故大人者，與天地合德，日月合明，鬼神合靈，與四時合信。故聖人懷天氣，抱天心，執中含和，不下廟堂而衍四海，變習易俗，民化而遷善，若性諸己，能以神化也。[37]

德行高尚的聖人，能「懷天氣，抱天心」，與上天相合，並能做到中正和平，故能廣施教化，移風易俗。

能夠以精氣與天地互通，必須出以「誠」心，方能達到。〈泰族訓〉云：「故聖人養心，莫善於誠，至誠而能動化矣。」[38]聖主欲無為而有為，須有精誠之心，並以精誠之

34 劉文典：《淮南鴻烈集解》，卷13，〈氾論訓〉，頁432。

35 劉文典：《淮南鴻烈集解》，卷16，〈說山訓〉，頁528。

36 劉文典：《淮南鴻烈集解》，卷20，〈泰族訓〉，頁679。

37 劉文典：《淮南鴻烈集解》，卷20，〈泰族訓〉，頁665。

38 劉文典：《淮南鴻烈集解》，卷20，〈泰族訓〉，頁667-668。

心行之於天下方能成其事。又〈泰族訓〉云：

> 故聖人者懷天心，聲然能動化天下者也。故精誠感於內，形氣動於天，則景星見，黃龍下，祥鳳至，醴泉出，嘉穀生，河不滿溢，海不溶波。……天之與人有以相通也。[39]

此說聖人「精誠感於內，形氣動於天」，內在的精誠之心一動，便能與天上的形氣相感動，這種相感通的力量，會為人間帶來種種祥瑞之象。並由此可證：「天之與人有以相通也」，此相通的要件，又在於「精誠」。

由上可知，《淮南子》論天人相感、天人合一，乃是立基於天與人在「氣」上的同根同質，但是人必須透過「精誠」之心，才能與天地的「和氣」相應。可知，在人與天地的交融中，人與宇宙之間並不是隔絕的、毫不相關的獨立體，而是彼此互動、互相作用的「有機的整體」。

三　《春秋繁露》論「氣」與「天人感應」

董仲舒在《春秋繁露》中雖然沒有專門論「氣」的篇章，但「氣」之概念卻在書中多處出現，此概念在董仲舒的思想體系中實佔有重要地位。董仲舒論「氣」，常與「元」字一起被討論，故本節即從「元」與「元氣」論起。其次論其宇宙觀中的天地之氣，進而論人理副天道的感應思想，旁及修身與養氣，以及氣與人間治亂的關係。

（一）「元」與「元氣」

《春秋繁露》屢提到「元」字，如〈王道〉說：「元者，始也，言本正也。」[40]〈重政〉：「是以《春秋》變一謂之元，元猶原也，其義以隨天地終始也。……故元者，為萬物之本，而人之元在焉，安在乎，乃在乎天地之前。」[41]「元」字有「始」、「原」之義，應是指一普遍的抽象觀念和法則，故「元」既是「萬物之本」，也是「人之元」，可說是宇宙萬物的原理原則，或宇宙萬物的根本，又因其「隨天地終始」，故可說此「元」即為「天」，也就是一切現象皆以天為本原之義，而天的表現特質則為「本正」。

有學者將此「元」解釋為一種實體，即元氣，學者們對此各有看法。徐復觀認為：

> 「元」是一種物質性的實體，他說：「在董仲舒心目中的元年的元，實際是視為

39　劉文典：《淮南鴻烈集解》，卷20，〈泰族訓〉，頁664。

40　賴炎元註譯：《春秋繁露今註今譯》（臺北市：臺灣商務印書館，1987年），卷4，頁87

41　《春秋繁露今註今譯》，卷5，頁139。又，本書據錢唐校，將此段移至〈玉英篇〉，見本書，頁54。

> 元氣之元。所以才有「是故《春秋》之道，以元之深，正天之端」的話。他又引同時的九家注「元者，氣之始也。」及《鶡冠子》「天始于元」為證據而認為，元氣為陰陽所未分、所自出的氣，其層次自然在天道之上。[42]

徐復觀將「元」解釋為「元氣」，是陰陽未分、未出現前的氣，層次在天道之上。[43]但有學者反對此說，如馮友蘭說：「有一點是明確的，在董仲舒的體系中，『元』不可能是一種物質性的實體，即使把『元』解釋為『元氣』，而這個『元氣』也不一定是有意識和道德性質的東西。」[44]周桂鈿認為董仲舒的元，「只是純時間的概念」。[45]王葆玹認為：「『元』既是觀念、法則之類，它與天地的關係便只能是邏輯的關係，不會是宇宙發生或生成的關係。」[46]劉國民歸納前人之說，更主張：「元不是一種實體，而是一個具有『始正、本正、元正』之道德意義的觀念、理念和法則。」[47]

董仲舒的「元」是否指物質性的元氣，雖各有意見，但在《春秋繁露》裡「元氣」確實出現兩次。〈王道〉：

> 《春秋》何貴乎元而言之？元者，始也，言本正也；道，王道也；王者，人之始也。王正，則元氣和順，風雨時，景星見，黃龍下；王不正，則上變天，賊氣並見。[48]

此則一開始說：「元」為「始」、「本正」之義；接著說「道」乃「王道」，而後說「王正則元氣和順、風雨時、景星見、黃龍下」，可見天地間有「元氣」，此元氣的流佈如果和諧順暢，就可以風調雨順；反之，則「上變天，賊氣並見」。而天地元氣要能和諧順暢，又與「王正」有關。「元氣」另見於〈天地之行〉：

---

42 徐復觀：《兩漢思想史》（第二卷）（上海市：華東師範大學出版社，2001年），頁219。

43 金春峰亦認為，董仲舒之元就是指元氣，元氣是一種物質實體，是萬物或宇宙的本原。他引何休《春秋公羊解詁》隱公元年：「變一為元，元者，氣也，無形以起，有形以分，造起天地，天地之始也。」而說：「這種解釋是符合董仲舒思想的。」（《漢代思想史》，北京市：中國社會科學出版社，2001年12月，頁124-125）。王永祥說：「在董著中雖兩見『元氣』概念，但董仲舒所講元氣與東漢時形成的元氣論尚有很大距離，因此很難說董仲舒是一個元氣論者；況且在董仲舒所有關於元氣的論述中，也從未以元氣來論元，所以把董仲舒打扮成一個元氣論者實難成立。」（《董仲舒評傳》，南京市：南京大學出版社，1995年，頁94）。

44 馮友蘭：《中國哲學史新編》（中）（北京市：人民出版社，1998年），頁75。

45 周桂鈿說：「董仲舒用之作為宇宙本原的『元』，就是開始的意思。它只是純時間的概念，不包含任何物質性的內容，似乎也不包含人的意識，只是純粹的概念。由此，我們以為，在宇宙本原的問題上，董仲舒的觀點屬於客觀唯心主義。宇宙的終極本原是『元』，因此，董仲舒的宇宙本原論，可以稱為『元一元論』。」（《董學探微》，北京市：北京師範大學出版社，1980年，頁38）。

46 王葆玹：《今古文經學新論》（北京市：中國社會科學出版社，1997年），頁263。

47 劉國民：《董仲舒的經學詮釋及天的哲學》（北京市：中國社會科學出版社，2007年），頁264。

48 《春秋繁露今註今譯》，卷4，頁87。

> 一國之君，……布恩施惠，若元氣之流皮毛腠理也；百姓皆得其所，若血氣和平，形體無所苦也；無為致太平，若神氣自通於淵也；致黃龍鳳皇，若神明之致玉女芝英也。[49]

此則言在位者若能布恩施惠於百姓，就好像元氣流布於身體的皮毛腠理之間，百姓就不為所苦。

由這兩則來看，董仲舒認為天地之間確實有「元氣」的存在，但難以由此斷定「元氣」即是天地萬物的本原。在董仲舒的理論架構中，「元」應該偏於指涉 各種人事、現象溯源之「天」的概念，具有本原性的意義，向上更可推為「隨天地終始」的具抽象、普遍的「天元」的意義。[50]所有的人與萬物都必須「承天地之所為也，繼天之所為而終之也」，這即是「天地之元」[51]的展現。而「元氣」應是「天元」的表現之一，董仲舒雖然沒有專論「氣」的篇章，但「氣」的思想卻是他建立天人學說中極重要的一環。他認為天地之間有氣的流行，此一氣的架構，董仲舒歸納為：

> 天地之氣，合而為一，分為陰陽，判為四時，列為五行。行者，行也，其行不同，故謂之五行。五行者，五官也，比相生而間相勝也，故為治，逆之則亂，順之則治。[52]

天地間的氣合而為一，此「一」或可解為元氣，是指氣尚未分化前混沌未分的狀態。元氣分化為陰陽，分判為四時，表現為五行，所以陰陽、四時、五行，都只是氣的不同呈現而已，董仲舒由「天」到「氣」的架構即由此展開。氣的流行變化，展現天地萬物的各種形態，但並不是最終本原，因為上面還有一個「天」，所以說：「故人雖生天氣及奉天氣者，不得與天元、本天元命、而共達其所為也。故春正月者，承天地之所為也，繼天之所為而終之也，其道相與共功持業。」[53]人雖然生於天氣，同時奉行天氣，但是常常不能親附上天的本原及秉承上天賦予的氣質，所以說「春正月」就是要繼承上天的一切作為。足見，「天元」才是天地萬物的本原，[54]而「天元」與「氣」又是緊密聯繫的關係。

---

49 《春秋繁露今註今譯》，卷17，頁432。

50 參見孫長祥：〈董仲舒的氣化圖式論〉，《哲學與文化》，第33卷第8期（2006年8月），頁27。

51 《春秋繁露今註今譯》，卷5，頁139。又，本書據錢唐校，將此段移至〈玉英篇〉，見本書，頁54。

52 《春秋繁露今註今譯》，卷13，〈五行相生〉，頁334。

53 《春秋繁露今註今譯》，卷5，頁139。又，本書據錢唐校，將此段移至〈玉英篇〉，見本書，頁54。

54 董仲舒「天」尚有至上神、人格天等義涵，將在後文論及。

（二）天地之氣的展現

董仲舒「氣」的思想主要表現在其宇宙論的體系中，最具概括性的說法為：

> 天、地、陰、陽、木、火、土、金、水，九，與人而十者，天之數畢也，故數者至十而止，書者以十為終，皆取之此。聖人何其貴者，起於天，至於人而畢。[55]

董仲舒認為此天數十，已完整涵蓋了由「天」到「人」所有的自然與人事現象，故曰：「天之大數畢於十旬，旬天地之間，十而畢舉，旬生長之功，十而畢成，十者，天數之所止也。」[56]其中陰陽、五行，正是天地之氣的表現。董仲舒將陰陽、五行與四方、四時配合，云：

> 天有五行：一曰木，二曰火，三曰土，四曰金，五曰水。……是故木居東方而主春氣，火居南方而主夏氣，金居西方而主秋氣，水居北方而主冬氣。[57]

陰陽二氣在四季上展現為春、夏、秋、冬之氣，配合東、西、南、北各有所主，又氣不是靜止的狀態，而是不斷流轉變化的，〈陰陽終始〉說：

> 天所起，一動而再倍，常乘反衡再登之勢，以就同類，與之相報，故其氣相俠，而以變化相輸也。春秋之中，陰陽之氣俱相併也，中春以生，中秋以殺，由此見之，天之所起，其氣積，天之所廢，其氣隨。[58]

此「一」或亦可解為元氣，為天地之氣未分時的狀態，此元氣一動而有各種變化，且趨向「同類」的事物，與之相酬答，它產生的氣或相挾，或相輸，互為消長，而有春生、秋殺的各種現象。且氣是隨著「天」所興起及廢棄而聚積或委靡不振，所以「氣」之上又有「天」，氣只是「天道」或「天元」的表現而已。陰陽二氣又依循著四時而有其規律的運動及變化：

> 天之道，終而復始。故北方者，天之所終始也，陰陽之所合別也。冬至之後，陰俛而西入，陽仰而東出，出入之處，常相反也，多少調和之適，常相順也，有多而無溢，有少而無絕。春夏、陽多而陰少，秋冬、陽少而陰多，多少無常，未嘗不分而相散也，以出入相損益，以多少相溉濟也。[59]

---

55 《春秋繁露今註今譯》，卷17，〈天地陰陽〉，頁439。

56 《春秋繁露今註今譯》，卷11，〈陽尊陰卑〉，頁289。

57 《春秋繁露今註今譯》，卷11，〈五行之義〉，頁286-287。

58 《春秋繁露今註今譯》，卷12，〈陰陽終始〉，頁307。

59 《春秋繁露今註今譯》，卷12，〈陰陽終始〉，頁307。

天道是終而復始，循環不已的，陰陽之氣隨著四時有一定的運行路線，「陽氣始出東北而南行，就其位也，西轉而北入，藏其休也；陰氣始出東南而北行，亦就其位也，西轉而南入，屏其伏也。」[60]且春夏陽多而陰少，秋冬陽少而陰多，四季乃隨著陰陽的多或少相互損益、相互溉濟。

由以上所論，天地人之間遍在著氣的流行，「天地之氣合而為一」，再由「一氣之辨」，而產生各種變化與運動，包括陰陽、五行，都只是氣的變化。天地宇宙之間的氣，常處於運動狀態，「天之氣常動而不滯」[61]，「同類」之氣，有時「相挾」，有時「相輸」；陰陽之氣又有其規律的運動方式，與四時、五行配合，形成規律變化的四時循環，天地萬物都浸漬在此氣化流行中。

（三）人理副天道

董仲舒說：「天氣上，地氣下，人氣在其間。……故莫精於氣，莫富於地，莫神於天。」[62]「氣」的活動狀態普遍流行於天地人物共存的場域之中，而人「受命乎天也」，人在天地間是最為尊貴的[63]，因此董仲舒又歸納天地之氣與人之氣相感互通的情況，形成他著名的「人理副天道」的學說，也就是「察身以知天」，由人的身上就可以看出天道的展現，此說又可分為有形可見結構上的「副數」，及不可用數字表示的、無形不可見，卻又具體存在的活動之「副類」，[64]如說：

> 人有三百六十節，偶天之數也；形體骨肉，偶地之厚也；上有耳目聰明，日月之象也；體有空竅理脈，川谷之象也；心有哀樂喜怒，神氣之類也。觀人之禮，一何高物之甚，而類於天也。[65]

這是說人體的結構如骨節與天數相合；人的骨肉與地之厚相合；人的耳目聰明象日月，穴道血脈象川谷，甚至喜怒哀樂等情緒也與神妙之氣相類。又：

> 天有寒有暑，夫喜怒哀樂之發，與清暖寒暑其實一貫也，喜氣為暖而當春，怒氣

60 《春秋繁露今註今譯》，卷11，〈陰陽位〉，頁305。

61 《春秋繁露今註今譯》，卷16，〈循天之道〉，頁416-417。

62 《春秋繁露今註今譯》，卷13，〈人副天數〉，頁327。

63 「天地之精所以生物者，莫貴於人。人受命乎天也，故超然有以倚；物疢疾莫能為仁義，唯人獨能為仁義；物疢莫能偶天地，唯人獨能偶天地。」（《春秋繁露今註今譯》，卷13，〈人副天數〉，頁327。）

64 〈人副天數〉云：「於其可數也，副數，不可數者，副類，皆當同而副天一也。」（《春秋繁露今註今譯》，卷13，頁328。）

65 《春秋繁露今註今譯》，卷13，〈人副天數〉，頁327。

為清而當秋，樂氣為太陽而當夏，哀氣為太陰而當冬，四氣者，天與人所同有也，非人所能蓄也，故可節而不可止也，節之而順，止之而亂。人生於天，而取化於天，喜氣取諸春，樂氣取諸夏，怒氣取諸秋，哀氣取諸冬，四氣之心也。[66]

春、夏、秋、冬四氣，如同人的喜、怒、樂、哀之氣，「人生於天，而取化於天」，由於人受命於天，故人身的一切都與天相符合。在此可以看到，董仲舒天人相副的原理基礎在於「氣」的相溝通。〈人副天數〉曰：

天德施，地德化，人德義。天氣上，地氣下，人氣在其間。春生夏長，百物以興，秋殺冬收，百物以藏。故莫精於氣，莫富於地，莫神於天。天地之精所以生物者，莫貴於人。人受命乎天也，故超然有以倚；物疢疾莫能為仁義，唯人獨能為仁義；物疢疾莫能偶天地，唯人獨能偶天地。[67]

天地之間，上有天氣，下有地氣，人氣置乎其中。天地的精氣產生天地萬物，天地人物的各種變化，都是由「氣」自上天而下化的流行運動，作用到宇宙內各萬物，並轉化成天地人的內在性質，故曰「天德施，地德化，人德義」，這些都只是天地人同氣的「氣化」現象，其中最重要的又在於人的氣化，因「人受命乎天」，是天地間最尊貴的，只有人能「為仁義」，因此也只有人能「偶天地」。故人的德行、情性亦與天相合，〈為人者天〉曰：

為生不能為人，為人者，天也，人之人本於天，天亦人之曾祖父也，此人之所以乃上類天也。人之形體，化天數而成；人之血氣，化天志而仁；人之德行，化天理而義；人之好惡，化天之暖清；人之喜怒，化天之寒暑；人之受命，化天之四時；人生有喜怒哀樂之答，春秋冬夏之類也。喜，春之答也，怒，秋之答也，樂，夏之答也，哀，冬之答也，天之副在乎人。人之情性有由天者矣，故曰受，由天之號也。[68]

此則說「為人者，天也」，進而說人的德行化天理而為義，人的好惡喜怒化天之暖清寒暑，人的受命化天之四時，「天之副在乎人」，人的情性乃承天而來，所以稱為「受」。

董仲舒論人天相副，乃在於受氣於天地的基礎上而論。「天氣」與「人氣」之所以能相感相應，又立基於「同」，董仲舒舉例說：

今平地注水，去燥就濕；均薪施火，去濕就燥；百物去其所與異，而從其所與

66 《春秋繁露今註今譯》，卷11，〈王道通三〉，頁296。

67 《春秋繁露今註今譯》，卷13，〈人副天數〉，頁327。

68 《春秋繁露今註今譯》，卷11，〈為人者天〉，頁282。

同。故氣同則會，聲比則應，其驗皦然也。[69]

水去燥就濕、火去濕就燥，由此而推「氣同則會，聲比則應」。「氣同則會」，如：「天有陰陽，人亦有陰陽，天地之陰氣起，而人之陰氣應之而起，人之陰氣起，天地之陰氣亦宜應之而起，其道一也。」[70]此例是說，天地的陰氣生起，人的陰氣也會感應而生起，是因為「氣同」的緣故。「聲比則應」，則如：「試調琴瑟而錯之，鼓其宮，則他宮應之，……非有神，其數然也。美事召美類，惡事召惡類，類之相應而起也。如馬鳴則馬應之，牛鳴則牛應之。」[71]這裡舉同音共振的現象，例如調絃時，不同的兩根絃因為音調相同所以會相應，又如馬叫會引來其它馬的叫聲，牛叫會引來其它的牛叫一樣，這些都是「同類」才能相應。而無論是「氣同」或「聲比」，都是氣的活動、振動產生的共感作用。

董仲舒「同類相動」的理論，也是他論災異感應的理論基礎[72]，如云：「帝王之將興也，其美祥亦先見，其將亡也，妖孽亦先見，物故以類相召也。」[73]帝王的興或亡，都會有美祥或妖孽之事與之相應，這也都是「以類相召」的緣故。故知，基於「同類相動」的原則，天與人能夠相應，此「類同」主要說的正是「氣同」，可見董仲舒所說的「氣」，應是存在於天地宇宙之間的一種細微物質（或說是能量），這種細微物質有各自的運動方式，同時也與他者產生互動，在彼此交相感應中，使天地萬物聯結成一有機的整體。人是天地萬物的一部分，也是天地之中最為尊貴的，人的氣受命於天，包括身體的結構、情緒、意志等都受天地之氣而來，所以說人就像是天的副本，天是大宇宙，人就像是小宇宙，這便是董仲舒天人相感、天人相應的思想。

（四）修身與養氣

董仲舒的氣化宇宙觀，論及天道、陰陽、五行運行變化的規則，同時又提挈出「天氣」與「人氣」間的相感相通，足見他所關心的重點還是在於「人」的一切，由人的「法天」、「應天」，而後實踐及完成人生的理想，進而建構完美的社會。因此，他的學說也重視人如何養生，而養生又以養氣為主，此部分與他論天人同氣相感亦是一致的。

董仲舒在天人同氣相感的基礎上，進而論人的氣有變化與不同，以說明為何要修身，〈官制象天〉云：

---

69 《春秋繁露今註今譯》，卷13，〈同類相動〉，頁330-331。

70 《春秋繁露今註今譯》，卷13，〈同類相動〉，頁331。

71 《春秋繁露今註今譯》，卷13，〈同類相動〉，頁331。

72 韋政通認為，董仲舒災異感應的形上論證原則為「氣同則會」；形下論證原則的原則是「聲比則應」。（韋政通：《董仲舒》，臺北市：東大圖書公司，1986年，頁95）

73 《春秋繁露今註今譯》，卷13，〈同類相動〉，頁331。

> 人生於天而體天之節，故亦有大小厚薄之變，人之氣也，先王因人之氣，而分其變，以為四選，是故三公之位，聖人之選也。[74]

此說人雖然都受氣於天，但氣仍有大小、厚薄的不同表現，古代聖王依據人的氣質，分別其變化，而有四種選擇，其中聖人是三公地位的最佳人選。董仲舒的人性論，亦是建立於此「受氣」的基礎上，他說：

> 人之受氣苟無惡者，心何栣哉？吾以心之名得人之誠。人之誠有貪有仁，仁貪之氣兩在於身。身之名取諸天，天兩，有陰陽之施，身亦兩，有貪仁之性；天有陰陽禁，身有情欲栣，與天道一也。[75]

因為天有陰陽二氣的作用，所以人亦同時稟有貪仁兩種本性。天道中有陰，需要被禁制，人身上有情欲，也需要被節制，可見人性有被教化的需要，人也必須修身養氣，以使其本性中「仁」的特質被加強並發揮出來，〈必仁且智〉說：

> 何謂仁？仁者，憯怛愛人，謹翕不爭，好惡敦倫，無傷惡之心，無隱忌之志，無嫉妒之氣，無感愁之欲，無險詖之事，無辟違之行，故其心舒，其志平，其氣和，其欲節，其事易，其行道，故能平易和理而無爭也，如此者謂之仁。[76]

仁德的人有愛人、不爭、不傷害他人、無嫉妒之氣等美德，正是因為其能「心舒」、「志平」、「氣和」、「欲節」，可見一個人「氣」是否調適、平和，與其修養有重要關聯。

由以上可知，無論聖人或仁人，都與他表現出來的「氣」有關。董仲舒的養氣論主要論及養形體之氣與養道德之氣，二者又是為互為關聯的，〈通國身〉云：

> 氣之清者為精，人之清者為賢。治身者以積精為寶，治國以積賢為道。身以心為本，國以君為主。精積於其本，則血氣相承受；……。血氣相承受，則形體無所苦；……。形體無所苦，然後身可得而安也；……。夫欲致精者，必虛靜其形；……。形靜志虛者，精氣之所趣也；……。故治身者務執虛靜以致精；……。能致精，則合明而壽；能致賢，則德澤洽而國太平。[77]

此則主要說養形體之氣，將保養身體的「致精」與治國者求得賢才的「致賢」對舉，說氣之清者稱為精，人之清者稱為賢。治身者應該以積「精」為寶，也就是使血氣保持清明，如此血液、氣息可以相運轉，身體就不會有痛苦。這一則又進而提出致「精」的修

---

74 《春秋繁露今註今譯》，卷7，〈官制象天〉，頁196。

75 《春秋繁露今註今譯》，卷10，〈深察名號〉，頁266。

76 《春秋繁露今註今譯》，卷8，〈必仁且智〉，頁234。

77 《春秋繁露今註今譯》，卷7，〈通身國〉，頁173。

養方法在於「虛靜其形」，使內心空虛、形體安靜，精氣就會歸附，「能致精則合明而壽」，致精者，必能精神充滿、心志清明且健康長壽。

養氣須要達到什麼標準呢？〈循天之道〉說：「循天之道以養其身，謂之道也。天有兩和，以成二中，……中者，天地之所終始也，而和者，天地之所生成也。」[78]此說人應效法天道的「中和」來養生，在道德上：「夫德莫大於和，而道莫正於中，中者，天地之美達理也，聖人之所保守也。……是故能以中和理天下者，其德大盛，能以中和養其身者，其壽極命。」[79]可見聖人所要保有的道德及養身的最高原理，皆在於中和之道。「舉天地之道，而美於和，是故物生，皆貴氣而迎養之。」[80]想要達到中和之道，必須「貴氣而迎養」，他除了舉孟子：「我善養吾浩然之氣者也。」又舉公孫尼子之養氣，進一步論及：

> 裡藏泰實則氣不通，泰虛則氣不足，熱勝則氣□，寒勝則氣□，泰勞則氣不入，泰佚則氣宛至，怒則氣高，喜則氣散，憂則氣狂，懼則氣懾，凡此十者，氣之害也，而皆生於不中和。故君子怒則反中，而自說以和；喜則反中，而收之以正；憂則反中，而舒之以意；懼則反中，而實之以精。[81]

這一則說形體的病害，如臟腑太實、太虛、熱、寒、太勞、太佚、怒、喜、憂、懼，這些由氣產生的病害，都是因為不中和的緣故。又君子在情緒上，無論怒、喜、憂、懼，也都必須反之於中和，才能使氣平和，所以說養氣必須以達到「中和」為目的。養氣又須以心為主導，故說：

> 故君子道至氣則華而上，凡氣從心。心、氣之君也，何為而氣不隨也，是以天下之道者，皆言內心其本也。故仁人之所以多壽者，外無貪而內清淨，心和平而不失中正，取天地之美，以養其身，是其且多且治。鶴之所以壽者，無宛氣於中，是故食冰；猿之所以壽者，好引其末，是故氣四越。天氣常下施於地，是故道者亦引氣於足，天之氣常動而不滯，是故道者亦不宛氣。苟不治，雖滿不虛。是故君子養而和之，節而法之，去其群泰，取其眾和。[82]

心是氣的主宰，修道也必須以心為根本，譬如仁者之所以能夠長壽，是因為行為無貪且內心清淨，故其內心平和中正。又鶴之所以長壽，是因為氣無鬱滯；猿之所以長壽，是因為喜好伸展四肢，能將氣引到四肢末稍。所以有道者應效法天氣下施之理，將氣引於

78 《春秋繁露今註今譯》，卷16，〈循天之道〉，頁414-415。

79 《春秋繁露今註今譯》，卷16，〈循天之道〉，頁415。

80 《春秋繁露今註今譯》，卷16，〈循天之道〉，頁416。

81 《春秋繁露今註今譯》，卷16，〈循天之道〉，頁416。

82 《春秋繁露今註今譯》，卷16，〈循天之道〉，頁416-417。

雙足；效法天氣常動不滯，使氣不鬱滯。君子要「養而和之」、「節而法之」，以和平來養身。董仲舒對於養氣要效法天道，有詳盡的說明，包括夫妻間的房事也要配合天地之氣，並且要有一定的節度；[83]養生要配合四季的變化：

> 凡養生者，莫精於氣，是故春襲葛，夏居密陰，秋避殺風，冬避重漯，就其和也；……四時不同氣，氣各有所宜，宜之所在，其物代美，視代美而代養之，同時美者雜食之，是皆其所宜也。故薺以冬美，而荼以夏成，此可以見冬夏之所宜服。[84]

春夏秋冬，各有適合的衣服、居處等，都是為了接近和平。順著四時不同的氣，食用適宜的食物，如冬天吃甜薺，夏天吃苦荼，「各因其時之所美，而違天不遠矣」。[85]又，情緒無益於養生，「忿恤憂恨者，生之傷也，和說勸善者，生之養也，君子慎小物而無大敗也，行中正，聲嚮榮，氣意和平，居處虞樂，可謂養生矣。」[86]忿怒憂慮，只會傷身；和樂歡喜，才能滋養生命。君子要行為中正，聲音響亮，意氣和平，居處安樂，才稱為善於養生。總之，「養生之大者，乃在愛氣」：

> 氣從神而成，神從意而出，心之所之謂意，意勞者神擾，神擾者氣少，氣少者難久矣；故君子閑欲止惡以平意，平意以靜神，靜神以養氣，氣多而治，則養身之大者得矣。古之道士有言曰：「將欲無陵，固守一德。」此言神無離形，則氣多內充，而忍饑寒也。和樂者，生之外泰也，精神者，生之內充也，外泰不若內充，而況外傷乎？[87]

這裡又說到，要保養精氣，不可使意志過於辛勞，否則容易使精神紛擾；精神紛擾，氣就稀少。所以要：「平意以靜神，靜神以養氣」，內氣充足，可以忍饑寒，精神內在的充實，更勝於生命外在的舒展。

由以上可知，雖然人受氣於天，但人氣有大小、厚薄不同表現，因此須要加以調節，這也是董仲舒重視修身及教化的緣故。而修養又以養氣為主，養氣又分為形體及道德，在形體上，配合四時，舉凡飲食、男女、居室等，都必須「各因其時之美」，「居處

---

83 〈循天之道〉云：「天地之氣，不致盛滿，不交陰陽；是故君子甚愛氣而游於房，以體天也。氣不傷於以盛通，而傷於不時天並；不與陰陽俱往來，謂之不時；恣其欲而不顧天數，謂之天並。君子治身不敢違天，是故新牡十日而一游於房，中年者倍新牡，始衰者倍中年，中衰者倍始衰，大衰者以月當新牡之日，而上與天地同節矣。」（《春秋繁露今註今譯》，卷16，〈循天之道〉，頁417。）

84 《春秋繁露今註今譯》，卷16，〈循天之道〉，頁418。

85 《春秋繁露今註今譯》，卷16，〈循天之道〉，頁418。

86 《春秋繁露今註今譯》，卷16，〈循天之道〉，頁417-418。

87 《春秋繁露今註今譯》，卷16，〈循天之道〉，頁418。

就其和，勞佚居其中，寒煖無失適，饑飽無過平」[88]，這些都可以使血氣清明、充實飽滿，自然能夠健康長壽。又道德上，避免情緒的忿怒憂慮，保持意氣和平，以「靜神」養氣，「欲惡度理，動靜順性，喜怒止於中，憂懼反之正。」[89]又，凡諸養氣，都以「心」為根本、為主宰，並以保持「中和」為目的，「中和常在乎其身，謂之得天地泰」[90]，如此一則可以「壽引而長」，再則可以使道德提升，達到仁人、聖人之境界。

（五）氣與人間治亂

人世間的治亂之氣也會影響天地陰陽之氣，〈天地陰陽〉：

> 人之超然萬物之上，而最為天下貴也。人下長萬物，上參天地，故其治亂之故，動靜順逆之氣，乃損益陰陽之化，而搖蕩四海之內。[91]

人是天地萬物間最為尊貴的，可以下長萬物、上參天地，因此，人間的治亂，會形成動靜順逆的氣，而增減陰陽的變化。

> 世治而民和，志平而氣正，則天地之化精，而萬物之美起；世亂而民乖，志僻而氣逆，則天地之化傷，氣生災害起。……天地之間，有陰陽之氣，……人常漸是澹澹之中，而以治亂之氣與之流通相殽也，故人氣調和，而天地之化美，……治亂之氣，邪正之風，是天地之化者也。生於化而反化，與運連也。[92]

世間承治時人民平和，「志平而氣正」，天地精氣聚集，就會滋生各種美物；反之，亂世且人民乖違時，「志僻而氣逆」，則傷害天地造化，產生各種災害。因為人間的治亂之氣是與天地之氣相流通混雜的，所以如能「人氣調和」，天地的化育就會美好。可見人間的治亂之氣和天地的化育相混雜，「生於化而反化」，與天地的運轉相連。在人當中，君王的角色又更為重要：

> 是故人言：既曰王者參天地矣，苟參天地，則是化矣，豈獨天地之精哉。王者亦參而之，治則以正氣天地之化，亂則以邪氣天地之化，同者相益，異者相損之數也，無可疑者矣。[93]

---

88 《春秋繁露今註今譯》，卷16，〈循天之道〉，頁419。

89 《春秋繁露今註今譯》，卷16，〈循天之道〉，頁419。

90 《春秋繁露今註今譯》，卷16，〈循天之道〉，頁419。

91 《春秋繁露今註今譯》，卷17，〈天地陰陽〉，頁439。

92 《春秋繁露今註今譯》，卷17，〈天地陰陽〉，頁440。

93 《春秋繁露今註今譯》，卷17，〈天地陰陽〉，頁441。

王者是人間的統治者，與天地並立為三，能化育萬物，因此，太平時就用正氣和天地的化育相錯雜，紊亂時就用邪氣和天地的化育相錯雜，和天地相同的彼此相互增益，不同的彼此相互減損，這即是無可懷疑的天數。故〈王道〉一開始即說：「王正則元氣和順、風雨時、景星見、黃龍下」，因為「王者，人之始也。」[94]人間的君王必須行使正道，天地元氣才會和諧調順。

四　《淮南子》與《春秋繁露》「氣」論與「天人感應」之比較

由上文所論，《淮南子》及《春秋繁露》皆有多處篇章論到「氣」與「天人感應」思想，二書在此論題上多有異同，以下即試論之：

（一）天地宇宙間的氣

二書皆承認天地間皆有氣，並將氣置於宇宙生成架構中，《淮南子》由道→虛霩→宇宙→氣→天地→四時→萬物，將「氣」置於宇宙及天地之間，由「氣」而後有天地及萬物的產生。《淮南子》書中亦論及陰陽、五行思想，如說：「天地之襲精為陰陽，陰陽之專精為四時，四時之散精為萬物。」[95]陰陽之氣為天地精華的聚合，四時又為陰陽之氣精華的聚合，四時之氣的精華分散開來則成了萬物。論五行則如：「是故鍊土生木，鍊木生火，鍊火生雲，鍊雲生水，鍊水反土。……是故以水和土，以土和火，以火化金，以金治木，木復反土。五行相治，所以成器用。」[96]說明如何利用五行相治的原理，以生產各種器用。此外，也有將四時、五行放一起的，如說：「天有四時、五行、九解、三百六十六日，人亦有四支、五藏、九竅、三百六十六節。」[97]然此則只是論天的四時、五行與人的四肢、五臟等相應，而非說明四時與五行之間的關係。由此可見，《淮南子》陰陽、四時、五行的觀念多半散見於各章，除了陰陽之氣與宇宙、天地、四時有明顯聯屬關係，「五行」觀念在宇宙生成的過程中，似乎不佔重要地位。

《春秋繁露》的宇宙論圖式為：天、地、陰、陽、木、火、土、金、水、人，將「陰陽」之氣置於天地之下，且其宇宙論又加進了五行，將天地、陰陽、五行及人密切地聯屬在他的宇宙論架構中。二書皆承認「氣」為天地間重要的元素，但《淮南子》將「氣」置於天地之前，而《春秋繁露》將「氣」置於天地之後。又二書都不認為「氣」

---

94 《春秋繁露今註今譯》，卷4，頁87。

95 劉文典：《淮南鴻烈集解》，卷3，〈天文訓〉，頁80。

96 劉文典：《淮南鴻烈集解》，卷4，〈墬形訓〉，頁146-147。

97 劉文典：《淮南鴻烈集解》，卷7，〈精神訓〉，頁220。

是宇宙萬物的本原，《淮南子》以「道」為萬物本原；《春秋繁露》則以「天」或「天元」為萬物本原。可見《淮南子》重視「道」生天地萬物的過程中，「氣」居於其中的影響性，可以說，有「氣」的運作才有天地萬物的產生，更著重於「氣」在宇宙生成過程中的重要性。《春秋繁露》則重視天地形成之後，陰陽之氣與五行、四時的配合，更著重「氣」在天地形成後的運用。從《春秋繁露》可以看出，董仲舒對於「天地之氣合而為一」，再由「一氣之辨」所產生的種種運動及變化，在陰陽、五行、四時的架構下，呈現規律及循環反復的運動方式，對於氣化流行有更具體且細緻的描繪，這部分是此書特出於《淮南子》之處。

（二）人身之氣與養氣

二書皆強調「氣」在於人身之重要。《淮南子》書中對於人身之氣有更多的描述，由作為生理現象的血氣，論形、氣、神的息息相關，血氣易受到外物或情緒等影響而使得形神不安，故必須藉由克制欲望、情緒，加以禮樂教化等方法，對血氣予以節制、協調，使得血氣平和，而後「靜而日充以壯」[98]，以靜的方法來使氣充實壯大，如此才可使氣與神相合，若能「神氣不蕩於外」[99]，以神氣內守來修身，久之則能使氣達到「精氣」的狀態，一個有「道」者，乃是能：「藏精於內，棲神於心，靜漠恬淡，說[100]繆胸中，邪氣無所留滯。」[101]可見精氣是修道者所要達至的目標，而一個「至精形於內」的聖人，才能夠「業貫萬世」、「橫扃四方」[102]，發揮極大的教化力量。

《春秋繁露》雖也屢言及人氣，如說：「天氣上，地氣下，人氣在其間。」[103]但更重視人氣在天地之間的作用，其論修身的養氣也偏重在「人理副天道」的架構下來說的。此書對於血氣、形氣神關係的論述不如《淮南子》多，但在養氣方法上主張「積精為寶」、「形靜志虛」、以中和之道為本、以心為主宰、仁人與聖人皆善於養氣等觀念皆與《淮南子》相類。這也可以說，《春秋繁露》養氣等思想應是受到先秦以來道家思想的影響。

98　劉文典：《淮南鴻烈集解》，卷1，〈原道訓〉，頁42。
99　劉文典：《淮南鴻烈集解》，卷2，〈原道訓〉，頁48-50。
100　「說」，原作「訟」，依王引之校改。
101　劉文典：《淮南鴻烈集解》，卷20，〈泰族訓〉，頁668。
102　劉文典：《淮南鴻烈集解》，卷9，〈主術訓〉，頁276。
103　《春秋繁露今註今譯》，卷13，〈人副天數〉，頁327。

（三）天人相應

《淮南子》與《春秋繁露》皆由天地之氣、人身之氣，進而論天與人之間的聯結，形成影響後世甚深的天人感應論。《淮南子》說：「煩氣為蟲，精氣為人。」[104]認為人是天地之間「氣」之「精」者的聚合，人類既然稟受天地間更為精純、優良之氣，就必須擔負著由「氣」返於「道」的任務，由人來「法天順情」，使得天人可以聯貫。《春秋繁露》將人氣置於天、地之氣中，更為強調「人受命乎天」，只有人能「為仁義」、「偶天地」[105]，在「人理副天道」的架構下更系統性地論天與人的關係。二書論天人感應又都與「氣」有很大關係。

在天人感應的內容及原理方面，《淮南子》先論物類可以相應，並說「陰陽同氣相動」[106]，以「氣」作為物與物相感相應的溝通橋梁。進而論天與人也可以相通並感應，其天人感應的論點有人副天數，以形式、數目、性質設想人體與宇宙之間有一對應關係；此外，天與人的「氣」也是可以相感通的，此感通又以達到「和」為理想目的。又，人可以藉由修養，調和血氣，並使之轉化為精氣，使「精通於天」[107]，以精誠之心與天地的和氣相應，使人與宇宙形成彼此互動、交互作用的有機整體。

《春秋繁露》論「人副天數」可分為有形結構上的「副數」，及無形不可見、卻又具體存在活動之「副類」；亦進而論天人以「氣」相副，人的德行、情性皆與天相合。且天人之所以相感，其基礎在於「氣同則會，聲比則應」[108]，與《淮南子》所說「同氣相動」之義相同。在天人相感相應中，天地萬物亦形成一有機的整體，在此整體的大宇宙中，人受氣於天，就像是天的副本，天人之間亦形成一交相互動、影響的有機整體。然《春秋繁露》雖然對「氣」流行在人間有種種說明，但最終都在《春秋》重人的價值理念下，強調人主動去參贊天地，〈天地陰陽〉：

> 人下長萬物，上參天地。……天意難見也，其道難理，是故明陽陰入出、實虛之處，所以觀天之志；辨五行之本末、順逆、小大、廣狹，所以觀天道也。天志仁，其道也義，為人主者，予奪生殺，各當其義，若四時；列官置吏，必以其能，若五行；好仁惡戾，任德遠刑，若陰陽；此之謂能配天。[109]

此則以陰陽、四時、五行作為人「配天」的重要中介，以完成「天生、地養、人成」的

104 劉文典：《淮南鴻烈集解》，卷7，〈精神訓〉，頁218。
105 《春秋繁露今註今譯》，卷13，〈人副天數〉，頁327。
106 劉文典：《淮南鴻烈集解》，卷6，〈覽冥訓〉，頁196-197。
107 劉文典：《淮南鴻烈集解》，卷6，〈覽冥訓〉，頁193。
108 《春秋繁露今註今譯》，卷13，〈同類相動〉，頁330-331。
109 《春秋繁露今註今譯》，卷17，〈天地陰陽〉，頁439-441。

化育之功，足見《春秋繁露》在「配天」的意義上更具主動性與積極性。

又，《淮南子》的天道觀是自然義，沒有神性之義的；《春秋繁露》「天」的觀念，除了上文所論具本原意義的「天元」思想，另有具人格神義的，如〈郊義〉所說的「天」：「天者，百神之君也，王者之所最尊也。」[110]此即具有至上神的義涵，在此意義下，董仲舒提出了著名的「災異譴告」的論點，云：「災異以見天意，天意有欲也、有不欲也。」[111]也就是說，天意是有「欲」與「不欲」的，在此訴求下，警告國君必須「見天意者之於災異也」[112]，故云：

> 災者，天之譴也，異者，天之威也，譴之而不知，乃畏之以威。……凡災異之本，盡生於國家之失，國家之失乃始萌芽，而天出災害以譴告之；譴告之，而不知變，乃見怪異以驚駭之；驚駭之，尚不知畏恐，其殃咎乃至。」[113]

董仲舒災異譴告的用意本在於使「人內以自省」而「有懲於心」[114]，以抑制國君的威權，但後來卻導致讖諱之術的流傳，影響深遠，這是《春秋繁露》明顯不同於《淮南子》之處。

五　結語

由以上所論，可見《淮南子》與《春秋繁露》「氣」論與天人感應的論點大部分是相近的，但可以看出《淮南子》於人身之氣的描述較多，這應與道家重養氣的性質有關[115]，然由於《淮南子》是成於眾人之手，其論點散見各篇章，較不具聯貫性與系統性，卻可視為先秦以來氣論及天人感應思想的總結與深化。《春秋繁露》則成於董仲舒一人之手，其氣論在天數十的宇宙圖式下，將天地、陰陽、五行、四時與人聯結，與人副天數的思想緊密結合，形成一具組織與系統性的天人感應架構。且其天人感應更突出

---

110 《春秋繁露今註今譯》，卷15，〈郊義〉，頁374。

111 《春秋繁露今註今譯》，卷8，〈必仁且智〉，頁236。

112 《春秋繁露今註今譯》，卷8，〈必仁且智〉，頁236。

113 《春秋繁露今註今譯》，卷8，〈必仁且智〉，頁236。

114 《春秋繁露今註今譯》，卷8，〈必仁且智〉，頁236。

115 道家文獻中，《老子》有：「載營魄抱一，能無離乎？專氣致柔，能嬰兒乎？」（十章）已描述到人體中有一種「氣」，必須加以調和，才能使人的身心柔軟，像嬰兒一般。《老子》五十五章亦云：「心使氣曰強，物壯則老，謂之不道，不道早已。」也說到人身之內的「氣」，此「氣」無論是指血氣或氣力，應是生理的現象與生命力的表現，但在老子學說中，並非只是一般性的存在，而是攸關到是否能達「道」、成「道」，故老子的「氣」乃具有濃厚的修練意義。《莊子》亦有「聽之以氣」的修養方法，並重視重視守純一之氣。《管子》四篇更多對保養「精氣」的描述，如〈內業〉云：「摶氣如神，萬物備存。」（黎翔鳳撰、梁運華整理：《管子校注》，北京市：中華書局，2004年6月，卷16，〈內業〉，頁943。）凡此，皆重視人身之氣的修練。

表現「人受命乎天」，及「以人配天」的積極性，進而提出「天意」主宰下的「災異譴告」說，使其學說相較於先秦儒學有了重大轉折，而形成其具時代特色的學說體系。[116] 加以董仲舒思想在漢武帝以後被重視，故其影響性亦較《淮南子》為大。

總的來說，漢朝初年在武帝親政以前，朝野中幾乎都受到黃老思想影響，在這樣的學術氣氛中，即使作為儒家學者的董仲舒也很難不受影響[117]，從本文論氣及天人感應的思想可以看出，《淮南子》和《春秋繁露》有很多類似的語言和觀念，但因為二書的年代相近，很難馬上斷定後者是否受到前者的影響。但應可確定的是，董仲舒學說夾雜許多黃老道家思想，尤其在天、道、陰陽、五行等觀念上，同時也可以說，自先秦時期就已流行的黃老道家學說及陰陽家的陰陽五行學說，從《管子》、《黃帝四經》、《呂氏春秋》，一直到到漢初的《淮南子》，不斷地被吸收與深化，到了《春秋繁露》更加被系統地聯繫起來，但同時也在《春秋繁露》人格化的「天意」下，使得道家自然的天道觀被轉向，成為纖緯之術的理論根據。雖是如此，《淮南子》和《春秋繁露》的氣化宇宙論對於此後學術的影響是很深遠的，且透過「氣」來聯結天人的關係，此一天人感應思想也更具體地體現天與人的溝通方式，且對於修身理論的練氣、養氣提供更完整的理論基礎及指導方法。也就是說，因為人身之氣與天地之氣為同質性的存在，因此透過生命體進行「氣」的修練，便可與天地間的氣同感相應，且達成一和諧的氣化流行狀態，猶如小宇宙與大宇宙之間的相呼應與相結合，這樣的天人關係，不但使其內涵更為豐富，且更具有可操作性與可把握性，這都是這兩書的貢獻所在。

---

116 徐復觀說董仲舒：「把陰陽四時五行的氣，認定是天的具體內容，伸向學術、政治、人生的每一個角落，完成了天的哲學大系統，以形成漢代思想的特性。可以說：在董仲舒以前，漢代思想，大概是傳承先秦思想的格局，不易舉出它作為『漢代思想』的特性。漢代思想的特性是由董仲舒的塑造的。《漢書．五行志敘》說：『漢興，承秦滅之後，景武之世，董仲舒治《公羊春秋》，始推陰陽為儒者宗。』……他是有意識地發展《呂氏春秋》〈十二紀．紀首〉，以建立無所不包的哲學系統的，並把他所傳承的《公羊春秋》乃至《尚書》的〈洪範〉組入此一系統中去，以促成儒家思想的轉折。」(《兩漢思想史》，頁182-183)。

117 有學者認為，董仲舒此時「甚至可能已經寫了一些受其影響的早期作品。」引自沙拉．奎因(Sarah A.Queen)：〈董仲舒和黃老思想〉，載陳鼓應主編：《道家文化研究》第3輯。

從石渠閣到白虎觀
——論東漢經學新價值學風的形成

林惟仁
致理科技大學通識教育中心兼任助理教授

提要

漢代官方曾召開兩次著名的學術會議：西漢宣帝的石渠閣和東漢章帝的白虎觀會議，表面上二者會議的目的皆是講論「《五經》同異」，且皇帝皆「親稱制臨決」。然則，二者會議的實質內涵、解決方式及會議結果，實大異其趣。本文主要以白虎觀會議和《白虎通義》的內容，對比石渠閣會議，凸顯出東漢古學如何介入今學系統，並進而形成有別於西漢經學的新價值學風，以此說明兩漢經學動態起伏的學術發展。

關鍵詞：白虎觀會議　白虎通義　石渠閣會議　古學　兩漢經學

一　前言

兩漢學術以經學作為最顯著的樣貌，時常讓人誤以為經學在兩漢是一成不變，或以為兩漢經學可用「今古文之爭」一語帶過，不論是僵化的形象抑或化約的觀點，皆欠缺對學術內部動態、交錯及演變的過程說明。事實上，自武帝立五經博士以來，經學在兩漢的發展不止具備官方學術的色彩，光武之後，「古學」的漸起為兩漢經學帶來關鍵性的變革。頗為可惜的是，東漢古學在近代的解讀中，常被蒙上二層色彩：一是晚清今文家以至康有為、疑古學派的「偽經說」，二為廖平在《今古學考》中嚴分今古，將古學視為博士官學的對立、對抗的一面。劉歆偽造古文諸經說，有其歷史、學術和政治的發展背景，今人已不支持此觀點，可不贅述；至於廖平分判今古的看法，為周予同所承接，產生所謂四次今古文之爭的看法，仍為當今兩漢經學論述的主要基調。

今古文之爭的看法並非無據，然則，過份強調今、古學的對立，甚至視古學為兩漢經學的「歧出」，則只強調排他性，而忽略了「延續」的一面，易辭言之，在今古文之爭的框架中，古學只能作為博士官學的異端，卻可能忘了古學極可能是延續今文經學乃至兩漢經學的關鍵地位。這從王莽之後，一連串刪減章句的呼聲中可資證明，若章句之學透過刪減便得以重新獲得生命力，重新獲得學者的認同，則爭立古學的呼聲是不可能產生。此即表明，即使今學始終佔據官方的角色，然而，若無古學的產生和延續，兩漢經學或許僅存一個空洞的名詞，如同今文十四家章句般，渺無蹤跡。事實證明，正因古學承繼了今學，經學這一門學問，才得以在中國歷史持續演進和發展，成為古老中國學術的主幹。

職此，本文立基於「承繼」而非對立的角度，以東漢章帝所舉行的白虎觀會議為例，說明東漢古學如何一步步滲透入今學當中，並進而形成東漢學術的新價值學風。以下分三部分說明，第一，從白虎觀會議的「人」來說，包括章帝的心態和與會諸儒的學術背景，說明東漢古學如何漸次的興起；第二，從白虎觀會議後的「書」，即班固《白虎通義》的內容，說明古學摻入今學的情形，並舉例說明會議結束後，經說更為分歧的情況；第三，透過東漢今、古雙方學者的相互辯駁，說明東漢儒者的溝通平台已然改變，形成迥異於西漢經學的新價值學風。

二　從增立博士到引進古學

觀察東漢古學的興起，章帝在建初四年（西元79年）所召開的「白虎觀會議」是個重要指標，原因在於它讓我們發掘到古學滲透入今學的過程和現象，這遠比強調對抗性的今古文之爭的論調，更能透顯兩漢經學的演變。然而，前人對白虎觀會議的理解前提，常等同於西漢宣帝所召開的「石渠閣會議」。表面上看是沒有問題的，主要是當初楊終向章帝建議的理由為：「宣帝博徵群儒，論定《五經》於石渠閣。方今天下少事，學者得成其業，而章句之徒，破壞大體。宜如石渠故事，永為後世則。」[1]楊終認為「章句之徒，破壞大體」，欲改正此缺失，「宜如石渠故事，永為後世則」。楊終所言有兩層涵義，一是明白表示章帝應仿效宣帝召開學術會議，以矯正章句之學的缺失；二是楊終認為仿效的理由，便在於石渠閣會議本身，蘊含作為後世「故事」、範例、準則的地位，明白講，便是具有「定於一」的效力。

以是，當章帝接受楊終之議，下詔曰：「於是下太常，將、大夫、博士、議郎、郎官及諸生、諸儒會白虎觀，講議《五經》同異，使五官中郎將魏應承制問，侍中淳于恭奏，帝親稱制臨決，如孝宣甘露石渠故事，作《白虎議奏》。」[2]楊終說「宜如石渠故事」、章帝詔稱「如孝宣甘露石渠故事」，[3]此等話語便足以讓人相信「白虎觀會議」如同石渠閣的翻版，皆戮力於「定於一」的目標上。在此視野下，白虎觀會議被後人提升為「國憲」、「法典」及「大律」的性質，《白虎議奏》（或《白虎通義》）宛如一世之大法。[4]然而，實際情況真是如此嗎？以下便從諸方面來分析白虎觀會議如何引入古學的情況。

（一）章帝「廣道藝」的心態

宣帝與章帝召開會議，史籍皆載「親稱制臨決」，表示出二帝對會議的重視，更顯示政治力介入學術的現象。然而，兩相比較，宣帝召開石渠閣會議的原因，恐怕是複雜

---

1 〔宋〕范曄撰，〔唐〕李賢等注：《後漢書》（北京市：中華書局，2001年），卷48〈楊終傳〉，頁1599。

2 同前注，卷3〈章帝紀〉，頁138。

3 漢代所謂「故事」，蘊含一定程度的準則、慣例的意義，表示「率由舊章」、依循往例的意思。故楊終和章帝皆言「如石渠故事」，以字面意義來說，即是仿效石渠閣會議的精神。關於漢代「故事」的分析，詳參邢義田：〈從「如故事」和「便宜從事」看漢代行政中的經常與權變〉，《秦漢史論稿》（臺北市：東大圖書公司，1987年），頁334-409。

4 如侯外廬說：「我們認為白虎觀所欽定的奏議，也就是賦予這樣的『國憲』以神學的理論根據的讖緯國教化的法典」，「作為『國憲』或『大律』或『專制正法』的白虎觀奏議，是有一套宗教化的理論體系的。」侯外廬等著：《中國思想通史》（北京市：人民出版社，1992年），頁225、232。章權才亦稱：「《白虎通》、《白虎通義》、《白虎通德論》，三者稱謂雖然有異，但都以『通』字相標榜。……可以從三個角度理解這個『通』字，一是從地位上理解；一是從內容上理解；一是從作用上理解。地位上，它是經由皇帝欽定的闡發經義、闡發聖人之道的書籍，而據說聖人之道是無所不通的。……內容上，通過『考詳異同』，使在各類經籍和有關書籍中，找到了共同點，這就是所謂『通義』或『通德』。作用上，這部書據說不僅可以用之經緯社會，而且可以指導長遠。這就是時人所稱：『唐哉皇哉，永垂世則』。」章權才：《兩漢經學史》（臺北市：萬卷樓圖書公司，1995年），頁246。林聰順亦為文：〈帝國意識型態的重建——扮演「國憲」基礎的《白虎通》思想〉，《漢代儒學別裁：帝國意識型態的形成與發展》（臺北市：臺灣大學出版中心，2013年），頁213-261。

許多，既有替先祖衛太子遭巫蠱之禍平反的意味（平《公》、《穀》是非），亦有博士官學成為利祿之途，經說紛擾、各家異起，故需「定於一」的思想主導。[5]相較之下，白虎觀會議的召開，源於前述的楊終之議：「章句之徒，破壞大體」。所謂章句之徒，正指博士官學，章帝召開會議的理由，在於解決今學內部的歧異，在此要求下，章帝下詔仿效宣帝增立博士的作法，其言曰：

> （建初四年，西元79年）十一月壬戌，詔曰：「蓋三代導人，教學為本。漢承暴秦，褒顯儒術，建立《五經》，為置博士。其後學者精進，雖曰承師，亦別名家。孝宣皇帝以為去聖久遠，學不厭博，故遂立《大》、《小夏侯尚書》，後又立《京氏易》。至建武中，復置《顏氏》、《嚴氏春秋》，《大》、《小戴禮》博士。此皆所以扶進微學，尊廣道蓺也。中元元年詔書，《五經》章句煩多，議欲減省。至永平元年，長水校尉儵奏言，先帝大業，當以時施行。欲使諸儒共正經義，頗令學者得以自助。孔子曰：『學之不講，是吾憂也。』又曰：『博學而篤志，切問而近思，仁在其中矣。』於戲，其勉之哉！」於是下太常，將、大夫、博士、議郎、郎官及諸生、諸儒會白虎觀，講議《五經》同異，使五官中郎將魏應承制問，侍中淳于恭奏，帝親稱制臨決，如孝宣甘露石渠故事，作《白虎議奏》。[6]

案此詔書所謂「《五經》章句煩多，議欲減省」、「欲使諸儒共正經義」等語，與楊終之議的目標可謂一致，即「定於一」的思想主軸。然則，若細味詔書的涵義，章帝的作法卻是導向「尊廣道藝」的方向。也就是說，若章句繁瑣欲簡省，當用以「約」；家法分歧欲齊整，當定於「一」。然而，章帝詔書中所呈現的邏輯卻是「廣」與「博」。

章帝認為宣帝增立博士，乃是「以為去聖久遠，學不厭博」，又言光武帝復置嚴、顏《春秋》、《大、小戴禮》，「此皆所以扶進微學，尊廣道蓺」之故。繼引孔子「學之不講」、「博學篤志」以為說。很顯然地，章帝所呈現的「學博」和「道廣」的心態，直接讓我們聯想到劉歆。西漢哀帝時，劉歆欲爭立《左氏春秋》、《毛詩》、《逸禮》及《古文尚書》於學官而不果，於是移書太常博士，文末同引宣帝增立博士為例，其言曰：

> 夫禮失求之於野，古文不猶愈於野乎？往者博士《書》有歐陽，《春秋公羊》，《易》則施、孟，然孝宣皇帝猶復廣立《穀梁春秋》，《梁丘易》，《大小夏侯尚書》，義雖相反，猶並置之。何則？與其過而廢之也，寧過而立之。傳曰：「文武

5 有關宣帝召開石渠閣會議的原因，學者討論頗多，可詳參夏長樸：〈論漢代學術會議與漢代學術發展的關係——以石渠閣會議的召開為例〉，原收入國立政治大學中國文學系編：《第三屆漢代文學與思想學術研討會論文集》（臺北市：國立政治大學中國文學系，2000年），「貳、石渠閣學術會議召開的原因」，頁87-96。此文後收入夏長樸：《儒家與儒學探究》（臺北市：大安出版社，2014年），頁125-163。

6 〔宋〕范曄：《後漢書》，卷3〈章帝紀〉，頁137-138。

之道未墜於地，在人；賢者志其大者，不賢者志其小者。」今此數家之言，所以兼包大小之義，豈可偏絕哉！若必專己守殘，黨同門，妒道真，違明詔，失聖意，以陷於文吏之議，甚為二三君子不敢也。[7]

劉歆移書後，群儒憤恨，大司空師丹「奏歆改亂舊章，非毀先帝所立」，哀帝則緩頰說：「歆欲廣道術，亦何以為非毀哉？」[8]至少在哀帝和劉歆的眼中，增立古文諸經於學官，如同宣帝增立博士一般，不僅是「義雖相反，猶並置之」的作法，更是「廣道術」、「志（識）其大」[9]的積極精神。若對比詔書「扶進微學，尊廣道藝」的說法，章帝的心態是相當清楚的，其實就等同是劉歆的「廣道術」，欲將「古學」系統引進官學體系當中。我們切不可忘記，楊終之議在於解決博士章句的問題，理當就官學本身加以約束，然而，章帝基於「廣道藝」的心態，欲將「微學」──博士們視為異端的「古學」引狼入室了。

章帝欲「廣」而「不一本」，導源於對古學的偏好。史載「肅宗立，降意儒術，特好《古文尚書》、《左氏傳》。」[10]章帝之所以好古學，和賈逵為帝師極有關係。賈逵本傳載：「建初元年，詔逵入講北宮白虎觀、南宮雲臺。帝善逵說，使發出《左氏傳》大義長於二傳者。逵於是具條奏之曰……。書奏，帝嘉之，賜布五百匹，衣一襲，令逵自選《公羊》嚴、顏諸生高才者二十人，教以《左氏》，與簡紙經傳各一通。」[11]此處首先應注意的是時間問題，章帝即位的時間就是建初元年（西元76年），章帝初立，即詔古學大師賈逵入講白虎觀、雲臺，又拔檐《公羊》高徒教以《左氏》，其偏好古學心態已頗為顯露。而在召開白虎觀會議（建初四年、西元79年）後，於建初八年（西元83年），章帝又下詔曰：

《五經》剖判，去聖彌遠，章句遺辭，乖疑難正，恐先師微言將遂廢絕，非所以重稽古，求道真也。其令群儒選高才生，受學《左氏》、《穀梁春秋》、《古文尚書》、《毛詩》，以扶微學，廣異義焉。[12]

章帝此次下詔的對象是古學，卻也將偏好古學心態表露無遺。章帝令高才生不僅受學《左氏》，又擴大到其他古文諸經，然而，章帝此詔可以說是建初四年詔書的翻版，卻也透露出更多不尋常的訊息。第一，章帝令高才生受學的理由是因今學「章句遺辭，乖疑難正」，此與當初楊終建議召開會議的理由：「章句之徒，破壞大體」，可謂如出一

---

7 〔漢〕班固著，〔唐〕顏師古注：《漢書》（北京市：中華書局，1996年），卷36〈楚元王〉，頁1971。

8 同前注，頁1972。

9 劉歆此引《論語》〈子張〉中子貢的話，今本「志」作「識」。

10 〔宋〕范曄：《後漢書》，卷36〈賈逵傳〉，頁1236。

11 同前注，頁1236、1239。

12 同前注，卷3〈章帝紀〉，頁145。

轍。第二，章帝令高才生受學的目的是為了「以扶微學、廣異義焉」，這等同建初四年詔書的「以扶進微學，尊廣道藝也」一語，差異只在於章帝此次更明白講「廣異義」就是針對古文諸經，扶持古文諸經，不僅是「以扶微學」，更是「重稽古、求道真」的精神表現。由此反映出，若將白虎觀會議視為「國憲」、「法典」的位階，則章帝在此詔又重申博士官學「章句遺辭，乖疑難正」等語，則無啻是自打嘴巴，換言之，若會議結果是經說統一，視今學為圭臬，則又何來「乖疑難正」之語？

因此，宣帝和章帝召開會議目的都在「講議《五經》同異」，宣帝增立了數家博士，至少在初步上解決了經說異同的問題；而章帝基於個人愛好的因素，引進了古學，卻使得經說問題治絲益棼、更加複雜，以是，切不可將白虎觀會議等同石渠閣會議，二者的時代要求和學術氛圍已差距甚大。

（二）與會諸儒的背景

白虎觀會議引入古學的現象，不僅在於章帝的個人偏好，更可從與會諸儒的背景觀察出，根據金德建對《後漢書》考察，共有十四人，今將所習家數的學術背景羅列如下：[13]

1.魏應：「習《魯詩》……應經明行修，弟子自遠方至，著錄數千人。」（卷79下〈儒林傳〉頁2571）

2.召馴：「少習《韓詩》，博通書傳。」（卷79下〈儒林傳〉，頁2573）

3.樓望：「少習《嚴氏春秋》……教授不倦，世稱儒宗，諸生著錄九千餘人。」（卷79下〈儒林傳〉，頁2580）

4.李育：「少習《公羊春秋》。沈思專精，博覽書傳，知名太學，深為同郡班固所重。……常避地教授，門徒數百。頗涉獵古學。嘗讀《左氏傳》，雖樂文采，然謂不得聖人深意，以為前世陳元、范升之徒更相非折，而多引圖讖，不據理體，於是作《難左氏義》四十一事。……（建初）四年，詔與諸儒論《五經》於白虎觀，育以《公羊》義難賈逵，往返皆有理證，最為通儒。」（卷79下〈儒林傳〉，頁2582）

5.淳于恭：「善說《老子》，清靜不慕榮名。」（卷39本傳，頁1301）

6.張酺：「酺少從祖父充受《尚書》，能傳其業。又事太常桓榮。勤力不怠，聚徒以百數。永平九年，顯宗為四姓小侯開學於南宮，置《五經》師。酺以《尚書》教授，數講於御前。以論難當意，除為郎，賜車馬衣裳，遂令入授皇

---

13 詳見金德建：〈白虎觀與議諸儒學派考〉，《古籍叢考》（臺北市：臺灣中華書局，1967年），頁140-145。

太子。」(卷45本傳,頁1528-1529)

7.桓郁:「傳父業(桓榮習《歐陽尚書》),以《尚書》教授,門徒常數百人。……(明)帝自制《五家要說章句》,令郁校定於宣明殿。……初,榮受朱普學章句四十萬言,浮辭繁長,多過其實。及榮入授顯宗,減為二十三萬言。郁復刪省定成十二萬言。由是有《桓君大小太常章句》。」(卷37本傳,頁1254-1256)

8.楊終:「習《春秋》。顯宗時,徵詣蘭臺,拜校書郎。……終又言:『宣帝博徵群儒,論定《五經》於石渠閣。方今天下少事,學者得成其業,而章句之徒,破壞大體。宜如石渠故事,永為後世則。』於是詔諸儒於白虎觀論考同異焉。會終坐事繫獄,博士趙博、校書郎班固、賈逵等,以終深曉《春秋》,學多異聞,表請之,終又上書自訟,即日貰出,乃得與於白虎觀焉。後受詔刪《太史公書》為十餘萬言。……著《春秋外傳》十二篇,改定章句十五萬言。永元十二年,徵拜郎中,以病卒。」(卷48本傳,頁1597-1601)

9.劉羨:「羨博涉經書,有威嚴,與諸儒講論於白虎殿。」(卷50〈孝明八王列傳〉,頁1667)

10.魯恭:「十五,與母及丕(恭弟)俱居太學,習《魯詩》,閉戶講誦,絕人間事,兄弟俱為諸儒所稱,學士爭歸之。……肅宗集諸儒於白虎觀,恭特以經明得召,與其議。……其後拜為《魯詩》博士,由是家法學者日盛。」(卷25本傳,頁873-878)

11.賈逵:「父徽,從劉歆受《左氏春秋》,兼習《國語》、《周官》,又受《古文尚書》於塗惲,學《毛詩》於謝曼卿,作《左氏條例》二十一篇。逵悉傳父業,弱冠能誦《左氏傳》及《五經》本文,以《大夏侯尚書》教授,雖為古學,兼通五家《穀梁》之說。」(卷36本傳,頁1234-1235)

12.班固:「博貫載籍,九流百家之言,無不窮究。所學無常師,不為章句,舉大義而已。……天子會諸儒講論五經,作《白虎通德論》,令固撰集其事。」(卷40本傳,頁1330-1373)

13.丁鴻:「鴻年十三,從桓榮受《歐陽尚書》,三年而明章句,善論難,為都講……肅宗詔鴻與廣平王羨及諸儒樓望、成封、桓郁、賈逵等,論定《五經》同異於北宮白虎觀,使五官中郎將魏應主承制問難,侍中淳于恭奏上,帝親稱制臨決。鴻以才高,論難最明,諸儒稱之,帝數嗟美焉。時人嘆曰:『殿中無雙丁孝公。』數受賞賜,擢徙校書,遂代成封為少府。門下由是益盛,遠方至者數千人。」(卷37本傳,頁1263-1264)

14.「成封」,見〈丁鴻傳〉,不知所習何經。

除上述十四人外，黃彰健認為博士趙博亦當列入。[14]不論如何，上引諸儒，今人多以今、古學作為分判的依據，今文學派：《詩》有魏應、魯恭治《魯詩》，召馴習《韓詩》；《書》有丁鴻、桓郁、張酺（師事桓榮）治《歐陽尚書》；《春秋》有樓望治《嚴氏》、李育治《公羊》。古文學派則有班固、賈逵。其餘淳于恭、劉羨、成封及趙博等則不詳。

此一今、古分判固然無誤，卻只能見異而不能見同，所謂「同」，是指與會諸儒本家之學固不相同，卻可說是「今古兼通」、「博通五經」之士。除去班固、賈逵不說，召馴「博通書傳」，李育「博覽書傳」，桓郁校定《五家要說章句》，劉羨「博涉經書」，丁鴻號為「殿中無雙」。如此表明，各家所長互異，但在東漢今、古學兼通的趨勢下，強分今、古並無太大意義，此可舉楊終為例。

楊終本傳言「習《春秋》」，不知為《公》、《穀》或《左氏》，皮錫瑞以為是「今學大師」，[15]不知所據為何，或以為楊終曾建請召開會議之事，或以為有「改定章句十五萬言」，故推論為「今學」陣營；然而，金德建卻以為楊終是治《左氏》，根據在於「著《春秋外傳》十二篇」。一般以為《左傳》和《國語》是為「春秋內、外傳」，楊終著《春秋外傳》（《國語》），則表示「終亦兼傳《左氏》《國語》二書，而若賈逵之學兼治《左氏》《國語》相似。」[16]金氏此一推論或稍牽強，然楊終本傳載因坐事繫獄，後經班固、賈逵等薦請，方得與會。班固、賈逵為古學家，則楊終似又為一古學家。

今、古難辨者不止楊終一人，又如丁鴻。本傳載「從桓榮受《歐陽尚書》」，又載明帝「永平十年詔徵，鴻至即召見，說〈文侯之命〉篇，賜御衣及綬，稟食公車，與博士同禮。」[17]〈文侯之命〉為今《尚書》二十九篇之一，可見丁鴻是標準的今學者。然而，《後漢書》〈儒林傳〉卻載：「楊倫字仲理，陳留東昏人也。少為諸生，師事司徒丁鴻，習《古文尚書》。」[18]丁鴻於和帝永元四年（西元92年）代袁安為司徒，則楊倫師事者，正是治「今文尚書」的丁鴻。如此，我們如何理解楊倫師事丁鴻卻習《古文尚

---

14 黃彰健認為建初四年「詔書係命博士議郎與議。趙博於時官博士，當然會參加。」黃彰健：〈白虎通與古文經學〉，《經今古文問題新論》（臺北市：中央研究院歷史語言研究所專刊之七十九，1992年9月），「注一」，頁204。案黃氏以任博士必與會議，此不必然如此，如曹褒本為禮學大家（父充，治慶氏禮，光武時為博士），章帝時「徵拜博士」，元和時，帝命其制《漢禮》，但曹褒並未與會。或以為曹褒拜博士時已在建初四年以後，故不得與會。不過，趙博得與會議，應據上引〈楊終傳〉所載，博士趙博、校書郎班固、賈逵等薦請楊終一事，若班固、賈逵皆得與會，則趙博同為薦請之人，亦當與會。

15 皮錫瑞稱：「《白虎通義》采古文說絕少，以諸儒楊終、魯恭、李育、魏應皆今學大師。」皮錫瑞：《經學歷史》（臺北市：藝文印書館，2004年），〈經學極盛時代〉，頁117。

16 金德建：〈白虎觀與議諸儒學派考〉，《古籍叢考》，頁148。黃彰健亦主張楊終通《左氏》，見〈白虎通與古文經學〉，《經今古文問題新論》，頁192。

17 〔宋〕范曄：《後漢書》，卷37〈丁鴻傳〉，頁1264。

18 同前注，卷79上〈儒林列傳上〉，頁2564。

書》呢？或以為《後漢書》此處衍「古文」二字；或以為楊倫原習《歐陽尚書》於鴻，又「自習」《古文尚書》。事實上，此皆臆測之詞，更好的解釋是丁鴻固然以《歐陽尚書》起家，同時兼通《古文尚書》，如同賈逵雖治古學，卻「以《大夏侯尚書》教授」，同樣是兼通今古學，此或許是比較合理的推測。

由分析上述諸儒的背景即知，白虎觀會議的實質內涵和石渠閣已迥然不同，宣帝召開會議後，增立了《梁丘易》、《大、小夏侯尚書》及《穀梁春秋》博士，確立了「黃龍十二博士」，為漢代官學奠定了規模。論者亦指出，章句和家法的興起，直接源起於石渠閣會議。[19]換言之，宣帝「詔諸儒講《五經》同異」(《漢書》〈宣帝紀〉)，始終是博士官學場域中的論爭，因當時古學未起，一如皮錫瑞所言：「當古文未興之前，未嘗別立今文之名」，[20]故石渠閣會議僅能說是五經博士繁衍後的論爭。至東漢章帝雖然同是「講議《五經》同異」(《後漢書》〈章帝紀〉)，卻是在古學興起的氛圍下，講論經說異同。暫且撇開章帝對古學的偏好，單單二者與會諸儒的「知識背景」即已天差地別，絕非「如孝宣甘露石渠故事」一語即可帶過。因此，若回到白虎觀會議與會諸儒來說，分判今、古二派固然有眉目之效，但在瞭解東漢經學的發展上，卻無太大的實質價值。因為他們是有別於西漢學者的另一批「新價值階層」，此一價值展現在博貫五經、今古兼通的學術基礎上，關於此點，後文將再申說。

三　古學介入的《白虎通義》

前節就參與會議的「人」來說，此節就「書」來說明。論者多已指出，白虎觀會議所集結的成果稱為《白虎議奏》，而班固據《議奏》刪節而成的則是《白虎通義》，簡稱《白虎通》。[21]儘管《通義》已非當初會議載述原貌，卻仍可稍見會議的內容。觀察《通義》一書的重要性，首先在於若白虎觀會議具有國憲、法典的性質，則《通義》內容所呈現的經說應該是一致；再者，若經說具有一致性的基礎，則會議結束後，凡是關涉經說的議題，皆當有所共識。然則實情恐怕並非如此，以下即從這兩個面向略加說明。

---

19 詳參錢穆〈兩漢博士家法考〉、夏長樸〈論漢代學術會議與漢代學術發展的關係──以石渠閣會議的召開為例〉等文說明。

20 皮錫瑞：《經學歷史》，〈經學昌明時代〉，頁82。

21 吳則虞點校陳立《白虎通疏證》的「出版說明」即說：「將當時的奏章及皇帝的批答編輯成一部書，就稱為《白虎議奏》，可以說它是較原始的材料。班固依據這些原始材料，將議論產生的統一看法、皇帝的決斷等集中編寫成書，就稱為《白虎通義》。」〔清〕陳立著、吳則虞點校：《白虎通疏證》(北京市：中華書局，1997年10月)，「出版說明」，頁2。詳細論證，可見該書「附錄」：莊述祖：〈白虎通義攷〉、劉師培：〈白虎通義源流考〉等文，或參王新華：《白虎通義研究》(臺北市：國立政治大學中國文學研究所碩士論文，1975年5月)，〈第二章白虎通義歷代之著錄及其源流〉，頁23-39。

（一）引入古學的《白虎通義》

《通義》一書內容龐雜，今存四十四篇（原四十三篇，陳立補「闕文」一篇），共分四十三個經學類別，每類又分若干章。大致來說，它總括了兩漢典章制度的解釋，其中又以「禮論」居多。不需多辨，《通義》的內容多以「今學」說法為主，王新華即言：「《白虎通義》雜引經傳，閒以讖記，信多今文說。」「論尚書多用今文家言。」「《白虎通義》引詩，大皆以魯詩為主，其他則亦閒及齊詩、韓詩。」「至若春秋，《白虎通義》所採則多屬公羊說。閒引《穀梁傳》之文，但只三、四條而已。」「至其所引《禮經》《大、小戴記》，有直標其篇名，有先著禮字然後標其篇名……至其所引《周禮》部分，但五、六條而已。」[22]

《通義》固然以今說為主，但愈來愈多的研究顯示，《通義》引古說亦占一小部分，如黃彰健認為，《通義》「誅伐」類言「復仇」，是兼採《左傳》的說法；「有二處係引逸書（古文尚書）」；[23]「有三處係引穀梁傳」；「有七處提到周官」。[24]邱秀春亦羅列《通義》「引用古文經說者」，除《易》說無古學外，計有《古文尚書》、《周官》、《左傳》、《毛傳》等，[25]皆可證《通義》存有古說。

古學摻入《通義》當中，有兩種情形：一是今、古說相同，二是今、古說相異。「相同」之例，如〈嫁娶〉篇「嫁娶以春」一章：

> 嫁娶必以春何？春者，天地交通，萬物始生，陰陽交接之時也。《詩》云：「士如歸妻，迨冰未泮。」《周官》曰：「仲春之月，令會男女，令男三十娶，女二十嫁。」《夏小正》曰「二月，冠子娶婦之時」也。[26]

此引三說，見今《詩》〈邶風・匏有苦葉〉、《周禮》〈地官司徒・媒氏〉及《大戴記》〈夏小正〉。陳立《疏證》云：「此古《周禮》說及《禮》戴說也。《周禮》〈媒氏〉云：『仲春之月，令會男女』，鄭《注》：『中春陰陽交，以成昏禮，順天時也。』……《夏小正》曰：『二月，綏多士女。』交昏于仲春。」[27]此《周禮》（古學）和禮《戴》（今學）皆主婚嫁當於仲春之時，故是今、古說相同。

---

22 以上引文，見王新華：《白虎通義研究》，（臺北市：國立政治大學中國文學研究所碩士論文，1975年5月）〈第一章第二節白虎通義之主要內容〉，頁16-21。

23 金德建亦有〈《白虎通》引古文本《尚書》考〉一文，見金德建：《經今古文字考》（臺北市：貫雅文化事業公司，1991年），頁265-272。

24 上述內容，詳參黃彰健：〈白虎通與古文經學〉，《經今古文問題新論》，頁194-200。

25 詳參邱秀春：《《白虎通義》與東漢經學的發展》（新北市：輔仁大學中國文學研究所博士論文，2000年6月），〈第四章《白虎通義》引書、傳之相關問題〉之第二節「本文引用古文經說者」，頁126-132。

26 〔清〕陳立：《白虎通疏證》，卷10「嫁娶」，頁466。

27 同前注，頁466-467。

「相異」之例，如〈爵〉篇「天子即位改元」一章：

> 故《王度記》曰：「天子冢宰一人，爵祿如天子之大夫。」或曰冢宰視卿，《周官》所云也。[28]

陳立《疏證》云：「〈天官・序官〉云：『冢宰，卿一人。』《周書》〈大匡〉云：『乃召冢宰卿。』此蓋專言周制也。至《王度記》所云，則殷制。」[29]陳立以周制和殷制，來說明《王度記》和《周官》對冢宰的不同解釋。這是今、古學解釋相異之處。

不僅如此，亦有今、古既相同又相異之說，如〈諡〉篇「無爵無諡」章：

> 夫人無諡者何？無爵，故無諡。或曰：夫人有諡。夫人一國之母，修閨門之內，則群下亦化之，故設諡以彰其善惡。《春秋》曰：「葬宋共姬。」《傳》曰：「稱諡何？賢也。」（案：《公羊》襄三十年傳文）《傳》曰：「哀姜者何？莊公夫人也。」（案：《公羊》僖公二年傳文）[30]

《通義》此章對夫人有諡、無諡存有二說，陳立認為無諡是合於禮說，「或曰」認為「有諡」，是《公羊》的說法，《疏證》曰：「此今文《春秋》說也。隱元年『天王使宰咺來歸惠公仲子之賵』，何休云：『成風有諡，今仲子無諡，知生時不稱夫人。』然則稱夫人者有諡矣。……則《公羊》家凡諸侯夫人皆得有諡矣。」[31]黃彰健則進一步以為「夫人無諡」是《左傳》的說法：

> 春秋經「隱公元年秋七月，天王使宰咺來歸惠公仲子之賵。」杜注：「仲子，桓公之母。婦人無諡，故以字配姓。」孔穎達正義說：「（杜預）釋例：『婦人無外行，於禮當繫夫之諡，以明所屬』，是言婦人不合諡。」是夫人無諡，係左氏說。杜預時代在賈逵後，疑此亦襲賈逵說。白虎通此處或依賈逵說，故以公羊傳說列為或說，備參。[32]

由此可見，《通義》此處載二說：夫人無爵無諡是採《左氏》說，為正說；夫人因賢而有諡是《公羊》說，為備說。這明顯是今、古學相異的說法。然而，《通義》又在〈爵〉篇「婦人無爵」一章，載：

> 婦人無爵何？陰卑無外事。是以有三從之義；未嫁從父，既嫁從夫，夫死從子。

28 同前注，卷1「爵」，頁41。

29 同前注。

30 同前注，卷2「諡」，頁74。

31 同前注，頁74-75。

32 黃彰建：〈白虎通與古文經學〉，《經今古文問題新論》，頁199-200。

> 故夫尊于朝，妻榮于室，隨夫之行。故《禮‧郊特牲》曰：「婦人無爵，坐以夫之齒。」《禮》曰：「生無爵，死無謚。」《春秋》錄夫人皆有謚，何以知夫人非爵也？《論語》曰：「邦君之妻，君稱之曰夫人，國人稱之曰君夫人。」即令是爵，君稱之與國人稱之不當異也。[33]

今《禮記》〈郊特牲〉曰：「古者生無爵，死無謚」又曰：「故婦人無爵，從夫之爵，坐以夫之齒。」《儀禮》〈士冠禮〉末云：「死而謚，今也。古者生無爵，死無謚。」由此可見，「夫人無謚」本是今學《禮》說，《左氏》同於《禮》說而異於《公羊》。陳立《疏證》此章云：「此篇及下〈謚篇〉，並以夫人無爵無謚為正解，而附載夫人有爵謚之異說也。」[34]所謂的「異說」，就是指《公羊》說。這就表明了，對照此二章，《左氏》說固然異於《公羊》，卻與《禮》說相同；但這也表示同為今學的《公羊》和《禮》說相異，故是今、古相同又相異之說。

不論是今古相同、今古相異或既相同又相異之例，皆已看見古學滲透入官學的跡象。不可否認的是，《通義》內容絕大多數仍屬今說，古學摻入的情形仍屬少數。然而，重點不在於《通義》當中發現多少古學條例，而是會議當中，已引入「古學」作為五經歧異的依據。如此一來，對兩漢經學的發展便產生了關鍵的變化，經說不僅無法「定於一」，反而更形紛亂失序，以下再申說。

（二）會議後的紛亂經說

白虎觀會議後，經說之所以更為紛亂，除了今學自身家法分歧、章句弊病之外，「古學」扮演很關鍵的角色，亦即當武、宣以下所建立的博士官學，在引入另一套古學的標準後，原本的機制和機能便遭破壞。這其實就是范升引以為憂的問題，所謂「《京》、《費》已行，次復《高氏》，《春秋》之家，又有《騶》、《夾》。如令《左氏》、《費氏》得置博士，《高氏》、《騶》、《夾》，《五經》奇異，並復求立，各有所執，乖戾分爭。」[35]

范升擔憂「《五經》奇異，並復求立」，並非單純涉及增立博士的問題，因為增立博士，已有宣帝前例，何不能仿行呢？關鍵在於，私學一立，官學的壁壘便遭入侵。一被侵入，經學作為博士弟子乃至官員晉用的考試標準，因經說分歧而沒了「標準答案」，這對統治者及國家運作來說，是個相當嚴重的問題。章帝之後，史載：

---

33 〔清〕陳立：《白虎通疏證》，卷1「爵」，頁21-22。

34 同前注，頁22。

35 〔宋〕范曄：《後漢書》，卷36〈范升傳〉，頁1228。

> （徐）防以《五經》久遠，聖意難明，宜為章句，以悟後學。上疏曰：「臣聞《詩》《書》《禮》《樂》，定自孔子；發明章句，始於子夏。其後諸家分析，各有異說。漢承亂秦，經典廢絕，本文略存，或無章句。收拾缺遺，建立明經，博徵儒術，開置太學。孔聖既遠，微旨將絕，故立博士十有四家，設甲乙之科，以勉勸學者，所以示人好惡，改敝就善者也。伏見太學試博士弟子，皆以意說，不修家法，私相容隱，開生姦路。每有策試，輒興諍訟，論議紛錯，互相是非。……今不依章句，妄生穿鑿，以遵師為非義，意說為得理，輕侮道術，寖以成俗，誠非詔書實選本意。……臣以為博士及甲乙策試，宜從其家章句，開五十難以試之。解釋多者為上第，引文明者為高說；若不依先師，義有相伐，皆正以為非。《五經》各取上第六人，《五經》不宜射策。雖所失或久，差可矯革。」詔書下公卿，皆從防言。[36]

徐防此疏是針對考試制度所發出的建言，認為當今「博士及甲乙策試」，[37]「不依章句，妄生穿鑿，以遵師為非義，意說為得理」，解決之道在於「宜從其家章句」，並以為「解釋多者為上第，引文明者為高說」，相對地，「若不依先師，義有相伐，皆正以為非」。

徐防的意圖很是明顯，然而，若將徐防的意圖對比白虎觀會議的目的，卻是充滿矛盾、衝突。原因在於徐防上疏於和帝永元十四年（西元102年），上距召開白虎觀會議（建初四年，西元79年）二十餘年，若說博士官學經白虎觀會議而具有「國憲」性質，集今文說大成，何以徐防一開頭即認為「《五經》久遠，聖意難明，宜為章句，以悟後學」？徐防歷經明、章二帝，和帝時拜司空，必定知曉章帝召開白虎觀會議，講論《五經》同異。但他在此疏中，從孔子定詩書禮樂，講到武帝立明經、置太學，以至東漢光武立十四博士、設甲乙之科取士的貢獻，卻跳過了章帝曾召開「永為後世則」的白虎觀會議。不僅如此，徐防緊接著說博士弟子「皆以意說、不修家法」，考試時，則「興諍

36 同前注，卷44〈徐防傳〉，頁1500-1501。

37 兩漢不論是中央詔舉的賢良文學，或郡國歲舉的孝廉茂才等，皆需通過考試方得錄用。考試的方式主要分為「對策」和「射策」二種。「對策就是命題考試，射策就是抽籤考試。對策多用於考試舉士，射策多用於考試博士弟子。」「對策」，如武帝時董仲舒的〈天人三策〉、公孫弘於元光五年的對策等；「射策」，是博士弟子晉身的重要管道，初分甲、乙兩科，平帝時王莽增為甲、乙、丙三科。《漢書．儒林傳》稱博士弟子「一歲皆輒試，能通一藝以上，補文學掌故缺；其高第可以為郎中，太常籍奏。……平帝時王莽秉政，增元士之子得受業如弟子，勿以為員，歲課甲科四十人為郎中，乙科二十人為太子舍人，丙科四十人補文學掌故云。」（卷88，頁3594-3596）射策之中，以高第甲科最受矚目，西漢大臣如蕭望之、匡衡、馬宮、翟方進、何武、王嘉等，皆以射策甲科出身。及至東漢，仍沿襲射策甲、乙二科。不僅博士弟子以考試作為任用的標準，博士本身的任用亦需考試，《漢書》〈孔光傳〉載成帝時，「博士選三科，高第為尚書，次為刺史，其不通政事，以久次補諸侯太傅。」（卷81，頁3353）詳細說明，可參安作璋、熊鐵基著：《秦漢官制史稿》（濟南市：齊魯書社，1984年），〈第三編官吏的選用、考課及其各項制度〉之第三節〈考試〉，頁334-341。前引此書文，見頁335。

訟、議紛錯」，互為是非。即此顯見，白虎觀會議後，楊終所謂「章句之徒、破壞大體」的情況並沒有得到改善，經說反而更形紛亂。雖然徐防此言並無涉及「古學」問題，但可想見，章帝一再為古學開方便之門，更加重了官學的混亂失序。郜積意清楚地揭示此一意義，他說：

> 白虎觀會議和石渠閣會議的不同在于，後者的結果是分立博士，而前者則開始接納古文學。分立博士，使得師法或章句的分歧更顯劇烈，而接納古文學，則有可能破壞既成的師法系統。[38]

不論是師法分歧或師法破壞，都可說明白虎觀會議很難具有「國憲」、「法典」或「通說」的性質。徐防之例是和帝之時，若將時間拉近一些，看看章帝召開會議結束後，命曹褒「制禮」一事，更顯見其事實。〈曹褒傳〉載：

> 會肅宗欲制定禮樂，元和二年（西元85年）下詔曰……。褒知帝旨欲有興作，乃上疏曰……。章下太常，太常巢堪以為一世大典，非褒所定，不可許。帝知群僚拘攣，難與圖始，朝廷禮憲，宜時刊立，明年（86）復下詔曰……。褒省詔……遂復上疏，具陳禮樂之本，制改之意。拜褒侍中，從駕南巡，既還，以事下三公，未及奏，詔召玄武司馬班固，問改定禮制之宜。固曰：「京師諸儒，多能說禮，宜廣招集，共議得失。」帝曰：「諺言『作舍道邊，三年不成』。會禮之家，名為聚訟，互生疑異，筆不得下。昔堯作《大章》，一夔足矣。」章和元年（西元87年）正月，乃召褒詣嘉德門，令小黃門持班固所上叔孫通《漢儀》十二篇，敕褒曰：「此制散略，多不合經，今宜依禮條正，使可施行。於南宮、東觀盡心集作。」褒既受命，乃次序禮事，依準舊典，雜以《五經》讖記之文，撰次天子至於庶人冠婚吉凶終始制度，以為百五十篇，寫以二尺四寸簡。其年十二月奏上。帝以眾論難一，故但納之，不復令有司平奏。會帝崩，和帝即位，褒乃為作章句，帝遂以《新禮》二篇冠。擢褒監羽林左騎。永元四年（西元92年），遷射聲校尉。後太尉張酺、尚書張敏等奏褒擅制《漢禮》，破亂聖術，宜加刑誅。帝雖寢其奏，而《漢禮》遂不行。[39]

兩漢《禮》學的內容和傳授，可說是五經當中最為隱晦和複雜，[40]《後漢書》〈儒林傳〉載：「（前漢）德為《大戴禮》，聖為《小戴禮》，普為《慶氏禮》，三家皆立博

---

38 郜積意：《劉歆與兩漢今古文學之爭》（上海市：復旦大學歷史系博士論文，2005年4月），〈第二章石渠、白虎之會與兩漢章句學的興衰〉，頁53。

39 〔宋〕范曄：《後漢書》，卷35〈曹褒傳〉，頁1203。

40 沈文倬已有專文論述，詳參沈文倬：〈從漢初今文經的形成說到兩漢今文《禮》的傳授〉，《宗周禮樂文明考論（增補本）》（杭州市：浙江大學出版社，2006年），頁231-274。

士。……中興已後，亦有《大》、《小》戴博士，雖相傳不絕，然未有顯於儒林者。建武中，曹充習《慶氏學》，傳其子褒，遂撰《漢禮》，事在《褒傳》。」[41]三家禮傳承至東漢，唯慶氏禮獨盛，名家者，一為曹褒「父充，持《慶氏禮》，建武中為博士……作章句辯難，於是遂有慶氏學。」[42]一為董均，「博通古今，數言政事。（明帝）永平初，為博士……當世稱為通儒。累遷五官中郎將，常教授門生百餘人。」[43]至章帝時，禮學名家者獨載曹褒一人。以此可見，章帝命褒制禮，本有根源。

然而，當章帝問及班固制禮一事時，班固建議：「京師諸儒，多能說禮，宜廣招集，共議得失。」班固所言多能說禮的諸儒，至少包括白虎觀會議當中的與會諸儒，尤其《通義》一書又以禮論最多，故稱「多能說禮」。然而，會議當中的諸儒，或多《詩》、《書》、《春秋》專家，卻獨不見以《禮》學名家者（唯賈逵有《周官》的家學淵源），曹褒亦未見得與會。更關鍵的是，班固言制禮當「宜廣招集、共議得失」，這或許是個周全得宜的方式，然而，先前白虎觀會議不正是「諸儒共正經義」的作法，但到了章帝欲制禮時，卻對班固說了「會禮之家，名為聚訟，互生疑異，筆不得下」的反駁之語。可以推想，章帝在經過白虎觀會議「各有所執，乖戾分爭」（范升語）的洗禮下，想必對所謂「共議得失」的作法，是避之而唯恐不及。以是，我們才能瞭解為何當曹褒制禮完備後（百五十篇），「帝以眾論難一，故但納之，不復令有司平奏」的舉措。章帝的疑慮並非多餘，果不其然，適章帝崩、和帝即位，張酺等便「奏褒擅制《漢禮》，破亂聖術，宜加刑誅。帝雖寢其奏，而《漢禮》遂不行。」在此，似乎又看見劉歆移書太常博士事件的翻版，曹褒制禮，本是先帝（章帝）所命，何以一至和帝即位，臣下便謂「擅制《漢禮》，破亂聖術」？相同地，劉歆之所以移書，亦導源於「哀帝令歆與《五經》博士講論其義，諸博士或不肯置對」（《漢書》〈楚元王傳〉），劉歆也同樣是得到哀帝的允許，都是在帝意的應准下進行。這就表明，所謂「帝親稱制臨決」云云，效力是很薄弱了，以是劉歆求出、《漢禮》遂不行矣。

職此，從整個白虎觀會議召開的原因、與會諸儒、會議內容乃至會議後的結果，可以看出，今學的發展是江河日下，這當中「古學」不斷的衝擊今學的發展。亦可說，因博士今學不斷的衰敗，才致使古學能乘虛而入、入室操戈了。此即何休所深歎：「至使賈逵緣隙奮筆，以為《公羊》可奪，《左氏》可興……斯豈非守文持論敗績失據之過哉！」[44]不過，東漢古學的興起，卻也使得原本滯固的今學，起了不同樣態的變化，這是下節欲說明的新學風的形成。

---

41 〔宋〕范曄：《後漢書》，卷79下〈儒林列傳下〉，頁2576。

42 同前注，卷35〈曹褒傳〉，頁1201。

43 同前注，卷79下〈儒林列傳下〉，頁2577。

44 〔漢〕公羊壽傳，何休解詁，〔唐〕徐彥疏：《春秋公羊傳注疏》（臺北市：藝文印書館，1997年），〈春秋公羊傳解詁序〉，頁3-4。

四　東漢新價值學風的形成

前言曾提及，兩漢經學若過份強調今、古文的對立，會容易忽略二者的延續性，事實上，當古學漸漸抬頭，終而壓倒博士官學的過程中，並不僅是一種經說替換另一種經說而已，而是在轉換過程中，原本西漢通經致用的精神，漸為學術論辯上的「理證」所取代，繼而內縮為知識性的學術精神，此即東漢新價值學風的形成。以下即從東漢儒者論辯的基礎改變，繼之影響東漢經學的學術性格這二點來申說。

（一）從異端到兼通

在東漢新學風形成的過程中，首先值得觀察的是學者的知識背景已悄然改變，大體來說，從守一家一法到兼通今、古學，東漢學風是從「狹」到「廣」的治學規模的轉變。這種轉變可以說是東漢儒者不自覺的改變，尤其是持今學立場的學者，當古學挑戰的力道愈來愈強大時，亦不得不牽引古學，「具文飾說」以應敵。[45]以是在論辯過程中，反對古學的今學者，亦熟習了對方場域，「異端之學」無形當中融入到自我的學術規模裡。

首先可舉范升為例。前曾提及光武時，范升反對立《費氏易》、《左氏春秋》為博士，范升反對的首要理由，便是視古學為「異端」，范升曰：

> 《左氏》不祖孔子，而出於丘明，師徒相傳，又無其人，且非先帝所存，無因得立。……陛下愍學微缺，勞心經蓺，情存博聞，故異端競進。近有司請置《京氏易》博士，群下執事，莫能據正。《京氏》既立，《費氏》怨望，《左氏春秋》復以比類，亦希置立。《京》、《費》已行，次復《高氏》，《春秋》之家，又有《騶》、《夾》。如令《左氏》、《費氏》得置博士，《高氏》、《騶》、《夾》，《五經》奇異，並復求立，各有所執，乖戾分爭，從之則失道，不從則失人，將恐陛下必有猒倦之聽。……今《費》、《左》二學，無有本師，而多反異，先帝前世，有疑於此，故《京氏》雖立，輒復見廢。疑道不可由，疑事不可行。……孔子曰：「攻乎異端，斯害也已。」傳曰：「聞疑傳疑，聞信傳信，而堯舜之道存。」願陛下疑先帝之所疑，信先帝之所信，以示反本，明不專己。天下之事所以異者，

45 〈夏侯勝傳〉載：「勝從父子建字長卿，自師事勝及歐陽高，左右采獲，又從《五經》諸儒問與《尚書》相出入者，牽引以次章句，具文飾說。勝非之曰：『建所謂章句小儒，破碎大道。』建亦非勝為學疏略，難以應敵。建卒自顓門名經，為議郎博士，至太子少傅。」〔漢〕班固：《漢書》，卷75〈眭兩夏侯京翼李傳〉，頁3159。即此可知，古學未興之前，今學內部為自立門戶，就必須先應敵飾說了，這也就是後來章帝所說的：「其後學者精進，雖曰承師，亦別名家。」（《後漢書・章帝紀》）。

以不一本也。[46]

范升反對立《費》、《左》博士的論證邏輯，首先便是將古學打入「異端」之列，之所以為異端，他持「不祖孔子」、「無有本師」、「師徒相傳，又無其人」等理由，也就從源頭到傳承一系列的對古學的否定，凸顯出古學與博士官學是迴然殊途的兩類，在非我族類的視野下，今學與古學的關係，是正與反、信與疑、聖道與異端的對立性存在，若將此對立性經說納入官學體系當中，便是「不一本」的禍患來源。

范升所持的理由，其實和董仲舒當初建議武帝「罷黜百家、獨尊孔氏」的理論基礎是相同的，同樣是將六藝、孔子之術以外的百家視為「異道」、「邪辟之說」，異道之說盛行，上無以「持一統」，下無所適從，[47]同樣認為「不一本」會帶來統治上紛亂的嚴重後果。然而，「習《梁丘易》、《老子》」的范升，為了提出相關「證據」以支持他的看法，他也不得不涉獵《左氏》。接前引文，范升又言「《五經》之本自孔子始，謹奏《左氏》之失凡十四事……及《左氏春秋》不可錄三十一事。」[48]范升因反對《左氏》，而必須涉獵《左氏》，這對原以《梁丘易》為博士的范升而言，已不知不覺踏入對方的場域當中，也不知不覺悄然的改變自身的知識背景，這與劉歆之前的西漢儒者來說，是個相當不同的變化過程。

更明顯之例見李育。李育雖習《公羊春秋》，卻「頗涉獵古學」，「深為同郡班固所重」，「以為前世陳元、范升之徒更相非折，而多引圖讖，不據理體，於是作《難左氏義》四十一事」。白虎觀會議時，「育以《公羊》義難賈逵，往返皆有理證，最為通儒。」[49]李育雖是公羊大師，卻也深通《左氏》，所謂「理體」、「理證」者，皆涉及論難時必須兼涉他經的要求。經學在西漢，固然可堅守一家一法堡壘；但至東漢，若僅是守文之徒、章句小儒，是無法與人講論異同，不僅今學內部存有歧異，今學與古學更顯歧異。在「經有數家、家有數說」(《後漢書‧鄭玄傳》)以及今、古學的分歧之下，若非博貫五經、今古兼通，又如何「論難」呢？換言之，從西漢至東漢，經學的「溝通平台」已然改變了。若對照哀帝時劉歆爭立古文諸經的場景，當時古學並非人人盡識，古學不必然成為論辯的元素之一，因此，大司空師丹可用「改亂舊章，非毀先帝所立」一語，即將劉歆爭立的企圖一口回絕。時至東漢，此法不僅無法奏效亦不足以服人，今、古學雙方都必須能入室操戈、提出理證，方能破敵致勝。

事實上，對理證的要求，不僅存在於今、古學雙方的辯駁，實為東漢學者的共相。

---

46 〔宋〕范曄：《後漢書》，卷36〈范升傳〉，頁1228。

47 董仲舒在〈天人三策〉最後說：「今師異道，人異論，百家殊方，指意不同，是以上亡以持一統；法制數變，下不知所守。臣愚以為諸不在六藝之科孔子之術者，皆絕其道，勿使並進。邪辟之說滅息，然後統紀可一而法度可明，民知所從矣。」〔漢〕班固：《漢書》，卷56〈董仲舒傳〉，頁2523。

48 〔宋〕范曄：《後漢書》，卷36〈范升傳〉，頁1229。

49 同前注，卷79下〈儒林列傳下〉，頁2582。

此可舉何休、鄭玄及許慎三者為例。眾所周知，所謂「第四次今古文之爭」，定位為何休和鄭玄之爭，鄭玄本傳載：

> 時任城何休好《公羊》學，遂著《公羊墨守》、《左氏膏肓》、《穀梁廢疾》；玄乃發《墨守》，鍼《膏肓》，起《廢疾》。休見而歎曰：「康成入吾室，操吾矛，以伐我乎！」初，中興之後，范升、陳元、李育、賈逵之徒爭論古今學，後馬融答北地太守劉瓌及玄荅何休，義據通深，由是古學遂明。[50]

此段話說明古學的興起，但也點出古學興起的關鍵在於「義據通深」。「義據」就是「理證」，具體言之就是要有「著作」說明。當何休站在《公羊》學的立場，作《公羊墨守》、《左氏膏肓》及《穀梁廢疾》三書，鄭玄反駁之，繼之「發《墨守》，鍼《膏肓》，起《廢疾》」，[51]何休之所以有「入室操戈」之嘆，乃因鄭玄著書「義據通深」，並非空口白話、隨意謾罵。鄭玄和何休的論辯是如此，鄭玄與許慎亦是如此。

許慎本傳載：「初，慎以《五經》傳說臧否不同，於是撰為《五經異義》，又作《說文解字》十四篇，皆傳於世。」[52]許慎因《五經》傳、說存在優劣不同，而著《異義》一書。由此可見，在許慎之前的《白虎議奏》(《白虎通義》)絕非具有國憲性質、統一經說的效力，若是如此，許慎又何以因《五經》傳說不同而著《異義》一書。故許慎著《異義》明顯是為了仲裁經說異同優劣而作，若經說已「定於一」，則《異義》只是無的放矢。話說回來，許慎對經說的仲裁，亦非標準答案，鄭玄本傳載其論著「百餘萬言」當中，即有「《駁許慎五經異義》」一書。[53]鄭玄駁何休或可用今古文之爭的角度理解，然而，鄭玄何以對同屬古學陣營的許慎，入室操戈呢？

故由以上數例可知，東漢有識學者，不論立足於今學或古學立場，都是迴向對「理證」的極度要求，而非斤斤計較於今、古學之分界。黃彰健即云：

> 許鄭立說，均知於經典中求證據，故許或從古，而鄭則從今；許從今，而鄭則或從古。許慎所說，鄭玄有時不駁，此即表示他同意許慎的意見。此可見許鄭治學

---

50 同前注，卷35〈鄭玄傳〉，頁1207-1208。

51 何休所著三書，《隋書》〈經籍志·經籍一〉著錄「《春秋左氏膏肓》十卷」、「《春秋穀梁廢疾》三卷」及「《春秋公羊墨守》十四卷」。而鄭玄所駁三書，見《舊唐書》〈經籍上〉：「《春秋左氏膏肓》十卷何休撰，鄭玄箴」、「《春秋公羊墨守》二卷何休撰，鄭玄發」及「《春秋穀梁廢疾》三卷何休作，鄭玄釋，張靖箴」。

52 〔宋〕范曄：《後漢書》，卷79下〈儒林傳下〉，頁2588。

53 《隋書》〈經籍志·經籍一〉著錄「《五經異義》十卷後漢太尉祭酒許慎撰」，未提鄭玄駁。《舊唐書》〈經籍上〉則載「《五經異義》十卷許慎撰，鄭玄駁」，至宋時已佚，〔清〕陳壽祺輯有《五經異議疏證》三卷，皮錫瑞則有《駁五經異議疏證》十卷。案陳壽祺所輯《異義》內容，約有百則，陳氏又繫鄭玄《駁五經異義》於各則之後，通常為《異義》在前，鄭《駁》在後，亦有僅存《異義》而無鄭《駁》，僅存鄭《駁》而無《異義》等情形。

均無門戶之見。其立說均求有理證，此即其時古學為人所尊敬之最主要理由。[54]

鄭玄注經能「括囊大典，網羅眾家」，許慎立說能今古兼采，都是基於「立說均求有理證」的要求下，理證或從今、或從古，僅表示東漢學者對今、古說的優劣高低判斷，並不表示持今說者必屬今學陣營，而古學者必然以古學來反今學。陳壽祺即指出：

夫向、歆父子，猶有《左》、《穀》之違；何、鄭同室，何傷《箴膏》之作？聖道至大，百世莫殫。仁者見仁，智者見智，蘄於事得其實、道得其真而已。庸詎與夫悅甘而忌辛、賤雞而貴鶩者哉？[55]

所謂「事得其實、道得其真」者，正一語道破東漢「新學風」最重要的標誌。不論是「實」或「真」，皆是向、歆父子以迄何、鄭爭論的最高依據。固然每個人對理證的看法是「仁者見仁、智者見智」，卻不妨礙他們都是在講求證據的大傘下，各施己見、追求聖道，這可說是東漢學者呈現出有別於西漢最大的不同樣貌。

（二）從致用到知識

新學風的產生，必然致使經學在兩漢的作用有所轉變，大體來說，是從西漢的「通經致用」，轉移到東漢知識本身內部的發展，以孔門四科譬喻，是從「政事」轉變到「文學」的發展態勢。此一發展固然可從東漢中晚期外戚宦官的爭鬥、政治昏暗的角度論之，若從學術內部的脈絡來說，當經學在西漢時，不論是當作政治手段的化妝術，抑或博士弟子乃至官員晉用的敲門磚，經學與政治的關係是相當密切，如同皮錫瑞所言：「以《禹貢》治河，以《洪範》察變，以《春秋》決獄，以《三百五篇》當諫書。」[56]換言之，治河、察變、決獄等相關政治社會的「致用」舉措，都必須在「通經」的理論基礎下方得推行。[57]

然而，當古學興起後，古學因屬私學而不需負擔官學的功能，經說更不需侷限在師法家法的藩籬，只著眼於學術內部的「臧否不同」，這就表明了，原先援經以致用的戰場，轉換為經典內部的義理論爭。學術優劣是牽涉「知識性」的問題，而利祿、師法家法及考課等，是屬於「制度性」的問題。當學術上的論爭，從原先外部的制度性場域，

---

54 黃彰健：〈許慎與古文經學〉，《經今古文學問題新論》，頁220。

55 〔清〕陳壽祺：《五經異義疏證》（北京市：中華書局，2014年），〈五經異義疏證自序〉，頁5。

56 皮錫瑞：《經學歷史》，〈經學昌明時代〉，頁85。

57 夏長樸先生曾廣泛考證漢儒通經致用的眾多事證，以政治層面來說，有「諫君例」、「廢君例」、「更定制度」、「政治措施」及「仿經行事例」；以對社會影響的層面而言，有「禮制」、「斷獄事例」及「移風易俗」等。詳參夏長樸：《兩漢儒學研究》（臺北市：臺灣大學文學院文史叢刊48，1978年），頁94-141。

轉換為內部的「理證」，這對學術本身的發展固然是好事，能就理證來論高下，但原先賦予經學經國濟世、經世致用的面向，可能逐漸褪去了。尤其加上東漢黨錮之禍、朝綱昏暗的波及下，學者牽連不少，[58]更加速學者「內縮」的性格。展現在東漢的學風上，便是「私學」風氣的急速增加。根據羅義俊的考察，兩漢私人講學、私立門戶的學者，可分為三類：

> 第一類學者，當其講學時是沒有功名、沒有做官身份的布衣、處士。
> 第二類學者，其身份是正在供職的士大夫（不包括學官）。
> 第三類學者的身份為免官退職的士大夫（包括退職博士）。[59]

羅氏對此三類學者，舉例甚夥，此不贅述。簡言之，所謂私人講學者，即是排除官學以外，皆可稱為私學，如馬融師摯恂和融徒鄭玄，[60]皆是終身不宦，此固是私學；即使身份為士大夫或為退職博士者，凡非在學官講學者，亦是私學，如衛宏「從大司空杜林更受《古文尚書》」(《後漢書》〈儒林傳下〉)，則杜林雖為大司空，授衛宏屬私學。他如周防「師事徐州刺史蓋豫，受《古文尚書》」(《後漢書》〈儒林傳上〉)、侯霸「師事九江太守房元，治《穀梁春秋》」(《後漢書》卷26本傳）等，皆如此類。若略較兩漢〈儒林傳〉的差異，最大的區別便在於東漢大師門徒不可數計，皮錫瑞即言：

> 大師眾至千餘人，蔡玄著錄萬六千人，樓望諸生著錄九千餘人，宋登教授數千人，魏應、丁恭弟子著錄數千人，姜肱就學者三千餘人，曹曾門徒三千人，楊倫、杜撫、張玄皆千餘人，比前漢為尤盛。……至一師能教千萬人，必由高足弟子傳授，有如鄭康成在馬季長門下，三年不得見者，則著錄之人不必皆親受業之人矣。[61]

---

58 如荀淑子爽「後遭黨錮，隱於海上，又南遁漢濱，積十餘年，以著述為事，遂稱為碩儒。」(卷62本傳，頁2056）陳寔子紀「及遭黨錮，發憤著書數萬言，號曰《陳子》。」(同上，頁2067）鄭玄「乃與同郡孫嵩等四十餘人俱被禁錮，遂隱修經業，杜門不出。」(卷35本傳，頁1207)《後漢書》另有〈黨錮列傳〉，可詳參。

59 羅義俊：〈兩漢私人講學考略〉，收入尹達、張政烺等主編：《紀念顧頡剛學術論文集（上冊)》(成都市：巴蜀書社，1990年)，頁378-379。

60 馬融師「摯恂」,《後漢書》無傳，馬融本傳僅載：「初，京兆摯恂以儒術教授，隱于南山，不應徵聘，名重關西，融從其遊學，博通經籍。恂奇融才，以女妻之。」《後漢書》卷60上，頁1953。〔晉〕皇甫謐《高士傳》卷下載〈摯恂〉所論較詳。此處強調從摯恂、馬融到鄭玄等祖孫師徒，師徒教授皆屬私學性質，且皆可號稱為通儒。蓋私學無家法師法、考課等羈絆，學術規模必較官學廣大。

61 皮錫瑞：《經學歷史》,〈經學極盛時代〉，頁133-134。又羅義俊文章中對「授徒人數」所說更詳，見羅文頁382。必須說明的是，官、私學是制度層面，今、古學是授課內容，二者不可混為一談，但如皮錫瑞或馬宗霍在各自《中國經學史》當中，皆或多或少誤將習今學者，必歸屬為官學，馬宗霍尤是如此，說見《中國經學史》(臺北市：臺灣商務印書館，1966年)，第六篇〈兩漢之經學〉，頁52-53。

私人講學之風的炙盛，或可歸因於外部政治、局勢的動盪，「祿利之路」已非吸引士子學習的最大動因，轉而向私家學習。若就學術內部的發展來說，私學的興盛，古學的興起是其關鍵要因。因此，由西漢到東漢，由今學到古學，兩漢經學的發展，漸次從「官學」的板塊移轉到「私學」的場域，影響所及，私學以義相高、不修家法等特性，衝擊官學的規範，致使有前述徐防建請嚴守章句家法的呼聲；另一方面，私學的特性本就學術而論學術，「知識面」的成分增加，而「經世致用」的效力減弱，經學與政治的牽連成分就愈趨減低。

以是，今日學者多以為四次今古文之爭中，獨第四次鄭玄和何休之爭為純就學術上的論辯，不牽涉利祿與博士，何以如此？若不瞭解東漢新學風的形成是無法理解的，換言之，古學對「理證」要求，連帶使得學者的學術性格在致用上內縮，卻大大增加知識層面的色彩，郜積意便指出：

> 從何休、鄭玄的分歧來看，經學作為官方意識型態的「身份」有了轉移，一則分歧不再關涉到利祿，或爭立博士官的動因，二則分歧也無須由皇帝親自裁決。這使得經學之爭能夠擺脫官方意識的要求，而具備知識學的色彩。……正如鄭玄和許慎關於《五經》之異義的不同理解，是經學家個人的智識產品一樣，何、鄭之爭也可在此層面得到解釋，因為無論是何休，還是鄭玄，決定他們分歧之優劣的不再是他者的影響，而是自身對經典的理解。[62]

經學在兩漢之所以得立，其初本因政治力的緣故，故經學與政治本存有千絲萬縷的關係；然而，當經學的發展至人人皆是「仲裁者」，或外部的仲裁力量已無足輕重時，「微言大義」不再是第一要務，知識的真實與否才是他們執意之所在，這便是東漢學者講求理證所形成的新價值學風。

五　結語

自武帝立五經博士（建元五年，西元前136年）以來，兩漢經學綿延二、三百年之久，使得「經學」被視為兩漢學術的整體符號，卻易使人忽略當中的曲折變化。從西漢景武先師訓詁舉大義，到昭宣以下師法家法增立，大章句的形成，是新的一代學風；至劉歆舉古文舊書，刪減章句及古學興起等，又是新的一代學風。章句的形成，是今學競爭下的結果；而東漢削減章句，又是今學在古學威脅下的結果。

不論是今、古學者，當他們相互競爭時，其價值系統愈趨接近，如同李育要「頗涉

---

62 郜積意：《劉歆與兩漢今古文學之爭》，第四章〈經義之爭的立場與邏輯——論何休、鄭玄之爭〉，頁107。

獵古學」，范升也必須涉獵《左氏》。其結果，今、古學雙方不自覺地熟習對方的場域，也不自覺地發現雙方是立基於相同地溝通平台，今古學分界不再是重點，關鍵在於「義據」、「理證」的勝出。於是，東漢經學便形成有別於西漢經學的另一個新學風。然而，如前所言，前人論述兩漢經學時，總難擺脫兩個詮釋框架：一是今古文之爭；二是重西漢而輕東漢。今古文之爭的視野，致使兩漢經學形成一個水火不容、對立對抗的兩個經學世界，官私對立，必然使得視今學為兩漢經學的主體，忽略東漢古學如何去繼承和轉化官學，更不可能發掘東漢經學新學風產生的樣貌。

本文嘗試以章帝白虎觀會議為例，說明東漢古學如何一步步影響今學，並進而形成新一代的學風，這當中，東、西漢儒者知識背景的改變是其關鍵，從守文之徒到今古兼通，促使學者在解決經說問題的方法、視野及核心價值，已有迥然不同的態度與樣貌。東漢今學為了與古學抗衡，不得不深入敵營、踏入對方的場域當中，其競爭的結果，便是雙方的頻率愈趨一致、方法愈趨雷同，最後無形當中形塑出另一種新價值學風。王汎森先生在討論民國學風時曾說：

> 新的「價值階層」的出現吸引各地讀書人向它集中、靠攏，關心相近的問題，或以相近的方式處理問題。它不但吸引人們在「典範」下解決相關的問題，同時也吸引人們在新的「價值階層」所張起的大傘下各施聰明競爭、對抗。……競爭者之間要進行區隔，但競爭的結果往往使得人們愈來愈相像，在動態的、競爭的情況下，儘管各家存在各種或大或小的差異，但總體而言，他們其實都是在一個新「價值階層」所樹立的標準下努力地工作著，形成一部聲音有點嘈雜的大合唱，形成史家筆下的一代學風。[63]

以「異」的觀點來說，今、古文或今、古學可視為異質的存在，然而，若就整全的面貌視之，今、古學的差異與競爭，反而是形成東漢新學風的必要條件。若能從這個角度視之，東漢古學的產生，絕非僅是根據幾部「先秦古文舊書」所生成的學問，亦非對應於今學下的古學，實則它帶動了兩漢經學價值體系的轉變，「形成史家筆下的一代學風」。可惜的是，在舊有嚴分今古的視野下，東漢此一「新學風」被「今古文之爭」所掩蓋，殊為可惜。

63 王汎森：〈錢穆與民國學風〉，《近代中國的史家與史學》（上海市：復旦大學出版社，2010年），頁178-179。

西漢經學的另類戰場
——以宣元成三朝災異說之發展為例

黃啟書
臺灣大學中文系教授

提要

歷來學者根據有限文獻，對於漢代經學發展之描述，堪謂完備。然在兩漢經說文獻多半亡佚的情況下，如欲建立漢儒之經說體系，除董仲舒、京房、戴德與戴聖外，其餘儒生幾不可得。故論述多聚焦於博士家法增立，或是官員之儒生背景。

漢代崇經重儒，雖始乎武帝。不過武帝只視儒術為文飾帝國氣象的儀節而已。未必真以儒學治國。而宣帝自云漢家制度乃王霸雜用，非議時為太子之元帝純用儒術之舉。顯然表現出漢代帝王之治術立場。並不完全接受儒學。綜觀西漢經學議政之命題：前論五德歸屬、次辯鹽鐵義利，後議宗廟制度。其中讓各經學者一致大倡議論者，實為後世學者所鄙夷之災異說。因此，災異說可謂西漢純粹經學爭議之外，一個另類的學術戰場。尤其在元帝以後，西漢各個經學流派所衍生的災異說，幾已完備。正顯示經學與災異說之昌熾。如再詳加考察，更可留意西漢經學重要之轉捩點，泰半與災異說有密切關係。是以即便後人對災異說牽附荒誕，甚不苟同；亦不當漠視此一獨特之現象。否則對於西漢經學發展之論述，就恐有誤解，甚至失實。

作者基於以往對春秋公羊災異說、洪範五行傳說、京氏易學說的研究心得，以西漢宣、元、成三朝為討論核心。希望透過帝王對災異之態度、學者對災異詮釋的爭議，以及災異理論之建立，做為西漢經學史的側面觀察與再詮釋。

關鍵詞：西漢　經學　災異　元帝　劉向　京房

一　前言

皮錫瑞《經學歷史》中對經學發展分為十期：西漢武帝以下稱為「經學昌明時代」；元、成二帝至東漢則譽為「經學極盛時代」。姑不論學界對於皮氏之分期與極盛、中衰、變古等定義是否認同？但就西漢經學發展的描述而言，皮氏之說大體如實。經學由「昌明」到「極盛」，皮氏曾以二項指標來界定：其一是丞相由儒生出任；其二是太學諸生人數。[1]如再佐以與太學諸生人數增加有密切關連的博士增立，以上皆可謂元、成以後，經學極盛的客觀量化指標。然而，這是否足已反映漢代國家政策對於儒術的推崇？蓋漢代崇經重儒，雖始乎武帝。不過武帝只視儒術為文飾帝國氣象的儀節而已，未必真以儒學治國。[2]宣帝時雖廣立博士，其意乃在增立《穀梁春秋》，追孝祖考，以明即位之正統。再由宣帝自許漢家制度乃「王霸雜用」，曾非議時為太子之元帝純用儒術，必亂吾家之言。適足以顯現，漢代帝王因藉儒學以為文飾的治術立場。

歷來學者根據有限文獻，對漢代經學發展之描述，已屬完備。然在兩漢經說文獻多半亡佚的情況下，西漢儒生為後人推重者，惟陸賈、伏生、賈誼、董仲舒、司馬遷、戴德、戴聖、劉向、京房、劉歆、王莽、揚雄等數人而已。如欲再建立其經說體系，除伏生《尚書大傳》、董仲舒、京房《易》、二戴《記》外，其餘儒生幾不可得。因此大部分的經學史著作，多半留心於經學的傳授而已。至於宣帝至元帝之間漢代經學的發展如何？輒停留在石渠閣會議之表象描述，未能詳辨宣、元二朝之經學差異。[3]此豈因文獻不足徵乎？筆者以為：漢儒論學，固與今人純就學理論析不同。必要能通經致用，方克成務。[4]是以對漢儒經說的分析，除現存經傳章句外，更宜考其政務議論，方能得其全

1　〔清〕皮錫瑞著，周予同注：《經學歷史》（臺北市：漢京文化公司，1983年），頁101。

2　〔漢〕班固：《漢書》（臺北市：鼎文書局影印，1991年），頁2618-2621載漢武帝時首位以儒生身分登丞相之位的公孫弘行止云：「每朝會議，開陳其端，使人主自擇，不肯面折庭爭。於是上察其行慎厚，辯論有餘，習文法吏事，緣飾以儒術，上說之，一歲中至左內史。……元朔中，代薛澤為丞相。先是，漢常以列侯為丞相，唯弘無爵，上於是下詔曰：『朕嘉先聖之道，開廣門路，宣招四方之士，蓋古者任賢而序位，量能以授官，勞大者厥祿厚，德盛者獲爵尊，故武功以顯重，而文德以行褒。其以高成之平津鄉戶六百五十封丞相弘為平津侯。』其後以為故事，至丞相封，自弘始也。」漢武帝並非因為公孫弘的經術淳厚，而是他「習文法吏事，緣飾以儒術」，又深諳臣下事上之道。故藉由封侯公孫弘，搏取任賢崇儒的美名。本文所引《漢書》文本，悉出此書。為行文精簡，以下除特需辨證者外；唯於引文中標記頁碼，不另行加注。

3　如〔日〕瀧熊之助：《支那經學史概說》（東京市：大明堂書店，1934年），頁62-109〈西漢の經學〉。〔日〕本田成之：《中國經學史》（臺北市：古亭書屋，1975年），頁105-182〈秦漢底經學〉。馬宗霍：《中國經學史》（上海市：上海書店，1984年），頁23-60〈兩漢之經學〉大率如此。再如洪乾祐：《漢代經學史》（臺中市：國彰出版社，1996年），頁239-526之第2、3兩章〈漢代經學興起的源流背景和助力〉、〈漢代的學校圖書經學博士弟子員〉雖排比出兩漢各朝之材料，但作者並未能透過諸材料說出其中的流變。

4　《經學歷史》，頁90云：「武、宣之間，經學大昌，家數未分，純正不雜，故其學極精而有用。以《禹貢》治河，以《洪範》察變，以《春秋》決獄，以三百五篇當諫書，治一經得一經之益也。」

貌。綜觀西漢經學議政之命題：前論五德歸屬、次辯鹽鐵義利，後議宗廟制度。其中更令諸經學者各倡主張者，實為後世學者所鄙夷之災異說。災異說實可謂於石渠閣論繼承、服制等純粹經學爭議之外，西漢一個另類的學術戰場。

值得留意的是：在經學極盛的元、成二帝時期，災異說亦最為昌熾。據劉向於元帝永光元年〈條災異封事〉云「初元以來六年矣，案《春秋》六年之中，災異未有稠如今者也。」成帝元延三年〈論星孛山崩疏〉亦言「自建始以來，二十歲間而八食，率二歲六月而一發，古今罕有。」這究竟是現實真象之反映？抑或只是劉向憂念漢祚飄搖之心理作用？災異的頻仍，是否為此時災異說興盛的主因？客觀而言，元、成二朝君王為災異下詔亦較以往頻繁；藉由災異說積極議論政事之儒生，諸如匡衡、京房、翼奉、張禹、劉向、谷永等，亦較漢代初期增多；尤其西漢各個經學流派所衍生的重要災異理論著作如京房易學說、劉向《洪範五行傳論》等則多在此時提出。今人覈查災異諸說，固感其牽附荒誕。衡諸漢代，舉凡君臣詔書奏疏、史傳記載等，卻無不有災異說之痕跡，足見災異說實為構成漢代天人之學的重要成分。倘能就此特定時間，比較其不同學者間之相互競合，除可看出西漢災異說發展的脈絡；亦可由其與政治之互動，做為西漢經學的側面觀察。

筆者基於對春秋公羊災異說、洪範五行傳說、京氏易學說的既有研究心得，謹以西漢宣、元、成三朝為討論焦點，析論帝王對災異之態度與儒術升降的關連；檢討元、成之間的災異頻出的問題是否成立；兼述儒生對災異的詮釋與爭議，及其災異理論之建立。希望能透過儒生藉災異說議政的線索，做為西漢經學史的另一種思考。

二　君王態度左右災異說

「災異」作為描述天災異象之特定名目，始乎東周。[5]但至漢初，已逐漸成為一種詮釋天人關係的專門術語。[6]君主對於災異現象的重視，其實源於人類對於天災人禍驚懼的自然心理反應。即至科學發達之今日，倘驟逢地震、火災，眾人猶不免驚惶失措，

5　「災」、「異」在先秦文獻中，本用於描述災禍或怪變之事，尚無特定寓意。但至《公羊傳》則明顯將二者對舉，如言「何以書？記異也。大旱以災書，此亦旱也曷為以異書？大旱之日短而云災，故以災書；此不雨之日長而無災，故以異書也」，以及「何以書？記異也。此災菽也，曷為以異書？異大乎災也」等語，則針對同一種災害做不同等級的劃分，進而定義災與異之間對於人事的影響強度。惟此時猶未將「災異」合稱。詳參〔清〕陳立：《公羊義疏》（臺北市：臺灣商務印書館，1982年），頁986-987、1796。

6　〔漢〕陸賈著，王利器注：《新語校注》（北京市：中華書局，1997年），頁155〈明誡〉篇有「惡政生惡氣，惡氣生災異」之言。雖今本《新語》是否出漢高祖時陸賈之手？學者尚猶有質疑。但如《漢書》，頁2496〈董仲舒傳〉所載漢武帝賢良詔即言：「三代受命，其符安在？災異之變，何緣而起？」則「災異」一辭，此時應已是君臣間對於天人關係之共通語彙。

猜疑其緣由。此心理反應，自天子以至庶民，其實一也。尤其在君權神授或天命論等思維中的君主，原即是掌握溝通天人訊息，穩定天人秩序的重要角色。對於天災異象的回應，正是君王理所當然的「職責」。原始部落時期，主要是透過巫祝來了解天意；但隨著知識的增進與政府組織的繁化，天災的詮譯權，就未必掌握在方士手中。如《左傳》中士弱、士文伯等一般臣子，已可相對於申須、梓慎、裨竈等術家，提出自己對於災異事件的不同見解。[7]因此，漢代著於竹帛的《公羊傳》中對於災異名義之分析，除了是對《春秋》經文的深化；另一方面也代表儒生對天人關係，爭取發言地位的嘗試。

（一）漢初帝王的態度

徐復觀曾分析漢代博士成立與演變的階段，指出：秦代設置博士70人，雖秩卑祿薄，但因其所代表的知識，而得參與朝廷大議，深具意義。惟其目的，在於以知識參與政治，並不在發展學術。武帝時五經博士的完全成立，加強了學術的意味，並使五經取得政治上的權威地位。為博士置弟子，則博士增加以教授為業的職掌，固定的弟子員進入到政府各階層，更使得博士的影響力加大，「師法」的觀念更維繫了博士教授的合法權威。[8]如漢高祖時的陸賈或叔孫通，都必須因應帝國初創時的制度建立，提出建言，才算達於時務。考諸《漢書》〈五行志〉，高祖、惠帝、呂后之間，並不乏災異事例，且如呂后亦同先秦國君般憂心災異現象，惟恐日食乃應於己身。[9]文帝二年日食詔，更云：

> 朕聞之，天生民，為之置君以養治之。人主不德，布政不均，則天示之災以戒不治。乃十一月晦，日有食之，適見于天，災孰大焉。朕獲保宗廟，以微眇之身託于士民君王之上，天下治亂，在予一人，唯二三執政猶吾股肱也。朕下不能治育群生，上以累三光之明，其不德大矣。令至，其悉思朕之過失，及知見之所不及，丐以啟告朕。及舉賢良方正能直言極諫者，以匡朕之不逮。（《漢書》，頁116）

此為漢代之首篇針對災異而下詔自省求賢的詔書。沿襲先秦以來，認為災害異象乃是上天降罪以懲人主之失德不治的觀念，亦同時強調日食在所有災異現象中，最為嚴峻。因此下詔罪己，並積極的薦舉賢良方正，直言極諫者，以匡不逮。雖然文獻中並未看到有何儒生對於此一災異求賢詔的應對。但畏天命、慎災異、求直言等儒家災異論述的主要

---

7 楊伯峻：《春秋左傳注》（臺北市：復文圖書公司影印，改題《春秋左傳會注》，1986年），頁963-964、1287-1288、1390-1392。

8 徐復觀：《中國經學史的基礎》（臺北市：臺灣學生書局，1996年），頁69-80。

9 《漢書》，頁1501〈五行志〉云：「（高后）七年正月己丑晦，日有食之，既，在營室九度，為宮室中。時高后惡之，曰：『此為我也！』明年應。」

精神，皆已在文帝此一詔書中表露無遺。

武帝時，刻意重用儒生。雖一度受到竇太后打壓，但儒生地位已與漢初不同。五經博士於此時備立，考諸武帝賢良對策之制曰：

> 三代受命，其符安在？災異之變，何緣而起？（《漢書》，頁2496）

因有武帝一問，才引出史傳中第一篇完整的災異理論著述：董仲舒〈天人三策〉。細繹此段史實的過程，尤值得注意：董仲舒乃是被動回應武帝的制問，才將自己深研《公羊傳》所提煉災異譴告模式，藉此機會闡發出來；並非預先編造一套理論，強加在帝王的頭上，遂其儒家教化之理。但皮錫瑞《經學歷史》卻提出以下說法：

> 當時儒者以為人主至尊，無所畏憚，借天象以示儆，庶使其君有失德者猶知恐懼修省。此《春秋》以元統天、以天統君之義，亦《易》神道設教之旨。漢儒藉此匡正其主。其時人主方崇經術，重儒臣，故遇日食地震，必下詔罪己，或責免三公。雖未必能如周宣之遇災而懼，側身修行，尚有君臣交儆遺意。[10]

皮氏將災異說視作儒生用以制衡君權之制作。此一觀點，後世學者率多沿襲，[11]大陸學者尤為津津樂道。[12]然若繹史料原委，便知此種說辭，實不合情理。蓋在儒學尚未被官方推重時，文帝已因災異而求賢，自是文帝心中先有天象示警，修德省過的觀念；武帝制問中凡言符瑞、言災異、言更化，亦是武帝心中先有一受天明命，敬畏天威的想法，儒生的災異論述才可能起得了作用。[13]倘若說儒生編造了一個制衡君權的災異譴告假說，迫使君王接受。那亦必是儒生勢力足以左右政局時，才可能以「天命適足畏」、「祖制不可改」等主張，企圖對抗剛愎自用的君王或權相；但這豈是漢初朝局的實況？皮氏等人的假說，未免以今律古。申言之：所謂災異說者，當是建築在君臣共同接受的「天人感應」信仰之下，試圖透過外在呈顯的規律，鑑往以知來。假使漢代君主不接受這種天人觀念，即便儒生再如何費盡唇舌，盡屬空談。

---

10 《經學歷史》，頁106。

11 如陳柱：《公羊家哲學》（臺北市：臺灣中華書局，1980年），頁110上云：「漢之儒者，喜言災異感應，大儒如董仲舒、劉向之徒，尤工言焉。斯則漢代君權太重，故借天地神權，冀稍殺君主之淫威。其立意固亦無惡，然流風所扇，學者趨之，遂以災異之感應說經。斯則錮蔽民智，窒塞真理，不能不辭而闢之者矣。」

12 如孫筱：《兩漢經學與社會》（北京市：中國科會科學出版社，2002年），頁316-328便倡言祥瑞與災異是經學限制君權的方法。甚至說到「漢代經師經過整理民間迷信的思想，創造出天人合一的概念，其真實的目的在於提煉祥瑞說與災異說，並借以對被他們無窮放大的君權予以限制。」

13 〔清〕趙翼：《廿二史劄記》（北京市：中國書店，1990年），頁25-26「漢詔多懼詞」條，歷引兩漢災異詔書即認為：「以上諸詔，雖皆出自繼體守文之君，不能有高、武英氣。然皆小心謹畏，故多蒙業而安。兩漢之衰，但有庸主而無暴君，亦家風使然也。」

據《漢書》所載：武帝建元五年備立五經博士，推興儒學；元光元年公孫弘應賢良詔而出；[14]元朔五年公孫弘為相時，請為博士置弟子員五十人，並議定博士弟子來源與通經藝補卒吏等職，於是公卿大夫士吏多文學之士。與此同時，漢代災異學說亦始肇興，董仲舒於賢良對策中，依託春秋公羊家言提出一套災異譴告模式。後雖因公孫弘之排擠，屢出為驕王之相，又曾中廢為中大夫。但其居家所著《災異之記》中，載有推度建元六年遼東高廟災之言，為漢代儒生以災異議政之始。[15]故《漢書》稱其「始推陰陽，為儒者宗」。董仲舒死後而有夏侯始昌，亦以明於陰陽著稱，曾預言柏梁臺災而應。族子夏侯勝亦從其受《尚書》及《洪範五行傳》，倡說災異。《洪範五行傳》被輯入今本《尚書大傳》中，是否皆為伏生所作？學者尚有歧見。[16]但由〈五行志〉與〈眭兩夏侯京翼李傳〉多只標舉夏侯始昌與夏侯勝二人而未及伏生的情形判斷，即便伏生或曾就〈洪範〉材料提出一套災異對應體系，但夏侯始昌才算真正使《洪範五行傳》落實在災異議政的首位《尚書》學者。〈眭兩夏侯京翼李傳〉雖云：「自董仲舒、韓嬰死後，武帝始得始昌，甚重之。」(《漢書》，頁3154）但無論史傳或今本《韓

14 《漢書》，頁161〈武帝紀〉云「董仲舒、公孫弘等出焉。」但頁2495〈董仲舒傳〉則云「武帝即位，舉賢良文學之士前後百數，而仲舒以賢良對策焉。」又云「舉茂才、孝廉（事在元光元年）皆自仲舒發之。」則似對策之時在建元元年。甚至公孫弘本傳中，無論《史記》或《漢書》於其第二次對策皆在元光五年，而非元年。正因《漢書》記載之矛盾，使後世學者各執一辭，如〔宋〕司馬光編，胡三省注：《資治通鑑》(臺北市：洪氏出版社影印，1974年），頁556即據上述理由，將董仲舒對策之年繫於建元元年。〔南宋〕洪邁：《容齋隨筆》（上海市：上海古籍出版社，1996年），《續筆》卷6，頁286-287「漢舉賢良」條則繫於元光元年，今人如施丁、周桂鈿多支持此說。又王葆玹：《西漢經學源流》(臺北市：東大圖書公司，1994年6月），頁137-146則別立異說，以為對策於元朔5年。

15 〔漢〕司馬遷：《史記》(臺北市：洪氏出版社影印，1974年），頁3127-3128。並參《漢書》，頁2496-2525。

16 〔清〕王鳴盛：《十七史商榷》(臺北市：鼎文書局影印，1979年。《王鳴盛讀書筆記十七種》本），頁109以為《洪範五行傳》為伏生所作。《廿二史劄記》，頁24趙翼則直言該《傳》為夏侯始昌所作。徐復觀：《中國人性論史：先秦篇》(臺北市：臺灣商務印書館，1994年），頁587〈陰陽五行及其有關文獻的研究〉則因見今本《春秋繁露》有〈五行五事〉，故論斷將〈洪範〉之五行與五事相配乃始於董仲舒，後復由今文尚書家（夏侯始昌）採入《大傳》。張兵：《〈洪範〉詮釋研究》(濟南市：齊魯書社，2007年1月），頁27-33亦批評徐復觀認為屬夏侯始昌之說，而認為歐陽氏之學言災異。並舉倪寬對策有「精神所鄉，徵兆必報；天地并應，符瑞昭明」，是與《尚書》〈洪範〉的庶徵有關。再舉元帝時的平當「每有災異時，輒傳經術，言得失」，藉此說明《洪範五行傳》本即是伏生《尚書大傳》的一篇，為歐陽與大小夏侯兩派共同傳習。程元敏：〈兩漢《洪範五行傳》作者索隱〉,《孔孟學報》第85期（2007年），頁159-191則辨駁近人懷疑《洪範五行傳》作者諸說，仍主張《洪範五行傳》實為伏生所作，即今《漢書》〈五行志〉所見引述者。蘇德昌：《〈漢書·五行志〉研究》(臺北市：臺灣大學中文所博士論文，李偉泰教授指導，2011年），頁76則作調和之論，以為：只能確認夏侯始昌時已見《洪範五行傳》，始昌「善推」、「所傳」與〈五行志〉所引「傳曰」之傳本，亦有極大可能為始昌個人述作。惟此架構應非始昌一人所成，而屬伏生以來西漢《尚書》學與災異學合流之後的產物。

詩外傳》皆看不出韓嬰以災異解詩的線索；班固因劉向、劉歆父子著作，於〈五行志〉中推溯災異理論之源，而舉《周易》、〈洪範〉，但武帝時亦尚未出現易學一系的災異說。換言之，災異說對於五經的滲透並未及全面。

（二）宣帝利用災異說

董仲舒、夏侯始昌先後以藉用《春秋》、《尚書》之經義，發展出災異詮釋之說，並用於議論朝政是非；但災異說並不因此持續發展。如董仲舒推論建元六年遼東高廟、長陵高園殿災，草稿為主父偃嫉而竊之，上奏於朝廷。武帝召諸儒議之，「以為大愚，於是下仲舒吏，當死，詔赦之，仲舒遂不敢復言災異。」董仲舒此條災異詮釋，不只干犯擅議宗廟之罪，又當妖言之令。[17]所謂「不敢復言災異」，則對以董仲舒所主的春秋公羊災異說，實為一大打擊。昭帝時，董仲舒再傳弟子眭孟為符節令。針對元鳳三年泰山有大石自立、昌邑有枯社木臥復生、上林苑大柳樹斷枯臥地亦自立生，且有蟲食樹葉成文字曰「公孫病已立」等事。乃推《春秋》之意，以為當有從匹夫為天子者。復引先師董仲舒之言為據，認為漢帝宜求索賢人，禪以帝位。當時昭帝自八歲即位至此已八年，惟尚未加元服，故〈眭兩夏侯京翼李傳〉稱其「幼」。秉政之大將軍霍光惡眭孟之言，以其妄設祆言惑眾，大逆不道而誅之。數年後，昭帝崩，昌邑王嗣立。夏侯勝以《洪範五行傳》說「天久陰而不雨，臣下有謀上者。」昌邑王謂勝作妖言，縛以屬吏。其時霍光與車騎將軍張安世正謀廢昌邑王，以為事洩，召問夏侯勝，勝對以《洪範傳》語。霍光等大驚，因此益重經術儒士。眭、夏侯二人各因仲舒、始昌之學而推言災異，或誅或囚。是妖言之令雖未盡廢，然由霍光之「益重經術士」，儒生以災異議政之風已漸開。再則，本傳載夏侯勝常謂諸生云：「經術苟明，其取青紫如俛拾地芥耳。」夏侯氏雖曾教授太后《尚書》，但由本傳觀之，則所謂「經術」者，未必不是《洪範五行傳》的災異說。

宣帝由民間而登大寶，眭孟當年對「災異」之預言，竟成為宣帝即位之吉兆。因此即位後乃徵眭孟之子為郎，除為其平反外；更重要的是強化宣帝君權乃天命所歸，無庸置疑。再觀宣帝甘露三年石渠閣會議事，〈宣帝紀〉與〈儒林傳〉云：

> 詔諸儒講五經同異，太子太傅蕭望之等平奏其議，上親稱制臨決焉。迺立《梁丘

---

17 《漢書》，頁3125〈韋賢傳〉云：「初高后時，惠臣下妄非議先帝宗廟寢園官，故定著令，敢有擅議者棄市。至元帝改制，蠲除此令。成帝時以無繼嗣，河平元年復復太上皇寢廟園，世世奉祠。昭靈后、武哀王、昭哀后并食於太上寢廟如故，又復擅議宗廟之命。」又頁96云：「（高后）元年春正月，詔曰：『前日孝惠皇帝言欲除三族罪、妖言令，議未決而崩，今除之。』」但文帝前元二年、宣帝時路溫舒上疏，甚至西漢末年哀帝时，猶詔除誹謗詆欺之法。是以終西漢一代，誹謗妖言之令，恐未盡罷。

易》、《大小夏侯尚書》、《穀梁春秋》博士。(《漢書》，頁272)

初，《書》唯有歐陽，《禮》后，《易》楊，《春秋》公羊而已。至孝宣世，復立《大小夏侯尚書》，《大小戴禮》，《施》、《孟》、《梁丘易》，《穀梁春秋》。(《漢書》，頁3620-3621)

考察《漢書》諸傳所述，石渠閣會議之前，博士至少有以下數人：《易》有田王孫、施讎；[18]《書》有張生、歐陽高、歐陽地餘、林尊、孔霸（大夏侯所傳）、張山拊（小夏侯所傳）；《詩》之魯詩有孔安國等人、江公、張長安、薛廣德，齊詩有轅固生、后蒼，韓詩有韓嬰、韓商；《禮》有戴聖；《春秋》之公羊有胡毋生、董仲舒、嚴彭祖，穀梁有瑕丘江公之孫。其中施讎、歐陽地餘、林尊、張山拊、張長安、薛廣德、戴聖、嚴彭祖等人，更以博士身分與會石渠。因此〈宣帝紀〉所稱在石渠會後「迺立《梁丘易》、《大小夏侯尚書》、《穀梁春秋》博士」者，實質上只有以黃門郎身分奉使問諸儒的梁丘臨而已。〈儒林傳〉則於《穀梁春秋》博士興廢原委，敘之特詳。蓋宣帝是「聞衛太子好《穀梁春秋》」；故先後擢蔡千秋、江公之孫為博士，又令劉向、周慶、丁姓以待詔助之。石渠閣中平《公羊》、《穀梁》同異，當時《公羊》博士嚴彭祖及侍郎申輓、伊推、宋顯等與《穀梁》議郎尹更始、待詔劉向、周慶、丁姓等，相較並論。但因《公羊》家多不見從，雙方又增內侍郎許廣（公羊）、中郎王亥（穀梁）各五人，議三十餘事。太子太傅蕭望之等十一人各以經義對，乃多從《穀梁》。「由是《穀梁》之學大盛。慶、姓皆為博士。」(《漢書》，頁3618）相比於《大小夏侯尚書》與《梁丘易》，並未增員再議。足見議立《穀梁》乃為實踐宣帝主觀好惡，《穀梁》未必於經義為勝。類似這種推尊祖上的動作，一如登基之初即議太子據諡號，為置園邑；次年復尊孝武廟為世宗廟，奏《盛德》、《文始》、《五行》之舞等舉措一般。雖〈儒林傳〉載：「昭帝時舉賢良文學，增博士弟子員滿百人，宣帝末增倍之。」但正如標舉《穀梁》，導致諸經各家分立。[19]再觀〈元帝紀〉記載：

（元帝）八歲，立為太子。壯大，柔仁好儒。見宣帝所用多文法吏，以刑名繩下，大臣楊惲、蓋寬饒等坐刺譏辭語為罪而誅，嘗侍燕從容言：「陛下持刑太深，宜用儒生。」宣帝作色曰：「漢家自有制度，本以霸王道雜之，奈何純任德教，用周政乎！且俗儒不達時宜，好是古非今，使人眩於名實，不知所守，何足委任？」乃歎曰：「亂我家者，太子也！」由是疏太子而愛淮陽王，曰：「淮陽王明察好法，宜為吾子。」(《漢書》，頁277）

---

18 《史記》，頁3127云「要言《易》者本於楊何之家」，《漢書》，頁3597則改為「要言《易》者本之田何」。如由施、孟、梁丘三家而論，則《漢書》之說近是。

19 在漢初《詩》已見齊、魯、韓三家。但宣帝以後，《易》分施、孟、梁丘；《書》分歐陽、大小夏侯；《禮》分后、大小戴；《春秋》分公羊、穀梁。皮錫瑞即批評是「分所不必分者。」

宣帝向重循名責實的法家治術，故愛「明察好法」的淮陽王；而疏「柔仁好儒」的元帝。其不信從儒學的態度，表露無遺。所謂石渠閣等廣立諸經、增博士弟子員等，皆不脫其政治運作。

宣帝假託儒術的策略，又可由其面對災異的態度得到旁證。宣帝於本始4年郡國四十九地震、地節3年地震，二度因災異而詔舉直言極諫者以匡不逮，一如文帝之災異詔。但自地節2年霍光卒後，宣帝親政，乃詔令群臣「得奏封事，以知下情」。〈霍光傳〉稱：

> 時霍山自若領尚書，上令吏民得奏封事，不關尚書，群臣進見獨往來，於是霍氏甚惡之。(《漢書》，頁2951)

換言之，宣帝親政時雖猶優柔霍氏，但已透過封事的上奏，架空霍氏對朝政的影響。因此，張敞便假上封事之機，據《春秋》義歷陳霍光秉政以來諸多災異云：

> 故仲尼作《春秋》，跡盛衰，譏世卿最甚。乃者大將軍決大計，安宗廟，定天下，功亦不細矣。夫周公七年耳，而大將軍二十歲，海內之命，斷於掌握。方其隆時，感動天地，侵迫陰陽，月朓日蝕，晝冥宵光，地大震裂，火生地中，天文失度，祅祥變怪，不可勝記，皆陰類盛長，臣下顓制之所生也。朝臣宜有明言，曰：陛下褒寵故大將軍以報功德足矣。間者輔臣顓政，貴戚太盛，君臣之分不明，請罷霍氏三侯皆就弟（第）。及衛將軍張安世，宜賜几杖歸休，時存問召見，以列侯為天子師。(《漢書》，頁3217-3218）

宣帝親政納諫詔書，本不為災異而發。張敞封事卻假此機會，援引春秋公羊災異說之「陰氣過盛，乃臣下專制之象」。宗旨不外伸張君權，極力抨擊霍氏一族專政之弊。傳稱宣帝「甚善其計」可知，朝臣以災異言事的禁忌，在宣帝親政後逐漸開放，甚至得到君王的重視與獎掖，蓋正符合宣帝本人的政治利益故也。[20]

宣帝又有一特點，即強調祥瑞勝於災異。自古君王莫不期盼天降祥瑞，以示聖治。武帝賢良制詔便詢問「三代受命，其符安在？」，又強調云：

> 伊欲風流而令行，刑輕而奸改，百姓和樂，政事宣昭，何修何飭而膏露降，百穀谷登，德潤四海，澤臻屮木，三光全，寒暑平，受天之祜，享鬼神之靈，德澤洋溢，施虖方外，延及群生？(《漢書》，頁2496-2497）

故武帝一朝屢為所謂祥瑞，命樂府作歌詠之，甚而改元。[21]誠然，〈洪範〉中休徵、咎

---

20 地節四年七月，大司馬霍禹謀反。宣帝遂得一舉拔除了朝中霍氏一族的勢力，並廢去皇后霍氏。

21 作歌者，如元狩元年《白麟之歌》、元鼎四年《寶鼎》、《天馬之歌》、元封二年《芝房之歌》、太始三年《朱雁之歌》等。改元者，如元狩、元鼎即是。

徵對舉。但《春秋》中對所謂獲麟一事，乃以為不當現而現，是重災異甚於祥瑞。故董仲舒〈天人三策〉答覆武帝制問，對於受命之符，只就《尚書》所言「白魚入於王舟，有火復於王屋，流為烏」，輕描淡寫。卻據《公羊傳》釋「元年春王正月」義，強調王者當承天意以從事，故任德教而不任刑。並云：

> 臣謹案《春秋》謂一元之意，一者萬物之所從始也，元者辭之所謂大也。謂一為元者，視大始而欲正本也。《春秋》深探其本，而反自貴者始。故為人君者，正心以正朝廷，正朝廷以正百官，正百官以正萬民，正萬民以正四方。四方正，遠近莫敢不壹於正，而亡有邪氣奸其間者。是以陰陽調而風雨時，群生和而萬民殖，五穀孰而屮木茂，天地之間被潤澤而大豐美，四海之內聞盛德而皆徠臣，諸福之物，可致之祥，莫不畢至，而王道終矣。(《漢書》，頁2502-2503）

此即春秋公羊災異說的核心精神。然而以宣帝在位二十五年中，本紀凡載災異十一事（如再計災異詔所述及者，凡14事），災異詔則有五道。相對的，鳳凰、神爵、黃龍等祥瑞凡七見（如再計祥瑞詔所述，則14見），而祥瑞詔便有八道之多。如下兩例：

> （元康元年）乃者鳳皇集泰山、陳留，甘露降未央宮。朕未能章先帝休烈，協寧百姓，承天順地，調序四時，獲蒙嘉瑞，賜茲祉福，夙夜兢兢，靡有驕色，內省匪解，永惟罔極。《書》不云乎？「鳳皇來儀，庶尹允諧。」其赦天下徒，賜勤事吏中二千石以下至六百石爵，自中郎吏至五大夫，佐史以上二級，民一級，女子百戶牛酒。加賜鰥寡孤獨、三老、孝弟、力田帛。所振貸勿收。
>
> （神爵元年）朕承宗廟，戰戰慄栗，惟萬事統，未燭厥理。乃元康四年嘉穀、玄稷降于郡國，神爵仍集，金芝九莖產於函德殿銅池中，九真獻奇獸，南郡獲白虎、威鳳為寶。朕之不明，震於珍物，飭躬齋精，祈為百姓。東濟大河，天氣清靜，神魚舞河。幸萬歲宮，神爵翔集。朕之不德，懼不能任。其以五年為神爵元年。賜天下勤事吏爵二級，民一級，女子百戶牛酒，鰥寡孤獨、高年帛。所振貸物勿收。行所過毋出田租。(《漢書》，頁253-254、259）

詔書中雖自謙未能章明先帝功業，惟恐不能勝任祥瑞，故赦天下、賜民爵。實則引經據典，並歷數祥異之事，自揚之情，躍然紙上。趙翼《廿二史劄記》「兩漢多鳳凰」條便點出：

> 兩漢多鳳凰，而最多者，西漢則宣帝之世，東漢則章帝之世。
>
> 案：宣帝當武帝用兵勞擾之後。昭帝以來，與民休息，天下和樂。章帝承明帝之吏治肅清，太平日久。故宜皆有此瑞。然抑何鳳凰之多耶？觀宣帝紀年，以神爵、五鳳、黃龍等為號。章帝亦詔曰：「乃者，鸞鳳仍集，麟龍並臻，甘露宵

降，嘉穀滋生。」似亦明其得意者。得無二帝本喜符瑞，而臣下遂附會其事耶？案：宣帝時，黃霸守潁川，潁川鳳凰尤數見。後霸入為丞相，會有鶡雀自京兆尹張敞舍，飛集丞相府。霸以為神爵，欲奏聞，後知從敞舍來，乃止。當日所謂鳳凰者，毋乃亦鶡雀之類耶？[22]

君上有好者，臣民必因而逢迎之。宣帝數頒祥瑞之詔，無寧是一種自我表彰聖主仁政的宣示。臣下再加以附會虛報，便渲染出一個太平治世。因此，無論是儒術，或是其中的災異（祥瑞）說，皆被宣帝玩弄於股掌之上。

（三）元帝崇儒的影響

皮錫瑞稱元帝以下為「經學極盛時代」，而不始於分立博士的宣帝朝，極具眼光。案〈百官公卿表〉云：

博士，秦官，掌通古今，秩比六百石，員多至數十人。武帝建元五年初置五經博士，宣帝黃龍元年稍增員十二人。(《漢書》，頁726)

從宣帝石渠閣會議同時與會的博士中，《書》有歐陽地餘、林尊（歐陽氏傳）、張山拊（小夏侯傳）；《詩》之魯詩有張長安、薛廣德，足見當時一經博士不限一人。故「增員十二人」，不當如王國維〈漢魏博士考〉釋為「增員至十二人。」[23]而是在原有經數及博士人數上，至少加入大戴禮、孟喜易、梁丘易等家；尤其與會的穀梁學者待詔周慶、丁姓等，皆升為博士。益證各經諸家博士，皆非獨一人而已。對應博士之增員，宣帝末年（當即黃龍元年）博士弟子員亦由百人增倍至二百人。相較之下，元帝朝所惟增立京氏易一家，史傳未詳博士員額有何增多。[24]但〈儒林傳〉稱：

元帝好儒，能通一經者皆復。數年，以用度不足，更為設員千人，郡國置《五經》百石卒史。成帝末，或言孔子布衣養徒三千人，今天子太學弟子少，於是增弟子員三千人。歲餘，復如故。(《漢書》，頁3596)

即元帝優遇儒生，原意欲使能通一經者，俱免除其徭役。數年後因現實考量，改設博士弟子員凡千人，仍五倍於宣帝朝，成帝時更增為三千人。考〈百官公卿表〉郎中令之屬官有大夫、郎、謁者，又期門、羽林皆屬焉。其中郎掌守門戶，多至千人；期門掌執兵

22 《廿二史劄記》，頁38-39。

23 王國維：《觀堂集林》(北京市：中華書局，1991年)，卷4，頁8-10。湯志鈞等：《西漢經學與政治》(上海市：上海古籍出版社，1994年)，頁136-137即採此說。

24 《漢書》並未詳載元帝立京氏易之時間，惟〈儒林傳〉稱「房授東海殷嘉、河東姚平、河南乘弘，皆為郎、博士。繇是《易》有京氏之學。」

送從，多至千人。（《漢書》，頁727）換言之，元帝時博士弟子人數已與郎官或侍衛虎賁之士相當。何況依公孫弘當時之設計，諸博士弟子未來更將成為吏員的主要來源，甚至參與朝政。以元帝時所立的京氏易主角，京房（初元四年以孝廉為郎，後出魏郡太守）、弟子任良、姚平（中郎，後或為博士），皆出於郎官可證。皮錫瑞盛稱：

> 漢初不任儒者，武帝始以公孫弘為丞相，封侯，天下學士靡然鄉風。元帝尤好儒生，韋、匡、貢、薛，並致輔相。自後公卿之位，未有不從經術進者。[25]

是公卿以儒生居之，自元帝朝為盛。大陸學者承載試圖為「不甚從儒」的宣帝翻案，認為宣帝朝對政府各級官吏的任用，經學之士逐漸占據了重要的位置。其舉宣帝朝為丞相、御史大夫等七人為證；又言宣帝起用不少當朝大儒為皇室教官。認為如果宣帝正如他教訓太子那樣，恐怕不會在他的朝廷中容納這些人。[26]筆者以為：宣帝未立之前，曾受《詩》、《論語》與《孝經》。尤其武帝以來，能通一經之儒生，對於朝廷詔令之明布諭下，以及地方宣德教化，確有助益。因此對於太子之養成，仍需仰賴大儒教導。只是儒生「不達時宜，好是古非今」，對於講究王霸雜用之帝王心術的宣帝，並不足以專任之。再據《漢書》覆核承氏所言七人：韋賢、丙吉、杜延年皆為擁立有功者；魏相與丙吉相善，參與推倒霍氏，「宣帝善之，詔相給事中，皆從其議。」而丙吉、黃霸、于定國、杜延年等皆為獄吏或學律令出身。至於陳萬年者，史稱其「然善事人，賂遺外戚許、史，傾家自盡，尤事樂陵侯史高。」（《漢書》，頁2899）易言之，除蕭望之外，其餘不是參與擁立及戚族一黨，便是兼明儒經與律令之吏。無不與其政治勢力與政策主張相符。[27]準此，若遽言宣帝重用經學之士，或言過其實矣。

至於元、成二帝重儒術經生，史傳斑斑可考，無庸一一詳舉。蓋元帝即位初秉政權，故對太子太傅、少傅等人多有仰賴，另一方面亦是個人性格不如宣帝之明察決斷所致。然而與此同時，災異相關之詔令、經生的議政奏疏，乃至於災異理論，卻亦大量湧現，值得留意。就災異詔數量而言，據吳青統計：西漢皇帝因災異所下罪已詔書凡二十八條，其中宣帝朝四條、元帝朝十條、成帝朝九條，元、成二朝合計超過一半有餘。[28]如將一般災異詔皆計入，則宣帝朝六條、元帝朝十條、成帝朝十二條，總計三十七條中元、成二朝合計更佔近六成。足見元、成二朝的確為西漢災異詔書最為密集之期間。試

25 《經學歷史》，頁101。

26 《西漢經學與政治》，頁220-223。該書由湯志鈞等四人合著，本文所引述者，悉出承載所撰。

27 《漢書》，頁3273〈蕭望之傳〉載霍光薨後，霍子禹為大司馬，霍山領尚書，親屬皆宿衛內侍。地節三年夏京師雨雹，蕭望之乃上疏願口陳災異之意。其旨以為陰陽不和，是大臣任政，一姓擅勢之所致也。對奏，宣帝拜其為謁者。其後霍氏竟謀反誅，望之寖益任用。故亦是主張宣帝應「躬萬機，選同姓，舉賢材，以為腹心，與參政謀」的擁戴者。

28 吳青：〈災異與漢代社會〉，《西北大學學報（哲學社會科學版）》總88期（1995年），頁40中統計，西漢皇帝因災異所下罪己詔書凡28條。

觀元帝初元三年六月詔云：

> 蓋聞安民之道，本繇陰陽。間者陰陽錯謬，風雨不時。朕之不德，庶幾群公有敢言朕之過者。今則不然，媮合苟從，未肯極言，朕甚閔焉。
>
> 百官各省費。條奏毋有所諱。有司勉之，毋犯四時之禁。丞相、御史舉天下明陰陽災異者各三人。（《漢書》，頁284）

此詔與前引文帝災異詔相較，更特意點明徵舉求通曉陰陽災異之士。可見元帝時，災異說已可裨益仕進矣。是以班固即稱此時「於是言事者眾，或進擢召見，人人自以得上意。」當此風潮下，儒生各逞所學，藉災異抒發對政事之批評，災異議政之禁忌可謂正式解除。這些儒生，如眾所周知的劉向、劉歆、翼奉、京房外，尚有李尋、谷永、杜鄴等，史料所及尚不下二十餘人。相較於武、宣二朝，不可同日而語。當此諸家爭衡時，更促使了災異理論的發展。如宣帝時有魏相的月令說，元帝以後劉向、劉歆父子便於前人基礎上，各自撰作《洪範五行傳論》。[29]甚至翼奉的齊詩災異說、京房之易學說等亦相繼出現，可謂盛況空前。原先肇始於《春秋》、《尚書》〈洪範〉的災異說，至此五經幾全沾染災異色彩。而這正是東漢班固修史時，何以增入〈五行志〉之主要原因之一。[30]

三　災異說與漢代政局

元、成二帝期間，博士暨弟子員都達到西漢的巔峰。在朝公卿乃至於地方吏員，亦多為通經的儒生。因此當元、成二帝對於災異現象憂心忡忡時，災異說便成為儒生另類的發聲管道。分析元帝的災異詔，更可以看出君王對於儒生的期望，甚至切責。西漢詔書自武帝元朔元年立皇后衛氏詔中引用《易》、《詩》之語後，屢有引述五經者。但元帝時，則始用諸災異詔中，如初元元年四月、初元五年四月、永光四年六月等詔即是；成帝法之，如建始元年二月、河平元年四月、陽朔二年春、陽朔四年正月、鴻嘉元年二月等詔亦然。其中河平元年日食詔更云：

> 朕獲保宗廟，戰戰慄栗，未能奉稱。《傳》曰：「男教不修，陽事不得，則日為之蝕。」天著厥異，辜在朕躬。公卿大夫其勉，悉心以輔不逮。百寮各修其職，惇任仁人，退遠殘賊。陳朕過失，無有所諱。（《漢書》，頁309）

---

29 〔清〕姚振宗：《漢書藝文志拾補》（臺北市：臺灣開明書店，1959年。《二十五史補編》本），頁8考察〈五行志〉引中所引劉歆言論，認為其當有《洪範五行傳》之著作，並定名為劉歆《洪範五行傳記》。今為行文之便，故仍將向、歆父子之災異著作，統稱為《洪範五行傳論》。

30 黃啟書：〈《漢書．五行志》之創制及其相關問題〉，《臺大中文學報》第40期（2013年3月），頁150-154。

所稱《傳》者，見今本《禮記》〈昏義〉。可知此時，儒家經傳已成為漢代君王施政，乃至於面對災異的引述標準。掌握經典詮釋權的博士、儒生豈有不加以應對者。如下列諸詔中，元帝便數度切責臣下應就災異發生之原因進諫，以求弭災。

> 陰陽不和，其咎安在？公卿將何以憂之？其悉意陳朕過，靡有所諱。（初元2年）
> 不燭變異，咎在朕躬。群司又未肯極言朕過，以至於斯，將何以寤焉！……朕之不德，庶幾群公有敢言朕之過者，今則不然。偷合苟從，未肯極言，朕甚閔焉。（初元3年）
> 朕戰戰慄栗，夙夜思過失，不敢荒寧。惟陰陽不調，未燭其咎，婁敕公卿，日望有效。至今有司執政，未得其中，施與禁切，未合民心，（永光2年）
> 自今以來，公卿大夫其勉思天戒，慎身修永，以輔朕之不逮。直言盡意，無有所諱。（永光4年）

甚而在朝臣之外，再徵舉直言極諫、明陰陽災異者，如初元二年、三年及永光二年皆是。面對災異之弭平，除了君臣省過修政，節用省兵，並對受災人民存問、賑濟、恤刑、大赦等等。初元五年詔則云：

> 罷角抵、上林宮館希御幸者、齊三服官、北假田官、鹽鐵官、常平倉。博士弟子毋置員，以廣學者。賜宗室子有屬籍者馬一匹至二駟，三老、孝者帛，人五匹，弟者、力田三匹，鰥、寡、孤、獨二匹，吏民五十戶牛酒。（《漢書》，頁285）

參考〈儒林傳〉「平帝時王莽秉政，增元士之子得受業如弟子，勿以為員」。則元帝詔書中，相對於齊三服官、北假田官、鹽鐵官之罷除；博士弟子反而不限員額，故云「以廣學者」。災異詔中類似這種對儒生的優遇，極為罕見；況且詔書中對於宗室子、三老、孝弟力田者，乃至鰥寡孤獨以及吏民無不廣宣恩惠。但此詔書除更彰顯元帝對儒學之獎掖，某種意義上亦強調博士等人不能自外於災異，只顧傳經課試而已。如建昭四年詔云：

> 朕承先帝之休烈，夙夜栗栗，懼不克任。間者陰陽不調，五行失序，百姓饑饉。惟烝庶之失業，臨遣諫大夫博士賞等二十一人循行天下，存問耆老、鰥、寡、孤、獨、乏困、失職之人，舉茂材特立之士。相、將、九卿，其帥意毋怠，使朕獲觀教化之流焉。（《漢書》，頁295。）

遇有天災大患遣使者循行天下，始於武帝元狩六年「遣博士大等六人分循行天下」。其後元鼎二年亦遣博士中等人。其中博士褚大，即董仲舒弟子之一。亦有遣掌論議之大夫者，如宣帝元康四年「遣太中大夫強等十二人」；甚至宣帝五鳳4年除遣使者外，「復遣丞相、御史掾二十四人循行天下，舉冤獄，察擅為苛禁深刻不改者。」（《漢書》，頁

268）終西漢一代，除不言明身分之使者外，大抵以遣大夫為主。不過，如前引元帝建昭四年外，再如成帝河平四年「遣光祿大夫博士嘉等十一人」、陽朔三年「遣諫大夫博士」之例。元、成二朝屢以兼有大夫之職的博士負責循行，正因這些使者不只要存問鰥寡，考察吏治，甚至要拔舉地方茂材異倫之士。是故，無論是博士、大夫，乃至於儒生出身的公卿，皆無法漠視帝王對於消弭災異的要求。

（一）災異頻出的檢討

身處元、成二朝的劉向，撰有災異奏疏與封事數通。其中元帝永光元年〈條災異封事〉與成帝元延三年〈論星孛山崩疏〉皆言：

> 初元以來六年矣，案《春秋》六年之中，災異未有稠如今者也。夫有《春秋》之異，無孔子之救，猶不能解紛，況甚於《春秋》乎？
>
> 謹案《春秋》二百四十二年，日蝕三十六，襄公尤數，率三歲五月有奇而壹食。漢興訖竟寧，孝景帝尤數，率三歲一月而一食。臣向前數言日當食，今連三年比食。自建始以來，二十歲間而八食，率二歲六月而一發，古今罕有。（《漢書》，頁1942、1963）

劉向以為元、成二帝時災異之稠密，古今罕有。這是現實真相的反映？抑或只是劉向憂念漢祚飄搖之心理作用？以〈條災異封事〉所言觀之，文中所稱災異，詳如下表：

初元一年	四月地數動（紀）。四月客星大如瓜，色青白。勃海水大溢（天文）。九月關東郡國十一大水（紀）。
初元二年	二月地震於隴西郡，山崩地裂，水泉湧出（紀）。五月客星見昴分（天文）。七月地復動（紀）。
初元三年	四月茂陵白鶴館災（紀）。夏旱（紀）。
初元四年	
初元五年	四月星孛于參（紀）。
永光一年	三月雨雪，隕霜傷麥稼（紀）。四月日色青白，亡景，正中時有景亡光（五行）。九月隕霜傷稼（五行）。

上表六年中共計出現十三件災異。[31]衡諸《春秋》經文，以同樣的時間而發生災異數量

31 按：如參《漢書》，頁1931初元二年劉向〈使人上變事書〉所云：「前弘恭奏望之等獄決，三月，地大震。恭移病出，後復視事，天陰雨雪。由是言之，地動殆為恭等。」則又可計入「天陰雨雪」一項，則有十四件。

最多者，在魯襄公二十三至二十八年，或昭公二十至二十五年兩期間，各出現七次災異。[32]即便加上後起《漢書》〈五行志〉所補入記載於《左傳》的災異事件，皆低於六年十三件災異之頻率。準此，劉向所論斷的數據尚屬合理。至於〈論星孛山崩疏〉所指魯襄公事，蓋就襄公即位三十一年共計有九次日食，故得出「率三歲五月有奇而壹食」。漢景帝在位十六年，〈景帝紀〉、〈五行志〉對日食之記載數目並不一致，詳細比對共有九次。[33]劉向云「率三歲一月而一食」，實則應言「一歲九月有奇而一食」為妥。然而，以如此密度而論，景帝朝之日食現象便遠較劉向所指成帝朝「自建始以來，二十歲間而八食，率二歲六月而一發」，來得密集。即便參考〈成帝紀〉與〈五行志〉所載，自建始元年至元延元年等二十年間，實有十次日食，[34]當稱「二歲一食」，依然不及景帝朝之頻繁。再則，劉向云「今連三年比食」，實則自永始元年起已連五年比食，與景帝前七年至中四年間比年日食之紀錄相當。綜考上述材料，顯然劉向對漢代災異事件數量之統計，尚有出入。這點如由〈本紀〉與〈五行志〉之災異記載繁簡不一推測，時人對於當代災異記錄材料，或尚未能如實掌握。因此，劉向認為元帝朝災異數量有過於《春秋》，尚且得宜；但如言成帝朝時日食出現頻率與連年比食之情況為「古今罕有」，則未必如實。此處除了數據誤差外，其中或已摻入劉向之主觀感受在其中。

災異的發生，或為無法預期之災害，如地震、雨雪等；或屬於有一定頻率出現之異象，如日食；或亦由乎人禍，如火災等。其中官吏救災的人為疏忽，則又會延長或加重災害的嚴重性。[35]因此檢討元成之間災異頻率，尚需了解其狀況為何。以日食為例，今日對於日食成因的解釋，有所謂「沙羅週期」[36]。依此推算，則所謂「二十歲間而八食」，無寧尚符合天體運行的規律。無法預測的災害，自難以相互評比；而一定頻率出

32 魯襄公二十三至二十八年間，計有：二月日食（23）；七月日食既、大水、八月日食（24）；十二月日食（27）；春無冰（28）；八月大雩等。而昭公二十至二十五年間，計有：七月日食（21）；十二月日食（22）；八月地震（23）；五月日食、八月大雩（24）；鸛鵒來巢、七月上辛，大雩。季辛，又雩（25）等。

33 凡為前三年二月、前四年十月、前七年十一月、中元年十二月、中二年九月、中三年九月、中四年十月、中六年七月、後元年七月等。

34 凡為建始三年十二月、河平元年四月、三年八月、四年三月、陽朔元年二月、永始元年九月、二年二月、三年正月、四年七月、元延元年正月等。

35 如《漢書》，頁3043-3044載元帝初即位時，關東連年被災害，災民流亡入關。元帝乃下詔責備丞相于定國等人云：「民田有災害，吏不肯除，收趣其租，以故重困。關東流民飢寒疾疫，已詔吏轉漕，虛食廩開府臧相振救，賜寒者衣，至春猶恐不贍。今丞相、御史將欲何施以塞此咎？」

36 陳文屏：〈日全食的驚嘆〉，《大地地理雜誌》第97期（1996年4月），頁6-7云：「月球必須走到黃道面（地球繞太陽的平面）與白道面（月球繞地球的平面）的交點附近，同時還必須太陽恰好在地月的連線上才會發生「食」的現象。除了不共面的因素以外，還因為天體萬有引力的擾動使得白道面有轉動的現象，這些因素使得一年中最多只有二到五次的日食。……早在希臘時代的天文學家就知道全食的發生有一個十八年十一又三分之一天（或依閏年方式不同而少一天）的週期，也就是說每隔這樣的時間相同日、月全食的順序會重複。這個週期稱作「沙羅週期」（Saros）。」

現的自然異象，各年自然發生的機率，應趨近相似。史籍所記錄的日食現象，乃是廣義日食，即包含全食、偏食、環食等現象。因此日食出現頻率之多寡不一，一方面可能是史官或因曆法謬誤而造成的記錄失實，[37]亦可能是當代記載詳略不一所致。[38]如某次日偏食現象惟見於某地，而中央不見。倘地方官吏不曾上報，則固不會留有此次日食記錄。更進一步分析：平時人們對於天災人禍有所驚懼，乃極為自然的心理反應。但當其對於災異現象愈加重視時，心理上便易感到災異出現更加頻繁，猶如「草木皆兵」一般，實則皆屬人們認知的歸因謬誤。故如元、成二朝的災異頻出，未必不是此一心理作用的誘導。再則，若人們所認定的災異項目增益時，無形上亦會加劇災異出現頻率。如《春秋》經文所載災異項目，不過天文之日食、星變、隕石；氣象之大水、大雨雪、無冰、雩旱、隕霜殺菽；地變之山崩、地震；人禍之火災以及物候變異的螽、螟、多麋、鸛鵒來巢等二十餘種而已。但在《洪範五行傳》中，靈活運用「五行」、「五事」，並將原本與「庶徵」無關的「皇極」、「五福」、「六極」等內容糅合在一起，更附益了各種妖、孽、禍、痾、祥等等妖異項目，擴充成五十餘項。其測候災異事項，不只限於原始〈洪範〉所提出氣象；更涉及昆蟲、家畜、人體的疾病，乃至一些人為行止如服妖，鼓妖及詩妖之類等等。如此一來，災異事件自然就比以往容易湧現。連帶的君臣更會使得自己堅信，當今正處在一個極端不幸的命運之中。

（二）災異詮釋牽連政爭

元、成時災異說蓬勃，除了上述原因外，更可能是政局的變化，特別是君權的侵陵。如杜欽於成帝建始三年〈賢良對策〉云：

> 臣聞日蝕地震，陽微陰盛也。臣者，君之陰也；子者，父之陰也；妻者，夫之陰也；夷狄者，中國之陰也。春秋日蝕三十六，地震五，或夷狄侵中國，或政權在臣下，或婦乘夫，或臣子背君父，事雖不同，其類一也。臣竊觀人事以考變異，則本朝大臣無不自安之人，外戚親屬無乖剌之心，關東諸侯無強大之國，三垂蠻夷無逆理之節；殆為後宮。（《漢書》，頁2671）

---

37 如日食依理皆在朔日發生，但如《春秋》隱公三年「二月己巳，日有食之」。公羊學者何休便釋為：「此象君行暴急，外見畏，故日行疾，月行遲，過朔乃食，失正朔於前也。」（參《公羊義疏》，頁115。）實是巧作解釋。《漢書》，頁1479〈五行志〉引劉歆說云：「周衰，天子不班朔，魯歷不正，置閏不得其月，月大小不得其度。史記日食，或言朔而實非朔，或不言朔而實朔，或脫不書朔與日，皆官失之也。」則直接點明為曆法與紀錄之問題。

38 如司馬彪《續漢書》〈五行志〉對於東漢日食記載，便屢見「史官不見，郡以聞」之語。詳參〔南朝宋〕范曄：《後漢書》（臺北市：洪氏出版社影印，1978年），頁3358、3362、3364。

姑不論杜欽推度的主要目標是否得當？但其所運用分析的陰陽原則，即是東周方士，乃至於漢初董仲舒春秋公羊災異說所使用最基本的災異說方法。杜氏以為：日食地震肇因於陽弱陰盛，因此站在君王（陽）之對立面的臣下、儲君、后妃、敵國，便是主要的占候目標。漢初以來，雖不乏外邦入侵，或是王儲諸侯興變。但在宣帝以後，權臣與后黨造成了王朝君權侵陵的危機，則日益嚴重。掌管諫議的儒生雖在元帝時得到較多的發言權力與管道，得以參與朝政。但終究不是主宰政治起伏的主流；反而常隨著后黨外戚、宦豎佞臣而搖擺。漢初因有呂后專擅的前車之鑑，文帝以來對於后黨多有戒心。武帝更為了繼承者的穩固而處死了后妃，[39]企圖防患於未然。但昭帝無嗣，政權遭替出現危機，霍光首立昌邑王而廢，終立宣帝。然昭帝時朝中大臣已處心積慮送女入宮，運作立后，如上官皇后即是。[40]宣帝朝之霍后得立，更是出自霍光妻使人毒殺許后而成，此事霍光亦知情。[41]總而言之，權臣把持朝政的私心，常會結合後宮已有的勢力，如太后、公主等。自漢初以來，不斷湧現。元帝即位，封太子（成帝）母王政君為后，后父王禁為陽平侯，禁弟弘至長樂衛尉。永光二年，王禁薨，長子鳳嗣侯，為衛尉侍中。元帝雖曾因寵幸傅昭儀，其子定陶恭王有材藝，欲立為嗣而未果。待成帝即位，遂封母舅王鳳為大司馬大將軍領尚書事，王氏之興自鳳始，終至王莽篡漢。班彪於〈元后傳〉云：

> 漢興，后妃之家呂、霍、上官，幾危國者數矣。及王莽之興，由孝元后歷漢四世為天下母，饗國六十餘載，群弟世權，更持國柄，五將十侯，卒成新都。（《漢書》，頁4035）

成帝時除了太后王氏一黨之外，皇后許氏之父許嘉於自元帝時為大司馬車騎將軍輔政，亦具權勢。成帝無嗣，乃以定陶恭王之子為皇太子，即哀帝。是時朝中除了盤據已久的太皇太后王氏一黨外，又有傅氏（元帝之傅昭儀，哀帝祖母）與丁氏（哀帝生母）一黨。兩股不同來源的勢力試圖推倒對方，則對於其他佞幸、宦官、儒臣則或加籠絡；或加排擠。如元帝時之石顯、哀帝時之董賢。降至東漢，當外戚勢力佈滿朝中要職，挾持君權。一但新主即位，除非仰人鼻息。不然必需依賴親信勢力才可能奪回政權。朝臣因

---

39 《漢書》，頁3957載昭帝之生母拳夫人（鉤弋倢伃）云：「鉤弋子年五六歲，壯大多知，上常言「類我」，又感其生與眾異，甚奇愛之，心欲立焉，以其年稚母少，恐女主顓恣亂國家，猶與久之。鉤弋婕妤從幸甘泉，有過見譴，以憂死，因葬雲陽。後上疾病，乃立鉤弋子為皇太子。拜奉車都尉霍光為大司馬大將軍，輔少主。明日，帝崩。」

40 《漢書》，頁3958載上官桀之子上官安為霍光婿，其勾結帝長姊之倖臣丁外人謀欲立后云：「時上官安有女，即霍光外孫，安因光欲內之。光以為尚幼，不聽。安素與丁外人善，說外人曰：「聞長主內女，安子容貌端正，誠因長主時得入為后，以臣父子在朝而有椒房之重，成之在於足下，漢家故事常以列侯尚主，足下何憂不封侯乎？」

41 《漢書》，頁3966載霍光夫人顯欲貴其小女成君。乃於許皇后當娠而病時，勾結通女醫淳于衍投毒害后。其後有人上書告諸醫侍疾無狀，皆收繫詔獄。顯恐事發，即具語霍光，霍光驚愕，默然不應。

宦海浮沈，彼此勢力犬牙交錯並非可信賴的管道。而此時長處深宮，朝夕相處的佞宦便是少主唯一可供運用的勢力。如果外戚與宦官彼此狼狽為奸，相互謀利，朝廷看似安定。一但權力失衡動盪，則必在朝中興起腥風血雨。準此，再觀杜欽所用之陰陽二分的對應原則，便使一些未研析過災異說，也無法掌握五行或易算原則的朝臣，都能很輕易的把災異事件依附在自己所欲批評的人事上。以下茲舉元、成二朝數事，以證災異詮釋助長了政局之傾軋。

元帝初元五年至永光四年間，星孛于參、雨雪、日食、地動災異數見，元帝災異詔凡五通。劉向於永光元年上〈條災異封事〉，內容歷數《春秋》災異事件，並針對當時「日月無光，雪霜夏隕，海水沸出，陵谷易處，列星失行」等異徵，而歸出「《春秋》六年之中，災異未有稠如今者」的推論。就其原因，劉向毫不隱晦，乃「讒邪並進也。讒邪之所以並進者，由上多疑心，既已用賢人而行善政，如或譖之，則賢人退而善政還。夫執狐疑之心者，來讒賊之口；持不斷之意者，開群枉之門。義邪進則眾賢退，群枉盛則正士消。」懲於為小人所乘之前事，〈封事〉末云：「條其所以，不宜宣洩。臣謹重封昧死上。」蓋元帝即位時由大司馬車騎將軍樂陵侯史高、前將軍蕭望之、光祿大夫周堪受宣帝遺詔輔政。蕭、周二人以師傅見尊重，又選宗室諫大夫劉更生（成帝時改名劉向。以下為行文便利，仍統稱劉向，而不另標明劉更生之名）、侍中金敞等同心謀議，勸上以古制，對宣帝之政多所匡正。另一方面史高則與久典樞機的中書令弘恭、石顯等，堅持宣帝故事。蕭望之又以「古不近刑人」之義，欲將宦者排除於中書（〈佞幸傳〉作「尚書」）之職，加上外戚許、史二氏多有放縱奢淫。兩造之間，衝突日增。豈料恭、顯先發譖訴，蕭望之免官，周堪、劉向皆免為庶人。[42]其時適有地震重復發生，被弘恭等人用來排擠蕭望之；但劉向懼焉，乃使其外親上變事為其辯護。只是劉向細密的推測，卻遭到恭、顯等人更大的反擊。最後劉向再次免為庶人，蕭望之自殺。前通上書雖假外親之手而不果；此通封事謀重封密奏。但恭、顯仍得見其書，與外戚許、史一黨更加仇怨劉向等人。是年夏寒，日青無光，恭、顯等人便言為周堪、張猛用事之咎，朝臣多黨之。周堪乃左遷為河東太守。永光四年六月孝宣廟闕災、日食接比而見。元帝遂召諸前言日變在堪、猛者責問，並下詔：

> 往者眾臣見異，不務自修，深惟其故，而反晻昧說天，託咎此人。朕不得已，出而試之，以彰其材。堪出之後，大變仍臻，眾亦嘿然。堪治未期年，而三老官屬有識之士詠頌其美，使者過郡，靡人不稱。此固足以彰先帝之知人，而朕有以自明也。俗人乃造端作基，非議詆欺，或引幽隱，非所宜明，意疑以類，欲以陷之，朕亦不取也。朕迫于俗，不得專心，乃者天著大異，朕甚懼焉。今堪年衰歲

42 參《漢書》，頁3283-3287〈蕭望之傳〉及頁1929-1930〈楚元王傳〉。如照二年「其春地震」推測，則蕭望之等三人遭貶，當在初元元年。

> 暮，恐不得自信，排於異人，將安究之哉？其徵堪詣行在所。(《漢書》，頁1948)

劉向〈封事〉中已點出元帝任賢不能固信；除惡不能務盡的優柔寡斷，才是問題的重點。元帝詔書中屢言「朕不得已」、「朕迫於俗」，其實頗有卸責的意味。同一時間，京房針對日食又久青亡光，陰霧不精等現象，亦數上疏，所言屢中。元帝數召見問，京房則以為：

> 古帝王以功舉賢，則萬化成，瑞應著，末世以毀譽取人，故功業廢而致災異。宜令百官各試其功，災異可息。(《漢書》，頁3160)

京房著眼於吏治考課，固奏考功課吏法。惟公卿朝臣皆以為煩碎。惟周堪初言不可，後乃善之。京房與劉向的災異推度方法、結論雖然不同；[43]但政治立場卻較相近。如元帝曾宴見京房，論及幽厲所任巧佞一事，京房直言云：

> (京房云)「《春秋》紀二百四十二年災異，以視萬世之君。今陛下即位已來，日月失明，星辰逆行，山崩泉湧，地震石隕，夏霜冬雷，春凋秋榮，隕霜不殺，水旱螟蟲，民人饑疫，盜賊不禁，刑人滿市，《春秋》所記災異盡備。陛下視今為治邪，亂邪？」上曰：「亦極亂耳。尚何道！」房曰：「今所任用者誰與？」上曰：「然幸其愈於彼，又以為不在此人也。」房曰：「夫前世之君亦皆然矣。臣恐後之視今，猶今之視前也。」上良久乃曰：「今為亂者誰哉？」房曰：「明主宜自知之。」上曰：「不知也，如知，何故用之？」房曰：「上最所信任，與圖事帷幄之中進退天下之士者是矣。」(《漢書》，頁3162)

其語一如劉向〈條災異封事〉口吻。元帝猶欲辨明自己並非昏昧，但隨京房步步進問，明白所指為石顯，但亦答「已諭」，而不願真正付諸實踐。最後京房終被石顯排擠外貶，後涉淮陽憲王事而棄市。如同元帝雖知周堪等為佞臣所譖，起復領尚書事。但石顯主管尚書事，尚書五人皆比其黨，周堪希得見。終不免為石顯誣譖，自殺於公車。劉向亦因此廢十餘年。史稱「自是公卿以下畏顯，重足一跡。」(《漢書》，頁3727)元帝既不肯承認內朝中盡是自己寵信佞宦、外戚的真相，甚至切問外朝之丞相，共同承擔災異的譴告。如永光元年之春霜夏寒、日青亡光，元帝便下詔條責丞相于定國。于氏惶恐，上書自劾，乞骸骨。帝又緩頰云：

---

43 《漢書》，頁1507〈五行志〉雖於是項災異中引述《京房易傳》。但文例顯然不是京房當時的奏疏，而是班固時所見傳世的京房著作，加以裁融。至於京房災異說分卦直日之法，則於其得罪石顯、五鹿充宗，外為郡守時所上封事最為代表。

> 陰陽不調，災咎之發，不為一端而作，自聖人推類以記，不敢專也，況於非聖者乎！日夜惟思所以，未能盡明。經曰：「萬方有罪，罪在朕躬。」君雖任職，何必顓焉？其勉察郡國守相群牧，非其人者毋令久賊民。（《漢書》，頁3045）

定國固辭，遂罷就第，成為漢代首位因災異事件而去職的丞相。《韓詩外傳》曾主張：

> 三公者何？曰司馬、司空、司徒也。司馬主天，司空主土，司徒主人。故陰陽不和、四時不節、星辰失度、災變非常，則責之司馬。山陵崩竭、川谷不流、五穀不植、草木不茂，則責之司空。君臣不正、人道不和、國多盜賊、下怨其上，則責之司徒。故三公典其職，憂其分，舉其辯，明其隱，此三公之任也。[44]

以天、地、人區分「災異責任」，可能只是一種學理設想。但自元帝開此惡例，此後西漢因災異而罷的三公，凡有薛宣、師丹、孔光、董賢等人。成帝時丞相翟方進，雖不因災異而罷免，卻因欲塞「熒惑守心」之災異而自殺（《漢書》，頁1311）此風至東漢尤烈，元、成二帝難辭其咎。

成帝建始三年、河平元年皆有日食發生，成帝建始3年災異詔中，因地震日食同發，乃詔舉賢良方正能直言極諫之士，谷永、杜欽出焉。谷永以為：「日食婺女之分，地震蕭牆之內」，是成帝「志在閨門，未卹政事」，內寵大盛所致。上特復問之，更直言「皇后貴妾專寵所致。」當時因成帝委政大將軍王鳳，議者多歸咎之。如建始元年連續發生皇曾祖悼考廟災、星孛于營室、黃霧四塞、青蠅集未央宮殿、兩月相承、流星貫紫宮、大風拔甘泉畤中大木。其中發生於封王氏諸舅為關內侯之後的黃霧四塞，〈紀〉稱「博問公卿大夫，無有所諱。」因此即便霧象並不屬《春秋》災異項目，《洪範五行傳》亦未必列入咎徵條例，[45]但仍引起儒生注目討論。〈元后傳〉載諫大夫楊興、博士駟勝以為「陰盛侵陽之氣也。高祖之約也，非功臣不侯，今太后諸弟皆以無功為侯，非高祖之約，外戚未曾有也，故天為見異。」（《漢書》，頁4017）王鳳當時亦懼群臣議，上書辭謝有「今有茀星天地赤黃之異，咎在臣鳳，當伏顯戮，以謝天下」之語，乞骸骨辭職。成帝皇儲之位曾一度傾危，有賴舅家王氏力保。故即位之初多仰賴之。故乃報云：「今大將軍乃引過自予，欲上尚書事，歸大將軍印綬，罷大司馬官，是明朕之不德也。朕委將軍以事，誠欲庶幾有成，顯先祖之功德。將軍其專心固意，輔朕之不逮，毋有所疑。」（《漢書》，頁4017-4018）不敢遽斷其後臺。然而應詔的谷永看出王鳳柄政專

---

44 〔漢〕韓嬰：《韓詩外傳》（臺北市：臺灣商務印書館，1967年《四部叢刊》初編縮本），頁72。

45 《漢書》，頁1449-1450、1459-1461〈五行志〉所載，《洪範五行傳》皇之不極有「恆陰」之咎，班固乃將京房《易傳》中對於蜺、蒙、霧等三種雲氣現象的分析，大量迻錄，並斷曰「此皆陰雲之類」。但對成帝建始元年黃霧四塞一事，則又置於思心不睿之黃祥下。二處皆無劉向、劉歆之語，則二劉之《洪範五行傳論》中，亦未討論。

權，陰欲自托，便稱「黃濁冒京師，王道微絕之應也。」為王鳳開脫建始元年黃霧之異的指責。（《漢書》，頁3443-3454）杜欽原即王鳳僚屬，對策中以陰陽對舉，歷數臣下、子嗣、后妃、夷狄等，認為咎在後宮，理由是：「日以戊申蝕，時加未。戊未，土也。土者，中宮之部也。其夜地震未央宮殿中，此必適妾將有爭寵相害而為患者。」谷永善《京氏易》、天文；杜欽其法則本諸五行。占測方法雖不一，但皆因黨於王氏，故將矛頭指向大司馬車騎將軍許嘉之女許皇后，亦即替王鳳攻擊政敵大司馬車騎將軍許嘉。蓋許嘉自元帝時已為大司馬車騎將軍輔政，成帝即位方立元舅王鳳為大司馬大將軍，與許嘉並。杜欽曾以「故事后父重於帝舅」，叮嚀王鳳宜謹慎事之。河平元年許嘉薨，子況嗣立。該年日食，成帝災異詔中則明引《禮記》〈昏義〉「男教不修，陽事不得，則日為之蝕」之語，群臣遂專言後宮椒房之失。其中對者數十人，如前述谷永、杜欽外，尚有劉向。成帝乃采諸人之言以示後宮。〈外戚傳〉詳載其書，首段以日者眾陽之宗，為人君之象。而今無權臣、驕侯與外患，故咎宜應於後宮。即本杜欽建始三年對策。其後歷數建始以來災異，凡有白氣出於營室、流星出於文昌、北宮井溢數郡、女童入殿莫知、河水大決、泰山之鳥焚其巢，大風自西搖祖宗寢廟、日食東井之度等八事。其中白氣出於營室，成帝云：

> 營室者，天子之後宮也。正月於《尚書》為皇極。皇極者，王氣之極也。白者西方之氣，其於春當廢。今正於皇極之月，興廢氣於後宮，視後妾無能懷任保全者，以著繼嗣之微，賤人將起也。

「後妾無能懷任保全者」，〈五行志〉以為劉向、谷永二人說；「繼嗣之微，賤人將起」則出谷永對策語。河水大決，成帝書與〈溝洫志〉所引谷永說相近。至於流星出於文昌、女童入殿莫知、泰山之鳥焚其巢等三事，〈五行〉諸志雖有推斷，但難考為何人所云。[46]日食東井之度一事，成帝書云：

> 四月己亥，日蝕東井，轉旋且索，與既無異。己猶戊也，亥復水也，明陰盛，咎在內。於戊己，虧君體，著絕世於皇極，顯禍敗及京都。於東井，變怪眾備，末重益大，來數益甚。成形之禍月以迫切，不救之患日寖深，咎敗灼灼若此，豈可以忽哉！

46 《漢書》，頁1309〈天文志〉、頁1474-1475〈五行志〉對流星、女童二事之占，皆乃主王鳳用事，當非出諸谷、杜之口。頁1416占泰山之鳥焚其巢事云：「泰山，岱宗，五嶽之長，王者易姓告代之處也。天戒若曰：勿近貪虐之人，聽其賊謀，將生焚巢自害其子絕世易姓之禍。」則與成帝書近，但未考何人所言。但復云：「其後，趙蜚燕得幸，立為皇后，弟為昭儀，姊妹專寵，聞後宮許美人，曹偉能生皇子也，昭儀大怒，令上奪取而殺之，皆並殺其母。成帝崩，昭儀自殺，事乃發覺，趙后坐誅。此焚巢殺子後號咷之應也。」則非谷永三人對策語。

據〈五行志〉載劉向言「四月交於五月，月同孝惠，日同孝昭。東井，京師地，且既，其占恐害繼嗣。」考惠、昭二帝時日食劉向之說：

> 五月微陰始起而犯至陽，其占重。至其八月，宮車晏駕，有呂氏詐置嗣君之害。（惠帝）
>
> 己亥而既，其占重。後六年，宮車晏駕，卒以亡嗣。（昭帝）（《漢書》，頁1500、1503）

則「己猶戊也，亥復水也」云云，疑屬谷永之言。史傳稱谷永「善言災異，前後所上四十餘事，略相反覆，專攻上身與後宮而已。黨於王氏，上亦知之，不甚親信也。」但劉向於成帝即位後復見進用，見王鳳等倚太后之勢，專擅國權。河平三年領校中五經祕書時，向見《尚書》〈洪範〉，箕子為武王陳五行陰陽休咎之應。向乃集合上古以來歷春秋六國至秦漢符瑞災異之記，推跡行事，連傳禍福，著其占驗，即《洪範五行傳論》。其後歷上封事極諫，皆以宗室遺老，心憂王氏坐大。自不可能與谷、杜相同，黨王氏而攻許后。考《史記》〈天官書〉：

> 營室為清廟，曰離宮、閣道。
>
> 東井、輿鬼，雍州。[47]

就星宿分野，東井所主「雍州」，與劉向言「東井，京師地」無異。惟「營室為後宮懷任之象」之語，不採〈天官書〉；反與〈律書〉所言「不周風居西北，主殺生。東壁居不周東，主辟生氣而東之。至於營室，營室者，主營胎陽氣而產之」[48]相近。是故劉向或由占星測候的條例；或比對惠、昭二帝的歷史紀錄，推出「恐害繼嗣」。固然不無受到成帝自陳男教有虧的導引，但尚算是依循災異法則，就事論事。

河平三年、四年日食仍見。據〈外戚傳〉云「比三年日蝕，言事者頗歸咎於鳳矣。而谷永等遂著之許氏，許氏自知為鳳所不佑。」但考〈王商史丹傳〉中佞臣張匡向史丹告發，指陳丞相王商作威作福、與父傅婢通，及女弟淫亂諸事。成帝素重商，知張匡之言多險，制曰「弗治」。但王鳳固爭之，王商乃罷相。免相三日，發病嘔血而死。（《漢書》，頁3372-3375）案：王商為父王武為宣帝母舅，元帝時至右將軍、光祿大夫。當定陶王愛幸，幾代太子時。王商擁佑太子頗力。成帝即位，甚為敬重，建始四年代匡衡為丞相。因不接受王鳳對姻親楊肜事之關說，乃與王鳳結怨。在打壓許氏之後，王鳳又藉張匡、史丹之力，罷去三王[49]之一的王商相職。再考〈元后傳〉所言：

---

47 《史記》，頁1309、1330。

48 《史記》，頁1243。

49 《漢書》，頁3382〈王商史丹傳贊〉稱宣元以來，外戚有三王之稱。顏師古注：「謂印成侯及商、鳳三家也。」

> 上即位數年，無繼嗣，體常不平。定陶共王來朝，太后與上承先帝意，遇共王甚厚，賞賜十倍於它王，不以往事為纖介。共王之來朝也，天子留，不遣歸國。大將軍鳳心不便共王在京師，會日蝕，鳳因言「日蝕陰盛之象，為非常異。定陶王雖親，於禮當奉藩在國。今留侍京師，詭正非常，故天見戒。宜遣王之國。」（《漢書》，頁4019）

比諸帝王，后妃屬陰，則諸侯王亦屬陰。故王鳳乃將焦點移往成帝異母弟定陶王劉康身上。傳稱成帝「不得已於鳳而許之。共王辭去，上與相對涕泣而決。」對於曾經威脅皇位的兄弟，成帝手足之情是否出自衷心？難以推知。但對於王鳳而言，定陶王絕對是影響王氏能否把持朝政的關鍵。其實自建始以來災異，朝臣多有以王氏為患者。因此成帝報許后書云「將相大臣懷誠秉忠，唯義是從，又惡有上官、博陸、宣成之謀？」只是刻意漠視王氏專權的事實。此時剛直敢言京兆尹王章乃上奏封事：

> 災異之發，為大臣顓政者也。今聞大將軍猥歸日蝕之咎於定陶王，建遣之國，苟欲使天子孤立於上，顓擅朝事以便其私，非忠臣也。且日蝕，陰侵陽臣顓君之咎，今政事大小皆自鳳出，天子曾不一舉手，鳳不內省責，反歸咎善人，推遠定陶王。且鳳誣罔不忠，非一事也。前丞相樂昌侯商本以先帝外屬，內行篤，有威重，位歷將相，國家柱石臣也，其人守正，不肯詘節隨鳳委曲，卒用閨門之事為鳳所罷，身以憂死，眾庶愍之。

直斥日食實王鳳專政，且誣罔不忠所致。言之鑿鑿，成帝感悟曰：「微京兆尹直言，吾不聞社稷計！」有罷退王鳳之意。杜欽乃勸王鳳上疏謝罪，乞骸骨曰：

> 陰陽不調，災異數見，咎在臣鳳奉職無狀，此臣一當退也。五經傳記，師所誦說，咸以日蝕之咎在於大臣非其人，《易》曰「折其右肱」，此臣二當退也。河平以來，臣久病連年，數出在外，曠職素餐，此臣三當退也。陛下以皇太后故不忍誅廢，臣猶自知當遠流放，又重自念，兄弟宗族所蒙不測，當殺身靡骨死輦轂下，不當以無益之故有離寢門之心。

此疏或亦出杜欽之手。史稱其「其辭指甚哀，太后聞之為垂涕，不御食。」王鳳因此得復起視事，並羅致王章下吏，卒死獄中。其後又有南昌尉梅福上書為王章申冤云：

> 故京兆尹王章資質忠直，敢面引廷爭，孝元皇帝擢之，以厲具臣而矯曲朝。及至陛下，戮及妻子。且惡惡止其身，王章非有反畔之辜，而殃及家。折直士之節，結諫臣之舌，群臣皆知其非，然不敢爭，天下以言為戒，最國家之大患也。方今君命犯而主威奪，外戚之權日以益隆，陛下不見其形，願察其景。建始以來，日食地震，以率言之，三倍《春秋》，水災亡與比數。陰盛陽微，金鐵為

飛，此何景也！漢興以來，社稷三危。呂、霍、上官皆母后之家也，親親之道，全之為右，當與之賢師良傅，教以忠孝之道。今乃尊寵其位，授以魁柄，使之驕逆，至於夷滅，此失親親之大者也。（《漢書》，頁2922）

強調建始以來，災異已三倍於《春秋》，譏切王氏專勢擅權。梅福少學長安，明《尚書》、《穀梁春秋》，為郡文學。所學與劉向相近，奏疏辭氣亦與劉向相仿。惟上不納，自是公卿見鳳，側目而視，郡國守相刺史皆出其門。考成帝即位之初，朝中外戚王鳳一黨並未獨大。但隨王商罷相，許后因成帝後宮多新愛而寵衰，王氏之勢已難遏。〈成帝紀〉中班彪稱成帝「臨朝淵嘿，尊嚴若神」，〈元后傳〉則云「大將軍鳳用事，上遂謙讓無所顓」。成帝耽於酒色而倦於政務，自易使大權旁落？再則〈元后傳〉屢見太后哀憐外家，為之垂涕云云。太后處處偏袒王氏，即便成帝欲有所作為，其任相舉賢自亦處處受制。何況王氏深諳結攬大臣、名儒之道，如永始以來，日蝕地震尤數，吏民上書復言應在王氏專政。成帝因親問師傅丞相張禹，禹則謂上曰：

春秋二百四十二年間，日蝕三十餘，地震五，或為諸侯相殺，或夷狄侵中國。災變之異深遠難見，故聖人罕言命，不語怪神。性與天道，自子贛之屬不得聞，何況淺見鄙儒之所言！陛下宜修政事以善應之，與下同其福喜，此經義意也。新學小生，亂道誤人，宜無信用，以經術斷之。（《漢書》，頁3351）

張禹曾授成帝《論語》，世稱「欲為《論》，念張文。」蓋張氏勸成帝修善政於民，勿妄推驗天道，固為確論。然而，倘不是史筆述及「禹自見年老，子孫弱，又與曲陽侯不平，恐為所怨」、「後曲陽侯根及諸王子弟聞知禹言，皆喜說」云云。幾令人誤認其為治學篤實、務疾虛妄的醇儒，而未能看穿其阿諛自保的面目。

四　災異理論競相建構

不同立場主張在政事論辯時，端賴其論據是否權威？推斷是否精確？用諸施政是否可行？準此，方能獲得主事者、同僚乃至人民的最大支持，古今皆然。漢代的權威論據，一是經義；一是天人觀念。故皮錫瑞稱：

元、成以後，刑名漸廢。上無異教，下無異學。皇帝詔書，群臣奏議，莫不援引經義，以為據依。國有大疑，輒引《春秋》為斷。一時循吏多能推明經意，移易風化，號為以經術飾吏事。漢治近古，實由於此。蓋其時公卿大夫士吏未有不通一藝者也。[50]

---

50 《經學歷史》，頁101。

正因如此，除了廣立道學的考量外，漢代無論《公》《穀》優劣之辨、今古文經學之爭、各派家法相與頡抗等等，即在論證何人的經義論釋，最能符合孔聖本旨。再以災異說觀之：論斷災異，倘不能符合經義，並兼明天人之際，則猶是方士所為。然「夫子之言性與天道，不可得而聞也。」五經中惟《周易》、《尚書．洪範》與《春秋》最於天道觀上著墨，《春秋》詳列災異項目；〈洪範〉對舉休咎之徵。故於儒家災異說中，發展最早。《易》本占筮，以其推算之長，自易在災異說中據有一席之地。至於其他流派，則或因前三家之學，或雜方士之說而出。此即漢代災異說發展之大要。

（一）漢初以來的災異理論

前文述及：先秦時巫祝、方士即提出若干星占、方術等災異說的雛型，用以占驗預言人事吉凶。漢代初期災異名稱固已定型，但由儒生建構出成形而系統的理論，則當屬董仲舒之春秋公羊災異理論。其中包含災異詮釋、災異名義，乃至於災異譴告模式等，其除對於《春秋》經文災異事件進行分析，同時亦對當朝發生之災異加以評論。在詮釋原則上，大致採用樸素的陰陽二元觀以及占星分野等法則，顯然與《洪範五行傳》「五行五事」系統不同。然而董仲舒所苦心提出的「災小異大」與「先以災譴，後以異威」的譴告模式。就傳世的董仲舒災異說中，卻不適用，成為其災異理論中最大的缺陷。[51]董仲舒、眭孟皆因言災異得罪，對於春秋公羊災異學說之發展必然受到一定的打壓。但從宣帝朝以降，公羊學雖猶為《春秋》主流。然眭孟以後，並無重要的公羊災異學者，主要是內部理論遜於洪範五行傳說，甚至是更後起的京房易學說。洪範五行傳說因夏侯始昌、夏侯勝二人，登上政治舞臺。相較於《春秋》災異，《洪範五行傳》將〈洪範〉「五行」、「五事」糅合，除「木（貌）、金（言）、火（視）、水（聽）、土（思心）」之休咎外，更附益各種妖、孽、禍、痾、祥等妖異項目，成為一個繁複的災異禁忌體系。測候項目，不限於原始〈洪範〉所提出氣象，更涉及昆蟲、家畜、疾病，乃至於人為的服妖、鼓妖及詩妖等。大幅提昇經生在占測異象或比附朝政之便利，也無形中提高了災異事件出現的頻率。

宣帝朝的魏相，特別值得討論。本傳稱其明《易經》，有師法，又「數表采《易陰陽》及《明堂月令》奏之。」其法如下：

> 天地變化，必繇陰陽，陰陽之分，以日為紀。日冬夏至，則八風之序立，萬物之性成，各有常職，不得相干。東方之神太昊，乘〈震〉執規司春；南方之神炎帝，乘〈離〉執衡司夏；西方之神少昊，乘〈兌〉執矩司秋；北方之神顓頊，乘

51 黃啟書：《春秋公羊災異學說流變研究：以何休《春秋公羊解詁》為中心之考察》（臺北市：臺灣大學中國文學研究所博士論文，葉國良教授、夏長樸教授、李偉泰教授指導，2003年），頁46-55。

〈坎〉執權司冬；中央之神黃帝，乘〈坤〉、〈艮〉執繩司下土。茲五帝所司，各有時也。東方之卦不可以治西方，南方之卦不可以治北方。春興〈兌〉治則飢，秋興〈震〉治則華，冬興〈離〉治則泄，夏興〈坎〉治則雹。

夫風雨不時，則傷農桑；農桑傷，則民飢寒；飢寒在身，則亡廉恥，寇賊姦宄所繇生也。臣愚以為陰陽者，王事之本，群生之命，自古賢聖未有不繇者也。天子之義，必純取法天地，而觀於先聖。（《漢書》，頁3139-3140）

追溯月令說的起源，乃先人由長遠的農事經驗中，累積天文、物候觀察以及農務宜忌。隨著社會文化進展繁複，遂加上與農事相涉較遠的人事，即成為最原始的時則。其後或因錯誤的特殊經驗繫聯；或因術家為神道設教而再附益違令之災，終成為一套四時禁忌系統。此正司馬談所謂「大祥而眾忌諱，使人拘而多畏」、「序四時之大順，不可失也。」今猶可於《逸周書》〈時訓〉、《管子》〈四時〉、《呂氏春秋》之十二紀紀首，乃至於漢代之《禮記》〈月令〉與《淮南子》〈時則〉等篇章見其內容。魏相之說，即其採〈說卦傳〉第五章的八卦方位，附益五方之神（五行）。至於其所言四時違令之災，則較前述諸書簡略。[52]大陸學者承載即云：

魏相雜揉陰陽五行、人倫五常說《易》。已經具備了《易》象數之學的雛形，後來流行於西漢後期以及東漢時期的孟喜、京房《易》，都是在這一基礎上發展起來的。只不過他們把卦的位置定得更細致，變化也更多。

從魏相的這一個理論中，還可以看出，當時的陰陽災異學，已不再局限此前的《春秋》災異說了，而是引進了易學思想，并形成一個固定的圖式。這就是由魏相首先提出，孟喜、京房發展之的象類推演法。由於易象變化無窮，以自然氣候變化為人事的依據。所以隨意性更大，神祕色彩也更濃。[53]

王保頂亦襲此說，認為「宣、元時期，經魏相、孟喜、京房之手，庸俗災異說產生。」「其共同的特點是採取象類比附的說法，利用《易》變化無盡的特徵，預設目的，隨心所欲，任意編造」，乃一災異論負面系統。[54]承載的論證值得斟酌，首先承氏所謂「《易》象數之學的雛形」，其實只是將《呂氏春秋》、《淮南子》的月令說中四方，套上了〈說卦傳〉的八卦方位，如此而已。如果要說象數，那也是先秦以來月令說的象數，而非《易》的象數；如果要說八卦配合四時，那在〈說卦傳〉中已經成形，不必等到宣

---

52 即以陳述最簡要的《管子》〈四時〉篇而言，尚有「春行冬政則雕，行秋政則霜，行夏政則欲」之別。而非春秋相對、冬夏相反而已。參顏昌嶢：《管子校釋》（長沙市：岳麓書社，1996年），頁355。

53 《西漢經學與政治》，頁212。

54 王保頂：〈儒學文化視野中的災異觀及其意義：以漢代為例〉，《孔孟月刊》35卷第4期（1996年），頁23、頁26-27。

帝朝的魏相，此其一。如果魏相提出了一個前人曾經表述過的「時令」圖式運用在陰陽災變上，啟發了京房的分卦直日的災異說，尚可成立；但不能忽略〈儒林傳〉中已云孟喜「得《易》家候陰陽災變之書」，則孟、焦、京3人的易學自有傳承脈絡，不必然定要受魏相影響而成，此其二。[55]至於承氏、王氏所謂「象類推演法」，亦語焉不詳。如果用金春峰的說法，則是相對於董仲舒災異說必須以氣做為中介；京房采取象類比附之說，《易》象只是一種象徵，因此可以隨心所欲，任意編造。[56]然而，無論是魏相或京房，猶以風雨寒溫做為觀測指標，甚至以時序做為量尺。豈是可以變化無窮、任意編造！君王重視月令，亦可能本諸樸素的順應天候、使民以時的想法，不必然與災異說相涉。但如魏相奏疏中「選明經通知陰陽者四人，各主一時，時至明言所職，以和陰陽」，元帝初元3年詔亦云「有司勉之，毋犯四時之禁。丞相御史舉天下明陰陽災異者各三人。」〈成帝紀〉陽朔2年詔：「其務順四時月令。」（《漢書》，頁284、312）可知兩漢君臣心中，明堂月令說亦是一套重要的災異說。只是文獻上，並沒有標舉專以明堂月令說為主的災異學者。

（二）元成時期諸說競衡

有了前輩學者的鋪路。元、成時期，災異說則開展與創新，兼而有之，達到高峰。首先是洪範五行傳說的開展，董仲舒代表的春秋公羊災異說雖為兩漢災異學之先驅，影響兩漢最重要的災異學說主流，卻是興盛於元、成的洪範五行傳說及京氏易學說。前者雖已有兩夏侯展露頭角，但劉向、劉歆父子各別撰作《洪範五行傳論》，才真正奠定洪範五行傳說在災異學的不祧地位。《春秋》上，向、歆父子一主《穀梁》；一尊《左傳》。然二人皆採《洪範五行傳》解釋《春秋》災異。對比劉向數通災異奏疏，永光元年之〈條災異封事〉並未提及初元三年茂陵白鶴館災，但〈五行志〉所載錄劉向說（《洪範五行傳論》）使用了「逐功臣，則火不炎上」詮釋為蕭望之等人之冤屈，此為劉向追述之筆。蓋〈條災異封事〉中對於初元年間「雌雞化雄」、「王伯墓門梓柱生葉」等事，或因非封事主旨；或因非屬國家重災特異，而不見劉向徵引入封事以諫。但由封事言「推《春秋》災異，以救今事一二」，足見劉向災異說前期大致依循董仲舒春秋災異說之方法。但到了《洪範五行傳論》，便將董仲舒春秋公羊災異說，以洪範五行傳系統改造，並廣泛參考先秦諸多典籍擴大採擇史事範圍，對於漢代的災異事件亦多有推度。此為劉向異說之前後期差異。[57]至於劉歆，則因文獻多缺，並不易察考。然大致可看出

55 盧央：《京房評傳》（南京市：南京大學出版社，1998年12月），頁202-205亦肯定京房學說中有魏相的內涵，但其學仍是來自孟喜。

56 金春峰：《漢代思想史》（北京市：中國社會科學出版社，1997年12月），頁329-330。

57 黃啟書：〈試論劉向災異學說之轉變〉，《臺大中文學報》第26期（2007年6月），頁135。

其主要以引述《左傳》史事反駁前人對於災異推度的錯誤。向、歆二人對於災異理論架構，如五行五事的對應項目、災異項目與五行五事的對應關係等多有歧見，占候詮釋亦不同。但並不影響洪範五行傳學說的發展。卻皆為班固所兼採，進而成為歷朝正史災異紀錄之體例。[58]

其次，有齊詩災異說與京氏易學說之新創。正當劉向因初元元年至三年間災異而撰〈使人上變事書〉時，翼奉亦上封事論諸次地震：

> 《易》有陰陽，《詩》有五際，《春秋》有災異，皆列終始，推得失，考天心，以言王道之安危。……臣奉竊學《齊詩》，聞五際之要，〈十月之交〉篇，知日蝕地震之效，昭然可明，猶巢居知風，穴處知雨，亦不足多，適所習耳。臣聞人氣內逆，則感動天地；天變見於星氣日蝕，地變見於奇物震動。
>
> 古者朝廷必有同姓以明親親，必有異姓以明賢賢，此聖王之所以大通天下也。同姓親而易進，異姓疏而難通，故同姓一，異姓五，乃為平均。今左右亡同姓，獨以舅后之家為親，異姓之臣又疏。二后之黨滿朝，非特處位，勢尤奢僭過度，呂、霍、上官足以卜之，甚非愛人之道，又非後嗣之長策也。陰氣之盛，不亦宜乎！今異至不應，災將隨之。其法大水，極陰生陽，反為大旱，甚則有火災，《春秋》宋伯姬是矣。唯陛下財察。(《漢書》，頁3173-3174)

初元三年四月孝武園白鶴館災。翼奉自以為占候確中，又上疏曰：「臣前上五際地震之效，曰極陰生陽，恐有火災。不合明聽，未見省答，臣竊內不自信。今白鶴館以四月乙未，時加於卯，月宿亢災，與前地震同法。臣奉乃深知道之可信也。不勝拳拳，願復賜間，卒其終始。」又有匡衡上疏曰：

> 臣聞天人之際，精祲有以相盪，善惡有以相推，事作乎下者象動乎上，陰陽之理各應其感，陰變則靜者動，陽蔽則明者晻，水旱之災隨類而至。今關東連年饑饉，百姓乏困，或至相食，此皆生於賦斂多，民所共者大，而吏安集之不稱之效也。陛下祇畏天戒，哀閔元元，大自減損，省甘泉、建章宮衛，罷珠崖，偃武行文，將欲度唐虞之隆，絕殷周之衰也。諸見罷珠崖詔書者，莫不欣欣，人自以將見太平也。(《漢書》，頁3337)

本傳稱「是時，有日蝕地震之變，上問以政治得失」，從奏疏所言「省甘泉、建章宮衛，罷珠崖」事，是知應初元三年六月災異詔。案：蕭望之、翼奉與匡衡三人皆從后倉治《齊詩》。蕭望之曾於宣帝地節三年夏京師雨雹，上疏願口陳災異之意。故知蕭、

---

58 黃啟書：〈試論劉向、劉歆《洪範五行傳論》之異同〉，《臺大中文學報》第27期（2007年12月），頁147-153。

翼、匡三人皆通災異說。傳稱翼奉惇學不仕，好律曆陰陽之占。所傳為「四始五際」之學，其法乃以「六情十二律」知臣下情性之數術。蕭、匡二人未有此說。姑不論翼奉「四始五際」之學是否為《齊詩》本色？但正當初元內朝政爭時，翼奉無一言以助蕭氏，惟硜硜以其「六情十二律」之術，自鳴「露之則不神，獨行則自然矣，唯奉能用之，學者莫能行。」（《漢書》，頁3170）雖封事中亦提及元帝獨以舅后之家為親，二后之黨滿朝，奢僭過度的問題。但同時又復言及未央諸宮宮人各以百數，極陰而生陽，故有地震、火災。因此翼奉不見得對於政局有何具體意見，單純是強調其以律知情之術，乃王者之祕道，試圖博得君上之寵信耳。匡衡之於蕭、翼，尚屬後進。宣帝時蕭望之曾奏匡衡經學精習，說有師道，可觀覽。但因宣帝不甚用儒，遣衡歸官。元帝即位時，長安令楊興說樂陵侯史高召置匡衡於幕府，以收攬儒生學士之心。匡衡因此得為郎中，遷博士，給事中。初元3年蕭望之早已自殺。匡衡對於之前的日食、地震與水旱、火災等，統言之「宜遂減宮室之度」、「舉異材，開直言」、「任溫良之人，退刻薄之吏」等，其言看似平和醇正，其實不然。本傳稱「元帝時，中書令石顯用事，自前相韋玄成及衡皆畏顯，不敢失其意。」至成帝時石顯失勢，匡衡方與御史大夫甄譚伺機追條其舊惡。此舉為司隸校尉王尊劾奏「知顯等專權勢，作威福，為海內患害，不以時白奏行罰，而阿諛曲從，附下罔上，無大臣輔政之義。」（《漢書》，頁3344）班固便譏其以儒宗居相位，實則阿諛權勢，「持祿保位」。相較蕭、匡二人災異說，翼奉自鳴「唯奉能用之，學者莫能行」，是齊詩災異說，恐為翼奉一家之言耳。[59]翼氏之學，由何而來？承載仍以為受魏相影響。[60]但因文獻不足，已難詳考。但由本傳稱翼奉「好律曆陰陽之占」，則實本諸律曆，而與詩學無涉。《齊詩》自轅固生傳下，弟子以夏侯始昌最明。江乾益便以為：

> 唯據《儒林傳》並不明言轅固生傳陰陽災異之學，而翼氏之詩學與《易》之陰陽、《春秋》之災異並為一類者，則或可推以陰陽災異之學附麗於詩說者，當始於夏侯始昌也。[61]

翼奉著作又有《風角要候》、《風角鳥情》、《風角雜占五音圖》，[62]或亦由方士候風之術演變而來。

至於京氏易學說，雖出於孟喜、焦贛。但〈五行志〉與〈眭兩夏侯京翼李傳〉中，皆無孟、焦二人之災異占候可供稱述。因此京氏易學災異說之奠定者，仍屬京房。班固

59 《後漢書》，頁2572稱景鸞能理《齊詩》、《施氏易》，兼受河、洛圖緯。又抄風角雜書，列其占驗，作《興道》一篇。及作《月令章句》。凡所著述五十餘萬言。數上書陳救災變之術。

60 《西漢經學與政治》，頁212-217。

61 江乾益：〈漢代詩經學齊詩翼氏學述評〉，《興大中文學報》第7期（1994年），頁90-91。

62 〔清〕姚振宗：《後漢藝文志》（臺北市：臺灣開明書店，1959年。《二十五史補編》本），頁98。

於〈藝文志〉將《孟氏京房》與《災異孟氏京房》二書並列，表示當時京氏易學著作一種與《易》學的原本面目相近；另一種則特標明與災異相涉。京房易說中關於分卦直日及卦氣等法，[63]乃師承孟喜而來。且京房本傳中亦提及其慣以此法推度災異致因。不過〈五行志〉中，卻大量記錄京房《易傳》之雜占內容，用以補充洪範五行傳學說內容之不足。如以推驗的精密，則分卦直日之法，當然超出其他災異說甚多，[64]但班固〈五行志〉徵引之題曰「京房《易傳》」者，文例上逾八成皆為「（失德之事），茲謂（不德之目），厥（災異區分）（異象種類），（異常的詳細差異）」之句型，內容上近於雜占而非分卦值日，更非易學。再如其日食占的描述，指出與日食相伴而出者的風雨、地震現象；此外亦論及一件失德之事，可能導致多種以上災異產生。如此多重災異的詮釋，並非立基於歷史分析的災異說所能發展；或為因應元帝以來現實災異頻仍的詮釋需求。[65]特別是這些雜占項目，亦非京房所首創者，當為先秦以來數術方士之言的集結。此或因班固刻意刪去其繁複的推算過程；也可能是分卦值日為京氏易專門之學，班固未必能洞悉其術，是以但存結論；更可能是因班固承襲二劉著作，在洪範五行說體系下，只就洪範五行說言之未盡處，借重京房雜占中對天文、氣候的詳細分析，加以補充。[66]武田時昌指出：《春秋》災異項目局限了儒生恣意解釋的空間，使得在實際政治的運用上，存有很大的障礙。而其歷史哲學，更是政治實踐上的一大弱點。惟有翼奉、京房等《齊詩》與《易》的災異理論，對於發生的災異現象，運用公式化地準確占斷，並且對於天候災異間的分析，也運用了詳密的方法。因此足以彌補了《春秋》災異學的缺點，是故易學派的災異主張在東漢以後，便取代了《春秋》派在災異學上首席的地位。[67]因此，元、成時期所開展、新創的災異說，對於春秋公羊災異說而言，皆是相當具有威脅的挑戰者。當災異事件不再是依託經文探賾原委而已時，公羊災異說運用簡單的陰陽感應原則又受限於《春秋》經文，在災異項目的廣泛與靈活上，自比不上推陳出新的洪範五行傳說。劉向歆父子《洪範五行傳論》的著成，即代表災異理論典範轉移的有力證據。在另一方面，當君臣對於「頻出」的災異乃至於敗亡的時日占測需求更為強烈時，孟喜、京房一派卦氣說在推度時日的繁複度與精確度的長處，更是公羊災異說所無法企及。這或許也更能理解，公羊家中自眭孟以後，何休以前並未出現重要公羊災異學者的主要因素。

---

63 其法相當繁複，可參《京房評傳》，頁188-201。

64 黃暉：《論衡校釋》（臺北市：臺灣商務印書館，1983年），頁632王充駁盡諸家災異之言，卻採京房六日七分說來批駁變復家用人主之喜怒刑賞作為氣候寒溫異常之論點。故對王充而言，京房說是一種相對理性的推論方法。

65 黃啟書：〈由《漢書．五行志》論京房易學的另一面貌〉，《臺大中文學報》第43期（2013年12月），頁88-97。

66 〈《漢書．五行志》之創制及其相關問題〉，頁174-177。

67 〔日〕武田時昌：〈京房の災異思想〉，《緯學研究論叢：安居香山博士追悼》（東京市：平河出版，1993年2月），頁80。

五　結論

漢代學術以經學為核心，並又以天人關係最為特殊。災異說，正是結合經義與天人相與二者之產物。因此研究漢代政治與學術，皆不宜忽略災異說之相關材料。否則漢代經學史，便只剩下各經學官之立廢、經學傳承人物與章句著作的資料排比而已。這對務求通經制用的漢儒而言，是難以理解的。災異說固然不是經學中最重要、最精純的一部分，但正因其與漢代政治息息相關，因此在漢代典籍多半亡佚的情況下，吾人仍能自史傳奏疏中，稽考餘緒。只是災異說研究，必先要能就各派學者及其理論有所掌握，才能論述彼此之因革及與政治的相互關係。否則便容易誤襲前人之說，陳陳相因，遑論開展。

漢代災異說主要由儒生創造，因此其發展歷程自然也能區部反映出儒學之興衰與質變。漢武帝雖以儒術文飾帝國氣象，但終開起了儒生位居高官的契機。董仲舒繼承了公羊先師的災異基礎，因應帝王於賢良對策的提問，展示了其獨具創意的災異譴告理論。雖然由文獻上證明，這只是董仲舒的理論設計，並不適用於現實及至於歷史災異的一一推度。但也因董氏「始推陰陽，為儒者宗」的地位，災異說以春秋公羊學為核心，達到了第一次高峰。《洪範五行傳》即便文獻不一定晚於董仲舒出現，但如夏侯始昌等尚書學者，卻是受到董氏啟發而開始以災異議政。但在昭宣之間，隨著眭孟因妖言而受誅，春秋公羊災異說的發展為之中斷。宣帝時雖廣立博士，並增設博士弟子員，使儒學在武帝備立五經之後，再一次昌盛。尤其石渠閣會議更是漢代十分重要的學術會議，進而影響東漢白虎觀會議的舉行。然而，宣帝這些動作卻常是站在鞏固政權的合法性考量。一如宣帝亦屢有災異詔，丞相魏相亦倡議舉明陰陽之士。但宣帝一朝對於鳳皇、神爵等祥瑞的關心，卻大過於對災異的警誡。對於天人相與的觀念上，宣帝巧妙的操弄，營造出太平盛世的來臨。

相較於宣帝，元帝性格固有瑕疵，但對於儒學的認同卻較純粹。而然元帝崇儒的舉動，遇到了災異事件時，便鼓勵了儒臣藉災異議論朝政；災異議政之風的熾盛，又促使災異理論的推陳出新；災異理論對災異項目日趨繁密，推衍法則愈加靈活，則又添加了災異事件出現的頻率；災異「頻出」的情況，更增添君王的憂心而屢下詔求言。上述因素，環環相扣，互為因果。因此從元、成二帝的災異詔書，二朝災異議政的人數，乃至於劉向、劉歆父子《洪範五行傳論》的著成，翼奉齊詩「四始五際」之說、京氏易學說的提出足以證成這是一個儒術昌盛的時代，同時也是災異說競衡的時代。漢代災異說也因為諸家理論的創發，推到第二次高峰，影響了班固《漢書》〈五行志〉的撰作。儘管班固在〈志〉文中或許受到向歆父子《洪範五行傳論》的影響，將周易與〈洪範〉視為〈五行志〉（災異志）的源頭。但由漢代災異說的發展歷程來看，則是由《春秋》經文的災異記錄，發展到《公羊傳》的災異定義，再有董仲舒的災異譴告模式。只不過《洪範五行傳》歷經夏侯始昌，以至於向歆父子的推衍，並吸納了董仲舒的歷史災異論述。

成為一部揉合《春秋》、《尚書》與古今災異事件與推驗的完整災異著作，成為新一代的災異學典範。孟喜京房的卦氣說，自有其易學象數的理路。但被班固等後人所推重者，反而是沿襲著方士的雜占之術。不過也因其精於推驗的特長，成為足以與洪範五行傳說抗衡的災異理論。但實際就經典來看，〈五行志〉所載的京房《易傳》實為雜占；而非易學。同樣的，翼奉的「四始五際」說，亦屬術數，而與齊詩無大淵源。因此，若論與西漢災異說發展最密切的經書，仍是以《春秋》、《尚書》為主；《周易》只能說是中國一切術數的法則，但真正影響災異說的，反倒是淩雜米鹽的方士之術。

本文原刊載於《臺大中文學報》第52期，頁43-94，臺北：國立臺灣大學出版中心，2016年3月。茲徵得《臺大中文學報》編輯委員會同意後轉載於此。

漢唐經書學中之「六宗」說窺管

伊藤裕水

京都大學文學部　非常勤講師

提要

《尚書》一書，幸由伏生秦漢之際壁藏傳經，而得免於堙沒之災。〈堯典〉之中祭祀相關記載不少，圍繞其中「禋于六宗」之四字句，尤其針對「六宗」內涵具體為何此一問題，自古以來論議不止，伏生《大傳》為其濫觴，李唐之前，圍繞「六宗」已有多於十家詮釋。本稿基於先人記載，對於秦漢到《正義》前「六宗」諸說進行整理並加考證，諸家學說或依《尚書》，或依《大傳》，或依其他經學學術，雖然諸家詮釋不同，亦各有理，皆欲解決禮學上之學術矛盾，由此可觀漢唐經學綜合化之學術趨勢。但諸學者均立足於各人不同學術背景而作諸說，因此在對各家學說進行分析解釋之際，還需深入各學者之個性問題。本稿暫只疏解《正義》前之諸家學說，以資來日進一步之深入研究。

關鍵詞：六宗　《尚書》學　學說史　經學綜合化

一　前言

《尚書》〈堯典〉中有很多與祭祀相關的記述，其中「肆類于上帝，禋于六宗，望于山川，遍于群神」[1]一句，古有論議，其中心命題是「『六宗』到底包含了甚麼」。在討論這個問題時，我們首先需要對歷代學者對「六宗」的解釋進行梳理。其實在《尚書正義》、《續漢書》〈祭祀志中〉劉昭注等著述中，已經對此問題有過一些整理。北魏高閭（？-502）稱：「漢魏及晉諸儒異說，或稱天地四時，或稱六者之間，或稱《易》之六子，或稱風雷之類，或稱星辰之屬或曰世代所宗，或云宗廟所尚，或曰社稷五祀，凡有十一家。」[2]近代顧頡剛（1893-1980）、劉起釪（1917-2012）在《尚書校釋譯論》中，將歷代關於「六宗」的解釋分為二十二類[3]。

本稿在先人所做的記述之基礎上加以例證，再按照「六宗」詮釋內容，梳理了秦漢以來「漢唐訓詁學」當中的「六宗」學說。

二　《尚書大傳》說

陸德明（550？-630）《經典釋文》曰：

> 伏生、馬融曰：萬物非天不覆，非地不載，非春不生，非夏不長，非秋不收，非冬不藏。禋于六宗，此之謂也。

伏生，其名勝，原秦博士。伏生躲避秦末漢初之混亂時，隱藏了《書》，漢定天下之後，又拿出《書》，在齊魯之間傳下。集成伏生學派學說之《尚書大傳》是現存的對《尚書》解釋的最古的書[4]。如此一來，此伏生《大傳》說乃是現存最早的「六宗」

1　《尚書》經文及《孔傳》、《正義》均以阮元本《十三經注疏》為底本。其他經書皆同，後略不記。

2　二十四史均以中華書局點校本《二十四史》為底本。後略不記。

3　顧頡剛、劉起釪：《尚書校釋譯論》（北京市：中華書局，2005年），頁123-125。顧、劉氏據甲骨文中的「三示，六示，十示」等之例皆指「幾代祖先的神主」，且「示、宗、主為一字」，因此「可直把『六示』讀成『六宗』」。簡單而言，該書以六代祖先的神主（乃至宗廟）為六宗。楊森富〈「六宗」原義探討〉（《現代學苑》第7卷第4期，1970年，27-28頁）一文對歷代學說進行了簡單梳理。

4　《尚書大傳》之先行研究可分為三類：一，以《尚書大傳》及伏生為研究對象；二，圍繞《尚書大傳》之輯佚書，以書誌文獻學、校勘學為主要研究對象。；三，以《大傳》本身的書誌文獻學內容為主要研究對象：
列舉如下（含一般性文章）：
一，以《尚書大傳》本身及伏生為研究對象：
內野熊一郎〈伏生大傳經說考──尚書今古文說根周秦古在說の論及──〉（《東方學報（東京）》第九冊，二五一-二七六頁、一九三九年），程元敏〈漢代第一位經學大師伏生〉（《國文天地》八〇、三六-四五頁、一九九二年），華友根〈伏勝與《尚書》研究〉（《江海學刊》、一九九四年五期、一九九四年），池田秀三〈『尚書大傳』初探〉（中村璋八先生博士古稀記念論集編集委員会《中村璋八博說，是後代各六宗說的解釋標準。

《尚書大傳》說將六宗看做天地四時。在《尚書》中尋找並列「天地四方」的經文，可以找到堯命羲、和及仲、叔掌天象部分。《尚書》諸家說以羲、和及仲、叔為天地四時之官，如《經典釋文》引馬融云「羲氏掌天官和氏掌地官，四子掌四時。」[5]，《周禮》以天地四時為官名，〈周禮正義序〉引鄭玄《尚書》注云「高辛之世，命重為南正，司天，犂為火正，司地。堯育重、犂之後羲氏、和氏之子賢者使掌舊職。天地之官，亦紀於近，命以民事，其時官名蓋曰稷、司徒。」又云「仲、叔亦羲、和之子，堯

士古稀記念東洋學論集》，汲古書院、五一-六七頁、一九九六年)，丁亞傑〈伏生《尚書大傳》的解經方法與思想內容〉(《孔孟學報》七五、二七-四四頁、一九九八年)，方光華〈《尚書大傳》與西漢《尚書》學〉(《法門寺文化研究通訊》十四、一四五-一五一，一九九八年)，黃開國〈簡論伏生與《大傳》〉(《成都大學學報（社会科學版)》二〇〇〇年二期、二二-二六頁，二〇〇〇年)，間嶋潤一〈鄭玄『尚書注』と『尚書大傳』──周公居摂の解釈をめぐって──〉(《東洋史研究》、六〇(四)、七二-一〇四頁，二〇〇二年)，程元敏〈伏生之三統陰陽五行災異暨讖緯學說〉(《世新中文研究集刊》第三期、二一-四二頁、世新大學中國文學系、二〇〇七年)，吳智雄〈論《尚書大傳》輯本之思想要義〉(《漢學研究》總五五、一-三二頁、二〇〇八年)，吳智雄〈論《尚書大傳》的解經方式〉(《輔仁國文學報》二七、一一-三三頁、二〇〇八年)，滕秋玲〈西漢大儒伏生與《尚書》〉(《春秋》二〇〇八年一期、四九-五〇頁，二〇〇八年)，谷穎〈秦博士伏生事略考〉(《東北師大學報（哲學社會科學版)》二〇一五年六期，一三五-一三九頁，二〇一五年)。

二，圍繞《尚書大傳》之輯佚書，以書誌文獻學、校勘學為主要研究對象：

高倉正三〈紅豆齋鈔本尚書大傳五卷──北京遊記抄──〉(《東方学報（京都)》第十冊第二分冊，一四八-一五二頁，昭和一四年)，浜久雄〈『尚書大伝』考〉(《東洋研究》一三三、一-二六頁、一九九九年)，鄭裕基〈陳澧整理陳壽祺《尚書大傳定本》評述〉(《中華技術學院學報》二六期，二三二-二四七頁，二〇〇三年)，宗靜航〈讀陳壽祺輯校《尚書大傳》偶記〉(《中華文史論叢》2006年2期，267-280頁，2006年)，鄭裕基〈談談《尚書大傳》和它對語文教學的助益〉(《國文天地》總號二五七，十七-二十九頁，二〇〇六年)，鄭裕基〈王闓運《尚書大傳補注》改動「雅雨堂本」《尚書大傳》舉例〉(《中華技術學院學報》三四期，三四七-三八八頁，二〇〇六年)，鄭裕基〈國家圖書館藏 惠棟「紅豆齋」本《尚書大傳》條首「┐」符號探義〉(《中華技術學院學報》三七期，二七三-二八九頁，二〇〇七年)，鄭裕基〈國家圖書館所藏惠棟輯本《尚書大傳》訛誤舉例〉(《中華科技大學學報》四一期，二八七-三一四頁，二〇〇九年)，鄭裕基〈海峽兩岸國家圖書館善本書室所藏清惠棟紅豆齋輯本《尚書大傳》斠議三則〉(《通識教育學報》二期，九五-一一八頁，二〇一二年)，蔣秋華〈王闓運《尚書大傳補注》之輯補述論〉(《揚州大學學報（人文社會科學版)》二〇一三年六期，四六-五四頁，二〇一三年)，侯金滿〈《尚書大傳》校讀札記四則〉(《中國典籍與文化》二〇一六年一期，一二八-一三四頁，二〇一六年)。

三，以《大傳》本身的書誌文獻學內容為主要研究對象：

野間文史〈引書からみた五経正義の成り立ち──書伝・書伝略説・洪範五行伝を通して──〉(《新居浜工業高等専門學校紀要（人文科學編)》第二五卷51-60頁、一九八九年)，程元敏〈兩漢《洪範五行傳》作者索隱〉(《孔孟學報》八五、159-191頁、二〇〇七年)，李慧玲〈孔穎達《毛詩正義》中《尚書大傳》的異名辨析〉(《上海大學學報（社會科學版)》二〇〇八年二期，2008年)，楊傑〈《尚書大傳》稱名考〉(《古籍整理研究學刊》二〇一四年一期，106-108頁，2014年)。

5 偽孔傳云「重黎之後羲氏和氏世掌天地之官」(阮元校勘記及《尚書正義定本》校勘記為無「天地四時」之「四時」二字，今從。)，疏「馬融、鄭玄皆以此命羲和者，命為天地之官。下云分命、申命，為四時之職。天地之與四時，於周則冢宰司徒之屬六卿，是也。」

既分陰陽四時，又命四子為之官。掌四時者，字曰仲叔。則掌天地者，其曰伯乎。」，賈公彥云「是有六官。」[6]。馬、鄭等漢代學者將天地理解為陰陽，陰陽產生四時，如此一來，「天地四時」可以理解為陰陽及陰陽所生成的四時，以生成的關係來串聯「天地」與「四方」。這種理解方式是傳統的經學解釋方式，其道理由經學的觀念來看很通順。

我們還可以從另一個角度來考慮「天地四時」，即「天地四時」是何種概念。「天地」是空間概念，「四時」是時間概念。那麼在此祭祀的對象即，其世界的空間和時間。空間和時間這兩種概念是構成世界的最基礎的條件。也就是說，舜祭祀他所在的世界的最基礎的事物。

三　今文說

班固（西元32-92年）《漢書》〈郊祀志〉曰：

> 後莽又奏言：《書》曰：「類於上帝，禋于六宗。」歐陽、大小夏侯三家說六宗，皆曰上不及天，下不及墜，旁不及四方，在六者之間，助陰陽變化，實一而名六，名實不相應。

此解釋是，在天地四方之內（不包括天地四方本身），且能補助陰陽之變化的，如此擁有很微妙的機能的為「六宗」[7]。我們要注意，雖然它的基本框架是「天地四方」，但並非「天地四方」本身。同時還需要注意，如上所說《大傳》說用的「四時」是表示時間的概念，由如此時間概念變化成「四方」的空間概念。據「實一而名六」的說法來看，今文學家設定六個極點，並將其內側一塊立體且抽象的空間和其作用理解為「六宗」。關於此一空間的六宗作用，王充（西元27-97？年）《論衡》〈祭義〉曰：

> 六宗居六合之間，助天地變化，王者尊而祭之，故曰六宗。

司馬彪《續漢書》〈祭祀志〉劉昭注引《李氏家書》曰：

> 司空李郃侍祠南郊，不見六宗祠。奏曰：案《尚書》：「肆類于上帝，禋于六宗。」六宗者，上不及天，下不及地，傍不及四方，在六合之中，助陰陽，化成萬物。

6　《史記正義》也同樣解釋羲、和及四子為天地四時之官。

7　可參池田雅典〈歐陽尚書の六宗説について〉（渡邉義浩編《両漢における詩と三伝》，汲古書院，2007年）。池田雅典〈後漢に於ける六宗祭祀の成立〉（《大東文化大學中國學論集》26，27-49頁，2008年）從政治史、制度史的角度対東漢期之「六宗」进行了分析，認為其內容為安帝期的鄧太后之女主專制的正當化，依今文說「助陰陽變化者」的內容来推進「六宗」祭祀。

此一空間佐助天地陰陽之變化消長，乃是「實一而名六」的微妙的存在。孟康注《漢書》〈郊祀志〉「六宗」云「或曰天地間游神也。」，即此意也。

此一解釋雖然在後世被認為屬神秘主義性的解釋，但在漢代是最有力的解釋，也是主流學說。王逸對《楚辞》〈九章〉〈惜誦〉「戒六神與嚮服」之句注云「六神，謂六宗之神也。《尚書》禋於六宗。……言己願復令六宗之神，對聽己言事可行與否也。」，此註解有可能是援用今文學說所作的。

今文學派對六宗的解釋是由《尚書大傳》派生而做出來的[8]。簡單來說，因為「禋于六宗」的上一句「肆類于上帝」，已經表明對「上帝」進行了祭祀。「上帝」即是「天」，禮制上不能重複祭祀天。與不能直接祭祀天一樣，禮制上不得不避免直接祭祀「地四方」本身。關於此問題筆者準備另一篇詳細討論。[9]

四　孔傳說

《續漢書》〈祭祀志中〉劉昭注所引司馬紹統（司馬彪）表曰：

> 安國案〈祭法〉為宗而除其天地於上，遺其四方於下，取其中以為六宗。四時寒暑日月眾星并水旱，所宗者八，非但六也。《傳》曰：「山川之神，則水旱癘疫之災，於是乎禜之。日月星辰之神，則雪霜風雨之不時，於是乎禜之。」又曰：「龍見而雩。」

此段為司馬彪對「安國」的六宗詮釋進行解釋說明的內容。依司馬彪之理解，「安國」按《禮記》〈祭法〉「埋少牢於泰昭，祭時也。相近於坎壇，祭寒暑也。王宮，祭日也。夜明，祭月也。幽宗，祭星也。雩宗，祭水旱也。四坎壇，祭四方也。山林川谷丘陵能出雲，為風雨，見怪物，皆曰神。有天下者祭百神。諸侯在其地則祭之，亡其地則不祭。」，將存在於天地四方內部的「時」、「寒暑」、「日」、「月」、「星」、「水旱」，作為「六宗」祭祀的內容。

此詮釋乃類似於今文學將「六宗」認為是「六宗者，上不及天，下不及地，傍不及

8　此一說另有幾種說法。司馬彪《續漢書》〈祭祀志〉劉昭注曰：「歐陽和伯、夏侯建曰：六宗上不謂天，下不謂地，傍不謂四方，在六者之閒，助陰陽變化者也。」；《周禮》〈春官〉大宗伯賈公彥疏引《駁五經異義》曰：「今歐陽、夏侯說：六宗者，上不及天，下不及地，傍不及四時，居中央，恍惚無有神助，陰陽變化，有益於人，故郊祭之。」

9　此一解釋或也影響了道家思想，《莊子》〈天道〉「明於天，通於聖，六通四辟於帝王之德者，其自為也，昧然无不靜者矣。」成玄英疏云「六通，謂四方上下也。四辟者，謂春秋冬夏也。夫唯照天道之無為，洞聖情之絕慮，通六合以生化，順四序以施為，以此而總萬乘，可謂帝王之德也。任物自動，故曰自為；晦跡韜光，其猶昧闇，動不傷寂，故無不靜也。」，從其內容來看，與今文學家「六宗」相似。

四時，居中央，恍惚無有神助，陰陽變化，有益於人」，但兩者之間有所差別。今文《尚書》說所指的是上下四方內部的抽象的空間，「安國」說所指的則是「天地四方」內部的具體的「神」。但今文經說與此「安國」說皆不將「上下四方」本身認為是六宗的內容。因此我們可以認為「安國」的「六宗」，是將祭祀對象設定為上下四方內部的具體存在。

此以「安國」開頭的解釋，見於「晉武帝初」司馬彪上奏中，先於所謂《偽孔傳》的出現，且為永嘉之亂之前的產物，因而此「安國」應是西漢孔安國。[10]如果可以認定此乃西漢孔安國的解釋，那麼我們還需要對假託為「孔安國」所作之偽孔傳的詮釋進行確認。偽孔傳曰：

> 精意以享謂之禋。宗，尊也。所尊祭者，其祀有六，謂四時也、寒暑也、日也、月也、星也、水旱也。祭亦以攝告。

偽孔傳的詮釋與西漢孔安國的詮釋相同，均將「四時」、「寒暑」、「日」、「月」、「星」、「水旱」認為是六宗內容。與司馬彪同樣，孔穎達也用《禮記》〈祭法〉來對此進行說明。

但是，偽孔傳用「也」字明示六宗的具體六種內容，而司馬彪並未使用此字，因而

---

10 關於偽孔傳之作者，若採用王肅偽作說、皇甫謐偽作說，此「安國」也可認定為偽孔傳。本稿暫從梅賾偽作說。小林信明：《古文尚書乃研究》（東京：大修館書店，1959年）以為，難以明示偽孔傳的具體作者為誰，但其時代至少在王肅之後，為晉人所作。加賀榮治《中國古典解釋史——魏晉篇》（東京：勁草書房，1964年）認為，偽孔傳為西晉末期某人擬作（筆者註：加賀氏書中不用「偽作」而用「擬作」）。關於其成書的經緯，簡單來說，偽孔傳是以東漢荊州之學——即劉表沙龍所作「荊州後定章句」（筆者註：《三國志》〈劉表傳〉裴注引《英雄記》曰：「州界群寇既盡，表乃開立學官，博求儒士，使綦毋闓、宋忠等撰五經章句，謂之後定。」）為中介，間接繼承了《尚書大傳》、馬、鄭注等的漢代注解，並吸收了時代最近且較有影響力的王肅注，折衷前代諸學說，以合理主義、論理主義的方式作成的。另外還有黃懷信等著《漢晉孔氏家學與〝偽書〞公案》（廈門市：廈門大學出版社，2011年）一書，但其論述較為簡略，亦可參考。

『真』孔傳或可能寫於西漢孔安國之手，但西漢孔安國受累於「巫蠱之獄」，因此西漢孔安國的古文《尚書》學未立博士而〝真〞孔傳沒有傳下去。雖然毋庸置疑西漢孔安國針對《尚書》有一家之學，但現在尚不確定西漢孔安國是否實際將其學說作成一套完整的傳。即使西漢孔安國確實作了一套完整的傳，但因為他的古文《尚書》學在當時並未被立為博士，因此此傳很可能並未完整地流傳下去。考慮到六朝時期的「偽作」著作的製作，實際上是重新編輯（甚至可以說是一種輯佚）再增加之前沒有的內容，即一種再生產，如《孔子家語》。（關於《孔子家語》的偽作，可參池田秀三：〈王肅の學問〉二、〈王肅の學問〉2、〈《孔子家語》の偽撰問題〉，《三國志研究》第9號，2014年，頁1-26。作為代表六朝時期文獻狀況之一的六朝宮廷文獻的散逸與蒐集的相關研究，可參考池田恭哉：〈隋朝における牛弘の位置〉，《中國思想史研究》第40號，2019年，頁1-29）。如此一來，關於偽孔傳也還存在另一種可能性，即偽孔傳也是六朝時期的孔傳再生產的結果，是偽孔傳作者輯輯六朝時期當時已經散逸的〝真〞孔傳，改編而作成的。關於此一推論，筆者目前尚未對細節進行考察研究，待日後再考。

還不能確定司馬彪所參照的「安國」說本來的文本是什麼樣的。可是，我們可以看出，司馬彪對於「安國」說六宗包含「時」、「寒」、「暑」、「日」、「月」、「星」、「水」、「旱」的八種祭祀對象，即經文所言為「六」，安國將其解釋為八種這一內容，有所異論。

另，現在《禮記》所見的「幽宗」與「雩宗」的兩個「宗」字，鄭玄注云「宗，皆當為禜，字之誤也。」，而注中皆作「禜」，釋為「禜之言營也。」，因而現在一般將「幽宗」、「雩宗」理解為對「禜」的祭祀。孔穎達《尚書正義》沿用鄭玄的理解，將其文引用作「幽禜」、「雩禜」。然而司馬彪在此段云「安國案〈祭法〉為宗」，從此看來，司馬彪將〈祭法〉之文直接理解為「幽宗」、「雩宗」。司馬彪引用《春秋左氏傳》的理由為，他並非直接認為《禮記》「幽宗」與「雩宗」的「宗」字為「禜」字，僅是依從《左傳》舉安國說的祭祀實例[11]。

「安國」說之外，陸德明《經典釋文》云「王云：四時、寒暑、日、月、星、水旱也。」，王肅也採用此說，《孔叢子》〈論書〉曰：

> 宰我曰：「敢問禋于六宗，何謂也？」孔子曰：「所宗者六，皆潔祀之也。埋少牢於九昭，所以祭時也。祖迎於坎壇，所以祭寒暑也。主於郊宮，所以祭日也。夜明，所以祭月也。幽禜，所以祭星也。雩禜，所以祭水旱也。『禋於六宗』，此之謂也。」

《孔叢子》明用《禮記》〈祭法〉來說明六宗，直接作「幽禜」、「雩禜」。一般認為《孔叢子》為魏晉之間的偽作[12]，由此來看，《孔叢子》是襲用鄭玄〈祭法〉說來對六宗進行解釋的。

綜上，孔傳六宗說是基於〈祭法〉的一種詮釋，是西漢孔安國為了避免祭祀對象重複而提出的一種學說，在此之後，王肅、偽孔傳也繼承了這一思想。

五　乾坤六子

乾坤六子說，是指將除乾☰坤☷二卦之外的《易》六純卦（即坎☵、離☲、震☳、巽☴、艮☶、兌☱）作為對六宗的解釋。《易》八純卦每一卦均象徵自然界之物，乾象徵天、坤象徵地、坎象徵水、離象徵火、震象徵雷、巽象徵風、艮象徵山、兌象徵澤。最早期提出此說的是孔光。孔穎達（西元574-648年）《尚書正義》曰：

11　或司馬彪亦認同鄭玄的以〈祭法〉之「宗」作「禜」的看法，以《左傳》為佐證。

12　參照南部英彥：〈『孔叢子』の研究：その成書の年代と作者を考える〉（東北大學《集刊東洋學》第72期，頁19-39，1994年）等。另外，朱熹亦懷疑孔傳為非西漢孔安國之作，《朱子語類》卷七十八第三十三條等講到偽孔傳與《孔叢子》的關係。相關研究亦有雷欣翰〈《舜典》「禋於六宗」考識——《孔叢子·論書》所引《尚書》文〉（《寧夏大學學報（人文社會科學版）》，6-13頁，2016年）

> 孔光、劉歆以六宗謂乾坤六子：水、火、雷、風、山、澤也。

孔光為孔子十四世子孫，成帝時成為博士。眾所周知，平帝之時才立古文《尚書》博士官。由此可知，孔光乃為今文《尚書》博士。依《經典釋文》〈序錄〉所云，孔光的《尚書》學是繼承了其父孔霸之學，孔霸從夏侯勝學《尚書》，那麼，孔光應該也是以大夏侯《尚書》立為今文《尚書》博士。實際上，本傳所載，有依洪範災異說來上奏的奏書。同時，孔光也是孔安國的侄子，或修古文《尚書》。可孔光沒有《易》學的師承。本傳稱他「經學尤明」，由此可以認為他對於《易》學也應該有一定程度的掌握。

孔光之外，劉歆、孔昭、王莽也採用乾坤六子說，《周禮》〈春官〉〈大宗伯〉賈公彥疏引《禮論》曰：

> 王莽時，劉歆、孔昭以為《易》〈震〉、〈巽〉等六子之卦為六宗。

班固《漢書》〈郊祀志〉曰：

> 後（王）莽又奏言：……又日月雷風山澤，《易》卦六子之尊氣，所謂六宗也。星辰水火溝瀆，皆六宗之屬也。

為何六純卦是「六子」。顏師古云「乾為父，坤為母。震為長男，巽為長女，坎為中男，離為中女，艮為少男，兌為少女，故云六子也。水火，坎離也。靁風，震巽也。山澤，艮兌也。」，「乾」為父，「坤」為母，其他六卦為乾坤之子，由此六純卦為「乾坤六子」。此配型已見於〈說卦傳〉。

乾坤兩卦各象徵天與地，依照王莽之奏，其他「六子」各象徵「水火」、「靁風」、「山澤」。梳理〈說卦傳〉所說的八純卦的象徵，乾象徵十七種，坤象徵十五種，震象徵十八種，巽象徵十九種，坎象徵二十四種，離象徵十七種，艮象徵十五種，兌象徵十二種。象數易將《易》各卦所象徵的內容逐漸擴充，惠棟《易漢學》蒐集虞翻的逸象三百二十六種，張惠言蒐集孟喜的逸象四百五十七種，方申《易學五書》中蒐集諸家逸象總計一千四百七十一種。[13]

由如此擴充八卦所象來看，祭祀《易》卦象也會祭祀到六子所象徵的許多神靈。乾坤各象天地，天地在郊祀祭祀，為了避免祭祀對象的重複，作為祭祀對象除掉此兩卦，剩下的即「六子」。以「六子」作為祭祀對象，即也可以將「水火」、「靁風」、「山澤」為首的繁多事物設定為祭祀對象。

另外，我們還要注意漢代《易》的地位。《漢書》〈藝文志〉云「六藝之文，樂以和神，仁之表也。詩以正言，義之用也。禮以明體，明者著見，故無訓也。書以廣聽，知

---

13 具體逸象內容，參看鈴木由次郎《漢易研究》第二部〈漢代象數易の研究〉‧第一章〈象數易〉（東京：明德出版社，1963（昭和38）年，頁131-164）。

之術也。春秋以斷事，信之符也。五者，蓋五常之道，相須而備，而易為之原。」，由此可知，正如川原秀城、武田時昌、井ノ口哲也所說，劉歆所構造的六經，是以《易》統合其他五經的。[14]那麼以當時的學術背景來看，以五經之「原」的《易》解釋「知之術」的《尚書》是也很自然的。

顏師古《漢書》〈郊祀志上〉注有云「六宗之義，說者多矣。乾坤六子，其最通乎。」，同樣依從乾坤六子說。

六　古《尚書》說

《周禮》〈春官〉〈大宗伯〉賈公彥疏引鄭玄（西元127-200年）《駁五經異義》曰：

> 古《尚書》說：六宗，天地神之尊者，謂天宗三，地宗三。天宗，日、月、北辰；地宗，岱山、河、海。日月屬陰陽宗，北辰為星宗，岱為山宗，河為水宗，海為澤宗。祀天則天文從祀，祀地則地理從祀。（許慎）謹案：……《春秋》魯郊祭三望，言郊天，日、月、星、河、海、山，凡六宗。魯下天子，不祭日月星，但祭其分野星，其中山川，故言三望，六宗與《古尚書》說同。

古《尚書》說的祭祀對象為，天宗三、地宗三，即──天宗：日、月、星；地宗：岱、海、河。除《五經異義》所引古《尚書》說之外，賈逵（西元30-101年）、蔡邕（133-192）、盧植（？-192）等也採用此說。

正如《續漢書》劉昭注云「〈月令〉『孟冬祈于天宗。』，盧植注曰『天宗，六宗之神。』」，「天宗」之詞基於《禮記》。查看《禮記》正文有如下：

> 天子乃祈來年于天宗。

經文沒有明寫「天宗」指何物，《禮記正義》解釋其為季冬有「天之神祇」，因而此處「天宗」應為「日」、「月」、「星」。

此一組合了「天宗三、地宗三」兩宗的六宗學說，《五經異義》稱其為《古尚書》，但此說於何時成立尚未可知。明確採用此說的最早人物為賈逵[15]，因而此說至少可以上遡到東漢初年。但組合此六種的「六宗」理解可以再追遡上去。《續漢書》〈祭祀志〉劉

---

14 參照川原秀城：《中國の科學思想──両漢天學考》I術數學・三經學と術數學・（二）劉歆の目錄學（東京：創文社，1996年1月，頁71-76）、周汝榮：〈《七略》的經學思想〉一、《易》居群經之首，且為群經之原（《社會科學戰線》1998年第2期，頁248-250），井ノ口哲也：《後漢經學研究序說》第六章『易』と『周禮』（東京：勉誠出版，2015年，頁197-224）。關於西漢期《易》學之抬頭，並參照武田時昌：〈損益の道、持満の道──前漢における易の台頭〉（《中國思想史研究》第19期，京都大學中國哲學史研究會，1996年，頁47-68）

15 孔穎達：《尚書正義》曰：「賈逵以為：六宗者，天宗三，日月星也；地宗三，河海岱也。」

昭注曰：

> 《黃圖》載元始儀最悉，曰：「元始四年，宰衡莽奏曰：『……以日冬至祀天，夏至祀后土，君不省方而使有司。六宗，日、月、星、山、川、海，星則北辰，川即河，山岱宗，三光眾明山阜百川眾流渟汙皐澤，以類相屬，各數秩望相序。』」

根據引文，《三輔黃圖》所載元始儀稱，王莽上奏，將「日、月、星、山、川、海」這六種當做「六宗」的內容。可此處尚有矛盾。由上文來看，王莽採用的是乾坤六子說。

對於這一矛盾，《後漢書集解》所引黃山云「莽奏議在元始五年十二月。……而注引《黃圖》乃有元始四年，宰衡莽具郊儀之奏。其文則全襲匡衡原奏之詞。與〈志〉載莽前後各奏不合。其為偽托，明矣。」，據此，《三輔黃圖》所載之文非王莽奏書，乃為匡衡上奏的內容。綜合《漢書》的內容來看，匡衡上奏郊祀的內容是成帝建始元年（西元前32年）之事。

若是如此，匡衡上書中已有此日、月、星、岱、海、河為內容的「六宗」說。古文《尚書》立官是平帝之時，因此，將此說看做古《尚書》的內容或許並無齟齬。匡衡（或王莽）的上奏中，雖然並未將其分開為「天宗」與「地宗」，但以其內容來看，西漢後期已有此古《尚書》說，因而或許可以推測匡衡或王莽所依拠的學說可能也是將「天宗三」與「地宗三」分開來的。

綜上，此關於「六宗」詮釋的《古尚書》說，是基於《禮記》〈月令〉注「孟冬祈于天宗」之句，來對「六宗」的內容進行推測而作出的詮釋。

七　鄭玄說

《周禮》〈春官〉〈大宗伯〉賈公彥疏引鄭玄《駁五經異義》曰：

> 玄之聞也，《書》曰：「肆類于上帝，禋于六宗，望于山川，遍于群神。」此四物之類也、禋也、望也、遍也，所祭之神各異。六宗言禋，山川言望，則六宗無山川明矣。《周禮》〈大宗伯〉曰：「以禋祀祀昊天上帝，以實柴祀日月星辰，以槱燎祀司中、司命、風師、雨師。」凡此所祭，皆天神也。《禮記》〈郊特牲〉曰：「郊之祭也，迎長日之至也，大報天而主日也。兆於南郊，就陽位也。掃地而祭，於其質也。」〈祭義〉曰：「郊之祭，大報天而主日，配以月。」則郊祭并祭日月可知。其餘，星也、辰也；司中、司命；風師、雨師。此之謂六宗，亦自明矣。

據此可知，鄭玄以「六宗」為天神，為了避免與郊祀的祭祀對象重複，其使用《周禮》〈大宗伯〉的經文記述為基礎，刻意除掉與郊祀重複的「實柴」中的日月，以將星、辰、司中、司命、風師、雨師之六種天神設定為「六宗」。那麼，我們直接參照該處鄭注。鄭注《周禮》〈春官〉〈大宗伯〉「以禋祀祀昊天上帝，以實柴祀日月星辰，以槱燎祀司中、司命、飌師、雨師。」曰：

> 禋之言煙，周人尚臭。煙氣之臭聞者，槱積也。《詩》曰「芃芃棫樸，薪之槱之」，三祀皆積柴實牲體焉。或有玉帛燔燎而升煙所以報陽也。鄭司農云……風師箕也。雨師畢也。玄謂，昊天上帝冬至於圜丘所祀天皇大帝。星謂五緯，辰謂日月所會十二次。司中、司命，文昌第五第四星。或曰，中能上能也。祀五帝亦用實柴之禮云。

以此《周禮》注之記述可知，鄭玄所設定的「六宗」是，五緯（即歲星、熒惑、大白、辰星、鎮星。[16]）、日月所會十二次[17]、中宮的星官・文昌宮之第四星・司命及第五星・司中[18]、主掌風雨之飌師一即箕、雨師一即畢[19]。由此可知，鄭玄將「六宗」理解為六種天象。關於此處鄭玄為何不採用古《尚書》說一事，孔穎達《尚書正義》已有說明：

> 按《異義》六宗賈逵等以為天宗三謂日月星，地宗三謂泰山河海。鄭玄六宗以為星也，辰也，司中也，司命也，風師也，雨師也，不同賈逵之義。今此云「天宗謂日月星」者，《尚書》六宗文承肆類上帝之下，凡郊天之時日月從祀，故祭以日月配，日月在類上帝之中。故六宗不得復有日月。此不云「六宗」而云「天宗」，與彼別也。

孔穎達認為，鄭玄以為《周禮》所載的燃燒某物的祭祀當中，郊外祀之時所從祀的日月應在《尚書》經文的上文中已經被從祀，由此除日月之外的六物乃為「六宗」的祭祀對象。另外，鄭玄在《禮記》注中云「此《周禮》所謂蜡祭也。天宗謂日月星辰也。……或言祈年，或言大割，或言臘，互文。」，他認為「祈年」、「大割」、「臘」是互文關係，這三種祭祀為「周禮所謂蜡祭」，即「天宗」是以犧牲來進行的祭祀，並非是升煙的祭祀，所以「天宗」不合升煙祭祀的「六宗」。

---

16 賈公彥：《周禮正義》「東方歲星、南方熒惑、西方大白、北方辰星、中央鎮星。」

17 《春秋左氏傳》昭公七年云：「公曰：『多語寡人辰而莫同。何謂辰。』（伯瑕）對曰：『日月之會，是謂辰，故以配日。』」，參照荒木俊馬：《天文年代學講話——古代の時を決める話》第三章〈支那古代曆法の發達〉三〈辰とは何ぞや〉（東京：恒星社厚生閣，1951年，104-114頁）、武田時昌：〈先秦星辰考—惑星と彗星のあいだ—〉（名和敏光編：《東アジア思想・文化の基層構造—術數と『天地瑞祥志』—》，東京：汲古書院，2019年3月，頁1-16）等。

18 《史記》〈天官書〉「斗魁戴匡六星曰文昌宮：一曰上將，二曰次將，三曰貴相，四曰司命，五曰司中，六曰司祿。」；《周禮正義》所引《武陵太守星傳》「文昌宮：第四曰司命，第五曰司中。」

19 賈公彥《周禮正義》云「《春秋緯》云『月離於箕風揚沙』，故知風師箕也。」；又云「《詩》云『月離於畢，俾滂沱矣』，是雨師畢也。」，又引鄭玄《尚書》〈洪範〉注「箕星好風，畢星好雨。是土十為木八妻，木八為金九妻，故東方箕星好風，西方畢星好雨。」《史記》〈宋微子世家〉「星有好風，星有好雨。」，《集解》云「馬融曰：『箕星好風，畢星好雨。』」

鄭玄也有利用數字「六」的「六天」說。鄭玄將昊天上帝──即北辰耀魄寶與五帝──即蒼帝靈威仰、赤帝赤熛怒、黃帝含樞紐、白帝白招矩、黑帝汁光紀的六天帝[20]設定為天的主宰者。雖有數字「六」，但不祭祀「六天」，原因在於上文「肆類于上帝」已祭祀了天帝，此處為避免祭祀對象重複而使然。[21]

《續漢書》〈祭祀志中〉劉昭注所引司馬紹統表云「范甯注虞書曰『考觀眾議，各有說難。鄭氏證據最詳，是以附之。案六宗眾議，未知孰是。』」，范寧以為諸「六宗」說皆有疑點，獨鄭玄說所據最詳，暫表贊意而已。

八　地說

司馬彪《續漢書》〈祭祀志中〉劉昭注引虞喜《別論》曰：

> 地有五色，太社象之。總五為一則成六，六為地數。推校經句，闕無地祭，則祭地。

關於數字「六」，《周易》繫辭上傳有云「天一地二天三地四天五地六天七地八天九地十」，奇數為天，偶數為地，若是如此，《漢書》〈律曆志〉云「地之中數六」，「六」是地之數中最中間的數字。

此「地有五色」一語，也與《尚書》有關。〈禹貢〉徐州有云：

> 厥田惟上中厥賦中中，厥貢惟土五色。

此處，徐州所獻的方物為五色土。對此，偽孔傳曰：

> 王者封五色土為社。建諸侯，則各割其方色土，與之使立社，燾以黃土，苴以白茅，茅取其潔黃，取王者覆四方。

鄭玄對於「土五色」解為「土五色者，所以為大社之封。」[22]，鄭玄與偽孔傳同樣，將「土五色」理解為建社所用的材料。那麼，「土五色」為何。《釋名》云：

---

20 《禮記》〈月令〉季夏鄭注「皇天北辰耀魄寶，冬至所祭於圜丘也。上帝大微五帝。」；《尚書》〈舜典〉孔穎達疏「鄭玄篤信讖緯，以為昊天上帝謂天皇大帝，北辰之星也。五帝謂靈威仰等，太微宮中有五帝座星，是也。」；《周禮》〈小宗伯〉鄭注「五帝，蒼曰靈威仰，太昊食焉。赤曰赤熛怒，炎帝食焉。黃曰含樞紐，黃帝食焉。白曰白招拒，少昊食焉。黑曰汁光紀，顓頊食焉。」；《禮記》〈大傳〉鄭注「王者之先祖，皆感大微五帝之精以生。蒼則靈威仰，赤則赤熛怒，黃則含樞紐，白則白招拒，黑則汁光紀。」等。

21 關於《駮五經異義》的許說（古尚書說）及鄭說，可參栗原圭介〈駮五経異義に於ける六宗の形態について〉（《大東文化大学漢学会誌》31，30-47頁，1992年）

22 《史記》〈夏本紀〉集解。

> 徐州貢土五色，有青、黃、赤、白、黑也。土青曰黎，似黎草色也。土黃而細密曰埴。埴膩也，黏如脂之膩也。土赤曰鼠肝，似鼠肝色也。土白曰漂。漂輕飛散也。土黑曰盧。盧然解散也。

《禮記》〈郊特牲〉云「社祭土而主陰氣也。……天子大社，必受霜露風雨，以達天地之氣也。……社所以神地之道也。地載萬物，天垂象。取財於地，取法於天。是以尊天而親地也。」，社是祭祀「地」的場所，以社禮調整「地」的狀態。

關於此五色土與社的關係如何，也有文獻依據，《逸周書》〈作雒解〉云：

> 封人社壝諸侯受命于周，乃建大社于國中，其壝東青土，南赤土，西白土，北驪土，中央疊以黃土，將建諸侯，鑿取其方一面之土，燾以黃土，苴以白茅，以為社之封，故曰受列土于周室。

由這些記述可知，古人在社用五色之土象徵東西南北中央的五方。此乃祭祀地的五行。

如上所說，《易》〈繫辭上傳〉云「天一，地二，天三，地四，天五，地六，天七，地八，天九，地十。」，象數以一、六象水，二、七象火，三、八象木，四、九象金，五、十象土[23]。據此看來，天數與五行的關係為，天一水，天三木，天五土，天七火，天九金，地數與五行的關係為，地二火，地四金，地六水，地八木，地十土。

由此，大社是以五色之土來象五方之地──即地之五行，因而其作為統五方者而存在，將五方之數「五」和大社之數「一」加起來為「六」，其六乃為地之中數，即為六宗簡單來說，這一解釋是基於「地數六」的象數思想，祭祀對象是掌管大地的社及五方。若是將此構造投影於天，那麼祭祀對象就成為昊天上帝與五方帝。換言之，此一解釋方法，大體是將鄭玄六天說的對象置換到地，也可稱其為「六地說」。

綜上，結合虞喜的家學與象數《易》背景，可以認為虞喜對「六宗」的詮釋，正好是對應鄭玄六天的「六地」說。

《續漢書》〈祭祀志中〉劉昭注云「臣昭謂虞喜以祭地，近得其實。」，劉昭亦大體贊同虞喜說。

---

23 例如，《禮記》〈月令〉疏云：「鄭注《易》〈繫辭〉云：天一生水於北，地二生火於南，天三生木於東，地四生金於西，天五生土於中。陽無耦陰，無配未得相成。地六成水於北，與天一并，天七成火於南，與地二并，地八成木於東，與天三并，天九成金於西，與地四并，地十成土於中，與天五并也。」；揚雄《太玄》〈玄數〉云：「三、八為木，……，四九為金，……，二七為火，……，一六為水，……，五五為土，……。」。孔穎達《尚書》〈洪範〉疏云：「《易》〈繫辭〉曰，天一，地二，天三，地四，天五，地六，天七，地八，天九，地十，此即是五行生成之數。天一生水，地二生火，天三生木，地四生金，天五生土，此其生數也。如此則陽無匹陰無耦，故地六成水，天七成火，地八成木，天九成金，地十成土。於是陰陽各有匹偶，而物得成焉。故謂之成數也。」

九　昭穆說

司馬彪《續漢書》〈祭祀志〉劉昭注曰：

> 幽州秀才張髦又上疏曰：煙於六宗，祀祖考所尊者六也。……臣以《尚書》與《禮》〈王制〉，同事一義，符契相合。禋于六宗，正謂祀祖考宗廟也。文祖之廟六宗，即三昭三穆也。

採用三昭三穆說的張髦說是，直接利用了「宗」字字義。例如《說文解字》云「宗，尊祖廟也。」[24]，《周禮》〈師甸〉云「凡師甸用牲於社宗，則為位。」，鄭玄注「宗，遷主也。」，杜子春注「宗謂宗廟。」，從以上諸說對「宗」的字義理解來看，將宗理解為祖廟（乃至木主）是理所當然的。

張髦的三昭三穆說，正如引文中所載，是依據〈王制〉之文。

> 天子七廟，三昭三穆，與大祖之廟而七。諸侯五廟，二昭二穆，與大祖之廟而五。大夫三廟，一昭一穆，與大祖之廟而三。士一廟。庶人祭於寢。

舜是天子，由此依〈王制〉的禮制來看，舜的宗廟應是「天子七廟。三昭三穆。」七廟之中，「大祖之廟」是不毀廟──即「文祖」，「三昭三穆」是祭與自己親近的六世代的遷廟──即「六宗」。從此看來，張髦，與鄭玄所云「宗，遷主也。」同樣是將「宗」字理解為遷廟之義。

綜上，張髦的「昭穆說」是依據「宗」字字義，並基於禮制來對其進行詮釋的一種學說。

十　六氣說

房玄齡（西元579-648年）等《晉書》〈禮志〉摯虞（西元？-311年）上奏曰：

> 惟散騎常侍劉邵以為萬物負陰而抱陽，沖氣以為和。六宗者，太極沖和之氣，為六氣之宗者也。虞書謂之六宗，周書謂之天宗。

劉邵所說的「周書」乃為《逸周書》，《逸周書》〈世俘解〉云「辛亥，薦俘殷王鼎，武王乃翼矢珪矢憲，告天宗上帝。」，〈世俘解〉中武王祭祀「天宗」與「上帝」。因而可知，〈世俘解〉所祭祀的對象，與〈堯典〉的「肆類于上帝，禋于六宗」相同。

我們尚不明確這「六氣」具體指何物，但我們在經書中可以找到「六氣」之詞，《春秋左氏傳》昭公元年曰：

---

24 段玉裁注曰：「按當云尊也，祖廟也。」

> 天有六氣，降生五味，發為五色，徵為五聲，淫生六疾。六氣曰陰、陽、風、雨、晦、明也，分為四時，序為五節，過則為菑：陰淫寒疾，陽淫熱疾，風淫末疾，雨淫腹疾，晦淫惑疾，明淫心疾。女，陽物而晦時，淫則生內熱惑蠱之疾。今君不節、不時，能無及此乎。

《左傳》以「六氣」為「陰、陽、風、雨、晦、明」，雖然此處所說的是養生之術，但此六氣是六種自然現象，並不只是養生之術語。劉邵以六宗云「太極沖和之氣」，乃為「為六氣之宗者也」，那麼他所說的六宗是「陰、陽、風、雨、晦、明」六氣之上位概念，換言之，六宗所產生的就是，「陰、陽、風、雨、晦、明」的「六氣」。如此，「太極沖和之氣」的性質非常類似於今文學家「在六者之間，助陰陽變化，實一而名六」的六宗說。雖然難以確定此一解釋是依據劉邵發展的今文說而立說的，但我們也可以這麼理解，劉邵以為今文《尚書》學說的六宗之作用乃為「陰、陽、風、雨、晦、明」。

十一　天地四方之宗說

從經學史上的學說統合這點來看，司馬彪對六宗的詮釋大放異彩。《續漢書》〈祭祀志〉劉昭注所引司馬彪上書曰：

> 明六宗所禋，即〈祭法〉之所及，《周禮》之所祀，即〈虞書〉之所宗，不宜特復立六宗之祀也。〈春官〉〈大宗伯〉之職，掌玉作六器，以禮天地四方。以蒼璧禮天，以黃琮禮地，以青圭禮東方，以赤璋禮南方，以白琥禮西方，以玄璜禮北方。天宗，日月星辰寒暑之屬也；地宗，社稷五祀之屬也；四方之宗者，四時五帝之屬也。

如此，司馬彪以《周禮》〈大宗伯〉所見的六器祭祀為「六宗」。〈大宗伯〉云：

> 以玉作六器，以禮天地四方，以蒼璧禮天，以黃琮禮地，以青圭禮東方，以赤璋禮南方，以白琥禮西方，以玄璜禮北方。皆有牲幣。各放其器之色。[25]

此處所述的祭祀是，以六種祭器祭祀天地四方。此「天地四方」與今文尚書學的「六宗」框架共通。乃是將今文《尚書》學的「天地四方」的基本框架，設定為其詮釋基礎。

---

25 《儀禮》〈覲禮〉云：「諸侯覲於天子，為宮方三百步，四門壇十有二尋，深四尺，加方明于其上。方明者，木也，方四尺，設六色。東方青，南方赤，西方白，北方黑，上玄，下黃。設六玉，上圭，下璧，南方璋，西方琥，北方璜，東方圭。」，與《周禮》六器極為相似。但兩者的差別在於，賈公彥以為，上下的祭祀對象的區別——即〈大宗伯〉之天地是天地之貴的昊天崑崙、〈覲禮〉之上下是非天地之貴的日月，由此可知，〈大宗伯〉與〈覲禮〉這兩者祭祀是根本是不同的兩種禮。

以其設定為根幹，司馬彪引入了前人對此所作的詮釋，即《古尚書》說提的「天宗」、「地宗」再加上「四方之宗」，以天地「四方之宗」設定為「六宗」。再設定天地四方之宗之屬，使各種祭祀對象下屬於各宗。天宗之下，以《古尚書》的天宗—即「日」、「月」、「星」，與孔傳說中「寒暑」、「日」、「月」、「星」相屬之，從而進行詮釋。地宗之下，以虞喜的地說屬之。五祀諸說繽紛，不明司馬彪具體用何說為說，但其所指均應為地之祭祀的附屬物。經書也有五祀，《左傳》昭公二十九年云「實列受氏姓，封為上公，祀為貴神，社稷五祀，是尊是奉。木正曰句芒，火正曰祝融，金正曰蓐收，水正曰玄冥，土正曰后土。」，此五祀即從祀於社稷的五行之神。《呂氏春秋》〈孟冬紀〉高誘注云「五祀，木正句芒其祀戶，火正祝融其祀竈。土正曰后土其祀竈中霤，后土為社。金正蓐收其祀門，水正曰玄冥其祀竈井。故曰五祀。」，高注所說的五祀是綜合了諸家學說的解釋。參照以上的解釋，「五祀」是五行祭祀之一，「五祀」是對地的祭祀，也是地之五行的祭祀，由此看來，司馬彪的地宗觀念與虞喜的六宗觀念幾乎一樣，那麼我們可以認為司馬彪的詮釋是對虞喜說的擴充，以社稷與地之五行神格為地宗。四方之宗之下，以四時五帝屬之，「四時」在孔傳說中已有，五帝不見於前說。《周禮》〈小宗伯〉云「兆五帝於四郊」，鄭玄注云「五帝蒼曰靈威仰，太昊食焉。赤曰赤熛怒，炎帝食焉。黃曰含樞紐，黃帝食焉。白曰白招拒，少昊食焉。黑曰汁光紀，顓頊食焉。黃帝亦於南郊。」，關於具體的祭祀，鄭玄注〈月令〉孟春云「迎春，祭蒼帝靈威仰於東郊之兆也。」，孟夏云「迎夏，祭赤帝赤熛怒於南郊之兆也。」，孟秋云「迎秋者，祭白帝白招拒於西郊之兆也。」，孟冬云「迎冬者，祭黑帝叶光紀於北郊之兆也。」，如此，五帝雖然不見於前說，但五帝在四時祭祀之時并祭，在此並列，理無不當。

西晉司馬彪的六宗說，是綜合了諸家詮釋中的合理部分而構成的。天地四方之宗，是司馬彪基於《周禮》大宗伯的記述，並以今文《尚書》學以來的天地四方設定為框架，於天地四方之宗引入的詮釋，同時賦予各宗「屬」，以擴大其含義範圍。由此可以認為司馬彪的六宗說是在一定程度上引入其他諸家之說而構成的一種詮釋。

十二　六天說

魏收（西元505-572年）《魏書》〈禮志〉曰：

> （北朝魏孝文）帝曰：……朕躬覽《尚書》之文，稱「肆類上帝，禋於六宗」，文相連屬，理似一事。上帝稱肆而無禋，六宗言禋而不別其名。以此推之，上帝、六宗當是一時之祀，非別祭之名。肆類非獨祭之目，焚煙非他祀之用。六宗者，必是天皇大帝及五帝之神明矣。禋是祭帝之事，故稱禋以關其他，故稱六以證之。然則肆類上帝，禋于六宗，一祭也，互舉以成之。今祭圜丘，五帝在焉，

其牲幣俱禋，故稱「肆類上帝，禋于六宗」。一祭而六祀備焉。六祭既備，無煩復別立六宗之位。便可依此附令，永為定法。

北朝魏孝文帝的解釋，是根據所謂六天說，將「肆類于上帝，禋于六宗」兩句本身理解為一個祭祀，正好鄭玄學說當中有「六天」，這兩者中皆有數字「六」，由此利用此說來作解釋。此乃六宗詮釋史上的劃時代之舉。正如《魏書》〈儒林傳〉所云「漢世鄭玄並為眾經注解，服虔、何休各有所說。玄《易》、《書》、《詩》、《禮》、《論語》、《孝經》，虔《左氏春秋》，休《公羊傳》，大行於河北。」，這在鄭玄學盛行的北朝，孝文帝以「六天說」作解釋是十分自然的。然而鄭玄學上並沒有將「六天」一起祭祀的學說，《禮記》〈曲禮〉正義整理六天的祭祀而言：

其天有六，祭之一歲有九。昊天上帝，冬至祭之，一也。蒼帝靈威仰，立春之日祭之於東郊，二也。赤帝赤熛怒，立夏之日祭之於南郊，三也。黃帝含樞紐，季夏六月土王之日，亦祭之於南郊，四也。白帝白招拒，立秋之日祭之於西郊，五也。黑帝汁光紀，立冬之日祭之於北郊，六也。王者，各稟五帝之精氣而王天下，於夏正之月祭於南郊，七也。四月龍星見而雩，總祭五帝於南郊，八也。季秋大饗五帝於明堂，九也。

如此，鄭玄的學說中沒有同時祭祀所有「六天」的祭祀。正如〈郊特牲〉正義所引「案《聖證論》，以天體無二郊，即圜丘。圜丘即郊。鄭氏以為天有六天，丘郊各異。」，王肅已經提到鄭玄學中每一個六天有不同的丘郊。

雖然孝文帝所提的六宗祭祀實際上乖離於鄭玄學的文脈，可毫無疑問，他所企圖的是以鄭玄禮學來解決這一問題。他的詮釋的最大的特點是將「上帝」的祭祀與「六宗」的祭祀一體化，這樣一來「上帝」便與「六天」含義一致，即為「六宗」，換言之，這兩者之間的關係是「上帝＝六天＝六宗」。[26]同時，「類」祭與「禋」祭祀被看做同一個祭祀。也就是說，「肆類于上帝，禋于六宗」可看做互文。

十三　小結

如上所述，以上關於「六宗」詮釋的各學說，《尚書大傳》說是目前所能看到的最古學說，影響了之後的諸學說；今文說是繼承《大傳》說而合理化的學說；孔傳說基於《禮記》〈祭法〉；乾坤六子說基於《周易》；《古尚書》說基於《禮記》〈月令〉；鄭玄說基於《周禮》〈大宗伯〉；地說基於象數；昭穆說基於《禮記》〈王制〉；六気說基於《春

26 濮傳真〈論北魏孝文帝「六宗」說〉（《應用語文學報》4，民國91年，205-219頁）已指出「孝文六宗說實質分析，雖調和鄭、王說，然意在康成。」

秋左氏傳》；天地四方之宗說基於《周禮》大宗伯，並以今文《尚書》學以來的天地四方設定為框架，其下以多種學說附屬之；六天基於鄭玄禮學。這些詮釋不僅僅是基於《尚書》正文所作出的，古文學勃興之後均還有從其他四經中尋找依據來進行闡釋的情況，將各學說綜合起來看，可以較為容易地發現五經整體的系統性傾向。[27]換言之，這些對「六宗」進行的各種詮釋，同時也顯示出經學綜合化這一趨勢，亦為證明當時經學合理化的有力例證。但另一方面，諸解釋是基於各學者之不同學術背景而做出來的，由此還需要深入各學者的個性問題。

圍繞六宗而展開的問題比較複雜，本稿暫時只停留於整理各方學說這一階段，今後以此整理為基礎，再另行討論其他問題。

附記

本稿以《第五屆國際《尚書》學學術研討會論文集》所載〈《正義》以前「六宗」窺管〉為基礎而加筆修正。

際此修正本稿，中央研究院中國文哲研究所蔣秋華教授、楊晉龍教授及京都大學大學院文學研究科中國哲學史專修王歡女士賜下寶貴意見及大力協助，謹茲致上衷心感謝。

27 藤田忠〈中国古代の祭祀──「禋于六宗」について──〉(《国士舘大学文学部人文学会紀要》13，75-90頁，1981年）以經學文脈來探索「六宗」，認為「六宗」均屬於天神累之神，最早是指陰陽之氣所導致的異常現象，之後轉變為能明確知覺的天象，以「六宗」正祭化為際，變成星（五星）辰（二十八宿）之外的星。

朱子論「新」

蘇費翔（Christian Soffel）
特里爾大學漢學系教授（Universität Trier）

提要

宋代儒家研治經學有不同的出發點：王安石把自己的學說視為「新」的，故其經學著作稱為《詩經新義》等等。朱熹面對王安石「新學」的挑戰，仿傚歐陽修《詩本義》，把自己《周易》註釋題為《周易本義》，強調其研治經學之方法為尋索古代之本原。有趣的是，不少學者將程朱陸王一派的學術稱為「新理學」或「新儒學」（或英文的 Neo-Confucianism），與朱熹「本義」的用詞相背。

本篇論文論述朱熹自己有關「新」與「舊」的看法。實際上，朱熹治經學，是在新舊之間產生的：追究「本義」，並非全然等同於孔子「述而不作」自謙的傳統理念；朱熹反而是利用追求「本義」的方法來研究出一些為當代人所忽視的「新」知識。

此亦可當作今人研究經書的方法。無論稱今古新舊，皆必是基於歷史根據，應合時代要求，方能展出經學的活力。

關鍵詞：朱熹　新學　新儒學　Neo-Confucianism

一　序：宋明儒家與所謂「新儒家」(Neo-Confucianism)

自古以來，儒家有不同的自稱。「儒學」一名見於司馬遷《史記》[1]，「儒家」見於班固《漢書》。[2]論到宋明儒學，朱熹一派卻是多以「道學」[3]自居，後來亦多有「理學」之稱。所謂「心學」乃為陸九淵所倡，但是他從未用過「心學」一詞；後來在王陽明之手下才成為盛行之用詞。[4]

迄今一百多年以來，把「Neo-Confucianism」(「新儒」) 一詞當作「理學」與「心學」的總稱愈來愈流行。對二十世紀影響力很大的一本書為馮友蘭於一九三八年所著《中國哲學史》。本書中馮氏將以程朱陸王為主的學派稱為「道學」[5]，但是卜德 (Derk Bodde) 把馮友蘭的著作翻譯成 *History of Chinese Philosophy* (1937) 與 *A Short History of Chinese Philosophy* (1948) 皆運用 Neo-Confucianism 一詞，[6]並且承認「Neo-Confucianism 是西方人所造的新用詞，等同於中文的『道學』」。[7]這樣的用法，卜德似乎應和當時的學風。據狄培理 (William Theodore de Bary，又作狄百瑞) 之說，英文「Neo-Confucianism」一詞見於一九〇四年日本的記載，可以證明其在歐洲更早出現。[8]狄培理說一九四〇年代此詞已經盛行，而且他認為很實用。曾有人提出，中國學者又把英文的 Neo-Confucianism 一詞回頭翻成「新理學」或「新儒學」，在中國變得很普遍。[9]

於一九九二年，狄培理與田浩 (Hoyt Tillman) 有辯論。田浩反駁狄培理，認為「Neo-Confucianism」的「Neo」是美稱，不夠公正，把朱熹等人看成是創造一個「新」的理論，所產生的印象是，道學成立似乎代表一個「徹底的改變」(radical break) [10]，

---

1 「河間獻王德，……好儒學」。見《史記》卷59，〈五宗世家〉；載《二十四史》(北京市：中華書局，1997年)，第1冊，頁2093。

2 「儒家者流，蓋出於司徒之官」。見《漢書》卷30，〈藝文志〉；載《二十四史》，第2冊，頁1727。

3 田浩：《朱熹的思維世界．增訂版》(臺北市：允晨文化，2008年)，頁32-33。

4 「聖人之學，心學也。」。見〈象山文集序〉；王守仁：《王陽明全書》(臺北市：正中書局，1954年)，第1冊，頁190。

5 馮友蘭《中國哲學史》(臺北市：臺灣商務印書館，1993年)，下冊，頁800。

6 Fung Yu-lan; DerkBodde (譯): *A Short History of Chinese Philosophy* (New York etc.: The Free Press, 1948年) 與Fung Yu-lan; DerkBodde (譯): *A History of Chinese Philosophy* (Peiping: Henri Vetch; London: G. Allen & Unwin 1937年；再出版Princeton University Press, 1952/1953年)

7 “The term Neo-Confucianism is a newly coined western equivalent for *Tao hsüeh*.” Fung Yu-lan; DerkBodde [trsl.]: *A Short History of Chinese Philosophy*, p. 268. 此非馮友蘭之言，而為卜德所補上之語。

8 Wm. Theodore de Bary: “The Uses of Neo-Confucianism: A Response to Professor Tillman”, in: *Philosophy East and West*, Vol. 43.3:541-555, p. 545.

9 參見Hoyt Cleveland Tillman: “A New Direction in Confucian Scholarship: Approaches to Examining the Differences between Neo-Confucianism and Tao-hsüeh”, in: *Philosophy East and West*, Vol. 42.3:455-474, p. 457.

10 同上，頁456。

意味著道學家創造力更大、其地位更為重要。田浩以為這樣的用詞不太科學，無法深入表達宋代儒學的特色。這場論辯所造成的後果，乃是當今西方漢學界並用「Neo-Confucianism」與「*Daoxue*」等詞語的混雜狀態。[11]

經學歷來都有「新舊」或「古今」的分爭。例如漢代有今學、古學之爭[12]（或云：今古文之爭），宋有新學與舊學之黨爭，以王安石、司馬光為代表，[13]亦涉及經學；清有漢學與宋學對峙。

無論哪一個朝代，對傳統學派的經學家而言，面對與適應新時代的需求都是一個很大的挑戰。一方面他們的目的是保留自古流傳下來的思想，二方面得要發展新的一些理論。儒家又被孔子名語「述而不作」的理想有所約束。

回到宋代時期，假設我們問程朱學派代表人，他們如何自己會看這個問題？他們會不會接受別人稱他們「Neo-Confucians」或「新儒家」呢？有趣的是，目前似乎很少人研究這樣的問題。朱熹等人自己究竟如何看「新」、「改新」等等的詞語？

著名研究朱熹的著作，如陳榮捷《朱學論集》、《朱子新探索》，如錢穆《朱子新學案》等專書論朱熹各種話題，真為豐富；書的標題裡面雖然慣用「新」字，但未曾專論「新」字對朱熹而言有何種意義。其原因究竟是因為朱熹比較少有相關的言語，抑或還有其他的因素，是為下面幾段要探討的問題。

二　朱熹論「新奇」

朱熹的思想是在北宋儒學影響之下而產生的。在北宋時期，王安石（1021-1086）提倡新法，王安石最重要的對手為司馬光（1019-1086）。其寄給范鎮（1007-1088，字景仁）的書信卻有曰：

> ……來示云：經有注釋之未安，史有記錄之害義理者，不可不正。此則誠然。然須新義勝舊義，新理勝舊理，乃可奪耳。[14]

可見，司馬光雖然屬北宋的保守派，但是他還是認為，「新義」若勝過「舊義」乃必遵守「新義」。他又提到「新理」，可見不僅要尊重經文從未見過的解釋，而又要追究其內涵的新邏輯。據他而言，傳統經典仍為準則，但是可以找出新的理論。

---

11 類似的理由，西方學者有的用「Confucianism」，有的用「*ru-ism*」或「*ruism*」來稱呼「儒學」。

12 林慶彰：〈兩漢章句之學重探〉，載林慶彰（編）《中國經學史論文選集》（臺北市：文史哲出版社，1992年），上冊，頁277~297，尤頁283、292。

13 錢穆：《國史大綱》（臺北市：臺灣商務印書館，1995年），下冊，頁581。

14 〈與景仁論積黍書〉。載司馬光《傳家集》，《四庫全書電子版》（香港：迪志文化，1999年），卷62，頁24a。

朱熹曾寫給柯翰（1116-1176，字國材）的書信云：

> 前此以陳、許二友好為高奇、喜立新說，往往過於義理之中正，故常因書箴之。……然觀聖賢之學與近世諸先生長者之論，則所謂高遠者，亦不在乎創意立說之間。……豈必以創意立說為高哉？[15]

陳、許二友，指朱熹的門徒陳齊沖（字齊仲）[16]、許升（字順之）[17]二人。朱熹批評他們喜好「立新說」，這樣會違背義理，認為真正「高遠」的理論並不在於「創意立說」。似乎是朱熹強烈反對創立新的理論，「創意」或「立新說」是不可以接受的。

朱熹與司馬光相異，叮嚀學者勿要任意創新理論，他對勉強論「新」的人員特別有反感，似乎有鑒於北宋王安石新學之失敗。

實際上，朱熹並不介意學者偶爾有新的見解，故上面的引文又云：

> 如舊說不通，而偶自見得別有意思，則亦不妨。但必欲於傳注之外別求所謂自得者而務立新說，則於先儒之說或未能究而遽捨之矣。如此則用心愈勞而去道愈遠，恐駸駸然失天理之正而陷於人欲之私，非學問之本意也。[18]

朱熹認為，學者有時候有新的見解是沒有問題的，只是不要在舊註之外刻意找出新的說法、放棄先儒的理論，免得花很多力氣，而且又不懂真正的道理。危險就在於被自己的欲望所困住。故意「創新」的人欲立新說，就偏於私人的看法，與「天理」相隔絕。

另外，《朱子語類》又云：

> 大凡人讀書，且當虛心一意，將正文熟讀，不可便立見解。看正文了，卻著深思熟讀，便如己說，如此方是。今來學者一般是專要作文字用，一般是要說得新奇，人說得不如我說得較好，此學者之大病。譬如聽人說話一般，且從它說盡，不可勦斷它說，便以己意抄說。若如此，全不見得它說是非，只說得自家底，終不濟事。[19]

朱熹論當代學人寫文章發現有兩種弊病，一種是把文章純當作文字看（意思似是要用它來寫自己的文章），又一種是喜好寫出「新奇」的理論，且多愛與別人比較高下，以為

---

15 〈答柯國材〉。《晦庵集》卷39，《朱子全書》，第22冊，頁1733-1734。

16 《晦庵集》卷39又載〈答陳齊仲〉一書，朱熹批評陳齊沖「用意甚深，多以太深之故，而反失之」（《朱子全書》，第22冊，頁1756）。

17 《晦庵集》卷39又載〈答許順之〉一書，朱熹批評許升言論，叫他「凡前日所從事一副當高奇新妙之說，並且倚閣」（《朱子全書》，第22冊，頁1737）。

18 〈答柯國材〉，《晦庵集》卷39，《朱子全書》，第22冊，頁1734。

19 《朱子語類》卷11，《朱子全書》，第14冊，頁348-349。

自己一定要講得最好才是。後者的方法最有問題，好似聽別人說話，自己雖然不太懂得，還是按照自己的意見把它的話語抄下來，終究無法瞭解對方講話的內容與好壞。

其實，這樣來看，朱熹似乎不是批評有自己的主張的人，只是說最先一定要竭力去理解別人（主要是先儒）的高見，盡力追究他們的意思；此後若是仍有自己的看法，才可以用來補充。

我們再看看經學著作的標題：王安石，撰有《新經周禮義》等著作；另有當時的「經義局」按照王安石之見解編《新經毛詩義》[20]成書。其兒子王雱著《新經尚書義》，[21]又與呂惠卿同修《三經新義》。[22]再者，王安石的學生陸佃（1042-1102）[23]撰有《爾雅新義》。[24]王安石一家的經學著作大多失傳，除《爾雅新義》外，僅有《周官新義》的一部分可以從《永樂大典》挽救出來。[25]

總之，王安石及新學家的經學代表作，最明顯的特色就是標題裡面普遍用「新」字。另外，王氏把「經」字放在《尚書》、《毛詩》、《周禮》等前面，有可能他想要特別強調新經解的重要性。王氏等人多用「新」字，在經學史算是罕見之事。[26]

反之，歐陽修註《詩》的著作叫作《詩本義》。朱熹因歐陽修的風格，將其《周易》的註解名為《周易本義》。可以看得很清楚，朱熹盡量避免以創立「新」的概念來研究經書。

朱熹亦曾說明「本義」是什麼意思。其〈答呂子約〉[27]云：

> 唯本文本義是求，則聖賢之指得矣。[28]

按照朱熹的看法，「本義」是指古代聖賢的意思而解釋經文，而這樣的「本義」可以從「本文」研究出來。這樣來看，若是從本文可以發揮到正確的一些概念，或許會勝過歷代諸儒對經書的註釋。

---

20 《郡齋讀書志》，《四庫全書電子版》卷1a，頁20a。

21 朱彝尊著，林慶彰、楊晉龍、蔣秋華、張廣慶編審：《點校補正經義考》（臺北市：中央研究院中國文哲研究所籌備處，1997年）第3冊，卷79，頁278。

22 《續通志》，《四庫全書電子版》卷614，頁9b。亦有記載將《三經新義》屬王安石著作，如《宋史》云「分王安石《書》、《詩》、《周禮義》於學官，是名《三經新義》」（卷157，頁3660）。又《經義考》第7冊，卷242，頁368云：「介甫《三經義》皆頒之學官」。

23 《宋史》稱陸佃曾「受經於王安石」（卷343，頁10917）。

24 本書收《續修四庫全書》，第185冊，頁337-479。《經義考》第7冊，卷238，頁264，卻云「未見」。

25 《周官新義提要》，《四庫全書電子版》頁1a-1b。

26 「今」字也是很少可以見到在經註的標題裏面（除非論今文經學的專著）。如各經的《今注》約在清末出現（有《禹貢今注》，西安地圖出版社1911年出版）；到了現代，各經《今註今譯》著作才變得非常流行。

27 此封信寫給呂祖謙之弟呂祖儉（？-1200）。

28 《晦庵集》卷48（《朱子全書》，第22冊，頁2218）。

三　朱子論「革新」、「知新」

（一）《大學》「新民」

雖然朱熹追究經書的「本義」，在儒家經典當中，「新」其實為傳統經學的一個重要的課題，如《禮記》〈大學〉有「苟日新，日日新，又日新」、「作新民」、「周雖舊拜，其命惟新」等等文句，[29]而群經類似的出處不可勝數。二程與朱熹自己再把《大學》「親民」讀為「新民」；因此不能說朱熹盡力排斥「新」字做為學術用詞。

朱熹等學者反對「創新」專門是針對經典解釋而言的。與之相反，從道學家哲學角度來看，改新自己為重要的方法，去除舊的缺點，進行修身工夫。《大學》原文云：「大學之道在明明德，在親民，在止於至善。」程子曰：「親，當作新。」朱熹註：「新者，革其舊之謂也。言既自明其明德,又當推以及人，使之亦有以去其舊染之污也。」[30]對朱熹而言，「新」是「改新」的意思，而不是「創新」；而這樣的改新，有兩個層面，一則要「自明其明德」，即等於「修身」，再者（而似乎是更重要的）必需推己及人，改新他人。

《大學》「親民」兩字解釋為「新民」，後來引起學者的爭議。[31]但是從經文本身來看是頗有道理的，果然《大學》說明「親民」一段曰：

> 湯之〈盤銘〉曰：「苟日新，日日新，又日新。」〈康誥〉曰：「作新民。」[32]

在這裡，朱註〈盤銘〉云「蓋盤銘言自新也」、註〈康誥〉云「鼓之舞之之謂作，言振起其自新之民也」[33]，把「新」字皆解為「自新」，可見其目標不只是改新他人，而修身仍然頗為重要。

總之，朱熹雖然不太能夠接受某人創造「新義」，但是「改新」本身對朱熹而言是沒有問題的，反而是很重要的概念。

（二）「溫故而知新」的註解

《論語》裡面亦出現「新」字，如《論語》2.11

---

29 《大學章句》，載朱傑人、嚴佐之、劉永翔主編《朱子全書》（上海市：上海古籍出版社，2005年），第6冊，頁18。

30 《大學章句》，《朱子全書》，第6冊，頁16。

31 最著明的例子是王守仁。見《傳習錄》，《王陽明全書》，第1冊，頁1-2。

32 《大學章句》，《朱子全書》，第6冊，頁18。

33 同上。

子曰：「溫故而知新，可以為師矣。」[34]

因此可知，「知新」對儒家而言是當老師的重要條件。即使沒有新的著作，還是可以有新的見解。而朱熹《論語集注》云：

……言學能時習舊聞，而每有新得，則所學在我，而其應不窮，故可以為人師。若夫記問之學，則無得於心，而所知有限，故《學記》譏其「不足以為人師」……。[35]

在此，「知新」成為「有新得於心」，是一種內修工夫；而沒有這樣的功德，就為「記問」之學。此語出《禮記》〈學記〉:「記問之學不足以為人師。必也其聽語乎！力不能問，然後語之；語之而不知，雖舍之可也。」而鄭註「記問謂豫誦雜難雜說，至講時為學者論之。此或時師不心解，或學者所未能問。」[36]換言之，「記問」是說老師上課前只是記下一些雜說，到了講課的時候學生發問，才說給學生聽。如此所造成的問題，就是老師自己心裡恐怕沒有深入瞭解經文，或是學生有一些無法問清楚的地方。

朱熹的見解，對「新得」很贊成，絕不能說只是守舊而已。

王安石《論語》的註解失傳，惟有其學生陳祥道（1067年進士，禮學專家）所著《論語全解》仍存。再看一下他如何解釋《論語》此段話：

「溫故」則月無忘其所能，「知新」則日知其所亡。如此則學不厭矣，學不厭然後誨不倦，故曰可以為師。……故記問之學不足為，而小知之師不足貴。[37]

可見，陳祥道將「知新」與《學記》「記問之學」對比，跟朱熹一模一樣。

（三）「述而不作」的解釋

現代學者常會說，儒家原來只借用孔子「述而不作，信而好古，竊比於我老彭」[38]的觀念，原來並沒有「創新」的目標。朱熹亦是肯定「儒家不創新」的觀點，並不覺得有什麼要批評之處，注《論語》七點一曰：

孔子刪《詩》、《書》，定禮樂，贊《周易》，修《春秋》，皆傳先王之舊而未嘗有所作也。故其自言如此。蓋不惟不敢當作者之聖，而亦不敢顯然自附於古之賢

34 《論語集注》，《朱子全書》，第6冊，頁78。

35 同上。

36 《十三經注流》（北京市：中華書局，1980），《禮記正義》，頁1524中。

37 陳祥道《論語全解》，《四庫全書電子版》卷1，頁17b。

38 《論語集注》，《朱子全書》，第6冊，頁120。

人。[39]

但是仔細讀此段，「作」本身是好的事情，是「聖」人之業；朱熹並不否定任何創新的行為，只是我們一般人不應該隨意創新而已，「述而不作」就是謙虛的表態。但是如果孔子這段話只是謙虛，創新就是沒有問題的，最重要是在創新的時候要用謙虛的表達方式。

末句「竊比於我老彭」，孔子提出「老彭」究竟是誰？包咸（西元前7年～西元65年）曰：「老彭，殷賢大夫。」[40]鄭玄云：「老，老聃；彭，彭祖。」[41]皇侃（西元488-545年）曰：「老彭，彭祖也。年八百歲，故曰老彭也。」[42]邢昺（西元932-1010年）說：「老彭，殷賢大夫者；老彭即莊子所謂彭祖也。」[43]或以「老彭」為二人（其中「老」指老子)，或為一人（即彭祖)。《大戴禮記》〈虞戴德〉載：

> 公曰：「教他人則如何？」子曰：「否，丘則不能。昔商老彭及仲傀，政之教大夫，官之教士，技之教庶人。揚則抑，抑則揚，綴以德行，不任以言，庶人以言，猶以夏后氏之袝懷袍褐也，行不越境。」[44]

朱熹注《論語》七點一據《大戴禮記》此段記載把「老彭」看成一個人，與包咸、邢昺之說相同：

> 述，傳舊而已。作，則創始也。……老彭，商賢大夫，見《大戴禮》，蓋信古而傳述者也。[45]

而王安石的弟子陳祥道卻說：

> ……老子……有言「執古之道以御今」[46]者，則「述而不作、信而好古」可知矣。……故孔子比焉。……將自明之則自尊而卑之所以信其言於後世；孔子之竊比於我老彭，尊之所以信其言也。……孟子曰：「孔子作《春秋》而亂臣賊子懼。」蓋唐、虞、成周未有懼之者。此聖人所以有作也。彭之言行於傳无道，豈

39 《論語集注》，《朱子全書》，第6冊，頁120。

40 《十三經注流》，《論語注疏》，頁2481下。

41 《論語注疏》，《四庫全書電子版》卷七，頁1a。

42 《論語集解義疏》，《四庫全書電子版》卷4，頁1b。

43 《十三經注流》，《論語注疏》，頁2481下。

44 《大戴禮記》，《四部叢刊初編》（上海市：上海商務印書館，1929年），第49冊，卷9，〈虞戴德第七十〉，頁10b。

45 《論語集注》，《朱子全書》，第6冊，頁120。

46 全句曰：「執古之道以御今之有。」見《道德經》，《四部叢刊初編》，第532冊，〈贊玄第十四〉，頁7b。

> 古之彭祖者乎？[47]

陳氏先用老子之言語闡述《論語》這句話。再者，將「述而不作」、「竊比於我老彭」之語認為孔子故意卑下自己，用來取信於後世，而據《孟子》「孔子作《春秋》」一句，便知孔子實有所作。這樣的孔子自己非常明白自己的智慧特別高，然「述而不作」只是謙虛話而已。

其實，道家亦有論「新」的記載。《世說新語》論支遁（西元314-366年，字道林）所著《莊子逍遙義》云：

> 《莊子．逍遙篇》舊是難處，諸名賢所可鑽味而不能拔理於郭、向之外。支道林……卓然標新理於二家之表，立異義於眾賢之外，皆是諸名賢尋味之所不得。[48]

此謂支遁在向秀、郭象的舊註加上「新理」與「異義」，是為甚可贊成之事。可見，道家中亦有謂創立「新理」沒有問題的例子。

另外《宋史》有載：

> 安石訓釋《詩》、《書》、《周禮》，既成，頒之學官，天下號曰「新義」。晚居金陵，又作《字說》，多穿鑿傅會，其流入於佛、老。一時學者無敢不傳習。[49]

這段引文對王安石有負面的態度，指責他為「穿鑿傅會」，但無論如何，王安石對佛家與道家頗有興趣，把這些學派的學說融入自己的經學著作中。王安石等人贊同立新說之事，在解釋《論語》時，把孔子與老子連接起來，剛好可以與道家思想吻合。

上面已經提到，王安石新學的代表認為孔子言「述而不作」，只是故意用謙虛話，好讓自己的言論更受信任。

朱熹的看法是不同於王安石的。他論孔子「述而不作」云：

> 蓋其德愈盛而心愈下，不自知其辭之謙也。然當是時，作者略備，夫子蓋集群聖之大成而折衷之。其事雖述，而功則倍於作矣，此又不可不知也。[50]

朱熹論孔子之謙虛，謂孔子之德性很特殊，因此他自謙的地步很高，甚至於自己不會感到己身所說的話是很謙虛的。

這樣的看法可以跟王安石其他的文獻相比。王氏曾曰：

> 文王以伏羲為未足以喻世也，故從而為之辭。至於孔子之有述也，蓋又以文王為

---

47 陳祥道《論語全解》，卷4，頁1a-2a。

48 〔劉宋〕劉義慶《世說新語》，《四部叢刊初編》，第462冊，卷上之下，〈文學第四〉，頁18b-19a。

49 《宋史》，卷327，頁10550。

50 《論語集注》，《朱子全書》，第6冊，頁120。

未足。[51]

據王安石之說，孔子之「述」，剛好是因為他以為文王有所不足；這樣的孔子有意識地去創造新的東西。相反，朱熹以為孔子之創新是無意識的，而所用於表達的謙詞為孔子心裡的想法；這樣來看，孔子的貢獻還超越原來「作」禮樂的聖人。

四　錢穆「新解」與「新學案」

我們最後再略看二十世紀的狀況。陳榮捷多稱朱熹有「新」的發現，云：

> 朱子固未運用任何儒學新資料或創造任何新名詞，但朱子所予新儒學之新特質與新面貌，此實無可否定。[52]

另外一個例子是錢穆。據說，錢穆私底下希望可以成為「現代的朱子」。[53]有趣的是，他雖然非常推崇朱熹，但是自己的著作不少名為「新解」等。他對「新」的概念自己也有啟發，如〈論語新解序〉云：

> 時代變，人之觀念言語亦多隨而變。……本書取名《新解》，非謂能自創新義，掩蓋前儒。實亦備采眾說，折衷求是，而特以時代之語言觀念加以申述而已。……抑余之為《新解》，亦非無一二獨得之愚，越出於先儒眾說之外者。然苟非通觀群言，亦無以啟發新知。[54]

所以，錢穆所云「新解」，至少表面上為折衷舊說，沒有自己的創新，只是用現代的語言來闡述先儒的意見。偶爾可能有自己的一些發現，但是這樣的發現務必要跟先儒的說法一起讀。

再看，錢穆《朱子新學案》有曰：

> 其言克己與立志，則創闢新義。……朱子不僅集北宋以來理學之大成，實卻自此開出理學之新趨。[55]

---

51 王安石〈答徐絳書〉，載《臨川文集》，《四庫全書電子版》卷73，頁2a。

52 陳榮捷〈朱熹集新儒學之大成〉，載《朱學論集》（臺北市：臺灣學生書局，增訂再版，1988年）：1-35，頁2。

53 “His secret dream was to be the Zhu Xi of contemporary China.” Umberto Bresciani: *Reinventing Confucianism* (Taipei: Taipei Ricci Institute for Chinese Studies, 2001), 頁 259

54 錢穆：《論語新解》，收入《錢賓四先生全集》（臺北市：聯經出版公司，1994-1997年），第3冊，頁6-7。

55 錢穆：《朱子新學案》，收入《錢賓四先生全集》，第11冊，〈朱子學提綱〉第21章，頁144。

> 朱子……不僅在當時理學中杜塞歧途，而對漢以下諸儒說經，卻多開闢新趨。……朱子所謂『舊學商量加邃密，新知涵養轉深沈』，亦可於此窺見其一面。[56]

可見，錢穆非常讚賞朱熹之「創新義」，還說是「理學之新趨」。錢穆以上在《新解》對自己的看法是「不創新」，而對朱熹卻不然加強「開闢新趨」之功。似乎有一點矛盾。

五 結論

「新」字在傳統經學的文獻有著不同的含意與層面：一則是改新自己（如「自新」）或改新他人（如「新民」）；二則是重新發揮先儒的一些思想；三則學者主動發揮經文新的解釋（「新義」）或邏輯（「新理」）。

孔子著名一句話「述而不作」，很難搞定是否謙虛話。王安石一派的學者認為，創新是沒有問題的，孔子也是有意識的創新，因此現代人也可以創新。相反，朱熹認為，孔子自己有創新，但是因為有聖德的謙虛，因此孔子自己沒有感覺到其所創新之處。

中國在二十世紀有非常多「改新」的說法與方案，是受五四運動的影響。當代新儒家多倡「改新」，宋明理學家並沒有，這就是宋明代與現代儒學一個很重要的差別。二十世紀的儒家，如陳榮捷、錢穆等認為，朱熹創新特甚，自己的創新主要是用現代人的語言來表達舊有的意思。錢穆把朱熹看成真正的偉大的革新家；這樣其實跟康有為推孔子為偉大的革新家有一點相似的。

從現代的角度來看，任何學術必須與時具進。現代人（包括中國在內）所推崇的「創造力」，一定要有理論方面的根據。在中國學術的傳統可以找出有如下方式：一則，追求「本義」，若是發現新的理論，可以把它（無意識的）托給古人。二則，假裝追求「本義」，把新的理論（有意識的）托給古人。三則，可以分析出古人「改新家」的特色。四則，發明新說，卻很謙虛地堅持自己只是「述而不作」。這些方法似乎皆有古人的前例。

本文原刊登於《林慶彰教授七秩華誕論文集》
（臺北市：萬卷樓圖書公司，2018年），頁365-379。

56 同上，〈朱子學提綱〉第26章，頁193。

敖繼公小考

廖明飛
日本學術振興會外國人特別研究員（青山學院大學國際政治經濟學部）

提要

敖繼公《儀禮集說》在《儀禮》學史上佔據重要地位，最近十幾年來有關該書的研究成果陸續發表。但關於敖繼公其人其事，則尚未有專文討論。明初修《元史》不錄敖繼公，元人文集及明修方志的記載是後人了解其生平的基本依據。本稿對相關記載展開了較為全面的檢討分析，認為史料對敖繼公的敘述，經歷了若干演變，直至清康熙間邵遠平《元史類編》才算基本定型，並揭示其與學術史之間的關聯。此外，於《宋元學案》所列門人外，又考得姚式、陳繹曾諸人亦從學敖繼公，並大致推定高克恭薦舉敖繼公之年及敖氏卒年。

關鍵詞：敖繼公　《儀禮集說》　方志　《元史類編》　《通志堂經解》

一　前言

《儀禮》鄭玄注孤行千年，至宋末元初敖繼公異軍突起，撰《儀禮集說》十七卷，創為新解，毅然挑戰鄭學權威。此後的《儀禮》學史，毋寧說是鄭、敖二家此消彼長的歷史。如清乾隆初期三禮館臣認為《儀禮》自鄭注、賈疏而外，惟敖繼公對經文的解釋允稱精審[1]。又如日本江戶時代中期儒者河（野）子龍（1742-1779）描述宋元《儀禮》學的展開，謂南宋朱子《儀禮經傳通解》以降，敖氏《集說》最具創見[2]。當代也有學者以為：「在這二千年的《儀禮》學史上，衹有敖繼公能夠和鄭玄分庭抗禮，獨自對經文進行深刻的探討。」[3]

近十幾年來，學者從學術史、經學史、《儀禮》學史等多方面對敖繼公《儀禮集說》加以考察，陸續有研究成果發表，但敖繼公本人則尚未進入研究者的視野[4]。這一現狀，很大程度上是由於有關敖繼公生平事跡的史料較少，文獻難徵，不容易展開論證造成的。一方面，敖繼公的傳世著作衹有一部《儀禮集說》，此外未見有詩文之作流傳。敖氏自述生平，亦僅〈儀禮集說序〉「半生遊學，晚讀此書」八字而已。另一方面，敖氏歿後，似無人為撰行狀碑銘，明人修《元史》更不為立傳。因而我們對敖繼公其人所知甚少，甚至可以說是相當陌生。

明修《元史》〈儒學〉既不錄敖繼公，至清康熙間邵遠平《元史類編》始補錄敖繼公入〈儒學〉，傳文如次：

---

1 《欽定儀禮義疏》〈凡例〉：「《儀禮》自注疏而外，（中略）惟元儒敖繼公《集說》細心密理，抉摘闡發，頗能得經之曲折。」（長春市：吉林出版集團，2005年），頁10。李氏朝鮮後期學者洪奭周（1774-1842）《洪氏讀書錄》亦云：「《儀禮》在諸經中最為難讀，註解者亦絕罕。自鄭、賈以後，焯焯可稱者惟（敖）繼公而已。」《朝鮮時代書目叢刊》（北京市：中華書局，2004年10月），頁4186。

2 〔日〕河（野）子龍：〈刻儀禮序〉（署「寶曆壬午」，1762）：「自朱熹旁引經傳、分析篇章，其徒頗知言《儀禮》，而其得也蓋少。獨元敖繼公所著，論學雖不純古，皆誦證于二禮、春秋，多所發明。」《和刻本經書集成（古注之部）》第6輯（東京：汲古書院，1976年），頁325。

3 〔日〕喬秀岩：〈左還右還後說圖錄〉，原載《經學研究論叢》第9輯（臺北市：臺灣學生書局，2001年），收入氏著《義疏學衰亡史論》（臺北市：萬卷樓圖書股份有限公司，2013年7月），頁247。

4 程克雅：〈敖繼公《儀禮集說》駁議鄭注《儀禮》之研究〉，《東華人文學報》2000年第2期，頁291-308；彭林：〈清人對敖繼公之臧否與鄭玄經師地位之恢復〉，《文史》2005年第1輯，頁223-255；顧遷：〈敖繼公《儀禮集說》與清代禮學〉，《史林》2012年第3期，頁59-66；孫致文：〈從文獻學的角度考察敖繼公《儀禮集說》與朱熹禮學的關係〉，《鵝湖學誌》第51期（2013年12月），頁99-129；袁捷：〈論凌廷堪對敖繼公禮說的繼承與批判〉，《儒藏論壇》第7輯（2014年3月），頁392-411；拙稿〈敖繼公『儀禮集說』における鄭玄注の引用と解釋〉，《中国思想史研究》第37號（2016年7月），頁29-64。在以上諸文中，衹有孫氏文涉及敖繼公生平事跡的檢討。二〇一九年六月補註：2017年以後發表的關於敖繼公《儀禮集說》的論文主要有：郭超穎〈論元敖繼公《儀禮集說》〉，《中國典籍與文化》2018年第1期，頁127-136；拙稿〈敖繼公『儀禮集說』と朱子『儀禮經傳通解』──その繼承と修正──〉，《中国思想史研究》第39號（2018年3月），頁105-135。

> 敖繼公（《烏程縣志》作「翁」），字君善，福州長樂人。後寓家吳興，築一小樓，坐臥其中，冬不爐，夏不扇，日從事經史。吳下名士多從之游，趙孟頫其弟子也。初仕定成尉，以父任當補京官，讓於弟，尋擢進士。對策忤時相，遂不仕，益精討經學。嘗以魯高堂生傳士禮十七篇，即今《儀禮》也。生之傳既不存，而王肅、袁準、孔倫、陳銓、蔡超宗、田僧紹諸家註，亦未流傳於世。鄭康成舊註《儀禮》疵多醇少，學者不察，因復刪定，取賈疏及先儒之說補其闕，又未足，附以己意，名曰《儀禮集說》，凡十三卷。……成宗大德中，以江浙平章高彥敬（一作「顯卿」）薦擢信州教授，未任而卒。[5]

那末，《元史類編》本傳的敘述是如何形成的呢？本稿第一章，將從明修方志入手，考察有關敖繼公敘述的演變和《元史類編》本傳成立的學術史背景。《宋元學案》所列敖繼公門人有倪淵、趙孟頫，但敖氏門人實不止此二人。第二章將以元人文集為主要材料，考述敖氏門人弟子。敖繼公得到高克恭的舉薦，授予儒學教授之職，是敖氏一生中值得特書的重要事件，第三章將根據元人的記載，對薦授教授之年及敖氏卒年加以考證。

經過對以上諸問題的梳理考證，以期建立對敖繼公其人更加豐富完整的認識。

二　從明修方志到《元史類編》本傳的成立

（一）明修方志的記載及其演變

縱覽有關敖繼公的文獻記載，以元人文集的敘述和明修方志所立傳文來源較古，內容相對可靠。但文集記載零星分散，不若方志所立傳文概述敖氏生平，簡括明瞭之便參考。事實上，明修方志既代表了明代人的認識，也成為後人瞭解敖氏的基本依據。不過不同方志之間記載或同或異，需要辨析其異同之所由來。

此類方志文獻既有全國性的總志，亦有地方府縣志。各志所立敖繼公傳文如表一所示：

5　〔清〕邵遠平：〈儒學四（補遺）〉，《元史類編》卷34，《續修四庫全書》史部第313冊（上海市：上海古籍出版社，2002年），頁501-502。按《元史類編》又題《續弘簡錄元史類編》，以續其高祖邵經邦《弘簡錄》為目標，進表於康熙三十八（1699）年。其〈凡例〉謂：「今止稱儒學，不名道學……至舊史所載，寥寥數行，疏畧殊甚。今皆搜其生平著作，盡為編入，而又補熊禾以下十八人。」敖繼公即所補十八人之一。

表一　明修方志及史傳的記載

纂修朝代	方志／史傳	小傳
景泰間	寰宇通志	敖繼公，福州人，寓居湖州。邃通經術，冬不爐，夏不扇[6]，規行矩步，動循禮法。元趙孟頫常師事之，吳之名士莫不以為矜式。平章高顯卿薦於朝，授信州教授，命下而卒。所著有《儀禮集說》行於世。[7]（〈湖州府・留寓〉）
天順間	大明一統志	敖繼公，福州人，寓居湖州。邃通經術，動循禮法。元趙孟頫師事之。平章高顯卿薦於朝，授信州教授，命下而卒。所著有《儀禮集說》。[8]（〈湖州府・流寓〉）
嘉靖朝	湖州府志	敖繼翁，字君善[9]，福州人，其先徙居烏程。邃於經術，冬不爐，夏不扇，出入進止，皆有常度。湖之名士，多出其門。有《文集》二十卷。[10]（〈儒林列傳〉）
萬曆朝	湖州府志	敖繼翁，烏程人。少長，邃於經術，冬不爐，夏不扇，出入進止，皆有常度。湖之名士，多出其門。有《文集》二十卷。[11]（〈逸遺〉）
天啟朝	兩浙名賢錄	敖繼翁，烏程人。少長，邃於經術。冬不爐，夏不扇。日讀必至夜分而寢、雞鳴即興以為常。由是目無不覽之書，每與人談論今古，滾滾如黃河之東注，然未嘗以學驕人，對僕隸亦辭色溫和。進止出入，皆有常度。初任定成尉，以父任當補京官，讓於弟。尋擢進士，對策忤時相，遂不仕，益精討經學。於六經皆有疏說，發為文章，口金口玉，以大家稱於東南。有《文集》二十卷。[12]（卷2〈儒碩〉）

6 按「冬不爐，夏不扇」語出程顥〈邵堯夫先生墓誌銘〉（《河南程氏文集》卷4）：「先生始學於百原，堅苦刻厲，冬不爐，夏不扇，夜不就席者數年。」

7 〔明〕陳循等纂：〈湖州府・留寓〉，《寰宇通志》卷25，《玄覽堂叢書》（臺北市：正中書局，1985年），頁511。據云《大明一統志》頒行後，《寰宇通志》隨即毀板，故流傳未廣。

8 〔明〕李賢等纂：〈湖州府・流寓〉，《大明一統志》卷40（西安市：三秦出版社，1990年），頁697。

9 據此，繼公，一作「繼翁」。《經義考》卷133引《姓譜》云「敖繼公字長壽」，實則《萬姓統譜》「善」譌作「壽」，遂作「君壽」。《經義考》又誤「君」為「長」，故有「字長壽」之說。《四庫全書薈要》本《儀禮集說》卷前〈提要〉遂謂：「繼公字君善，《姓譜》又曰『字長壽』」，誤從《經義考》。

10 〔明〕張鐸修，浦南金纂：〈儒林列傳〉，《（嘉靖）湖州府志》卷14，靜嘉堂文庫藏嘉靖二十一年（1542）刊本，頁3下-頁4上。

11 〔明〕栗祁修、唐樞纂：〈逸遺〉，《（萬曆）湖州府誌》卷8，《四庫全書存目叢書》（濟南市：齊魯書社，1996年），頁166。

12 〔明〕徐象梅：《兩浙名賢錄》卷2，《續修四庫全書》史部第542冊（上海市：上海古籍出版社，2002年），頁63。

纂修朝代	方志／史傳	小傳
		敖繼翁，字君善，福州人。寓居烏程，築一小樓，冬不爐，夏不扇，惟事經史，吳下名士從之游者甚眾。浙西平章事高彥敬薦授信州教授。有《文集》二十卷。[13]（卷54〈寓賢〉）
崇禎朝	烏程縣志	敖繼公，字君善，福州人。寓居烏程，築一小樓，冬不爐，夏不扇，惟事經史，吳下名士與遊甚眾。浙西平章事高彥敬薦授信州教授。有《文集》二十卷。趙子昂亦出其門。[14]（〈遊寓〉）

在現存方志中，《寰宇通志》最早為敖繼公立傳，重要事跡大抵囊括。《大明一統志》根據《寰宇通志》重修，有刪無改，基本信息沒有不同[15]。《（萬曆）湖州府志》很明顯據《（嘉靖）湖州府志》略作刪改而成[16]。

從傳類和內容的異同來看，《烏程縣志》與《寰宇通志》更加接近，而與兩《湖州府志》稍異。《烏程縣志》將敖氏隸於「遊寓」[17]，與《寰宇通志》（「留寓」）一致，而與兩《湖州府志》（「儒林」「逸遺」）不同。這表明《寰宇通志》《烏程縣志》與兩《湖州府志》對敖繼公的出生地的認識不一。《寰宇通志》、《烏程縣志》皆曰「福州人，寓居湖州（烏程）」，謂敖氏出生於福州，後寓居湖州，故錄入「留寓」「遊寓」。《（嘉靖）湖州府志》則云「福州人，其先徙居烏程」，謂敖氏先世已移居烏程，故不將敖氏隸於寓居者的專傳卷十六〈寓賢傳〉。既然敖氏己身為烏程人，則「福州人，其先徙居烏程」為辭費，故《（萬曆）湖州府志》刪改作「烏程人，少長」五字。且「少長」二字顯然是萬曆《志》為了在文脈上與下文「邃於經術」連接更為自然而杜撰。敖繼公〈儀禮集說序〉〈後序〉自署「長樂敖繼公」，元時長樂縣屬福州路，故志書中稱「福州人」。敖氏自述「半生遊學」，殆指離開家鄉福州長樂，為求學（或兼講學）遠遊他鄉（湖州）之謂。然則《寰宇通志》、《烏程縣志》的表述當更接近事實。

---

13 〔明〕徐象梅：《兩浙名賢錄》卷54，頁120-121。

14 〔明〕劉沂春修、徐守綱等纂：〈遊寓〉，《（崇禎）烏程縣志》卷7，《日本藏中國罕見地方志叢刊》（北京市：書目文獻出版社，1991年），頁367。

15 《大明一統志》編纂始於天順二年（1458），成於天順五年（1461）。明英宗朱祁鎮以《寰宇通志》「繁簡失宜，去取未當」，敕諭吏部尚書李賢等「折衷群書，務臻精要」，重纂志書。《明英宗實錄》卷294天順二年八月己卯條（臺北市：中央研究院歷史語言研究所，1996年），頁6281。

16 最近有學者撰文指出，《日本藏中國罕見地方志叢刊》所收靜嘉堂文庫藏勞鉞修《（成化）湖州府志》，內容其實就是《（弘治）湖州府志》。詳參沈慧〈一部錯冠其名的《湖州府志》〉，《中國地方志》2012年第5期，頁62-63。傳世《（弘治）湖州府志》另有國家圖書館（臺北）藏刻本及上海圖書館藏清歸安姚氏咫進齋鈔本，〈人物志〉俱在闕卷中，故在此僅引據嘉靖、萬曆兩《志》。

17 《（崇禎）烏程縣志》〈凡例〉云：「士有四方之志者，擇地而棲。吳興山水清遠，固宜攬車寄蹟者多，載世遂長子孫、成著姓，故述〈遊寓〉溯其始。」

此外，《烏程縣志》與《寰宇通志》同有「薦授信州教授」的記載，兩《湖州府志》則略而不及。考慮到《寰宇通志》的修撰當以府縣志為藍本[18]，不妨認為《寰宇通志》應是以《烏程縣志》的較早修本為依據，抑或二者有共同的史料來源。但《湖州府志》《烏程縣志》祇著錄「有《文集》二十卷」[19]，《寰宇通志》則明記敖氏有《儀禮集說》行世，此等文字疑出《寰宇通志》之創作，而府縣志編者或囿於見聞，故未之及。

除了以上方志外，成書於明天啟年間的徐象梅《兩浙名賢錄》也為敖繼公立傳。如表一所示，該書卷二〈儒碩〉「敖進士繼翁」，卷五四〈寓賢〉「教授敖君善繼翁」並錄敖繼公事跡。其中，卷五四〈寓賢〉敖繼公傳，內容幾乎全同《(崇禎）烏程縣志》。需要指出的是，並非後出的《(崇禎）烏程縣志》取材於《兩浙名賢錄》，而是《兩浙名賢錄》根據崇禎以前所修《烏程縣志》立文[20]。卷二〈儒碩〉首云「敖繼翁，烏程人。少長，邃於經術。冬不爐，夏不扇」，末云「有《文集》二十卷」，依據的則是《(萬曆）湖州府志》。中間一段長文：「日讀必至夜分而寢，……初任定成尉，以父任當補京官，讓於弟。尋擢進士，對策忤時相，遂不仕」云云，實為「吳興八俊」之一牟應龍事跡，誤入敖傳。[21]是知《兩浙名賢錄》卷二、卷五四敖傳，分別根據的是《湖州府志》和《烏程縣志》傳文，在編輯過程中，還誤將他人事跡錄入敖傳。《兩浙名賢錄》這一偶然的失誤，為後述的《元史類編》所沿襲，在清代民國文獻中續有體現。因此，從明修方志到《兩浙名賢錄》，關於敖繼公的記載可以說出現了一次影響較為深遠的變化。

---

18 《寰宇通志》始纂於景泰五年（1454）七月，景泰七年（1456）五月由文淵閣大學士陳循等進呈御覽，頒行天下。《寰宇通志》卷前〈引用書目〉有「天下府州縣衛所宣慰宣撫招討司志書」，編纂之時命地方「采錄事跡」，參考了地方府縣志。景泰五年（1454）七月庚申，明代宗朱祁鈺「命少保兼太子少傅、戶部尚書陳循等率其屬纂修天下地理志。禮部奏遣進士王重等二十九員，分行各布政司并南北直隸府州縣，采錄事跡」。《明英宗實錄》卷243《廢帝郕戾王附錄》第61，頁5285。

19 敖繼公《文集》二十卷不見於元人著錄，也未見有刊本流傳。然《文集》二十卷之記載也未必無據，或稿藏於家，並未刊刻，而為鄉黨所知，故著於方志，相沿成為一種歷史認識。萬曆間王圻纂《續文獻通考》〈經籍考〉、明末清初黃虞稷編纂《千頃堂書目》、舊題倪燦撰或盧文弨撰補的《補遼金元藝文志》、錢大昕補《元史藝文志》、魏源《元史新編》皆并錄敖氏《儀禮集說》十七卷與《文集》二十卷，至金門詔《補三史藝文志》、雒竹筠《元史藝文志輯本》則皆止著錄《儀禮集說》十七卷，未著錄《文集》。

20 《兩浙名賢錄》是一部分類編排的史傳著作，《四庫全書》列入存目，《總目》謂其「所列之人，本正史者十僅二三，本地志者乃十至六七。以鄉閭粉飾之語，依據成書，殆亦未盡核實矣。」誠如《總目》所言，《兩浙名賢錄》多本諸地方志。《四庫全書總目》卷62〈傳記類存目4〉（北京市：中華書局，1965年），頁562。

21 前揭孫致文〈從文獻學的角度考察敖繼公《儀禮集說》與朱熹禮學的關係〉（頁108-109）揭示了《兩浙名賢錄》這一張冠李戴的誤編，指出《宋元學案》、《新元史》皆沿其誤。

（二）《通志堂經解》的刊刻與《元史類編》本傳的成立

如前所述，明修《元史》〈儒學〉未立敖繼公傳，清康熙間邵遠平《元史類編》於〈儒學傳〉補錄敖繼公。又敖繼公原籍福州，出生於長樂，後寓居烏程。但明修《(弘治）八閩通志》、《福州府志》、《長樂縣志》皆不錄敖繼公[22]，至清乾隆間徐景熹修《福州府志》，始為敖氏立傳[23]。從明修《元史》和福建地方志無視敖繼公的存在，到清代康熙、乾隆間學者和福州本籍鄉閭開始關注敖繼公，不得不說是一個耐人尋味的轉變。而促成此一轉變的直接原因，也許就是《通志堂經解》本《儀禮集說》的刊刻。

學者之名以書而傳，而古書無不靠具體的版本延續其生命。《儀禮集說》元時刻於西湖書院，入明板歸南監，繼續刷印[24]。嘉靖以後刻書業相當發達，而終有明之世，《集說》並無翻刻新雕之本。由此可知《集說》在學界和讀書人之間的影響有限，市場需求不大。反過來講，沒有新刻本問世也阻礙了《集說》的傳播。要之，《集說》在明代不曾流行，未得到廣泛傳播。筆者猜想，整個明代流行的或許既不是敖《說》[25]，也非鄭《注》，恐怕祇是舊題吳澄《三禮考注》[26]一類的通俗讀物，這種狀況可能一直延續到清初[27]。

敖繼公在明代聲譽未顯，《元史》不收，本籍福州地方志不錄，實屬自然。至清康熙間，徐乾學、納蘭成德輯《通志堂經解》重刻《集說》，擴大了《集說》的流傳，引

22 明修《福州府志》如正德葉溥修四十卷本、萬曆喻政修七十六卷本皆不載敖氏事跡。明代《長樂縣志》凡四修，今存弘治王渙修八卷本和崇禎夏允彝修十一卷本亦不錄敖氏生平。

23 〔清〕徐景熹修、魯曾煜纂：〈人物・儒林傳〉：「敖繼公，字君善，長樂人。精研經史之學，而尤長於三禮。以《儀禮》一經，鄭氏舊注疵多醇少，因詳為刪定，取賈疏及先儒之說補其闕文，更附以己見，名曰《集說》，甚為明贍，蓋能不以艱詞奧義自諉者。元大德中，寓居吳興，坐小樓，足不下梯。吳士多從之游，趙子昂其弟子也。以江浙平章高彥敬薦為信州教授。（原注：纂《通志堂經解》序）」《(乾隆）福州府志》卷59，清乾隆十九年（1754）刊本，頁10下-11上。案「元大德中，寓居吳興」的表述不確。

24 詳參〔日〕阿部隆一：《增訂中國訪書志》（東京：汲古書院，1983年），頁393、662、705；《阿部隆一遺稿集》第1卷《宋元版篇》（東京：汲古書院，1993年），頁301。另詳拙稿〈敖繼公《儀禮集說》版本小識〉，《經學文獻研究集刊》第17輯（2017年5月），頁165-179。

25 二〇一九年六月補註：雖說如此，《儀禮集說》在明代《儀禮》學史上也產生過重要影響。比如，明正德、嘉靖間陳鳳梧校刊《儀禮》白文本、經註本參考了《儀禮集說》的文字，郝敬《儀禮節解》也積極援用敖繼公的說法。

26 根據最近學者的研究，《三禮考注》實際上是一部假名吳澄的偽書。詳參劉千惠〈吳澄《三禮考註》之真偽考辨〉，《中國學術年刊》第34期秋季號（2012年9月），頁31-56。

27 據《中國古籍善本書目》著錄，《三禮考注》在明代屢經刊刻重印，其中《儀禮考注》又抽出單行。至清初張爾岐撰《儀禮鄭注句讀》，並校北監本《儀禮注疏》經文譌字，所依據者，除唐石經外，亦僅吳澄《儀禮考注》而已。張爾岐：〈儀禮監本正誤序〉云：「取石本、吳澄本與監本較」，吳澄本即《考注》也。又據《四庫全書總目》卷十二〈儀禮鄭注句讀提要〉：「《蒿菴集》中有自序一篇，稱尚有《吳氏儀禮考注訂誤》一卷，今不在此編中。」云云，此說待考。

起學者的廣泛關注。錢大昕說：「君善此書（《儀禮集說》）不顯于元、明之世，自納蘭氏刊入《九經解》，而近儒多稱之」[28]，是符合實際情況的。乾隆中期以前，敖繼公在《儀禮》學上的影響甚至凌駕於鄭玄之上，中期以後考據學興起，漢宋門戶之爭漸開，雖然出現肆意貶低敖繼公的傾向，但《集說》仍然保持相當的影響力[29]。正是在此背景下，康熙間邵遠平撰《元史類編》、乾隆前期徐景熹修《福州府志》已經不容不為敖氏立傳。尤其是《福州府志》的傳文也是「纂《通志堂經解》序」，即依據《通志堂經解》本卷前納蘭成德所撰〈儀禮集說序〉[30]編纂而成。

我們再看《元史類編》敖繼公傳的內容，如表二所示，根據其史料來源，可分為三部分：①④的記載來自明修方志（《（崇禎）烏程縣志》）的內容；②的說法來源於《兩浙名賢錄》；③介紹《儀禮集說》的文字「嘗以魯高堂生傳士禮十七篇」云云，則是依據納蘭成德〈儀禮集說序〉敷衍而成。此時相距《通志堂經解》本《儀禮集說》問世亦僅二十年來年，而學者撰寫敖傳，已經參考其書。因此，《元史類編》補錄敖繼公入〈儒學傳〉，與《福州府志》為敖氏立傳，當皆直接受《儀禮集說》刻入《通志堂經解》之驅使。

另外，《元史類編》敖傳以明修方志的內容為基礎，參考《兩浙名賢錄》和納蘭成德〈儀禮集說序〉編纂而成，從結果來看，是對此前文獻記載的總結。這一總結，對敖繼公的敘述趨於固化成型，意義重大。此後《閩中理學淵源考》、《宋元學案》、《新元史》本傳的內容皆不出《元史類編》之範圍。如表二所示，《閩中理學淵源考》、《宋元學案》敖繼公傳與《元史類編》的記載高度一致。《新元史》本傳文字雖然比《元史類編》簡略，但敘述的基本結構及內容無有不同。且《儀禮集說》十七卷，《新元史》誤從《元史類編》作「十三卷」，是直據《元史類編》而不能訂正其失。敖繼公的寓居地「烏程」誤作「平江」，則是編纂草率所致。因而《新元史》本傳可以看作是《元史類編》敖傳的簡化版。除了傳文內容的因襲，敖繼公在《新元史》〈儒林傳〉的位置，也可以認為是由《元史類編》奠定的。

---

28 〔清〕錢大昕：〈跋儀禮集說〉，《潛研堂集》卷27（上海市：上海古籍出版社，2009年），頁461。

29 前揭彭林〈清人對敖繼公之臧否與鄭玄經師地位之恢復〉一文對此過程有詳論。

30 署「康熙丁巳」，即康熙十六年（1677），可知《通志堂經解》本《儀禮集說》或即刊於是年。另該序收入納蘭成德《通志堂集》卷12。二〇一九年六月補註：楊國彭〈《通志堂經解》刊刻問題新探〉認為「《經解》刊刻始於康熙十二年（1673），完成於康熙三十年（1691）」，《中國典籍與文化》2019年第2期，頁49。

表二　清代的記載

篇名／書名	小傳
納蘭成德〈儀禮集說序〉	魯高堂生傳士禮十七篇，即今《儀禮》也。生之傳既不存，而王肅、袁準、孔倫、陳銓、蔡超宗、田僧紹諸家注，亦未流傳於世。今自注疏而外，他無聞焉。……元大德中，長樂敖繼公以康成舊注疵多醇少，輒為刪定，取賈疏及先儒之說補其闕，又未足，則附以己見，名曰《集說》。蓋不以其艱詞奧義自委者已……
《元史類編》	①敖繼公（《烏程縣志》作「翁」），字君善，福州長樂人。後寓家吳興，築一小樓，坐臥其中，冬不爐，夏不扇，日從事經史。吳下名士多從之游，趙孟頫其弟子也。 ②初仕定成尉，以父任當補京官，讓於弟。尋擢進士，對策忤時相，遂不仕，益精討經學。 ③嘗以魯高堂生傳士禮十七篇，即今《儀禮》也。生之傳既不存，而王肅、袁準、孔倫、陳銓、蔡超宗、田僧紹諸家註，亦未流傳於世。鄭康成舊註《儀禮》疵多醇少，學者不察，因復刪定，取賈疏及先儒之說補其闕，又未足，附以己意，名曰《儀禮集說》，凡十三卷。…… ④成宗大德中，以江浙平章高彥敬（一作「顯卿」）薦擢信州教授，未任而卒。（卷34〈儒學四（補遺）〉）
《閩中理學淵源考》	①敖繼公，字君善，長樂人。後寓家吳興，築一小樓，坐臥其中。冬不爐，夏不扇。出入進止，皆有常度。日從事經史，吳下名士，多從之游。 ②初仕定成尉，以父任當補京官，讓於弟。尋擢進士，對策忤時相，遂不仕，益精討經學，而尤長於三禮。 ③嘗以魯高堂生傳士禮十七篇，即今《儀禮》也。生之傳既不存，而王肅、袁準、陳銓、蔡超宗、田僧紹諸家註亦未流傳於世。鄭康成舊註《儀禮》疵多醇少，學者不察，因復刪定，取賈疏及先儒之說補其闕文，附以己意，名曰儀禮集說，凡十七卷。 ④成宗大德中，以江浙平章高彥敬薦擢信州教授，未任卒。 ⑤趙孟頫、倪淵皆師事之。[31]（卷35〈教授敖君善先生繼公〉）
《宋元學案》	①敖繼公，字君善，長樂人。後寓家吳興，築一小樓，坐臥其中。冬不爐，夏不扇，日從事經史。

31　〔清〕李清馥：《閩中理學淵源考》卷35，《景印文淵閣四庫全書》第460冊（臺北市：臺灣商務印書館，1983年），頁456。案此書又名《閩中師友淵源考》，有乾隆十四年（1749）自序。據研究，該書始編於一七四二年，約成書於一七六九年至一七七七年之間。張顯慧：《李清馥〈閩中理學淵源考〉研究》（廣州市：暨南大學碩士學位論文，2010年），頁13

篇名／書名	小傳
	②初仕定成尉，以父任當補京官，讓於弟。尋擢進士，對策忤時相，遂不仕，益精討經學。 ③嘗以魯高堂生傳士禮十七篇，即今《儀禮》也。生之傳既不存，而王肅、袁準、孔倫、陳銓、蔡超宗、田僧紹諸家註亦未傳于世。鄭康成舊註《儀禮》疵多醇少，學者不察，因復刪定，取賈疏及先儒之說補其闕，猶未足，附以己意，名曰儀禮集說，凡十七卷。 ④成宗大德中，以江浙平章高彥敬薦（雲濠案：高彥敬，一作「高顯卿」）擢信州教授，未任而卒。（從黃氏補本錄入）[32]（卷52〈教授敖先生繼公〉）
《新元史》	①敖繼公，字君善，福州長樂人，後寓**平江**。築一小樓，坐臥其中，日從事于經史。趙孟頫其弟子也。 ②初為定成尉，以父任當得京官，讓于弟。尋擢進士，對策忤時相，遂不仕。 ③著《儀禮集說》**十三卷**。 ④大德中，以高克恭薦授信州教授，未仕而卒。[33]（卷235〈儒林傳二〉）

三　敖氏門人

《宋元學案》於敖氏門人，僅列倪淵、趙孟頫二人[34]。今查考元人文集等相關文獻，可知從學敖繼公者，尚有同鄉姚式、陳繹曾諸人。茲將弟子師事敖氏之情況，略述如次：

---

32 〔清〕黃宗羲撰、全祖望補修：《宋元學案》卷52（北京市：中華書局，1986年），頁1702。黃宗羲原本《宋元學案》未錄敖氏，今本《宋元學案》敖氏小傳是道光間王梓材、馮雲濠校訂《學案》時「從黃氏補本錄入」。所謂「黃氏補本」，即王、馮合撰〈宋元學案考畧〉所列「餘姚黃氏校補本」，是由黃宗羲玄孫黃璋及其子黃徵乂，孫黃直垕相繼校補謄錄成的八十六卷本。在黃氏補本中，敖氏隸於〈李俞諸儒學案〉，今本敖氏隸屬〈艮齋學案〉，乃王梓材校訂調整之結果。這樣調整的理由，據王氏案語云：「敖先生傳，黃氏補本列〈李俞諸儒學案〉，茲以其為《儀禮》之學，繫之〈忠甫續傳〉，以明宋、元兩朝禮學之不絕有自云。」又該書〈點校前言〉云：「時間相隔較遠，傳承世次不明的稱『續傳』」。

33 柯劭忞：〈儒林傳二〉，《新元史》卷235（退耕堂刊本，1922年），頁13下-14上。

34 〔清〕黃宗羲撰、全祖望補修：《宋元學案》卷52，頁1704-1705。

(一) 趙孟頫

趙孟頫，字子昂，號松雪、松雪道人，湖州人。生於南宋寶祐二年（1254），卒於元至治二年（1322）。官至翰林學士承旨，贈江浙行省平章政事，封魏國公，謚文敏。孟頫自述師承云：「吾鄉有敖君善者，吾師也。」[35]趙氏在宋末曾任真州司戶參軍[36]，至元十三年（1276），宋恭帝降元，趙氏歸家閒居，致力於學。孟頫從敖氏問學，大約始於是年。楊載〈趙公行狀〉云：

> 皇元混一後，閒居里中。丘夫人語公曰：「聖朝必收江南才能之士而用之，汝非多讀書，何以異於常人。」公益自力於學，時從老儒敖繼公質問疑義，經明行脩，聲聞湧溢，達于朝廷。[37]

至元二十三年（1286），江南行臺治書侍御史程鉅夫（1249-1318）奉詔搜訪遺逸於江南，趙孟頫與吳澄（1249-1333）等廿餘人同被徵至大都，次年（1287）六月，授兵部郎中[38]。從至元十三年從學敖氏，到至元二十三年入都出仕新朝，之間或一直問學於敖氏。

《宋元學案》載敖氏門人，首倪淵、次趙孟頫，而孟頫又「別見雙峰學案」，隸於「雪樓門人」。「雪樓」即前述程鉅夫，據云「程鉅夫搜訪遺逸于江南，得先生，以之入見，故終身以師事之」。此說畢竟牽強，故王梓材特出按語強調孟頫本為繼公門人[39]。

(二) 倪淵

倪淵（1265-1342），字仲深，其先汴梁人，五世祖遷錢唐，四世祖又家烏程，故為烏程人。倪淵深研《易》學，著有《易集說》二十卷，《易圖說》、《易卦說》、《敘例》各一卷。[40]《寰宇通志》、《(嘉靖)湖州府志》皆言倪淵從學於敖繼公。[41]按黃溍（1277-1357）〈倪公墓誌銘〉云：「三山敖先生繼翁，深於三禮而尤善《易》，公從之

35 〔元〕趙孟頫：〈送吳幼清南還序〉，《松雪齋文集》卷6，《四部叢刊》影印元沈伯玉刻本，頁10上。

36 〔明〕宋濂等：《元史》本傳云：「年十四，用父蔭補官，試中吏部銓法，調真州司戶參軍。」（北京市：中華書局，1976年），頁4018。

37 〔元〕楊載：〈趙公行狀〉，《松雪齋文集》附錄，頁2上。由此也可推測敖繼公宋末已僑居湖州。

38 吳澄不仕南歸，趙孟頫「獨書朱子與其師劉先生屏山所賡三詩為贈」，見危素《臨川吳文正公年譜》「至元二十四年（1287）」條。

39 《宋元學案》卷83〈雙峰學案〉下王梓材按語云：「朱氏《經義考》引《姓譜》言『敖繼公寓居湖州，遂通經術，趙孟頫師事之。』是文敏本敖氏門人。」頁2830。

40 據《經義考》著錄，唯《易卦說》一卷存。

41 《寰宇通志》卷25：「倪淵，烏程人，從學於敖繼公，動必以禮，仕元為湖學教授」，頁517。《(嘉靖)湖州府志》卷14：「從敖繼翁授《禮經》、易數之學，平居動必以禮」，頁4上。

游，於節文度數之詳，辭變象占之妙，靡不博考洞究。」[42]這條記載直接提示倪淵從學繼公，謂倪氏禮學、《易》學深造有得，是師承授受有以致之。而且黃氏以「深於三禮而尤善《易》」概括敖繼公學術，提供了其它文獻沒有的信息。敖氏自述「晚讀此書（《儀禮》）」，即後半生始研究《儀禮》，從事《集說》的撰作。至於早年治何經典，我們並不清楚。黃氏稱繼公於三禮之外尤長於《易》學，則敖氏早年或專攻《易》。

（三）姚式

姚式，字子敬，號筠庵，湖州歸安人。據董斯張《（崇禎）吳興備志》，姚式「學于敖繼翁」[43]。又據趙孟頫〈送吳幼清南還序〉云：

> 近年以來，天子遣使者巡行江左，搜求賢才，與圖治功，而侍御史程公亦在行。程公思解天子渴賢之心，得臨川吳君澄與偕來吳。……吾鄉有敖君善者，吾師也。曰錢選舜舉，曰蕭和子中，曰張復亨剛父，曰陳慤信仲，曰姚式子敬，曰陳康祖無逸，吾友也。……吳君行有日，謂余曰，吾將歸遊江浙，求子之友。余既書所賦詩三章以贈行，又列吾師友之姓名，使吳君因相見而道吾情。至杭見戴表元率初者，鄞人也。鄧文原善之者，蜀人也，亦吾友也。其亦以是致吾意焉。[44]

上述孟頫諸友錢選[45]、蕭和、張復亨、陳慤、姚式、陳康祖六人，與孟頫及牟應龍以能詩稱，號「吳興八俊」[46]。其中姚式與孟頫乃「同學故人」[47]，二人同時問學於敖繼公，友愛甚篤[48]。姚式於易簀之際，命子扶起，「坐而逝」[49]，不苟如此，的是知禮君

---

42 〔元〕黃溍：〈承務郎富陽縣尹致仕倪公墓誌銘〉，《金華黃先生文集》卷32，《四部叢刊》影印常熟瞿氏上元宗氏日本岩崎氏藏元刊本，頁24。

43 〔明〕董斯張：〈人物徵〉：「姚式，字子敬，歸安人，學于敖繼翁。浙西平章高彥敬薦式與鄧文原、陳康祖、倪淵，皆為儒官。」《（崇禎）吳興備志》卷12，《景印文淵閣四庫全書》第494冊（臺北市：臺灣商務印書館，1986年），頁415。

44 《松雪齋文集》卷6，頁9下-10上。

45 錢選，字舜舉，號玉潭，湖州人。能詩工畫，學貫經史。據趙汸〈贈錢彥賓序〉，錢選有經說著作《論語說》、《春秋餘論》、《易說考》、《衡泌間覽》等，皆付之一炬，「隱於繪事以終其身」（《東山存稿》卷2）。又據黃公望〈錢舜舉《浮玉山居圖》並題卷〉「霅溪翁吳興碩學，其於經史貫串於胸中，時人莫之知也。獨與敖君善講明酬酢，咸詣理奧。」（《式古堂書畫彙考》〈畫考〉卷47）錢選獨與敖繼公相與討論學問，蓋當時湖州以錢、敖二人學問為最。

46 〔明〕董斯張：〈人物徵〉：「張復亨，字剛父，烏程人。……時與趙子昂、牟應龍、蕭子中、陳無逸、陳信仲、姚式、錢選皆能詩，號」『吳興八俊』。虞邵菴嘗稱唐人之後，惟吳興八俊可繼其音。」《（崇禎）吳興備志》卷12，頁414。

47 〔元〕趙孟頫：〈和姚子敬韻〉：「同學故人今已稀，重嗟出處寸心違」，《松雪齋文集》卷4。

48 〔元〕趙孟頫：〈送姚子敬教授紹興〉：「我友子姚子，風流如晉人。白眼視四海，清言無一塵。結交三十年，每見意自新。……以子絕代才，數賢可比倫……時時書寄我，用慰情相親。」《松雪齋文集》卷3。

子。編有詞總集《古今樂府》，久佚[50]。

（四）陳繹曾

陳繹曾乃上述「吳興八俊」之一陳康祖之子，字伯敷，與脩《遼史》，官至國子助教。繹曾「諸經注疏皆能成誦」[51]，撰有《文筌》，為元代文章學的重要著作。在〈文筌序〉中繹曾述及師承所自云：「余成童剽聞道德之說於長樂敖君善先生，痛悔雕蟲之習久矣」[52]。繹曾的文章觀的形成，應該也受到敖氏的影響，故於自序中特別表出。〈文筌序〉開宗明義云：「文者何？理之至精者也」，是一種理本論的文章觀[53]。又云：「文將以見道也，豈其以筆札而害道哉」，「且余聞之，《詩》者情之實也，《書》者事之實也，禮有節文之實，樂有聲音之實，《春秋》有褒貶，《易》有天人，莫不因其實而著之筆札，所以六經之文不可及者，其實理致精故耳。」前曰「剽聞」，繼云「且余聞之」，或亦称述師說耶？

從以上記載，我們推測敖繼公寓居烏程，大概即以授徒講學為業。史載湖州名士多出其門，蓋非虛言。高克恭所以薦之於朝，當亦與敖氏有功湖州一地之文教不無關係。

四　薦授教授

明修方志提示敖繼公得高克恭舉薦，授以信州教授之職，但不知薦授教授之事在何年。又根據《寰宇通志》、《大明一統志》的記載，敖繼公雖得薦舉，然「命下而卒」，未及赴任即已辭世[54]。若此說成立，薦舉之年與敖氏卒年理應相當接近。我們知道《儀

---

49 吳師道：〈趙明仲所藏姚子敬書高彥敬詩〉：「泰定初，明仲來為常山簿，相見則曰：『子敬亡矣。』為言其一月前似疾非疾，屏居數山中，絕不食，惟日飲水，曰：『人腸胃穢惡皆食所致，吾將以是蕩滌而潔清之。』家人來候者悉遣歸，留一子侍。明日，語之（一作「子」）曰：『女知之乎，男子不死於婦人之手。』命扶起，坐而逝。嗚呼！其死生之際如此，世之知之者特末耳。」邱居里、邢新欣校點：《吳師道集》卷18（長春市：吉林文史出版社，2008年），頁373。

50 詳參卞東波：〈姚式《古今樂府》小考〉，《文學遺產》2007年第4期，頁25。

51 〔明〕董斯張：〈人物徵〉：「陳繹曾，字伯敷，康祖子。為人雖口吃，而精敏異常。諸經注疏皆能成誦。文詞汪洋浩博，其氣譪如也。與脩《遼史》，官至國子助教。論者謂與陳旅相伯仲云。」《（崇禎）吳興備志》卷12，頁415。

52 〔元〕陳繹曾：《文筌》，《續修四庫全書》集部第1713冊（上海市：上海古籍出版社，2002年），頁407。

53 詳參慈波〈陳繹曾與元代文章學〉，《四川大學學報》（哲學社會科學版）2007年第1期，頁87-95。

54 此說影響較大，凌迪知《萬姓統譜》、邵遠平《元史類編》皆承其說，此後《閩中理學淵源考》、《宋元學案》、《新元史》繼承了《元史類編》的表述。《萬姓統譜》卷三十三：「平章高顯卿薦于朝，授信州教授，命下而卒」，本諸《大明一統志》，而為《經義考》（卷133）所本。《元史類編》卷三十

禮集說》完稿於大德五年，敖氏卒年自當在此之後。若如嘉靖五年進士戴璟所云：「《儀禮集說》雖已脫藁，而信州教授未及蒞官」[55]，則似敖氏卒年即在大德五年之後不久。茲據元人文集的相關記載，對薦授教授之年稍作考證，并檢討「命下而卒」之說。

（一）薦授教授之年

舉薦者高克恭，字彥敬，大都房山人。生於蒙古定宗三年（1248），卒於元武宗至大三年（1310）。與敖繼公同時得到高克恭薦舉的，尚有門人姚式、倪淵及同鄉陳康祖、鄧文原，凡五人。「與在舉中」的鄧文原為高克恭撰〈行狀〉曾提及此事：

> 嘗舉江南文學之士敖君善、姚子敬、陳无逸、倪仲深于朝，皆官郡博士。……文原自公為都事使杭，首受公知，亦與在舉中。[56]

該文出自當事人敘述，是有關薦舉一事較為直接的史料。此外，黃溍為倪淵撰〈墓誌銘〉，於倪淵得高克恭薦舉之事也不惜筆墨：

> 高公克恭持風裁，慎許可，時為江浙行省左右司郎中，聞公名，欲識之。一見與語，降歎不已，曰：「君大才，不可小用也。」及為南臺治書侍御史，首以敖先生及鄧公文原、陳公康祖、姚公式與公五人，並薦于朝。未報，而行省調公杭州路儒學正。河南王孛憐吉䚟嘗受業魏國許文正公之門，方以平章政事行省江浙，聞公講說，大契其意。即遣子從公受學，且移文中書，舉公可教國子，而中書已定擬臺章所薦五人各補郡文學，乃以公為杭州路儒學教授。[57]

此處明確了高克恭舉薦敖繼公與倪淵等五人，是在南臺治書侍御史任上。據鄧文原〈高公行狀〉，高克恭調任江南行臺治書侍御史在大德元年（1297），大德三年復召入都為工

四：「成宗大德中，以江浙平章高彥敬（一作『顯卿』）薦擢信州教授，未任而卒。」《閩中理學淵源錄》卷三十五：「成宗大德中，以浙江平章高彥敬薦，擢信州教授，未任卒」。《宋元學案》卷五十二：「成宗大德中，以江浙平章高彥敬薦擢信州教授，未任而卒」。《新元史》本傳：「大德中，以高克恭薦授信州教授，未仕而卒」。然《（崇禎）烏程縣志》雖云「薦授信州教授」，並無「命下而卒」一說。

55 〔明〕戴璟：〈湖州府人物策〉：「若夫古之流寓於此者……至於敖繼翁本福州人也，邃通經術，動遵禮法，趙子昂事之如師，高顯卿薦之于上，《儀禮集說》雖已脫稾，而信州教授未及蒞官，此又流寓之人物如此也。」董斯張：《吳興藝文補》卷68，《續修四庫全書》集部第1680冊（上海市：上海古籍出版社，2002年），頁313。

56 〔元〕鄧文原：〈故太中大夫刑部尚書高公行狀〉，《巴西鄧先生文集》，《北京圖書館古籍珍本叢刊》第92冊（北京市：書目文獻出版社，1991年），頁774。

57 〔元〕黃溍：《金華黃先生文集》卷32，頁24下。

部侍郎[58]，因此可以推定高克恭舉薦敖繼公應在大德元年至三年之間。

除了上述兩條記載，未見其他可供論證薦舉之年的相關文獻。惟與敖繼公同被舉薦的鄧文原，情況較為特殊，也因其特殊，似可作為旁證，與上述推測相互印證。大德二年（1298），鄧文原等二十人隨趙孟頫入大都金書寫《大藏經》[59]。黃溍〈鄧（文原）公神道碑銘〉云：

> 工於筆札，與趙魏公孟頫齊名。徽仁裕聖皇后命以泥金書《大藏經》，公應聘，率門人前集賢待制班惟忠等二十人北上。竣事，二十人皆賞官，而公不預，第隨牒調補教授一州。後乃以文學政事昭被主知，而至大官。[60]

據黃氏云，事遂同行二十人皆得賞官，獨鄧文原不預。黃氏所云「第隨牒調補教授一州」，當即吳澄〈鄧公神道碑〉所云「大德戊戌（二年）部注崇德州教授」[61]。然文原不得賞官，衹調補崇德州教授，究竟為何？其中緣由，黃氏未作交代。筆者推測，當大德二年之時，鄧文原因得到高克恭的舉薦，相關任命已經擬定，故獨文原不得另賞官，衹依任命調儒學教授。此如上引〈倪公墓誌銘〉所述，倪淵雖得孛憐吉解移文中書省舉薦任教國子監，但中書省已經擬定高克恭所薦倪淵等五人調補各路州儒學，故不得如其所請，衹得依任命調杭州路儒學教授。要之，鄧文原不得賞官與倪淵不得任教國子監，雖然表面看沒有什麼聯繫，但原因可能衹有一個，即二人同時得到高克恭舉薦，而且人事任命已定，無從更改。鄧文原調崇德州教授在大德二年，正符合上文高克恭舉薦在大德元年至三年之間的推測。因此，筆者認為，敖繼公得到高克恭舉薦，很有可能在大德元年至三年之間。

（二）關於「命下而卒」

如上所述，敖繼公得到高克恭舉薦疑在大德元年至三年之間。舉薦之年與實際任命之年容有一定的時間差，但《儀禮集說》大德五年（1301）始脫稿，若「命下而卒」的記載屬實，實際任命與舉薦相隔至少三四年，似不無可疑。根據黃溍、楊維楨的敘述，高克恭所舉薦五人，惟鄧文原漸至通顯，倪淵以富陽縣尹致仕，而敖繼公等人「止於文

58 〔元〕鄧文原：〈高公行狀〉：「大德元年，擢公江南行臺治書侍御史」，「三年，復召入，為工部侍郎」，《巴西鄧先生文集》，頁773。

59 〔元〕戴表元〈送鄧善之序〉「大德戊戌春，巴西鄧善之以材名被徵，將袛役於京師」（《剡源戴先生文集》卷14），袁桷〈送鄧善之應聘序〉「今年春，承徵將如京師，告余以行」（《清容居士集》卷23），即指此事。

60 〔元〕黃溍：〈鄧（文原）公神道碑銘〉，《金華黃先生文集》卷26，頁26。

61 〔元〕吳澄：《臨川吳文正公集》卷32，《元人文集珍本叢刊》（臺北市：新文豐出版，1985年），頁546。

學掾」[62]「卒官文學」[63]，似謂敖繼公實際赴任教授，並且止於教授之職，未云繼公「命下而卒」。然上述記載皆非以繼公為中心，固略於其事，無法據此證明敖氏曾經赴任教授之職。總之，「命下而卒」的記載，可以追溯到明初編纂的《寰宇通志》，其說當有所本，不容輕易質疑。但現存元代文獻相關記載較少，尚無法形成完整證據鏈證成其說。

至於敖繼公卒年，鄧文原〈高公行狀〉云：「嘗舉江南文學之士敖君善、姚子敬、陳无逸、倪仲深于朝，皆官郡博士。敖、陳相繼死。公每念子敬貧且年逾五十，自刑部白之都堂曰：『薦賢非秋官職，然不敢以避嫌後賢士』。」[64]。這裡提到敖繼公、陳康祖相繼去世，姚式（子敬）年逾五十，其時高克恭在邢部任職。〈高公行狀〉又載高克恭官刑部侍郎在大德八年（1304）[65]，則繼公卒年約在大德五年至八年之間，於《儀禮集說》脫稿後不久即辭世。

五　結語

以上我們嘗試對敖繼公的生平事跡作了初步的考察，對各種文獻記載之間的繼承和演變關係作了辨析，也對舊說提出了若干修正補充的意見。

第一章首先對明修方志的記載及其異同作了辨析，其次提出《儀禮集說》刻入《通志堂經解》直接影響了對敖繼公其人的敘述。不僅本籍福州地方志開始為敖氏立傳，在《元史類編》中也躋身〈儒學〉之列，并為《新元史》所繼承。

第二章於《宋元學案》所列門人倪淵、趙孟頫二人之外，考得姚式、陳繹曾也從學繼公。敖氏寓居烏程，大概即以授徒講學為業。

第三章考察高克恭薦舉敖繼公一事，推定其事當在大德元年至三年之間，而敖繼公卒年或在大德五年至八年之間。

根據本稿的考證，試為敖氏擬一小傳，文曰：

62〔元〕黃溍：〈倪公墓誌銘〉云：「蓋高公所薦五人，惟鄧公掌制命、侍經幄，仕最顯。公雖與有民社，而未足以展其材，餘三人又僅止於文學掾。」《金華黃先生文集》卷32，頁26下。

63〔元〕楊維楨：〈倪公墓碑銘（代歐陽先生作）〉：「玄聞房山高公克恭在南端時薦天下士五人，曰敖公繼翁、鄧公文原、陳公康祖、倪公淵、姚公式，天下謂之「五雋」。鄧公官至法從，敖與姚卒官文學，倪公晚始以縣大夫引年。」《東維子文集》卷24，《四部叢刊》影印江南圖書館藏鳴野山房鈔本，頁10。倪氏葬後四年，次孫倪瓛赴京師請黃溍作墓銘，黃溍作〈承務郎富陽縣尹致仕倪公墓誌銘〉。倪氏長孫倪璨則奉倪氏之門生鄭汝原所作〈行狀〉謁歐陽玄，請銘其祖之墓。楊維楨代歐陽玄撰〈有元文靜先生倪公墓碑銘〉。從內容上看，黃撰〈倪公墓誌銘〉與楊撰〈倪公墓碑銘〉文辭有詳略，但主體內容一致，應皆據倪氏弟子鄭汝原所作〈行狀〉演繹，當可信。

64〔元〕鄧文原：〈高公行狀〉，頁774。

65〔元〕鄧文原：〈高公行狀〉：「（大德）八年，改刑部侍郎。」

敖繼公，字君善，福州長樂人。寓居烏程，以授徒講學為業，湖州名士多出其門。從遊有趙孟頫、倪淵、姚式、陳繹曾諸人，與錢選相友善。大德元年至三年之間，江南行臺治書侍御史高克恭薦之於朝，授信州教授。邃通經術，深於三禮而善《易》。卒於元成宗大德五年至八年之間。有《儀禮集說》十七卷行世。相傳有《文集》二十卷，未見。

二〇一九年六月附記：本文初稿為「經學史研究的回顧與展望—林慶彰教授榮退紀念國際學術研討會」（京都大學大學院文學研究科，2015年8月）參會論文。後經修訂，發表於彭林教授主編《中國經學》第二十輯（2017年6月）。

元代科舉三場考試偏重之探論

侯美珍
成功大學中國文學系教授

提要

元代科舉實施三場考試，首場考經疑、經義，自《四書》、《五經》出題；二場考古賦及詔、誥、表；三場考策問。學界對元代科場偏重古賦、《四書》或偏重《五經》，有不同見解。本論文立足於學者研究成果，考索劉貞、周旉所編科場文選，參酌元仁宗設「德行明經科」立制本意，佐以程端禮《程氏家塾讀書分年日程》關於讀經、學文等備考記載，辨析元代科場顯然偏重首場經書考試，而於《四書》、《五經》中，則偏重《五經》。並從考官衡文判別優劣的心態，及經疑、經義文體之不同，解釋偏重《五經》之故。

關鍵詞：元代科舉　元代經學　三場　經義　經疑

一　前言

科舉是始自隋、唐設科考試以選拔官員的制度，[1]乃因分科取士而得名。繼隋、唐、兩宋實施科舉以掄才後，在遼、金、元等外族統治的朝代，亦實施科舉以選官。民初學者陳東原（1902-1978）於一九三二年作〈遼金元之科舉與教育〉，[2]鄧嗣禹（1905-1988）在一九三六年出版的《中國考試制度史》中亦設一章〈遼金元之考試制度〉予以介紹。[3]隨著近一、二十年科舉學日益蓬勃發展，元代科舉相關研究成果益多。蕭啟慶教授輯有〈元代科舉論著目錄〉，[4]所收截止於二〇一〇年，而論著已有一〇四筆之多。

雖已有不少專書、論文對元代科舉進行研究，但鄧嗣禹曾言：「中國載籍，言及考試者，幾於無書無之。」[5]因科舉文獻豐富，可探討的課題極多，既有之論著，因資料、視野等局限，或未能充份研究、正確觀照，故科舉學各領域，仍有許多待探索的課題，這也是近一、二十餘年科舉研究日漸興盛的原因。

拙作〈明清科舉取士「重首場」現象的探討〉指出：明、清科舉取士，鄉、會試雖分三場試士，但偏重首場經義，首場中偏重《四書》義甚於《五經》義。雖朝野屢次申誡、呼籲，強調要前、後場並重，但未見成效，截至清末，偏重首場現象依然存在。[6]由於之前曾撰此文之故，筆者在閱讀元代科舉文獻及今人研究論著時，也特別關注、思考元代科舉雖設三場，是否存在如明、清時偏重某一場、某一文體的現象。

經筆者搜閱後，發現對於元代科場是否有所偏重、偏重者為何，今人有不同主張，大概可歸納為三類：或言重古賦，或言重《四書》經疑，或言重《五經》經義。其紛歧的見解，孰是孰非？本論文梳理古代文獻，參考今人論著，試加考索，提出個人之淺見，以就正於方家。

1　其起始的時間，學界有所爭議，或以為始自漢察舉，或主張隋、唐，其中，隋煬帝大業年間始置進士科，被認為是重要的關鍵指標。劉海峰：〈科舉起源論〉，《科舉學導論》（武漢市：華中師範大學出版社，2005年），頁65-94。

2　陳東原：〈遼金元之科舉與教育〉，《學風》第2卷第10期（1932年），頁23-26。

3　鄧嗣禹：《中國考試制度史》（臺北市：臺灣學生書局，1982年），頁181-219。按：此書原為考試院考選委員會一九三六年四月出版。

4　蕭啟慶：〈元代科舉論著目錄〉，《元代進士輯考》（臺北市：中央研究院歷史語言研究所，2012年），頁543-551。

5　鄧嗣禹：《中國考試制度史》，頁387，〈參考書目〉後注。

6　侯美珍：〈明清科舉取士「重首場」現象的探討〉，《臺大中文學報》第23期（2005年12月），頁323-368。

二　元代科舉制度與三場考試內容

元朝在西元一二三四年滅金，在一二七九年滅南宋，南北統一，立國後長期未實施科舉，為歷朝所罕見。除因來自草原塞外，初始征戰未休，及對中原文化尚不夠瞭解等原因外，學者指出：元初懲於前朝科舉之弊，君臣對科舉制度並未全然肯定。且因蒙元選官重視出身，著重世家子弟蔭襲特權，故上層高官多為與皇室淵源深遠的家臣世家擔任，而下層實務又倚重胥吏辦理，並形成歲貢儒吏的制度，在科舉中斷時仍可藉此晉用人才。再加上南宋、金朝的學風不同，漢族士人對科舉考試內容爭議不休，因此實施科舉一事遂遷延未決。[7]

經過長期討論，終於在元仁宗（1285-1320）皇慶二年（1313）頒定開科舉詔令，於延祐元年（1314）八月舉行開科首次鄉試，然不久後，在至元元年（1335）罷科舉。[8]第一階段共舉行鄉試八科，會試、廷試七科。於罷科舉六年後，至元六年（1340）復行科舉，修定舊制，重頒新制，實施到至正二十六年（1366）為最末科，至正二十八年元隨之滅亡。第二階段共舉行鄉試、會試、廷試各九科。有元一代共計實施科舉時間僅五十二年，期間又中斷廢止六年，一共舉行會試十六科，鄉試十七科。

元朝開科立制初始，原擬每科蒙古、色目、漢人、南人，各取二十五名，計一百名進士，[9]然因前期文治未盛，特別是蒙古、色目人，初開科舉時，學識足以入場應試者較少；元末又受戰亂動盪影響，或暫停鄉試或影響考生應試意願。在應試者未如預期的情況下，僅元統元年（1333）錄取了一百人，其他科則皆不足額，十六科進士，共僅錄取一一三九人。[10]因元代多用吏員，科舉僅為選官之輔助，故所錄取進士，相較於其他朝代少得多。在舉行科舉的五十餘年，入仕的文職官員約為二萬八千人，進士入仕約占文官總數的百分之四點三，這比率只相當於唐代和北宋的十分之一，並且授官亦較低，

7　參陳高華：〈元朝前期關於科舉考試的爭論〉，陳高華等：《中國考試通史．宋遼金元》（北京市：首都師範大學出版社，2008年），頁344-354。按：此書元代部份為陳高華執筆。蕭啟慶：〈科舉停頓的原因〉，《元代進士輯考》，頁4-5。

8　罷科舉的原因，參陳高華：〈元朝後期科舉考試制度的停止和重開〉，陳高華等：《中國考試通史．宋遼金元》，頁361-368。

9　〔明〕宋濂等：〈選舉一〉，《元史》（北京市：中華書局，1976年），卷81，頁2021，「天下選合格者三百人赴會試，於內取中選者一百人，內蒙古、色目、漢人、南人分卷考試，各二十五人。」

10　蕭啟慶：《元代進士輯考》，頁19-20，有〈歷科錄取進士人數〉表，清楚呈現十六科左、右榜狀元及錄取人數，經統計共錄取一一三九人。《中國考試通史．宋遼金元》，頁368，陳高華云：「16科進士共1303人。」其數字之出入，乃因計入國子進士一百六十四名。沈仁國：《元朝進士集證》（北京市：中華書局，2016年），頁2，云：「迄至元亡，元朝計開科16次，不計入國子進士164名，共錄取進士1139名。」

多數只能擔任州縣官員和文教機構官員。[11]尤其帶有民族歧視，分左右兩榜，右榜為蒙古、色目人，左榜為漢人、南人，對於應試者極多的南人，在錄取上特別不利。[12]因此，總體來看，元代可以說是科舉較衰落的時代。雖然如此，元代承先啟後，所訂的制度對明、清的科舉實施，也有深刻的影響。如考試科目、內容，功令所尊經註，多為明初承襲，特別是經書考試的規定，影響後代學術、教育傳習極為深遠。

元代科舉考試的內容，亦有「蒙古、色目」、「漢人、南人」之分，所試科目及難易，頗有不同。皇慶二年所頒，「蒙古、色目」只考二場，「第一場經問五條，《大學》、《論語》、《孟子》、《中庸》內設問，義理精明，文辭典雅為中選。用朱氏《章句集註》。第二場，策一道，以時務出題，限五百字以上。」至元六年復科舉所頒：「第一場經問三條，《四書》內出題。明經一道，《五經》內各專一經，不拘格律字數，義理詳明，文辭條暢者為中式。第二場，時務策一道。」[13]考慮到不同的文化水準，「蒙古、色目」所考內容較少，也較容易。由於外族加上應試者少，科舉訊息也較少被記錄、流傳，[14]以下所論，以「漢人、南人」的考試為主。

據元官修政書《通制條格》、[15]明初所纂《元史》〈選舉志〉，以及《明史》〈選舉志〉等文獻之記載，將元代初頒及復科「漢人、南人」考試科目，與洪武初年所試，列表比較如下，以呈現考試內容之遞變，及元制對明初設科的影響：

11 姚大力：〈元朝科舉制度的行廢及其社會背景〉，《元史及北方民族史研究集刊》第6期（1982年12月），頁43。

12 蕭啟慶：《元代進士輯考》，頁35-36，〈南人競爭激烈、登科困難〉一小節，指出江浙、江西考區，考生多，競爭激烈，「南人鄉試錄取率皆低於百分之一」。

13 〔元〕拜柱等纂修：《通制條格》，《續修四庫全書》第787冊（上海市：上海古籍出版社，2002年，影印民國19年〔1930〕北平圖書館影印明鈔本），卷5，頁8-9；16-17。〔明〕宋濂等：〈選舉一〉，《元史》，卷81，頁2019、2020、2026。

14 如吳志堅曾云：蒙古、色目考生第一場僅考「經問」，但「經問」試題似乎今已不存，「大概因為這門考試專門針對蒙古、色目人，受眾有限，而今存墨卷文選之類的書是為漢人、南人所準備的。」武玉環等：《中國科舉制度通史．遼金元卷》（上海市：上海人民出版社，2017年），頁479。按：此書元代卷部份，為吳志堅執筆。

15 〔元〕拜柱等纂修：《通制條格》，卷5，頁8。

表一　皇慶二年、至元六年、洪武初年考試內容

		皇慶二年（1313）	至元六年（1340）[16]	洪武初年
第一場	經疑、經義	經疑二問，《四書》內出題，限三百字以上。	經疑二問，一問《四書》內出題，一問《五經》內出題。舉人各從本經以對。	《四書》疑一道，限三百字以上。[17]
		本經義一道，各治一經，限五百字以上，不拘格律。	本經義一道。	本經義一道，限五百字以上。
	功令所尊	《四書》：朱熹《集註》。	同左。	《四書》：朱熹《集註》。[18]
		《易》：程、朱《傳》，兼用古註疏。	同左。	《易》：程、朱《傳》，古註疏。
		《書》：蔡沈《傳》，兼用古註疏。	同左。	《書》：蔡沈《傳》，古註疏。
		《詩》：朱《傳》，兼用古註疏。	同左。	《詩》：朱《傳》，古註疏。
		《春秋》：許用《三傳》及胡《傳》。	同左。	《春秋》：《左氏》、《公羊》、《穀梁》、胡《傳》、張洽《傳》。
		《禮記》：古註疏。	同左。	《禮記》：古註疏。

16 文獻所載至元六年制度規定，由於是重頒修正制度，所言較簡略，凡皇慶二年功令已頒而未有更易者，或略而不言。如各題答卷之字數、評文之標準、功令所尊經注，雖未重申，但可類推。

17 載洪武三年（1370）開科考試規定者，有〔明〕李景隆等纂修：《明太祖實錄》（臺北市：中央研究院歷史語言研究所，1966年），卷55，頁6，洪武三年八月乙酉（29日）處；〔明〕王世貞：〈科試考一〉，《弇山堂別集》（臺北市：臺灣商務印書館，1983年，《景印文淵閣四庫全書》第410冊），卷81，頁2-3；〔明〕張朝瑞：《皇明貢舉考》，《續修四庫全書》第828冊（影印明刻本），卷1，頁4-9，〈取士之制〉、〈文體〉，及〔清〕張廷玉等：《明史》（臺北市：鼎文書局，1975年），卷70，頁1694，〈選舉二〉，繁簡不同。對於初場所試，《明史．選舉志》云：「初場試經義二道，《四書》義一道。」王書載：「第一場，試《五經》義，各試本經一道，……《四書》義一道。」《明太祖實錄》載：「初場《四書》疑問、本經義及《四書》義各一道。」張書云：「第一場，經義一道，……《四書》義一道。」綜合來看，《明太祖實錄》多了「《四書》疑問」。《明史．選舉志》言「經義二道」與其他言「一道」，亦不同。按：《洪武四年會試錄》今猶存，收入於寧波市天一閣博物館整理：《天一閣藏明代科舉錄選刊．會試錄》（寧波市：寧波出版社，2007年），第一場試題先載《五經》題，每一經僅一道；續載「《四書》疑」一道，並未見另有《四書》義。文獻所言「《四書》義一道」，疑指「《四書》疑」而言。

18 《明太祖實錄》等載錄洪武三年考試規定的文獻，或言及《五經》功令所尊註本，但對《四書》卻未加說明。由於元代及洪武十七年（1384）皆申明尊朱熹《四書集註》，故據此補上。

	皇慶二年（1313）	至元六年（1340）[16]	洪武初年
第二場	古賦、詔、誥、章表內科一道。古賦、詔、誥用古體，章表四六，參用古體。[19]	古賦一道；詔、誥、章表內科一道。	禮樂論一道，三百字以上；詔、誥、章表內科一道。[20]
第三場	策一道，經史時務內出題，不矜浮藻，惟務直述，限一千字以上。	經史時務策一道。	經史時務策一道，限一千字以上。

據此表，可見元制對明代的影響，明洪武初設科大抵承襲元制，功令所尊經註，唯《春秋》加上張洽《傳》微異；較大的不同，在於二場以論取代古賦。而比較皇慶、至元所頒，則可看出復科舉時考試的難度提高了。首場本經義仍舊，《四書》疑由二道減為一道，但增加了本經疑一道；二場古賦改為必考，僅從詔、誥、表內選一道作答，第三場不變，共由原答五題改成答六題，答題數增加，備考內容也擴大了。

陳高（1315-1367）言，朝廷以文章取士，「立法之意至善也」：

> 問之疑以觀其明理，質之義以究其通經，試之賦以考其博物，習之詔、誥、表章以視其代言、獻納之方，策之時務，以明其政事設施，非徒以革前代之弊也，將以求真才之用也。[21]

三場所考，各有其立意、目的，但三場兼重亦僅是科舉實施的理想、檯面話，事實未必如此。吳澄（1249-1333）云：「初場在通經而明理，次場在通古而善辭，末場在通今而知務。長於此或短於彼，得其一或失其二，其間兼全而俱優者，不多見也。」[22]這是吳澄參與鄉試閱卷的經驗之談。學者或引吳澄論三場考試立意，用以證明「三場都要求同等優秀」，「三場中並無重要次重要之分」，[23]但頗乏說服力。一方面誠如吳澄所言，三場俱優者本不多，再者，所考諸題有難易之分，重要與否也存在差異，又或因卷多而閱

---

19 文獻記載元代二場公文考試，有「詔誥章表」、「詔誥表」之異，且今人標點斷句亦不同，筆者已撰文考證元代二場考「章表」之記載，「章表」為偏義複詞，單指表文，元代僅出詔、誥、表三題，未考章。侯美珍：〈從元代到明初鄉、會試二場考試內容辨析——「詔誥章表內科一道」之斷句及解讀〉，《文與哲》第33期（2018年12月），頁261-288。

20 文獻記載明初二場公文考試，有「詔誥章表」、「詔誥表箋」、「詔誥表」之異，且今人標點斷句亦不同。拙作〈從元代到明初鄉、會試二場考試內容辨析——「詔誥章表內科一道」之斷句及解讀〉已考證明初二場考「章表」、「表箋」的記載，「章表」、「表箋」為偏義複詞，單指表文，明初沿用元制，僅出詔、誥、表三題，未考章、箋。

21 〔元〕陳高：〈上達祕卿書〉，《不繫舟漁集》，《景印文淵閣四庫全書》第1216冊，卷15，頁11。

22 〔元〕吳澄：〈跋吳君正程文後〉，《吳文正集》，《景印文淵閣四庫全書》第1197冊，卷63，頁8。

23 周家玉：〈略論元代科舉考試中的古賦〉，《吉林省教育學院學報》2009年第9期，頁92。

卷時力有限，以致取巧偏重以求效率，這都是科場常見的權衡。

南宋太常博士倪思（1147-1220）於淳熙十一年（1184）十月上奏矯正考官衡文重首場：「考覈之際，稍以論、策為重，毋止以初場定去留。」[24]秦蕙田（1702-1764）指出：據倪思所言，「則宋時固已有重初場而輕論、策之弊。蓋既以經義、詩賦為第一場，則主司所取、士子所趨，自不無偏重之處，積漸使然，古今一轍也。」[25]南宋如此，金朝亦存在偏重，金、元之際的劉祁（1203-1250）云：「金朝取士，以詞賦為重，……故學者止工於律賦」，強調朝廷設科舉，用賦、詩、策、論四篇文字，以取全才。而學者「狃於習俗，止力為律賦，至於詩、策、論，俱不留心」，考官「止考賦而不究詩、策、論」，「泰和間有司考詩、賦，已定去取」，閱策、論，不過敷衍了事。[26]或言金代僅憑首場律賦、詩決定去取，或更強調但重首場之律賦而已。明代科場取士「重首場」，更是明顯而普遍的現象，清人雖責明科場有重首場之失，而仍不免重蹈覆轍，直至清末，重首場依然是科場備受批評而未能改善的積弊。[27]衡諸歷朝的這些現象，故元代倘於三場間，有所偏重，亦不足為怪。

三　辭賦考試的地位與德行明經科

科舉研究在民初時，並不興盛，僅有零星的科舉論著。在文革時期，被視為舊制度、傳統封建文化代表的科舉制度，更遭徹底否定。[28]因此，科舉研究的起步較晚，至今有些領域的探討仍尚未明朗，學者很容易站在其研究課題上本位思考，難免見樹不見林。如研究元代文學、賦學的，常較強調古賦在三場的重要性。以下先引述學者之立論，再加辨正。

吳志堅在研究元代科舉與文學時指出，第二場考古賦、詔、誥、表，「而以古賦為

---

24 〔元〕脫脫等：〈選舉二〉，《宋史》（臺北市：鼎文書局，1983年），卷156，頁3633。按：當時恢復分經義、詩賦為兩科，詩賦進士首場試詩、賦各一首，經義進士首場試本經義三道，《論》、《孟》義各一道，兩科之二三場皆試論一首、策三道。

25 〔清〕秦蕙田：〈學禮〉，《五禮通考》，《景印文淵閣四庫全書》第139冊，卷174，頁41。

26 〔元〕劉祁：《歸潛志》，《景印文淵閣四庫全書》第1040冊，卷8，頁1-2。按：「泰和」為金章宗（1168-1208）年號，始自西元一二〇一至一二〇九年初。

27 侯美珍：〈明清科舉取士「重首場」現象的探討〉，《臺大中文學報》第23期（2005年12月），頁323-368。

28 劉海峰云：「在1979年之前，科舉研究是大陸學術研究的冷門，在一般人的印象中，科舉只是一堆陳年歷史垃圾，即使要去撥弄，主要也是為了肅清其流毒。」劉海峰：〈「科舉學」的世紀回顧〉，《科舉制與科舉學》（貴陽市：貴州教育出版社，2004年），頁247。陳興德亦指出：大陸在五〇至七〇年代，僅出版過三本科舉研究專書，發表的科舉研究論文不超過二十篇，成為研究的「失語」期。陳興德：《二十世紀科舉觀之變遷》（武漢市：華中師範大學出版社，2008年），頁231-232。

主」。[29]這個說法可以成立，也很容易獲得認同。明李賢（1408-1466）曾言：元代取士用賦，故朝野博雅之士甚多，而明初因「抑詞章之習」而革之，頗致憾於此，建議「於二場中仍添一賦，不十數年，士不博雅者吾未之信也」。[30]賦作向來有可顯露其才學、可觀其博雅之效，且相較於其他舉業文體，詔、誥、表確實較少獲得關注，古賦的難度、篇幅，非詔、誥、表所能及。更何況在復科舉後，將原來所定古賦、詔、誥、表，四題擇一作答，改成古賦必考，而僅由詔、誥、表擇一作答。故第二場中，偏重古賦是顯然的，需再深究的僅是：古賦比起其他場的文體重要性如何？

第三場的對策，是歷來選拔人才、取士制度中最早出現、最常用的文體，但策論「浮偽滋甚，難為考較」，「若專取策論，必難升黜」，頗難決定去留。[31]且「策論汗漫難知」，[32]常遭懷疑是擬題背誦的「場外之文」，衡文難以斷其優劣，和詔、誥、表一樣，常非居於錄取的關鍵。所以需討論的焦點僅在於：古賦是否比首場經疑、經義重要？

吳志堅云：

> 元代科舉實際上很重視辭章。左榜第二場古賦、詔誥、章表在三場中佔有重要地位。重視辭賦仍然是元代科舉的重要特點之一。恢復科舉後，士子們「寒窗讀賦萬山中」是對此最佳的說明。[33]

續又舉了許多例子，以說明：「在實際錄取中，第二場古賦場在三場中地位如何？」

> 袁桷〈江陵儒學教授岑君墓誌銘〉自言其為考官時「選詞賦工者擢前列」。「詞賦工」應該主要指古賦做的好。這是前期的情況。同樣多次任考官的蘇天爵在〈書羅學升文稿後〉一文中，批評科舉「以偶儷之詞，汗漫之文，織組以為工，繁縟以為美」的風氣，正好從反面反映出元代科舉中文章的重要以及科舉文風，這是晚期的情況。再來看兩個具體的例子：前引王禮〈高州通守馮公哀辭〉載馮某以古賦優秀，而彌補經義不足。另一個例子是至正二十二年（1362）江浙鄉試，此科〈非程文〉云：「唐肅以詞賦而見收，明經安在？」看來，這位叫唐肅的舉子也是憑第二場古賦出眾而被取。總之，在左榜考試的三場中，如果不說第二場更

---

29 吳志堅：《元代科舉與士人文風研究》（南京市：南京大學歷史系「中國古代史」博士論文，2009年），頁96。

30 〔明〕李賢：〈雜錄〉，《古穰集》，《景印文淵閣四庫全書》第1244冊，卷28，頁1-2。

31 〔宋〕李燾：《續資治通鑑長編》，《景印文淵閣四庫全書》第316冊，卷164，頁5-6，繫於宋仁宗慶曆八年（1048）。

32 〔元〕脫脫等：〈選舉一〉，《宋史》，卷155，頁3613。

33 武玉環等：《中國科舉制度通史．遼金元卷》，頁469。吳志堅：《元代科舉與士人文風研究》，頁37，措辭近似，不複引。詩句見〔元〕劉將孫：〈考試〉，《養吾齋集》，《景印文淵閣四庫全書》第1199冊，卷6，頁7。

為重要的話，那麼它至少也是與其它兩場同等重要。[34]

是否真如其所說：「第二場更為重要」，或者「至少也是與其它兩場同等重要」？

劉將孫（1257-1324？1325？）〈考試〉詩，有「重期將相公侯選，肯信倡優卜祝同」語，傳達讀書人對開科考試以圖仕進的喜悅，可見此詩應作於舉行首科鄉試延祐元年（1314）之際，[35]其中「寒窗讀賦萬山中」一句，僅描寫應試之需而讀賦備考，不關偏重。蘇天爵（1294-1352）對科舉偶儷、繁縟的批評，看似針對辭賦而發，但考其上下文：「以國家取士之制，察行於鄉里，考言於朝廷，試之以事，而人材於是出焉。世以偶儷之詞，汗漫之文，織組以為工，繁縟以為美，既僥倖於中選，又苟且以終身，殊失設科求才之意矣。」[36]這是對設科掄才得失的思考，慨嘆最終僅能憑文取人，錄取修辭出色的考卷，用來證明科場重古賦，說服力仍不夠。論證時引袁桷（1266-1327）、王禮所言，[37]證明考官或因古賦優秀而拔擢人才，但這些也許是特例，才被記載。猶如明、清普遍偏重首場時，偶爾文獻中仍會出現頌揚某考官能兼重二三場，或特別提及某考生因二三場論、策優異而獲青睞，正因有別於平常，才特別值得一提。這兩筆資料，用以證明古賦有一定的重要性猶可，用以證明於三場中偏重古賦則恐未能。

再者，王禮〈高州通守馮公哀辭〉記馮翼翁（1294-1354）延祐七年（1320）參加江西鄉試時，「考官以義與胡氏小異，將斥之」，因歐陽玄（1283-1357）見其〈科斗文字賦〉大為激賞，以示主試龍仁夫（1252-1335），終獲拔擢云云。[38]所記是否為事實？劉貞所選《三場文選》，《古賦》卷三，收馮氏〈科斗文字賦〉，前有考官盛讚之語：「場中此作，絕無而僅有者也。」而《春秋義》卷三，亦收馮氏〈齊侯、宋人、陳人、蔡人、邾人會於北杏。莊十三年會齊侯、宋公、陳侯、衛侯、鄭伯、許男、滑伯、滕子，同盟於幽。莊十六年〉一文，也獲得不錯的評價：

> 初考張教授批：「本用胡《傳》之說，微以己意參之，議論亦正，文義可□，老於是經者也。」

34 吳志堅：《元代科舉與士人文風研究》，頁103。周家玉：〈略論元代科舉考試中的古賦〉，《吉林省教育學院學報》2009年第9期，頁92。主張類似，不複引。所引文獻出處，分別為〔元〕袁桷：〈江陵儒學教授岑君〉，《清容居士集》，《景印文淵閣四庫全書》第1203冊，卷29，頁9。〔元〕蘇天爵：〈書羅學升文稿後〉，《滋溪文稿》，《景印文淵閣四庫全書》第1214冊，卷30，頁11。〔元〕王禮：〈高州通守馮公哀辭〉，《麟原文集》，《景印文淵閣四庫全書》第1220冊，卷12，頁2-5。〔元〕陶宗儀：〈非程文〉，《輟耕錄》，《景印文淵閣四庫全書》第1040冊，卷28，頁4。

35 劉將孫生卒年及〈考試〉詩繫年，參李璞：〈劉將孫年譜〉，《詞學》第31輯（2014年8月），頁282-333。

36 〔元〕蘇天爵：〈書羅學升文稿後〉，《滋溪文稿》，卷30，頁11。

37 王禮，生卒年不詳，所作〈高州通守馮公哀辭〉，應與所記馮翼翁約略同時。

38 〔元〕王禮：〈高州通守馮公哀辭〉，《麟原文集》，卷12，頁2-5。

> 再批云：「場中《春秋》義可取者不少，此卷本胡《傳》兼用《谷梁》之說，議論正當，文義郁然。」[39]

考官所評「本胡《傳》兼用《谷梁》之說」，並無貶意，按制度規定，《春秋》本許用《三傳》及胡氏《傳》，[40]正因此文出色，故劉貞才收入《三場文選》作為學習的範文。馮翼翁此次應試，古賦極傑出，但《春秋》義也頗有可取，方能名列十五名，非如王禮所言《春秋》義遭黜，全仗古賦力挽狂瀾。[41]就《三場文選》對馮氏兩文之評語來看，反可用以證明在判定等第上，經義的影響更大，故馮氏雖賦作極出色，卻不能名列前茅，僅居十五名。[42]

陶宗儀（1329-1410）《輟耕錄》轉載傳誦一時的彈文：「唐肅以詞賦而見收，明經安在？」乃針對至正二十二年（1362）江浙鄉試而發的不平之鳴，筆者以為此亦難以作為重古賦之證。此筆文獻的確切解讀應是：唐肅（1318-1371，一作1321-1374）以古賦見收而遭質疑有弊端，由此可見，一般掄才多重首場「明經」，故唐肅首場明經不出色，卻因古賦見收，才惹來非議。

筆者認為古賦是二三場諸體最受重視的，但不認同第二場古賦「更為重要」或與首場「同等重要」的論點，除理據不足外，也因溯源元仁宗開科舉立制之初本不重辭賦。

---

39 此書多簡俗字，本作《谷梁》。又，靜嘉堂文庫藏本，原就小字繁密，再加年久漫漶，所閱為微卷，版心頁數難以辨識，故僅說明卷數、篇名。

40 雖功令規定許用《三傳》及胡氏《傳》，由王禮文中所記，顯然當時亦存在不合胡《傳》而遭黜落者。元程端學（1278-1334）曾詮解功令規定「為主」和「許用」之別：「科詔：『《詩》以朱氏為主，《書》以蔡氏為主，《易》以程、朱為主，三經兼用古註疏。《春秋》許用《三傳》及胡氏《傳》，《禮記》用古註疏。』欽詳『為主』之意，則凡程、朱、蔡氏之說，一字不可違，必演而伸之可也。若夫『許用』之意，則猶以《三傳》、胡氏之說未可盡主也。是則合於《春秋》之經者，用之可也；其不合者，直求之經意而辨之可也。」〔元〕程端學：〈春秋本義序〉，《春秋本義》，《通志堂經解》第25冊（臺北市：大通書局，1970年，影印清康熙19年〔1680〕刻本），卷首，頁2。在「許用」的《春秋》四傳間，倘有不合處，作義時，如何取捨依違？尚需深究。

41 姚大力：〈元鄉試如何確定上貢人選及其次第──讀《三場文選》札記〉，《清華元史》第2輯（2013年6月），頁149，亦論及馮翼翁，其詮釋與筆者不同。不知是否受到王禮所言影響，故姚文言：馮氏《春秋》義因未能遵守官方規定，依胡《傳》闡釋，原已被經義閱卷官黜落，經歐陽玄向龍仁夫力爭，才以較後的名次中式。「但這一點在他的鄉試經義卷批語裡卻幾乎未見反映」，故推測「馮翼翁經義卷的批語，是否可能是在考官們經協商同意將他納入選中之後再補寫或改寫的？」筆者以為，功令本許用胡《傳》、《三傳》，在《春秋》義的批語中，有諸多例證，如卷七，至順三年（1332）江西鄉試，第一名陳植《春秋》義，泰定四年（1327）進士方回孫批：「經義引據《谷梁》，參以《三傳》，文勢整暇而詳密，佳作也。」且若馮氏《春秋》義不佳而以賦取中，劉貞選馮氏《春秋》義為式，亦不合情理。

42 元代蒙古、色目、漢人、南人，各取七十五人，計三百人以應會試。〔元〕拜柱等纂修：《通制條格》，卷5，頁13，云：「南人取合格者柒拾伍人：湖廣壹拾捌人，江浙貳拾捌人，江西貳拾貳人，河南柒人。」由於所取不多，江西僅取二十二人，名次在十五，已居中下。

在經長期討論後，元仁宗受周圍儒臣影響，尊程、朱的理學派勝出，皇慶二年（1313）十月，中書省臣奏：

> 夫取士之法，經學實修己治人之道，詞賦乃摛章繪句之學，自隋、唐以來，取人專尚詞賦，故士習浮華。今臣等所擬將律賦省題詩小義皆不用，專立德行明經科，以此取士，庶可得人。[43]

《通制條格》亦載皇慶二年十月聖諭：

> 經學的是說脩身、齊家、治國、平天下的勾當；詞賦的是吟詩、課賦、作文字的勾當，自隋唐以來取人，專尚詞賦，人都習學的浮華了。……俺如今將律賦、省題詩、小義等都不用，止存留詔、誥、章表，專立德行明經科。[44]

仁宗准中書省臣所請，並頒詔書云：「若稽三代以來，取士各有科目，要其本末，舉人宜以德行為首，試藝則以經術為先，詞章次之，浮華過實，朕所不取。爰命中書省，參酌古今，定其條制。」[45]仁宗亦曾對侍臣言：「朕所願者，安百姓以圖至治，然匪用儒士，何以致此。設科取士，庶幾得真儒之用，而治道可興也。」[46]有別於以往科舉制度有不同科目，元代僅立「德行明經」一科，專取儒者以興治道。「德行」不能考試，端賴在鄉試前，由各州、郡、縣推選出士子應鄉試時，加以把關；[47]而「明經」則可藉由考試加以甄選。

由以上奏疏、詔諭可知，元仁宗設科取士，乃為拔擢真儒以圖至治，批評「專尚詞賦，故士習浮華」的舊制，故「試藝則以經術為先」，擬罷「律賦、省題詩」不用云云。而最終實施時，第二場仍設有古賦，這是因為當時議科舉諸臣本有「文學派」、「理學派」的不同，為考量各方期待，拉攏人心，調合兩派，勢所必須。[48]

清汪琬（1624-1691）云：「終元之世，亦未嘗廢賦不用也。或有司校閱，稍重經疑、經義則有之耳。」[49]指出元代重首場經疑、經義，洵為實情。所立既是「德行明經科」，詔書及立制本意亦重經術，故元代科舉文獻屢屢出現「德行」、「明經」、「經術」、

43 〔明〕宋濂等：〈選舉一〉，《元史》，卷81，頁2018。

44 〔元〕拜柱等纂修：《通制條格》，卷5，頁7-8。

45 〔元〕拜柱等纂修：《通制條格》，卷5，頁15。

46 〔明〕宋濂等：〈仁宗紀一〉，《元史》，卷24，頁558。

47 〔元〕拜柱等纂修：《通制條格》，卷5，頁15-16：「推選年及二十五以上，鄉黨稱其孝悌，朋友服其信義，經明行修之士，結罪保舉，以禮敦遣，貢諸路府。」

48 李新宇：〈元代考賦制度與賦創作〉，《元代辭賦研究》（北京市：中國社會科學出版社，2008年），頁176-194。「文學派」/「理學派」，或用「道學派」/「詩賦派」以區分，見蕭啟慶：〈科舉停頓的原因〉，《元代進士輯考》，頁4。

49 〔清〕汪琬：〈三衢文會記〉，《堯峰文鈔》，《景印文淵閣四庫全書》第1315冊，卷22，頁17。

「經明行修」等關鍵字，考古賦初始僅是出於安撫、拉攏文學派而設，詔諭已言「詞賦乃摘章繪句之學」，使「士習浮華」，顯然在立制初始，其地位就不如首場經書考試來得重要。正因科場重首場明經，宋濂（1310-1381）方在洪武初年云：

> 自貢舉法行，學者知以摘經擬題為志，其所最切者，唯《四子》、一經之箋是鑽是窺，餘則漫不加省。[50]

指出科舉效應，學者以功名為重，但鑽研《四書》、本經而不顧其餘的積弊，此可謂有為而發。

四　首場《四書》、《五經》之偏重

接下來要思考的是：元代科舉既重首場，於《四書》、《五經》是均重還是有所偏重？是重《四書》還是重《五經》？

余來明亦認為元代科舉偏重首場經書考試，對於是重《四書》或重《五經》，則做保留的推論。在引述了元代許多文獻，論教學、習經先《四書》、以《四書》為本的主張後，云：「從設科意圖來說，《四書》被放在比較重要的位置」，「元代科舉考試在科目設置上先《四書》而後《五經》，並非只出於二者難易程度的不同，而是與中國學術傳統中長期以來形成的經典學習方法密切相關」，「至於在實際應試過程中，由於《五經》既有經疑，又有經義，也不能排除會出現重《五經》的情形」。[51]

周春健《元代四書學研究》第二章〈元代《四書》官學地位的制度化〉，對於《四書》從南宋末遭禁，元初興盛、發展，至延祐科舉成為考試科目，於《四書》官學地位制度化的過程和影響，有深刻的探究。在引述元代三場考試規定後，強調：

> 無論蒙古人、色目人，還是漢人、南人，《四書》都是首當其衝要考的科目，而且規定了唯一的考試教材版本，即朱熹的《四書章句集註》，……較諸《四書》，《五經》已明顯退居次席，……可以說《四書》在「延祐科舉」中是真正地被「懸為令甲」了。[52]

---

50 〔明〕宋濂：〈大明故中順大夫禮部侍郎曾公神道碑〉，《文憲集》，《景印文淵閣四庫全書》第1224冊，卷18，頁13。曾公，指曾魯（1319-1372），頁17言及洪武六年（1373）曾魯「祔葬九世祖高安府君之塋」，文章應作於此際，所言的科舉重《四子》、一經，應是元代到明洪武初的情形。

51 余來明：《元代科舉與文學》（武漢市：武漢大學出版社，2013年），頁269-270。

52 周春健：《元代四書研究》（上海市：華東師範大學出版社，2008年），頁66-67。又，周春健：〈「延祐科舉」與《四書》學官學地位的制度化〉，《內蒙古大學學報（哲學社會科學版）》第40卷第3期（2008年5月），頁18-22。觀點與措辭相同，不複引。

主張南宋以來《四書》的地位、重要性大幅提升，而延祐科舉的規定和影響尤大，使得《四書》被懸為令甲，「《五經》已明顯退居次席」。

涂雲清《蒙元統治下的士人及其經學發展》中亦指出：

> 單就科舉考試而言，《四書》與《五經》地位的變換，正式在元代完成，《四書》與《五經》為儒者所必習，而《四書》似乎更為儒者所重視。……「《四書》」地位真正淩駕於「《五經》」之上，當自元代開始。[53]

並強調：元代科舉《四書章句集註》為必考，而《五經》則是選考，這也是《四書》地位淩駕《五經》的一個表徵。且從許多學者的治學取向上，也明顯可看出其重視《四書》不亞於《五經》的學術風潮，元代學者有關《四書》的論著，更是明顯多於他朝。[54]

對於周、涂兩位學者的論述，筆者以為，《四書》學在元初獲得推廣、蓬勃發展，並受到重視，這是學術界已接受的共識。但在延祐開科時，《四書》是否已足以和《五經》並駕甚至「淩駕」，則需再商榷、評估。所引許多學者重視《四書》之研讀，主張《四書》是學習、治經根本的論述，此常是就學習的次第而言，先後之別不盡然就是輕重之分。猶如大學中文系的課程，大一必修「國學導讀」、「文學概論」作為入門基礎，但並不必然代表「國學導讀」、「文學概論」的重要性甚於大三、大四所習「中國文學史」、「中國思想史」。再者，科場外的重要性和科場內閱卷實際產生的偏重，有時並非全然同步，也可能存在出入。譬如策問，可試經史亦可試時務，對於科舉乃為掄才選官而言，自然是重要的，朝野亦屢有偏重策問的議論，而多數時期考官閱卷時，對策卻非衡文錄中與否的關鍵。

吳志堅則從考試的遞變中觀察，指出：

> 自唐以來，科舉考試一向有「兼經」之目，元代第二場考《四書》經疑、經問有前代《論》、《孟》小義的歷史淵源。……經疑、經問問答相當實在，並沒有太多的程式化的內容，在三場中也不占重要地位。所以元代科舉雖治《四書》，但經義不在《四書》中發題，本經的重要遠遠超過《四書》。[55]
>
> 在左榜第一場經義考試中，《四書》經疑與本經經義相比，只占次要地位，沿襲唐宋以來「小義」的傳統地位。[56]

---

53 涂雲清：《蒙元統治下的士人及其經學發展》（臺北市：臺大出版中心，2012年），頁417、431。

54 涂雲清：《蒙元統治下的士人及其經學發展》，頁431。「元代學者有關《四書》的論著，更明顯多於他朝」的說法可商榷，《四書》之名始於南宋，故宋代以《四書》命名的著作自然罕少，而明、清《四書》著作之多，遠非元代可及。

55 吳志堅：《元代科舉與士人文風研究》，頁34。言經疑、經問「在三場中也不占重要地位」，並不正確。

56 武玉環等：《中國科舉制度通史·遼金元卷》，頁468。吳志堅撰博士論文《元代科舉與士人文風研主張延祐開科時，經疑自《四書》出題，乃延續宋代兼考《論》、《孟》小義的傳統，僅是兼經考試，不似各占一經的大義來得重要。[57]是否「本經的重要遠遠超過《四書》」？是否因《四書》疑為兼經考《論》、《孟》小義的傳統延續使然？

以往討論元代三場偏重問題，因文獻局限，只能藉由較間接、外圍的線索推論，其證據常在疑似之間，立論也難免受到質疑。回顧歷來對此課題的討論，筆者以為最紮實、最具說服力的應是姚大力〈元鄉試如何確定上貢人選及其次第——讀《三場文選》劄記〉一文。[58]此文乃姚氏至靜嘉堂文庫觀閱元劉貞所編《類編歷舉三場文選》一書微卷，[59]費時五日，抄錄該書程文前考官批語、考生名次後，所進行的研究。

劉貞所編《類編歷舉三場文選》一書，遴選延祐初頒科舉後，所舉行的八科鄉試、科會試之程文佳作，或附考官評語。[60]其書共分十集，自甲集至癸集分別為：《經疑》、《易義》、《書義》、《詩義》、《禮記義》、《春秋義》、《古賦》、《詔誥章表》、《對策》、《御試策》。首有劉貞〈三場文選序〉署至正元年（1341），顯見是在復科舉時印成問世，供考生選購，乃舉業之津梁，青雲之利器，為研究元代科舉重要史料，惜至今猶未能影印流傳。其中考官評語、考生名次，自然是論斷三場偏重最直接的資料。

姚大力之論文，據所抄錄之考官評語、考生名次等資料立論，除藉以推論鄉試考官如何分組、分房、分經閱卷外，在第三章〈怎樣綜合評定三場優劣〉中，對三場文如何權衡、判定名次，經舉證討論後，有如下論斷：三場俱優，自然是名列前茅的首選，「在不克求全的情況下，三場中最被重視的，乃是明經一場的經疑和經義答卷」。首場僅尚可、未出類拔萃者，仍可因二三場優異而入選，舉了多位應試者因賦作評價高而中式之例為證。但又主張考官對於古賦，比不上對明經的看重，「主要因賦作優秀而入選者們的名次，一般都相當靠後」。並以卷三泰定三年（1326）湖廣鄉試第十六名湯原為例，[61]其《書經》義深獲考官青睞，彭士奇（1266-1331）批語有「二疑雖弱，是義不

究》，及執筆《中國科舉制度通史·遼金元卷》元代部份，寫作時間差距八年，某些論述、觀點稍有不同。

57 宋代時熙寧變法，考生除各占治《詩》、《書》、《易》、《周禮》、《禮記》大經外，兼以《論語》、《孟子》。兼考《論》、《孟》或稱「兼經大義」，但相對於各占治一經的「大經」而言，又或稱作「小義」。吳志堅：《元代科舉與士人文風研究》，頁36-37。

58 姚大力：〈元鄉試如何確定上貢人選及其次第——讀《三場文選》札記〉，《清華元史》第2輯（2013年6月），頁119-176。

59 劉貞，生卒年不詳，劉貞所編書，靜嘉堂所藏為至正刊本，共有十集，最為完整。

60 可參以下三文對此書之研究及介紹。陳高華：〈兩種《三場文選》中所見元代科舉人物名錄——兼說錢大昕《元進士考》〉，《陳高華文集》（上海市：上海辭書出版社，2005年），頁168-210。該文原載《中國社科院歷史研究所學刊》第1集（2001年10月），頁342-372。黃仁生：〈元代科舉文獻三種發覆〉，《文獻》2003年第1期，頁95-105轉177。黃仁生：〈劉仁初編《新刊類編歷舉三場文選》十集七十二卷〉，《日本現藏稀見元明文集考證與提要》（長沙市：嶽麓書社，2004年）。

61 湯原，生卒年不詳，文獻或載其名為「湯源」，參沈仁國：《元朝進士集證》，頁166，〈湯源〉條。

可黜也」語，可見兩篇《四書》疑偏弱，是因《書經》義出色而以第十六名中式，藉此可知：「明經一場內，經義卷的重要性似更大於經疑卷。在我們能夠瞭解的範圍內，雖經疑優異，但經義未可人意而依然獲選的例證，一個也沒有找到。」[62]

筆者在二〇一七年九月、十一月，曾兩度造訪靜嘉堂文庫觀閱劉貞一書漫漶的微卷，以四日的時間閱抄了大量程文考官評語。所見之心得與姚大力一文的分析相同，考官在科場中，於三場中偏重首場，於首場中偏重《五經》義甚於《四書》疑；於二三場的古賦、詔、誥、表、策中，偏重古賦。據劉貞一書所錄，大凡經疑、經義寫得好，考官讚嘆不已者，多名列前茅。古賦受到肯定、被許為冠全場者，卻常見名次偏中後。凡細閱過劉貞《三場文選》評語者，應咸能認同姚氏之論斷。

姚文未提到，但筆者認為也是重要指標者，是關於考官評語的多寡、繁簡、深入。在劉書所錄程文中，經義評語較多、較詳細深入，考官詳細點評商榷，經疑次之，古賦更其次，至於詔、誥、表、策的評語，則皆偏少、偏簡略。此皆透露出對各應試文體的態度，正是因為對經義之重視，才反復商榷，說明考卷之得失及中式者優點何在。

如《易義》卷五，泰定三年（1326）湖廣鄉試，出〈說卦〉題〈天地定位，山澤通氣，雷風相薄，水火不相射，八卦相錯〉，第一名李瑾之文，虞槃（1274-1327）、彭士奇兩考官評語如下：

> 考官虞州判槃批：「本房《易》卷最多，有對待流行者矣，有不易變易者矣，有實体妙用者矣，有卦畫卦象者矣，有乾坤定位而六子用事者矣，能者兼后天以為工，不能者守先天而无味。忽得此卷發義圖之秘，演孔翼之微，沛然若決江河而注之海也，豁然若撥雲霧而觀於天也。真實之學，壯偉之文，本房諸卷，此為第一。」
>
> 考官彭縣丞士奇批：「場中《易》卷，誠如初考所云，不誤以八卦相錯為后天，則就以八卦相錯為通氣相薄不相射之義，皆失經旨。此卷獨能反覆究極，於是先天卦畫之理，殆无余蘊。風簷短日，而能傲兀試席，如長江大河，沛然盡其所欲言，非深於是經者不能也，余亦低頭拜東野矣。」

詳細交代他卷釋義立論如何失經旨，以對照此卷特出之處，彭士奇更引韓愈（768-824）〈醉留東野〉詩句「低頭拜東野」，表達佩服讚賞之意。彭士奇在評聶炳（1302-1352）泰定三年湖廣鄉試《詩經》義時，除批語極長外，還自作《詩經》冒子，示人以法。[63]這種較長篇幅且深刻的評語，在經義中較能看到，經疑次之，其他文體中則罕少。

62 引文見姚大力：〈元鄉試如何確定上貢人選及其次第——讀《三場文選》札記〉，頁138、140、146。

63 可參以下取材自劉貞一書的轉錄：張祝平、蔡燕、蔣玲：〈元代科舉《詩經》試卷檔案的價值〉，《中國典籍與文化》2007年第1期（2007年1月），頁79-86。〔元〕彭士奇：〈泰定三年文選《詩》義至於古賦，劉貞此書為復科舉的應試者而編，復科舉新制，古賦為第二場必考，故劉貞一書所選古賦頗多，共八十八篇，但評語較《五經》義簡略，多泛泛稱讚，較乏深刻的商榷或力推之語。僅《古賦》卷一，延祐元年（1314）江浙鄉試，第三名黃溍（1277-1357）〈太極賦〉，「考官批云」多達十二行，較為詳細，屬例外。其他或無批語，或僅數句、未滿一行居多，稍長的亦多為二三行而已。如《古賦》卷八最末篇，元統三年（1335）江西鄉試，第九名龔璛〈王會圖賦〉批語：

> 初考李縣丞懋批：「賦善於鋪張模寫。」
>
> 同考李縣尹粲批：「賦藻麗。」
>
> 考官吳主簿存批：「賦甚高。」
>
> 考官汪推官澤民批：「賦筆力優贍而音節鏗鏘，當是作手。」

雖出現少見、多達四位考官之評語，但評價極簡短。與經義評語比較，詳簡、深入與否，顯然有別。

由於靜嘉堂文庫所藏劉貞一書未影印流通，讀者除可參姚文之論述、舉例外，另可參收錄於《域外漢籍珍本文庫》第五輯的日本公文書館藏劉貞《新刊類編歷舉三場文選》，唯僅存《古賦》、《對策》各八卷。[64]中國國家圖家館也藏有劉貞一書，亦題作《新刊類編歷舉三場文選》，同樣不全，僅存丁集《詩義》八卷，庚集《古賦》僅存七卷（第八卷佚），辛集《詔誥章表》僅存十三頁。李超〈元代科考文獻考官批語輯錄及其價值〉一文，[65]纂錄了此本的考官評語，藉其纂錄，讀者可藉以比較考官對經義、古賦、詔、誥、表諸體批評之出入。可考見考官於《詩經》義的批評較詳，常有盛推之語，如「宜在前列」、「宜冠本經」、「本經之冠」等評，考生名次亦多居前列。而所收古賦中式者，名次頗多一、二十名者，如卷一，延祐元年湖廣鄉試，李朝瑞〈天馬賦〉考官批：「宜在高選」、「此篇氣象宜甲諸賦」，但僅居十四名。卷三，延祐七年江西鄉試馮翼翁之〈科斗文字賦〉，考官批：「賦場此為最優」、「場中此作，絕無而僅有者也」，而僅居第十五名。[66]且古賦批語，也不如《詩經》義多而詳盡。至於所收詔、詔、表作者，中式名次亦頗多在一、二十名外，評語更加簡略，常見「簡古」、「得詔體」、「得誥體」、「平通」語，多僅為幾個字或一二句的評語。

湖廣鄉試聶炳考卷前批語〉、〈聶炳考卷後自作《詩經》冒子〉，收入李修生主編：《全元文》第24冊（南京市：江蘇古籍出版社，1998-2004年），卷743，頁19-20。

64 〔元〕劉貞輯：《新刊類編歷舉三場文選》（重慶市：西南師範大學出版社；北京市：人民出版社，2015年，《域外漢籍珍本文庫》第5輯影印日本國立公文書館藏朝鮮刊本）。

65 李超：〈元代科考文獻考官批語輯錄及其價值〉，《中國典籍與文化》2010年第3期，頁138-144。

66 請並參姚大力文所舉諸例。

五　《分年日程》及《皇元大科三場文選》的考察

除劉貞一書可以證明三場偏重首場，首場重《五經》義甚於《四書》疑外，程端禮（1271-1345）《程氏家塾讀書分年日程》，頗多關於如何習經、作文之備考建議，亦有線索可以為證。

《分年日程》前有程氏〈讀書分年日程式〉自序，署延祐二年（1315）八月，卷三末又有程氏跋語，署元統三年（1335）十一月，言此書經修正，與舊本不同，此為「最後刊於家塾本也」。[67]序、跋作時與第一階段實施科舉時間幾近重疊。書末薛觀識語：「此書之為法，蓋以當讀之書，定其本末、重輕、先後之序」，「以其得於經者為本而看史，然後以其得於經史者為本而為文」，「其始之讀也，惟務明經脩行以立儒者之大本」。[68]可見《分年日程》教人讀經備考，是以經書為本、為重，這也完全符合應試重首場的實際，故於書中，對如何習經，言之甚詳。

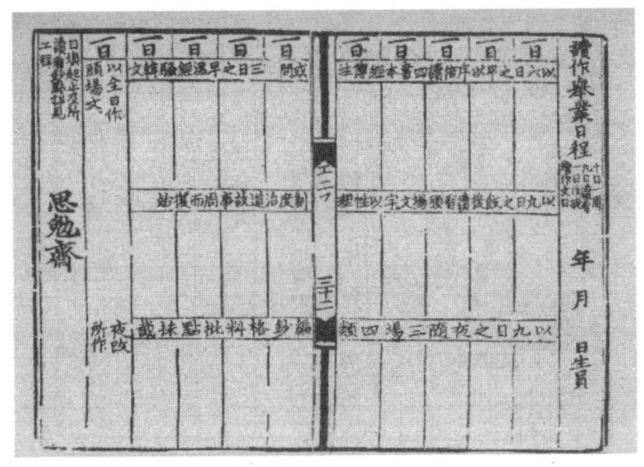

圖 1：程端禮〈讀作舉業日程〉空眼簿

又，程端禮設計了〈讀作舉業日程〉空眼簿，以十日為一周，九日讀看，一日作文。「九日讀看」部份之規畫為：「以六日之早，以序倍讀《四書》本經傳注、《或問》；三日之早，溫經騷韓文」，「以九日之飯後，讀看頭場文字，以性理制度治道故事，周而復始」。「以九日之夜，隨三場四類編鈔格料，批點抹截」。而「一日作文」所作為何？「以全日作頭場文」。[69]這些訊息，皆顯見當時備考因重首場，於經書學習、頭場文體習作上，需投入大量時力，非他場所及。

---

67 〔元〕程端禮：《程氏家塾讀書分年日程》，《四部叢刊廣編》第26冊（臺北市：臺灣商務印書館，1976年，影印上海涵芬樓影印常熟瞿氏鐵琴銅劍樓藏元刊本），卷3，頁59。

68 〔元〕程端禮：《程氏家塾讀書分年日程》，後序，頁3-4，薛觀，生卒年不詳，其識語為元統三年十一月作。

69 〔元〕程端禮：〈讀作舉業日程〉，《程氏家塾讀書分年日程》，卷2，頁32。

卷二，〈學作文〉一節，又連用數頁，說明各種舉業文體的學習，依次分論：「欲學策」、「欲學經問」、「欲學經義」、「欲學古賦」、「欲學古體制誥章表」、「（欲學）四六章表」。程端禮在說明時亦有繁簡不同，諸體所費字數分別為：一〇三、三十五、七九三、九十七、四十、八十字。[70]經義所費說明字數甚多，不厭其詳，此亦是重《五經》義之證明。

基於以上所有的證據，可確知元科場較偏重首場，首場則重《五經》義甚於《四書》疑。然而，不管是劉貞一書、或程端禮之作，都是元代第一階段科舉實施的集結、線索，在第二階段科舉實施時，是否仍維持重首場、重《五經》義的現象？

元代所留存之三場程文選集，除劉貞一書外，尚有周旉所輯《皇元大科三場文選》，[71]卷末有劉時懋至正四年（1344）跋語，約編成於此時。此書為復科舉後所編，新制加考本經疑，古賦也由選考改為必考，所收錄復科舉首次舉行的至正元年（1341）鄉試及至正二年會試之程文，共分十五卷，亦間附考官評語，但評語稍不如劉貞一書頻見、詳細。依卷次先後，統計其各卷收文篇數和考官評語則數如下：

表二　周旉《皇元大科三場文選》收文篇數、評語統計

場次	卷次	收文篇數	評語則數
第一場	易義	15	6
	書義	9	3
	詩義	12	8
	禮記義	5	3
	春秋義	13	4
	易疑	11	4
	書疑	7	3
	詩疑	7	2
	禮記疑	4	3
	春秋疑	10	5
	四書疑	18	8
第二場	詔、誥	11	1
	表	9	1
	古賦	10	1
第三場	策	9	2

70 〔元〕程端禮：〈學作文〉，《程氏家塾讀書分年日程》，卷2，頁10-16。

71 〔元〕周旉輯：《皇元大科三場文選》（重慶市：西南師範大學出版社；北京市：人民出版社，2015年，《域外漢籍珍本文庫》第5輯影印日本國立公文書館藏元至正間刊本）。周旉，生卒年不詳。

收文的多寡，大抵也反映了選經的冷熱、考生的需求及重要性，如《禮記》選考者極少，[72]故周書中之《禮記》義、《禮記》疑，所收偏少。詔、誥有兩體，才收十一篇，表、策，收文皆僅九篇。古賦是共同必考，但僅收十篇，且評語只一則。《四書》疑亦是所有考生共同必考，顯然比古賦更受重視。但以共同必考而僅收十八篇，僅有八則評語，不能說必考的《四書》比選考的《五經》更獲重視。《五經》考經義又考經疑，兩者合計，除《禮記》選考者偏少以外，多勝過《四書》。可見復開科舉，仍偏重首場，首場中仍偏重《五經》，而且偏重《五經》的態勢，較初開科舉的前一階段更為顯然。正因如此，極重視《四書》，以為《四書》「實《六經》之本原」，「治天下國家之法，靡所不備」的史伯璿（1299-1345），才會對復科舉後，《四書》不如《五經》受到重視憂心忡忡：

> 自科舉再開之後，漢人、南人初場《四書》，只出一疑。《五經》既有經義，又有疑義，遂使學者於《四書》往往多所忽略。[73]

六　結論

大概是因元代科舉實施時間未久，僅五十二年，其間又中斷六年，其科場偏重的流弊尚未顯然，不似明、清，充斥著抨擊、議論科場偏重的訊息，故未易考索，學界因此有科場重古賦、重《四書》、重《五經》不同的見解。幸得劉貞、周旉所編《三場文選》，尚得傳世，可藉中式名次、考官評語進行考察。再參酌元仁宗設「德行明經科」之立制本意，佐以程端禮《分年日程》等讀經、學文備考等文獻記載，經以上之討論，可見元代科場偏重首場經書考試，而於《四書》、《五經》中，略偏重《五經》些。

行文至此，讀者或許會質疑：「為什麼元代重《五經》？是否延續宋代兼經考《論》、《孟》小義傳統，不似各占一經的大義重要？是否元代《四書》地位雖提升、成為考試內容，而仍不足與《五經》並駕？明沿元制，為什麼明代卻又不重《五經》而重《四書》？」

《四書》、《五經》何者較重要，頗難衡量。筆者以為不應從兩者孰更為重要的角度去思考元代科場的偏重，而是應從考官衡文判別優劣的心態，以及「經疑」、「經義」文體的區別上著眼。

初頒科舉的第一階段，首場考「《四書》經疑」和「《五經》經義」，重「《五經》經義」；復科舉後所實施新制，《五經》考《五經》義和《五經》疑，兩者孰更獲重視？就

---

72 姚大力：〈元鄉試如何確定上貢人選及其次第——讀《三場文選》札記〉，頁141。

73 〔元〕史伯璿：〈上憲司陳言時事書〉，收入李修生主編：《全元文》第46冊（南京市：江蘇古籍出版社，1998-2004年），頁423。

表2來觀察，明顯感到《五經》義不論是收文篇數或評語則數，皆勝《五經》疑一籌。

經疑、經義之不同，學者已曾概介，[74]簡單的說：一為問答題，一為作文題。經疑出問答題，《四書》疑從《四書》出題，《五經》疑從考生所選本經出題，或辨析經文義理異同，或問經書相關知識等。經義出作文題目，取《五經》經文數句或一段為題。如《皇元大科三場文選》中〈詩義〉第一題，乃至正元年（1341）江西鄉試題：〈文王既勤止，我應受之，敷時繹思。我徂維求定，時周之命。於繹思〉，[75]題目取自〈周頌．賚〉經文，依題作文，雖功令言「不拘格律」，但科場卻仍尊「張庭堅體」，用「冒、原、講、證、結」固定格式行文，[76]故論者慣言經義之出題作文，乃明制藝之先聲。〈詩疑〉第一題，亦至正元年江西鄉試所出，題目為：

> 〈王〉，〈國風〉。或謂：「周自平王以降，號令不及於天下，與列國等耳，夫子降為〈國風〉，蓋傷之也。」然聖人於時王之詩，豈容輒有所貶？且季札觀周樂為之歌〈王〉，固已列於〈國風〉，非夫子降之明矣。然則，其為〈風〉而不為〈雅〉也，果孰使之然哉？[77]

所問為《詩經》分類的問題，何以將〈王風〉歸為〈國風〉而非〈雅〉。然而，答經疑和作經義，孰難？孰易？

在清官方所編《四庫全書總目》中，四庫館臣常盛讚為洪武初所承襲的元代考試經疑之制，且慨歎不久遭廢除，自後經書僅考試制藝，似為導致學術、科場不振之首因。在對比中，褒元貶明的意味濃厚，如館臣評元袁俊翁[78]《四書疑節》云：

> 其例以《四書》之文互相參對為題，似異而實同，或似同而實異，或闡義理，或用考證，皆標問於前，列答於後，蓋當時之體如是。雖亦科舉之學，然非融貫經義，昭晰無疑，則格閡不能下一語，非猶夫明人科舉之學也。[79]

---

74 姚大力：〈元鄉試如何確定上貢人選及其次第——讀《三場文選》札記〉，頁153-160，〈經義與經疑〉節。姜龍翔：〈元涂溍生《周易經疑》擬題之部析探〉，《高雄師大國文學報》第20期（2014年7月），頁30-34，〈元代科舉程式「經義」與「經疑」之分〉節。武玉環等：《中國科舉制度通史．遼金元卷》，頁479-489，〈明經〉節。

75 〔元〕周旉輯：《皇元大科三場文選．詩義》，頁1。

76 〔元〕程端禮：〈學作文〉，《程氏家塾讀書分年日程》，卷2，頁12；〔元〕倪士毅：〈作義要訣自序〉，《作義要訣》，《景印文淵閣四庫全書》第1482冊，卷前，頁1。張庭堅，字才叔，生卒年不詳，宋哲宗元祐六年（1091）進士，〈自靖人自獻于先王〉義，深獲朱熹讚賞，為元代經義之標準。

77 〔元〕周旉輯：《皇元大科三場文選．詩疑》，頁1。

78 袁氏生卒年不詳，許家星推論「袁氏當生於1270年前後，卒於1321年後」。許家星：〈「稱雄科場」抑或「強學待問」？——以《四書疑節》為中心論元代《四書》「科舉」與「研究」的一體化〉，《南昌大學學報（人文社會科學版）》第45卷第5期（2014年9月），頁30。

79 〔清〕紀昀奉敕纂：《四庫全書總目》（臺北市：藝文印書館，1989年），卷36，頁7，〈四書疑節〉條。

《總目》評王充耘（1304-？）《四書經疑貫通》云：

> 其書以《四書》同異參互比較，各設問答以明之。蓋延祐科舉，「經義」之外有「經疑」，此與袁俊翁書皆程試之式也。其間辨別疑似，頗有發明，非經義之循題衍說可以影響揣摩者比。故有元一代，士猶篤志於研經。[80]

館臣又言：元延祐用《四書》取士，「而闡明理道之書遂漸為弋取功名之路。然其時經義、經疑並用，故學者猶有研究古義之功」。並對比「明永樂中，《大全》出而捷徑開，八比盛而俗學熾。科舉之文，名為發揮經義，實則發揮註意，不問經義何如也。且所謂註意者，又不甚究其理，而惟揣測其虛字語氣以備臨文之摹擬，併不問註意何如也」。[81]

考洪武三年（1370）頒〈科舉詔〉後，因需才孔亟，連開科舉，共舉行四次，分別為：三年八月鄉試，四年二月會試、八月鄉試，五年八月鄉試，在洪武六年正月即因未能得人而暫罷科舉，洪武十七年（1384）頒〈科舉成式〉復科舉。因洪武四年之會試錄猶得傳世，尚有《四書》疑一道，已無《五經》疑；十七年所頒〈科舉成式〉及考試內容更改亦有文獻可參，已廢《四書》疑改考《四書》義三道。故經疑退出科場，應在十七年復開科舉時。

後人在比較元、明科目更遞，參閱《總目》對經疑、經義褒貶懸殊的評價時，不免覺得明洪武初廢《五經》疑已為不智，十七年復科舉又廢除《四書》疑全面改考經義，似為迷途不知返的至愚之舉。在清人評論中，此為導致後世科場敗壞、經學荒疏之源頭，然則，洪武朝的君臣果真如此不智？

四庫館臣等對經疑的推許，一方面是懲眼前專重制藝取士之失，加上對過往湮遠歷史的美好想像，也不乏由元、明的比較，藉以貶損明代的勝國心理，故對經疑多有肯定。然而元許有壬（1287-1364）在至順元年（1330）之際已云：「《四書》、賦題，世已括盡，宜兼《五經》為疑問。」[82]此時距延祐元年首科鄉試，不過才經十六年左右，已然遇到此種困境，考生對科場可能出題的《四書》疑試題，囊括殆盡，得以在科場外先背誦、撰擬，成竹在胸。如果咸為預擬的場外之文，就難以評定高下，拔得真才。

金世宗（1123-1189）大定十九年（1179）謂宰臣曰：「自來御試賦題，皆士人嘗擬作者。前朕自選一題，出人所不料，故中選者多名士，而庸才不及焉。是知題難則名儒亦擅場，題易則庸流易僥倖也。」[83]顧炎武（1613-1682）亦曾言：「科場之法欲其難不

---

80 〔清〕紀昀奉敕纂：《四庫全書總目》，卷36，頁7-8，〈四書經疑貫通〉條。

81 〔清〕紀昀奉敕纂：《四庫全書總目》，卷36，頁38-39，卷末識語。

82 〔元〕許有壬：〈送馮照磨序〉，《至正集》，《景印文淵閣四庫全書》第1211冊，卷32，頁4。文中有「乙卯迄今六科內，而才學名者可數也」語，指延祐二年（1315）到至順元年（1330）共六科，故知此文作於至順元年會試考試之後。

83 〔元〕脫脫等：〈選舉一〉，《金史》（臺北市：鼎文書局，1985年），卷51，頁1135。

欲其易。」[84]清末路德（1784-1851）也指出取士必試以難題，因「試以難題，其文之真偽，一覽即得」，高下立分。[85]金世宗、顧炎武、路德時異而所見一致：試以難題，有助於甄別優劣，拔擢人才。

當考生藉由父師傳授及科舉用書的幫助，練就了一套應試的本領，考試的難度就必須往上提升。在復科舉時，不但如許有壬所言「兼《五經》為疑問」，加考了《五經》疑，古賦也定為必考，備考範圍擴大、答題數增加，這都在增加考試難度，以利甄別。

初頒科舉備考研經時，《四書》和《五經》，因經書份量、難易有別，《四書》易而《五經》難。誠如錢大昕（1728-1804）所言：「蓋經義難通，《四書》易解。右牓第一場，《四書》先於《五經》者，先易而後難，初非重《四書》而輕《五經》也。」[86]在答卷篇幅上，《四書》疑只需三百字以上，而《五經》義則需五百字以上，今所見劉貞、周旉之《三場文選》，《五經》義的篇幅皆多於《四書》疑。在形式上，經疑較自由，不似經義沿用「張庭堅體」，有破題及「冒、原、講、證、結」等格式。在擬題防弊上，經疑之題，易為考生所猜中；而經義出題，取自經文，長短不同，經義內容就不同，變化多端。經義為制藝的前身，路德曾點出長期以來制藝雖為人詬病，卻持續重制藝以取士的原因，因為相較於論、策等文體，考生易懷挾、宿構，制藝較能杜剽竊，其出題：「離之、合之、參伍而錯綜之，其為題也，不知幾萬億，雖有懷挾，弗能該也；雖有宿構，未必遇也。」[87]在清末小考常出小題、截搭等瑣碎、割裂的題型，故離合參伍，題目極多，元代經義出題雖尚未有此嚴重流弊，但相較於經疑，經義同樣具「雖有懷挾，弗能該也；雖有宿構，未必遇也」之優勢。故在復科舉後，雖加考了《五經》疑，因文體形式、出題方式使然，考官較偏重的仍是《五經》義。

清初焦袁熹（1661-1736）云：

> 宋元人經疑，今若以之程士，則題目有限，豫備為易。且文既樸直，而論說亦多相同，難以第其高下，或高材者務為新異以求中其科，反為經術之害，固不若今制舉義之善也。[88]

---

84 〔清〕顧炎武：〈擬題〉，《原抄本日知錄》（臺北市：文史哲出版社，1979年），卷19，頁478。

85 〔清〕路德：〈仁在堂時藝核序〉，《檉華館全集》，《續修四庫全書》第1509冊（影印清光緒7年〔1881〕解梁刻本），卷2，頁66。

86 〔清〕錢大昕：〈元史五．選舉志一〉，《廿二史考異》，《續修四庫全書》第454冊（影印清乾隆45年〔1780〕刻本），卷90，頁8。按：考試《四書》先於《五經》，除「先易而後難」之故外，因《四書》為共同必考，且朱子及其後學，多主張《四書》為研經之根本。（參周春健：〈論元代學者的「四書六經觀」〉，《哲學研究》2014年第5期，頁52-58。）故先考《四書》再分別考《五經》，可謂順當之安排。

87 〔清〕路德：〈仁在堂時藝辨序〉，《檉華館全集》，卷2，頁53-54。元、明雖不似清末常出小題、甚至截搭題，參伍錯綜，題數更多，但經義既截取經文段落為題，可出之題仍遠較經疑多。

88 〔清〕焦袁熹：〈經疑〉，《此木軒雜著》，《續修四庫全書》第1136冊（影印清嘉慶9年〔1804〕刻本），卷4，頁17-18。

清末魏元曠（1856-1935）跋《四書疑節》一書，亦云：經疑「為元時科目文體，承宋經義之變，有明乃別為制藝之文，則以疑問易盡，久則互相剽襲，勢不得不再變耳。」[89]

兩人的批評，明白點出明初廢經疑之故，正因經疑「題目有限，豫備為易」、「疑問易盡」、「難以第其高下」，這是洪武初舉行科舉試以《四書》疑後，馬上就會重演的困境，想必考官定然受困於《四書》疑出題的局限，科場衡文也有經疑難以判別優劣的體認。何況明初本有不少大臣，在元代已有應試備考之經驗，甚至參與過科舉試務衡文。這些經驗、心得，必然在制度調整上產生作用，思考如何改善和防弊，故洪武十七年方調整為廢經疑而全面改試經義。

拙作〈明清科舉取士「重首場」現象的探討〉於二○○五年發表時，筆者僅就當時所見文獻論定：「在明中葉，已有一些指責重首場的文獻出現，藉此可知，最遲在明成化、弘治時，對首場已有所偏重」，「是否在洪武末年、或永樂年間偏重首場經義的現象已產生，還需有更多的佐證。」[90]據本論文以上的考察，顯見「重首場」由來已久，元、明兩代制度沿襲，元朝已偏重首場經書考試，明初亦然，只是不及明中葉以後每況愈下，偏重情形益加嚴重，以致抨擊聲浪也愈大。而在開科之始的洪武初年，因《四書》考經疑，《五經》考經義，故應略偏重《五經》些。《四書》在科場中的偏重淩駕於《五經》，應自洪武十七年《四書》、《五經》皆同用經義考試後，逐漸演變而成。既然《四書》、《五經》皆用一樣的文體，《四書》先考，先謄卷送閱，遂逐漸演變為偏重《四書》，也順理成章。[91]

附記

一、本課題研究，亟需借重元劉貞編《類編歷舉三場文選》，此書唯東京靜嘉堂文庫藏有完整十集。筆者於二○一七年九月、十一月，兩度造訪靜嘉堂文庫，承蒙該館惠予借閱，謹申謝忱。

二、本文原刊載於《國文學報》第六十三期，頁一七一～二○二，臺灣臺北：國立臺灣師範大學國文學系，二○一八年六月出版。

89 〔元〕袁俊翁：《四書疑節》（臺北市：新文豐出版公司，1989年，《叢書集成續編》影印《豫章叢書》本），書後，頁1，魏元曠跋語。

90 侯美珍：〈明清科舉取士「重首場」現象的探討〉，頁334、361。

91 明、清重《四書》義的原因，請詳參侯美珍：〈明清科舉取士「重首場」現象的探討〉一文。

明代科舉與《尚書》的關係
──以《會試錄》為探討中心

陳恆嵩
東吳大學中文系教授

提要

明代政府遴選人才的方法，係就宋、元科舉考試方式稍作修改，採行鄉試、會試、殿試三級試士方式，以選拔朝廷官員。明代以經術取士，科舉習氣深植於天下士子之心，也改變其價值觀與讀書態勢。天下讀書人從小學習《四書》、《五經》，執政者希望藉由經書中的聖賢思想浸灌其心，使其生活濡染在聖賢義理之中，自然而然養成其醇正典雅的人格。

明代科舉鄉試、會試初場經義採「分經取士」制度，五經僅選考一科，各經實際情況及各種論題，有所差異。《尚書》義考試專主蔡沈《書集傳》，刪去《尚書》古註疏不讀，造成士子在《書》義考試時，試卷所寫的義理闡釋專以蔡沈《書集傳》為主。為求對明代科舉《尚書》義在鄉試、會試《尚書》出題的情形及考試時經書題目與傳註間的實際內容為何？藉由探討會試錄《尚書》義內容與《尚書》間的關係，增加對明代《尚書》學發展的瞭解，試圖釐清影響明代近三百年歷史的科舉制度與明代經學之間的關係。

關鍵詞：明代　尚書　會試　科舉制度

一 前言

明代經學為中國經學史發展演變過程中相當重要的階段，上承唐、宋學術，下啟清代學術之基，是二千餘年經學發展歷史不可或缺的一個重要環節，理應受到相當的重視。然而受到明末清初顧炎武（1613-1682）、朱彝尊（1629-1709）等著名學者的嚴厲抨擊與貶抑，明人不學無術、經學空疏荒陋的印象深植人心，給予後代研究中國經學的學者造成一個刻板印象，認為明代經學毫無價值，以致長期遭受到忽視與誤解，研究成果與其他的朝代相較，顯得缺少許多，導致後人對明代經學發展的實際面貌與演變情形缺乏清晰完整的瞭解。

明代以經術取士，科舉習氣深植於天下士子之心，也改變其價值觀與讀書態勢。明代此種用科舉考試選拔人才方式，影響層面相當深遠，卻迭受後人批評，認為理應將其廢止。然而清初方苞（1668-1749）基於科舉對學術人心思想的正面功效而予以肯定，他說：

> 制義之興七百餘年，所以久而不廢者，蓋以諸經之精蘊，匯涵於四子之書，俾學者童而習之，日以義理浸灌其心，庶幾學識可以漸開，而心術群歸於正也。[1]

制義長期盛行，有利也有弊，然而不被朝廷所廢止，原因即是執政者希望藉由讓學者從小學習《四書》、《五經》，經書中的聖賢思想浸灌其心，使其生活濡染在聖賢義理的浸灌，自然而然養成其醇正典雅的人格。清初錢大昕（1728-1804）也認為說：「科舉之法行，士大夫習其業者，非孔孟之書不觀，非程朱之說不用，國無異學，學無它師，真所謂一道德以同俗矣。」「自通都大邑，以至窮鄉蠻徼，無不知誦《四書》，尊程朱」[2]，達成國家有共同統一思想道德風俗的境地。

明代政府科舉遴選人才的方法，源起於隋唐，至宋、元發展成熟定制，明代就宋、元科舉考試方式稍作修改，採行鄉試、會試、殿試三級考試方式，爾後遂成為明代主要選拔朝廷官員的方式。對於明代科舉考試制度，明儒王鏊（1450-1524）以為：「國家取士，鄉簡其秀儲之學，三歲大比，則兩畿十三省之士，各萃於所司，所司者三試之，又簡其秀以上禮部。禮部以聞，合兩畿十三省前後所貢，三試之，又簡其秀以獻。天子臨軒親策之，定其高下，則謂之進士，進士之選，今日之所甚重焉者也。」所有欲入仕為官者，「名臣碩輔，端貞骾亮，聲蹟蔚然，昭焯中外者，必進士也，即非焉，十百之一

1 〔清〕方苞撰，劉季高校點：《方苞集．集外文》（上海市：上海古籍出版社，1983年5月），卷2，〈進四書文選表〉，頁579。

2 〔清〕錢大昕撰，呂友仁標校：《潛研堂文集》（上海市：上海古籍出版社，1989年11月），卷49，〈布衣陳君墓碣〉，頁865。

耳。」「不由是者不謂之正途」。[3]國家取士，以進士為重，天下讀書人視參加鄉試、會試、殿試三級考試出身者乃為官正途，視為無比之榮耀，為晉身公卿大夫之門徑。清初邵廷采（1648-1711）也說：「自科舉取士以來，名臣良吏，多出舉業，揚名榮親，道無逾此。」[4]足見明、清兩代的讀書人，都將科舉能夠金榜題名視為是顯親揚名、光宗耀祖的大事。

明代科舉考試之鄉試、會試兩級，例分三場試士，據洪武十七年《科舉程式》規定，初場試經義，為《四書》義三道，經義四道。其中《四書》義三道為考生共同必考，而經義則由應試者於《五經》中各選一經應試，出題四道。記錄明代歷次科舉考試的實際物證原始資料即是現今尚留存的進士登科錄、會試錄、鄉試錄等，被世人統稱為登科錄。實際上，科舉考試留存文獻「登科錄」、「會試錄」、「鄉試錄」三種，其所載錄的內容並不完全相同。「登科錄」的內容，詳載本人姓名、字號、籍貫、出生年歲及家庭人員等資料。而會試錄及鄉試錄記載姓名、籍貫外，同時登載會試、鄉試的三場試題，舉人程文或進士對策等資料，王鏊就解釋說：

> 會試錄者，錄會試之程文、士之中式洎百執事之姓名，登諸天府，傳之天下者也。[5]

《會試錄》翔實載記士子資料，遂成為後人研究明代人物歷史、科舉制度及經書闡釋相當重要的第一手文獻資料。

明代科舉考試遺留下的登科錄、會試錄、鄉試錄資料，蒐藏在各地圖書館裡，列為善本古籍，閱讀上較不便，長期受到忽視。近年來，海峽兩岸相繼將它們彙集出版，臺灣有《明代登科錄彙編》[6]，大陸則有《天一閣藏明代科舉錄選刊．登科錄》[7]、《天一閣藏明代科舉錄選刊．會試錄》[8]、《天一閣藏明代科舉錄選刊．鄉試錄》[9]、《中國科舉錄匯編》[10]等大型科舉文獻的影印出版。與考試制度相關的文獻也經學者整理蒐羅標點後，輯為《中國考試史文獻集成》七卷[11]出版。明代科舉考試的第一手文獻的出版，使

---

3 〔明〕王鏊撰，吳建華點校：《王鏊集》（上海市：上海古籍出社，2013年9月），卷11，〈會試錄後序丙辰〉，頁196。

4 〔清〕邵廷采（1648-1711）撰，祝鴻杰點校：《思復堂文集》（杭州市：浙江古籍出版社，2010年1月），卷1，〈姚江書院訓約〉，頁35。

5 〔明〕王鏊撰，吳建華點校：《王鏊集》（上海市：上海古籍出社，2013年9月），卷33，〈雜著．擬罪言〉，頁469。

6 屈萬里、劉兆祐主編：《明代登科錄彙編》（臺北市：臺灣學生書局，1969年12月）。

7 天一閣博物館編：《天一閣藏明代科舉錄選刊．登科錄》（寧波市：寧波出版社，2007年11月）。

8 天一閣博物館編：《天一閣藏明代科舉錄選刊．會試錄》（寧波市：寧波出版社，2007年11月）。

9 天一閣博物館編：《天一閣藏明代科舉錄選刊．鄉試錄》（寧波市：寧波出版社，2006年12月）。

10 姜亞沙主編：《中國科舉錄匯編》（北京市：全國圖書館文獻縮微複製中心，2010年11月）。

11 楊學為主編：《中國考試史文獻集成》（北京市：高等教育出版社，2003年7月）。

得研究科舉制度便利許多，影響所及，對於明代科舉考試制度的探討，逐漸受到學術界的重視，紛紛投入鑽研探討。相繼有《明代科舉制度研究》[12]、《明史選舉志箋正》[13]、《明史選舉志考論》[14]、《明代科舉史事編年考證》[15]、《明代進士登科錄研究》[16]及《明代科舉文獻研究》、《明代科舉制度考論》、《八股文與明清文學論稿》[17]、《明清科舉與小說》[18]、《明代八股文史》等專著出版。綜觀諸家著作內容論述，主要都偏重在考試制度層面的探討，或著重在史料的箋疏考辨，或偏重在科舉與文學、小說方面的探究，對於關係到無數考生命運的考試內容——《四書》、《五經》經義缺乏內容的探討，致影響瞭解科舉考試之實際內容為何？對瞭解明代經學教育及科舉制度有所不足。

近年來，明代經學的研究在林慶彰先生的極力鼓吹帶領下，此種情況已有顯著改善。[19]以往少有學者涉及的科舉文獻《鄉試錄》《會試錄》探討，近年來，隨著觀念的改變以及科舉資料的影印出版，使得學者相較容易獲得研究所需的文獻，先後有侯美珍等學者從事科舉鄉會試的探討，撰〈明代會試《詩經》義出題研究〉[20]、〈明代鄉會試《詩經》義出題的考察〉[21]、〈明代鄉會試《禮記》義的出題及影響〉[22]、〈科舉視角下的明清《禮記》學——《禮記》義考試之流弊、批評與回應〉。[23]透過科舉錄實物文獻的研究，明代科考制度初場經義的命題及內容，後人才逐漸有較為深入的瞭解。唯明代科舉考試採「分經取士」制度，各經實際情況及各種論題，仍有待後學的賡續探討。筆者研究經學多年，將研究重心大都側重在宋、明《尚書》學及明代經學史的研究上。對於影響明代近三百年歷史的明代科舉制度及其與明代經學之間的關係，長期受到學術界所忽視，深以為憾。為求對明代科舉《尚書》義在鄉試、會試《尚書》出題的情形為何，及考試時經書題目與傳註間的實際內容為何？期能藉由探討會試錄《尚書》義內容

---

12 黃明光撰：《明代科舉制度研究》（桂林市：廣西師範大學出版社，2000年3月）。

13 郭培貴撰：《明史選舉志箋正》（呼和浩特市：內蒙古大學出版社，1997年8月）。

14 郭培貴撰：《明史選舉志考論》（北京市：中華書局，2006年11月）。

15 郭培貴撰：《明代科舉史事編年考證》（北京市：科學出版社，2008年12月）。

16 陳長文撰：《明代進士登科錄研究》（濟南市：山東大學出版社，2008年3月）及《明代科舉文獻研究》（濟南市：山東大學出版社，2008年3月）。

17 黃強撰：《八股文與明清文學論稿》（上海市：上海古籍出版社，2005年7月），頁542。

18 王玉超撰：《明清科舉與小說》（北京市：商務印書館，2013年5月），頁514。

19 近年來，林慶彰先生召開『明代經學國際學術研討會』，並出版《明代經學國際學術研討會論文集》，此後相繼有林先生的《明代經學研究論集》、楊晉龍《明代詩經學研究》、張曉生的《郝敬及其四書學研究》及筆者《五經大全纂修研究》等專書及博士學位論文出版。至於單篇論文，可參見林慶彰先生主編之《經學研究論著目錄（1912-1987）》、《經學研究論著目錄（1988-1992）》、《經學研究論著目錄（1993-1997）》、《經學研究論著目錄（1998-2002）》等經學研究目錄。

20 見《臺大中文學報》第38期（2012年9月），頁203-256。

21 見《國文學報》第55期（2014年6月），頁131-164。

22 見《臺大中文學報》第38期（2014年12月），頁89-138。

23 見《國文學報》第57期（2015年6月），頁145-178。

與《尚書》間的關係，增加對明代《尚書》學發展的瞭解，釐清明代經學與科舉文化間的真實面貌。

二　明代科舉制度的實際內容及其涵義

關於明代科舉制度的制定，明英宗年間大臣呂原（1418-1462）在〈天順四年會試錄序〉曰：

> 我朝學校徧於天下，設科取士必試以義論詔誥表判策者，蓋因歷代明經、射策、博學、宏詞、明法諸科之制，合而一之，宜乎得賢之盛，非漢唐宋之可及也。夫治天下以賢為本，得賢雖係於教養選舉，而尤本於上之人躬行之實。」[24]

呂原認為明代科舉取士之考試科目『義論詔誥表判策』，實際上是參考唐、宋等朝代明經、射策、博學、宏詞、明法諸科之制，將其融合為一，取其長去其短所設計出的考試方法。王鏊就說：「夫科目之設，天下之士群趨而奔向之，上意所向，風俗隨之，人才之高下，風之醇漓，率由是出。」[25]使天下之讀書人共同趨向於此，並藉以轉移天下的風俗。

明代的士子雖視科考進士出身乃為官之正途，然明代選拔官吏人才的方式，並非一開始即採取科舉制度，中間曾有幾次轉折改變。朱元璋在建國之初，雖然採行進士、薦貢、雜流三途並用，然《明史》〈選舉志〉：「選舉之法，大略有四：曰學校，曰科目，曰薦舉，曰銓選。學校以教育之，科目以登進之，薦舉以旁招之，銓選以布列之，天下人才盡於是矣。」[26]由於亟需各種官員人才協助治理國家政務，取士制度以科舉為主，旁以學校。朱元璋為求招攬「懷材抱德之士，務在經明行修，博古通今，文質得中，名實相稱。」採用科舉取士制，使人才「皆由科舉而選，非科舉毋得與官。」[27]，實行三場試士制[28]，考試內容要求錄取之士能夠文武兼具。後於洪武十七年（1384）三月命禮

---

24 〔明〕呂原撰：〈天順四年會試錄序〉，見天一閣博物館編：《天一閣藏明代科舉錄選刊．會試錄》（寧波市：寧波出版社，2006年12月），頁2下-3上。

25 〔明〕王鏊撰，吳建華點校：《王鏊集》（上海市：上海古籍出社，2013年9月），卷33，〈雜著．擬罪言〉，頁469。

26 〔清〕張廷玉等撰：《明史》（臺北市：鼎文書局，1979年12月），卷69，〈選舉志一〉，頁1675。

27 〔明〕王世貞撰，魏連科點校：《弇山堂別集》（北京市：中華書局，1985年12月），卷81，〈科試考一〉，頁1539。

28 據《明太祖實錄》洪武三年（1370）八月乙酉日的記載：「京師及各行省開鄉試，自初九日始試初場，復三日試第二場，又三日試第三場。……考試之法大略損益前代之制，初場《四書》疑問，本經義及《四書》各一道，第二場論一道，第三場策一道。中式者後十日復以五事試之，曰騎射書算律。騎觀其馳驅便捷，射觀其中之多寡，書通於六義，算通於九法，律觀其決斷。」文見中央研究

部頒布科舉成式：

> 凡三年大比，子午卯酉年鄉試，辰戌丑未年會試，舉人不拘額數，從實充貢。鄉試八月初九日第一場，試《四書》義三道，每道二百字以上；經義四道，每道三百字以上。未能者許各減一道。《四書》義主朱子《集註》。經義：《詩》主朱子《集傳》，《易》主程、朱《傳》、《義》，《書》主蔡氏《傳》及古註疏，《春秋》主左氏、公羊、穀梁、胡氏、張洽《傳》，《禮記》主古註疏。十二日第二場，試論一道，三百字以上，判語五條，詔誥章表科一道。十五日第三場，試經史策五道，未能者許各減二，俱三百字以上。[29]

《明史》〈選舉志〉的說法與《明太祖實錄》記載的內容大致上相同[30]，僅在後面補充「永樂間，頒《四書五經大全》，廢註疏不用。其後，《春秋》亦不用張洽《傳》，《禮記》止用陳澔《集說》」一段文字。朱元璋所頒發的科舉成式，此後成為祖制，規定科舉考試舉行的日期時間、科目內容及字數限制。

唐代編修《五經正義》時，以漢、魏、晉儒者的傳註為宗。而明代《五經》經義的考試，傳註則選用宋儒程、朱之註解，另外再參用古註疏。稍後明太宗「靖難」後，趕走明惠帝，篡位成功，除大肆編修《永樂大典》外，又詔令胡廣（1369-1418）等編《四書五經大全》，傳註全採用宋儒程頤（1033-1107）、朱熹（1130-1200）一系的經書註解，廢棄註疏不用，完成後并於永樂十五年頒發全國各級學校，作為各級學校教學指定的教本，科考情形為之改變，宋儒程、朱等人對於《四書》、《五經》的注解和意見，一躍成為全國學子們的必讀指導思想，科舉考試也以它作為出題範圍，在功令利祿的引誘下，學士日夜誦習者皆是《四書五經大全》，導致程、朱理學變成明代一統全國各地學校教育的局面，也從此確立程朱之學在明清學術上的統治地位。

至於明代科舉考試的科目及其寫作方法，根據《明史》〈選舉志〉記載：

> 科目者，沿唐、宋之舊，而稍變其試士之法，專取四子書及《易》、《書》、《詩》、《春秋》、《禮記》五經命題試士。蓋太祖與劉基所定。其文略仿宋經義，然代古人語氣為之，體用排偶，謂之八股，通謂之制義。[31]

唐、宋兩代科舉考試科目，雖有所因襲，分為常科、制科兩大類，然其具體科目又有所

院歷史語言研究所編：《明太祖實錄》（臺北市：中央研究院歷史語言研究所，1966年9月），卷55，「洪武三年八月乙酉」條，頁1084-1085。

29 中央研究院歷史語言研究所編：《明太祖實錄》（臺北市：中央研究院歷史語言研究所，1966年9月），卷160，「洪武十七年三月戊戌」條，頁2467。

30 〔清〕張廷玉（1672-1755）等奉敕撰：《明史》（臺北市：鼎文書局，1979年12月），卷70，〈選舉志二〉，頁1694。

31 〔清〕張廷玉等奉敕撰：《明史》（臺北市：鼎文書局，1979年12月），卷70，〈選舉志二〉，頁1693。

不同。唐代常科主要有秀才、明經、進士、明法、明書、明算等六科[32]，宋代常科主要有進士、《九經》、《五經》、《開元禮》、《三史》、《三禮》、《三傳》、學究、明經、明法等科。[33]明代考試科目雖「沿唐、宋之舊」，實際僅取其進士科而已。而考試科目的內容是專取《四書》及《易》、《書》、《詩》、《春秋》、《禮記》五經。寫作的方法明言要應試士子須「代古人語氣為之」，而體裁「用排偶」，世俗將它稱為「八股」、「制義」。王世貞（1526-1590）在他史著中就將科舉條格及鄉、會試文字程式記錄的很清楚。[34]稍有不同者，首場雖然是考《四書》及《五經》義各一道，唯《四書》所考的內容係「經疑」而非「經義」，由《皇明貢舉考》所載錄的洪武四年會試題目，《四書》科正是考《四書》疑問題。[35]

明代學者往往稱讚洪武十七年所頒行之「科舉成式」[36]，「其法比前加密，而取士之道，視唐、宋以來科舉之制尤盡善矣。」[37]是一套精心設計又盡善盡美的考試制度。明嘉靖年間，張璁（1475-1539）就說：「國家用人以科舉為重，而有司選士以鄉舉為先」[38]，然而自唐以來科舉考試即成為朝廷官吏選任的主要來源，卻唯明代科舉設立

---

32 有關宋代科舉考試科目的詳細敘述，可參閱金瀅坤撰：《中國科舉制度通史：隋唐五代卷》（上海市：上海人民出版社，2015年9月）。

33 有關宋代科舉考試科目的詳細敘述，可參閱張希清撰：《中國科舉制度通史：宋代卷》（上海市：上海人民出版社，2015年9月）。

34 王世貞云：「鄉試會試文字程式：第一場試《五經》義，各試本經一道，不拘舊格，惟務經旨通暢，限五百字以上。《易》程、朱氏註、古註疏，《書》蔡氏《傳》、古註疏，《詩》朱氏《傳》、古註疏，《春秋》左氏、公羊、穀梁、胡氏、張洽《傳》，《禮記》古註疏。《四書》義一道，限三百字以上。第二場試禮樂論，限三百字以上，詔誥表箋。第三場試經史時務策一道，惟務直述，不尚文藻，限一千字以上。第三場畢後十日面試，騎觀其馳驟便捷，射觀其中數多寡，書觀其筆畫端楷，律觀其講解詳審。殿試時務策一道，惟務直述，限一千字以上。」〔明〕王世貞撰，魏連科點校：《弇山堂別集》（北京市：中華書局，1985年12月），卷81，〈科試考一〉，頁1540。又《客座贅語》：「洪武三年五月初一日初設科舉條格詔，內開第一場《五經》義，各試本經一道，限五百字以上。《易》程、朱氏註，《書》蔡氏傳，《詩》朱氏傳，俱兼用古註疏。《春秋》左氏、公羊、穀梁、胡氏、張洽傳，《禮記》專用古註疏。《四書》義一道，限三百字以上。」〔明〕顧起元（1565-1628）撰：《客座贅語》（北京市：中華書局，1997年11月），卷1，頁1。

35 〔明〕張朝瑞（1536-1603）輯：《皇明貢舉考》：「孟子曰：由堯、舜至於湯五百有餘歲，若禹、皋陶則見而知之。若湯則聞而知之。夫禹、皋陶、湯於堯、舜之道，其所以見知聞知者，可得而論與？孟子又言伊尹樂堯、舜之道，《中庸》言仲尼祖述堯、舜。夫伊尹之樂，孔子之祖述，其與見知聞知者，抑有同異歟？請究其說。」（臺灣臺南縣：莊嚴文化事業公司，1997年6月，《四庫全書存目叢書》影印明萬曆刻本），卷2，頁2。

36 「科舉成式」一詞，明人典籍或作「科舉成式」，或作「科舉程式」，本文一遵明人典籍所寫，不另行統一。

37 〔明〕梁儲（1451-1527）撰：〈會試錄序〉，《正德九年會試錄》，收入天一閣博物館編：《天一閣藏明代科舉錄選刊・會試錄》（寧波市：寧波出版社，2007年11月），頁1下。

38 〔明〕張璁撰：〈會試錄序〉，《嘉靖八年會試錄》，收入天一閣博物館編：《天一閣藏明代科舉錄選刊・會試錄》（寧波市：寧波出版社，2007年11月），頁1下。

考三場試，其目的何在？袁宏道（1568-1610）談及明代士子科舉文字情形，袁氏說：

> 夫高皇帝範圍天下之道，託于經傳，而章程于宋儒，此其中自有深意。故洛閩之學脈窮，則高皇帝之法意衰，臣見天下之以令甲為兒嬉，而變更之無日也。[39]

袁宏道以為明太祖「範圍天下之道，託于經傳，而章程于宋儒」，「其中自有深意」，所說之「深意」為何，袁氏雖未明言，衡之明人頗多明言科考取士深意所在。呂原〈天順四年會試錄序〉曰：「取士惟擇其文理之純者。蓋以文即其言，而言乃心之聲、行之表，言純乎理，則其用心於內，有志於行，概可驗矣。」[40]科考制度採以文取士方式，三場的作用各有不同，根據王鏊說：

> 國家設科取士之法，其可謂正密矣。先之經義，以觀其窮理之學；次之論表，以觀其博古之學；終之策問，以觀其時務之學。士誠窮理也，博古也，識時務也，尚何求哉？[41]

王氏認為經義可觀察其「窮理之學」，論表可考檢測其「博古之學」；策問可考瞭解其「時務之學」，祝允明（1460-1526）說：

> 三試皆因言以審心，詳外以測中，本之初場，求其性理之原，以論觀其才華，詔誥表判觀其詞令，策問觀其政術。[42]

祝氏認為科舉考試的初場經義旨在測試士子對聖賢性理思想的了解，二場的「論」在觀察士子的才華，「詔誥表判」四種文體在看士子的詞令運用，三場的「策問」在了解士子對政術的嫻熟與見解，三場試題都嘗試「因言以審心，詳外以測中」，透過外在文字的表現，觀察應試士子是否具備從政應有的能力。稍後楊慎（1488-1559）也說：

> 初場在通經而明禮，次場在通古而贍辭，末場在通今而知務。[43]

楊慎對三場測試的用意解說，或通經明禮，或通古贍辭，或通今知務，文字要言不繁，

---

39 〔明〕袁宏道撰，錢伯城箋校：《袁宏道集箋校》（上海市：上海古籍出版社，2008年4月），卷54，〈陝西鄉試錄序〉，頁1530-1531。

40 〔明〕呂原撰：〈天順四年會試錄序〉，見天一閣博物館編：《天一閣藏明代科舉錄選刊‧會試錄》（寧波市：寧波出版社，2007年11月），頁4上-4下。

41 〔明〕王鏊撰，吳建華點校：《王鏊集》（上海市：上海古籍出社，2013年9月），卷33，〈雜著‧擬罪言〉，頁469。

42 〔明〕祝允明撰：《懷星堂集》（臺北市：臺灣商務印書館，1986年3月，影印文淵閣《四庫全書》本），集部第1260冊，卷11，〈貢舉私議〉，頁9上。

43 〔明〕楊慎撰：《升庵集》（臺北市：臺灣商務印書館，1986年3月，影印文淵閣《四庫全書》本），集部第1270冊，卷3，〈雲南鄉試錄序〉，頁5下-6上。

簡明扼要，讓人一目瞭然。王世貞在隆慶四年（1570）〈山西鄉試錄後序〉曰：

> 夫訓經而發其旨之謂義，辨志而當於理之謂論，標情而達於上之謂表，決法而傳於經之謂判，陳見而宜於用之謂策，此五者不失一焉。[44]

王世貞說：

> 明興而始三試士，各以其日，為經書義以觀理，為論以觀識，為表以觀詞，為策以觀蓄，然其大要重於初日，以觀理者政本也。……凡論而表而策，最近古而易撰。其於經書義稍遠而難古。天下之為力於論表策者十之三，而為力於經書義者十之七而猶不足。[45]

王世貞以為三場試士，「訓經發旨」、「辨志」、「標情」，目的在「為經書義以觀理，為論以觀識，為表以觀詞，為策以觀蓄」。三場試士實際皆蘊涵有其測試的目的性。而前人屢屢認為首場的經義測試最重要，因為經義內容為古先王聖賢經典之遺存。透過經義所發揮之思想，可觀察應試士子通經之義理之學，是個人思想義理所在，也是根本的政治理念。

可知明代科舉考試制度，實際係參酌宋、元科舉制度改良而設計出之方案，三場考試各有其欲測試的目的，經義在觀其窮理之學，論表觀其博古之學，策問在觀其時務之學。朝廷要評選出適當的治理朝政人才，來為國家服務，因為「惟天下之廣，固非一人所能治，必得天下之賢共理之」[46]，選拔適當人才，需從各個面向觀察人才的能力表現，不可偏執一方，以免失之交臂。然此種制度在長期施行後逐漸產生弊端，明神宗萬曆十五年（1587），時任禮部尚書的沈鯉（1531-1615）在〈正文體疏〉奏請：

> 近年以來，科場文字漸趨奇詭，而坊間所刻及各處士子之所肄業者，更益怪異不經，致誤初學，轉相視效。及今不為嚴禁，恐益灌漬人心，浸尋世道，其為患害，甚於異端。蓋人惟一心，方其科舉之時，既可用之以詭遇獲禽，逮其機括已熟，服役在官，苟可得志，何所不為，是其所壞者，不止文體一節，而亦於世道人心大有關係相應。……言者，心之聲；而文者，言之華也。其心坦夷者，其文必平正典實。其心光明者，其文必通達爽暢。其不然者反是。是文章之有驗於性術也。唐初尚靡麗，而士趨浮薄；宋初尚鉤棘，而人習險譎，是文章之有關於世

---

44 〔明〕王世貞撰：《弇州四部稿》（臺北市：（臺北市：臺灣商務印書館，1986年3月，影印文淵閣《四庫全書》本），第1280冊，卷70，〈山西鄉試後序〉，頁2下。

45 〔明〕王世貞撰：《弇州四部稿》（臺北市：臺灣商務印書館，1986年3月，影印文淵閣《四庫全書》本），集部第1280冊，卷70，〈四書文選序〉，頁27下。

46 《明太祖實錄》（臺北市：中央研究院歷史語言研究所，1966年9月）卷35，「洪武元年九月癸亥」條，頁629。

> 教也。……今鄉、會試進呈錄文必曰中式，則典雅切實文理純正者，祖宗之式也。今士子之為文何式乎？自臣等初習舉業，見有用六經語者，其後引用《左傳》、《國語》矣。又數年，而引用《史記》、《漢書》矣。《史》、《漢》窮而用諸子，諸子窮而用百家，甚至取佛經、道藏，摘其句法口語而用之。鑿朴散淳，離經叛道，文章之流弊，至是極矣。其文體尤恥循矩矱，喜創新格，以清虛不實講為妙，以艱澀不可讀為工。用眼底不常見之字，謂為博聞；道人間不必有之言，謂為玄解。苟奇矣，理不必通；苟新矣，題不必合。斷聖賢語脈以就己之鋪敘，出自己意見以亂道之經常，白日青天之下，為杳冥魍魎之談，此世間一怪異事也。夫出險僻奇怪之言，而謂其為正大光明之士；作玄虛浮蔓之語，而謂其為典雅篤實之人也，可乎？[47]

又說：

> 邇來士子雖皆以經書為本業，而務明理淹貫者鮮矣。高者工藻繢，下者習剽竊，巧者務摘題，拙者專記誦。即有孳孳矻矻以窮年，佼佼錚錚稱雋才者，猶或家不蓄史鑒，目不睹性理，而已裒然與計偕、預廷對，及問以他事，則茫不能知焉，直至登第後，始幡然有意學古，亦晚矣。[48]

科場競爭激烈，士子為求科考中式，科場文字逐漸趨向奇詭，而坊間書坊紛紛刊刻市場通俗科舉用書，更加增益詭僻浮薄，怪異不經，初學者卻轉相仿效。禮部尚書馮琦（1558-1604）也上疏說：

> 國家以經術取士，自《五經》、《四書》、《性》、《鑑》、正史而外，不列於學宮，不用以課士，而經書傳註又以宋儒所訂者為準，蓋即古人罷黜百家，獨尊孔氏之旨，此所謂聖真，此所謂王制也。自人文向盛，士習寖漓，始而厭薄平常，稍趨纖靡，纖靡不已，漸騖新奇；新奇不已，漸趨詭僻，始猶附諸子以立幟，今且尊二氏以操戈，背棄孔孟，非毀程、朱，惟《南華》、西竺之語是宗，是競以實為空，空為實，以名教為桎梏，以紀綱為贅疣，以放言恣論為神奇，以蕩棄行檢、掃滅是非廉恥為廣大，取佛經言心言性略相近者竄入於聖言，取聖言有空字無字者，強同於禪教。嗟乎！聖經果如此解乎？士子制義以聖人口氣傳聖人之神耳，聖人之世曾有此語意否乎？夫學官所列，至要亦至詳，童而習之，白首未必能窮，世間寧有經史不能讀，而於經史之外博極群書之理？棄本業之精髓，拾遺教

47 〔明〕沈鯉撰：《亦玉堂稿》（臺北市：臺灣商務印書館，影印文淵閣《四庫全書》本，1986年3月），集部第1288冊，卷1，〈正文體疏〉，頁17上-18下。

48 〔明〕沈鯉撰：《亦玉堂稿》（臺北市：臺灣商務印書館，影印文淵閣《四庫全書》本，1986年3月），集部第1288冊，卷3，〈學政條陳疏〉，頁8上-8下。

之殘膏，譬如以中華之音雜魋結之語，語道既為踳駁，論文又不成章，世道潰於狂瀾，經學幾為榛莽。」[49]

朝廷設科取士，本旨在「罷黜百家，獨尊孔氏之旨」，最後士習寖漓，由厭薄平常進而追求纖靡奇，詭僻以附諸子二氏，背棄孔孟，非毀程朱，可說是始料不及者。萬曆年間，儒學生員為數眾多，人人都希望透過科舉考試以入仕行道，然名額有限，致競爭相當激烈，嚴嵩（1480-1567）就曾說「祿與位，世所慕以為榮者也。父母以是望其子，子之欲孝者，以謂非是無以慰悅其父母之心，讀書為學，纂言為文，凡以為仕祿之具而已。是故雖有賢者，不能以自振也。」[50]科舉取士試以經義，「使八股文經學化，可驅使天下讀書人去熟讀精研儒家經典，使其在儒家經典的日浸月染之下，自覺地接受儒家思想觀念。」[51]最後卻因科場文字的日趨浮靡詭僻，士習也日驅澆漓，風氣變得虛偽浮誇。以致科舉取士被後人批評為箝制思想的制度，與秦始皇焚書坑儒相提並論，清初顧炎武就批評「秦以焚書而《五經》亡，本朝以取士而《五經》亡。」又說：「八股之害等於焚書，而敗壞人材，有甚於咸陽之郊所坑者但四百六十餘人也。」「自八股行而古學棄，《大全》出而經說亡。」[52]顧氏深感國破家亡百姓罹禍之痛，所言雖稍嫌屬激憤不實之言，不完全符合實際情況，然其所提出的論調仍值得後人深思，讓後學加以關心深入探究。

三　《書集傳》與明代科舉之關係

根據洪武十七年（1384）所頒行之『科舉成式』所定，「考試之法，大略損益前代之制」[53]，考試內容及考試範圍多沿襲元制，首場經義試以《四書》及《五經》，傳註以宋儒之說為宗，又皆參用古註疏。《書》主蔡氏《傳》及古註疏，等到永樂年間頒行《四書五經大全》，《書傳大全》刪去古註疏不附，專主蔡沈《書集傳》。清代《四庫全書總目》云：

案明科舉之例，諸經傳註皆因元制用宋儒，然程子作《春秋傳》未成，朱子又未註，《春秋》以胡安國學出程子，張洽學出朱子，《春秋》遂定用二家。蓋重其所

49 〔明〕馮琦撰：《宗伯集》（北京市：北京出版社，《四庫禁燬書叢刊》影印明萬曆間刻本，2000年1月），集部第16冊，卷57，〈為重經術袪異說以正人心以勵人材疏〉，頁1下-2上。

50 〔明〕嚴嵩撰：《鈐山堂集》（臺灣臺南縣：莊嚴文化事業公司，《四庫全書存目叢書》影印明嘉靖二十四年刻增修本，1997年6月），集部第56冊，卷19，〈贈胡用甫序〉，頁11上。

51 龔篤清撰：《明代八股文史》（長沙市：嶽麓書社，2015年1月），頁13-14。

52 〔清〕顧炎武撰、黃汝成集釋、欒保群、呂宗力校點：《日知錄集釋》，卷16，〈擬題〉，頁945-946。

53 《明太祖實錄》（臺北市：中央研究院歷史語言研究所，1966年9月），卷55，頁1084。

> 出之淵源，非真有見於二人之書果勝諸家也。後張《傳》以文繁漸廢，胡《傳》竟得孤行，則又考官舉子共趨簡易之故，非律令所定矣。[54]

四庫館臣以為《四書》、《五經》的傳註，皆遵循宋儒一家之說為主，惟有《春秋經》，程子、朱子皆未有《春秋》的註解，又以胡安國學出程子，張洽學出朱子，《春秋》不得已採用胡安國、張洽二家之傳。《四庫全書總目》又云：「有明二百餘年，雖以經文命題，實以傳文立義。」[55]《尚書》義考試雖專主蔡沈《書集傳》，以蔡沈的注解為尚，卻刪去《尚書》古註疏不讀，造成士子在《書》義考試時，試卷所寫的義理闡釋專以蔡沈《書集傳》為主。

南宋大儒朱熹（1130-1200），祖述二程學說，於《四書》及《易》、《詩》、《禮》各有注解，唯獨於《書》、《春秋》二經未有注解。晚年嘗欲仿《詩集傳》撰寫《書集傳》，唯晚年精力衰耗，無力再整理注解事宜，先後命門人李時可、李相祖、陳埴、謝誠之等人編撰《書集傳》。「逮卒前一年，見蔡仲默（沈）研習《尚書》有成，堪託付，乃專屬諸蔡。」[56]蔡沈（1167-1230）於慶元五年己未（1199）承朱子之命撰書，參考眾說，融會貫通經傳義理，歷經十年時間，至嘉定二年己巳（1209）成書。其子蔡抗（1193-1259）云：「此書皆是朱熹之意。朱熹晚年訓傳諸經略備，獨《書》未有訓解。以先臣從游最久，遂授以大意，令具稿而自訂正之。今朱熹刪改親筆，一一具存。」[57]宋宗室修撰兼侍講趙汝騰（？-1261）也在〈後省看詳〉稱譽其書說：「蔡君沈《書解》得於朱文公之指授，義理周浹，事證精切，多諸儒之所未講。其言聖賢傳心之法，帝王經世之具，天人會通之際，政治沿革之原，世變升降，民心離合，莫不得其指要，真足以垂世傳遠。」[58]宋末元初之際，受朱熹學術廣泛傳播於大江南北之影響，蔡沈《書集傳》得到接受，進而得以普遍流傳。逮及元仁宗皇慶二年（1313）下詔規定科舉程式，《書》義規定用蔡沈《書集傳》，並兼用古註疏。從此之後，《書集傳》成為元、明、清三代數百年間科舉考試《尚書》的定本。[59]

---

54 〔清〕紀昀等撰：《欽定四庫全書總目》（臺北市：藝文印書館，1969年3月），第1冊，卷31，「春秋類存目」，頁49上-49下。

55 〔清〕紀昀等撰：《四庫全書總目》，卷28，「《春秋大全》條」，頁230。

56 見程元敏先生撰：〈朱熹蔡沈師弟子《書序辨說》板本徵乎〉，《經學研究論叢》第3輯（1995年4月），頁62。

57 見〔宋〕蔡抗撰：〈淳祐丁未八月二十六日臣抗面對延和殿所得聖語〉，文見（宋）蔡沈撰，嚴文儒點校：《書集傳》，收入《朱子全書外編》（上海市：華東師範大學出版社，2010年9月），〈附錄一〉，頁271。

58 〔宋〕趙汝騰撰：〈後省看詳〉，文見（宋）蔡沈撰，嚴文儒點校：《書集傳》，收入《朱子全書外編》（上海市：華東師範大學出版社，2010年9月），〈附錄一〉，頁272。

59 有關元人經注纂修及蔡沈《書集傳》地位提升問題，可參見廖穎撰：《元人諸經纂疏研究》（上海市：華東師範大學碩士論文，2006年）及許育龍撰：《宋末至明初蔡沈《書集傳》文本闡釋與經典地位的提升》（臺北市：臺灣大學中國文學研究所博士論文，2012年6月）。

明代科舉制度中之鄉試及會試，例分三場試士，首場試經義，除《四書》義必考外，《五經》屬「分經取士」，經義屬選考性質，應試者可於《五經》中任選一經應考，《尚書》長期以來均為明代士子選考頗多的學科。古代眾多學者常告訴我們「明代儒生以時文為重，時文以《四書》為重。」[60]今人又有專文研究重首場現象[61]，然明人張元禎（1437-1506）在〈弘治十八年會試錄序〉云：「命題惟明白正大，不困以所難知。校閱雖本之初試，而去留實以中末二試決焉。」[62]以往傳統學術觀點告訴我們，明人對於《四書》、《五經》，認為士子大都專注於《四書》研讀，以致較忽略經籍的研讀，經義數量遠不及《四書》，精熟程度亦不及《四書》。明代陳弘緒（1597-1665）就說：「今帖括家往往以全力用之《書》藝，而以餘力及其所治之經，故經藝恆減《書》藝之半。」《書》藝指《四書》義，說明明代士子因《四書》義為所有人必考的科目，遂用全力準備《四書》藝，才以餘力治經，遂導致《五經》經義數量遠不及《四書》藝。但明代科舉取士所留下的經義數量，雖未有精確統計，數量仍相當多。限於時間只能以《會試錄》留下來《尚書》義，探討《尚書》經義內容，及應舉士子如何闡述蔡沈《書集傳》內容。

四　《尚書》義內容之分析

前人批評明代的科舉制度，大都以八股取士來稱呼它，後人以偏概全的觀念，與實際情形並不相符。以初場的《四書》、《五經》而言，體製就經歷許多變化。清初方苞（1668-1749）《進四書文選表》：

> 明人制義，體凡數變：自洪、永至化、治，百餘年中，皆恪遵傳註，體會語氣，謹守繩墨，尺寸不踰。至正、嘉作者，始能以古文為時文，融液經史，使題之義蘊，隱顯曲暢，為明文之極盛。隆、萬間，兼講機法，務為靈變；雖巧密有加，而氣體苶然矣。至啟禎諸家，則窮思畢精，務為奇特，包絡載籍，刻雕物情，凡胸中所欲言者，皆借題以發之；就其善者，可興可觀，光氣自不可泯。凡此數種，各有所長，亦各有其蔽。[63]

明代科舉分三場試士，由於「凡論而表而策，最近古而易撰。其於經書義稍遠古而難

---

60 〔清〕紀昀等撰：《四庫全書總目》，卷37，「《四書人物考》條」，頁14上。

61 參見侯美珍撰：〈明清科舉取士「重首場」現象的探討〉，《臺大中文學報》第23期（2005年12月），頁323-368。

62 〔明〕張元禎撰：〈弘治十八年會試錄序〉，見天一閣博物館編：《天一閣藏明代科舉錄選刊．會試錄》（寧波市：寧波出版社，2007年11月），頁4上。

63 〔清〕方苞撰，《欽定四書文》（台北市：臺灣商務印書館，1986年3月，影印文淵閣《四庫全書》本），「凡例」，頁1上-1下。

工。天下之為力於論表策者十之三，而為力於經書義者十之七而猶不足。」[64]後二場近古而易撰，而經書義稍遠古而難工，天下讀書人都致力於初場經書義的專研學習。又因「時義之為經五而為書四，《五經》人各治一，而《四書》則共治之」，以致天下的讀書人將全部精力的十之七都用在《四書》義的探究學習。

明代科舉經義，制採取分經士，《尚書》為五經選考科目之一，自明初以來即為士子選考的熱門經書科目。[65]明代會試的錄取額數，各科人數不一。少者僅三十二人（洪武二十四年辛未科），多者達四百七十二人（洪武十八年乙丑科及永樂二年甲申科）。錄取試卷今大多已不可見，可見者僅有保存在《會試錄》中優秀佳者。丘濬（1420-1495）曾說：

> 文章關氣運之盛衰，而科場之文為基。蓋科場之文，乃一世所尚者。上以此取人，以為一代輔治之具；下以此為業，以為一生進用之階，非徒取其能文而已。蓋將因其文以叩其人心之所蘊，才之所能，識之所及。由是用之，將藉之以輔君澤民，修政立事，不苟然也。[66]

丘氏認為科場文章為天下讀書人所共同崇尚追求者，朝廷以此選拔人才，作為施政輔治之具。而士子則以此為業，作為「一生進用之階」，文章關係到國家氣運的盛衰，關涉政治的治亂安危之機，古人莊重看待這一代盛典，其中自有深意在。分析現存明代各科《會試錄》所刊載的《尚書》題目及程文，其文章的風格及其選錄情形為何？

（一）闡發《尚書》經義，須融會傳註以成文

科舉制度係國家用以選拔各層級統治管理人才，屬一代隆重盛典。其命題、評閱試卷及錄取事務，例由禮部職掌，而翰林院官員負責兩京鄉試及會試主考，以及《鄉試錄》、《會試錄》的編選及程文審閱修訂工作，影響明代科舉文風。科舉考試競爭相當激烈，參加考試的士子人數眾多，而錄取員額相當有限，為求中式錄取，造成試場文風的轉變。科舉文字雖隨時代不同而有所差異，文詞或「簡而質」，或「雅而暢」，或「蔚以昌」，然大原則在「經書傳註以宋儒所訂為準」，「經義融會題意，依經講解」。此種意見屢見於考試官的評語中。林希元（1482-1567）就說：「（明）經義融會題意，依經講

64 〔明〕王世貞撰：《弇州四部稿》（臺北市：臺灣商務印書館，1986年3月，影印文淵閣《四庫全書》本），集部第1280冊，卷70，〈四書文選序〉，頁27下。

65 明代選考五經的情形，可參閱侯美珍所撰：〈明代會試《詩經》義出題研究〉，《臺大中文學報》第38期（2012年9月），頁10-15。

66 〔明〕丘濬撰，林冠群、周濟夫校點：《大學衍義補》（北京市：京華出版社，1999年4月），卷9，〈正百官：清入仕之路〉，頁77。

解，絕無碎破之病，其法視宋實為過焉。」[67]明代《尚書》義考試題目雖出自《尚書》經文，而註解則規定以宋儒蔡沈《書集傳》及古註疏為準，考生可根據傳註的解釋，掌握傳註義旨去進行經義內容的闡述。

綜觀現今傳世之《會試錄》，其選錄之《尚書》義考生範文，常可見考試官評語屢屢點出該題作文之關要處，且說明作者能融會傳註而成文者。如明英宗天順七年（1463）會試，《會試錄》選用第十二名考生文深的墨卷，當年考題為：〈善無常主，協于克一。俾萬姓咸曰大哉王言，又曰一哉王心〉，題目出自偽古文〈咸有一德〉。同考試官黎淳對文深的試卷評語為：「此題本易曉，場中作者多詞勝理，求其融會傳註而成文者，僅此篇耳。」黎淳以為《尚書》義試題內容要求考生據傳註之釋義去作詞理兼具的闡釋，然而大多數考生均無法融會傳註而成文，以致造成「詞勝理」的現象，黎淳藉著《尚書》義評語，明白點出寫作此題的要點，寫作應注意的要旨所在，以提供天下士子作為學習參考。

又明孝宗弘治十二年（1499）會試，《尚書》義題目為：〈德無常師，主善為師。善無常主，協于克一〉。考生王蓋的試卷內容為：

> 博而求之于眾理，約而會之于一原，此取人為善之要也。
>
> 蓋取善貴乎博而能約也，使知有以求之而不知所以會之，亦豈得其要也哉！昔伊尹之告太甲，若曰
>
> 天下之理，自一本而殊觀之，其分布散見之在人者，未嘗一也。求之不博，則所得有限而無積累之地，其為德也狹矣。故德之所在，不可執一以為師也，惟善之是主焉。善在此而吾師之，則此之善即我之善也。善在彼而吾師之，則彼之善亦我之善也。旁求遠采，無一善之不聞；並蓄兼收，無一善之不獲。夫如是，則理之在人者取之多而能博矣。
>
> 天下之理，自萬殊而反觀之，其本原統會之在我者，未嘗不一也。斂之不約，則所得雖多而無歸宿之處，其為善也泛矣。故善之所在，不可執一以為主也，惟一能協焉。善無小大而能協之，則吾心之善皆天下之善也。善無多寡而能協之，則天下之善即吾心之善也。匯同包括，有以盡其大而無餘。契合渾融，有以極其純而不雜。夫如是，則理之在我者貫于一而能約矣。
>
> 始焉求其理於萬殊，終焉達其妙於一本，取人為善之要，豈復有餘蘊哉？抑尹之斯言，聖學之序也。
>
> 蓋其處也，誦詩讀書，樂堯舜之道而有得于精一之旨。

---

67 〔明〕林希元撰：《同安林次崖先生文集》（臺灣臺南縣：莊嚴文化事業公司，1997年6月《四庫全書存目叢書》影印清乾隆十八年陳臚聲詒燕唐刻本），集部第75冊，卷7，〈新刊《宋策》序〉，頁11上-11下。

其出也，以之左右成湯，咸有一德而極乎致澤之功。

其去也，復以之而告太甲。其堯舜君民之心，不以去就老壯而或異也。太甲守尹之訓，而克終厥德，為商令王，是又萬世為人主者之所當取法歟？[68]

王蓋為會試第三名，全文共四七一字，同考試官趙士賢對其試卷的評語：「此題義本精密，場中士子多體認不切，獨此作融會傳意，寫主善協一處甚明白，蓋亦文之精密者。」而另同考試官費宏的批語為：「取善之要，夫人能言之，然耳剽臆度，類無定見，獨此說理透徹，造語渾成，必用心於內之士。」[69]考官趙士賢以為場中士子對題目旨意關鍵之處多認識不夠貼切，無法針對題目主意「主善」、「協一」進行透徹而精僻的闡述。費宏亦認為題旨在取善之要，參考士子多數為「耳剽臆度，類無定見」，無法用心體認，說理透徹。

類似的評語要求，時常出現在《會試錄》中，可見當時對經義寫作的規範要求。至於其各經情形也大致相同，如正德九年（1514）會試時，當年《易》義試題：「君子敬以直內，義以方外，敬義立而德不孤。」考官孫紹先在批閱霍韜（1487-1540）《易》義試卷時，其批語云：「經生作經義，務引經語入講，令經旨反晦，甚或平日取經史成句屬辭，累牘相率為傳誦蹈襲，致經學益膚淺可厭。如是作者，何嘗旁引一字句，而詞旨故自邃密，良究心於獨得者，錄之。」[70]另兩位同考試官高滂批語云：「題本平易，傳義尤為明備，此作組織成文，而親切有味，蓋深有得乎君子之學者也。」翰林院編修景暘批語則云：「深邃典雅，經義之美，無如此篇，非徒騁浮辭而無得於內者所可到也。」[71]孫、高、景三位評語側重點雖有所不同，但在要求進行《易》義寫作時，要根據傳義取「組織成文」，不可一味「徒騁浮辭而無得於內者」，也不可「務引經語入講」，反而造成經旨隱晦不明。

何良俊嘗說：「夫經術所以經世務，故經術，本根也，世務皆由此出，不由經術而求世務之當，得乎？」[72]丘濬（1420-1495）也說：

今世科舉，初場試士以《五經》、《四書》，即此「習先聖之術」；終場策士以時

---

68 《明弘治十二年會試錄》，收入《天一閣藏明代科舉選刊．會試錄》（寧波市：寧波出版社，2007年11月），頁12下-14上。

69 《明弘治十二年會試錄》，收入《天一閣藏明代科舉選刊．會試錄》（寧波市：寧波出版社，2007年11月），頁12上-12下。

70 《正德九年會試錄》，收入《天一閣藏明代科舉選刊．會試錄》（寧波市：寧波出版社，2007年11月），頁9上。

71 《正德九年會試錄》，收入《天一閣藏明代科舉選刊．會試錄》（寧波市：寧波出版社，2007年11月），頁9上。

72 〔明〕何良俊撰：《四友齋叢說》（北京市：中華書局，1997年11月），卷1，頁1。

務，即此「明當世之務」。[73]

經書記載為聖賢往行思想之經典，明代學者深信通經術則可以經綸世務，故明太祖設科舉以取士，初場考經書義理，目的在得經明行修之士，以作為治國之人才。薛瑄（1389-1464）就曾在〈會試錄序〉說：

為治莫先于得賢，養士不本于正學，而正學者復其固有之性而已。性復則明體適用，大而負經濟之任，細而釐百司之務。[74]

透過會試錄保存之卷子，可見明代藉科舉考試經典評閱，強烈要求士子深體經書傳註之義涵，發揮聖賢之理，遵循聖賢之言行行事，「隨所學以就功名」[75]，以養士於正學，最後普遍形成明代士子的風骨與氣節。

（二）文體以醇正典雅明白通暢為主

明太祖興兵驅逐胡元，建立新政府，鑒於元代文壇奇博的積弊，凡是任用擢升詞臣，皆要求詞臣文字以「渾厚醇正」為宗。[76]且明言古人寫作文章，「或以明道德，或以通當之世務，如典謨之言，皆明白易知，無深怪險僻之語」。[77]受到朱元璋的要求，明代初期的科舉文風崇尚質樸，辭理明暢。如《建文二年會試錄》《書》義題目：「惟王不邇聲色，不殖貨利，德懋懋官，功懋懋賞。用人惟己，改過不吝，克寬克仁，彰信兆民。」（《尚書・仲虺之誥》）刊刻時程文選錄第三十二名考生鄭鎬的試卷，考官的評語「詞理明暢」、「皆平正」。而《宣德五年會試錄》《書》義考官評語為「經義貴平正精實，無浮詞，無冗意」。《宣德八年會試錄》《書》義考官評語則為「深得經意，辭理明暢」，皆呈現出明初科場文字崇尚辭理平正明暢，文字質樸的典雅風氣。

隨著明代科舉考試競爭激烈，士子為求科考中式，竭盡心思，務為奇特險怪以試圖博取考官的青睞。自中葉以後，士子寫作風氣的發展，常隨著科場文風的變化而產生變化，無論在思想內容、寫作技巧以及辭藻修飾，逐漸詭僻浮華。當時官員屢次針對科場

73 〔明〕丘濬撰，林冠群、周濟夫校點：《大學衍義補》（北京市：京華出版社，1999年4月），卷9，〈正百官：清入仕之路〉，頁75。

74 〔明〕薛瑄撰：《薛文清公文集》（臺北市：臺灣商務印書館，1973年12月），卷17，〈會試錄序〉，頁17上。

75 〔明〕薛瑄撰：《薛文清公文集》（臺北市：臺灣商務印書館，1973年12月），卷17，〈會試錄序〉，頁17上。

76 〔明〕黃佐撰：《翰林記》（臺北市：臺灣商務印書館，影印文淵閣《四庫全書》本），1986年3月），集部第596冊，卷11，〈正文體〉，頁9上。

77 《明太祖實錄》卷40，「洪武二年三月戊申」條，頁810。

文體弊端提出批判，上奏朝廷要求予以糾正。嘉靖十一年（1532）禮部尚書夏言（1482-1548）就針對「變文體以正士習」提出建言，他說：

> 國家建學校聯師儒，以教養天下之學者，既乃設科目較文藝，以網羅天下之成材。自祖宗以來，百六十年于茲，造士求才之法可謂盡善極美是以經術日明文運日昌。蓋至於成化、弘治間科舉之文號稱極盛，凡會試及兩京鄉試所刻文字，深醇典正，蔚然炳然，誠所謂治世之文矣。近年以來，士大夫學為文章，日趨卑陋，往往剽掇摹擬《左傳》、《國語》、《戰國策》等書，蹈襲衰世亂世之文，爭相崇尚，以自矜眩。究其歸，不過以艱深之詞飾淺近之說，用奇僻之字蓋庸拙之文，如古人所謂減字、換字之法云耳。純正博雅之體，優柔昌大之氣，蕩然無有，蓋自正德末年而此風始熾。[78]

夏氏認為成化、弘治年間為科舉文章極盛時期，文字「深醇典正，蔚然炳然」，而正德、嘉靖之間，士大夫所撰寫的文章，文風逐步由典雅平正趨向浮靡卑陋，又往往喜愛「剽掇摹擬《左傳》、《國語》、《戰國策》等書」文字，爭相倣效蹈襲，「以艱深之詞飾淺近之說，用奇僻之字蓋庸拙之文」相矜眩，互相標榜。徐階（1503-1583）在嘉靖三十二年（1553）〈會試錄序〉就明白將明代士子科舉文風演變劃分為三個階段，徐氏說：

> 嘗購往時所謂舉業之文觀之，大抵宣德以前，其詞簡而質。弘治以前，其詞雅而暢。至正德間，其詞蔚以昌矣。然厭棄師說而流於詭僻騖於怪奇者亦間有之。乃今閱多士所為文，率能發抒所自得，而實未嘗違背經傳及逸而出於繩墨。[79]

徐氏認為舉業文風在「宣德以前，其詞簡而質。弘治以前，其詞雅而暢。至正德間，其詞蔚以昌矣。」徐氏認為科場文字「厭棄師說而流於詭僻騖於怪奇者」的風氣開始產生於明武宗正德年間。自此以後，江河日下。針對科場弊端，朝廷屢次諭示，嘉靖六年（1527）奏准「科場文字務要平實典雅，不許浮華險怪，以壞文體。」嘉靖十七年（1538）題准「會試校文，務要醇正典雅，明白通暢，合于程式者方許取中。其有似前駕虛翼偽、鉤棘軋茁之文，必加黜落。」[80]

袁宏道（1568-1610）在萬曆三十七年（1609）典試陝西鄉試時，撰〈陝西鄉試錄序〉談及明代士子科舉文字情形，以為經義文風可分為三個階段，袁氏說：

---

78 〔明〕夏言撰：《夏桂洲先生文集》（臺灣臺南縣：莊嚴文化事業公司，1997年6月，《四庫全書存目叢書》影印明崇禎十一年吳一璘刻本），集部第74冊，卷12，〈請變文體以正士習等事疏〉，頁27下。

79 〔明〕徐階撰：〈會試錄序〉，《嘉靖三十二年會試錄》，收入《天一閣藏明代科舉錄選刊．會試錄》（寧波市：寧波出版社，2006年12月），頁3下-4上。

80 〔明〕申時行（1535-1614）等修，趙用賢（1535-1596）等撰：《大明會典》（上海市：上海古籍出版社，《續修四庫全書》影印明萬曆內府刻本，2002年3月），史部第790冊，卷77，〈科舉〉，頁15下。

> 洪、永之文簡質，當時之風習，未有不儉素真至者也。弘、正而後，物力漸繁，而風氣漸盛，士大夫之莊重典則如其文，民俗之豐整如其文，天下之工作由朴而造雅如其文。嘉、隆之際，天機方鑿，而人巧方始。然鑿不累質，巧不乖理，先輩之風猶十存其五六，而今不可得矣。臣嘗以今日之時藝，與今日之時事相比較，似無不合者。士無蓄而藻績日工，民愈耗而淫巧奇麗之作日甚。薄平淡而樂深隱，其頗僻同也；師新異而鶩徑捷，其跳越同也。[81]

袁宏道將明代分洪武、永樂以後，弘治、正德以後，嘉靖、隆慶之際，三個階段，科場文風由洪、永「簡質」，轉為弘、正「莊重典則」，進而嘉靖、隆慶之際「淫巧奇麗」，士子普遍形成「薄平淡而樂深隱」，「師新異而鶩徑捷」的險怪詭僻文風。

明代翰林院官員由於兼管試務，也負有矯正文風的責任。對當時的科場風氣，翰林官員就時常藉著鄉試、會試命題閱卷時，將規範文風的意見書寫於考生的試卷評語上，藉著《鄉試錄》、《會試錄》的刊載流通全國，其衡文的思想觀念也流傳於全國，影響天下士子的閱讀及寫作習慣，此種文風變化的現象，透過《會試錄》考官的評語也可以觀察到。如《正統十三年會試錄》，考官徐珵評考生李英《書》義：「經義之作，所以明理，貴乎辭足以達而已，奚以新奇為哉？連日閱卷，作者固多，然非冗則巧，令人厭之。此卷七篇純潔如一，不巧不冗，而考績一題於主意尤有發明，故表而出之。」徐氏認為經義文章，貴在明理辭達，不必追求新奇。

又如《成化十一年會試錄》《尚書》義試題「三載考績，三考，黜陟幽明。」（《尚書》〈舜典〉）同考試官劉元評說：「此題最平易，但作者不冗則略，不腐則奇，辭當理盡，僅見此篇，是宜錄出。」另一同考試官編修尹龍批第二名金楷的程文：「此篇明爽通暢，琅然一誦，人人能知而能道之，但場中諸作能彷彿者少，是用錄出，以矯近時詭異艱深之弊。」兩位考官分別針對當時士子的流弊提出批判，劉元指責士子經義文字易流於浮冗的惡習。而尹龍則批評當時文字喜追求詭異艱深之弊病。

明代士子寫作風氣的發展，常隨著科場文風的變化而產生變化，《弘治十二年會試錄》《尚書》義：「次五曰建用皇極」一題，考生卜同的程文，趙士賢批語〈弘治十二年會試錄序〉：「此題義本精密，場中士子多體認不切，獨此作融會傳意，寫主善偽一處甚明白，蓋亦文之精密者。」費宏語在另一題：「今王惟曰先王……子子孫孫永保民」，評說：「長題不難成篇，諸作多亂雜可厭，其務為簡短者，則又將題上字一併節去，惟此篇豐約中度，經義之優者也。」[82]通過趙士賢、費宏兩考官的評語，分別點出當時天下

---

81 〔明〕袁宏道撰，錢伯城箋校：《袁宏道集箋校》（上海市：上海古籍出版社，2008年4月），卷54，〈陝西鄉試錄序〉，頁1530。

82 〔明〕費宏撰：〈弘治十二年會試錄序〉，《弘治十二年會試錄》，收入《天一閣藏明代科舉錄選刊．會試錄》（寧波市：寧波出版社，2007年11月），頁3上-3下。

士子大多數為文已不能「融會傳意」，又喜愛浮誇繁冗，以致文章顯得亂雜，令人厭觀。通過觀察上述幾條《會試錄》考官評語，顯示明代科場文風，從明初的質樸明白篤實，經過百餘年時間的變化，已變得詭異艱深、繁冗浮雜，士子靡然成風，令人厭觀的地步。文風的頹壞必然使士風趨向浮誕詭僻，古人常云言為心聲，行為心跡，「文之在人，實關乎行，在天下則政治繫之。」[83]文章記載人類的思想言行，經義文風的良窳，關涉到士習風教，影響所及會改變讀書人的價值觀念，士子經科考入仕，最終將會導致整個政治風氣的敗壞。明代從中期以後，有識之士就不斷上陳朝廷端正文體文風以糾正士習，實基於「純正典雅之詞，不出傾邪側媚之口；怪誕險詖之說，必非坦夷平直之衷。」[84]嘉靖年間，張天復（1513-1573）就說：

> 國朝取士之制，去古雖遠，要於孔氏之科為近也。其所定時義，將以羽翼六經而黜百家，是以專主宋儒之論，而典要歸於說理。夫說理者屏浮夸、絕綺麗，與詞賦之習異。士之肄之者，探蘊奥，約指趣，隱括以程度而敷暢之，故意精而詞粹，氣融而格嚴者，世以為雅馴，而獨稱正傳。[85]

馮琦（1558-1604）就說：

> 國家以經術取士，自《五經》、《四書》、《性》、《鑑》、正史而外，不列於學宮，不用以課士。而經書傳註又以宋儒所訂為準，蓋即古人罷黜百家，獨尊孔氏之旨。[86]

明代科舉取士，初場以經義試士，後人屢有批評，甚者以為是明太祖的作法，使「士以為爵祿所在，日夜竭精敝神以攻其業。自《四書》一經外，咸束高閣，雖圖史滿前，皆不暇目，以為妨吾之所為。」[87]是明太祖愚天下人民的工具，以僵固天下士子的思想。從張天復、馮琦兩人站在維護朝廷立場的說法，明代以經術取士，「《五經》、《四書》、《性》、《鑑》、正史而外，不列於學宮，不用以課士」，又經書傳註又專主以宋儒所詮釋者為準，目的在羽翼儒家經典，罷黜百家，使經書明義理的功能得以發揮。明代留存下來的《會試錄》中，考官的評語，不僅指陳理解經書章句意旨的要點，也經常強調經義

83 〔明〕李東陽撰：〈弘治十二年會試錄序〉，《弘治十二年會試錄》，收入《天一閣藏明代科舉錄選刊・會試錄》（寧波市：寧波出版社，2007年11月），頁5上-6上。

84 《明神宗實錄》卷275，「萬曆二十年七月己卯」條，頁5087。

85 〔明〕張天復撰：《鳴玉堂稿》（上海市：上海古籍出版社，《續修四庫全書》影印明萬曆八年陳文燭刻本，2002年3月），集部第1348冊，卷1，〈刻四書正傳選義引〉，頁22上-22下。

86 〔明〕馮琦撰：《宗伯集》（北京市：北京出版社，《四庫禁燬書叢刊》影印明萬曆間刻本，2000年1月），集部第16冊，卷57，〈為重經術祛異說以正人心以勵人材疏〉，頁1下。

87 〔清〕廖燕（1644-1705）撰，林子雄點校：《廖燕全集》（上海市：上海古籍出版社，2005年3月），卷1，〈明太祖論〉，頁13。

文章除要融會傳註成文外，再三標榜文體寫作要「醇雅平正」、「明白通暢」。透過觀察《會試錄》載錄的考生經義及考官評語，可反映出明代科場文風的變化與發展情形。

五　結論

根據前面的論述，我們可得出以下幾點結論：

其一，明代科舉考試目的在透過科舉考試取才的方式，選拔符合理想治國才俊之士，以所學措諸行事，尋找「經明行脩，博古通今，文質得中，名實相稱」者。三場試士目的在「為經書義以觀理，為論以觀識，為表以觀詞，為策以觀蓄」，首場的經義，因經義內容先王聖賢經典。透過經義所發揮之思想，可觀察應試士子通經致用之義理之學，士子中心思想所在，也是其根本的政治理念所在。

其二，明代科舉考試科目沿襲宋元，專取四子書及《易》、《書》、《詩》、《春秋》、《禮記》五經命題試士。文略仿宋經義，文體代古人語氣為之，體用排偶，謂之制義。據科舉定式，初場試《書》義，《書》主蔡氏《傳》及古註疏。永樂間，頒《四書五經大全》，廢註疏不用，《書》才專主蔡沈《書集傳》。

其三，《尚書》記載帝王心法、治法，政府的典章制度，朝堂論議的基礎。明代科舉採「分經取士」制，《尚書》註解採用南宋蔡沈的《書集傳》。《尚書》為應試士子比較喜歡選考的科目之一。考生考試時，依經傳註講解，意見屢見於考試官的評語中。

其四，明代科場風氣，因士子參加應考人數眾多，競爭激烈，為求中式入仕，士子經義文字常互相倣效模仿，造成浮冗詭異艱深之弊病。考官時常藉著鄉試、會試命題閱卷時，批評文風的意見書寫於考生的試卷評語上，要求士子寫作文章應以融會傳註，說理明爽通暢，辭當理盡，平正明理，以矯正當時詭異艱深之弊病。

附錄　五經錄取人數排名表

年號	錄取人數	易	書	詩	禮	春秋	排列先後
建文二年	109	19	35	33	5	17	書詩易春秋禮
宣德五年	100	21	32	24	11	12	書詩易春秋禮
宣德八年	100	22	30	26	12	10	書詩易禮春秋
正統元年	100	18	30	26	15	11	書詩易禮春秋
正統四年	100	19	28	27	14	12	書詩易禮春秋
正統七年	150	27	43	42	20	18	書詩易禮春秋
正統十年	150	27	42	41	20	20	書詩易禮春秋
正統十三年	150	25	42	42	19	18	書詩易禮春秋
景泰二年	200	34	59	59	24	24	書詩易春秋禮
景泰五年	350	65	107	100	39	39	書詩易春秋禮
天順四年	150	27	42	47	18	16	詩書易禮春秋
天順七年	250	46	73	80	24	27	詩書易春秋禮
成化二年	350	64	96	117	34	39	詩書易春秋禮
成化八年	250	47	70	83	24	26	詩書易春秋禮
成化十一年	300	57	83	104	27	29	詩書易春秋禮
成化十七年	300	63	78	107	25	27	詩書易春秋禮
成化二十年	300	61	78	109	25	27	詩書易春秋禮
成化二十三年	350	74	88	135	25	28	詩書易春秋禮
弘治十五年	300	76	70	112	21	21	詩易書春秋禮
弘治十八年	300	78	70	108	23	21	詩易書禮春秋
正德三年	350	87	82	130	27	24	詩易書禮春秋
正德六年	350	92	80	134	23	21	詩易書禮春秋
正德九年	400	106	90	151	26	27	詩易書春秋禮
正德十二年	350	95	79	129	22	25	詩易書春秋禮
正德十五年	350	89	77	122	20	23	詩易書春秋禮
嘉靖二年	400	109	85	151	25	30	詩易書春秋禮

嘉靖八年	320	86	71	116	21	26	詩易書春秋禮
嘉靖十一年	320	89	71	114	19	27	詩易書春秋禮
嘉靖二十年	300	84	64	108	19	25	詩易書春秋禮
嘉靖二十三年	320	90	70	114	20	26	詩易書春秋禮
嘉靖二十六年	300	88	60	105	21	26	詩易書春秋禮
嘉靖二十九年	320	94	65	111	22	28	詩易書春秋禮
嘉靖三十二年	400	121	81	140	26	32	詩易書春秋禮
嘉靖三十五年	300	91	62	104	19	24	詩易書春秋禮
嘉靖三十八年	300	88	62	106	20	24	詩易書春秋禮
嘉靖四十一年	300	89	62	106	19	24	詩易書春秋禮
嘉靖四十四年	400	122	78	142	26	32	詩易書春秋禮
隆慶二年	400	122	78	145	26	29	詩易書春秋禮
隆慶五年	400	124	77	143	26	30	詩易書春秋禮
萬曆二年	300	90	61	106	19	24	詩易書春秋禮
萬曆五年	300	93	61	104	20	22	詩易書春秋禮
萬曆十四年	350	108	71	122	22	27	詩易書春秋禮
萬曆二十九年	300	91	64	102	10	23	詩易書春秋禮

明代翰林館課與儒家經世實政
——以王錫爵《國朝館課經世宏辭》為中心

連文萍
東吳大學中文系教授

提要

本論文以明代王錫爵等人所編《增定國朝館課經世宏辭》為論述中心，討論此書對於儒家經世理想的追求與實踐，以及所彰顯明代朝廷培養實政人才的具體作法。此書藉由彙編整合翰林院庶吉士館課的詩文創作成績，強調館課對經世理想的實踐，顯示翰林院的庶吉士教習成效，足以為國家培養經世濟民的人才。其方法包括在書名上凸顯館課的「經世」功能，在內容選取上擴大範圍，納入館課之外，明初名臣或未曾任職館閣的名臣詩文等，使全書更增份量，避免空談。但也因此造成是書選錄範圍過寬，是否可呈現庶吉士館課成效，或能真正鍾鍊庶吉士經世識見與才能，均不無爭議。但王錫爵以翰林大學士、館師之高位，纂編是書以著錄明代館課對儒家經世實政的追求與實踐，仍有其政治功能與價值。

關鍵詞：王錫爵　翰林院　館課　庶吉士　經世　明代

一　前言

明代的翰林院館課，是獨特的進士再教育制度，屬於科舉制度的延伸，遴選優秀新科進士為庶吉士，進入翰林院接受館師教習，以儲才蓄德，俾為國家大用。「館課」即為庶吉士日常的教習作業，包括詩與文二端。所謂「經世」，指經國濟民，亦稱「經濟」，[1]是儒家內聖外王思想的具體落實，[2]也是明代中期以後盛行的思潮。翰林館課可謂明代朝廷對儒家經世理想的追求與實踐，是儒者學而優則仕的一環，也是明代許多士人追求的人生榮顯。[3]

翰林院庶吉士在明世有「儲相」之目，[4]用世已是必然，惟其館課教習是否足以蓄養用世之能，仍多有爭議。有以為文章是經國大業，庶吉士館課以詩文詞章教習，可見出經世識見與方略。有以為館課須以心性涵養為主，培養品格端正的「真儒」，以為國家所用。又有以為心性與詞章可兼重，以聖人之學為教，文章則與之相互為用。但也有以為館課無助於庶吉士日後備顧問、贊機密，只是「糟粕」而已，甚至庶吉士亦曾出現

---

* 本文為科技部補助專題研究計畫（MOST 103-2410- H-031- 050）的部分研究成果，發表於《中國典籍與文化》（2016年1期，頁111-117，2016年1月）。

1 關於經世的定義，請參見王爾敏：〈經世思想之義界問題〉（《近代史研究所集刊》第13期，頁31、32，1984年6月）。學界對明清二代經世思想的研究成績甚夥，可參考丘為君等〈戰後臺灣學界對經世問題的探討與反省〉（《新史學》第7卷第2期，頁181-229，1996年6月）；區志堅：〈從明人論著經世文編略探明代經世思想的涵義──兼論近人對經世思想的研究〉（《中國文化研究》，1999年春之卷，頁92-99，1999年）；解揚：〈近三十年來有關中國近世「經世思想」研究評述〉（《新史學》，第19卷第4期，頁121-149，2008年12月）。

2 余英時：《歷史與思想》（臺北市：聯經出版公司，1976年），〈清代思想的一個新解釋〉，頁138提到：「儒家的外王理想最後必須要落到『用』上才有意義，因此幾乎所有的儒者都有用世的願望。」

3 明代翰林院庶吉士相關研究頗多。其中如顏廣文：〈明代庶吉士制度考評〉（《華南師範大學學報》1993年4期，頁83-89，1993年）、吳仁安：〈明清庶吉士制度述論〉（《史林》1997年第4期，頁33-39，1997年4月）、鄒長清：〈明代庶吉士制度探微〉（《廣西師範大學學報》第34卷第2期，頁68-74，1998年6月）等，討論庶吉士制度的發展沿革。簡錦松：《明代文學批評研究》（臺北市：臺灣學生書局，1989年）、黃卓越：《明永樂至嘉靖初詩文觀研究》（北京市：北京師範大學出版社，2001年12月）述及庶吉士考選問題。郭培貴：《明史選舉志考論》（北京市：中華書局，2006年）考索明代選舉制度。張婷婷：《明代翰林館課卷研究》（天津市：南開大學中國古代史博士論文，2014年），討論歷科庶吉士館課。葉曄：《明代中央文官制度與文學》（杭州市：浙江大學出版社，2011年）、何詩海：〈明代庶吉士與臺閣體〉（《文學評論》2012年4期，頁42-49）等，析論庶吉士制度與官方文學的關係。筆者有〈明代翰林院的詩歌館課研究〉（《政大中文學報》第12期，2009年12月，按，此文收入《詩學正蒙──明代詩歌啟蒙教習研究》，臺北市：里仁書局，2015年），及〈進士再教育──王錫爵《皇明館課經世宏辭》的相關考察〉（《科舉學的提升與推進》武漢市：華中師範大學出版社，2015年9月）、〈明代館課教習與經世理想〉（臺灣師範大學國文系主辦「儒道國際學術研討會──（六）明清」，2014年11月1-2日）等，討論館課相關問題。

4 見張廷玉等纂：《明史》（臺北市：鼎文書局，1979年），卷70，〈選舉二〉，頁457。

不認同或不樂於學的情況。這些意見對於翰林院庶吉士館課制度多有挑戰。[5]

將翰林院館課與儒家經世思想具體聯繫，是徐階（1503-1583）所頒示〈示乙丑庶吉士〉。徐階，字子升，號少湖，松江華亭人，嘉靖二年（1523）進士，歷禮部尚書、東閣大學士，以翰林院館師的身份，對庶吉士館課多有擘畫。其為嘉靖四十四年（1565）庶吉士所頒示的規條〈示乙丑庶吉士〉，第一條首先彰顯翰林館課應以道德、政務為重：「君子之道必本諸身，今朝廷作養諸士，固將責以治平之業，使非卓然以古聖賢為師，修身以立其本，他日何由措諸政事、光佐治平？故諸士宜致力於此，辯義利，審好惡，使此心純乎天理之公，庶幾他日作為有可觀者」，[6]此規條強調庶吉士心性之端正，要求由修己做起。接著，第二條曉示翰林館課之文章以經世為貴：

> 文章貴經世，若不能經世，縱有奇作，已不足稱，況近來浮誕鄙庸之辭乎？故諸士宜講習《四書》《六經》，以明義理；博觀史傳，評騭古今，以識時務。而讀《文章正宗》、《唐音》、李杜詩，以法其體製，並聽先生日逐授書稽考，庶所學為有用。其晉唐法帖，亦須日臨一二幅，以習字學。[7]

結合第一條規條，可見明代翰林館課教習的設計，是由「修身之道」到「治平之業」，換言之，即要求庶吉士由「內聖」而「外王」，實踐「修身齊家治國平天下」的儒家理想。徐階將文章與經世連結並論，主要是翰林館課以詩、文寫作為教習及考評內容，如第三條規條謂：「每月先生出題六道，內文三篇、詩三首，月終呈稿斤正，不許過期。初二日、十六日，仍各赴內閣考試一次」。[8]顯示文章的教習與考評均以「經世」為目的，以考見庶吉士經世濟民的識見與方略，除了作為學習成效的檢驗，他日則可施用於實際政務，故謂「庶所學為有用」。

是故，翰林館課對儒家經世理想的實踐，是翰林院館師的重責大任。本論文選取萬曆間著名的館師王錫爵（1534-1610）等所編《皇明館課經世宏辭》為考察重點，此書為明代具代表性的館課彙編，足以見出王錫爵等人如何藉由此書的編選，力求凸顯館課教習的成效，以及對儒家經世理想的實踐，也可由小見大，呈現明代朝廷對於教育庶吉士熟習實政、達成用世理想的具體作法，一窺明代儒學理想與實踐的概貌。

---

5 關於時人對翰林館課的質疑，筆者〈明代翰林院的詩歌館課研究〉已有討論，可參考。

6 徐階：《世經堂集》（臺南市：莊嚴文化出版公司《四庫全書存目叢書》影印萬曆徐氏刊本，1997年），卷20，〈規條・示乙丑庶吉士〉第1條，頁47。

7 同前注，〈規條・示乙丑庶吉士〉第2條，頁47。

8 同前注，〈規條・示乙丑庶吉士〉第3條，頁47。按，赴內閣考試即閣試。

二　纂編動機與書名擬定

《國朝館課經世宏辭》全名《增定國朝館課經世宏辭》，於萬曆十八年（1590）由周曰校萬卷樓刊行，全書十五卷，卷首下署「太原王錫爵元馭父增定」、「四明沈一貫肩吾父參訂」，[9]其後又有續編《皇明館課經世宏辭續集》，[10]可謂明代深具代表性的館課彙編。王錫爵，字元馭，號荊石，南直隸太倉人，嘉靖四十一年（1562）會試第一、廷試第二，授編脩，侍經筵講讀，歷官南京國子司業、右春坊右中允等職。萬曆五年（1577）以詹事掌翰林院，擔任館師。萬曆十二年（1584）拜禮部尚書兼文淵閣大學士，入閣參機務。萬曆二十一年（1593）為首輔，萬曆二十二年（1594）致仕。沈一貫（1531-1615），字肩吾，號蛟門，浙江鄞縣人，隆慶二年（1568）進士，選庶吉士，授檢討，充日講官。萬曆三年（1575）升日講官兼翰林院編脩。萬曆十一年（1583）升左春坊左庶子，後歷官少詹事兼侍讀學士、吏部左侍郎、太子賓客等職。萬曆十七（1589）年起，召為翰林院館師教習庶吉士。萬曆二十二年（1594），以王錫爵、趙志皋（1524-1601）推薦，晉東閣大學士，入閣參機務。萬曆二十九年（1601）為首輔，萬曆三十四年（1606）致仕。政治事功之外，王錫爵與沈一貫俱有文名，尤熟稔經書制義。王錫爵「所為舉子業程試之文，天下誦之」，[11]沈一貫亦有「制義卓然名家」之稱。[12]

《增定國朝館課經世宏辭》的編纂，出於庶吉士教習的需求，在書名凸顯「經世」之要旨與精神，作為全書的定位，則與當日出版市場出現各式經世文選，如黃訓《皇明名臣經濟錄》、萬表《皇明經濟錄》、黃仁溥《皇明經世要略》等有關。[13]翰林院作為國

9 《增定國朝館課經世宏辭》萬曆十八年周曰校萬卷樓刊本，臺北市：國家圖書館藏有二部。影印發行之本有二，一為北京市：北京出版社《四庫禁燬書叢刊》影印萬曆十八年周曰校萬卷樓刻本（2000年），惟此本缺序文、凡例。一為濟南市：齊魯出版社《四庫全書存目叢書補編》影印明末翻刻萬曆十八年周曰校萬卷樓刻本（2001年）。

10 《皇明館課經世宏辭續集》為萬曆二十一年周曰校萬卷樓刊刻，北京市：北京出版社《四庫禁燬書叢刊》亦將之影印出版（2000年）。王錫爵在〈國朝館課續集敘〉自言續選編輯之旨意在「為多士式也」，有作為典範的用意：「往歲已丑，上遵祖憲，詔閣臣遴可教者二十四人，讀書翰林。余是以有《宏辭》之選，為多士式也。一時士皆能吐辭掞藻，輝映當代，照耀來茲，以無負上壽考作人至意。余迺盱衡擊節而歌卷阿之章，藹藹吉士，今寔覯之，休明哉盛矣。乃以辛秋散館後，裒其著述之雅馴，及前刻所未罄者，合而編之，為《宏辭續集》。」

11 見王錫爵：《王文肅公全集》．王文肅公哀榮錄》（臺南市：莊嚴文化出版公司《四庫全書存目叢書》影印明萬曆王時敏刻本，1997年），卷14，李維禎：〈王文肅公傳〉，頁481。

12 見過庭訓：《明分省人物考》（臺北市：明文書局《明代傳記叢刊》影印本，1981年），卷48，〈沈一貫〉。

13 明人纂編經世文選情況及其經世思想，區志堅：〈從明人論著經世文編略探明代經世思想的涵義——兼論近人對經世思想的研究〉（《中國文化研究》1999年春之卷，頁92-99，1999）有所討論，可參考。

家儲才育才之所，教習作養自須符合社會期待，因而館課之纂編，必須強調「經世」的具體成效。沈一貫在〈增定館課敘〉中，以自我設問的方式，直接面對館課能否有助經世的質疑：

> 或曰，玉卮無當，雖寶非用；侈言無驗，雖麗非經。文洵美矣，奚稱經世乎？曰，是又不然。夫集中所載，諸公太上，拱揖黃樞，談咲燮理。其次分曹建署，綜核綱維。又其次以言論風旨，經緯啟沃。其著之連篇累牘，而藏之青藜白虎者，豈徒流連光景，不本于性情；雕組為工，無關于理道者哉！是以珥彤則遠覽絕倫，抽密則性靈時露，掎摭則奧渫承休，彈射則城狐屏跡。韞之金匱，則熒光起而燭天；懸之咸陽，則寒光爍而射斗。固知億萬傳而後，聖子神孫，與其藎臣寀相，共贊文明之治者，必以是書矣。名之經世，誰曰不宜。[14]

沈一貫身為館師，極力強調館課的重要性，側重文獻流傳的意義和價值，強調翰林課藝切合經世致用，但言詞華美有餘，館課如何具體落實於經世實政，卻仍顯撲朔。問題在於翰林館課制度的設計、儒學經世濟民理想的實行、國家社會的實際需求，三者之間存有落差，使得翰林院教習效益多有爭議，自然不是沈一貫足以辨駁和力挽的。王錫爵則在〈經世宏辭序〉有謂：

> 聖天子難師臣之選，乃詔召蛟門少宰于四明山中，而以鍾台宗伯副之。兩君者素挺儒流之宗，秉人倫之鑒，猶惴惴焉，以不稱是懼。因檢天祿石渠所藏歷朝館課選而編之，以程多士，乃就正于予。顧予譾劣，何能為役，遂與兩君往復財訂，勒成一書。自洪永以迄慶曆無不綜，自詔奏以逮詩歌無不採，雖宮商襍奏而並出雅音，丹素互施而悉呈藻績者也。含經之生，綴詞之士，豈惟攄寫性靈，藉為司南，而揚榷時務，不將較若左券矣。[15]

可知《增定國朝館課經世宏辭》係由沈一貫首倡，與王錫爵、田一儁共同編選「以程多士」，故此書纂編動機，首在教習庶吉士的政治功能，兼有作為館課詩文範本的文學意義。而「兩君者素挺儒流之宗，秉人倫之鑒」，則是讚許沈一貫、田一儁俱謹守儒學教化，深自研求，為儒者表率，也間接標示館課與儒學用世理想的關係。「因檢天祿石渠所藏歷朝館課選而編之」一語，則說明此書的纂輯特色，除了是大學士翰林院館師親力親為，尤在於因這樣的身分，而能接觸及纂編內廷所藏館課資料，非一般私家纂編著述

---

14 沈一貫：〈增定館課敘〉見《增定國朝館課經世宏辭》（濟南市：齊魯出版社《四庫全書存目叢書補編》影印明末翻刻萬曆十八年周曰校萬卷樓刊本，2001年），卷前，頁150-151。

15 王錫爵：〈經世宏辭序〉見《增定國朝館課經世宏辭》，卷前，頁148。文中「鍾台宗伯」為田一儁，字德萬，大田人，隆慶二年（1568）會元，授編脩，進侍講。以忤張居正告歸，其後起故官，遷禮部左侍郎掌翰林院，著有《鍾台文集》。

可及。至若「含經之生，綴詞之士，豈惟攄寫性靈，藉為司南，而揚榷時務，不將較若左券矣」，則一方面擴大是書的讀者範圍，經生、文士皆適讀，一方面強調是書不惟攄寫性靈，尤能具體反映時務，如此則多方面抬高此書的命意與價值，非一般泛泛的詩文選可比。以是而觀，王錫爵刻意在書名冠以「經世」二字，至少有兩方面的意義：一在彰顯翰林院館課教習足以切合儒家經世實政的理想，能夠為國儲才。一在經由讀者接受閱讀的角度，強調對經世時務的重視與領略，以及相關詩文的習仿寫作。

三　館課選錄原則與標準

明代館課到萬曆時期已累積許多作品，各種文類的遴選，有待建立明確的標準。《增定國朝館課經世宏辭》選錄的館課，先文後詩，文章排列次第分別為詔、冊、璽書、誥、奏、疏、表、箋、致語、韻語、檄、露布、議、論、策、序、記、傳、碑、考、評、解、說、書、頌、賦、箴、銘、贊、跋。接著為詩類，分別為五古、五律、五言排律、五絕、七古、七律、七言排律、七絕。最後為歌類，有古歌一目。這些詩文呈現明代館課的豐富面貌，並顯示王錫爵等編者心目中，各種文類的重要性有其先後，也足以見出館課詩文所彰顯的人文盛世。

是書對於館課的選錄原則與標準，有明確的〈凡例〉說明。其中〈凡例〉第一則將所選詩文分類，並定義其作用，以供讀者學習領會：

> 先詔誥璽書者，代王言也。次奏疏表箋者，述臣職也。次檄露布者，宣主德、揚天威也。其他序記碑策，綱提臚列；論議說解，縷析條分；賦頌箴銘，雁行鱗次；詩歌古律，璧合珠聯，以便含華咀英者採焉。[16]

此條〈凡例〉所謂「代王言」、「述臣職」、「宣主德」、「揚天威」，除了是詔、誥、璽書、奏、疏、表、箋等的撰寫原則和選錄標準，也可謂王錫爵、沈一貫等編者心目中的翰林文章志業所在，以及館課教習的理想，希冀庶吉士均能「代王言」、「述臣職」、「宣主德」、「揚天威」。〈凡例〉第六則，針對書中所附館課評點，加以說明：

> 先輩評林，臧否精覈，其出自某某者，特書某批，標之上方。中多細評，不綴姓氏，或出前披，或由手定，則余與荊石公所參酌云。[17]

書中的品評批點多來自前輩，還有沈一貫與王錫爵的商訂品評。值得注意的是，品評的加入，顯示此書的纂編策略，與當時盛行的時文選本如出一轍。時文選本透過評點來細

16 同前注，〈凡例九則・第一則〉，頁152。

17 同前注，〈凡例九則・第六則〉，頁152。

究八股文章法句法，使舉子得以具體揣摩依循，此書採行之，使所選入的館課詩文，能真正切合教習需求，也符合剛通過科舉試煉的庶吉士們，長期閱讀及摹寫的慣性，以提高接受的意願與效益，而是書在政治之外的習仿摹寫的文學功能也因之凸顯。〈凡例〉第八則，進一步揭示以「經世」作為選錄原則與標準：

> 章奏評選，止取其關時涉政，有裨經世；直言諤論，足勵風裁者錄之。不然，雖華言亮語，不漫入也。[18]

此條〈凡例〉所言「章奏」，乃「述臣職」的重要一環，特意標舉「關時涉政，有裨經世；直言諤論，足勵風裁」，其目的至少有二：一就用世的角度，強調經世實政的識見才具；一就精神的角度，強調正直盡忠的臣綱忠悃。換言之，此書的纂編內容，除記錄館課詩文及人文盛世的政治功能，及作為習倣範例的文學功能之外，尤在揭示翰林館課對於儒家經世理想的追求與實踐，使是書以「經世」命名，得以具體照應落實。

四　纂錄內容的特殊之處

《增定國朝館課經世宏辭》收錄翰林院館試日課之作，沈一貫在〈增定館課敘〉謂：「館課者，錄祕館教習士日課也」，[19]範圍界定明確。但細檢是書的纂錄，卻在庶吉士館課之外，還有二項特殊的纂錄內容：一為收錄明初館課制度尚未完全形成定制時的名臣詩文，一為收錄任職臺省的名臣文章。這樣的選錄，使是書記錄館課業績的功能較為降低，內容亦變得蕪雜，如以館課與經世實政的角度來考察，會彰顯什麼意義？以下分別討論：

其一，是書所收明初名臣詩文，有許多是庶吉士館課制度尚未完全形成定制之前的作品，並非嚴格的「館課」之作。如洪武時徵召、曾任翰林學士的宋濂（1310-1381），《增定國朝館課經世宏辭》收錄其文〈高皇帝諭中原詔〉、〈原文論〉、〈太白丈人傳〉、〈七儒解〉、〈琴說〉、〈論詩書〉、〈蒼雲軒銘〉、〈滕奉使贊〉八篇，及〈題桃源圖〉、〈聖壽節早朝〉、〈春江靜釣〉、〈天壽節侍宴奉天殿三首〉詩共六首。又如元代進士，洪武時任弘文館大學士的劉基（1311-1375），被收錄〈松風閣記〉、〈賞柑者說〉、〈雷說〉文三篇；〈題鑑湖送別圖〉、〈古戍〉、〈夏冰〉、〈凱旋恭紀〉、〈題蘭〉、〈青山白雲圖〉、〈婕妤怨〉、〈鐵塔〉、〈侍駕從畊承恩宴作〉、〈題梧桐折枝翎毛圖〉、〈題畫紅梅〉、〈金碧山水歌〉詩十二首。又如洪武時徵召、入翰林待制的王禕（1322-1373），被收錄〈魏徵論〉、〈原諫論〉文二篇；〈木芙蓉〉、〈江行〉、〈春夜漫興〉詩三首。以上三人詩文收錄數量頗多，可謂受到編者重視。

---

18 同前注，〈凡例九則．第八則〉，頁153。

19 沈一貫：〈增定館課敘〉，同前注，卷前，頁149。

但三人與館閣雖有淵源，其詩文卻非館課之作，選錄標準顯然寬泛，其原因與「館課」由來的認定有關。王錫爵在〈國朝館課續集敘〉有所說明：

> 館閣之有課試也，自聖祖六禩昉也。聖祖嘉張翀等才俊，命入文華堂讀中秘書，賜以冠服車駕。時臨幸策勵，取其文，親評優劣。日命光祿給膳饈，令太子暨諸王迭為之主。時有白金弓矢鞍馬衣物之賜，而詔宋濂、桂彥良為之師。嗣是文皇帝增定其制，數召至便殿，問以經史諸子故實，或至抵暮方退。五日一休沐，使中涓隨之，校尉備騶從。復取《尚書》「庶常吉士」之義名焉。宣宗文華齊宮之試，親第高下。列聖皆相承不廢，所以培養多士者，意甚厚。

王錫爵認為館課教習之緣起，係明太祖洪武六年（1373），命才俊入文華堂讀中秘書以儲才蓄德，到明成祖增定其制，並命名為「庶吉士」，其後歷朝皆相承不廢。這樣的觀點在當日十分普遍，黃佐（1490-1566）在《翰林記》中，記述翰林院館課教習，亦推演於洪武六年開文華堂，選舉人中之少年美質，命讀書其中，並詔儒臣等分教之，並謂太祖「親命題，俾賦詩」，「輒幸堂中，取其文親評優劣」。[20]永樂初年，明成祖曾「親閱諸學士及庶吉士應制詩文，詰問評定以為樂」。[21]陳文燭（嘉靖四十四年1565進士）在〈經世宏辭序〉亦謂：「經世宏辭者，皆國朝館閣諸公所作也」，其後遠溯漢唐宋歷朝，以見翰林院設立淵源，並謂：「至我朝而其選更精，自庶吉士以讀中秘書，特命閣臣教之，今所傳館課是也」。[22]

是書書名題為「館課」，卻廣收明初名臣之詩文，在王錫爵看來，是照會前朝與今朝的做法，能兼涵明初以迄萬曆時期館閣的詩文成績。若就實際用世的角度而論，庶吉士畢竟尚未真正入仕，未有實際職務歷練，與經世實政有所距離，是書能兼納明初名臣詩文，猶如得到「加持」，既避免流於空談，亦可增份量。

但細究所收之詩文，除宋濂〈高皇帝諭中原詔〉乃前引〈凡例〉所謂「代王言」之作，有立國安邦之深意，其他各篇文章則未必「關時涉政，有裨經世」，詩歌尤多為題畫之作，也有慶賀節令書寫，可見翰林詞臣所提供的文學服侍，卻不足以更見彼等對經世濟民之務的見解與作為。是故是書選錄明初名臣詩文，倚重其名位者多，未能凸顯其經世實政之能。

其二，是書在館閣名公與庶吉士之作外，收錄臺省名臣的章疏類文章，如王守仁（1472-1528）、李夢陽（1472-1529）、海瑞（1514-1587）、楊繼盛（1516-1555）、林俊

---

20 見《翰林記》（臺北市：臺灣商務印書館，1966年），卷4，〈文華堂肄業〉。

21 同前注，卷16，〈出駕幸館閣〉。

22 陳文燭序寫於萬曆十九年（1591），萬曆十八年周曰校萬卷樓刊刻的《增定皇明館課經世宏辭》未收，而見於萬曆十八年刊清康熙癸卯（二年1663）豫儀周在浚刊的《經世宏辭》，書藏臺北市：國家圖書館，僅存十卷。

（1452-1527）、鄒元標（1551-1624）等。他們未任職館閣，亦非庶吉士，不符二書標榜的收錄標準，是故《增定國朝館課經世宏辭》列之於第十四及十五卷，標示〈附錄・臺省名臣疏類〉，其下以小字註明：

> 國朝敢諫直臣，如海中丞瑞、楊太常繼盛、鄒吏部元標諸君，皆慷慨直言，九死不易，真一代諤諤之臣也。惜未晉中秘，不敢漫入館課，故敬錄于左。[23]

是書收錄與「館課」不相干涉的臺省名公之作，強調「敢諫直臣」、「皆慷慨直言，九死不易，真一代諤諤之臣也」，此即前引〈凡例〉所謂「直言諤論，足勵風裁」，可見出王錫爵、沈一貫的政治意圖。這些作者是他們心目中理想的臣子典範，藉由是書強力傳達，意欲讀者藉由其文，效法其人。

上述王守仁、李夢陽、海瑞等人列於是書〈附錄・臺省名臣疏類〉，尚可以與館閣名公有所區隔。問題在於，是書正文亦選錄汪廣洋（？-1379）〈大祀〉、〈登越臺二首〉、〈白雁〉詩共四首，鐵鉉（1366-1402）〈長劍〉詩一首，實有爭議。汪廣洋是元末進士，洪武任元帥府令史、右丞相。鐵鉉，洪武時國子生，授禮科給事中，官至山東參政。他們均未有進入館閣的經歷，卻入錄作品，與是書的選錄原則與標準相悖，也使得是書作為翰林館課文獻的價值不免降低，故《四庫全書總目》評價《經世宏辭》即謂：「其中捜採極富，而所收多課試之作，不足以盡一代之文獻，王守仁、李夢陽、楊繼盛等，皆未官翰林，而竝錄其章疏數十篇，亦為自亂其例也」。[24]

五　結論

明代許多士人追求舉業有成，如能考中進士，又獲選庶吉士接受館課之教，尤視為人生光耀。《增定國朝館課經世宏辭》收錄館課詩文之作，復由王錫爵、沈一貫以大學士、館師之尊參訂編纂，故書成後相當盛行。陳文燭在萬曆十九年（1591）所寫的〈經世宏辭序〉中說：「經世宏辭者，皆國朝館閣諸公所作也，少師王元馭氏、少宰沈肩吾氏序而傳焉，海內爭傳，幾於紙貴」。[25]

王錫爵等人所編《增定國朝館課經世宏辭》，呈現明代政治人物纂編詩文選集的獨特編選觀，藉由整合館閣創作群體的創作成績，強調翰林院館課對儒家經世實政的追求與實踐，極力凸顯館課教習成效，足以為國家培養用世之才。其方法包括在書名上凸顯「經世」二字，在內容選取上擴大收錄範圍，納入明初館閣名臣及敢諫直臣的詩文，使

23 見《增定國朝館課經世宏辭》，卷前，〈目錄〉，頁22。

24 《四庫全書總目》（臺北市：藝文印書館影印本，1979年），卷192，〈總集類存目二・經世宏辭十五卷〉，頁4018-4019。

25 見《經世宏辭》，卷前，〈經世宏辭序〉，頁1。

是書可達「關時涉政，有裨經世；直言讜論，足勵風裁」，避免流於空談，增加館課之份量，也申明直諫盡忠之臣綱。

惟其選錄範圍過寬，納入了館課之外的作品，使此書是否足以記錄並呈現明代庶吉士館課的詩文業績，不無爭議。此外，明代翰林館課制度多有變革，隨著國勢江河日下，館課制度的施行、儒學經世濟民理想的實現、國家社會的實際需求，三者之間的落差愈大，使得翰林院教習效益多有質疑，也使得是書雖於明末有所傳刊，終至歸於零落。但王錫爵等以大學士、館師之高位，引領編選館課選集的風氣，意欲著錄一代館閣教育概貌及重要文獻，仍有其深刻用心與政治意義。

本論文原刊載於《中國典籍與文化》2016年1期（總96期），
頁111-117，2016年1月。

晚明子學與制義考

陳　致

香港浸會大學中文系講座教授

提要

明代中晚期，本來以四書五經為考試內容，以代聖人立言為考核方式的科舉制義中出現了多用釋老之言的傾向。清代學者如顧炎武認為此風氣始於隆慶二年（1568）李春芳任會試主考之後，梁章鉅認為始於萬曆五年（1578），進士楊起元始開以禪語入制義之漸。本文考察明代晚期子學與禪語入制義的傾向，並且認為此風之漸實開自嘉靖年間（1522-1566）。其中有兩個因素起了關鍵作用，一是嘉靖本人崇信道教方術，使士大夫崇接方外人士，爭撰青詞干進；一是陽明之學在嘉靖一朝為官學所接受，在學術上推揚了合和三教的風氣。本文也考察了陽明後學如朱得之，李春芳，楊起元，焦竑等如何合會三教，並且在制義中對子學的運用。

關鍵詞：科舉制度　王陽明　諸子學　中晚明　八股文

明代隆慶、萬曆年間，本來以四書五經為考試內容，以代聖人立言為考核方式的科舉制義中出現了多用釋老之言的傾向。清代學者如顧炎武認為此風氣始於隆慶二年（1568）李春芳任會試主考之後，梁章鉅認為始於萬曆五年（1578），進士楊起元始開以禪語入制義之漸。本文考察明代晚期子學與禪語入制義的傾向，並且認為此風之漸實開自嘉靖年間（1522-1566）。其中有兩個因素起了關鍵作用，一是嘉靖本人崇信道教方術，使士大夫崇接方外人士，爭撰青詞干進；一是陽明之學在嘉靖一朝為官學所接受，在學術上推揚了合和三教的風氣。近年來出版的科舉史和八股文史諸書對於晚明子學與佛學之入制義多本顧、梁約略言之，未盡其詳。本文依據文獻資料試詳盡地論述當時狀況，流溯源追，力圖描摹出關於這一現象的一個較為清晰的畫面，並分析其根本於王學之原因。

顧炎武在《日知錄》中曾引用啟禎間制義名家艾南英的話說：

> 東鄉艾南英《皇明今文待序》曰：「嗚呼！制舉業中始為禪之說者誰與？原其始，蓋由一二聰明才辯之徒，厭先儒敬義誠明窮理格物之說，樂簡便而畏繩束，其端肇於宋南渡之季，而慈湖楊氏之書為最著。國初功令嚴密，匪程朱之言弗遵也。蓋至摘取良知之說，而士稍異學矣。然予觀其書，不過師友講論，立教明宗而已。未嘗以入制舉業也。其徒龍谿（王畿）、緒山（錢德洪）闡明其師之說而又過焉。亦未嘗以入制舉業也。龍谿之舉業不傳，陽明、緒山，班班可攷矣。衡較其文，持詳矜重，若未始肆然欲自異於朱氏之學者。然則今之為此者，誰為之始與？吾姑為隱其姓名，而又詳乙注其文，使學者知以宗門之糟粕，為舉業之俑者，自斯人始。（萬曆丁丑科楊起元）嗚呼！降而為傳燈，於彼教初說，其淺深相去已遠矣。又況附會以援儒入墨之輩，其鄙陋可勝道哉！今其大旨，不過曰耳自天聰，目自天明，猶告子曰：生之謂性而已。及其厭窮理格物之迂而去之，猶告子曰：不得於言，勿求於心而已。任其所之而冥行焉，未有不流於小人之無忌憚者。此《中庸》所以言性不言心，《孟子》所以言心而必原之性，《大學》所以言心而必曰：正其心。吾將有所論著而姑言其槩如此。學者可以廢然返矣。[1]

顧氏從艾南英說，以為萬曆五年登進士第的楊起元實開以禪、墨、老、莊等異端之學入制義之漸。顧氏又云：「嘉靖中姚江之書雖盛行於世，而士子舉業尚謹守程朱，無敢以禪竄聖者。自興化（李春芳）、華亭（徐階）兩執政尊王氏學，於是隆慶戊辰《論語》程義首開宗門，此後浸淫無所底止。科試文字大半剽竊王氏門人之言，陰詆程朱。」[2]

1　艾南英：《文待序》，《明文海》卷312，《時文序》。又見顧炎武撰，黃汝成集釋：《日知錄集釋》卷3下，（上海市：掃葉山房，1924年版），頁111-112。

2　顧炎武撰，黃汝成集釋：《日知錄集釋》卷3下，（上海市：掃葉山房，1924年版），頁112。

其後又論隆庆二年戊辰（1568）程文破題用《莊子》之言。並說此後五十年，舉業所用，無非釋老之書。隆慶二年（1568）會試的主考為時任少傅、太子太師、吏部尚書、建極殿大學士的李春芳，及掌詹事府、禮部尚書、兼翰林院學士殷士儋。[3]時徐階執掌內閣。顧氏在這裏點出釋老之書用於舉業與當時主內閣的徐階和李春芳尊奉王學有很大的關係。

舉業之用釋老之書，顧炎武認為始自隆慶二年（1568）之後，而艾南英則以為自萬曆五年，以會元和二甲第二名進士及第的楊起元始。晚明釋老之言入制義，清代學者多論及之，而大部分學者可能是受顧、艾二人的影響，以為是在隆、萬之際，如梁章鉅引俞桐川（長城，1684年舉人，1685年進士）的話說：

> 以禪入儒，自王龍溪（畿）諸公始也；以禪入制義，自楊貞復（起元）始也。貞復受業羅近溪（汝信），輯有《近溪會語》一書，故其文率多二氏之言，艾東鄉（南英）每以為訾。乃文之從禪入者，其紕繆處固不堪入目，偶有妙悟精潔之篇，亦非人所及，故歸、胡以雄博深厚稱大家，而貞復與相頡頏，其得力處固不可誣也。[4]

俞長城又云：

> 《南華》、《楞嚴》，古文中逸品也，能擬之而傳者誰歟?萬歷之末，異學橫行，二氏浮詞盡入文字，理既不實，語又不馴，不師其意而師其詞，未有能傳者也。夫《南華》之美在奇變，《楞嚴》之美在妙悟，有是二美，而原本於經史，折中於程朱，然後可傳。[5]

梁章鉅、俞桐川認為晚明受王學的影響，隆慶（1567-1572）以後，多用禪老之言，萬曆五年丁丑（1577）進士楊起元（1547-1599）始開以禪語入制義之漸。俞桐川又說萬曆之末異學橫行，是關於二氏異端之入制義，又有了萬曆之末的說法。

關於二氏之學對科舉的孱入，明清兩代的學者既已歧說，甚至自相齟齬，今之學者也其見不一。近年來出版了不少關於明代科舉和八股文方面的論著，對於這一問題大多雜取顧、艾、俞、梁諸說，[6]或簡約其文，或含糊其辭。

---

3 王世貞撰；魏連科點校：〈科試考〉三，《弇山堂別集》（北京市：中華書局，1985年）卷83，頁1583。

4 梁章鉅：《制義叢話》，頁72。案起元為廣東歸善人，丁丑科二甲五名進士。是科另有一楊起元為山西臨汾人，三甲一百四十五名進士。前此嘉靖三十八年仍有一楊起元，直隸欒城人，三甲一百三十七名進士。見朱保炯、謝沛霖編：《明清進士題名碑錄索引》（上海古籍出版社，1979年），頁1695、2544、2559、2561。

5 梁章鉅（1775-1849）：《制義叢話》，卷8，頁140。

6 龔篤清：《明代八股文史探》（長沙市：湖南人民出版社，2005年），頁400。

然而從嘉、隆、萬時期學者的論述中，筆者又可看到制義中用禪老之言，似乎又早在正、嘉時期。徐階（1503-1583）云：「正德以降，奇博日益，而遂以入於楊、墨、老、莊者，蓋時有之。彼其要歸，誠與聖人之道不啻秦、越，然其言之似是，世方悅焉，而莫之能放也。」[7]其實，徐階本人對於楊、墨、老、莊多採入制藝，也是與有責焉。他為文也崇尚「根本生命，發抒學術。上取正于六經，下取材于諸子。」[8]是有其自相牴牾處。以余現在所看到的資料來看，釋老之學入制義，嘉靖時期至為關鍵。此時有幾個重要因素起了決定性的作用。一是嘉靖時期王學經歷了由禁制和詆斥，逐漸被官學和舉制接納的過程，嘉靖中期以後王門弟子遍佈科場內外，或為鄉會試考試官，或為學政學按，或因高第得選，又加之難以數計大規模的京師講學，使良知心性諸說不惟未能禁制，甚且充盈天下，是其在人員上已為子學入制義作好了準備；其次王學本身就有合會三教的理論蘊涵，陽明門人弟子及其追隨者又較陽明更進一步，在理論上試圖論證二氏本為道學，不應排斥到正學之外，此在觀念上亦作好了準備；再有就是世宗皇帝本身好服食求仙及道教方術，也使內閣文臣競以道教青詞干進，士大夫仰希上之所好，遂使釋老之學由異端而躋入官學與科舉。

一　嘉靖朝王學的遭際及其被官學與科舉接納的過程

正德年間，王守仁的學說已經頗受時人訾議，嘉靖朝的上半段，對王學的非議也始終沒有停止過。史載世宗即位以後，王守仁雖然有大功，但始終不能得到世宗的信任和重用。從嘉靖元年到守仁去世的嘉靖七年（1529），王門弟子中雖有不少人布列清要，如方獻夫、席書、霍韜、黃綰等，加之朝臣中亦有不少人疏薦守仁有幹濟之才。但世宗始終對王氏的道學和講學風氣有所顧忌。世宗朝心學和講學之風經歷了一個曲折的過程。沈德符云：

> 世宗所任用者，皆銳意功名之士，而高自標榜，互樹聲援者，即疑其人主爭衡。如嘉靖壬辰（十一年，1532）年御史馮恩論彗星而及吏部侍郎湛若水，謂素行不合人心，乃無用道學。恩雖用他語得罪，而此言則不以為非。至丁酉（十六年，1537）年，御史游居敬，又論南太宰湛若水學術偏陂，志行邪偽，乞斥之，并毀所創書院。上雖留若水，而書院則立命拆去矣。比湛歿請卹，上怒斥其偽學盜名不許，因以逐太宰歐陽必進，其憎之如此。至辛未（二十年辛丑，1541）年九廟焚，[9]給事戚賢等因災陳言，且薦郎中王畿當亟用，上曰：「畿偽學小人，乃擅薦

7　徐階：《崇雅錄序》，《世經堂集》卷12，頁17，《四庫全書存目叢書》子部第79冊，頁587。

8　徐階：〈《雨崖集》序〉，《世經堂集》卷13，頁37，《四庫全書存目叢書》子部第79冊，頁628。

9　案當為辛丑年，沈氏此處有誤。九廟焚在嘉靖二十年辛丑（1541），辛未則為隆慶五年矣。

> 植黨。」命謫之外。湛、王俱當世名流，乃皆以偽學見斥。至於聶雙江（豹）道學重望，徐文貞（階）力薦居本兵，上以巽懦僨事逐之，徐不敢救。比世宗上賓，文貞柄國，湛、聶俱得恩贈加等，湛補謚文簡，聶補謚貞襄，蓋二公俱徐受業師，在沆瀣一脈宜然，而識者以為溢美，非世宗意矣。若王文成之歿，在嘉靖初年，既靳其卹典，復奪其世爵，亦文貞力主續封，備極優異，而物論翕然推服，蓋人情不甚相遠也。王龍溪位止郎署，且坐考察斥不得復官，故文貞不能為之地。即隆慶初元起廢，亦不敢及之，第為廣揚其光價耳。[10]

世宗所避忌的主要是心學有礙所謂正學，並且認為王守仁及其友湛若水、其弟子王畿、歐陽德、錢德洪、聶豹、戚賢等人講學又有爭名植黨之嫌。嘉靖朝上半段，朝臣中亦有不少人上章彈劾王陽明本人及其學術。王氏弟子在朝中者，很多也遭際不偶。[11]上之好惡，對科舉和學術風氣亦有直接的影響。如嘉靖二年（1523）的會試策由是科主考蔣冕出題。蔣為邱濬門人，立論崇程朱正學而排擊所謂今學。策問中如云：「大儒在當時挺然以道學自任而未嘗輒以道學自名，流俗乃從而名之，又因而詆之，後又以偽學目之。」又云與朱子同時諸儒入德之門與朱子不能無異，道學列傳或載或不載。而「今之學者顧欲強而同之，果何所見歟？樂彼之徑便而欲陰詆吾朱子之學歟？究其用心，其與何澹、陳賈輩亦豈大相遠歟？甚至筆之簡冊，公肆詆訾以求售其私見者，禮官祖宗朝故事，燔其書而禁□之，得無不可乎？」這裡今之學者，實指向王陽明、湛若水及其弟子等人。

陽明的追隨者多有在嘉靖朝及此前正德朝中進士者，嘉靖二年這一科會試策問雖然陰詆陽明，而陽明弟子是科中式者仍復不少。是榜中有：

1.朱廷立（？-1566），嘉靖二年（1523年）三甲九十一名進士。師從王守仁。曾督北畿學政。
2.王激，嘉靖二年（1523年）三甲一百一十三名進士。正德九年在南京師從王守仁。
3.王臣，嘉靖二年（1523年）二甲一百十一名進士。嘉靖初在越師從王守仁。
4.蕭璆，嘉靖二年（1523年）二甲一百一十五名進士。嘉靖初在越師從王守仁。
5.楊紹芳，嘉靖二年（1523年）三甲一百二十七名進士。嘉靖初在越師從王守仁。
6.歐陽德（1496-1554），嘉靖二年（1523年）二甲一百一十二名進士。正德中師從王守仁。授六安知州，建龍津書院。歷刑部員外郎，以學行改編修，累遷禮部尚書。
7.魏良弼（1492-1575），嘉靖二年（1523年）三甲一百六十七名進士。正德末師從王守仁。由松陽知縣歷刑部給事中，遷禮科給事。隆慶初即家拜太常卿。

---

10 沈德符撰：〈講學見絀〉，《萬曆野獲編》（北京市，中華書局，1959年），第52頁。

11 關於嘉靖朝王門弟子的遭際，可參考左東嶺：《王學與中晚明士人心態》（北京市：人民文學出版社，2000年），頁301-304。

8.薛宗鎧（？-1535），嘉靖二年（1523年）三甲五十八名進士。嘉靖初在越師從王守仁。官建陽令，任給事中，疏劾汪鋐擅權，被杖死。

9.薛僑，嘉靖二年（1523年）三甲一百六十六名進士。嘉靖初在越師從王守仁。

10.徐階（1503-1583），嘉靖二年（1523年）一甲三名進士。先後師從陽明弟子聶豹、歐陽德。

策問陰詆陽明心學，與試的王門弟子有的反映是不答而出，如徐珊曰：「吾惡能昧吾知以倖時好耶？」[12]其他人則不管策問，一力發揮師說，如歐陽德、魏良弼、王臣等人。其結果雖然名次受影響，也還是被取中。其原因主要是考官中亦未必皆以王學為病者。是科校試的考官呂柟就說：

> 昔予校文癸未會試，嘗見歐陽子試卷，嘆其弘博醇實，當冠《易》房也。然歐陽子學於陽明王子，其為文策多本師說。當是時，主考者方病其師說也。予謂其本房曰：「是豈可以此而後斯人哉？」其本房執諍，終不獲前列。[13]

所以呂柟與是科《易》房考官都不以歐陽德發揮心學之說為忤。呂柟是河東學派薛瑄的後學，平生為學恪守程朱，雖曾與湛若水、鄒守益等南都講學，其心未饜於王學良知之說，[14]但也沒有如蔣冕等主考一樣，以王學為異端，必欲火其書而禁絕之。此次會試策問雖然主考陰攻陽明，陽明本人卻不怒反喜，說「聖學從茲大明矣。」[15]以為其學從此可以通過科舉會試中的策問的影響而大昌於天下。事態的發展，正如陽明所預見的。此後，終嘉靖一朝，每科會試陽明弟子中式者頗多。如嘉靖五年中式者有魏良輔（1492-1575）、唐愈賢、朱篪、曾忭（1498-1568）、李遂（1504-1566）、馮恩、聞人詮、胡堯時（1499-1588）、唐樞（1497-1575）、戚賢（1492-1553）等人。陽明大弟子王畿（1498-1583）、錢德洪（1496-1574）二人則會試後，不參與廷試。嘉靖八年孫應奎（？-1570）、沈謐（1501-1553）、羅洪先（1504-1564）、[16]程文德（1497-1559）、蔡

12　《年譜》三，嘉靖二年癸未二月，吳光等編校：《王陽明全集》（上海市：上海古籍出版社，1992年），卷35，頁1287。

13　見呂柟：〈送南野歐陽子考績序〉，《涇野先生文集》卷10。引自陳時龍：《明代中晚期講學運動》（上海市：復旦大學出版社，2005年），頁46。

14　見黃宗羲：《明儒學案》卷8，〈文簡呂涇野先生柟〉，《黃宗羲全集》第7冊，頁150-151。

15　《年譜》三，嘉靖二年癸未二月，吳光等編校：《王陽明全集》卷35，頁1287。

16　關於羅洪先，呂妙芬指出羅一生未見過陽明，也從未以陽明門人自居，並指出他師從李中，其學上溯濂洛，可備一說。但羅氏十五歲讀《傳習錄》，受陽明之學，與陽明弟子鄒守益、劉邦采、王畿、錢德洪、聶豹等交游密切，往復論學，其思想亦與陽明淵源頗深，故黃宗羲稱之為「陽明之的傳」。此處姑從舊說，列羅於陽明門下。見呂氏：《陽明學士人社群：歷史、思想與實踐》（北京市：新星出版社，2006），頁122-123。又見吳震：《陽明後學研究》（上海市：上海人民出版社，2003年），頁208-254。關於羅洪先的生平與交游，詳見吳震：《羅洪先論》、《羅洪先略年譜》，《聶豹、羅洪先評傳》（南京市：南京大學出版社，2001年），頁171-255；332-363。

甕、陳大倫、周汝員、王學益、王璣（1490-1563）等人。其中羅洪先、程文德更分別以狀元榜眼中第。此後歷科都有不少陽明弟子及再傳、三傳、四傳弟子。其他尚有一些未入王氏之門，卻信奉王學的人物。有代表性的有王慎中，嘉靖五年（1526）丙戌二甲第五十名進士，嘉靖十八年在南都與陽明弟子王畿、戚賢、王臣，以及湛若水講學，從此信奉陽明學說。[17]唐順之（1504-1564），嘉靖八年一五二九年二甲一名進士。嘉靖十一年與王畿定交，由是信奉王守仁良知之學。[18]王畿集中《三山麗澤錄》、《維揚晤語》即是王畿與王、唐二人論良知學的文獻。[19]王、唐二人皆少年高第，都是明代中晚期制義大家。可以看出嘉靖初年王學在科舉考試中已經相當有市場。《陽明年譜》中所記一事從一個側面頗反映了王學在科舉中的地位和影響：

> （錢）德洪攜二弟德周、仲實讀書城南。洪父心漁翁往視之。魏良政、魏良器輩與遊禹穴諸勝，十日忘返。問曰：「承諸君相攜日久，得無妨課業乎？」答曰：「吾舉子業無時不習。」家君曰：「固知心學可以觸類而通，然朱說亦須理會否？」二子曰：「以吾良知求晦翁之說，譬之打蛇得七寸矣，又何憂不得耶？」[20]

二子並非大言，「明年乙酉（嘉靖四年，1525）大比，稽山書院錢楩與魏良政並發解江、浙。家君聞之笑曰：『打蛇得七寸矣！』」此事一方面說明王學對朱學確有融會貫通之效，另一方面卻又說明當時王學在科舉考試中確有一定的市場。呂妙芬認為「陽明學在明代的發展與當時的科舉文化息息相關，它既是衍生於科舉制度下的學術活動，吸引習舉業的年輕士子們為主要聽眾，也必須倚靠科舉帶出的政治和文化影響力來作為學派發展的資源；然而它又大膽地批判科舉的功利士風，反對程朱官學，試圖開創一取而代之的新學派。」[21]其說固良有以也。但王學在科舉中反對程朱官學，改易其風氣的態度卻無明顯的表現。陽明本人雖也鼓勵弟子積極參與科舉考試，然其所重在聖賢之業，而對科舉本身似乎是無可無不可的態度。正德十二年（1517）陽明弟子諸偁、陸澄（原靜，1485-1563）、季本（明德，1485-1563）、許相卿（臺仲，1479-1557）、何鰲、聶豹（1488-1563）、蔡宗袞（希淵）、黃綰、薛侃（尚謙，？-1545）等中進士。陽明「喜不自勝」，但「非為諸友今日喜，為野夫異日山中得良伴喜也。」陽明又說：「入仕之始，

17 方祖猷：《王畿評傳》（南京市：南京大學出版社，2001年），頁30。關於王慎中的對於制義和學術的態度，參見鄺健行：〈明代唐宋派古文四大家以古文為時文說〉，《科舉考試文體論稿》（台北市：台灣書店，1999年），頁207-209。

18 方祖猷：《王畿評傳》，頁28。

19 王畿：《維揚晤語》、《三山麗澤錄》，《王龍溪全集》（臺北市：華文書局影印道光二年刻本）卷1，頁8-9，10-19。

20 《年譜》三，嘉靖三年甲申八月，吳光等編校：《王陽明全集》卷35，頁1292。

21 關於陽明學與科舉以及以主導科舉的程朱之學的複雜關係，呂妙芬新著《陽明學士人社群：歷史、思想與實踐》（北京市：新星出版社，2006），頁33-36有精闢的見解。

意況未免搖動。如絜在風中，若非黏泥貼網，恐自張主未得。」[22]所以其諸弟子得中，陽明看起來是喜中有憂。所憂者，一登仕途，不獲自已，則有妨道學。陽明對舉業的態度基本上是一種不積極亦不反對的態度。他說：「家貧親老，豈可不求祿仕？求祿仕而不工舉業，卻是不盡人事而徒責天命，無是理矣。但能立志堅定，隨事盡道，不以得失動念，則雖勉習舉業，亦自無妨聖賢之學。若是原無求為聖賢之志，雖不業舉，日談道德，亦只成就得務外好高之病而已。」[23]

以嘉靖朝科舉與王學的關係來看，陽明及其弟子在理論上雖說並不熱心舉業，但無心插柳，幾個方面的因素，使王學亦影響到科舉的風氣。這幾個方面的因素，首先是王學對經典的闡發，一新當時士人耳目，使科舉風氣為之移動。明代試士，鄉會試第一場考四書義及經義，用時文（八股），二三場兼用論、表、詔、誥、判、策，經史與時務策。其中首重一場。明代自太祖重開科舉以後，第一場四書五經義始終以程朱傳注為依歸，成祖時胡廣擄聖意纂修《四書》《五經》大全，嗣後自明永樂至清初，《語》《孟》《學》《庸》四書，專用朱子所注，而結以己意，漢唐以下其他注疏基本和舉業無大關係；五經則《易》用程、朱，《詩》用《集傳》，《書》用蔡沈（1167-1230）《集傳》，《春秋》用胡安國（1074-1138）《傳》，《禮記》用陳澔（1260-1341）《集說》。[24]此外用為科舉文章軌則者尚有明初御纂之《性理大全》、司馬光《資治通鑑》、真德秀《大學衍義》、邱濬《大學衍義補》、《大明律》、《會典》、《文獻通考》諸書。[25]《資治通鑑》、《大明律》、《會典》、《文獻通考》諸書主要用於鄉會試二三場考試之資，而其他諸書則為首場考試之圭臬。我們可以看到四書中《大學》在科舉首場中有相當重要的地位。而陽明之學的展開，恰恰是以《大學》「明德」「至善」「正心」「誠意」為本。四書五經中，《大學》是陽明及其後學所尤為著力的一部，而王學的思想亦可由對正心、誠意、止善、明德的解釋而闡發無遺。故陽明每接初見之士，「必借《學》、《庸》首章以指示聖學之全功，使知從入之路。」[26]馮琦（1558-1603）云：「國家以經術取士，《五經》、《四書》、《性》、《鑑》、正史而外，不列於學宮，不用以課士。」然其後人文日盛，士習寖灕，「始而厭薄平常，稍趨纖靡；纖靡不已，漸騖新奇；新奇不已，漸趨詭僻。始猶附諸子以立幟，今且尊二氏以操戈，背棄孔聖，非毀朱註，惟南華、西竺之語是宗。」[27]尊二氏之習固非自姚江學興而起，但也確因姚江學興而大盛。艾南英云：

---

22 《與希顏、台仲、明德、尚謙、原靜（丁丑）》，《文錄》一，吳光等編校：《王陽明全集》卷4，頁167。

23 《寄聞人邦英、邦正（戊寅）》，《文錄》一，吳光等編校：《王陽明全集》卷4，頁168。

24 《清史稿》（北京市：中華書局，1976年）卷108，頁3148。

25 王世貞撰；魏連科點校：〈科試考〉四，《弇山堂別集》卷84，頁1596。

26 《續編》一，錢德洪《大學問》，吳光等編校：《王陽明全集》卷二十六，頁967。

27 張萱（1582年舉人）：《禮部》三，科場前言，《西園聞見錄》卷44，楊學為主編：《中國考試史文獻集成》第5卷（北京：高等教育出版社，2003年），頁525。

其最陋者，厭薄成祖文皇帝所表章欽定之大全，而驕語漢疏以為古，遂欲駕馬、鄭、王、杜於程、朱之上，不知漢儒於道十未窺其一二也。宋大儒之不屑，而今且尊奉其棄餘，其好名而無實，亦可見矣。若夫取刑、名、農、墨、黃、老之學，陰竄入以代孔孟之言，自以為奇且古，而不知其非，頗謬於聖人，此又馬、鄭、王、杜諸君子之所不屑也。[28]

又云：「十餘年以前，士子讀經義輒厭薄程、朱，為時文輒詆訾先正，而百家雜說，六朝偶語，與夫郭象、王弼、《繁露》、《陰符》之俊問，奉為至寶。」[29]總之明中葉以後，士子於四書五經程朱傳註性理衍義諸書習久而厭薄。陽明學出的確有新人耳目之效。

其次，明代科舉試士，自明太祖初恢復開始，就對於儒學中的心性問題特別關注。這一點對於陽明心學比較容易為當時官員士子和生員所接受，從而變易一些科舉風氣，都有直接的影響。明初太祖、成祖對於心性之學皆十分重視。明余紀登摘錄實錄和起居注纂成的《典故紀聞》一書，太祖的詔旨和制誥，屢言「理原於心」,「誠敬之心」，講「人心」「道心」，講正心，存心等等。[30]洪武中，御纂《存心錄》，永樂七年，纂成《聖學心法》四卷，明祖親自作序，以示胡廣等人，並傳授東宮。永樂十三年，胡廣等奉詔纂成《性理大全書》七十卷，倣《近思錄》體例，雜取宋儒語錄，與四書五經程朱等注昭示天下，頒入學宮，使天下學子用為取第之資。而是書中尤當注意者是此書「不徒在乎治法之明備，而在乎心法道法之精微。」是書七十卷中，卷二十九至三十七共九卷皆採摭儒先性理之論，尤重心性之說。康熙《御製性理大全序》又說：「朕惟古昔聖王所以繼天立極而君師萬民者，不徒在乎治法之明備，而在乎心法道法之精微也。執中之訓，肇自唐虞，帝王之學，莫不由之。言心則曰：『人心惟危，道心惟微。』言性則曰：『若有恆性，克綏厥猷惟后。』蓋天性同然之理，人心固有之良，萬善所從出焉。」又說：「每思二帝三王之治，本於道。二帝三王之道，本於心。辨析心性之理，而羽翼六經，發揮聖道者，莫詳於有宋諸儒。迨明永樂間，命儒臣纂集《性理大全》一書，朕常加繙閱，見其窮天地陰陽之蘊，明性命仁義之旨，揭主敬存誠之要。」《性理大全》一書是明代士子參與科舉考試必讀而熟習的著作，可以說是士人科舉取中之資。自明初科舉開科至正嘉間，歷代帝王都特別重視宋儒關乎心性理道之論，以為直接關乎聖王致治之術。而陽明心學恰恰對是書中的宋儒論心性理道部分有比較全面而深入的對待，其對嘉靖朝科舉的影響是不言而喻的，並不以王學諸子的主觀和個人意志為轉移。

故陽明心學的興起及其對官學和科舉的廣泛影響既是源諸一種新變的訴求，又是宋元以來儒學發展及其與帝王論治結合的邏輯結果。陽明本人論其學統每上溯於周敦頤、

---

28 艾南英：《文待序上》,《明文海》卷312,《時文序》。

29 艾南英：《增補文定待序》,《明文海》卷312,《時文序》。

30 吳雁南主編：《心學與中國社會》（北京市：中央民族大學出版社，1994年），頁114-115。

程顥、陸九淵、真德秀、吳澄即其明證。

嘉靖十一年以後，親炙陽明的弟子或多物故，然而中式的舉人、進士中間，信奉陽明之學的有增無已。隆慶中主試的徐階（1503-1583）、李春芳（1510-1584）是其代表。李春芳尊崇陽明之學，於隆慶二年戊辰（1568）的程文中首次引用陽明語錄。徐階雖非陽明門人，但先後受業師中有湛若水和聶雙江，嘉靖二年徐以二十歲登進士第，其時已從歐陽德受良知之學。[31]算是陽明的再傳。陽明晚年及死後受誣，其學被申禁，徐階為之鳴冤，[32]並於嘉靖十五年丙申與張景重修天真精舍，十七年邀請陽明門人鄒守益在貢院講學，發明性善之旨。又在南昌建立明德書院。十八年又在江西提學使任上重修洪都仰止祠。[33]徐階於嘉靖三十一年入閣後，次年即與陽明弟子兵部尚書聶雙江（豹，1488-1563）、禮部尚書歐陽德（1496-1554）、吏部左侍郎程文德（1497-1559）在京師靈濟宮作講學大會，與會者在千人以上。[34]以後，徐階以端揆的身份講學於朝堂之上，史稱「流風所被，傾動朝野。」[35]徐樹丕云：「縉紳附之，輒得美官。」[36]靈濟宮講學在此後進行多次，其後參與的重要王學人物還有顏鈞（山農，1504-1596）、羅汝芳、李春芳等。一五五六年山農在靈濟宮向三百五十名入覲官員講學三日，其後又向七百名會試舉人洞講三日，此後仍有向鄉試生員和南都監生所作的大規模講學活動。[37]此是京師所倡導的講學活動。陽明後學的講學活動嘉靖一朝在地方上從來就沒有停止過。其門人弟子在地方上舉辦過的講學活動難以盡數，而所面對的聽眾大多是地方生員和士人。呂妙芬從大量別集和地方史志蒐集資料，所列《陽明講會資料》一表可讓人一目瞭然，足資參考。[38]

故嘉靖本人雖不喜歡王學及講學活動，而王學的影響和講學活動的普及是處在深宮西苑修玄的世宗所無暇也無法遏止的。

嘉靖二十六年（1547）丁未科李春芳進士及第的殿試對策，頗見其所受陽明心學影響之深。策問中問及：

> 洪惟我太祖高皇帝，體堯舜授受之要，而允執厥中，論人心虛靈之機，而操存弗

---

31 見李春芳：《重修陽明先生祠堂記》，《李文定公貽安堂集》卷3，頁7，《四庫全書存目叢書》集部第113冊，頁80。

32 徐階《重修陽明先生祠記》，《王文成全書》卷38，頁42-44，《文淵閣四庫全書》本。又見沈德符撰：《講學見絀》，《萬曆野獲編》（北京市：中華書局，1959年），第52-53頁。

33 張祥浩：《王守仁傳》（南京市：南京大學出版社，1997年），頁52-53。

34 《明史》卷283，頁7277。

35 《明史》卷231，頁6053。

36 徐樹丕：《講學》，《識小錄》卷2，第24頁。引自余英時：〈士商互動與儒學轉向〉，《現代儒學的回顧與展望》（北京市，三聯書店，2004年），頁247，注2。

37 余英時：〈士商互動與儒學轉向〉，《現代儒學的回顧與展望》，頁247。

38 呂妙芬：《陽明學士人社群：歷史、思想與實踐》（北京市：新星出版社，2006年），頁365-381。

二。我成祖文皇帝言：帝王之治，一本於道。又言六經之道明，則天地聖人之心可見，至治之功可成。……茲欲遠紹二帝三王大道之統，近法我祖宗列聖心學之傳，舍是又何所致力而可？夫自堯舜禹文之後，孔孟以來，上下數百年間，道統之傳歸諸臣下，又盡出於一時之論，此朕所深疑也。子大夫學先王之道，審於名實之歸，宜悉心以對，毋隱毋泛，朕將注覽焉。[39]

策問中虛靈一說，固始於宋儒，而與心學的結合，殆由王陽明《傳習錄》中所謂「心者身之主也，而心之虛靈明覺，即所謂本然之良知也。」我們知道，所謂御製策問多出於閣臣之手，有明故事，大抵如此。如徐階奏對《請廷試策問》（隆慶二年三月初八日）云：

茲者殿試在邇。所有策題，先年係是閣臣擬進。嘉靖年間，先帝特降御製，或循故事，命閣臣擬撰。于時士子廷對者，咸以得奉御製為榮。仰惟皇上天資明睿，聖學弘深。當茲策士之初，尤萬方觀聽之會。伏乞親試策問，明示德意，使知向方。惟復仍容臣等擬撰，恭請聖裁。臣等未敢擅便，謹題請旨。奉聖旨：你每撰來。[40]

徐階嘉靖二年探花（1523），於嘉靖年間王學之被官方接受，實有首功。前文所舉徐於嘉靖初年為陽明的不公待遇鳴不平，入閣以後又與陽明諸高弟在京師靈濟宮進行大規模的講學活動，使陽明學說在嘉靖中晚期大暢其風，並且為官方學術、科舉制義以及京師官紳、應試士子之間被普遍接受，厥功甚偉。嘉靖二十六年會試考官為徐階的同鄉吏部左侍郎兼學士孫承恩（1481-1561）及吏部左侍郎兼學士張治（1490-1550）。[41]是科殿試策問本身實有把問題引向心學的傾向。而狀元李春芳的對策更見陽明心學的影響。李春芳對問云：

臣對：臣聞帝王之治本於道，道立而後，化之以弘；帝王之道本於心，心純而後，道以之會。心也者，統夫道者也。……夫惟道化衰於上，而後講學倡於下，此宋之四子所由興也。以周敦頤言之，學以主靜為宗，以一為要，而究其極於明通公溥，不由師傳，默契體道者也。以程顥兄弟言之，涵養則曰用敬，進學則曰致知，而又欲以大公順應天地之常，寬和嚴毅，殊途同歸者也。以朱熹言之，以講學為入門，以踐履為實地，博極群書而會通於心，集諸儒之大成者也。……然

39 楊寄林等主編：《中華狀元卷》第2冊《大明狀元卷》（太原市：山西教育出版社，2002年），頁531-532。又見〔明〕李春芳：《廷試策》，《李文定公詒安堂集》卷1，頁2-3，《四庫全書存目叢書》集部第113冊，頁18。

40 徐階：《請廷試策問》，《世經堂集》卷之四，頁29-30，《四庫全書存目叢書》集部第79冊，頁436。

41 張朝瑞：《皇明貢舉考》卷7，頁50，《四庫全書存目叢書》史部第269冊，頁768。

> 臣嘗求我二祖聖學之精，則《存心》一錄，與夫《聖學心法》，尤其至要者歟！……太祖高皇帝嘗諭輔臣曰：「防閑此身，使不妄動，自謂己能。若防此心，使不妄動，尚難能也。」[42]成祖文皇帝嘗諭解縉曰：「心能靜虛，事來則應，事去如明鏡止水，自然純是天理。」[43]是二祖之學，誠不外於心而得之也。[44]

李春芳所論表面上看是固守宋儒如濂洛之學，如「明鏡止水」本出於程顥：「聖人之心，如明鏡止水」之喻，[45]朱熹、真德秀、許衡等皆曾借用以為發揮。明成祖所論直是由許魯齋（衡）處移來。魯齋云：「聖人之心，如明鏡止水，物來不亂，物去不留。用工夫，主一也；主一，是持敬也。」[46]然而李春芳用成祖卻別有意思在。王應麟云：「道家云：『真人之心，若珠在淵；眾人之心，若瓢在水。』真文忠云：『此心當如明鏡止水，不可如槁木死灰。』」[47]宋儒以「明鏡止水」為喻，本出於釋老之言。以上所引均見於《性理大全》一書。李春芳所謂明鏡止水以喻心，亦如陽明所云：「良知之體皦如明鏡，略無纖翳。」[48]王門中徐愛亦曰：「心猶鏡也，聖人心如明鏡，常人心如昏鏡。」[49]王畿多用此喻以明心體之虛無靜寂。王畿指出：「水鏡之喻，未為盡非，無情之照，因物顯像，應而皆實，過而不留。」以水鏡喻心之本體。[50]又舉顏子曰其「心如明鏡止水，纖塵微波，纔動即覺。纔覺即化，不待遠而後復。」[51]揭明「未嘗不知為良知，未嘗復行為致良知，」以為顏回庶幾得之。

李春芳此策中又從周敦頤「主靜為宗，以一為要」來回答策問中「允執厥中，論人心虛靈之機，而操存弗二」，與陽明闡發周氏「靜極而動」之說，來發明「未發之中」即良知，心之本體無分於動靜之說若合符節。[52]

二十六年之後，歷科主文衡者都有王學的信奉者。如：

嘉靖二十九年會試考官禮部尚書兼大學士張治、吏部左侍郎兼學士歐陽德（陽明弟子，1523年二甲十一名進士）。[53]

---

42 此為明太祖諭陶凱語，見李之藻：《頖宮禮樂疏》卷3，頁35。《文淵閣四庫全書》本。

43 諭見明不著撰人《翰林記》卷9，頁4。又見廖道南：《殿閣詞林記》卷十五，頁12。又見程敏政：《篁墩文集》卷4，頁37。均見《文淵閣四庫全書》本。

44 楊寄林等主編：《中華狀元卷》第2冊《大明狀元卷》，頁534-538。

45 《性理大全書》卷32，頁3。見《文淵閣四庫全書》本。

46 許衡：《魯齋遺書》卷1，頁5。見《文淵閣四庫全書》本。

47 王應麟：《困學紀聞》卷20，頁35。《文淵閣四庫全書》本。

48 吳光等編校：《王陽明全集》卷2，頁70。

49 陳榮捷：《王陽明傳習錄詳注集評》（台北：台灣學生書局，1988年），頁94。

50 方祖猷：《王畿評傳》，頁367。

51 王畿：《與陽和張子問答》，《龍溪王先生語鈔》卷3，頁4，收入周汝登選，陶望齡訂，陳大綬閱，余懋孳校梓：《王門宗旨》卷13，《四庫全書存目叢書》子部儒家類第13冊，頁738。

52 吳光等編校：《王陽明全集》卷2，頁64。

53 張朝瑞：《皇明貢舉考》卷7，頁62，《四庫全書存目叢書》史部第269冊，頁774。

嘉靖三十二年會試考官少保大學士徐階（陽明弟子聶豹、歐陽德弟子）、侍講學士敖銑（1535年二甲三名進士）。[54]

嘉靖三十五年會試考官太子太保兼大學士李本、少詹事兼侍講學士尹臺（陽明弟子歐陽德私淑弟子，1506-1579，1535年二甲八名進士）。[55]

嘉靖三十八年會試考官吏部右侍郎兼學士李璣（1535年二甲一名進士）、太常寺少卿兼學士嚴訥。[56]

嘉靖四十一年會試考官太子太保兼大學士袁煒、吏部左侍郎兼學士董份。[57]

嘉靖四十四年會試考官吏部左侍郎兼學士高拱、侍讀學士胡正蒙。[58]

隆慶二年會試考官少傅大學士李春芳、禮部尚書兼學士殷士儋（1522-1582，1547年三甲一百六名進士）。[59]

李璣雖非王門弟子，但對於王門歐陽德「發我良知，卒闡宗旨」備加推崇。[60]嚴訥也如李璣一樣，雖非王學中人，但對陽明心學也是深心推崇。所撰陳官墓誌，嘗引官語云：「陽明先生嘗保釐江贛，余叔省菴翁被其檄聘，相與講明心學，以興振一時之豪傑者。余竊與聞其說。固余之夢寐饑渴而求者也。」嚴訥對王學之旨也是推許的。尤為重要的是，在嚴訥看來王學於聖賢之道求之於心，體之於身，運用到科舉考試中，士子若能深心揣摩，必能觸類群籍。墓誌中嚴訥說陳官得陽明文集一部後，「手自輯寫，日夜窮研，以之觸類諸書，多能意悟神解。自是作為舉業文字，大率出自心得之語，非掇拾套說者可倫矣。」其後陳官入太學，應北畿試，其文益大合有司。[61]

董份思想駁雜，莫知所宗，觀其文集，則略可見其崇仙釋，尊陽明之事功，尚心學之性道諸特點。[62]董所撰嘉靖戊午（1558）順天鄉試程文，是一篇淺易的心學文字。其題云：「聖人有功於天下萬世」。程文云：

> 聖人者，道之體也。道無外，聖人亦無外⋯⋯聖人以是道之體而存之謂之心。心也者，天下萬世之所同具也⋯⋯今夫人之靈明知覺而無不通者，以其有此心

54 張朝瑞：《皇明貢舉考》卷7，頁74，《四庫全書存目叢書》史部第269冊，頁780。

55 張朝瑞：《皇明貢舉考》卷7，頁88，《四庫全書存目叢書》史部第269冊，頁787。

56 張朝瑞：《皇明貢舉考》卷7，頁99，《四庫全書存目叢書》史部第269冊，頁792。

57 張朝瑞：《皇明貢舉考》卷7，頁110，《四庫全書存目叢書》史部第269冊，頁798。

58 張朝瑞：《皇明貢舉考》卷8，頁2，《四庫全書存目叢書》史部第269冊，頁804。

59 張朝瑞：《皇明貢舉考》卷8，頁15，《四庫全書存目叢書》史部第269冊，頁811。

60 李璣：《西野李先生遺稿》卷10，頁5，《四庫全書存目叢書》集部第100冊，頁177。

61 見嚴訥：〈明大冶令豫齋陳公墓誌銘〉，《嚴文靖公集》卷6，頁2-3，《四庫全書存目叢書》集部第107冊，頁635。

62 見董份：〈圓通神異集序〉〈浙江鄉試錄序〉，《董學士泌園集》卷17，頁1-9，《四庫全書存目叢書》集部第107冊，頁286-290。

也……是心之得也，非獨聖人有之，凡民亦有之。凡民有之是心體之本同也。[63]

通觀董份文集，於陽明心學或未能得其旨奧，但受心學風氣的影響之深則一望可知。

充任會試主考的往往職位甚尊，以上所舉諸人都曾擔任過內閣大學士，貴為宰輔，嘉靖朝首輔中除徐階、李春芳等公開追隨陽明以外，還有的是雖未以陽明心學為宗，亦難免受王學的影響。比如高拱，就比較重視事功和實際政治，對於講學不像徐階那麼熱衷。但在議論中如說：「宋儒議論古今人，固皆好善惡惡之心，然卻有作好作惡處。」[64]又云：「愛而知惡，惡而知美。不以言舉人，不以人廢言。蕩蕩平平，無偏無黨，無作好作惡，乃是至公。」[65]此語實本自陽明《傳習錄》中「不知心之本體原無一物，一向著意去好善惡惡，便又多了這份意思，便不是廓然大公。《書》所謂『無有作好作惡』，方是本體。」[66]《本語》中多處可見陽明思想的影響在，如其論「天理不外人心，只人心平處便是天理至公」，「吾心自有本然虛明平妥處」，「性具于心，而貫徹于人倫日用之間」，[67]類皆出於陽明或甘泉語錄。

實際上會試與殿試的風氣直接影響整個科舉的風氣，從而影響一時學術的風氣。如果說陽明之學本出於民間，由民間而漸次為官學與科舉所接受，那麼其對於官學的影響，反過來又通過科舉和官方主導的講學運動作用到整個社會。

俞長城云：「嘉（靖）末文體蕪穢，隆慶改元，復歸雅正。」[68]所謂文體蕪穢，俞寧世所指乃是「洎乎末流，抄經撰子，縱橫、名、法、陰陽、佛、老諸書，皆入於文。」[69]從以上分析來看，所謂文體蕪穢，縱橫、名、法、陰陽、佛、老諸書，皆入於文，其根源就在陽明學上。

二　王學與陽明後學合會三教的理論與科舉制義

謝國楨曾指出，明末清初的學風的一個特點就是由博通群經而旁及諸子百家，打破了專主孔孟一家的學說。並舉傅山之研究老列管莊諸子，王夫之之藉用法相宗能所概念，方以智之提倡通幾智測之學以為證。[70]而事實上，從科舉文獻資料以及晚明的其他

63 見董份：《董學士泌園集》卷8，頁3-5，《四庫全書存目叢書》集部第107冊，頁129-130。

64 高拱：《本語》卷2，頁22，《叢書集成初編》（北京：中華書局，1985年）第606冊。

65 高拱：《本語》卷2，頁22，《叢書集成初編》（北京：中華書局，1985年）第606冊。

66 吳光等編校：《王陽明全集》卷1，頁34。陽明此說集中多見，如卷一對薛侃問亦類此。

67 高拱：《本語》卷三，頁24-25，《叢書集成初編》，第606冊。

68 俞長城：《先正程墨中集小引》，《俞寧世文集》卷4，《四庫未收書輯刊》第九輯第21冊（北京市：北京出版社，2003年），頁99。

69 俞長城：〈國朝程墨前集小引〉，《俞寧世文集》卷4，《四庫未收書輯刊》第九輯第21冊（北京出版社，2003年），頁111。

70 謝國楨：《明末清初的學風》，《明末清初的學風》（上海市：上海書店出版社，2004年），頁38-39。

文獻資料來看，「旁及諸子百家，打破了專主孔孟一家的學說」的風氣其來有自，並非由明末始出現。胡應麟云：「成弘間，館閣諸公頗尚該洽……中間惟王子衡（王廷相，1474-1544）覈經術，何子元（何孟春，1474-1536）治子史，楊用修（慎）特號多聞，云多宋元祕籍，第不知他書若何。陸子淵（陸深，1477-1544）最為好古。」[71]祝允明（1460-1526）云：

> 余望杜子，奮興㞢于儒，告子以其方中。且徑者可治一室，將《詩》、《書》、《周易》、《戴禮》、《春秋》、《論語》、《孝經》、《公》、《穀》、《周官》、《爾雅》注疏，敷之几，學之、問之、思之、辨之、居之、行之。宋以下傳解勿接目，舉業士講論毋涉耳，儒體立矣。又將史漢下十七史，暇而擇閱之，儒用達矣，足矣。外且又將《老》、《列》、《莊周》、《荀》、《揚》、《國語》、《淮南》、《呂覽》、劉向書博吾識，又將《文選》、《文粹》、《唐音》、《鼓吹》昌吾聲，又將《閣》、《絳》諸名帖升吾藝，餘無煩矣。異時出列班序，被金紫，分中事，不足語。即在野作鄉碩者，豈不偉哉！[72]

明代學者至中葉而有楊慎、王廷相等博通載籍，貫穿佛老子史的。但在理論上樹立三教之合流的思想實始自陽明。關於明代中期的三教合流的思想，錢穆、柳存仁、陳榮捷、陳劍鍠等學者都就陽明學考察而作出了深入的研究。[73]陽明本人即受益於二氏，故其弟子後學亦多合和三教。其受釋氏之影響，論致良知之塗轍亦有頓、漸之分，斯乃以禪為喻，王畿曾以王陽明「屋舍三間」的譬喻，來說明三教同源的道理，以為此三間屋舍原是本有家當，後來聖學做主不起，乃僅守其一，左右兩間甘心讓與二氏。[74]並說陽明良知之說，「乃三教之靈樞」。當然王畿本人在陽明弟子中屬於頓的一路，所以於釋、老二氏特別張揚，說良知乃是「範圍三教之樞」。[75]

陽明之對待佛老及其對於楊墨等所謂異端較之先儒及當時學者都顯得格外寬容。陽明晚歲論佛老楊墨，曾云：

---

71 胡應麟：〈經籍會通〉四，《少室山房筆叢》（上海市：上海書店出版社，2001年），頁48。

72 祝允明：〈三望一首贈杜子〉，《懷星堂集》，卷27，頁9，《文淵閣四庫全書》本。

73 見陳劍鍠：《陽明後學所產生之諸問題》之二《陽明後學的三教同源說》，《明清史集刊》第5卷，頁167-172。陳文所引有錢穆：《說良知四句教與三教合一》，《中國學術思想史論叢》七，台北：東大圖書有限公司，1986，頁124-152；柳存仁：《明儒與道教》，《王陽明與道教》，《王陽明與佛道二教》《和風堂文集》中冊（上海市：上海古籍出版社），頁809-846，847-877，878-923；陳榮捷：《王陽明傳習錄詳注集評》（台北市：台灣學生書局，1988年），頁415。

74 屋舍三間之說又見於《年譜》三，《王陽明全集》卷35，頁1289。其說見陽明答張元沖在舟中問，謂：「聖人盡性至命，何物不具？何待兼取？二氏之用，皆我之用：即吾盡性至命中完養此身謂之仙；即吾盡性至命中不染世累謂之佛。……譬之廳堂三間，共為一廳……聖人與天地民物同體，儒、佛、老、莊皆吾之用，是之謂大道。二氏自私其身，是之謂小道。」

75 王畿：〈三教堂記〉，《王龍溪全集》（臺北市：華文書局影印道光二年刻本）卷1，頁。

> 蓋孟氏患楊、墨；周、程之際，釋、老大行。今世學者，皆知宗孔、孟，賤楊、墨，擯釋、老，聖人之道，若大明於世。然吾從而求之，聖人不得而見之矣。其能有若墨氏之兼愛者乎？其能有若楊氏之為我者乎？其能有若老氏之清淨自守、釋氏之究心性命者乎？吾何以楊、墨、老、釋之思哉？彼於聖人之道異，然猶有自得也。……某幼不問學，陷溺於邪僻者二十年，而始究心於老、釋。[76]

其諫武宗佞佛，云：「佛者，夷狄之聖人；聖人者，中國之佛也。」[77]陽明的基本想法是無論儒釋老其於求道則一，而求道的方法與途徑則異。釋、老之弊在於其專注於自救，不及親尊世人，而無廓然大公。其學本非以亂天下，而由於其始即有此不足，而為之徒者卒以亂天下。楊、墨之弊在於楊氏為我則求義而過之，墨氏兼愛則求仁而過之，而為之徒者卒以亂天下。[78]陽明對佛的態度，是在方法上直接承襲，而內容上又亟欲剖別。如其《別諸生》詩云：

> 綿綿聖學已千年，兩字良知是口傳。欲識渾淪無斧鑿，須從規矩出方圓。不離日用常行內，直造先天未化前。握手臨歧更何語，慇懃莫愧別離筵。[79]

這種直探心體，求道於日用常行的途徑，顯然是禪宗的方法。只不過陽明所說的日用常行是於事物有對待的，以忠孝節義等置換了擔水挑柴等工夫。陽明又說：

> 爾心各各自天真，不用求人更問人。但致良知成德業，謾從故紙費精神。乾坤是易原非畫，心性何形得有塵？莫道先生學禪語，此言端的為君陳。[80]

陽明雖在修持方法思想方法上受禪學的影響，但他有內容上立意與禪分別。在與徐愛論「尊德性」與「道問學」時，針對徐與王輿庵的辯論，指出既云象山尊德性，則不可謂其墮於禪學之虛空；既云晦庵道問學，則不可謂為俗學之支離。他說象山說覺悟，雖出於釋氏，然而「釋氏之說亦自有同於吾儒，而不害其為異者，惟在於幾微毫忽之間而已。」[81]所謂「幾微毫忽之間」，在陽明看來就是象山指向心之本體。而心之本體本虛，此與佛家所說之虛無無二，而心之本體外化顯為德性之知，卻與佛所說的虛無有異。

陽明本人對楊墨佛老的優容，對其後學合會三教提供了理論條件。黃宗羲《明儒學案》中分姚江後學為浙中王門，江右王門，南中王門，楚中王門，北方王門，粵閩王門，及泰州學派等數支。黃云：「陽明先生之學，有泰州龍溪而風行天下，亦因泰州龍

76 《文錄》四，吳光等編校：《王陽明全集》卷7，頁230-231。

77 《別錄》一，吳光等編校：《王陽明全集》卷9，頁295。

78 《外集》四，吳光等編校：《王陽明全集》卷22，頁861-862。

79 《外集》二，《示諸生三首》之一，吳光等編校：《王陽明全集》卷20，頁791。

80 《外集》二，《別諸生》，吳光等編校：《王陽明全集》卷20，頁790。

81 《外集》三，《答徐成之》二，吳光等編校：《王陽明全集》卷21，頁808。

溪而漸失其傳。泰州龍溪時時不滿其師說，益啟瞿曇之祕而歸之師，蓋躋陽明而為禪矣。」[82]浙中王門的代表人物有徐愛、蔡宗兗、朱節、浦節、錢德洪、王畿、季本、黃綰、董澐、陸澄、顧應祥、黃宗明、張元沖、程文德、徐用檢、萬表、王宗沐、張元忭等，其中影響最大的學者如王畿、錢德洪、程文德、聶豹等人。王畿講身心關係，講「真息」「養生」，極富道教色彩；[83]說「委心虛無」、「一念靈明」又是援佛入儒。[84]王畿更以為心性之學正是借佛氏之超脫而悟入。[85]同門黃綰批評王畿「習聞禪學之深」，薛應旂批評其無著無住的修持方法，沈懋學批評王「借鋒於禪幻」，「推禪附聖」，[86]但無大礙於其對後學的影響力。王畿後學中有李贄、贄所傳公安三袁、周汝登、汝登弟子陶望齡、奭齡等對於佛道兩家尤所推重，對於儒家正學來說，可謂更行更遠。

又有江右王門有鄒守益、歐陽德、聶豹、羅洪先、劉文敏、劉邦采、劉陽、劉曉、劉魁、黃弘綱、何廷仁、陳九川、魏良弼、魏良政、魏良器、王時槐、鄧以讚、陳嘉謨、劉元卿、萬廷言、胡直、鄒元標、羅大紘、宋儀望、鄧元錫、章潢、馮應京等人，聶豹「主靜歸寂」頗有二氏的痕跡。[87]羅洪先講「收攝保聚」以見良知本體，頗受道家修煉工夫及《周易參同契》的影響，[88]對佛學又有「庸孔奇釋」之意。[89]劉文敏「以虛為宗」，王時敏說「性體本虛」無不受釋氏的影響。[90]南中王門有黃省曾、周衝、朱得之、周怡、薛應旂、唐順之、唐鶴徵、徐階、楊豫孫等人；楚中王門有蔣信、冀元亨；北方王門有穆孔暉、張後覺、孟秋、尤時熙、孟化鯉、楊東明、南大吉等人；粵閩王門有薛侃、周坦，止修學案則列李材。泰州一脈，自王艮以下，從王襞、何心隱、顏鈞、鄧豁渠、方湛一、徐樾、王棟、林春、管至道，至趙貞吉、羅汝芳、楊起元、耿定理、焦竑、周汝登、陶望齡、李卓吾。趙貞吉之公然佞禪，[91]羅汝芳自謂早歲從禪門乞靈，其他諸子如楊起元、焦竑、陶望齡之推尊佛老，使泰州一派對二氏之包容最為徹底。

如果說陽明本人是對佛道兩家及先秦諸子取包容的態度，那麼陽明弟子及後學則多持三教合會的觀點。甚至於釋老推尊過重，轉而變換了立場。

---

82 黃宗羲：《明儒學案》卷32，《黃宗羲全集》第8冊，頁820。

83 見吳震：《陽明後學研究》，頁315-366。

84 方祖猷：《王畿評傳》（南京市：南京大學出版社，2001年），頁340-345。

85 見吳震：《陽明後學研究》，頁65。

86 方祖猷：《王畿評傳》（南京市：南京大學出版社，2001年），頁402-404。

87 詳見吳震：《聶豹論》，《聶豹、羅洪先評傳》（南京市：南京大學出版社，2001年），頁72-170。

88 見吳震：《陽明後學研究》，頁227-241。

89 見吳震：《陽明後學研究》，頁141。

90 詳見吳震：《王時槐論》，《聶豹、羅洪先評傳》，頁256-295。

91 《四庫提要》《文肅集提要》云：「貞吉學以釋氏為宗，姜寶為之序曰：『今世論學者，多陰採二氏之微妙，而陽諱其名。公於此，能言之，敢言之，又訟言之，昌言之，而不少避忌。蓋其所見真，所論當，人固莫得而訾議也。』其持論可謂悍矣。」

陽明後學靖江朱得之（約1522-1565）嘉靖庚申（1560）年自序其《莊子通義》云：

> 莊子樂天憫世之徒，學繼老列……或乃以其命辭跌宕，設諭奇險，遂謂其荒唐謬悠，與詩書平易中常者異，而擯黜於儒門。不知其異者辭也，不異者道也……然則詩書固經世之準，而三子則立命之根。立命達於人人，經世存乎一遇。安得守此而棄彼乎？是故求文辭於先秦之前，莊子而已，求道德於三代之季，莊子而已。[92]

又云：

> 莊子亦周末文勝之習。今觀其書，止是詞章之列，自與五經辭氣不同。然其指點道體天人異同處，卻非秦漢以來諸儒所及。故從事於心性者有取焉。[93]

又云：

> 或謂二氏之書，不當以儒者之學為訓。竊惟道在天地間一而已矣。初無三教之異，猶夫方言異而意不殊，鍼砭異而還元同。苟不得於大同，則父子夫婦亦有不同者，孰知自私用知之為蔽，而潰裂夫道哉？[94]

故其《老莊通義》兩書，每以儒學心學的角度解說。如解《老子》第一章云：「二慾字，言志慾如此。二觀字，言良知。妙字，言體之蘊心也。」其他多用「體用」「功夫」等詞，把陽明的心學思想貫穿到《老子》一書中去。[95]其解莊亦大體相類，如釋「顏回問仲尼」一章云：「知者，良知也。進於知猶曰造於無知。」[96]釋「子輿與子桑友」一章云：「歸諸命則能以理勝而處之有道，此子輿所忘言也，《南華》用以結《大宗師》之旨，即《西銘》所謂貧賤憂戚，玉汝於成；蓋非磨礪之久，涵養之極，不足以大任故也。」[97]之後又申論云：「師所以建隆治體，恢拓化源，使人知道德之可尊，性命所當究，君臣父子無失其倫，天下國家同歸治者也。」朱氏在這裏是以儒家注重倫理實踐的知識論置換了道家的反知識論，其議論不可謂不曲，用心不可謂不深。其後，朱氏又對「大宗師」為之釋名，說：「正心誠意之本，傳道授業之微，非師無以任之，其為

92 朱得之：〈刻莊子通義引〉，《莊子通義》（上海市：上海古籍出版社1995年，影印《續修四庫全書》第954冊），卷首，頁603。

93 朱得之：《讀莊評》，《莊子通義》卷首，上海古籍出版社1995年影印《續修四庫全書》第954冊，頁頁605。

94 朱得之：《讀莊評》，《莊子通義》卷首，上海古籍出版社1995年影印《續修四庫全書》第954冊，頁頁605-606。

95 李慶：《明代的老子研究》，《道家文化研究》第十五輯（北京市：三聯書店，1995年），頁344。

96 朱得之：《莊子通義》卷3，頁17，上海古籍出版社1995年影印《續修四庫全書》第954冊，頁658。

97 朱得之：《莊子通義》卷3，頁23，上海古籍出版社1995年影印《續修四庫全書》第954冊，頁661。

道也至矣。宗師則為學者所主而尊之之稱。冠之以大，猶云眾父父也。首論知天知人，明義命以立其本。以知之所知，養其知之所不知，則以人合天。知出於不知，是知之盛也。故結以真人真知。」[98]所知者，良知也。進於知猶造乎無知。由此我們知道，隆慶間會試程文以及嘉靖四十一年狀元申時行、榜眼王錫爵等所說的真知實有其本於王學合會三教的思想根源在。

顧炎武在《日知錄》中《破題用莊子》一節曰：

> 五經無「真」字，始見於老莊之書。《老子》曰：「其中有精，其精甚真。」《莊子˙漁父》篇：「孔子愀然曰：『敢問何謂真？』客曰：『真者，精誠之至也』。」《荀子》「真積力久」亦是此意。《黃庭經》曰：「積精累氣以為真。」《大宗師》篇曰：「而已反其真，而我猶為人猗。」《列子》曰：「精神離形，各歸其真，故謂之鬼。鬼，歸也。歸其真宅。」《漢書˙楊王孫傳》曰：「死者，終身之化，而物之歸者也。歸者得至，化者得變，是物各反其真也。」《說文》曰：「真，僊人變形登天也。」徐氏《繫傳》曰：「真者，仙也，化也。從匕。匕即化也。反人為亡，從目，從匕，入其所乘也。」人老則近於死，故老字從匕；既死則反其真，故真字亦從匕。以生為寄，以死為歸，於是有真人、真君、真宰之名。秦始皇曰：「吾慕真人」，自謂真人不稱朕。魏太武改元太平真君，而唐玄宗詔以四子之書謂之真經，皆本乎此也。後世相傳，乃遂與假為對。李斯《上秦王書》：「夫擊甕、叩缻、彈箏、搏髀，而歌呼嗚嗚快耳目者，真秦之聲也。」韓信請為假王，高帝曰：「大丈夫定諸侯即為真王耳，何以假為？」又更東垣曰真定。竇融上光武書曰：「豈可背真舊之主，事姦偽之人？」而與老莊之言真，亦微異其指矣。今謂真，古曰實；今謂假，古曰偽。《左傳・襄十八年》「使乘車者左實右偽，以旆先，輿曳柴而從之。」「假王」猶「假君」、「假相國」，唐人謂之借職是也。今人之所謂假，亦非。宋諱玄，以真代之。故廟號曰：「真宗」。玄武七宿，改為真武；玄冥改為真冥；玄枵改為真枵。《崇文總目》謂《太玄經》為「太真」，則猶未離其本也。隆慶二年會試為主考者，厭五經而喜老莊，黜舊聞而崇新學，首題《論語》「子曰：『由，誨汝知之乎？』」一節，其程文破云：「聖人教賢者以真知，在不昧其心而已。」《莊子・大宗師》篇且有：「真人而後有真知」《列子・仲尼》篇：「無樂無知，是真樂真知。」始明以《莊子》之言入之文字。自此五十年間，舉業所用，無非釋老之書。彗星掃北斗文昌，而御河之氷變為赤血矣。崇禎時，始申舊日之禁。而士大夫皆幼讀時文，習染已久，不經之字，搖筆輒來。正如康崑崙所受鄰舍女巫之邪聲，非十年不近樂器，未可得而絕也。雖然，以周元公道學之宗，而其為書猶有所謂無極之真者，吾又何責乎今之人哉？羅氏《困知記》謂無極之真，二五之精，妙合而凝。太極與陰陽五行非二物也，不當言合。又言《通書》未嘗一語及無極。《孟子》言：「所不慮而知者，其良知也。」下文明指是愛親敬長。若夫因嚴以教敬，因親以教愛，則必

98 朱得之：《莊子通義》卷3，頁23，上海古籍出版社1995年影印《續修四庫全書》第954冊，頁661。

待學而知之者矣。今之學者明用《孟子》之良知，暗用《莊子》之真知。[99]

顧氏的析論極為透徹．然而似此在制義中運用莊列文字，並非如顧氏所說的始於隆慶二年．早在十數年前的嘉靖三十年壬戌科，學者已習用之．申時行（即徐時行）為是科狀元，王錫爵為榜眼，余有丁是探花。時行論「子曰回之所以為人」一節程文云：「聖人稱大賢而求道得之深，以見其真知也。夫擇乎中庸而能守之，則所得者深矣！非顏子真知，其孰能之？」[100]其所用的「真知」一詞，已非傳註中意義上的真知，而是心學意義上和莊列意義上的真知。詳細的析論，可參見本文第四節。

三　青詞之撰與子學入制義的動力

嘉靖時期釋老之學之入制義，還有一個值得注意的因素就是世宗本人的作用。世宗好道教方術其來有自。從繼位由藩王入承大統，到最後死於誤食丹藥，四十五年的時間中，世宗始終篤信道教神仙。嘉靖朝士大夫競寫青詞干進主要是源於世宗皇帝的個人嗜好。與科舉制義引入道教雜學以及諸子文辭也有莫大的關係，這中間王學也起到助長的作用。

所謂青詞是自唐以後流行的道教齋醮時敬獻天神的奏告文書。[101]以青詞干進，始於嘉靖初。據史載：

> 閏月帝始修醮于宮中。帝用太監崔文言，建醮宮中，日夜不絕。給事中劉最劾文左道縻帑。帝怒謫廣德州通判。文憾不已，嗾其黨芮景賢奏最在途仍故銜，乘巨舫，取夫役，帝益怒，逮最下獄，戍邵武。其後帝益好長生，齋醮無虛日。命夏言充監禮使，湛若水、顧鼎臣充導引官。鼎臣進步虛詞七章，且列上壇中應行事。帝優詔褒答之。自此詞臣多以青詞干進矣。[102]

鼎臣進《步虛詞》七章，事在嘉靖十年。自嘉靖十年之後，終世宗朝，首輔十五人中有九人由擅青詞而入閣，夏言（1482-1548，1536入閣）、顧鼎臣（1473-1540，1538入閣）、嚴嵩（1480-1567，1542年入閣）、徐階（1503-1583，1552年入閣）、嚴訥（1511-1584，1565入閣）、袁煒（1508-1565，1561年入閣）、李春芳（1510-1584，1565入閣）、郭朴（1511-1593，1566入閣）、高拱（1512-1578，1566入閣）等人皆以擅青詞獲超擢

99　見顧炎武撰，黃汝成集釋：《日知錄集釋》（上海市：掃葉山房，1924年版）卷3下，頁112-114。

100　申時行：〈子曰回之為人也〉程文，田啟霖編著：《八股文觀止》（海口市：海南出版社，1994年），頁493。

101　關於青詞自唐以後內容特點，文字形式，以及其性質和作用，參見張澤洪：《道教齋醮史上的青詞》，《世界宗教研究》2005年第2期，頁112-122。

102　《御批歷代通鑑輯覽》卷一百八，頁23。《文淵閣四庫全書》本。

入閣。[103]其他內閣學士中如張治、李本雖非由撰青詞而進，也因青詞而與徐階同賜飛魚。[104]其他大臣由青詞獲擢升者尚多。徐階以擅撰青詞得世宗歡，[105]《明史》本傳云：

> 仙鶴，文臣一品服也。嘉靖中，成國公朱希忠、都督陸炳服之，皆以元壇供事。而學士嚴訥、李春芳、董份（1510-1595，1541年進士）以五品撰青詞，亦賜仙鶴。尋諭供事壇中，乃用於是。尚書皆不敢衣鶴。後勅南京織閃黃補麒麟仙鶴，賜嚴嵩。閃黃乃上用服色也。又賜徐階教子升天蟒。萬曆中，賜張居正坐蟒。武清侯李偉以太后父亦受賜。[106]

春芳一五四七年狀元及第，以擅撰道教青詞超擢翰林學士，後為禮部尚書。春芳與袁煒、嚴訥、郭樸等四人同號青詞宰相。《四庫全書》袁煒《袁文榮詩畧二卷》提要云：

> 煒字懋中，慈谿人。嘉靖戊戌進士，官至建極殿大學士，謚文榮。事跡附見明史嚴訥傳。史稱煒才思敏捷，帝半夜出片紙，命撰青詞，舉筆立成。遇中外獻瑞，輙極詞頌美。帝畜一猫死，命儒臣撰詞以醮。煒詞有「化獅作龍」語，帝大喜。其詭詞媚上，多類此。[107]

史又稱煒自負能文，見他人所作，稍不當意，輙肆詆誚。館閣士出其門者，斥辱尤不堪。明沈德符（1578-1642）《萬曆野獲編》卷二《嘉靖青詞》云：「世廟居西內事齋醮，一時詞臣，以青詞得寵眷者甚眾。」[108]又舉袁煒青詞：

> 洛水玄龜初獻瑞，陰數九，陽數九，九九八十一數，數通乎道，道合元始天尊，一誠有感，岐山丹鳳兩呈祥。雄鳴六，雌鳴六，六六三十六聲，聲聞于天，天生嘉靖皇帝，萬壽無疆。

煒不惟自撰青詞以取悅世宗，並以名位之尊命其門下所策貢士代撰。史載：「袁文榮（煒）撰玄文，每命壬戌門人三鼎甲分代。而有時不給，其拜相以此，盡瘁亦以此。」[109]壬戌（1562）科煒與董份同任會試考官，三鼎甲時為徐時行（1535-1614）、王

---

103 均見《明史》本傳，入閣人物次第見王世貞撰；魏連科點校：《內閣輔臣年表》，《弇山堂別集》卷45，頁841-843。

104 王世貞：《嘉靖以來首輔傳》，卷5，頁5，《文淵閣四庫全書》本。

105 《明史》本傳，卷213，頁5642。

106 《明史》卷77，頁50-51。《文淵閣四庫全書》本。

107 時見永瑢等撰《四庫全書總目》（北京市：中華書局1965年版），卷177，頁1591。青詞一體，乃道流祈禱之章，非斯文正軌。《欽定四庫全書總目》卷首一。

108 沈德符撰：《萬曆野獲編》（北京市：中華書局，1959年），頁59。

109 沈德符撰：《四六》，《萬曆野獲編》，頁270。

錫爵（1534-1610）、余有丁（1527-1584）。[110]

嘉靖中士大夫所撰青詞似此皆倣道家宮觀中齋醮文字體例頌揚皇帝，無論內容及形式上皆無可取。世宗好青詞，使當時道士也受士大夫禮敬及嘉靖本人寵眷，前舉袁煒青詞或云為李春芳請昆侖山人王光胤代作。「時世宗齋居西宮，建設醮壇，敕大臣制青詞一聯，懸于壇門。春芳使山人為之。」春芳以此青詞進呈，頗蒙嘉靖賞眷。時「大臣應制青詞，多假手山人者。」[111]又史載：

> 龔可佩，嘉定人。出家崑山為道士，通曉道家神名由。仲文進諸大臣撰青詞者時從可佩問道家故事，俱愛之。得為太常博士。帝命入西宮教宮人習法事，累遷太常少卿。[112]

嘉靖朝道士蒙恩眷的除王光胤、龔可佩外，尚有邵元節、陶仲文、段朝用、胡大順、藍田玉、藍道行、徐可成等多人方術干進。其他士大夫尚方術者如顧可學（弘治18年進士）、盛端明（弘治15年進士）、朱隆禧（嘉靖8年進士）皆以方術見幸於帝。[113]

嘉靖朝朝野上下對仙家方術的崇奉，及士大夫爭撰青詞倖進的玄風，對於科舉文章中雜入仙釋兩家是有直接的關係的．袁煒以青詞獲寵信，對於世宗宗奉神仙之術，多曲為緣飾。至其言：「玄覽超方之士，未有不思符乎天人者也。夫其種仁義矣，又能託無窮之詞以自著矣。」[114]又云：「國初周顛仙、張三丰之流，殷勞萬乘勒玉帛、發使者訪之，此近代事，豈不足睹信耶？」[115]更說：「聖人之道與仙人之術出入變化於霄壤間，以翔舞賢豪於不倦也。聖人以道長生，陳萬象而顯於有，仙人以神長生，妙萬象而入於無。兩者交相寂感，異用而同原。」[116]似此讕說，集中隨處可見。他如《玉芝頌》、《禾祥頌》、《白鹿頌》等文更是立意以仙儒同原為說，以服食神仙的道家方術與儒家性命倫常揉合為說。

嚴訥曾一主應天鄉試及會試，「以撰玄文當上旨，得驟貴重。」[117]王世貞之祭文以三教中人比之，別有意味。如云：「貌而出者，以為鼎席之貴；語而處者，則意其環堵

---

110 張朝瑞：《皇明貢舉考》卷7，頁142，《四庫全書存目叢書》史部第269冊，頁799。

111 鈕琇撰：〈觚賸續編〉，《筆記小說大觀》（台北市：新興書局，1979年），第30編第5冊，第3186-3187頁。見張澤洪：〈道教齋醮史上的青詞〉，《世界宗教研究》2005年第2期，頁116-117。

112 《明史》卷307，頁？。

113 卿希泰主編：《中國道教史》（成都市：四川人民出版社，1993年），第3冊，第409-417頁。

114 袁煒：〈賀靜窓錢公七十序〉，《袁文榮公文集》卷5，頁13，臺北市：文海出版社1970年，據萬曆元年刊本影印，頁232。

115 袁煒：《賀靜窓錢公七十序》，《袁文榮公文集》卷5，頁15，臺北文海出版社1970年據萬曆元年刊本影印，頁235。

116 袁煒：〈賀靜窓錢公七十序〉，《袁文榮公文集》卷5，頁15，臺北文海出版社《明人文集叢刊》第一輯1970年據萬曆元年刊本影印，頁235-236。

117 王世貞：《弇州山人續稿》卷150，頁6，臺北文海出版社《明人文集叢刊》第一輯，頁6864。

之儒。於釋氏之慈悲，雖避其名而居其實。若老子之三寶，寔採其精而食其腴。」[118]嚴氏雖未必如王世貞所云出入三教，但王文卻反映了時人合會三教的風尚。其實嘉靖朝閣臣為仙釋曲為緣飾，亦有陽明學為其理論基礎。陽明本人，早歲喜老釋之學，「欣然有會於心，以為聖人之學在此矣。」後來雖「依違往返，且信且疑，」[119]龍場悟道以後，更以心學證諸五經四子，沛然若決江河，一發而不可止，但陽明於仙釋兩家始終未全然以為非。如他在正德六年（1511）與徐禎卿討論沖舉問題，陽明認為：「盡鳶之性者，可以沖於天矣；盡魚之性者，可以泳於川矣；……盡人之性者，可以知化育矣。」[120]故陽明以為仙家求取道的途徑發生錯誤。大道即在本心，非由外鑠，不假他求。陽明晚年賦《長生》詩比較清楚地反映了他對仙家的態度：「乾坤由我在，安用他求為？千聖皆過影，良知乃我師。」[121]又云：「饑來吃飯倦來眠，只此修行玄更玄。說與世人渾不信，卻從身外覓神仙。」[122]

對於仙釋與儒之異，陽明在悟道後認為：

> 仙家說到虛，聖人豈能虛上加得一毫實；佛氏說到無，聖人豈能無上加得一毫有？但仙家說虛，從養生上來；佛氏說無，從出離生死苦海上來。卻於本體上加卻這些子意思在，便不是他虛無的本色了，便於本體有障礙。聖人只是還他良知的本色，更不著些子意在。[123]

陽明對於仙家的態度，柳存仁先生的幾句話可以蓋棺論定：

> 王門學者耽心道教者頗多，元靜而外，王嘉彥蕭惠之問皆見於傳習錄。而陽明於佛教之學，亦頗有所知，故屢言「二氏之學其妙與聖人只有毫釐之間。」此處答陸澄雖可見陽明已洞鑒追求長生之無用，然於道家精氣神之說仍視為養生要著，而所云「養德養身」，正道教所謂修性修命，或性命雙修耳。[124]

四　陽明後學之推尊釋老諸子及隆萬間的制義

陽明後學中於科舉制義中引入二氏及諸子推揚最力者當屬楊起元、朱得之、焦竑、

118 王世貞：〈祭太子太保嚴文靖公文〉，《弇州山人續稿》卷153，頁16，臺北文海出版社《明人文集叢刊》第一輯，頁7009。

119 《語錄》三，《徐昌國墓誌》，吳光等編校：《王陽明全集》卷三，頁127。

120 《外集》七，吳光等編校：《王陽明全集》卷25，頁932。

121 《外集》二，吳光等編校：《王陽明全集》卷20，頁796。

122 《別諸生》二，吳光等編校：《王陽明全集》卷20，頁791。

123 《語錄》三，吳光等編校：《王陽明全集》卷3，頁106。

124 柳存仁：〈王陽明與道教〉，《和風堂文集》（上海市：上海古籍出版社），中冊，頁869-870。

陶望齡等人。其實二氏及諸子之學的孱入制義，也是由陽明之學術及王門之後學在官學和科舉中的優勢地位借路而入。今略舉其例以為說明。

俞長城、梁章鉅等認為晚明受王學的影響，隆慶（1567-1572）以後，多用禪老之言，萬曆五年丁丑（1577）進士楊起元（1547-1599）始開以禪語入制義之漸。由上文可見，此風氣開之已久，嘉靖一朝王學對科舉的影響已十分顯著，固非自隆萬始。隆、萬時期應該說是這一風氣的延續。以隆慶至萬歷初的會試及殿試策問來看，試題本身就顯露了關切心學問題的傾向。是科考官為禮部尚書兼大學士張四維及詹事兼侍讀學士申時行。時行雖非陽明弟子，但對王學及陽明本人是一力推崇的。[125]萬歷五年會試試題已透露出明顯的王學的影響，其第一場四書義的第二、三問云：

> 我亦欲正人心，息邪說，距詖行，放淫辭，以承三聖者，豈好辯哉？予不得已也。回之為人也，擇乎中庸，得一善而拳拳服膺，而弗失之矣。[126]

其上語出《孟子・滕文公下》，承下云：能言距楊墨者，聖人之徒也。故試題本意欲令舉子就正人心與距楊墨上發揮。四維此題程文即如此。[127]

第三問語出《中庸》，朱熹章句云：

> 回，孔子弟子顏淵名。拳拳，奉持之貌。服，猶著也。膺，胸也。奉持而著之心胸之間，言能守也。顏子蓋真知之，故能擇能守如此，此行之所以無過不及，而道之所以明也。

申時行是題程文云：

> 聖人稱大賢求道而得之深，以見其真知也。夫擇乎中庸而能守之，則所得者深矣。非顏子真知，其孰能之。[128]

這裡比較微妙的是朱熹《章句》所說的「真知」是說顏回真正瞭解擇中庸與守善之道。此處「真知」一詞是動詞。而申時行的發揮云「以見其真知」，是以「真知」用為名詞。正如顧炎武所說的隆慶二年會試程文破題所用「聖人教賢者以真知，在不昧其心而已。」詞性一變，其思想根源和語言依據已大不同。《莊子・大宗師》：「真人而後有真知。」《列子・仲尼》：「無樂無知，是真樂真知。」申時行此文破題自覺不自覺間已暗換《章句》之意為《莊》《列》之言入之文字。無獨有偶，嘉靖四十一年與申同榜榜眼

---

125 張祥浩：《王守仁評傳》（南京市：南京大學出版社，1997年），頁54-55。

126 仲光軍主編：《歷代金殿殿試鼎甲硃卷》（石家莊：花山文藝出版社，1995年）《明代試題試卷》，頁362。

127 是篇全文見田啟霖編著：《八股文觀止》（海口市：海南出版社，1994年），頁480-481。

128 全文見田啟霖編著：《八股文觀止》，頁493-494。

王錫爵破《大學》「知止而後有定」一文也用「真知」一詞。其破云：「聖經推止至善之由，不外於真知而得之也。」其後云：「夫學知所止，天下之真知也。而定、靜、安、慮因之，此至善所由得歟，則亦求端於知而已矣。」[129]申、王二人用《莊》《列》之言以及《大學》中定、靜、安、慮、至善等觀念來闡發，實有陽明思想的影響。「真知」在陽明的語義中一是本然之良知；一是指知行合一的知。陽明說：「知之真切篤實處，即是行；行之明覺精察處，即是知。」「真知即所以為行，不行不足謂之知。」[130]陽明對此解釋得最為明白，說好好色，惡惡臭，是「見那好色時，已自好了，不是見了後，又立箇心去好。」所謂知孝知弟，亦必待行孝行弟，方可謂真知。[131]隆慶二年會試程文「聖人教賢者以真知，在不昧其心而已」之真知，以及申時行、王錫爵所謂的「真知」是從陽明那裏借用的概念。以此看來顧炎武所說的「破題用莊子」亦未必全對，是陽明用莊、列之語，注入新的內涵。而莊、列之辭入制義是由王學而借步路入。

如果說嘉靖朝諸子還多是陰尊二氏，那麼隆萬諸子則一變而為公然崇奉。楊起元云：

> 楊子曰：三教皆務為治耳，譬之操舟然，吾儒捩舵理楫於波濤之中，二氏乃指顧提撕於高岸之上。處身雖殊，其求濟之理則一……予少讀韓子原道，即知佛老之書宜火也，及讀國史，伏覩高皇功高萬古，孜孜定治之意至精也，茍有妨政害治之隙，無不塞之，而未嘗及於二氏，且嘗有訓曰：仲尼之道，刪書制典，為萬世師。其佛仙之幽靈，暗理王綱，益世無窮。治天下之道，於斯三教，有不可缺者如此，則宜崇奉之矣！……秦漢以還，微言中絕，不復知道為何物。而佛之教，能使其徒守其心性之法，遞相傳付，如燈相禪，毋令斷絕。及至達磨西來，單傳直指，宗徒布滿，儒生學士，從此悟入，然後稍接孔脉，以迄于茲，此其暗理者一也。[132]

可見楊起元之崇奉二氏，一是從政治的角度，一從學術的角度；一是肯定其社會效用，一是肯定其知識功能。陽明本人於二氏在思想的內容和方法雖有借用，但同時也是否定的，至少是貶抑的。而楊起元這裏已脫離了儒家的傳統立場，不但不以佛為異端，甚且以佛來接續儒之學統．推其根源，還是本於陽明．陽明對正學和異端的關係，曾作過相對化的處理．說所謂異端者，乃是我執一端，則彼為異端；彼執一端，則我為異端．所以楊把佛變為正學，如其又云：

129 全文見田啟霖編著：《八股文觀止》，頁490-491。

130 陳榮捷：《王陽明傳習錄詳注集評》（台北市：台灣學生書局，1988年），頁166。

131 陳榮捷：《王陽明傳習錄詳注集評》，頁33。

132 楊起元：〈論佛仙〉，《證學編》卷首，頁二十二至二十四，上海古籍出版社1995年影印《續修四庫全書》第1129冊，頁334-335。

> 不勉而中，不思而得，中庸之誠也；其功必已百已千，而後入如惡惡臭，如好好色，大學之誠也……今考佛之為說，雖三乘十二分教，汪洋浩大，逾河漢之無極，而其直指人心，見性成佛，亦不外乎一誠。[133]

並且認為「學之宗傳，孟氏而後中絕，乃佛氏之徒明之。河汾濂洛，實取諸彼以歸於此。至象山陸氏益大光顯之，以直接乎孟氏。」如果以佛來接續為心學之學統，自然要面臨的問題就是其他儒先怎麼辦？而在楊氏所描摹的心學統系中，朱子是沒有地位的。其薄視朱子，則曰：「其學教人讀書窮理，今日格一物，明日格一物，此亦聖門所不廢。然苟為無本，即未免分其心於不測之地。朱子蓋懲夫禪之遺棄事物，而不敢及於明心。不知心自吾心，與禪無與。」[134]又以為明心見性，釋與儒無二。其云：

> 吾儒之學，欲明明德於天下，必先自明其明德。所謂以其昭昭，使人昭昭也。佛學明心見性，亦為一大事因緣。出現於世，開示悟入佛之知見。由此觀之，我高皇謂聖人無兩心，詎不信哉？……心者，天下之大本，既得本，何愁末？則佛氏宗徒尚為近之。且心無聲臭影象可求，昔人譬之千重鐵壁。若果千重鐵壁，亦有可透之理。惟夫言語道斷，心行處絕，是以無求路耳。佛氏宗徒，俱從萬死一生，乃得相應，如二祖立雪截臂，六祖腰石舂米，如是忘軀為法者，不可勝數。所以傳佛心印，轉轉不錯。吾儒曾爾否？王文成公詩云：「莫怪岩僧木石居，吾儕真切幾人如？經營日夜身心外，剽竊糠秕齒頰餘。」可謂盡之。[135]

楊乃採摘「二祖信心銘，六祖壇經頌偈，蘇學士公據中峯和尚廣錄，皮袋子警策等歌凡數千言，皆有益於身心者，號之曰：『明心法語』。」[136]楊起元師事近溪先生（羅汝芳，1515-1588）。據《明儒學案》：羅於二十六歲時問學於顏山農，三十四歲時從胡宗正學《易》而悟本體，三十九歲時證道於泰山丈人。山農師事徐波石，波石師事陽明及王艮。故近溪實為陽明之三或四傳。而起元則為四或五傳。

由以上之理論基礎，楊起元乃撰《諸經品節》二十卷，選道釋兩家經典二十九種據己意為之詮釋，所選道家經典有《陰符經》《道德經》（老子）《南華經》（莊子）《太玄經》《清淨經》《文始經》《洞古經》《大通經》《定觀經》《玉樞經》《心印經》《五厨經》

---

133 楊起元：〈知儒編跋〉，《證學編》卷3，頁三十，上海古籍出版社1995年影印《續修四庫全書》第1129冊，頁425。

134 楊起元：〈象山先生集要序〉，《重刻楊復所先生家藏文集八卷》卷3，《四庫禁燬書叢刊》第186冊，集63，頁596-597。

135 楊起元：〈明心法語序〉，《重刻楊復所先生家藏文集八卷》卷3，《四庫禁燬書叢刊》第186冊，集63，頁603。

136 楊起元：〈明心法語序〉，《重刻楊復所先生家藏文集八卷》卷3，《四庫禁燬書叢刊》第186冊，集63，頁603。

《護命經》《胎息經》《龍虎經》《洞靈經》《黃庭經》；釋家有《楞嚴經》《維摩經》《心經》《金剛經》《六祖壇經》《圓覺經》《楞伽經》《藥師經》《法華經》《無量經》《彌陀經》《盂蘭經》。[137]《四庫全書總目》《諸經品節》提要云：「起元傳良知之學，遂浸淫入於二氏，已不可訓。至平生讀書為儒，登會試第一，官躋九列，所謂國之大臣，民之表也，而是書卷首乃自題曰『比邱』，尤可駭怪矣。」[138]

萬曆十七年己丑科（1589）狀元焦竑先後師事耿天臺羅汝芳，論二氏與儒之異同，與楊起元大旨相近。只不過在崇奉佛學與諸子上，焦氏為學有更深入的分析和具體的論述。黃梨洲謂其曾於程顥闢佛之語一一紬之。[139]所遺文集中每見其合會三教的傾向。或以佛道解儒典，或以儒附釋道。其《筆乘》中《佛典解易》[140]《地中》[141]皆以釋學解經。《希夷易說》[142]《神農黃帝皆作易》[143]《太極》，[144]《出生入死》[145]乃皆以道家學說解易。《佛典解莊子》[146]則以釋老互解。《戒殺生論》，[147]則以聖人戒殺生比附釋氏。其解老則如《有若無》[148]云：

> 薛子緒言云：萬物皆自無而有。無，其根也。能無者謂之歸根。無聲無臭，歸根之學也。《論語》曰有若無若之一言，猶隔影響，顏子所以未至於聖人。

又有《盜竽》[149]、《營魄》[150]、《惠淨衍莊子》、《消搖》皆以三教互證。《堯夫詩

---

137 楊起元：《諸經品節》，《四庫全書存目叢書》子部第130冊，131冊。

138 楊起元：《諸經品節》，《四庫全書存目叢書》子部第131冊，頁405。

139 黃宗羲：《明儒學案》卷35，《黃宗羲全集》，第8冊，頁83。

140 焦竑：《佛典解易》，《焦氏筆乘》卷1，頁11-12，上海古籍出版社1995年影印《續修四庫全書》第1129冊，頁509-510。

141 焦竑：〈地中〉，《焦氏筆乘》卷3，頁16，上海古籍出版社1995年影印《續修四庫全書》第1129冊，頁552-554。

142 焦竑：〈希夷易說〉，《焦氏筆乘》卷1，頁11-12，上海古籍出版社1995年影印《續修四庫全書》第1129冊，頁510。

143 焦竑：〈神農黃帝皆作易〉，《焦氏筆乘》卷2，頁21-22，上海古籍出版社1995年影印《續修四庫全書》第1129冊，頁534-535。

144 焦竑：〈太極〉，《焦氏筆乘》卷1，頁11-12，上海古籍出版社1995年影印《續修四庫全書》第1129冊，頁535。

145 焦竑：〈出生入死〉，《焦氏筆乘》卷3，頁24-25，上海古籍出版社1995年影印《續修四庫全書》第1129冊，頁556-557。

146 焦竑：〈佛典解莊子〉，《焦氏筆乘》卷2，頁1，上海古籍出版社1995年影印《續修四庫全書》第1129冊，頁524。

147 焦竑：〈戒殺生論〉，《焦氏筆乘》卷2，頁36-41，上海古籍出版社1995年影印《續修四庫全書》第1129冊，頁542-544。

148 焦竑：〈有若無〉，《焦氏筆乘》卷1，頁3，上海古籍出版社1995年影印《續修四庫全書》第1129冊，頁505。

149 焦竑：〈盜竽〉，《焦氏筆乘》卷1，頁19，上海古籍出版社1995年影印《續修四庫全書》第1129冊，頁513。

似莊子》云：「且也相與吾之耳矣，庸詎知吾所謂吾之乎？言今之吾相與從而吾之矣，又安知吾之果為吾乎。邵堯夫詩：昔日所謂我，而今卻是伊。不知今日我，又是後來誰？正此意。」[151]又有《成心》《向秀莊義》《向秀注多勝語》《外篇雜篇多假託》大抵相類。[152]

《踐形》[153]一篇藉李彥平（李衡）之言，則以老子所論從耳目口鼻之欲而不隨聲色臭味而去，以解論語中所戒之視聽言動，是以老釋儒也。《朱子》[154]一篇則引趙孟靜（貞吉）云：以為孟子之禽獸楊墨，以為持論之過嚴，並且認為楊朱本於黃老，墨子本於禹。似以上之議論，於文集中多見不怪。又云：

老子曰：失道而後德，失德而後仁，失仁而後禮。老子豈不知禮之即道，顧離而言之哉？世方執名義、膠器數，而吾指之曰非道，冀其進而求之也。求之而有契，然後知理外無道、道外無禮。[155]

焦氏此言實是站在儒家的角度，為老子薄視仁禮，析道與禮為二作辯護。楊起元、焦竑與陶望齡等人所最為樂道者，是論語中舜無為之說，「子曰：『無為而治者，其舜也與？夫何為哉，恭己正南面而已矣。』」及孟子中「無為其所不為，無欲其所不欲。」以之與老子所云：「我無為而民自化」比讀，以為儒老有相發明處。當時學者或以為舜之無為是所謂「誠敬」「易簡」之道，[156]王門學者或以周敦頤之「誠無為，幾善惡」為致知之塗轍，[157]又或以為「不為不欲」是良知，「無為無欲」是致良知。[158]焦竑說無為，似

150 焦竑：〈營魄〉，《焦氏筆乘》卷3，頁13，上海古籍出版社1995年影印《續修四庫全書》第1129冊，頁551。

151 焦竑：〈堯夫詩似莊子〉，《焦氏筆乘》卷1，頁20，上海古籍出版社1995年影印《續修四庫全書》第1129冊，頁514。

152 焦竑：〈成心〉〈向秀莊義〉〈向秀注多勝語〉〈外篇雜篇多假託〉，《焦氏筆乘》卷2，頁1-4，上海古籍出版社1995年影印《續修四庫全書》第1129冊，頁524-526。

153 焦竑：〈踐形〉，《焦氏筆乘》卷3，頁22-23，上海古籍出版社1995年影印《續修四庫全書》第1129冊，頁555-556。

154 焦竑：《朱子》，《焦氏筆乘》卷4，頁27-28，上海古籍出版社1995年影印《續修四庫全書》第1129冊，頁579-580。

155 焦竑：《焦氏筆乘續》卷1，頁19，上海古籍出版社1995年影印《續修四庫全書》第1129冊，頁621。

156 王廷相云：「或問易簡之道，曰：『易之神理也，大舜孔子之卓塗也，疇其能之？』……曰：『知其所不得不為與其不屑為，於是乎得之。不屑為而致力，名曰貪侈，由驕矜之心害之也，庸人之擾擾不與焉；所當為而不力，名曰苟簡，由怠肆之心害之也，莊老之無為不與焉。』」見王廷相著，王孝魚點校：《慎言》卷之六，《王廷相集》，中華書局1995，頁779。

157 聶豹云：「世顧有見好色而不好，而好之不真者乎？有聞惡臭而不惡而惡之不真者乎？絕無一毫人力動以天也。故曰：『誠者，天之道也，』又曰：『誠無為，』又曰：『誠者，自然而然。』稍涉人力，便是作好作惡，一有所作，便是自欺……故誠意之功，全在致知。致知云者，充極吾虛靈本體

乎已超出了其儒的本來立場，而入於釋氏。焦竑云：「世人不識真清淨體，以無為為清淨者，非也。」並雜引道家定觀經偈及釋氏心銘云：「寧知淨穢本空，動止本一，由吾目異，故彼成異。」[159]則已全然是佛家立場。焦竑常說孔孟之學是性命之學，但言簡意微，未能如佛家諸經對此發揮闡明，所以佛經是孔孟的義疏。又說性命之理，孔子罕言之，老子累言之，佛典極言之，以為孔釋老相通之證。這種看法與當時儒者中宗朱學者的看法大相逕庭。比如羅欽順就認為：「老子外仁義禮而言道德，徒言道德而不及性，與聖門絕不相似，自不足以亂真。所謂彌近理而大亂真，惟佛氏爾。」[160]相比之下，焦竑與楊起元一樣也有了自身定位的混亂，由儒學而或釋或玄，是當時文人亦較常見的情況。

焦竑又云：[161]

> 味道者務多，知道者棄多，忘道者不厭多。何者？知多之不為礙也。而此非太宰所及也。彼以夫子多能，輒疑其非聖，亦知用心於約矣。故曰：太宰知我乎？知多能以少賤之故，則以多求道，非其路也。其繞之有宗，其會之有元，何多之有？乃達巷黨人曰：「大哉孔子！博學無所成名。」則異此矣！故充太宰之見，則一塵可以蔽天，一芥可以覆地也，況於多乎？充黨人之見，則游之乎群數之塗而非數也，投之乎百為之會而非為也。無成名者乃其所以大成也歟？[162]

焦氏在此又以老子言道之一與多、本與末來解孔子吾道一以貫之，[163]又以淮南子「精神已越於外，而事復反之，是失之於本，而求之於末也。蔽其玄光而求知於耳目，釋其昭昭而道其冥冥也」，以此解孔子「知之為知之，不知為不知」。[164]其論孔子所說的

之知而不以一毫意欲自蔽。是謂先天之畫，未發之中，一毫人力不得與。」雙江此說，乃是王學「無為」是致良知的最好注解。見黃宗羲：《明儒學案》卷17，《貞襄聶雙江先生豹》，《黃宗羲全集》第7冊，頁434。

158 此劉宗周語，見黃宗羲：《孟子師說》卷下，頁80，《文淵閣四庫全書》本。

159 焦竑：《焦氏筆乘續》卷2，頁6-7，上海古籍出版社1995年影印《續修四庫全書》第1129冊，頁633。

160 見羅欽順：《困知記續錄》卷上，頁37-38，《文淵閣四庫全書》本。

161 焦竑：《焦氏筆乘續》卷1，頁20，上海古籍出版社1995年影印《續修四庫全書》第1129冊，頁622。

162 焦竑：《焦氏筆乘續》卷1，頁22，上海古籍出版社1995年影印《續修四庫全書》第1129冊，頁623。

163 焦竑云：「老子曰：『道生一』，當其為道，一尚無有也。然一雖非所以為道，而猶於本；多學雖非所以離道，而已近於末。二者大有間矣。雖然，此為未悟者辨也。學者真悟多即一，一即多也，斯庶幾孔子之一貫者已。」焦竑：《焦氏筆乘續》卷1，頁25，上海古籍出版社1995年影印《續修四庫全書》第1129冊，頁624。

164 焦竑：《焦氏筆乘續》卷1，頁25-26，上海古籍出版社1995年影印《續修四庫全書》第1129冊，頁624-625。

「億」，乃是云「道不可知，而求之者爭為卜度」。[165]似此皆出入道與儒之間，其學已超出了儒家之正軌。

焦氏本人狀元及第，後亦充任鄉會試考官。清人李調元（1734-1803）《制義科瑣記》就載萬歷丁酉（25年，1597）秋九月中允焦竑（1541-1620）為順天鄉試副主考，場中文俱用老莊語。這顯然是因為由於焦氏為學的傾向，應試者為希其所好，而用二氏語為文。後來因人疑其有關節，焦竑被黜為福寧州同知。[166]

焦竑校正、萬曆二十年壬辰科（1592）狀元翁正春參閱、萬曆二十三年乙未科（1595）狀元朱之蕃（1564年生）圈點，選二十九子之文，首為《老子》次為《莊子》《列子》《荀子》《淮南子》《呂子春秋》《韓非子》《尉繚子》《屈子》《揚子法言》《墨子》《鶡冠子》《陸子》《管子》《晏子》《文中子》《韓子》《關尹子》《譚子》《抱樸子》，次為《劉子》《尹文子》《適一子》《子華子》《孔叢子》《桓子》《鬼谷子》《孫武子》《郁離子》。[167]由三狀元點評著作，其於學界和專心舉業的士子的影響自不待言。選評這些子學著作之目的，一則如李廷機所云：「六經之道，炳如日星，而諸子百家，猶聖言之羽翼。」這是比較冠冕堂皇的理據。再有也是更重要的是「藉讀者能掇其玄精，嚅其芳腴，則吐咳盡珠璣，下筆若泉湧矣。他日登文壇，建旗鼓，稱大將者，非此二十九子為之先驅耶？」[168]這一點尤為重要，當士子上下群習釋老，欲掄巍科，弋高第，登文壇，稱大將，非習諸子之學，釋氏之語恐未能辦。

與焦竑同科的探花陶望齡（1562-1609），得其學於周汝登及羅汝芳，應當算是陽明四傳。陶在其萬歷十七年（1589）會試中用老莊語頗多。如其答「聖賢所以能盡其性」云：

> 聖人曰：太初之始有氣也，澹然未有物，純然其素樸，靜若水、虛若鑒、皎皎若日月之未翳也。是謂性真，窈焉冥焉，俄而萌焉勃焉，倏焉若有出焉。聖者不得遂絕，愚者亦不得遂無，是謂性情。包裹萬有以成體，茹納九峽以成量，愉悱相通、欣戚相繫，如肢連貫，氣運神行，是謂性分。聖人守真約情緣分而無常，以天下人為心。本無欲，以通天下為欲……[169]

---

165 焦竑：《焦氏筆乘續》卷1，頁26，上海古籍出版社1995年影印《續修四庫全書》第1129冊，頁625。

166 李調元：《制義科瑣記》卷2，頁78-79。《叢書集成簡編》據函海本影印。

167 焦竑：《新鍥翰林三狀元會選二十九子品彙釋評》20卷，《四庫全書存目叢書》子部第133冊，134冊。《四庫全書總目》云其為坊賈射利之本，恐非焦朱翁三子所選。見《欽定四庫全書總目》卷32，頁8，《文淵閣四庫全書》本。

168 焦竑：《新鍥翰林三狀元會選二十九子品彙釋評》卷首，李廷機序，《四庫全書存目叢書》子部第133冊，頁240-241。

169 仲光軍主編：《歷代金殿殿試鼎甲硃卷》，《明代試題試卷》，頁381。

對問中「太初之始有氣也」，語出《列子》:「太易者未見氣也；太初者，氣之始也。」其後「未有物」「素樸」諸語亦出《淮南子・本經訓》:「太清之始也，和順以寂漠，質真而素樸，閑靜而不躁，推而無故。」其對太初之始道體的描述，顯然是直接承襲了老莊的觀念。《老子》:「其上不皦，其下不昧。繩繩兮不可名，復歸於無物。是謂無狀之狀，無物之象，是謂惚恍。」「窈兮冥兮，其中有精；其精甚真，其中有信。」而萬物萌焉勃焉的始生狀態的描摹，顯亦莊子所謂「萬物化作，萌區有狀；」「忽然出，勃然動，而萬物從之乎！」其他「守真」「無常」「無欲」等語皆根柢老莊列而為言，可以說陶氏此文乃以老莊列之語入制義的代表作。然而有趣的是，陶氏一邊大用老莊列之文，一邊又排擊二氏，不稍假貸。同在是科會試中，其答第三問曰：「六經常道也，而治之者其弊有三：有新其理而逃之者，有新其說而逃之者，有不探其理不究其說而逃之者。經之作也，言成訓則中庸之矩也，行成務則易簡之術也。好奇者曰：是土苴糟粕耳，而二氏而百家始於離道，終於抗道，其弊僭亂滑渾而不可塞，是明以為賊於經之外者也。」又云：「正嘉之間，士始有不談六籍而談二氏者，既又推六籍以附二氏，既又援二氏以解六籍，然其談也猶托而匿諸理也，聞之者猶適適然。」[170]望齡少年時即沈浸於方外神仙之說，在館閣中又與袁宗道、汪可受、王圖、蕭雲舉、吳應賓等醉心養生之學，並以弟子禮問心法於三一教主林兆恩。[171]其時正沈浸於佛學、方術與莊老學，其辟二氏之說恐怕是純粹為應付科舉。望齡為學受王畿、羅汝芳的影響甚深，中式後，陶與楊起元、孟化鯉、馮從吾等王門後學為講學之會。對於王陽明和王畿之尊儒抑佛，望齡認為恰恰是有功於佛，「今之學佛者皆因良知二字誘之也。」[172]故顧炎武以為隆慶以後五十年，學者以釋老之言入制義，如康崑崙琵琶，日入邪僻而不自知，須不近其器十年，使忘其本而後可教。正、嘉、隆、萬時期釋老之學的大興及其孱入科舉制藝是有王學興起為背景，陽明及其後學的理論為依託的。

五　晚明制義中反對子學入制義的傾向

自王學從嘉靖初年興起，並且廣泛影響到科舉制義中之同時，科舉中反對王學與釋氏諸子之學的聲音無時或止，萬曆中期，當王學及釋氏諸子之學極盛時，反對的聲音也極高。王世貞（1526-1590）《弇山堂別集》引萬曆十五年禮部尚書沈鯉奏章云：「（萬曆）十六年，禮部參浙江提學僉事蘇濬、江西提學副使沈九疇取優等卷怪詭，濬等各罰俸兩月，諸生發充社，題為士風隨文體一壞懇乞聖明嚴禁約以正人心事：……『照得近年以來，科場文字漸趨奇詭……自臣等初習舉業，見有用六經語者，其後以六經為濫

170　仲光軍主編：《歷代金殿殿試鼎甲硃卷》，《明代試題試卷》，頁383-384。

171　柳秀英：《陶望齡文學思想研究》，高雄師範學院國文研究所碩士論文，1989年，頁55。

172　呂妙芬：《陽明學士人社群：歷史、思想與實踐》，頁210。

套，而引用《左傳》《國語》矣，又數年以左國為常談，而引用《史記》《漢書》矣，史漢窮而用六子，六子窮而用百家，甚至取佛經道藏，摘其句法口語而用之。鑿樸散淳，離經叛道，文章之流敝至是極矣』。」[173]又云：「嘗謂古今書籍有益於身心治道，如《四書》、《五經》、《性理》、司馬光《通鑑》、真德秀《大學衍義》、邱濬《衍義補》、《大明律》、《會典》、《文獻通考》諸書，已經頒行學宮及著在令甲，皆諸生所宜講誦。……及于經義之中引用莊、列、釋、老等書句語者，即使文采可觀，亦不得甄錄，且摘其甚者痛加懲抑，以示法程。」萬曆的聖旨是：「是。近來文體輕浮險怪，大壞士習。依擬著各該提學官痛革前弊。」[174]

然積習既久，其弊未易遽革。故數年後的萬曆二十一年，北祭酒劉元震（1540-1620，1571年進士）又建言：

> 近來學者不專本業而猥習雜學，喜浮華者藉口於諸子字句之粗，競進取者馳情於戰國縱橫之策，務刻覈者留意於申韓刑名之論，尚虛玄者醉心於佛老謬悠之書，學術不醇，識趣亦駁，生心害事，長此安窮？……以後較文取士，專重經學，以明理雅正為準，其一切猬雜不經，詖辭遁詭之辭，悉罷不錄，庶幾挽回敝風，世道有賴也。
>
> 疏報，詔令禮部議之，禮部覆議云：「自後科場較文取士，必體裁平正，記問充實，發理措詞，本原經藝者，方許優考取中，以示法程。如有怪誕不經，將佛老踳駁、子史粗疎之語引入經義，以淆正學者，雖詞藻可觀，不得濫收，甚者特從黜落，以警敝風……」上悉從之。[175]

二十二年禮部又上言重申前議。俞長城說萬曆末佛老踳駁、子史粗疏之語於制義尤甚，固然。而另外一方面，從現在看到的廷試會試諸卷來看，萬曆朝晚期恰恰是有些「撥亂反之正」的味道。萬曆三十八年會試，是科探花錢謙益在第三場考策第二問中，公開攻擊陽明心學中性無善無惡說：

> 性不可以言也，言性者如以勺取水，以指得月，必破其所執而後可。……為善而不歸於見性，將一切揣合名行摹仿聖賢，以似溷真，以真藪偽，俗學起而本性隱矣。……倘其藉口於無善無不善，謂聖狂仁暴總在性中，以破善不善之隄防，而混性之物則，則小人之無忌憚而已。嗟乎！自姚江以無善無惡為心體，後之君子爭以為射的。愚固墨守傳注者，何敢影響其說以射執事之策。蓋有感於性學不

---

173 王世貞撰；魏連科點校：〈科試考〉四，《弇山堂別集》卷84，頁1596。

174 王世貞撰；魏連科點校：〈科試考〉四，《弇山堂別集》卷84，頁1597。

175 黃儒炳（1604年進士）：《事紀》，《續南雍志》卷5，楊學為主編：《中國考試史文獻集成》第5卷（北京市：高等教育出版社，2003年），頁524。

明，而為善者日趨於偽，且借言性惡者以攻端也。[176]

錢謙益於會試中寫出這一段文字，誠以自身的功名為注干犯主試者，是有一定的膽量的。時知貢舉是翁正春，考試官為蕭雲舉及王圖，三人皆佞佛老，醉心養生之學。[177]錢文中提到以王學為宗而入制義者多是藉王學以射執事之策，頗能反映當時的情況。而錢文本身也代表了當時制義中另一種潮流，即回歸到傳註，排斥佛老子史與心學的傾向。萬曆後期，釋氏及諸子之言入制義的現象已經開始減少，而到啟禎時期，此風氣已受到廣泛的批評。批評最力者當是高攀龍、顧憲成、趙南星、艾南英等人。招致批評的原因是多方面的。首先是如錢謙益所點出的以陽明之學為舉業射的，已經偏離了明初以程朱傳註為依歸的科舉傳統。而陽明後學行之更遠，其立場已由儒學而轉入釋氏老氏及其他諸子，這與科舉制度「代聖立言」從根本上說是相悖離的，宜乎不能長久。如湯賓尹所說「今以代聖代賢之筆舌，而僅爭佛老子史之殘，有識者識之，必曰：是有痼疾矣。」[178]

其次，陽明心學所關注的核心是心性問題，運用到制義中，其所適用及可資發揮的範圍本身就有局限。科舉考試鄉會試中只有首場中的四書義的部分是可以引入心性問題的。而五經欲以心學及釋老為說，已自牽強。當然，明清兩代制義，從來首重四書文，當正嘉隆萬心學之盛，從考官學使乃至生員，皆重四書文的發揮，心學與二氏之所以能在制義中大行其道，與科舉中的這種風氣也有關。如湯賓尹所云：「今舉業之家，以書義行者，病其太多；以經義行者絕寡。雖有精刻之士，朝夕於書而力已枯矣。強弩之末，不穿魯縞。故能治經者，十不一也。」[179]然而經義與二三場也不能棄而弗顧，二三場兼用的論、表、詔、誥、判、策，及經史時務，是與心學及二氏學說基本上無法聯係起來。故心學與釋老子史於制義中影響的範圍與程度亦不能過論之。

艾南英云：

> 於文辭則又欲於八股中抑揚其局，錯綜其句，出入於周、秦、西京、韓、歐、蘇、曾之間，以為不如是則制舉一道不能見載籍之全。而不如是恐於立言之意終有所未備，則勢不得不搜猎經子、百氏，網羅（司馬）遷、（班）固，兼捻唐宋大家。而始變而及於董江都，再變而入於郭象、王弼，好奇愛博之勢相激使然，無足怪者。而天下亦遂駸駸向風矣。[180]

---

176 仲光軍主編：《歷代金殿殿試鼎甲硃卷》（石家莊：花山文藝出版社，1995年）《明代試題試卷》，頁405。

177 見《神宗實錄》卷467，引自李國祥等編：《明實錄類纂》文教科技卷，（武漢市：武漢出版社1992年版），頁322。

178 湯賓尹：〈刪選房稿序〉，《睡菴稿》卷3，頁3，《四庫禁燬書叢刊》第186冊，集63，頁51。

179 湯賓尹：〈韋編翼引〉，《睡菴稿》卷3，頁16，《四庫禁燬書叢刊》第186冊，集63，頁57。

180 艾南英：〈四家合作摘謬序〉，《明文海》卷312，《時文序》。

這種新學，嘉靖間雖來勢洶湧，因其無所施用於經史時務，萬曆末已是去意纏綿，至於啟禎間已蕭散無形。故啟禎間文體又回歸到所謂雅正一塗。然而王學對八股文體的影響，就文學本身而論卻未必起了消極的作用。清人及近代學者論八股文之興衰，每推重正、嘉文字，未始不是因為王學及佛老子史的孱入制義，使八股文稍能脫略程、朱傳註的窠臼，展示汪洋恣肆，縱橫不拘的宏博風格。故商衍鎏云：

> 洎乎正德、嘉靖間，名手輩出，要以唐順之、歸有光為大家。荊川指事類情，曲折盡意；震川精理內蘊，灝氣流轉；皆深於經史，能以古文為時文者，時號歸、唐。餘如薛方山應旂、瞿昆湖景淳，皆能別樹一幟，合守溪、鶴灘，有王、錢、唐、瞿四家之目，後去錢而易以薛，於是復有王、唐、瞿、薛之名。其他汪青湖應軫、季彭山本、羅念菴洪先、諸理齋燮、王荊石錫爵、許敬菴敷遠、茅鹿門坤、胡思泉友信等，皆最著名。思泉繼歸、唐而興，其文雄深博大，卓然自立，世又變易前稱，共推王、唐、歸、胡。論明文推正、嘉為盛者，此也。[181]

而恰恰是在啟、禎間文體復雅正之後，「理不成成、弘，法不及隆、萬，可謂文體之衰。」[182]啟、禎間能卓然自立的大家，往往不以儒先傳註自規，而必超軼於書經之外，艾南英自述其習制義的過程就是最好的例證：

> 予七試七挫，改弦易轍，智盡能索。始則為秦漢子史之文，而闈中目之為野。改而從震澤、毘陵，成、弘正大之體，而闈中又目之為老。近則雖以公、穀、孝經，韓、歐、蘇、曾大家之句，而房師亦不知其為何語。每一試已，則登賢書者，雖空疏庸腐，稚拙鄙陋，猶得與郡縣有司分庭抗禮。而予以積學二十餘年，制義自鶴灘、守溪，下至弘、正、嘉、隆大家，無所不究，書自六籍子史，濂、洛、關、閩，百家眾說，陰陽兵律，山經地志，浮屠、老子之文章，無所不習。[183]

艾千子的自述固然是蹭蹬不平之氣充溢胸中，而在我們看來，艾氏在制藝上的成就未始不受益於其所生的隆、萬、啟、禎那個年代。由於陽明心學的興起，使艾南英適逢其會，可以廣泛地學習並且運用在他本人看來所謂「粗疏」的佛老和「踳駁」的子史，始能追躋於正嘉間的諸大家，成一代制藝鉅擘。

本文原刊登於《諸子學刊》第1期（2007年），（上海市：上海古籍出版社），頁383-420。

---

181 商志䮒校注，商衍鎏撰：《清代科舉考試述錄及有關著作》（天津市：百花文藝出版社，2004年），頁254。

182 商志䮒校注，商衍鎏撰：《清代科舉考試述錄及有關著作》，頁254。

183 商志䮒校注，商衍鎏撰：《清代科舉考試述錄及有關著作》，頁320-321。

經學史上的惠棟

張素卿
臺灣大學中國文學系教授

提要

中國經學發展至乾隆（1736-1795）年間，出現一次典範轉移，清儒省思宋以來之理學思潮，轉而標榜「漢學」。惠棟（1697-1758）是經學典範轉向「漢學」的關鍵。他揭示「經之義存乎訓」的解釋觀念，引領學者依循由訓詁進探禮制從而通經達義的進路。「漢學」典範的推導之下，清代承元、明積弱而復盛以直追兩漢的經學史觀相沿成習，輯「古義」以撰「新疏」的學術脈絡緜延不歇。依惠棟經學的整體觀念，孔子定六經、贊化育而文致太平，學者當藉由篤守家法的漢儒以上溯大義、微言，從而通經達義。他認為聖人致中和而以禮樂化民，儒家經世之業，最終以「天下為公」的「大同」之治為理想。

關鍵詞：經學史　典範轉移　漢學　新疏　微言大義

引言

自漢武帝尊儒而專立《五經》博士始，自漢迄清，經學一直立為官學，成為中國傳統學術的大宗。清末民初以來，由於世局動盪，西潮東漸，疑古之風熛起，經學不僅喪失官學優勢，而且面臨嚴峻的挑戰與質疑。正當此絕續存亡之秋，劉師培（1884-1919）《經學教科書》、皮錫瑞（1850-1908）《經學歷史》等經學史專著相繼問世，在回顧中省思經學得失，用以津逮後人。

各家「經學史」專著，屬於書寫的歷史，猶如一面鏡子，充其量也只能反映一部分、甚至僅極小一部分的歷史；何況書寫者總有其立場與視角，選擇的面向不免差異，評述未必充分中肯，未必諦當而公允，或多或少都有其蔽。比如皮錫瑞以「思殫炳燭之明，用捄燔經之禍」的心境書寫[1]，極力強調致用，以《六經》皆孔子作，為萬世教科書[2]。馬宗霍（1897-1976）則「生當經學放廢之後，閔斯道之將喪，懼來者之無聞」，所撰《中國經學史》乃首揭「六藝者，群聖相因之書，非孔子所得專」，力斥皮氏「以經學開闢時代斷自孔子，謂《六經》皆孔子作，尤一家之私言」[3]。各家撰述，莫不有其立場，亦各有其蔽，吾人憑藉這些經學史專著回顧經學的歷史，首應有此警覺。

二〇〇〇年一月，我應邀參加林慶彰先生主持的「乾嘉學者的義理學」第二次研討會，發表〈「經之義存乎訓」的解釋觀念——惠棟經學管窺〉這篇論文，首度將研究目光聚焦於乾嘉經學。林先生領導的團隊，研究領域已由清代拓展到「民國經學」，並在世界各地大力倡導，推動各類型經學研討會召開，足跡遍歷亞、歐、美各大洲。附驥尾的我，令人汗顏地還在關注「漢學」典範議題，以惠棟（字定宇，號松崖，1697-1758）經學的整體圖象為主題，作專家式研究。十五年來，多次追隨赴各地共襄盛舉，如二〇一〇年七月出席德國慕尼黑會議[4]，二〇一二年五月出席美國亞利桑那會議[5]，我發表的論文都聚焦於惠棟之學。清儒淩廷堪（1757-1809）曾如此推崇惠棟：

> 惠君生千餘年後，奮然論著，……蓋自東漢至今，未析之大疑，不傳之絕學，一

---

1 〔清〕皮錫瑞：〈序〉，《經學通論》（北京市：中華書局，1954年），頁2。

2 〔清〕皮錫瑞：〈經學開闢時代〉，周予同注：《經學歷史》（北京市：中華書局，1989年），頁26。皮氏之《經學歷史》初刊於光緒三十三年（1907），由長沙思賢書局印行。

3 馬宗霍：〈序〉，《中國經學史》（臺北市：臺灣商務印書館，1986年），頁1-2。馬氏之《中國經學史》初刊於民國二十五年（1936），由上海商務印書館印行。

4 這是歐洲第一次舉辦以經學為主題的國際學術研討會，大會主題為：「正統與流派——歷代儒家經典之轉變」，由中央研究院中國文哲研究所與德國慕尼黑大學漢學系合辦。

5 這是美國第一次舉辦以經學為主題的國際學術研討會，大會主題為：「朱子經學及其在東亞的流傳與發展」，由中央研究院中國文哲研究所、上海華東師範大學與美國亞利桑那大學合辦。

> 旦皆疏其源而導其流，不可謂非豪傑之士也。[6]

他省思學術風氣之轉移，認為：

> 今夫天地之氣，一廢一興，一盛一衰，學術之變遷，亦若斯而已矣。故當其將盛也，一二豪傑振而興之，千百庸眾忿而爭之；及其既衰也，千百庸眾坐而廢之，一二豪傑守而待之。……吾聞之：氣之所開，勢不能禁。庸眾以從俗為良圖，豪傑以復古為己任。[7]

惠棟就是這樣「以復古為己任」，振興「漢學」的「豪傑之士」。鑽研愈久，對於經學史上書寫的「漢學」與惠棟，愈覺其簡略疏漏，未得其真。這次出席在日本京都舉行的經學會議，擬針對此議題略作探討，綜理十餘年來管窺蠡測之心得，同時也借此「豪傑」餘光，輝映一位孜孜不倦將經學種子傳播於世界的當今「豪傑」。

一　經學史書寫的「漢學」與惠棟

皮錫瑞《經學歷史》成書較早，流傳最久也最廣，具有一定的代表性。劉師培《經學教科書》刊行略早於《經學歷史》[8]，限於書名與體例，受關注的程度，不如其〈國學發微〉、〈漢宋學術異同論〉、〈清儒得失論〉等單篇，更遠不及皮氏之《經學歷史》。皮、劉兩家著作撰寫時間相近，論述立場不同，適可相互參照，比較其異同。限於篇幅，這一節以皮、劉兩家為主，表其大凡，其後各家之經學史專著，僅斟酌採錄一二，聊作補充。

依皮錫瑞《經學歷史》所述，經學的發展，開闢、流傳於先秦，昌盛於兩漢（大昌於武、宣之間[9]，極盛於元、成至東漢[10]），其後中衰（鄭學盛而漢學衰[11]），甚至南北學分立，至唐乃復歸統一，而宋又變古，其後元、明承之，則為積衰時代。皮氏在〈經學積衰時代〉這一章裡，首言「唐不及漢，宋又不及唐」，既而說「元不及宋，明又不及元」，最後以「經學至明為極衰時代。而剝極生復，貞下起元，至國朝，經學昌明，乃再盛而駸駸復古」作結[12]，全章將漢以降經學代代衰變之趨勢，完整勾勒一遍，刻意烘

6 〔清〕淩廷堪：〈周易述補序〉，王文錦點校：《校禮堂文集》（北京市：中華書局，1998年），頁239。

7 〔清〕淩廷堪：〈述學〉，《校禮堂文集》，頁33-35。

8 劉師培《經學教科書》最初由上海國學保存會印行，刊於光緒三十一年（1905），刊行時間比皮錫瑞《經學歷史》早（並參注二）。

9 〔清〕皮錫瑞：〈經學昌明時代〉，《經學歷史》，頁90。

10 〔清〕皮錫瑞：〈經學極盛時代〉，《經學歷史》，頁101。

11 〔清〕皮錫瑞：〈經學中衰時代〉，《經學歷史》，頁148。

12 〔清〕皮錫瑞：〈經學積衰時代〉，《經學歷史》，頁274、283、289-290。

托出清代經學轉而復盛的印象，強調「經學自兩漢後，越千餘年，至國朝而復盛」，且清初以宋學為根柢而兼採漢，至乾隆（1736-1795）時乃有專門漢學，嘉慶（1796-1820）、道光（1821-1850）年間，又漸漸導源而上溯至西漢今文學[13]，是所謂「駸駸復古」。既然經學至清代由積衰而復盛，皮氏曰：

> 論經學於今日，當覺其易，而不患其難矣。乃自新學出，而薄視舊學，遂有燒經之說。聖人作經，以教萬世，固無可燒之理；而學之簡明者有用，繁雜者無用，則不可以不辨。[14]

時代處境，使皮氏一方面對「國朝」經學相當自信，一方面又對經學不足以因應世變而極端焦慮，明知西漢傳注鮮少存世，而且「惟西漢今文近始發明，猶有待於後人之推闡者」[15]，卻一心憧憬內涵不明的「西漢今文學」。事實證明，西漢今文學並沒有救世的功用，反而助漲疑古之氣焰，徒使經學氣運日益衰頹。

西漢以降，代代衰變，清儒乃「承元、明積衰之後，而能轢宋、超唐，以上躋兩漢之盛」[16]，越千餘年而直追兩漢，皮錫瑞其實不自覺地承襲了乾嘉以來清儒相沿之經學觀念，具體而言，即惠棟「漢學」典範影響下的經學史觀，然而，經學史家往往習焉不察。《經學歷史》一書固將惠棟定位為「盡棄宋詮，獨標漢幟」之「漢學大宗」，卻未深究其「漢學」內涵，徒費諸多筆墨說明「惠氏之學未嘗薄宋儒」[17]，僅列舉為「傳家法」之代表，表彰他在輯佚方面教弟子「親授體例，分輯古書」之功[18]。皮氏於經，同樣主張「治經必宗漢學」，曰：

> 治經必宗漢學，而漢學亦有辨。前漢今文說，專明大義微言；後漢雜古文，多詳章句訓詁。章句訓詁不能盡饜學者之心，於是宋儒起而言義理。此漢、宋之經學所以分也。惟前漢今文學能兼義理訓詁之長。[19]

皮氏所謂「漢學」，兼指兩漢而言，認為西漢今文學「專明大義微言」而「純正不雜」，東漢時今文學仍盛，卻逐漸雜糅今、古文，故獨衷西漢今文學，以為能「兼義理訓詁之長」。殊不知惠棟之「漢學」，統義理於訓詁而歸於一途，由漢儒以上溯七十子大義與孔

13 〔清〕皮錫瑞：〈經學復盛時代〉，《經學歷史》，頁295、341。

14 同上注。

15 同上注，頁345。

16 馬宗霍語，見氏著：《中國經學史》，頁139。馬宗霍常針砭皮錫瑞之《經學歷史》，但清代經學直承兩漢的史觀，兩家並無差別。近年頗有學者檢討「唐不及漢，宋又不及唐」與「元不及宋，明又不及元」此說法之得失，可資參考。本文略人所詳，轉而探討此一觀念從何而來，試作補苴。

17 〔清〕皮錫瑞：〈經學復盛時代〉，《經學歷史》，頁313。

18 同上注，頁330。

19 〔清〕皮錫瑞：〈經學昌明時代〉，《經學歷史》，頁89-90。明清以來，學者所謂「漢學」其實內涵不盡相同，讀者察之。

子微言，固非以章句訓詁自限。總之，皮氏對自身經學史觀深受惠棟以來乾嘉「漢學」之影響既無自覺，相關評述，也不足以彰顯惠氏「盡棄宋詮，獨標漢幟」之旨趣，其指引清儒越千餘年而上承兩漢，確立經學典範轉移之首出地位，更未能充分反映。

相較於皮錫瑞鍾情西漢今文學，劉師培的立場偏重古文學，《經學教科書》之〈序例〉開宗明義曰：

> 漢儒去古未遠，說有本源，故漢學明則經詁亦明。欲明漢學，當治近儒說經之書。蓋漢學者，《六經》之譯也；近儒者，漢儒之譯。[20]

劉、皮兩家的立場雖然不同，清儒直承兩漢的史觀，依漢儒以詁經的主張，卻若合符節。《經學教科書》分上下兩冊，上冊略述經學的歷史，依時代分論群經之學，第三十至三十六課評述清儒經學，大抵以「崇尚漢學」為一代學術主流[21]，於《易》指出清初家法未明、不宗漢學，或流於穿鑿附會；至東吳惠氏世傳《易》學，乃專宗「漢學」，影響所及，如江藩、焦循、張惠言、姚配中、劉逢祿等，亦祖述虞翻，「家法不背漢儒」；最後附述錢澄之、李光地等「崇宋黜漢」者，認為「遠出惠、焦之下」[22]。分論清代群經之學，大抵如此，先述清初，次詳敘宗「漢學」者，然後附載持論流於臆測、附會者，如李光地等仍根柢宋學之清初學者，往往附在末尾，未嘗沒有評騭輕重之意。唯其如此，劉氏評述惠棟經學，比皮錫瑞詳明深入。於《書》，指出惠氏撰《古文尚書考》、其弟子江聲作《尚書集注音述》，「江南學者皆遵之」[23]，開啟黜偽古文而宗馬（融）、鄭（玄）的學風；於《春秋》左氏之學，以其《春秋左傳補注》為糾杜（預）《注》而申賈（逵）、服（虔）的首出之作[24]；至於禮學，則列舉《明堂大道錄》為考名物制度的專著之一[25]。諸如此類，劉氏《經學教科書》頗能切中惠棟依「漢學」治群經之具體主張，反映其經學之後續影響；可惜限於分經評述之書寫體例，尚未能宏觀其經學的整體觀念。

日本學者本田成之（1882-1945）評述惠棟經學，亦僅著眼於惠氏如何傳承家學，列舉其群經著作，相對詳細地介紹《周易述》，並約略觸及其《尚書》學、《易》學對江聲、張惠言的影響[26]，考察視域並未超出劉師培。比較值得一提的是，本田氏逐一介紹

20 劉師培：〈序例〉，陳居淵注：《經學教科書》（上海市：上海古籍出版社，2007年），頁3。

21 同上注，頁3。《經學教科書》〈序例〉曰：「近儒說經，崇尚漢學」，此處之「漢學」兼含吳中學派、徽州學派與常州學派三派，唯或精于訓詁，或詳于典章，或推經致用，趨向彼此有別。

22 同上注，頁119-120。

23 同上注，頁123-124。

24 同上注，頁129-130。

25 同上注，頁135。歷代討論「明堂」者，不勝枚舉，聚訟不決，而惠棟《明堂大道錄》八卷，為經學史上考論明堂制度的第一部專著，確有其代表性。

26 〔日〕本田成之撰，孫俍工譯：《中國經學史》（臺北市：廣文書局，1986年），頁269-271及頁292。

乾嘉儒者之學後，提出這樣的論斷：乾嘉學者精於鑽研專經，比如治《尚書》則專於《尚書》，治毛《詩》則專於毛《詩》，至於「思考經書全體的意義的學者」，在道光（1821-1850）、咸豐（1851-1861）年間才出現[27]。此一論斷，有待商榷，其實惠棟不僅於《易》為專門名家，以《易》結合《春秋》與禮學，對於「六經」的形成、「六經」的性質、會通群經之要義，以孔子為經學釋義的中心，故注重「微言」與「大義」，其經學已有自成系統的整體思考（說詳下文）。

近年來有不少經學史新著問世，此處不必也無意逐一考察，僅從上述皮錫瑞、劉師培、馬宗霍與本田成之四家之說，拈出一、以清接漢的經學史觀，二、依「古義」以撰「新疏」的學術影響，以及三、會通群經的義理系統三大主題，循序論述惠棟「漢學」典範的內涵。

二　直承兩漢的清代「漢學」

清儒盛言「漢學」，此一風氣緜延至清末民初，如皮錫瑞、劉師培等學者書寫的經學歷史，仍然議論著「漢學」。各家理解或時相出入，毫無疑問的，「漢學」成為經學領域的熱點，形成於乾隆初期，確立於惠棟。

惠棟繼承家學，正式揭櫫「漢學」，與「宋學」易幟別驅。他在筆記中載曰：

> 先君言：「宋儒可與談心性，未可與窮經。」棟嘗三復斯言，以為不朽。[28]

肯定宋儒心性之學，而貶抑其經學，惠士奇初發端緒，惠棟承之，進而力持經學尊漢的主張，曰：

> 宋儒談心性，直接孔、孟，漢以後皆不能及。若經學，則斷推兩漢。惜乎西漢之學亡矣，存者惟毛一家耳。[29]

尊漢、黜宋，而且認為：

> 宋儒經學，不惟不及漢，且不及唐，以其臆說居多而不好古也。[30]

本田成之《支那經學史論》於一九二七年由東京弘文館出版，孫俍工譯本初刊於一九三五年，由上海中華書局出版。

27 同上注，頁295。

28 〔清〕惠棟：《九曜齋筆記》（臺北市：藝文印書館，1970年，影《聚學軒叢書》本），「趨庭錄」，卷2，頁38上。

29 同上注，頁38上-下。

30 同上注，頁39上。

宋儒不好古而獨抒胸臆，尤好高談心性，惠棟認為這偏離了解經正途，「若經學，則斷推兩漢」。由「惜乎西漢之學亡矣，存者惟毛一家耳」一語觀之，惠氏尊漢，絕非侷限於東漢，未嘗不關注西漢之學，唯因西漢留存之傳注極少，故先致力於考輯東漢諸儒，如賈逵、馬融、服虔、鄭玄以及荀爽、虞翻等人之作。何況，他曾補輯伏生《尚書大傳》，批校董仲舒《春秋繁露》，而且，〈毛詩古義〉中頗述三家《詩》，為清儒輯三家遺說以參訂毛義的學風，導夫先路[31]。惠棟經學絕非侷限於東漢古文學，對西漢經學，甚至今文學，也有篳路藍褸之功！他認為：唐代經學不及兩漢，宋代經學又不及漢、唐，因此，必以兩漢為窮經之階。「承元、明積衰之後」這是清儒普遍的時代意識，惠棟以降，轢宋、超唐而直承兩漢的觀念逐漸成為主流，直至清末民初，如皮錫瑞、劉師培、馬宗霍等，亦往往沿襲此一經學史觀。這對清儒而言，有如老生常談，甚至視為理所當然，鮮少有人回溯緣起，不知以清接漢的經學史觀，發端於惠棟。

宋儒之理學，自許「直接孔、孟」，由孟子「性善」說契悟孔子之「仁」，以心性論為義理核心。相對的，惠棟之「漢學」，乃藉由漢儒篤守「家法」的特點，憑藉其經說上溯七十子之「大義」，進而探求孔子之「微言」，以古訓、禮制作為尋繹經義的主要議題。惠棟在《九經古義》〈述首〉中，正式揭示「經之義存乎訓」的宗旨，曰：

> 漢人通經有家法，故有五經師。訓詁之學，皆師所口授，其後乃著竹帛，所以漢經師之說立於學官，與經並行。五經出於屋壁，多古字古言，非經師不能辨。經之義存乎訓，識字審音乃知其義，是故古訓不可改也，經師不可廢也。[32]

強調「漢儒通經有家法」，其說得自師傳口授，故可據其古訓以通經而得其義，這樣，「經」、「義」、「訓」三者相貫，凸顯兩漢經師的獨特地位，而且重視「識字審音」的訓詁之學[33]。而訓詁經傳，非僅著眼於古字古言，常能由古訓以通古制，形成由訓詁而禮制進而詮釋其義的解經進路[34]。自惠棟首唱「漢學」，漢經師之說漸漸重獲正視，經學的典範轉移[35]，自乾隆年間綿延至清末民初，首先盛行於吳地，然後逐步由江南傳播至

---

31 說參拙著：〈惠棟的三家詩研究〉，《正學》第2輯（北京市：中國社會科學出版社，2014年），頁98-115。

32 〔清〕惠棟：〈述首〉，《九經古義》（臺北市：藝文印書館，1962年，影《皇清經解》本），卷359，頁1上。

33 說參拙著：〈「經之義存乎訓」的解釋觀念——惠棟經學管窺〉，收入林慶彰、張壽安主編：《乾嘉學者的義理學》（臺北市：中央研究院中國文哲研究所，2003年），頁294-295。

34 說參拙著：《清代漢學與左傳學——從古義到新疏的脈絡》（臺北市：里仁書局，2007年），頁58-66。

35 說參拙著：〈從典範轉移論惠棟之周易本義辨證〉，臺灣師範大學《國文學報》第53期（2013年6月），頁94。本文初稿原題〈旁通辨證，解消朱熹——從典範轉移看惠棟《周易本義辨證》〉，於2012年5月在「朱子經學及其在東亞的流傳與發展」國際學術研討會宣讀，由中央研究院中國文哲研究所、上海華東師範大學與亞利桑那大學合辦。

南北各地，蔚為一代思潮[36]。戴震（1723-1777）在〈題惠定宇先生授經圖〉一文中推崇惠氏：

> 先生之學，直上追漢經師授受、欲墜未墜、薶蘊積久之業，而以授吳之賢俊後學，俾斯事逸而復興。[37]

依淩廷堪所述，當時學風：

> 《易》不獨掊擊輔嗣也，將荀、虞之是宗焉；《書》不獨指摘古文也，將馬、鄭之是從焉；《毛詩》不獨闢淫奔也，將以《箋》《傳》為趨向焉；《左氏》不獨排杜《注》也，將以賈、服為依傍焉。其視唐以還固無足重輕矣，且欲軼魏、晉而上之。[38]

又云：

> 嘗謂本朝經術之醇，直接漢儒，視宋人之憑理妄言，真有霄壤之別矣。[39]

風氣所煽，乾嘉儒者普遍標榜「直接漢儒」，不僅「欲軼魏、晉而上之」，而且「視唐以還固無足重輕矣」。兩漢經師的地位，何以能獨出魏、晉、唐、宋之上？孫星衍（1753-1818）以為：

> 漢代諸儒，承秦絕學之後，傳授經文經義，去古不遠，皆得七十子之傳。[40]

臧庸（1767-1811）亦云：

> 讀書當先通訓詁始能治經，尊信兩漢大儒說，如君師之命弗敢違。非信漢儒也，以三代下漢最近古，其說皆有所受，故欲求聖人之言，舍此無所歸。[41]

「漢學」典範影響之下，清儒常有類似的言論，不勝枚舉。如孫氏、臧氏所言，其所以尊信漢儒，乃因兩漢古義不僅近古，而且由代代經師口授相傳，可上溯於孔門七十子，基於這樣的信念，則「欲求聖人之言」，必須由此循階而升。這意謂：標榜「漢學」並

36 說參拙著：《清代漢學與左傳學——從古義到新疏的脈絡》，頁35-37。

37 〔清〕戴震：〈題惠定宇先生授經圖〉，《戴東原先生全集》（臺北市：大化書局，1978年，影《安徽叢書》本），頁1113。

38 〔清〕淩廷堪：〈辨學〉，《校禮堂文集》，頁34。

39 〔清〕淩廷堪：〈父卒則為母齊衰三年解〉，《校禮堂文集》，頁137。

40 〔清〕孫星衍：〈咨請會奏置立伏鄭博士議〉，駢宇騫點校：《岱南閣集》（北京市：中華書局，1996年，與《問字堂集》合刊），卷1，〔補頁數〕。

41 〔清〕臧庸：〈與顧子明書〉，《拜經堂文稿》（北京市：國家圖書館出版社，2010年，《國家圖書館藏鈔稿本乾嘉名人別集叢刊》第33冊），頁563。

非墨守漢儒傳注而已，其所以關注「家法」與「大義」、「微言」，正是欲沿流溯源，由漢儒上探七十子，由七十子溯源於孔子，尋繹經義最終乃以孔子為依歸。

漢代經學立於學官，當其時，佛、道兩家都不足以影響經說。然而，魏、晉之後，玄學、佛教盛行，儒者詮經或不免雜糅異說，或權宜借用其觀念術語以為遮撥，不免有落人窠臼之虞。因此，阮元強調：

> 兩漢經學所當尊行者，為其去聖賢最近，而二氏之說尚未起也。……兩漢之學純粹以精者，在二氏未起之前也。[42]

清儒不僅轢宋、超唐，甚至軼魏、晉，從而直承兩漢，漢儒之學「純粹以精」，無疑是另一重要因素。當然，經學典範轉向「漢學」，主要仍是相對於「宋學」——盛行於宋至清初的理學思潮。淩廷堪指出：

> 宋儒所以表章《四書》者，無在而非理事，無在而非體用，即無在而非禪學矣。……晁以道曰：「體用本乎釋氏。」然則雖在宋人，猶有見及此者，豈余一人之私言哉！近時如崑山顧氏、蕭山毛氏，世所稱博極群書者也。而崑山攻姚江不出羅整庵之剩言，蕭山攻新安但舉賀凌臺之緒語。皆入主出奴餘習，未嘗洞見學術之隱微也。又吾郡戴氏，著書專斥洛閩，而開卷仍先辨「理」字，又借「體用」二字以論小學，猶若明若昧，陷於阱獲而不能出也。其餘學人，但沾沾於「漢學」、「宋學」之分，甚至有云：「名物則漢學勝，理義則宋學勝」者，寧識宋儒之理義乃禪學乎！[43]

「四書」概念形成於兩宋，結合中唐以來「尊孟」之趨勢，《孟子》由子書升格為經，朱熹《四書章句集注》一出，「四書」概念更形穩固，元、明、清三代，均懸為功令，科舉所尚，士人習經莫不由此循階而升。宋、元、明至清初之理學思潮，清儒泛稱為「宋學」，學者依循「宋學」典範，習經則先《四書》而後《五經》，由此奠定「理事」（或「理氣」）、「體用」的思想架構，立論以心性說為本。淩氏認為「理事」、「體用」云云，其實雜糅禪學釋氏之說，清初大儒如顧炎武（1613-1682）、毛奇齡（1623-1716），尚不能闢其榛蕪，甚至戴震雖也批判宋學，或仍襲用「體用」之語，甚至著書先辨「理」字，猶不免「陷於阱獲而不能出」。蓋「漢學」、「宋學」之分，不在於或主訓詁，或主義理，關鍵還是經義之是非。如戴震所言：

> 言者輒曰：有漢儒經學，有宋儒經學，一主於故訓，一主於理義，此誠震之大不

42 〔清〕阮元：〈國朝漢學師承記序〉，鄧經元點校：《揅經室集》（北京市：中華書局，1993年），頁248。

43 〔清〕淩廷堪：〈好惡說下〉，《校禮堂文集》，頁142-144。

> 解也者。夫所謂理義，苟可以舍經而空憑胸臆，將人人鑿空得之，奚有於經學之云乎哉！惟空憑胸臆之卒無當於賢人聖人之理義，然後求之古經；求之古經，而遺文垂絕、今古縣隔也，然後求之故訓。故訓明則古經明，古經明則賢人聖人之理義明，而我心之所同然者乃因之而明。賢人聖人之理義非它，存乎典章制度者是也。松崖先生之為經也，欲學者事於漢經師之故訓，以博稽三古典章制度，由是推求理義，確有據依。[44]

漢、宋之學，互有得失，「一主於故訓，一主於理義」，清初儒者持此論調，戴震也一度如此，乾隆二十二年南遊揚州，感染江南學風，始受惠棟影響，義理統於故訓、典制，故訓、義理非二分，而歸於一途[45]。皮錫瑞衷情於西漢今文學，以其能兼訓詁、義理之長，殊不知惠、戴之「漢學」，已然如此。「漢學」家基於義理應根柢於經的信念，解經首重訓詁，進而稽考典章制度，據以推求理義，依此進路研經繹義。義理之學於是重新納入經學的範疇。

清儒以「漢學」取代「宋學」，有意以實事求是之學風杜絕虛妄臆斷之弊；既然如此，遂注重考據，博徵文獻而不空憑胸臆，鑿空議論；考據之所以獨尊兩漢，乃基於漢儒去古未遠、家法相承，而且未嘗雜糅佛道異說，獨具近古且精醇之優越性[46]。承此「漢學」意識，黃承吉（1771-1842）認為：

> 按「漢學」二字，至國朝而始見，……乃與「宋學」相形而後出也。……夫「漢學」與他學有何門戶可分？其所以不得不別者，「漢學」即經學。[47]

依林慶彰先生考察，明代已有學者間或言及「漢學」[48]，從學術的變遷的趨勢言之，視之為清代「漢學」的先驅，自無不可。所謂「『漢學』二字，至國朝而始見」，固有語病，然而，就惠棟、戴震、淩廷堪、黃承吉等清儒而言，他們意識到的是本朝學風，未必知曉明儒的說法。而且，明儒泛言之「漢學」，猶侷限於以《十三經注疏》為代表的注疏之學，往往抱持治理學而不廢古注疏的態度；相形之下，乾隆以降，惠棟確立之「漢學」典範，確有意與「宋學」異幟別驅，鑽研《十三經注疏》之餘，漸漸不滿唐宋人舊疏[49]，遂致力於輯存漢儒「古義」，據以撰述「新疏」。

---

44 〔清〕戴震：〈題惠定宇先生授經圖〉，《戴東原先生全集》，頁1113-1114。

45 說參錢穆：《中國近三百年學術史》（臺北市：臺灣商務印書館，1987年），頁318-322。

46 詳參拙著：《清代漢學與左傳學——從古義到新疏的脈絡》，頁12-16。

47 〔清〕黃承吉：〈字詁義府合按後序〉，《夢陔堂文集》（臺北市：文海出版社，1967年），頁143。

48 林慶彰：〈明代的漢宋學問題〉，《明代經學研究論集》（臺北市：文史哲出版社，1994年），頁13-18。

49 詳參拙著：《清代漢學與左傳學——從古義到新疏的脈絡》，頁7-10。

三 《周易述》之影響

惠棟博通群經，撰有《古文尚書考》、《春秋左傳補註》、《九經古義》，以及一系列《易》學著作，其經學地位，並非僅僅取決於《易》、《書》、《左傳》等個別經說或訓詁之得失，關鍵在於振興「漢學」此一經學典範所發揮的影響。惠氏之「漢學」典範，不僅形成清儒直承兩漢的經學史觀，揭示由訓詁而禮制進而通經達義的進路，尤其一系列的《易》學著作，逐步實踐由「宋學」轉向「漢學」，並依「古義」以撰「新疏」的治學歷程。《周易述》作為清代第一部新疏，對後學的啟發和影響，尤為顯著。

一系列的《易》學著作中，惠棟早年撰寫的《周易本義辨證》，書中猶廣泛徵引唐、宋至清初諸家之說，藉以辨正朱熹《周易本義》，並旁通於「漢學」[50]。乾隆初年，治學主張益趨清晰，乃「盡棄宋詮，獨標漢幟」，轉而專事漢儒之說，撰《易漢學》以梳理其源流；自乾隆十四年（1749）起，更致力於撰寫《周易述》，可惜歷時十年，迄病歿猶未完稿。依張惠言（1761-1802）所言：

> 清之有天下百年，元和徵士惠棟始考古義，孟、京、荀、鄭、虞氏，作《易漢學》；又自為解釋，曰《周易述》。然掇拾於亡廢之後，左右采獲，十無二三。其所述大抵宗禰虞氏，而未能盡通，則旁徵他說以合之。蓋從唐、五代、宋、元、明，朽壞散亂千有餘年，區區修補收拾，欲一旦而其道復明，斯固難也。[51]

《易漢學》與《周易述》，前者輯存古義，後者則「自為解釋」；《易漢學》蒐輯孟喜、京房、鄭玄、荀爽、虞翻五家之說，《周易述》則宗虞氏而參以荀、鄭諸家，復旁徵於他說，重新注疏經傳。惠氏表明：

> 今幸東漢之《易》猶存，荀、虞之說具在，用申師法，以明大義，以溯微言，二千年絕學庶幾未墜，其在茲乎！其在茲乎！[52]

《易漢學》輯考漢儒古義，正是著眼於「漢儒通經有家法」，其古義猶不失「師法」，因而可據以探求七十子之「大義」，進而上溯孔子之「微言」。關於《周易述》，錢大昕評述說：

---

50 《周易本義辨證》一書徵引宋、元、明學者計五十餘家，惠棟早年治學涉獵廣泛，可見一斑。然而，所引諸說，並不涉及理學家「理氣」、「體用」等觀念，反而有意申明漢儒象數，強調「漢學」不可廢。詳參拙著：〈從典範轉移論惠棟之周易本義辨證〉，頁107-113。

51 〔清〕張惠言：〈序〉，《周易虞氏義》（臺北市：藝文印書館，1962年，影《皇清經解》本），卷1218，頁3上。

52 〔清〕惠棟：《易例》，卷上「元亨利貞大義」條，附見鄭萬耕點校：《周易述》（北京市：中華書局，2007年），頁652。

> 專宗虞仲翔，參以荀、鄭諸家之義，約其旨為注，演其說為疏。漢學之絕者千有五百餘年，至是而粲然復章矣。[53]

無論《易》宗虞氏而參荀、鄭，或《書》「力排梅賾而扶鄭氏」[54]，或《左傳》則「扶賈、服」[55]，漢儒釋經之作多已亡佚，僅見於《五經正義》、《周易集解》、《太平御覽》等文獻引述，往往「左右采獲，十無二三」。所以戴震形容惠棟之學，「直上追漢經師授受、欲墜未墜、薶蘊積久之業」，至乾隆年間，散佚一千五年餘年的漢儒古義[56]，乃「逸而復興」。應再強調的是，「漢學」只是循序而升之階，藉由其古義，惠棟旨在上繼「二千年絕學」，亦即孔門及其後學所傳之「大義」與「微言」。

惠棟由《易漢學》而《周易述》，輯「古義」而撰「新疏」，這兩種代表「漢學」的解釋類型，有助於累積集體成果，薈萃一代經說[57]。《周易述》首開撰新疏序幕，惠氏之弟子江聲（1721-1799）繼之，撰《尚書集注音疏》，稍後，孫星衍（1753-1818）撰《尚書今古文注疏》，風氣既揚，乾、嘉之際復有邵晉涵（1743-1796）《爾雅正義》與焦循（1763-1820）《孟子正義》成書；道光時，郝懿行（1757-1825）《爾雅義疏》、陳奐（1786-1863）《詩毛氏傳疏》、胡培翬（1782-1849）《儀禮正義》等相繼問世，劉文淇（1789-1854）、劉寶楠（1791-1855）、梅植之（1794-1843）與陳立（1809-1869）相約分撰經疏之事，尤為眾所周知，陳立《公羊義疏》與劉寶楠《論語正義》成書，已是同治年間；《春秋左氏傳舊注疏證》由劉文淇草創，光緒年間，其孫劉壽曾（1838-1882）亦僅續撰至襄公四年，又齎志而歿，當時，另有廖平（1852-1932）《穀梁春秋經傳古義疏》、孫詒讓《周禮正義》相繼完成。綜觀清代撰「新疏」之潮流，源自乾隆十四年惠棟始撰《周易述》，餘波激盪，直至清末猶未歇[58]。

梁啟超（1873-1928）認為：「清學自當以經學為中堅，其最有功於經學者，則諸經殆皆有新疏也。」[59]清人紛紛為群經撰新疏，此一學術脈絡始自惠棟《周易述》。由輯古義，進而撰新疏，取資「漢學」，並非僅僅表其幽微，彰明漢儒之說而已，積極旨趣更在重新解釋經典。唯有重新解釋經典，以「漢學」取代「宋學」的目標，方能具體落

---

53 〔清〕錢大昕：〈惠先生棟傳〉，呂友仁點校：《潛研堂集》（上海市：上海古籍出版社，1989年），頁699。

54 〔清〕惠棟：〈沈君果堂墓誌銘〉，《松崖文鈔》，卷2，收入漆永祥點校：《東吳三惠詩文集》（臺北市：中央研究院中國文哲研究所，2006年），頁345。

55 惠棟家藏本《前漢書》之題識，見《國立中央圖書館善本題跋真跡（一）》（臺北市：國立中央圖書館，1982年12月），第60冊，頁318。

56 漢末至清乾隆初年，大約一千五百年，清儒常有此語，說參漆永祥：《漢學師承記箋釋》（上海市：上海古籍出版社，2006年2月），頁172。

57 詳參拙著：《清代漢學與左傳學——從古義到新疏的脈絡》，頁41-49。

58 同上注，頁4-5。

59 梁啟超：《清代學術概論》（臺北市：華正書局，1984年），頁81。

實；不僅如此，清儒也不滿意唐、宋舊疏，因此，轢宋、超唐而軼魏、晉，專宗漢儒古義，據以撰寫新疏，如劉師培所言：「蓋漢學者，《六經》之譯也；近儒者，漢儒之譯。」清人之群經注疏，頗有意取代《十三經注疏》。王懿榮（1845-1900）曾奏請光緒皇帝，刊刻各家義疏，頒行國子監與各省學校，王氏曰：

> 自乾隆以來至於今日，海內經學各有專家，剖析條流，發起隱漏，《十三經》說粲然將備，折衷求是，遠邁漢、唐。時則有若湖北安陸儒臣李道平所撰《周易集解纂疏》、江蘇陽湖儒臣孫星衍所撰《尚書今古文注疏》、長洲儒臣陳奐所撰《毛詩傳疏》、安徽績谿儒臣胡培翬所撰《儀禮正義》、江蘇句容儒臣陳立所撰《春秋公羊傳正義》、浙江嘉善儒臣鍾文烝所撰《穀梁經傳補注》、江蘇寶應儒臣劉寶楠所撰《論語正義》、甘泉儒臣焦循所撰《孟子正義》、儀徵儒臣阮福所撰《孝經義疏補》、山東棲霞儒臣郝懿行所撰《爾雅義疏》。其他經說，以博通見表，不屬疏義者，不在此例。所有各書，或經進御覽，或流布學校，可否請旨，飭下各直省督撫，於各該員原籍所在，即家徵取定本，分咨各直省有書局之處，詳細校勘，刊刻成函，將板片彙送國子監衙門存儲，以便陸續刷印，頒行直省各學，嘉與士林，俾資講習。[60]

清儒舉述群經新疏，於《易》多以《周易述》為代表，王氏未取《周易述》而代之以李道平《周易集解纂疏》，不知是否考量頒行學校講習，而《周易述》為未成之書？抑或另有原因？若如孫詒讓、鄧實、劉師培、梁啟超等，則皆以《周易述》為代表。無論如何，王氏的構想雖然未付諸施行，清儒自信經學之盛「遠邁漢、唐」，光緒年間已有集印群經新疏的議論。

惠棟生前手定之《周易述》四十卷系列，包括上、下經與十翼之經傳注疏二十一卷，為主要部分，佔大半篇幅，所謂新疏或一般所稱《周易述》，即指此而言；此外，還有七種輔翼之書，計有《易微言》二卷、《易大義》三卷、《易例》二卷、《易法》一卷、《易正訛》一卷、《明堂大道錄》八卷與《禘說》二卷。其中，經傳注疏部分，闕第八卷（〈革〉以下至〈未濟〉十四卦尚未完成）與第二十一卷（〈序卦傳〉、〈雜卦傳〉兩篇之注疏也未成），七種輔翼之書，僅《明堂大道錄》、《禘說》兩種已經脫稿，《易微言》、《易大義》與《易例》三種，雖隨時採輯筆記，尚未撰定；《易法》、《易正訛》兩種，則有目無書[61]。漆永祥考察諸書，認為以經傳注疏為核心，或申大義、微言，或明其條例，或勾稽明堂、禘祭等禮制，「諸書交相為用，融貫一體，不可或缺，為惠棟精

60 〔清〕王懿榮：〈臚陳本朝儒臣所撰十三經疏義請列學宮疏〉，《王文敏公遺集》（上海市：上海古籍出版社，1995年，《續修四庫全書》第1565冊影《求恕齋叢書》本），卷2，頁148-149。

61 詳參〔清〕惠承緒、承萼：〈周易述題識〉，見惠棟：《周易述》（清乾隆24-25年雅雨堂刊本），卷首，頁2上-3上。

心結撰之系列著述」[62]，洵不誣也。《周易述》四十卷系列，藉由不同形式，互相參照，形成一套複合型的《易》學詮釋系統，這對後學也有所啟發。如張惠言繼承惠氏《易》學，而獨宗虞氏，既有《周易虞氏義》──依虞翻《注》疏解經傳，又分別拈出「消息」、「禮」、「事」、「候」與「言」等，進行專題式的探討，本於虞翻《注》，故書名皆冠「虞氏」，實則引申闡發，以表己見，述古義以詮新。據張惠言〈文薰自序〉，嘉慶之初，已撰成「《易義》三十九卷」[63]，包括《周易虞氏義》九卷、《周易虞氏消息》二卷、《虞氏易禮》二卷、《虞氏易事》二卷、《虞氏易候》一卷、《周易鄭荀義》三卷、《易緯略義》三卷，及《易義別錄》十七卷[64]，這八種專著合計三十九卷，各具主題，而一度合稱「《易義》三十九卷」，形成一套複合型的著述系統，各依專題，詮釋闡發。又如陳奐治《詩》，專宗毛氏，撰《詩毛氏傳疏》三十卷，該書並附《釋毛詩音》四卷、《毛詩傳義類》一卷、《毛詩說》一卷，與《鄭氏箋攷徵》一卷，陳氏《毛詩說》〈自序〉云：「奐殫精極慮，為《傳》作《疏》。《疏》中稱引，廣播難明，更舉條例，立表示圖。凡制度文物可以補《禮經》之殘闕，而與東漢諸儒異趨者，揭箸數端，學者省覽焉。」[65]聲韻、訓詁之外，特著眼於制度名物，參補《禮經》，同樣以分類纂輯的複合型著述，輔翼《傳》疏，而尤注重禮制之探討。此外，胡培翬撰《儀禮正義》四十卷，並擬以《儀禮賈疏訂疑》、《宮室提綱》與《儀禮釋文校補》三書輔翼之，殆皆「草創未就」[66]。

惠棟由尋繹《易》道而領悟禘與明堂之禮，《周易述》四十卷系列中有《明堂大道錄》與《禘說》；張惠言繼之，治《易》專宗虞氏，其《易義》三十九卷中，有《虞氏易禮》，正式開出「易禮」之目；陳奐疏釋《毛傳》，而《毛詩說》特考宮室、宗廟、四

62 漆永祥：《漢學師承記箋釋》，頁172。

63 〔清〕張惠言：〈文薰自序〉，《茗柯文編》（上海市：上海商務印書館，1919年，《四部叢刊》本），3編，頁21下。

64 張惠言〈說江安甫所鈔易說〉云：「凡余所著《易》說，安甫手寫者，《虞氏義》九卷、《消息》二卷、《禮》二卷、《事》二卷、《候》一卷、《鄭荀義》三卷、《緯略義》三卷，共裝為八本，唯《別錄》十七卷未及寫，而安甫死矣。」（〔清〕張惠言：《茗柯文編》，3編，頁23下。）江承之，字安甫，師從張惠言四年，嘉慶五年正月病卒，年僅十八歲。江承之為張氏鈔錄其《易》學著作，計七種、二十二卷，合已成書而未鈔之《易義別錄》十七卷，凡三十九卷，張氏〈文薰自序〉所謂「《易義》三十九卷」，當指此而言。又，另有《虞氏易言》一書，殆稍後才成書。

65 〔清〕陳奐：《毛詩說》，附入《詩毛氏傳疏》（北京市：北京大學出版社，2009年），頁1019。

66 〔清〕胡培翬：〈上羅椒生學使書〉，黃志明點校，蔣秋華校訂：《胡培翬集》（臺北市：中央研究院中國文哲研究所，2005年11月），頁166-167。案：胡氏〈上羅椒生學使書〉明言「今擬取各經音義及《集釋》以後各家音切，挨次補錄，名曰《儀禮釋文校補》，草創未就。」又，據胡培系〈族兄竹邨先生事狀〉，謂「擬補《宮室提綱》，以竟公志。」（收入《胡培翬集》，頁20。）可見《宮室提綱》亦未成書。疑〈上羅椒生學使書〉文中「草創未就」一語，兼指上文所述三書，然則《儀禮釋文校補》、《宮室提綱》，以及《儀禮賈疏訂疑》，皆「草創未就」，尚未成書。

時禘祫等，針對制度文物纂輯文獻資料。胡培翬《儀禮正義》固以禮為主，訂賈《疏》、補《釋文》，猶以訓詁為基礎。以上四家，皆以新疏為中心，而撰系列著述以為輔翼，由訓詁入手，進而博考典章制度，更是共同的特點。其他如凌曙（1775-1829）《公羊禮疏》、包世榮（1784-1826）《毛詩禮徵》、侯康（1797-1836）《穀梁禮證》等，三《禮》與《毛詩》之外，「《易》禮」、「《公羊》禮」與「《穀梁》禮」等，可以說是清儒別開生面的經學主題[67]。

綜觀《周易述》的影響，約有四端：第一，如劉師培所言，促使焦循、張惠言、姚配中、劉逢祿等詮《易》之作，皆宗虞翻。第二，惠棟研《易》的歷程與著述，又引領學者紛紛考輯「古義」，進而為群經撰「新疏」，薈萃一代經說。第三，《周易述》四十卷系列，以注疏經傳為中心，輔以專題分類之系列著述，複合型的詮釋系統也對後學頗有啟發。第四，「漢學」典範下的經典詮釋，注重訓詁之外，尚禮的經說取向，更是一大特點。

四　經學的整體觀念

本田成之以為乾嘉學者唯治專經，尚未出現「思考經書全體的意義的學者」，其實不然。乾嘉「漢學」，自惠棟開山，就有關於群經的整體觀念，這一節試綜理近年研究心得，略陳所見。

清初顧炎武等大儒已開始省思理學之流弊，粗發其端緒，惠棟繼之，始別立「漢學」之幟，正式與「宋學」分庭伉禮。依聖人之經以詮釋義理，這是清初以來多數儒者之共識，努力將義理之學重新納入經學的領域。楊向奎（1910-2000）曾說：

> 自顧炎武開始，提倡「經學即理學」，從而否定了理學；惠棟繼起，在這方面又前進了一步。他曾經在兩方面抨擊理學：一是反對「先天」、「無極」等說；一是對於「理」字有新的理解。[68]

惠棟誠可謂繼承「經學即理學」之主張而更進一步，然而，從反對宋儒「先天」、「無極」諸說以及新詮「理」字等立論，恐未中肯綮。如凌廷堪微諷戴震：「開卷仍先辨『理』字」，有「陷於阱獲而不能出」之虞，蹈習宋儒之說而辨其是非，終究仍陷牢籠，不能跳脫。何況惠氏依《韓非子》之說，重解「理」字，在其《易》學體系中，僅屬末節，並非根本之論。又如錢穆（1895-1990）所言：

---

67 說參拙著：〈「漢學」範下的清代穀梁學〉，《中國經學》第4輯（桂林市：廣西師範大學出版社，2009年），頁227-232。

68 楊向奎：《繹史齋學術文集》（上海市：上海人民出版社，1983年），頁515。

> 松崖又為《易微言》，會納先秦兩諸家與《易辭》相通者，依次列舉，間出已見。其目為……。所謂義理存乎故訓，故訓當本漢儒，而周秦諸子可以為之旁證也。當時吳派學者實欲以此奪宋儒講義理之傳統，松崖粗發其緒而未竟。[69]

錢氏指惠氏之學，「實欲以此奪宋儒講義理之傳統」，深具洞察力，可惜僅依《易微言》推論，不足以發其蘊而竟其義。要之，惠棟用以奪宋儒之席者，憑藉的不是一二術語詞目之新詮，而是一套經學的整體觀念。以下循序言之。

首先，關於《六經》系統之形成，依惠棟之見，乃確立於孔子。他說：

> 孔子當春秋之世，有天德而無天位，故刪《詩》，述《書》，定《禮》，理《樂》，制作《春秋》，贊明《易》道。[70]

孔子定《六經》，則依經詮義，理當以孔子為中心。唯其如此，乃致力於探求「大義」與「微言」；由於「漢儒通經有家法」，兩漢之經說古義，猶存有「大義」、「微言」，所以標榜「漢學」。自孔門七十子，口授相傳至兩漢，在此傳經脈絡中，傳注之外，子思、荀子、董仲舒等「周秦諸子可以為之旁證」，均視為解釋經典之資源，孟子只居其一，不再獨享尊崇。比如惠氏承襲舊說，認為孔子作十翼以贊《易》，他本於《象傳》「雲雷〈屯〉，君子以經綸」，結合〈中庸〉「唯天下至誠，為能經綸天下之大經，立天下之大本，知天地之化育」，以及何休謂孔子作《春秋》以「文致太平」之義，推演出孔子以《六經》贊化育之說[71]。

其次，《六經》皆聖人參天地而贊化育之書，這就是《六經》的性質。相對於朱熹以《易》本卜筮之書，惠棟認為：「《易》者，贊化育之書也」、「夫子以《易》贊化育）」[72]。不僅《易》如此，《六經》莫不然，他說：

> 孔子論定《六經》，以立中和之本而贊化育。[73]

此一說法，綰合《易》與〈中庸〉和《春秋》公羊義，並會通於《春秋》左氏義，《易大義》曰：

> 聖人之道即中庸也，其道可以育萬物，而實本天地之中，民受之以生，於是有禮

69 錢穆：《中國近三百年學術史》，頁325。

70 〔清〕惠棟：《周易述》，卷11，頁188。

71 以上，詳參拙著：〈惠棟論《易》之「大義」與「微言」〉，臺灣師範大學《國文學報》第56期（2014年12月），頁126-129。

72 〔清〕惠棟：《易例》卷上，附見《周易述》，頁646。

73 同上注，頁660。

儀動作之則。[74]

《易大義》即惠棟之〈中庸〉新注，所謂「天地之中」，語出成十三年《左傳》:「民受天地之中以生，所謂命也，是以有動作禮義威儀之則，以定命也。」《易微言》「中」字條曾作採錄，惠棟並依此詮解〈中庸〉篇首之「天命之謂性，率性之謂道，修道之謂教」[75]。聖人致中和以參天地之化育，可謂先秦儒者之通論，惠氏本之以會通《易》、《春秋》與禮學，以為群經大義。

第三，《六經》為一整體系統，群經之間有大義相貫通，惠棟認為:《六經》內容多聖人生知安行之學，而《易》為諸經之原，〈中庸〉、〈禮運〉純是《易》理，企圖以《易》為軸心重構經學的義理系統[76]。舉其犖犖大者而言，《易漢學》中有一篇〈易尚時中說〉，本於〈彖傳〉、〈象傳〉與〈文言〉——亦即以孔子為本，惠棟申述說：

> 愚謂孔子晚而好《易》，讀之韋編三絕而為之傳，蓋深有味于六十四卦、三百八十四爻時中之義，故于〈彖〉〈象〉二傳言之重、詞之複。子思作〈中庸〉，述孔子之意，而曰:「君子而時中。」孟子亦曰:「孔子，聖之時。」夫執中之訓肇于中天，時中之義明于孔子，乃堯、舜以來相傳之心法也（據《論語》「堯曰」章)。其在〈豐·彖〉曰:「天地盈虛，與時消息。」在〈剝〉曰:「君子尚消息盈虛，天行也。」〈文言〉曰:「知進退存亡而不失其正者，其惟聖人乎！」皆時中之義也。知時中之義，其于《易》也，思過半矣。[77]

以《易傳》為本，貫通《論語》、〈中庸〉與《孟子》以闡述「時中」之義，這不僅是《易》之大義，而且「乃堯、舜以來相傳之心法」。因此，《易例》一書列舉「中和」條目，其後，又列「《詩》尚中和」、「禮樂尚中和」、「君道尚中和」、「建國尚中和」、「《春秋》尚中和」諸條目，每一條目各採錄若干古義[78]，雖然流於重複繁瑣，又不盡屬

74 〔清〕惠棟:《易大義》(上海市：上海古籍出版社，1995年，《續修四庫全書》第159冊影清嘉慶間刻本)，頁436。

75 同上注，頁431。

76 說參拙著:〈惠棟易微言探論〉，收入林慶彰、蘇費翔主編:《正統與流派：歷代儒家經典之轉變》(臺北市：萬卷樓圖書公司，2012年4月)，頁226-235。本文初稿於二〇一〇年七月在「正統與流派——歷代儒家經典之轉變」國際學術研討會宣讀，由中央研究院中國文哲研究所與慕尼黑大學漢學系合辦。

77 〔清〕惠棟:《易漢學》，卷7，附見《周易述》，頁626。案:〈易尚時中說〉經修改後，後人改題〈易論〉，收入《松崖文鈔》，故文字小有差異，並參漆永祥點校:《東吳三惠詩文集》，頁297。

78 〔清〕惠棟:《易例》，卷上，附見《周易述》，頁659-667。案:「《春秋》尚中和」條之後，又重出「中和」與「君道中和」兩條目，殆後來輯錄補充之資料，未及併入相關條目。《易例》與《易微言》均尚未定稿成書，隨時摘錄，既未經統整，也未必代表惠棟採取其說。因此，運用《易例》與《易微言》兩書之資料，應該參照《周易述》前二十卷——即經傳注疏部分，不能逕視為惠棟之

《易》之條例，惠氏以「中和」為群經通義的意旨，相當顯明[79]。

第四，聖人致中和，以人道接天，而參贊天地之化育，經世大業施行於禮樂制度，惠棟以「明堂」統合古代聖王之典禮制度，包括：禘祭、宗祀、朝覲、耕籍、養老、尊賢、鄉射、獻俘、治歷、望氣、告朔、行政等均行乎其中。依惠氏之見，「行之者以天下至誠貫三才之道，施之春秋冬夏，是為七始；始於盡性，終於盡人性、盡物性，贊化育而成〈既濟〉定者也」，這樣的「明堂」，為古代聖王的「大教之宮」，諸多典禮行政均在此施行，書名題稱：「明堂大道錄」，取資於〈禮運〉「大道之行也，天下為公」之義，表明「其道本乎《易》，而制寓于明堂」[80]。古代禮制均寓諸「明堂」，而取義於〈禮運〉「大道之行」，一則以「禮」之運表徵「道」之行，一則訴諸於「天下為公」的「大同」之治，以此為聖人經世的最高理想[81]。

結語

惠棟揭櫫「漢學」，用以研治群經，撰《九經古義》、《易漢學》與《周易述》四十卷系列等，逐步實踐其經學觀念。此一經學典範，無論在「經之義存乎訓」的解釋觀念，由訓詁而禮制而經義的解經進路，或輯「古義」、撰「新疏」的解釋類型等各方面，都對後儒有所啟發，並蔚為一代思潮。準此而言，惠棟在經學歷史上成就與定位，關鍵在於其「漢學」典範的影響。然而，皮錫瑞、劉師培與本田成之等經學史家評述其學，往往未能切中肯綮。

這篇論文由經學史上書寫的惠棟與「漢學」出發，首先指出：惠棟謂「宋儒經學，不惟不及漢，且不及唐」，治經「則斷推兩漢」，清儒自信本朝經學復盛而直追兩漢的史觀，實即導源於惠氏。此說相沿成習，皮錫瑞、劉師培等經學史家猶承襲此一史觀，而往往不知所自。皮錫瑞「治經必宗漢學」的主張，亦唱自惠棟，雖然兩家理解的內涵不盡相同。此外，皮氏以為《六經》皆孔子作，持見與惠氏相近，而惠氏謂孔子定《六經》，措辭似乎更為通達無病。皮氏認為《六經》皆聖人教萬世之教科書，相對的，惠氏將《六經》定位為聖人贊化育之書，同樣強調經學致用價值，惠氏考索禮樂制度，以及訴諸「大同」之治的理想，其經學思考的廣度與深度，無疑都超越一般儒者。

其次，清代「漢學」不僅與「宋學」別驅，而且不滿《十三經注疏》，致力於撰

見。說參拙著：〈惠棟周易述之述古以詮新〉，見《清代漢學與新疏》（臺北市：五南圖書公司，2019年），頁〔出版中，待補〕。

79 以上，詳參拙著：〈惠棟論《易》之「大義」與「微言」〉，頁129-134。

80 〔清〕惠棟：《明堂大道錄》（上海市：上海古籍出版社，1995年，《續修四庫全書》第108冊影《經訓堂叢書》本），卷1「明堂總論」，頁545-546。

81 以上，詳參拙著：〈惠棟論《易》之「大義」與「微言」〉，頁140-147。

「新疏」。惠棟博通群經，晚年結撰之《周易述》，為第一部新疏，其影響主要有四：一使清儒詮《易》，率宗虞翻；二為群經新疏之撰述脈絡，開啟序幕；三以《周易述》四十卷系列形成複合型的著述系統，這對後儒多有啟發；四則引導清儒開出《易》禮、《公羊》禮與《穀梁》禮等尚禮的經說取向。

尤要者，惠棟確立之「漢學」典範，統訓詁、義理於一途，分治諸經，卻有其會通群經的整體思考。惠氏認為：孔子定《六經》，故解經當以孔子為中心；《六經》皆聖人贊化育之書，具經世之志；《六經》為一整體，群經大義相貫通，而《易》為五經之原，群經皆尚「中和」；聖人致中和，以禮樂教民，而「明堂」空間，象徵「禮」之運，亦即「道」之行，「天下為公」的「大同」之治為政治的最高理想。

綜合而言，宋儒為往聖繼絕學，標榜「直接孔、孟」，由孟子上契孔子，以心性論為義理核心，依循理氣、體用的思考架構，立定《四書》、《五經》之詮釋基礎。相對於此，惠棟有志於繼「二千年絕學」，乃「盡棄宋詮，獨標漢幟」，轢宋、超唐，甚至軼魏、晉，從而直承兩漢，申「師法」而溯「大義」與「微言」，冀由七十子而上繼孔子，不再獨宗孟子；「盡棄宋詮」的關鍵意義，在於廢黜理氣、體用的思考架構，轉而依循由訓詁而禮制以達義之進路解經；於是義理根柢於經，心性論不復居於核心，博考典禮名物成為經說的重點。

乾嘉漢學流派分野研究述評

田漢雲
揚州大學文學院教授

提要

清末以來，學界圍繞乾嘉漢學流派劃分形成兩種觀點：眾多學者認為乾嘉漢學內部存在吳派、皖派、浙東學派、揚州學派、常州學派等多種區域性分支流派，但各自認定的分支流派不盡同；也有學者認為乾嘉漢學內部本無派別可言，強分門戶，會掩蓋乾嘉學派和乾嘉學術的發展軌跡。這種爭鳴體現出學界推進乾嘉漢學研究的熱切期待。前賢時彥所持界定學派標準主要有，區域性學者群體必須具有獨特的學術宗旨、具有特定的治學方法與風格、自有統宗的師承或家學、本地學者所佔比例較高、有其本土歷史文化淵源。凡此，對深化關於乾嘉漢學基本格局、演進脈絡的認知，有一定參考價值。據以考察乾嘉時期區域性漢學家群體，吳、皖、揚、常四者符合構成學術流派的諸種標準，彼此之間有明顯的區分度。釐定漢學分支流派，需要提升眾多漢學家個案研究水準，恰當處理不同分支流派之間的交叉關係，堅持按照各項標準進行綜合、動態的考量，從而切實把握其結構形態。

關鍵詞：乾嘉漢學　區域　學派　學術分野

乾嘉漢學是清代學術史研究的重要組成部分，其內部流派分野則是基本議題之一。百餘年來，研究者各抒己見，雖然勝義紛呈，也存在若干有待斟酌之處。近二十多年來，有多篇文章對此項議題的研究歷史與現狀進行梳理評析。[1]這些文章，條列眾說未為完備，又多偏重於對各家之說作「純客觀的介紹」而略於評議，在總結前賢時彥治學經驗方面猶有待申之義。有鑒於此，本文對乾嘉漢學學術分野研究的歷史與現狀再作回顧與評議。所陳之疏誤，尚祈方家指正。

一　異說叢集的乾嘉漢學流派分野

清末以來，學界對於清代乾嘉漢學內部流派劃分的見解，大致可以分為兩類。茲列述如下：

（一）認為乾嘉漢學內部存在不同學術流派

乾嘉漢學內部存在若干分支流派，這是在學界佔據主流地位的觀點。但學者對乾嘉漢學主要由哪些學術流派構成，所作結論多有不同。學者所稱名的乾嘉漢學分支流派，主要有吳派、皖派、浙東學派、揚州學派、常州學派、懷疑派、錢（大昕）派，以及經、史分科而列出的經學之蘇南、徽州、蘇北、晉、浙、魯諸學派，史學之陽湖派、疑古辨偽派、博學派等。不同學者對以上所列各學派認同度存在差異，對哪些學術流派屬於漢學重鎮，並反映漢學基本格局，認識尤其不統一。據筆者梳理，較有代表性的觀點約十種。

1 吳、皖、浙東、常州分野說

章太炎於一九〇〇年出版《訄書》，一九一四年加以修訂，並改題《檢論》。《檢論》〈清儒〉認為，自乾隆朝起，清學「成學箸系統」。論其學術分支，突出吳派和皖派。指出：「吳始惠棟，其學好博而尊聞。皖南始江永、戴震，綜形名，任裁斷。此其所異也。」[2]胡凡指出：《訄書》〈清儒〉初舉皖派宗師僅有戴震，至《檢論》則加江永之

1　如趙永春：〈近十年來乾嘉學派討論綜述〉，《中國史研究動態》，1989年第2期；胡凡：〈二十年來乾嘉學派形成原因與學術分野研究綜述〉，《中國史研究動態》，2003年第2期；雷平：〈近十年來大陸乾嘉學派研究綜述〉，《史學月刊》，2004年第1期；周積明、雷平：〈清代學術研究若干領域的新進展及其述評〉，《清史研究》，2005年第3期；黃愛平：〈清代漢學流派研究的歷史考察及其評價〉，《中國文化研究所》，2008年秋之卷。

2　章太炎著、劉夢溪主編：《中國現代學術經典：章太炎卷》（石家莊市：河北教育出版社，1996年），頁255。

名。[3]這一改動，提升了江永在皖派學術譜系中的地位，且將皖派的發軔時間有所前移。章太炎又標舉「浙東之學」，認為余姚邵晉涵、鄞縣全祖望、會稽章學誠上承浙東黃宗羲及萬斯大、斯同兄弟之史學；定海黃式三及子黃以周傳浙東學之禮學，「浙江上下諸學說，亦至是完集」。又列舉「常州今文之學」，以武進莊存與為先導，其徒陽湖劉逢祿、長洲宋翔鳳繼之，為文、說經皆有所長。

2 吳越、徽揚、常州分野說

光緒三十一年（1905），劉師培在《國粹學報》第六、第七、第九期發表《南北學派不同論》。其中《南北考證學不同論》論清中葉之考證學，大致以吳越、徽揚為學派分野。其論吳越考證學，指出惠棟《周易述》「執注說經，隨文衍釋，富於引伸，寡於裁斷」，《左傳補注》「扶植微學，亦有補苴罅漏之功」，《九經古義》有「甄明佚詁」的價值。[4]其論徽揚考證學，謂江永「崛起窮陬，深思獨造，於聲律、音韻、曆數、典禮之學，咸觀其會通，長於比勘」。謂其高弟戴震之學「先立科條，以慎思明辨為歸。凡治一學，立一說，必參互考驗，曲證旁通，以辨物正名為基，以同條共貫為緯」；以及程瑤田、凌廷堪等「可謂通儒之學。」[5]又指陳揚州學人對江永、戴震之學的紹承。其論常州學派，謂莊存與「喜治《公羊春秋》，作《春秋正辭》，於六藝咸有撰述，大抵依經立誼，旁推交通，間引史事說經，一洗章句訓詁之習，深美閎約，雅近《淮南》，則工於立言；重言申明，引古匡今，則近於致用，故常州學者咸便之。」[6]劉逢祿、宋翔鳳等傳其學。

劉師培論常州學派，與章太炎相近。其所謂吳越、徽揚兩派，學術分野與章太炎已有出入。論浙東之學，與章太炎大相徑庭。他對黃宗羲評價尚可，謂之「崛起浙東，稍治實學」。對其餘浙江學者批評嚴厲，說萬斯大說《禮經》「以辯論擅長，然武斷無家法」；蕭山毛奇齡治經著述雖富，但「牽合附會，務求詞勝」；德清胡渭作《禹貢錐指》、《洪範正論》，雖云「精於象數、輿圖之學」，也存在「採掇未精」的問題。總之，其時浙江學人「咸雜糅眾說，不主一家，言淆雅俗，瑜不掩瑕。譬若鄉曲陋儒，冥行索途，未足與於經生之目」。又說：「桐城說經之士，皆此派之支流。」[7]對浙東學者與桐城派人士都有貶議。又說：「秀水朱彝尊尤以博學著聞。雖學綜四部，然討論經史，尚無途轍。浙人承其學者，自杭世駿、厲鶚、全祖望咸熟於瑣聞佚事，博學多聞，未能探賾索隱。口耳剽竊，多與說部相符。然皆以考古標其幟。」他不認為浙人之學是乾嘉漢學譜系中值得尊重的支派。

---

3 《中國史研究動態》2003年第2期，頁6。

4 劉師培：《劉申叔遺書》（南京市：江蘇古籍出版社，1997年），頁556。

5 劉師培：《劉申叔遺書》，頁556。

6 劉師培：《劉申叔遺書》，頁558。

7 劉師培：《劉申叔遺書》，頁555。

3 吳、皖、浙、揚分野說

一九二〇年，梁啟超著《清代學術概論》，分清學為三期，一啟蒙期，二全盛期，三蛻分期。他認為，全盛運動之代表人物是惠棟、戴震、王念孫、王引之，可稱之為「正統派」。其中堅為吳、皖兩派，開吳者惠棟，開皖者戴震。吳派的基本學者群為惠棟及弟子江聲、余蕭客，還有王鳴盛、錢大昕、汪中、劉台拱、江藩等。皖派的基本學者群為戴震及其鄉里衍其學者金榜、程瑤田、凌廷堪、三胡（匡衷、培翬、春喬）等，弟子任大椿、盧文弨、孔廣森、段玉裁、王念孫等。[8]梁啟超說戴震受學於江永，而不以江永為皖派開創者；又指出戴震「亦師棟以先輩禮」，對章太炎吳、皖分野說有所修正。約在一〇二三年至一九二五年間，梁啟超撰《中國近三百年學術史》，說：「乾隆、嘉慶兩朝，漢學思想正達於最高潮，學術界幾乎都被他佔領。但漢學派中也可以分出兩個支派：一曰吳派，一曰皖派。吳派以惠定宇（棟）為中心，以信古為標幟，我們叫他做『純漢學』；皖派以戴東原（震）為中心，以求是為標幟，我們叫他做『考證學』。此外尚有揚州一派，領袖人物是焦里堂（循）、汪容甫（中），他們研究的範圍，比較的廣博；有浙東一派，領袖人物是全謝山（祖望）、章實齋（學誠）。」[9]他承認揚州學派的存在，不同於章太炎；承認浙東學派為漢學支派，則不同於劉師培。他對吳、皖、揚三派學術品格的概括，更為明晰。

梁啟超論乾嘉漢學，已經注意到其內部學術分野的相對性質與特定內涵。他說：「其實清儒最惡立門戶，不喜以師弟相標榜。凡諸大師皆交相師友，更無派別可言也。惠、戴齊名，而惠尊聞好博，戴深刻斷制。惠僅述者，而戴則作者也。受其學者，成就之大小亦因以異，故正統派之盟主必推戴。」[10]他又說：「以上所舉派別，不過從個人學風上，以地域略事區分。其實各派共同之點甚多，許多著名學者，也不能說他們專屬哪一派。總之乾嘉間學者，實自成一種學風，和近世科學的研究法極相近，我們可以給他一個特別名稱，叫做『科學的古典學派』。」[11]這是說，乾嘉漢學家的學風，個體之間有差異，但其群體亦有共性，因此確定學者的學派歸屬其實是困難的。這種認識，與章太炎、劉師培也有距離。後來出現的否定乾嘉漢學分派的觀點，紹承梁啟超此說並加以發揮。

4 吳、皖、常州及懷疑派分野說

一九二四年，支偉成撰《清代樸學大師列傳》[12]。該書敘列乾嘉經學，釐為四派：

8　梁啟超著、朱維錚校注：《梁啟超論清學史二種》（上海市：復旦大學出版社，1985年），頁4。

9　梁啟超著、朱維錚校注：《梁啟超論清學史二種》，頁115。

10　梁啟超著、朱維錚校注：《梁啟超論清學史二種》，頁4。

11　梁啟超著、朱維錚校注：《梁啟超論清學史二種》，頁115-116。

12　支偉成著：《清代樸學大師列傳》（長沙市：嶽麓書社，1998年）。

一為吳派。以惠棟、錢大昕為大師，領屬沈彤等四十餘人。一為皖派。以江永、戴震為大師，領屬金榜等六十三人。一為常州學派。包括莊存與等十二人。又以崔述為北方經學家之懷疑派。支偉成確定乾嘉漢學的學術分野，深受章太炎影響。《清代樸學大師列傳》的編纂體例，在學者群體劃分上有兩條原則，一是學者之間在宗尚、淵源方面的關聯度，一是學者所擅長的學科領域。由於經學為清代樸學之大宗，因而劃分乾嘉經學流派特詳。以區域名派，注重開宗大師籍里。觀其流衍，則不拘泥於學者之繫籍，而以學術特質相近為準。又由於其書欲展示一代樸學之格局，在釐定學術分野時，遂以不屬吳、皖、常州諸派者別立名目，如以姚際恆、崔述編列「南北懷疑派兩大師列傳」。姚、崔雖然都以「疑古」著稱，畢竟生活年代、學術方法、見識深淺多有不同，後來未見有視兩家為一派者。

5 吳、皖、揚州、常州分野說

一九三一年至一九三七年間，錢穆著《中國近三百年學術史》。他認為，惠棟、戴震為乾隆朝漢學兩大師，後世分言吳、皖，即推溯到這兩位代表人物[13]。他明確指出，惠棟「守古訓，尊師傳，守家法，而漢學之壁壘遂定」；「流風所被，海內人士無不重通經，通經無不知信古，其端自惠氏發之，而於是有蘇州學派之稱」。又稱之為「吳學惠派」[14]。錢穆考述戴震及其追隨者之學，稱之為「戴派」或「戴學」。[15]論清中葉漢學而以吳、皖分派，雖非錢穆首倡，但確指惠棟、戴震為兩派首席代表，自有其研究心得融會其中。又云：「言晚清學術者，蘇州、徽州而外，首及常州。常州之學始於武進莊存與。」[16]錢穆《近百年來諸儒論讀書》談到讀書「通博」時，曾以徽州學與揚州學相提並論[17]。如此看來，乾嘉漢學之吳、皖、揚、常四派說，實完成於錢穆。

6 吳、皖分野說

一九二四年，蕭一山撰成《清代通史》中卷，主乾嘉漢學吳、皖兩分說。後來侯外廬等著《中國思想通史》，亦主此說。黃愛平《清代漢學流派研究的歷史考察及其評析》對此已有簡要介紹。這裡再舉兩家。一九四〇年，范文瀾撰《中國經學史的演變》演講稿說：乾嘉時代的「新漢學」，有「惠棟所創立的吳派經學」、「戴震所創立的皖派經學」。其論常州學派，以劉逢祿、龔自珍、邵懿辰、魏源等人「正式向古文學攻擊」為主要節點，實際置於晚清。[18]其一九六三年所撰《經學史講演錄》中明確說：「乾嘉

13 錢穆：《中國近三百年學術史》（北京市：中華書局，1986年），頁318。

14 錢穆：《中國近三百年學術史》，頁320、323。

15 錢穆：《中國近三百年學術史》，頁371。

16 錢穆：《中國近三百年學術史》，頁523。

17 錢穆：《學籥》（北京市：九州出版社，2011年），頁126。

18 范文瀾：《范文瀾集》（北京市：中國社會科學出版社，2001年），頁286。

學派分兩派，一為吳派，一為皖派。吳派以惠棟為首，皖派以戴震為首。」[19]約在一九六二年，周予同在《中國經學史講義》中說：「關於（清代）中期學派問題，有人主張分為三派，我認為只有兩派，即吳（中）派和皖（南）派。至於第三派即常州學派，雖然莊存與是乾隆間人，但真正發生影響的是龔自珍、魏源、康有為，那是在後期。」[20]章太炎所列乾嘉漢學諸支派，尤以吳、皖分派說最為後學服膺。但是，嚴格說來，部分截取章太炎之說，已經與章太炎的乾嘉漢學分野觀拉開距離。

7 吳、皖、揚分野說

二十世紀四〇年代，張舜徽在《揚州學記》書稿中說：「余嘗考論清代學術，以為吳學最專，徽學最精，揚州之學最通。無吳、皖之專精，則清學不能盛；無揚州之通學，則清學不能大。」他後來撰《清代揚州學記》，仍維持這一見解。[21]

二十世紀九〇年代，楊向奎亦持乾嘉漢學吳、皖、揚分野說。他說：「清代樸學傳統，論其大宗，可分皖、吳及揚州三派。皖自江永開其端，程瑤田、戴震、金榜，光大門楣，而戴東原實為乾嘉學派之泰斗，由皖而揚，王念孫、王引之父子，遂使樸學達到頂峰，阮元、焦循、汪中、劉文淇、劉寶楠等皆為後勁，遂使揚州學派，成為樸學正統，而吳中實非敵也。惠氏治《易》，但無新義，惠士奇《禮說》出色當行，但無傳人。金壇段玉裁治《說文》有大名，但為學專斷，論德論才都不如高郵王氏，東原而後論樸學，當宗高郵。東原樸學固屬超流，但其意在奪朱子之席，在思想界佔權威地位，阮元之《性命古訓》亦有出色內容，非一般樸學所能理解，故論清代學術，當以皖、揚為大宗中之大宗。」[22]

黃愛平所撰《十八世紀的中國與世界・思想文化卷》（遼海出版社，1999年）、《清代漢學的發展階段與流派演變》（《中國文化研究》，2001年第1期）、《樸學與清代社會》（石家莊市：河北人民出版社，2003年）等論著中，對吳、皖、揚三派說的闡發較為系統、深入。

8 吳、皖、常州分野說

馬宗霍說：「治經確守漢師家法，不入元明人讕言者，實始於乾隆時。分堋樹幟，則有東吳、皖南兩派。吳學惠棟主之，皖學戴震主之」[23]。「故知自乾隆以訖嘉道，言經學者莫能外漢學；言漢學者莫能外吳皖兩派焉」；「然惠、戴末流之弊，英華既竭，枝

---

19 范文瀾：《范文瀾集》，頁329。

20 周予同：《中國經學史講義》（上海市：上海文藝出版社，1999年），頁80。

21 張舜徽：《清代揚州學記》（揚州市：廣陵書社，2004年），頁3。

22 楊向奎：《清儒學案新編》第7冊（濟南市：齊魯書社，1994年），頁189。

23 馬宗霍：《中國經學史》（北京市：商務印書館，1998年），頁145。

葉是窮，義鮮宗極，語乏歸宿，……於是常州今文之學，乃乘之而起」[24]。他將漢學繁盛期定於乾隆至道光年間，這是符合實際的。湯志鈞亦主吳、皖、常州三分說。其《近代經學與政治》說：「到了乾隆年間，由於清廷壓迫的加重，士大夫漸離『經世致用』的實際，形成了所謂『漢學』(『樸學』)。它主要分為兩大支：一支稱『吳派』，起源於惠周惕而成於惠棟，主張搜集漢代經師注解，加以疏通，以闡明經書大義；一支稱『皖派』，起源於江永而成於戴震，主張從音韻、訓詁、天算、地理、音律、典章制度等方面，闡明經典中的大義和哲理。這兩派，以漢儒經說為宗，推崇東漢許慎、鄭玄之學」；「在『吳派』、『皖派』盛行的同時，莊存與、劉逢祿等，根據今文經《公羊傳》來發揮維護封建統治的思想，稱為『常州學派』或『公羊學派』」。[25]認為常州今文學的興起與吳、皖兩派在時段上有重合，這也有一定根據。

9 惠、戴、錢分野說

漆永祥說：「本書的分派是在認可惠、戴之分的前提下進行的：其一，將考據學家限制在『正統派』範圍之內。浙東學派如章學誠，今文學派如莊存與、劉逢祿、龔自珍，辨偽學派如崔述，桐城派如方苞、姚鼐等，因其學術宗主與考據學派迥異，故不在討論之列。其二，學派劃分以學術特點為主，參考師承、地域等因素，並考慮到將當時北方學者各歸其所近之派。其三，歸揚派而入戴派。因這兩派實為一派，揚州學者的通學是對戴派之發展，而非異幟。其四，從惠派中析出錢大昕一派，稱錢派，因其學既不同於惠，也不同於戴，而自為一派之首。故筆者將乾嘉考據學分為惠、戴、錢三派。」[26]此說認可惠、戴兩派，與章太炎、劉師培、梁啟超諸家之見略同，唯別列錢大昕為一派屬新樹之義。有研究者提出，錢大昕是否可在惠、戴之外自成一派，尚需再加論證。

10 經、史分野說

鄧瑞在〈試論乾嘉考據〉一文中說：「從治學內容方面來看，乾嘉考據可分為『治經』和『治史』兩大類，各類又可分為若干學派。」并提出於經學有蘇南學派、徽州學派、蘇北學派、晉學派、浙學派、魯學派；於史學有趙翼為代表的陽湖派，崔述為代表的疑古辨偽派，錢大昕、王鳴盛為代表的博學派。[27]按學科分列乾嘉考據學諸支派，前提已與總攬乾嘉學術而分派有別。乾嘉樸學，經、史之外尚有小學、諸子學等門類，故鄧氏之說難稱周全。

---

24 馬宗霍：《中國經學史》，頁148。

25 湯志鈞：《近代經學與政治》(北京市：中華書局，1989年)，頁17。

26 漆永祥：《乾嘉考據學研究》(北京市：中國社會科學出版社，1998年)，頁113。

27 參閱鄧瑞：〈論乾嘉考據〉，《南京大學學報》1986年第4期；胡凡：〈二十年來乾嘉學派形成原因與學術分野研究綜述〉，《中國史研究動態》2003年第3期，頁6。

在整體探討乾嘉漢學流派分野諸說之外，還有不少學者專門論述乾嘉漢學某一分支流派。如論吳派，王應憲著有《清代吳派學術研究》（上海市：華東師範大學出版社，2009年5月）。論皖派，徐道彬著有《皖派學術與傳承》（合肥市：黃山書社，2012年3月）。論揚州學派，張舜徽著有《清代揚州學記》（上海市：上海人民出版社，1962年10月；揚州市：廣陵書社，2004年），趙航著有《揚州學派新論》（南京市：江蘇文藝出版社，1991年）、《揚州學派概論》（揚州市：廣陵書社，2003年11月），王俊義撰有〈論乾嘉「揚州學派」〉（《青海社會科學》1989年第3期）、〈論乾嘉揚州學派的特色〉（《中國人民大學學報》1990年第1期）等系列論文。自一九九八年起，林慶彰教授在其主持的《清乾嘉揚州學派研究》計劃執行期間，卓有成效地推動海峽兩岸學界的合作交流，取得豐碩成果。與揚州大學人文學院兩度聯合召開專題研討會，出版學術論文集《清代揚州學術研究》（祁龍威、林慶彰主編，臺北市：學生書局，2001年4月）、《清代揚州學術》（楊晉龍主編，臺北市：中研院中國文哲研究所，2005年4月）。二○○○年十一月出版的《漢學研究通訊》第七十六期，刊載賴貴三〈清代乾嘉揚州學派經學研究的成果與貢獻〉、楊晉龍〈台灣學者研究「清乾嘉揚州學派」述略〉、蔣秋華〈大陸學者對清乾嘉揚州學派的研究〉、張壽安〈清代揚州學派研究展望〉等一系列論文。凡此，對揚州學派研究起到顯著促進作用。論常州學派，申屠爐明著有《常州學派研究》（南京市：江蘇人民出版社，2012年）；論浙東學派，有方祖猷、滕復主編的論文集《論浙東學術》（北京市：中國社會科學出版社，1995年）等。

（二）認為乾嘉漢學內部無流派分野

一九六四年，楊向奎在《新建設》第七期發表〈談乾嘉學派〉，提出：「歷來談乾嘉學派的，總是說這一個學派有所謂吳派、皖派之分。其實，與其這樣按地域劃分，還不如從發展上來看它前後的不同，倒可以看出它的實質。」後來，陳祖武多次闡發這一觀點。他在〈關於乾嘉學派的幾點思考〉中提出：乾嘉學派「作為一個富有生命力，且影響久遠的學術流派，它如同歷史上的眾多學派一樣，也有其個性鮮明的形成、發展和衰微的歷史過程。這個過程錯綜複雜，跌宕起伏，顯然不是用吳皖分野的簡單歸類所能反映的。……而吳皖分野的主張，雖然有這樣那樣的歷史依據，但恰恰就是在這一個根本之點上，無形中掩蓋了乾嘉學派和乾嘉學術的發展軌跡。」[28]又說：乾嘉時代群星璀璨的南北學者「互為師友，相得益彰，其間本無派別可言。強分門戶，或吳或皖，實有違歷史實際，我們何必要去做那種自尋紊亂的事呢？其實以地域來分學派，本身並不科學，與乾嘉學術發展的實際也不盡吻合，因此我們沒有理由去讚成它。筆者主張，從歷

28 陳祖武：《清儒學術拾零》（長沙市：湖南人民出版社，1999年），頁163-164。

史實際出發，對各家學術進行實事求是的具體研究。個中既包括對眾多學者深入的各別探討，也包括對學術世家和地域學術的群體分析，從而把握近百年間學術演進的源流，抑或能夠找到將乾嘉學派研究引向深入的途徑。」他認為：「據為學言，則惠、戴兩家並非對立的學派，由惠學到戴學，實為乾嘉學派從形成到鼎盛的一個縮影」[29]二○一二年，陳祖武出版《清代學術源流》，其中編《乾嘉學派與乾嘉學術》系統闡發了其乾嘉學術為一歷史過程的觀點。[30]陳祖武的敘述，大體以時間為順序，評述本期各名家的學術思想與成就，而非約簡為惠、戴之學的先後相繼。

一九九二年，暴鴻昌發表〈乾嘉考據學流派辨析—吳派、皖派說質疑〉一文，認為吳、皖分派說「於事實甚為不符，更無科學根據」。提出：大凡學術以地域稱流派，必備以三種條件，其一，此流派成員必皆出於同一地域；其二，治學宗旨及學術風格迥然有別於其他地域而自成特色；其三，其獨特學術風格淵源流長，師承有序。例如，浙東學派滿足上述條件，所以無人懷疑。而所謂吳、皖兩派都不具備以上特征。故不應分別界定為獨立的學派。[31]該文還對學界所指吳派「凡古必真，凡漢皆好」、皖派「實事求是」；吳派好博聞，吳派善裁斷；吳派重考核，皖派重義理等區析學派的理由，逐一加以辯駁。又闡述漢學家相互推崇；不立門戶，唯從所是；互為師友，相互影響，取長補短，故說乾嘉考據學「雖自成流派，然於內部無流派可分」。

姜廣輝主編的《中國經學思想史》第四卷第八十九章專門論述「乾嘉時期的『學派』問題」，認為「說到乾嘉時期有什麼『學派』，則顯得相當勉強。」[32]又說：「乾嘉時期，大宗師級的學者有三位，第一位是惠棟，因他是江蘇吳縣人，他所代表的學派被後世稱為『吳派』；第二位是戴震，因他是皖南人，他所代表的學派被後世稱為『皖派』；我們之所以強調這是『後世』的推許，是因為無論惠棟和戴震，他們在世時，都不敢把自己看作某某學派的宗師或領袖。第三位是莊存與，……嚴格說來，他的學問並不是考證之學，但他可以說是晚清流行的春秋公羊學的先行者。雖然大宗師級的學者有三位，但勉強而言，學派只有兩個：『吳派』和『皖派』。」[33]又說：「學術界還有『揚州學派』的說法，被列入其中的有任大椿、汪中、王念孫、凌廷堪、焦循、阮元、王引之等人，這些人大多屬於戴震門人或後學，當然弟子門人中在學術思想上有大的創新而能卓然自立，也可再創學派，如陽明學派中的泰州學派等即是其例。但在上述數人中，

29 陳祖武：《清儒學術拾零》，頁169、164。

30 陳祖武：《清代學術源流》（北京市：北京師範大學出版社，2012年）。

31 參閱暴鴻昌：〈乾嘉考據學流派辨析——「吳派」、「皖派」說質疑〉，《史學集刊》1992年第3期，頁68-74；胡凡：〈二十年來乾嘉學派形成原因與學術分野研究綜述〉，《中國史研究動態》2003年第2期，頁8。

32 姜廣輝主編：《中國經學思想史》第4卷（北京市：中國社會科學出版社，2010年），頁263-264。

33 姜廣輝主編：《中國經學思想史》第4卷，頁264。

任大椿、汪中、王念孫屬前輩學者；後四人過從較密，其中阮元官位名望最高，雖有領袖群倫的才具，但也並未別標宗風，他們的學術風格與戴震的皖派並沒有明顯的區分，只是這些學者同居揚州，使當時的揚州有一種較強的學術氛圍而已。學術思想貴在獨立創新，無大的獨立創新，便不足以標宗立派。」[34]姜先生還對學界有人將乾嘉時期的學術「籠統地稱之為『乾嘉學派』」提出批評，以為可以說「乾嘉學術」、「乾嘉漢學」、「乾嘉學風」，或加以限定而稱「乾嘉考據學派」等。如籠統地說「乾嘉學派」便欠科學的嚴謹性，其實「不通」。[35]雖然如此，該書敘述乾嘉學術，還是設專章，論述「惠棟：標幟『漢學』的吳派宗師」、「戴震：學主『求是』的皖派領袖」。

陳居淵認為，「吳皖揚常」漢學分野說難以成立，不能概括十八世紀學術，「從十八世紀的學人書札中可以看出，學者之間雖然有互相駁難，甚至是對立，但往往又是互相啟發，互相吸收，你中有我，我中有你，他們之間並不具有嚴格的分派意識，更多的是對經典本義的反嚮回溯。從這意義上說，任何將十八世紀學術判定為『吳皖揚常』的分野，不符合十八世紀時期學術演進的歷史軌跡」；「筆者並不想就此簡單地否定十八世紀學派『吳皖揚常』分野說，在清代學術史的研究史上，主張或崇尚『吳皖揚常』分野說的學者，也曾有過輝煌的成就，如章太炎、梁啟超、錢穆等前輩學者都將清代學術史研究推向新的高度就是證明。但是，如果我們現在仍以同一種路徑分析或思維模式來研究清代學術或評價十八世紀漢學的話，那麼無形中也就遠離了歷史的本來面目。」[36]其說與楊向奎、陳祖武的觀點可謂桴鼓相應。

如上所述，長期以來學界關於乾嘉漢學流派劃分以及是否適宜劃分流派，存在諸多歧見。舉凡被列為分支流派者，在乾嘉漢學發展史上莫不佔有一定地位。提出或認同某一分支流派的學者，都基於對乾嘉時期特定學者學術成就與學術風格的悉心鑽研。因此，無論其關於某些學派的界定是否具有充分的根據，具體學者的研究結論多有可取之處。至於否定乾嘉漢學或乾嘉學派存在分支流派的種種看法，也反映出學界對已有的乾嘉漢學學派分野論某些局限性的審視與糾訂。

二　乾嘉漢學流派劃分的主要視角

圍繞乾嘉漢學內部是否存在不同分支流派、究竟有哪些分支流派等問題，學界持續不斷的爭鳴，體現出推進乾嘉漢學研究的熱切期待。上述種種見解的提出，雖說是基於各家的著述動機與學術造詣而呈現諸多歧異，其中蘊含的治學經驗則值得認真總結。特

---

34 姜廣輝主編：《中國經學思想史》第4卷，頁264。

35 姜廣輝主編：《中國經學思想史》第4卷，頁264-265。

36 陳居淵：《漢學更新運動研究——清代學術新論》（南京市：鳳凰出版社，2013年），頁101。

別是前賢時彥所持的界定學派的若干標準，對於推進中國學術流派研究的基礎理論建設，具有一定借鑒意義。

其一、確認乾嘉漢學區域性學術流派，必須考量是否有其獨特的學術宗旨

在劃分乾嘉漢學流派的實踐中，二十世紀前期的學者已將獨具學術宗旨作為確認特定學派的基本要求。章太炎《檢論》〈清儒〉說清學自成系統者自惠棟始，而所持的標尺即不雜糅「元、明讕言」，篤於尊信古義；劉師培說惠棟《左傳補注》「扶植微學」，《九經古義》「甄明佚詁」，所指也是歸宗漢代經學。錢穆明確指出，惠棟「守古訓，尊師傳，守家法，而漢學之壁壘遂定」。並闡揚吳、皖兩派之別云：「今考惠學淵源與戴學不同者，戴學從尊朱述宋起腳，而惠學則自反宋復古而來」；「清初諸老尚途轍各殊，不數十年間，至蘇州惠氏出，而懷疑之精神，變而為篤信辨偽之工夫，轉向求真，其還歸漢儒者，乃自蔑棄唐宋而然。故以徽學與吳學較，則吳學實為激進，為趨新，走先一步，帶有革命之氣度」。[37]此言惠棟之學術宗旨獨特，且具有學術轉型意義。章學誠說：「戴君所學，深通訓詁，究於名物制度，而得其所以然，將以明道也。時人方貴博雅考訂，見其訓詁名物，有合時好，以謂戴之絕詣在此。及戴著〈論性〉、〈原善〉諸篇，於天人理氣，實有發前人未發者。」錢穆認為，此為知音之言。[38]

近年來，有些學者明確提出具有獨特宗旨是確認學術流派的基本條件。姜廣輝認為：學術史上的所謂「學派」，並不簡單是「一群學者」的意思，「它一般須具備三個要件：第一，有共同的學術宗旨；其二，有共同的學術宗師；第三，有學術傳承（弟子、門人及私淑等）。具備了這三個要件，可以說具備了『學派』的充分條件。在這三個要件中，第一條─『學術宗旨』的要件，是必不可少的，無明確的學術宗旨不足以成為學派。有的時候，幾個人或若干人，雖然他們之間並無宗師與弟子的關係，只要他們有共同的學術宗旨，也可以『學派』稱之。但這個『共同的學術宗旨』應該是他們自己有意識地標舉出來，並為當時的學界所認可或認知。我們可以以這樣的認識來看乾嘉時期的學派。」[39]暴鴻昌〈乾嘉考據學流派辨析〉一文所舉構成學術流派的三項條件，第二條也是要求具有獨特的學術宗旨。

其二、確認區域性學術流派，必須考量其基本的治學方法與風格

近世學術名家確認乾嘉漢學支派，注意到考量其治學方法與學術風格的獨特性。章太炎《檢論》〈清儒〉說：「吳始惠棟，其學好博而尊聞。皖南始江永、戴震，綜形名，任裁斷。此其所異也」；「凡戴學數家，分析條理，皆parens密嚴瑮，上溯古義，而斷以己之

37 錢穆：《中國近三百年學術史》，頁320-321。

38 錢穆：《中國近三百年學術史》，頁333-334。

39 姜廣輝主編：《中國經學思想史》第4卷，頁263。

律令，與蘇州諸學殊矣。」[40]此論吳、皖兩派之別，著眼於學術方法與學風，觀點明晰。謂「好博而尊聞」，概括吳派治學方法與學風甚為精當，如梁啟超、蕭一山等沿用之。

劉師培《近代漢學變遷論》論乾嘉漢學，稱之為「徵實派」，但也注意辨析吳、皖兩派之「徵實」有所不同。他認為，惠棟之治《易》，江聲之治《尚書》，「雖信古過深，曲為之原，謂傳注之言堅確不易，然融會全經，各申義指，異乎補苴掇拾者之所為」；若江永、戴震，「所學長於比勘，博徵其材，約守其例，悉以心得為憑。且觀其治學之次第，莫不先立科條，使綱舉目張，同條共貫，可謂無徵不信者矣。」[41]不滿足於泛言乾嘉漢學崇尚「徵實」之同，進而究觀其異，這是一條值得記取的經驗。劉師培論南北學風之別，還注意到古今之異。他說：「昔《隋書》〈儒林傳〉之論南北學也，謂『南人簡約，得其菁英；北人深蕪，窮其枝葉』。今觀於近儒之學派，則吳越之儒，功在考古，精於校讎，以博聞為主，乃深蕪而窮其枝葉者也；徽揚之儒，功在知新，精於考覈，以窮理為歸，乃簡約而得其菁英者也。南北學派與昔迴殊，此固彰彰可考者也。」[42]

前揭張舜徽論吳、皖、揚三派，主要著眼於學術風格。張先生進而指出：「然吳學專宗漢師遺說，屏其他不足數，其失也固。徽學實事求是，視夫固泥者有間矣，而但致詳於名物度數，其失也褊。揚州諸儒，承二派以起，始由專精匯為通學，中正無弊，最為近之。夫為專精之學易，為通學則難。非特博約異趣，亦以識有淺深弘纖不同故也。」[43]此論吳、皖、揚三派之學風差異與學術境界，概括精當，多為後學稱述。

其三、確認一種區域性學術流派的主體構成，須注重師承或家學

姜廣輝論乾嘉漢學流派界定，有學術宗師及其傳人方面的要求；暴鴻昌也主張其獨特學術風格，應「淵源流長，師承有緒」。乾嘉漢學之發皇與延續，主要是學界自發、自主的學術活動。因此，學有宗師、師承有緒對漢學流派的形成具有重要意義。這也是歷來研究乾嘉漢學者所持的一個重要視角。

章太炎《檢論》〈清儒〉說，惠棟承父士奇之學，說經「精眇不惑於謏聞」；且氾濫百家，著述甚豐。弟子有江聲、余蕭客，「大共篤於尊信，綴次古義，鮮下己見」。而王鳴盛、錢大昕亦被其風，稍益發舒。其學傳於揚州，則汪中、劉台拱、李惇、賈田祖，以次興起。蕭客弟子甘泉江藩纘續《周易述》，「皆陳義爾雅，淵乎古訓是則者也」。[44]其論皖派，敘戴震受學於江永，遂深通禮學、小學、算術、輿地；又說「教於京師」，

40 章太炎著、劉夢溪主編：《中國現代學術經典：章太炎卷》，頁255-256。

41 劉師培：《劉申叔遺書》，頁1541。

42 劉師培：《劉申叔遺書》，頁557。

43 張舜徽：《清代揚州學記》（揚州市：廣陵書社，2004年），頁2。

44 章太炎著、劉夢溪主編：《中國現代學術經典：章太炎卷》，頁256。

任大椿、盧文弨、孔廣森「皆從問業」，弟子「最知名者」有金壇段玉裁、高郵王念孫。[45]劉師培《南北學派不同論．南北考證學不同論》對惠、戴的宗師地位與後繼學者也有論列。

近數十年來，關於揚州學派、常州學派代表人物及其學術授受，學界的探討趨於詳明。如劉建臻《揚州學派經學研究》論揚州學派之「家學淵源」、學人之間「盤根錯節的姻親關係」、「友朋問學，相得益彰」，最為具體。[46]申屠爐明《常州學派研究》論常州莊氏學術的授受，脈絡也很清楚。一般論常州學派學術譜系者，多強調劉逢祿、宋翔鳳傳莊存與之學，而申屠爐明則指出，莊述祖是從莊存與到劉、宋的「中間過渡環節」。[47]

其四，確認乾嘉漢學的區域性學派，出生於其地的學者應佔較高比例

以學術宗師出生地望指稱學術流派，在中國學術史上較為常見。採用這種方法定名的學派，其實際情況比較複雜，有多種類型。一類是以地望標示學術宗師所出之地，兼及其學術最初傳佈之區。如西漢之魯詩學派、齊詩學派是其例。若論其學術後來的傳佈，則不限於齊、魯。一類是僅以地望標示一派宗師所從出。例如北宋之安定學派，只是因為著名學者胡瑗先世居陝西路安定堡，自其祖父開始已移居泰州如皋，故其弟子基於尊祖敬宗的理念稱之為安定先生，後人因以名派。而安定學派之稱名並不表示其成學及學術之傳衍主要在陝西。還有一類，即以其稱名體現該學派的學者籍里主要萃集一地。乾嘉漢學諸分支流派，屬於這一類型。出現這種學術情形的主要原因，是特定學術宗師思想觀念、研究實績，在其繫籍的州府易於傳播並擴大影響。

近世以來研究者認定乾嘉漢學分支流派，一方面是注重各派學術宗師的籍貫，另一方面也基於各派學者多與其宗師出於同一郡邑。如章太炎《檢論》〈清儒〉所列吳派學者，惠棟以下先舉江聲、余蕭客，王鳴盛、錢大昕等；皖派學者，戴震以下先舉金榜、程瑤田、淩廷堪、胡匡衷、胡承珙、胡培翬；浙東之學，於清初諸賢以下舉邵晉涵、全祖望、章學誠、黃式三、黃以周；常州之學，則舉莊存與、劉逢祿、宋翔鳳。可以說，章太炎界定區域性漢學流派，已經將學者群起於特定區域作為一條原則。後來釐定區域性漢學流派的研究者，也都看重學者群之郡望相同或相鄰。劉師培《南北學派不同論．南北考證學不同論》所舉吳越、徽揚兩派，雖云不專主一地而劃分流派，畢竟不算分散。其所以如此立論，是力圖統攬一派宗師之學在本鄉本土的傳播與在特定異地擴展的實情。

45 章太炎著、劉夢溪主編：《中國現代學術經典：章太炎卷》，頁256。

46 劉建臻：《揚州學派經學研究》（南京市：江蘇人民出版社，2004年），頁328。

47 申屠爐明：《常州學派研究》（南京市：江蘇人民出版社，2012年），頁53。

其五、確認乾嘉漢學的區域性學術流派，應關注其本土歷史文化背景

乾嘉漢學在東南地區的興起，有其複雜的歷史因緣，比如說自然地理條件優越、區域經濟繁榮、文化教育興盛等等，而區域學術文化傳統的影響力也是不可忽視的因素。較早研究乾嘉漢學流派劃分的學者，重要的視角之一，是聯繫區域學術文化傳統解釋漢學的興起。章太炎《檢論》〈清儒〉:「初，大湖之濱，蘇、常、松江、太倉諸邑，其民佚麗。自晚明以來，憙為文辭比興，飲食會同，以博依相問難，故好劉覽而無紀綱，其流徧江之南北。惠棟興，猶尚該洽百氏，樂文采者相與依違之。及江永、戴震起徽州，徽州於江南為高原，其民勤苦善治生，故求學深邃，言直覈而無溫藉，不便文士。」[48]他緊扣江蘇南部諸府縣的社會風情、人文特征立論，認為吳派學術的長處與短處都植根於晚明以來的區域文化傳統。而徽州的地理、人文環境與東吳不同，故江、戴之學風亦不與吳地學人相同。劉師培《南北學派不同論》〈南北考證學不同論〉:「東南人士喜為沈博之文。明季之時，文人墨客多以記誦擅長，或摘別群書，廣張條目，以供獺祭之需。」這對於浙江學人和東吳惠氏一派頗有影響。其論徽歙之學，謂「皖南多山，失交通之益，與江南殊，故所學亦與江南迥異。」[49]其說與章太炎有相同之處。但也有其特識。他觀察吳派的區域文化淵源，不局限於蘇州、常州、松江諸府，且及於浙東，大體是環太湖流域。這有其合理之處。注意到區域文化傳統在清代的新變，是其高明之處。又如錢穆論徽學的興起，指出新安是朱子理學浸潤之地，江永、戴震都「從述朱起腳」，此為同時學者所忽略的因素。

當代學人也頗有關注乾嘉漢學流派的區域歷史文化淵源者。一九八三年日本學者大谷敏夫著《明清時代的政治與社會》，其中說:「徽州—揚州—常州等江南諸地域，在清代都是鹽業、典當業、漕運業等行業中，商業活動開展得最熱絡的地區，同時在學術的發展上也發揮了重要的功能。因為集中在這些地域的財富被投資在文化活動上，促進了學術的繁榮。」[50]這篇論文徵引文獻資料豐富、立論允當，至今仍具有參考價值。王俊義〈論乾嘉揚州學派的特色〉一文指出:「要闡明揚州學派的學術特點和影響，首先需要分析它產生的土壤及其學術思想淵源。」文中回顧揚州歷史上與清初以來的經濟、文化，認為人文薈萃的有利形勢，對揚州學派形成「會通廣博」的學術風格具有潛移默化的影響。[51]按照筆者對揚州學派形成原因的觀察，乾嘉揚州漢學家與本土學術文化傳統確有緊密聯繫。如王念孫從事文字音韻之學，鑽研曹憲《博雅音》，徐鉉、徐鍇的《說

48 章太炎著、劉夢溪主編:《現代學術經典:章太炎卷》，頁257。

49 劉師培:《劉申叔遺書》，頁555。

50 大谷敏夫著，盧秀滿譯:〈揚州、常州學術考——有關其與社會之關聯〉,《中國文化研究通訊》第10卷第1期(臺北市:中央研究院中國文哲研究所，2000年)，頁94。

51 王俊義:〈論乾嘉揚州學派的特色〉,《中國人民大學學報》1990年第1期。

文》學，具有奠定知識基礎的意義。又如阮元的文學觀念，與其推崇、研究曹憲、李善的《文選》學顯然有關。再者，胡瑗以經術治世的學術思想，泰州學派王艮以百姓日用為聖人之道的理論，以及晚明寶應名儒劉永澄、劉永沁兄弟注重學行統一的作風，對揚州學派諸多學人都有沾溉作用。[52]

美國學者艾爾曼《經學、政治和宗族—中華帝國晚期常州今文學派研究》對常州學派的本土歷史文化淵源有系統的考察。他提出：「要探討常州今文經學興起的歷史背景，必須解決下列三個問題：一、晚明無錫縣的學術運動在常州府扮演的角色；二、清代常州地區學術界的領導地位從無錫轉向常州莊、劉兩族的原因；三、晚明常州學術思潮與清初今文經學崛起的異同。」[53]該書第二、三、四章即致力於上述議題的討論。

以上所舉，都符合區域性學術流派形成、發展的機制，因而反過來也可以作為考定地域性學術流派是否存在的標準。從實踐看，只有充分滿足這些條件的學術群體被確定為地域性學術學派，才能獲得學界的高度認可。當然，還不能說關於確認地域性學術流派的必要條件的認知已經很完善，尤其是在實踐中對鑒別尺度的掌握、運用，還存在諸多不足，這是在乾嘉漢學區域性流派分野研究方面聚訟莫決的重要原因。

三　乾嘉漢學流派研究存在問題的初步探析

長期以來，學術界關於乾嘉漢學流派分野的見解分歧叢集，這一方面是學術研究活躍的表徵，另一方面也意味著已有的研究亟待深化。在這裡，僅就帶有全局性的若干問題略申淺見。

首先是關於有無必要劃分流派的問題。這一問題具有基礎意義。如確實不必劃分流派，關於如何流派劃分的種種討論即失去意義。如本來就存在若干分支流派，放棄、排斥這方面的探討則屬誤入歧途。但總的看來，爭議雙方都持之有故，言之成理，惟結論則迥異。要逐步消解這方面的分歧，需要在辯章學術、考鏡源流的思想方法上尋求共識。

部分研究者之所以認為乾嘉學派內部不存在分支流派，主要理由之一是其時大師級學者在學術思想上缺乏大的獨立創新，也無大的差別。要求一個學術流派在學術思想上有重大而獨特的創新，這是合乎情理的。問題在於，何為學術思想上大的獨立創新？對這一問題，研究者所選擇的學術視角不同，所得出的結論即可能大有出入。論乾嘉漢學家學術思想的構成，義理觀、學統觀和學術方法論都是重要方面。據眾多學者的研究結

52 參見田漢雲：〈略說揚州學派與歷代揚州文化之關係〉，《中國文哲研究通訊》第9卷第3期（臺北市：中央研究院中國文哲研究所，1999年）；收入趙昌智主編：《揚州學派研究論文選》，揚州市：廣陵書社，2013年。

53 艾爾曼著、趙剛譯：《經學、政治和宗族——中華帝國晚期常州今文學派研究》（南京市：江蘇人民出版社，2005年），頁4。

論看，若吳、皖、揚、常四派在這些方面都有獨創性見解，且彼此之間有明顯的區分度。就義理觀言之，在乾嘉漢學內部，如東吳惠氏離宋返漢的主張，休寧戴氏反理學的性道論，揚州諸儒歸本早期儒學的仁論與禮論等，常州學派的經世之學，無論在學術史還是思想史上都是值得關注的，彼此之間也有明顯的差異。就學統觀言之，東吳惠氏專主兩漢經學，休寧戴氏則以「求是」作為對待學術遺產的原則，揚州諸儒則崇尚先秦儒學并兼取諸子之學，常州諸儒專主公羊學，也可謂各具特色。就學術方法言之，吳學長於博徵古義，皖學善於斷制，揚學致力於貫通，常州之學在依經論政方面別開生面。以上所舉諸派名家的建樹，應當說在清學史上兼具獨特性與重要性。

有的研究者反對在乾嘉漢學內部再劃分流派，又一理由是本期漢學家在學術宗尚、治學方法、學術風格上相同點是主要的，差異則是次要的；如但有差異即劃分流派，將流於瑣細。從實際出發，究觀學者群體為學大端之異同而判斷是否劃分學術流派，這是乾嘉漢學的所有研究者都可以接受，並自以為是業已遵循的原則。問題在於，承認這一原則與切實貫徹這一原則之間，往往存在距離，分歧亦因此而層出不窮。要縮小、消解這種距離，既有待研究者個體博學精思，也需要研究者之間互相切磋，取長補短。從改進研究方法的角度說，有一點或許值得注意，即探討乾嘉漢學內部之異同，其實是應該區分層次的。最高層次的異同觀，是就乾嘉時期漢學與宋學而言；其次，是就不同時段、不同學術群體之間而言；第三，是就學者個體之間而言。片面強調學者個體之間的差異或學術群體之間的相同點，以此沖淡甚至否定劃分學術流派的必要性，無助於推進學術研究。

有的研究者不主張在乾嘉漢學內部劃分區域性學術流派，還有兩點理由，一是劃分流派可能在無形中掩蓋漢學的發展線索，二是區域性流派劃分難免導致一些重要學者被遺漏。關於前一說，王俊義提出駁議：「提出乾嘉漢學中有吳、皖分派之說，并不否認乾嘉漢學是一個歷史過程，也不會掩蓋其演進的歷史軌跡。因為對吳、皖分派的肯定者或否定者，都不否認乾嘉漢學有發展演變的歷史進程。而吳、皖之分派只是乾嘉漢學發展到鼎盛階段的乾嘉之際才出現的。……待惠棟公開打出漢學旗幟，乾嘉漢學成為獨立的學派后，逐漸在漢學這一大的旗幟下，出現了吳派和皖派。吳派在前，皖派在後，戴震曾向惠棟受業請教，而後在治學上又形成有別於惠棟的特色。同時，惠棟與戴震各以其所在的地域為中心，各自傳授和影響了一批學者，形成各具特色的流派。戴、段、二王之後，一方面由於社會現實的變化，另方面由於乾嘉漢學本身愈益煩瑣和脫離實際遂走向衰落，遂為新的經世致用思潮和今文經學所取代。吳派、皖派的劃分，同乾嘉學術的歷史進程完全吻合，並未掩蓋其演進的歷史軌跡。」[54]筆者讚同此說。劃分乾嘉漢學內部的區域性學術流派，其依據是客觀存在的學術格局，其意義在於究觀特定時期學術

54 王俊義：《清代學術探研錄》，頁203。

格局的特點、學術發展的節點和特定學者群學術成就的要點。讚同並致力於釐定學術流派的研究者，應當注意到流派劃分，雖然有助於梳理學術發展的脈絡，卻不能以此全面展示學術發展的脈絡；雖然有助於觀察學術格局，卻不宜以此代表學術界的全局。至於有的研究者以為劃分區域性學術流派，會導致學術發展脈絡的湮沒、無從安頓部分重要學者的學術史地位，則是對學派劃分應有學術功能的誤解與苛求。

關於乾嘉漢學流派分野的諸種見解，相互抵觸者也不罕見。針對這種狀況，黃愛平《清代漢學流派研究的歷史考察及其評析》發表如下意見：「各家之說都並非十分完善，都有各自的不盡周全之處。如分派說對各個流派研究範圍、治學風格、學術特色的闡發，學者的師承淵源及隸屬歸類，乃至對清代漢學產生、發展、衰落各個階段的理解和認定等相關問題，還多有進一步探討的空間」；「在不同意見的爭論中，有關學術流派劃分的標準和根據等理論問題也進一步得到明確。如治學宗旨、學風特色、師承淵源關係等因素，被學者公認為學派劃分的主要依據」；「但在共識之下，對具體問題的討論仍然千差萬別。如何準確把握學派劃分的標準和依據，如何看待不同地域、不同學者之間的相互關係即師承淵源，如何區分不同治學範圍、不同學術風格及特色，各人的理解並不一致，看法也不盡相同，因此，產生不同意見乃至爭論，是很正常的，也是學術發展、研究深化的反映」。[55]這些見解可謂切實、允當。或許可以補充的是：其一，在明確學派劃分的標準和依據的同時，對學術流派的結構形態尚需探討。一個學術流派的構成，往往有其核心群體，也有受其影響的邊緣性成員。在其不同的發展階段，構成形態也有差異。當草創階段，先導人物的學術宗尚、治學風格或駁雜不醇；及其衰落，其成員的學術宗尚、治學風格或發生蛻變，最終疏離所屬學派。注意研究學術流派結構形態的基本特點，有助於避免學者群體歸類擴大化和學派存在時段的泛化。其二，確認區域性學術流派，應堅持進行諸種標準、依據的綜合考量。推求許多分歧意見產生的緣由，在於學者研究實踐中所持的尺度多有不同。其三，確認區域性學術流派，需要正視並恰當處理不同分支流派之間的交叉關係，如學者之師承、交遊、治學範圍、學風等等。否認或迴避這種交叉關係，則不能體認乾嘉漢學的整體風貌與延續實情。但是將這種交叉關係強調至不恰當的高度，必然導致對各分支流派的界限認識不清。

主張乾嘉漢學分派說的學者，涉及到具體漢學家的學派歸類也有不少分歧意見。其中最為突出的是乾嘉揚州學者的學派歸屬問題。支偉成《清代樸學大師列傳》承用章太炎的吳、皖、浙、常分野說，將乾嘉揚州漢學家分別隸屬於吳、皖兩派。歸屬吳派者有汪中、李惇、江藩等九名，歸屬皖派者有王念孫、任大椿、凌廷堪、阮元、焦循、朱彬、劉台拱、劉文淇、凌曙等十五名。以張舜徽為代表的許多學者持吳、皖、揚三派分野說，則以乾嘉揚州漢學家都歸屬揚州學派。這些分歧意見影響到乾嘉漢學流派劃分的

55 《中國文化研究》2008年秋之卷，頁122。

準確度、可信度。要解決這類問題，根本途徑在於加強相關學者的個案研究。

以往研究者在梳理揚州漢學家流派歸屬時，往往按照自己的主觀意圖取捨文獻資料，掇拾符合己見的部分，對於不符合己見的部分多有忽略。其結果，是導致對揚州漢學家群體的獨特個性體認失真。倘若系統、全面地關注、分析學者個體的學術淵源、成學歷程、主要成就，或許可以體會到，認為揚州諸儒自成一派是有充分根據的。所獲結論當較為允當。例如，主張吳、皖分野說者都以王念孫、王引之歸屬皖派，其根據是王念孫曾師從戴震，傳其聲音訓詁之學。看到戴震對王念孫的影響，是完全必要的，但是將王念孫的學術淵源單純歸結於戴震之學，則是不全面的。以語言文字之學而論，他撰有《補正廣雅音》、《校正說文繫傳》。《博雅音》的著者曹憲，《說文繫傳》的著者徐鍇，都是揚州籍學者。他們對王念孫撰《廣雅疏證》多有啟發。高郵王氏父子的《讀書雜誌》、《經義述聞》，校釋古籍的範圍，及於群經與多種子、史要籍，特別是對《管子》、《晏子春秋》、《墨子》、《荀子》、《淮南內篇》的精心校釋，表明其對諸子之學的重視。這是王念孫的學術思想超越前輩之處。由此觀之，將其列於揚州學派，較之劃歸皖派更為恰當。再如汪中，主張吳、皖分野說的學者，或以為當屬吳派，或以為「接續東原之後的『學統』」[56]。然論其學術之近世淵源，推重者有顧炎武、閻若璩、梅文鼎、萬斯同、胡渭、惠棟、戴震等七人[57]。他又曾說：「少日問學，實私淑顧寧人處士。故嘗推《六經》之旨，以合於世用。」[58]可見在諸前輩學者中，顧炎武對其學術思想影響具有關鍵意義。再者，汪中以儒學為宗，融會百家之學的學術思想，業已超越吳、皖兩派。再如劉台拱，支偉成《清代樸學大師列傳》列於皖派，說他早年深受同邑理學家王懋竑、朱澤沄熏陶，應禮部試時與朱筠、戴震、任大椿、王念孫有交往，平生「治身取程朱為法，著述則悉本乎漢儒」。照此看來，與皖派還是存在一定差異。又如焦循，其於義理學推重戴震，故論者多以其屬皖。但錢穆云：「統觀里堂成就，闡述性理，近東原；平章學術，似實齋。東原、實齋乃乾嘉最高兩大師，里堂繼起，能綜匯兩家之長，自樹一幟，信可敬矣！」[59]又如阮元，論者亦以其屬皖，闡述其得力於「戴門後學」，崇尚實事求是，屬戴震一路。但也有文獻資料證明，阮元對顧炎武、毛奇齡、東吳惠氏諸家之學也很推崇。如果說，阮元對本朝諸儒的稱揚與紹承，還可以突出其受戴震之啟迪，以證成其屬皖之說，他提出的兼容漢宋，以漢學為宗而以宋學為輔的學術思想；綜理經訓而纂《經籍籑詁》，校刻群經注疏以助其傳習，彙編清儒考證經義之書而成《皇清經解》，由此體現的從總體上推進儒學新建設的宏偉構想與非凡實績，顯然超越吳、皖諸儒。又如江藩，看重其師承者多傾向於歸之吳派，看重其為徽商後裔者則表彰其傳

---

56 徐道彬：《皖派學學術與傳承》（合肥市：黃山書社，2012年），頁534。

57 汪喜孫撰、楊晉龍整理：《汪喜孫著作集》，頁645。

58 汪中著、田漢雲整理：《新編汪中集》（揚州市：廣陵書社，2005年），頁428。

59 錢穆：《中國近三百年學術史》，頁475。

承皖派學術。通觀其平生為學，凡三變。早年師從余蕭客、江聲，崇尚專門漢學；及與汪中、焦循、阮元等揚州諸儒游，雅重江永、戴震「求是」之學；晚年有取於宋學之篤行，以漢學為宗而不盡棄宋學。其中年以後，顯然求為通儒之學，與焦循、阮元諸儒為同調。又如劉寶楠、劉文淇，支偉成撰《清代樸學大師列傳》時對其屬吳、屬皖已頗猶豫，求教於章太炎，章太炎認為寶應劉氏「兼宋學意味」，近於江永、戴震；儀征劉氏「學在吳皖之間」，宜皆列為皖派樸學家。[60]嘉慶、道光之間，漢學進入總結階段。揚州二劉研究群經注疏，追慕近儒撰著新疏，於道光八年赴金陵應試，途中與友人相約「各治一經，加以疏證」。[61]劉文淇任《左氏傳》，劉寶楠任《論語》，後來皆成專經疏證之盛業。其學術目標的確定，固然源於自身的治學體會，若焦循、阮元、江藩倡導的通博學風，也具有重要的啟發意義。

出於不同歷史時段、學術環境下的學者，學術傾向也可能發生變化。因此，考察乾嘉漢學家的學派歸屬，不宜簡單地作出非此即彼的結論。從實際出發，因人、因時而論，較為穩妥。江藩《國朝漢學師承記》卷八主載揚州漢學諸家，其中包括程晉芳。研究者或對此大不以為然。對於程晉芳之服膺宋學，江藩斷不至於無所知。其所以在《漢學師承記》中載其學行，應當是看重其曾與朱筠、戴震遊，治經「究心訓詁」，由宋學向漢學趨近。程晉芳所著《詩毛鄭異同考》、《讀詩疏箋鈔》、《春秋左傳翼疏》等，可證江藩之說非想當然。早期的漢學家如江永等原本由理學家轉變而來，即便是轉向樸學研究，也沒有割斷與理學的聯繫。其門人程瑤田也是如此，《通藝錄》〈論學小記〉闡發道德性命之學，有取於程朱。確認某學者為漢學家，似不一定以割斷與宋學的聯繫為限。當然，就特定學者如程晉芳而言，未必一定要指為揚州學派中人，但承認其為揚州學派的先導者，有助於把握揚州治經風氣的轉移。張舜徽評述揚州學派，從王懋竑、朱澤澐諸家談起，大約也有此意。據筆者考察，揚州學派早期學人之歸宗樸學、開創揚學，也有其探索歷程。如賈田祖，早年熱衷於作詩，晚年始重視古學，主張鑽研群經注疏，所以阮元說他「開吾郡經學之先」。[62]又如李惇，青年時期接受顧炎武學術思想，崇尚古學，嫻於考據；中年追隨東吳惠氏，歸宗漢學，排斥宋學；晚年致力於通考春秋史，超越吳派漢學，為揚州學派發軔的功臣。[63]如賈田祖、李惇，其初似屬吳派，最終則與汪中、王念孫等一道，成為揚州學派的創始人物。

---

60 支偉成：《清代樸學大師列傳》卷首〈章太炎先生論訂書〉，頁3、6。

61 小澤文四郎：〈劉孟瞻先生年譜〉，閔爾昌等：《揚州學派年譜合刊》（揚州市：廣陵書社，2008年12月），頁592。

62 陳曉東、田漢雲：〈賈田祖與揚州學派的創立〉，《揚州大學學報》2010年第6期。

63 夏雷、田漢雲：〈從吳學支裔到揚學先驅——論李惇的學術歷程及學派歸屬〉，《揚州大學學報》2012年第1期。

四　結語

百餘年來，研究者關於乾嘉漢學流派分野問題有兩類見解。一是認為應當分派。此類見解約有十種，即：（1）吳、皖、浙東、常州分野說；（2）吳越、徽揚、常州分野說；（3）吳、皖、浙、揚分野說；（4）吳、皖、常州及懷疑派分野說；（5）吳、皖、揚州、常州分野說；（6）吳、皖分野說；（7）吳、皖、揚分野說；（8）吳、皖、常州分野說；（9）惠、戴、錢分野說；（10）經、史分野說。二是認為乾嘉漢學內部本無流派分野，勉強劃分流派，實有弊端。雖然各家之見分歧叢集，在探討學術流派劃分的標準方面，業已積累一定經驗，獲得若干有價值的結論。如確認乾嘉漢學區域性學術流派，須考量其獨特的學術宗旨，基本的治學方法與風格，特定的師承或家學，同邑學者所佔比例，其本土歷史文化背景等，凡此，在後續研究中均具有應用價值。

學術界關於乾嘉漢學流派分野的見解分歧叢集。其中有些見解值得商榷。部分研究者認為乾嘉學派內部不存在分支流派的主要理由，多不能成立。例如，認為其時大師級學者在學術思想上缺乏大的獨立創新，彼此也無大的差別。但據眾多學者的研究結論看，吳、皖、揚、常四派在義理觀、學統觀和學術方法論等方面都有獨創性見解，且彼此之間有明顯的區分度。因此，不應片面強調不同地域學術群體之間的相同點，以此沖淡或否定劃分學術流派的必要性。主張不分派者又認為，劃分流派既可能掩蓋漢學的發展線索，也導致一些重要學者被遺漏。這是對學派劃分應有學術功能的誤解與苛求。劃分乾嘉漢學區域性學術流派，其依據是客觀存在的學術格局，其意義在於究觀特定時期學術格局的特點、學術發展的節點和特定學者群學術思想與成就的要點。

關於乾嘉漢學流派分野的諸種見解之間也多有衝突。消解衝突的出路，在於進一步完善劃分學術流派的標準、依據，並堅持援用諸種要素綜合考量。同時，也需要體認學術流派固有的結構形態，注意區分不同學者在該學派發展的不同階段學術體系中地位層次，以避免學者群體歸類擴大化和學派存在時段的泛化。此外，還需要恰當處理分支流派之間的交叉關係，並作出合乎實際的評估，防止因此而無視各分支流派的獨特性。

主張乾嘉漢學分派說者對具學者的學派歸屬也多有分歧意見。消除此類分歧意見的出路在於加強相關學者個案研究。在研究實踐中必須系統、全面地關注、分析學者個體的學術淵源、成學歷程、主要成就，力戒片面性與簡單化。聯繫乾嘉漢學的演進歷程而觀察學者個體學術傾向的演變，對於界定其學派歸屬，也有一定裨益。

試論皮錫瑞《經學歷史》對孔穎達《五經正義》三條義例的誤讀*

呂友仁
河南師範大學教授

提要

皮錫瑞《經學歷史》評論孔穎達《五經正義》著書之例云：「注不駁經，疏不駁注，不取異義，專宗一家。」本文認為，皮氏的上述說法是不實之辭，上誣孔疏，下誤讀者。實際上，恰恰相反，孔穎達《五經正義》一有注可破經之例，二有疏可破注之例，三有一家為主，兼容並包之例。

關鍵詞：皮錫瑞　注可破經　疏可破注　「一家為主，兼容並包」

* 本文為貴州省二〇一九年度哲學社會科學規劃國學單列課題重大課題研究成果。按：「義例」，古人也往往稱之為「例」，詳文內。本文所說的「義例」，是指適用於《五經正義》全書的義例。僅僅適用於某一經的義例，一般不在本文討論範圍之內。

清季學者皮錫瑞（1850-1908）《經學歷史》〈經學統一時代〉：

> 議孔疏之失者，曰彼此互異，曰曲徇注文，曰雜引讖緯。案：著書之例，注不駁經，疏不駁注；不取異義，專宗一家。[1]

本文之所以開宗明義地選擇皮錫瑞這幾句話作為誤讀標的，並不是由於他是始作俑者，時間最早；而是由於，第一，在皮氏的這幾句話裡，誤讀的義例比較集中，便於下面展開討論；第二，皮氏此書由於有周予同先生的注釋，不脛而走，讀者多，影響大。而周予同先生的注釋，對皮氏的上述幾句話，不著一字。這說明周予同先生也認可皮氏的上述說法。

實際上，皮氏歸納的上述三條「例」，驗之《五經正義》本文，無一是者。恰恰相反，抽繹《五經正義》之經文、注文、疏文，可知：

第一，《五經正義》中有注可破經之例；

第二，《五經正義》中有疏可破注之例；

第三，《五經正義》中有旁及異聞、廣采博搜之例；

謂予不信，請與諸君共同質之《五經正義》。

一　誤讀之第一「例」：注不駁（破）經

皮錫瑞云：

> 著書之例，注不駁經。[2]

愚按：皮氏此說誤也。何者？首先，皮氏忽略了前人已有的研究成果。清初顧炎武《日知錄》卷二十七〈漢人注經〉條早已指出：

> 《左氏》解經，多不得聖人之意。元凱注《傳》，必曲為之疏通，殆非也。鄭康成則不然。其於二禮之經及子夏之傳，往往駁正。（例證從略）[3]

今按：顧炎武之言鄭康成駁正「二禮之經及子夏之傳」是矣，言「元凱注《傳》，必曲為之疏通」，則非其實也。詳下。此後，俞樾《鄭君駁正三禮考》云：

> 自來經師，往往墨守本經，不敢小有出入。唯鄭學宏通，故其注《三禮》，往往

1　〔清〕皮錫瑞著、周予同注釋：《經學歷史》（北京市：中華書局，1959年），頁201。

2　同上書頁。

3　〔清〕顧炎武著、〔清〕黃汝成集釋：《日知錄集釋》卷28（鄭州市：中州古籍出版社，1990年），頁615-616。

有駁正禮經之誤者。[4]

其次，據筆者調查，《五經正義》中注家破經者凡五十八例。其中，注家直言破經者凡三十一例，微言破經者凡二十七例。何謂直言破經？注文直言不諱地說經文有誤是也。何謂微言破經？婉言破經之謂也。即注文對經文的唯一正確性表示質疑，往往舉出另外一說，使用「或曰」、「未聞孰是」一類的質疑字眼。其分佈如下：

《周易注疏》中〇例，《尚書正義》中一例，《毛詩注疏》中五例，《禮記正義》中三十三例，《春秋左傳正義》中十九例。

本文所用《尚書正義》，是上海古籍出版社二〇〇七年黃懷信校點本；所用《毛詩注疏》，是上海古籍出版社二〇一三年朱傑人、李慧玲校點本；所用《禮記正義》，是上海古籍出版社二〇〇八年呂友仁校點本；所用《春秋左傳正義》，是北京大學出版社二〇〇〇年浦衛忠等校點本。每條例子後面括注的頁碼，就是所用該書版本的頁碼。

無徵不信，但限於篇幅，這裡不可能將五十八例悉數列出，僅舉《春秋左傳》杜注直言破經者五例，微言破經者五例，見微知著，兼答顧炎武「元凱注《傳》，必曲為之疏通」之問難也。

（一）杜注直言破經者五例

1 《左傳》隱公九年

春王三月癸酉，大雨霖以震。書始也。凡雨，自三日以往為霖。

杜注：

此解經書「霖」也，而經無「霖」字，經誤。

孔疏：

傳發凡以解經，若經無「霖」字，則傳無由發，故知經誤。然則經當如傳言「大雨霖以震」，不當云「大雨震電」，是經脫「霖以」二字而妄加「電」也。（頁133-134）[5]

愚按：杜注直言「經誤」。

---

4 〔清〕俞樾：《鄭君駁正三禮考》（上海市：上海書店，1988年，〔清〕王先謙：《清經解續編》第5冊），頁1007。

5 以下五例後面的括注頁碼，皆北京大學出版社2000年版《春秋左傳正義》繁體字本頁碼。下不一一。

2 《左傳》成公十三年

言誓未就，景公即世，我寡君是以有令狐之會。

杜注：

令狐會在十一年。申厲公之命，宜言「寡人」，稱「君」誤也。

孔疏：

劉炫以為，臣之出使，自稱己君皆曰「寡君」。今呂相雖奉君，兼有己語，稱「寡君」正是其理。杜何知宜為「寡人」，稱「君」為誤？今刪定，知劉說非者，以呂相奉厲公之命而往絕秦，則皆是厲公之言，不得兼有己語。案隱十一年，鄭伯告許大夫云「假手於我寡人」。今呂相稱厲公之命，還與自稱無異，亦當云「我寡人」，故知稱「君」為誤。（頁872）

愚按：據杜注，經文「寡君」，當作「寡人」。

3 《春秋》成公十四年

秋，叔孫僑如如齊逆女。

杜注：

成公逆夫人，最為得禮，而經無納幣者，文闕絕也。

孔疏：

《釋例》曰：「成公逆女及夫人至，最為得禮，故詳其文。丘明謂之「微而顯，婉而成章」也。」然則杜以傳文詳,知其最得禮也。《釋例》又云：「成公娶夫人而不納幣，此經文闕也。貴聘而賤逆，失禮之微者，傳猶詳之。」言其不終。若實不納幣，非所略也。是言闕之意也。闕絕 者，闕而文斷絕。蓋疑仲尼修定後，其文始闕；若修時已闕，傳應言其故也。（頁876）

愚按：納幣是婚禮「六禮」中的重要步驟，相當於今日的訂婚。杜注認為「經無納幣者，文闕絕也」。

4 《左傳》襄公十一年

群神、群祀，先王、先公，七姓十二國之祖。

杜注：

七姓：晉、魯、衛、鄭、曹、滕，姬姓；邾、小邾，曹姓；宋，子姓；齊，姜姓；莒，已姓；杞，姒姓；薛，任姓。實十三國，言「十二」，誤也。

孔疏：

實十三國而言「十二」，服虔云：「晉主盟，不自數。」知不然者，案定四年祝佗稱踐土之盟云：「晉重，魯申。」於是晉為盟主，自在盟內。何因晉今主盟，乃不自數？故知字誤也。(頁1031)

愚按：據杜注，經文「十二」，當作「十三」。

5 《左傳》昭公二十二年

秋七月戊寅，以王如平畤。

杜注：

戊寅，七月三日，經書「六月」誤也。

孔疏：

傳言「七月戊寅」，杜以《長曆》推校之，戊寅是七月三日，明傳是也。經書「王猛居皇」乃在六月下，知經「六月」誤也。(頁1643)

愚按：杜注明言《春秋》經文有誤。

(二)杜注微言破經者五例

1 《左傳》桓公元年

冬，鄭伯拜盟。

杜注：

鄭伯若自來，則經不書；若遣使，則當言「鄭人」，不得稱「鄭伯」，疑謬。

孔疏：

六年傳云「魯為其班，後鄭」，注云：「魯親班齊餼，則亦使大夫戍齊矣。經不書，蓋史闕文。」然則經所不書，自有闕文之類。注既疑此事，不云闕文而云謬誤者，師出征伐，貴賤皆書。經所不書，必是文闕。若其事重，使人雖賤，亦書。「鄭人來渝平」、「齊人歸讙及闡」是也。今以拜盟事輕，若其使賤，則例不合書。故杜云若遣使來，傳當云鄭人，疑傳繆誤。（頁153）[6]

愚按：杜注對此節經文明言「疑謬誤」。

2 《春秋》桓公十七年

癸巳，葬蔡桓侯。

杜注：

無傳。稱侯，蓋謬誤。

孔疏：

五等諸侯卒，則各書其爵，葬則舉謚稱公，禮之常也。此無貶責而獨稱「侯」，故云「蓋謬誤」也。（頁240）

愚按：據杜注，經文「葬蔡桓侯」，當書「葬蔡桓公」。今稱「侯」，故曰「蓋謬誤」。

3 《春秋》莊公六年

冬，齊人來歸衛俘。

杜注：

《公羊》、《穀梁》經傳皆言「衛寶」，此傳亦言「寶」，唯此經言「俘」，疑經誤。俘，囚也。

孔疏：

《釋例》曰：「齊人來歸衛寶，《公羊》、《穀梁》經傳及《左氏傳》皆同，唯《左氏經》獨言」「衛俘」。考三家經傳有六，而其五皆言「寶」，此必《左氏經》之獨誤也。」案《說文》「保」從人，孚省聲。古文孚，不省。然則古字通用寶，或保字與俘相似，故誤作俘耳。杜既以為誤，而又解俘為囚，是其不敢正決，故且從之。（頁260）

愚按：杜注明言「疑經誤」。

6　此以下五例後面的括注頁碼，都是北京大學出版社2000年版《春秋左傳正義》繁體字本頁碼。下不一一。

4 《春秋》莊公二十四年

郭公。

杜注：

無傳，蓋經闕誤也。自曹羈以下，《公羊》、《穀梁》之說既不了，又不可通之于《左氏》，故不採用。

孔疏：

《公羊》、《穀梁》並以「赤歸於曹郭公」連文為句。言郭公名赤，失國而歸於曹。是為說不了，故不採用。（頁318）

愚按：杜注明言「蓋經闕誤也」。

5 《左傳》成公五年

十一月己酉，定王崩。

杜注：

經在蟲牢盟上，傳在下，月倒錯。眾家傳悉無此八字，或衍文。

孔疏：

傳不虛舉經文，此無所明，又上下倒錯，諸家之傳，又悉無此言，必是衍文。此杜以「疑事毋質」，不敢輒去之耳。（頁828）

愚按：杜注疑經文「十一月己酉定王崩」八字為衍文。

二　誤讀之第二「例」：疏不駁（破）注

皮錫瑞云：

著書之例，疏不破注。[7]

愚按：國人對孔穎達《五經正義》義例的誤讀，以此「例」為甚。疏不破注說始於何時？據管見所及，蓋始于北宋孫復（992-1057）。知者，孫復《孫明復小集》〈寄范天章書二〉云：

7　〔清〕皮錫瑞著、周予同注釋：《經學歷史》，頁201。

> 國家以王弼、韓康伯之《易》，《左氏》、《公羊》、《穀梁》，杜預、何休、范寧之《春秋》，毛萇、鄭康成之《詩》，孔安國之《尚書》，鏤板藏於太學，頒於天下。後之作疏者無所發明，但委曲踵於舊之注說而已。[8]

孫復所謂「後之作疏者無所發明，但委曲踵於舊之注說而已」，就是「疏不破注」之義。

《欽定禮記義疏》卷四十：

> 孔知其非而不駁，疏例不駁注也。[9]

《欽定禮記義疏》成書於乾隆十三年，這可能是「疏不駁注」一詞的最早出處。

阮元《揅經室一集》卷十一《惠半農先生禮說序》有「勿拘疏不破注之例」一語，[10]蓋「疏不破注」一詞的最早出處。

皮錫瑞之後，學者持疏不破注說者日多，其中許多是令人仰止的大師級學者。例如，劉師培（1884-1919年）《國學發微》：

> 故自《五經正義》頒行，而後賈氏疏《儀禮》、《周禮》，徐氏疏《公羊》，楊氏疏《穀梁》，亦用孔氏一家之例，執守一家之言，例不破注。[11]

孫詒讓《周禮正義略例》：

> 唐疏例不破注，而六朝義疏家則不然。[12]

梁啟超《中國近三百年學術史》：

> 孔沖遠並疏毛鄭，疏家例不破注。[13]

王國維《經學概論》〈歷代之經學〉：

> 唐時學者，皆謹守舊注，無敢出入。[14]

黃侃《禮學略說》：

---

8 〔宋〕孫復：《孫明復小集》，影印文淵閣《四庫全書》本，第1090冊，頁171。

9 《欽定禮記義疏》卷40，影印文淵閣《四庫全書》本，第125冊，頁286。按此書成書於乾隆十三年。

10 〔清〕阮元：《揅經室一集》卷11，《續修四庫全書》本，第1478冊，頁658。

11 〔清〕劉師培：《國學概論》（上海市：商務印書館，1936年），頁78-79。

12 〔清〕孫詒讓：《周禮正義．略例》（北京市：中華書局，1987年），頁3。

13 〔清〕梁啟超：《中國近三百年學術史》（北京市：中國書店，1985年），頁184。

14 謝維揚、房鑫亮主編：《王國維全集》第6卷（杭州市：浙江教育出版社，2009年），頁323。

> 清世禮家輩出，至於篤守專家，按文究例，守唐人疏不破注之法者，亦鮮見其人也。[15]

范文瀾《中國通史簡編》：

> 《正義》解釋注文，不得有所出入。注文錯了，或有比注文更好的說法，一概排斥，總要說注文是對的，這叫做「疏不破注」。[16]

潘重規《五經正義探源》：

> 大抵其書體例，為適應考試之作，務令經義定於一尊，故必堅守疏不破注之原則。[17]

張舜徽《中國古代史籍校讀法》：

> 唐初修《五經正義》，當時宗旨，在於義定一宗。《正義》例不破注，只在舊注的基礎上，有引申發明，而沒有其他不同的見解，自然失之膠固狹隘。[18]

大師們尚如此，則其他學者之持「疏不破注」說者滔滔皆是，不足怪也。

或曰：持「疏不破注」說之鼻祖非他，就是孔穎達本人。知者，孔穎達在〈禮記正義序〉中說：「皇侃既遵鄭氏，乃時乖鄭義，此是木落不歸其本，狐死不首其丘。」[19]這段話就是孔穎達「疏不破注」例的自白。[20]我的回答是，筆者也曾長時間被這幾句話所迷惑，信以為真。二〇一二年，有機會重讀《禮記正義》，為了正本清源，弄清事情真相，我把《禮記正義》中的六十五例「時乖鄭義」悉數摘出，分析歸納，寫了一篇《皇侃「既尊鄭氏乃時乖鄭義」的調查報告》[21]，得出兩點令人大出意外的結論：

第一，皇侃「時乖鄭義」的「鄭義」，並非我們通常理解的「《禮記》鄭玄注」，是單一的一本書；而是指的鄭玄的一家之學，指的是鄭玄的所有著述。我們原來的理解太狹隘了。例如：

---

15 黃侃：《黃侃論學雜著》（北京市：中華書局，1964年），頁453。

16 范文瀾主編：《中國通史簡編》三編下冊（北京市：人民出版社，1965年），頁641。

17 潘重規：〈五經正義探源〉，原載《華岡學報》第1期（臺北市，中國文化學院出版，1965年）。此轉引自姜廣輝主編：《中國經學思想史》第2卷，（北京市：中國社會科學出版社，2003年），頁740。

18 張舜徽：《中國古代史籍校讀法》（武漢市：華中師範大學出版社，2004年），頁250。

19 〔唐〕孔穎達：〈禮記正義序〉（上海市：上海古籍出版社，2008年），頁2。

20 按《四庫全書總目》著錄孔穎達《禮記正義》云「皇氏既遵鄭氏，又時乖鄭義，此是木落不歸其根，狐死不首其丘。故其書務伸鄭注，未免有附會之處。」（北京市：中華書局，1965年），頁169上欄。

21 拙文曾在二〇一三年十月十九日由浙江大學古籍所主辦的禮學專題國際學術研討會上被安排第一個宣讀，許建平教授所作會議的總結報告評議拙文「振聾發聵」。

（一）〈禮運〉

> 薦其燔炙。

鄭玄無注。孔疏：

> 皇氏云：「燔，謂薦孰之時，焫蕭合馨薌。」知不然者，案《詩・楚茨》云：「或燔或炙。」鄭云：「燔，燔肉也。炙，肝炙也，」則知此「燔炙」亦然，皇說非也。（頁900）[22]

愚按：此條皇侃疏違背的是《毛詩》鄭箋。

（二）〈王制〉孔疏

> 故《大司馬》云：「及師，大合軍，以行禁令，以救無辜，伐有罪。」鄭注云：「師，所謂王巡守若會同。不言大者，未有敵，不尚武。」又注云：「大師，王出征伐也。」以此，故知未太平得巡守。皇氏以為「未太平不巡守」，非也。（頁496）

愚按：此條皇侃疏違背的是《周禮》〈大司馬〉鄭注。

（三）〈內則〉孔疏

> 皇氏云：「母之禮見子，象地之生物均平，故引《易》以為均。」若然，案《周禮・均人職》云：「上年公旬用三日。」鄭注亦引《易》坤為均，豈是母見子之禮？皇氏說非也。（頁1168）

愚按：此條皇侃疏違背的是《周禮》〈均人職〉鄭注。

（四）〈禮器〉孔疏

> 今案《既夕禮》「抗木橫三縮二，茵縮二橫三。」鄭注云：「其用之木，三在上，茵二在下，象天三合地二，人藏其中。」如鄭此注，則茵縮二在下。皇氏云；「茵縮二在上，橫三在下，象天裹於人。」與鄭注違，其義非也。（頁966-967）

---

22 以下六例括注頁碼，皆上海古籍出版社2008年校點本《禮記正義》頁碼，下不一一。又，此六例也可以作為皇侃「乖鄭義」被孔疏否定的例子。

愚按：此條皇侃疏違背的是《儀禮》〈既夕禮〉鄭注。

（五）〈月令〉孔疏

> 然皇氏解禮，違鄭解義也。今鄭注《論語》「鄉人儺」云：「十二月，命方相氏索室中，驅疫鬼。」鄭既分明云十二月鄉人難，而皇氏解季冬難云「不及鄉人」，不知何意如此。（頁737）

愚按：此條皇侃疏違背的是《論語》鄭注。又按：日本學者喬秀岩《義疏學衰亡史論》也徵引了此例，並云：

> 然則，孔穎達等之意，不止謂必遵本注，而謂鄭氏一家之說，不論《禮注》與《論語注》也。[23]

讀之，不禁心動，喜其先得我心也。

（六）〈郊特牲〉孔疏

> 皇氏云：「天子燕饗己之臣子與燕饗諸侯，同歌〈文王〉，合〈鹿鳴〉。」今案《詩譜》云：「天子諸侯燕群臣及聘問之賓，歌〈鹿鳴〉，合鄉樂。」皇說非也。（頁1038）

愚按：此條皇侃疏違背的是鄭玄《詩譜》。

舉一反三。既然《禮記正義》中的鄭注是指鄭玄的一家之學，所有著述。不難推知，其他四經《正義》的「注」也都是指的該注家的一家之學，所有著述。不同者，注家的著述，或多（如鄭玄、王肅）或寡（如王弼、孔安國、杜預）也。限於篇幅，未能一一舉例。讀《五經正義》者如不建立此種認識，很可能會誤認為孔疏是在東拉西扯，「戲不夠，歌來湊」，豈不辜負孔穎達一片苦心！

第二，皇侃的「時乖鄭義」，並非全是反面教材。恰恰相反，許多「乖鄭義」（即「破鄭注」）是被孔疏肯定的。肯定的方式有五：

一、對皇侃的「乖鄭義」完全肯定。例如：

《禮記》〈明堂位〉：

> 夏后氏之四璉，殷之六瑚。

23 喬秀岩：《義疏學衰亡史論》（臺北市：萬卷樓圖書股份有限公司，2013年），頁119。

孔疏云：

> 鄭注《論語》云「夏曰瑚，殷曰璉」，不同者，皇氏云：「鄭注《論語》誤也。」（頁1282）[24]

愚按：《禮記》是經，鄭玄注是注，經的權威高於注的權威，孔疏之所以肯定皇氏，原因在此。

二、認為皇侃之「乖鄭義，義亦通」。「義亦通」者，也能講得通也。實際上，意味著皇氏之說可以與鄭注分庭抗禮。例如：

《玉藻》：

> 二爵而言言斯。

鄭注：

> 言言，和敬貌。斯，猶耳也。

孔疏：

> 「二爵而言言斯」者，既受二爵，顏色稍和，故「言言斯」。斯，耳也。耳是助句之辭。皇氏云：「讀言為誾。」義亦通也。（頁1197）

愚按：鄭注「言言」用的是假借字，皇氏「讀言為誾」，用的是本字，故孔疏云「義亦通也」。此「言」字讀作 yín。

三、認為皇侃之「乖鄭義」是「義或然也」。既然說「乖鄭義」是「義或然也」，邏輯推理，則「鄭義」不儘然矣。例如：

〈王制〉：

> 凡養老，有虞氏以燕禮，夏后氏以饗禮，殷人以食禮，周人修而兼用之。

鄭注：

> 兼用之，備陰陽也。凡飲，養陽氣。凡食，養陰氣。陽用春夏，陰用秋冬。

孔疏：

> 「兼用之，備陰陽」者，以燕之與饗，是飲酒之禮，是陽。食是飯，飯是陰。周兼用之，故云「備陰陽也」。（中略）皇氏云：「春夏雖以飲為主，亦有食，先行

---

24 此括注頁碼，是上海古籍出版社2008年校點本《禮記正義》頁碼。以下四例同此。

饗，次燕，次食；秋冬以食為主，亦有饗，先行食，次燕，次饗。一日之中，三事行畢。」義或然也。（頁571）

愚按：據鄭注，只能是春夏行饗禮和燕禮，秋冬行食禮，與經文「兼用之」之義有違。而皇侃說則無此病，故孔疏云「義或然也」。《欽定禮記義疏》：

皇侃云「先行饗，次燕，次食，一日中行三事」，析理獨勝。[25]

四、認為皇侃之「乖鄭義」是「未知然否，故兩存焉」。然則此類皇氏之「乖鄭義」亦可與鄭注分庭抗禮矣。例如：

〈檀弓上〉：

有殯，聞遠兄弟之喪，雖緦必往也；非兄弟，雖鄰不往。所識，其兄弟不同居者皆吊。

鄭注：

就其家吊之，成恩舊也。

孔疏：

此一節論哭吊之事。「所識，其兄弟不同居者皆吊」者，此文連上「有殯」之下。皇氏以為「別更起文，不連「有殯」之事，「所識」者，謂識其死者之兄弟，是小功以下之親。既識兄弟，雖不同居，皆一一就吊之」。未知然否，故兩存焉。（頁335）

愚按：江永《禮記訓義擇言》卷二：

按此經，鄭、孔為一說，皇氏為一說，皇氏說優。[26]

五、認為皇侃之「乖鄭義」可備一說。既然「可備一說」，則顯然與鄭注成抗衡之勢。例如：

〈樂記〉：

天子夾振之而駟伐，盛威於中國也。

鄭注：

夾振之者，王與大將夾舞者，振鐸以為節也。

25 《欽定禮記義疏》卷19，《摛藻堂四庫全書薈要》本，第62冊，頁546。

26 〔清〕江永：《禮記訓義擇言》卷2，影印文淵閣《四庫全書》本，第128冊，頁319。

孔疏：

> 皇氏云：「武王伐紂之時，王與大將親自執鐸以夾軍眾。今作《武》樂之時，令二人振鐸夾舞者，象武王與大將伐紂之時矣。」皇氏此說，稍近人情理。但注云「王與大將夾舞者」，則似天子親夾舞人，則皇氏說不便，未知孰是，故備存焉。王肅讀「天子」上屬，謂作樂六成，尊崇天子之德矣。（頁1547）

愚按：孔疏說「皇氏此說，稍近人情理」，不啻說「鄭氏此注，不近人情理」。在這裡，鄭玄實際上犯了兩個錯誤。一個是斷句錯了。「天子」二字應屬上為句，就像王肅的句讀那樣就對了。一個是本句注的不近人情理。怎麼不近人情理？納蘭性德《陳氏禮記集說補正》對鄭注有鞭辟入裡的分析：

> 竊案鄭注云「王與大將夾舞者，振鐸以為節」，愚以為不然。《武》樂在庭，天子至尊，下箋綴酇，與舞人為列，可乎？矞舞有定列，有定人，八佾六佾之外，固不多庸一人，其人亦不可妄廁一位。果天子與大將夾舞振鐸，將舞人六十有四之位，數天子與大將亦在舞位乎？抑不在舞位而參介其旁乎？廁諸舞位則人數浮，參介其旁則為亂行，為離局，無一可者也。《周禮》〈鼓人職〉「以金振鐸通鼓」，《大司馬》「教治兵振旅，則兩司馬振鐸掩鐸。」蓋雖真戰伐，亦第令司鐸之人主之，天子與大將不親之也，而況乎其為舞類也！」[27]由於鄭注如此之「不近人情理」，所以，後世之學者，幾乎一邊倒地是皇氏而非鄭玄。據我所知，贊成皇氏之說的，除了納蘭性德外，尚有宋代的方慤和陸佃，見衛湜《禮記集解》，此不贅。清代的則有《欽定禮記義疏》和殿本《禮記注疏》卷三十九考證。為節省篇幅，不一一具說，僅錄殿本《考證》的三句話作結尾：「若斷句從王肅，而以皇氏說為正解，則經義自明。」[28]

孔疏對皇侃「乖鄭義（破鄭注）」的上述五種肯定，使我從迷惑中解脫出來。現在的問題是，我們是相信孔穎達《禮記正義序》中的那幾句宣言呢？還是相信孔穎達《禮記正義》正文中的實際作為？《論語》〈公冶長〉：「子曰：「始吾於人也，聽其言而信其行。今吾於人也，聽其言而觀其行。」」[29]看來，我們應當「聽其言而觀其行」，以「其行」為准。如以「其行」為准，則「疏不破注」之說不攻自破。

筆者認為，《五經正義》中孔疏的破注有兩種類型，一是直言破注，二是微言破注。直言破注者，孔疏直言不諱地指出注文有誤也。微言破注者，委婉破注也。即不敢肯定注文必然有誤，但對注文的正確性表示質疑。微言破注也動搖了注文一貫正確的格局。

---

27 〔清〕納蘭性德：《陳氏禮記集說補正》卷23，影印文淵閣《四庫全書》本，第127冊，頁195。

28 殿本《禮記注疏》卷39，同治十年廣東書局重刊本，第22冊，卷39考證之第2頁A面。

29 〔宋〕朱熹：《四書章句集注》卷3（北京市：中華書局，1983年10月），頁78。

據筆者調查統計，《五經正義》中的孔疏破注數字如下：

一、《五經正義》中的直言破注凡七十七例，其分佈如下：《周易正義》中4例，《尚書正義》中十四例，《毛詩正義》中二十例（《毛詩正義》中的注家有二：毛傳和鄭箋。此直言破注二十例，其中，破毛傳者4例，破鄭箋者十五例，既破毛傳亦破鄭箋者僅一例），《禮記正義》中六例，《春秋左傳正義》中三十三例。

二、《五經正義》中的微言破注凡二四八例，其分佈如下：《周易正義》中十例，《尚書正義》中九十五例，《毛詩正義》中二十四例，《禮記正義》中五十一例，《春秋左傳正義》中六十八例。

無徵不信，茲謹從《五經正義》的每一經中首先摘出直言破注二例，凡十例；然後再從每一經中摘出微言破注二例，凡十例。二者相加，凡二十例，亦見微知著之義也。

一、《五經正義》中的直言破注十例：

（一）《周易正義》中的孔疏直言破注二例：

1 《周易》〈乾卦〉

> 九三：君子終日乾乾，夕惕若厲，無咎。

王弼注云：

> 至於夕惕猶若厲也。

孔疏：

> 「夕惕猶若厲也」者，言雖至於夕，恒懷惕懼，猶如未夕之前，當若厲也。案：此卦九三所居之處，實有危厲。又《文言》云：「雖危無咎。」是實有危也。據其上下文勢，「若」字宜為語辭。但諸儒並以「若」為「如」，如似有厲，是實無厲也，理恐未盡。今且依「如」解之。（頁6）[30]

愚按：「夕惕若厲，無咎」，按照孔穎達「「若」字宜為語辭」的理解，當標作「夕惕若，厲無咎」。孔疏云：

> 據其上下文勢，「若」字宜為語辭。但諸儒並以「若」為「如」，如似有厲，是實無厲也，理恐未盡。

30 此以下三例後面括注的頁碼，都是北京大學出版社2000年繁體字本《周易正義》頁碼，下同，不一一。

這個「諸儒」，也包括王弼在內。知者，王弼釋「若」為「猶若」也。是直言破注也。

2 《周易》〈震卦〉

震驚百里，不喪匕鬯。

王弼注：

鬯，香酒。

孔疏：

鬯者，鄭玄之義，則為秬黍之酒，其氣調暢，故謂之鬯。《詩傳》則為鬯是香草。案：《王度記》云：「天子鬯，諸侯薰，大夫蘭。」以例而言之，則鬯是草明矣。今特言「匕鬯」者，鄭玄云：「人君於祭祀之禮，尚牲薦鬯而已，其餘不足觀也。」（頁246）

愚按：龔鵬程〈《周易正義》之編纂〉云：

孔疏於此訓釋文義，整瞻詳明，力駁王注以鬯為酒之論，足以破千古疏不破注之謬說。[31]

（二）《尚書正義》中的孔疏直言破注二例：

1 〈堯典〉

帝曰：「往，欽哉！」

孔傳：

敕鯀往治水，命使敬其事。堯知其性很戾圮族，未明其所能，而據眾言可試，故遂用之。

孔疏：

傳解鯀非帝所意而命使之者，堯知其性很戾圮族，未明其所能。夫管氏之好奢尚僭，翼贊霸圖；陳平之盜嫂受金，弼諧帝業。然則人有性雖不善，才堪立功者，而眾皆據之，言鯀可試，冀或有益，故遂用之。孔之此說，據跡立言，必其盡理

31 龔鵬程：〈《周易正義》之編纂〉，載《周易研究》2006年第4期，頁13。

而論，未是聖人之實。何則？禹稱「帝德廣運，乃聖乃神」。夫以聖神之資，聰明之鑒，既知鯀性狠戾，何故使之治水者，馬融云：「堯以大聖，知時運當然。人力所不能治，下民其咨，亦當憂勞，屈己之是，從人之非，遂用於鯀。」（頁56-57）[32]

愚按：「孔之此說，據跡立言，必其盡理而論，未是聖人之實」數句，就是孔疏的直言破注。

2 〈堯典〉

師錫帝曰：「有鰥在下，曰虞舜。」

孔傳：

師，眾。

孔疏：

傳以「師」為眾臣，為朝臣之眾，或亦通及吏人。王肅云：「古者將舉大事，訊群吏，訊萬人。堯將讓位，咨四岳，使問群臣。眾舉側陋，眾皆願與舜。堯計事之大者莫過禪讓，必應博詢吏人，非獨在位。」王氏之言，得其實矣。（頁61）

愚按：經文「師」字，孔、王異解，而孔疏云：「王氏之言，得其實矣。」不言而喻，孔傳不得其實。

（三）《毛詩正義》中的孔疏直言破注二例：

1 〈豳風・東山〉

熠燿宵行。

毛傳：

熠燿，磷也。磷，螢火也。

孔疏：

〈釋蟲〉云：「螢火，即照。」舍人云：「螢火，即夜飛有火蟲也。」《本草》：

32 此以下三例，每條例文後括注的頁碼，都是上海古籍出版社2007年校點本《尚書正義》頁碼。下同，不一一。

「螢火，一名夜光，一名熠耀。」案諸文，皆不言螢火為磷。《淮南子》云：「久血為磷。」許慎云：「謂兵死之血為鬼火。」然則磷者，鬼火之名，非螢火也。陳思王〈螢火論〉曰：「詩云「熠耀宵行」，章句以為鬼火，或謂之磷，未有得也。天陰沉數雨，在於秋日，螢火夜飛之時也，故云「宵行」。然腐草木得濕而光亦有明驗，眾說並為螢火，近得實矣。」然則毛以螢火為磷，非也。(頁744)

愚按：孔疏云：「毛以螢火為磷，非也。」是直言破注也。

2 《小雅》〈南有嘉魚〉

君子有酒，嘉賓式燕綏之。

鄭箋：

綏，安也。與嘉賓燕飲而安之。〈鄉飲酒〉曰：「賓以我安。」

孔疏：

案〈鄉飲酒〉燕飲而安之，無「以我安」之文。〈燕禮〉：「司正洗觶，南面，奠於中庭，升，東楹之東受命，西階上北面命卿大夫：「君曰：以我安卿大夫。」皆對曰：『諾，敢不安。』」則此文在〈燕禮〉矣，言〈鄉飲酒〉者誤也。定本亦誤。(頁873)

愚按：鄭箋偶然把引文出處說錯，被孔疏指出。

(四)《禮記正義》中的孔疏直言破注二例：

1 〈坊記〉

《易》曰：「不耕獲，不菑畬，凶。」

鄭玄注：

田一歲曰菑，二歲曰畬，三歲曰新田。

孔疏：

案《爾雅》〈釋地〉云「田一歲曰菑」，孫炎云「始菑殺其草木」；「二歲曰新田」，孫炎云「新成柔田也」；「三歲曰畬」，孫炎云「畬，舒緩」。《周頌》傳亦云「三歲曰畬」。此云「三歲曰新田」者誤也。(頁1976)

愚按：孔疏直言鄭注「三歲曰新田」者誤也，因為鄭注與《爾雅》相違。

2 《禮記》〈三年問〉

然則何以至期也？

鄭玄注：

言三年之義如此，則何以有降至於期也？期者，謂為人後者、父在為母也。

孔疏：

鄭意以三年之喪何以有降至於期者，故云為人後者為本生之父母及父在為母期。事故抑屈，應降至九月十月，何以必至於期？以其本至親，不可降期以下，故雖降屈，猶至於期。今檢尋經意，父母本應三年，「何以至期」者，但問其一期應除之義，故答曰「至親以期斷」，是明一期可除之節。故禮，期而練，男子除絰，婦人除帶。下文云「加隆」，故至三年，是經意不據為人後及父在為母期。鄭之此釋，恐未盡經意，但既祖鄭學，今因而釋之。（頁2189）

愚按：「鄭之此釋，恐未盡經意」，就是孔疏對鄭注的否定。在這節孔疏中，孔疏不但礙於「禮是鄭學」的體例，違心地為鄭注疏通（「今檢尋經意」以前，都是疏通鄭注之文），而且把正確的解釋是什麼也告訴了讀者（「今檢尋經意」以後，是正確的解釋）。此情此景，我們怎麼還能說孔疏是「疏不破注」呢？殿本《禮記注疏》卷五十八考證（下稱《考證》）也認為：「「今檢尋經意」云云，此疏直謂注非經意是也。」[33]

（五）《春秋左傳正義》中的孔疏直言破注二例：

1 《左傳》僖公二十一年：

夏，大旱，公欲焚巫尫。

杜注：

巫尫，女巫也，主祈禱請雨者。或以為尫非巫也，瘠病之人，其面上向。俗謂天哀其病，恐雨入其鼻，故為之旱，是以公欲焚之。

孔疏：

33 殿本《禮記注疏》卷58，同治十年廣東書局重刊本，第28冊，卷五八考證之第1頁A面。

《周禮》〈女巫職〉云：「旱暵則舞雩。」此以為旱，欲焚之，故知巫尫，女巫也。並以巫尫為女巫，則尫是劣弱之稱，當以女巫尫弱，故稱尫也。或以為尫非巫也，巫是禱神之人，尫是瘠病之人，二者非一物也。尫是病人，天恐雨入其鼻。俗有此說，不出傳記，義或當然，故兩解之也。〈檀弓〉云：「歲旱，穆公召縣子而問焉，曰：『天久不雨，吾欲暴尫而奚若？』曰：『天則不雨，而暴人之疾子，虐，無乃不可與！』」鄭玄云：「尫者，面向天，覬天哀而雨之。」又曰：「吾欲暴巫而奚若？」鄭玄云：「巫主接神，亦覬天哀而雨之。」彼欲暴人疾而求雨，故鄭玄以為覬天哀而下雨；此欲燒殺以求雨，故杜以為天哀之而不雨。意異，故解異也。《禮記》既言暴尫，又別言暴巫，巫、尫非一物。《記》言暴人之疾，則尫是病人，或說是也。（頁457-458）[34]

愚按：杜注兩解，孔疏否定其正解，認可其或說，是直言破注也。

2 《春秋》僖公二十五年：

冬十有二月癸亥，公會衛子莒慶盟於洮。

杜注：

洮，魯地。衛文公既葬，成公不稱爵者，述父之志，降名，從未成君，故書「子」以善之。莒慶不稱氏，未賜族。

孔疏：

八年盟于洮，杜云：「曹地。」三十一年魯始得曹田，此時不得為魯地，注誤耳。（頁489）

愚按：孔疏明言「注誤耳」，是直言破注也。

二、《五經正義》中的微言破注十例：

（一）《周易正義》中的孔疏微言破注二例：

1 《周易》〈乾卦〉〈文言〉

「終日乾乾」，與時偕行。

---

34 此以下三例文後括注的頁碼，都是北京大學出版社2000年版繁體字本《春秋左傳正義》頁碼。下同，不一一。

王弼注：

「與天時俱不息。」

孔疏：

「與時偕行」者，此以天道釋爻象也。所以九三乾乾不息，終日自戒者，同于天時生物不息，言與時偕行也。偕，俱也。諸儒以為建辰之月，萬物生長，不有止息，與天時而俱行。若以不息言之，是建寅之月，三陽用事，三當生物之初，生物不息，同于天時生物不息，故言「與時偕行」也。（24頁）[35]

愚按：龔鵬程云：

據十二月消息卦，建辰當春三月，建寅當春正月，此義非輔嗣所有，故用諸儒之說為釋，孔之異王者顯然。[36]

今按：孔疏之「所以九三乾乾不息，終日自戒者，同于天時生物不息，言與時偕行也。偕，俱也」，是依王弼注為釋也。孔疏之「諸儒以為建辰之月」以下，是據漢儒孟喜之十二月消息卦為釋也。二者路數迥異，孔疏不置可否，是微言破注也。

2 《周易》〈比卦〉

九五：顯比。王用三驅，失前禽。

王弼注：

夫三驅之禮，禽逆來趣己則舍之，背己而走則射之。

孔疏：

夫三驅之禮者，先儒皆云：「三度驅禽而射之也，三度則已。」褚氏諸儒皆以為「三面著人驅禽」，必知「三面」者，禽唯有背己、向己、趣己，故左右及於後皆有驅之。（頁67）

愚按：何謂「三驅之禮」？除王弼注外，孔疏又引先儒及褚氏諸儒之說，不置可否，是微言破注也。清查慎行《周易玩辭集解》卷二：

三驅之禮，經傳無明文，先儒或云「三度驅禽而射之」，或云「三面著人驅禽」，

35 此以下三例括注頁碼，皆北京大學出版社繁體字校點本《周禮正義》頁碼。下不一一。

36 龔鵬程：〈《周易正義》之編纂〉，頁11。

或云「圍合三面，前開一路，使之可去」，初無定說。[37]

（二）《尚書正義》中的孔疏微言破注二例：

1 〈舜典〉

禋于六宗。

孔傳：

精意以享謂之禋。宗，尊也。所尊祭者，其祀有六，謂四時也，寒暑也，日也，月也，星也，水旱也。

孔疏：

漢世以來，說六宗者多矣。歐陽及大小夏侯說《尚書》，皆云「所祭者六，上不謂天，下不謂地，旁不謂四方，在六者之間，助陰陽變化，實一而名六宗矣」。孔光、劉歆以「六宗，謂乾坤六子：水、火、雷、風、山、澤也」。賈逵以為「六宗者，天宗三，日、月、星辰；地宗三，河、海、岱也」。馬融云：「萬物非天不覆，非地不載，非春不生，非夏不長，非秋不收，非冬不藏，此其謂六也。」鄭玄以「六宗言禋，與祭天同名，則六者皆是天之神祇，謂星、辰、司中、司命、風師、雨師。星，謂五緯也。辰，謂日月所會十二次也。司中、司命，文昌第五第四星也。風師，箕也。雨師，畢也」。晉初幽州秀才張髦上表云：「臣謂禋于六宗，祀祖考所尊者六，三昭三穆是也。」司馬彪又上表云歷難諸家及自言己意：「天宗者，日、月、星、辰、寒暑之屬也；地宗，社稷、五祀之屬也。四方之宗，四時、五帝之屬。」惟王肅據《家語》，六宗與孔同。各言其志，未知孰是。（頁80）[38]

愚按：「六宗」之解，孔疏列舉了五家與孔傳不同之說，結論是「各言其志，未知孰是」。

2 〈洪範〉

曰蒙，曰驛，曰克。

---

37 〔清〕查慎行：《周易玩辭集解》卷2，影印文淵閣《四庫全書》本，第47冊，頁470。

38 此以下三例文後括注的頁碼，都是上海古籍出版社2007年校點本《尚書正義》的頁碼。下同，不一一。

孔傳：

蒙，陰闇。驛，氣落驛不連屬。克，兆相交錯。

孔疏：

圛，即驛也。鄭玄以「圛為明，言色澤光明也；雺者，氣澤鬱鬱冥冥也」，自以明闇相對，異于孔也。克，謂兆相交錯。鄭玄云：「克者，如雨氣色相侵入。」卜筮之事，體用難明，故先儒各以意說，未知孰得其本。（頁469）

愚按：孔疏云「先儒各以意說，未知孰得其本」，是微言破注也。

（三）《毛詩正義》中的孔疏微言破注二例：

1 《唐風》〈山有樞〉

山有栲。

毛傳：

栲，山樗。

孔疏：

陸璣《疏》云：「山樗與下田樗略無異，葉似差狹耳。吳人以其葉為茗。方俗無名此為栲者，似誤也。今所云為栲者，葉如櫟木，皮厚數寸，可為車輻，或謂之栲櫟。」（頁541）[39]

愚按：如陸璣《疏》，則詩中之「栲」，非山樗，而栲櫟也。胡承珙《毛詩後箋》：

陸疏以栲為栲櫟，皮厚數寸，可為車輻者，近之。[40]

此微言破注也。

2 《秦風》〈晨風〉

山有苞櫟，隰有六駁。

---

39 此以下三例文後括注的頁碼，都是上海古籍出版社2013年校點本《毛詩注疏》的頁碼。下同，不一一。

40 〔清〕胡承珙：《毛詩後箋》卷10（合肥市：黃山書社，1999年），頁514。

毛傳：

櫟，木也。駮，如馬，倨牙，食虎豹。

箋云：

山之櫟，隰之駮，皆其所宜有也。以言賢者亦國家所宜有之。

孔疏：

陸璣《疏》云：「駮馬，梓榆也。其樹皮青白駮犖，遙視似駮馬，故謂之駮馬。下章云「山有苞棣，隰有樹檖」，皆山隰之木相配，不宜云獸。」此言非無理也，但箋、傳不然。（頁613）

愚按：經文「駮」，毛傳釋為「食虎豹」之猛獸，陸機《毛詩草木鳥獸魚蟲疏》則據上下文釋為「梓榆」，是一種樹木。孔疏認為陸機《疏》「此言非無理也」，是微言破注也。馬瑞辰《通釋》亦認為陸機《疏》「其說是也」。[41]

（四）《禮記正義》中的孔疏微言破注二例：

1 〈禮運〉

何謂四靈？麟、鳳、龜、龍，謂之四靈。

鄭注：

龜，北方之靈，信則至矣。

孔疏：

案《異義》：「說《左氏》者，以昭二十九年《傳》云『水官不修，故龍不至』。以水生木，故為修母致子之說。（中略）又《毛詩傳》云『麟，信而應禮』，又云『騶虞，義獸，有至信之德則應之』，皆為以修母致子之義也。若鄭康成之說則異于此，修當方之事，則當方之物來應。（中略）熊氏申鄭義云：『若人臣官修，則修母致子之應，《左氏》之說是也。若人君修其方，則當方來應，孔子修《春秋》，為素王法，以立言，故西方毛蟲來應。』」未知然否，且具錄焉。（頁935）

愚按：此節說瑞應之來，實有二說。一是「修母致子」，《左氏》說也，毛傳同之；

41 〔清〕馬瑞辰《毛詩傳箋通釋》卷12（北京市：中華書局，1989年），頁393。

二是「修當方之事，則當方之物來應」，鄭玄說也，熊氏申之。二說孰是，孔疏不置可否，是微言破鄭注也。

2 〈郊特牲〉

反坫，大夫之僭禮也。

鄭注：

反坫，反爵之坫也。兩君相見，主君既獻，於反爵焉。

孔疏：

云「兩君相見，主君既獻，於反爵焉」者，案《論語》云：「邦君為兩君之好，有反坫。」彼注云：「其獻酬之禮，更酌酌畢，則各反爵於坫上。」故云「主君既獻，於反爵焉」，謂於此坫上而反爵焉。熊氏云：「主君獻賓，賓筵前受爵，飲畢，反此虛爵於坫上，於西階上拜，主人于阼階上答拜。賓於坫取爵，洗爵，酌以酢主人。主人受爵飲畢，反此虛爵於坫上。主人阼階上拜，賓答拜，是賓主飲畢反爵於坫上也。」而《論語》注「酌畢各反爵於坫上」者，文不具耳。其實，當云「飲畢」。或可初酌之時，則奠於坫，與〈鄉飲酒禮〉異也。義有疑，故具存焉。（頁1044-1045）[42]

愚按：此節的核心問題是，孔疏懷疑鄭玄《論語注》「更酌酌畢」，當作「更酌飲畢」，一字之差。「熊氏云」以下，邢昺《論語疏》完全照錄，[43]可知邢昺亦認為「更酌酌畢」，當作「更酌飲畢」。

（五）《春秋左傳正義》中的孔疏微言破注二例：

1 《左傳》隱公五年

夫舞，所以節八音而行八風。

杜注：

八音，金、石、絲、竹、匏、土、革、木也。八風，八方之風也。以八音之器，

---

42 此以下三例文後括注的頁碼，都是上海古籍出版社2008年校點本《禮記正義》的頁碼。下同，不一一。

43 〔漢〕何晏集解、〔宋〕邢昺疏：《論語注疏》〈八佾〉，（北京市：北京大學出版社，2000年），頁47下欄。

播八方之風。

孔疏：

「八風，八方之風」者，服虔以為：「八卦之風：乾音石，其風不周；坎音革，其風廣莫；艮音匏，其風融；震音竹，其風明庶；巽音木，其風清明；離音絲，其風景；坤音土，其風涼；兌音金，其風閶闔。」《易緯通卦驗》云：「立春調風至，春分明庶風至，立夏清明風至，夏至景風至，立秋涼風至，秋分閶闔風至，立冬不周風至，冬至廣莫風至。」風體一也，逐天氣隨八節而為之立名耳。調與融，一風二名。此八方之音，既有二說，未知孰是，故兩存焉。（頁113）[44]

愚按：「八音」、「八風」之注，服、杜異解，孔疏云「未知孰是，故兩存焉」。

2 《左傳》宣公十二年

韓厥為司馬。

杜注：

韓萬玄孫。

孔疏：

〈韓世家〉云：「韓之先事晉，得封韓原，曰韓武子。後三世有韓厥。」〈世本〉云：「桓叔生子萬，萬生求伯，求伯生子輿，子輿生獻子厥。」《史記》所云武子，蓋韓萬也。如彼二文，厥是萬之曾孫，而服虔、杜預皆言「厥，韓萬玄孫」，不知何所據也。（頁731）

愚按：孔疏質疑「服虔、杜預皆言『厥，韓萬玄孫』，不知何所據也」，是微言破注矣。

竊以為，驗之《五經正義》，在上述事實面前，「疏不破注」說可以休矣。《五經正義》中注疏關係實事求是的表述應是：是則是之，誤則破之，疑則疑之，闕則補之。這個十六字訣才是《五經正義》中疏與注的關係的全面的、正確的表述。所謂「是則是之」，即注家說對的，孔疏跟進。這是主流。所謂「誤則破之」，即直言破注。所謂「疑則疑之」，即微言破注。所謂「闕則補之」，謂時過境遷，為了當代學子的需要，注家應注而未注者，孔疏須想方設法彌補之。

---

44 此以下三例文後括注的頁碼，都是北京大學出版社2000年版繁體字《春秋左傳正義》頁碼。下同，不一一。

三　誤讀之第三「例」：皮錫瑞云：「案：著書之例，不取異義，專宗一家。」[45]

愚按：學者對此例的誤讀之眾之久，與誤讀「疏不破注」相伯仲。此說亦肇端于北宋學者孫復。按：孫復《孫明復小集》〈寄范天章書二〉：

> 國家以王弼、韓康伯之《易》，《左氏》、《公羊》、《穀梁》，杜預、何休、范寧之《春秋》，毛萇、鄭康成之《詩》，孔安國之《尚書》，鏤板藏於太學，頒於天下。復至愚至暗之人，不知國家以王、韓，《左氏》、《公羊》、《穀梁》杜、何、范，毛、鄭、孔數子之說，咸能盡于聖人之經耶？噫！專主王弼、韓康伯之說而求于《大易》，吾未見其能盡于《大易》者也；專守《左氏》、《公羊》、《穀梁》杜預、何休、范寧之說而求於《春秋》，吾未見其能盡於《春秋》者也；專守毛萇、鄭康成之說而求於《詩》，吾未見其能盡於《詩》者也；專守孔安國之說而求於《書》，吾未見其能盡於《書》者也。[46]

孫復信中的一個「專主」，三個「專守」，就是此說的先聲。繼之者，南宋衛湜《禮記集說序》：「唐貞觀中，孔穎達等詳定疏義，稍異鄭說，罔不芟落。」[47]南宋王應麟《玉海》卷四十二《唐五經正義》：

> 人自為說，兩漢之俗也。舉天下宗一說，唐傳疏之學也。[48]

降及清代，此說蜂起。《四庫全書總目》著錄《爾雅注疏》云：

> 疏家之體，惟明本注。注所未及，不復旁搜。[49]

學者之中，亦紛紛與之唱和。例如，惠士奇《禮說》卷九：

> 唐人《正義》，據一家之說，不旁及異聞。[50]

戴震云：

> 唐初，漢時書籍存者尚多，作《正義》者不能廣為搜羅，得所折衷。于《春秋》

---

45 〔清〕皮錫瑞著、周予同注釋：《經學歷史》，頁201。

46 〔宋〕孫復《孫明復小集》，影印文淵閣《四庫全書》本，第1090冊，頁171。

47 〔宋〕衛湜《禮記集說序》，影印文淵閣《四庫全書》本，第117冊，頁3下欄。

48 〔宋〕王應麟《玉海》卷42，影印文淵閣《四庫全書》本，第944冊，頁176。

49 〔清〕永瑢等《四庫全書總目》卷40（北京市：中華書局，1965年），頁339。

50 〔清〕惠士奇：《禮說》卷9，影印文淵閣《四庫全書》本，第101冊，頁558。

專取杜預，于《易》專取王弼，于《尚書》專取孔安國，遂使士人所習不精。[51]

江藩〈漢學師承記自序〉：

唐太宗命諸儒萃章句為注疏，惜乎孔沖遠之徒妄出己見，取去失當。《易》用輔嗣而廢康成，《書》去馬、鄭而信偽孔，棄珠玉而收瓦礫，不亦傎哉！[52]

劉師培《國學發微》：

然自吾觀之，則廢黜漢注，固為唐人《正義》之大疵，然其所以貽誤後世者，則專主一家之故也。[53]

竊以為，這個「不取異義，專宗一家」的說法也是不實之辭，上誣孔疏，下誤讀者。何者？

第一，孔穎達〈周易正義序〉：

唯魏世王輔嗣之《注》，獨冠古今。所以江左諸儒，並傳其學；今既奉敕刪定，考察其事，必以仲尼為宗。義理可詮，先以輔嗣為本，去其華而取其實，欲使信而有征。[54]

說得多麼明白：「先以輔嗣為本。」本者，主也。「先以輔嗣為本」者，謂首先以王弼注為主也。言外之意，其次則輔以他家之注也。《周易正義》一經如此，其他四經《正義》何獨不然？此其一。又據《舊唐書》〈孔穎達傳〉，《五經正義》撰成後，

太宗下詔曰：「卿等博綜古今，義理該洽，考前儒之異說，符聖人之幽旨。」[55]

《新唐書》〈孔穎達傳〉也有「《正義》雖包貫異家為詳博，然其中不能無謬冗」[56]之語。此其二。請看，孔穎達自己說「義理可詮，先以輔嗣為本」，連唐太宗都承認《五經正義》「博綜古今，考前儒之異說」，歐陽修都認為「包貫異家為詳博」，而持「不取異義，專宗一家」說者似乎對上述資料也不屑一顧，遂放言高論。

第二，《五經正義》中採用哪一家之注為本，既不是唐太宗的旨意，也不是孔穎達隨意為之，自作主張。而是根據當時的時代潮流，根據隋唐之際立于國學的是哪一家的

---

51 〔清〕段玉裁：《戴東原先生年譜》乾隆四十二年，見《戴震集》附錄（上海市：上海古籍出版社，1980年），頁490。

52 〔清〕江藩：《漢學師承記》卷1，《續修四庫全書》本，第179冊，頁256。

53 〔清〕劉師培：《國學發微》，寧武南氏校印，頁73。

54 〔唐〕孔穎達：〈周易正義序〉（北京市：北京大學出版社，2000年），頁4。

55 〔後晉〕劉昫等：《舊唐書・孔穎達傳》（北京市：中華書局，1975年），頁2602。

56 〔宋〕宋祁、歐陽修等：《新唐書・孔穎達傳》（北京市：中華書局，1975年），頁5644。

注。拿《尚書》一經來說，南朝陳陸德明《經典釋文》〈尚書注解傳述人〉：

> 永嘉喪亂，眾家之書並滅亡，而古文孔傳始興，置博士。鄭氏亦置博士一人。近唯崇古文，馬、鄭、王注遂廢。今以孔氏為正。[57]

《隋書》〈經籍志〉云：

> 梁、陳所講，有孔、鄭二家。齊代唯傳鄭義。至隋，孔、鄭並行，而鄭氏甚微。[58]

由此可見，《尚書正義》之所以舍鄭而取孔，乃時代潮流如此。說到孔穎達的學術專長，《新唐書》〈孔穎達傳〉說「明鄭氏《尚書》。」[59]如果從孔穎達個人的愛好專長來說，《尚書正義》中的注家就應該是鄭玄。但孔穎達偏偏選擇孔安國，這說明孔穎達有以大局為重、學術乃天下公器的觀念，值得點贊。

第三，為了讓事實來說話，通過調查，筆者草成〈《周易正義》徵引注家、義疏家考略〉一文。《周易正義》徵引之義疏家姑無論，《周易正義》徵引的注家凡十九家，此十九家被徵引的次數是：《子夏傳》十次，薛虞十一次，京房一次，孟喜二次，荀爽二次，劉表二次，馬融十二次（其中七次，稱之以馬融，另外五次，稱之為馬季長），鄭玄二十二次（其中十五次，稱之以鄭玄；另外七次，稱之為鄭康成），董遇二次，姚信五次，陸績五次，何晏一次，向秀一次，孫盛一次，王廙三次，盧氏一次，崔覲一次。其中以徵引鄭玄的次數為最多。謂予不信，可覆按也。以上十九位《周易》注家，薛虞見於《經典釋文》〈周易注解傳述人〉，何晏唯見於《周易正義》，此外的十七家，都見於《隋書》〈經籍志〉經部著錄。

《周易正義》中，孔疏除了指名道姓地徵引上述注家外，還頻繁使用了「先儒」一詞。「先儒」在《周易正義》中凡二十二見。「先儒」之含義，據筆者的考察，蓋謂王弼、韓康伯之外的《周易》注家，而首當其衝的就是鄭玄。

孔穎達《周易正義》中，孔疏以鄭玄注破王弼注之例，已略見上文「誤讀之第二例：疏不駁（破）注」，茲不復贅。下面再舉三例，看看孔疏是怎樣以鄭玄注補王弼注之未備，以證明清儒所謂《周易正義》「廢鄭注」之說之不實：

（一）《周易》〈訟卦〉

> 九二：不克訟，歸而逋其邑。人三百戶，無眚。

57 〔南朝〕陸德明：《經典釋文〈序錄〉》（上海市：上海古籍出版社，1985年），頁32。按《經典釋文》乃陸德明任職南朝陳時所作，詳見吳承仕：《經典釋文序錄疏證》。或以為是唐代所作者，誤。

58 〔唐〕魏徵等：《隋書》〈經籍志一〉（北京市：中華書局，1973年），頁915。

59 〔宋〕宋祁、歐陽修等：《新唐書》〈孔穎達傳〉，頁5643。

孔疏：

「三百戶」者，鄭注《禮記》云：「小國下大夫之制。」又鄭注《周禮》〈小司徒〉云：「方十里為成，九百夫之地，溝渠、城郭、道路三分去其一，餘六百夫。又以田有不易，有一易，有再易，定受田三百家。」即此「三百戶」者，一成之地也。鄭注云：「不易之田，歲種之；一易之田，休一歲乃種；再易之地，休二歲乃種。言至薄也。苟自藏隱，不敢與五相敵，則無眚災。」（頁56）[60]

愚按：王弼注未釋經文「三百戶」，孔疏遂以鄭注三百戶補之。

（二）《周易》〈小畜〉〈上九〉

《象》曰：「君子征凶，有所疑也。」

王弼注：

小畜積極而後乃能畜，是以四、五可以進，而上九說征之輻。

孔疏：

「上九說征之輻」者，上九畜之積極，故能說此九三征行之輻。案：九三但有「說輻」，無「征」之文。而王氏言上九「說征之輻」者，輿之有輻，可以征行。九三爻有「征」義，今輿輻既說，則是「說征之輻」，因上九「征凶」之文，征則行也。文雖不言，於義必有言「輻」者，鄭《注》云「謂輿下縛木，與軸相連，鉤心之木」是也。（頁74）

愚按：《周易》〈小畜〉〈九三〉「輿說輻」，王弼注不釋「輻」字，孔疏遂引鄭注以明之。輻，通「輹」，伏兔（古代車上部件。車廂底板下邊的兩塊半月形方木，用以銜住車軸）也。

（三）《周易》〈繫辭下〉

上古結繩而治，後世聖人易之以書契，百官以治，萬民以察，蓋取諸夬。

韓康伯注：

夬，決也。書契所以決斷萬事也。

60 此以下三例之括注頁碼，皆北京大學出版社2000年繁體字本《周禮正義》頁碼。下同，不一一。

孔疏：

> 夬者，決也。造立書契，所以決斷萬事，故取諸夬也。「結繩」者，鄭康成注云：「事大大結其繩，事小小結其繩。」義或然也。（頁356）

愚按：經文「結繩」，韓康伯注未釋，孔疏遂以鄭注補之。

到此為止，我們不難看出，在《周易正義》中，孔疏的實際做法是，以王弼注為主，以其他注家（尤其是鄭注）為輔。這是「一個好漢三個幫」、「紅花還須綠葉扶」的精心設計，怎麼能說是「不取異義，專宗一家」呢？

《廖平全集》總序

舒大剛
四川大學教授、國際儒學研究院院長

提要

在十九世紀末二十世紀初的中國學術文化史上，四川井研縣的廖平，無疑是一位值得高度重視的人物。他生當晚清、民國，治學勤奮，著述等身，聲華蓋代。他的著作曾影響康有為、梁啟超等人，他的學術思想曾被轉化為「戊戌變法」的理論基礎。他自經學而哲學，從人學而天學，「推到一時，開拓萬古；光被四表，周流六虛」。他的思想學說經歷了「平分今古」、「尊今抑古」、「大古小今」、「人學天學」等多次轉變，最後卻在以「孔經哲學」包容天下一切學術的構建和沉思中，壽終正寢。對於他的學術，有人說他「風疾馬良，去道益遠」，有人說他「離經叛道，穿鑿附會」，也有人說他「轉捩乾坤，思想革命」，評價懸殊若此，卻集於一人之身，實乃世之奇觀。僻處西川的廖平，何以實現這多重身份的復合呢？整理出版的《廖平全集》，將為我們通觀廖平的生平、治學、著述、思想等提供最直接的資料。

關鍵詞：廖平　廖平全集

一　廖平生平與事業

廖平（1852-1932）初名登廷，字旭陔，又字勖齋，繼改名平，字季平。號四益，繼改四譯，晚年更號五譯，又更號六譯。初名其堂曰小世彩堂、雙鯉堂，五十歲前後曰則柯軒，後乃更名四益館、六譯館。

井研廖氏祖籍湖北麻城，其先祖於明洪武二年（1369）自鄂遷蜀，輾轉流徙，始得占籍於井研縣，定居青陽鄉之鹽井灣（今井研縣東北研經鎮）。此地既非平疇沃野，更無漁鹽舟楫之利，廖家世以農耕負販維生，在廖平出名之前，其門「四百年間無顯者」。[1]

廖平出生於清咸豐二年（1852）二月初九日，排行第四。七齡始入本縣萬壽宮鄉塾就學，其後又就讀於禹帝宮、舞鳳山諸塾，直到十四五歲。其間嘗從廖榮高學醫。少年廖平資質平常，記性尤劣，頗以背誦為苦；於是訴於師，請許以不背。自後即「專從『思』字用功，不以記誦為事」。[2]

廖平一生命運的改變，與張之洞密切相關。張之洞（1837-1909）字孝達，號香濤，晚號抱冰，直隸南皮（今屬河北）人，晚清洋務派代表人物之一。其治經漢宋兼宗，講究實用，歷任多省巡撫、總督，所到之處，重視發展近代工業，宣導經世致用之學，興辦多所工廠和學堂、書院，造就人才甚眾，仕至軍機大臣、體仁閣大學士。同治十二年（1873）六月，張之洞奉旨充本年度科舉考試四川分試副考官。十月，簡放四川學政。翌年二月，廖平參加院試，試題為〈子為大夫〉，廖平以三句破題，有違八股文章法，為閱卷者黜落，張之洞於落卷中搜得其文，喜其破題不凡，遂拔置秀才第一。

當時蜀中教育流行的是制義、帖括，以至有人「畢生不見《史》、《漢》」。[3]故學術不興，人才衰敝。這種狀況直至同治十三年至光緒二年（1874-1876）張之洞督學四川時，才發生改變。張在成都創辦尊經書院，[4]親撰《創建尊經書院記》，闡明建院宗旨，指示讀書門徑，以「紹先哲」、「起蜀學」、「成人材」勉勵蜀士，「要其終也，歸於有用」，[5]故數月之間，蜀中「文風丕變，霈然若決江河」。又撰著刊行《書目答問》、《輶軒語》，提倡「紀（昀）、阮（元）兩文達之學」，蜀中士人喜識治學門徑，「人人有斐然

1　廖幼平編：《廖季平年譜》，巴蜀書社1985年版。下引此書者，不復出注。

2　廖宗澤編：《六譯先生年譜》，同治三年甲子（1864）條引《經學初程》稿，重慶圖書館藏稿本。

3　廖宗澤編：《六譯先生年譜》光緒元年乙亥（1875）條。

4　尊經書院為今四川大學之前身，建於光緒元年（1875），由張之洞創辦。張氏以紀文達（昀）、阮文達（元）之學為號召，為書院訂章程、立制度，又從各府、縣學抽調高材生百人肄業其中，並親撰《輶軒語》及《書目答問》之書，宗旨純備，開示詳明，尊經諸生受益良多。

5　張之洞：《創建尊經書院記》，載《張之洞全集》第12冊（保定市：河北人民出版社，1998年8月），頁10076。

著述之思」[6]。光緒二年（1876）正月，廖平赴成都應科試，張之洞主考，得其答卷，見其引用《說文解字》作答，拔以優等，食廩餼，調尊經書院肄業。廖平刻苦事學，經業精進。當時，尊經書院同學有宋育仁（芸子）、張祥齡（子宓）、楊銳（叔嶠）、范溶（玉賓）、岳嗣儀（鳳吾）、岳林宗、顏印愚（印伯）、毛翰豐（霍畦、鶴西、霍西）、曾培（篤齋）、張森楷（式卿）、傅世洵、陳光明（朗軒）等，隨後駱成驤、劉光第亦從錦江書院轉來尊經肄業，可謂英才雲集。廖平與張祥齡、楊銳、毛瀚豐、彭毓嵩（籛孫）五人尤為張之洞所器重，號「蜀中五少年」，交誼也最深厚。

廖平在尊經書院首尾近十載，其學術思想不斷發展。他先致力於訓詁文字，醉心於考據之學，但氾濫諸經，無所專攻。光緒五年（1879），王闓運應四川總督丁寶楨多次函約，來掌尊經書院，始改變這一狀況。王闓運（1833-1916）字壬秋，自號湘綺樓主人，湖南湘潭人。其為學宗今文，明於禮制，以致用為鵠的，又善於辭章，蔚為一代辭宗。廖平常就王闓運請業，每至夜分。從學七載，深受王氏影響，從此厭棄破碎餖飣之學，治經專求大義。是年八月，應優貢試，主司以「辭達而已」命題，廖平得陪貢第一名。九月應鄉試，中第二十四名舉人。

六年（1880）春，廖平赴京會試，不第。在京日，曾以《易》例向張之洞請業。張告誡廖平：「風疾馬良，去道愈遠。」三年後廖平再赴北京會試，又未中式。其時，張之洞已自內閣學士出為山西巡撫，廖平會試後，拜謁恩師於太原，張仍以「風疾馬良」之語誡之，並以小學相勖。此時廖平《穀梁春秋經傳古義疏》即將完成，談話間，廖平聲言通一經較治一省為難，且說：「倘使《穀梁》書成，不羨山西巡撫。」光緒十年（1884）秋，《穀梁春秋經傳古義疏》十一卷完稿。接著《起起穀梁廢疾》、《釋範》各一卷，《穀梁集解糾謬》二卷相繼完稿。是年，廖平欲改注《公羊》，於是綜括大綱，成《公羊何氏解詁十論》，作為讀《公羊注》的階梯（後來又作《續十論》、《再續十論》）。至是，廖平《春秋》今文學體系基本建立。

光緒十一年（1885）春，廖平以舊本《王制》有傳、記、注之文，舊本淆亂失序，考訂改寫《王制定本》一卷，以備作《王制義證》之用（此書後來收入《六譯館叢書》，名《王制訂》）。又以偶鈔《五經異義》，悟今文與古文之分全在禮制之不同，始定今、古異同之論，形成其經學思想第一變的基礎。

從尊經書院肄業之後，廖平輾轉各地從事教育活動。光緒十二年（1886），廖平主講井研來鳳書院。六月，撰成《今古學考》二卷。[7]此書是廖平經學初變完成的標誌，在學界影響巨大。書中，廖平主張以禮制平分今、古，上卷為表，下卷為說。上卷列表二十，回溯今、古文學源流，梳理今、古文學之界限和線索。下篇於《經話》中取其論

---

6 張祥齡：《翰林院庶起士陳君墓誌銘》，《六譯先生年譜》光緒元年乙亥（1875）條引。

7 此書作於光緒十一年乙酉（1885）至光緒十二年丙戌（1886）間，光緒十二年由成都尊經書局刊行，為《四益館經學叢書》之一。後收入《六譯館叢書》。

今古學者一〇六則，申論今學歸本孔子、《王制》，古學歸本周公、《周禮》之旨。此期，廖平又欲以《今古學考》所揭示經今古文之別為基礎，區別於鄭玄注暨唐人《正義》混合今、古的做法，按今文、古文兩大系統，新撰《十八經注疏》，構建「蜀學」體系，於是先著〈十八經注疏凡例〉。自謂：「予創為今、古二派，以復西京之舊，欲集同人之力，統著《十八經注疏》，以成『蜀學』。」[8]又約集尊經同人撰《王制義證》。欲以《王制》為經，取《戴記》九篇，外加《公羊》、《穀梁》、《孟子》、《荀子》、《墨子》、《韓非子》、《司馬法》、《尚書大傳》、《春秋繁露》、《韓詩外傳》、緯候、今學各經舊注，以及兩漢經學先師舊說，務使詳備，足以統帥經學諸經。待此書作成之後，再作《周禮義》，以統古學。[9]

光緒十三年（1887）二月，廖平來到成都，任尊經書院襄校。這年其著有《續今古學考》，此書實為《辟劉篇》的原稿。他認為周制全不可考，所有禮制概為孔子新制，《周禮》為偽託之作。十四年，成《公羊補義》十一卷，欲以《公羊》為主，兼採《穀梁》、《左傳》，合通三《傳》，以成一家之言。是年，又成《知聖篇》一卷，附《孔子作六藝考》一卷，《辟劉篇》一卷、《周禮刪劉》一卷。後來《周禮刪劉》附入《辟劉篇》，易名《古學考》。《知聖篇》、《辟劉篇》成為廖氏經學二變的代表作。

光緒十四年（1888）冬，廖平第三次赴京應禮部試。張之洞時任粵督，電召赴粵，欲使廖平協助編纂《左傳疏》，以配清代「十三經義疏」。十五年四月，廖平大挑二等，會試中第三十二名進士，房師張預，座主李鴻藻、昆岡、潘祖蔭、廖壽恒。六月，由京赴張之洞召，前往廣州。途經天津，與王闓運相見。七月，經蘇州，與俞樾相見。俞氏極稱《今古學考》為「不刊之書」，廖平卻告訴他自己已改變前說，並及「三《傳》合通」之事。俞頗不以為然，曰：「俟書成再議。」[10]秋，至廣州，宿廣雅書局，以張之洞命纂《左傳疏》，始專力治《左氏》。在廣州欲刊《知聖篇》，或以發難為嫌而止。然其書卻廣為外間流傳，東南士大夫因轉相鈔錄，以為談資，甚至視為枕中鴻寶。

在廣州期間，廖平與康有為兩度相會，並影響其學術歸趨。康有為（1858-1927）字廣廈，號長素，廣東南海人，先前讀過廖平《今古學考》，遂引廖為知己。此番晤面，廖平又示以《知聖篇》、《辟劉篇》（此稿後改為《古學考》刊行），茲二稿立論乃一反前說，以今文為孔學之真、古文乃劉歆篡亂之偽。其時康氏正據古文經《周禮》撰《教學通義》，以其太過驚世駭俗，一時難於理解，別後竟「馳書相誡，近萬餘言」，斥以「好名騖外，輕變前說」，力勸其將此二書一火焚之。為闡明新說用意，廖平遂回訪康有為於廣州安徽會館，將自己的見解反復闡述，康有為乃幡然領悟，終於「兩心相

8 廖平：《今古學考》卷下，光緒十二年成都尊經書局刊本，收入《六譯館叢書》。

9 廖平：《今古學考》卷下。

10 廖平：《經話》甲編，光緒二十三年成都尊經書局刊本，收入《六譯館叢書》。

協，談論移晷」，「見廖平所著書，乃盡棄其舊說」而學焉，[11]於是改宗今文，棄《周禮》而治《公羊》，其後遂由《公羊》而發明「改制」之義。之後不久，康氏宗《知聖》、《辟劉》二篇之意，撰《新學偽經考》、《孔子改制考》二書，為其變法張本。梁啟超說：「康先生（有為）之治《公羊》、治今文也，其淵源頗出自井研（廖平），不可誣也。」[12]委婉道出康氏之兩《考》是對廖平以上二《篇》的吸收和發揮。而錢穆則云：「長素《偽經考》一書，亦非自創，而特剽竊之於川人廖平。」[13]

光緒十六年（1890）四月，廖平由廣州赴京補應殿試，得二甲七十名，賜進士出身。朝考三等，欽點即用知縣，以親老求改教職，部銓龍安府教授。此後數十年，廖平一直在四川從事教育活動，先後擔任龍安府教授、嘉定九峰書院山長、尊經書院襄校等，培養了大量的人才。與此同時，廖平也取得了豐碩的學術成果，除前面所舉外，尚有《左氏古經說義疏》、《群經凡例》、《左氏長編》、《杜氏左傳釋例辨證》、《春秋左傳杜氏集解辨證》、《五十凡駁證》、《五十凡補證》、《尚書備解》、《易生行譜》、《經話》等書，發揮其今古之學。

光緒二十三年（1897），廖平家居致力於《易》。此時康有為「素王改制」之說風行一時，世人以為廖平為始作俑者。夏，廖平得當年尊經書院同學宋育仁書，傳張之洞告誡之語。十月，廖平赴成都與宋育仁相見，宋再傳張語，仍曰：「風疾馬良，去道愈遠；解鈴繫鈴，唯在自悟。」命改訂經說條例，不可講今古學及《王制》，停止攻駁《周禮》，甚至威脅「如不自改，必將用兵」。廖平為之忘餐寢者累月。[14]十一月，廖平與宋育仁書（即〈與宋芸子論學書〉）自辯。又上張之洞書（即〈上南皮師相論學書〉），情詞較為謙抑，但仍堅持己見，不願刪改。是年宋育仁奉旨治四川商礦，兼任尊經書院山長，引廖平與吳之英為都講。宋、吳等設「蜀學會」，併發刊《蜀學報》，廖平亦與其事，為主筆，宣傳變法主張。次年「戊戌變法」失敗，尊經書院同學楊銳、劉光第同日被殺，廖平弟子懼其遭受牽連，遂將其提倡「大統之學」的《地球新義》（初稿）付諸一炬。

此後，廖平的學說由「尊今抑古」轉變為「大統小統」之學。光緒二十九年（1903），綏定知府聘廖平兼任綏定府中學監督。由於廖平學術屢變，新論迭出，又兼曾以學說影響康有為，難免遭人忌恨，是年冬，四川提學使吳鬱生以「離經叛道，行檢不修」之罪參劾廖平，並革去其教職。之後一段時期，廖平又曾復掌教席，除尊經襄校、主講、都講外，曾先後主講井研來鳳書院、嘉定九峰書院、資州藝風書院、安嶽鳳山書院。至宣統元年（1909）秋，時任提學使的趙啟霖又以廖平「三《傳》並為子夏所

11 梁啟超：《清代學術概論》（上海市：上海古籍出版社，1998年版），頁77。

12 梁啟超：《論中國學術思想變遷之大勢》（上海市：上海古籍出版社，2001年版），頁128。

13 錢穆：《中國近三百年學術史》（上海市：上海商務印書館，1997年8月），頁713。

14 廖宗澤編：《六譯先生年譜》，光緒二十三年丁酉（1897）條。

傳」之說為「穿鑿附會」，下令各學堂毋得延其講學；次年，廖平即攜眷歸返鄉裡，杜門家居。

一九一一年，川漢鐵路公司延聘廖平為《鐵路月刊》主筆，廖平復居成都。是年秋，四川「保路運動」爆發，十月，「大漢四川軍政府」成立，下設樞密院，以廖平任院長。四川軍政府又設國學院，每月出版《國學雜誌》一冊，每週作一次學術講演。是時劉師培因隨端方入川，端方被殺後，劉滯留四川。一九一二年，劉師培任四川國學館館長，聘廖平主講經學；是時，廖氏持經今文說，劉氏則大講古文經學，二人互相論難、切磋，亦互相補充和稱賞；劉向廖提供古文字學資料，同時又採納廖平平分今文、古文的方法，完善自己古文經學壁壘。更讚賞廖平「長於《春秋》，善說禮制」，「漢魏以來，未之有也」。同年八月，蒙文通入四川國學院就讀，即從廖平、劉師培請問經學。

民國成立後，教育部廢除學校經學學科，廖平作《中小學不讀經私議》，提出不同意見，主張讀經之效已見兩漢，應當令小學讀經。次年，廖平以四川代表身份，赴京參加教育部召集的全國讀音統一會。旅京四川同鄉於湖廣會館發起歡迎會，請廖平講演，所講者為孔學關於「世界進化、退化」與「小康、大同」之宗旨。北京人士又發起倫理學會，延請廖平定期講演，並計畫根據廖平之說編訂倫理教科書，發行《倫理雜誌》。孔子誕辰日，孔教會在山東曲阜召開第一次全國大會，廖平與會並作講演，大意認為孔經言退化，實為言進化之意，如倒景；文明、野蠻的標準，應當以倫常為主，不純在物質。秋初，轉到上海，完成《孔經哲學發微》一書，付中華書局出版。此書為廖平經學第四變的代表作。

此後廖平在宣傳尊孔讀經的同時，又致力於醫書的校勘整理，先後著醫書數十種。並治諸子、術數、《山海經》、《楚辭》，兼及佛、道。一九一四年，廖平出任四川國學專門學校校長，又先後兼任成都高等師範學堂、華西協合大學等校教授。一九一八年，門人黃鎔推本廖平之說，成《尚書宏道篇》、《中候宏道篇》，廖平五變之說至此年而完備。其說大體上於六經分天人、大小，歸重於六經皆孔子所作，孔子作六經，必須造字。廖平自撰《五變記》，黃鎔又為之作《五變記箋述》。

一九一九年，廖平六十八歲。這年春在家剃頭，晚餐時得中風，雖經治癒，仍遺偏癱之疾，右肢上下拘攣，眠食動作非人幫助不成，而思路依舊清晰，仍著述不輟，唯書寫須恃左手。一九二一年，廖平以六變說成，易號六譯老人。將平生著作已刻者編為《六譯館叢書》，統由存古書局印行。一九二二年，廖平辭去國學專門學校校長職務，四川省政府每月致送著述金一百銀元。一九二四年秋，家人奉廖平返井研養痾。一九三二年五月，廖氏赴成都洽商著述出版事宜，行至樂山而疾作，家人未及舁返井研，六月便卒於樂山河咡坎旅次，時年八十一歲。

二　廖平學術及其變遷起訖

廖平為學博大，且以善變稱。自述幼時篤好宋「五子書」及唐宋「八大家文」，其後親炙於張之洞、王闓運兩大家，始轉而專攻經學。初入尊經書院，博覽考據諸書，用功甚勤，不知不覺間乃嫌唐宋之文空泛無實，「聰明心思至此一變」。及王湘綺來長尊經，始「厭棄破碎，專事求大義。以視考據諸書，則又以為糟粕而無精華，枝葉而非根本；取《莊子》、《管》、《列》、《墨》讀之，則乃喜其義實。是心思聰明至此又一變矣」。[15]自此以後，廖平孜孜矻矻，好古敏求，以探諸經大義。初治《穀梁》，後乃並及《公羊》、《左氏》，及於《易》、《書》、《詩》、《三禮》等，且旁及諸子百家之書，又及於醫方、堪輿之學。

廖平之治學，既不囿於舊說，亦不拘守師說，更不故步自封。在學術特色的形成上，廖平受王闓運之影響甚深。王氏治經主今文學，廖平亦從今文入，且終身保持之；當年王氏專治《春秋》，認為「《春秋》擬《易》而作，聖人之極功，終身研之而不能盡」[16]，廖平亦從《春秋》著手，一生以《春秋》學著作最多；王氏以禮制考三代制度，廖平亦以禮制區分今文、古文學。劉師培稱廖平「明於《春秋》，善說禮制」，[17]此兩大特點，幾乎都導源於王闓運。不過，廖平並不亦步亦趨，唯老師之馬首是瞻。他思維明敏，時出新論，卻從不蹈襲舊說；無論先儒前賢，或者近人師長，只要其說有未愜於心，廖平都勇於論難商榷，提出自己的見解。

廖平嘗言：為學當精進不已，不可故步自封，當求「十年一大變，三年一小變，每變愈上，不可限量」；[18]「變不貴在枝葉，而貴在主宰」；「若三年不變，已屬庸才，至十年不變，則更為棄材矣」。廖氏之學歷經「六變」，各有年代。[19]

第一變：始於一八八三年癸未，以《王制》、《周禮》平分今、古，是為初變，光緒十二年（1886）付梓之《今古學考》為此期之代表著作。廖平認為：今文經為孔子所創，古文經為周公所作；「今學博士之禮制出於《王制》，古文專用《周禮》，故定為今學主《王制》、孔子，古學主《周禮》、周公，然後二家所以異同之故，燦若列眉；千溪百壑，得所歸宿」，[20]《王制》、《周禮》可「同治中國」。從此今、古文之學遂得分明。

---

15 廖平、吳之英：《經學初程》，民國三年成都存古書局刊本，收入《六譯館叢書》本。

16 王代功：《王湘綺先生闓運年譜》卷三，民國八年刻本。

17 蒙文通：〈井研廖季平師與近代今文學〉，蒙默編《蒙文通文集》第3卷（成都市：巴蜀書社，1995年版），頁105。

18 廖平：《經話》甲編。

19 案：關於廖平經學「六變」的起止時間，學術界有不同的看法，見黃開國《廖平評傳》第2章（上海市：百花洲文藝出版社，2010年3月）。此據廖平《四益館經學四變記》、黃鎔《五變記箋述》、柏毓東《六變記》諸書的傳統說法。

20 廖平：《四益館經學四變記》，《六譯館叢書》本。本節以下所引，未另加說明者皆同此。

以禮制之別區分今、古，堪稱廖平對經學及經學史之一大貢獻。古文學家俞樾亟稱《今古學考》為「不刊之書」，近人蒙文通更譽之為有清一代學術史上「三大發明」之一（另兩大「發明」，為顧炎武之《音學五書》、閻若璩之《尚書古文疏證》），具有「劃時代」意義。

第二變：始於一八八八年戊子。此一時期，變平分今古為尊今抑古，以《知聖篇》、《辟劉篇》（後改為《古學考》）為代表作。廖平「折群言而定一尊」，認為「古文家淵源，則皆出許（慎）、鄭（玄）以後之偽撰。所有古文家師說，則全出劉歆以後據《周禮》、《左氏》之推衍。又考西漢以前，言經學者，皆主孔子，並無周公；六藝皆為新經，並非舊史。於是以尊今者作為《知聖篇》、辟古者作為《辟劉篇》」。故據《王制》以遍說群經，以今文為孔子之真學，且於《周禮》中刪除與《王制》相反者若干條（舊有《周禮刪劉》之作）。

第三變：始於一八九八年戊戌。泯滅今、古之畛域，群經傳記，統歸一律，進而判分王、伯、皇、帝之學，變「今」、「古」而為「小」、「大」。廖平發現，「以《王制》遍說群經，於疆域止於五千里而已」，與《中庸》所謂「洋溢中國，施及蠻貊」、《禮運》所言「大同」等說頗有齟齬；乃「閉門沉思，至於八年之久」，乃悟「《周禮》為根基，《尚書》為行事」。於是定《周禮》為皇、帝之學，為大統；《王制》為王、伯之學，為小統。且曰：舊之平分今、古及尊今抑古「大抵皆就中國一隅言」；「蓋《王制》、《周禮》，一林二虎，互鬥不休，吾國二千年學術政治，實受其害。合之兩傷，甚於洪水猛獸」，今若「一內一外」，以《王制》治內，主中國；以《周禮》治海外全球，主世界，則「一小一大，一內一外，相反相成，各得其所」矣。此期代表作為《地球新義》、《王制集說》、《皇帝疆域圖》等。

梁啟超認為，此第三變乃是張之洞干預的結果，說廖平「晚年受張之洞賄逼」，故對平分今、古之說「復著書自駁」；[21]或者是廖平懼禍的支吾應付之辭：「言今文為小統，古文為大統」，「則戊戌以後懼禍而支離之也」。[22]梁說甚有影響，然而未必中肯。

對廖平尊今抑古諸說，張之洞的確深致不滿。一八九七年，張曾令宋育仁傳語廖平，重申「風疾馬良」之誡。面對師友的責難，廖平雖因之「忘寢餐者累月」，然而並未改變自己的看法，其致宋育仁函，仍固執己見。其函略云：作《今古學考》、主於平分今古，皆天時人事、時會使然，「非鄙人所能自主者也」；尊今抑古之說，李兆洛（申耆）、龔自珍（定庵）諸先達已申之於前，則己說「實因而非創」。「兩漢舊學，墜緒消沉，鄙人不惜二十年精力扶而新之，且並群經而全新之，其事甚勞，用心尤苦，審諸情理，宜可哀矜」；而「風之見疾，馬之見良，正以其識見精明耳」，「若門戶有異，則學

21 梁啟超：《清代學術概論》，頁77。

22 梁啟超：《論中國學術思想變遷之大勢》，頁128。

問之道，何能囿以一途？」同時又隱隱流露出對恩師張之洞的不滿：「即使弟子學人，不紹箕裘，而匠門廣大，何所不容！……況至人宏通，萬不以此。反復推求，終不解開罪之所由。」[23]字裡行間，全無悔過自責之心，更非改弦易轍之意。至於《地球新義》諸作，已經成書於戊戌政變之前，則「懼禍」云云，遂不知從何談起！

第四變：始於光緒二十七年辛丑（1901），主題是「天學」與「人學」。一九〇一年，廖平始以《楚辭》解《詩》，次年又成《知聖續篇》，漸悟天人之學，是乃廖氏經學四變之始。廖平以為，孔學之中，不僅有治中國、治世界的小統、大統之學，是即「人學」，而且有治天地神鬼和未來世界的「天學」；《易》、《詩》、《書》、《春秋》四經以天、人分，「人學為六合以內，天學為六合以外」；《春秋》言伯而包王，《尚書》言帝而包皇，一小統，一大統，為人學二經，《詩》、《易》則天學之二經。廖平又稱，先儒所謂「詭怪不經之書」，如《靈樞》、《素問》、《楚辭》、《山海經》、《列子》、《莊子》、《尸子》、《穆天子傳》等等，以及道書、佛典之類，「自天人之學明」，皆能渙然得其解釋。刊行於一九一四年的《孔經哲學發微》，是此一時期的代表著作。

第五變：始於一九一八年戊午，融「小大」於「天人」。廖平認為，六經皆孔子「革更野史，譯從雅言」，由「古本之文」翻譯而成。六經各有領域：《禮》、《春秋》、《尚書》講六合以內事，為「人學」三經，《王制》、《周禮》等為之傳，而「各有皇、帝、王、伯四等」。《易》、《詩》、《樂》「遨遊六合以外」，為「天學」三經，《靈樞》、《素問》、《山海經》、《列子》、《莊子》、《楚辭》、古賦為之傳。不僅此也，中國之六書文字，亦為孔子所創造。[24]

第六變：約始於一九一九年，在一九二一年完成。其特點可以用廖平自題楹聯來概括：「黃帝六相說《詩》、《易》，雷公八篇配《春秋》。」即以《黃帝內經》之「五運」、「六氣」說來發揮《詩》、《易》的「天學」哲理，以《靈樞》、《素問》中黃帝與其臣雷公等人相問答的內容及理致來闡釋《春秋》的「人學」思想。廖平以為，「《內經》舊以為醫書，不知其中有『天學』，詳六合以外，有『人學』，詳六合以內」[25]。

自六變學成，廖氏經學體系之孔經哲學便由「人」及「天」，兼攝「人」、「天」，廣大悉備，無所不有，無施不宜；廖氏之思想便從經學、諸子，相容文學、醫學、方技、宗教神學諸領域，馳騖乎諸學並包，勤思乎參天貳地。

廖平一生，以學術、教育自任，不僅勤於著述，成就斐然，而且桃李滿天下，弟子遍蜀中，如黃鎔、吳虞、蒙文通、李源澄、杜剛伯等知名經學家、思想家和史學家，皆出其門下。

---

23 廖平：《四益館文集》〈論學三書・與宋芸子論學書〉，《六譯館叢書》本。

24 黃鎔：《五變記箋述》卷上，《六譯館叢書》本。

25 黃鎔：《五變記箋述》卷下，《六譯館叢書》本。

廖平是中國近代影響巨大的經學大師之一，同時也是中國傳統經學的最後一位大師，因而贏得了人們普遍的尊敬。他逝世以後，追悼大會在成都舉行，自蔣介石、戴季陶、孫科以下，各界名流或親赴弔唁，或敬致挽聯，以表達對這位碩儒的哀悼之思、崇敬之情，章太炎先生還為廖平撰寫了墓誌銘。[26]

三　廖平的著作

廖平一生潛心學術，著述甚豐，數量達數百種，內容廣泛涉及經、史、子、集四部，範圍極為廣博，雖然有的著作託名門人，但不影響其反映廖平的思想。可惜大量的文獻或未覓見，或已亡佚，或已殘缺，有的今天只可考其存目。一九二一年成都印行《六譯館叢書》，卷首《新訂六譯館叢書目錄》表明，該叢書收錄廖氏著作一〇八種（篇）。一九四二年，四川省圖書館《圖書集刊》發表廖平女兒廖幼平所編《六譯先生未刻已刻各書目表》，著錄「現有未刻者二十一種，已刻者九十七種」（《書目表》序），其已刻書目從光緒三年到民國二十五年，全部按撰著和刊刻年代先後編排，其未刻書目實際列目十六種，總計實有一一三種。

二十世紀八十年代初，廖幼平輯《廖季平年譜》（成都市：巴蜀書社，1984年）亦附此目，內容無所增減；又附卞吉新編《現存廖季平著作目錄》，系「據四川省圖書館及四川省社科院所收藏者」編成，共有一〇四種（內含稿本4種），按小學類、論學類、孝經類、春秋類、禮類、尚書類、詩經類、樂經類、易經類、諸子類、醫類、地理類、雜著類十三類排列。

近時，由於編纂和研究《廖平全集》的需要，鄭偉博士博考各類書目和傳記，撰《廖平著述考》（成都市：四川大學出版社，2014年），共考得廖平各類著述資訊（含單篇文章和專著，包括已刊、未刊、已佚、草稿和擬撰未成者等）凡七二二種（篇），另有叢書彙編十三種。其中，現存者二七三種（篇），亡佚者十種，殘缺者九種，未見者三九九種，擬撰未成者三十一種。在現存的文獻中，專著類（不含鈔錄者）共有一六四種，分為十四大類：①群經類；②周易類；③尚書類；④詩經類；⑤三禮類；⑥樂經類；⑦春秋類；⑧孝經類；⑨論語類；⑩小學類；⑪子學類；⑫醫書類；⑬術數類；⑭雜著類。其中著作部分目錄（此處專著分類根據文獻實際進行分合，與《廖平著述考》分類略有差異）如下。

---

26 章太炎：〈清故龍安府學教授廖君墓誌銘〉，《制言》半月刊1935年第1期。

(一)「群經類」二十六種

廖平以經學有微言大義，章句繁多，博而寡要，勞而少功，故治經以博覽會通，提綱挈領，發幽闡微，歸納義例為特色。其群經之作貫穿經學六變，與廖氏經學思想嬗變（前四變）大體對應。第一變，以發明「平分今古」之說為核心，闡發群經義例，概論為學次第，撰有《經學初程》一卷（與吳之英合撰），《今古學考》二卷，《群經凡例》一卷；第二變，以「辟劉」和「知聖」為要，收錄以經說瑣語，並於「小大」、「皇帝」之說間或討論，為經學第三變做了必要鋪墊，撰有《知聖篇》一卷，《古學考》一卷，《尊經書院日課題目》一卷，《經話》甲編二卷，《經話》乙編一卷；第三變，推揚小大統之說，發揮皇、帝、王、伯之學，由中國而及全球，並就「尊今抑古」轉為「古大今小」變化過程中的著述提要與短篇文稿進行輯存，對所著經學著作進行編目，撰有《地球新義》二卷，《家學樹坊》一卷，《四益館經學目錄》一卷；第四、第五變，推尊孔子，為孔正名，借群經之言，以賅「小大」之旨，發明「人天」之學，撰有《知聖續篇》一卷，《皇帝大同學革弊興利百目》一卷，《群經大義》一卷，《群經總義講義》一卷，《尊孔篇》一卷、附錄一卷，《群經大義補題》一卷，《孔經哲學發微》一卷，《四譯宬書目》一卷，《世界哲理箋釋》一卷（又名《世界哲理進化退化演說》，廖氏演說，樂山黃鎔箋釋），《祆教折中目錄》一卷。第六變，總結廖平經學之學術源流與思想變遷，「今古」、「大小」、「人天」等，不一而足，撰有《四益館經學四變記》一卷、《五變記》（黃鎔箋述）二卷、《經學六變記》等。

(二)「周易類」六種

廖平《易》學始於光緒六年（1880）《生行圖譜》（今未見），該書嘗呈張之洞審閱。此後經學六變，皆有易學之作，然多數已難尋見，恐或亡佚，現唯存六種。第二變時，廖氏易學重在推明《易》例，疏解「貞悔」之義，撰有《易生行譜例言》一卷、《貞悔釋例》一卷、《易經新義疏證凡例》一卷；第三變時，旨在推明《易古本》之要旨，撰有《易經古本》一卷；第四變時，就三《易》原旨流別、六十四卦卦名意義進行辨正，撰有《四益易說》一卷，《易經經釋》一卷。

(三)「尚書類」七種

廖平《書》學發端於同治十年（1871）《禹貢驗推釋例》之作，「六變」之中，皆有撰述，而以第二變「尊今抑古」以後，撰著為多，現存七種。第一變，以發明《書》學義例為主，撰有《今文尚書要義凡例》一卷，《今文尚書二十八篇序例》一卷；第四變，以《尚書》為六合以內人學之大成，即《詩》、《易》天學之初步，以發明大統小統之說，撰有《書經大統凡例》一卷，《書經周禮皇帝疆域圖表》四十二卷；第五變，發揮經義，推明皇、帝、王、伯之說，撰有《尚書弘道編》一卷，《書中候弘道編》一卷，《尚書今文新義》一卷。廖氏書學雖以言「小大」、「人天」為要，且多以後三變為主，然其早期之作，如《禹貢驗推釋例》、《洪範釋例》、《尚書王魯考》等，亦見其對「驗小推大」方法之闡發與運用，據此可見其書學思想濫觴與治《書》徑路。

（四）「詩經類」五種

廖平《詩》學肇始於光緒二十六年（1900）《三家詩辨正》、《齊詩微繹必讀》之作，而詩學諸作則多成於廖氏經學第三變以後，現存五種。除《詩經經釋》（作於1930年）外，《詩緯新解》一卷、《詩緯搜遺》一卷、《釋風》一卷（又名《詩學質疑》）、《孔子閒居》一卷（此四種後又彙編為《四益詩說》），皆成於民國三年（1914），即第五變時期，為廖氏晚年之作，亦為其詩學之代表。廖氏治經，師今文家說，於《詩》則以《齊詩》為主，其捃摭群經緯候之辭，取其涉於《詩》三百篇者匯輯成篇，以發明《詩緯》之義，以破《詩》無義例之說，進而推「小大」之學，以至「人天」之境。

（五）「三禮類」十六種

廖平《禮》學為其經學大宗，數量僅次於《春秋》類文獻。廖平治《禮》，發端較早，同治十年（1871）即作《官禮驗推》。在其「經學六變」前的「專求大義」時期，廖平於《穀梁春秋》用力尤深，其解經多據禮制言，發明三禮例、表甚多，可謂治《禮》之濫觴。廖平精研禮學，通貫六變，而主要集中於前三變之中。廖氏以「禮制」為經解鈐鍵，以為治《春秋》之理論基礎，亦為其「平分今古」、「尊今抑古」、「小大」統等學說之理論依據。故劉師培稱其「善說禮制，其洞察漢師經例，魏晉以來，未之有也」。蒙文通則言：「禮制以立言，此廖師根荄之所在。」現存文獻十六種，分佈於三禮之中，其治禮次第，初以《儀禮》、《禮記》為主，後及《周禮》。第一變，發明三禮經傳諸例，認為今學《禮》以《王制》為主，六經皆素王所傳，故詮解禮制、經義，大張《王制》之學，於分經、分傳匯輯，附以先師舊注，撰有《禮經凡例》一卷，《兩戴記分撰凡例》一卷，《王制學凡例》一卷，《容經凡例》一卷，《周官考征凡例》一卷，《禮運禮器郊特牲訂》（又名《禮運三篇合解》）三卷，《王制訂》一卷，《王制集說》一卷，《分撰兩戴記章句》一卷。此後沿襲第二變「尊今抑古」思想，商榷古注，於第三變時成《周禮鄭注商榷》一卷。第四變時，廖氏繼續發揚「小大」之說，詳述皇、帝、王、伯之學，漸至「人天」之學，撰有《周禮新義凡例》一卷，《坊記新解》一卷，《大學中庸演義》一卷，《容經淺注》一卷，《周禮訂本略注》二卷。第五變時，又將舊所批《禮記》付刊，取名《禮記識》。

（六）「樂經類」一種

廖氏《樂》學之作凡十一種，多成於前三變，尤以第二變為多，或輯補經傳，疏證經籍；或推考源流，以緯證經；或發明新義，推求凡例，然其原著皆未及得見，唯得其《樂經凡例》一卷，為第一變時之作。廖氏以《樂經》雖亡，尚存其他經傳之中，由記考經，可輯而出之，是書遂立經為主，以記附之，旁采諸經、子、史所載樂事而成。

（七）「春秋類」二十六種

廖平《春秋》學為其經學大宗，數量居其經學文獻之首。三傳博大，治之非易，故廖氏治《春秋》，特重禮制與發凡起例，因而為《凡例》、圖表者甚眾。其治三傳，又以「內外」別之，《穀梁》以「內學」、「外學」言，《公羊》、《左傳》以「內編」、「外編」言。以本傳為核心所撰之注疏者，歸入「內學」或「內編」；圍繞本傳所作之基礎研究者，歸入「外學」或「外編」。廖氏治《春秋》，以《穀梁》為初階，其發端於光緒六年（1880）《穀梁先師遺說考》，次及《公羊》，後治《左傳》與《春秋》總論，其《穀梁》學所奠定之基本范式（經學義理、治經原則，解經方法等）成為其《公羊》學、《左傳》學等之憑依。故蒙文通稱「《穀梁》釋經最密，先生（廖平）用力於《穀梁》最深」，「後復移之以治《公羊》、《左氏》，皆迎刃自解」。廖平《穀梁》學、《公羊》學諸作大多成於經學前兩變，而《左傳》學及「三傳」總論則多為第二變以後之作。現存「春秋類」著作二十六種，據廖氏治《春秋》次第與成書時間先後，其目如下：

1 《穀梁》學

〔內學〕《穀梁春秋經傳古義凡例》一卷，《穀梁春秋經傳古義疏》十二卷；

〔外學〕《釋範》一卷，《起起穀梁廢疾》一卷，《穀梁春秋經學外篇凡例》一卷。

2 《公羊》學

《何氏公羊春秋十論》一卷、《續十論》一卷、《再續十論》一卷（合為《何氏公羊解詁三十論》），《公羊春秋補證凡例》一卷，《公羊春秋經傳驗推補證》十一卷、首一卷。

3 《左傳》學

《春秋左傳古義凡例五十則》一卷，《春秋左氏傳漢義補證簡明凡例二十則》一卷，《春秋古經左氏說後義補證凡例》一卷，《五十凡駁例》一卷，《左傳杜氏五十凡駁例箋》一卷，《左氏春秋學外編凡例》一卷，《春秋左傳杜氏集解辨正》二卷，《箴箴左氏膏肓》一卷，《左氏考證辨正》二卷，《左傳經例長編》一卷（北圖抄本），《春秋左氏古經說疏證》十二卷。

4 《春秋三傳》總論

《春秋圖表》二卷，《春秋孔子改制本旨三十問題》一卷，《素王製作宗旨三十題》一卷，《擬大統春秋條例》一卷，《春秋三傳折中》一卷。

（八）「孝經學」三種

廖平《孝經》學諸作多載於《孝經叢書目錄》，多數未及得見，或擬撰未遂，或已亡佚，現存三種：《孝經學》，《孝經學凡例》一卷，《孝經叢書目錄》一卷。

（九）「論語類」一種

廖平《論語》學之作多成於經學前兩變，其以《論語》為「素王」微言，其凡例大端，在發群經之隱秘，故以例求隱，稽考舊說，發隱抉微，於《論語》之義，多有辨正。現存一種，即作於第一變時的《論語彙解凡例》一卷。

（十）「小學類」四種

廖平文字訓詁之作現存四種。多成於經學六變以前，而民國間撰述者以尊孔尊經為基調，不似早期漢學著述。廖氏初習宋學，張之洞督學四川後，提倡「兩文達」之學，廖平遂棄宋學而習漢學，自謂：「入尊經後，始從事訓詁文字之學，博覽考據諸書，始覺唐宋人文不如訓詁書字字有意。」其間，撰有《爾雅舍人注考》一卷，《六書說》一卷。進入經學第一變後，廖平將舊作《轉注假借考》補為《六書舊義》一卷，以班固之說為主，六書各分其類，以形、意、事、聲為造字之法，轉注、假借為用字之法。第四變之時，廖平推尊孔學，以為廣大悉備，「人」、「天」並包，撰《文字源流考》一卷，以為孔子翻經正名，特創六書雅言，未有六書之前，亦必有字母之時代，所謂孔氏古文，不能不由結繩而改進。古文其初發明，囿於鄒魯；今則東西南北，萬里而遙，所有齊語、楚咻、方言、百家語、外國語，無不為其所吸收。六書必傳之萬世，統一全球。此說可謂孔經人學一統宇內之旁證。此期，另作有《隸釋碑目表》一卷。

（十一）「子學類」四種

廖平之學，始於經學，而及子學，廖氏以諸子之學，皆出於孔門四科，為六藝支流，源皆本於六經。其所論及子學者十家：儒家、道家、釋家、陰陽家、法家、名家、墨家、縱橫家、雜家、兵家，其中以儒家類居多。現存四種，涉及道墨、陰陽者。四變之際，廖氏主「人天」之學，撰《莊子新解》一卷，《莊子經說敘意》一卷，《五行論》一卷，以敷宏其說。大抵以莊學出於孔子，其尊孔宗經，詬詆偽儒，傳六經之天學，心同《詩》、《易》。《莊子》一書屢言「大小」、「天人」之分，以天人、神人、至人為天學三等，以仁、義、禮、樂為人學四等。六合之內，聖人為尊；六合以外，為天人、至人。而「五行」全為五帝學，經傳之《五帝德》本不指中國一隅而言，「天人」皆有五帝之說。六變之後，廖氏又為伍非百《墨辯解詁》作序，成《墨辯解故序》一卷。

（十二）「醫書類」四十五種

廖平自幼習醫，舞勺之年，嘗從廖榮高學醫。至其晚年，於醫學諸作用力尤深。現存四十五種，作於第四變後期至第五變初，即一九一二年至一九一八年。初就《黃帝內經》中有關診絡、診皮等問題進行專題考釋，並對日本丹波元堅所著醫書進行刪輯，撰有《釋尺》二卷，《診絡篇》一卷，《診絡名詞》一卷，《古經診皮篇》二卷，《古經診皮名詞》一卷，《藥治通義輯要》二卷。繼而，對脈絡諸說，診皮之法，平議補證，撰有《脈學輯要評》三卷，《脈經考證》一卷，《楊氏太素診絡篇補證》三卷，《診絡篇病表》一卷，《黃帝太素人迎脈口診補證》二卷（又名《人寸診補證》），《分方異宜篇》一卷，《黃帝內經太素診皮篇補證》一卷，《營衛運行楊注補證》一卷。此後，專治《黃帝內經》所論經脈者，於楊上善之說有所辨正，間論傷寒諸症，撰有《傷寒講義》一卷，《隋本黃帝內經明堂》一卷（附《攝生消息論》），《平脈考總論》一卷，《內經平脈考》一卷，《靈素五解篇》一卷，《素問靈臺秘典論篇新解》一卷，《楊氏太素三部診法補證》一卷，《九候篇診法補證》一卷，《十二經動脈表》一卷，《瘧解補證》一卷，《真藏見考》一卷。後又於《黃帝內經》論筋骨與論疑難者，以及「三部九候」諸說，詳辨疏證，撰有《診筋篇補證》一卷，《十二筋病表》一卷，《三部九候篇》一卷，《仲景三部九候診法》一卷，《難經經釋補證》二卷，《中西骨格辨正》一卷，《診骨篇補正》一卷。最後，圍繞「傷寒」，進行專題研究，力主古義，稽考諸說，平議優劣，間或訂補，撰有《傷寒總論》一卷，《傷寒古本考》一卷，《傷寒平議》一卷，《瘟疫平議》一卷，《太素傷寒總論補證》一卷，《桂枝湯講義》一卷，《巢氏病源補養宣道法》二卷，《熱病說》一卷（又名《太素四時病補證》），《傷寒雜病論古本》一卷，《傷寒古本訂補》一卷。此外，又成醫著目錄三種，即《四譯館醫學叢書目》一卷，《隋本靈樞目錄》一卷，《素問楊氏太素本目錄》一卷。

廖平現存醫著雖多為第四變之作，且以研討醫學問題為主，然亦出現經、醫會通之傾向。廖氏以《靈樞》、《素問》分政治、醫診二大派，天道人事，異轍殊趨，厘定部居，剖析涇渭，庶政學收功於大統，醫術不遁於虛玄。故廖氏治醫，不唯以醫論醫，更是以醫明經。為其經學第五變、第六變，借《靈樞》、《素問》，以「五運」、「六氣」等說而發明「天學」之旨，打通「人天」之際，奠定其思想基礎。而其後所撰《內經三才學說》（存目）、《靈素皇帝學分篇》（存目）、《靈素陰陽五行家治法考》（存目）等會通諸學之作，亦當為此會通思想之反映。

（十三）「術數類」五種

廖平術數諸作現存五種，皆成於經學第四變之時。世傳唐楊筠松撰《撼龍經》、《疑龍經》、《天玉經》、《青囊奧語》、《都天寶照經》等著，專論地理形勢，或言山龍脈絡、結穴之義；或以陰陽星辰，言相地之法。然諸書文字簡略，術亦深奧，昔日術家多所不傳，故廖氏撰《地學答問》一卷，《撼龍經傳訂本注》一卷，仿《王制》、《周禮訂本》，分經、傳、說之例，掇其要語為綱，採其詳說為目，審辨部居，判劃門類，重訂《撼龍》之書；並以經學、天文、律曆為本，探源於漢晉以前諸書，為之鉤玄而提要；推重蔣大鴻之說，力辨飛宮挨星之誤，以輔弼分九星，並繪順逆交會各圖，以資證明，使楊氏絕學復明於世。雖蔣氏《地理辨證》一書，於楊氏諸作有所發明，然蔣書或囿於授受，或拘泥舊文，或懼於漏洩，故艱深隱僻，於是廖氏又撰《都天寶照經》一卷，《地理辨證補證》三卷（黃鎔箋述），以窮經之精思，研古先舊法，博采傳、緯、子、史諸說，勘明楊（筠松）、曾（文辿）立法之原。廖氏以術數諸書為經傳之精華、天學之佐證，故廖氏之作雖究地學，其所徵引，皆明孔道精微，亦足見地學肇端於聖經，推廣為六合，扼要於天樞，會歸於《周易》，彌綸上下。又有《命理支中藏幹釋例》一卷，以明其說。

（十四）「雜著類」十五種

此為廖平各時期藝文之作，主要包括遊記、倫理、楚辭及文集彙編等。現存十五種，據成書時間，其目如下：《遊峨日記》一卷，《國語義疏凡例》一卷，《倫理約編》一卷、附錄一卷，《楚辭新解》一卷，《楚辭講義》一卷，《離騷釋例》一卷，《高唐賦新釋》一卷，《遊戲文》一卷，《會試朱卷》一卷，《四庫西書提要》一卷，《四益館文集》一卷，《四益館雜著》一卷，《六譯館雜著》一卷，《四益館外編》一卷，《六譯館外編》一卷。

另據晚清民國各種報刊，還搜集到廖平的《集外文》一卷。

四　《廖平全集》的整理

廖平的著作，除部分未刊稿外，大部分隨撰、隨刻或隨發表，除單行本外，還編有《四益館經學叢書》（收12種），《四益館醫學叢書》（收24種），《則柯軒叢書》（分裝十冊），後來成都刊印《蟄雲雷齋叢書》，上海刊《適園叢書》，都收有廖平著述。一九二一年四川存古書局輯印《新訂六譯館叢書》，收錄廖平著作最多，達一〇八種，雖說蔚為大觀，但是仍然未全，如廖平研究《春秋》學的代表作《穀梁春秋經傳古義疏》，就沒有收錄。至於其他手稿、單篇散文，更是散見各處，有的甚至逐漸亡佚，故需要重新加以編錄和整理。

自一九三二年廖平逝世後，學界即漸次展開了對其學術文獻的整理與研究。在思想研究方面，有的學者對廖平經學六變、經學思想、在中國經學史上之地位，以及與康有為、張之洞等人之關係問題進行了深入的討論，已經取得豐碩成果。相較而言，對廖氏學術文獻的整理，則顯得較為薄弱，僅有李耀仙主編《廖平學術論著選集》（成都市：巴蜀書社，1989年5月）、《廖平選集》（成都市：巴蜀書社，1998年7月），劉夢溪主編《中國現代學術經典．廖平蒙文通卷》（蒙默選輯，保定市：河北教育出版社，1996年8月）和王鳳蘭主編《廖平醫書合集》（天津市：天津科學技術出版社，2010年5月）等。由於是選編，這些選編和整理自然缺乏全面性、代表性和系統性。

從經學文獻的整理來看，兩部「選集」收錄廖平的經學著作共計十五種，主要圍繞廖平經學「六變」，涉及禮學類、春秋類和論學類。它們的整理出版，為對廖平經學思想的研究提供了第一手資料，給相關研究提供了較大便利。然而，廖平經學著作多達數百種，涉及《易》、《書》、《詩》、《三禮》、《樂》、《春秋三傳》、《論語》、《孟子》、《孝經》、《大學》、《中庸》等經典領域，卷帙浩繁，亡佚較多，仍需進一步全面系統地搜集整理。

從醫學文獻的整理來看，《廖平醫書合集》收錄廖氏醫學著作二十二種，但仍然有部分醫書散在《合集》之外。

《廖平全集》即以《六譯館叢書》為主，廣搜博採廖平已刻、未刻各類著述，還將散落各種雜誌的單篇文章收集起來編為《集外文》。所收各書施以新式標點，還附錄各類研究資料，為學界提供齊全的廖平文獻。

可惜由於年久失收，廖氏有的著作早已不存或不知散落於何處。我們根據現存廖平著作的實際情況，將所收錄廖平著述歸為九大類（加上「附錄」共10類）：①群經類（17種）；②周易類（5種）；③尚書類（6種）；④詩經類（2種）；⑤三禮類（11種）；⑥春秋類（16種）；⑦雜著類（14種）；⑧醫書類（26種）；⑨術數類（4種）；⑩附錄（6

種）。共收廖平專著一〇七種、集外單篇四十八種，共一五五種（篇）。其分類和分卷較前諸家稍有不同，且《六譯館叢書》匯印時將數種書合為一種，或將多種單篇合為一書，故總數統計稍異。如十八中「凡例」合刊為《群經凡例》，故只統計為一種。「醫書類」的一些小書，往往附刊於其他書後，未計種數。一些單篇文章則收入「雜著類」。「附錄」系廖平年譜、傳記、學術、評論等資訊。此外，《六譯館叢書》所收《光緒會典》、《三巴金石目錄》、《長短經是非篇》以及見於雜誌的《四庫西書提要》全系抄錄舊文，別無詮解；成都玉清道院所刊《呂祖忠孝誥附考》雖署「廖平校證」，實非廖平之作。故不予收錄。

編校的原則是要保持原貌，但是廖平為了闡發自己的思想，往往有意改經，我們在點校時一般不予回改，必要時在校記中指出。底本中的異體字、俗字、避諱字，一般不強求規範；但對於其前後使用不同而有礙理解者，根據其使用頻率較高的一種酌情統一。引文與原書或通行本文字不同者，或顯系刪節，又不影響文意者，一般不出校，也不改動原文。如果引文確實有誤，或與通行本形成較大反差者，酌情出校說明。對於前人的校勘成果，我們亦擇善而從。

由於廖平著作數量很多，收藏比較分散，一些藏書機構又坐地起價，搜集資料的過程可謂一波三折，艱難之至。含辛之餘，我們仍黽勉從事，儘量搜羅，並對這些著作進行全面系統的整理校點，力圖為學界提供資料完備、校勘精良的廖平研究文獻。

本書的校點工作，主要由楊世文、舒大剛、邱進之、鄭偉承擔，其中楊世文教授組織審稿用力尤多。劉明琴、鄒豔、宋桂梅、仇利萍、張卉、吳龍燦、張玉秋、張夢雪、楊婷、薛會新等分擔了部分資料搜集校對工作。金生楊、潘斌、田君承擔了部分審讀工作。蒙默、廖名春、蔡方鹿、黃開國、郭齊、尹波等先生對編纂工作給予了極大的關心與支持。

最後我們要特別致謝的是，上海古籍出版社原社長王興康先生、原總編輯趙昌平先生，現社長高克勤先生、總編輯呂健先生，都對本書的出版給予了特別的關照；中共中央文獻研究室原主任、國際儒學聯合會會長滕文生先生，四川省政協原副主席章玉鈞先生，四川大學社科處處長姚樂野教授，都曾積極推動本書編纂與地方文化建設的結合。由於本稿的繁複性，奚彤雲、杜東嫣等同志在編輯工作中超常的精力。此情此義，真是感激莫名，謹在此一併致以衷心感謝！

由於我們的水準有限，其中可能有不少未盡人意之處，懇請識者不吝賜教。

與楊世文、邱進之、鄭偉合著，第一作者。
原載舒大剛、楊世文主編：《廖平全集》（上海市：上海古籍出版社，2015年版）。

當傳統遇上西學：

廖平在近代視域下的天學新論

魏綵瑩

中央研究院近代史研究所博士後研究

提要

本文綜觀廖平的學思歷程與時代背景，結合上當時西方天文等知識的輸入，以及政治、文化秩序受衝擊下的中國處境，試著從較寬闊的視野來審視廖平的天學思想，發掘出蘊含其間的終極關懷與時代意義。廖平不認同康有為諸人的立憲主張，主要原因也在於憂懼以君為主體的三綱價值陵夷，且他所信仰的經典秩序之美好圖像也讓他興起要從「天」去尋求最高的政治倫理依據，重建以天子（皇權）為中心的天道觀。但處在新舊不同的宇宙觀交會碰撞之際，他的思想特色也表現在時代意義上。廖平事實上已經接受西方天文學在知識層面上的研究成果，不過他認為西方天文學仍然不如中國的「天學」，這個論點建立在唯獨中國的天學所具有的宇宙文化空間之秩序觀上。他一方面要讓孔子思想可以適應時代，一方面又要守住固有的秩序，故需不斷的吸收、轉化兩邊的知識與概念，從而形成一套自己獨特的「天學」體系。雖然在廖平的主觀意識上，「天人合一」的秩序不可撼動；但是在將新知識引入孔學的過程裡，也使他在自覺或不自覺中使「天」的性質發生轉化，漸漸失去了本有的天人相應性質，有朝著自然天發展的趨向。透過廖平的詮釋，我們可以體會到傳統學術在變動時代與西學相互碰撞、矛盾來回的諸多過程中，呈現了固有思想與信仰在近代變遷的軌跡。

關鍵詞：廖平　近代經學　思想轉型　天學　天人合一

一　前言

廖平，字季平，生於一八五二年（咸豐2年），卒於一九三二年（民國21年），四川井研縣人。廖平嘗試在中國近代學術思想迷航之際，把經學扮演成一個時代的舵手，欲為中國開導一個新的方向，以實踐孔子之道為本願。在清末民初時期，於學術思想史上別開生面。他的經學歷經六變，簡述如下。初變：光緒九年至光緒十二年，論「平分今古」。二變：光緒十三年至光緒二十二年，論「尊今抑古」。三變：光緒二十三年至光緒二十七年，論「大統小統」。四變：光緒二十八年至光緒三十一年，論「人學天學」。五變：光緒三十二年至民國七年，論「人天小大」。六變：民國七年至民國二十一年，以《黃帝內經》解《詩》、《易》。他自謂的「天學」雖然從光緒二十八年的四變開始，但這指的是正式系統論述天學的學術分期時間；實際上從光緒二十三年經學三變開始，廖平便陸續的提出「天」或天人關係的探討，因此本文的論述也從這個時間點切入。

廖平自光緒二十三年以後探索地理天文，光緒二十八年後又將經學區分為「人學」與「天學」，人學是孔子為六合以內的世界立法，相對的，天學是為六合以外的世界立法，這樣的觀點一直持續到晚年，因此天學也是其經典理想的重要呈現。廖平的天學長久以來常被視為玄遠、難以理解，不過多年來逐漸有學者開啟了研究工作，也有了某些初步的成果。[1]然而對於廖平為什麼要特別著墨於天學，具體的內容，以及目的為何，仍然有諸多的問題有待深入探討闡釋。筆者綜觀廖平的學思歷程以及時代背景，認為若是能將思想的詮釋，結合上當時西方天文等知識的輸入，以及政治、文化秩序受衝擊下的中國處境，試著從較寬闊的視野來審視廖平的思想，或許更能同情的理解廖平建構天學的本意，以及發掘出蘊含其間的終極關懷與時代意義。

二　傳統天學與西方天文新知的遭遇

近代以來西方天文學的輸入，傳統知識權威逐漸崩解，人生意義根源的「天」受到了撞擊，對於一個接受傳統教育的知識分子廖平來說，生命與信仰也隨之失去了安頓，無比的焦慮感是促使廖平要重新建構一個天人關係之學說最大的動力。下文擬先討論西方天文學的傳入，以及廖平的因應之道。

1　參見孫春在：《清末的公羊思想》（臺北市：臺灣商務印書館，1985年），頁222。陳文豪：《廖平經學思想研究》（臺北市：文津出版社，1995年），頁191-192。劉雨濤：〈廖季平「天人學」探原〉，《社會科學研究》，1984年2期，頁103-109。鄧萬耕、張奇偉：〈廖季平經學第四變及其哲學思想〉，《社會科學研究》，1986年1期，頁74-79。黃開國：〈廖季平經學第四變及其評價〉，見中央研究院中國文哲研究所舉辦，「四川學者的經學研究第二次學術研討會」，2006年11月23-24日，會議論文，未刊稿。黃開國：〈從廖平的經學看經學在近代的轉型〉，收入陳勇、謝維揚主編：《中國傳統學術的近代轉型》（上海市：上海人民出版社，2011年），頁82-85。

（一）地圓說與日心地動說的傳入

欲談近代中國天學與西方天文學產生交會的過程，除了需先追溯到利瑪竇在明末率先引介的地圓說，也要同時注意哥白尼的日心地動說傳入中國的情況。明末利瑪竇等耶穌會傳教士來到中國後，對地圓學說做過不同程度的介紹，但當時的傳播範圍及士人的接受度都非常有限，其中很大的原因牽涉到中、西方知識與文化背景的差異。[2]又當利瑪竇東來時，哥白尼在一五四三年提出的西方天文學界一大革命—日心地動說，已在歐洲問世，但來華的耶穌會傳教士並未特別宣說這個知識，利瑪竇所傳播的仍是托勒密的地心說。造成此種現象的原因，學界過往普遍看法認為是哥白尼學說與基督教會所宗主之地心說處於對立的緣故，所以教士們私而不傳，選擇介紹質疑日心說的第谷體系。[3]不過江曉原有不同的觀點，他指出來華傳教士在對待哥白尼學說的態度上與羅馬教廷的拒斥不傳並非完全一致。因為明末修訂《崇禎曆書》時，教士已將哥白尼理論傳入中國，完成於崇禎七年的《崇禎曆書》共譯出哥白尼《天體運行論》裡十一章的內容，並引用哥白尼二十七項觀察記錄中的十七項。至於耶穌會士選擇第谷體系是因為當時歐洲對於日心還是地心尚在爭論不休，而第谷生前以擅長觀測享有盛譽，從測算的密合天度這一判據來看，第谷體系優於哥白尼體系，正是當時不少歐洲學者贊成第谷體系的原因。[4]

雖然《崇禎曆書》曾以中文描述哥白尼學說，但並不詳盡，而且撰文者羅亞谷（1593-1638）本人並不信此說，也影響了傳播的動力。一直到十八世紀乾隆年間法籍來華耶穌會士蔣友仁（1715-1774）的《地球圖說》才加以介紹，對傳播哥白尼太陽中心與地動學說扮演了重要的角色，[5]其中一段關鍵介紹文字云：

> 哥白尼置太陽於宇宙中心。太陽最近者水星，次金星，次地，次火星，次木星，次土星。太陰之本輪繞地球。土星旁有五小星繞之，木星旁有四小星繞之，各有本輪繞本星而行。距斯諸輪最遠者為恆星，天常靜不動。[6]

---

2 詳見祝平一：〈跨文化知識傳播的個案研究——明末清初關於地圓說的爭議，1600-1800〉，《中央研究院歷史語言研究所集刊》第69本第3分（1998年9月），頁589-645。

3 黃時鑒、龔纓晏：《利瑪竇世界地圖研究》（上海市：上海古籍出版社，2004年），頁165。

4 江曉原：〈耶穌會士與哥白尼學說在華的傳播〉，《二十一世紀》第73期（2002年10月），頁90-99。

5 杜石然編著：《中國科學技術史稿》（北京市：科學出版社，1982年），下冊，頁214。熊月之：《西學東漸與晚清社會》（上海市：上海人民出版社，1994年），頁41-42。江曉原：〈歐洲天文學在清代社會中的影響〉，收入黃愛平、黃興濤主編：《西學與清代文化》（北京市：中華書局，2008年），頁474-475。

6 〔法〕蔣友仁譯，何國宗、錢大昕潤色，阮元補圖：《地球圖說》（續修四庫全書據湖北圖書館藏清阮氏刻文選樓叢書本影印，上海市：上海古籍出版社，1997年），頁9。又見〔清〕阮元：《疇人傳》（上海市：商務印書館，1935年），第3冊，卷46，〈蔣友仁〉，頁603。

太陽為恆星，常靜不動；地球與火星、水星、木星等為行星，不惟地球有公轉，其餘諸星亦然；諸星又有衛星繞而行之，地球之衛星則為太陰，這些都是地動說的描述。蔣友仁也提到了這一學說問世以後的時人反應，謂「哥白尼論諸曜，以太陽靜、地球動為主，人初聞此論，輒驚為異說」，他也說明了為何人們會訝異於太陽靜、地球與諸星皆動的天文實相，因為「人在地面，視諸曜之行，皆環繞地球，而地似常靜不動，究不可以為地靜，而諸曜動之據也。」[7]日心地動說直接衝擊到中國的天動地靜觀，而乾嘉時期中國的士大夫學者，無論是幫蔣友仁潤飾文字的錢大昕，還是為其寫序的一代儒宗阮元都不能苟同此一說法。總之，由於《地球圖說》的成書，知道這個學說的清代重要學者或許不是太少，但真正相信的仍然很有限，直到晚清以後情況才有所轉變。

明末至清末的三百餘年間，中國學術界尚未形成西方天文地理學得以根植的土壤，當初耶穌會士所介紹的知識，無論是托勒密體系的地心說或哥白尼的日心地動說在晚清以前均未被學者留意，因而造成傳遞中斷的現象。直到鴉片戰後，隨著西學東漸，日心地動說再次經過傳播進入中國。魏源《海國圖志》百卷本第九十六卷提及哥白尼學說：「迨前明嘉靖二十年間，有伯霸尼亞人哥白尼者，深悉天文地理，言地球與各政相類，日則居中，地與各政皆循環於日球外，川流不息，並非如昔人所云靜而不動。……以後各精習天文諸人，多方推算，屢屢考驗，方知地球之理，哥白尼所言不謬矣。」《海國圖志》記載哥白尼學說的地方不少，並有地球沿橢圓軌道繞日運行的圖，[8]這可能是鴉片戰後中國人對哥白尼日心地動說的首次系統介紹。隨後傳教士或是譯介西書的學人在各通商口岸等處出版的科學讀物中多有介紹哥白尼學說者，傳播遂逐漸普及。[9]而且時代氛圍改變，加之中國人視野望向世界，學者們至此才開始真正接受地圓及地動說。大約甲午戰後，哥白尼學說已經深入中國人心，在戊戌前後表現得最為明顯。[10]

（二）廖平對哥白尼學說的接受認知

上文提到甲午戰後是哥白尼學說廣被晚清知識分子接受的時代，廖平從經學三變之

---

7 〔法〕蔣友仁譯，何國宗、錢大昕潤色，阮元補圖：《地球圖說》，頁9。

8 魏源：《海國圖志》（長沙市：岳麓書社，1998年），卷95-96、99-100。

9 例如合信於一八四九年編寫的《天文略論》，在廣州出版，系統地介紹西方近代天文學。另外還有麥嘉締於一八五〇年到一八五三年，在寧波出版的《平安通書》；哈巴安德於一八四九年編，出版於寧波的《天文問答》；一八五九年出版於上海，由偉烈亞力與李善蘭合譯英國天文家侯失勒的《談天》。王韜於一八六〇年前所編的《西國天學源流》、《西學原始考》、《西學圖說》，這些著作也都清晰的介紹了哥白尼的日心地動說。又見熊月之：《西學東漸與晚清社會》，頁152-154、171-174、193-196、271-275。

10 陳勝崑：〈哥白尼學說在中國〉，《科學月刊》第11卷第7期（1980年7月），頁55-58。郭雙林：《西潮激盪下的晚清地理學》（北京市：北京大學出版社，2000年5月），頁201、204。

後的光緒二十三年開始回應地圓及日心地動說，並探討與之密切相關的天體、宇宙觀，光緒二十八年後又將經學區分為天學與人學，這個過程中，哥白尼理論一直是被他援引以建構自己天學的學說之重要組成部分。至於廖平透過哪些東、西方文本去認知哥白尼理論？又東西方知識畢竟是不同的兩套系統，他如何去調適轉化？這些都是後文要探索的問題。

廖平在接受西方傳入的天文知識同時，有一個強烈的意識，就是要維護與抬高孔子與經典的權威性。他一方面積極吸收新知，另一方面論述這是孔子學說早已具備，包含在一切的經傳注疏，以及緯書、子書等他所謂孔經的輔翼當中。這樣的特性也表現在他對當時學人逐漸接受的地球繞日之地動說的描述上：

> 西人地動天不動之說，中人詫怪，莫之或信。及觀《尚書・考靈曜》所述，與夫《河圖》〈帝覽嬉〉之文，皆暢論四游之本旨。而〈堯典〉之「光被四表」，鄭氏康成以為四表即四游，取義吻合。至於各經注疏家，詳四游者，歷歷可指，可見中人已先西人鬯其厥詣，非西人能為中人創其奇聞也。[11]

古人所說的「地游」相當於地球的公轉運動。《尚書緯》〈考靈曜〉提到地游時說：「地有四游，冬至地上北而西三萬里，夏至地下南而東復三萬里，春秋分則其中矣。地恆動不止，人不知，譬如人在大舟中，閉牖而坐，舟行，不覺也。」又曰：「地與星辰四游，升降於三萬里之中……」[12]《河圖》〈帝覽嬉〉也有四游的內容：「立春，星辰西游，日則東游。春分，星辰西游之極，日東游之極，日與星辰相去三萬里。立夏，星辰北游，日則南游。夏至，則星辰北游之極，日南游之極，日與星辰相去三萬里。」、「立秋，星辰東游，日則西游。立冬，星辰南游，日則北游。秋分，星辰東游之極，日西游之極。冬至，星辰南游之極，日北游之極。相去各三萬里。」[13]由於緯書中有許多古代天文知識，因此廖平常徵引緯書以說明其中的內容是當今西方天文地理之所本。[14]

除了傳達經典微言的緯書以外，廖平也列舉各種經學注疏內容中有關於「四游」的解說者。例如《尚書》〈堯典〉的「光被四表」，鄭玄引緯書解「四表」為四游；又鄭玄注《周禮》〈地官・司徒〉、《禮記》〈月令〉，都提到地有升降、星辰有四游，而分別為

---

11 廖平：〈四游說〉，收入氏著：《地球新義》（1935年孟冬，開雕版藏，現存於北京國家圖書館），卷下，頁53a。

12 《尚書緯》〈考靈曜〉，收入安居香山、中村璋八輯：《緯書集成》（石家莊市：河北人民出版社，1994年12月），上冊，頁344-345。

13 《河圖》〈帝覽嬉〉，收入安居香山、中村璋八輯：《緯書集成》，下冊，頁1114。

14 例如廖平曾說：「諸緯言天球河圖，即今西人全球之所本，……欲求中國古義，以實西人之說，非緯不能平。」見廖平：〈諸緯經證序〉，收入高承瀛等修、吳嘉謨等纂輯：《光緒井研志》（臺北市：臺灣學生書局，1971年），〈藝文志〉，頁776-777。引文中的「天球河圖」，廖平一反傳統注疏的說法，而解之為天體與地球的世界地圖。

《周禮》、《禮記》鄭注作疏的唐代賈公彥、孔穎達又在承認鄭注的前提下對四游的說法再加以疏解。[15]既然注疏中不乏地動說的依據，廖平還要說明經文本身就有地動的直接表述，只是前人不曾體會。例如他對《詩經》〈關雎〉的「悠哉悠哉，輾轉反側」作了新解，曰：「悠，音義近游。……悠哉悠哉，即謂游行也。……輾轉反側，即地球之繞日四游。」又曰：「考西人四游，地球繞日，有輾轉反側之形，則〈關雎〉之輾轉反側以之訓四游，尤為切合。日在中，地以四游繞之而成四時。」[16]以「輾轉反側」來解說地球繞日時，同時自轉與公轉的樣態，這當然是以己意附會解經，但必須了解他最終無非是要表達，令今人「詫怪」的、西方傳入的「地動天不動」之說，不論是在經文本身、或者表達經典微言的緯書，以及漢唐學者解經的注疏中都可得見，足見西方天文知識並不足奇，那是孔子思想本已具足的。

廖平亦將經傳注疏中關於日心地動的說法與哥白尼理論的內容互相排比對讀，以下擇要列出 A、B、C 三組例子，期能更清楚呈現他欲將西方天文知識納入傳統經學體系的方式：

	廖平引經文	廖平引鄭玄注、孔穎達疏	廖平闡發哥白尼說
例 A	《周禮》〈地官・司徒〉：日至之景，尺有五寸者，謂之地中，天地之所合也，四時之所交也，風雨之所會也，陰陽之所合也。[17]	鄭注，景尺有五寸者，南戴日下萬五千里，地與星辰，四游升降於三萬里之中，是以半之得地之中也。[18]	侯失勒《談天》云，地自轉，故地平界之東半向下行，而西半向上行，然其行人不能覺，故反疑諸曜漸移，見地平界掩星而曰入地平焉。[19]
例 B	《禮記》〈月令〉。[20]	鄭注〈考靈曜〉云，地蓋厚三萬里。春分之時，地正當中，自此地漸漸而下。至夏至之時，地下游萬五千里，地之上畔，與天中平，夏至之後，地漸漸向上。至秋分，地正當天之中央，自此地漸漸而上。至冬至，上游萬五千里，地之下	歌白尼論春、夏、秋、冬四季之輪流，亦由地運動而生。地球所循之本輪，相應於渾天之黃道，地兩極之軸斜行於黃道之軸，而地赤道斜行於本輪各二十三度半，是為黃赤距緯。地循本輪，其軸恆斜，而其極恆向天之

15 廖平：〈四游說〉，收入氏著：《地球新義》，卷下，頁53a-59a。

16 廖平：〈四游說〉，收入氏著：《地球新義》，卷下，頁55a-59b。

17 廖平：〈四游說〉，收入氏著：《地球新義》，卷下，頁55b。

18 廖平：〈四游說〉，收入氏著：《地球新義》，卷下，頁55b。

19 廖平：〈四游說〉，收入氏著：《地球新義》，卷下，頁56a。

20 廖平：〈四游說〉，收入氏著：《地球新義》，卷下，頁56a。

	廖平引經文	廖平引鄭玄注、孔穎達疏	廖平闡發哥白尼說
		畔與天中平。至冬至後，地漸漸而下。此是地之升降於三萬里之中。[21] 孔穎達疏云，二十八宿之外，上下東西各有萬五千里，是為四游之極，謂之四表。據四表之內，並星宿內總有三十八萬七千里，然則天之中央上下正半之處則一千九萬三千五百里，地在其中，是地去天之數也。[22]	兩極。設地球之與太陽應者，在赤道北二十三度半，此處見太陽於天頂，此時地旋轉於本心，則見太陽於夏至圈繞地左行，北方之晝長，南方之晝短。夏至後第八日為太陽最高之時，因此時地距太陽最遠故也。地循本輪與太陽應者漸近赤道，太陽正當地之赤道，此時地旋轉於本心，則見太陽於赤道圈旋行，而晝夜適平。秋分後，地球與太陽應者漸距赤道向南，在赤道南二十三度半，此時地旋轉於本心，則見太陽於冬至圈繞地左行。冬至後第八日，是為太陽最卑之時，因此時地距太陽最近故也。地循本輪與太陽應者漸近赤道，則見太陽於赤道圈旋行。地行本輪一周，人從地面視之，則見太陽於黃道上循行一周，而為一歲矣。[23]
例C	《禮記》〈月令〉。[24]	鄭注〈考靈曜〉云，天旁行四表之中，冬南、夏北、春西、秋冬，皆薄四表而止。地亦升降於天之中，冬至而下，夏至而上，二至上下，蓋極地厚也。地與星辰皆有四游升降，四游者，自立春，地與星辰西	《地球圖說》，水、金、地、火、木、土六曜之本輪旋繞乎太陽，太陰之本輪旋繞乎地球，而土、木二星又各有小心之本輪繞之。然太陽、地球、土、木非為各本輪之中心，而微在其一偏，

21 廖平：〈四游說〉，收入氏著：《地球新義》，卷下，頁56b。

22 廖平：〈四游說〉，收入氏著：《地球新義》，卷下，頁56a。

23 廖平：〈四游說〉，收入氏著：《地球新義》，卷下，頁57a-57b。

24 廖平：〈四游說〉，收入氏著：《地球新義》，卷下，頁57b。

	廖平引經文	廖平引鄭玄注、孔穎達疏	廖平闡發哥白尼說
		游，春分，西游之極，地雖西極，升降正中，從此漸漸而東，至春末復正。自立夏之後北游，夏至，北游之極，地則升降極下，至夏季復正。立秋之後東游，秋分，東游之極，地則升降正中，至秋季復正。立冬之後南游，冬至，南游之極，地則升降極上，至冬季復正。此是地及星辰四游之義也。[25] 孔穎達疏云，地有升降，星辰有四游。[26]	其相距之數，各為兩心差。歌白尼將此諸輪作不同心之圈，而刻白爾（筆者案：刻卜勒）細察游曜之固然，證此諸輪皆為橢圓。[27]

從以上表格中的內容可以看到廖平認識哥白尼理論的主要西學來源包括蔣友仁的《地球圖說》以及《談天》一書。《談天》為偉烈亞力與李善蘭合譯，一八五九年出版於上海，係英國天文學家侯失勒[28]（1791-1871）的名著，所譯為一八五一年的原書版。是書在上海出版之後十五年，徐建寅（1845-1901）又把一八七一年新版的最新天文學成果補充進書中，一八七四年由江南製造局出版了增訂版。書中對太陽系結構和行星運動有詳細的敘述，是一部自成系統的學術著作。[29]又廖平曾讀《海國圖志》，[30]其中也有不少哥白尼學說的介紹，這些都屬廖平閱讀世界的一部分。

再者，廖平詮釋天文學的方式，從表格的引文來看，主要從古籍特別是《尚書緯》〈考靈曜〉的「地有四游」之觀念發揮，並與哥白尼的學說相互牽引。「地有四游」指一年春夏秋冬四季，地各游至一處。冬至，地經北向西游到三萬里處；夏至，地經南向東游三萬里回到起點處。春分，地游到經北向西所經過的弧形軌道中間；秋分，地則游到經南向東所經過的弧形軌道中間。這種類似地球公轉的說法應是古人觀察天象後的猜測。中國古代很早就知道通過對天象的觀察、星宿位置的變化來確定四季，如〈堯典〉

25 廖平：〈四游說〉，收入氏著：《地球新義》，卷下，頁57b-58a。

26 廖平：〈四游說〉，收入氏著：《地球新義》，卷下，頁57b。

27 廖平：〈四游說〉，收入氏著：《地球新義》，卷下，頁58a-58b。

28 侯失勒的生平，可參見《談天》卷首的〈侯失勒約翰傳〉。

29 鄒振環：《影響中國近代社會的一百種譯作》（北京市：中國對外翻譯出版公司，1996年），頁49-52。

30 廖平：〈繙譯名義敘〉，收入氏著：《地球新義》，卷上，頁5a-6a。廖平：〈大共圖考序〉，收入高承瀛等纂修，吳嘉謨等纂輯：《光緒井研志》，〈藝文志〉，頁824。

和〈夏小正〉也都有這方面的記載。陳遵嬀推測《尚書緯》〈考靈曜〉提到的星辰四游，這種對地游的認識應來自於人們仰觀天象的感知。而且緯書出自西漢末年，西漢生產力的發展與科技水準的提高可能也間接帶動了對天象的敏感度。例如《漢書》〈食貨志〉記載當時已能製造十餘丈高的大樓船，人們若乘坐其中勢必無法覺知船的行進，僅能見到外面景物向後運動，古人也許就在這種情況下悟出地在移動的道理。〈考靈曜〉把地不斷在旋轉，人卻無感的情形比擬人坐於舟中，舟行而人不覺，與哥白尼在《天體運行論》中的比喻幾乎毫無二致。[31]因此先撇開廖平以己意解經的層面不談，他所認知的中國本有地圓與地動之說並非毫無傳統依據。又例如中國古代宇宙體系最為通行的雖然是周朝即已存在的天圓地方概念之「蓋天說」，但秦漢以後又有「渾天說」、「宣夜說」。《晉書》〈天文志〉解釋渾天說曰：「渾天如雞子，天體圓如彈丸，地如雞子中黃，孤居於天內」，以天如雞卵，地如卵黃，天包著地，地在天中，可說是一種類似地圓說的宇宙體系，只是它對日、月、列宿距離地之遠近及彼此之間的旋轉方式均無詳說。又如前文提到《尚書緯》〈考靈曜〉、《河圖》〈帝覽嬉〉等緯書中不少關於地動的說法，已經隱隱透漏出地與星辰是圓轉之物的概念。此外，《春秋緯》〈元命苞〉有「天左旋，地右動」之語，《河圖》〈括地象〉也說「天左動起於牽牛，地右動起於畢」，[32]牽牛為牽牛星，畢是二十八宿之一。戰國的《尸子》與東漢的《白虎通義》〈天地〉都有天向左旋、地向右動的描述，[33]宋代張載的《正蒙》〈參兩篇〉曾討論到地與天的問題，他承認地圓地動，但不相信天旋。[34]

---

31 陳遵嬀：《中國天文學史》（臺北市：明文書局，1990年2月），第6冊，頁1821-1822。陳遵嬀以漢代科技的提升應可增進人們對天象的敏感度。如《漢書》指出：「是時粵欲與漢用船戰逐，乃大修昆明池，列館環之。治樓船，高十餘丈，旗織（幟）加其上，甚壯。」樓船規模之大，足見建造水準之高。參見〔漢〕班固撰，（唐）顏師古注，楊家駱主編：《新校本漢書并附編二種二》（臺北市：鼎文書局，1986年），〈食貨志〉第四下，頁1170。又出自西漢末的《尚書》〈考靈曜〉說：「地有四游，……恆動而不止，人不知。譬如人在大舟，閉牖而坐，舟行不覺也。」將樓船建造與〈考靈曜〉內容合看，可以感覺到古代科技知識與天象推測的聯繫。

32 《春秋》〈元命苞〉、《河圖》〈括地象〉之文分別見於安居香山、中村璋八輯：《緯書集成》，中冊，頁599；下冊，頁1090。

33 《尸子》中有言：「天左舒而起牽牛，地右闢而起畢昴。」見（戰國）尸佼撰，〔清〕汪繼培輯：《尸子》（臺北市：中國子學名著集成編印基金會，1978年），頁507。《白虎通義》有言：「天道所以左旋，地道右周，……左旋右周者，猶君臣陰陽相對之義。」見〔漢〕班固：《白虎通義》（臺北市：世界書局，1986年），卷下，〈天地〉，頁559。

34 張載曾說：「地在氣中，雖順天左旋，其所系辰象隨之，稍遲則反移徙左右爾；間有緩速不齊者，七政之性殊也。」又說：「凡圓轉之物，動必有機，既謂之機，則動非自外也。古今謂天左旋，此直至粗之論爾，不考日月出沒、恆星錯曉之變。愚謂在天而運者，惟七曜而已。……太虛無體，則無以驗其遷動於外也。」可知他承認地圓與地動，但以天旋之說的推理缺乏說服力。見（宋）張載撰，〔清〕王夫之注、湯勤導讀：《張子正蒙》（上海市：上海古籍出版社，2000年），卷1，〈參兩篇〉，頁101-102。

雖然古代存在著上述這些零星的地動思想言論，但由於長期以來天圓地方、天動地靜的主流思想籠罩了整個思想界，在人們心中根深柢固，導致地動說從來沒有引起足夠的重視。而廖平在晚清不斷強調以孔子為中心的古籍早有地動、地球繞日的概念，就知識接受的歷程來說，他其實是先受到西方天文學的觸動，再回過頭來審視尋求中國本有的非主流說法。在他極力要將兩者畫上等號的過程中，也顯示出其已先接受並深信哥白尼理論。晚清與廖平一樣持日心地動說古已有之者不少，例如邵懿辰、張德彝、唐才常、譚嗣同的文集著作中都有過類似的言論，[35]可說是西學中源說的一種反映，[36]不過廖平基於尊孔尊經，把這個傳統學術的根源都上溯到聖人孔子。其次，廖平視西方現有的科學知識從中國孔子以後早已有之，但是中國的天學理論有更勝於西方天文學的地方，這是廖平所以要闡發傳統天學精義的重要原因，也是下文所要呈現的重點。

三　以尊王為中心秩序的天道象徵

要深入討論廖平的天學時，必需先了解中國傳統的天學特色。由西方傳入的「天文學」是一個純屬自然觀的領域；但是傳統天學的自然觀總是與人文社會關密切聯繫在一起，古代儒家圍繞天道觀展開的論爭，往往關懷的是人間的現況。例如明代沈榷曾攻擊西洋天文曆法的解說方式，是一個例子：

> 天無二日，亦象天下之奉一君也。惟月配日，則象于后，垣宿經緯，以象百官；九野眾星，以象八方民庶。今特為之說曰「日月五星，各居一天」，是舉堯、舜以來中國相傳綱維之最大者而欲變亂之。[37]

---

35 郭嵩燾曾在日記中記述邵懿辰與他談論西方天文學時指出：「地本靜，而天以氣鼓之，即《易》所謂承天而時行也。張子《正蒙》已主此說。近日西洋暢發其說，以日為主，五星環之，地輪又環其外。」見《郭嵩燾日記》（湖南市：湖南人民出版社，1980年），卷1，頁26。張德彝隨郭嵩燾出使的日記中也因自己坐大輪船的經驗寫道：「按《尚書緯》〈考靈曜〉云：『地常動不止，而人不知，譬如在大舟閉牖而坐，舟行而人不覺。』是華人早有先見也。當日彝在艙中，閉目靜坐，……又焉知船向南渡耶？」見張德彝：《隨使英俄記》（長沙市：岳麓書社，1986年），頁285。戊戌運動期間，唐才常曾說：「西人格致之學，其理多雜見周、秦諸子，其精者不能出吾中國聖賢之道，即《朱子語類》中，如論地動、論空氣、論雷電，已多與西士暗合。」見《唐才常集》（北京市：中華書局，1980年），頁228。同一時間，譚嗣同也認為：「地圜之說，古有之矣。惟地球五星繞日而運，及寒暑晝夜潮夕，則自橫渠張載發之。」見《譚嗣同全集》（北京市：中華書局，1981年），上冊，頁123-124。諸人的言論，又見郭雙林：《西潮激盪下的晚清地理學》，頁209。

36 清代西學源出中國說的討論，可參全漢昇：〈清末的西學源出中國說〉，《嶺南學報》第4卷第2期，廣州，1935年刊。江曉原：〈試論清代「西學中源」說〉，《自然科學史研究》第7卷第2期（1988）。王爾敏：〈中西學源流所反映之文化心理趨向〉，收入氏著：《中國近代思想史論續集》（北京市：社會科學文獻出版社，2005年），頁54-60。王揚宗：〈「西學中源」說在明清之際的由來及其演變〉，《大陸雜誌》第90卷第6期（1995年6月）。

37 沈榷：〈參遠夷疏〉，收入徐昌治訂：《聖朝破邪集》（臺北市：華宇出版社，1986年），頁8。

將天上的日月星辰與與人間帝、后及眾百官的秩序互相對應，這種天人之際的色彩是中國天學的特色。又如之前提到阮元不能接受蔣友仁的《地球圖說》，主因如同他在《疇人傳》中對哥白尼日心地動學說的批評：「上下易位，動靜倒置，則離經畔道，不可為訓，固未有若是甚焉也。」[38]清代學者呂吳調陽於一八七八年寫了一本《談天正義》，持論類似阮元，堅持天文學必須「本之大易」，並且嘆道：「嗚呼！天道之不明，聖教其將絕矣。」[39]很明顯的，阮元、呂吳調陽最終關心的不在於天文科學知識的正確與否，而是貫串天人的聖教是否遭到了紊亂或被打破。[40]即使後來的嚴復、康有為論改革，也經常用「天道」來說明「人道」，用自然界的變化發展說明社會變革的必要性和必然性。嚴復在《天演論》中說「天道變化，不主故常」，「不變一言，決非天運」。[41]矛頭直接指向董仲舒「天不變，道亦不變」的形上學觀點。康有為曾在萬木草堂講述宇宙非一成不變，太陽系有其生成和演化的過程，並從中得出這樣的結論：「天地之大德曰生，生生之謂易。聖人只做得生生二字，天下之理只一『生』字。」[42]總之，把自然觀中的生生、變易思想結合到人文社會觀中，以說明改革的重要性，這也是天人合一概念的推衍。[43]而廖平視中國的天學更勝西方天文學一籌的，也正在於天學中蘊含了人間價值的源頭。但究竟廖平所要強調的這個根源於天的價值是什麼，是後文要探索的重點。

對中國人來說，傳統「天圓地方」宇宙觀的空間感支持著社會和政治的秩序，也就是說中國天學呈現的宇宙觀是政治、倫理等知識的基礎。但是地圓說衝擊了這個框架，因為大地變為圓形的球體，僅為諸星之一，球面上沒有中心和邊緣，如此則中國過去根深柢固的天圓地方、中央與四方等預設的基礎將不能成立，這也是何以地圓思想在明末

38 阮元：《疇人傳》，第3冊，卷46，〈蔣友仁〉，頁610。

39 轉引自鄭文光、席澤宗：《中國歷史上的宇宙理論》（北京市：人民出版社，1975年），頁1104。

40 李善蘭於一八五九年為《談天》作序時有言：「西士言天者，曰恆星與日不動，地與五星俱繞日而行。議者曰，以天為靜，以地為動，動靜倒置，違經畔道，不可信也。……竊謂議者未嘗精心考察，而拘牽經義、妄生議論，甚無謂也。」這段話指向阮元等人將客觀的宇宙研究拘牽經義的無謂與荒謬。見（英）侯失勒撰、偉烈亞力譯，李善蘭刪述、徐建寅續述：《談天》（《續修四庫全書》據華東師大圖書館藏清咸豐刻同治增修本影印原書版，上海市：上海古籍出版社，1997年），李善蘭序，頁1。不過阮元等人在那個時代的言論所反映者，正是傳統知識分子的天人學之最終關懷，我們需抱以同情的理解。

41 嚴復：《天演論》（《續修四庫全書》據北大圖書館藏清光緒盧氏慎始基齋刻本影印原書版，上海：上海古籍出版社，1997年），〈導言一〉，頁1。

42 康有為講述、黎祖健恭錄，蔣貴麟校訂：《南海康先生口說》（臺北市：臺灣商務印書館，1987年），〈學術源流三〉，頁13。

43 當代學者對康有為結合自然觀與人文社會觀的討論，主要有房德鄰：《儒學的危機與嬗變：康有為與近代儒學》（臺北市：文津出版社，1992年），頁128-129。張灝著，高力克等譯：《危機中的中國知識分子：尋求秩序與意義》（北京市：新星出版社，2006年），頁37-65。楊貞德：〈「天生人」與「天上人」：試析康有為民國時期的天論〉，發表於中央研究院文哲所「禮與倫理」研究群主辦，「造化與造物：現實與想望的交織」學術研討會，2010年11月26日，會議論文，未刊稿。

及清末會引起震撼的重要原因。接著，哥白尼的日心地動說又動蕩了天動地靜、天尊地卑的本來牢不可破之價值。嚴復曾說：「波蘭人哥白尼盡破地靜天動舊說，證地為日居行星之一，歲歲繞日。……喟然嘆曰：偉哉科學！五洲政治之變，基於此矣。」[44]在傳統中國知識、思想與信仰世界中，人們總是以道德的自覺性、國家政治與家族倫理的同一性以及社會秩序的有序和諧為文明價值的中心，而且總是以為在這一點上中國優於西洋，但這種自信逐漸受到了嚴厲的挑戰，[45]因為以往被認定的牢不可破之價值，如今未必是真價值。站在天人關係的思維來看，人世秩序被挑戰與天學秩序受衝擊可說是一體的兩面。例如嚴復從哥白尼的學說，同時帶出了政治變革的問題，他認為自然界既然已不再是天尊地卑，那麼政治制度當然能夠順時而變，尊者可以不再尊，卑者可以不再卑，這個想法與晚清民權思想這一重大議題有關。甲午戰後，民主、民權，以及與之密切相關的議會觀念逐漸萌芽茁長，戊戌前後大興，但也引起甚烈的爭論，[46]這些都是廖平建立自己學說的重要背景。

廖平在甲午戰後幾年要重新詮釋天學，其實何嘗不是深感人世秩序、意義世界的逐漸「崩解」，他要從「天」的源頭去詮說什麼樣的價值是不可撼動的。處在西方天文學傳播已經普及的晚清，在知識上，他已無法像阮元等人的否認日心說或地動說，那麼他如何處理這些新的天文觀念與自己心中固存的宇宙觀之間的關係呢？我們試著從廖平於光緒二十三年間所作的〈八行星繞日說〉的內容來分析：

> 按西人新著八行星之一論，大致先以太陽為太空之心，而八行星繞之。（廖平自注：八行星皆繞日四游，《詩》言「游」言「行」，皆法行星。）行星有六：一曰金，二曰水，三曰地，四曰火，五曰木，六曰土。月為地球之小星，周圍地球隨地而繞太陽，此皆中國儒先所早知，不僅西人言之也。西人近又測得二行星，曰天王、曰海王。八行星之小星如月者共計有二十：地球有一，海王有一，火星有二，木星有四，土星有八，天王星有四。……是日為天子，八行星如八伯各占一州，向日繞行，即四正四隅，分布八方，以衛帝座也。[47]

引文中的「西人新著八行星之一論」，是指英籍傳教士李提摩太所著的〈八星之一總

44 嚴復：《政治講義》，《嚴復集》（北京市：中華書局，1986年），第5冊，自敘，頁1241。

45 葛兆光：《七世紀至十九世紀中國的知識、思想與信仰》（上海市：復旦大學出版社，2000年），頁589。

46 王爾敏：〈晚清士大夫對於民主政治的認識〉，收入氏著：《晚清政治思想史論》（南寧市：廣西師範大學出版，2005年），頁190。又參見湯志鈞：《戊戌時期的學會和報刊》（臺北市：商務印書館，1993年），第4章，頁143-219。

47 廖平：〈八行星繞日說〉，收入氏著：《地球新義》，頁27b-28a。

論〉，刊登於光緒十八年十一月的《萬國公報》中。[48]廖平在承認日心說的同時，不忘強調各行星：金星、水星、地球、火星、木星、土星，六星繞太陽，是「儒先所早知」的。他也得知西方近來又測得天王、海王二星，共八大行星，有些又有各自的小衛星繞行，若我們把廖平所認知的八大行星繞日繪成示意圖如下：

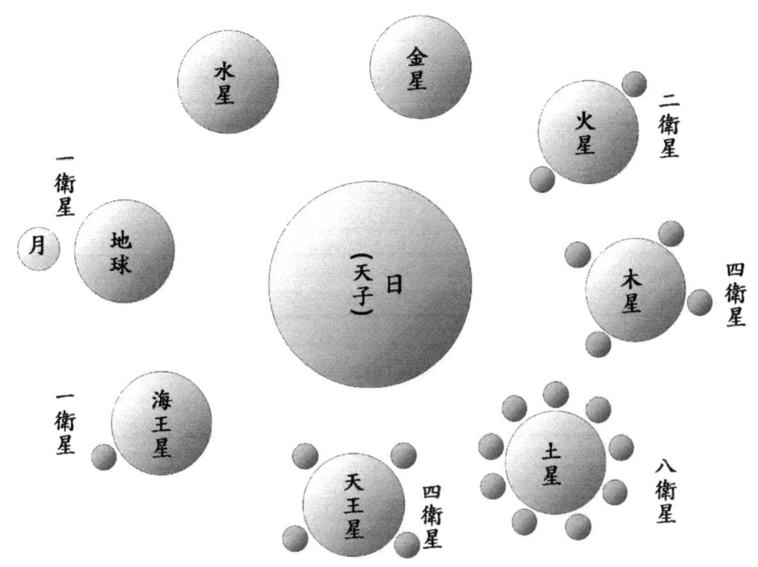

廖平的八大行星繞日及其附屬衛星示意圖

他指出八星繞日正是符合經典所昭示的秩序：以太陽比擬天子居中央，八行星如八伯，分布八方以「衛帝座」。這個根據主要來自於《禮記》〈王制〉：「天子百里以內共官，千里之內以為御。千里之外，設方伯。……八州八伯。」〈王制〉以四海之內有九州，中央一州為天子之王畿，其餘八州分屬八伯，廖平以為這是貫通群經的制度，核心精神在於尊奉天子：

> 然則天子居王畿，八伯各主一州，群經之所同，非獨〈王制〉一篇之私言也。……九州亦如田制，一夫百畝，公田居中，八家同養公田，即拱衛神京之意也。……博士之義，凡事推本於天，聖人法天而行，不敢以私意制作。……《禮》云「大報天而主日」，按，天無方體，以日主之。又日為君象，《孟子》所謂「天無二日，民無二王」是也。以列宿比諸侯，所謂十二諸侯聚於王庭，此皆自古相傳，日為天子，星比列辟之舊解也。[49]

48 （英）李提摩太著，蔡爾康譯：〈八星之一總論〉，《萬國公報》第46冊（1892年11月，臺灣華文書局影印合訂本第21本），頁13182。

49 廖平：〈八行星繞日說〉，收入氏著：《地球新義》，頁27a-27b。

廖平論天子與八伯的關係，亦猶如井田之制，天子如公田居中，其他八家同養公田，即「拱衛神京」之意。他推崇西漢博士的聖人法天思想，這主要來自於今文家，例如董仲舒的《春秋繁露》就曾說「聖者法天」、「天者，百神之大君也」，[50]凡事推本於天。既然要法天而行，廖平接著發揮一己的重點所在：天之道在於以「日」為尊。他引《禮記》〈郊特牲〉的郊祭之禮「大報天而主日」一句作為論據。鄭玄注云：「大猶徧也。天之神，日為尊。」孔穎達《疏》曰：「天之諸神，莫大於日，祭諸神之時，日居諸神之首，故云日為尊也。」[51]郊祭時，要徧祭各天神，而天神中又以日神最為尊貴。〈郊特牲〉的注疏僅止於說明祭天以日為主，但廖平又援引《孟子》〈萬章〉中的「天無二日，民無二王」概念，將「日」的象徵與天子、君緊密地聯繫在一起，透過古已有之的日與君之比擬，大力發揮尊奉一君的理念。又廖平指出，繞日的行星若觀察時見到有「升降遲留伏逆」的情形，就好比地上的天子諸侯之間有巡狩朝覲往來之禮一樣；且八大行星又都有各自的小星圍繞，這也如同〈王制〉所說的，每一州的方伯都有自己的屬國，各有疆域。而且圍繞各八大行星的小星甚多，除了常見者以外，較遠或不可見者，猶如地球中的夷狄，位處荒遠，來去無常，天子所不治理，即是傳統所謂的「王者不治夷狄論」[52]之天道展現。總之，這是一個以天子為中心，八伯環列，由內到外的結構是君主、華夏、夷狄，有中央、有四方，是個尊卑有序的天上世界。近人陳德述曾批評廖平的比附，曰：「行星繞日運動是自然現象，以天子為中心的行政組織是社會現象。所謂『升降遲留伏逆』是我們觀察星球運動的視覺結果，與『巡狩朝覲往來』風馬牛不相及。……純粹是主觀主義的附會，沒有任何客觀的必然聯繫。」[53]我們無法說這樣的批評不對，但是站在思想史的角度，還可以更深一層的去體察廖平表述背後的所以然，因為將天道、人事相結合，正是傳統的天學精神。

再回到廖平的尊君之說上。在廖平之前，乾嘉時期的阮元以日心地動說顛倒乾坤，不足為訓；嚴復則以為這破除了天動地靜的宇宙觀，正好可以順理成章的改變陽尊陰卑、君權獨尊的成說，發揮民主平等的理想。廖平於此卻作了一個巧妙的轉化，在接受日心說的學理下，同時又將以「日」為中心的「天道」與尊君思想作一個緊密的結合，將人君的尊貴繫屬於最高的價值根源。他何以要如此的維護君主權威？首先是如同先前

---

50 見《春秋繁露》〈陰陽終始〉、〈郊語〉。又《漢書》〈董仲舒傳〉的天人三策也具體表現了董子的天人思想。見班固撰，顏師古注，楊家駱主編：《新校本漢書并附編二種二》，〈董仲舒傳〉，頁2500-2516。

51 鄭玄注，孔穎達正義：《禮記正義》，頁497。

52 在何休的《春秋公羊傳解詁》就有「王者不治夷狄」的觀念，宋代的蘇軾專門寫了〈王者不治夷狄論〉，成為系統的理論。見蘇軾：《蘇軾文集》（北京市：中華書局，1986年），卷2，頁43-44。這套思想落實在歷代以來統治者對邊疆地區的治術上，就是「羈縻」政策。

53 陳德述：〈著名今文經學家廖平的哲學思想〉，收入氏著：《儒學文化新論》（成都市：巴蜀書社，2005年），頁416。

所說的傳統宇宙觀的動搖。原本「天圓地方」的概念是結合了宇宙與倫理的秩序，天體呈圓形，地則開展為井字的方形，天地有一個象徵皇權的中心，向外推衍成差序格局，便成為中國（以皇帝為中心）居中的文化心理，現在西方地理天文學知識的激盪，使得人們的主要信仰也被撼動了。與天道觀受衝擊難以分割的另一面，是甲午戰爭的刺激。

甲午戰爭的刺激對廖平天道理想的建構有密切關係。根據上述廖平將八大行星繞日說與《禮記》〈王制〉互相闡發，可以感覺到他提出的天道上之政治組織圖像，似乎是各大諸侯國之下，又各自有著所屬的若干更小的政治實體，但是他們均尊服於最高的天子地位。這其實是經典中，特別是《春秋》的理想天下秩序。他此處特舉〈王制〉的制度架構，是因他視〈王制〉為群經之制，[54]又廖平思路中的經學非史實，是孔子託古為今後萬世所立之法，所以未來世界上的國際實體間的關係將會逐漸進化為〈王制〉的經典秩序，這當然是體現廖平個人的想望。由於中國的天下圖景和禮儀系統原本建立在中央與邊緣、內與外的封貢體係模式上，但甲午戰敗使中國的天下體系與禮儀規範徹底瓦解，藩屬國一一脫離中國，中國被迫進入條約體系下國家對國家的西方國際秩序下，僅是萬國之一，再也不處於天下的中心。廖平期待能夠用孔子的義理重構新的世界圖像，再次尋回中國居於中心的位置，除了是民族自尊的心態外，還包括他本身對於經典中封建秩序的嚮往。〈王制〉中的各諸侯國之間或是諸侯國與從屬國之間是靠著禮制的尊卑等級來維繫，是「大字小、小事大」的有禮有序之倫理關係，倫理的頂端、中心是天子或皇帝。在廖平看來，這自然優於以西方為主體的「強凌弱、眾暴寡」之國際現狀。[55]他希望這套經學價值可以逐步將全球納入大一統的秩序裡，這是他理想的世界觀，接著把這套理想投射到天上，結合哥白尼的太陽系理論，作為價值根源的建構。

也因著甲午戰敗，一些知識分子開始進入傳統政治制度的根本進行審視，包括對議會制度的討論與提倡，矛頭已經直接指向君主政體。本來，天子不僅是一個帝國的統治者，而且是宇宙和諧的「天」之最高代理人，它的制度基礎是建築在三綱思想為中心的價值觀上。但是當帝制無法應付當前的政治危機，連帶的失去了道德的威信，傳統秩序的思想基礎也開始被質疑。[56]大約在戊戌變法前後，儒家的價值系統第一次受到比較全面的挑戰，是以康有為為首的變法主張。康有為的改制雖以孔子之名，其實是以西方的政治為藍圖，要讓西方的立憲、民主取代君權獨尊的政體。康有為亦將政治理論植根於自己所發揮的一套宇宙論中。在他的思想裡，「天」或宇宙由陰、陽二氣交互作用而形成，是具有意志、情感和創生能力的有機體，萬物皆由天所生，與天同氣。[57]而「天

54 廖平：《古學考》，《廖平選集》，上冊，頁116-117。

55 廖平：《大統春秋公羊補證》（光緒32年，則柯軒版），卷2，頁42b-43b。

56 張灝對於傳統宇宙觀受衝擊而動搖的議題有不少討論，見於其多部著作中。參見氏著：《烈士精神與批判意識》（臺北市：聯經出版公司，1988年），頁15-17；《危機中的中國知識分子：尋求秩序與意義》，頁6-9、216；《時代的探索》（臺北市：中央研究院，2004年），頁21-23。

57 康有為：《春秋董氏學》（北京市：中華書局，1990年），〈春秋微言大義第六上〉，頁126-144。

者，仁也」，人均秉受天之氣所生，有天賦的道德修養能力，因此每個人都為天之子，是為「天民」，所以人人皆獨立而平等，並由此推導出自由、平等和民主，是與天同氣的人類順應天道之「仁」的必然結果。[58]從這裡也可以見到，康有為對君權的看法雖與廖平有巨大差異，類同的是兩者都將自己的價值上溯於天，不脫「天人合一」的思維，深具那一代受傳統教育下的知識分子特色。雖然康有為衝蕩了君權，但畢竟沒有直接攻擊儒家。最先向儒家價值系統公開發難的是譚嗣同，他在《仁學》中對傳統的名教綱常提出了尖銳的批判。[59]約略同時，也陸續有人從平等的角度主張改變原來以三綱為主體的道德與倫理標準，激起了強烈的反駁與批判，例如蘇輿所編的《翼教叢編》之言論，頗能代表反對者的心聲。

廖平不認同康有為諸人的立憲主張，主要原因也在於憂懼以君為主體的三綱價值陵夷，且他所信仰的經典秩序之美好圖像，也讓他興起要從「天」這個根源去維護他心目中自孔子以來所獨有的無可取代之價值，從「天」去尋求最高的政治倫理依據，重建以天子（皇權）為中心的天道觀。但處在新舊不同的宇宙觀交會碰撞之際，兩者之間存在著斷裂，他的思想特色也表現在時代意義上。我們必須強調，廖平並不否認，而且是接受西方天文學在知識層面上的研究成果，正因如此，他才要宣稱以孔經為主體的傳統典籍已經具備當今的天文知識，例如哥白尼學說。不過重點在於他認為西方天文學仍然不如中國的「天學」，這個論點建立在唯獨中國的天學所具有的宇宙文化空間之秩序觀上，這個秩序觀被他視為孔子思想的精義，是始終要堅持的。他一方面要讓孔子思想可以適應時代，一方面又要守住固有的秩序，故需不斷的吸收、轉化兩邊的知識與概念，從而形成一套自己獨特的「天學」體系，而且隨著時間，他的構思也愈加細緻。

四　天、人秩序：六合之外與六合之內

（一）《詩》、《易》為統宗的六合之外世界

廖平在光緒二十八年（1902）時經學進入了四變的階段，此時已進入了二十世紀。二十世紀的頭十年與十九世紀的末十年已經很不一樣，翻譯與傳播的西書越來越多，廖平在時代背景下努力的吸收新學，一邊持續著之前對「天」的知識建構，而且時代愈後，愈趨完密。他這個時期論經學最大的特色是將經學統領的學術劃分為兩大領域：人學與天學；人學是孔子為六合以內的世界立法，天學是為六合以外的世界立法。他在

58 康有為：《春秋董氏學》，〈春秋微言大義第六上〉，頁128-130。康有為：《孟子微．中庸注．禮運注》（北京市：中華書局，1987年），《孟子微》卷1，總論第一，頁7、9、13、16、23。《中庸注》，頁208。

59 余英時：《知識人與中國文化的價值》（臺北市：時報文化，2007年），頁109。

《四益館經學四變記》自序中云：

> 壬寅（1902年）後，因梵宗大有感悟，始知《書》盡人學，《詩》、《易》則遨遊六合外。因據以改正《詩》、《易》舊稿，蓋至此而上天下地無不通，即道、釋之學，亦為經學博士之大宗矣。[60]

廖平曾孫廖宗澤所著的《六譯先生年譜》在光緒二十八年條下亦云：「成《知聖續篇》一卷。始悟天人之學。」[61]而《知聖續篇》云：

> 言經學者必分六藝為二大宗：一，天學；一，人學。人學為《尚書》、《春秋》。……天學為《詩》、《易》。[62]

經學既然分為二派，亦各有表述的疆宇，《知聖續篇》又云：

> 分畫諸經疆宇，六合之外，《詩》、《易》。六合之內，謂《書》；先王之志，謂《春秋》。[63]

以上劃分天、人的方式是以重新分配六經為中心，而且這一學分天、人的理念從光緒二十八年之後一直持續到晚年，歷經四、五、六變。光緒三十二年（1906）為五變的始年，它是在四變的基礎上再加入一些新的內容，以下稍簡述兩者的異同。四變之時，六合之內的人學二經是小統的《春秋》與大統的《尚書》，天學二經是《詩經》、《易經》，但未區分小大統。到了五變時，人學與天學都各加一經，並且在天學也區分小統、大統。此時，六合之內的人學三經是《禮經》（附小樂）、小統《春秋》、大統《尚書》；六合之外的天學三經是《樂經》（附大禮）、小統《詩經》、大統《易經》。

由以上四變、五變內容的概略敘述，可以得知經學五變是廖平建立人天之學的完備時期，而至於經學六變只是對《詩經》、《易經》內容作更深入的發揮。附帶一提得是，廖平在經學四變之後自號「四益」、「四譯」，是取《潛夫論》所說的「聖為天口，賢為聖譯」之意。[64]他自稱推源並「翻譯」了孔子經典的微言大義，是孔子的代言人，可以使千載失傳的經義再譯於今日。在經學五變、六變完成時，又先後改號「五譯」、「六譯」。廖平採用「翻譯」這一新穎的詞彙相當耐人尋味。晚清是傳統經學衰微和建構現代知識系統的關鍵時期，當時學者往往是致力於改換舊學並使其融入新的知識系統內，而對西方新知的引介與新學科的建立均藉由翻譯一途。在這樣的時代氛圍下，廖平相對

---

60 廖平：《四益館經學四變記》，《廖平選集》（成都市：巴蜀書社，1998年7月），上冊，頁545。

61 廖幼平編：《廖季平年譜》（成都市：巴蜀書社，1985年），頁65。

62 廖平：《知聖續篇》，《廖平選集》，上冊，頁243。

63 廖平：《知聖續篇》，《廖平選集》，上冊，頁233。

64 廖平：《四益詩說》（1918年，四川存古書局刊），頁4。

於翻譯西書的學者，反過來自稱是「翻譯」孔子之經，似有一種與晚清譯西書的學者互別苗頭的意味。可以隱然推知他的心態就是要彰顯孔學，同時還要為孔學推陳出新，認為前人並未讀懂孔學真義，透過他的翻譯才能彰顯之，使人了解孔學並未遜色於西學，而且還有更殊勝於西方者，這也是他學術的特色，當然這個特色也表現在其天學的論述中。

再回過頭來討論廖平的天學。經學三變時，他將《詩經》、《易經》設定成世界大統學說的經典，四變時將二者提昇為六合外的天學，五變時，又設定《詩經》為天學小統，屬「神游」，《易經》為天學大統，屬「形游」。何以《詩》、《易》是天學的統宗？首先從廖平論天學與《詩》的關係來看，他的〈哲學思想論〉中可以找到一些線索：

> 近來研究空理，有思想家、哲學家，催眠術家亦發達焉。學者或頗訝為神奇，不知此固吾國老生常談，特少專門研究耳。《論語》以學、思分為二派，天道遠，人道邇；人事為學，天道為思，「思」與「志」同，即古「詩」字也。……是《詩》全為思想學，全為夢境，思、夢全為靈魂學。[65]

廖平以為《詩經》所講的是天道的思想哲理，所以「《詩》言為天道，故《詩》之言『思』，思想哲理。」[66]不過這樣的表述仍很模糊，為了往下探索其本意，我們注意到他稱《詩》為「靈魂學」，又牽涉到「催眠術」，這是清末民初新興的兩門學科、專有名詞，或許以下先透過對它們的理解，可幫助我們深入解讀廖平的天學思想。催眠術與靈學（廖平稱靈魂學）是彼此相關的兩門新興學科，也有人認為靈學已經包含了催眠術。從一八五〇、一八六〇年代，英國學者開始從事所謂 Psychical research，是研究死後世界、靈魂、鬼神等現象的一門學問。大約一八七〇年代開始，日本學者受到英國風氣的激勵，也開始研究催眠術，並將 Psychical research 譯為「靈學」。明治時代的學術氛圍又影響到當時留日的中國學生，他們接受了「靈學」的譯名，再將之傳入中國。[67]根據黃克武先生的研究，靈學的研習在清末民初學人中蔚成一股風潮。例如革命黨人陶成章（1878-1912）於一九〇二年旅居東京時，曾撰寫《催眠學講義》，談到催眠術的源起、原理、施行方法，並介紹所謂的「天眼通」、「靈交神游」、「神通魔力」等。蔡元培在一九〇五年曾翻譯日本井上圓了（1858-1919）的《妖怪學講義》，又在一九〇六年編輯《催眠學講義》，也是這個潮流的一部分。不論是在清末的日本還是民國初年的上海，都成立過一些有關催眠術、靈學研究的團體，它們在當時都自稱是最先進的「科

---

65 廖平：〈哲學思想論〉，《四益館雜著》（1915年，四川成都存古書局印行），頁71a-71b。

66 廖平：《孔經哲學發微》，《廖平選集》，上冊，頁307。

67 吳光：〈靈學．靈學會．《靈學叢誌》簡介〉，收入《中國哲學》第10輯，頁432。黃克武先生：〈民國初年上海的靈學研究：以「上海靈學會」為例〉，《中央研究院近代史研究所集刊》第55期（2007年3月），頁101、105-106。

學」。[68]有了這樣的背景知識，再來看廖平的陳述，當會有新的體悟。

廖平以人學完備之後就邁入以《詩經》為統宗的思想靈魂神游之世局。廖平的經學，包括《詩經》，從一變到三變的轉折過程中，早期的學術史意味濃厚，重在商榷今古、論辨真偽。而三變之後論大小統，四、五變論天學，學術史的意味轉淡，論學風格更趨向與時代思潮或時事結合的發揮，他的經學也逐漸脫離了傳統經傳注疏的框架，刊落前人成說，直接發抒他心目中「孔子」的本懷。他在成於民國二年（1913）的《孔經哲學發微》中解釋《詩經》的性質曰：

> 「思」與「志」同，即古「詩」字也。（廖平自注：《緯》云：「在心為志，發言為詩。」是志、詩本為一字，「思」從心從囟。囟為腦，即西人「腦氣筋」之說，於思想尤為切合。）「詩」為思想，故《詩經》中「思」字甚多……[69]

從「《詩》言志」一語解說「志」與「思」同，故《詩》的內容與心思有密切關係。又以「思」字從「心」從「囟」，囟為腦，即是西方人「腦氣筋」之說。「腦氣筋」（或「氣筋」）的詞彙是早期傳教士所翻譯，為後來的「神經」之意。[70]由於近代西方醫學、解剖學、生理學知識的傳入譯介，晚清社會對「腦」和「心」功能分際的認識逐漸清楚，了解到「腦」才是人身的主宰，為思慮、智慧、記憶與意識之府。此類的知識表達在當時的衛生及生理學、西醫學書籍，或各種學報雜誌中均普遍存在。[71]在這樣的思潮環境下，廖平以《詩經》一書的性質是表達腦神經思想覺知的運作，又將之與《周禮》的掌夢官、秦代的占夢博士、[72]古籍中如《楚辭》的夢境，包括〈招魂〉、〈遠遊〉篇章的飄渺意象，或是道家《列子》、《莊子》的凌虛御空、游於物外等說法互相牽合，指稱這些都是宗於孔子《詩經》的後學所作的闡發，等同於新興的靈學、催眠術所談的

---

68 黃克武：〈民國初年上海的靈學研究：以「上海靈學會」為例〉，《中央研究院近代史研究所集刊》第55期，頁106-107、124-130；《惟適之安：嚴復與近代中國的文化轉型》（臺北市：聯經出版事業股份有限公司，2010年），頁160，163，165-168。

69 廖平：《孔經哲學發微》，《廖平選集》，上冊，頁374。又見廖平撰，黃鎔筆述：《詩緯新解》（臺中市：文听閣圖書公司，2009年），頁25。

70 黃河清：〈神經考源〉，http://www.huayuqiao.org/articles/huangheqing/hhq04.htm（檢索日期：2011年3月6日）。

71 有關「腦」的知識從晚明到晚清的傳播與研究，可參見鄒振環：《〈泰西人身說概〉與「腦主記憶說」》，收入氏著：《晚明漢文西學經典：編譯、詮釋、流傳與影響》（上海市：復旦大學出版社，2011年9月），頁344-354。張仲民：《出版與文化政治：晚清的「衛生」書籍研究》（上海市：上海世紀出版集團，2009年）。張仲民：〈身體、商業與政治——艾羅補腦汁的生意經〉，見復旦大學等主辦，「近代中國知識轉型與知識傳播（1600-1949）學術研討會」，2011年10月22-23日，會議論文集，未刊稿，頁219-221。

72 廖平曰：「考占夢立官，《始皇本紀》已有卜夢博士，『獻吉夢於王』……」見氏著：《孔經哲學發微》，《廖平選集》，上冊，頁374。

夢境、出神或靈魂出竅。他於《莊子敘意》中說：

> 《詩》為神游，……《楚辭》所謂神雖去而形留，鬼神之學不見不聞，非可言喻，魂夢則智愚所同，故經之天學每借夢境以立神游之法，《周禮》掌六夢，文與《列子》全同，《楚辭》〈招魂〉以為掌夢職事。《莊子》云夢為鳥而戾天；夢為魚而潛淵。《詩》所謂匪鶉匪鳶，翰飛戾天；匪鱣匪鮪，潛逃於淵，即此義也。故《詩經》全部皆為神游夢境。[73]

《孔經哲學發微》中說：

> 讀《詩》如《楚辭》與《莊》、《列》之華胥化人之宮，蕉鹿、蝴蝶，同屬神游。……[74]

〈哲學思想論〉中說：

> 是《詩》全為思想學，全為夢境思夢，全為靈魂學。……〈遠游〉云：「神雖去而形留」，是《楚辭》之周游六虛，即為《詩》神游夢想之師說。[75]

因此《詩經》全為靈魂學，《楚辭》、《列子》、《莊子》等內容可說都是《詩經》神游說的注腳；而靈魂出離形體、以大腦神經運作游於另一個世界的所謂「神游」之境，廖平認為這就是靈（魂）學、催眠術的本質。從以上所徵引的原文可以看到這些陳述類乎虛無飄渺，致使過往的學者難以掌握其中的語境，往往以為廖平思想墮入虛玄，因此「玄遠」、「怪誕」、「難以理解」的評價就不可避免。此刻我們若將視野放大到清末民初的思潮觀看，便比較容易體悟出他所汲取的時代資源以及要傳達的心意所在。

廖平在接觸到了關於「腦」的知識，以及靈學、催眠術這些號稱「科學」的新學後，他要說明孔子至聖先知，孔學無所不包，世人引為新奇而趨之若鶩的「時尚」，其實是孔子的學術中早已具備，所以他說這些新興學科「學者或頗訝為神奇，不知此固吾國老生常談，特少專門研究耳！」[76]又說：

> 蓋世界進步，魂學愈精，碧落黃泉，上下自在。（廖平自注：鬼神之事，未至其時，難取徵信，惟夢者雖屬寤寐之近事，而神通肉體之分別，可藉是以考鑒焉，此千萬年娑婆世界，飛相往來之事跡，預早載述，使人信而不疑，樂而忘倦，則惟恃此夢境以道之。）……《詩》為靈魂學之大成，固可由《楚辭》、《列》、

73 廖平：《莊子敘意》（臺北市：藝文印書館據民國10年刊本影印，1972年），頁4-5。

74 廖平：《孔經哲學發微》，《廖平選集》，上冊，頁376。

75 廖平：〈哲學思想論〉，《四益館雜著》，頁71b。

76 廖平：《孔經哲學發微》，《廖平選集》，上冊，頁374。

《莊》而通其理想，若修養家之出神，與催眠術之移志，則事實之萌芽矣。[77]

依此論說，世界愈進步，更能證明以孔子所統領的傳統學術體系具有時代性。雖然民初上海靈學會發起人之一的楊璿以及嚴復也曾將靈學研究、催眠術與傳統的道術或《易經》、《老子》、佛學聯想在一起，[78]不過廖平不同於近代靈學、催眠術者，是他宣稱《詩經》、《楚辭》、《列子》、《莊子》等敘述的「神游」所看到的「夢境」，是世界進化到天學時期以後的六合之外宇宙之真實景象，呈現孔子對未來宇宙的預知，因此這也是孔學內容殊勝於西方靈學之處。《詩經》是孔子預告天學的小統階段，這個時期的人類進化到能夠「神游」，即肉體停留於某一處，精神神通能自在遨遊，飛相往來於宇宙星際間，孔子在兩千年前已經把這個千百萬年後會發生的事載入以《詩經》為主的典籍中，藉夢境之說以顯未來之真實。接著，天學還會再進化到以《易經》敘述為主的大統階段，那時就不僅僅是「神游」了，而是人的形體能游於各星系的「形游」，是天學中的極致。為什麼《易經》主形游呢？廖平引《易傳》的「精氣為物」之說，[79]精氣化為物質，以形體飛升往來於太虛之間：

> 人種進化至於千萬年後，輕身服氣，鍊氣歸神，眾生一律，同有佛慧，各具神通，入實無間，入虛如實，水不濡、火不熱。……在彼時為普化，眾生同等，往來無間，生於其時之人，亦同仙佛具大智慧、大神通，同為恆河沙數百千億萬之化身。……則為日用尋常，周游六漠，亦如車舟往來郡國，人人能知能行，乃平常進化之極典。[80]

到了能形游時，人人如道家所說的辟穀飛身，也都同於仙佛一樣具有大智慧、大神通。[81]因此被廖平視為輔助《易經》的佛、道內容，並非是修行有成後的神秘境界，而是世界、人種進化到極致的具體結果，蒼茫宇宙星辰間的真實境況。這也表現了廖平對達爾文物種進化的信仰，而孔子學說已經展現了這一套進化的程序。廖平的天學內容也可能

---

77 廖平：〈哲學思想論〉，《四益館雜著》，頁72a。

78 楊璿在學習西方的精神科學、靈魂研究之後，覺得西方這一套學問不如中國固有的道術來得精妙。他說：「至我聖賢經傳，仙佛典乘，其理完，其象備，其體弘，其用廣，其相偉，其功普，其神化，其智圓，以視催眠等術，糞土焉耳。……吾行吾固有之道術，則方術莫能外也。」楊璿：〈扶乩學說〉，《靈學叢誌》第1卷第1期（1918年），著作，頁2。又嚴復曾致信給上海靈學會的侯毅，提到英國一八八二年所創設的英國靈學會所研究的內容及自己的感想，其中有云：「人心大用，存乎感通，無孤立之境。其言乃與《大易》『精氣為魂，感而遂通』，及《老子》『知常』、佛氏『性海』諸說悉合。」嚴復著，王栻主編：《嚴復集》（北京市：中華書局，1986年），頁721。以上楊璿、嚴復之說，又見黃克武：《惟適之安：嚴復與近代中國的文化轉型》，頁172-173、192-193。

79 廖平：《孔經哲學發微》，《廖平選集》，上冊，頁370。

80 廖平：〈孔子天學上達說〉，《四益館雜著》，頁56b。

81 廖平：《四益館經學四變記》，《廖平選集》，上冊，頁557。

受了晚清科幻奇譚的影響，例如魯迅於光緒二十九年（1903）所翻譯儒勒・凡爾納（Jules Verne, 1828-1905）的《月界旅行》、荒江釣叟（生平不詳）光緒三十一年（1905）的《月球殖民地小說》、蕭然鬱生（生平不詳）光緒三十二年（1906）的《烏托邦遊記》、東海覺我（徐念慈，1875-1908）的〈新法螺先生譚〉等小說中都有旅行月界、殖民星球或遊於諸星系等對外太空的遐想，這在十九到二十世紀的轉折之際已成流行題材，[82]亦有學者稱之為「地理想像」，認為源自於一八九五年後大量出現的報刊雜誌轉化了中國既有的地理知識，從而提供源源不絕的認知想像動力。[83]在這樣的背景下，廖平再以中土的學術資源如道教的修鍊飛升，《列》、《莊》的凌虛御空、游於物外，以及佛學超越此世的意境，構造了一幅將來天界人種遨遊於宇宙間的景象，也反映了他本人對進化與新知識未來發展的一種樂觀及想像；例如他曾於《四益館經學四變記》中說：「周遊六漠，魂夢飛身，以今日時勢言之，誠為力所不至。然以今日之民，視草昧之初，不過數千萬年，道德風俗，靈魂體魄，已非昔比。若再加數千年，精進改良，各科學繼以昌明，所謂長壽服氣，不衣不食，其進步固可按程而計也。」[84]即可說明這種情形。

為什麼廖平要建構一個「六合之外」的世界呢？在《莊子》〈齊物論〉中有言：「六合之外，聖人存而不論。」中國的思想家自古以來不太會去探討彼岸世界（無論它是「天」還是「道」）的性質、形態和特徵等等，對於超越源頭只作肯定而不去窮追到底的態度，與西方是大異其趣的。[85]廖平要建構彼岸的世界，與西方基督教的影響有關，當時傳教士於四川省廣傳基督福音，接觸西方宗教的機會大增，[86]廖平也注意到中西方宗教的差異性。[87]他要塑造孔子為至聖「先知」，那麼建構一個孔子已經預知，且已為世人規劃好的彼岸世界就成為勢所必然。其次，西方實證性的天文學本來就是探討六合

---

82 王德威：《被壓抑的現代性：晚清小說新論》（臺北市：麥田出版社，2003年），第5章，頁329-397。

83 潘光哲：〈中國近代「轉型時代」的「地理想像」〉，收入王汎森等著：《中國近代思想史的轉型時代》（臺北市：聯經出版公司，2007年），頁463-469。

84 廖平：《四益館經學四變記》，《廖平選集》，上冊，頁554。

85 余英時：〈天人之際〉，收入氏著，程嫩生、羅群等譯：《人文與理性的中國》（臺北市：聯經出版公斯，2008年），頁17-18；《知識人與中國文化的價值》，頁18。曾師從於廖平的四川學者李源澄（1909-1958），因時代較廖平更晚近，故能完全跳脫傳統的天人思想，從歷史與學脈的流變作出評議。他指出：「漢代陰陽家喜以自然配合人事，而言天人感應，又以之言政，故流為災異之學。宋學復興，以釋氏言宇宙為幻化，故喜言天。……嚴格論之，儒家實不求知天，其言『天人合一』者，所以使人與天不衝突，使春秋戰國以來，人本之思想與古代神道思想相調合。」誠為持平之論。見李源澄：〈天人合一說探源〉，原刊於《靈巖學報》創刊號（1946年10月），後收入於林慶彰、蔣秋華主編：《李源澄著作集》（臺北市：中央研究院中國文哲研究所，2008年11月），第3冊，頁1049-1050。

86 林頓：〈清代外國教會在川勢力簡述〉，《四川大學學報》，1985年第4期，頁87。

87 廖平學，黃鎔箋釋：《世界哲理箋釋》（1921年，四川存古書局鐫），頁7a-7b。

之外的學問，當中國人生哲學基礎的天人合一宇宙觀遭遇到西學衝擊時，要回應西方與重新詮釋固有的知識與生命賴以安頓的哲學問題時，自然就有必要再去建立一個六合之外的空間。廖平所引用的資源除了中、西方天文學、靈學等知識外，可能還吸納了晚清科幻奇譚，並對傳統的《詩》、《易》、佛道思想、作完全不同於過往學者的轉化詮釋。

以上的討論可以得知在廖平的概念裡，所謂靈魂、神祇，以及佛教中的「佛」、「天人」，道教的「仙」，或是道家的「至人」、「神人」、「真人」、「化人」，都不再是我們以往認知中的陰間鬼神或是修道有成的神秘仙佛，而是進化到未來世界中的進步人種，可以用神識或形體自在往來於具體的星際空間中。「天」在某個層面，已經缺乏了人格性，或是漢代董仲舒以來所強調的天人感應的神祕性，而趨向於一個表徵宇宙星際的自然天，所以傳統天人學說中很重要的災異、感應思維都被他否定或刻意的漠視擺落，這是一大特色。[88]但是如果說廖平意識中的「天」僅僅是一個純粹的自然天，事實又並非這麼簡單。首先，最明顯的例子是廖平始終信仰孔子為承受天命的素王，上天既然能夠賦予使命，就不能等同於自然天，仍然是具有意志與神力之天；[89]而且他也從來沒有放下傳統把「天」作為一個超越價值的存在。之所以會有這種既接近於自然天，又無法完全脫離人格天的矛盾現象，是西學新知與傳統價值觀碰撞下所造成的過渡時代之思想特色。那麼對廖平而言，天的超越價值是什麼，以及天與人的關係如何，都是下文要討論的重點。

（二）「天」的運行、架構與人世秩序

廖平論天的性質，與進化思想密切的結合在一起。從人學進到天學，就是一條長遠的進化之路。他說：「方今三千年內，大抵不出《春秋》治法（廖平自注：今之世局如大春秋），《尚書》王、帝、皇非再萬年不能盡。孔子新經，不過略行六分之一，萬年以後，乃能及其天學。」又說大約在萬年後，「地球盡已開化，……內治既已休明，然後厭棄塵土，指為蠻觸，如《楚辭》『憤而求去』，……開此遠游神化之派。」[90]待到地球已經進化，文明到達極致的萬年後，就會進入到更上一層的天學，若從那時的境界往回看，地球的文明就相對成為野蠻。而達到了六合以外的天界之後，這條進化之路也仍未

88 廖平這類文字頗多，例如對公羊學者的災異觀或是分野說本有的感應思維，都與以否定或作轉化性的新詮釋，幾乎完全沒有了天的神秘性。本文限於篇幅不能盡說，當另文討論之。

89 孔子受天命為素王是廖平建立孔經理論的根荄，曾說：「蓋天命孔子不能不作，然有德無位，不能實見施行，則以所作者存空言於六經，託之帝王，為復古反本之說。」又說：「《緯》云：孔子受命為黑統，即玄鳥、素王。莊子所謂玄聖、素王之說，從《商頌》而寓之。〈文王〉篇『本支百世』，即王魯；『商之孫子』，即素王；故屢言受命、天命，此素王根本也」。見廖平：《知聖篇》，《廖平選集》，上冊，頁176，180。

90 廖平：〈孔子天學上達說〉，《四益館雜著》，頁57a。

停止。人學的進化是伯→王→帝→皇，廖平通常簡稱為「王伯」（小統）和「皇帝」（大統）兩大時期，天學的進程亦復如此，他說：「考六藝以天、人分，……人學之中，既分皇、帝、王、霸（筆者案：同「伯」）四等，則天學亦必相同。」[91]人學是天學的基礎，天學是人學基礎上進一步推展。他參合中外天文學的思想與名相，將整個宇宙劃分成四個層次：日系世界、昴星世界、四宮列宿世界、三垣世界：

> 今以本世界為君，日系世界為伯，昴星為王，四宮列宿為帝，三垣為皇。[92]

本世界指地球，日系世界即太陽系（伯），合多個太陽系就成為一個「昴星世界」（王），合數個昴星世界則為一個更大的「四宮列宿世界」（帝），最後，再合多個四宮列宿世界終成為最高層次的「三垣世界」（皇）。所謂的昴星、四宮、三垣本來都是傳統天文學中的名詞，昴星為二十八宿之一，四宮與三垣兩者，是中國古代天文學對於星空以北極為中心劃分的不同方式，[93]不過在廖平的筆下，它們已被轉化成了宇宙中大小不同層次的名稱。廖平也引申哥白尼的地球繞日說來講解這四個層次的「天」之運轉方式：

> 地統月，合行星小星以繞日，日統行星（筆者案：太陽系）以繞昴星。[94]

又云：

> 按西人說日會世界者（筆者案：太陽系），以為八行星與小星共為九軌，軌各繞日，則當為一恆星。……然行星繞日，日又不能無所繞，西人有日繞昴星之說，雖未能大定，然日之率行星以繞大行星，則固人所公認無異辭者。……西宮以七宿合為一宮，……合數十星為一宿，……四方四宮以繞三垣，各星又繞北極之帝星。以人學之皇、帝、王、霸言之，北極為皇，四宮分占四方為帝，西宿昴星之一為王，日會所統為霸。[95]

地球統領月球及諸行星繞日，形成一個太陽系（伯）；太陽系的外圍又運轉著由無數太陽系組成的更大昴星世界（王）；昴星世界之外圍運轉著四宮列宿世界（帝）；四宮列宿

---

91 廖平：〈天人論〉，《四益館雜著》，頁82a。

92 廖平：〈孔子天學上達說附「人天學內外不同說」〉，《四益館雜著》，頁57b。

93 「四宮」的內容可以《史記》〈天官書〉為代表，〈天官書〉中把星空分中的二十八宿分屬於東、西、南、北四宮，分別稱為蒼龍、朱雀、咸池（白虎）、玄武，再加上中央北極附近的星群「中宮」，則星空的劃分共有五個區域。「三垣」的名稱始於隋代丹元子的《步天歌》，也是環繞北極的星空劃分，以紫微、太微、天市三區合稱三垣。今人推測三垣的劃分方式可能晚於二十八宿，約在戰國時代或之後，或許是因為二十八宿的分布還不足以包括廣大的星空，因而再創三垣以補充之。見陳遵嬀：《中國天文學史》（臺北市：明文書局，1998年），第2冊，頁5，33。

94 廖平：〈孔子天學上達說附「人天學說具於佛經說」〉，《四益館雜著》，頁57b。

95 廖平：〈天人論〉，《四益館雜著》，頁82b。

世界之外圍運轉著最大的三垣世界（皇），這幾個層次共同的中心點是北極。也由於這四個層次的宇宙大小互相統理隸屬，如人學一般，所以說「天學統系，亦如人學之以皇統帝，以帝統王，以王統霸也。」[96]由他所論的宇宙結構或運行來看，雖然掌握到了一部分近代傳入的西方天文學知識，例如衛星繞日，以及宇宙無垠、由多個類似太陽系的星系組成的概念等，不過所敘述的細緻內容並沒有確切的科學根據，只能說是自己的朦朧推想，稱不上是客觀的天文學研究。因為廖平對西方天文學、太陽系的知識來源，基本上得自於蔣友仁的《地球圖說》、晚清以來的報刊雜誌如《萬國公報》，或是侯失勒的《談天》等譯作，在學識上只是一種普通概念的認知。[97]與其說他重視天文知識的探索，不如說真正關心的是天的秩序與人間的關係。行文至此，也有必要補充說明晚清學人認識宇宙新學說過程中與佛學內容的關係，以及廖平的看法。

晚清由於西洋新知的衝擊，人們需要有一種理解西學的知識基礎。傳統儒家學說以血緣親情為思考基點的道德觀念，和以維護秩序為基本內容的宇宙觀念，以及經史子集為載體的人文知識似乎不能提供一個完整和全面理解西方思想的基礎。而佛教經典的內容，常讓人覺得與西方科學有若合符節之處，故晚清學人談佛學的一大契機是把它當成與西學對話的本有資源之一，用佛學會通科學。純粹從宇宙方面的知識來說，佛經中的「無量日月」、「三千大千世界」、「風輪持水輪，水輪持地輪」各種說法，在人們看來，與西方天文學所描述的浩瀚宇宙之星系組成、地球自轉與大氣層等等現象頗為神似。梁啟超、譚嗣同、宋恕、孫寶瑄諸人在戊戌前後的著作中，都有「以佛學格西學之義」的內容，也代表那個時代的學人正逐漸跨出主流的人文意識，另外尋求知識背景支持的取向。[98]廖平也注意到了佛經中的說法，以及晚清學界的接受情形。他承認佛經內容的無量恆河沙數世界與西方所說的天文實相接近，因此指出「近人乃就西人所測，參合佛書

---

96 廖平：〈天人論〉，《四益館雜著》，頁82b。

97 曾有學者讚許廖平「對於太陽系的知識已大大超出了古人。」又說「他在吸取了中外古今的天文學思想營養的基礎上形成的天文學思想是相當傑出的。」見鄧萬耕、張奇偉：〈廖季平經學第四變及其哲學思想〉，《社會科學研究》，1986年第1期，頁76。不過這種說法值得商榷，而且廖平對西方天文學、太陽系的知識，也並未超出同時代的學人例如康有為、章太炎等人，筆者個人覺得無法以「傑出」稱之。

98 梁啟超：〈說動〉，收入氏著：《飲冰室合集》（上海市：中華書局，1936年），第2冊，文集之三，頁37。譚嗣同著，蔡尚司等編：《譚嗣同全集》（北京市：中華書局，1998年），頁464。宋恕：〈六字課齋津談．九流百氏類第十一〉，《宋恕集》（北京市：中華書局，1993年），上冊，頁85。孫寶瑄：《忘山廬日記》（上海市：上海古籍出版社，1983年），頁165、182、184、395。晚清學人以佛學作為與西方天文知識對話的資源之論述，亦可參見葛兆光的多篇文章：〈西潮卻自東瀛來－日本東本願寺與中國近代佛學的因緣〉、〈論晚清佛學之復興〉、〈「從無住本、立一切法」－戊戌前後知識人中的佛學興趣及其思想意義〉，均收入葛兆光：《西潮又東風：晚清民初思想、宗教與學術十講》（上海市：上海古籍出版社，2006年5月），頁58、65、84-87、111；〈孔教、佛教抑或耶教——1900年前後中國的心理危機與宗教興趣〉，收入王汎森等編：《中國近代思想史的轉型時代》（臺北市：聯經出版公司，2007年12月），頁222-228。

立論」。然而他認為這樣的參合有所不妥，因為佛書是「隋唐以前華人就梵書翻譯而成，當時地球未出，行星之為地球繞日之測驗未明，……所有海、性、種、元大千世界，各以意為之立說」，畢竟缺乏實證的基礎。而且佛經以人類所居之本大地為「南贍部州」，位於宇宙中心須彌山的南方，也與地球繞日之說不合。[99]很清楚的，廖平以佛學的宇宙觀在知識論上至少已經不合於哥白尼學說，不足以成為格義的資源。其次，從意義層面來看，他認為佛經一味的講無量世界、「恆河沙重重無限之天河」，這樣的知識陳述缺點是「大而無當」、「能博而不能約」，結果造成「毫無實用」，使人在價值感上「失所憑依」，「亦失立教宗旨」。[100]從這裡也可以理解，廖平談「天」，最終希望歸向一個教化的價值意義上，而佛學在這方面對他而言也有所不足。於是他仍然要回到中國本有的天象、人事對應之思想精神上，去闡發天的秩序與人間的關係。

天的秩序與人間的關係究竟如何呢？首先，宇宙四個層次中，各層次的內部結構都有一個基本的架構。以天學中疆域屬「伯」的日系世界來說，那是一個以日為中心，周圍繞著衛星的太陽系，整個太陽系繞著中央的北極旋轉，即廖平所說的：「日統八行星、小行星，則為一大世界。《論語》：『譬如北辰，居其所而眾星拱之。』《禮記》：『前朱雀、後玄武，左青龍、右白虎，招搖在上。』」[101]當空間擴大到屬「王」的昴星世界時，也是依著這個模式，由好幾個太陽系圍繞著一個中心運轉，依此類推。因此無論宇宙大小如何劃分，都是由一個中央與周邊四方的模式所組成。他又將四個層次的天之大小與地球上伯、王、帝、王的疆域按比例相互對應，如圖所示：

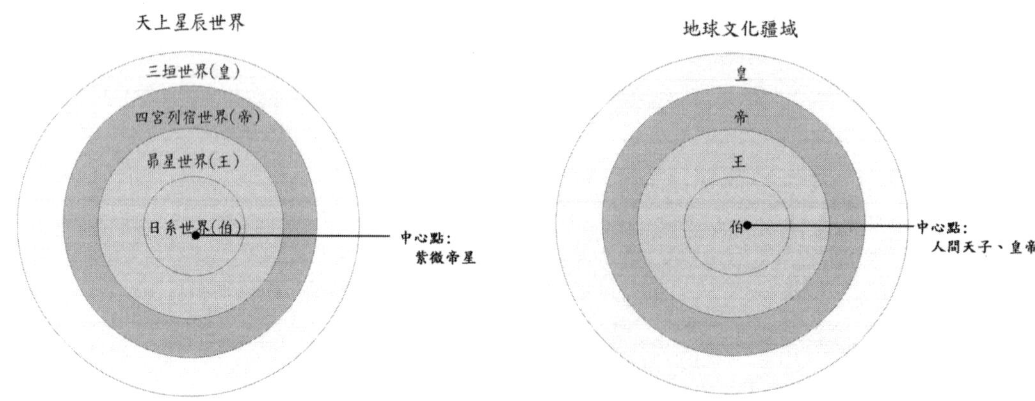

天上的空間與地上的疆域按比例互為對應，實是表徵著文化由內向外推擴，以下這一段話很具有代表性：

99 廖平：〈孔子天學上達說附「人天學說具於佛經說」〉，《四益館雜著》，頁57b-58b。
100 廖平：〈孔子天學上達說附「人天學說具於佛經說」〉，《四益館雜著》，頁58a-58b。
101 廖平：〈孔子天學上達說附「人天學說具於佛經說」〉，《四益館雜著》，頁58b。

> 人學由伯王以推皇帝，自內而外，……由內推外，愈加愈大。如《春秋》九州在中國之心，推及要荒。海內四經則為王，海外四經則為帝，大荒四經則為皇。伯雖小，乃積天下中心以起例。天學……如以人事例之，則當以三垣北辰為伯推之，加四宮為王為帝，徧統諸天星辰乃為皇，此由中心以推外之說也。[102]

人學的疆域範圍由伯、王到帝、皇，自內而外，逐漸擴大，例如《春秋》中以禮樂冠帶之處的九州為中心，將文化向四周推及蠻荒之地；又例如《山海經》中，海內四經、海外四經、大荒四經也是由內到外的層次觀，當文化能施及最外圍、最蠻荒之地時，就是到達「皇」的疆域與境界了。同樣的，天學中整個三垣世界偏統諸天的星辰，也如同整個地球統一以後的「皇」之疆域與境界，它也是要由「伯」（太陽系）的範圍逐步向外擴展的，而一個太陽系（伯）在整個三垣世界（皇）中所占的疆域比例，也大約如同地面上的方千里一州（伯）之於整個地球（皇）的比例。[103]因此仰觀天上星辰與俯視地上人事，概念是一致的。

此處我們也同時注意到了廖平的天學建構隨著時間有益加細密的過程。光緒二十三年時只談到太陽系，光緒二十八年後從太陽系繼續擴及到整個宇宙星系的組成與運行。這期間最大的差異，是之前以太陽系中心的「日」表徵天子或皇帝，後期則發展成以北辰（北極星）為天的中心，與地上的天子、皇帝互相比擬、對應。這種現象擺置在他一路下來的思考方向上不無意義。中國自古以來，北極在人們心中佔有神聖而特殊的地位。由於地球自轉，北半球的人們觀察天象時容易感覺到天體的正北方有一個基本不動的地方，其他星辰似乎都環繞著它運行，這個地方就是北極。北極的定點本來無星，最接近此處的一顆星便被當作北極的標誌，稱為北辰或北極星。北極因來自於獨一無二的中央地位，古代宇宙論無論渾天、蓋天、宣夜說皆以之作為天體運行的圓心，並被人們將之神祕、聖化，且與地上的帝王相聯繫，又稱作太一或紫微，於是它便逐漸擁有規範天體與人間秩序的雙重作用。雖然無論以「日」為尊或「北辰」為尊，對廖平而言都是為了展示尊君為核心的價值，但是葛兆光與日本學者福永光司都曾提出中國古代北極崇拜遠超過太陽崇拜的說法。[104]所以廖平後期的「以北辰為尊」較前期的「以日為尊」更具傳統天人思想的味道，同時也可以體會到他一直要努力的回到傳統的政教秩序上，積極的為天上、人間「立極」或「立心」之目的，是要確立以孔子之道為主體的中國處

---

102 廖平：〈孔子天學上達說附「人天學內外不同說」〉，《四益館雜著》，頁57b。

103 廖平：〈孔子天學上達說附「人天學說具於佛經說」〉，《四益館雜著》，頁59a。

104 錢寶琮：〈太一考〉，收入李儼、錢寶琮：《科學史全集》（瀋陽市：遼寧教育出版社，1998年），頁212-214。葛兆光：〈眾妙之門：北極、太一、太極與道〉，收入氏著：《古代中國的歷史、思想與宗教》，頁15-26。葛兆光：《七世紀至十九世紀中國的知識、思想與信仰》，頁452。福永光司：〈中國宗教思想史〉，收入長尾雅人等編：《中國宗教思想》（東京市：岩波書店，1990年），頁8-10。

於世界中心之地位。[105]總之，他要說明孔子已規劃了的禮樂教化，將從中國這個倫常中心向外傳播，未來將遍及世界成為大一統，倫常的中樞在代表孔子之道的皇帝身上，這個人間價值的根源也已經體現於天極中的北辰。

「尊北辰」的焦點既然是表現在王化論以及文化的華夷觀上，那麼人間與天上的星宿秩序是一體的。他從傳統幾部天文地理的代表作說明天文與地上空間的對應：

> 〈天文訓〉、〈天官書〉與〈月令〉，其餘天文辨方分野，亦如地球之〈地形訓〉、〈地理志〉，天文證驗，上下相同。除常見之星以外，其遠者則亦如地球中之夷狄荒遠，天子所不治，來去無常，故以目所見之四宮為四岳，以所不見者為四夷。諸星之大小尊卑，亦如地上人事之法，此孔子天人之學也。[106]

《淮南子》〈天文訓〉、《史記》〈天官書〉與《禮記》〈月令〉都有一個類同的方位觀。〈天文訓〉的「天有九野」是將天分為九個區域：中央均天、東北變天、北方玄天、西北幽天、西方顥天、西南方朱天、南方炎天、東南方陽天。[107]〈天官書〉將天空的星象以北極為中心，區分為中宮紫微垣、東宮蒼龍七宿、南宮朱鳥七宿、西宮咸池七宿、北宮玄武七宿，共五大部分。[108]〈月令〉的一大特色是將時序納入空間的方位中，天子有東、南、西、北、中五太廟，前四個方位分別配上春、夏、秋、冬四季，中央太廟為明堂太廟，然後按照不同的季節祭祀各個太廟，實施當季的政令。所以〈月令〉是討論理想制度背後的宇宙間架，反過來說，理想的政制是植基於宇宙秩序。[109]總觀以上三者，都呈現具有中央與四方或者中央與周邊的空間概念。又地理方面的《淮南子》〈地（墬）形訓〉中，相對於〈天文訓〉的「天有九野」者是地有九州：東南神州、西南戎州、正西弇州、正中冀州、西北臺州、正北泲州、正東陽州；[110]《漢書》〈地理志〉也敘述地上的州國與天上的分野相對應。[111]天上星辰表現秩序的空間感與地上是一致的，所以他說：「就目所能見周天之星辰，就地球中辨方正位，體國經野，設官分職之法，推之於天下。」[112]此語出自於《周禮》〈天官冢宰〉：「惟王建國，辨方正位，體國經野，設官分職，以為民極。」經由地理方位的確定來劃分人際社會的職分等級，

---

105 廖平：《知聖篇》，《廖平選集》，上冊，頁202-203。

106 廖平：〈孔子天學上達說附「人天學說具於佛經說」〉，《四益館雜著》，頁59a-59b。

107 〔漢〕劉安原著，何寧撰：《淮南子集釋》（北京市：中華書局，1998年），上冊，頁180-183。

108 〔漢〕司馬遷原著，（日）瀧川龜太郎著：《史記會注考證》（臺北市：藝文印書館，1972年），頁457-463。

109 張灝：《幽暗意識與民主傳統》（臺北市：聯經出版公司，1989年5月），頁37-40。

110 〔漢〕劉安原著，何寧撰：《淮南子集釋》，上冊，頁311-313。

111 〔漢〕班固撰，（唐）顏師古注，楊家駱主編：《新校本漢書并附編二種二》，〈地理志〉第八下，頁1641-1669。

112 廖平：〈孔子天學上達說附「人天學說具於佛經說」〉，《四益館雜著》，頁58b。

表現出政治倫理的尊卑意義。承受天命的王者「擇天下之中而立國」，[113]接受四方諸侯及蠻夷戎狄的朝奉；未濡染王化者，也就是尚未接納或進入中國價值系統者，則被視為散諸四方的「化外之民」。[114]地上如此，天上亦然，所以他說「除常見之星以外，其遠者則亦如地球中之夷狄荒遠，王者所不治，來去無常，故以目所見之四宮為四岳，以所不見者為四夷。」這涉及到傳統對外關係的理論與實踐。在傳統的天下觀中，天子所統治的「天下」在理論上是沒有邊界的，管轄力道的強弱也隨著遠近、親疏關係採用差別方式，例如「五服」、「九服」的職貢制度，在現實上也是反映統治力由近及遠不斷的遞減，由強漸弱而轉無，由「治」到「不治」的現象。這種現象融合了內華外夷、諸夷與華夏親疏的等差，形成了天子不治荒遠的夷狄，「以不治治之」的理論。[115]廖平把這樣的傳統華夷思想連繫到天上的星辰，以遙遠而目所不見者比為天象中的荒遠夷狄。諸星之遠近、大小尊卑，也如地球上的人事一般，互相對應，當然最後的關懷，就是要以文化的基準為自己當下所處的「禮樂之邦」－中國在逐漸被邊緣化的世界位置上賦予一個新地位。他強調如此的中國中心之文化秩序已昭示於孔子天人學裡，這獨有的精義，也是西方天文學所微缺者：

> 孔作六經，以天包地，經中典制取法天文。《史》〈天官書〉以天星分五宮，中宮天極，太乙之居。……經制法天，範圍百世，故聖欲無言。西學星象則立說破碎，無所取裁。[116]

總之，具有人文秩序的經教內涵，正是中國天學相較於僅從自然物理談星象，令人有「無所取裁」、找不到價值歸屬的西方天文學殊勝的地方，這也反映了廖平心中的文化價值觀。

五　天界進化的動力：另一種禮樂文明的傳播

待到現今的整個世界都濡染孔子教化的大一統之後，還要再往上進化到孔子規劃的天界階段，離現世必須經過萬年的時間，[117]那麼仍處於人世階段的當下，我們目前頭

---

113 〔秦〕呂不韋編，楊堅點校：《呂氏春秋》（長沙市：岳麓書社，1989年），頁148。

114 龔勝生：〈試論我國「天下之中」的歷史源流〉，《華中師範大學學報（哲社版）》，1994年第1期，頁93-94。

115 張啟雄：〈中華世界秩序原理的源起：近代中國外交紛爭中的古典文化價值〉，收入吳志攀、李玉主編：《東亞的價值》（北京市：北京大學出版社，2010年），頁120-123。

116 廖平：《書經弘道篇》（1918年，四川成都存古書局刊），頁26a。

117 廖平言，「方今三千年內，大抵不出《春秋》治法（廖平自注：今之世局如大春秋），《尚書》王、帝、皇非再萬年不能盡，孔子新經，不過略行六分之一，萬年以後，乃能及其天學，又何廢經偏經之可言？」見廖平：〈孔子天學上達說〉，《四益館雜著》，頁57a。

上存在的這個「天」之意義是什麼？又未來天界物種的時期，是什麼動因能使他們的文明進化？其實廖平論「天」，可分成兩個層面：第一，現在當下的人事（例如華夷觀等）就與天上的星象相對應；第二，當進化到天的境界後，除了物種進化了，在文化方面也與「人」的進程一樣，文化在「天」的疆域中由內向外傳播。第一點在前文的天、人對應方面已經呈現出廖平現世的天人關係思想了，現在就第二點作較詳細的說明。

如前所述，天界由小範圍到大範圍的四個階段為：日系世界（伯）、昴星世界（王）、四宮列宿世界（帝）、三垣世界（皇），前二者是小統，人種屬於神游階段，後二者是大統，人種屬於形游階段。天界進化的內容，除了人種從「神游」到「形游」以外，還有另一種天界時期的禮樂文明將會在「天」的疆域中逐漸傳播。經學五變是人、天之學建構完備的時期，從當中的內容可以看到，無論是人世之界還是天界，禮樂教化都是很重要的一環。《五變記箋述》中，人學（人世之學）三經是小統的《春秋》、大統的《尚書》，以及通用於小大統的《禮經》附小樂；天學（天界之學）三經是小統的《詩經》、大統的《易經》，以及通用於大小統的《樂經》附大禮。雖然人學、天學的禮樂內容有「《禮經》附小樂」或「《樂經》附大禮」的名目差別，不過可以說明禮樂是人世之學、天界之學都不可缺少的教化內容。以下將人、天兩者的禮樂內容敘述比較，以便幫助理解禮樂在天界之學中的重要性。《五變記箋述》卷上提到人世時期的禮樂內容曰：

> 人有禮，乃為人，六藝中（黃鎔箋述：射御書數禮樂）先有小禮（黃鎔箋述：如〈曲禮〉、〈少儀〉、〈內則〉、《容經》、《弟子職》）、小樂（黃鎔箋述：十三舞勺、成童舞象……），此為《禮經》，乃修身、齊家事，為治平根本。[118]

人界之學的禮又稱小禮，為日常的倫理、儀節規範，從修身、齊家做起，但最終是要以禮來治天下，非僅止於個人的修養；[119]而小樂則是陶冶性情的歌舞。廖平又指出孔子之前雖然已有社會習俗流傳的禮樂，但當時的風俗仍質野，諸如同姓婚、不親迎、喪娶等均未合乎儀節，各國土著的音樂，如鄭聲、秦缻、楚歌楚舞等也不雅正。孔子酌宜定法，使禮樂必合乎節度與典雅，除了以之教學陶冶學子的性情，同時欲把這套禮樂用之於郊廟、朝廷及冠、昏（婚）、燕（宴）、饗各種場合中，最終是期望禮樂可從人心的感動通於國政、化成天下，這也是文化能擴散到周邊的動力。因此人世進化不能沒有禮樂，進入天界階段亦是如此。[120]

天界的禮樂又稱大樂與大禮，大樂又稱「天樂」，廖平強調屬於天界之樂的《樂經》未曾亡缺，附存於《詩經》當中：

118 廖平學，黃鎔箋述：《五變記箋述》卷上，《廖平選集》，上冊，頁558-559。

119 廖平學，黃鎔箋述：《五變記箋述》卷上，《廖平選集》，上冊，頁561。

120 廖平學，黃鎔箋述：《五變記箋述》卷上，《廖平選集》，上冊，頁561-562。

> 古有秦火經缺，《樂經》獨亡之說，不知秦火不焚孔經，《樂經》實尚存也。蓋宮商工尺譜記流傳，人情殊尚，久必變更，孔聖慮遠深思，求所以傳之永冀，乃以《樂經》附屬於《詩》。……《樂》存於《詩》，理精義確。[121]

《樂經》附於《詩》中，且未經秦火，故尚存於世。廖平引《莊子・天道篇》所云「與人和者，謂之人樂；與天和者，謂之天樂」，以「人樂」是為了治人，「功成作頌，感通鬼神」，但天樂卻是無聲無臭的「太音稀聲」：

> 聽之不聞其聲，視之不見其形，充滿天地，包裹六極。……故大樂與天地同和。……是則太音希聲，感而後動，冥漠相洽，變化自然。故天樂者，其生也天行，其死也物化，靜而與陰同德，動而與陽同波，一心定而王天下。其鬼不祟，其魂不疲，言以虛靜推於天地，通於萬物，此之謂天樂。[122]

天樂（大樂）的描述如此的高遠玄妙，它的作用簡言之就是通於萬物，與天地同和。至於天界的「大禮」內容，廖平說得不是很具體，在《五變記箋述》卷下僅簡單的提到「禮為別，樂為和」、「大禮與天地同節」，此種情形可能是天的境界離人世還太遙遠，不易具體建構其中的禮樂細目，也或許是他心中的大禮、大樂特別著重在精神，而非外在的形式儀文。例如他說：「人學為有體之禮、有聲之樂、有服之喪，天學乃變有為無，亦如《列》、《莊》、釋書之貴無而賤有。然所謂無，非真無，別有真耳、真目。……其言有無，亦對庸耳俗目而之耳。」[123]總之，實踐禮樂教化，從人間世界到天上世界都是天經地義，不可或缺的進化資格。[124]又廖平這種文化由中心到周邊、再從人到天不斷傳播的立論，除了借助於傳統天下觀的概念（包括《公羊》學與《尚書》、《周禮》服制的文化觀），還蘊入了西方傳入的進化論，並結合宇宙諸天星系的視野，以及晚清興起的太平大同、烏托邦理想等。

從以上的討論來看，廖平所論的天、人兩者之間並不是斷裂的。因為從兩個階段來說，首先，當下人世的疆域中，文化的空間觀與天文星空的方位是相對應的；其次，未來人類進展為天界的另一層次之物種後，進化的模式是以另一階段的禮樂文明為本，天的文明疆域也由中央向四周擴大，與人世之界相同。所以人、天雖然有不同階段與物種的區別，但兩者的精神又是相合的。廖平言：

> 善言天者，必驗於人；善言人者，亦必驗於天，……故天人之學，重規疊矩，如

121 廖平學，黃鎔箋述：《五變記箋述》卷上，《廖平選集》，上冊，頁607。

122 廖平學，黃鎔箋述：《五變記箋述》卷上，《廖平選集》，上冊，頁606。

123 廖平：《四益詩說》，頁2。

124 廖平：《禮運三篇合解》（1918年，成都存古書局排印本），頁25a。

表之有影，聲之有響，一而二，二而一，天道遠，人道邇，知人即所以知天。[125]

人學是天學的基礎，天學是人學基礎上的進一步推展，天、人關係是協調的，不論它們是當下的人世與天象的互相對應，或是人、天前後兩種進化的階段，「天」與「人」的內在精神都可以說是「合一」的。美國學者約瑟夫・列文森（Joseph R. Levenson）在《儒教中國及其現代命運》一書中提到了廖平的人、天之學時說：「他把光明和純潔歸於天，而把黑暗和雜質留給了地。天是他的歸宿所在。」[126]這種說法應是來自於西方基督教天人隔斷的思路，[127]沒有真正得著廖平的本意。對於中、西方的宇宙認知差異，考古學家張光直（1931-2001）曾經如此描述：「中國人對於宇宙的認知型態，是依循著『存有的連續』而進行的。由此，產生了所謂『天人合一』的宇宙觀，而與西方依循著『存有的破裂』的認知型態所建構出來的『天人隔離』的宇宙觀相異。」[128]廖平作為一個受傳統教育的知識分子，他最終的理想還是要回歸天人合一的境界，其天人學說與傳統之間有著精神上相當的承續性，只是它的內容樣貌已經不能與傳統劃上等號，也存在著特別是知識層面上的斷裂性。

六　結論

處在傳統天學在西方天文學的衝擊下，廖平接受新知與堅持傳統之間的表現是一個典型。西方天文學撞擊到具有秩序內涵的傳統天學，加上甲午戰後封貢體制瓦解的震撼，以及表現倫理的君主制度與三綱的受質疑，都使廖平甚為憂心。他繼承傳統的思維，要從天象尋求人間倫理政治的終極意義，堅持中國居於中心的王化論世界觀，期望用禮樂文明化導世界，逐步將世界納入以三綱為基礎的孔子經教秩序中，而且懸為未來全球大一統的終極理想，即使到了民國成立以後，這樣的理想也沒有改變。他把這個信仰上溯到傳統觀念中價值的根源：天。雖然在他的主觀意識上，「天」仍然是一個超越的價值根源，「天人合一」的秩序不可撼動。但是為了要讓孔子思想可以立足於當代，在將新知識如西方天文學、進化論或其他諸如靈學、催眠術、腦氣筋各學說的引入孔學與詮釋過程裡，也使他在自覺或不自覺中使「天」的性質發生轉化，漸漸失去了本有的人格性與神祕性，有朝著自然天發展的趨向。這種現象對於一向重視天人感應的今文學，是其近代變化過程中重要的一環。

---

125 廖平：〈天人論〉，《四益館雜著》，頁82a。

126 （美）列文森（Joseph R. Levenson）著，鄭大華、任菁譯：《儒教中國及其現代命運》（南寧市：廣西師範大學出版社，2009年5月），頁263。

127 例如西方中世紀神學家聖奧古斯丁（St.Augustine）所著的《上帝之城》（City of God），即是以「天」為光明純潔，「地」為污濁黑暗。

128 張光直：〈從中國古史談社會科學與現代化〉，《中國時報》，1986年4月1日，第8版。

再從廖平推尊孔子的方式與經學的變化來看，他因為憂懼經教價值的流失，盡力援引西方學術概念進入「孔經」，無非是要說明經義包羅一切學術，孔子思想能夠適應時代。就一個經學家的本位立場而言，自然可以說是抬高經學與孔子的地位，相信孔經視野的寬廣與完整全面性，具有最終的權威地位。但我們若從學術史的角度觀之，這同時也蘊含著五經與傳統學術內部的注疏系統已經不敷時代的需要，所以要不斷的吸納、收編新知，包括讓西方的學術進入經義、孔子學說之中。這也說明，在知識擴張的晚清，經學與原有的注疏系統已經不能構成單獨的學術權威，因此在廖平的建構過程中，何謂他心目中「孔經」的知識內容，永遠是不斷在新增的，不會是鐵板一塊。這也隱然表現了經典神聖地位的逐漸滑落，以及經學本身的義理被逐步稀釋架空、轉化的事實。從以往常被視為「保守」的經學家廖平身上，我們體會到世界上沒有絕對缺乏反思與自我調適的文化，只是程度的深淺與自覺不自覺，或是表達的方式不同而已。實際上，傳統永遠在守舊、更新、創新不斷的相互運作之中，發展、轉型與變化，因此絕不存在永恆不變的傳統。

廖平、康有為本欲尊聖，最終卻造成經學解構的弔詭，[129]這是我們已經熟悉的結果。但即使知道經學最終的命運是解體，仍然有必要措意於它中間慢慢轉變，與西方相互碰撞、矛盾來回的諸多過程。因為這個過程釋放出了重要的訊息，呈現了經學本身、不同的經學家個體與社會文化、知識系統擴張之間相互作用的複雜性。同時透過廖平的研究，也讓我們看到了傳統學術思想與信仰在近代變遷的軌跡。

129 王汎森：〈從傳統到反傳統：兩個思想脈絡的分析〉，收入氏著：《中國近代思想與學術的系譜》（臺北市：聯經出版公司，2003年），頁111-121。

《新學偽經考》初探

井ノ口哲也
日本東京學藝大學教育學部准教授

提要

本論文從《新學偽經考》一書，初步考察康有為對古文經書的基本態度。在受到公羊學者的影響下，康有為提出劉歆偽造古文經書一說，本論文又聚焦於他對劉歆的評價，以及如何考辨古文《春秋左氏傳》是劉歆偽造的，目的也在於為今後劉歆的研究打開新生面。（提要由本書編輯代擬）

關鍵詞：康有為　《新學偽經考》　劉歆　古文　《左傳》

一　序言

至今為止，我撰寫了兩本書。其一為《入門　中國思想史》（東京市：勁草書房，2012年4月），這本書是以初學者為對象，敘述了上自夏王朝下至中華人民共和國的中國思想通史的一本概說書。其二為《後漢經學研究敘說》（東京市：勉誠出版，2015年2月），這本書是以東漢時期的知識分子關於經學的活動情況為焦點，考察東漢經學特質的一本研究書。

兩本書問世以來，有一個人物令我十分在意，這個人物就是劉歆（約西元前53-西元後23年）。究其原因，在於我認為劉歆雖然是中國思想史上最重要的人物之一，但是至今為止劉歆幾乎沒有得到積極的評價。

本稿雖說是對康有為（1858-1927）的《新學偽經考》的初步考察，其目的在於獲得為今後的劉歆研究打開新生面的頭緒。

二　關於劉歆的評價

關於劉歆在中國思想史上的重要性，可以歸納為以下三點。第一，劉歆和父親劉向（西元前77-西元前6年）同樣是位於中國目錄學史上開端的人物；第二，劉歆作為三統曆的創始人對於中國天文曆學貢獻；第三，劉歆是在中國經學史上的今文、古文論爭的中心人物。

但是另一方面，劉歆也有被籠罩在另外兩個人物的陰影之下並不出彩的一面。這兩個人物就是劉向和王莽（西元前45-西元23）。特別是在中國目錄學史上，劉歆的定位是「正因為有了劉向，才成就了劉歆」。劉歆的《七略》是在劉向遺留下來的工作的基礎上被創作出來的這一點是無需贅言的。並且，使得在西漢末年的哀帝時期喪失地位的劉歆在平帝時期恢復地位的人正是王莽。劉歆將古文經書早就成為國家學問這件事之所以能夠成功，王莽的政治權力所帶來的影響是巨大的。也就是說，「正因為有了王莽，才成就了劉歆」。劉歆被籠罩在這兩個人物的陰影之下，並不出彩。

而且，就三統曆相關的研究而言，往往由於文科出身的研究者在使用天文學知識和數學算式上并不十分擅長，主要是由理科出身的研究者作為中心來進行研究。但是，直至今日，我對於劉歆在中國天文曆學上做出的貢獻是否得到了文科出身的研究者們的正當評價仍然抱有很大的疑問。

並且，康有為在《新學偽經考》（1891年發表）中提出了劉歆對於古文經書的捏造這件事在清末的學術界引發了一場大轟動，這也成為了導致劉歆的評價被不公正地降低了的原因之一。但是，回顧一下就會發現，最早給劉歆貼上古文經書的捏造者這一標簽的人并非康有為。如果粗略地陳述一下的話，自從劉逢祿（1776-1829）在《左氏春秋考證》中懷疑《左傳》是劉歆的捏造以來，出現了邵懿辰（1810-1861）、魏源（1794-1851）、廖平（1852-1932）等人的學說，最後才是《新學偽經考》。也就是說，我認為，有必要將《新學偽經考》中的主張看作是這個譜係全體的潮流的終點來認知。眾所周知的是，關於康有為的《新學偽經考》，在康有為去世之後，錢穆（1895-1990）在《劉向歆父子年譜》（1930年發表）中（特別是在〈自序〉中），提出了二十八處證據徹底地否定了劉歆對於古文經書的捏造的可能性。關於這件事，雖說被認為告一段落了，但是我對於是否因為這件事而使得劉歆在中國經學史上的復權得到成功抱有很大的疑問。我認為，由於無法完全消除《左傳》成立於西漢末年的可能性，重新審視劉歆與《左傳》的關係，並就西漢末期到東漢初期的知識分子圍繞《左傳》的學說進行探討的餘地還是存在的。

三　《新學偽經考》初探——康有為的基本態度

這次，我想將研究限定於在《新學偽經考》中所能看到的康有為對於古文經書特別是《左傳》的基本態度。

> 吾鄉亦受古文經說。然自劉申受、魏默深、龔定菴以來，疑攻劉歆之偽多矣，吾蓄疑於心久矣。……，拾取《史記》，聊以遮目，非以考古也。偶得河間獻王傳、魯共王傳讀之，乃無「得古文經」一事，大驚疑。乃取《漢書》河間獻王傳、魯共王《傳》，對較《史記》讀之，又取《史記》、《漢書》兩儒林傳對讀之，則《漢書》詳言古文事，與《史記》大反，乃益大驚大疑。……。
>
> 於是以《史記》為主，遍考《漢書》而辨之。以今文為主，遍考古文而辨之。遍考周、秦、西漢群書，無不合者。雖間有竄亂，或儒家以外雜史有之，則劉歆採擷之所自出也。於是渙然冰釋，怡然理順，萬理千條，縱横皆合矣。
>
> 吾憂天下學者窮經之入迷途而苦難也，乃先撰《偽經考》，粗發其大端，俾學者明辨之，捨古文而從今文，辨偽經而得真經。　　（《重刻偽經考後序》）

根據這段資料，我們能夠明白的是，對劉歆的研究是以《史記》作為主要材料、對《漢書》進行考證。

> 按：古學惑人最甚，疑人最早者，莫若《漢書》。自馬融伏東閣受讀後，六朝、隋、唐傳業最盛。二千年來，學者披藝受學，即便誦習，先入人心，積習生常，於是無復置疑者。古學所以堅牢不可破也。余讀《史記》河間獻王、魯共王《世家》，怪其絕無獻王得書、共王壞壁事，與《漢書》絕殊。竊駭此闕六藝大典，若誠有之，史公何得不敘？ 及讀《儒林傳》，又無《毛詩》、《周官》、《左傳》，

> 乃始大疑。又得魏氏源《詩古微》，劉氏逢祿《左氏春秋考證》，反覆證勘，乃大悟劉歆之作偽；而卒無以解《漢書》也。以為班固校書，本從古學而然耳。今按葛洪《西京雜記》，謂「《漢書》本劉歆作，班固所不取不過二萬許言」，劉知幾《史通》〈正史篇〉亦謂劉歆續《太史公書》，即作《漢書》也。蓋葛洪去漢不遠，猶見《漢書》舊本。乃知《漢書》實出於歆，故皆為古學之偽說，聽其顛倒杜撰，無之不可。其第一事，則偽造河閒得書、共王壞壁也。後人日讀古文偽經及《漢書》，重規疊矩，掩蔽無跡。故千載邈邈，群盲同暗室，眾口爭晝日，實無見者，豈不哀哉！重之曰：歆造偽經，密緻而工；寫以古文體隆隆，託之河閒及魯共。兼力造《漢書》，一手掩群曚。金絲發變怪，百代爭訌言凶。校以《太史公》，質實絕不同。奸破覆露，霾開日中。發得巢穴，具告童蒙。（《新學偽經考》〈漢書河閒獻王魯共王傳辨偽第四〉）

這是《漢書》原本是劉歆所捏造的一種學說。之所以康有為會開始對古文經書產生懷疑，雖說受到了公羊學者們的影響，但是更大的原因在於其對《漢書》的懷疑。

關於劉歆與《左傳》的關係，我們可以先從《漢書》〈楚元王傳附劉歆傳〉中的記述來進行考察。

> 及歆校秘書，見古文《春秋左氏傳》，歆大好之。……。及歆親近，欲建立《左氏春秋》及《毛詩》《逸禮》《古文尚書》，皆列於學官。哀帝令歆與五經博士講論其義，諸博士或不肯置對。歆因移書太常博士，責讓之曰，「……。」其言甚切，諸儒皆怨恨。……。會哀帝崩，王莽持政。莽少与歆俱為黃門郎，重之，白太后。……。典儒林史卜之官，考定律曆，著《三統曆譜》。　（《漢書》〈楚元王傳附劉歆傳〉）

劉歆開始從事校書的工作，並且發現了古文《春秋左氏傳》。關於這一點，康有為是如下說明的。

> 按：歆古文之學，其傳授諸人名皆歆偽撰，而其發端則自左氏始。<u>左氏書藏於秘府，人閒不易見</u>，自非史遷、劉向之倫不可得讀也。漢世重六經，以《春秋》為孔子筆削，尤尊之。於時《公羊》盛行，《穀梁》亦賴宣帝追衛太子之所好得立於學。歆思借以立異，校書時發得左氏《國語》，乃「引傳解經」見《楚元王傳》。自為《春秋》之一家。劉歆校書為王莽所舉。（《新學偽經考》〈漢書儒林傳辨偽第五〉）

> 按：班固浮華之士，經術本淺，其修《漢書》全用歆書，不取者僅二萬許言，其陷溺於歆學久矣。此為歆傳，大率本歆之自言也。<u>《左氏春秋》至歆校秘書時乃</u>

見，則向來人間不見可知。歆治《左氏》乃始引傳文以解經，則今本《左氏》書法及比年依經飾《左》緣《左》，為歆改《左氏》明證。此必叔皮及西漢遺老之言，則從前傳不解經可知。 （《新學偽經考》〈漢書劉歆王莽傳辨偽第六〉）

康有為懷疑劉歆是在他人閱覽書籍并非易事的條件下，捏造了《左傳》這本書。我希望大家能夠理解對於劉歆的古文經書的基本態度是以此為開端的。

四 結語

這次為了劉歆研究，根據對康有為《新學偽經考》的考察，止步於康有為對古文的基本態度的介紹。必須將康有為的思想經歷以及從他恩師朱次琦（1807-1881）所受到的學問方面的影響作為考察對象這一點是無需多言的，我期望在日後有這個機會。

王恩洋《儒學大義》經學思想初探

謝智光
中正大學中國文學所博士生

提要

本文初探清末民初王恩洋居士（1897-1964）之經學思想，以其「人生學第二編」之《儒學大義》為觀察核心，考查出以下幾點：一、《儒學大義》的著作深意，因應時事，期能濟世之窮而重建風俗、彰顯德化學問。二、《儒學大義》的世界觀察，將人類文化分「愛生競存、西洋、科學的文化文明」、「淑身善世、中國、儒者之文化文明」、「捨棄人生、印度、佛陀之文化文明」。特別評論西洋文化缺失是：「使人生失其意義」、「使人類喪其同情」、「使道德日趨墮落」，以顯儒學之上通下達。三、《儒學大義》的十端內涵：從〈勤勞克苦〉、〈節儉足用〉、〈知足安分〉、〈知命樂天〉、〈仁義〉、〈禮樂〉、〈五倫〉、〈三德〉、〈中庸之道〉、〈大人之學〉十端以明儒學躬行實踐的實用性、內省性及社會性。四、由儒入佛的反身思惟，站在經典詮釋的立場，《儒學大義》已會通儒家經典，所引之文皆自儒家經典，所用注解則以宋儒為主；其要義式的論述，已非傳統注經方式。

檢視王恩洋學術史成就，因其佛學思想影響較廣，故而經學成就隱沒不彰，透過本文剖析，《儒學大義》的創作動機為佛學而來，具人世價值，不出經典之外。順應時事，辨別世人對儒家的錯解。然其為文風格過於講理，是不易推廣之內因。而其最大優點，則是將經典要義綱舉目張呈現，實為士人內省外用而能奉行之良方。

關鍵詞：王恩洋　人生學　儒學大義

一　前言：變動時代的儒佛學者

民國時期（1912-1949）因處於變動時代，現存此時期的文化史記錄並不完備，如《民國時期總書目》[1]遺漏許多書籍。就經學而言，亦有諸多被遺忘的經學著作，正因為經學乃經世致用之學，變動時期的經學家或思想家，受到西方思想浸潤，加上對傳統學術思想的反省，使用新方法和新觀點來解釋經典，對於經學產生不同的詮釋方式。

學術史中，經學家被遺忘有兩種可能，一種是其著作本無實際的利用價值，或在社會環境中並不適用，因而被自然淘汰、被接受史所遺忘。另一種是其著作有實際的利用價值，但因為社會動盪如戰亂等其他因素，而被隱沒不彰。此兩種可再細細究其原因，因此重新整理及發掘民國時期的經學著作，乃至於讓真的不能被遺忘的經學家再次確立其學術位置，實為當今經學史的重要工作。清末民初，中國處於內憂外患的困境。為解決時代困境，各界人才無不重視經學，在以明末以來儒釋道合流的背景下，思想家不排斥研讀佛學，甚至有主動研讀佛學者；佛教界緇素大德重視傳統經學、使用經學來推廣佛學，因而不乏有儒佛並重的經學著作。究其著作動機，未必盡然皆同，然其傳遞思想及解決社會問題、乃至於改造人心的大方向，則是大多數知識分子的本懷。被四川佛教界視為佛學大家的王恩洋居士（1897-1964）[2]即有諸多重要的經學著作，對當時的社會有一定的影響力。

王恩洋的求學經歷，一九一九年進入北京大學哲學系，向梁漱溟（1893-1988）學習印度哲學，後赴南京支那內學院隨歐陽竟無（1871-1943）習內典，對法相唯識學最為好樂，一九二七年回到家鄉四川創龜山書房，授徒講學。一九四二於四川內江創辦東方文教研究院，講習東方文化等課程。王氏同時弘揚佛儒，應是受到歐陽竟無之影響，亦與楊文會（字仁山，1837-1911）以書院作風從事著述、講學有很大的關係。王恩洋自成體系的經學著作主要有《大學新疏》、《孟子學案》、《論語新疏》、《孟子新疏》。

據〈王恩洋先生著述目錄〉[3]初步統計，目前已知王恩洋著述包含單篇文章、專著

1　北京圖書館編輯：《民國時期總書目》（北京市：書目文獻出版社，1986年）。

2　王恩洋（1897-1964），佛學家，居士。四川南充人，字化中。一九一三年入南充中學，一九一九年在北京大學學習印度哲學，後在南京支那內學院師從歐陽竟無研究法相唯識，一九二五年在該院任教。此後十幾年主要從事教學和著述工作。一九四二年創辦東方文教研究院。一九五七年出任中國佛學院教授。一九六四年在成都病逝。通內外學，精通法相唯識，主要著作有《攝大乘論疏》、《唯識通論》、《心經通釋》、《佛學通論》、《人生學》、《人生哲學與佛學》、《起信論料簡》等二百餘種。參考馬莉莉：〈王恩洋研究綜述〉，《四川佛教》2013年第2期，總第23期（峨嵋市：四川省佛教協會，2013年），頁12-17。有關於王恩洋的生平及與佛教的關係，另可參考王榮益：〈悲智雙運，行篤願深——懷念祖父王恩洋先生〉，《中國宗教》，頁33-36。柳禊：〈關於王恩洋先生的幾個問題〉，《佛學研究》，1997年，頁198-202。黃夏年：〈王恩洋先生與重慶佛教〉，《重慶師範大學學報》（哲學社會科學版），2006年第3期，頁98-105。

3　黃夏年：〈王恩洋先生著述目錄〉，《世界宗教研究》，1998年第4期，頁65-76。

約有二○九種，筆者擇其經學著作或是涉及儒學研究，大約有三十五種，以儒學總論、《四書》為主，並有少數對《詩經》、諸子學之研究心得，這對檢視王恩洋在儒學、經學上的貢獻，有很大的參考價值，略分數類列之[4]：

（一）儒學總論

1《人生之實相》（人生學・第一編），一九三三年上海佛學書局版。一九四五年四川東方文教研究院版。

2《儒學大義》（人生學・第二編），一九三四年上海佛學書局版。東方文教研究院版。

3〈儒學大義跋〉，《佛學半月刊》第八卷十五號，一九三八年八月。

4〈唐虞之德治〉，《文教叢刊》第一卷第二期，一九四五年五月。

5〈儒學中興論敘論〉，《文教叢刊》第七期，一九四七年八月。

6《儒學中興論》，一九四七年東方文教研究院。

7《孔子學案》

8《學記義疏》

9〈新人生哲學〉，（原名〈開倒車的人生哲學〉）

10《人生哲學與佛學》

11《人生之路向及人物之類型》

12《儒學在人類文化之地位及其意義與源流》

13《中國文教論》

14《新理學評論》

（二）四書

15《論語新疏》，一九三三年上海佛學書局初版名《論語疏義》屬《龜山叢書》第一種。一九四六年十月東方文教研究院鉛印版，改為現名。《東方文教研究院叢書》第十九種。

16《孟子新疏》，一九三三年上海佛學書局初版名《孟子疏義》屬《龜山叢書》第二種。一九四六年四川東方文教研究院版鉛印本，改現名。

17〈論語子罕曰吾有知乎哉無知也有鄙夫問於我空空如也我叩其兩端而竭焉解〉，《佛學半月刊》第八卷五號，一九三九年三月。

---

4 筆者將部分著作出版項不明者列於後，其餘照出版年排序。第三十五種〈佛法與中國文學〉雖與儒學無直接關係，然因文學與思想實不可分，故一併列之。

18〈讀孟子〉,《佛學半月刊》第八卷七號，一九三九年四月。署名龜山。
19《大學新疏》，一九四四年一月東方文教研究院初版，一九四七年一月再版。
20《孟子學案》
21《大學略釋．佛法總論．合本》，油印一冊，未刊。
22《大學義疏》
23《格致辨》
24《中庸新疏》

（三）詩經

25〈論詩經之藝術〉,《文教叢刊》第一卷第二期，一九四五年十二月。《文教叢刊》第三、四期合刊。
26〈氓（詩經新疏）〉,《文教叢刊》第五六期合刊，一九四六年十一月。
27〈衡門（詩經新疏）〉,《文教叢刊》第七期，一九四七年八月。
28〈鳲鳩（詩經新疏）〉,《文教叢刊》第七期，一九四七年八月。

（四）易經

29〈周易之哲理〉,《文教叢刊》第一卷第二期，一九四五年五月。

（五）諸子學

30《王國維先生之思想》，一九二九年成都新新印刷局鉛印本。一九三三年上海佛學書局鉛印本。《龜山叢書》之七。一九四六年東方文教研究院版鉛印本。再版時與《老子學案》合冊。
31〈荀子之知識論〉,《文教叢刊》第一卷第二期，一九四五年五月。
32《荀子學案》，一九四五年八月東方文教研究院初版。
33《老子學案》
34〈中國二千年之經驗派哲學大師荀卿〉,《文教叢刊》第一卷第一期。

（六）其他

35〈佛法與中國文學〉,《文教叢刊》第三四期合刊。《海潮音》第二十七卷四期，一九四六年。一九七八年收入《現代佛教學術叢刊》第十九期。

其中如《孟子學案》以孟子心性論、工夫論、政治論為類別，將孟子思想提出梗概；《孟子新疏》進一步採用傳統注經方式，重新為《孟子》作疏。經學著作外，王恩洋並有多種關於「人生哲學」的著作，如《人生學》系列著作，可視為其融會佛學與經學思想之著作。本文討論的文本即「人生學第二編」之《儒學大義》[5]，發掘王恩洋「以講學為學術宣導」的思想特色。

二　《儒學大義》的著作背景

從歷史的長河來看，《儒學大義》在經學有其正面價值。生於清末民初的學者，研究其人與思想必不能忽略所處的時代，以及當時的相關學術背景，主要有二：儒學及佛教。尤其當時社會上種種反孔思潮、愛國思潮、反戰思潮，更是刺激佛教居士提倡儒釋融和的主原，因此抗戰時期儒、釋思想的合流背後有比較複雜的因素。民初的佛教居士儒釋道融和思想並非全然一己創見，彼等也受到歷代先賢思想啟發有所延伸。因此上自東漢三國，乃至魏晉隋唐，各朝代中不乏有排佛論者，也有護教之士為佛法辯護，此過程自然產生種種融和說。王恩洋的學思經歷特殊，初步推論是以儒學為學習佛學的基礎。而其經典詮釋的特色，與其師承有很大的關係。陳雍澤〈楊文會之佛學思想與貢獻〉[6]一文中曾將楊文會佛學傳承系統製表，在楊文會所影響的居士之下，善唯識法相

5　王恩洋：《儒學大義》（上海市：上海佛學書局，1934年）。

6　陳雍澤：〈楊文會之佛學思想與貢獻〉，《中興大學中國文學系碩士在職專班論文集》，頁96。陳雍澤依歐陽竟無《楊仁山居士傳》之文而製表，此傳承可見民初佛教界法門龍象之傳承，此等僧俗二眾在今日臺灣佛教界仍有很大的影響力。按：此文系陳雍澤先生印贈，特此致謝。陳氏碩士論文題目為：《李炳南先生儒佛融會思想研究》，中興大學中國文學系碩士在職專班，2005年。此文推測應完成於二○○五年前後。

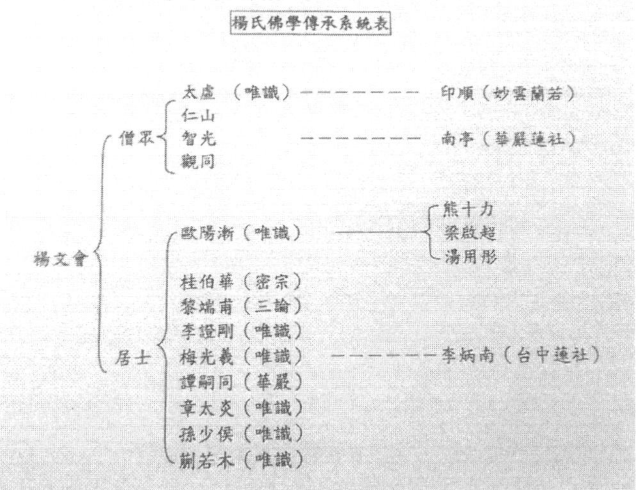

之學者有歐陽竟無、李證剛（1881-1952）、梅光羲（1880-1947）、章太炎（1869-1936）、孫少侯（1869-1924）、蒯若木等。歐陽竟無之下則有熊十力（1885-1968）、梁啟超（1873-1929）、湯用彤（1893-1964）。若依王恩洋的學思經歷，應同列於此。梁啟超曾於《清代學術概論》簡要指出：「晚清所謂新學家者，殆無一不與佛學有關係，而凡有真信仰者率皈依文會」[7]，太虛大師（1890-1947）亦稱楊文會為「中國佛學重昌關係最巨之一人」[8]。民國以後，堪稱為佛學泰斗的太虛大師、梅光羲、歐陽竟無等，對教界貢獻良多，究其經歷，皆曾於楊文會創辦的「祇洹精舍」研究內典佛法，日後佛門注重僧伽教育、開辦佛學院、研究班等培育人才，皆源於祇洹精舍之學習。王恩洋返回四川開辦龜山書院、東方文教研究院的講學作風，可以說是傳承自此。

楊仁山培養許多佛法人才，其弟子及再傳弟子對於儒學、經學，亦努力闡揚，並加以利用推廣，王恩洋就是最佳例證。追本於楊仁山，楊氏創辦的「金陵刻經處」，以興辦教育為目的，培養人才。[9]眾多於中國失傳的佛教典籍，也藉由楊氏向日人尋訪之功，再次回到中國本土。梅光羲、歐陽竟無等人都在楊氏底下執弟子禮、修學佛法。[10]楊氏佛學思想，教理上屬法性宗，也通達法相唯識之理，主張融會性、相二宗，行持以淨土法門深入，並深明禪、密、律法。楊氏著作除佛學外，亦對傳統經典有所闡釋，包含《老子發隱》、《論語發隱》、《孟子發隱》、《陰符經發隱》、《道德經發隱》、《冲虛經發隱》及《南華經發隱》。與梅光羲同時，在楊仁山座下聽課的歐陽竟無，復興「法相唯識學」，呂澂（1896-1989）、熊十力、王恩洋等人，亦在歐陽竟無創辦的「支那內學院」共同學習。上述所引思想家，除熊十力外，學術史上多以佛學思想見長，可稱「佛學教育者」，這種儒佛交涉的關係，一直影響深遠。

相較楊氏「義理式」經學著作，歐陽竟無在「金陵刻經處」設立「支那內學院」，延續佛學研究宗旨[11]。內學院是教學、刻經和佛教研究的機構，與太虛大師創辦的「武昌佛學院」，成為當時佛學的兩大重鎮。[12]支那內學院主要是以唯識宗研究為主，旁及印度梵文、巴利文佛學與藏傳佛學，是近代唯識宗復興與佛學研究的主要推手。一九二四年支那內學院創辦《內學》年刊，是中國最早純佛學學術刊物。歐陽竟無在率領弟子們研讀佛學的同時，並同時講述儒家經典，至今有歐陽竟無的《孔學雜著》、《四書讀》、《論孟課》、《毛詩課》等講義課本流傳。

7　梁啟超：《清代學術概論》（南京市：江蘇文藝出版社，2007年），頁91-92。

8　太虛大師全書編纂委員會編：《太虛大師全書》，〈中國佛學〉（臺北市：善導寺，1980年）。

9　有關金陵刻經處的創立、發展與組織經營及刻印經籍、流通目錄、見存版本等，可參考羅琤：《金陵刻經處研究》（上海市：上海社會科學院出版社，2010年）。

10　釋廣學：〈中國近代佛學居士刻經講學考略——楊文會、歐陽漸、呂澄三居士與金陵刻經學評析〉，《鄂州大學學報》，2006年1月，頁14-17。

11　雍琦：《講學以刻經——歐陽竟無佛教教育研究》（上海市：復旦大學博士論文，2010年）。

12　敖以華：〈支那內學院〉，《法音》1990年5月，頁36。

楊氏的再傳弟子、歐陽氏的入室弟子—王恩洋的教育事業，竟與其師祖有所雷同，弘揚儒佛教義，於四川內江創辦「東方文化研究院」。現今學術史發掘王恩洋的成就大都在佛學研究。其早年在支那內學院學習時，曾因研究唯識而撰寫〈大乘起信論料簡〉，掀起《起信論》論戰，此為轟動佛教界大事。史稱王恩洋其學兼內外，佛學專精法相唯識。筆者關注其經典詮釋的方法，初步發現王恩洋繼承楊仁山、歐陽竟無以創辦書院的作風著述講學，佛教義理上有所闡發，宣揚儒家經典，也有所成果。

三 《儒學大義》的世界觀察

《儒學大義》共分〈人類之三種文化〉、〈西洋文化評論〉、〈導言〉三章，三章後有〈跋〉。〈導言〉下有儒學十端，分別為〈勤勞克苦〉、〈節儉足用〉、〈知足安分〉、〈知命樂天〉、〈仁義〉、〈禮樂〉、〈五倫〉、〈三德〉、〈中庸之道〉、〈大人之學〉，為著作中的核心思想內涵。其中的〈人類之三種文化〉與〈西洋文化評論〉，可視為王恩洋的世界觀察。討論傳統儒學，已不可不與世界接軌，這在當時的學術環境中，雖已非創舉，但也代表了一種較為廣闊的世界觀。其云：

> 人類文化略有三種，由三條之路向而來。……**一者**，由彼對於人類見其無不樂求生存，又見生存之要不能一日離夫衣食住居器用資財之需，於是便努力於其生存，而盡心以營求外物，日以當養保存身體之完全生命之連續，更進而求生活之富樂為事，此常人之情所與禽獸昆蟲同者也。……可曰**愛生競存之路向**。**二者**，觀察人生雖不能離夫外物之需求，然求之而過不能知止，則即此營求愈足以增加人之苦惱。……故謂人生之價值不在財利之爭求，而在道德之修養。……可曰**淑身善世之路向**。**三者**，觀察人生畢竟是苦，而所以致此苦者，又無不由不淨之業之所招，惡業苦果無有已時，即有情終無完善美滿之生活。……則不如捨棄人生，別求出離，解脫涅槃，不生不滅，斯為至極究竟之道也。……可曰**捨棄人生之路向也**。[13]

王恩洋將人類文化分為三種，分別為（一）愛生競存—西洋—科學的文化文明，（二）淑身善世—中國—儒者之文化文明，（三）捨棄人生—印度—佛陀之文化文明。王恩洋在闡述此三種文化的內容後，並繪互涉圖：

13 王恩洋：《儒學大義》，頁1-3。

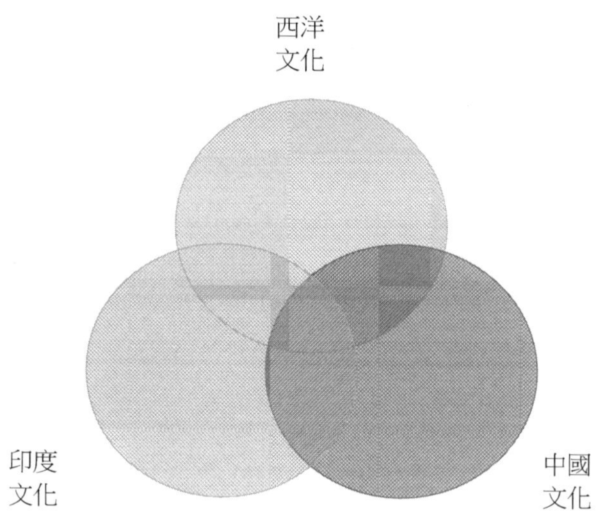

王恩洋並云此「文化三分說」為其在北京大學旁聽課時，受梁漱溟之啟蒙而受益。王云己為「由儒入佛」，梁氏為「捨佛歸儒」，彼此行徑思想皆殊，所論含義也不同。但因啟蒙於梁氏，故感謝其開導增上之德。與王恩洋差不多同一時期的李炳南居士（號雪廬，1890-1986），其《佛學概要十四講表》之〈介言〉也有其世界觀，云「造福世界之三大學派」為「中國倫理」、「印度佛學」、「歐美科學」，竟如此類似。[14]值得注意的是，李炳南之唯識學師承於梅光羲，同樣上承於楊文會佛學傳統系統，可見當時的知識分子或教內人士，皆對整體世界觀有同樣的關懷。

《儒學大義》之第二章為〈西洋文化評論〉，特別以不大的篇幅評論其短處，歸納有三點：（1）**使人生失其意義**：是不以衣食養身心而反以身心逐衣食，是非反以衣食等外物為主，而反以身心為奴役；（2）**使人類喪其同情**：利用厚生之術愈進，而我所有執亦以愈堅；（3）**使道德日趨墮落**：功利主義愈興，物質文明愈發達，使人類終日汲汲於富貴權利之是圖，則必然的縱嗜慾而害公義。

王氏於本節後特別提出說明，之所以闡述此世界觀及西方文化弊病，不是要「摧滅西洋文化而復返於太古」，而是要帶出儒學之重要性。其云：

> 要在先能調節人之心性，使人心足以支配物質文明，而不為物質文明所支配。……當先培植人之德性，使有超越功利之心，然後乃能不為彼物質文明所迷亂，然後乃能利用之，去其弊而收其利。……吾當先述儒學以明世間正道，後述佛學以示出世正道，俾有志救世者知所趨向奉行也。[15]

14 李炳南：《佛學概要十四講表》，收於《李炳南老居士全集》佛學類之四《大專佛學講座初級教材》（臺中市：青蓮出版社，2005年），頁1-2。

15 王恩洋：《儒學大義》，頁21-23。

可見王恩洋的著述與講學是有次第的，目標明確：先明世間正道（儒學思想），後述出世間正道（佛學思想）。而此文化三分說中，中國儒家文化是近程目標，西洋科學文化是待修正的方法，印度佛教文化是終極目標。必須有中國文化的涵養，才可以善用西洋文化，達到印度文化。因此王恩洋特別看重中國文化，是上通下達、內省外用的關鍵。今觀世界古文明，留傳至今日仍被重視使用者，幾乎微乎其微，而中國儒家文化不但間接保存了印度佛教文化，並加以轉化，於今而言可謂彌足珍貴。

四　《儒學大義》的十端內涵

前已述及，〈導言〉後分十端，分別為〈勤勞克苦〉、〈節儉足用〉、〈知足安分〉、〈知命樂天〉、〈仁義〉、〈禮樂〉、〈五倫〉、〈三德〉、〈中庸之道〉、〈大人之學〉，為著作中的核心思想內涵。王氏所舉十端，各出何本？各有何深意？就王氏的經學著作觀之，其最重視《四書》學，其次為《詩經》學。先明進入十端之前的〈導言〉，將「儒者之義」化約為三層次：

> 孔子為儒者之宗，豈不以其祖述堯舜，憲章文武，刪詩書，定禮樂，述而不作，保持先民之文獻，而集往聖之大成也耶？此儒者之第一義也。……所謂真儒者，又非徒記醜多聞，要在躬行實踐自立立人，德行可尊，言語可法，以為世師表也。故自古有師儒之目，則儒者又為賢人君子之專稱矣。此儒者第二義也。……儒者通古適今，緣情制禮，以經綸民物而利濟天下者也。非夫大仁大智之聖人，其孰能當之？則堯舜湯武周公孔子是也。此儒者之第三義也。[16]

儒者三義的層次是（1）保持先民文獻，集往聖大成；（2）躬行實踐之師儒，賢人君子之專稱；（3）通古適今，大仁大智之聖人。蓋此三義，皆以周公孔子等為典範楷模，而最易下手處為第二義：躬行實踐自立立人。這是修養的功夫，唯有知行合一，自我實踐，才可被稱為「賢人君子」。要如何躬行、實踐，達到自立、立人？則是王恩洋所謂的「儒家主持十端」。觀此十端：〈勤勞克苦〉、〈節儉足用〉、〈知足安分〉、〈知命樂天〉、〈仁義〉、〈禮樂〉、〈五倫〉、〈三德〉、〈中庸之道〉、〈大人之學〉，約可見其實用性、內省性、及社會性。如第一「勤勞克苦」與「節儉足用」，無論士農工商、各界人士都可實用；「仁義」由內而外發，「禮樂」、「五倫」則具有社會性。

今以〈勤勞克苦〉此端為例，期見其思想底蘊。王恩洋以讀者已明白「人生一切是苦」、了解人生實相為前提，首引《孟子》〈告子下〉之「天將降大任于斯人也」內文，謂人生第一義，是要能勤勞克苦。並擴及整個家、國：

16 王恩洋：《儒學大義》，頁24-25。

> 故觀於一人之勤惰，可以卜其終身之事業。觀於一國之勤惰，可以斷其國運之衰隆。[17]

對王恩洋而言，修身不是為了利己，而是為了利人、乃至天下。除了因為因應時事，救當時社會環境為首要目標外，也是中國儒者的基本關懷。王恩洋並以極大的篇幅舉出堯、舜、禹、周公的勤政治民，才可創造富足強健之家國。此節末分別引《易經》〈乾卦・象〉：「天行健，君子以自強不息」；《論語》孔子語：「吾學而不厭，誨人不倦」〈述而篇〉、「其為人也，發憤忘食，樂以忘憂，不知老之將至」〈述而篇〉；《孟子》〈離婁下〉：「君子有終生之憂，無一朝之患。勤勞克苦之謂也。……」；《詩經》〈大雅・板〉「天之方蹶，無然泄泄！」證明勤勞而後能振作、發強、剛毅、摧伏艱難拔除苦惱、生養相續治化相承，可久可大。而最後引內典之「三界無安，有如火宅」[18]，大聲強調唯有勤勞克苦，才能挺然精進以任天下之鉅任。

〈仁義〉端則為由內而外的基礎，是內省必具的工夫，其云：「儒者之學立命修身，道在仁義。」而因仁之義自古不易言之，王恩洋先引《孟子》之四端發明，再引《論語》中孔子言仁成仁之道，皆非釋仁之意義。最先直釋其義者為《中庸》：「仁者人也，親親為大」。此為王恩洋從經典上尋求真意。並加引二程子、朱子之解釋，但王恩洋都不甚滿意，認為意義仍舊不明，故其多年研究儒學下的定義是：

> 仁者，慈愍而無貪求之心志行為也。[19]

王氏為總結此義，大量援引《論語》經文，最後說明仁者所能利己利人之處，是利濟他人如自利濟，捨己為人而心樂之，殺身成仁而無畏無怨尤。

〈五倫〉則為十端當中的社會性，首先肯定五倫的重要，謂「儒家最重倫理。仁義之實，禮樂之用，皆於五倫中見之。故吾人不可不知倫理也。」[20]五倫講述的是人與人之間的關係準則，看似平凡簡單，卻是維繫和平大同的基礎。在此端當中，王恩洋援引多次《禮記》經文，其云：

> 記曰：飲食男女，人之大欲存焉。欲之所存，亦爭之所由起也。聖人不能禁人之欲，絕人之情，而惡人之爭也。故為禮以治之。令各有分界繫屬而無相爭亂。故

17 王恩洋：《儒學大義》，頁27。

18 大正新脩大藏經，第9冊，頁262《妙法蓮華經》〈譬喻品第三〉，原文為：「三界無安，猶如火宅，眾苦充滿，甚可怖畏。」「三界」指欲界、色界、無色界。怎麼樣無安的？「猶如火宅」。整個三千大千世界，像燃燒的房子充滿大火，沒有比被火燒更苦的了。所以說「眾苦充滿，甚可怖畏」。三界不安穩、充滿恐懼與痛苦，人生的苦來自眾生所具之貪瞋癡，所以經文說，三界是火宅，六道是苦海。從地獄一直到非想非非想處天，都是苦海，充滿了大火。

19 王恩洋：《儒學大義》，頁51。

20 王恩洋：《儒學大義》，頁93。

> 因男女之欲，而定夫婦之倫，曰夫婦有別也。……由是而有父子，由是而有兄弟，由是而有君臣朋友，故曰夫婦，人倫之始也。其始既正，則無夫不正。其始不正，則一切失其正。[21]

其並明確指出五倫的次序應以夫婦倫為始。引《禮記》之「老吾老以及人之老，幼吾幼以及人之幼」推之：「天下之人寧有一人不為吾慈孝愛敬之心之所及哉？天下之人，胥以慈孝愛敬相接，則天下之人烏有不相親而相害者哉？是故五倫之教，容量至廣，而五常之用可及天下一切之人也。」[22]可謂儒家對世人全體的最大關懷。

然因應當時社會環境對中國傳統文化乃至於儒家思想有所質疑，加以西方個人主義的激盪，對「五倫」觀念之存疑必須去除，是以王恩洋用很大的篇幅自問自答，將種種質疑一一擊破。如其云：

> 或謂人生貴得自由，倫常禮教束縛人之心志而強人以必盡之義，無乃非自由之理耶？曰：人類本無自由：不能自由而生，必賴父母以生。不能自由以長養，必賴父母以長養。不能自由而才智強能，必賴師長朋友之教誨誘掖而後才智強能。不能自由一身一家以生養圖存，必賴人群社會相互扶持輔助以生養圖存。人類之不能自由也無此，乃於既得生長存養而獨求自由焉，捨人群當盡之義而不顧，是亦可謂至愚不靈者也。[23]

事實上，人類不能自由而生，也不能自由而死。此為人生之實相，但王恩洋在此尚未點明，應是此論述是以解決世間問題為首要。而論述之後，再加以反問，若肆行無忌，獨行其意而為自由，是真自由嗎？答案是否定的，反而是不自由更甚之。

五　小結：由儒入佛的反身思惟

王恩洋作此《儒學大義》，屬「人生學第二編」，作於「人生學第一編」《人生之實相》之後。受到時代學術思想及研究方法的影響，王恩洋的解經方式已跳脫傳統。在《儒學大義》〈跋〉文中，王恩洋指出儒者之學是「深切人事，示人生以大道，範人群於正軌，中正不倚，因時制宜，可謂無過於天下矣。」[24]並因為「適歐戰之後，西洋文化之弊畢露呈現於天下，苟非有溫厚而切近人事之教，莫能濟斯世之窮也。」闡明其述《儒學大義》之宗旨，是因應時事，期能濟世之窮而重建風俗、彰顯德化的學問。

---

21 王恩洋：《儒學大義》，頁95-96。

22 王恩洋：《儒學大義》，頁102。

23 王恩洋：《儒學大義》，頁103。

24 王恩洋：《儒學大義》〈跋〉，頁179。

站在經典詮釋之立場，王恩洋的《儒學大義》已會通儒家經典，所引之文皆來自儒家經典；所用注解，則以宋儒為主。然其融會貫通，自成一格，以實用性、內省性、社會性為目標。在經學價值上應給予肯定，但自為要義式的論述，已非傳統注經方式。王氏本身也注經，可見其清楚認知到：不同的著作方式可形成不同的意義。

檢視王恩洋目前在學術史上的成就，因其佛學思想影響較廣，故而經學成就隱沒不彰，惟王恩洋雖有深厚的佛學研究背景，但就《儒學大義》的文本來看，除於世界觀察將人類文化三分強調佛學的重要性之外，對於儒學大義之十端之解析與申論都是比較純粹的儒學研究，不能明顯看出有佛教思想的詮釋。可以確定的是，《儒學大義》創作動機是為佛學而來，兼有出世與入世的價值。透過本文的初探，王恩洋的經學思想之特色，是詮釋不出於經典之外，並順應時事、將世人對儒家的錯解辨別，來為儒家護航。至於《儒學大義》為文的風格，因過於講理，不易推廣。但其綱舉目張，實為士人內省而外用的良方。文本之初探可見王恩洋已非純儒或純佛學者，《儒學大義》只提取儒學的要義及精神；若論王氏的事功，在民間成立講學機構，無論是培養人材、宣揚教義、闡釋儒學、著書立說，都有一定的影響；而入世的精神與實踐，是變動時代經學家的主要特色。

論牟潤孫經史研究中的情境詮釋法*

車行健

政治大學中文系教授

提要

牟潤孫治經史強調「致用」的精神，所致之用在於發明古為今用之理，所著眼的並非純然經書史事本身，而是研經治史者所關懷注重的當下現實需求。在此意義下，經學不但就是史學，而且更是當代史。在此治學原則指導下，牟氏尤其注意抉發解經者與論史者所刻意隱藏或不外顯的大義微言。這種抉發正是對經解史論的詮釋，這種詮釋方法特別聚焦在詮釋者所身處的特殊情境與其所面對的經書史事之興發感應，吾人稱此方法為「情境詮釋法」。這種方法構成了牟氏經史之學的主要特色。本文對此治學特色做一全面地探究，一則觀察其如何運用這種方法且取得何種成果；一則對其方法運用及其成果進行客觀深入的檢討與評判。

牟氏研究前人致用之學，當先確實了解其說是否確有致用之意以及所用之意為何？牟氏對此做了許多精當的研究，但其所論斷者，亦時有致誤之處，尤其以論清代學術之處為甚。此外，牟氏對所研究對象的致用詮釋之判斷有時亦是另一種形式的致用詮釋，亦即牟氏自己的通經史致用，借題發揮。

致用的詮解多少都會背離文本的原義，不會是「致確」而是「致誤」的詮釋。「致確」與「致用」常是相互排斥的，欲「致用」就必得「致誤」。牟氏治經史慣用致用的方法，常會用致用的眼光和方法來看待研究對象，因而也就寫出了不少既「致確」又「致用」，或「致確」與「致用」混雜在一起的文章。

關鍵詞：牟潤孫　致用　經學　史學　情境詮釋法

* 本文初稿發表於彰化明道大學國學研究所暨中國文學系、中國經學研究會與中央研究院中國文哲研究所主辦之第九屆中國經學國際學術研討會，二〇一五年四月十二日。

一　前言

牟潤孫（1908-1988），原名傳楷，字潤孫，後以字行。生於北京，祖籍山東省福山縣。一九二九年考入燕京大學國學研究所，一九三二年畢業。指導老師為陳垣（1880-1971）及顧頡剛（1893-1980），復從柯劭忞（1850-1933）受經史之學。先後任教於河南大學、輔仁大學、上海同濟大學、上海暨南大學、臺灣大學、香港新亞書院、新亞研究所及香港中文大學等校。[1]主要著作為《注史齋叢稿》上下冊和《海遺雜著》初編二編共四冊[2]，前者以經學、史學之考論為主，後者則涉及史事考證、政事述論、思想闡發、人物回憶、往事追述、名物商討、小說戲曲之評論等[3]，涵蓋層面相當廣泛，頗稱豐富。

雖然牟氏為學看似極為博通淵雅，但其所論述仍以經學、史學為主，小說戲曲的研究一來文章不多，二來皆從史學甚或史料角度入手。史事考證、政事述論、人物回憶、往事追述、名物商討均與史學有關。思想闡發則涉及經學與學術思想史，因此可大致從經學、史學兩個領域來定位其學術，陳寅恪（1890-1969）嘗許其所謂「烏臺、正學兼而有之。」[4]牟潤孫對此評語的理解是：「『烏臺』是御史臺，借以指史學。正學，正統之學，即經學。」[5]能得到陳寅恪如此的評語，他對此也頗為自豪。不過牟氏雖然有不

1　以上關於牟氏生平簡歷俱參中華書局編輯部：〈出版說明〉，《注史稿叢稿》（增訂本，北京市：中華書局，2009年），上冊，頁1；及李學銘：〈牟潤孫教授編年事略〉，《注史齋叢稿》，下冊，頁786-795。

2　此據牟氏去世後北京中華書局於二○○九年所出版的版本而言，此版本由其弟子重新編定，與牟氏生前出版的版本在冊數、文章篇數，甚至書名等方面都不太相同（如《海遺叢稿》原作《海遺雜著》）。本文以新編本為據。

3　參中華書局編輯部：〈出版說明〉，《注史稿叢稿》，上冊，頁1。

4　見陳寅恪：《陳寅恪集》（北京市：生活・讀書・新知三聯書店，2001年4月）之《書信集》，頁283。

5　見陳寅恪：《陳寅恪集》之《書信集》，頁284。案：胡文輝對此有不同的理解，他質疑牟氏誤解了陳寅恪的意思，其云：「我覺得陳氏在表面詞義之下，似另有一層影射；作為當事人，牟氏恐怕並未完全理解陳先生的深意。按：以『烏臺』指史學，以『正學』指經學，未免故作迂曲，陳氏作為史學大家，根本不必玩這種雕蟲小技。而最值得留意的，是原件中的『烏臺』兩字加了引號，『正學』兩字加了專名線（《書信集》省略了專名線），若按牟氏的解釋，就不合標點符號的規範，顯得不倫不類。要知道，如果是以『烏臺』表示御史臺，則本應加專名線為宜；如果是以『正學』表示正统之學，則又應加引號為宜。現在則正好顛倒，兩不相稱，何也？我以為，加引號的『烏臺』，疑指蘇軾著名的『烏臺詩案』；蘇軾反對王安石新法，賦詩托諷，被下御史臺問罪，此處可借指文字獄。加專名線的『正學』，則當指明初方孝孺，蜀獻王曾聘方氏為世子師，名其宅屋曰『正學』，故世號正學先生；方孝孺忠于建文帝，對篡位的燕王朱棣（明成祖）抗命不從，被凌遲處死，並株連十族，被難多達八百餘人，此處可借指政治株連。如果這樣，則『烏臺』加引號指事件、『正學』加專名線指人名，就都顯得文從字順了。一九六六年六月六日，『文化大革命』在廣州展開……陳氏此函，正寫于此年十一月間，所謂『烏臺』、『正學』兼而有之云云，若指文字獄和政治株連而言，就完全吻合當時的政治形勢了。也正因為那樣草木皆兵的形勢，陳氏才會在信中突兀甚至無禮地請牟氏『以後

少涉及經學方面的論著，他年輕時也嘗受業於經學家柯劭忞門下，但他對經學並無太多的崇敬之意[6]，也未對其學科的自主性與獨立性有較積極的體認。[7]相反地，他認為經學與史學不分，甚至經學皆史學，他所看重的是從經學來看史學，因而在他看來，經學史就是史學的輔助學科。[8]牟潤孫這種將經學史學化的觀點，是二十世紀以來中國人文學界很普遍的一種傾向，如其師顧頡剛亦有「將經書變成歷史」、「把經書也看成一堆史料」、「把經學變化為古史學」等類似觀點。[9]而其徒逯耀東（1933-2006）亦從此角度注意到了顧頡剛與《古史辨》在中國現代史學發展過程中的意義。[10]

無論是經學或史學，牟潤孫治學主張和學術特色都極強調「致用」的精神。[11]所謂通經致用，如其謂朱熹（1130-1200）《詩集傳》：

> 朱子撰《毛詩集傳》頗有為當時世事而發的議論，借著注釋《詩經》評論時事、發揮個人的思想理論，與程頤的撰《易傳》，體例頗相類似。這正是漢儒通經致

不必再寄書為感』，顯然，那是因為害怕『裏通外國』的罪名啊。所以，『烏臺』、『正學』當係一語雙關，表面上雖是恭維牟氏的論著，而深層含義則是影射當時的政治恐怖。余英時先生曾將陳氏《再生緣校補後序》稱為『答海外讀者的一通密電』（《陳寅恪晚年詩文釋證》），則陳氏此函，亦可謂『答海外友人的一通密電』也。」（胡文輝：〈陳寅恪致牟潤孫函中的隱語〉，《人物百一錄》杭州市：浙江大學出版社，2014年1月，頁226-229。）不論牟氏對陳寅恪回函的反應是否是一場「美麗的誤會」，但由牟氏自詡的心情來看，無疑也承認經史之學兼擅是其治學特色。

6 從其對班固（西元32-92年）與經學的關係用「班固迷信『經學』，認為一切禮樂制度（包括災異學說）都淵源於『經』」（〈論《漢書‧五行志》〉，《注史齋叢稿》，上冊，頁305。）的敘述口吻，即可略知大概。

7 其對經學的態度可從下面一段話看出：「我不提倡讀經，但研究經學史、古代史、文學史、思想史的人不能捨經書而不讀，治考古學、古文字學、古器物學、古代社會學的人，更不能不研究經書。」（〈論治目錄之學與書籍供應〉，《海遺叢稿》初編，北京市：中華書局，2009年3月，頁230。）又說：「現代自不必再去講什麼經學，但為了解過去的歷史，也須要對它加以分析研究，縱然我們對待經學的態度和立場與前人不同。」（〈謹慎的學人〉，《海遺叢稿》二編，北京市：中華書局，2009年3月，頁178。）純從學術研究需要的角度來看待其價值，但並未正面肯定經書的價值，也未充分意識經學的學科特性。

8 牟氏相關意見見〈從中國的經學看史學〉、〈王夫之顧炎武解《易》之說舉隅——經學史是史學的輔助科學例證〉，二文俱收入《注史齋叢稿》，下冊。

9 前二語見顧潮：《顧頡剛年譜》（增訂本，北京市：中華書局，2011年1月），頁294；後一語見顧潮：《歷劫終教志不灰——我的父親顧頡剛》（上海市：華東師範大學出版社，1997年），頁264。

10 逯耀東：〈代序〉，《胡適與當代史學家》（臺北市：東大圖書公司，1998年），頁2-3；〈把胡適當成個「箭垛」〉，頁112。關於牟潤孫與逯耀東的師徒關係，見逯耀東：〈心送千里——憶牟潤孫師〉，收入《海遺叢稿》二編，頁327-338。

11 牟氏通史致用說見李學銘：〈烏臺正學兼有的牟潤孫教授〉，《海遺叢稿》二編，頁313-314；又見氏撰：〈牟潤孫先生與「南來」之學〉，《讀史懷人存稿》（臺北市：萬卷樓圖書公司，2014年8月），頁303-304。案：李學銘歸納牟氏治史主張有三項，其中一、二項即「經史互通」與「通史致用」，見302-304。

> 用之學。[12]

又如其謂王夫之（1619-1692）、顧炎武（1613-1682）之解《易》：

> 他們注解經書，還保存宋明以來切合時事證以經誼古說之流風，使經學不致完全與時代脫節。這種精神與方法，較之乾嘉時代專講訓詁考據的經學，完全鑽到故紙堆中去，似乎多一點用世之意。[13]

而通史致用，則見其對業師陳垣史學的評論：

> 史學足以經世致用，自唐杜佑、宋司馬光、李燾、徐天麟、李心傳、陳傅良、王應麟、馬端臨以迄清初顧炎武、黃宗義、王夫之等人發揮得十分盡致。西方史學目的在于歸納出社會發展定律，中國史學則在于求致用，所謂史學的大義微言即在發明古為今用之理，不在于求出社會發展定律。[14]

所致之用既在於發明古為今用之理，則經書、經學也好，史書、史學也好，所著眼的皆非純然經書史事本身，而更是研經治史者所關懷注重的當下現實需求。在此意義下，經學不但就是史學，而且更有克羅齊（BenedettoCroce, 1866-1952）所謂「一切歷史皆是當代史」的意味在。[15]這種治史精神顯然是一脈相承自其師陳垣的。[16]

在此治學原則指導下，牟潤孫尤其注意抉發解經者與論史者所可能刻意隱藏或不外顯的大義微言。這種抉發也正是對經解史論的詮釋，這樣的詮釋方法又特別聚焦在詮釋

---

12 牟潤孫：〈論朱熹顧炎武的注解《詩經》〉，《注史齋叢稿》，下冊，頁606。

13 牟潤孫：〈王夫之顧炎武解《易》之說舉隅——經學史是史學的輔助科學例證〉，《注史齋叢稿》，下冊，頁577-578。

14 牟潤孫：〈從《通鑑胡注表微》論陳援庵先師的史學〉，《海遺叢稿》二編，頁101。

15 克羅齊在《歷史學的理論和實際》一書中是如此闡述這個想法的：「（當代史）『當代』一詞只能指那種緊跟著某一正在被作出的活動而出現的、作為對那一活動的意識的歷史。……在這種情況之下，用『當代』一詞是恰當的，因為它和其他一切精神活動恰恰一樣，是在時間之外的（沒有先後之分），是與其相聯繫的活動『同時』形成的，它和那種活動的區別不是編年性質的而是觀念性質的。反之，『非當代史』、『過去史』則是面對著一種已成歷史的，因而是作為對那種歷史的批判而出現的歷史。……這種我們稱之為或願意稱之為『非當代』史或『過去』史的歷史已形成，假如真是一種歷史，亦即，假如具有某種意義而不是一種空洞的回聲，就也是當代的，和當代史沒有任何區別。像當代史一樣，它的存在的條件是，它所述的事迹必須在歷史家的心靈中回蕩，或者（用專業歷史家的話說），歷史家面前必須有憑證，而憑證必須是可以理解的。……可見，當代史固然是直接從生活中湧現出來的，被稱為非當代史的歷史也是從生活中湧現出來的，因為，顯而易見，只有現在生活中的興趣方能使人去研究過去的事實。因此，這種過去的事實只要和現在生活的一種興趣打成一片，它就不是針對一種過去的興趣而是針對一種現在的興趣的。（傅任敢據1923年Douglas Ainslie英譯本翻譯，北京市：商務印書館，2005年1版，頁1-2。）對克羅齊此說的相關評介，請參朱光潛：《克羅齊哲學述評》（收入《朱光潛全集》第4卷，合肥市：安徽教育出社，1988年），第六章。

16 牟潤孫：〈從《通鑑胡注表微》論陳援庵先師的史學〉，《海遺叢稿》二編，頁101-104。

者所身處的特殊情境與其所面對的經書史事之興發感應，吾人將此方法稱之曰「情境詮釋法」。[17]從經典詮釋學的角度來看，牟潤孫的確是經常運用情境詮釋法來研經論史，這種方法構成了牟潤孫經史之學的主要特色之一。本文擬對此治學特色做一全面地探究，一則觀察其如何運用這種方法，且於其經史研究中取得何種成果；二則對其方法運用及其成果進行客觀深入的檢討與評判。

二　情境詮釋法在牟潤孫經史研究中的運用

牟潤孫在經學以及與之相關延伸的清代學術思想史研究方面，運用情境詮釋法的表現，涉及通論；宋代《春秋》學；朱熹與顧炎武、王夫之等人之解經；乾嘉學人惠棟（1697-1758）、戴震（1724-1777）、錢大昕（1728-1804）等人之反對清帝的理學統治等議題，以下依次論述。

牟潤孫嘗發表過〈從中國的經學看史學〉的演講，於其中就對這種研究方法做了一番概括的通論，其云：

> 章氏（案：章學誠）說：「六經皆史也。」我卻說：「經學皆史學也。」他說：「古人未嘗離事而言理。」我則說：「古人皆附經以言事。」宋明以來，許多經學家好借著注解經書發揮個人對于時事的議論，所以說「附經以言事」。這是古人的經學，同史學分不開，所以說經學皆史學也。……其實講經學，借著古人言語表現自己意見，應從最早的《左傳》說起。……從《國語》、《左傳》至兩漢人的引經看來，他們皆有經世求用的目的。這種以求用為治學主要目的的概念，與西方治學的目的在于求真理的觀念有所不同。[18]

不過在他看來，真正借著注解經書來講當時的歷史，卻是由宋朝開始，他認為宋以後的經學家多數借著注經來講他們對於當時的社會或政治的種種意見[19]，此義在〈王夫之顧炎武解《易》之說舉隅——經學史是史學的輔助科學例證〉文中說得更具體些：

> 宋、元、明及清初注解經書的，所注的雖是經書，而借著注經，發揮自己的人生思想、政治主張，甚至是議論時事，斷章取義，借題發揮。[20]

17　關於這種詮釋方法的相關概念的推闡及具體實例之運用，請參拙著：〈論朱熹《詩集傳》中的情境解經——以《王風》〈揚之水〉為例〉，發表於中央大學中文系與儒學研究中心主辦、中央研究院明清研究推動委員會合辦之「宋明清儒學的類型與流變學術研討會」，二〇一四年十月三十日；及〈論鄭玄對「周公居東」說的詮釋〉，《經學研究集刊》第22期（2017年5月），頁37-570。

18　牟潤孫：〈從中國的經學看史學〉，《注史齋叢稿》，下冊，頁685-686。

19　牟潤孫：〈從中國的經學看史學〉，《注史齋叢稿》，下冊，頁687。

20　牟潤孫：〈王夫之顧炎武解《易》之說舉隅——經學史是史學的輔助科學例證〉，《注史齋叢稿》，下冊，頁572。

他在這方面也做了許多實例的闡述。如其有〈兩宋《春秋》學之主流〉一文，其於「緒說」中首先揭櫫兩宋《春秋》學之學風與特色：

> 兩宋解說《春秋》之書雖眾，篤守漢唐矩矱，專言一傳，而不影射時事者，幾可謂無之。北宋治《春秋》者好論內政，南宋治《春秋》者好論御侮，其言多為當時而發。無論與孫復、胡安國二氏有出入否，固無不受二氏之影響者，亦可謂發明尊王攘夷之義為宋人《春秋》學之主流，餘事皆其枝節耳。[21]

然在他看來，宋人以尊王攘夷義解經者，不限於《春秋》，更遍於群經，他舉了朱子弟子蔡沈（1167-1230）釋《尚書》〈文侯之命〉、學問淵源自陸九淵（1139-1193）的袁燮（1144-1224）進講《詩經》之〈黍離〉、鄭汝諧（1126-1205）之《論語意原》釋〈八佾篇〉等例來申述這個觀察，並進一步做出如此的結論：

> 自諸氏解經之說觀之，是宋儒說經，皆能因事致戒，借古以諷今，為體用兼備之學，不僅治《春秋》者然也。至于尊王復仇，本為《春秋》之義，今乃遍及于他經，謂其受泰山、安定之影響固可，謂其受時代環境之刺激亦未嘗不可。[22]

又如其於〈論朱熹顧炎武的注解《詩經》〉、〈王夫之顧炎武解《易》之說舉隅——經學史是史學的輔助科學例證〉二文中反覆申述朱熹、王夫之、顧炎武等人經解之通經致用精神，其舉朱熹《詩集傳》釋《秦風》〈小戎〉時，指出秦與戎有不共戴天之仇，稱贊秦襄公及秦人之勇，用意在借此鼓勵南宋君臣報仇討伐金國。而於解〈黃鳥〉詩時，刻意超出注經範圍，去討論秦國以人殉喪的惡俗，以此可見朱子之博學多通。又於〈無衣〉之注解中，闡述建都所在與國勢興衰之關係，牟氏認為朱子與其說是為此詩作注，不如說是一篇建都論。[23]

而其論顧炎武之釋《詩》（主要見於《日知錄》)雖亦有關考據，然涉及經義解釋者，則取徑與朱子相同，亦可謂之宋學。其中多有涉及當時世事者，如「流言以對」條，藉由解《大雅》〈蕩〉篇論述彊御之臣，心多所懟疾，窺人主深居禁中而好聞外事之情，假流言以中傷賢臣的情況，牟氏以為顧炎武這樣的詮解乃是為明崇禎帝生性猜疑，好聽讒言，將熊廷弼（1569-1625）、袁崇煥（1584-1630）等保衛國家的干城毀滅之事而發。又如「駉」條，則在藉解《魯頌》〈駉〉篇時闡述古之馬政皆本於田功，未見廄有肥馬，野有餓莩而能國者的道理。牟氏直謂顧氏此條乃是指斥明代要人民替國家養馬，後又收馬價銀，大為民困的弊政。他認為顧炎武這樣的詮釋，雖與朱子解經之學

21 牟潤孫：〈兩宋《春秋》學之主流〉、《注史齋叢稿》，上冊，頁70。

22 以上俱見牟潤孫：〈兩宋《春秋》學之主流〉、《注史齋叢稿》，上冊，頁86-87。

23 牟潤孫：〈論朱熹顧炎武的注解《詩經》〉，《注史齋叢稿》，下冊，頁607-608。

近似，但通經致用的意義卻比朱子更為明顯。[24]其論顧炎武於《日知錄》中之解《易》一卷，取徑亦與釋《詩》同，但除著眼於其中所發揮之時事議論外，也注意到了涉及顧炎武個人心境及處世之道的表白，如「艮」條云：「毋意、毋必、毋固、毋我，艮其背，不獲其身也。富貴不能淫，貧賤不能移，威武不能屈，行其庭，不見其人也。」牟氏認為其用《論語》四毋解釋「艮其背」，用《孟子》不能淫、移、屈解釋「行其庭，不見其人」，其實是藉此表明自己「行己有恥」，操行堅固，絕不肯為用於清王朝的心境。又如「鴻漸於陸」條謂：「古之高士，不臣天子，不友諸侯，而未嘗不踐其土，食其毛也。其行高於人君，而其身則與一國之士偕焉而已。」牟氏以為顧炎武如此解釋，將其與「艮」條的議論合看，則其立身處世之道，就表示得十分清楚了。[25]

又如其論王夫之解《易》，主要以《周易外傳》為主，蓋因其認為此書發揮義理最精詳。牟氏對此書的看法，應是受到其師柯劭忞的影響。他引述柯劭忞〈周易外傳提要〉「夫之從永曆王於廣西，其時權臣恣肆，朋黨交訌，諫不行而言不聽，憤而丐去，假學《易》以明其忠悃」的觀點，措意於王夫之經解中所反映的對當時國事憤慨之情。如《周易外傳》〈乾卦章〉批評秦、宋二代罷諸侯，削兵權，自弱其輔，以延夷狄盜賊。牟氏認為王夫之的議論一望可知為明王朝滅亡而發。又如其於〈離卦章〉主張「撫大器成大功，特詳於付托之得人」，認為此議論應與〈乾卦章〉合觀，便可知船山主張讓天下。此外，其於〈否卦章〉中所謂「夫君子之通天下者有二，所以授天下者德也，所以受天下者祿也。……德不流行，則絕天下於己。祿不屑以，則絕己於天下」云云的議論，則是其甘心避世隱遁的心跡之表明。[26]

而在論惠棟、戴震、錢大昕之反對清帝的理學統治方面，他接連寫了〈反理學的惠棟〉、〈胤禎與戴震〉、〈論弘曆的理學統治與錢大昕〉、〈錢大昕著述中論政微言〉等文討論此議題。他認為從康熙到乾隆，清代統治者一方面提倡程朱理學，一方面卻恣情縱欲，待人苛虐刻薄，用天理去迫害人民。而清代漢學或考據學的代表人物，惠棟、戴震和錢大昕等人對此都有不同程度及用不同方式來表示反對或批判。首發其義的是惠棟，如其在《易微言》下卷「理」字條說：「後人以天理人欲為對待，且曰天即理也，尤謬。」牟氏指出此係惠棟明白反對宋儒將天理人欲分開成為對待的事物，且特別指出「天即理也」為不正確的說法。又在上卷「本」字條一再闡發人君先自治而後治人的道理，在牟氏看來，惠棟此舉分明是批評雍正、乾隆二帝自己行為十分惡劣，卻用理學的

---

24 以上俱見牟潤孫：〈論朱熹顧炎武的注解《詩經》〉，《注史齋叢稿》，下冊，頁608-609、611、612。

25 以上俱見牟潤孫：〈王夫之顧炎武解《易》之說舉隅──經學史是史學的輔助科學例證〉，《注史齋叢稿》，下冊，頁576-577。

26 以上俱見牟潤孫：〈王夫之顧炎武解《易》之說舉隅──經學史是史學的輔助科學例證〉，《注史齋叢稿》，下冊，頁573-575。

道德標準去責罰人，不自治而去治人。[27]至於清代名聲最卓著的反理學思想家戴震，則係受到惠棟的影響，思想才有了徹底的轉變，因而寫成了他的反理學名著《原善》和《孟子字義疏證》。[28]牟氏舉出戴震在《孟子字義疏證》中所說：「今之治人者……尊者以理責卑，長者以理責幼，貴者以理責賤，雖失，謂之順。卑者、幼者、賤者以理爭之，雖得，謂之逆。於是……在下之罪，人人不勝指數，人死於法，猶有憐之，死於理，其誰憐之！」以此認定戴震著書是專為指斥統治者乃是甚為明顯的。牟氏又舉戴震〈與某書〉所云：「其所謂理者，同於酷吏之所謂法，酷吏以法殺人，後儒以理殺人，浸浸乎舍法而論理，死矣！更無可救矣！」認為戴震所攻擊的對象若非清王朝統治者，豈能如此措詞！[29]牟氏比較了惠、戴二人的歷史地位，指出惠棟雖認為宋儒注經有誤，但做人行事仍應篤守程朱遺訓，他反對的目標是清王朝統治者，而非朱子，所以雖指出天理人欲之說的謬誤，但卻以注經的方式表達，而非用有組織的文字明白敘述出來，一方面是怕觸到文網，一方面則是他不願攻擊程朱，以致乾嘉時代反理學的思想，最早發明的雖是他，但有系統的著作卻由戴震去完成。[30]

牟氏認為錢大昕的反理學思想也是受到惠棟的影響，而其言論所譏貶的對象更是針對乾隆皇帝。[31]且與惠、戴不同的是，錢大昕長期服官，而且大部分時間皆在北京，因此對於乾隆如何以理學統治剝削人民看得十分清楚，這是惠、戴二人所不能及的。[32]他注意到了錢大昕有數篇關於《大學》的著作，如在〈大學論〉上篇中提出統治者和被治者要各治其身，各修其身，統治者要治人就要先治己身，先修己身，以及不要對別人嚴格而對自己寬大的論點，牟氏以為錢大昕主張講理學的人必須奉行《大學》的理論，因此就從《大學》去立論，藉此抨擊統治者「身之不治，而求治於民」的情況。此外，錢氏在〈讀大學〉上篇中亦強調修身明德的重要，而誠意尤為修身第一切要工夫。在牟氏的眼中，錢氏提出此說，是由於雍正、乾隆父子二人都是不誠實的人，用虛偽手段對待人，以講理學欺騙群臣與百姓。而在〈大學論〉下篇則更指出清王朝統治者嚴重的剝削人民的行為，如云：「有小人者，創為理財之說，謂可不加賦而國用足也，於是陰避加賦之名，陽行剝下之計。山海關市之利籠於有司，日增月益，曰吾取諸商賈，非取諸民也。然商亦四民之一，上之取於商者逾多則貨益昂，而民之得貨益艱，商未病，而民已病矣。」他認為這正是影涉康熙宣布永不加賦，但許多用度都要鹽商報效，又增加關

27 以上俱見牟潤孫：〈反理學的惠棟〉，《注史齋叢稿》，下冊，頁619-621。

28 牟潤孫：〈反理學的惠棟〉、〈胤禎與戴震〉，俱收入《注史齋叢稿》，下冊，頁619-621、625。

29 以上俱見牟潤孫：〈胤禎與戴震〉，《注史齋叢稿》，下冊，頁629。

30 牟潤孫：〈反理學的惠棟〉，《注史齋叢稿》，下冊，頁623-624。

31 牟潤孫：〈胤禎與戴震〉、〈論弘曆的理學統治與錢大昕〉，俱收入《注史齋叢稿》，下冊，頁625、635。

32 牟潤孫：〈論弘曆的理學統治與錢大昕〉，《注史齋叢稿》，下冊，頁635。

稅。雖不向人民多徵稅，但卻向商人多要錢和稅，依然轉嫁到人民頭上的弊政。[33]

不過錢大昕與惠棟、戴震治學偏重經學不同的是，他主要的著述及成就仍以史學為主，牟氏在〈錢大昕著述中論政微言〉文中，從《潛研堂文集》和《十駕齋養新錄》中勾稽了不少以史論政的例子，如《潛研堂文集》卷二〈鼂錯論〉評論鼂錯（西元前200-前154年）請以術數教太子而見輕於太子之事，牟氏認為此係影射年羹堯（1679-1726）在康熙未死前即與胤禎勾結，所以見輕於胤禎之事。又卷二〈蜀洛黨論〉指斥朱光庭（1037-1094）摘蘇軾（1037-1101）謗訕先朝，以至「其禍乃至如是之烈」。牟氏認為錢大昕此論乃是在影射清王朝以文字罪人的惡政。又如《十駕齋養新錄》卷十八「功過相除」條謂：「管仲器小，不害其為仁；臧武要君，不害其為知。……聖人議論之公，而度量之大如此。王者知此道，則可無乏才之歎。」牟氏由此聯想到雍正、乾隆待人刻薄，群臣小有過誤，必加以挑剔的行為，暗示錢大昕或有譏諷之意。又卷十八「薦賢」條，錢大昕舉宋人薦賢故事與清代大臣薦人情形相比較，謂「近世大臣有終身不薦一人而轉得公正之譽者，豈古今時勢不同歟？身家之念重，而忠愛之意薄也。」牟氏認為竹汀如此感歎，反映出清王朝統治者對於犯了過錯的官員，要追究推薦的人，以致沒人敢向他們推薦人的現象。[34]

除了錢大昕史論中的政論微言外，牟氏在史學研究中也經常展現了情境詮釋方法的運用，如其於〈從班固《漢書》到荀悅《漢紀》〉的演講中，評論《漢紀》卷二十八論州牧，其中所論封建亦暗指東漢的情況，其意謂東漢封建如有力量即可支持皇室，如此就不會有曹操挾漢獻帝以令諸侯的窘狀。[35]在〈說選才議政——從漢唐政治制度想到的古為今用〉，文章標題更開門見山地強調借鑑古事而施用於今政的用義。文中舉出胡三省（1230-1302）《資治通鑑注》謂唐太宗用西北驍武之人平定禍亂，但天下既定後，又選東南儒生日夕議論商確。牟氏窺探胡三省心意，以為元朝欲治天下，必須重用南方儒生，不可以用武力平天下的蒙古人。他認為胡三省的注雖闡明唐太宗的用人措施，但本意卻在議論當時政事，可謂語含雙關。[36]

關於胡三省《通鑑注》這類通史致用的情境式論史方法之體會，牟氏當得自於乃師陳垣對《胡注》微旨的抉發，及其對此方法的進一步推闡運用。牟氏在多篇論述陳垣學術的文章中皆有提及，如其云：

> 援庵先生作《胡注表微》，用意在揭發胡三省在《通鑑注》中含蘊的思想。陳先生認為胡氏所注的雖是史書，卻是借注史以發揮他的政治理論，並且蘊藏著反抗

33 以上俱見牟潤孫：〈論弘曆的理學統治與錢大昕〉、〈錢大昕著述中論政微言〉，俱收入《注史齋叢稿》，下冊，頁635-637、643-644。

34 以上俱見牟潤孫：〈錢大昕著述中論政微言〉，《注史齋叢稿》，下冊，頁646、647、658、659。

35 牟潤孫：〈從班固《漢書》到荀悅《漢紀》〉，《注史齋叢稿》，上冊，頁315。

36 牟潤孫：〈說選才議政——從漢唐政治制度想到的古為今用〉，《注史齋叢稿》，上冊，頁324。

> 元王朝統治的思想。這樣注古以論今（胡三省生存的當時），與著史以喻今、論史以諷今，那兩個中國傳統史學的特色相同。研究中國史學的人不僅要明白史書中的事，還應當去了解著史者論史者的思想與他含蘊于文字間的未說出的意見，所謂微言大義是也。[37]

其實陳垣作《通鑑胡注表微》不只揭發《胡注》的思想，他也同時藉著注《胡注》來寄託他的感慨和發揮議論思想，牟氏對此點也是深有體悟的。如其評論此書最末的〈貸利篇〉抨擊貪污風習甚力，對於執政者好貸足以殺身亡國，說得尤為痛切。其又舉〈民心篇〉中關於胡三省對《通鑑》卷六十一所載漢獻帝興平二年，曹操欲取徐州，荀彧請先平兗州事所做的注：「徐州子弟有父兄之仇，必不服於操，縱破其兵，猶不能有其地也。」陳垣對此評論曰：「此內戰也。外戰猶有民族意識為之防，內戰則純視民心之向背。彧為操謀，亦嘗於民心上用工夫矣。」牟氏提醒讀者，此書撰寫於抗戰淪陷期，完成於勝利之初，當時外患剛剛平息，而內亂猶盛。明此背景，則陳氏此二論之現實意涵也就昭然若揭了。[38]

三　牟潤孫運用情境詮釋法研經論史成果的檢討

（一）致確或致誤？

從上節所述可知，牟潤孫在其經史研究中確實廣泛運用了情境式的詮釋方法，而他之所以這麼做，乃是源自中國人文學術學以致用的傳統，強調古為今用。因此不論研究的對象是經書、史籍，乃至子部、集部之書，無非不可以於其中灌注作者的現實寄託。從這個角度來說，不但經學是史學，其他一切關涉人文甚至人類的學術領域著作亦無非不可是史學，而此史學就是作者所生存當下的現代史或當代史。但對讀者或研究者來說，眼下急迫的問題是，如何知曉確定作者或該著作有致用之意？牟氏對此攸關方法論反省的問題，並沒有多談，更不見有較明確的系統闡述。但他在〈從中國的經學看史學〉的演講中倒提示了一個重要的原則，即：

> 注經書講史事，有時說得明顯，有時說得隱晦，後世讀書的人必須熟知史事才能明白。[39]

既然致用的詮釋方法必然導向詮釋者生存的現實情境，則對其當時史實的掌握也就不可

---

37 牟潤孫：〈從《通鑑胡注表微》論陳援庵先師的史學〉，《海遺叢稿》二編，頁99。

38 以上俱見牟潤孫：〈敬悼先師陳援庵先生〉，《海遺叢稿》二編，頁78-79。

39 牟潤孫：〈從中國的經學看史學〉，《注史齋叢稿》，下冊，頁689。

或缺，甚至成為必然的條件。身為一位優秀的歷史學家，牟氏這方面的素養當然無人質疑。

但是熟知詮釋者當時的史事只是具備了判斷經注史論有無致用的條件，對經注史論本身客觀文義的理解才是更重要、更基本的能力，亦即判斷「致確」（獲致正確的理解）的能力當更優先於判斷「致用」之素養。此義牟氏固未明發，但他對此仍是有自覺的，如他申述其師柯劭忞的意見，認為王夫之《周易外傳》的解經之說反映出他當時對國事的憤慨之情，其中的議論雖未必是《易經》中原有的，但卻借著它，可使後人尚論古人。又指出船山從〈乾卦〉「上九亢龍有悔」爻辭引申到秦、宋王朝滅亡以影射明朝的滅亡，說他雖是論義理證人事，但「已離開爻辭本義太遠了」。[40]又如他評論顧炎武的解《詩》，雖與朱子解經之學相近似，但通經致用之意比朱子更為明顯，如以嚴格注釋經學的體例去衡量，自然可說他引申過遠。之所以有此差別，關鍵在於朱子解《詩》是為全《詩》作注，不能過於斷章取義，顧炎武則在《日知錄》中摘句為說，故斷章取義的居多數。[41]

身為後世的研究者，牟氏研究前人致用之學，其首先當務之急應是「致確」，也就是正確切實地了解掌握這些經解史論是否確有致用之意？以及所用之意為何？牟氏在這方面誠然做了許多精當的研究，令人佩服。但平情而論，牟氏所論斷者，亦非皆具有充分的說服力，更時而不免令人懷疑有「致誤」（獲致錯誤的理解）之處，尤其以論清代學術之處為甚。

牟氏對清代統治甚不具好感，尤以對清帝之指斥，絲毫不假辭色。於惠棟、戴震、錢大昕等人之所謂反理學（嚴格來說，應是反程朱為代表的宋學）言論和思想盡皆牽連及於對康、雍、乾三帝之批判，然而其所取證者，除了惠、戴、錢等人之著述及當時之相關史事外，並無其他更加具體的證據。因為無論是惠棟之注經，戴震之議論或錢大昕之論史皆無一語明確指涉清帝之統治，以為他們於其中有致用之意，甚至更明謂其所致用之意乃是為批判清帝統治之不當而發，似皆尚需有更充分之論述。否則不但不易取信於人，更令人有無的放矢之感。試以其說比較當代不同學者之說，則牟氏「致誤」之弊，當更容易看出。

與牟氏關係密切，且介紹牟氏離開臺灣大學，至香港新亞書院任教的錢穆（1895-1990）[42]，在其名著《中國近三百年學術史》中對惠棟、戴震關係有所討論，牟氏評論

40 牟潤孫：〈王夫之顧炎武解《易》之說舉隅——經學史是史學的輔助科學例證〉，《注史齋叢稿》，下冊，頁573、574。

41 牟潤孫：〈論朱熹顧炎武的注解《詩經》〉，《注史齋叢稿》，下冊，頁612。

42 李學銘：〈牟潤孫教授編年事略〉，《注史齋叢稿》，下冊，頁789。時為1954年，牟氏四十六歲時。關於牟潤孫與新亞書院的關係，請另參李學銘：〈牟潤孫先生與新亞書院〉，《讀史懷人存稿》，頁289-296。

錢穆說戴震在揚州遇見惠棟之後才反理學是正確的，但他卻致憾於錢穆未進一步指出惠棟因家禍而了解到雍正、乾隆講理學之可怕。[43]觀錢穆論述惠、戴關係，仍主要著眼於學術內部之互動影響[44]，即其弟子余英時所謂之「內在理路」（inner logic）也，而非如牟氏純從外緣背景，且將其單一化為針對特殊帝王而立論。錢穆不如此說，正顯得其為學矜慎。[45]

又如同為陳垣門下弟子的柴德賡（1908-1970）也曾有文論述錢大昕的思想，其中不少大意與牟氏近似，但措辭和論斷卻比牟氏來得謹慎客觀多了，如其云：

> 竹汀對當時政治並不直接批評，但有些側面批評，也很厲害。他是以論學的形式談政治的，終究掩蓋不了他對當時政治的不滿情緒。[46]

他舉錢大昕〈大學論〉下篇論商人進獻和論官吏罰俸為例討論，但他認為錢大昕是針對當時清廷的整體制度與作為，甚或所謂封建統治者的權術而發的議論[47]，並不完全像牟氏用誅心之論的方式，將一切歸咎於清帝私德之不修。

牟氏如此詮釋，即使不能說是錯誤，但也是過當的詮釋。他將惠、戴、錢等乾嘉學人反宋學的思想肇因於對康、雍、乾三帝理學統治之反動，其觀點主要又來自章太炎（1869-1936）之啟發。[48]然而像章太炎這類帶有濃厚種族主義的言論是否客觀公允？抑或其本身也是另一種為革命排滿現實需要的「致用」觀點？仍是有值得重新檢討反思的必要，誠如漆永祥所指出的：

> 革命者出于反清需要，反清則必排滿，排滿則必排擊清室，排擊清室又必揭斥禁書與文字獄的破壞性和殘酷性，而這樣就很自然地將禁書與文字獄同考據學掛鈎，推導出考據學的興盛是學者迫于文網、偷安苟活而鑽入故紙堆的結果，使二

43 牟潤孫：〈反理學的惠棟〉，《注史齋叢稿》，下冊，頁622。

44 錢穆：《中國近三百年學術史》（臺北市：臺灣商務印書館，1990年臺10版），上冊，頁318-324。

45 余英時研究清代思想史的發展反對純從外緣來解釋學術思想的演變，力主在外緣之外，更要注意思想史的內在發展，他將其稱為「內在的理路」（inner logic）。見氏撰：〈清代思想史的一個新解釋〉，《歷史與思想》（臺北市：聯經出版事業公司，1985年10刷），頁124。案：丘為君、鄭欣挺合撰的〈牟潤孫教授的清代思想史研究與意義〉（《經學研究集刊》第7期，2009年）純從正面論述牟氏之說，且將牟氏這種所謂不為考據而考據的學問稱之為「新考據」，以為對講究內在理路的思想史學者極有助益，可以提醒他們注意思想轉折與現實政治之間的微妙關係。（頁19）不論從外緣背景或內在理路，或兼及二者之間的互動關係來研究，證據的翔實可靠和論證的嚴謹條理都是最基本的要求，牟氏將惠、戴、錢等人之反理學思想完全歸因於對康、雍、乾三帝理學統治的反抗，縱使不無其可能性，但仍不免有將問題過度簡化的嫌疑，且其舉證與論證亦不夠充分和嚴格，目前充其量也只能將其視之為一個猶待證成的假說而已。

46 柴德賡：〈王西莊與錢竹汀〉，《史學叢考》（北京市：中華書局，1982年），頁276-278。

47 柴德賡：〈王西莊與錢竹汀〉，《史學叢考》，頁276-278。

48 牟潤孫：〈反理學的惠棟〉、〈胤禛與戴震〉，俱收入《注史齋叢稿》，下冊，頁619、630。

> 者間形成必然的因果關係。自龔自珍、魏源、曾國藩等人始，後為康有為、梁啟超、章炳麟、劉師培、錢穆、魯迅等人論證成之，遂儼然成為定論而為天下所共信。……這種「唯一」的種族思想，語多偏激，故他們不可能客觀公允地探討清代學術與政治之關係。[49]

牟氏或亦不免此蔽。

（二）致誤以致用？

與上述牟氏本欲致確，但卻因蔽於偏見或意識形態而致誤或做了過當詮釋不同的是，牟氏對所研究對象的致用詮釋之判斷卻似乎又是另一種形式的致用詮釋，亦即牟氏自己的通經史致用，借題發揮。如其論顧炎武在《日知錄》「言私其豵」條之說時謂顧氏：

> 雖借井田制度，主張對人民必須公私兼顧，仔細想來，顧氏議論的時代局限性並不大，任何社會時代都不能使人民不公私兼顧，今天包產到戶收到促進農業生產的效果，即是其明證。[50]

無論是《詩經》的時代或顧炎武的時代，豈有包產到戶的制度？牟氏此議論分明是其自己之通經致用！借由對顧炎武注《詩》的詮釋，發揮其所身處情境的議論，以為當世之用。

又如其評論乃師陳垣《通鑑胡注表微》之說謂：

> 《表微》的〈民心篇〉小序說：「民心者，人民心理之向背，大抵以政治之善惡為依歸，夷夏之防，有時竟不足恃，是最可惕然者也。故胡注恒注意及之。孟子曰：三代之得天下也，得其民也，其得民者，得其心也。恩澤不下於民，而責人民之不愛國，不可得也。夫國必有可愛之道，而後令人愛之。天下有輕去其國，而甘心托庇于他政權之下者矣！」援庵先生這段話，今日讀來，我覺得它驚心動魄，足以發人深思。在撰《表微》時，他豈能預想到數十年後的事？[51]

陳垣這段話當有為他於抗戰時身處淪陷區之處境辯駁自清之意在，然牟氏之引申又所為何來？此文作於一九八〇年的香港，當時正是中華人民共和國和英國政府談判收回香港主權正熾之時，導致許多港人惶惶不安，甚至舉家移民國外。牟氏此論，或為此事而發歟？

---

49 漆永祥：《乾嘉考據學研究》（北京市：中國社會科學出版社，1998年），頁79。

50 牟潤孫：〈論朱熹顧炎武的注解《詩經》〉，《注史齋叢稿》，下冊，頁609。

51 牟潤孫：〈從《通鑑胡注表微》論陳援庵先生的史學〉，《海遺叢稿》二編，頁104。

有趣的是，胡三省在替《通鑑》作注時亦同時寄寓其感慨議論，陳垣在為胡三省《通鑑注》作《通鑑胡注表微》時亦藉此闡發其個人之微意，柴德賡曾提醒讀者注意陳氏此書「未嘗沒有新的感慨附麗其中」，他建議讀者慢慢去咀嚼書中的「言外之意」，「或許將來有人會做一部《表微之表微》也說不定呢！」[52]牟氏在論究陳垣《表微》時，雖非系統地闡發此書之微旨，但也部分地「表微」了其中之寓意。但顯然牟氏在表微《表微》的同時，也在發揮自己的致用之意。追溯司馬光（1019-1086）作《資治通鑑》時，就已於其中議論史事，由司馬光而胡三省，再至陳垣與牟潤孫，這種致用式的詮釋形成了層層交疊的複雜糾結情況。至牟氏時已達致四層，但未嘗不可再替牟氏作新的表微，而形成「《表微》之表微之表微」。且只要這種致用式的情境詮釋不停止的話，則焉知不會有新的詮釋者繼起，在為牟氏新表微作表微的過程中，再同時發揮新的議論附麗於其中，持續致用下去。如此以往，則真不知這樣的詮釋將伊於胡底！

一般來說，凡是致用的詮解，多多少少都會背離文本的原義，因而也往往不會是「致確」的詮釋，而常會是「致誤」的詮釋。也可以說，「致誤」是「致用」的必然之惡，亦是「致用」的必要條件。「致確」與「致用」是相互排斥的，而欲「致用」就必得「致誤」。有趣的是，牟氏治經史慣用致用的方法，常常也會用致用的眼光和方法來看待研究對象，因而也就寫出了不少既「致確」又「致用」，或「致確」與「致用」混雜在一起的文章。[53]當然這也或許與他晚年常在香港報刊中發表論述的情形有關，面對更普遍的讀者，典奧的經書史籍之推闡，仍須具備更多一些的致用精神，方易於為大眾接受。

---

52 柴德賡：〈通鑑胡注表微淺論〉，《史學叢考》，頁431。

53 案：此文發表後的隔日，明道大學國學研究所的林素鈴同學來函詢問，指出論文中所謂「『致確』與『致用』是相互排斥的，欲『致用』就必得『致誤』」，似與後文「牟氏治經史慣用致用的方法……也就寫出不少既『致確』又『致用』，或『致確』與『致用』混雜在一起的文章」，意思矛盾。針對此質疑，筆者的回覆如下：「牟潤孫在說別人有通經致用之意時，他首先應該做的是致確，亦即獲致正確理解的工作，這樣才能正確判斷別人有無致用之意，以及為何之意？他的確做了不少致確的工作。但與此同時，他也做了一些他自己對所研究對象再致用的詮釋，而這些致用的詮釋常有錯誤或過當詮釋之處，亦即致誤的詮釋。所以在他的研究中，常會有致確與致用詮釋混雜在一起的狀況。甚至他將他所認為致確的詮釋，又當做其中有解經者的致用之意。所以我才會說既致確又致用，或致確與致用混雜在一起的狀況。經典詮釋麻煩的情況是，詮釋者常會逾越詮釋的分際或搞不清楚自己所處的位置。照理說，詮釋者首先應做的是客觀、如實的詮釋（即致確），但也有人會做主觀、自成一家言的詮釋（即致用），後者往往是脫離文本的衍伸發揮之義，因而常是錯誤的詮釋（即致誤）。如果詮釋者都對自己的詮釋方式有自覺的體認的話，知道自己在做什麼，楚河漢界，如此一來就不會有什麼太大的問題或爭議。但常看到的情況是，明明是主觀的詮釋，但他卻要說自己是客觀如實的詮釋，將二者的界限混淆了，大賢如朱熹亦不免此弊，牟潤孫亦是如此。但有的時候也不能怪他們，因為他們主觀的心態可能真的就是認為自己在從事客觀如實的詮釋，但受限於種種因素，最後詮釋出的仍是錯誤的詮釋。」

四　餘論

牟潤孫始終對通經致用的情境式的詮釋抱持高度的信心，對其價值予以正面的肯定。他指出像王船山、顧亭林這些學人並非不通訓詁考據，但他們注解經書仍然保存宋明以來切合時事證以經誼古說之流風，使經學不致完全與時代脫節。他認為這種精神與方法，較之乾嘉時代專講訓詁考證的經學，完全鑽到故紙堆中，更多了些用世之意。他並不只是單純地為文論述這種研究方法，而是積極地提倡、推廣這種研究方法，希望能引起治經學的學人興趣，從而為中國經學史研究開闢新園地。[54]他的這個用意誠然用心良苦，但也或許可視之為其「致用」之微意。

原牟氏此法，在史學方面主要淵源自陳垣「表微」之學，於經學方面則承受自柯劭忞的影響，他嘗在公開的演講中說道：

> 我很慚愧，年輕時候，跟柯先生念書而程度太差，不大明白其中道理，現在才知道他在《穀梁傳注》中有許多微言大義。柯先生是光緒丙戌進士，作過湖南學政，親身受過西太后慈禧的統治，書中借《穀梁》批評慈禧以及當時政治的話很多……。《穀梁》卷八言君對臣言要密，不能泄露出去，泄露出去則危險，實在是指戊戌政變袁世凱出賣光緒皇帝之事。文公八年宋殺其大夫，說非國君殺之，是太后專命所殺，實指戊戌政變慈禧殺六君子及于庚子殺許多忠義之士的事。柯先生是借著注經講當代之史的最後一人。[55]

柯劭忞《穀梁補注》之微言大義是否確如牟氏所說，仍有待進一步論證。但可以確定的是，只要經書仍有人研治，這種用通經致用的方法來詮解經書的風習就不會消歇，因而柯劭忞也絕不會是借著注經講當代之史的最後一人！

---

54 以上俱見牟潤孫：〈王夫之顧炎武解《易》之說舉隅——經學史是史學的輔助科學例證〉，《注史齋叢稿》，下冊，頁577-578。

55 牟潤孫：〈從中國的經學看史學〉，《注史齋叢稿》，下冊，頁690。相關討論又參李學銘：〈牟潤孫先生與「南來」之學〉，《讀史懷人存稿》，頁300-301。案：柯劭忞治學兼通經史，其為學強調經世致用，亦不僅限於經學，牟潤孫引述了江瀚（1857-1935）在柯劭忞的追悼會上所致之詞：「鳳蓀先生為經世致用之學，上紹亭林（顧炎武）、薄戴（震）、段（玉裁）、錢（大昕）、王（念孫、引之）而不為。民國初年設地政講習所，請柯先生批改學員課卷，柯先生往往批上千數百言，指陳歷代土地政策的利弊得失，如數家珍，無一字不說中肯綮。足見柯先生的典章制度之學的精湛。若非將歷朝史志及《通典》、《通考》等書爛熟於胸中，積蘊了豐富的知識，豈能有如此的表現！」（牟潤孫：〈蓼園問學記〉，《海遺叢稿》二編，頁66。）相較於陳垣著重於史論中附麗寄託感慨的純書齋式的做法，柯劭忞措意土地政策及歷代典章制度的表現，似更有較多實踐之傾向。

從〈東遊紀略〉管窺魏清德漢學觀及其同化論述

陳惠齡

清華大學臺灣文學研究所教授

提要

日治時期的臺灣文士魏清德嘗於一九三五年參與「斯文會」在東京湯島聖堂舉辦「國際儒道大會」及「祭孔釋奠大會」，返臺後於《漢文臺灣日日新報》分十回刊載〈東遊紀略〉一文。魏氏於文中之漢學論述，實有別於今之漢學研究，並不措意於解釋經典，或是經典文本內有關社會、學術或文化環境等諸多背景之考證或論述。其針對漢學的關注，主要透過支那孔教並間涉老墨雜家等思想、漢詩和漢文字文化，並將之轉化為日本、中國和臺灣共享／交流之文化信仰與價值觀。〈東遊紀略〉堪稱最全面展現魏氏漢學觀之作，爰是，本文將據〈東遊紀略〉全文以為深究文本，並擴及魏清德兩冊文集相關作品，冀能進一步梳理貫穿於其中之漢學觀及其相關概念，諸如用儒家之道作為同化之根柢，藉漢文字的契合，而引為同種同文之同化論述等等。

關鍵詞：魏清德　〈東遊紀略〉　漢學觀　同化　東亞文化

一　前言：日本體驗下的漢學史觀

臺灣學界對於日治時期古典文人魏清德（1886-1964）的研究，大致以黃美娥所編《魏清德全集》八冊（2013年出版），[1]成果最為豐碩。在〈發現「魏清德」的意義・主編序〉中，黃美娥詳盡論述魏清德作為日治時期重要人物研究個案的意義。身處紹介世界最新思潮，隨時掌握國家社會人事、遠近發生事實之報導的《臺灣日日新報》記者，[2]引領風潮的媒體人魏清德，以其精深漢學根柢而獲頒「學者」褒章，魏氏擔任重要詩社瀛社副社長，兼治舊學詩文，並博涉書畫金石，又長於偵探通俗文藝創作。兼備新舊之學的魏清德多元文士面貌，可謂具現了日殖時期臺灣知識分子之「代表性」與「特殊性」地位。

通覽魏清德文卷（散文、詩集序、新聞報導與專欄評論等），泰半述及日殖時期「漢學」發展的觀點，諸如〈思想界要穩健〉主要論及東洋孔孟仁義道德之教化；〈仁義為文明國條件〉一文則主張孔孟學說的仁義社會；至於多篇詩文集序與詩報發刊詞，則一再倡導「以文會友，挽救漢學將墜」、「改隸以還，臺灣漢學之所以維持者為詩」；又以品畫為論題的〈臺展東洋畫一瞥〉、〈島人士趣味一斑〉也意在揭櫫「以漢詩會友，藉以鼓吹漢學」之思。[3]至於魏氏素富盛名的遊歷諸作，載記所見所聞，皆表顯他對於漢文化處於文明與傳統之間的思考。[4]

總理而言，魏氏兩冊文卷所指稱之漢學主要涵括有三：一為支那孔教，並間涉老墨雜家等思想；二則作為「挽漢學將墜，俾不至數典忘祖」之漢詩，[5]三為漢文字與文化。其中尤以魏氏於一九三五年參與「斯文會」在東京湯島聖堂舉辦「國際儒道大會」及「祭孔釋奠大會」後，在《漢文臺灣日日新報》分十回刊載〈東遊紀略〉一文，[6]堪稱最全面展現魏氏漢學觀。惟在日殖情境下，魏氏所關懷並推展的「漢學」，畢竟牽涉許多錯綜複雜的文化信念與政治意識的游移。特別是孔子作為中國傳統漢學與儒教的創始者，在東京湯島聖堂重建後第一次釋奠大會，卻是由東京漢學者組成的漢學推廣與研

1　黃美娥主編：《魏清德全集》，總計8冊（臺南市：臺灣文學館，2013年）。

2　魏清德：〈新聞記者之生活〉，黃美娥主編：《魏清德全集》（臺南市：臺灣文學館，2013年），頁84。

3　見〈金川詩草序〉、〈詩報發刊詞〉等，黃美娥編：《魏清德全集》《肆・文卷》，頁152、161、267、370。

4　如針對漢文化持批判的〈旅閩雜感〉，由漢文而思及同種同文的〈滿鮮遊記〉。同前注，分見參卷，頁328，肆卷，頁309。另有關魏清德藉東北亞紀行與漢文議題，尚可參林以衡，〈日治時期臺灣文人魏清德東北亞紀行的文明之旅與漢文體驗〉，《漢學研究》第30卷第4期（2012年12月）。

5　見〈詩報發刊詞〉：「改隸以還，臺灣漢學之所以維持者為詩，道德所賴以維持幾分者亦惟詩」，黃美娥主編：《魏清德全集》《肆・文卷》，頁161。

6　〈東遊紀略〉，黃美娥主編：《魏清德全集》《肆・文卷》，頁249-266。

究團體——「斯文會」，[7]以主人之姿，廣邀中華民國、滿洲帝國、朝鮮和臺灣各地代表，參與其盛。魏清德參與盛會後撰文發論漢學種種，顯然已帶有日本體驗下的漢學史觀視域，誠如魏氏所言：[8]

> （祭孔）舞樂皆傳自中國，然中國今已無存，所存者厥惟日本。……夫以此回湯島聖堂重新，漢學復興之提倡，不知其影響於我們臺灣如何？朝鮮如何？影響於中華民國又如何？

魏氏所言之漢學顯然已非一般定義之中國漢學，而是日本漢學，臺灣儒學甚至已弱化為「日本儒教的支流」。論者有謂魏氏之論：「字裡行間根本看不到論者的『臺灣』位置。既接受自己作為日本臣民的身份，也將漢學定位為日本性之一，他所謂的『漢學』與日本漢學的利害關係位置，可說已經完全協調一致，因此，魏清德對漢學發展的論述，只不過是將日本漢學的史觀與觀點照搬一次而已。」[9]惟魏氏漢學觀或雜糅「政治性」與「皇民性」意味，在〈東遊紀略〉中卻也高舉「臺灣之漢學必不可廢」之論，並勸勉教授漢學及學習漢學者，皆宜以修身實用為志，兼善為達，不宜「徒趨詞章末技，作詩文格卑」。[10]顯見魏氏漢學觀，不無針對臺灣研究漢學之時弊而發難，並於其中提出變革古典漢詩之新知見。準此，在其文集中是否還有「日本國民」以外的另一種「世界新民」和「臺灣島民」視野下的漢學論述？未必僅就其「同化於日本漢學的漢學論」而遽下單一論斷？[11]

本文主要以〈東遊紀略〉為深究文本，探述進程則擴及魏清德兩冊文集相關作品，冀能進一步梳理魏氏貫穿於其中之漢學觀及其相關概念，諸如用儒家之道以為同化之根柢，[12]藉漢文字之契合，引為同種同文之同化論述等等。

---

7 關於日本漢塾之外的漢學社群「斯文會」及其前身「斯文學會」之組織、活動、講學與刊物、論述及時代背景之間的關係，參見陳瑋芬：〈近代日本漢學的庶民性特徵——漢學私塾、漢學社群與民間祭孔活動〉，《成大宗教與文化學報》（2004年12月）第8期，頁264-282。

8 〈東遊紀略〉，黃美娥主編：《魏清德全集》《肆・文卷》，頁251、260。

9 游勝冠：〈同文關係中的臺灣漢學及其文化政治意涵——論日治時期漢文人對其文化資本「漢學」的挪用與嫁接〉，《臺灣文學研究學報》（2009年4月）第8期，頁292-293。

10 黃美娥主編：《魏清德全集》《肆・文卷》，頁260。

11 如游勝冠即言：「〈東遊紀略〉中所闡述的漢學，將臺灣的漢學之於日本漢學的從屬性，做了最清楚的展現。」同註9，頁292。

12 〈同化問題之管見〉，黃美娥主編：《魏清德全集》《参・文卷》，頁380。

二 魏清德之漢學觀及其相關概念：「國民」、「新民」與「島民」的位置

身處日殖時期的臺灣知識分子，無可避免都必須經歷「成為『日本人』」，或「曾經是『日本人』」的一段歷史軌轍。魏清德自也不例外，隨著統治階層的改異，不僅重整了文化與族群屬性的認同，也輾轉托出「身分」的重新定位——必須從「臺灣人／島民」轉換為「帝國子民／國民」。作為一位引介寰宇思潮，教育社會之先驅，先時勢之要求的新聞記者，魏清德更是志在追求文明社會和理想生活，與世界文明潮流同步，登世界大舞臺之上的「世界公民／新民」。[13]黃美娥嘗以「以日本為本位的東洋文明啟蒙論述」為基調，詮說魏清德對傳統儒道文化的重視，並因其兼染傳統與維新的色彩，與抱持進化論之西化主張者有異而成為另類的現代性。[14]然而魏清德的漢學觀，究竟應該安置於「另類的現代性」，或擺入「同化的殖民性」脈絡中才能觀測其義呢？以下僅就魏清德於東京孔廟朝聖之旅所發表之漢學論，以及魏氏視之為鼓吹漢學之用的漢詩學理論，以及魏氏相關漢學概念，進行探述。

（一）湯島孔廟朝聖之行：植基於東亞文化中的漢學論述

魏清德〈東遊紀略〉一文，主要記載參加東京湯島聖堂的祭孔大典。首先敘及日本「斯文會」重建聖堂與推廣復興儒教的努力成果；次則說明在祭孔釋奠前天舉行「國際儒道大會」。其間有來自中華民國、滿洲國、朝鮮和臺灣等諸多名儒碩士，特別是從中國迢遙東渡與會的孔家第七十八代孫，更表徵聖堂祭典名正言順的崇高意義。各國儒教文士畢至咸集，除了交流活動，並有各國代表的大會演說，魏氏也被指名為臺灣代表，至於講演內容則是「各抒述聖道之繫於東亞世道人心，不可不宣揚而光大之」之義。〈東遊紀略〉其一至其五，除了曲曲勾繪聖堂釋奠盛況，主要是報導儒道大會行事，包括自由視察和詩書會等等。至於其六〈漢學決非迂闊〉和其七〈漢學重興氣運〉二篇，則是魏清德論述漢學的重要篇章。[15]審諸魏氏兩文要點，大致可統理為三：1.對比日、中漢學之發展。2.強調漢學決非迂闊，並兼論日本境內之漢學觀。3.綜論漢學旨要，並倡言日本宜藉此國粹，發揮皇國精神。

---

13 〈新聞記者之生活〉一文，最足以透顯魏氏心嚮往之「知識向上普及，應世界潮流」之郅境。見黃美娥主編：《魏清德全集》《肆．文卷》，頁84-87。

14 黃美娥：《重層現代性鏡像：日治時代臺灣傳統文人的文化視域與文學想像》（臺北市：麥田出版社，2004年），頁227。

15 以下引文凡出自〈東遊紀略〉其六與其七篇章者，不再一一贅引出處。

1 中國負漢學，非漢學負中國

魏氏首先點明漢學本土源出中國，但因中國不習漢學及誤用漢學，國民就學率不多，守舊而不重格物，加上八比時文取士，居官者如書簸，所學非所用，導致國土日削，民族委頓不振。因此，總結上述論證：「中國負漢學，非漢學負中國」。反觀日本國，自儒教傳入，即與本國固有道德文化，醇化一體，明治維新賴以翼贊，「歷代為政者依儒教之精神以鼓舞士氣，又無八比取士、所學非所用之弊，明德新民，以採取科學長處，……不僅以風雲月露、吟風嘲月為能事也。」就前後文對比，可看出魏氏對於中、日漢學發展興衰殊途的判準，乃在於「實是求是」和「善學善用」。魏氏並援引春秋盛世，「諸侯友國賓客往來之燕饗，鼓鐘歌詞，……而晉國之國運，天下莫強。」以此暗喻並宣揚日本此次藉湯島聖典，召聚各國齊來朝拜，已然居世界漢學中心之盟主地位。魏氏以自白者的身分表述漢學是民族維新精神的依託，顯見魏氏心存孔教復興，但隱然流露「文不在『茲』乎」的日本漢學本位思想，不言可喻。

魏氏並論及西潮東來，使日本全國驚駭，境內遂有兩派主張，一為排斥漢學為無用長物者，漢學從而寢廢；一為提倡漢學，保存國粹，匡正異端思想。魏氏認為「漢學決非迂闊」，端在善用與不善用之判，誤用之，則成迂闊。所謂迂闊與不善用即指「漢學而外不知有學，迂闊也，不善用也。」魏氏並強調漢學志在致澤，一物不知，儒者之恥，迂闊者，沒卻儒教精神，因此提醒漢學復興，不可不採歐美科學及制度，但也不可一味醉歐盲從，不暇採擇。魏氏所謂漢學以外而有學，主要指「西學」，特別是西方「致用」與「科學」之長處。由是而觀，在魏氏漢學論述中實具有「采精華，去糟粕」的新穎性和挑戰性觀念。

2 漢學的「超越／實用性」意義與「內在／制約性」精神

魏氏所言「漢學」，主要指「孔教儒學」，但卻特別揭揚「孔子為聖之時者」，並強調「孔子之教，明德新民，何嘗教人守舊？」對於儒教的復興，魏清德顯然特重「當非常時局」，如何傳承並發揮漢學之精神？因此論述主要聚焦於「漢學之為用」。魏氏並明示雖無法盡讀浩瀚漢籍，卻宜以「止於至善，治國平天下」為志，而「漢學之精神，即君君、臣臣、父父、子子，仁義忠信，廉節有勇。」爰是可見魏氏漢學論述一方面試圖強調儒教致用的現代性潛力，亦即針對泰西域外，則用儒學以解決當東方文化傳統遇見西方科技文明時的衝突，此為漢學的「超越性／實用性」意義；另一方面則闡揚漢學精神，旨在尊君父，守禮節，此為漢學的「內在性／制約性」精神，最終目標則建置東亞文化圈，藉樹立東亞五千年不墜之綱常，以達日本帝國治國平天下之郅境。

承上所述，魏氏於〈東遊紀略〉所論「漢學」，主要以孔孟儒學為主，卻間涉老墨雜家，如〈讀墨漫筆〉即強調「當此之時，支那古來學說，欲求與現代思想比較的接近者，厥惟墨子。」[16]就魏氏撰文內容而觀，彼時適值墨子學說流行之際，惟魏氏重現歷史學風之餘，真正念茲在茲於墨學接榫「通達經權」之現代性精神。另有〈原道〉一文，綜論儒與老之「道」，重點則在發明「天下為公」之道，並藉五官五倫之旨意，闡明「君君、臣臣、父父、子子，或愛其國，或保其種」之道。[17]此外，〈思想界要穩健〉一文，亦引《洪範》、《呂覽》作為反駁西方物質論之謬。[18]在魏氏漢學論述中，除了依儒學所標舉之綱目，特別是上下尊卑禮節儀式等核心重點外，則多與關注近代西方思潮議題緊密鏈結，諸如〈仁義為文明國條件〉一文，[19]即藉由東西思想文化之比異，強化東洋孔孟仁義道德教化傳承之重要性，並以之視為唯一因應之道。

3 漢學觀的兩重論述位置

綜上所述，魏氏所闡明漢學的起點與範圍，應有兩重論述位置，一就「日─臺」殖民關係而觀，隱然浮現魏氏欲藉日、臺文化的同源性，以正當化且合理化被殖民者潛在與帝國教化的合作與共謀心態。二就「東亞─西方」對峙關係而論，魏氏意圖藉漢學文化禮教之進化論，以抵拒歐美崇尚功利與物質萬能，反撥西化。誠然魏氏撰文大都立基於稱頌母國之維新，禮讚大和民族「知採取外國文化長處，與固有文化相與融合為一」，[20]對於本島人民及清國之同文人種，幾無好評，然窺其所撰文之旨，無一不歸本於對日臺相較下的臺灣落後現狀的關切。對照於魏氏在湯島朝聖之旅結束後的回顧書寫，即語重心長提點「臺灣慎勿為光與熱之天惠所誤，而貽沃土之民不才之誚」，並一再警醒「漢文力須豫為涵養」、「若臺灣此後之漢文種子絕滅，則是自絕海外發展之途」。[21]原心而論，魏氏的漢學觀，對應與反照的焦距，當為隸屬於日殖臺灣廣大社會和政治環境背景的實存文化概況。

（二）挽漢學將墜，俾不至數典忘祖：「維新」視域的詩歌實踐

「自古文學之興隆，關於國運」的基調，[22]幾乎貫串魏清德所有詩學觀。因此〈東遊紀略〉文中，每逢倡論儒學文化之際，往往兼及品評漢詩，以作為漢學傾頹之平行對應。類此例示者有三處：「所志者在於止於至善，治國平天下，不僅以風雲月露、吟風

---

16 〈讀墨漫筆〉，黃美娥主編：《魏清德全集》《肆・文卷》，頁76。

17 〈原道〉，黃美娥主編：《魏清德全集》《參・文卷》，頁387。

18 〈思想界要穩健〉，黃美娥主編：《魏清德全集》《參・文卷》，頁404。

19 〈仁義為文明國條件〉，黃美娥主編：《魏清德全集》《參・文卷》，頁49。

20 〈東遊見聞錄〉，黃美娥主編：《魏清德全集》《肆・文卷》，頁308。

21 〈東遊紀略〉，黃美娥主編：《魏清德全集》《肆・文卷》，頁265-266。

22 〈壬申勅題集序〉，黃美娥主編：《魏清德全集》《肆・文卷》，頁222。

嘲月為能事也」、「若徒尚清詞麗句，罔顧實事求是，是亦迂闊不善用也」，以及「若徒趨詞章末技，及所作詩文格卑，除二、三朋比交相謬許而外，不足值識者一顧，如是，則雖當局寬大，漢文書房許以任意設立，亦必不能維持命脈於永久也。」[23]上述魏氏詩論的核心，明顯有「詩歌改革」與「反映現實」的啟悟意義。

1 漢詩的維新視域

魏氏對漢詩的觀點，大都發表於各種詩集序中，其論認為臺灣詩學「率多繾綣惻怛」，悽涼感喟，但縱使詩社之設，相與抱殘守缺，「以文會友，挽救漢學將墜，俾不至數典忘祖，不勝於博奕猶賢歟？」[24]儘管魏氏對於彼時詩社的局限性略有微詞，但顯然還是將臺灣詩社設立視為擔荷漢學命脈存續的重要關鍵，因此〈詩報發刊詞〉有云：「改隸以還，臺灣漢學之所以維持者為詩，道德所賴以維持幾分者亦惟詩，今人恆謂學不如西學，顧談者其人大都不知漢學，亦不解西學」，接著又申明漢詩「同時得以保存我黃種人自昔發達之燦爛文化精華，然後進而廣採世界大同智識，或描寫科學及今日複雜社會之實際，庶幾於舊文學中嶄然新開蹊徑。」[25]準此，魏氏漢詩學非徒以風雅為尚，而是強調「漢詩會友，鼓吹臺灣漢學」。至於表現實踐則主要依從「維新」視域，作為指標性的詩歌功能檢查，並以此淘洗守舊經驗的沈痾與雜質，視其為跟不上時代的糟粕。如〈滿鮮遊記〉即抨擊文人輩溺於辭章之美，氣息奄奄；[26]〈臺展東洋畫一瞥〉一文，則藉擊缽吟以喻臺展，並痛論擊缽吟鼓吹漢學，其法甚便，「然其束縛情性，苦將題字咬死，多用死典，了無生氣，其貽害或更甚於前清時代八比制藝。」[27]凡此皆見對於詩界改革之期許。

魏氏之論自有其現實背景，一是彼時臺灣文人重技巧形式而輕內容，流弊所至，「擊缽吟」甚至被張我軍嘲諷為「詩界的妖魔」，[28]魏氏此論雖非特意回應張氏之論，然而對於「以遣詞造語為工」之漢詩糟粕，想必也有其自覺與參透。二則今之世異於古，詩歌必須反映時代現實，表現詩人參與新的現實的精神面貌，方達於「止於至善，治國平天下」。魏氏一方面高舉漢詩為維繫國學之大纛，一方面也針對詩風時弊，提點歷來作為臺灣傳統文化命脈也即是古典詩社，不可輕忽漢詩的維新價值與文化意義。

---

23 以上引文分見〈東遊紀略〉，黃美娥主編：《魏清德全集》《肆．文卷》，頁258、260。

24 〈金川詩草序〉，黃美娥主編：《魏清德全集》《肆．文卷》，頁152。

25 〈詩報發刊詞〉，黃美娥主編：《魏清德全集》《肆．文卷》，頁161。

26 〈滿鮮遊記〉，黃美娥主編：《魏清德全集》《肆．文卷》，頁287。

27 〈臺展東洋畫一瞥〉，黃美娥主編：《魏清德全集》《肆．文卷》，頁267。

28 見張我軍：〈絕無僅有的擊缽吟的意義〉，張我軍著、秦賢次編，《張我軍評論集》（臺北縣：臺北縣立文化中心，1993年），頁28。

2 漢詩具體革變之道

魏氏嘗謂「或謂文章詩歌易於痲醉，是誠不然，要得其中庸耳。」隨後並例示漢武〈大風歌〉、諸葛〈梁父吟〉、左太沖〈詠史〉，甚至那破倫（拿破崙）、兒玉、後藤等吟詠之作，藉以說明「論思想之高尚，今詩不如古詩，詞調之鏗鏘，古詩不若今詩。」[29]究其所例舉古今帝王將相之詩作，已然是政教詩歌之典範，而非純粹藝文之表徵。證諸〈湘沅吟草序〉所言：「興觀群怨，無益於世道人心，及不能導人以正、化人以美，激濁而揚清者，皆非詩教之至」[30]，顯然也是相對於驚覺變局已至，必須採取文以載道，寓寄啟蒙教化之敘寫姿態。

至於魏氏提出漢詩具體革變之道，則是在文字、敘述與題材上揮別以往。〈時趨之瑣言〉一文，最能表顯魏氏欲躋精神物質、形式內容與文明相稱之開化境界。文中並論及漢字詩文變革的現象，如詩文夾雜梵語，或古語翻新、源自翻譯歐美日等新思想、諸新名詞等等。魏氏之意，只要思想接近，意氣聯絡，不太走極端，則創新之舉，「可歡迎而不可排斥者」，反之，若徒厭新名詞之難曉，而不為研究，則是「遲世界之進步」。[31]從魏氏例舉漢字詩文衝撞古今語言思想的隔膜，可見魏氏志在與「現代化」潮流對話，以期達成古典詩歌傳統之內的自我改造。至於在漢詩題材與敘述表現上，魏氏也正視現代性器物文明，力圖在漢詩中納入現代性文明進程，彌縫歷史的時差，如〈瀛洲詩集序〉文中，即主張臺灣山海大觀，民蕃雜處，習尚不同，「多前人詩界未拓境地」，重以荷西殖民，先民蓽路襤褸，創業維艱，乃至於歷代昇降，世變紛岐，民間庶政之利病得失，「無一非可歌可詠，足以補史乘地誌、采風問俗之所不及」。[32]凡此皆可明察魏氏意圖取徑漢詩作為傳承與活化漢學之利器，世人固不宜將漢詩化約為守舊之窄仄路徑，身為新時代的詩人對於「新」與「變」，理應有其理解與追求。

3 漢詩與國民性的改造

魏清德嘗以「漢詩數千年作者不少，可惜無國民性表見之詩」，並主張「此後所宜改良者，為排去陳腐，應時勢之要求，詩之本領，不獨為精神界之慰安，將以高尚國民之品性，改造國民之精神」。[33]論者因而直陳「國民性就一直是他（魏清德）書寫重要主題之一」，並直言藉由國民性的書寫，可以擴大漢詩文這個文化資本的價值，「藉以確

29 〈時趨之瑣言〉，黃美娥主編：《魏清德全集》《參・文卷》，頁93。

30 〈湘沅吟草序〉，黃美娥主編：《魏清德全集》《肆・文卷》，頁117。

31 〈時趨之瑣言〉，黃美娥主編：《魏清德全集》《參・文卷》，頁100-102。

32 〈瀛洲詩集序〉，黃美娥主編：《魏清德全集》《肆・文卷》，頁220。

33 〈大正協會例會〉，《臺灣日日新報》，1915年7月8日。引自游勝冠：〈同文關係中的臺灣漢學及其文化政治意涵──論日治時期漢文人對其文化資本「漢學」的挪用與嫁接〉，《臺灣文學研究學報》（2009年4月）第8期，頁299。

保漢文人在殖民地權力結構中的統治地位。」[34]魏清德文集篇什中之漢詩革新論，自非是有感於前人詩學典範幢幢巨影下的「影響焦慮」，以致揭舉詩界革新以另闢蹊徑。承上所述，魏氏實有其「文化性」之薪傳使命與「現代性」之創造策略。有關「國民性」之論題，不僅顯現在魏氏漢詩觀，在魏氏系列遊記文中也多有涉及。例如〈東遊見聞錄〉一文，魏氏在遊觀各藝文景點，引為他石攻錯之後，頗有「臺灣之遲於世界者如斯」之慨。取法日本，批判臺灣，迎向未來，顯見魏清德力圖透過教育，陶養國民品格，使之轉化成為一種現代化生活習性。[35]循是而觀，縱或藉漢詩文作為改造國民性，也不宜以此罪責他的文明進化論動機，更何況作為歷史前景座標的「現代性」啟蒙論述，顯然更超克於「國民性」，已然成為魏清德賦予漢詩改革中最重要的求新求變意識。身為瀛社副社長的魏清德如此措意於導正傳統詩歌文化的發展路徑，實有「寓漢詩於漢學命脈」的深意存焉。

（三）「我東亞黃種民族」[36]之同化論：建構「東方類同」與「西方差異」

在殖民主與被殖民者之間，雖是一種主流文化和依附文化的關係，然而殖民政治的內涵，卻不一定是一種相互抵抗、衝突或敵對的模式。殖民地的同化主義或可作如是觀，誠如日本統治臺灣旨在將臺灣與中國分離而與日本相結合。明石（元二郎）總督，在其同化施政中明白指出：「本來集日本人與臺灣古來民族而統轄之，實為困難之事。……但領新領土精神，其目的不外乎在打造一個與日本無異的境地。」[37]值得深思的是同化政策一方面為了促進臺灣日本化與臺灣人日本化的統治目標，但一方面卻也帶動後繼以林獻堂等人所號召興起的臺灣民族自覺運動。一九一四年十一月坂垣退助在臺灣組織了「臺灣同化會」，主張應予臺灣人與日本人同樣的化育及權利待遇。[38]相較於後藤新平訓示總督府醫學校臺灣人學生：「你們如果要求與已經三千年來對皇國盡忠日本人享受同等待遇，則須在今後八十年，努力同化於日本人，在此之前，縱有差別，亦無可奈何。」[39]顯然板垣的「臺灣同化會」，在某方面更貼近臺灣人的心志。

---

34 同前注，頁299。

35 魏清德認為文化之普遍，非個人所能為，因此臺人觀光內地，不僅是驚嘆日本文化發達，更應研究其發達的真理。〈東遊見聞錄〉，《魏清德全集．參．文卷》，頁266。

36 見〈詩報發刊詞〉、〈旅閩雜感〉等文一再提及「保存我黃種人」、「我東亞黃種民族」、「我東亞民族」。分見黃美娥主編：《魏清德全集》《參．文卷》，頁161、頁348。

37 矢內原忠雄，林明德譯：《日本帝國主義下之臺灣》（臺北市：吳三連臺灣史料基金會），頁217。

38 坂垣退助後來受到總督府的壓迫而離開臺灣，同化會也於一九一五年二月被迫解散。同前注，頁222。

39 蔡培火：《與日本國民書》，引自矢內原忠雄，林明德譯：《日本帝國主義下之臺灣》，頁217。

1 承繼坂垣退助「同化論」

魏清德〈訪板垣伯〉開篇即頌讚板垣伯為自由之母、憲政之神，並引用其同化論調：[40]

> 必欲聯絡東亞中間日、支兩國，共同一致，防歐力東漸，組織同化會於臺灣，作人道鼓吹先聲。……臺灣住民本支那民族一部，哲學根本，其孔孟儒教思想，事君以忠，事親以孝，治國平天下必先齊家修身、正心誠意，又與我國同為家族制度，非如白人本位，……所謂同文同種，何在不可以同化？

「同化會」除了主張讓臺灣人得以和日本人享受同等待遇，也關乎抵拒西方的「大東亞共榮意識」，因此一再強調日本與臺灣，甚至與中國的同文同種，利害一致。魏氏聆聽板垣言論之後，大表敬意，甚至以「基督教博愛主義猶在」稱頌之。魏氏並接續闡述所謂同化者，不僅同化語言、風俗習慣，也在於根本的同化，在精神與利害上的一致同化，因此內地人讚成同化，可防歐力東漸，本島人信仰同化，則受生命財產安全等保障，並盡國民義務，而支那見臺民增進幸福，必盡棄排日之思，此同化成效一舉「將東亞全體受其福，世界人道被其澤」。[41]一言以蔽之，魏氏所言貫串同文同種最重要的根柢，即在於孔孟儒教的「忠君孝親」思想，因此儒學精神有助於日本帝國培養忠誠「帝國子民」，便於推廣貫徹帝國精神的教化。

類此強調同文同種的同化論，尚見於魏氏其他篇什，如〈朝鮮人之階級〉一文提及：「支那人種亦惟有德是君，不遑問其為同種異種也」，[42]言下之意是日天皇若是有德之君，中、臺籍民理應臣服歸順，毋庸懸繫華夏，魏氏並以曾、左二人為滿清效力為例證。〈南清遊覽紀錄〉也論及：「夫自東洋大勢，同文同種及唇齒關係而言，則不宜排日，自臺灣籍而言，則更不宜排日」等等。[43]在魏氏的同化論中，時時可見宣揚光大儒道思想，以聖道維繫東亞世道人心的主張，更典型的論述模式，則見於〈東遊紀略〉其三「國際儒道大會」文中所載記魏氏參加「國際儒道大會」時聆聽「斯文會」德川會長之式辭：[44]

> 我夫子德配天地，化敷古今，其大中至正之道，早行于東亞諸邦，今也且遠及泰西各國。其傳入我邦，與我民族固有之特性融合渾化，……上下兩千載，恆採儒道為治平之法，夙建聖廟，祀事孔明。會湯島聖堂災後復興，斯文會乘機宣揚聖

---

40 〈訪板垣伯〉，黃美娥主編：《魏清德全集》《參．文卷》，頁308-309。

41 同前注，頁309。

42 黃美娥主編：《魏清德全集》《參．文卷》，頁113。

43 同前注，頁160。

44 〈東遊紀略〉，黃美娥主編：《魏清德全集》《肆．文卷》，頁253-254。

教，計同文民族之親善協調，爰檄海外內同志開儒道大會，所願光臨各位留意於世界情勢及人心趨向，和衷協力，宣揚聖道，藉以增進人類福祉。

魏清德對此論的回應與呼籲，則見於其七「漢學重興氣運」：[45]

時下東都漢學有重興氣運，國際儒道大會之開，非僅止於友邦親善，蓋當非常時局，欲藉漢學以益發揮皇國精神，匡正異端思想，擡高國民道德。……有論我國固有道德，固有文化，自儒家傳入，醇化一體，……明治維新之鴻模，賴以翼贊，降而致今日昌隆國運。有論今之學校類多養成外國式人才，莫怪漢學益受其擯斥不顧，迨夫馬克斯、黎仁輩諸學說勃興，思想動搖，憂國之士始翻然有悟。及今國粹保存之提倡，尚屬非晚。

魏氏之論乃以儒家為主的「漢學」，作為中、日、臺共享且固有的文化學說，而重興漢學的重要性即在於保存國粹，並有別於歐美文化思潮。

2 中、日、臺共享「文化」與「種族」的類同性

魏氏所持論，也即是「和衷協力」的同化論基石，因此在文集中屢見傳揚日本政府以「同文同種」的口號，強調與「殖民地臺灣」和「支那國」之間，共享「文化」與「種族」的類同性，並一再宣揚日政府「一視同仁待臺民」。[46]雖然如此，卻又常藉著臺日之比較而凸顯日本民族在文化和種族上的優越性，[47]而最終這種同化論歸趨，則在於建構「東方類同」與「西方差異」的大東亞共榮意識。

論者嘗謂「假定西方帝國主義與殖民主義銘刻著西方與非西方、白人與非白人之間常見的二元對立，而日本帝國卻是被界定在文化與種族同一性的特殊範疇之內。……日本及其亞洲殖民地內部的文化與種族認同，是在日本與西方和亞洲關係雙雙面臨轉變的時刻所發明或想像出來的。」[48]日本與最重要的殖民地——臺灣與韓國的人民，原有著相近的種族與類同的文化遺產，在魏氏諸多旅遊見聞錄中，如〈朝鮮人之階級〉即述及與支那、朝鮮的文化同源關係，[49]在魏氏同化論述中確然可見「日本與西方和亞洲」種種依違的關係——在殖民帝國內部呈現文化和種族的整合性，但在全球殖民體系中卻是表顯東方和西方的區隔性。〈旅閩雜感〉文中甚至明白表示：「吾人論至是，深慮我國人

45 同前注，頁259。

46 〈南清遊覽紀錄〉，黃美娥主編：《魏清德全集》《參・文卷》，頁173。

47 見〈同化問題之管見〉一文，所言及內地人之諸多美德，以及臺人之諸多低級、腐敗、卑鄙等終不免為同化後之賤民等論點。黃美娥主編：《魏清德全集》《參・文卷》，頁381-382。

48 見荊子馨，鄭力軒譯：《成為「日本人」：殖民地臺灣與認同政治》（臺北市：麥田出版社，2006年），頁47。

49 〈朝鮮人之階級〉，黃美娥主編：《魏清德全集》《參・文卷》，頁113。

口，不足與白種競，舉支那全人口亦不足與白種競。……若夫本西洋歐字文明之白晳民族，一朝統一，厥數八憶。……人口補充之無方也。……日支親善，必也兩兄弟發生國民的遠大自覺；日支箕豆相煎，東洋其不國乎？」[50]意即日本和支那必須同心協力，方足以抗衡西洋。

3 依附日殖民主義的「同化論」

魏氏同化論述的終極目標，雖標示東西異民族間的文化差異，但其中不無含藏有殖民帝國主義所形成殖民者與被殖民者間優／劣、上／下、尊／卑的二元對比論調。揆諸〈東遊見聞錄〉中魏氏觀東京動物園後之感言：「人智在萬物之上，故能使萬物為權利義務之客體，淘汰競爭，劣敗之人種亦當降主體而為優勝者之客體，不能無思。」[51]再以此連結〈馬來群島殖產談〉所論及「人種陳列場」中因殖民地民族分級而待遇各異的情形，甲種為歐美人士和日本國民（臺灣因屬日本，故得列為甲種民族），餘則降列為乙種（支那即屬之），因此支那人往往苦母國之不振，思入臺灣籍民，總括而言，「支那人不足法也」。[52]顯見魏氏採以達爾文優勝劣敗之進化論，區分人種高低等級，強勢附和了日本殖民主義與同化思想。

臺灣日殖時期的「同化」論述，其實並不拘限於與日本殖民主的同化主張，如黃呈聰〈應該著創設臺灣特種的文化〉即主張利用臺灣固有文化，並應接受西洋的現代物質文化，抗拒日本固有的文化。蔡培火〈吾人之同化觀〉則更直接訴諸與「歐美文明」同化。[53]如是而觀，魏氏在「保存我黃種人」與「內地僑民與臺灣籍民皆係陛下赤子」[54]的同化論點上，雖也帶有維新進化論的啟蒙論述，但就依附於政權的同化論而觀，似乎也表顯了彼時臺灣親日派漢文人對殖民政權的認同位置。

三　結語：為千百年東亞大計的記者心事

所謂「漢學」之名義，因時空而有異。清代學術以考證派為正宗，其學追溯於東漢之許、鄭，故當時稱曰「漢學」，以別於窮究心性之「宋學」。[55]今之漢學則大致指「中國之學」，意即對中國文化學術的研究。然而有關「漢學」之詞義訓解，仍有古今概念

---

50 〈旅閩雜感〉，黃美娥主編：《魏清德全集》《參．文卷》，頁362-363。

51 黃美娥主編：《魏清德全集》《參．文卷》，頁233。

52 黃美娥主編：《魏清德全集》《參．文卷》，頁54。

53 相關資料參見朱惠足：《「現代」的移植與翻譯：日治時期臺灣小說後殖民性思考》（臺北市：麥田，2009年），頁36-38。

54 〈旅閩雜感〉，黃美娥主編：《魏清德全集》《參．文卷》，頁332。

55 〔清〕江藩：《漢學師承記》（臺北市：河洛圖書，1974年），頁18。

變遷與範圍限定，如林慶彰老師主編之《國際漢學論叢》，[56]即刊載有關各國漢學之學術研究概況。本文所研析魏清德之漢學觀，顯然可對應於今之所稱「東亞漢學」（以日本、韓國、越南為中心）。然而魏氏之漢學論述，實有別於今之漢學研究，因魏氏並不措意於解釋經典文本，或是闡述經典文本內有關社會、學術或文化環境等諸多背景的考證或論述。魏氏針對漢學的關注，主要透過支那孔教等思想、漢詩和漢文字與文化，並將之轉化為日本、中國和臺灣共享與交流的一種文化信仰和價值觀，是以在魏清德文集中漢學經典實存的真義，反而是作為服務於彼時歷史環境背景中的一種文化符碼與同化目標。

「吾儕幸歸新政府治下，幸勿仍守故陋，奮一足而留學內地，且負笈歐美，養高等之學問，為國家有用新附之臣民」、[57]「欲籍民之親善政府，而非徒形式，成功發展於海外，男女新學界皆能參酌折衷，不為極端，以舉精神之實在，則庶幾乎哉!」[58]上引魏清德「記者心事」，不難看出魏氏直白表露的親日臣服姿態。魏氏另作〈同化問題之管見〉文末結語：「吾人以同化忠君愛國為本題之首論，以生產同化用品為本題之結論」，[59]因而可挪借為魏氏漢學觀之斷語。本文無意將魏清德文集的探討，全部轉向日治時期漢學研究概況等論題，本文論述毋寧是藉由「曾經是『日本人』」的臺灣傳統知識分子的漢學觀，來理解日治情境中，臺、日學術文化交流所浮顯「共享」大東亞儒學文化和經典義理，以達成千百年東亞大計的大局主義，並希圖藉此殖民歷史中的「漢學面貌」，反照彼時臺灣文士多重文化認同意識的精神圖像。

本文初稿發表於「經學史研究的回顧與展望——林慶彰先生榮退紀念」國際學研討會（京都市：京都大學大學院文學研究科、中研院文哲所、北京清華大學合辦）。（2015年8月20-21日）承蒙主持人暨講評人上海交通大學虞萬里教授惠賜寶貴學意見，經修訂後，已於二〇一六年高雄師範大學《經學研究集刊》第二十期刊登。

56 林慶彰主編：《國際漢學論叢》（臺北市：樂學書局，2007年）。

57 〈南清遊覽紀錄〉，黃美娥主編：《魏清德全集》《參・文卷》，頁150。

58 同前注，頁161。

59 黃美娥主編：《魏清德全集》《參・文卷》，頁383。

塾師與左翼文人
──《三六九小報》中兩種「孔子」論述研究

王淑蕙
南臺科技大學通識教育中心副教授

提要

日治時期臺灣儒學社群，依其出生年代，有：跨代自前清「科舉時代」的傳統文人群體；也有成長於日治時期「後科舉時代」的現代文人群體。跨代的傳統文人群體，具有生員以上功名或深厚漢學功底，他們或者棄儒從商、或者成為塾師、或者參與文學性社團、或者擔任報刊雜誌主編。成長於日治時期的現代文人群體，幼年接受私塾教育，及長接觸現代性思潮遠赴日本留學，經常於報刊雜誌上發表劇本、散文、小說等類型作品。

彼時臺南最大的文學性社團：南社，社員有傳統文人群體「塾師」，也含有現代性的「左翼文人」。首先、傳統文人群體以「登雲吟社」塾師：邱水為代表，本文論析邱水〈新《論語》〉的儒學論述，以「〈新《論語》〉之新」、「詮經與亡國」、「科舉的末路」三端，論述後科舉時代「塾師」探討穿經穴史的讀經態度、省思「詮經謬誤」可能禍及國運的問題。其次、左翼文人以《赤道報》營業部之趙啟明為代表，析論其模仿郭沫若〈馬克斯進文廟〉而創作的〈文廟的一幕〉，經歸納分析二文，以「孔子的超時空對話」、「孔子對滅儒的主張」、「論辯與避世的兩種態度」三端，論述左翼文人如何比較東西思潮及傳統儒學的省思。

關鍵詞：日治時期　南社　《三六九小報》　塾師　左翼文人

一　前言

臺灣儒學[1]由清領時期進入日治時期，歷經「科舉時代」與「後科舉時代」而有不同發展。清代施行科舉取士，儒家經典作為科舉應試的主要科目，雍正帝諭令士人以聖賢經書教育庶民[2]，即以「儒家經典」連結士人「功名」與庶民「教化」，是謂「科舉時代」的儒學特色。甲午戰敗，乙未割臺，始政之日科舉廢止，儒家經典原本應隨著科舉廢止而逐漸沒落，卻因殖民主推行「孔教」帶來延續的契機，是謂「後科舉時代」的儒學特色。

殖民主推行「孔教」乃立基於：千百年來日本、朝鮮、越南等國模仿中國的科舉選才制度，「尊孔」成為東亞各國共同的文化傳統。明治二十三年（1890）天皇頒布具有軍國主義色彩的〈教育勅語〉，不僅施行於日本本土，更作為所屬殖民地的最高教育令。殖民主挾「孔教」之名，欲建設「臺灣」成為大東亞共榮圈的模範殖民地，以便成為軍國主義「南進」的跳版與基地，表面上「尊孔」，實則別有用心。以臺灣為例，清領時期科舉選士必考儒家經典，儒家經典的教授與傳播，除了官方的府（縣）學、義塾之外，民間亦設有私塾與村塾。日治之後官方的教育單位為公（小）學校所取代，民間私塾與村塾則面臨總督府漸禁政策的威逼，自一九〇三年規定必須以日語解釋漢文時數五小時，到一九一〇年書房教師被迫參與日語普及教學，許多私塾與村塾因此被迫關閉。

總督府一方面扼殺書房教育的漢文意識、殘酷鎮壓民間持續的武裝反抗活動。二方面籠絡前清文士默許成立詩社、文社，舉辦日本漢學家與臺士吟詩唱酬的饗老典、揚文會，營造日治之下社會安定的榮景。始政時期（1895-1915）二十年間，參與反殖民運動的有志之士，在武力懸殊情況下屢敗屢戰，文化人士為避免無謂犧牲，於總督府允許成立詩社、文社的文化政策中，相繼成立詩社、文社，並發行刊物，逐漸以「文化抵抗」策略取代實力懸殊的「武力抵抗」手段。這些文學社群的成立，合力支持報刊雜誌

1　一般學者為避免日治時期臺灣經學文獻定義偏狹，多以較寬泛的「儒學」名之，以便包羅所能蒐羅的相關文化活動、新興傳媒刊載之相關文獻史料。如翁聖峰〈評《日據時期臺灣儒學參考文獻》——兼論續編《日據時期臺灣儒學參考文獻》的可行方向〉云「我們看日據時期臺灣『儒學』所呈現的都是六經『文化之學』的樣貌，當時所謂儒學絕不只指涉『思想』層次，他們是以傳統儒學的角度去論述思想、政治、社會、經濟、文化各個層面，...都是以傳統儒學觀來看大千世界，即使像崇文社一九二一年一月徵文〈撫番策〉，他們亦從儒家的『外王』觀點分析這種社會性議題。」翁聖峰：〈評《日據時期臺灣儒學參考文獻》——兼論續編《日據時期臺灣儒學參考文獻》的可行方向〉，《中國文哲研究通訊》第11卷第1期（2001年3月），頁170-171。

2　清朝雍正四年（1726）上諭之〈諭正士習〉：「為士者，乃四民之首、一方之望。凡屬編氓，皆尊之奉之，以為讀聖賢之書、列膠庠之選，其所言所行，俱可以為鄉人法則也。故必敦品勵學、謹言慎行，不愧端人正士；然後以聖賢詩書之道，開示愚民，則民必聽從其言、服習其教，相率而歸於謹厚。」詳見：〔清〕劉良璧纂輯：《重修福建臺灣府志》（臺北市：文建會，2005年6月），頁88。

的「新傳媒平臺」，提供新舊文人集思發表文章，其中包含臺灣儒學的傳播或討論[3]，新時代與新傳媒，映現臺灣儒學進入新的論述時代。

日治時期臺灣儒學文獻史料的傳播或討論，約有：個人著作、全臺性徵文、報刊雜誌刊載三類。其中個人著作較少，全臺性徵文多由文社舉辦，彼時詩社多而文社少，部分文社由詩社成員創立。以北、中、南三大詩社為例，分別是北部的瀛社（1909-至今）[4]、中部的櫟社（1902-約1946）[5]、南部的南社（1906-1951）[6]。一九一九年臺中櫟杜成員另組文社，並由民族運動領袖林獻堂出資發行臺灣第一份漢文雜誌《臺灣文藝叢誌》(1919-1924)，其發行宗旨「主張經史，維護漢學」具體映現於創刊號全臺徵文主題「孔教論」[7]上。此後臺資報刊雜誌多追隨《臺灣文藝叢誌》的發行宗旨，以「主張經史，維護漢學」作為抵抗「日資媒體」與「皇民教育」的口號。《臺灣文藝叢誌》在櫟杜成員的引導下，成為介紹新知、發揚文化、維護漢學、抵抗殖民的「典型」臺資媒體，至於三大詩社中臺南的南社社員於一九三〇年創刊《三六九小報》則屬於

---

3 如大正八年（1919年1月1日）由中部文社發行的《臺灣文藝叢誌》首期徵文，擬〈孔教論〉為題，吸引全臺文士投稿。《臺灣文藝叢誌》正式發行於一九一九年一月一日。當一九一九年十月舉辦「臺灣文社正式成立大會」，當時社員人數已達四八〇人，並選出各地理事，換言之，臺灣文社藉著雜誌的發行舉辦各項文化活動，企圖形成長期性的鄉紳文人團體，同時透過全臺「理事」進一步凝聚有規模、效率的鄉紳文人組織。

王淑蕙：〈《臺灣文藝叢誌》第壹期徵文〈孔教論〉之「孔教」觀探究〉，《變動時代的經學與經學家》第5冊（臺北市：萬卷樓圖書股份有限公司，2014年12月），頁164。

4 瀛社成立於明治四十二年（1909）三月七日假艋舺平樂遊旗亭召開成立大會。成立之初，社員約八十人左右，其中領有茂才以上功名者即達二十餘人。其後於民國五六十年代，「南社」與「櫟社」相繼停止活動，唯有「瀛社」巋然獨存，且活動力未曾稍戢。成立迄今，社員總數已達五百餘人。

林正三：〈瀛社簡史〉瀛社官網http://www.tpps.org.tw/forum/forum.php?mod=viewthread&tid=22（最後瀏覽日期：2019年5月11日）

5 櫟社全盛階段約在一九一〇～一九三〇，一九三〇年代中晚期，由於第一代社員逐漸凋零，該社走向沒落。一九四〇年代為謀復興，由林獻堂、傅錫祺共同主導，收納第一代成員之門生弟子為第二代成員。戰後雖有短暫之復甦活動，但隨著社長傅錫祺一九四六年去世、林獻堂於一九四九年自我放逐於日本後，櫟社終趨沉寂。

廖振富：〈櫟社〉，《文化部國家文化資料庫》http://nrch.culture.tw/twpedia.aspx?id=4539（最後瀏覽日期：2019年5月11日）

6 社員以臺南府城菁英份子為主，對日本政府的批判性較不強烈，僅有部分社員以個人意願熱衷於社會改革運動。第一代創社元老多為前清遺儒，具有相當深厚的漢學素養，傳統包袱比較沉重，具有一定的保守性格；第二代社員則開始接受近代教育，雖然詩學功力可能不如前世代，但對當時島內諸多問題較具省察力。社員身份亦多教育工作者，對地方文風蓬勃發展與俊才的培養有功。另外，許多社員為《臺南新報》記者，故能以媒體報導詩社活動新聞並刊登詩作，有助詩社興盛。戰後民國四十年（1951）全臺南詩社併入「延平詩社」，「南社」遂走入歷史。詳見：臺灣詩社資料庫索引http://xdcm.nmtl.gov.tw/twp/pclub/srch_list_result.aspx?PID=000023（最後瀏覽日期：2019.年5月11日）

7 王淑蕙：〈《臺灣文藝叢誌》第壹期徵文〈孔教論〉之「孔教」觀探究〉《變動時代的經學與經學家》第5冊，頁161-186。

「非典型」的臺資媒體。

《三六九小報》以「詼諧雜說，發揚文化」的非典型媒體風格，刊載調侃「孔子」論述的文章，發行時間（1930年9月9日-1935年9月6日）橫跨文官總督時代（1919年10月29日-1936年9月2日）與後期武官總督時代（1936年9月2日-1945年10月25日）[8]。一九三五年停刊的時間點，距離皇民化運動（1936年底）、總督府廢除報刊雜誌漢文欄（1937）、七七事變（1937年7月）等政治活動與事件頗近。本文爬梳《三六九小報》刊載之儒學資料，選擇與「科舉時代」關係較近的「塾師」、與「後科舉時代」關係較近的「左翼知識分子」，執傳統性與現代性之兩端，追索作者的身分背景，探究其人際系譜與儒學活動，可進一步觀察日治時期臺灣南部的儒學活動，凸顯變動時代臺灣儒學的多元面貌。

二　塾師之人際系譜與儒學論述

清廷治臺時期，施行科舉制度兩百餘年，凡家境中上子弟莫不投身舉業，期待鄉試中舉、進士及第、光耀門楣。根據文獻資料顯示：光緒中期臺士積極參加科舉活動者約當七千人左右，[9]直到乙未割臺（光緒廿一年，1895）總督府在臺始政廢除科舉制度，則活躍於科舉社群之臺士不止七千之數。總督府學務部長伊澤修二為達成將臺民同化為日本人的目標，創立「國語傳習所」推行日語教育，然而日人教員與教學機構嚴重不足，加上總督府規劃小學校提供日人子女就讀，規劃公學校提供臺民子女就讀，然而短期間公學校無法普及全臺，考量子弟日後必須融入漢人社會，臺民普遍傾向送子弟到私塾、村塾學習，以便粗識文字在社會立足。於是日治初期臺灣社會村塾的需求仍然強烈，失去科舉考試的晉升制度，擔任「塾師」既能安身（養家活口）又能立命（維護漢學），前清秀才生員們樂於擔任塾師之職。上述種種因素使各地書房數成長快速，明治三十年（1897）三月至隔年九月，全臺書房數成長四百八十處，達一千一百七十處。至明治三十四年（1901）二月更多達兩千餘處。[10]此舉，使學務部採取拉攏塾師、運用書房空間教授日語的政策。從一九〇三年上課時數五小時且以日語解釋漢文，至一九一八年每周上課時數剩下兩小時。[11]又從一九一〇年代中期開始，塾師被迫與「國語普及」

8　總計日治時期五十年臺灣經歷了：武官總督時代（1895年5月10日-1919年10月24日）、文官總督時代（1919年10月29日-1936年9月2日）、後期武官總督時代（1936年9月2日-1945年10月25日）。

9　尹章義：〈臺灣↔福建↔京師——「科舉社羣」對於臺灣開發以及臺灣與大陸關係之影響〉，《臺灣開發史研究》（臺北市：聯經出版公司，1989年12月），頁552。

10　許錫慶譯注：《臺灣教育沿革誌（中譯本）》（南投市：臺灣文獻館，2010年12月），頁442，25。

11　吳文星：〈日據時代臺灣書房之研究〉，《思與言》第16卷第3期（1978年9月），頁75-79。

運動結合[12]，因此書房已非「傳播民族精神的重要處所」[13]，許多塾師不願成為總督府的傳聲筒而主動停業，部分為營生而棄儒師就商賈，部分轉投向報刊雜誌成為編輯主筆。

日治時期總督府為實現新帝國主義，引入現代性傳媒以配合政令宣揚，一定程度加速了臺資傳媒的設立，隨著對漢書房採取漸禁政策，使儒學的傳播方式「由學堂的『點』到媒體的『面』」。《三六九小報》創刊於一九三〇年九月九日已進入日治晚期，直到一九三五年九月六日停刊，與一九三七年日本總督府全面廢除漢書房（私塾教育）、廢禁報刊漢文欄的時間點接近。《三六九小報》的作者群中，「塾師」的書寫與被書寫，其內容都與「科舉時代」的記憶、歷史與文化關係較近，研究《三六九小報》塾師的儒學論述，映現日治晚期傳統儒學的傳承與教學省思。

（一）人際系譜

南社成立之初推舉前清舉人蔡國琳為第一任社長，社員多為傳統文人具有維護漢學的意識，第二代年輕社員創辦《三六九小報》因此刊登許多科舉時代的軼聞典故。後科舉時代臺灣儒學傳播有各地文社的徵文，傳授亦以各處的塾師為主。經常於《三六九小報》發表文章且具名的塾師，有臺中的劉魯（1880-1955）[14]與臺南的邱水（1896-1935）[15]，本文擇取臺南邱水為文本分析，意欲論述南臺灣之儒學特質。

（二）儒學論述

臺南麻豆「登雲吟社」塾師邱水著有《綠波山房摭談》，邱水經常署名「濬川」或「麻豆邱濬川」於《三六九小報》發表文章。如昭和六年（1931）一月廿九日署名「麻豆邱濬川」於《三六九小報》《綠波山房摭談》專欄發表〈新《論語》（一）〉：

12 吳文星：〈日據時期臺灣書房教育之再檢討〉，《思與言》第26卷第1期（1988年5月），頁104。按：當時的國語指的是日語。

13 同前注，頁108。

14 劉魯（1880-1955），字天喜，其父劉益美原籍廣東大埔，來臺後定居臺中東勢。劉魯幼年師從劉吉芙，乙未之後設館為塾師。曾與親友合營伐樟製腦、服務於日資的物產會社，因無法接受日方的不平等待遇，憤而離職，重拾教鞭。畢生致力於作育英才，以延續漢文為職志，弟子滿佈臺中地區。江昆峰：《《三六九小報》之研究》（臺北市：私立銘傳大學應用語文研究所中國文學組碩士論文），頁175。

15 邱水（1896-1935），字濬川，號小衙門結仕，原籍佳里興，後遷居麻豆鎮。曾任「登雲吟社」塾師，頗能詩文，亦為麻豆綠社成員。於《三六九小報》「綠波山房摭談」專欄撰稿，風格幽默犀利。著有《綠波山房文集》、《綠波山房詩話》，另有詹評仁《柚城詩錄》錄有《邱濬川遺稿》。王嘉弘：〈謫南鯤身・作者題解〉，《愛詩網》https://ipoem.nmtl.gov.tw/nmtlpoem?uid=12&pid=458（最後瀏覽日期：2019年5月11日）

有馮管兩先生，同課童蒙於某祠宇東西廂。管講《論語》篇，至「君君、臣臣、父父、子子」，解為「我君的君、我臣的臣、我父的父、我子的子」。馮只解曰：「君君，人君也。臣臣，人臣也。父父，人父也。子子，人子也。」兩人所講意義逈相逕庭，一時議論相非，爭辯不已。……

秀才於廟內設塾，是清代以來常見的景象。一般而言，一座廟宇僅設一處私塾，彼此講學不相互干擾。〈新《論語》〉特意安排，馮、管二位先生同廟設塾況，可提供異觀點的對話，應是特意安排的情節。二位先生講解「君君，臣臣，父父，子子」，乃出自《論語》〈顏淵〉篇第十一章：

齊景公問政於孔子。孔子對曰：「君君，臣臣，父父，子子。」公曰：「善哉！信如君不君，臣不臣，父不父，子不子，雖有粟，吾得而食諸？」

〈顏淵〉第十一章齊國大夫陳桓權勢坐大，直逼國君、干擾內政。齊景公向孔子請益「為國之政」，孔子因此以「君君，臣臣，父父，子子」乃解決「君不君，臣不臣，父不父，子不子」的良方。春秋時期混亂的內政妨害朝政極大，直到戰國時期「內戰」仍是「亡國」的主要禍源，孟子因此提出「萬乘之國，弒其君者，必千乘之家；千乘之國，弒其君者，必百乘之家。」(〈梁惠王上〉) 等評論。

學者詮釋《論語》或者不同觀點與論述，然而〈顏淵〉篇第十一章因有明確的歷史可供考證，歷來並沒有重大的歧見。如《論語注疏》評論此章，為：

政者正也，若君不失君道，乃至不失子道，尊卑有序，上下不失，而後國家正也。[16]

朱熹《四書章句集注》論述本章「此人道之大經，政事之根本也。……景公善孔子之言而不能用，其後果以繼嗣不定，啟陳氏弒君簒國之禍。」[17]顯示自何晏《集解》、邢昺《疏》至朱熹《四書章句集注》以來，談論「孔子正名」均以人道之大經、政事之根本為主論述，沒有太大的歧異。明清科舉採用朱熹《四書章句集注》，塾師多為科舉出身，[18]應熟悉朱熹「此人道之大經，政事之根本」的主張。邱水筆下〈新《論語》〉中為「孔子正名」爭論的馮、管二位先生，為何與朱熹的解釋有如此大的差異？值得深

16 〔魏〕何晏注、〔宋〕邢昺疏：《論語注疏》，《十三經注疏本》(臺北市：藝文印書館，1989年)，頁108。

17 〔宋〕朱熹，《四書章句集注》(臺北市：大安出版社，1999年)，頁108。

18 根據一九三九年發行，彙編一八九五至一九三六年為止的臺灣教育資料的《臺灣教育沿革誌（中譯本)》，頁446所載：明治三十一年（1898）二月調查全島書房（私塾），臺南縣書房有一二九處，塾師都具有童生以上的功名：「舉人一人、增生一人、稟生塞三人、貢生三人、秀才二十一人、童生一百人」。詳參許錫慶譯注：《臺灣教育沿革誌（中譯本)》(南投市：臺灣文獻館，2010年12月)，頁446。

思。以下執「〈新《論語》〉之新」、「詮經與亡國」、「科舉的末路」三端論述之。

1 〈新《論語》〉之新

「登雲吟社」塾師邱水為臺南麻豆著名文人、綠社社員，刊有《綠波山房文集》、《綠波山房詩話》，留有《邱濬川遺稿》收錄於《柚城詩錄》中。[19]邱水以塾師身分，撰寫〈新《論語》〉記述兩位塾師爭辯〈顏淵〉篇的內容，看似荒唐，其實頗具深意。

《論語》為歷代科舉應試的重要科目，朱熹《四書章句集注》更為塾師們所熟悉，〈新《論語》〉中塾師們所討論的孔子「正名」觀，竟出現以下的「新」詮釋：

> 馮曰：先生何所據而云然？不知「君君」二字，講為「我君的君」，何以不襯「我的之」字？而能作如是講解，不才甚不以為然，請言其概。
>
> 管曰：春秋之世，文字古健，言簡意賅，有以一字一句，而括全篇之義者。豈不知《春秋》筆法，「一字之褒，榮於華袞，一字之貶，嚴於斧鉞」例如「鄭伯克段於鄢」一句，而左氏《傳》之洋洋數百言，可見聖人一語，包羅萬象，殊非吾輩所能企及。據此觀之，是則古文與今文不同之明證，若襯我的之字，是算為今之文，安得為古之文也。先生不涉獵《史》、《漢》，而欲窺測《春秋》，其於謬也，不亦宜乎？

文中管先生以《春秋》「言簡意賅」的筆法解釋「君君」二字，為「我君的君」。理由竟言之鑿鑿、論述有據。管先生講解《論語》涉獵《史》、《漢》，窺測《春秋》，看似博學竟推出如此荒謬的解釋，如此推翻自何晏《集解》、邢昺《疏》至朱熹《四書章句集注》以來的論述，如此採取「望文生意、一新千古」的詮釋方法，映現基層塾師於儒學詮釋的謬誤教育。

2 詮經與亡國

塾師管先生引經據典的將「君君」二字，講為「我君的君」，尚且在字句的推敲上著墨。至於馮先生自言善讀書，讀於無字之處，因此斷言「君君」為孔子口吃之故：

> 管曰：余讀破五車書，閱盡經史及諸子百家言，曾未有見載孔子口吃之事。如先生所言，余尚不解所謂，更乞詳明賜教。
>
> 馮泯然笑曰：若先生者，可謂不善讀書者矣！夫人讀書，須讀於無字之處，方可謂善讀書者，吾輩才能，自知羞擬古人，安可囫圇讀過？而妄效天分甚高之陶彭澤，不求甚解乎？蓋孔子口吃，顯然露於《論語》一書，例如「鳳兮！鳳兮！」[20]

---

19 詹評仁：《柚城詩錄》（臺南市：麻豆鎮公所，2003年11月）。

20 「鳳兮！鳳兮！」，語出《論語》〈微子〉篇第5章。

與夫「歸與！歸與！」[21]其在鄉黨則恂恂然不能言，在宗廟朝廷，則便便唯謹[22]，以下如與下大夫侃侃言，與上大夫誾誾言[23]。循足蹜蹜，私覿愉愉[24]等者，非吃口而何？其他如某在斯[25]，天厭之[26]，及人焉廋哉[27]者，何在不足引為證據？以此辯之，便知夫子吃口矣！又何必鑿鑿？書出顯明之字，而後始知其口吃也？夫七十子之記《魯論》[28]業已備束脩[29]，修晉謁，師弟分判，自然諱言其短。不便如董狐直筆揭寫，而後人讀書，遂貿貿焉，而不之知也。蓋孔子口吃，以我玩索書意，想不盡在於生成而然者，或者在於杏壇設教之後，而因致之，以愈甚焉。試觀七十子，如顏淵之賢，聞一知十[30]，尚須循循善誘[31]。至若柴之愚，參之魯[32]，與夫三千之中，除七十子外，其更柴之愚、參之魯者，不知凡幾矣！以夫子之性，誨人不倦[33]，諄諄循循，必誨之又誨，誘之復誘，且以一人而當三千之眾。

楚狂接輿，歌而過孔子，曰：「鳳兮！鳳兮！何德之衰？往者不可諫，來者猶可追。已而！已而！今之從政者殆而！」孔子下，欲與之言。趨而辟之，不得與之言。

21 「歸與！歸與！」，語出《論語》〈公冶長〉篇第22章。
子在陳曰：「歸與歸與！吾黨之小子狂簡，斐然成章，不知所以裁之！」

22 「在鄉黨則恂恂然不能言，在宗廟朝廷，則便便唯謹」，語出《論語》〈鄉黨〉篇第1章。
孔子於鄉黨，恂恂如也，似不能言者。其在宗廟朝廷，便便然；唯謹爾。

23 「與下大夫侃侃言，與上大夫誾誾言」，語出《論語》〈鄉黨〉篇第2章。
朝與下大夫言，侃侃如也；與上大夫言，誾誾如也。君在，踧踖如也，與與如也。

24 「循足蹜蹜，私覿愉愉」，語出《論語》〈鄉黨〉篇第5章。
執圭，鞠躬如也；如不勝。上如揖，下如授，勃如戰色，足蹜蹜如有循。享禮，有容色；私覿，愉愉如也。

25 「某在斯」，語出《論語》〈衛靈公〉篇第41章。
師冕見，及階，子曰：「階也。」及席，子曰：「席也。」皆坐，子告之曰：「某在斯，某在斯。」師冕出，子張問曰：「與師言之道與？」子曰：「然！固相師之道也。」

26 「天厭之」，語出《論語》〈雍也〉篇第26章。
子見南子，子路不說。夫子矢之曰：「予所否者，天厭之！天厭之！」

27 「人焉廋哉」，語出《論語·為政》篇第十章。
子曰：「視其所以，觀其所由，察其所安，人焉廋哉！人焉廋哉！」

28 「魯論」是漢代三種《論語》傳本之一。

29 「某已備束脩」，語出《論語》〈述而〉篇第7章。
子曰：「自行束脩以上，吾未嘗無誨焉。」

30 「聞一知十」，語出《論語》〈公冶長〉》篇第9章。
子謂子貢曰：「女與回也孰愈？」對曰：「賜也何敢望回，回也聞一以知十，賜也聞一以知二。」子曰：「弗如也，吾與女弗如也。」

31 「循循然善誘」，語出《論語》〈子罕〉篇第10章。
顏淵喟然歎曰：「仰之彌高，鑽之彌堅，瞻之在前，忽焉在後。夫子循循然善誘人，博我以文，約我以禮。欲罷不能，既竭吾才，如有所立卓爾。雖欲從之，末由也已。」

32 「柴之愚，參之魯」，語出《論語》〈先進〉篇第17章。
柴也愚，參也魯，師也辟，由也喭。

33 「誨人不倦」，語出《論語》〈述而〉篇第2章。
子曰：「默而識之，學而不厭，誨人不倦，何有於我哉？」

由此觀之，則夫子之保無口吃者，幾希矣！子誠不善讀書之過也，又何喋喋問焉？

管先生引《春秋》筆法說明「君君」二字，乃「我君的君」的簡化意。至於馮先生亦不遑多讓，以穿經穴史的細讀方式，引述《論語》中諸多記載來證明孔子有口吃的毛病。依馮先生所述，約略有下述三種方式證明「孔子口吃」的問題：

（一）《論語》記載：馮先生引用《論語》中「鳳兮！鳳兮！」（〈微子〉）、「歸與！歸與！」（〈公冶長〉）、「恂恂然」（〈鄉黨〉）、「便便然」（〈鄉黨〉）、「侃侃言」（〈鄉黨〉）、「誾誾言」（〈鄉黨〉）、「循足蹜蹜」（〈鄉黨〉）、「私覿愉愉」（〈鄉黨〉）、「某在斯」（〈衛靈公〉）、「天厭之」（〈雍也〉）、「人焉廋哉」（〈為政〉）等疊句的記載，證明孔子有口吃的毛病。

（二）弟子諱言其短：〈為政〉篇記有孔子對於自備束脩晉謁的學生，沒有不教誨的，本意在於「弟子有心向學，夫子即有教無類」，有如現代不放棄任何一位學生的施教精神。馮先生認為《論語》作者為孔子弟子及再傳弟子，既與孔子有師生的名分，無法如董狐能直筆揭寫，自然諱言其短，加上後世昏瞶迂儒不明所以，於是孔子口吃之事遂無人知之。

（三）口吃的原因：〈公冶長〉篇記有顏淵聞一以知十，子貢自嘆不如；〈子罕〉篇記有顏淵自述孔子循循然善誘人，引發弟子的學習動能；〈先進〉篇記有柴也愚，參也魯的稟性；〈述而〉篇記有孔子自述「學而不厭，誨人不倦」的特質。馮先生探索上述篇章，認為三千弟子中賢明如顏淵尚且需循循善誘，更何況愚、魯的學生不在少數，孔子極具教學熱忱，以一人之力面對三千弟子，長期以往形成口吃之疾，馮先生乃斷言：孔子口吃有可能是先天的，但後天教學上太過認真與勞累於是加重口吃的毛病。

《論語》以「語錄體」記述孔子教授弟子，時隔二千五百年，讀者仍能感受師生間口語互動與生動氣氛。口語中重覆疊句的作用，乃抒情與強調語意的作用，馮先生廢棄歷代學者的見解與歷史事實，自認玩索書意、善於讀書，引述《論語》各篇來推測孔子口吃毛病，如此解經的方式，不免令人有啼笑皆非之感！

邱水身為塾師又積極參與地方詩社，對部分隨意講授、錯誤詮經的塾師必有耳聞[34]。朱熹《四書章句集注》論述《論語》〈顏淵〉第十一章為「此人道之大經，政事之根本

34 根據臺灣省文獻委員會主任委員林衡道的回憶：「清代臺灣的師資，一般而言都不十分高明，所以入書房讀書的學生，能夠把課程全部吸收的，為數微乎其微，絕大多數的人，都是存著『能夠認幾個字就好』的心理，看得通三國演義便已經很滿足了。」
林衡道口述，楊鴻博整理：《鯤島探源：臺灣各鄉鎮區的歷史與民俗》（貳）（臺北市：稻田出版社，1996年5月），頁404。

也。」意謂本章含括人道與為政，道理雖淺但影響深遠，齊國最終失序於上下尊卑，導致國家傾覆的惡果。邱水以此章為基礎，作為〈新《論語》〉的主要論述內容，顯然有其深意。科舉時代弟子拜師入塾為了考取生員，若能考取生員，日後可望參與鄉試取中舉人、會試考中進士、邁向仕途之路，塾師是傳授童蒙的第一線教師，卻連「此人道之大經，政事之根本」也無法精確傳達，所教育的弟子如何成為國家的人才？不能成材為國所用，遑論其他？《朱注》此章以「繼嗣不定，啟陳氏弒君簒國之禍」，一念之差埋下亡國的根源。由於甲午戰敗、乙未割臺「宰相有權能割地，孤臣無力可回天」是許多臺士的至痛，〈新《論語》〉中管馮二位先生之詮經大錯，是否有影射塾師詮經的根本謬誤，日久天長禍及國運的可能？凡是嫻熟《朱注》的小報讀者，或能意會邱水的比喻。

3 科舉的末路

科舉應試為唐代以下最重要的選才管道，即使異族入主中原，元代、清代仍維持科舉取才模式。清康熙年間國勢鼎盛，曾擠身世界強國之列，十九世紀工業革命西洋諸國船堅炮利，時移勢易清廷選擇鎖國經營，拖延了邁向現代化的腳步。鄰國日本明治維新廢除科舉，脫亞入歐引入現代化，百年間國力消長，甲午海戰打敗清國取得臺灣、澎湖版圖，成為亞洲第一個殖民宗主國。臺灣由清國的邊陲成為異族統治的殖民地，對於懷有科舉仕途的士人而言，由「四民之首」淪為「異國殖民」，自然是痛苦的。日治之後總督府廢除科舉，臺民仍多將子弟送往私塾，臺士更相繼成立社團互通聲氣，維持漢文化於不墜。私塾教育於日吏監視下辛苦經營，儒學經典已非科舉考試下的「聖賢詩書」，講授儒學亦面臨如下的困難與挑戰：科場程式養成穿經穴史的僵化詮經、部分塾師望文生義的解經、對孔教「公德稀有」的質疑等問題，於後科舉時代逐一浮現。

《論語》中綱常倫理、上下秩序的維護，施行科舉制度千年來深入社會各階層，無論為人與為政均有其不可取代性。然而時移勢易，晚清以來面對現代化、多元化、複雜化等變化巨烈的世界局勢，僅依傳統的科舉制度無法選拔合適的人才，若再以穿經穴史的詮經方式教授，則不免出現邱水筆下〈新《論語》〉之種種啼笑皆非的現象。由外強侵略的同時，引入現代化與工業化，映照百年帝國的腐化，更凸顯實施千年科舉教育的僵化，種種因素加速了晚清衰頹的局勢。邱水選取〈顏淵〉篇第十一章「君君，臣臣，父父，子子」，作為〈新《論語》〉的主要詮經例證，以此謬誤的詮經、讀經教育，凸顯走向末路的科舉制度，其用意不可謂不深刻。

二　左翼知識份子的人際系譜與儒學論述

臺南文人成立「南社」、創辦《三六九小報》，映現文學社群連結社會脈動之與時俱進特質。由《三六九小報》「史遺」、「雜俎」等專欄，回顧科舉時代歷史與詩文內容看來，提供《小報》傳統文人的訂閱讀者群。但亦有部分「新小說」、「掌中笑話」、「劇本」等專欄，映現日治時空背景的人際關係與社會百態，提供《小報》成長於殖民世代的訂閱讀者群。仔細審視南社成員之人際系譜，有出身自科舉時代的「民間塾師、官方漢文教師、報刊主編、記者」等傳統文人，也有成長於殖民世代的「左翼知識分子」。

（一）人際系譜

南社社員林秋梧（1903-1934）[35]就讀臺灣總督府國語學校師範部（次年改名臺北師範學校）期間，即於校內發送「臺灣人言論機構」的《臺灣青年》雜誌，亦曾參與文化協會舉辦巡迴各地的演講，一九二七年拜開元寺主持得圓和尚為師，出家為僧，法名證峰。同年三月十三日以證峰法師的身分，參與南社、西山、桐侶吟社於北園（開元寺）的擊缽吟會[36]。留日返臺後提倡宗教改革，刊行《反普特刊》。一九三○年與趙啟明等人創辦《赤道報》，自任社長兼總編輯，《赤道報》僅出刊六期，第六期之後即遭查禁。

《三六九小報》於昭和五年（1930）九月九日，每逢三、六、九日發刊，故名「三六九」，《赤道報》於昭和五年（1930）十月十日的廣告說明出刊時間為旬刊（每月五、十五、廿五日發行），廣告單上的宣傳的創刊號訂在昭和五年（1930）十月廿五日，但實際創刊號的出刊日是十月三十一日，延後出刊顯示經費與人力的困窘。一般認為《三六九小報》具有「情慾、瑣屑與詼諧」[37]等小報特質，與《赤道報》「我們的大眾文藝小報」存在著差異。但由人際系譜探索得知二報之關係密切，如：

1. 創辦人同為南社社員。

2.《赤道報》旬日出刊方式，模仿《三六九小報》三日出刊方式。

3. 互利刊登廣告：《赤道報》之出刊的消息曾刊登於《三六九小報》第十三號的

---

35 林秋梧（1903-1934）臺灣臺南市人，家境貧寒。一九一八年四月考入臺灣總督府國語學校師範部（次年改名臺北師範學校），嘗於校內傳播林獻堂、蔡惠如等東京「新民會」所刊行之《臺灣青年》雜誌。一九二二年二月因北師學潮被捕拘禁，於畢業前夕遭勒令退學。是時民族主義精神日漸高漲，乃參與文化協會舉辦各地巡迴演講，後因文協分裂，左傾勢力抬頭，乃於一九二七年一月離開文協，並時與開元寺住持得圓法師談經論道，因得感悟，遂禮得圓和尚為師，出家為僧，法名證峰。同年四月以開元寺派遣留學生之身分赴日，入東京駒澤大學深造，課餘從事寫作。畢業返臺後受命為南部臨濟宗佛教講習會講師，加入民眾黨及「赤崁勞動青年會」。一九三三年闡釋朝鮮古禪師知訥之作品《真心直說白話註解》出版，次年又刊行另一著作《佛說堅固女經講話》。是年八月因肺結核病倒，延至十月十日去世，年僅三十二歲。

張子文：《臺灣歷史人物小傳──明清暨日據時期》（臺北市：國家圖書館，2003年12月），頁250-251。

36 吳毓琪：《臺灣南社研究》（臺南市：成功大學中國文學研究所碩士論文，1998年6月），頁202。

37 毛文芳：〈情慾、瑣屑與詼諧──「三六九小報」的書寫視界〉，《中央研究院近代史研究所集刊》第46期（2004年12月），頁159-222。

首頁，至於《三六九小報》亦曾於《赤道報》上刊出廣告，可見二報之相互刊登，爭取曝光的互利關係。

（二）儒學論述

南社社員林秋梧（證峰法師）參與臺灣社會左翼運動，並與趙啟明等人共同創辦《赤道報》。《赤道報》為旬日刊，其主旨為「大眾文藝小報」，雖僅發行六號，其中第二號、第四號均遭查禁，總計為期不到兩個月即告結束。短命的《赤道報》對於小報數量極少、臺資報刊經營困難的日治時期臺灣，仍具有重要的意義。昭和五年（1930）十月三十一日《赤道報》之創刊號刊載郭沫若的〈馬克斯進文廟〉[38]、十一月十五日第二號刊載的〈馬克斯進文廟（續）〉。昭和八年（1933）一月三日、六日、九日、十三日、十六日《三六九小報》一連五期，刊載趙啟明（1912-1938）[39]以筆名「蘭谷」發表〈文廟的一幕〉。趙啟明於《三六九小報》上發表的作品較南社社員林秋梧為多，趙啟明與林秋梧共同創辦《赤道報》屬該報營業部成員[40]，趙啟明必定閱讀過郭沫若的〈馬克斯進文廟〉，甚至很可能是他推薦轉載〈馬克斯進文廟〉於《赤道報》創刊號上。今比較〈馬克斯進文廟〉與〈文廟的一幕〉，映現二文部分類似之處。茲列述如下：

1 孔子的超時空對話

日治時期經常可見「孔教」遭逢「不合時宜」的質疑聲浪，〈馬克斯進文廟〉、〈文廟的一幕〉將孔子、馬克斯、秦始皇錯置於同一時空，使孔子直接面對「焚書坑儒」的歷史事件、馬克斯「共產主義挑戰孔教」[41]等行為。二文選擇「文廟」為時空錯置的主要場域，映現明清以來「廟學合一」的儒學學校教育，直到後科舉時代仍影響深遠。

（1）〈馬克斯進文廟〉——孔子與馬克斯

---

38 《赤道報》創刊號刊登坎人〈馬克斯進文廟〉，根據許俊雅的研究，坎人為郭沫若筆名。詳見許俊雅：〈《洪水報》《赤道》對中國文學作品的轉載——兼論創造社在日治臺灣文壇〉，《臺灣文學研究學報》第14期（2012年4月），頁189。

39 趙啟明（1912-1938）又名趙櫪馬，筆名馬木歷、李爺里、黎巴都，臺南市人。一九三〇年與林秋梧、盧丙丁、林占鰲、莊松林等人合辦《赤道報》，曾於《三六九小報》刊登廣告每月五、十五、廿五發刊，定位為「我們的大眾文藝小報」，定價五錢。《赤道報》左傾色彩明顯，刊行六期就有二期遭到查禁，遂告終止。趙啟明是《三六九小報》少數的新文學作家，不幸於一九三八年客死香港，年僅二十六歲。

40 根據《赤道報》刊載在《三六九小報》昭和五年（1930）十月十九日首頁的廣告，林秋梧列名於「編輯部」，趙啟明名於「營業部」。

41 「共產主義挑戰孔教」文中意指有二：首先、馬克斯以「滿不客氣地」態度上門；其次、馬克斯自認以「共產主義挑戰孔教」。

郭沫若〈馬克斯進文廟〉一文主旨在於比較馬克斯與孔子的思想，因此設計卡爾・馬克斯（1818-1883）登門拜訪孔子的情節。馬克斯是著名的社會主義學家，創立了影響至今的馬克思主義學派，與二千五百年前的孔子不僅時代相隔遙遠，中心思想亦差距頗大。民國時期祭孔儀式仍持續進行，郭氏因此以「文廟」作為兩大教主對話的主要場景：

> 十月十五日丁祭過後的第二天，孔子和他的得意門生顏回子路子貢三位在上海的文廟裡吃著冷豬頭肉的時候，……朱紅漆的四轎在聖殿前放下了，裡面才走出一位臉如螃蟹，鬍鬚滿腮的西洋人來。
>
> 子貢上前迎接著，把這西洋人迎上殿去，四位抬轎的也跟在後面。
>
> 於是賓主九人便在大殿之上分庭抗禮。
>
> 孔子先道了自己的姓名，回頭問到來客的姓名時，原來這鬍子螃蟹才就是馬克斯卡兒。
>
> 這馬克斯卡兒的名字，近來因為呼聲太高，早就傳到孔子耳朵裡了。孔子素來是尊賢好學的人，你看他在生的時候向著老子學過禮，向著師襄學過琴[42]，向著萇弘學過樂[43]；只要是有一技之長的人，他不惟不肯得罪他，而且還要低首下心去領教些見識。要這樣，也才是孔子之所以為孔子，不像我們現代的人萬事是閉門不納，強不知以為知的呀。孔子一聽見來的是馬克斯，他便禁不得驚喜著叫出：
>
> ──啊啊，有朋自遠方來，不亦樂乎[44]呀！馬克斯先生，你來得真難得，真難得！你來到敝廟裡來，有什么見教呢？
>
> 馬克斯便滿不客氣地開起口來……我是特為領教而來。我們的主義已經傳到你們中國，我希望在你們中國能夠實現。……[45]

時空點設在十月十五日丁祭文廟後的第二天，孔子和顏回、子路、子貢師生在上海文廟正享用著祭品。馬克斯乘坐四人紅轎，入廟前來拜訪孔子及其弟子，由於馬克斯倡議的

---

42 「向著師襄學過琴」，典出《史記》〈孔子世家〉

孔子學鼓琴師襄子，十日不進。師襄子曰：「可以益矣。」孔子曰：「丘已習其曲矣，未得其數也。」有閒，曰：「已習其數，可以益矣。」孔子曰：「丘未得其志也。」有閒，曰：「已習其志，可以益矣。」孔子曰：「丘未得其為人也。」有閒，有所穆然深思焉，有所怡然高望而遠志焉。曰：「丘得其為人，黯然而黑，幾然而長，眼如望羊，心如王四國，非文王其誰能為此也？」師襄子避席再拜，曰：「師蓋云文王操也。」

43 「向著萇弘學過樂」，典出《大戴禮記》謂：「孔子適周，訪禮於老聃，學樂於萇弘。」

44 「有朋自遠方來，不亦樂乎」，語出《論語・學而》篇第一章。

子曰：「學而時習之，不亦說乎？有朋自遠方來，不亦樂乎？人不知而不慍，不亦君子乎？」

45 按：〈馬克斯進文廟〉最初發表於一九二五年十二月十六日上海《洪水》半月刊第一卷第七號。由於《赤道報》未見復刻本，原稿字面模糊，因此取《郭沫若全集》文學編比對內容。

郭沫若：〈馬克斯進文廟〉，《郭沫若全集》文學編（北京市：人民文學出版社，1985年），頁161-162。

歷史唯物主義與共產宣言影響廣泛，使得在文廟裡的孔子亦得聞其名。加上孔子素來尊賢好學，因此很樂意與上門領教儒家思想的馬克斯交流，二人於是就上海文廟展開超時空對話。

（2）〈文廟的一幕〉──孔子與秦始皇

趙啟明〈文廟的一幕〉時空背景，設定於秦始皇一統天下後，欲平息萬民議論，交由丞相李斯商議對策，如何使天下輿論「定於一尊」、六國百姓安於秦國治理的問題：

> 秦始皇自一統天下了後，一般民心尚是惶惶恐恐，乃對李斯說：朕鑒及六國時代，……取掠於人，傾盡天下錢財，用於攻戰……朕自統一天下了後，隨時罷兵息戰，而民眾之不見干戈者既數年矣！然而最近於街頭巷尾常聽過萬民的議論，……不知將要講究甚麼對策，使民安於衽席。（〈文廟的一幕（一）〉《三六九小報》第242號）

秦始皇為了施政的順利，人民安於其統治，故請李斯獻策。李斯正不齒於談「先王之道、仁義道德」的文士迂儒，於是提議：

> 欲使民心安於生活者，必先坑其心，焚其書，於是陛下的天下可保無慮。至萬世而為君。（〈文廟的一幕（二）〉《三六九小報》第243號）

李斯趁機提出「焚書抗儒」之策，以消滅迂儒。當李斯為秦始皇獻策滅儒的同時，「孔子正和眾門人刪《詩》《書》，定《禮》《樂》，修《春秋》……」[46]。

趙啟明雖屬新文學家，但具有一定的歷史文化素養，安排相隔二、三百年的孔子與秦始皇於同一時空中，有其特殊安排。日治時期臺灣文士普遍不滿殖民政府的高壓統治，歧視與奴化教育方式，經常於新舊文學作品中以「暴秦」作為「殖民主」的隱喻。彼時臺資報刊經常面對殖民主嚴格的檢查制度，因此將孔子及其弟子置與焚書坑儒同一時空，則可避免直接描述臺士抵抗殖民政府的直白敘事，降低被查封的風險。

2 孔子對滅儒的主張

郭沫若〈馬克斯進文廟〉與趙啟明〈文廟的一幕〉取用《論語》部分原文作為情節的安排設計，巧妙的運用《論語》孔子弟子記錄老師生前的言行舉止，以孔子之言回應馬克思不客氣的質問與暴秦焚書坑儒時的應對之道。

（1）〈馬克斯進文廟〉──馬克思的挑戰

46 趙啟明（蘭谷）：〈文廟的一幕（二）〉，《三六九小報》第243號，昭和8年（1933）1月6日。

郭沫若〈馬克斯進文廟〉創作於民國初年，知識分子接觸各種西方思潮，意圖能強國強種，重建新中國。馬克斯進文廟的主要用意在於他想在中國推展共產主義，郭氏意欲比較儒家思想與共產主義，最終只寫出〈馬克斯進文廟〉這篇短篇小說。彼時中國正面臨擁護或質疑孔子的辯證思潮中，文中馬克斯直接登門請教孔子，希望藉由孔子自述儒家思想來凸顯兩者的差異，於是〈馬克斯進文廟〉的情節在馬克斯與孔子的對話間展開。孔子引述《論語》原文以自述其思想，如：

> ……我的理想不是虛構出來的，也并不是一步可以跳到的。我們先從歷史上證明社會的產業有逐漸增殖之可能，其次是逐漸增殖的財產逐漸集中於少數人之手中，於是使社會生出貧乏病來，社會上的爭鬥便永無寧日。……
>
> ——啊，是的，是的。孔子的自己陶醉還未十分清醒，他只是連連點頭稱是。——我從前也早就說過「不患寡而患不均，不患貧而患不安」[47]的呀！
>
> 孔子的話還沒有十分落脚，馬克斯早反對起來了。
>
> ——不對，不對！你和我的見解終竟是兩樣，我是患寡且患不均，患貧且患不安的。你要曉得，寡了便均不起來，貧了便是不安的根本。所以我對於私產的集中雖是反對，對於產業的增殖卻不惟不敢反對，而且還極力提倡。所以我們一方面用莫大的力量去剝奪私人的財產，而同時也要以莫大的力量來增殖社會的產業。要產業增進了，大家有共享的可能，然後大家才能安心一意地平等無私地發展自己的本能和個性。這力量的原動力不消說是贊成廢除私產的人們，也可以說是無產的人們；而這力量的形式起初是以國家為單位，進而至於國際。這樣進行起去，大家於物質上精神上，均能充分地滿足各自的要求，人類的生存然後才能得到最高的幸福。所以我的理想是有一定的步驟，有堅確的實證的呢。
>
> ——是的，是的！孔子也依然在點頭稱是。我也說過「庶矣富之富矣教之」[48]的話，我也說過「足食足兵民信之矣」[49]的為政方略（說到此處來，孔子回頭向子貢問道：我記得這是對你說的話，是不是呢？子貢只是點頭。）我也說過「世

47 「不患寡而患不均，不患貧而患不安」，語出《論語‧季氏》篇第一章。
季氏將伐顓臾。……孔子曰：「求！君子疾夫舍曰欲之，而必為之辭。丘也聞有國有家者，不患寡而患不均，不患貧而患不安。……

48 「庶矣富之富矣教之」，語出《論語》〈子路〉篇第9章。
子適衛，冉有僕。子曰：「庶矣哉！」冉有曰：「既庶矣，又何加焉？」曰：「富之。」曰：「既富矣，又何加焉？」曰：「教之。」

49 「足食足兵民信之矣」，語出《論語》〈顏淵〉篇第7章。
子貢問政。子曰：「足食，足兵，民信之矣。」子貢曰：「必不得已而去，於斯三者何先？」曰：「去兵。」子貢曰：「必不得已而去，於斯二者何先？」曰：「去食。自古皆有死，民無信不立。」

> 有王者必世而後仁」[50]，我也說過「齊整至魯，魯變至道」[51]，我也說過「欲明明德於天下者先治其國」[52]呢。尊重物質本是我們中國的傳統思想：洪範八政食貨為先[53]，管子也說過「倉廩實而知禮節，衣食足而知榮辱」[54]。所以我的思想乃至我國的傳統思想，根本和你一樣，總要先把產業提高起來，然後才來均分，所以我說「貨惡其棄於地也不必藏於己」[55]啦。我對於商人素來是賤視的，只有我這個弟子（夫子又回頭指著子貢）總不肯聽命，我時常叫他不要做生意，他偏偏不聽，不過他也會找錢啦。我們處的，你要曉得，是科學還沒有發明的時代，所以我們的生財的方法也很幼稚，我們在有限的生財力的範圍之內只能主張節用，這也是時代使然的呀。不過，我想就是在現在，節用也恐怕是要緊的罷？大家連飯也還不夠吃的時候，總不應該容許少數人吃海參魚翅的。[56]

依上例所示，孔子自述的內容引述了《論語》〈季氏〉第一章、〈子路〉第九章、第十二章、〈顏淵〉第七章、〈雍也〉第二十二章，及《大學》章句、《漢書》〈食貨志〉、《史記》〈貨殖列傳〉、《禮記》〈禮運大同篇〉，以解釋與馬克斯的社會主義理想並不違背。

（2）〈文廟的一幕〉——避秦禍的準備

趙啟明〈文廟的一幕〉一文分成五段落，發表在《三六九小報》的第242、243、251、252、253號，有關《論語》集句的部分有多處，限於篇幅僅選取〈文廟的一幕（二）〉秦始皇下令「坑其亂言惑眾的迂儒、燒盡其書籍，若有秘藏書籍者，罪不容赦」之後，面對暴秦迫害，孔子如何應對之一段：

> 其時孔子正和眾門人刪詩書，定禮樂，修春秋之際，忽聽了這個消息，不覺憮然嘆曰：文王既沒，文不在諸乎？天之將喪斯文也，後死者不得與於斯文也。天之

50　「世有王者必世而後仁」，語出《論語》〈子路〉篇第12章。
子曰：「如有王者，必世而後仁。」

51　「齊整至魯，魯變至道」，語出《論語》〈雍也〉篇第22章。
子曰：「齊一變，至於魯。魯一變，至於道。」

52　「欲明明德於天下者先治其國」，語出《大學》。
「……古之欲明明德於天下者，先治其國；欲治其國者，先齊其家；欲齊其家者，先脩其身；欲脩其身者，先正其心；欲正其心者，先誠其意；欲誠其意者，先致其知；致知在格物。……」

53　「洪範八政食貨為先」，語出《漢書》〈食貨志〉第4上。
《洪範》八政，一曰食，二曰貨。食謂農殖嘉穀可食之物，貨謂布帛可衣，及金、刀、魚、貝，所以分財布利通有無者也。二者，生民之本，……

54　「倉廩實而知禮節，衣食足而知榮辱」，語出《史記》〈貨殖列傳〉。

55　語出《禮記》〈禮運大同篇〉。

56　郭沫若：〈馬克斯進文廟〉，《郭沫若全集》，頁165-167。

未喪斯斯文也，秦人其如予何？[57]遂而停筆。乃以春秋口傳受子，憂以避秦人之禍。門人們以為先生在怕著，乃把書經藏在文廟壁內，詩經藏在芭蕉根下。

「文王既沒……其如予何？」出自《論語》〈子罕〉第五章，內容與原文相似，只是將「匡人」改為「秦人」；至於「遂而停筆」變化自《春秋》「絕筆於獲麟」。又「把書經藏在文廟壁內」即秦始皇焚書時，彼時儒生將藏經於壁，與後來的伏生口傳之經，並列為今古文經。將不同的歷史時空錯置於新的情節中，由孔子直接面對秦始皇焚書坑儒的歷史災難，讀者自然期待下一期連載「至聖先師如何面對滅儒事件」的情節發展。

3 論辯與避世的兩種態度

《論語》為語錄體，記載孔子與弟子們的生活與對話，使後人得以一窺孔子的教育方式與弟子們的性格，其中子路、子貢、顏回三人性格相當鮮明，〈馬克斯進文廟〉與〈文廟的一幕〉於情節設計再現孔門弟子性格，使熟悉《論語》的讀者們能於閱讀中領會作者深意。

(1)〈馬克斯進文廟〉──論辯的孔子

子路、子貢、顏回三人在〈馬克斯進文廟〉的情節中，各自展現其性格稟性：

十月十五日丁祭過後的第二天，孔子和他的得意門生顏回、子路、子貢三位在上海的文廟里吃著冷豬頭肉的時候，有四位年輕的大班抬了一乘朱紅漆的四轎，一直闖進廟來。

子路先看見了，便不由得怒髮沖冠，把筷子一攢，便想上前去干涉。孔子急忙制止他道：由喲，你好勇過我，無所取材呀！[58]

子路只得把氣忍住了。

回頭孔子才叫子貢下殿去招待來賓。……[59]

師弟四人立在殿上，看見馬克斯的大轎已經抬出西轅門了，自始至終如像蠢人一樣的顏回到最後才說出了一句話：

──君子一言以為智，一言以為不智[60]，今日之夫子非昔日之夫子也，亦何

---

57 「文王既沒，文不在諸乎？……」，語出《論語》〈子罕〉篇第5章。
子畏於匡。曰：「文王既沒，文不在茲乎？天之將喪斯文也，後死者不得與於斯文也。天之未喪斯文也，匡人其如予何？」

58 「由喲，你好勇過我，無所取材呀」，語出《論語》〈公冶長〉篇第7章。
子曰：「道不行，乘桴浮於海。從我者，其由與？」子路聞之喜。子曰：「由也好勇過我，無所取材。」

59 郭沫若：〈馬克斯進文廟〉，《郭沫若全集》，頁161。

60 「君子一言以為智，一言以為不智」，語出《論語》〈子張〉篇第25章。

言之誕耶？

夫子莞爾而笑曰：前言戲之耳。

於是大家又跟著發起笑來。笑了一會，又才回到席上去，把剛才吃著的冷豬頭肉重新咀嚼。[61]

歷代君王追封孔子「大成至聖先師」、採用《論語》及相關儒家經典，作為科舉制度掄才大典的考試用書，明清以來儒學學校多採用「廟學合一」建置。清廷為了尊崇孔子、禮敬文廟，於文廟前設有「文武官員軍民人等至此下馬」的下馬碑，馬克斯未能恪守落轎進廟的禮節，而是乘紅轎直闖時，好勇的子路於是「把筷子一摜，便想上前去干涉」，好禮的孔子自然由外交長才的子貢招待來賓。藉由孔子自述及調侃的對話後，馬克斯逐漸明白中國風俗無法接受他的《共產宣言》便急急離去，此時「自始至終如像蠢人一樣的顏回」方才發話了。由〈馬克斯進文廟〉安排的孔門弟子情節，映現民國初年時空背景下，好勇的子路與賢德的顏回還不如行商的子貢來得受重視，社會對的儒學信仰變異，由此隱喻而知。

（2）〈文廟的一幕〉——避世的孔子

秦始皇下令「坑其亂言惑眾的迂儒、燒盡其書籍，若有秘藏書籍者，罪不容赦」之後，弟子們大多希望孔子能親自遠赴秦國，和秦王談談是非曲直，使秦王知道儒家的主張以避免誤解[62]。原以為孔子會欣然接受，展現「雖天下吾往也」的大勇。想不到孔子面有難色，子路於是提出公山弗擾以費畔的往事，孔子則以周遊列國當時，天下是「姬姓」，故能不辭勞苦，匡正天下，如今「天下既不是姬姓的子孫所有，而先王之政如同枯木死灰一般，民無從而觀焉，至於發出焚書坑儒的暴令，亦天命也。故曰彼一時、此一時，而且唯女子與小人為難養也，近之則不遜，遠之則怨。」[63]

〈文廟的一幕〉以「暴秦」隱喻「日本」；以「孔子」代表「避世」一派文人、以「子路」代表「抗爭」一派文人，凸顯彼時面對殖民主的文士心態。當孔子以天下已非姬姓天下，先王之政已被暴秦所取代，故以「小人近之則不遜」否定親自遠赴秦國，和秦王談儒家主張的提議。此時好勇的子路對「避世」一派文人的態度有以下的評論：

子路眼見門人個個都戰戰兢兢、如臨深淵、如履薄冰。正是文人怕死的態度。（〈文廟的一幕（二）〉）

陳子禽謂子貢曰：「子為恭也，仲尼豈賢於子乎？」子貢曰：「君子一言以為知，一言以為不知，言不可不慎也！夫子之不可及也，猶天之不可階而升也。夫子之得邦家者，所謂『立之斯立，道之斯行，綏之斯來，動之斯和，其生也榮，其死也哀』。如之何可及也？」

61 郭沫若：〈馬克斯進文廟〉，《郭沫若全集》，頁169-170。

62 趙啟明（蘭谷）：〈文廟的一幕（四）〉，《三六九小報》第252號，昭和8年（1933）1月13日。

63 趙啟明（蘭谷）：〈文廟的一幕（五）〉，《三六九小報》第253號，昭和8年（1933）1月16日。

> 夫子的話意，卻有點兒帶著避世的色彩，只不顧夫子的面子[64]，乃故意罵侍坐的門徒以諷孔子。……當此之時，我們大丈夫正要發揮宿志，貫徹懷抱，豈可空死於林泉之下？像你們深鎖於房內，在桌上唱著仁義道德，然而又沒有出來實行，正是有其言而無其行。……使後世之人無從而見先王之德政。（〈文廟的一幕（三）〉）
>
> 子曰：……我道一以貫之！再者，我豈匏瓜也哉？焉能繫而不食？……子路聽了夫子的話，只是反覆無常。憤憤然見於色而對曰：「由也未之聞也。」孔子乃曰：「居！我語汝。丘也之於天下也，可以仕則仕，可以止則止。……」「有是哉！子之迂也，奚其正。」子路只顧氣了，倘夫子拿出這個學說公布天下之時，豈不被人家……笑夫子是個機會主義者，見機而作，怕死的迂儒。（〈文廟的一幕（四）〉）

由上述節錄之內容，可知趙啟明以好勇的子路「抗爭」派，挑戰孔子「避世」派論點。子路形象本為好勇，又敢於夫子面前表達不同意見，如《論語》〈子路〉第三章，子路曾問夫子「衛君待子而為政，子將奚先？」當夫子回覆「必也正名乎」時，子路語出驚人的說出「有是哉？子之迂也，奚其正？」因此〈文廟的一幕（四）〉中，子路認為夫子的言論正符合外界「怕死迂儒」的說法，此處情節安排取自於《論語》中子路「子之迂也」的評論。除了「迂儒」的評論，由〈文廟的一幕〉子路的視角，孔子還具有「避世、有其言無其行、反覆無常、機會主義者」等凡人的缺點。當然這些觀點，隱含有殖民政權下左翼文人看待過於保守的傳統文人的評論方式。

四　結論

《三六九小報》之發行與編輯多由南社成員組成，其發行時間橫跨文官總督時代與後期武官總督時代，其停刊的時間點接近皇民化運動、報刊雜誌全面廢除漢文欄、七七事變等重大事件。《三六九小報》同人多為傳統文人，因此於休閒娛樂的小報文化中亦設有維護傳統文化使命之專欄。

儒學經典作為科舉時代重要之教科書，後科舉時代如何建構「孔子」形象、如何詮釋經典，由《三六九小報》刊載的傳統文人群體「塾師」，及較具現代性的左翼知識分子，由其文章可觀察兩種類型的「孔子」論述。首先、傳統文人群體以登雲吟社塾師邱水的〈新《論語》〉為代表，文中以「〈新《論語》〉之新」、「詮經與亡國」、「科舉的末路」三端，凸顯後科舉時代塾師盲從穿經穴史的讀經態度、探討詮經謬誤如何殃及國家的省思。其次、左翼知識分子以《赤道報》營業部的趙啟明〈文廟的一幕〉為代表，趙

---

64 原文誤植「面前」，更之。

啟明〈文廟的一幕〉模仿郭沫若〈馬克斯進文廟〉而作，經歸納分析二文，以「孔子的超時空對話」、「孔子對滅儒的主張」、「論辯與避世的兩種態度」三端，論述左翼知識分子試圖比對馬克思與孔子、以及傳統儒學形塑「文人保守性格」等現象。

南社作為日治時期南部文學性社團的代表，其活躍的生命力與創造力，非其他社團所能比擬，因此其人際系譜不僅只是「塾師」與「左翼文人」。《三六九小報》中尚有未能解讀的筆名及所發表的儒學論述，期待日後更多文獻史料的被發現、梳理，使南社的人際系譜與儒學活動研究更周全，映現日治時期臺灣儒學的多元面貌。

經學的厄運：必須反思與清算的一段學術史

──讀陳壁生著《經學的瓦解》

朱傑人

華東師範大學古籍所教授

提要

上個世紀新文化運動帶來的反傳統思潮瓦解了中國傳統學術經學，也帶來了中國文化的被瓦解。這是一段必須反思和清算的學術史。

關鍵字：陳壁生　《經學的瓦解》　反思與清算

經學是一門很古老的學問，林慶彰先生說：「經學是我國特有的學問，並無現成的理論可取資。」[1]美國學者韓大偉（David Honey）對林說有所保留，但他承認「中國經學歷時悠久，治學方法嚴謹，各種文獻、工具、目錄書籍汗牛充棟，研究成果既有深度亦有廣度。」[2]不過韓大偉認為：「廣而觀之，於世界文化來看，林先生的斷言有可以補充之處。其實，西方經學同樣源遠流長，可以一直追溯到古亞歷山大時代（相當於戰國後期至東漢末五百年間）。其研究方法及學習態度均不亞於乾嘉學派大儒的樸學或現今中國傑出學者古籍研究的精深。」[3]在《西方經學史概要》一書中，韓大偉把「古典學」、「古典文學」與「經學」加以嚴格區分：「本書凡稱『古典學』或『古典文學』時均泛指古代希臘、羅馬文學。『經學』一詞指古典文學之文獻學研究，研究其整理、校勘、傳承。」[4]可見，在韓大偉的理論框架中，「經學」其實是指「古典文獻學」。這是一個很有趣的現象，一方面，西方歷史悠久、體系完備的古典學被成功解構；另一方面，中國土生土長的「古典學」——經學，被引入西方學術體系，並被作為解構西方古典學的基本理論依據。我很讚賞韓大偉的學術勇氣和理論探索，也許他是第一個用中國學術的基本理念與話語系統來重構西方傳統學術的吃螃蟹者。

但是，中國的「經學」究竟是什麼呢？

一九四七年版的《辭海》這樣定義：「研究經傳，詮釋詁訓，剖析義理，謂之經學。」二〇〇九年版《辭海》如此釋義：「訓解或闡釋儒家經典之學。」這兩個解釋各有所長，後者簡潔卻點出了「經」典之所屬：「儒家經典」。前者則說明經學之範疇：經與傳，及其方法（儘管並不全面）：詮釋、詁訓、剖析義理。皮錫瑞說：「經學開闢時代，斷自孔子刪定《六經》為始。」[5]如據皮氏所言，則經學之歷史至今已逾二千五百餘年。是什麼使中國人花了二千五百多年的時間孜孜不倦地對這些「古董」而「皓首窮經」，樂此不疲呢？因為「經」記錄著中國人的文化基因，承載著中國人基本的文化價值體系。一部經學史，就是中國人守衛和傳承自己獨特價值觀的歷史。從學術發展的歷史看，所謂「國學」，所謂中國的「學術」，無一不是從「經學」派生出來的，所以，經學又是中國學術的源頭。就此而言，「經學」對中國人、中國文化，其重要性怎麼說恐怕都不過分。

遺憾的是，這個維繫著中國人文化命脈的學問，卻在近世中國的一場大變革中被消解了。他的標誌就是一九一二年，時任教育總長的蔡元培主持教育法令的制定，明確提出「去尊孔」、「刪經學」。從此，經學被趕出了中國的教育課程體系，也被趕出了中國

1 《經學研究的基本認識》，《國文天地》第3卷第6期總第30期（1987年11月），頁61。

2 韓大偉：《西方經學史概要》（上海市：華東師範大學出版社，2012年3月），頁1。

3 同上書。

4 同上書〈前言〉，頁1。

5 皮錫瑞著、周予同注釋：《經學歷史》（北京市：中華書局，1981年），頁19。

的學術體系。

既然經學之重關乎中國的文化命脈，經學之輕又如此輕易地被消解，那麼，我們就不能不追索一個問題：它是如何被消解的？

陳壁生的大著（其著其實只有十萬字左右，但我仍然認為這是一部大著）《經學的瓦解》很有說服力地說明瞭這個問題。

（一）

陳著以《「後經學時代」的經學》開篇，他指出：「隨著辛亥革命帶來的帝制消失，與新文化運動帶來的反傳統思潮，中國學術也捲入了一場深層次的『革命』之中。這場革命，核心內容就是經學的瓦解。」[6]陳壁生指出了經學瓦解的根本原因——國之大勢之轉捩，革命發生之摧殘。可見，經學的瓦解，不是學術自身運動的結果，而是外力強加的必然。經學的發展，從先秦至晚清，一直在遵循它自身的學術軌跡發展，期間有鬥爭、有興衰，但大體上並沒有向自我消解的方向上運動。皮錫瑞《經學歷史》第十章為〈經學復盛時代〉云：「經學自兩漢後，越千餘年，至國朝而復盛。」[7]皮氏乃清末人，他的《經學歷史》所述直至同時代人。可見即便到了清末，經學猶處於正常的學術發展過程中。打斷這一過程的，只是「帝制崩潰」。但是，為什麼帝制的崩潰要株連到一種學術的發展甚至生存呢？陳氏的大著告訴我們，伴隨著帝制崩潰的是一場比革命更猛烈的新文化運動，這場運動「全面移植西方學術分科，從而實現中國學術的現代轉型」[8]。

陳氏指出，中國學術的現代轉型，是以章太炎為先導，以胡適之為中心的。而經學的瓦解恰恰是這二位權（學術影響與領導之權）傾一時的大學者推波助瀾的結果，只不過前者是歷史的偶合，而後者是著意為之而已。

作為保皇派代表人物和今文經學領袖人物的康有為以《新學偽經考》一書確立了今文經學在清末經學的統治地位。陳氏指出：「他們（指康有為及其今文經學家）的根本目的，是繞過鄭玄回到漢代，對二千多年來的經學進行一場重新清理，檢視西漢以《春秋》為中心的今文經說，使經學重歸孔子口傳的微言大義。在今文學看來，經學就是孔子的『一王大法』，是抽象價值而不是具體法度。」[9]可見，今文經學所要捍衛的是價值觀，而這一價值觀的代表人物就是孔子。康有為把孔子稱作「王」：「自戰國至後漢八百年間，天下學者無不以孔子為王者。」[10]而稱王的目的則是「儒者道上古，譽先王，托

---

6 陳壁生《經學的瓦解》（上海市：華東師範大學出版社，2014年），頁2-3。

7 同上書，頁295。

8 同上書，頁3。

9 同上書，頁7。

10 康有為：《孔子改制考》（北京市：中華書局，1958年），頁194-195。

古以易當世也」。[11]顯然，康聖人是要借孔聖人而為自己的「因時改制」，推行變法維新製造理論依據。

於是，這必然招致作為「革命者」的章太炎的激烈反彈。章太炎是一個激進的古文經學家，他容不得任何對古文經學的批評與非難。他對康有為保皇政治的攻擊與批判，正是以古文經學為基地展開的。《經學的瓦解》一書非常詳盡地揭示了章太炎如何先「破」今文經學之本──貶孔子而廢法；而後「立」──由「法」而「史」。陳氏指出：「章太炎之新經學，一言以蔽之，曰由『法』而『史』。」[12]他是如何完成這一變化的呢？「章太炎對清世古文經學研究的突破，在於他以系統的眼光，重新探求古文經學的性質，也就是探求古文六經中，『六經』到底是什麼？」[13]「六經」到底是什麼呢？章太炎以他的博學與雄辯告訴我們「六經皆史」。當然，「六經皆史」說並不是章氏的發明，陳壁生指出，「六經皆史」是章學誠之思想核心，但章氏所謂「史」說與章學誠「史」說其內涵卻大異其趣：「如果說在章學誠那裡『六經皆先王政典』，經即先王史官所職，那麼，在章太炎這裡，他進一步將『六經皆史』之『史』，由官書而視為歷史。」[14]陳氏非常準確地評論道：「而章氏（太炎）之『新經學』對經學本身的理解，由古文經學之『法』而成史學家之『史』，治經也從考求聖王之政治理想變成考證歷史因沿遷變，所以說，章太炎是中國學術轉型的一個轉捩點，在章氏這裡，進去的是古文經學，出來的，則成了史學。」[15]緊接著，章氏進一步把孔子定位為史學家：「孔氏，古之良史也。」[16]陳氏歎曰，章氏如此定位孔子「實在是石破天驚」之舉，「前所未有之論」[17]。而「章太炎以孔子為古代『良史』，說到底，就是要否定孔子刪定五經，尤其是作《春秋》有『立法』的意義，褫奪孔子的『立法權』。」[18]章太炎是個非常博學的經師，他在文字音韻學上的造詣無人可以匹敵。一旦他從史家的眼光來看經學，一個直接的後果就是，經學的價值核心被化解。陳氏的大著有一章專門論述了章氏是如何以「歷史瓦解價值」的：他用自己最擅長的文字音韻學理論對「經」、「素王」、「儒」這三個至關重要的概念重作考訂，結果，「經」從「常」、「法」，變成了「線裝書」[19]；「素王」由孔子素王立大法，轉換成孔子乃整理《春秋》之史家；「儒」，則乾脆從經學系統中裂分出去，成為諸子。陳氏曰：「章氏原經而夷經為史，進而為史料，原儒而夷儒為

11 同上書，頁278
12 陳壁生：《經學的瓦解》，頁18
13 同上書，頁19。
14 同上書，頁21。
15 同上書，頁27。
16 同上書，頁31。
17 同上書，頁31。
18 同上書，頁37。
19 同上書，頁42。

子學，孔子為諸子，原素王而孔子不立法。章氏之三原，都已經超出了傳統古文經學的範圍，而導夫現代史學之先路。而在現代史學中，已經沒有獨立的『經學』的位置。」[20]就這樣，經學被章太炎巧妙而雄辯地瓦解了。他的絕招，就是化經為史。

（二）

如果說章太炎是近世以來瓦解經學的第一推手的話，那麼胡適之則是第二人。因為他的出現，中國的經學徹底崩潰。

胡適是新文化運動的領袖與旗手。自「五四」而興起的一場聲勢浩大的新文化運動其核心，一是西化，二是顛覆傳統。這是一股誰也無法阻擋的潮流，它的助推劑與加速器則是救亡圖存的現實訴求與文化激進主義的大行其道。胡適之一手挾留學歸來之洋勢，用西方的政治理論、社會理論、學術理論傳播西學，弘揚西學，可說是所向披靡；另一手則操起老本行直搗中國文化傳統、學術傳統之軟肋。胡適之的這兩手確實厲害，他用西學攻擊「中學」，「中學」幾無還手之力；他又用「中學」之矛攻「中學」之盾，促使了「中學」的自行瓦解。陳氏的《經學的瓦解》是如此層層破析胡適之瓦解經學的方法與過程的：

首先，他改造了「國學」的概念與內容。

陳氏認為，一九二三年胡適為北大國學門的刊物《國學季刊》寫的發宣言「既是『整理國故』運動的總綱領，也是中國學術現代轉型的關鍵文獻。」[21]從此，「國學」變成了「中國的一切過去的文化歷史」。[22]既然中國已經是「一切過去的歷史」本身，那麼，現在和以後的中國就應該擺脫這「一切過去的文化」而進行「充分的世界化」。陳氏認為：「民族國家經由辛亥革命而正式開始形成，使胡適可以將民族國家之前的帝制時代一概視為『古代』，而對西方文明的追求，導致將西方文明視為『現代』的標準，古代成為現代的敵人。經過將中西之別改造為古今之別，所謂『中國』，成為了『歷史』，而且是必須擺脫的歷史。」[23]

其次，胡適規定了國學研究的基本方法和路徑。

陳氏用「歷史的眼光」來概括胡適的方法論。他說：「從『歷史的眼光』到『一切古書都是史（史料）』這是胡適的國學研究的基本邏輯。」[24]顧頡剛說：「從前學者認為經書是天經地義，不可更改，到了章氏，六經變成了史料，再無什麼神秘可言了。」[25]

20 同上書，頁51。

21 同上書，頁81。

22 同上書，頁84。

23 同上書，頁85。

24 同上書，頁87。

25 同上書，第88。

陳氏指出，胡適所謂的「歷史的眼光」，是從章學誠、章太炎「六經皆史」的理論那裡來的，但這一理論經過胡適偷樑換柱的改造，完全變成了另一個東西：「章學誠『六經皆史』之說，本意是六經皆先王政典，章太炎發揮此說，將六經轉化為中國歷史的源頭，從而重建中國的歷史敘事。而胡氏更進一步，將整個中國歷史視為古代，則六經都是上古的史料而已。連經都變成史料，那麼子、史、集之書，也自然成為史料。中國傳統學術本一有本有末，有源有流，有根基有枝葉的生命體，到了章太炎，傳統的『以經為綱』轉化成『以史為本』，而到了胡適之，更進一步將『史』視為『史料』。章太炎的『以史為本』，史是一個活潑的生命體，而史一旦變為史料，則成為一堆雜亂無章的『材料』。胡適之所以要『整理國故』，就是要整理這堆材料。用『材料』的眼光看待傳統，就像走進一座古廟宇，只看到可以重新回爐造紙的原漿。」[26]誠如胡適在《「國學季刊」發刊宣言》中所言「國學的使命是使大家懂得中國的過去的文化史，國學的方法是要用歷史的眼光來整理一切過去文化的歷史。國學的目的是要做成中國文化史。」[27]胡氏講得再清楚不過了，無論經史子集，都是過去的已經死了的歷史資料，而研究它們的目的，只是為了做一部文化史，至於其文化的價值體系、至於其文化傳統的傳承，都是不必要的、不可能的和多餘的。於是，作為承載中國文化價值體系最重要的學術系統就這樣被消解了。

第三，重構中國的學術體系。

打破傳統的中國固有的學術體系，是胡適在「破」的同時，用心良苦的「立」。陳氏指出，胡適之之立，是用西方之「學」來統御中國之「史」。即把西方學術體系看作是「體」，而把中國的傳統學術看作是「用」：史料是中國的，學問是西方的，即用西方的學問來研究中國的史料。中國傳統的經史子集不復存在，代之以哲學、文學、史學、法學、教育學……等等等等。陳氏認為，胡適用西方的「學」來統御中國的「史」，是有一個重要的預設的，這一預設就是「將中國整體的看成古代，徹底打破傳統學術固有的格局，而將中國典籍乃至一切語言符號視為『史料』，並以現代，其實就是西方化的眼光對之進行客觀的、分科式的整理。」[28]在這樣的預設之下，「以西方學問來研究中國史料，研究的結果便成為中國現代學術」。[29]陳氏一針見血地指出，這種將古典學術世界中的永恆追求從學術中抽離的做法，就是「以歷史瓦解價值」。他並進一步指出：「經作為中國文明之核心，一旦成『史』，則失去其作為『常道』的價值，而一旦成為『史料』，則成了真偽並存的史料。在從『史』到『史料』的轉化中經學的價值早已蕩然無存。」[30]

---

26 同上書，頁90。

27 同上書，頁97。

28 同上書，頁99。

29 同上書，頁99。

30 同上書，頁148-149。

（三）

中國經學的瓦解，是一個歷史的過程，從康有為肇其端，到章太炎摧其體，再到胡適之挖其根，前後經歷了半個世紀之久。其中章、胡是二位主要的推手和領袖。但也不能忽略了一些章、胡的積極追隨者與同盟者的推波助瀾與辣手摧花所發揮的重要作用。如毛子水、傅斯年、錢玄同、顧頡剛等，他們都在不同的時期、不同的領域扮演過很重要的角色。正是這些學術健將們的共同努力，才構成了將近半個世紀，卻足以影響中國學術一個世紀乃至更長遠的深刻變化。可是，對這一段如此重要的學術思潮與學術史，我們卻還沒有來得及作全面的總結和深刻的反思。尤其是這五十多年學術思潮所帶來的負面影響根本沒有作過認真地清理。也許，面對章、胡這樣兩位我們習慣上以仰視的身份膜拜的學術巨匠，我們還沒有直面解剖的勇氣。又也許，中國現當代學術的主力軍正是章、胡等的弟子或再傳弟子。弟子無意於自毀師門，這也是人之常情。但是當中國的學術正處在又一個轉型的關鍵時刻，我們卻不能不痛苦地面對這五十餘年的學術史。我們不能不看到，這一場浩大的學術變故，實在是對中國的學術、中國的文化傳統傷害太大了。它從根本上摧毀了中國歷時數千年建立的學術體系，隨之而來，它也摧毀了歷經數千年，經過無數經師、學者們共同努力而構建起來的文化價值體系與價值觀。請讀《經學的瓦解》一書中這樣的一段話：「事實上，以『歷史的眼光』來看待中國，即便心存溫情的敬意，也必瓦解『中國』自身的價值系統。中國古代那些偉大的注經家，在注經過程中不斷彰顯經學作為『常道』的義理，以使之引領一代又一代的歷史進程。而今人如果以『歷史』的眼光看待他們，則古人的一切努力，都會被瓦解在時間的河流中……而一旦『歷史』只是毫無意義的過去，那麼，古代那些追求永恆真理的努力，便完全變成今人的客觀知識的一個組成部分，而今人自己，再也沒有所謂的『價值』。」[31] 從中，我們難道讀不出一點無奈與悲愴嗎？

章太炎是一位偉大的經學家，我們甚至可以用「後無來者」形容他的歷史存在。作為一個傳統文化的堅定捍衛者，他決不是一個瓦解經學的主觀刻意者。但歷史的吊詭正在於，一個文化傳統的守衛者，卻在無意識之中摧毀了自己畢生為之奮鬥的傳統。這一現象是耐人尋味的。當年先生在用古文經學為武器猛烈攻擊康有為今文經學時，他其實已經在為自己為之奮鬥的「經」掘好了墳墓。今天我們在回顧這一段學術史時，依然對章先生懷著一種理解的同情和敬意，因為作為一個革命者，他不能默認康有為利用今文經來為保皇和維新張目。但是，當他拿起武器戰鬥的時候，卻不適當地選擇用古文經學作為投槍。一旦他陷入今、古文之爭，一旦他把自己緊閉在古文經學的門戶之中，事情就發生了不以自己的意志為轉移的變化。沿著門戶之爭的慣性遊走下去，他必然會陷入

31 同上書，頁162-163。

另一個泥潭——自己瓦解自己。

學派之爭、學派之辯，這是學術發展的一種動力和潤滑劑，它本身並不是一件壞事。但是，如果把學派之爭演化為門戶之爭，那就會戕害學術的發展。門戶之爭是中國學術發展的一個痼疾，縱觀中國的學術史，凡是門戶之爭搞得不可開交之際，一定是學術停滯與混亂之時。中國學術講師承，這無可厚非，但師承弄不好就會變成門戶，而門戶則意味著保守與封閉。這不利於學術的發展，也不利於學派的發展。

如果說，在瓦解經學的學術發展中，章是一個不經意者，那麼胡適之則完全是一個有目的、有計劃的主觀刻意者。

胡氏留美歸來，他已經全盤接受與服膺於西方的學術體系與學術話語。他的目的就是要用西方的學術體系來改造與重構中國的學術傳統。

胡氏提出對「國故」要取一種「評判的態度」，他引用尼采的話說：「現今時代是一個『重新估定一切價值』的時代。」陳氏指出，胡適重新估定傳統的價值，就是以「現代」——其實就是以西方為標準，重新看待中國的文化傳統。「這種『積極』的行動，不是回到傳統，而是飛渡西方，其實就是輸入西方的新學理，以之為標準並用評判的態度重新估定傳統的價值。」[32]如前文所述，胡適在顛覆中國傳統的過程中，使用的是西方的學術理論與武器，而在重構中國學術系統時，又以西方的標準為標準：「將中國整體的看成古代，徹底打破傳統學術固有的格局，而將中國典籍乃至一切語言符號視為『史料』，並以現代，其實就是西方的眼光對之進行客觀的、分析式的整理。」「以西方學問來研究中國史料，研究的結果便成為中國現代學術」。[33]

用西方學理對中國學術細化的過程，就是中國學術喪失自身價值系統的過程，也是中國學術丟失主體性的過程。這一過程帶來的嚴重後果是，國人對中國學術乃至中國文化自信心的喪失。從「五四」前後的西化，到建國後全盤「蘇化」，再到改革開放以後的再度西化，就是這一嚴重後果的寫照。在陳氏大著的《後記》中，他寫道：「在這一過程中，中國學術喪失了自身的價值系統，典籍成為『史料』，中國學術也成了西方學術的附庸，即便最為保守的現代新儒學，也是建立在對西來大量觀念不加檢討的認同的基礎之上。而作為承載中國傳統義理的經學，則在現代學科中瓦解殆盡。

考察整個經學瓦解的歷史，我們可以始終看到一個如影其隨的陰影——文化激進主義。

在《經學的瓦解》中，作者引用過顧頡剛的一段話：「我的《古史辨》工作則是對於封建主義的徹底破壞。我要使古書僅為古書而不為現代的知識，要使古史僅為古史而不為現代的政治與倫理，要使古人僅為古人而不為現代思想的權威者。換句話說，我要

---

32 同上書，頁92。

33 同上書，頁99。

把宗教性的封建經典——『經』整理好了，送進了封建博物館，剝除它的尊嚴，然後舊思想不能再在新時代裡延續下去。」[34]這是一段十分典型的激進主義表白。這裡不見了學術，不見了公允，也不見了實事求是。可悲的是，在經學被逐步瓦解的半個世紀中，整個的學術研究正是在這樣一種激進得有些悲壯的氣氛中進行的。高明如康長素、章炳麟、胡適之之儕，也不能免俗。

產生文化激進主義的原因是非常複雜的，它也許與一個種群集體潛意識的遺傳有關。孔子提出「中庸之道」，這是一個中國式的心理治療的暗語，它也許是孔夫子看到中國人人性中喜歡走極端而提出的一個對症之方——一如他的學生子遊在另一處告誡我們的「行不由徑」——不要走捷徑、抄小路。筆者寡聞，不知道外國有沒有相似的理論。激進主義對中國的政治、經濟、文化的影響是非常明顯的。就政治而言，文化革命；就經濟而言，市場經濟；就文化而言，「五四」新文化運動，激進主義可說是發揮到了極致。由此而對中國社會的破壞也發揮到了極致。就激進主義的發展邏輯而言，政治、經濟上的激進，緣於文化上的激進，而文化上的激進則源於學術上的激進。所以，我們絕不能輕視學術激進主義的危害。學術激進主義為文化激進主義延及其它形形式式的激進主義提供了理論依據與範式。

（四）

陳氏在他的大著中提出要重新認識與重建經學。他認為經乃中國文明之核心，它承載著作為常道的價值。「在經學崩潰百年之後，要重新認識我們的歷史，重新認識中國之所以成為中國，必須回到經學。」[35]

筆者同意陳氏的觀點，認為重建經學乃重建中國文化、找回中國文化的主體與價值的必須，是中國崛起之後重建中國人的文化自信與自覺的必要。

但是，依筆者淺見，一個更為迫切的問題，是如何重建。

經學被瓦解以後，對經的研究其實並沒有停止，只是他們完全是按照胡適重構的體系在哲學、文學、史學等西方的學術系統運行。我們不反對這種研究，但必須指出，這並不是傳統意義上的「經學」。關於這個問題，陳著也有一段很精彩的闡釋：「在中國現代學術轉型中，現代學科的構建，正是建立在以中國一切典籍為『史料』的基礎之上。當經書納入哲學、文學、歷史的研究中，雖然不同學科的研究者也必須閱讀經書，但已經於經學無關。」[36]他指出：「經的生命力不是自然呈現的，而是通過一代代經師的解

34 同上書，頁141。

35 同上書，頁171。

36 同上書，頁149。

經，而發展出一套價值體系。一代代經師對經書義理的發掘，構成了『經學』。『經』只是經文本身，而『經學』則包括了經、注、疏。自漢代以後，每一時代經書的生命力，都體現在注疏之中。」[37]所以他認為，「脫離了注疏的『經書』研究不是真正的經學研究，而脫離了經書的『注疏』研究，在現代學術分科體系中，同樣幾乎毫無位置。」[38]陳氏指出了重建經學的核心問題之所在。對經典的文學的研究、哲學的研究、倫理學的研究等等，不能代替對經典注疏的研究，而對經與經典注疏的研究才是經學本身。

重建，除了對注疏的研究之外，還必須建立對經與注疏的再注疏。誠如陳氏所言「自漢代以後，每一時代經書的生命力，都體現在注疏之中」。[39]今天，當我們面對新時代、新科技，如何做出與我們時代相呼應的新注疏，這應該成為重建經學的重中之重。換言之，我們必須用新的注疏賦予經書現代生命力。

「真正的國學研究，應該把國學還原為一棵生命不息、流動不止的大樹。不是對這棵大樹的一切做一視同仁的研究，而是主要研究它的根系與軀幹，不但要研究他的各個部分，更重要的是，探究它如何在流動中獲得生生不息的生命，並不斷向四面八方生長。」[40]

誠哉斯言！

37 同上書，頁149。

38 同上書，頁152。

39 同上書，頁149。

40 同上書，頁165。

論經學的必然回歸

錢宗武
揚州大學文學院教授

提要

經學是千百年來全社會共同認同的價值觀，是修身淑世的大道之學。華夏文化歷經衝擊又綿延不絕，得益於經學作為民族文化基因代代相傳。本文深入闡釋經學回歸「重建」、「重構」、「重組」的「三重」必要性，提出經學回歸的重要保障和具體條件，對於民族精神的偉大復興具有重要的理論價值和實踐價值。

關鍵詞：經學　回歸　必要性　條件

全球化的進程伴隨資訊流通的迅捷發達，多元文化不可避免地進入人類社會經濟的各種形態。多元文化的元與元之間的價值評判，無高下優劣之分，但是，確立何種文化為主流文化，就是確立一個民族的精神座標，確立一個社會發展的正確路向。

《四庫全書總目提要》〈經部總敘〉:「蓋經者，非他，即天下之公理而已。」[1]錢大昕:「《易》、《書》、《詩》、《禮》、《春秋》，聖人所以經天緯地者也，上之可以淑世，次之可以治身，於道無所不通，於義無所不該。」[2]經學為大道之學。這不僅是清人對經學意義的認識，也是兩漢以降人所共識。

一九〇五年，清政府宣佈廢除科舉制度，「五四」新文化運動以後，中國教育借鑒西方學科重建教育體制，經學的傳承失去了體制的保障，經學隨著經學時代的結束而悲壯地退出了中國政治、思想、文化的核心地位。經學的研究只剩下經學史的研究，經學經世致用的精神被拋棄，只剩下了一堆被抽調了靈魂的歷史資料。當下中國，我們擁有前所未有的巨大財富，我們也丟失我們曾擁有的巨大精神財富，我們正面臨前所未有的道德危機、生態危機和生存危機。道德的重建，多元文化的重構，熱切地呼喚華夏傳統文化的核心內容——經學的回歸。

一　經學回歸的「重建」、「重構」和「重組」

經學的經典著作承載著古人的生存智慧，蘊含著中華民族最基本的價值訴求，通過歷代的教育型鑄著一個民族的基本品格。對一個民族、一個國家來說，最持久、最深層的力量就是全社會共同認可的核心價值觀，華夏古國飽經憂患又生生不息，中華文明歷經衝擊又綿延不絕，正是得益於經學作為民族的文化基因代代相傳。

（一）當下道德重建需要經學回歸

聖人有言:「不學《詩》，無以言。」「不學《禮》，無以立。」《禮記》〈經解〉說:「入其國其教可知也！其為人也，溫柔敦厚，《詩》教也；疏通知遠，《書》教也；廣博易良，《樂》教也；恭儉莊敬，《禮》教也；潔靜精微，《易》教也；屬詞比事，《春秋》教也。」[3]我們已經有近一百年整個社會缺乏制度性的《詩》教《禮》教，貪婪暴戾之氣、淺薄浮躁之風、急功近利之舉，越演越烈，前所未聞匪夷所思的惡性事件，屢見報端。諸如，河南省連續四任交通廳長曾錦城、張昆桐、石發亮、董永安前赴後繼貪腐落

1　《四庫全書總目》(北京市：中華書局，1965年)，卷1，頁1。

2　〔清〕錢大昕:〈抱經樓記〉，《潛研堂文集》，卷21，陳文和主編:《嘉定錢大昕全集》(9)(南京市：江蘇古籍出版社，1997年)，頁336。

3　周予同:〈僵屍的出祟〉，《一般》第1卷第2期（1926年10月5日）。

馬案；清華大學孫維投毒案，复旦大學林森浩投毒案；馬加爵殺人案，藥家鑫殺人案；九零后媽媽摔死剛滿三個月的親生兒，八零後爸爸冷眼旁觀案。這些案件發生以後，許多專家分析原因多不著邊際，根本原因應該是從上到下，長期缺失經學教育，整個社會缺失道德修養、道德底線、道德標準和道德約束。

兩千多年，經學的經典一直是「政治、社會、人生教育的基本教材」，集中反映了中國傳統的價值觀念。《墨子》〈天志〉論《詩》、《書》：「書於竹帛，鏤之金石，琢之槃盂，傳遺後世子孫。曰將何以為？將以識夫愛人利人，順天之意，得天之賞者也。」[4]《墨子》的作者認為《詩》、《書》並不在講述後世之所謂史，而是傳承順天愛人之理。《左傳》〈魯僖公二十七年〉載：「《詩》、《書》，義之府也；禮、樂，德之則也。」[5]《詩》、《書》、禮、樂承擔著道德教化的功能。後世把《詩》視為文學作品，把《書》看作是歷史著作，這都不是《詩》、《書》得以傳世的根本原因。從經學的角度看，我們要追問的不是歷史的真實，而是價值的真實。中華民族的核心價值就是通過這些文獻得以代代相傳的，沒有了這些文獻，價值便無所依靠。讀《尚書》就要把注意力放在義理的發現上，以求「聖人之心」，朱熹說：「唐虞三代事，浩大闊遠，何處測度？不若求聖人之心。如堯，則考其所以治民；舜，則考其所以事君。」[6]而作為占卜的《周易》其卦象有對人倫提出的基本規範，在六十四卦中有五十三卦都有對君子的道德要求，如「君子以自強不息」、「君子以厚德載物」、「君子以經綸」、「君子以果行育德」、「君子以飲食宴樂」、「君子以作事謀始」、「君子以容民畜眾」、「君子以懿文德」、「君子以辯上下，定民志」，這些論述即使在今天看來，仍具有重大的價值。《春秋》則在正君臣名分、述大一統之義以垂鑒後世，朱熹說：「此是聖人據魯史以書其事，使人自觀之以為鑒戒爾。」[7]《禮》確立了人文精神，禮儀三百，威儀三千，皆人精神心術之所寓，是人文化的具體表現，是人與動物區別的標界。陳澔《禮記集注》〈序〉說：「前聖繼天立極之道，莫大於禮；後聖垂世立教之書，亦莫先於禮。」經之為經的意義即在於教人立身行事。經典無疑是傳統中國個體修身的藍本，是中華民族價值體系建立的基礎。姜廣輝先生曾從儒家經學中總結出十二大價值觀念，分別是「天人合一」思想、「人性本善」思想、「以義制利」思想、「民本」思想、「修身」思想、「德治」思想、「五倫」思想、「孝道」思想、「仁愛」思想、「大一統」的國家觀念、「協和萬邦」的世界觀念和「大同」、「太平」思想。這些基本思想包涵著豐富而深刻的內容，都可以轉化為現代的價值理念，而成為社會主義核心價值體系的重要內容。中央提出「富強、民主、文明、和諧，自由、平等、公正、法治，愛國、敬業、誠信、友善」二十四字社會主義核心價

4 〔清〕孫詒讓：《墨子閒詁》（北京市：中華書局，2001年），頁205。

5 〔唐〕孔穎達：《春秋左傳正義》（北京市：北京大學出版社，1999年），頁436。

6 〔宋〕朱熹：《朱子語類》（北京市：中華書局，1986年），卷78，頁1983。

7 同上註，卷83，頁2145。

值觀，這些觀念很多就直接來源於傳統文化。

經學的回歸首先是經學經典的回歸，經學的教育首先是經學經典的教育。經學經典通過歷代學者不斷的新詮釋，經學的價值觀念逐漸內化為民族的性格，並表現為中國人的思維方式和行為方式。當道德重建成為一個民族不得不面對的問題時，當我們需要重建當代社會核心價值體系時，經學的道德哲學和倫理價值無疑是我們必須汲取的文化營養。習近平說：「中華文明綿延數千年，有其獨特的價值體系。中華優秀傳統文化已經成為中華民族的基因，植根在中國人內心，潛移默化影響著中國人的思想方式和行為方式，必須從中汲取豐富營養，否則就不會有生命力和影響力。」[8]一個民族的價值體系只有與傳統相接，才能彰顯其深厚的綿長生命力。一個有道德的人是高尚的人，一個有道德的民族是強大的民族。聖人有言：「德不孤，必有鄰。」道德具有強大的凝聚力，具有不可戰勝的強大力量。

（二）華夏文化重構需要經學回歸

當下全球化浪潮席捲世界各地，各種文化洶湧而來。舊文化正在解構，新文化正在重構。多元文化的融合是新文化重構的大勢所趨。文化的重構不能失去自我，文化的重構需要重構之本。重構之本就是傳統文化。近一百年來，西方文化憑藉強大的政治、軍事、經濟力量滲透到中國社會生活的各個方面，成為強勢文化，而傳統文化伴隨經學的消解經學教育制度性的缺失，日益成為弱勢文化。現在，西方正在極力倡導「開放主義世界觀」，以否定民族國家利益為本位的愛國主義。美國以西方新自由主義意識形態為工具，以現代藝術、美國文化、消費模式作為催化媒介；誘導中國青年和知識分子，努力在中國培育崇拜和迷信美國的社會心理。在西方文化強東方文化弱西風壓倒東風的不利情勢下，重構多元文化，很有可能是外來多元文化的重構，我們一無所有，這會嚴重威脅文化安全國家安全，這是非常危險的事。

儒家通過詮釋經典，傳承民族價值觀念，弘揚民族精神。當下，沒有哪一個民族像我們現在這樣，對民族的經典如此的漠視，對民族文化如此褻瀆。這是非常嚴酷的現實。現在沒有幾個人真正讀過《詩》《書》等儒家經典，更沒有幾個人能真正讀懂。不要說一般人，正如姜廣輝先生所說許多文史教授也不知典籍之精義，甚至連字面意思也讀不懂。我們有著五千年的文明，有著豐富燦爛的文化，並因此被稱為禮儀之邦，這本應成為我們驕傲的文化，但被歸結為導致貧窮落後的原因。上個世紀八十年代日本和亞洲四小龍的崛起，被一些學者歸結為儒家文化的成功。這些地區和國家的崛起是不是與

8 習近平：《青年要自覺踐行社會主義核心價值觀——在北京大學師生座談會上的講話》，《人民日報》2014年5月5日第2版。

儒家文化有關系，我們不敢肯定，但至少我們可以看到，儒家文化並沒有阻礙它們的成功。中國近幾十年來也取得了舉世矚目的成就，我們沒有看到傳統文化在什麼地方阻礙了經濟的發展。現在令我們擔憂的不是傳統文化阻礙經濟發展，而是中國人的文化認同感越來越弱。如果國人對民族文化缺乏認同，就意味著他們在行為上「去中國化」。食洋不化的文化精英盲目崇信西方文化，對本土文化一概地加以排斥，實際上他們對中國文化的瞭解程度幾近於無知。最近，不少大家耳熟能詳的經典古詩文也悄然從中小學生的教材中退出了，取而代之的是周傑倫的歌詞這樣的東西，大概是教材編者怕孩子們跟不上時代吧。而與些同時，西方的文化在不斷地滲透，孩子們都叫嚷著要吃肯德基、麥當勞，而中國人開的餐廳也喜歡取個洋名，因為這樣能夠吸引顧客。結婚不穿旗袍，穿婚紗，好像不穿婚紗就不叫結婚似的。現在的中國人過情人節、耶誕節比美國人還熱情，那個氣氛被渲染的讓老外恨不能來中國過節。實際上，喜歡吃什麼、穿什麼，喜歡過什麼節，本無可厚非，但如果執意地要這麼做，就不是吃什麼、穿什麼、過什麼節那麼簡單了，而是一個價值取捨一個文化認同的問題了，再往深裡說，就是民族文化安全的問題了。

文化上的滲透改變的是我們的文化基因。顧炎武說：「有亡國，有亡天下，亡國與亡天下奚辨？曰：易姓改號，謂之亡國。仁義充塞，而至於率獸而食人，人將相食，謂之亡天下。」[9]我們不能在西方文化面前喪失民族意識和文化性格。對西方文化，我們要學習，但不需要亦步亦趨。王陽明：「拋卻自家無盡藏，沿門托缽效貧兒。」[10]中國有比西方更加久遠的璀璨文明，有數不盡的珍貴文化，我們的文化具有獨特的價值體系，這是我們的資本，是我們的驕傲，也是我們能夠為世界做出貢獻的地方。一個真正意義上的大國，不僅僅指經濟與軍事上的強大，更指文化的強大，即具有國人廣泛認同且能夠為世界做出獨特貢獻的文化。這就是常說的軟實力。在經濟社會全面發展的時刻，我們尤其要有危機意識、憂患意識，要清醒地看到我們所面臨的問題。習近平在紀念孔子誕辰二千五百六十五周年國際學術研討會上的講話中指出：「無論哪一個國家、哪一個民族，如果不珍惜自己的思想文化，丟掉了思想文化這個靈魂，這個國家、這個民族是立不起來的。」[11]「不忘歷史才能開闢未來，善於繼承才能善於創新。優秀傳統文化是一個國家、一個民族和發展的根本，如果丟掉了，就割斷了精神命脈。」[12]中國傳統文化的主流是儒學，儒學的核心是經學。中國傳統文化最獨特的部分也是經學。經學是匡正人心經世致用之學，是我們中華民族得以綿延不斷的根，這個根不能丟。當

---

9 陳垣：《日知錄校注》（合肥市：安徽大學出版社，2007年），頁722。

10 〔明〕王陽明：《王陽明全集》（上海市：上海古籍出版社，1992年），頁790。

11 習近平：《在紀念孔子誕辰2565周年國際學術研討會暨國際儒學聯合會第五屆會員大會開幕會上的講話》，《人民日報》2014年9月25日第2版。

12 同上註。

然，重構多元文化的經學回歸，不是簡單地尊孔讀經，而是闡發經典中蘊藏著的現代意義。聖人有言：「人能弘道，非道弘人。」聖人所言「人能弘道」之意，就是經學的真正精神。闡發經學的時代精神，實現經學與現代文化的相融共通，重構以傳統文化為本的多元文化。

（三）世界文明重組需要經學回歸

人類正面臨前所未有的危險，日益先進的科技與日益膨脹的貪欲日益緊密的結合，製造了無處不見的生態危機和戰爭危機，無處不見的生態危機和戰爭危機，又引發無處不在的人類生存危機。德國著名社會學家、慕尼克大學和倫敦政治經濟學院的烏爾里希・貝克教授出於對當下社會現代性的深刻反思，提出「風險社會」、「兩個現代化」等理論。英國著名社會學家斯特科・拉什在《風險社會：邁向一種新型現代性》英文版的引言（Introduce）中指出：貝克以其獨特的視角、犀利的語言分析現代社會是一個世界風險社會。隨著技術的進步和生產力的迅猛發展，現代社會以追逐利潤與滿足人們的物質需求為第一目的，工業化催生的現代化創造了巨大的物質文明，這個過程被稱作「第一現代化」。這種輝煌以破壞生存環境為代價。當這一階段積累的危害達到臨界狀態時，人類就坐在自己一手堆起的「文明的火山」上，迎來危機環伺的風險社會。[13]

冷戰以後，東西方的衝突，不是意識形態的衝突，主要是不同文化的衝突。西方文化長期處於強勢地位，逐漸形成文化霸權主義。然而，在新的世界力量格局重組中，我們要增強我們的文化話語權。華夏傳統文化也曾經是強勢文化。自漢唐到明清，一直保持著強勁的正輸出態勢，無論是輻射區域還是影響力度，舉世矚目。經學的原典也是我們華夏文化的原典，多產生於雅斯貝爾斯所說的「軸心時代」，因而也是世界文化的原典之一部分。這些原典所闡述的思想、觀點和精神，都具有世界性意義。

德國卡爾・西奧多・雅斯貝爾斯（Karl Theodor Jaspers, 1883-1969）一九四九年出版的《歷史的起源與目標》提出一個很著名的命題——「軸心時代」。西元前八百至西元前兩百年之間，尤其是西元前六百至前三百年間，是人類文明的「軸心時代」。「軸心時代」發生的地區大概在北緯三十度上下，就是北緯二十五度至三十五度區間。這段時期是人類文明精神的重大突破時期。在軸心時代裡，各個文明都出現了偉大的精神導師——古希臘有蘇格拉底、柏拉圖、亞里斯多德，以色列有猶太教的先知們，古印度有釋迦牟尼，中國有孔子、老子……他們提出的思想原則塑造了不同的文化傳統，也一直影響著人類的生活。而且更重要的是，雖然中國、印度、中東和希臘之間有千山萬水的

13 〔德〕烏爾里希・貝克，吳英姿、孫淑敏譯：《世界風險社會》（南京市：南京大學出版社，2000年），頁25，頁47。

阻隔，但在軸心時代的文化卻有很多相通的地方。人們開始用理智的方法、道德的方式來面對這個世界，同時也產生了宗教。它們是對原始文化超越和突破的不同類型決定了今天西方、印度、中國、伊斯蘭不同的文化形態。那些沒有實現超越突破的古文明，如巴比倫文明、埃及文明，雖規模宏大，但都成為文化的化石。

雅斯貝爾斯特別熱愛中華文明。在日內瓦演講《論歐洲精神》，一再強調：「中國對我幾乎成了第二家鄉，在這裡，我彷彿就在家裡一樣。」在此，所謂「家鄉」、「在家裡」意味著一種人性之中的「在家」，一種生存狀態的「在家」。雅斯貝爾斯認為孔子的「道義與政治倫理」追求社會道德崩潰時代中的一種道德重建，「知其不可而為之」，非常可貴。

英國著名歷史學家湯因比（1889-1975）《歷史研究》在比較了人類二十一種比較成熟的文明後說：「人類已經掌握了可以毀滅自己的高度技術文明手段，同時又處於極端對立的政治、意識形態的營壘，最重要的精神就是中國文明的精髓——和諧。中國如果不能取代西方成為人類的主導，那麼整個人類的前途是可悲的。」一九八八年在法國巴黎召開的「面向二十一世紀首屆諾貝爾獎獲得者國際大會」新聞發佈會上，瑞典物理學家漢內斯．阿爾文博士（因在等離子物理學研究領域的突出貢獻而獲一九七〇年諾貝爾獎）在其演說中論述深思了數十年的結論：「人類要生存下去，就必須回到二十五個世紀之前，去汲取孔子的智慧。」這一結論也作為了大會的十六個共同結論之一。

儒家經學的思維方式是「天人合一」，落在實踐層面就是「和」，主張人與人之間、人與自然之間和諧相處。儒家認為，人之德承於天，天之性善，故人之性善。人性善，又有向外推的能力，故能由己及人，再及於物，孟子說：「老吾老以及人之老，幼吾幼以及人之幼。」又說：「君子之於物也，愛之而弗仁；於民也，仁之而弗親。親親而仁民，仁民而愛物。」[14]宋代的張載提出了「民吾同胞，物吾與也」的思想，意思是，人類與我是骨肉同胞，萬物與我是同類。如果把天下人都看成是自己的骨肉同胞，還會刀劍相向嗎？如果把萬物都看成是我們的同類，還會竭澤而漁嗎？

中華文化博大精深，能為世界所貢獻者絕不僅僅是一個「和」字。我們要通過加強傳統文化教育來增強國人的民族意識和文化認同感；同時，我們也要讓中國文化走出去，讓世界瞭解我們，瞭解我們的文化是以「和」為貴的文化，我們的崛起不僅不會威脅到任何國家，反而是維繫世界和平的重要力量。西方文化為世界做了貢獻，中國文化也應為世界做出貢獻。

14 〔宋〕朱熹：〈孟子集注〉，卷13，《四書章句集注》（北京市：中華書局，1983年），頁363。

二　經學回歸的條件與經典世界性現代性的生命張力

（一）經學的正名與經學回歸的制度保障

經學回歸首先必須為經學正名。上個世紀中後期經學被定性為封建思想的代名詞，經學一直作為各種政治運動和主流思想的對立面受到批評，日復一日，年復一年，經學即為封建落後的代名詞，已在一代又一代人的思想中根深蒂固。「名不正則言不順，言不順則事不成。」（《論語》〈子路〉）如何定位經學，成為經學研究的起點並決定研究的方向。民國以來對經學的無知，導致經學失去了研究的合法性。面對當今的國學熱，學界首先必須消解文化虛無主義，必須真正理解國學概念的內涵與外延，為經學「正名」。經學與國學不是一個同位概念，是上下位概念，經學是下位概念，包含於國學之中，是國學的核心內容。國學熱不能僅僅熱於那些物質的內容，更要熱於那些精神層面的內容。

經學的回歸還需要釐清經學的經典與經典的詮釋之間的異同，切不可兩者混同。一個時代有一個時代經學經典的詮釋，各個時代經學經典的詮釋都不同程度地受到各個時代統治階級的思想和主流學術思想的影響。經典詮釋的思想不能等同經典的思想，這個觀點大家都能接受，但是大家又往往把二者混同起來。例如，亞聖孟子提出的「五倫」道德規範，與宋明經生的闡釋不同，而人們又往往以果律今，把二者都視為封建禮教。我們還需要全面理解經典的內涵和經典闡釋的思想。例如儒家的「三綱」既提倡臣、子、妻的「三從」，也強調君、父、夫的責任。我們不能以為經典的闡釋僅僅是「三從」，而沒有闡釋君、父、夫的責任。

經學的正名還必須釐清經學與當代各種人文社會科學門類的關係。提倡經學回歸，不是用經學取代各種人文社會科學門類，也不是回歸科舉背景下以培養政治人才為單一目的的國家教育，而是強調經學特殊的學科價值和不可替代的學科性質。經學應該成為學校課程設置中的一門課程，應該成為國家頒布的學科目錄中一個獨立的學科門類。這是經學回歸的制度保障，也是民族文化復興的核心與關鍵。

（二）學校教育功能的辨正

《大學》開宗明義：「大學之道，在明明德，在親民，在止於至善。」然而，長期以來，我們的教育是國家功利主義教育與和個人功利主義教育。不注重培養具有健全人格健康心態的人，而注重培養人的技能和智力，培養為國家服務的機器，為個人和家庭賺錢的工具。

經之為經的意義即在於教人立身行事。而經之成為「學」是漢代以後的事。因為經學的產生，中華基本價值得以傳承不絕。什麼是經學呢？焦循說：「經學者，以經文為主，以百家子史、天文術算、陰陽五行、六書七音等為輔，匯而通之，析而辨之，求其訓詁，核其制度，明其道義，得聖賢立言之旨，以正立身經世之法。」[15]經學的內容包括兩方面的內容：一是「求其訓詁，核其制度」；二是「明其道義，得聖賢立言之旨，以正立身經世之法」。學者們一般認為：經學既包括學術層面的內容。時有古今，地分南北，經學經籍的傳播由於時空等原因，後人難以讀懂，需要經師加以文字訓讀；而經書中涉及歷史上的人物事件、名物制度，也需要對之加以注解；經書中的微言大義，亦需經師作義理闡釋。此外，關於經學學派、傳承、演變的研究等等都屬於學術層面。經學也包括信仰層面的內容。古代「經典」二字，不可以濫用。「經典」特指聖人及聖賢集團所作的著述，是人們尊信奉行的人生箴言。「經」有「常」的意義，是人類社會的常行之道；「經」也有「法」的意義，人們通常說「大經大法」，即有必須遵照執行的意思。人們通過對經典價值觀的自覺認同來形成崇尚尊奉經典的社會心理和實現社會自覺。[16]

（三）經典世界性和現代性的生命張力

經學的經典具有永恆的生命力。經典的精神價值具有世界性。經典的基本思想包涵著豐富而深刻的內容，是整個人類都應該具有的思想品質。

二十一世紀，中國經濟將創造奇蹟，「中國精神」和「中國文化」也將擔當起在後西方時代提升人類文明的偉大責任。中國並不排斥西方，相反還要加大學習西方的力度，吸收人類一切先進文明的成果，努力革除弊政，修正本身文化中不符合現代化的因素，同時在博大精深的中華文明中不斷發掘、研究、建構、闡釋和再闡釋華夏文化中能夠提升當代人類文明的重要因數。一個文明高級階段的發展不是簡單的復古主義，更不是盲目崇拜古代的一切，而是在一種人類文明更高階段結合現代因素的文明復興運動。因此，華夏文化必定是要聯結現代性的因素才能在更高的階段更好地促進人類社會的世界大同。華夏文化中的「五倫」、「五常」等人倫準則，「德政」、「法治」、「君為輕、民為貴」等政治理念，「苟日新，日日新，又日新」的創新精神，「中庸」、「孝道」、「和而不同」的文明多元共生理論，人與自然、社會與生態和諧融洽的「天人合一」哲學觀、「協和萬邦」達至「大同」的和平主義世界觀，「修身，齊家，治國，平天下」的偉大政治抱負，注定將照亮整個世界，促進人類向更高層次的價值理性方向發展。

---

15 〔清〕焦循：〈與孫淵如觀察論考據著作書〉，《雕菰集》（北京市：中華書局，1985年），卷13，頁213。

16 姜廣輝：《中國經學思想史．前言》（北京市：中國社會科學出版社，2003年），頁2-3。

中國古代知識階層居主導地位的文化價值觀是「經世致用」。這種價值觀認為，一種文化學術的價值標準是其實用性，即由文化學術價值向政治倫理價值的轉換。

在先秦時期，儒家以天下為己任，以王者之師自居，試圖通過「格君心之非」來塑造理想君主，並從而重新建立統一的社會價值系統。「經世致用」主要是建構一種合理化的社會秩序和政治形式。

明末清初以顧炎武、黃宗羲、王夫之為代表的思想家提倡的經世致用思想，簡單地說就是要學習對現實社會有用的東西，研究學問要和社會實際相結合，不要空談，要活學活用。

到了晚清，由於帝國主義的入侵，也由於西方文化和政治思想的滲透，林則徐、魏源、康有為等提倡「經世致用」，與傳統儒家已有了極大差別，主要目的是「師夷長技以治夷」，實質上是試圖在傳統文化與西方文化的交融中尋找一條救國自強之路。

我們今天提倡「經世」的內涵是「經國濟世」，強調要有遠大理想抱負，志存高遠，胸懷天下，側重「形而上」；「致用」的內涵是「學用結合」，強調要理論聯繫實際，腳踏實地，注重實效，側重「形而下」。「為天地立心，為生民立命，為往聖繼絕學，為萬世開太平。」（《張載集》〈張子語錄〉）橫渠四句教仍然是當今學人的不懈追求，具體內容就是儒家一直提倡的立德、立功和立言。

《左傳》〈襄公二十四年〉記載叔孫豹所謂的「三不朽」：「豹聞之，大上有立德，其次有立功，其次有立言，雖久不廢，此之謂不朽。」[17]這是指生命個體在道德、事功、言論的任何一個方面有所建樹，傳之久遠，雖死猶生，其名永存世人之心，方可謂不朽。有副著名楹聯：「五百年間氣，三不朽偉人。」上下五千年，能為「三不朽」，即可為偉人。

立德、立功和立言的人生追求完全擺脫了「天命」對人生價值的影響，同時也表明，至晚到春秋時期，中國社會思想的社會本位和倫理本位之特色已經形成。代表了社會思想的時代精神，表現出中國人的一種人生觀和社會價值觀，即人生的意義就在於對社會、對他人做出有益的事業，這樣一個人的自然生命可以死而朽，但他所建立的德、功、言則可以永垂不朽。立德、立功和立言是中國人傳統的人生信仰，被中國歷史上的精英和眾多有學識的人所信奉。經世致用，立德、立功、立言以致「三不朽」，具有超越時空的現代性和世界性。

一個民族的歷史集體記憶，一種文明的文化遺傳基因，是一個民族不滅的精神血脈。經學的被不斷消解直至衰亡，是一個世紀的民族精神創傷。一個民族的偉大復興，必須首先是一個民族精神的偉大復興。

隨著當代中國對傳統文化的價值重估和理論重建，經學的回歸是一次大規模有組織

---

17 〔唐〕孔穎達：《春秋左傳正義》（北京市：北京大學出版社，1999年），頁1001-1004。

的為國故修理序、為經典作新解的學術活動，是實現民族文化復興夢想的重要環節。從學術史角度考量，它一方面與中國學術史上每隔數百年就會出現一次的回歸原典運動相呼應，另一方面，又是中國傳統學術繼上世紀「整理國故運動」實現現代學術轉型之後的又一次轉型標誌，展現傳世經典與時代互動強大的生命活力。

考察歷史的發展進程，中國傳統文化有著極強的增殖能力和調節能力。這種增殖和調節能力，很大程度依賴於文化載體經學經典本身的文本闡釋。縱觀中國歷史上的每一次文化變革和價值轉換，都與經典的重構與詮釋的重建為追求緊密相關。因此，經學回歸往往成為預告文化衍變和學術轉型的先聲。余英時先生在他的《清代學術思想史重要觀念通釋》中認為清初的學術活動中有回歸原典的性質。[18]林慶彰先生也認為，中國經學史上「每隔數百年都會有一次回歸原典的運動」。[19]

新時期的經學經典的回歸雖然與歷史上的「原典回歸」有諸多共同之處，但其範圍和意義遠不止「回復聖學」、「還原聖學」那麼簡單。除卻繼承歷代回歸原典的「經世」原則之外，新時期的經典回歸更應在學術研究層面體現出時代價值。我們有必要簡要回顧上世紀二三十年代胡適、顧頡剛等學者曾宣導的「整理國故運動」。無論學界對「整理國故運動」的評價如何，這場運動的實質是「整理國故」而非「追慕國故」。[20]應無異議，胡適先生的「我們整理國故，只是要還他一個本來面目」，[21]亦擲地有聲，發人深省。「整理國故運動」遵循研究問題、輸入學理、整理國故、再造文明的思想理序，有力地推動了中國學術的現代轉型。然而，這次運動卻由於各種原因並未能形成一種學術傳統流傳承下來，華夏經典在新文化、新思潮的洪流中顯得形單影隻，以詮釋張力和文獻傳承為重要學術形態的經學未能起死回生。一九三六年，周予同先生甚至擔心經學「消滅於最近的將來」。[22]也就是說，從某種程度看，「整理國故運動」雖然已經體現出中國古代學術的現代價值，但並不透徹，華夏經典的生命張力並未能完全啟動與弘揚。

因此，儘管經學經典作為官方政治運作和知識份子精神生活的重要環節已不復存在，但其作為華夏文化的基因和靈魂卻生生不息。一個文獻傳統無可比擬的國度自然十分重視歷史，一個文明從未中斷的民族自然十分重視傳統。歷史和傳統的傳承自然離不開經典文獻的整理和研究。當「天宇清明」之時，自然也就「群心思奮」，上世紀八十年代初始，「整理古籍，號令頻申」，[23]學者們欣慰的發現，周予同先生擔心的事情沒有

18 余英時：《文史傳統與文化重建》（上海市：生活．讀書．新知三聯書店，2012年），頁196-280。

19 林慶彰：〈中國經學史上的回歸原典運動〉，《中國文化》2009年第2期，頁1-9。

20 傅斯年：〈國故和科學的精神附識〉，《新潮》第1卷第5號（1919年5月），頁744-745。

21 胡適：〈致錢玄同〉，《胡適書信集（上冊）》（北京市：北京大學出版社，1996年），頁360。

22 周予同：〈儒家之精神的社會政策〉，《周予同經學史論著選集》（上海市：上海人民出版社，1996年），頁575。

23 周秉鈞：〈尚書易解自序〉《尚書易解》（上海市：華東師範大學出版社，2010年），頁10。

發生，而且，隨著重構傳統文化成為時代主題、民族復興成為時代夢想，經學回歸不僅繼承了「整理國故運動」的理性精神，更融入了當代學術研究的豐富理念，在廣度與深度上都超越了前者。

「中國夢」正在逐步實現，華夏民族的復興正在進行時，經學的回歸也是歷史的必然。

文學史中的經學史問題
──《左傳》作者及其成書年代管窺

單周堯、蕭敬偉

香港能仁專上學院副校長（學術）、香港大學中文學院講師

提要

《左傳》作者及其成書年代，本為經學史之問題，近世文學史之研究勃興，於是同時成為文學史之問題。文學史中有關《左傳》作者及成書年代之論述，或謂春秋末年，或以為戰國，或不置可否，或另有他說，茲就所見，予以表列，以便觀覽。

《左傳》一書，所記錄者乃《春秋》之歷史，然又有涉及戰國之內容，故其作者及成書年代，異說紛紜，主要有春秋說與戰國說，二者均有其合理之處。《春秋左傳學史稿》試對二說予以彌縫，謂先秦古籍之成書，往往異於漢代以後之書籍，非由一時一人寫定，而多經歷口頭流傳之過程，然後始形成基本寫定之文本。《左傳》蓋始傳於春秋末，而最後寫定於戰國中期以前。

本文認為《春秋左傳學史稿》「《左傳》始傳於春秋末，而最後寫定於戰國中期以前」之說，大致合理；惟該書謂最初傳授《左傳》者未有書諸竹帛，僅口授門人，則未必可信，蓋《左傳》為一部十九萬餘字首尾一貫之歷史巨著，篇幅之大，牽涉歷史細節之多，如何可口授門人，學傳數代，然後成書？

誠如《春秋左傳學史稿》所言，「戰國說」乃現代《左傳》研究之主流。惟本文則贊同胡念貽先生之說：《左傳》作於春秋末年，後人雖竄入屬於戰國之內容，惟該書基本上仍保存其原來面目。至於《左傳》之作者，《史記》認為乃左丘明，雖有反對者，惟均無確據。

關鍵詞：左傳　作者　成書年代　經學史　文學史

一

《左傳》的作者問題，眾說紛紜，莫衷一是。《春秋》〈序〉孔穎達（西元574-648年）《疏》引沈文阿[1]（西元503-563年）曰：

> 《嚴氏春秋》引〈觀周篇〉云：「孔子將脩《春秋》，與左丘明乘，如周，觀書於周史，歸而脩《春秋》之《經》，丘明為之《傳》，共為表裡。」[2]

〈觀周篇〉是西漢本《孔子家語》中的一篇，如果上述文獻可靠，那麼，這就是最早提到《左傳》作者的記載了。此外，司馬遷（西元前145-西元前86年）《史記》〈十二諸侯年表〉也說：

> ……是以孔子明王道，干七十餘君，莫能用，故西觀周室，論史記舊聞，興於魯而次《春秋》，上記隱，下至哀之獲麟，約其文辭，去其煩重，以制義法。王道備，人事浹。七十子之徒，口受其傳指，為有所刺譏褒諱挹損之文辭，不可以書見也。魯君子左丘明，懼弟子人人異端，各安其意，失其真，故因孔子史記，具論其語，成《左氏春秋》。[3]

《漢書》也認為是左丘明論輯《春秋》本事而作《傳》，《司馬遷傳．贊》說：

> 及孔子因魯史記而作《春秋》，而左丘明論輯其本事，以為之傳，又纂異同為《國語》。[4]

《漢書》〈藝文志〉載有《左氏傳》三十卷，下面寫著作者「左丘明，魯太史」[5]，並且在春秋家小序中說：

> ……仲尼思存前聖之業，乃稱曰：「夏禮吾能言之，杞不足徵也；殷禮吾能言之，宋不足徵也。文獻不足故也，足則吾能徵之矣。」以魯周公之國，禮文備物，史官有法，故與左丘明觀其史記，據行事，仍人道，因興以立功，就敗以成罰，假日月以定曆數，藉朝聘以正禮樂。有所褒諱貶損，不可書見，口授弟子，

---

1 《春秋正義》〈序〉作「沈文何」（見《左傳注疏》，《十三經注疏》〔臺北市：藝文印書館，1973年，景印清嘉慶二十年（1815）南昌府學重刊宋本〕，總頁4），《隋書》〈經籍志〉作「沈文阿」（見《隋書》〔北京市：中華書局，1973年8月〕，頁930），今從《隋書》〈經籍志〉。

2 《左傳注疏》，卷1，頁11（總頁11）。

3 《史記》（北京市：中華書局，1972年），頁509-510。

4 《漢書》（北京市：中華書局，1975年），頁2737。

5 同上，頁1713。

弟子退而異言。丘明恐弟子各安其意，以失其真，故論本事而作《傳》，明夫子不以空言說《經》也。[6]

杜預（西元222-284年）則以為左丘明是孔子的學生，杜氏《春秋左氏經傳集解》〈序〉說：

左丘明受《經》於仲尼，以為《經》者不刊之書也。故《傳》或先《經》以始事，或後《經》以終義，或依《經》以辯理，或錯《經》以合異，隨義而發。[7]

由此可見，自漢至晉的學者都認為《左傳》的作者是魯君子左丘明，而左丘明的身份大概是孔子的後輩或學生。「左丘明」一名，見於《論語》，《論語》〈公冶長〉說：

子曰：「巧言令色足恭，左丘明恥之，丘亦恥之；匿怨而友其人，左丘明恥之，丘亦恥之。」[8]

唐代的趙匡，認為根據《論語》這一章的辭氣，左丘明應該是孔子以前的賢人。陸淳（西元？-805年）《春秋集傳纂例》〈趙氏損益義〉記載了趙氏的意見：

……且夫子自比，皆引往人，故曰：「竊比於我老彭。」又說伯夷等六人云：「我則異於是。」並非同時人也。邱明者，蓋夫子以前賢人……如史佚、遲任之流，見稱於當時耳。焚書之後，莫得詳知；學者各信胸臆，見《傳》及《國語》俱題「左氏」，遂引邱明為其人，此事既無明文，唯司馬遷云：「邱明喪明，厥有《國語》。」劉歆以為《春秋左氏傳》是邱明所為。且遷好奇多謬，故其書多為淮南所駮；劉歆則以私意所好，編之《七略》……班固因而不革……後世遂以為真。所謂傳虛襲誤，往而不返者也。[9]

趙氏的看法，對後代學者頗有影響。朱熹（1130-1200）《論語章句集注》引程頤（1033-1107）曰：「左丘明，古之聞人也。」[10]「古之聞人」，即趙匡「夫子以前賢人」之意。韓國學者丁若鏞（1762-1836）《論語古今注》亦謂左丘明「年齒或長於孔子，其云孔子弟子者，未可信」[11]。丁氏的說法，與趙匡稍異，蓋趙氏認為左丘明與孔子非同時人，而丁氏則沒有說非同時人，只說左丘明「年齒或長於孔子」。張心澂（1887-1973）《偽書通考》云：「孔子說：『左邱明恥之，丘亦恥之』，左邱明好像是

---

6 同上，頁1715。

7 《左傳注疏》，卷1，頁11a（總頁11）。

8 《論語注疏》，《十三經注疏》，卷5，頁11a（總頁46）。

9 《春秋纂例》，頁2361下，《經苑》第5冊（臺北市：大通書局，1970年）。

10 《四書章句集注》（北京市：中華書局，1983年），頁82。

11 《與猶堂全書》（首爾市：民族文化文庫，2001年3版），第5冊，頁194。

他的前輩，不然也就是同時稍有先後的朋友。」[12]意思與丁氏略同。楊伯峻先生（1909-1992）《春秋左傳注》〈前言〉也認為孔子說話，引左丘明以自重，可見左丘明不是孔子學生，年歲也不至小於孔子。[13]

楊注〈前言〉更說：

> 無論左丘明是孔丘以前人或同時人，但《左傳》作者不可能是《論語》中的左丘明。《左傳》最後記載到魯哀二十七年，而且還附加一段，說明智伯之被滅，還稱趙無恤為襄子。智伯被滅在紀元前四五三年，距孔丘之死已二十六年，趙襄子之死距孔丘死已五十三年。左丘明若和孔丘同時，不至於孔丘死後五十三年還能著書。[14]

其實，宋葉夢得（1077-1148）《春秋考》〈統論〉也有類似說法[15]。對於此一問題，胡念貽（1924-1982）在《文史》第十一輯有一篇長文，題為〈左傳的真偽和寫作時代問題考辨〉[16]，對《左傳》的寫作時代有詳細、深入的研究。胡氏認為《左傳》作於春秋末年，後人雖有竄入，但它基本上保存了原來面目。他認為反對左丘明作《左傳》的人，其實都提不出確鑿的證據，無法把舊說真正推翻。上文所述楊注〈前言〉及葉夢得對左丘明作《左傳》的質疑，胡氏已加以辨明。他認為《左傳》敘事，止於魯哀公二十七年。哀公二十七年《左傳》末段云：「悼之四年，晉荀瑤帥師圍鄭。……知伯謂趙孟：『入之！』對曰：『主在此。』知伯曰：『惡而無勇，何以為子！』對曰：『以能忍恥，庶無害趙宗乎！』知伯不悛。趙襄子由是惎知伯，遂喪之。知伯貪而愎，故韓魏反而喪之。」[17]這段文字提到趙襄子諡，提到韓、魏、趙「喪知伯」等戰國人才能夠知道的諡號和史實，楊注〈前言〉及葉夢得等遂據以懷疑左氏乃六國人。不過，胡氏指出，這段文字很可能是後人所加，因為：一、它記載的是魯哀公兒子魯悼公四年發生的事情，不可能是《左傳》正文，正文已在哀公二十七年結束；二、它寫韓、魏、趙滅知氏之事，此事上距「悼之四年」又已十年，書中草草帶過，不似《左傳》作者手筆；三、「趙孟」這一名字，在《左傳》出現多次，趙襄子這一諡號，則僅於此出現一次，可見《左傳》作者和趙孟是同時人，此段所舉趙襄子諡是後人所加。[18]

除諡號外，《左傳》中所載某些官爵制度、學術思想與戰具，比較晚出，似乎是與

---

12 《偽書通考》（臺北市：宏業書局，1975年），頁469。

13 參《春秋左傳注》（修訂本）（北京市：中華書局，1990年），〈前言〉，頁30。

14 同上，頁32。

15 參《春秋考》，卷3，頁20上，《武英殿聚珍版叢書》，第60冊。

16 原載《文史》第11輯，頁1-33，後收入胡氏所著《中國古代文學論稿》（上海市：上海古籍出版社，1987年），頁21-76。

17 《左傳注疏》，卷60，頁28（總頁1054）。

18 參《中國古代文學論稿》，頁50-51。

孔子同時或在孔子之前的左丘明所不應該知道的，而《左傳》所載卜筮，有不少預言戰國時事，而又大都應驗，因此，頗有人懷疑《左傳》作者是戰國時人，在這些歷史事件發生以後，才從後傅合，把這些卜筮編造出來。[19]胡氏對此都一一加以辨明，現逐點說明如下：

（一）《左傳》提到「庶長」、「不更」等官，前人多以為秦孝公所立，秦孝公於西元前三六一至三三八年在位，《左傳》提到這些官名，則其作者當在秦孝公之後。不過，《左傳》成公十三年《正義》說：「《漢書》稱商君為法於秦，戰斬一首者賜爵一級，其爵名：……四、不更……案傳此有不更女父，襄十一年有庶長鮑、庶長武；春秋之世，已有此名，蓋後世以漸增之，商君定為二十，非是商君盡新作也。」[20]這解釋很合理。《史記》〈秦本紀〉懷公四年（西元前425年）有庶長鼂，出子二年（西元前385年）有庶長改，《趙世家》秦獻公（西元前384-西元前362年在位）時有庶長國，都在秦孝公之前，可為確證。[21]

（二）葉夢得《春秋考》曰：「祭之有『臘』，以易『蠟』，秦惠公之所名也；飲之有『酎』，禮之所無有，而呂不韋《月令》之所名也。」[22]據《史記》〈秦本紀〉記載，秦惠文王（西元前337-西元前311年在位）十二年初臘[23]，葉氏遂謂臘祭為惠文王所名；《呂氏春秋》〈孟夏紀〉曰：「天子飲酎，用禮樂」[24]，葉氏據之，而謂飲「酎」為呂不韋（西元前249年為秦相國）《月令》所名。《左傳》僖公五年記虞公假道伐虢，宮之奇言「虞不臘」[25]，襄公二十二年記鄭子產對晉言「嘗酎」[26]，葉氏據之謂《左傳》作者在秦惠文王、呂不韋之後，當為戰國時人。案：《左傳》杜注謂臘為歲終祭眾神之名。[27]《廣雅》曰：「夏曰清祀，殷曰嘉平，周曰大䄍，秦曰臘。」[28]應劭《風俗通義》〈祀典〉：「《禮傳》：『夏曰嘉平，殷曰清祀，周曰大蠟，漢改為臘』。」[29]雖然《廣雅》

19 參《左傳學論集》（臺北市：文史哲出版社，2000年），頁5-10。

20 《左傳注疏》，卷27，頁16（總頁463）。

21 參《中國古代文學論稿》，頁51。

22 《春秋考》，卷3，頁20下。

23 《史記》，頁206。

24 陳奇猷：《呂氏春秋校釋》（上海市：學林出版社，1984年），頁186。

25 《左傳注疏》，卷12，頁24a（總頁208）。

26 同上，卷35，頁3a（總頁599）。

27 同上，卷12，頁24a（總頁208）。

28 《廣雅疏證》（南京：江蘇古籍出版社，1984年），卷9上，頁23a（總頁290）。案：胡念貽先生《中國古代文學論稿》頁51引作「夏曰清祀，殷曰嘉平，周曰大蠟，亦曰臘，秦更曰嘉平。」與《廣雅》原文不盡相同。

29 見《風俗通義》，卷8，頁8a，《景印文淵閣四庫全書》（臺北市：臺灣商務印書館，1985年），第862冊。案：胡念貽先生《中國古代文學論稿》頁51引作「《禮傳》云：『夏曰嘉平，殷曰清祀，周曰蠟，漢改曰臘』。」與《風俗通義》原文不盡相同。

和《風俗通》的說法略有差異，但可看出這種祭祀由來已久，決非秦惠文王首創，惠文王不過開始效法三代舉行這種祭祀罷了。至於「飲酎」，《呂氏春秋》〈孟夏紀〉有「天子飲酎，用禮樂」之文，這並不能證明呂不韋時始有「飲酎」。葉夢得提出這一條，可以說沒有意義。[30]

（三）《春秋考》曰：「陳敬仲入齊[31]，至田和篡齊[32]，去春秋九十餘年[33]，而記周史筮敬仲之辭曰：『子孫代陳有國，必在姜姓』……晉分列為諸侯[34]，去春秋終百餘年，而記畢萬始筮仕之辭曰：『公侯子孫，必復其始』……周亡[35]，實三十一世，七百餘年，而記成王定鼎郟鄏，言『卜世三十，卜年七百』[36]。占者精於術數，類非後世所能及；然天人茫昧之際，亦不應逆得其所代之姓氏，所後之子孫，與其存亡之年紀世次，若合符契如是者！余意此乃周秦之間，卜筮家者流欲自神其藝，假前代之言，著書以欺後世。亦左氏好奇，兼取而載之。則《左氏》或出於周亡之後未可知。」[37]胡念貽曰：「我們研究《左傳》的預言，可以看到兩種情況：一、凡是二百五十餘年間（筆者案：指春秋時代）事，無不應驗；二、凡是涉及這以後的，並不都是如此。……如宣公三年說：『成王定鼎於郟鄏，卜世三十，卜年七百，天所命也。』實際周代傳世不是三十，而是三十七；國祚不止七百年，而是八百餘年。又如哀公九年說『趙氏其世有亂乎』，趙氏後來世代相傳，沒有常發生變亂。從……不驗的預言，可以證明《左傳》作者對於戰國時的歷史全然不知，說明他不是生活在戰國時代。他把一些信口開河的預言寫進他的書裡了。」[38]

（四）託名鄭樵（1104-1162）之《六經奧論》曰：「……左氏師承鄒衍之誕，而稱帝王子孫。案：齊威王時[39]，鄒衍推五德終始之運，其語不經；今《左氏》引之，則左氏為六國人，在齊威王之後。」[40]《左傳》「稱帝王子孫」，蓋指昭公二十六年蔡墨回答魏獻子所說的「木正曰句芒，火正曰祝融，金正曰蓐收，水正曰玄冥，土正曰後

---

30 參《中國古代文學論稿》，頁51-52。

31 案：陳敬仲於西元前六七二年入齊。

32 案：田和於西元前三八六年篡齊。

33 案：春秋終於西元前四七六年。

34 案：晉於西元前四〇三年分列為諸侯。

35 案：周亡於西元前二五六年。

36 《左傳》宣公三年記王孫滿之言曰：「成王定鼎于郟鄏，卜世三十，卜年七百。」（見《左傳注疏》，總頁367）案：魯宣公三年，即西元前六〇六年；而周成王則於西元前一一〇九年定鼎於郟鄏。

37 《春秋考》，卷3，頁20下。

38 參《中國古代文學論稿》，頁54-56。

39 案：齊威王於西元前三七八至西元前三三三在位。

40 見《通志堂經解》本《六經奧論》（臺北市：臺灣大通書局，1969年，景印清康熙十九年〔1680〕刻本，第40冊），卷4，頁29。

土。」然而作為和金木水火土相配的「五帝」，《左傳》裡面沒有。從《左傳》裡，我們可以看到開始將神話傳說中人物和金木水火土五行相配合，但由此而發展到「五德終始」之說，還需要一個相當的過程。這一條恰好證明《左傳》的成書遠在鄒衍之前。[41]

（五）《六經奧論》曰：「《左氏》言分星，皆準《堪輿》。案：韓、魏分晉之後，而堪輿十二次，始於趙分曰『大梁』之語；今《左氏》引之，則左氏為六國人，在三家分晉之後。」[42]胡念貽曰：「『分星』之說，不知起於何時。《左傳》裡有『分星』，可能春秋時代已有之，也可能是後人竄入。至於『分星』和歲星紀事配合，則為後人竄入無疑。《左傳》『分星』和《堪輿》也不完全符合。《周禮》〈春官〉〈保章氏〉鄭注引《堪輿》：『星紀，吳越也；玄枵，齊也；娵訾，衛也；降婁，魯也；大梁，趙也；實沈，晉也；鶉首，秦也；鶉火，周也；鶉尾，楚也；壽星，鄭也；大火，宋也；析木，燕也。』這裡把星紀作為吳越的分野，把析木作為燕的分野，是漢人之說，可見《堪輿》是漢人所作。《左傳》卻是以析木為越的分野，和《堪輿》不同。鄭樵以《左傳》準《堪輿》，是不對的。」[43]

（六）《六經奧論》曰：「《左氏》云：『左師辰將以公乘馬而歸。』[44]案：三代時有車戰無騎兵，惟蘇秦合從六國[45]，始有車千乘、騎萬匹之語；今《左氏》引之，是左氏為六國人，在蘇秦之後。」[46]胡念貽曰：「《左傳》昭公二十六年孔穎達《正義》曾提出過此問題，然而他同時又引劉炫語作了解答：『此左師展（《六經奧論》誤作辰）將以公乘馬而歸，欲共公單騎而歸，此騎馬之漸也。』劉炫說得好。戰國時代大規模用騎兵，不能是突然而起，從春秋末期開始有『騎馬之漸』，這是合乎情理的推測。」[47]

（七）《六經奧論》曰：「《左氏》序呂相絕秦、聲子說齊，其為雄辯狙詐，真游說之士，捭闔之辭；此左氏為六國人。」[48]胡念貽曰：「呂相絕秦，聲子說楚（《六經奧論》誤作齊），語言上有一些誇張的色彩，然而我們很難說春秋時人不會運用誇張的使人動聽的語言。這和戰國時代的遊說之詞有嚴格的區別。《左傳》裡面的『行人辭命』和戰國時代的遊說之詞，都是時代的產物，具有鮮明的時代色彩。我們通讀《左傳》和《戰國策》，就會異常明顯地感到二者的區別，不會發生混淆。這也正好證明《左傳》不是戰國人所作。」[49]

41 參《中國古代文學論稿》，頁52。

42 《六經奧論》，卷4，頁29b。

43 參《中國古代文學論稿》，頁52。

44 見《左傳》昭公二十五年，即西元前五一七年。

45 案：蘇秦於西元前三三三年合從六國。

46 《六經奧論》，卷4，頁29b。

47 參《中國古代文學論稿》，頁52。

48 《六經奧論》，卷4，頁29b。

49 參《中國古代文學論稿》，頁53。

（八）《六經奧論》曰：「左氏之書，序晉、楚事最詳，如『楚師熸』、『猶拾瀋』等語，則左氏為楚人。」[50]胡念貽曰：「《左傳》的作者採用的史料，晉楚等大國較多，所以敘晉事最詳，楚國次於晉國魯國而居第三位。但是沒有材料證明左氏是楚人。鄭樵所引『猶拾瀋』，見於哀公三年，是魯國富父槐至所說，不是楚語。」[51]

最後，胡念貽總結說：「從先秦到西漢，典籍的流傳有一種特殊情況，就是往往有人增入篇章或竄入一些文字。……由於這種原因，人們總可以從《左傳》中找到個別的例子企圖證明它是戰國時人或漢人所作……然而找來找去只能找到個別的例子。如果從整個作品來看，無論如何不能令人相信它是戰國時人所作，更不要說漢人了。」[52]胡氏理由如下[53]：

（一）《左傳》寫到哀公二十七年為止，可見作者為春秋末年人。如果是戰國人，他會繼續寫下去，寫到戰國時代。戰國西漢時人寫史都是寫到當代為止。魏襄王時的《竹書紀年》和漢代司馬遷的《史記》都是如此，《左傳》不會例外。

（二）《左傳》敘事以魯國為中心，因此，《左傳》應該是魯國人的作品。況且，魯國在春秋時代軍事上和政治上的地位並不很重要，可是它在《左傳》中所佔的篇幅僅次於晉國而居第二位。《左傳》這樣破格地詳細敘述魯事，始終如一地表現一種尊敬自己國家的立場，很清楚地說明作者是魯國人。如果是其他國家的人而模仿魯國人的口氣來寫，中間總難免有疏忽。倘若像一些人所說，作者是戰國時魏人，當時魏國強大，更沒有理由來模仿魯國人的口吻，對微不足道的魯國如此尊敬和親熱。因此，作者一定是魯國人。魯國為周公之子伯禽受封之地，保存了周朝的文化。它的國土不算小，經濟發達，曾經成為當時中國東部地區的一個政治文化中心。春秋末年，產生了文化名人孔子，在魯國聚徒講學，學術文化呈現繁榮景象。《左傳》就是在這樣一個環境中產生的。到了戰國時代，魯國一天天衰弱下去，降為泗上十二諸侯之列，情況大不如前，不具備產生這樣一部大著作的條件。

（三）《左傳》裡面有一些預言，到戰國時代並沒有應驗。《左傳》如果產生在戰國，不應該在書中出現一些這樣不驗的預言。

（四）《左傳》多用「于」字，保存了一種較古的用字習慣。此外，《左傳》不用「與」字作疑問語尾。用「與」字作疑問語尾，起源較晚，《論語》以前文獻不曾用過。這可以證明《左傳》產生於戰國以前。

（五）《左傳》開始將神話傳說中的人物和金木水火土五行配合，但無戰國時興起的「五德終始」之說。

---

50 《六經奧論》，卷4，頁29b。

51 參《中國古代文學論稿》，頁53。

52 同上，頁67。

53 同上，頁68-70。

（六）《左傳》寫騎馬只出現一次，而且是接近春秋末年。可見《左傳》寫於春秋末年，當時尚未有戰國時代「騎萬匹」的情況出現。

（七）《左傳》的行人辭令和《戰國策》的游說之辭，時代色彩不同，可見《左傳》和《戰國策》是不同時代的產物。

趙生群先生《春秋經傳研究》，亦認為《左傳》當為左丘明所作，其理由如下[54]：

（一）從《春秋》、《左傳》的實際情況來看，兩書的作者只能是同時並且關係非常密切的人。例如《春秋》「不書」的事件，內容相當廣泛，情況相當複雜，《左傳》作者面對時間古今懸隔而又千頭萬緒、錯綜複雜的歷史事件，卻能一一指出那些事件是當時曾經發生過而《春秋》作者沒有採錄的，並能對《春秋》不載的這些歷史事件作出補充說明，甚至還能分別各種不同的具體情況，一一揭示《春秋》所以「不書」的原因，這決不是一件輕而易舉的事。《左傳》的作者必須具備兩個條件：一是手中握有孔子作《春秋》時所用的藍本，瞭解《春秋》史料的取捨範圍，另外，還必須對《春秋》的體例瞭如指掌。這兩個條件，如果不是與孔子同時並且關係親密的人，是很難具備的。

（二）《左傳》作者深通《春秋》書例，書中歸納《春秋》凡例之處數以百計，而這些凡例的準確性，甚至遠遠超過《公羊》、《穀梁》。《公》、《穀》兩傳出自孔門傳授，《左傳》居然能與它們鼎足而三，甚至超越於兩傳之上，這絕非出於偶然。

（三）《左傳》中有五十次提及孔子，其中約有三十次引用孔子的話補充、解釋經文。孔子的這些言論，都不見於《公羊》、《穀梁》兩傳，為《左傳》所獨有，可見《左傳》作者與孔子的關係非常密切。

趙先生的結論是：《左傳》為左丘明所作，應屬可信。

此外，下列意見[55]，也很值得我們參考：

（一）崔述（1740-1816）《洙泗考信餘錄》曰：「戰國之文恣橫，而《左傳》文平易簡直，頗近《論語》及《戴記》之《曲禮》《檀弓》諸篇，絕不類戰國時文，何況於秦？襄、昭之際，文詞繁蕪，遠過文、宣以前；而定、哀間反略，率多有事無詞；哀公之末，事亦不備。此必定、哀之時，紀載之書行於世者尚少故爾。然則作書之時，上距定、哀未遠，亦不得以為戰國後人也。」[56]清曾鏞（1748-1821）《復齋詩文集》亦云：「左氏《傳》中，凡以論《春秋》成敗得失之宗旨，此皆縱橫者流所竊笑為迂闊之言，而不屑言者也。」[57]

（二）春秋之時，列國使臣燕饗之際，每喜賦詩見志。燕饗賦詩之事，《左傳》所

---

54 參《〈春秋〉經傳研究》（上海市：上海古籍出版社，2000年），頁73-78。

55 參張高評：《左傳導讀》（臺北市：文史哲出版社，1982年），頁87-99。

56 見《洙泗考信餘錄》，卷3，頁1b-2a，載王灝輯：《畿輔叢書》（石家莊市：河北人民出版社，1986年，景印清光緒五年〔1879〕定州王氏謙德堂刊本）第263冊。

57 見竹添光鴻：《左傳會箋》（臺北市：古亭書屋，1969年），總論頁5。

載甚多，戰國之文則未一之見。

（三）《左傳》一書，敘事議論，歸本於禮。蓋春秋末年，政衰禮廢，《左傳》作者感於世變，故述事論人，一準諸禮。

（四）春秋之世，大權旁落，初則諸侯僭天子，繼而大夫竊諸侯之柄，其後則陪臣據大夫之邑。《左傳》一書，尤傷於陪臣之竊命，蓋感於世變日亟故也。

沈玉成先生（1932-1995）與劉寧女史合著的《春秋左傳學史稿》，在比較了古今學者的研究成果以後，也採用司馬遷和班固（32-92）說，認為《左傳》始傳於春秋末的左丘明。[58]

二

不過，《春秋左傳學史稿》指出，《左傳》記錄春秋的歷史卻涉及了戰國的內容，這是不可否認的事實。[59]現代學者詳盡地勾稽了《左傳》中所有與戰國史事有關的記載，對成書時間做了仔細的推斷。

最早提出確切意見的是衛聚賢先生（1899-1989）。他的《古史研究》論定《左傳》成書在周威烈王元年到二十三年之間，即西元前四二五年到西元前四〇三年之間。上限是通過《左傳》中所稱謚號確定的。在哀十六年、二十六年、二十七年及悼四年，分別提到楚惠王、衛悼公、宋景公、陳成子、趙襄子等卒於戰國者的謚號，其中卒年最晚的趙襄子卒於西元前四二五年，因此他認為《左傳》的成書不可能早於此年。而衛先生又認為關於魏氏預言中的「公侯之子孫，必復其始」只是推測語氣，說明作者只見到晉政萃於三族，還沒有見到三家分晉和各自為侯。他進一步總結出：涉及周威烈王初年以前史事的卜辭都應驗了，而涉及周威烈王初年以後史事的卜辭都沒有應驗，因此《左傳》當成於周威烈王初年。為了進一步印證這個結論，他還採用了數學統計法，計算出《春秋》和《左傳》的敘事頻度，發現《春秋》記事最豐富的年代為孔子卒前的九十餘年，這當是由於史料為作者親見親聞。依此類推，他計算出《左傳》記事最豐富的年代並擇其最高點，減九十年而得《左傳》著者的年代，恰在周威烈王初年，即西元前四二五年的稍後幾年中。[60]

在年代推測上最接近衛先生的是楊伯峻先生，但他不同意衛先生將三家分晉看作是作者不及見的歷史事件。因此他的上限就劃在西元前四〇三年。楊先生在田氏伐齊的意見上則和衛先生大體一致，認為《左傳》作者見到了西元前四七九年的陳桓子無宇專寵

---

58 參《春秋左傳學史稿》（南京市：江蘇古籍出版社，1992年），頁382-399。

59 同上，頁393。

60 衛聚賢先生之說，見《古史研究》第1集（北京市：商務印書館，1931年）及《春秋左傳學史稿》，頁386-387。

於齊莊公，以及其後陳襄子以兄弟宗人盡為齊都邑大夫，有代齊的可能，而沒有見到西元前三八六年的田和為侯，更沒有見到前三七九年的田氏正式代齊。楊先生歸納的結果是，凡涉及西元前三八六年以後史事的預言、占筮都沒有應驗，因此，《左傳》成書的下限當在西元前三八六年。[61]

徐中舒先生（1898-1991）則認為《左傳》的作者不僅見到了三家分晉，而且見到了田氏的正式代齊，因此他對於成書年代的推測又進一步向後推移，定在西元前三七五年到西元前三五二年。理由是：吳季札觀樂預言「鄭先衛亡」，但衛國絕祀遠在鄭亡一百多年之後，兩相比較十分唐突，此處先衛而亡云云當是指西元前三七二年即鄭國滅亡後的第三年，衛國在趙國的進攻下喪師失地，危在旦夕。但西元前三五一年趙、魏在漳水結盟之後，衛國又在趙、魏均勢的夾縫中苟延殘喘。徐先生認為《左傳》的作者顯然只看到前者，而沒有見到後者，以為衛國指日可亡，所以有此預言。因此，《左傳》就當作於趙攻衛至漳水結盟之間，即西元前三七五至西元前三五二年。[62]

朱東潤先生（1896-1988）的推斷與此大致相同，他的依據有三點：一、《左傳》只預見魏的強盛，而沒有預見其衰亡。西元前三四一年魏、齊大戰是魏由盛而衰的轉折點。二、《左傳》預見趙氏世有內亂，而西元前三四七年，公子范襲邯鄲，不勝而死，大亂始定。三、《左傳》記秦事自殽之戰（西元前六二七年）後逐漸減少，因秦與中原曾一度中止會盟，孝公即位後才有所改變。秦孝公即位在西元前三六二年，《左傳》當作於此年之前。朱先生據此推斷，《左傳》作於西元前四世紀初期，也就是西元前四〇〇至西元前三六〇年之間。[63]

趙光賢先生（1910-2003）對預言和占筮做了大致相同的分析，但他是在改編說的前提下進行時間推測的。他認為改編者是戰國人，在改編中對原作加上了解經內容，而且根據已知的歷史事實偽作了預言、占筮附益進去。這個改編工作當在西元前三七五至西元前三五二年之間進行。[64]

此外，《左傳》中的天文記載反映了戰國時代的天文學發展水準。這方面的研究以日本人新城新藏（1873-1938）的成果最有價值。他的《東洋天文學史研究》中有〈由歲星之紀事論《左傳》《國語》之著作年代及干支紀年法之發達〉及〈再論《左傳》之著作年代〉。通過對《左傳》中涉及歲星紀事的有關記載的研究，新城氏發現，《左傳》

---

61 楊伯峻先生之說，見《文史》第六輯（北京市：中華書局，1979年）頁65-75〈《左傳》成書年代論述〉一文、《春秋左傳注》（修訂本）〈前言〉，頁34-41及《春秋左傳學史稿》頁387。

62 徐中舒先生之說，見《左傳選》（北京市：中華書局，1963年）頁363-368及《春秋左傳學史稿》頁387。

63 朱東潤先生之說，見《左傳選》（上海市：上海古典文學出版社，1956年）〈前言〉頁1-5及《春秋左傳學史稿》頁387-388。

64 趙光賢先生之說，見《古史考辨》（北京市：北京師範大學出版社，1987年）頁136-187及《春秋左傳學史稿》頁386。

和《國語》最早的歲星記載為西元前六五五年，歲在大火，最晚為西元前四七八年，歲在鶉火，共跨一百七十八年，其間每一年都可以順序排一個星次，而按照實際的天象，每隔八十五年要超一個星次，即超辰，因為木星繞日一周只需十一．八六年，一百七十八年間當超辰兩次，但《左》、《國》一次也沒有超，可見不是依據實際的星象觀測，而是後代人以某一年為標準推步的。這個標準年是西元前三六六年，這個標準年之後的十幾年，當是《左傳》的創作時代。[65]

《春秋左傳學史稿》認為「戰國說」是現代《左傳》研究的「主流派」，它是對《左傳》本身作進一步深入細緻的探討的結果。[66]

三

經過詳細分析之後，《春秋左傳學史稿》說：「平心而論，春秋說和戰國說，都有合理的內容，也有失於武斷的臆測。」[67]該書嘗試對二說加以彌縫，它說：「只要從先秦古籍特殊的成書情況出發，在這兩種爭論的意見中，是完全可以尋找到共通之處的。」[68]該書認為先秦古籍的成書往往不像漢代以後的書籍，基本由一時一人寫定，而多是經歷了一個口頭流傳的過程之後才形成基本寫定的文本，題名的作者可能是最初的傳授者，也可能是純粹為了「高遠其所從來」而託名的某個古代名人。因此，先秦古書的實際成書時代和實際作者就和題名作者及其時代經常存在著矛盾。[69]

該書指出，許多史書，如《國語》中申叔時答楚王問時提到的《志》、《語》等典章史乘，均與口頭傳誦有密切關係，正如《國語》〈楚語〉所說：「臨事有瞽史之懼，宴居有師工之誦；史不失書，矇不失誦。」這一類歷史文獻顯然是通過瞽矇的傳誦不斷豐富之後才形成比較固定的文本的。春秋末，禮崩樂壞，王綱失墜，私學興起。而私學始傳之人，往往又在原先的諸侯國有專門的職守，《漢書》〈藝文志〉〈諸子略〉所謂儒家出於司徒之官，道家出於史官，陰陽家出於羲和之官等，雖不必盡符實際，但諸子之學出於王官，現在已經基本成為定論。以諸子學為特色的私學，保留了口頭傳誦的授受習慣，一門之內，往往學傳數代之後，才開始寫定自己的代表著作。因此，佔先秦古籍百分之九十的私學著作，真正形成比較固定的文本，要到戰國中期以後。但題名作者卻往往還是始傳之人，這並非完全是出於尊師的考慮，因為始傳者勾勒了學說的輪廓，奠定

---

65 新城新藏之說，見新城氏著、沈璿譯：《東洋天文學史研究》（上海市：中華學藝社，1933年）頁369-451及《春秋左傳學史稿》頁388-389。

66 《春秋左傳學史稿》頁383。

67 同上，頁393。

68 同上，頁393-394。

69 同上，頁382。

了基本的雛型，其在成書中的地位，是任何一個後學所無法比肩的。[70]

《春秋左傳學史稿》認為用這樣的觀點看《左傳》的成書，許多問題就可以豁然貫通。《左傳》的出現是王官之學漸衰而私學漸興的特殊時代產物，目的是為已經由魯史記變成儒家重要文獻的《春秋》提供解釋。該書指出，徐中舒先生曾聯繫《國語》關於瞽矇的記載推測：「當時有兩種史官，即太史與瞽矇。他們所傳述的歷史，原以瞽矇傳誦為主，而以太史的記錄幫助記憶，因而就稱為瞽史。所謂『史不失書，矇不失誦』，即史官所記錄的簡短的歷史，如《春秋》之類，還要通過瞽矇以口頭傳誦的方式，逐漸補充豐富起來。」這一設想在文獻中雖沒有明確的依據，但徐先生在少數民族中得到了佐證。他引用李家瑞先生的《記雲南幾個民族記事表意的方法》作為立論之據。李先生對卡瓦族傳授歷史的方式進行了仔細的調查，發現卡瓦族有一種傳代記事性質的木刻。該族在每年第一次吃新米的時候，都召集全村老小一齊嘗新，由年老的人口頭傳述本村歷史，傳述時會拿出歷代相傳的一根木刻。木刻兩側刻著許多刻口，每個刻口代表著一樁事件。刻口深的，表示重大事件；淺小的表示事件輕小。講述的老人主要是指示給族人某一刻口是記本村的某事或與某村人結下仇怨，已經報復過抑或未報復過，其目的是要族人記著仇怨不忘報復。而村中其他事件也借這個機會，口耳相傳延續下去。徐中舒先生指出，漢族不同於卡瓦族的，僅僅在於用專職的瞽矇代替了長老，用《春秋》這樣的簡短記事代替了木刻。瞽矇傳誦的歷史經後人記錄下來稱為「語」，如《國語》就是記錄各國瞽矇傳誦的總集。[71]

《春秋左傳學史稿》說：依據這個分析，可以推斷，最初傳授《左傳》的人應該是個史官。他不僅有條件看到大量史料，而且保留了史官傳統的解說《春秋》的方式。所不同的是，他用以解說的史料，已非全部得之口傳，還兼采各國史乘。他匯萃眾史，卻沒有立即書之於竹帛，而以口授的方式傳給門人。《左傳》雖然出於史官，卻始終是儒家內部的私人授受之學。在《國語》中已有「君子曰」之語，說明瞽矇傳誦史事的同時，已經有了議史論史的習慣。《左傳》繼承這個傳統，在口授史事的過程中加入一些有關《春秋》書法、凡例的解說，以及評論史事的「君子曰」、「仲尼曰」。《左傳》在口頭上代代傳誦，經歷了一個比較長的時期。這期間，內容和語言逐步豐富。今天見到的那些屬於戰國時代的史事，大概是在這個過程中加入的，而語言風格上接近戰國的那些文字，也可能是在流傳乃至寫定時受到戰國文風的影響而出現的。清初顧炎武（1613-1682）認為《左傳》成非一時，作非一人，大體上道出了《左傳》成書的實際情況。至於《左傳》的寫定，則很難定出比較確切的年份，文獻只能證明最晚在戰國後期，《左傳》已經寫定並流布。持戰國說的學者不遺餘力地從預言中勾稽線索，但同樣的材料可

70 同上，頁394。案：《春秋左傳學史稿》所引「臨事有瞽史之懼」，當作「臨事有瞽史之導」。

71 同上，頁394-396。

以有不同理解，且據一、二證據而對寫定年代作明確具體的限斷，說服力也不夠。《春秋左傳學史稿》認為，在文獻所提供的證據不足以得出明確結論的情況下，不妨概略地說：《左傳》始傳於春秋末，而最後寫定於戰國中期以前。[72]

根據目前的研究，《春秋左傳學史稿》「《左傳》始傳於春秋末，而最後寫定於戰國中期以前」的說法，大致是合理的。但該書說最初傳授《左傳》的人沒有立即書之於竹帛，而以口授的方式傳給門人，卻不一定可信。我想《左傳》那樣一部十九萬餘字首尾一貫的歷史巨著，篇幅之大，牽涉歷史細節之多，如何可用口授的方式傳給門人？本文首段所引《觀周篇》已指出：「孔子將脩《春秋》，與左丘明乘，如周，觀書於周史，歸而脩《春秋》之《經》，丘明為之《傳》，共為表裡。」司馬遷《史記》〈十二諸侯年表〉也說：「魯君子左丘明，懼弟子人人異端，各安其意，失其真，故因孔子史記，具論其語，成《左氏春秋》。」根據〈觀周篇〉和《史記》，左丘明是《左傳》（或稱《左氏春秋》）的作者。《春秋左傳學史稿》說，該書處理文獻資料的基本態度是：「凡屬史有明文的記載而發現含混和矛盾，提出懷疑、探討是完全必要的。但是，探討的結果如果缺乏足以否定原始記載的確切證據，……或者是對懷疑者的持論可以提出同樣充分的不同意見，那麼對文獻的原始記載就應該採取慎重態度，維持成說或至少保留成說。」因此，該書對「左丘明始傳《左氏春秋》的記載」，「在比較了古今學者的研究成果以後」，「依然採用司馬遷和班固的記載」。[73]該書說「最初傳授《左傳》的人沒有立即書之於竹帛，而以口授的方式傳給門人」這一說法，顯然並非出於司馬遷和班固的記載，是一種臆說。

四

《左傳》作者及其成書年代，本為經學史之問題，近世文學史之研究勃興，於是同時成為文學史之問題。文學史中有關《左傳》作者及成書年代之論述，或謂春秋末年，或以為戰國，或不置可否，或另有他說，茲就所見，表列如下：

72 同上，頁396-397。

73 同上，頁398-399。

春秋	戰國	另有說法／不置可否
1. 羊達之《中國文學史提要》（臺北市：正中書局，1937年初版，1961年臺三版，頁11）：從《史記》說。	1. 陸侃如、馮沅君《中國文學史二十講》（濟南市：山東畫報出版社，2007年，頁14-15）[74]：「《左傳》與《國語》敘事皆下及戰國，則舊說之誤可知。」	1. 梁容若《中國文學史研究》（臺北市：三民書局，1967年，頁28）：康有為、崔適均以為《左傳》曾經劉歆、杜預有計劃竄亂改編。
2. 陳柱《中國散文史》（上海市：商務印書館，1937年，頁32-43）：引述《漢書》左丘明作《左傳》之說，並以劉歆本《國語》編次《左傳》為非。	2. 陸侃如、馮沅君《中國文學史簡編》（修訂本）（北京市：作家出版社，1957年，頁42）：「從書中所記史事及所用語言看來，它們（引者案：指《左傳》和《國語》）是戰國中年兩個不同的作者所寫的兩部不同的書。作者姓名無從考知，但不是春秋末年的左丘明是可以斷定的。」	2. 柳存仁《上古秦漢文學》（臺北市：臺灣商務印書館，1967年，頁104-105）：問題繁博冗瑣，有待補釋董理。
3. 錢基博《中國文學史》（北京市：中華書局，1993年，頁24）[75]：本馬、班之說，謂左丘明作《左傳》。	3. 詹安泰、容庚、吳重翰編《中國文學史（先秦、兩漢部分）》（北京市：高等教育出版社，1957年，頁89-90）：左氏或非丘明，《左傳》「大抵是戰國時代一個偉大的歷史散文家，或者就是傳春秋之學的散文家所寫作的。它的成書時期，當在《論語》之後，是可以相信的。」	3. 馮克正《中國古代文學講析（先秦兩漢文學）》（哈爾濱市：黑龍江教育出版社，1988年，頁115-116）：「關於《左傳》的作者和成書年代問題，司馬遷和班固都有明確的論斷。認為《左傳》的作者是左丘明，並說他是魯國的史官。……但唐以後很多學者提出異議，否定左丘明是《左傳》作者的說法。我們認為司馬遷和班固必有所據。所以還是沿

74 是書原名《中國文學史簡編》，初版於一九三二年。

75 是書於一九三九年用作湖南藍田國立師範學院教材，曾在藍田印行。

春秋	戰國	另有說法／不置可否
		襲這種傳統說法，認為《左傳》的作者是左丘明。《左傳》成書時間大約在春秋末年或戰國初年。」
4. 劉麟生《中國文學史》（香港：南島出版社，1956年，頁44）：左邱明替《春秋》做傳；近人有疑《左傳》著者非左邱明。	4. 劉大杰《中國文學發展史》（香港：三聯書店，1992年，據中華書局上海編輯所1962年版重印，頁70）：「我們可以說《左傳》是出於戰國初期，作者是失名了。」	4. 譚家健、鄭君華主編《先秦散文綱要》（臺北市：明文書局，1991年，頁50-51）：作於春秋末戰國初，作者是魯君子左丘明。
5. 復旦大學中文系古典文學組學生集體編著之《中國文學史》（上海市：中華書局，1958年，頁51）：《左傳》相傳是左邱明所作。	5. 葉慶炳《中國文學史》（臺北：著者自刊，1966年，1971年四版，頁21）：「至戰國時代，隨書寫工具與文字技巧之進步，史傳散文亦有高度之發展。《左傳》、《國語》、《戰國策》之出現，為我國敘事文樹立起模楷。《左傳》，司馬遷以為左丘明作。……然不詳左丘明究為何許人。」	5. 陳玉剛《中國文學通史簡編》（北京市：大眾文藝出版社，1992年，頁83）：列馬、班說及劉歆偽作、戰國時人輯成之說。
6. 易君左《中國文學史》（香港：自由出版社，1959年，頁70-71）：魯國太史左丘明根據《春秋》綱目而作《左傳》。自王安石以次，很多學者懷疑《左傳》不是左丘明所作。不是講考據學，《左傳》的真偽和作者且不管它。	6. 華仲麐《中國文學史論》（臺北市：臺灣開明書店，1975年，頁25）：假設《左傳》作者是戰國時代的一位文史家。	6. 趙明主編《先秦大文學史》（長春市：吉林大學出版社，1993年，頁624-626）：最後寫定或許在戰國初期，但不能因此否認其最初編撰與傳授者為左丘明。

春秋	戰國	另有說法／不置可否
7. 黃乾、沈英名《中國文學史話》（臺北市：僑民教育函授學校，1959年，1963年四版，頁28-29）：認為《國語》和《左傳》，皆左丘明所作。	7. 徐北文《先秦文學史》（濟南市：齊魯書社，1981年，頁115-117）：《左傳》作者蓋是戰國初年的一位史官。	7. 姚海燕、張鑫《中國文學史簡編》（長沙市：國防科技大學出版社，2002年，頁283）：「不管是否為左氏所書，它都是春秋、戰國之際上承《尚書》、《春秋》，下啟《戰國策》、《史記》的無可替代的優秀的歷史散文著作。」
8. 鄭振鐸《插圖本中國文學史》（北京市：文學古籍刊行社，1959年，頁79）：《左氏傳》為左邱明作。	8. 北京師範大學中文系古典文學教研室編寫《簡明中國文學史》（北京市：北京師範大學出版社，1984年，頁22）：「從書中所記皆為春秋時代的史實這點看來，當是戰國時人根據春秋時代各國史料編撰而成。」	8. 錢華、熊忠武《中國文學初步》（廣州市：廣東人民出版社，2003年，頁21）：《左傳》作者是魯人左丘明，成書年代在春秋末至戰國初。
9. 馮明之《中國文學史提綱》（香港：上海書局，1960年，頁15）：相傳是春秋時期左丘明所作。	9. 姜書閣《中國文學史綱要》（杭州市：浙江大學出版社，1984年，2006年修訂版，頁44）：「相傳與孔子同時的魯國太史左丘明，采各國史記，作《左傳》……究竟這位作者是否孔子同時的左丘明，……學者意見不一。但就這書的文章風格及其敘事內容來看，這個左氏大概是戰國時人」。	9. 宋尚齋《中國古代文學史綱》（北京市：北京語言大學出版社，2003年，頁19）：「《左傳》的作者，司馬遷和班固都說是左丘明……有人認為這個左丘明就是《論語》中提到的與孔子同時的左丘明。唐以後學者多有異議，但其作者是一個充分掌握春秋時代各諸侯國史料的學者則毫無疑問。」
10.夏函《簡明中國文學史》（新加坡：青年書局，1962年初版，1973年新三版，頁14）：引《史記》	10.褚斌杰《中國文學史綱要》（北京市：北京大學出版社，1986年，頁121）：「現代一般人都傾	10.鄭永曉《散文史話》（臺北市：國家出版社，2004年，頁30）：列出左丘明作、劉歆偽造、戰國時人

春秋	戰國	另有說法／不置可否
說，又謂《左傳》可能不會全是左丘明作的，有經後人增補。	向於認為《左傳》一書是戰國初年時代的作品。作者已無確考。」	輯錄等三種說法，不下判斷。
11.尹雪曼《中國文學概論》（臺北市：三民書局，1975年，頁161）：左丘明除了《左傳》外，還著有《國語》一書。	11.游國恩等主編《中國文學史》（香港：中國圖書刊行社，1986年，頁49）：「《左傳》記事到智伯滅亡為止，它的作者顯然是戰國初年或稍後的人。」	11.陳飛主編《中國古代散文研究》（福州市：福建人民出版社，2005年，頁133-134）：有關《左傳》作者、成書年代等問題不屬介紹重點；讀者可以閱讀沈玉成、劉寧所著的《春秋左傳學史稿》。
12.李道顯《中國文學發展探源》（臺北市：文史哲出版社，1981年，頁50）：明言左丘明作《左傳》，與《公羊傳》、《穀梁傳》補充敘述《春秋》經。	12.王文生主編《中國文學史》（北京市：高等教育出版社，1989年，頁71）：「現代一般學者都認為，《左傳》的作者當是戰國初年或稍後的某位掌握了春秋時代諸侯各國史料的學者，這說法是可信的。」	12.姚曼波、王錫九《中國古代文學實用教程》（南京市：南京師範大學出版社，2006年，頁32-33）：成書於春秋末戰國初，經左丘明及戰國初人加工增補而成。
13.陳玉剛《簡明中國文學史》（西安市：陝西人民出版社，1985年，頁18）：「《左傳》是春秋時代的魯國的編年史，是為解釋《春秋》而作的，其作者相傳是魯國人左丘明。」	13.于非主編《中國古代文學教程》（北京市：高等教育出版社，1989年，2009年第2版，頁44）：《左傳》成書於戰國時代。「一般認定《左傳》是戰國時人以《春秋》為綱，依照它的編年體制，廣泛搜集和參考當時各種史籍，根據自己的史學觀點寫成的一部獨立的歷史著作。其人是誰，難於考證了。」	13.李措吉主編《中國散文》（上海市：同濟大學出版社，2007年，頁39）：「作者不確，相傳為春秋時左丘明所作，今人也多以為並非成於一人之手。」
14.傅慶升、許玉琢、張人和主編《中國古典文學》	14.江西大學中文系編寫《中國文學史》（南昌	14.章培恒、駱玉明主編《中國文學史新著》（增

春秋	戰國	另有說法／不置可否
（上）（瀋陽市：遼寧教育出版社，1987年，頁67）：從馬、班說。	市：百花洲文藝出版社，1991年，頁42）：「近人多認為是戰國初年人據各國史料編成。至於名為『左氏』，傳為『左丘明』，則乃托名前賢，為前秦古書的常例。」	訂本）（上海市：復旦大學出版社，2007年，頁79）：「《左傳》的作者，《史記》、《漢書》都說是左丘明，唐代啖助、趙匡等疑之，至今尚無定論。」
15.劉毓慶《古樸的文學》（太原市：北岳文藝出版社，1988年，頁351）：相傳為魯太史左丘明所作。左丘明的著作，先秦時稱作《春秋》，西漢時，為了有別於孔子所作的《春秋》，故又稱為《左氏春秋》。古文學派為了與今文學派爭衡，生將《左傳》與孔子《春秋》扯在一起。	15.蔡守湘主編《先秦文學史》（武昌市：武漢大學出版社，1992年，頁122）：「今之學術界多認為是戰國初期一位學術淵博、才能出眾，充分掌握了春秋時代列國史料的學者所著。」	15.郭預衡《中國散文史》（上海市：上海古籍出版社，2011年，頁90-91）：「至於作者，說是與孔子同時的左丘明，固然可疑」，「編者可能是儒家一派的學者，也可能不是成於一人、定於一時，至於名為『左氏』，傳為『左丘明』，則托名前賢，乃是先秦古書的常例，不足為奇。」
16.劉持生《先秦兩漢文學史稿》（西安市：西北大學出版社，1991年，頁77-80）：左氏乃與孔子同時的魯太史，其後吳起、鐸椒、虞卿對《左傳》屢有修補，「君子曰」、「書曰」、「凡例」乃後人增添。	16.楊子堅《古代文學史簡編》（南京市：南京大學出版社，1993年，頁19）：「後人考證，此書係戰國初年無名氏所著。」	16.陳興蕪、傅德岷《中國古代散文流變史稿》（北京市：中華書局，2013年，頁49）：成書於春秋末戰國初。
17.譚丕模《中國文學思想史合璧》（北京市：北京師範大學出版社，1994年，頁382）：司馬遷說大致是可靠的。	17.聶石樵《先秦兩漢文學史稿：先秦卷》（北京市：北京師範大學出版社，1994年，頁224-227）：《左傳》的作者，相傳是左丘明。但《左傳》之最後成書則可能出於子夏門人之手。	

春秋	戰國	另有說法／不置可否
18.江增慶《中國文學史》（臺北市：五南圖書出版有限公司，1995年，頁22）：司馬遷以為左丘明為闡釋《春秋》而作。	18.漆緒邦主編《中國散文通史》（長春市：吉林教育出版社，1994年，頁69）：引用楊伯峻說，以作者為戰國時期的儒家別派，成書的時間已屆戰國中期，大約不早於西元前四世紀六十年代。	
19.張夢新主編《中國散文發展史》（杭州市：杭州大學出版社，1996年，頁23）：劉歆偽造論證據不足，不妨仍依舊說，餘論存疑。	19.劉振東主編《中國分體文學史（散文卷）》（青島市：青島海洋大學出版社，1995年，頁30）：「司馬遷和班固都認為作者是與孔子同時的魯國史官左丘明，後人對此提出懷疑，今多認為成書於春秋戰國之交，後人又有所增益，……具體作者難以確考。」	
20.郭預衡主編《中國古代文學史》（上海市：上海古籍出版社，1998年，頁70）：「看來《左傳》……並非出於一人之手。但既以左氏為名，與之當有某種關係。說其中部分史料可能出於左丘明傳誦，大概比較可信。」	20.林庚《中國文學簡史》（北京市：北京大學出版社，1995年，頁55）：「《左傳》的作者相傳是與孔子同時的左丘明，但現在大多數人則相信這是戰國時期的作品。」	
21.褚斌杰、譚家健主編，王景琳等著《先秦文學史》（北京市：人民文學出版社，1998年，頁188-189）：馬、班說始終佔有主導地位。	21.章培恒、駱玉明主編《中國文學史》（上海市：復旦大學出版社，1996年，頁109）：「現在一般人認為是戰國初年無名氏的作品。」	

春秋	戰國	另有說法／不置可否
22.李瑩瑜、張靜雯合編《中國文學史重點整理》（臺北市：鼎茂圖書出版有限公司，2001年，頁68）：「《左傳》的作者，司馬遷在《十二諸侯年表序》裡說：『魯君子左丘明懼弟子人人異端，各安其意，失其真，故因孔子史記具論其語，成《左氏春秋》。』但是左丘明的生平事蹟皆不詳，於是後世便有學者提出異議，但現今仍以左丘明作傳的說法為主。」	22.裴斐主編《中國古代文學史》（北京市：中央民族大學出版社，1996年，頁42）：「現代學者大多認為作者是戰國初年一位充分掌握各國史料的學者。」	
23.許有強主編《中國文學史簡編》（上海市：中國紡織大學出版社，2002年，頁17）：其書以左氏命名，可能是左丘明曾參加過寫作，後人又增添補充。	23.張三通《先秦文學史》（臺北縣新莊市：經史子集出版社，1998年，頁122）：「《左傳》記事到智伯滅亡為止，所以它的作者顯然是戰國初年或稍後的無名氏作者。」	
24.郭預衡主編《中國古代文學史簡編》（上海市：上海古籍出版社，2003年，頁37）：《左傳》作者實難確指；既以《左氏》為名，或與「左氏」有某種關係；大部分史料可能出於左丘明的傳誦，大概比較可信。	24.王文清《先秦文學研究》（天津市：天津古籍出版社，1998年，頁320-327）：「古今學者根據《左傳》的內容，通過大量具體事例的分析，徹底否定了上述第一種即左丘明作《左傳》的傳統說法，認為《左傳》作於戰國時人，其觀點是有說服力的。……其成書年代當在戰國初或稍後一些。」	

春秋	戰國	另有說法╱不置可否
25.董乃斌、錢理群主編《中國文學史》（貴陽市：貴州人民出版社，2004年，頁28）：相傳作者為左丘明。	25.徐季子、姜光斗主編《中國古代文學》（上海市：華東師範大學出版社，2000年，頁16）：「近人一般認為是戰國初年的作品，作者已無從確考。」	
26.曹道衡、劉躍進《先秦兩漢文學史料學》（北京市：中華書局，2005年，頁122-126）：述《史記》左丘明成《左氏春秋》之說，並重點批駁以《左傳》記述知伯之亡為後出之證據等問題。	26.趙義山、李修生主編《中國分體文學史：散文卷》（上海市：上海古籍出版社，2001年，頁15）：《左傳》「大約成書於戰國之初。」「其作者相傳為春秋時左丘明，但歷來對此多有異說。現在看來，《左傳》作者實難確指。它並非成於一人之手，但既以『左氏』為名，應與『左氏』有某種關係。說其中部分史料可能出於左丘明傳誦，大概比較可信。」	
27.慶振軒主編《中國文學史發展綱要》（蘭州市：蘭州大學出版社，2007年，頁47-48）：採馬、班之說，推斷《左傳》成書大約在春秋末年。	27.孫靜、周先慎《簡明中國文學史》（北京市：北京大學出版社，2001年，頁50）：「經近人考證，一般認為它出於戰國初年的一位熟悉春秋時代史料的人之手，是一部獨立的編年史著作。」	
28.郭預衡主編《中國古代文學史長編》（上海市：上海古籍出版社，2007年，頁242）：《左傳》作者實難確指；既以《左	28.袁行霈主編《中國文學史》（北京市：高等教育出版社，2003年，頁98，113-114）：「今人一般認為此書大約成書於戰國早	

春秋	戰國	另有說法／不置可否
氏》為名，或與「左氏」有某種關係；大部分史料可能出於左丘明的傳誦，大概比較可信。	期，最後編定者是一位儒家學者。」「《左傳》的著者也許不一定是與孔子同時的左丘明，但《左傳》不是一部偽書，寫定於戰國初期，是學術界普遍認同的看法。」	
29.方銘《戰國文學史論》（北京市：商務印書館，2008年，頁146-149）：「我們不排除《左傳》經曾申、吳起、吳起子期加工的可能性」，「《左傳》成書後，仍然多次被人改編，其中竄入戰國稍晚的部分內容，也在情理之中。如果據此否定司馬遷、班固等人的說法，顯然是草率的。」	29.鮑鵬山主編《中國古代文學通論》（上海市：上海古籍出版社，2003年，頁34）：成書於戰國初年，其作者已不可確考。	
30.趙逵夫主編《先秦文學編年史》（北京市：商務印書館，2010年，前言頁30）：「春秋時代最傑出的瞽史為左丘明。他的《左氏春秋》從敘事文學的範圍說，也達到了當時的最高峰。」	30.羅宗強、陳洪主編，張峰屹等著《中國古代文學發展史》（天津市：南開大學出版社，2003年，頁89）：「《左傳》的作者應當是戰國初年或稍後熟知歷史掌故的人。」	
31.吳守琳《中國古典文學史》（北京市：社會科學文獻出版社2014年，頁288）：「《左傳》是左丘明在孔子寫的編年史《春秋》的基礎上，加上重要史實、人物和戰役、戰爭等大事撰寫而成。……後	31.張炯主編《中華文學發展史：上世史》（武漢市：長江文藝出版社，2003年，頁133）：《左傳》作於《春秋》成書之後，當然是戰國時期的著作；作者左丘明，當然可從春秋生活到戰國時期。	

春秋	戰國	另有說法／不置可否
來，晉朝的杜預把戰役、逸聞插入編年史中，合成一本書，就是今天的《左傳》。」		
	32.楊淼林主編《中國古代文學史綱與名篇欣賞》（上海市：復旦大學出版社，2004年，頁157）：「大抵該書作者是戰國初年或稍後熟知歷史掌故的人。」	
	33.胥洪泉《中國古代散文簡史》（重慶市：西南師範大學出版社，2005年，頁15-16）：今人多認為是戰國初年的史學家根據各諸侯國的史料編撰而成；又引徐中舒、楊伯峻說，謂二者意見「為學術界所接受」。	
	34.郭丹《中國古代文學史專題》（北京市：學林出版社，2005年，頁31-34）：引馬、班之說，謂劉歆偽造說「殊為無據，已為眾多學者所駁斥」，認為「《左傳》成書於戰國中前期」。	
	35.譚家健《中國古代散文史稿》（重慶市：重慶出版社，2006年，頁59-60）：「目前，學者們認定由左丘明始作而由戰國中期人寫定。」	

春秋	戰國	另有說法／不置可否
	36.袁世碩、張可禮主編《中國文學史》（北京市：中國人民大學出版社，2006年，頁67）：「戰國時有孔門後學以《春秋》為綱，據左丘明的口誦記錄，參以其他史料，作成《左傳》。其成書當在戰國初期或前期。」	
	37.韓傳達、隋慧娟《中國古代文學基礎》（北京市：北京大學出版社，2006年，頁22）：「現在一般認為是戰國後期的學者根據春秋時的史料編輯而成的。」	
	38.王國瓔《中國文學史新講》（臺北市：聯經出版事業股份有限公司，2006年初版，2014年修訂版，頁113）：《左傳》「並非成於一人之手……大約成書於戰國初年，與《國語》之成書同時或稍後」。	
	39.王澧華主編《中國古代文學》（北京市：商務印書館，2007年，頁17）：「現代學者多認為成書於戰國早期，與《春秋》有一定關聯，編撰者已不可考。」	
	40.北京師範大學文學院組編《中國古代文學史》（北京市：北京師範大學出版社，2008年，頁	

春秋	戰國	另有說法／不置可否
	40）：「今人一般都認為《左傳》成書於戰國早期，編撰者難以考證。」	
	41.陳洪主編《古代文學基礎》（北京市：北京大學出版社，2008年，頁40）：「《左傳》的作者應當是戰國初年或稍後熟知歷史掌故的人。」	
	42.馬積高、黃鈞主編《中國古代文學史》（北京市：人民文學出版社，2009年，頁62）：「當今學者一般認為《左傳》成書於戰國初年智伯滅亡之後，作者已無法考定。」	
	43.李敬一《中國文學史．先秦兩漢文學史》（武昌市：武漢大學出版社，2009年，頁115）：《左傳》的作者當是戰國初年或稍後的某位掌握了春秋時代諸侯各國史料的學者。	
	44.陳文新主編《中國古代文學》（北京市：北京大學出版社，2010年，頁40）：「《左傳》大約成書於戰國初年，與《國語》的成書同時或稍後。」	
	45.駱玉明《簡明中國文學史》（香港：三聯書店，2010年，頁45）：「現在一般人認為是戰國初年無名氏的作品。」	

春秋	戰國	另有說法／不置可否
	46.中國社會科學院文學研究所編《中國文學史》（北京市：知識產權出版社，2010年，頁51-52）：《左傳》「最後附錄魯悼公四年（前453）事一條，寫到晉國韓氏魏氏滅知伯的事。書的編寫大約也在這個年代。……它是戰國初年的人根據春秋時代各國史料所編寫出來的。」	
	47.韓高年《一本就通：中國文學史》（臺北市：聯經出版事業股份有限公司，2011年，頁9）：「大部分學者認為《左傳》……是戰國初年的史官在春秋時瞽史（盲人史官）講誦底本的基礎上編成的。」	
	48.史仲文、胡曉林主編《中國全史．文學卷》（北京市：中國書籍出版社，2011年，頁147）：從葉夢得《春秋考》「戰國周秦之間人」說，認為《左傳》乃戰國初年作品。	
	49.周建忠主編《中國古代文學史》（南京市：南京大學出版社，2013年，頁38-39）：「前人認為它是為傳述《春秋》而作，作者為魯國人左丘明。近人	

春秋	戰國	另有說法／不置可否
	以為非一人一時之作，於戰國初編定成書。」	

從上表可見，文學史書認為《左傳》成書於戰國者最多，正如《春秋左傳學史稿》所說，「戰國說」是現代《左傳》研究的主流派。不過，筆者還是贊同胡念貽先生和趙生羣先生的說法：《左傳》作於春秋末年，後人雖有竄入一些戰國的東西，但它還是基本上保存了原來面目。根據西漢本《孔子家語》〈觀周篇〉和《史記》〈十二諸侯年表〉，《左傳》的作者是左丘明，否定他的人都提不出確鑿的證據，無法把舊說推翻。相信大家把本文第一節特別是最末的部分再細讀一遍，都會同意此一結論。

文獻學研究

呂大臨生平與撰錄考辨

文碧芳
武漢大學哲學學院教授

提要

呂大臨既是張載關學中的傑出弟子，又是程門著名的「四先生」之一，他實際上肩負著兼傳張程關洛二學的使命，其在宋明理學史上有著極為特殊而又重要的地位，但由於他現存作品的大部分篇章是撰錄於關學階段還是撰錄於洛學時期的年代卻不詳，故本文試圖對呂大臨的生平和其現存所撰所錄主要作品的大致時間作一考證與辨析，以期對他與張載之關學、二程之洛學之間的關聯有所揭示和探明。

關鍵詞：呂大臨　關學　洛學　《禮記解》

一

呂大臨，字與叔，號芸閣，生於宋仁宗慶曆六年（1046），卒於宋哲宗元祐七年（1092），其祖上是汲郡（今河南汲縣）人，因其祖父太常博士呂通葬于藍田（今陝西藍田縣），遂為藍田人。後人把呂大臨與其兄呂大忠、呂大均合稱為「藍田三呂」，「藍田三呂」是張載關學中的著名弟子，張載去世後，他們又問學於二程，在二程門下，呂大臨與謝良佐、楊時、遊酢並稱為「四先生」。

在宋明理學史上，呂大臨似乎並非理學大家，加之其壽不永，英年早逝，故往往被人們所忽視，認為其不足道也。例如元脫脫在修《宋史》時，特立《道學傳》，並將其置於《儒林傳》之前，有宋一代道學主要人物周、張、程、邵、朱及其門人等幾乎全都在冊，卻沒有呂大臨；近代以來，學術界一般視呂大臨為二流或三流的理學家而不值得研究，因此也幾乎沒有專門探討呂大臨思想的著作。然而，作為張載關學弟子，呂大臨不僅是張載關學弟子中的最為傑出者，而且還是張載關學弟子中唯一有著作傳世者；而作為二程門人，呂大臨不僅是程門舉足輕重的「四先生」之一，而且他那些或撰或錄於洛學階段的《中庸解》、《東見錄》、〈識仁篇〉、《論中書》、〈克己銘〉等則更不容輕忽，因為這些篇目在長達六百年的宋明理學時期一直備受理學家們的關注，而發生在宋明時期的許多重要的思想爭論幾乎都擺脫不了與這些篇目的牽連。因此，呂大臨實際上肩負著兼傳張程關洛二學的使命，其在宋明理學史上有著極為特殊而又重要的地位。

呂大臨先後從學於張載和二程，其為學儘管呈現出明顯的階段性，但由於他現存作品的大部分篇章所撰所錄的年代不詳，故學界尚未能很好地將這階段性呈現出來。換言之，如果不能弄清這些作品是撰或錄於關學階段還是洛學時期，那麼，我們不僅不能瞭解和把握呂大臨與張載之關學、二程（特別是大程）之洛學之間的實質關聯，而且亦無法揭示和探明關學與洛學的關係、關學的洛學化以及呂大臨思想自身的發展過程和整體面貌等問題。因此，我們實有必要對呂大臨的生平和其現存所撰所錄主要作品的大致時間作一細緻的考證、辨析和澄清。[1]

1　《藍田呂氏遺著輯校》（北京市：中華書局，1993年版）一書是陳俊民先生花費五年時間收集、輯校與整理而成的，此書前有他所撰〈關於藍田呂氏遺著的輯校及其《易章句》之思想〉一文，此文對呂大臨的生平與著作有所考辨，在此文中陳俊民先生認為：「《易章句》、《禮記解》、《論語解》、《孟子解》，從其內容看，很可能就是呂大臨三十一歲以前，親炙張載時所作。」除接受陳俊民先生的《易章句》為呂大臨從學張載時所作的看法外，筆者認為，呂大臨其他幾篇作品特別是《禮記解》並非他三十一歲以前親炙張載時所作，故本文特加辨析。龐萬里的《二程哲學體系》（北京市：北京航空航天大學出版社，1992版）一書中最後附有一文，該文對《二程集》（王孝魚點校，北京市：北京中華書局，1984版）中所收入的《中庸解》一卷亦即《河南程氏經說》卷第八為呂大臨所作而非大程所撰作了辨析，除外證外，他的內證主要是從二程特別是大程思想出發所作的辨析；相對之下，本文所作的辨析則主要是從呂大臨本人的思想出發，而張載與二程之間的思想關係以及他們對

二

呂大臨父呂蕡，曾為比部郎中，教子六人，五子登科。呂大臨兄弟中，今有史可考的有長兄呂大忠（進伯）、仲兄呂大防（微仲）、三兄呂大均（和叔），三人及第後皆任職為官，其仲兄呂大防曾位居丞相，為一代名臣。因呂大臨以門蔭入官，故人們一般認為他「不應舉」，但其兄稱他「登科者二十年而始改一官，居文學之職者七年而逝」，[2]其兄之說應更為可信。按「與叔年四十七」[3]推算，呂大臨在二十歲時即登進士第，四十歲時以父蔭入官，為太學博士、秘書省正字。正因為他既登進士第，卻以門蔭入官，他人問其故，呂大臨答道：「不敢掩祖宗之德。」[4]

呂大臨進士及第之後二十年沒有任職為官，主要從張載和二程問學。呂大臨師事張載的時間當在宋神宗熙寧三年（1070）至宋神宗熙寧十年（1077）之間，因這一段時間張載辭官歸居橫渠故里，講學關中，呂大臨與其兄呂大均、呂大忠問學於張載，遂成為關學中的中堅人物。張載曾稱讚道：「呂、范過人遠矣，呂與叔資美。」[5]

宋神宗熙寧十年（1077），張載去世，呂大臨時年三十一歲。宋神宗元豐二年（1079），呂大臨前往扶溝從二程問學，《程氏遺書》中「既重要而分量又最多」[6]的第二卷的內容，就是這一年呂大臨東見二程時所記錄的二程之語。次年（1080），呂大臨又陪同程頤在關中講學，程頤曾作《雍行錄》以志之。呂大均、呂大忠也先後問學於二程。宋哲宗元祐元年（1086），程頤「以布衣被召」，任崇政殿說書。是年，呂大臨也以門蔭入官，為太學博士。因同在京城，故呂大臨能常從程頤問學，程頤在〈答呂進伯簡三〉中稱：「與叔每過從，至慰至幸。」[7]

宋哲宗元祐七年，「范祖禹薦其好學修身如古人，可備勸學，未及用而卒」。[8]其兄作〈祭文〉稱：「子之學，博及群書，妙達義理，如不出諸口；子之行，以聖賢為法；其臨政事，愛民利物，若無能者；子之文章，幾及古人，薄而不為。」[9]有人在挽詩中稱他「曲禮三千目，躬行四十年」。[10]蘇軾也曾作〈呂與叔學士挽詞〉云：「言中謀猷行

呂大臨思想所起到的具體影響，則不在本文的探討範圍之內，這一內容只能留待以後進一步的探討。

2 〔宋〕呂大防：《伊洛淵源錄藍田呂氏兄弟》〈祭文〉，《藍田呂氏遺著輯校》（北京市：中華書局，1993年），頁617。

3 〔宋〕朱熹：《朱子語類》（北京市：中華書局，1986年），卷101，頁2557。

4 《伊洛淵源錄藍田呂氏兄弟》〈遺事〉，《藍田呂氏遺著輯校》，頁620。

5 〔宋〕張載：《張子語錄》下，《張載集》（北京市：中華書局，1978年），頁329。

6 參見牟宗三：《心體與性體》（上海市：上海古籍出版社，1999年），中冊，頁1。

7 〔宋〕程顥、程頤：《河南程氏文集》，卷9，《二程集》（北京市：中華書局，1981年），頁605。

8 〔元〕脫脫等撰，《宋史》〈呂大臨傳〉：《藍田呂氏遺著輯校》，頁610。

9 《伊洛淵源錄藍田呂氏兄弟》〈祭文〉，同前注，頁617。

10 朱熹：《朱子語類》，卷101，頁2561。

中經，關西人物數清英。欲過叔度留終日，未識魯山空此生。論議凋零三益友，功名分付二難兄。老來尚有憂時歎，此涕無從何處傾。」[11]

三

《宋史》〈呂大臨傳〉稱呂大臨「通六經，尤邃於禮」，[12]《伊洛淵源錄》記載：「（呂大臨）有《易》、《詩》、《禮》、《中庸》說、《文集》等行世。」[13]《朱子語類》稱：「呂與叔《中庸》義，典實好看，又有《春秋》、《周易》解。」[14]晁公武的《郡齋讀書志》記載的呂大臨的著作有《易章句》十卷，《禮記解》四卷，《編禮》三卷，《論語解》十卷，《考古圖》十卷，《老子注》二卷，《玉溪集》二十五卷，《玉溪別集》十卷。[15]朱彝尊的《經義考》記載呂大臨曾有《書傳》十三卷，《中庸解》一卷，《中庸後解》一卷，《孟子講義》十四卷。[16]這些記載表明呂大臨對《易》、《詩》、《禮》、《春秋》等經典皆有解說，而在其整個著述中尤以有關禮方面的著作所占比重最大，除《禮記解》、《編禮》外，根據陳振孫《直齋書錄解題》的記載，尚有呂大臨與其兄呂大防合撰的《呂氏家祭禮》一卷。宋元時期呂大臨的遺著尚有《易章句》一卷、《禮記解》十六卷、《大學解》、《論語解》十卷、《考古圖》十卷、《呂氏家祭禮》一卷（與呂大防合撰）、《老子注》二卷、《玉溪集》二十五卷、《玉溪別集》十卷；及至清與近代，呂大臨的著作已所存無幾，除《考古圖》和《中庸解》尚存外，其他專著、文集皆佚失[17]。當然，這並不能完全否定還有別本佚存的可能。現尚存的呂大臨的主要著作，除已刊行的《考古圖》十卷外，經陳俊民先生多年收集、整理，有《論中書》、《易章句》、《禮記解》、《論語解》、《孟子解》、《中庸解》、《藍田儀禮說》、《藍田語要》等篇章。

《東見錄》：

即《河南程氏遺書》卷二上，卷中已注明為「元豐己未呂與叔東見二先生語」。雖然其中有二條注為「元豐五年永樂城事」，「此一段非元豐時事，疑後人記」，但主要為呂大臨在元豐二年（1079）所記的二程語錄，此應無疑。

---

11 〔宋〕施元之：《施注蘇詩》，卷33，《藍田呂氏遺著輯校》，頁4。

12 《藍田呂氏遺著輯校》〈附錄一〉，同前注，頁610。

13 同前注，頁617。

14 《藍田呂氏遺著輯校》〈附錄三〉，同前注，頁643。

15 《藍田呂氏遺著輯校》〈附錄二〉，同前注，頁628-630。

16 〔清〕朱彝尊：《經義考》（北京市：中華書局，1998年），卷79，頁439。

17 參見《藍田呂氏遺著輯校》，頁10-11。

《論中書》：

盧連章先生在《二程學譜》中認為，程頤、呂大臨師生之間對「中」這一問題往復討論的時間為宋哲宗元祐元年（1086）。[18]但他未作具體說明，不知所據為何。陳俊民先生也把討論時間確定為這一年。他可能是依據程頤〈答呂進伯簡三〉來推斷的，因為程頤在信中稱「與叔每過從，至慰至幸」[19]，故他們師生倆有往復數次討論「中」的機會，而程頤信中也表明呂大忠此時正知秦州，據《宋史》〈呂大忠傳〉可知呂大忠知秦州的時間為元祐初。[20]從《論中書》本身內容來看，他們師生之間在討論「中」的問題時，書信往來頻繁，時間間隔短暫，如「大臨前日敢指赤子之心為中者」，有時呂大臨直接派人去聽取意見，這些都表明兩人相距不遠，故陳俊民先生推斷他們師生之間對「中」的問題的討論發生在元祐初他們師生倆同居京師之時，這是可信從的。

《中庸解》：

據朱彝尊的《經義考》記載：「呂氏大臨《中庸解》一卷。存。」但又注明道：「疑即《二程全書》中所載本。」確實，在《二程全書》中收入有《中庸解》一卷，即《河南程氏經說》卷第八。儘管此《中庸解》未注明何人所著，但從被收入《二程全書》並作為《河南程氏經說》中的一卷這一點來看，此《中庸解》應為二程所作無疑。然而，《河南程氏經說》卷八的《中庸解》被認定為呂大臨的作品又有什麼堅明的證據呢？這就與朱子對此《中庸解》的考辨有關。清人吳廷棟在〈重校二程全書凡例〉中稱：

> 《河南經說》凡《繫辭》一，《書》一，《詩》二，《春秋》一，《論語》一，《改定大學》一，皆伊川先生解經語也。《繫辭解》及《詩書解》、《論語解》，並非專門撰著，《春秋傳》亦未成之書，《改定大學》兼載明道先生本以互證異同。明人刊《經說》，並《詩解》二卷為一卷，而別增《孟子解》一卷，《中庸解》一卷，共為八卷。然《經義考》引鄭紹宗之言，謂《孟子解》乃後人纂集《遺書》、《外書》而成；《中庸解》出呂大臨，朱子辨證甚晰。[21]

朱子究竟是如何來辨明《中庸解》並非二程解經著作而是呂大臨的作品的呢？

> 問：「〈明道行狀〉謂未及著書，而今有了翁所跋《中庸》，何如？」曰：「了翁初得此書，亦疑《行狀》所未嘗載，後乃謂非明道不能為此。了翁之侄幾叟，龜山之婿也。翁移書曰：『近得一異書，吾侄不可不見。』幾叟至。次日，翁冠帶出

18 參見盧連章：《二程學譜》（鄭州市：中州古籍出版社，1988年），頁31。

19 參見《藍田呂氏遺著輯校》〈附錄三〉，《藍田呂氏遺著輯校》，頁642。

20 參見《藍田呂氏遺著輯校》〈附錄一〉，同前注，頁608。

21 參見程顥、程頤：《二程集》，頁1-2。

> 此書。幾叟心知其書非是，未敢言。翁問曰：『何疑？』曰：『以某聞之龜山，乃與叔初年本也。』翁始覺，遂不復出。近日陸子靜力主以為真明道之書。某云：『卻不要與某爭。某所聞甚的，自有源流，非強說也。』兼了翁所舉知仁勇之類，卻是道得著，至子靜所舉，沒意味也。」[22]

朱子在此說明道：《中庸解》為呂大臨早年所著的情況，是楊時之婿幾叟從楊時處所得知的。楊時與呂大臨同為程門「四先生」，當然對此情況比較瞭解和熟悉，故朱子認為自己所知的情況是「自有源流，非強說也」。並且，朱子在其《中庸集解序》中還對此《中庸解》作過進一步的辨析和說明：

> 明道不及為書，今世所傳陳忠肅公（瓘）之所序者，乃藍田呂氏所著之別本也。伊川嘗自言《中庸》今已成書，然亦不傳于學者；或以問於和靖尹氏，則曰「先生自以不滿其意而火之矣」。二夫子於此，既皆無書，故今所傳，特出於門人記平居問答之辭。而門人之說行於世者，唯呂氏（大臨）、遊氏（酢）、楊氏（時）、侯氏（師聖）為有成書。若橫渠先生，若謝氏（良佐）、尹氏（焞），則亦或記其語之及此者耳。[23]

據朱子的考辨所知，大程還未來得及著書即已謝世，而小程雖著有《中庸解》，但自己不滿意並已經付之一炬，故二程並無《中庸解》行世。至於二程門人，已寫成《中庸解》者，則有呂大臨、游酢、楊時、侯師聖四人，其中流行於世而陳瓘曾為之序的《中庸解》，只有呂大臨所著的《中庸解》的改本。其實，在朱子之前胡宏就曾對此《中庸解》有過辨析，他在其〈題呂與叔《中庸解》〉中稱：

> 靖康元年，河南門人河東侯仲良師聖，自三山避亂來荊州，某兄弟得從之遊。議論聖學必以《中庸》為至，有張燾者攜所藏明道先生《中庸解》以示之，師聖笑曰：「何傳之誤？此呂與叔晚年所為也。」燾亦笑曰：「燾得之江濤家，其子弟云然。」按河南夫子，侯氏之甥，而師聖又夫子，猶子夫也。師聖少孤，養於夫子家，至於成立，兩夫子之屬纊,皆在其左右。其從夫子最久，而悉知夫子文章為最詳；其為人守道義，重然諾，言不妄，可信。
>
> 後十年，某兄弟奉親南止衡山，大樑沈向又出所傳明道先生《解》，有瑩中陳公所記，亦云此書得之濤。某反覆究觀詞氣，大類橫渠《正蒙》書。而與叔乃橫渠門人之肖者，徵往日師聖之言，信以今日己之所見，此書與叔所著無可疑明甚。惜乎瑩中不知其詳，而有疑於〈行狀〉所載「覺斯人、明之書，皆未及」之語

22 朱熹：《朱子語類》，卷97，頁2494-2495。

23 陳俊民：〈關於藍田呂氏遺著的輯校及其《易章句》之思想〉，《藍田呂氏遺著輯校》，頁21。

耳。[24]雖然道一而已，言之是，雖陽虎之言，孟軻氏猶有取焉。況與叔亦游河南之門，大本不異者乎！尊信誦習，不敢須臾忘，勇哉瑩中之忘！某雖愚，請從其後。[25]

侯師聖少孤，由二程養育成人，當然也從二程學，由於他從學二程的時間最長，對二程的著作及其門人的情況知之甚詳，故能辨定《中庸解》並非大程所著，而是呂大臨晚年的著作。並且，胡宏自己也通過反復究觀《中庸解》的詞氣，認為《中庸解》「大類横渠《正蒙》書」，而呂大臨曾為張載門人，故受其師影響，他所撰的《中庸解》也就與張載的《正蒙》頗類，因此，他斷定《中庸解》為呂大臨所著「無可疑明甚」。

對於胡宏的上述說明和辨析，朱子當然也有所見有所聞：

陳公之序，蓋為傳者所誤而失之，乃其兄孫幾叟具以所聞告之，然後自覺其非，則其書已行而不及改矣。近見胡仁仲所記侯師聖語，亦與此合。蓋幾叟之師楊氏，實與呂氏同出程門，師聖則程子之內弟，而劉、李之於幾叟，仁仲之於師聖，又皆親見而親聞之，是豈胸臆私見、口舌浮辯所得而奪哉！[26]

朱子之所以認為自己所瞭解的《中庸解》為呂大臨所撰而非二程所作的情況是「自有源流，非強說也」，也是以胡宏對《中庸解》的說明和辨析為依據的。由此看來，對於《中庸解》為呂大臨所著，朱子確實可謂「辨證甚晰」。

儘管《中庸解》為呂大臨所著確然無疑。然而，在朱子和胡宏的上述說法中，卻又存在著不一致的地方，那就是楊時之婿幾叟說「以某聞之龜山，乃與叔初年本也」，即《中庸解》是呂大臨早年的一個初本。而侯師聖卻說「何傳之誤？此呂與叔晚年所為也」，即《中庸解》是呂大臨的晚年著作。那麼，《中庸解》究竟是呂大臨的「初年本」還是晚年著作呢？在《朱子語類》卷六十二中朱子有一個辨析：「『向見劉致中說，今世傳明道《中庸義》是與叔初本，後為博士演為講義。』先生又云：『尚恐今解是初著，後掇其要為解也。』」[27]這就明確了：今本《中庸解》雖為呂大臨「晚年所為」，但實際上呂大臨只是將他早年的《中庸解》初本「掇其要為解」而已。而且朱子還對《中庸解》的初本與改本作過一個比較：「若更以其言考之，則二書詳略雖或不同，然其語意實相表裡，如人之形貌，昔腴今瘠，而其部位神采，初不異也，豈可不察而遽謂之兩人哉？又況改本厭前之詳，而有意於略，故其詞雖約，而未免反有刻露峭急之病，至於詞

24 作者按：此處意引〈明道先生行狀〉原文：「先生進將覺斯人，退將明之書；不幸早世，皆未及也。」程顥、程頤：《二程集》，頁638。

25 《藍田呂氏遺著輯校》〈附錄二〉，《藍田呂氏遺著輯校》，頁627。

26 朱熹：《四書或問》（上海市：上海古籍出版社，2001年），頁54。

27 朱熹：《朱子語類》，卷62，頁1485。

義之間，失其本指，則未能改於其舊者，尚多有之。」[28]在朱子看來，呂大臨《中庸解》的初本與改本實際上並沒有什麼兩樣，只是前者詳後者略而已，當然，由於改本過於簡略，故也就不免有些刻露峭急之病。

由於《中庸解》的改本是呂大臨「晚年所為」，故此改本是他從學於二程時所作，此應無疑。

《禮記解》：

在陳俊民先生輯校的《藍田呂氏遺著輯校》一書中，呂大臨的作品佔據主要部分，而在呂大臨的作品中，《禮記解》則可以說是他現存最主要和最重要的著作。呂大臨的《禮記解》與其《中庸解》是密切相關的，從前文可知，呂大臨的《中庸解》有兩個版本：初本與改本。《中庸解》初本實際上就是呂大臨《禮記解》中的一篇即《禮記解》〈中庸第三十一〉。至於《中庸解》改本，依上文所述朱子的看法，其實只是呂大臨在晚年的時候從《禮記解》〈中庸第三十一〉中「掇其要」而整理成篇的一個精簡本，並不是呂大臨對《中庸解》初本作了一番重新詮釋和重大修改後的一個改本。對於朱子這個看法，如果將陳俊民先生輯佚編校的《禮記解》〈中庸第三十一〉（亦即《中庸解》初本）與《中庸解》改本作一番對照和比較，則確實如朱子所說，「二書詳略雖或不同，然其語意實相表裡，如人之形貌，昔腴今瘠，而其部位神采，初不異也」。既然作為《禮記解》中的一篇的《禮記解》〈中庸第三十一〉是呂大臨的「初年本」，那麼，《禮記解》全篇也就無疑為呂大臨的「初年本」，[29]然而，「初年」究系何時顯然無法確定，故《禮記解》是呂大臨從學於張載時所作還是他問學於二程後所撰仍難以斷定。陳俊民先生在輯佚編校《禮記解》的過程中，他從內容上推斷《禮記解》很可能是呂大臨三十一歲以前親炙張載時所作。[30]這就是說呂大臨《中庸解》的初本（即《禮記解》〈中庸第三十一〉）應是他從學於張載時所撰。但晁公武在《郡齋讀書志》中卻如此記載道：「芸閣《禮記解》四卷，右皇朝呂大臨與叔撰。與叔師事程正叔，禮學甚精博，《中庸》、《大學》尤所致意也。」[31]從晁公武的記載來看，《禮記解》似乎是呂大臨師事二程時的著作。朱子在《中庸或問》中則進一步明確指出：「舊本者，呂氏太學講堂之初本也；改本者，其後所修之別本也。」[32]這也就是說呂大臨《中庸解》的初本（亦即

28 朱熹：《四書或問》，頁54。

29 需要說明的是，由於材料和文獻之限制與缺乏，目前呂大臨的《禮記解》所呈現出的基本是《中庸解》的內容，故本文權且如此處理。進一步的深入論證、驗證和確證本文之說須待新的有關文獻的發現和研究。

30 參見陳俊民：〈關於藍田呂氏遺著的輯校及其《易章句》之思想〉，《藍田呂氏遺著輯校》，頁25。

31 《藍田呂氏遺著輯校》〈附錄二〉，《藍田呂氏遺著輯校》，頁628。

32 朱熹：《四書或問》，頁53-54。

《禮記解》〈中庸第三十一〉）是他「為太學博士、秘書省正字」時的講堂初本，而呂大臨以門蔭入官為太學博士秘書省正字的起始時間是宋哲宗元祐元年（1086），此時距張載去世已九年，而大程也已去世，這說明呂大臨《中庸解》的初本並非他從學於張載時所撰而是他問學二程後所作。

既然呂大臨的《中庸解》初本（亦即《禮記解》〈中庸第三十一〉）是他問學於二程後所撰，那麼，胡宏在反復究觀《中庸解》的詞氣後卻何以認為《中庸解》「大類橫渠《正蒙》書」？陳俊民先生在輯佚編校《禮記解》的過程中卻何以從其內容上推斷《禮記解》很可能是呂大臨三十一歲以前親炙張載時的作品？其原因顯然在於如胡宏所說的「與叔乃橫渠門人之肖者」，亦即呂大臨原本就是張載關學中最為傑出的弟子[33]。《禮記解》雖是呂大臨於洛學階段所撰，但他在撰《禮記解》時他所關注和思考的問題以及解決問題的思路並沒有擺脫張載的影響，甚至連論說的語言和口氣也似乎與張載同出一轍。確實，呂大臨從青年時代起就同兄長們一道在家鄉關中師事張載，時間達七年之久。而其師張載在這一階段對他的影響也可謂是至深至久，以致於他後來獨立著述與講學時，在「問題意識」、「致思方式」、「言說形式」等方面都仍深受張載的影響。因此我們可以確定這樣一點：呂大臨在關學階段（即從張載問學時期）的所學所行即已奠定了他一生為學為人的基礎！當然，在張載去世後呂大臨東見二程，二程特別是大程對他後來的為學產生了極大的影響，以至他成了程門「四先生」之一，但呂大臨仍在許多方面堅持張載關學的宗旨，這一點可從小程對呂大臨及其他關學弟子們的評說中見出，程頤曾認為「呂與叔守橫渠學甚固，每橫渠無說處皆相從，才有說了，便不肯回。」[34]並且還指出：「關中學者，以今日觀之，師死而遂倍之，卻未見其人，只是更不復講。」[35]在程頤看來，呂大臨並沒有完全接受洛學，而仍固守張載之學，張載去世後，其學雖不復講，但呂大臨與其他關學弟子們並沒有背離師教，放棄關學宗旨。由此看來，正是因為呂大臨所撰於洛學階段的《禮記解》中所闡發的思想和觀點在許多方面仍保持著張載關學的特色與特點，從而不僅使胡宏覺得《中庸解》的詞氣與《正蒙》頗類，而且也使得陳俊民先生從內容上推斷《禮記解》應是呂大臨親炙張載時的文字而非從學於二程後的作品。

儘管《禮記解》中所闡發的思想和觀點在許多方面仍保持著張載關學的特色與特點，但《禮記解》畢竟是呂大臨從學於二程後的洛學階段所撰，那麼，是否其中的內容也有著受二程之學影響的痕跡呢？從現有的文獻來看，呂大臨在撰寫《禮記解》前，主

33 張載生前曾對呂大臨大加稱讚，當張載去世後，其〈行狀〉也是由呂大臨負責撰寫，從現有的文獻來看，在張載的關學弟子中，有著作傳世者唯有呂大臨，牟宗三先生在其《心體與性體》甚至認為：「嚴格說，與叔不能算是二程門人。」參見牟宗三：《心體與性體》，中冊，頁1。

34 程顥、程頤：《河南程氏遺書》，卷19，《二程集》，頁265。

35 程顥、程頤：《河南程氏遺書》，卷2下，同前注，頁50。

要有兩次從二程問學：一次是張載去世二年後的宋神宗元豐二年，呂大臨前往扶溝從二程問學；一次是宋神宗元豐三年，小程到關中講學時呂大臨從其問學。儘管呂大臨這兩次從二程問學的時間都不長，但這兩次問學中的第一次尤其是大程的指教卻對他後來的為學為人產生了極為重大的影響。據馮從吾《關學編》記載：「少從橫渠張先生游，橫渠歿，乃東見二程先生卒業焉。與謝良佐、游酢、楊時在程門號『四先生』。純公語之以『識仁』，先生默識深契豁如也，作〈克己銘〉以見意〔……〕始先生博極群書，能文章；已涵養深醇，若無能者。賦詩云：『學如元凱方成癖，文似相如始類俳。獨立孔門無一事，只輸顏子得心齋。』婦翁張天祺語人曰：『吾得顏回為婿矣！』」[36]對呂大臨這首名之為《送劉戶曹》的詩，小程贊許道：「呂與叔有詩云：『學如元凱方成癖，文似相如始類俳；獨立孔門無一事，惟傳顏氏得心齋。』此詩甚好。古之學者，惟務養情性，其他則不學。今為文者，專務章句，悅人耳目。既務悅人，非俳優而何？」[37]這表明在大程「識仁」之方的引導下，呂大臨已棄章句詞章之學，惟以涵養性情為務。由此看來，在這一階段上，呂大臨在二程的影響下所注重的是如何來進行涵養心性的實踐。

其實，大程對呂大臨於自己的「識仁」之教能欣然接受「默識深契」，是既欣慰又頗為詫異的：「巽之（范育）凡相見須窒礙，蓋有先定之意，和叔（一作與叔）據理卻合滯礙，而不然者，只是他至誠便相信心直篤信。」[38]此處的和叔與叔不能確定，實際上是指與叔。[39]范育與呂大臨同為張載關學高弟，張載去世後，范育為《正蒙》作序，呂大臨則作《橫渠先生行狀》，後來他們倆人皆從二程問學，但他們對二程洛學的接受卻大為不同，范育是「凡相見須窒礙」、「有先定之意」，而呂大臨則接受無礙「默識深契」，對此大程也頗感困惑與不解，因為據理呂大臨應同范育一樣對洛學是有滯礙的，而且同為關學弟子後來也從二程問學的呂大臨三兄呂大均（字和叔）對二程洛學亦覺得疑問多多難以接受，大程曾對大均這一點頗有些不耐。「和叔常言『及相見則不復有疑，既相別則不能無疑，然亦未知果能終不疑。不知他既已不疑，而終復有疑，何故？伯諄言：『何不問他？疑甚不如劇論。』」[40]因此，對於呂大臨能無滯礙地接受他的「識仁」之教，大程在困惑與不解之餘，推測可能是呂大臨「至誠便相信心直篤信」。呂大臨對大程「識仁」之教接受無礙「默識深契」，難道真如大程所說是「至誠便相信心直篤信」而無「先定之意」？其實並非如此，從前文小程「呂與叔守橫渠學甚固，每橫渠

36 《藍田呂氏遺著輯校》〈附錄一〉，《藍田呂氏遺著輯校》，頁623-624。

37 程顥、程頤：《程氏遺書》，卷18，《二程集》，頁239。

38 程顥、程頤：《河南程氏遺書》，卷2上，同前注，頁27。

39 因為《東見錄》中有一條資料如此記載道：「和叔常言『及相見則不復有疑，既相別則不能無疑，然亦未知果能終不疑。不知他既已不疑，而終復有疑，何故？伯淳言：『何不問他？疑甚不如劇論。』」（呂大臨：《東見錄》，引自《藍田呂氏遺著輯較》，頁530）既然程顥曾語及和叔對洛學有疑處，那麼「至誠便相信心直篤信」者顯然為與叔而非和叔。

40 同前注。

無說處皆相從，才有說了，便不肯回」的看法即可知這一點。在關學同門甚至兄長都難以接受二程洛學的情形下，呂大臨既固守張載之學，同時又能無礙地接受大程的「識仁」之教，這就頗有些令人費解。何以解釋這一現象？在推考其各種可能性之後，顯然只有一種解釋與答案：那就是呂大臨在關學階段時即已形成了與大程相一致的看法與觀點。然而，這畢竟只是一種推理性的解釋與答案，何以證之？有何事實依據？事實依據是有的，呂大臨在《論中書》中的有關自述即可為這一推理性的解釋與答案提供事實上的支援與印證，呂大臨在〈論中書〉中論及「赤子之心」時認為：

> 聖人智周萬物，赤子全未有知，其心固有不同矣。然推孟子所云，豈非止取純一無偽，可與聖人同乎？非謂無毫髮之異也。大臨前日所云，亦取諸此而已。此義，大臨昔者既聞先生君子之教，反求諸己，若有所自得，參之前言往行，將無所不合。由是而之焉，似得其所安，以是自信不疑，拳拳服膺，不敢失墜。[41]

呂大臨自稱：他之所以對「赤子之心」自信不疑、拳拳服膺是因為其既有著孟子相關說法的依據，同時也是自己在聽了先生有關心性修養的教導後反求諸己實有所得的結果。此處的「參之前言往行，將無所不合」之語則須細繹：此「參之」即印證之意，「參之前言往行」即印證其前言往行。此「前言往行」顯然即他受教於二程之前的「前言往行」，否則，無須言「前」，無須說「往」。且看他「前言往行」究竟是如何說如何做的：

> 喜怒哀樂之未發，則赤子之心。當其未發，此心至虛，無所偏倚，故謂之中。以此心應萬物之變，無往而非中矣。孟子曰：「權然後知輕重，度然後知長短，物皆然，心為甚。」此心度物，所以甚於權衡之審者，正以至虛無所偏倚故也。有一物存乎其間，則輕重長短皆失其中矣，又安得如權如度乎？故大人不失其赤子之心，乃所謂允執其中也。大臨始者有見於此，便指此心名為中，故前言中者道之所由出也。[42]

上述的觀點是「大臨始者有見於此」時的見解也就是他尚未受教於二程時自已所得出的初始看法。據他自述：他所謂的「赤子之心」源自孟子的「大人者，不失其赤子之心者也」一語，取孟子所謂「權然後知輕重，度然後知長短，物皆然，心為甚」之義，亦即「至虛無所偏倚」之義。又因《中庸》稱「喜怒哀樂之未發謂之中」，故他當時認為，喜怒哀樂之未發時的「赤子之心」正是至虛無所偏倚，以此心應物能如權如度無往而不中，因此之故，他將此「赤子之心」名之為「中」，即「喜怒哀樂之未發謂之中」的「中」，亦即《尚書》〈大禹謨〉「允執厥中」的「中」，而「大人不失其赤子之心」即「允執其中」。

---

41 呂大臨：〈論中書〉，《藍田呂氏遺著輯較》，頁497。

42 同前注，頁496。

正是因為呂大臨在關學階段時對孟子「赤子之心」之義完全認同並將其視之為作為「大本」的「未發之中」，而大程的「識仁」之教也正是要人自覺、自信自身所本有的「良知良能」（亦為孟子語）[43]之心亦即「赤子之心」並將其彰顯呈現，因此，呂大臨一聞大程的「識仁」之教即能「默識深契」，並能「反求諸己」真正從事於切於身心的心性修養實踐，而當呂大臨「涵養深醇」、「參之前言往行，將無所不合」之後，則更是使得他對關學階段所形成的有關「赤子之心」的看法與見解「自信不疑，拳拳服膺，不敢失墜」。

從上述事實的分析與說明來看，二程特別是大程的「識仁」之教對呂大臨後階段的為學為人確實產生了重大的影響，但這一重大的影響則是建立在他關學階段已形成的與大程基本一致的觀點上。如果呂大臨在關學階段時並不注重和認同孟子所謂「赤子之心」，亦不視其為「大本」、為「未發之中」，那麼，對大程的「識仁」之教，他也會如同范育、呂大均一般：有窒礙、有疑問、難以接受，當然也就不會去從事那「識仁」之教的實踐，因為他的「先定之意」、「守橫渠學甚固」亦一如兄長呂大均、同門的范育。出人意料的是：他的「先定之意」亦即前見與前理解中卻有著如此關鍵性的一點竟恰好與大程的「識仁」之教有一致之處，而大程的「識仁」之教之所以能對他後半生的為學為人產生如此大的影響也就在他們原本相通一致的這一點上。

既然呂大臨在關學階段時即已形成「赤子之心」為「大本」、為「未發之中」的見解，又在聞大程的「識仁」之教後有著切於身心「涵養深醇」的生命實踐，故使得他對「赤子之心」「自信不疑，拳拳服膺，不敢失墜」，因此，他在洛學階段撰寫《禮記解》時無疑也就會更加注重並加強對其「有所自得」的「赤子之心」的論述與說明。如果說大程對他的影響在其《禮記解》中有所體現與反映的話，那麼，顯然即在這點上。

綜上所述，我們完全可以認定：呂大臨《禮記解》中所闡發的思想與觀點在其關學階段時即已形成，並因他「守橫渠學甚固」仍然在各個方面保持著張載關學的特色與特點。與此同時，有一事實也是我們不容忽視而又必須有所辨明的：即《禮記解》中呂大臨之所以反復言及「赤子之心」、「未發之中」這一話題，是因為他在大程「識仁」之教的影響下為了更加突出這一點的緣故。

人所共知，二程兄弟作為洛學的開創者，理學的奠基人，儘管他們之間有著共同的信念、宗旨和許多一致的主張，但他們之間卻又有著很大的不同。既然呂大臨在問學二程時深受大程「識仁」之教的影響，那麼，小程的某些思想和主張是否也對呂大臨產生了一定的影響，從而在其著作《禮記解》中亦有所體現和反映呢？牟宗三先生在其《心體和性體》中曾花大力氣來簡別大程和小程之間的差別和不同，依他之見，二程講學初期，主要靈魂在明道，故此期講學以明道為主，而伊川獨立發皇的時期則在其為侍講以

43 《孟子》〈盡心上〉，《孟子注疏》，卷13上，《十三經注疏》，頁2765下。

後。呂大臨撰《禮記解》前從二程問學的時期是二程講學的初期，亦即以明道為主的時期，他所記錄的二先生語錄也實以明道為主；更重要的是，呂大臨的思理較契於明道而不契於伊川[44]。如果從上文大程小程對呂大臨那並不一致的評價以及《論中書》中小程與呂大臨之間因見解不同而發生的論辨來看，牟先生對大程與小程以及呂大臨他們三人之間關係的看法無疑是有其根據和合乎情理的。因此，我們可以說在呂大臨撰《禮記解》前那段從二程問學的時期對他影響最大的是大程而非小程。小程那些呂大臨樂意接受並對其發生影響的思想和主張，一般是小程與其兄大程大體上一致的思想與主張，例如前文所論及的大程小程都注重的心性涵養的實踐；至於小程那些與大程有別的思想和主張則與呂大臨難以相契（整個《論中書》就表現出這一點），故對呂大臨影響甚小，在《禮記解》中也很少有體現和反映。

《易章句》：

據朱彝尊《經義考》記載：

> 呂氏大臨《易章句》。(《宋志》一卷。佚。)
>
> 晁公武曰：「大臨字正叔，登進士第。歷太學博士、秘書省正字。從程正叔、張子厚學，通《六經》，尤精於《禮》，解《中庸》、《大學》等篇行於世。《易解》甚略，有統論數篇。無詮次，未完也。」
>
> 董真卿曰：「芸閣先生，微仲親弟。《易解》一卷，統論數篇。無詮次，未成之書也。學出程門，朱子謂『呂與叔《易說》，精約可看』。」[45]

陳俊民先生在輯佚編校《易章句》後，通過對《易章句》與《橫渠易說》、《伊川易傳》的比較研究，認為呂大臨的《易章句》無論其釋《易》的方法、形式，還是其易學的內容、主旨，都與張載《易說》的思路一脈相承，而與程頤的《易傳》分明有異，從而斷定《易章句》為呂大臨早年從學於張載時期的著作[46]。

在呂大臨生前，只有張載的《易說》已成書問世，而程頤的《易傳》在呂大臨去世數年後才寫成，並且，朱子作的《伊川先生年譜》稱：「時《易傳》成書已久，學者莫得傳授，或以為請。先生曰：『自量精力未衰，尚覬有少進耳。』其後寢疾，始授尹焞、張繹。」[47]這表明小程的《易說》在他去世前才始授尹焞、張繹，故呂大臨生前顯然不可能見到《伊川易傳》。朱子門人度正（周卿）在〈跋呂與叔易章句〉中也指出：「今觀《易章句》，其間亦有與橫渠異而與伊川同者，然皆其一卦一爻之間小有差異，

---

44 參見牟宗三：《心體與性體》，中冊，頁3-4。

45 引自《藍田呂氏遺著輯校》〈附錄二〉，《藍田呂氏遺著輯校》，頁636。

46 參見陳俊民：〈關於藍田呂氏遺著的輯校及其《易章句》之思想〉，《藍田呂氏遺著輯校》，頁25-60。

47 程顥、程頤：《二程集》，頁345。

而非其大義所在，其大義所在，大抵同耳。」[48]因此，陳俊民先生斷定《易章句》為呂大臨從學於張載時期的著作的看法，是可以接受的。

《論語解》、《孟子解》：

根據朱彝尊的《經義考》記載：「呂大臨《論語解》(《宋志》十卷。佚。)」、「呂氏大臨《孟子講義》(《宋志》十四卷。佚。)」[49]，今陳俊民先生從朱子編定的《論孟精義》中輯出呂大臨的《論語》解說共一百九十五條，輯出呂大臨的《孟子》解說共二十六條，分繫於《論語》、《孟子》各章之下，形成今本《論語解》、《孟子解》，由此可見，《論語解》、《孟子解》並非呂大臨原本之舊[50]。並且，陳俊民先生認為，從其內容上看，《論語解》、《孟子解》很可能是呂大臨從學於張載時期的著作[51]。但在陳俊民先生輯校的《論語解》、《孟子解》中卻又有兩條解說明顯與二程有關。一條是《論語解》〈顏淵第十二〉中的「克己復禮」之贊詞，此贊詞即〈克己銘〉。關於〈克己銘〉，馮從吾在《關學編》〈與叔呂先生〉中稱：「純公（大程）語之以『識仁』，先生默識深契豁如也，作〈克己銘〉以見意。」[52]這表明〈克己銘〉乃呂大臨在大程「識仁」之語的當機指點下的會心之得，故無疑為呂大臨從學於二程後所作。另一條是《孟子解》〈離婁章句下〉中對「孟子曰：大人者，不失其赤子之心者也」的解說：

> 喜怒哀樂之未發，則赤子之心。當其未發，此心至虛，無所偏倚，故謂之中。以此心應萬物之變，無所往而非中矣。先生曰：「喜怒哀樂未發之謂中。」赤子之心，發而未遠乎中，若便謂之中，是不識大本也。
>
> 問：「《雜說》中以赤子之心為已發，是否？」曰：「已發而去道未遠也。」曰：「大人不失赤子之心，若何？」曰：「取其純一，近道也。」曰：「聖人之心如明鏡，如止水。」[53]

呂大臨的這一段解說，前一部分來自於《論中書》，後一部分來自於《河南程氏遺書》卷十八，都與小程有關。

既然《論語解》、《孟子解》中有兩條解說可以明確確認與二程有關，那麼《論語解》、《孟子解》內容的基本完成應當是在呂大臨從學於二程後。當然從《論語解》、《孟子解》的主要思想和內容來看，又確實與張載思想更為接近，甚至許多地方連語言也極

48 引自《藍田呂氏遺著輯校》〈附錄二〉，《藍田呂氏遺著輯校》，頁626。

49 同前注，頁639-640。

50 參見陳俊民：〈關於藍田呂氏遺著的輯校及其《易章句》之思想〉，同前注，頁18-21。

51 參見同前注，頁25。

52 參見《藍田呂氏遺著輯校》〈附錄一〉，同前注，頁624。

53 呂大臨：《孟子解》〈離婁章句下〉，同前注，頁475。

為一致。晁公武在著錄呂大臨的《論語解》時曾認為：「與叔雖程正叔之徒，解經不盡用其師說。」[54]這表明晁公武也對呂大臨雖師事小程而其思想卻與小程並不一致深感困惑和不解。因此，陳俊民先生從《論語解》、《孟子解》的內容來推斷其為呂大臨從學於張載時期的作品，顯然是有其合理性的，但畢竟又與前面那兩條與二程有關的解說的事實明顯相悖。鑒於上述情況，我們可以作如下兩種推測：一種是《論語解》、《孟子解》雖是呂大臨從學於張載時期的作品，但在他從學於二程後對受二程思想與主張影響和觸動較大的方面又作了進一步的補充和說明；另一種是《論語解》、《孟子解》一如上述的《禮記解》，其雖是呂大臨在洛學階段所撰，但由於他青年時代時深受張載影響，故《論語解》、《孟子解》中所闡發的思想和觀點在許多方面依然保持著張載關學的特色與特點。顯然，推測畢竟是推測，兩者都無法坐實，但從這兩種推測中可以肯定的是：呂大臨《論語解》、《孟子解》的思想和觀點既打上了他受張載思想影響的烙印，又留下了其受二程觀點啟迪和觸動的痕跡。[55]

通過上述對呂大臨現存的主要作品所撰所錄的大致時間的分析和考辨，本文可以得出如下結論：《易章句》為呂大臨前期從學於張載時所作；《禮記解》為呂大臨從學於二程後的洛學階段所撰；《東見錄》、《論中書》與呂大臨後期問學於二程有關。至於《論語解》、《孟子解》，雖無法坐實其是呂大臨關學階段所撰還是他洛學時期所作，但仍可證實《論語解》、《孟子解》的思想和觀點既打上了他受張載思想影響的烙印，又留下了他受二程觀點啟迪和觸動的痕跡，故視《論語解》、《孟子解》為呂大臨在張程關洛二學共同影響下的作品。

---

54 參見《藍田呂氏遺著輯校》〈附錄一〉，同前注，頁629。

55 既然《論語解》與《孟子解》是在既深受張載思想之影響、又深受二程觀點之啟迪的背景下完成的，因此我們可以進一步地考察《論語解》、《孟子解》中的文字何者屬於關學階段何者屬於洛學階段。然而，由於現今之《論語解》、《孟子解》並非呂大臨原本之舊，同時本文之主要目的則又主要在於呂大臨著作年代之考辨，故本文於這一問題並不作具體的辨析與判分。

經學文獻的目錄學研究

顧永新
北京大學中文系、中國古文獻研究中心研究員

提要

歷代目錄對於經學文獻的著錄，恰是經學文獻產生和發展的歷史記錄，往往和當時的學術、文化乃至意識形態和現實政治密切相關；反過來，通過對經學文獻的目錄學研究，也可以洞悉經學史的發展脈絡和經學思想的演進軌跡。本文旨在透過經部類目的變化來探究經學思想嬗變的源流和經學文獻衍變的路徑，以及由此折射出來的政治走向、學術盛衰以及書籍數量的變化。而通過對歷代經學文獻的目錄學研究，可推知經部始終保持著相對穩定的狀態，其主體內容以及以經為單位來劃分類目的原則大體上並無改易。

關鍵詞：經學文獻　經學史　目錄學　經部　類目

經學是中國傳統學術的核心，而經學文獻也是中國古代文獻的重心。因此，歷代目錄對於經學文獻的著錄，往往和當時的學術、文化乃至意識形態和現實政治密切相關；反過來，通過對經學文獻的目錄學研究，也可以洞察經學史的發展脈絡和經學思想的演進軌跡。本文所謂經學文獻目錄，是指綜合目錄中的經部目錄，不包括宋代以降經學文獻專科目錄；研究對象是經學文獻在綜合目錄中的著錄及其類目劃分。因為歷代經部目錄對於經學文獻的著錄尤其是類目的劃分恰是經學文獻產生和發展的歷史記錄，所以本文旨在透過經部類目的變化來探究經學文獻的源流和經學思想的演變，以及由此折射出來的政治取向、學術盛衰、書籍數量變化的實況。章學誠曰：「校讎之義，蓋自劉向父子部次條別，將以辨章學術，考鏡源流，非深明於道術精微、群言得失之故者，不足與此。」[1]這是目錄學的宗旨和功用，也是本文的理論依據。

《七略》首錄六藝，《中經新簿》改稱甲部，《七志》更名經典，《隋志》定為經部，經書見於著錄，由來已久。學術的進步，文化事業的發展，以及舊典籍的亡佚、新典籍的出現都直接影響著古代目錄學著作類目的設置和劃分。又因為古代學術尤其是經學往往與政治糾纏在一起，所以政治因素的影響也不容忽視。中國古代目錄的分類工作一般要受到政治需要、學術盛衰、文獻多寡、編目者的專業知識等因素的制約[2]。

一

劉歆《七略》雖已不存，但其條例和梗概都保存在班固《漢書》〈藝文志〉（以下簡稱《漢志》）中[3]。據《漢志》，《七略》類目體系首為六藝略，下分《易》、《書》、《詩》、《禮》、《樂》、《春秋》、《論語》、《孝經》、小學九小類，知其已相當於後世四部分類的經部文獻。《孟子》十一篇置於諸子略儒家類，並未列入六藝略，由此可見其書在當時的地位。為什麼稱作「六藝」呢？六藝之名見於《周禮》〈地官・大司徒〉「以鄉三物教萬民，而賓興之」，六藝即「三物」之一，指禮、樂、射、御、書、數六種技能，並非《易》、《書》、《詩》、《禮》、《樂》、《春秋》六經。具體掌管教授六藝的是保氏，「掌諫王惡，而養國子以道，乃教之六藝」[4]。到了西漢，六藝始指稱六經。賈誼

1　〔清〕章學誠：《校讎通義》〈自序〉，王重民先生通解，田映曦補注《校讎通義通解》卷首（上海市：上海古籍出版社，2009年6月），頁1。

2　徐有富、徐昕：《文獻學研究》〈影響中國古代目錄分類的若干因素〉（南京市：江蘇古籍出版社，2002年），頁156。

3　余嘉錫：《目錄學發微》之三「目錄學源流考上」曰：「班固《漢書》〈藝文志〉自言就劉歆《七略》『刪其要，以備篇籍』，又於篇末總數之下自注云『入三家五十篇，省兵十家』，蓋除所新入及省併者外，其他所著錄皆全本之劉歆。其小序亦錄自輯略，特微有增刪改易。劉知幾所以譏為『因人成事』也。」（北京市：中華書局，2007年），頁97。

4　〔清〕孫詒讓：《周禮正義》卷26〈地官・保氏〉（北京市：中華書局，2013年1月），頁1010。

《新書》〈六術〉曰：「是故內法六法，外體六行，以與《書》、《詩》、《易》、《春秋》、《禮》、《樂》六者之術以為大義，謂之六藝。」劉安《淮南子》〈泰族訓〉曰「六藝異科而皆同道」，以《詩》、《書》、《易》、《禮》、《樂》、《春秋》為六藝；〈主術訓〉「孔丘、墨翟修先聖之術，通六藝之論」。司馬談〈論六家要旨〉曰：「夫儒者，以六藝為法。六藝經傳以千萬數，累世不能通其學，當年不能究其禮，故曰：博而寡要，勞而少功。」司馬遷《史記》〈孔子世家〉曰：「孔子以《詩》、《書》、《禮》、《樂》教，弟子蓋三千焉，身通六藝者七十有二人。」《史記》〈滑稽列傳〉曰：「孔子曰：六藝於治一也。《禮》以節人，《樂》以發和，《書》以道事，《詩》以達意，《易》以神化，《春秋》以義。」那麼，為什麼六藝略置於諸略之首呢？自漢武帝採納董仲舒建議，罷黜百家、獨尊儒術之後，儒家思想成為封建社會意識形態領域的統治思想，儒家經典也就自然而然地成為首屈一指的文獻。當然，除了社會政治和意識形態方面的因素，也還有學術淵源等其他方面的原因。劉國鈞先生曰：「劉向、劉歆父子，以為學術出於王官，故首以六藝，次以諸子，乃及其餘，推尋學術所自，尚不失客觀的精神。」[5]程千帆、徐有富二先生也持這樣的觀點，認為之所以如此分類，首先是學術有不同，六藝略的主要部分是王官之學，而諸子略主要是個人及其學派的書；其次是校書有分工，劉向負責經傳、諸子、詩賦；再次是篇卷有多寡，如史書入《春秋》類，而詩賦獨立[6]。從知識論的角度來考察，六藝之學出自王官之學，章學誠、龔自珍、劉師培論之已詳，茲不贅述。

《漢書》〈儒林傳序〉曰：「古之儒者，博學虖六藝之文。六藝者，王教之典籍，先聖所以明天道，正人倫，致至治之成法也。」既然六藝與儒家的關係最為密切，為什麼二者各自單獨列為類目，儒家並未併入六藝略呢（反之亦然）？梁啟超先生曰：「〈藝文志〉亦非能知學派之真相者也。既列儒家於九流，則不應別著『六藝略』；既崇儒於六藝，何復夷其子孫以儕十家?」[7]對於這一說法，蔣元卿先生有不同意見：

> 六經本為古代官守之書，孔子雖曾加以整理以教弟子，實非孔子所作。且諸子之學，皆六經之支流，是六經乃古代各家思想之總匯，更不能視為儒家私有之祕笈，故宜獨立一略。至其列《論語》、《孝經》、小學於六藝之末者，……三者皆與六經相表裏，因而附之於末。此種觀念，如衡以現代眼光，當不合理；然在定一尊於孔子之漢代，亦不得不如此也。至於儒家之學說，在當時僅是學派中之一而已，正如其他各家無異，此儒家所以不入六藝略而列於九流之最大原因。[8]

---

5 《劉國鈞圖書館學論文選集》〈四庫分類法之研究〉（北京市：書目文獻出版社，1983年），頁24-25。

6 程千帆、徐有富：《校讎廣義》〈目錄編〉第4章〈目錄的分類沿革〉第一節「由《七略》到《隋志》」（濟南市：齊魯書社，1988年8月），頁110。

7 梁啟超：《飲冰室文集》第一冊之七《論中國學術思想變遷之大勢．全盛時代》第二節「論諸家之派別」（北京市：中華書局影印本，1989年），頁16。

8 蔣元卿：《中國圖書分類之沿革》第2章〈分類法之兩大系統——《七略》分類法之起源〉（北京市：

蔣氏說是謂得之。這也就是官守之學與私人著述之間性質迥異和地位殊別之所在。

《七略》之中六藝略的設置具有重要的學術意義，主要表現在三個方面：其一，確立了儒學在學術領域的統治地位，即六藝略位於諸略之首，儒家在諸子略中又位於十家之首，是突出儒家、獨尊儒術的具體表現，為後世經部的形成奠定了基礎。其二，確立了六經排列的次序。關於六經次序，在漢代有今文經學和古文經學兩種排列法，劉歆是古文家，所以六藝略以古文家所認為的、六經成書的時代先後排列。後世編制目錄，特別是官錄、史志大都沿襲這種方式。其三，整理了儒學經典，保存了經學史料[9]。整個中國封建社會，儒家思想的內涵雖時有變化，但儒家思想作為封建統治階級的指導思想未嘗動搖，始終處於獨尊的地位，因此儒家經典、儒家學術著作在古代目錄中首屈一指的地位也始終沒有變更過，而其他部類類目的設置與排列往往會由於學術上或政治上的需要而有所調整[10]。如余嘉錫先生所說：「蓋歷代惟經學著述極富，未嘗中輟，舊書雖亡，新製復作，故惟此一部，古今無大變更。」[11]劉國鈞先生論曰：

> 四庫分類序次之原理，一言以蔽之，即由六朝時遺傳來之衛道觀念，申言之則曰尊儒重道。經為載道之書，故列之於首，其餘皆其支流也。此種思想，已見於《隋志》。《隋書》之志經籍也，其言曰：「夫經籍也者，機神之妙旨，聖哲之能事。所以經天地，緯陰陽，弘道德。顯仁足以利物，藏用足以獨善。學之者將殖焉，不學者將落焉。大業崇之，則成欽明之德；匹夫克念，則有王公之重。其王者之所以樹風聲，崇顯號，美教化，移風俗，何莫由乎斯道。」夫然，故對於舊錄所取，文義淺俗、無益教理者，刪去之。其舊錄所遺，辭義可采、有所弘益者，咸附入之。蓋其目的，本在顯揚其所謂聖道。據其自述，「雖未能研幾探頤，窮極幽隱，庶乎弘道設教，可以無遺闕焉。夫仁、義、禮、智，所以治國也。方技、數術，所以治身也。諸子為經籍之鼓吹，文章乃政化之黼黻，皆為治之具也。故列於此志」。（原注：以上皆見《隋志》〈序〉）是《隋志》次第悉以合於聖道與否為標準也。[12]

這是因為，在古人看來，「自孔子刪述以來，六籍始大顯於世。……數千年來，儒者講求，精義奧旨，愈久愈出，正如日月在天，雖遭剥蝕而不改其光明，未嘗以缺軼而不傳也。支流所及，為史為子，下逮騷賦、詞章，雖不可與六藝抗行，然皆得道之一端。……雖殊途異軌，而一道同歸。其間亦多宏深奧衍之論，藻雅卓犖之詞，有志聖學

中華書局，1941年），頁24。

9 王晉卿：〈經學文獻及經學文獻目錄述略〉，《圖書館》1985年第4期，頁15。

10 《文獻學研究．影響中國古代目錄分類的若干因素》，頁148。

11 《目錄學發微》之十「目錄類例之沿革」，頁154。

12 《劉國鈞圖書館學論文選集．四庫分類法之研究》，頁23。

者，間亦有取。此經、史、子、集四部所由名已」[13]。正是由於「四部次第之根本觀念既在於尊道，故一方面，以得道之偏全，定部類之先後；一方面便不能不摒斥非聖無法之著作，且不能不於類目之中，寓褒貶之意。所以經部樂類只存律呂之書，史部之中有正史、別史、載記之別，乃至傳記之內有別錄，以位置『叛逆』諸人，而子部列釋道於末，集部出詞曲於別集之外，亦皆此意。此種見解，其弊在易陷入主現，足以淆亂是非，較之以客觀的態度，類別一切書籍者，誠不能無所軒輊」[14]。當然，除了尊儒衛道，對於《七略》而言，校書的分工和篇卷的多寡也是類目劃分的重要依據[15]。

《七略》未立專門的史類，史書附於《春秋》經傳之後。除今、古文《春秋》經和諸家傳之外，《議奏》三十九篇、(原注：石渠論。)[16]《國語》、《新國語》、《世本》、《戰國策》、《奏事》二十篇、(原注：秦時大臣奏事，及刻石名山文也。)《楚漢春秋》、《太史公》百三十篇(《史記》)及馮商所續《太史公》七篇、《太古以來年紀》二篇、《漢著記》百九十卷、(師古曰：若今之起居注。)《漢大年紀》五篇等十二家也都收在《春秋》類。阮孝緒〈七錄序〉曰：「劉氏之世，史書甚寡，附見《春秋》，誠得其例。」[17]認同者如馬端臨《文獻通考》〈經籍考十八〉史部「正史各門總」列「《漢志》九家四百一十一篇」，(原注：元附《春秋》，今釐入史門。)按語曰：「班孟堅〈藝文志〉七略無史類，以《世本》以下諸書附於六藝略《春秋》之後。蓋《春秋》即古史，而《春秋》之後，惟秦、漢之事，編帙不多，故不必特立史部。後來傳代既久，史言漸多，而述作之體亦不一，《隋志》史之類已有十三門，唐以後之志皆因之。然《漢志》所錄《世本》以下九書，《隋志》則以《太史公書》入正史門，《戰國策》、《楚漢春秋》入雜史門，而其餘諸書，則後學所不盡見，無由知其合入何門矣。故姑以此九者盡置之

13 〔清〕倪燦：《宋史藝文志補》卷首〈明史藝文志序〉，《續修四庫全書》影印光緒辛卯廣雅書局刻本(上海市：上海古籍出版社，1995年)，第916冊，頁165。《劉國鈞圖書館學論文選集·四庫分類法之研究》轉引(頁23)。

14 《劉國鈞圖書館學論文選集·四庫分類法之研究》，頁24。

15 參見余嘉錫：《目錄學發微》之十〈目錄類例之沿革〉(頁145)、王欣夫：《文獻學講義》第2章〈目錄〉第三節「目錄的分類——《七略》與四部」(上海市：上海古籍出版社，2005年)，頁16-17及《劉國鈞圖書館學論文選集·四庫分類法之研究》(頁24-25)。

16 《論語》類又有《議奏》十八篇，原注：「石渠論。」《孝經》類有《五經雜議》十八篇，原注：「石渠論。」古書往往篇傳單行，其緣由正如劉師培〈古學出於官守論〉所云：「秦代焚書僅焚民間之書耳，而官府之書，其珍藏則如故。……蓋官府所藏之書，與民間所藏之書有別，仍古代設官掌學之遺制也。三代之書，各分派別，有同屬一書而掌以數官者，故漢代以來所藏之書，仍篇傳單行。……使非三代之時官各分職，則書各為部，必不篇各單行，故知篇各單行亦古代學術掌于官守之遺制也。」(發表於1906年《國粹學報》第14、15期，後編入《左盦外集》卷八，江蘇古籍出版社《劉申叔遺書》影印民國二十三年校印本，1997年，頁1491-1492)

17 〔唐〕釋道宣：《廣弘明集》卷3，《四部叢刊初編》集部影印明汪道昆本。

正史之首云。」[18]質疑者如鄭樵提出「《漢志》以《世本》、《戰國策》、《秦大臣奏事》、《漢著記》為《春秋》類，此何義也」[19]？胡應麟對鄭氏說提出異議，曰：「六藝，經也；諸子、兵書、術數、方伎四略，皆子也。詩賦一略，則集之名所由昉。而司馬氏書尚附《春秋》之末，此時史籍甚微，未足成類也。（原注：鄭以《史記》不當入經，蓋未深考此耳。）」[20]章學誠亦予以批駁，充分肯定了《漢志》設定類例的原則，曰：「鄭樵譏《漢志》以《世本》、《戰國策》、《秦大臣奏事》、《漢著記》為《春秋》類，是鄭樵未嘗知《春秋》之家學也。《漢志》不立史部，以史家之言皆得《春秋》之一體，故四書從而附入也。……《漢志》書部無多，附著《春秋》，最為知所原本。」[21]

除六經之外，《論語》（包括《孔子家語》、《孔子三朝》、《孔子徒人圖法》等）、《孝經》、小學亦入六藝略。其中，五經總義類著作《五經雜議》十八篇（王先謙曰：「此經總論也。《爾雅》、《小爾雅》、諸經通訓、古今字、經字異同皆附焉。」）及《爾雅》三卷二十篇、《小（爾）雅》一篇、（沈欽韓曰：「陳振孫云：『《漢志》（有此書，亦）不著名氏。《唐志》有李軌《解》一卷。今《館閣書目》云孔鮒撰。蓋即《孔叢（子）》第十一篇（也），……當是（一作時）好事者鈔（抄）出別行。』案：班氏時《孔叢》未著，已有《小爾雅》，亦孔氏壁中文，不當謂其從《孔叢》鈔出也。」先謙曰：「官本無爾字，引宋祁曰：小字下邵本有爾字。錢大昕云：李善《文選》注引《小爾雅》皆作《小雅》。此書依附《爾雅》而作，本名《小雅》，後人偽造《孔叢》，以此篇竄入，因有《小爾雅》之名，失其舊矣。宋景文所引邵本亦俗儒增入，不可據。」）《古今字》一卷、（先謙曰：「《儒林傳》：『（孔氏有《古文尚書》），孔安國以今文字讀（之）《古文尚書》。』《論衡》云：『（至武帝發取孔子）壁中古文《論語》，後更隸寫以傳誦。』此蓋列具古今，以便誦覽。）《弟子職》一篇、（原注：應劭曰：管仲所作，在《管子》書。沈欽韓曰：「今為《管子》第五十九篇，鄭《曲禮》注引之，蓋漢時單行。」）《說》三篇（先謙曰：「此《弟子職說》。王氏應麟以為《孝經說》，非。各本誤提行。」）等附在《孝經》類[22]。《爾雅》等書為什麼附在《孝經》類而不入小學類呢？王紹曾先生引唐蔚芝（文治）云：

18 〔元〕馬端臨：《文獻通考》卷191《經籍考十八》，中華書局影印商務印書館《萬有文庫》十通本，1986年，頁1619。

19 〔宋〕鄭樵：《通志》卷71《校讎略第一．編次不明論》，中華書局影印商務印書館《萬有文庫》十通本，1987年，頁836。

20 〔明〕胡應麟：《少室山房筆叢》卷二甲部《經籍會通》二（臺北市：新文豐出版公司《叢書集成續編》影印光緒中廣雅書局校刊本，1991年，第10冊），頁200。

21 《校讎通義通解》卷2〈鄭樵誤校漢志第十一〉，頁61。

22 以上〔清〕王先謙：《漢書補注》卷30〈藝文志第十〉，《續修四庫全書》影印清光緒虛受堂刻本（上海市：上海古籍出版社，1995年），第269冊，頁222-223。

> 班書〈藝文志〉以《爾雅》屬《孝經》類，其立意甚精。案鄭君《六藝論》云：「孔子以六藝題目不同，指意殊別，恐道離散，後世莫知根源，故作《孝經》以總會之。」據此，知《孝經》者，乃總會六藝之書；而《爾雅》者，亦六藝所總會也。……然則班氏之意，正以《孝經》為總會六藝之書，而《爾雅》乃六藝之鈐鍵，故以之列於一類也。……（且更進言之，）竊謂班氏以《孝經》、《爾雅》為一類者，實古經師之教法本然也。蓋《爾雅》者，辨釋經訓之書；《孝經》者，敷陳經義之書。其義例雖若不同，而其指歸則一。故古塾師教人，必以此二書為先，所以見經訓與經義之不可離而為二。班氏傳習其法，故以之列於一類也。（而或者以不入小學為譏，又安知古之）所謂小學家並非訓釋經典，不過以之諷書寀體，專為識字而已。而《爾雅》者，則六經之故訓存焉。然則《爾雅》固可以該小學，而論其本旨，則是經學之權輿，而非小學所可該。是故《漢志》以之列於《孝經》，而不列於小學，斯乃班氏之有識也。[23]

唐先生主要揭示了《孝經》、《爾雅》同屬一類的學理依據——《孝經》總會六經，《爾雅》乃六經之關鍵；以及古經師教授二者的教法異同，《爾雅》辨釋經訓，《孝經》敷陳經義，殊途同歸。這就可以解釋為什麼《爾雅》列於《孝經》類，而不列於小學類或《論語》類。

據稱《論語》、《孝經》、《孟子》、《爾雅》當漢文帝朝曾經一度立為學官，不過並非以之為經，而是作為傳記之一。劉歆《移讓太常博士書》曰：「至孝文皇帝，始使掌故朝錯從伏生受《尚書》。……《詩》始萌芽，天下眾書往往頗出，皆諸子傳說，猶廣立於學官，為置博士。」[24]趙岐〈孟子題辭〉曰：「孝文皇帝欲廣遊學之路，《論語》、《孝經》、《孟子》、《爾雅》皆置博士。後罷傳記博士，獨立五經而已。」王國維先生認為：

> 傳記博士之罷，錢氏大昕以為即在置五經博士時，其說蓋信然。《論語》、《孝經》、《孟子》、《爾雅》雖同時並罷，其罷之之意則不同。《孟子》以其為諸子而罷之也，至《論語》、《孝經》，則以受經與不受經者皆誦習之，不宜限於博士而罷之者也。劉向父子作《七略》，六藝一百三家，於《易》、《書》、《詩》、《禮》、《樂》、《春秋》之後，附以《論語》、《孝經》、（原注：《爾雅》附。）小學三目。六藝與此三者，皆漢時學校誦習之書。以後世之制明之，小學諸書者，漢小學之科目；《論語》、《孝經》者，漢中學之科目；而六藝則大學之科目也。武帝

23 唐文治：《漢書藝文志爾雅屬孝經類說》，《中國學術討論集》第1集《目錄學討論》，《民國叢書》第3編81影印本（上海市：上海書店出版社，1990年），頁155-156。王紹曾：《目錄版本校勘學論集·目錄學分類論·漢書藝文志爾雅屬孝經類說》（上海市：上海古籍出版社，2005年1月）轉引其說，語句次序略有變動，並添加適當連接詞（括弧內文字），這裡採用王先生引文次序，文字以原文為正。

24 《漢書》卷36《楚元王傳附劉歆傳》（北京市：中華書局，1964年，第7冊），頁1968-1969。

罷傳記博士，專立五經，乃除中學科目於大學之中，非遂廢中小學也。[25]

傳記博士之罷，在漢武帝建元五年（西元前136年）。錢氏說見《潛研堂文集》卷九《答問六》，據〈孟子題辭〉及〈移讓太常博士書〉、《漢書》〈武帝本紀〉，認為「建元五年置五經博士，則傳記博士之罷當在其時矣」。余嘉錫先生對王氏取譬大、中、小學的說法提出異議，並引隋杜臺卿撰《玉燭寶典》卷一所引東漢崔寔《四民月令》，認為《論語》、《孝經》亦漢人小學書，其文有曰：

> 至於《論語》、《孝經》、小學之附六藝，則因其皆當時學校誦習之書也。《論語》、《孝經》，漢人皆謂之傳記。《論語》書多，故自為一類。《孝經》則附以《五經雜議》、《爾雅》、《弟子職》諸書，皆後世之五經總義，特當時總解群經之書尚少，故姑附之於此耳。小學書為學童所必讀，亦以次入焉。《漢志》云「劉向校經傳、諸子、詩賦」，於六略中獨變「六藝」之名。《劉歆傳》云「講六藝、傳記、諸子、詩賦、數術、方技，無所不究」，於「六藝」、「諸子」之間，忽著「傳記」兩字，明六藝之中，除五經以外，皆傳記也。班固之記事，可謂苦心分明矣。而或者猶以為劉、班獨尊孔子之書為經，故著之於六藝略。劉向儒者，固尊孔，然此則非其義也。[26]

通過比對《漢志》和《漢書》劉歆本傳，知所謂「經傳」就是「六藝」加上「傳記」，而所謂傳記即六經以外的《論語》、《孝經》、小學，所以六藝略實際上是包含六經和傳記在內的。也就是說，《論語》、《孝經》之所以列入六藝略，並非是作為孔子之書尊崇為經而納入的，不可簡單地以尊孔來概括。事实上，清人如龔自珍對於六藝略的構成有著清醒的認識，他盛讚「漢劉向之為《七略》也，班固仍之，造〈藝文志〉，序六藝為九種，有經，有傳，有記，有群書。傳則附於經，記則附於經，群書頗關經，則附於經」。經傳之別，原本是十分明確的，可到了後世，流俗相沿，習焉不察，遂至以傳為經，如《左氏》、《公》、《穀》是；以記為經，如《小戴禮（記）》是；以群書為經，如《周官》、《孝經》、《論語》是；以子為經，如《孟子》是；以釋經之書為經，如《爾雅》是[27]。

王欣夫先生綜合王、余二說，總結道：

> 六藝是指《易》、《書》、《詩》、《禮》、《樂》、《春秋》。那末《論語》、《孝經》為什麼附在這裡呢?因為這三類都是當時學校的課本，以後世之制度作比，小學諸

25 王國維：《觀堂集林》卷4〈漢魏博士考〉（北京市：中華書局影印本，2004年），頁178-179。

26 《目錄學發微》之十「目錄類例之沿革」，頁148。

27 〔清〕龔自珍：《龔自珍全集》第1輯《六經正名》（原載清光緒二十三年萬本書堂刻本《定盦全集·文集·補編》卷3，上海市：上海人民出版社，1975年），頁36-38。

書是漢小學的科目，《論語》、《孝經》是漢中學的科目，而六藝則是大學的科目。《論語》、《孝經》，漢人稱為傳記，《劉歆傳》說的「講六藝、傳記、諸子、詩賦、數術、方技，無所不究」，傳記在六略中並無此名，而列在六藝、諸子的中間，明明指《六經》以外的《論語》、《孝經》、小學。[28]

如上所述，取譬大、中、小學科目實出自王國維先生說；指出《論語》、《孝經》、小學實為傳記則係余嘉錫先生說。我們更傾向於認同余先生說。王鳴盛曰：「其于六藝之末提行別為一條，總目上文云『序六藝為九種』者，《論語》、《孝經》皆記夫子之言，宜附於經，而其文簡易，可啟童蒙，故雖別分兩門，其實與文字同為小學。小學者，經之始基，故附經也。」[29]所謂「小學」蓋有二義，一者約略相當於今語言文字學，二者指不同於中學、大學的初等教育階段，在漢代二者有著密切的內部關聯。《漢志》小學類係指前者，王氏認為《論語》、《孝經》廣義上也屬於小學，乃漢時學校誦習之書。

值得注意的是，魏晉時期還有「四部」之說，指六藝略中五經之外的《樂》、《論語》、《孝經》、小學。傳孔融所作〈與諸卿書〉有曰：「鄭康成多臆說，人見其名學，謂有所出也。證案大較，要在五經四部書，如非此文，近為妄矣。」[30]錢大昕論曰：

孔融為北海相，告高密縣為鄭康成特立一鄉，名鄭公鄉，其推許甚至。而《太平御覽》載融〈與諸卿書〉云……予謂此必非孔文舉之言，殆魏、晉以後習王肅學者偽託耳。晉荀勗《中經薄》始有四部之分，文舉漢人，安得稱四部書？且鄭君注「三禮」，初無麒麟皮冒鼓之說也。范蔚宗書及章懷注皆無此語，不可執無稽之談以誣盛德。[31]

麟鼓郊天說即出自〈與諸卿書〉，其文有曰：「若子所執，以為郊天鼓必當騏驎之皮，寫《孝經》本當曾子家策乎？」王鳴盛《蛾術編》卷五九「說人九・鄭氏品藻」引及〈與諸卿書〉也提出質疑，「孔融尊崇康成特至，何得有如許妄譚」？孫志祖《讀書脞錄・續編》卷四「麟皮鼓郊天」曰：「〈諸卿書〉不可解，所云未定為孔融之說，或下更有辨駁語，而《御覽》徵引不全也。」（原注：徐北溟（鯤）云：《御覽》此條上承《抱朴子》來，似即稚川語。）鄭珍《鄭學錄》卷一引錢氏說，表示贊同。沈可培《鄭康成年

---

28 《文獻學講義》第二章〈目錄〉第三節「目錄的分類——《七略》與四部」之「《漢志》六藝與傳記的區別」，頁19。

29 〔清〕王鳴盛《蛾術編》卷1《說錄一》〈五經先後次敘〉（上海市：上海書店出版社，2012年12月），頁1-2。

30 〔宋〕李昉等：《太平御覽》卷608〈學部二・敘經典〉，《四部叢刊三編》影印中華學藝社借照日本帝室圖書寮、京都東福寺、東京靜嘉堂文庫藏宋刊本。

31 〔清〕錢大昕：《十駕齋養新錄》卷16「《御覽》載孔融語」，陳文和等校點本（南京市：江蘇古籍出版社，2000年），頁355。

譜》卷一七引〈與諸卿書〉，按語云：「此非孔文舉之言，或係王肅之徒偽託耳。麟鼓郊天之說，『三禮』注及他處引用俱無之。」可見，清人對於所謂孔融始倡「五經四部」的說法並不認同。

「五經四部」的說法還見於其他六朝古籍。晉常璩《華陽國志》卷一〇下：「（李譔）自五經四部、百家諸子、伎藝算計、卜數醫術、弓弩機械之巧，皆致思焉。」晉葛洪《抱朴子》〈祛惑篇〉：「五經四部，並已陳之芻狗，既往之糟粕。」梁陶弘景《本草經集注》：「其五經四部，軍國禮服，若詳用乖越者，正於事跡，非宜耳。」[32]至於「五經四部」的具體所指，[33]錢大昕曰：「魏文帝《典論》〈自敘〉稱：『五經四部、史漢、諸子百家之言，靡不畢覽。』所謂『四部』者，似在五經、諸子之外，亦不知其何所指。」[34]余嘉錫先生結合六藝略九個類目以及六藝、五經的具體所指，加以推論，頗近情理，其文略曰：

> 自向、歆以六略部次群書，《七錄》序謂「東漢蘭臺猶為書部」。王隱《晉書》敘鄭默著《魏中經簿》，亦不言其於類例有所變更。至荀勗《晉中經新簿》，始分四部，此學者所共知也。然漢、魏之間，實已先有四部之名。孔融文曰：「證案大較，在五經四部書。」魏文帝〈自敘〉云：「及長，而備歷五經四部、史漢、諸子百家之言。」以「四部」置之經、子、史之外，則非荀勗之四部矣。所指為何等書，無可考證。以意度之，《七略》中六藝凡九種，而《劉向傳》但言「詔向領校中五經秘書」。蓋舉《易》、《書》、《詩》、《禮》、《春秋》立博士者言之，則曰五經；並舉《樂》言之，則曰六藝；更兼《論語》、《孝經》、小學言之，則為九種。漢末人以為於九種之中獨舉五經，嫌於不備，故括之曰「五經四部」。「四部」者，即指六藝略中之《樂》、《論語》、《孝經》、小學也。此雖未有明證，而推測情事，或當如此。[35]

王欣夫先生引述余先生說，認為這一推論是可信的，不可把「五經四部」之「四部」和荀勗的「四部」相混[36]。

---

32 馬繼興主編：《敦煌古醫籍考釋》（南昌市：江西科學技術出版社，1988年），頁347-348。校以《四部叢刊》景金泰和晦明軒本《重修政和經史證類備用本草》卷一引文，「乖越者」下有「犹可矣」三字，「正」作「止」。唐代官修《本草》將弘景此書輯入，故唐、宋以降罕有單行本行世。日本龍谷大學圖書館藏敦煌卷子本（編號：龍530），羅振玉《吉石盦叢書》有影印本。

33 《北史‧祖瑩傳附子珽傳》又有「五經三部」之稱（北京市：中華書局，1974年，第6冊，頁1738）。王利器：《鄭康成年譜》以為三當作四，積畫之誤也（濟南市：齊魯書社，1983年3月，頁155）。

34 〔清〕錢大昕《潛研堂文集》卷13〈答問十〉（上海市：上海古籍出版社，2009年8月），頁197。

35 《目錄學發微》之十「目錄類例之沿革」，頁151-152。

36 《文獻學講義》第二章〈目錄〉第三節「目錄的分類——《七略》與四部」之「荀勗以前四部的內容」，頁18。

二

三國魏秘書郎鄭默編成宮廷藏書目錄《中經》(又稱《魏中經簿》)。西晉荀勗因《中經》更著《新簿》,又稱《晉中經簿》。南朝梁阮孝緒〈七錄序〉記述鄭、荀二目,曰:「魏秘書郎鄭默刪定舊文,時之論者謂為朱紫有別。晉領秘書監荀勗因《魏中經》更著《新簿》,雖分為十有餘卷,而總以四部別之。」[37]《隋書》〈經籍志〉(以下簡稱《隋志》)亦曰「魏祕書郎鄭默,始制《中經》,祕書監荀勗,又因《中經》更著《新簿》,分為四部,總括群書。」[38]細味文意,並不足以說明《中經》已是四部分類,所以一般認為可以確認的四部分類還是始自《中經新簿》。根據《隋志》的記載,《新簿》分為四部,「一曰甲部,紀六藝及小學等書」,「三曰丙部,有史記、舊事、皇覽簿、雜事」。甲部相當於《七略》的六藝略,也就是經部。丙部則將史書從六藝略《春秋》類中析出單列,亦即史部。東晉著作郎李充纂《四部書目》(又稱《晉元帝書目》),「因荀勗《舊簿》四部之法,而換其乙丙之書;沒略眾篇之名,總以甲乙為次」[39]。其中,「五經為甲部」,[40]經、史、子、集之次始定。錢大昕〈補元史藝文志序〉盛稱之,以為「雖王儉、阮孝緒析而為七,祖暅別而為五,然隋唐以來志經籍、藝文者,大率用李充部敘而已」[41]。錢氏提及的七分法,指南北朝效法《七略》之作王儉《七志》(據《隋志》,「一曰經典志,紀六藝、小學、史記、雜傳」[42])和阮孝緒《七錄》。《七錄》的分類法包括內篇五錄、外篇二錄,其中「經典錄內篇一」下分《易》、《尚書》、《詩》、《禮》、《樂》、《春秋》、《論語》、《孝經》、小學九部。它的分類「斟酌王(儉)、劉(歆)」,「王以六藝之稱不足標榜經目,改為經典,今則從之,故序經典錄為內篇第一」。「記傳錄內篇二」下分國史、注曆、舊事、職官、儀典、法制、偽史、雜傳、鬼神、土地、譜狀、簿錄十二部。這是因為,「劉、王並以眾史合于《春秋》。劉氏之世,史書甚寡,附見《春秋》,誠得其例。今眾家記傳,倍於經典,猶從此志,實為繁蕪。且《七略》〈詩賦〉不從六藝《詩》部,蓋由其書既多,所以別為一略。今依擬斯例,分出眾史,序記傳錄為內篇第二」[43]。不難看出,《七錄》經書部類的名稱從王儉,所

---

37 《廣弘明集》卷3〈七錄序〉。

38 《隋書》卷32《經籍志一》(北京市:中華書局,1982年,第4冊),頁906。

39 《廣弘明集》卷3〈七錄序〉。

40 〔梁〕蕭統著,唐李善等注《六臣注文選》卷四六任彥昇《王文憲集序》引臧榮緒《晉書》李充本傳曰:「于時典籍混亂,刪除煩重,以類相從,分為四部,甚有條貫,秘閣以為永制。五經為甲部……」(人民文學出版社影印日本足利學校遺蹟圖書館藏明州本,2011年,頁717)。

41 〔清〕錢大昕:《補元史藝文志》卷首,中華書局據開明書店原版重印《二十五史補編》,1955年,第6冊,頁8393。

42 《隋書》卷32《經籍志一》,第4冊,頁906。

43 《廣弘明集》卷三〈七錄序〉《七錄目錄》。

分九個類目與《七略》〈六藝略〉同；不過史書已獨立出來，不再像《七略》、《七志》附於《春秋》類。這應該是受到四部分類法的影響，可見兩種分類法交互為用，彼此洞鑒；當然，更由於《七錄》所強調的目錄分類的理念所致，那就是應當反映當時學術發展、書籍數量變化的實際狀況。

唐高宗顯慶元年（西元656年）成書的《隋書》〈經籍志〉四卷，實際上是在隋煬帝朝柳顧言等《大業正御書目錄》的基礎上編纂而成的，涵蓋梁、陳、北齊、北周、隋五個朝代，而以隋事為詳。其類目劃分博採荀勗、李充以來四部分類法和《七略》系統分類法的成果，確立了四部分類法在中國目錄學史上的獨尊地位[44]。《隋志》既收錄存書，也收錄佚書，分為經、史、子、集四部四十類，其中經部分《易》、《書》、《詩》、《禮》、《樂》、《春秋》、《孝經》、《論語》(「《爾雅》諸書，解古今之意，并五經總義（如《白虎通》六卷、《五經異義》十卷、《六藝論》一卷等），附于此篇。」這與《七略》附在《孝經》類不同。《孔叢》、《孔子家語》及劉熙、沈約、賀瑒三家《謚法》之作亦收在這一類)、讖緯、小學（一字、三字石經「相傳傳拓之本，猶在祕府，并秦帝刻石」在這一類著錄）十類。不難看出，其類目直接沿用了《七略》〈六藝略〉的九小類，只是次序有所調整。新增「讖緯」一類，雖然其「文辭淺俗，顛倒舛謬，不類聖人之旨。相傳疑世人造為之後，或者又加點竄，非其實錄」，因為「或以緯書解經」，所以「錄其見存，列于六經之下，以備異說」[45]。《隋志》經部類目略同《七錄》，惟《七錄》以《孝經》次《論語》後，仍《七略》之舊；《隋志》則以《論語》次《孝經》後，以《爾雅》、五經總義附《論語》，與《七略》以《爾雅》、五經總義附《孝經》，不入小學、不別立部形式不同，其義則同。

作為主流意識形態，經學與現實政治密切聯繫在一起，直接關乎朝廷的政治制度、選舉制度和文化政策、學術取向等。就有唐一代科舉而言，进士科固然最為重要，但明經科也是不可或缺的。《唐六典》〈尚書禮部〉曰：

> 凡舉試之制，每歲仲冬，率與計偕。其科有六：一曰秀才，（原注：試方略策五條。此科取人稍峻，貞觀已後遂絕。）二曰明經，三曰進士，四曰明法，五曰書，六曰算。凡正經有九：《禮記》、《左氏春秋》為大經；《毛詩》、《周禮》、《儀禮》為中經；《周易》、《尚書》、《公羊春秋》、《穀梁春秋》為小經。通二經者，一大一小，若兩中經；通三經者，大、小、中各一；通五經者，大經並通。其

44 劉國鈞先生曰：「四部分類之起源，說者皆稱起於荀勗。《隋志》云云……然則四部之制，荀勗創之，李充變之，後世遂以李充為則，乃成定制。……是故四庫分類法在唐以前，可以謂為孕育時期，唐以後可謂之確定時期。確定時期中類目之變遷，雖互有得失，而無關宏旨。至於孕育時期之事蹟，則大有可以詔示吾人者。」(《劉國鈞圖書館學論文選集．四庫分類法之研究》，頁19-21)。

45 《隋書》卷32《經籍志一》，第4冊，頁941、948。

《孝經》、《論語》、《老子》，並須兼習。凡明經，先帖經，然後口試並答策，取粗有文理者為通。（原注：舊制，諸明經試每經十帖、《孝經》二帖、《論語》八帖、《老子》兼注五帖，每帖三言，通六已上；然後試策十條，通七即為高第。開元二十五敕：諸明經先帖經，通五已上；然後口試，每經通問大義十條，通六已上；並答時務策三道。）凡進士，先帖經，然後試雜文及策。文取華實兼舉，策須義理愜當者為通。（原注：舊例帖一小經並注，通六已上；帖《老子》兼注，通三已上；然後試雜文兩道、時務策五條。開元二十五年，依明經帖一大經，通四已上，餘如舊。）[46]

可見，不止是明經科需要通經，[47]即便是進士科也要帖經，甚至包括大經。而且，到了唐代，圖書分類就以法律的形式規定下來，國家藏書由祕書省管理，設置監、少監、丞之外，還有祕書郎四人，職責是：

祕書郎掌四部之圖籍，分庫以藏之，以甲、乙、景、[48]丁為之部目。甲部為經，其類有十：一曰《易》，以紀陰陽變化；（《經籍志》：《歸藏》等六十九部，五百五十一卷。）二曰《書》，以紀帝王遺範；（《古文尚書》等三十二部，二百三十七卷。）三曰《詩》，以紀興衰誦歎；（《韓詩》等三十九部，四百三十二卷。）四曰《禮》，以紀文物體制；（《周官》等一百三十六部，一千六百二十二卷。）五曰《樂》，以紀聲容律度；（《樂社大義》等三十二部，一百四十三卷。）六曰《春秋》，以紀行事褒貶；（《春秋經》等三傳九十七部，九百八十三卷。）七曰《孝經》，以紀天經地義；（《古文孝經》等十八部，六十三卷。）八曰《論語》，以紀先聖微言；（《論語》等並《五經異義》七十二部，七百八十一卷。）九曰圖緯，以紀六經讖候；（《河圖》等十三部，九十二卷。）十曰小學，以紀字體聲韻。（《說文》等三部，四十六卷。）[49]

據正文及原注所列類目和部、卷數，知其實本諸《隋志》。可見，從初唐到盛唐，這種對於經部類目的劃分方法已經固定下來，並作為設官分職的依據。

五代後晉劉昫編纂的《舊唐書》〈經籍志〉（以下簡稱《舊唐志》）二卷是以唐毋煚《古今書錄》為依據刪繁就簡而成的。而《古今書錄》又是在唐玄宗朝馬懷素、元行沖等編修的《（開元）群書四部錄》基礎上完成的，也就是說，其分類體系實際上仍然是

46 〔唐〕李林甫等：《唐六典》卷4（北京市：中華書局點校本，1992年），頁109。

47 據《新唐書》卷44〈選舉志上〉，「而明經之別，有五經，有三經，有二經，有學究一經，有三禮，有三傳，有史科」（北京市：中華書局，1975年，第4冊，頁1159）。

48 唐高祖李淵追尊父昺為世祖元皇帝，故避嫌名丙字，代以景字。

49 《唐六典》卷10〈祕書省〉，頁298-299。

盛唐時期的。其中，甲部經錄分《易》、《書》、《詩》、《禮》、《樂》、《春秋》、《孝經》、《論語》（包括《孔叢子》、《孔子家語》）、讖緯（《經籍志序》作圖緯，著錄「經緯九家」，實際上不過是鄭玄、宋均二家注九部）、經解（著錄「七經雜解」二十七家，如《白虎通》六卷、《五經異義》十卷、《六藝論》一卷、《經典釋文》三十卷、《匡謬正俗》八卷等，還包括劉熙、沈約、賀琛三家《謚法（例）》）、詁訓（《爾雅》、《廣雅》類書十八家）、小學（所謂「偏傍音韻雜字」八十六家，[50]含今字、三字石經）等十二家。所著錄之部數、卷數與《古今書錄》全同。較之《隋志》，經解、詁訓兩類為新增的。值得注意的是，《經籍志序》對於各類目所收內容的界定與上述《唐六典》全同，而經解、詁訓兩類均作「以紀六經讖候」，同於圖緯，顯誤，知其原有十類之解說出自《唐六典》，新增兩類原本闕如，恐係後人臆補。

北宋歐陽修等編纂的《新唐書》〈藝文志〉（以下簡稱《新唐志》）四卷，與《舊唐志》一樣，也是以《古今書錄》為依據，但補入了大量開元以後的唐人著作[51]。每一小類分為著錄、不著錄，著錄指《古今書錄》所著錄的，不著錄指《古今書錄》及《舊唐志》未著錄的。其分類在《舊唐志》的基礎上略有變動，如甲部經錄分《易》、《書》、《詩》、《禮》、《樂》、《春秋》、《孝經》、《論語》（包括《孔叢（子）》、王肅注《孔子家語》）、讖緯（鄭玄和宋均注經緯二家九部）、經解（包括《白虎通義》六卷、《五經異義》十卷、《六藝論》一卷、《經典釋文》三十卷、《匡謬正俗》八卷，以及劉熙、沈約、賀琛三家《謚法（例）》，這和《舊唐志》完全相同）、小學（包括《爾雅》、《廣雅》類書，相當於《舊唐志》「詁訓」類；以及字書、韻書、書法類書，含今字、三字石經及「開成石經」附刻的《五經文字》、《九經字樣》兩種正字書）十一類。

三

北宋仁宗慶曆元年（1041）編纂成書的《崇文總目》仿照《開元群書四部錄》的體例，並參照《舊唐志》，稍有改易。其書久佚，《直齋書錄解題》著錄《崇文總目》一卷，景祐初王堯臣等撰定，「凡六十六卷，諸儒皆有論議，歐公文集頗見數條。今此惟六十六卷之目耳，題云『紹興改定』」[52]。天一閣藏藍絲格明鈔本，綫裝一冊，九行二十餘字，分卷六十八，當即陳氏所著錄之一卷本簡目，刪去類序和解題，僅存其目，只是分卷稍異而已。嘉慶中，錢東垣及其弟錢繹、錢侗據是本及此前編纂《四庫全書》之

50 《舊唐書》卷46〈經籍志上〉（北京市：中華書局，1975年，第6冊），頁1987。

51 余嘉錫先生以為除《（開元）群書四部錄》二百卷、《古今書錄》四十卷之外，尚有《開元四庫書目》十四卷，《新唐志》「當即據此書」（《目錄學發微》之九「目錄學源流考下」，頁126）。

52 〔宋〕陳振孫《直齋書錄解題》卷8，《叢書集成初編》據《武英殿聚珍版叢書》排印本，中華書局重印本，1985年，頁225。

時的《永樂大典》輯本，增輯、編訂為《崇文總目輯釋》五卷、《補遺》一卷，四年秦鑒刊入《汗筠齋叢書》。經部分《易》、《書》、《詩》、《禮》（謚法之書入禮類，有沈約《謚例》、賀琛《謚法》等五家）、《樂》、《春秋》、《孝經》、《論語》、小學，刪去讖緯、經解、詁訓三類，讖緯之書併入各經（僅見《易緯》於《易》類，有宋均注《易緯》九卷、《周易乾鑿度》二卷、《元（命）包》十卷三種，可見書籍數量多寡和學術思潮變化的影響），詁訓之書入小學類（與《新唐志》同），經雜解之書入《論語》類（如《白虎通德論》、《刊謬正俗》等，與《隋志》同）。卷一《論語》類錢東垣按語云：

> 《白虎通德論》以下七書，當另是經總一門，非《論語》類也。然《隋志》、〈論語〉類後敘云「并五經總義，附于此篇」，故《白虎通》、《五經鉤沈》諸書並入《論語》類。此書蓋沿其例。鄭漁仲所譏《刊謬正俗》，只看帙前數行，率意釋之者，不知此例，憑臆駁詘，謬甚。[53]

錢氏所引鄭樵語見於《通志・校讎略》，其文有曰：「編書之家，多是苟且，有見名不見書者，有看前不看後者。……顏師古作《刊謬正俗》，乃雜記經史，惟第一篇說《論語》。而《崇文目》以為《論語》類，此之謂看前不看後。應知《崇文》所釋不看全書，多只看帙前數行，率意以釋之耳。按：《刊謬正俗》當入經解類。」[54]可見，鄭樵並不了解或者是未加深考《七略》直至《隋志》經部類目劃分的淵源和傳統，經解（五經總義）類或附《論語》類，或附《孝經》類，未嘗獨立。《崇文總目》沿襲舊制，立意甚古，鄭樵對其指摘頗失允當。

此外，《孔子家語》二十七卷（師古曰：非今所有《家語》），《漢志》著錄於《論語》類，以下《隋志》、《舊》、《新唐志》直至《崇文總目》、《郡齋讀書志》、《遂初堂書目》、《文獻通考》、《宋史》〈藝文志〉、《千頃堂書目》、《明史》〈藝文志〉一仍其舊。《直齋書錄解題》始著錄於子部儒家類，《四庫全書總目》沿用其例，可見對於其書性質的正確評判和準確定位是經歷了漫長而又複雜的歷史過程的。《孔叢（子）》）不見於《漢志》著錄（《漢志》僅著錄《小（爾）雅》一篇），《隋志》、《舊》、《新唐志》均見於《論語》類著錄，《崇文總目》、《郡齋讀書志》著錄於子部雜家類，《遂初堂書目》、《直齋書錄解題》、《文獻通考》、《宋史》〈藝文志〉則在子部儒家類著錄，可見宋人對其書的認識已發生了根本性的變化。至《四庫全書總目》確定在子部儒家類，揭示了清人對其書性質的準確判斷。

晁公武（1105-1180）編纂的《郡齋讀書志》是宋代最著名的私家目錄之一。孝宗

---

53 〔宋〕王堯臣等編，清錢東垣輯釋《崇文總目（輯釋）》卷1，《叢書集成初編》據《粵雅堂叢書》本排印，中華書局重印本，1985年，頁30-31。

54 《通志》卷71《校讎略第一》〈見名不見書論二篇〉，中華書局影印商務印書館《萬有文庫》十通本，頁832。

淳熙中，杜鵬舉在蜀中刊行四卷本，其後晁公武做了大量補正，姚應績又據以編刻二十卷本。這兩個蜀刻本均已亡佚。淳祐九年（1249），游鈞在衢州（今屬浙江）刊行姚氏二十卷本，是為衢本。同年，趙希弁增訂杜鵬舉四卷本，成《附志》一卷，合為五卷，又據衢本編成《後志》二卷、《考異》一卷，次年由黎安朝刊於袁州，是為袁本。《郡齋讀書志》體例基本上依照《崇文總目》，經部有總序，稱作「經類總論」，下分《易》（除了著錄歷代《易》學著作，袁本卷一上《易》類還著錄《易乾鑿度》二卷、《元命包》十卷兩種緯書；衢本卷一《易》類除上述二書（《元命包》作《元包》）外，還著錄《坤鑿度》二卷、《周易緯稽覽圖》二卷、《周易緯是類謀》一卷、《周易緯辨終備》一卷、《周易緯乾元序制記》一卷、《周易緯坤靈圖》一卷、《易通卦驗》一卷等《易緯》，均見於袁本《後志》卷一經類著錄，有異文）、《書》、《詩》、《禮》（謚法類書入禮類，《周公謚法》一卷、《春秋謚法》一卷、《沈賀謚法》四卷、《嘉祐謚法》三卷見於袁本卷一上禮類著錄；除上述諸書外，衢本卷二《禮》類還著錄《集謚總錄》一卷，又見於袁本《後志》卷一經類）、《樂》、《春秋》、《孝經》、《論語》（袁本卷一下《論語》類除著錄何晏《集解》、邢昺《正義》及宋代諸家注解外，還包括王肅序注本《孔子家語》十卷；衢本卷四《論語》類除了上述諸書，還著錄皇侃《(義）疏》（見於袁本《後志》卷一經類）、《韓李論語筆解》（見於袁本《附志・經解類》）等）、經解（袁本卷一下經解類著錄《白虎通德論》十卷、《七經小傳》五卷、《漁樵對問》一卷、《程氏雜說》一卷、《儒言》一卷、《三墳書》七卷、《信聞記》一卷、《六祖經要》四卷等八種；衢本卷四經解類的著錄則頗有參差，除《白虎通德論》、《七經小傳》、《三墳書》相同外，尚有蔡邕《獨斷》二卷、《六說》五卷、《匡謬正俗》八卷、《演圣通論》四十九卷等四種，《獨斷》見於袁本卷五下《附志・拾遺》，後三種見於袁本《後志》卷一經解類）、小學十一類。增加「經解」一類，與《舊》、《新唐志》相同。需要說明的是，前此諸家著錄石經多在小學類，袁本卷五上《附志・經類》始著錄「石室十三經」（后蜀廣政石經），衢本則將各經分別散入相關各類（石經《孟子》，見於衢本卷一〇，仍屬子部儒家類；袁本則劃歸「石室十三經」，卷三上儒家類不重出）。袁本類目劃分也值得注意，《附志》經部分為經類、經解類和小學類，經類收錄各經的注疏，除「石室十三經」（經注本）外還有衢本失收的《春秋穀梁傳注疏》二十卷；經解類所著錄的基本上都是本朝人的經解著作，其中包括尹焞《孟子解》、張九成《孟子解》、朱子《孟子精義》、《孟子集注》、張栻《孟子說》。而《後志》卷二子類著錄《伊川孟子解》、《百家孟子解》、《點注孟子》及王安石、王雱、許允成《孟子解》。可見，趙希弁對於經書類目的劃分標準較之晁公武已有不同，導致袁本分類不統一，部分《孟子》類著作已收在經部。這在一定程度上也反映了《孟子》地位的提高及其升入經書序列的進程。

尤袤（1127-1194）編纂的《遂初堂書目》，不分卷，暗分四部，著錄當代見存古人及時人著作，開創了目錄著錄版本的先河。經部分經總、《周易》、《尚書》、《詩》、

《禮》、《樂》、《春秋》、《論語》(《孝經》、《孟子》附)、小學。經總類並非經解類或後世所謂五經總義類，試看其著錄諸書：

> 成都石刻九經、《論語》、《孟子》、《爾雅》　杭本《周易》　舊監本《尚書》　京本《毛詩》　舊監本《禮記》　杭本《周禮》、《儀禮》　舊監本《左傳》　杭本《公羊傳》　杭本《穀梁傳》　舊監本《論語》　舊監本《孟子》　舊監本《爾雅》　舊監本《國語》　高麗本《尚書》　江西本九經　《六經圖》　朱氏新定《易》、《書》、《詩》、《春秋古經》[55]

可見，其所收書基本上都是經學文獻叢書，如後蜀廣政石經(成都石刻)、舊監本、杭本、江西本以及朱熹校刊群經等。真正屬於經解類的只有《六經圖》，其他各經(含《孟子》)均作為叢書子目收錄的。而真正的經解類著作如《(刊謬)正俗》、《經典釋文》、《群經音辨》等劃歸小學類。知其類目劃分的標準並不統一，比較混亂。最值得關注的是，《孟子》由子部儒家類升入經部，這樣的設置反映了當時學術發展的實況，《孟子》升經，而且附在《論語》類，揭示出在宋人觀念裏《論》、《孟》之間的特殊聯繫。

陳振孫，生於淳熙十年(1183)，卒於景定二、三年之間(1261-1262)，晚於尤袤。其所著《直齋書錄解題》，原書五十六卷久佚，四庫館臣從《永樂大典》中輯出，重編為二十二卷，刻入《武英殿聚珍版叢書》，後又收入《四庫全書》。其書分類基本上因襲《舊》、《新唐志》和《崇文總目》，略有調整。經部分《易》、《書》、《詩》、《禮》、《春秋》、《孝經》、「語孟」、經解、讖緯、小學十類。

《孟子》及其相關論著，在北宋以前的史志或官修目錄，如《漢志》、《隋志》、《舊唐志》、《新唐志》、《崇文總目》中，都被列入子部儒家類，變動出現在南宋。唐代後期和北宋時期隨著道學的興起，《孟子》地位日隆，北宋神宗熙寧中當作兼經(《論》、《孟》)列為科舉考試的科目，逐漸進入經書序列。尤其是南宋孝宗淳熙中朱熹編撰《四書章句集注》，《孟子》成為《四書》之一，地位進一步提升。《孟子》類著作在《遂初堂書目》中類目的位置，也由子部升為經部。尤袤此舉正反映了《孟子》升入經書序列，學術地位的變化，往往與政治、思想的發展狀態相一致，相應地在目錄學類目劃分上就不能不做出調整。《遂初堂書目》只是將《孟子》附於經部《論語》類，陳氏則將《語》、《孟》並列，並且首次將《孟子》列為類目名稱。「語孟」類序曰：「前志《孟子》本列於儒家，然趙岐固嘗以為則象《論語》矣。自韓文公稱孔子傳之孟軻，軻死不得其傳，天下學者咸曰『孔孟』。《孟子》之書，固非荀、楊以降所可同日語也。今國家設科取士，《語》、《孟》並列為經，而程氏諸儒訓解二書，常相表裏，故今合為一

55 〔宋〕尤袤《遂初堂書目》，《叢書集成初編》據《海山仙館叢書》本排印，中華書局重印本，1985年，頁1。

類。」[56]可見陳氏著眼於兩方面的考量：一是熙寧以降以《論》、《孟》設科取士；一是道學的發展提升了《孟子》的當代價值。元代也尊孟子，延祐元年（1314）恢復科舉考試，《孟子》同樣列入考試內容，所以《文獻通考》一仍《直齋書錄解題》舊例，將《論語》、《孟子》合為一類。明代《四書》地位更高，《四書大全》「初與《五經大全》並頒，然當時程式，以《四書》義為重，故五經率皆度閣，所研究者惟《四書》，所辨訂者亦惟《四書》。後來《四書》講章，浩如烟海，皆是編為之濫觴。蓋由漢至宋之經術，於是始盡變矣」[57]。所以，明末清初《千頃堂書目》就進一步改變了《遂初堂書目》單設《論語》類（《孟子》附）和《直齋書錄解題》併立「語孟」類的做法，於《論》、《孟》二類之外另設《四書》類。至《明史》〈藝文志〉則徑立《四書》類，不再重出《論》、《孟》二類。這種做法後為《四庫全書總目》所承襲，其類序云：「《論語》、《孟子》，舊各為帙；《大學》、《中庸》，舊《禮記》之二篇。其編為《四書》，自宋淳熙始；其懸為令甲，則自元延祐復科舉始，古來無是名也。……元邱葵〈周禮補亡序〉稱『聖朝以六經取士』，[58]則當時固以《四書》為一經。前創後因，久則為律，是固難以一說拘矣。今從《明史》〈藝文志〉例，別立《四書》一門，亦所謂禮以義起也。……元明以來之所解，則皆自《四書》分出者耳。《明史》併入《四書》，蓋循其實，今亦不復強析其名焉。」[59]

《國語》的隸屬關係也是比較特殊的，《漢書》〈律曆志〉始有《春秋外傳》之稱，《漢志》收在六藝略《春秋》類，《隋志》、《舊唐志》、《新唐志》及《崇文總目》、《郡齋讀書志》、《遂初堂書目》、《直齋書錄解題》、《文獻通考》、《宋史》〈藝文志〉等一仍其舊，直至《四庫全書總目》才正式著錄於史部雜史類。當然，宋人如陳振孫已經意識到其書不同於《春秋》經傳的特殊性，「自班固志藝文，有《國語》二十一篇，左邱明所著；至今與《春秋傳》並行，號為『外傳』。今攷二書雖相出入，而事辭或多異同，文體亦不類，意必非出一人之手也。司馬子長云『左邱失明，厥有《國語》』，又似不知所謂。唐啖助亦嘗辨之」。

《直齋書錄解題》對小學類的收書範疇做了規範，專收文字、訓詁方面的書籍，而將書法類的書歸入子部雜藝類。小學類序曰：「自劉歆以小學入六藝略，後世因之，以

---

56 《直齋書錄解題》卷3「語孟」類序，頁68。

57 〔清〕永瑢等《四庫全書總目》卷36經部三十六《四書》類二《四書大全》提要，中華書局影印浙江杭州刻本，1956年，頁302

58 〔宋〕邱葵《釣磯詩集》書後附錄〈周禮全書序〉作「今新制以六經取士」（《續修四庫全書》影印道光二十六年汲古書室刻本，上海市：上海古籍出版社，1995年，第1321冊，頁203）。《全元文》卷443以光緒十九年補刊本《馬巷廳志》為底本，「新制」上有「國朝」二字（南京市：江蘇古籍出版社，1999年，第13冊，頁20）。文中稱「至我宋淳熙間」云云，則「國朝」二字恐清人臆加。

59 《四庫全書總目》卷35經部三十五《四書》類序，頁289。以上參照徐有富：《文獻學研究》，頁149-150。

為文字、訓詁有關於經藝故也。至《唐志》所載《書品》、《書斷》之類，[60]亦廁其中，則龐矣。蓋其所論書法之工拙，正與射御同科，今並削之，而列於雜藝類，不入經錄。」

此外，還有一個重大變化，那就是首次將《樂》類從經部析出，歸入子部，單立音樂類。《文獻通考》卷一八六〈經籍考十三〉經部〈樂〉類序引陳氏曰：

> 劉歆、班固雖以《禮》、《樂》著之六藝略，要皆非孔氏之舊也，然「三禮」至今行於世，猶是先漢舊傳。而所謂《樂》六家者，影響不復存矣。竇公之《大司樂章》既已見於《周禮》，[61]河間獻王之《樂記》亦已錄於《小戴》，[62]則古樂已不復有書。而前志相承，乃取樂府、教坊、琵琶、羯鼓之類以充〈樂〉類，與聖經並列，不亦悖乎！晚得鄭子敬氏《書目》獨不然，其為說曰：「儀注、編年，各自為類，不得附於《禮》、《春秋》，則後之樂書，固不得列於六藝。」今從之而著於子錄雜藝之前。

《七略》以降，歷代書目的經部（類）皆列《樂》類，實際上作為原典的《樂經》已不復存，著錄的不過是「樂府、教坊、琵琶、羯鼓之類」，「與聖經並列」，殊為不類，所以陳氏批駁了歷代沿襲的這種類目設置的辦法，依從《鄭氏書目》，[63]將《樂》類列入子部。

讖緯之學的盛衰也可以通過綜合目錄中相關類目的變化反映出來。《隋志》將《七錄・技術錄》中的讖緯書改隸經部，姚名達先生對此提出質疑：「既非聖人之書，何以混列一部？」[64]至於讖緯同經書的密切關係，《隋志》〈經部・讖緯類序〉的說法頗具代表性，其文有曰：「起王莽好符命，光武以圖讖興，遂盛行於世。漢時，又詔東平王蒼，正『五經』章句，皆命從讖[65]。俗儒趨時，益為其學，篇卷第目，轉加增廣。言

---

60 《舊》、《新唐志》小學類均著錄庾肩吾《書品》一卷（《舊唐書》卷48，第6冊，頁1986；《新唐書》卷57，第5冊，頁1447）。《新唐志》又著錄張懷瓘《書斷》3卷（《新唐書》卷57，第5冊，頁1450）。《舊唐書》卷168錢徽本傳稱其家多書畫，「鍾、王、張、鄭之蹟在《書斷》、《書品》者」兼而有之（第13冊，頁4383）。

61 《漢志》〈樂類序〉曰：「六國之君，魏文侯最為好古，孝文時得其樂人竇公，獻其書，乃《周官》〈大宗伯〉之〈大司樂〉章也。」（《漢書》卷30，第6冊，頁1712）

62 《漢志》〈樂類序〉曰：「武帝時，河間獻王好儒，與毛生等共采《周官》及諸子言樂事者，以作《樂記》，獻八佾之舞，與制氏不相遠。」（《漢書》卷30，第6冊，頁1712）

63 鄭寅，字子敬，莆田人，卒於南宋理宗嘉熙元年（1237）。《直齋書錄解題》卷八史部目錄類著錄《鄭氏書目》七卷，「莆田鄭寅子敬以所藏書為七錄，曰經，曰史，曰子，曰藝，曰方技，曰文，曰類」（頁230），可見其書有別於傳統的四部分類法。

64 姚名達：《中國目錄學史》〈分類篇・五代史志之經籍志〉，《民國叢書》第1編47影印本（上海市：上海書店出版社，1989年10月），頁88。

65 據《後漢書》卷42〈光武十王列傳・東平憲王傳〉，蒼，光武子，封東平王，「少好經書，雅有智思」

『五經』者，皆憑讖為說。」此後，《舊唐志》、《新唐志》就都循例設讖緯類於經部，《崇文總目》、《郡齋讀書志》、《遂初堂書目》則僅見《易緯》於《易》類，不單獨列為類目。《直齋書錄解題．乾坤鑿度》二卷解題曰：

> 讖緯之說，起於哀、平、王莽之際，（莽）以此濟其簒逆，公孫述效之，而光武紹復舊物，乃亦以《赤伏符》自累，篤好而推崇之，甘與莽、述同志。於是，佞臣陋士，從風而靡。賈逵以此論左氏學，曹褒以此定《漢禮》，作「大予樂」[66]。大儒如鄭康成，專以讖言經，何休又不足言矣。二百年間，惟桓譚、張衡力非之，而不能回也。魏、晉以革命受終，莫不傅會符命，其源實出於此。隋、唐以來，其學寖微矣。考《唐志》，猶存九部八十四卷，今其書皆亡，惟《易緯》僅存如此。及孔氏《正義》，或時援引，先儒蓋嘗欲刪去之，以絕偽妄矣[67]。使所謂「七緯」者皆存，猶學者所不道，況其殘缺不完，於偽之中又有偽者乎？姑存之以備凡目云爾。[68]

這篇解題簡要地敘述了讖緯之學興衰的歷史，也說明了陳氏單立讖緯類目的緣由。隨著讖緯之學的衰微，成於宋代的諸家目錄已不再單獨設為類目。陳氏也注意到僅存《易緯》的實際情況，但考慮到學術源流的連續性和一貫性，還是以為存目。《宋史》〈藝文志〉以下，除《文獻通考》因襲陳氏分類外，其他如《明史》〈藝文志〉、《四庫全書總目》等都把這一類目直接摒除了[69]。

《宋史》〈藝文志〉（以下簡稱《宋志》）主要依據宋朝四種《國史藝文志》著錄的政府藏書（呂夷簡等纂修《三朝國史》，包括太祖、太宗、真宗三朝；王珪等纂修《兩

（北京市：中華書局，1965年，第5冊，頁1433），受詔正「五經」章句事不見於本傳記載。蒼之兄輔，封沛王，「矜嚴有法度，好經書，善說京氏《易》、《孝經》、《論語》傳及圖讖，作《五經論》，時號之曰《沛王通論》」（第5冊，頁1427），或即其人？

66 據《後漢書》本傳，曹褒奉章帝命「乃次序禮事，依準舊典，雜以五經讖記之文，撰次天子至於庶人冠婚吉凶終始制度，以為百五十篇，寫以二尺四寸簡」。是為《漢禮》。和帝即位，「太尉張酺、尚書張敏等奏褒擅制《漢禮》，破亂聖術」，而《漢禮》卒不行。所謂作「大予樂」並非曹褒所為，乃其父曹充事。永平三年（西元60年），明帝問以制禮樂事，充對曰：「《河圖括地象》曰：『有漢世禮樂文雅出。』《尚書琁機鈐》曰：『有帝漢出，德洽作樂，名予。』」所以明帝下詔曰：「今且改太樂官曰太予樂，歌詩曲操，以俟君子。」（《後漢書》卷35，第5冊，頁1203、1201）

67 〔宋〕歐陽修〈論刪去九經《正義》中讖緯劄子〉批評九經《正義》「所載既博，所擇不精，多引讖緯之書，以相雜亂，怪奇詭僻，所謂非聖之書，異乎《正義》之名也」。所以他主張「悉取九經之疏，刪去讖緯之文，使學者不為怪異之言惑亂，然後經義純一，無所駁雜。其用功至少，其為益則多」（《歐陽修全集》卷112《奏議》卷17，北京市：中華書局，2001年3月，第4冊，頁1707）。

68 《直齋書錄解題》卷3，頁75-76。

69 以上參照《校讎廣義．目錄編》第四章〈目錄的分類沿革〉第二節「四部分類法形成以後的內部調整」，頁131-133。

朝國史》，包括仁宗、英宗兩朝；李燾等纂修《四朝國史》，包括神宗、哲宗、徽宗、欽宗四朝；《中興四朝國史》〈藝文志〉據《中興館閣書目》及《續書目》編成，著錄高宗、孝宗、光宗、寧宗四朝藏書）刪併整理而成。按其類目體系，經類下分十類：《易》（包括衛元嵩《周易元包》十卷，署蘇源明傳，李江注；《易乾鑿度》三卷、《易緯》七卷、《易緯稽覽圖》一卷、《易通卦驗》二卷，原注：並鄭玄注）《書》、《詩》、《禮》、《樂》、《春秋》、《孝經》、《論語》（包括王肅注《孔子家語》十卷）、經解（包括《周公謚法》一卷、《春秋謚法》一卷、沈約《謚法》十卷、賀琛《謚法》三卷等十餘種謚法類書，以及《白虎通》、《經典釋文》、《刊謬正俗》、《七經小傳》、沈貴瑤《四書要義》七篇、陳應隆《四書輯語》四十卷、劉元剛《三經演義》一十一卷（原注：《孝經》、《論》、《孟》））、小學（《爾雅》、《廣雅》、《說文》類書歸入這一類，含石經）等。可見，其書保持著官修目錄的傳統，類目劃分大體依據《新唐志》等宋代編修的目錄。《孟子》並未單獨列為類目，仍入子類儒家類。

《宋志》經部《禮》類著錄張九成《中庸說》一卷、《大學說》一卷，《孝經》類著錄張九成《解》四卷，《論語》類著錄張九成《解》十卷，經解類著錄張九成《鄉黨少儀咸有一德論孟子拾遺》共一卷（《直齋書錄解題》經解類著錄是書，「論」下有「語」字），以及張九成《中庸》、《大學》、《孝經》說各一卷、又《四書解》六十五卷（后者屬於《國史藝文志》不著錄，新增補入的）；子部儒家類著錄張九成《孟子拾遺》一卷、張氏《孟子傳》三十六卷。可見《宋志》類目劃分和書籍歸併比較混亂，也反映了《孟子》乃至《四書》在經學史和目錄學史上的地位陟黜、游移的軌跡。《中庸說》、《大學說》各一卷，《直齋書錄解題》卷二經部《禮》類著錄同（《少儀解》附），「曲江本《中庸》六卷、《大學》二卷」，知不同版本卷數實有差異。《孝經解》，《直齋書錄解題》卷三《孝經》類著錄一卷，與《宋志》不同。《論語解》，袁本《昭德先生郡齋讀書志》卷五上趙希弁《附志》經解類、陳振孫《直齋書錄解題》「語孟」類皆著錄為二十卷，與《宋志》不同。張氏有關《孟子》的著作的著錄最為複雜，《孟子拾遺》（與《論語》〈鄉黨〉、《禮記》〈少儀〉、《古文尚書》〈咸有一德〉合成為一卷），並無異議。《孟子解》，《附志》經解類著錄為三十六卷（《宋志》子部儒家類著錄張氏《孟子傳》三十六卷，不署作者，當即其書），《直齋書錄解題》「語孟」類著錄為十四卷。知《孟子解》或稱解，或稱傳，在流傳過程中書名、卷數多有變化、分合。今本《（張狀元）孟子傳》二十九卷（《四部叢刊三編》影印滂喜齋舊藏宋刊本、《四庫全書》本）。所謂《四書解》，當即其《論》、《孟》、《學》、《庸》四種書解說合編，《中庸說》、《大學說》各一卷、《論語解》二十卷，《孟子傳》三十六卷，《孟子拾遺》一卷，凡五十九卷，與六十五卷之數不合，恐係不同版本所致（如曲江本《中庸說》、《大學說》卷數即多出六卷，卷數正合）。《杭州府志》〈藝文一・四書類〉著錄其《大學說》一卷、《中庸說》一卷、《論語解》二十卷、《孟子解》十四卷、《拾遺》一卷、《孟子傳》二十九卷，又《四書解》六十五卷，（原注：《孟子傳》，文淵閣著錄。）按曰：「《宋史》〈藝文志〉既分載《學》、《庸》、《論》、《孟》等書，而又別載《四書解》六十五卷。今考《四書》之名始於朱子，當張九成說經，《四書》之名未立，且各書卷數與《四書解》六十五卷之數合之，僅多一卷。疑《四書解》為前各書之總題，《宋史》或誤有複衍。乾隆《志》因之，今姑仍之以俟考。」[70]是說將十四卷本《孟子解》和今本《孟子傳》二十九卷重復統計，其計算方法恐非是。

宋代還有三部特殊的目錄，那就是《通志》〈藝文略〉、《玉海》〈藝文〉、《文獻通考》〈經籍考〉。鄭樵（1104-1162）編纂《通志》〈藝文略〉主張通錄古今存佚之書，在此基礎之上考察學術源流，而分類是其基本手段。他認為所分類目要詳細，有條理性。《通志》〈校讎略第一・編次必謹類例論〉曰：

> 《易》本一類也，以數不可合於圖，圖不可合於音，讖緯不可合於傳注，故分為十六種。《詩》本一類也，以圖不可合於音，音不可合於譜，名物不可合於詁訓，故分為十二種。《禮》雖一類，而有七種，以《儀禮》雜於《周官》可乎？《春秋》雖一類而有五家，以啖、趙雜於《公》、《穀》可乎？《樂》雖主於音聲，而歌曲與管絃異事。小學雖主於文字，而字書與韻書背馳。……以此觀之，《七略》所分，自為苟簡；四庫所部，無乃荒唐。……類例既分，學術自明，以其先後、本末具在，……覩其書，可以知其學之源流。[71]

鄭氏將每一經書都分別做了進一步的學術類別的區分，所謂《易》分十六種、《詩》分十二種是這樣的：「《易》雖一書，而有十六種學，有傳學、有注學、有章句學、有圖學、有數學、有讖緯學，安得總言《易》類乎？《詩》雖一書，而有十二種學，有詁訓學、有傳學、有注學、有圖學、有譜學、有名物學，安得總言《詩》類乎？」[72]《通志》〈藝文略〉突破了傳統的四部分類法，總分十二類，其中傳統的經部文獻分為經類、禮類、樂類、小學類凡四類，將禮、樂、小學獨立於經類之外，這恐怕是考慮到禮樂側重躬行實踐的特點以及小學實為經書之輔翼。其中，前兩類之下又分小類，經類分《易》、《書》、《詩》、《春秋》、《春秋外傳》（《國語》）、《孝經》、《論語》、《爾雅》、經解；禮類分《周官》、《儀禮》、《喪服》、《禮記》、《月令》、會禮、儀注。而每一小類之下又分子目，如《易》類分古《易》、石經、章句、傳、注、集注、義疏、論說、類例、譜、考正、數、圖、音、讖緯、擬《易》；《論語》類分古《論語》、正經、注解、章句、義疏、論難、辨正、名氏、音釋、讖緯、續《語》。

---

70 〔清〕龔嘉儁修，李榕纂《杭州府志》卷86，《中國方志叢書》華中地方第199號（臺北市：成文出版社影印民國十一年鉛印本，1976年），頁1682。

71 《通志》卷71，中華書局影印商務印書館「萬有文庫」十通本，頁831。

72 《通志》〈總序〉，中華書局影印商務印書館《萬有文庫》十通本，頁3。

王應麟（1223-1296）編纂的類書《玉海》包含「藝文（門）」二十九卷（卷三五至六三），下分四十四類，其中經部分為《易》（擬《易》附）、《書》、《詩》、「三禮」（又見禮制）、《春秋》、續《春秋》（又見編年）、《論語》、《孝經》、《孟子》、經解（總六經）、讎正五經（石經）、小學十二類。不難看出，其分類與傳統的官修或史志目錄有所不同。經部未立樂類，別置音樂門，兼著錄樂、樂書、樂章、樂舞、樂器等，這和《直齋書錄解題》單立子部音樂類的旨趣相同；續《春秋》主要收史書，卻列於經部，似承襲《七略》的傳統，應該是考慮到體裁的一致性，以便於檢索；《孟子》單獨列為類目，較之《直齋書錄解題》將《語》、《孟》合為一類更進了一步；讎正五經（石經）也單列，前此一般都收在小學類，這與唐、五代、兩宋朝廷非常重視校訂經書文本的工作有關，而石經鐫刻（唐開成石經、五代後蜀廣政石經、北宋嘉祐石經）和雕版印刷（五代、兩宋校刻群經版本）就是其重要成果。此外，王氏還注意到不同部類、不同類目間的互著，如藝文門經部有三禮類，有關禮制的內容又見於禮儀門下設的禮制類；藝文門經部有續《春秋》類，而史部又有編年類。可見，王應麟在類目設置上充分考慮到了宋代經學發展的實際狀況。

馬端臨（1254-1324）編纂的《文獻通考》成於元大德十一年（1307），泰定元年（1324）由西湖書院刻成，後至元五年（1339）余謙修補重印。《經籍考》七十六卷，是一部輯錄體的提要目錄，書目著錄、提要及大、小類序都是輯錄前人著作的相關內容而成的。經部分《易》、《書》、《詩》、《禮》、《春秋》、《論語》、《孟子》、《孝經》、經解、《樂》、儀注、謚法、讖緯、小學。類目劃分斟酌前人的四部目錄，但有所變更。如《樂》類後移，按語云：

> 古者《詩》、《書》、《禮》、《樂》皆所以垂世立教，故班史著之六藝，以為經籍之首。流傳至於後世，雖有是四者，而俱不可言經矣。故自唐有四庫之目，而後世之所謂《書》者入史門，所謂《詩》者入集門，獨《禮》、《樂》則俱以為經。於是，以歷代典章、儀注等書廁之六典、[73]《儀禮》之後；歷代樂府、教坊諸書廁之《樂記》、司樂之後，猥雜殊甚，陳氏之言善矣。然樂者，國家之大典，古人以與禮並稱，而陳氏《書錄》則置之諸子之後，而儕之於技藝之間，又太不倫矣。雖後世之樂不可以擬古，然既以樂名書，則非止於技藝之末而已。況先儒釋經之書、其反理詭道為前賢所擯斥者，亦沿經之名，得以入於經類，豈後世之樂書，盡不足與言樂乎？故今所敘錄，雖不敢如前志相承以之擬經，而以與儀注、讖緯並列于經解之後、史子之前云。[74]

73 這裡所謂「六典」是指周制六種法典，即治典、教典、禮典、政典、刑典、事典。《周禮》〈天官．大宰〉：「大宰之職，掌建邦之六典，以佐王治邦國。」（《周禮正義》卷2，頁58）並非指唐玄宗朝纂修的《（大）唐六典》，那是史部職官類書。

74 《文獻通考》卷186《經籍考十三》〈經類．樂類〉，頁1589。

馬氏既不贊同陳振孫將《樂》類廁於子部的做法，但也考慮到《樂》類書籍多「歷代樂府、教坊諸書」，所以將其置於經解之後，並沒有像《七略》以降傳統的分類法那樣與《禮》類並列。另外，馬氏又將古來目錄傳統上劃歸史部的儀注類改隸經部。儀注類收錄禮儀制度（主要是朝廷的）方面的書，如叔孫通《朝儀》、曹褒《漢禮》、蔡邕《獨斷》[75]以及《開元禮》、《郊祀錄》、《太常因革禮》、《封禪記》等。《漢志》〈六藝略·禮類〉著錄四家115卷，這是因為當時史部並未獨立。《七錄》記傳錄有儀典部，知其已單獨設為類目。《隋志》於史部設儀注類，著錄59部1029卷（通計亡書，合69部3094卷），序曰：「儀注之興，其所由來久矣。……是後相承，世有制作。然猶以舊章殘闕，各遵所見，彼此紛爭，盈篇滿牘。而後世多故，事在通變，或一時之制，非長久之道，載筆之士，刪其大綱，編于史志。而或傷於淺近，或失於未達，不能盡其旨要，遺文餘事，亦多散亡。今聚其見存，以為儀注篇。」以下《舊唐志》、《新唐志》、《崇文總目》、《遂初堂書目》、《宋志》等均沿襲其例，唯有《通志》、《文獻通考》列入經部（禮類），可見對於其書性質之為經抑或史的判斷容有不同。當然，具體書籍的歸屬更有不同。如《開元禮》，《新唐志》、《宋志》歸入史部儀注類，《崇文總目》、《遂初堂書目》則隸於經部禮類。這也反映了時人對於儀注類書與三禮之間關係的認識的不同。又如隋代《江都集禮》，《隋志》並未列入史部儀注門,而是作為經解（五經總義）類書隸於經部《論語》類，其後在《舊唐志》中與《大唐新禮》、《紫宸禮要》一同置於經部禮類，反映了唐人視本朝之禮等同禮經的觀念[76]。

歷代謚法類著作多入經解（五經總義）類（《七略》附在《孝經》類，《隋志》附在《論語》類），馬氏以為不妥，另設謚法類，次於儀注類之後，按曰：「謚者，國家送終之大典。今歷代史志，俱以謚法入經解門，則倫類失當。今除《周公謚法》、《春秋謚法》二項入禮門，而歷代之謚法，則俱附於儀注之後，庶以類相從云。」[77]《周公謚法》一卷、（原注：即《汲冢周書》〈謚法篇〉。）《春秋謚法》一卷（原注：即杜預《春秋釋例》〈謚法篇〉。）[78]宋代目錄如《崇文總目》、《郡齋讀書志》、《直齋書錄解題》等見於著錄，確實不同於其他謚法書。陳振孫已有揭示，《直齋書錄解題》卷三經部經解類著錄《六家謚法》二十卷，「六家者，《周公》、《春秋》、廣謚、沈約、賀琛、扈蒙也。今按《周公》即汲冢書之《謚法解》；《春秋》即杜預《釋例》所載也。」馬端臨按曰：

75 《直齋書錄解題》卷六史部禮注類著錄是書二卷，「記漢世制度、禮文、車服，及諸帝世次，而兼及前代禮樂」（頁175）。

76 劉安志：《關於大唐開元禮的性質及行用問題》轉述吳麗娛《唐禮摭遺——中古書儀研究》和姜伯勤：《敦煌藝術宗教與禮樂文明》說（《中國史研究》2005年第3期，頁100-101）。承趙永磊先生賜告劉文，謹誌謝忱。

77 《文獻通考》卷187〈經籍考十四·經類·儀注類〉，頁1595。

78 《宋史》卷202〈藝文志一〉經部經解類，第15冊，頁5070。

> 然某嘗考之。名《周公》者，即《汲冢周書》〈謚法篇〉；名《春秋》者，即杜預《釋例》〈謚法篇〉。唐及國史〈藝文志〉皆不載。近世學者就二書中採出，公（指雁湖李氏（壁）《跋六家謚法》）固以疑其非古，然猶未明其為《汲冢書》與《釋例》，故并及之。[79]

明代也有一部特殊的目錄學著作，這就是焦竑（1540-1620）的《國史經籍志》（萬曆中成書）。是書沿用《通志》〈藝文略〉「紀百代之有無」的體例編纂而成，並非著錄當代見存之書。經類分《易》、《書》、《詩》、《春秋》、《禮》、《樂》、《孝經》、《論語》、《孟子》、經總解、小學。除《孟子》獨立外，其他類目與唐宋時代大多官修或史志目錄相差無幾，這與《通志》大刀闊斧地將經部劃分為經類、禮類、樂類、小學類的做法並不一致。但每一類目下所分的子目又與《通志》大體相同或相近，明顯可以看出因襲的痕跡，如《易》類分古《易》、石經、章句、傳注、集注、疏義、論說、（類）例、譜、考正、數、圖、音、讖緯，《論語》類分古文、正經、傳注、疏義、辨正、名氏（圖）譜、音釋、續《語》、事紀（紀一作記）、廟典。可見，焦氏也重分類，以此考察學術源流。章學誠評價曰：「雖其識力不逮鄭樵，而整齊有法，去汰裁甚，要亦有可節取者焉。」[80]

明末清初黃虞稷（1629-1691）編纂的《千頃堂書目》，主要著錄明人著作，並在每類之後補錄《宋史》〈藝文志〉未著錄之宋末及遼、金、元三代著作。經部分《易》、《書》、《詩》、三禮、禮樂、《春秋》、《孝經》、《論語》、《孟子》、經解、《四書》、小學（附算學、小學）等十二類。從表面上看起來，分類標準似乎不夠統一，實際上卻反映了宋元以降經學發展的新特點。《四庫提要》指出：「經部分十一門，既以《四書》為一類，又以《論語》、《孟子》各為一類；又以說《大學》、《中庸》者入於三禮類中，蓋欲略存古例，用意頗深。然明人所說《大學》、《中庸》皆為《四書》而解，非為《禮記》而解，即《論語》、《孟子》亦因《四書》而說，非若古人之別為一經，專門授受，其分合殊為不當。《樂經》雖亡，而不置此門，則律呂諸書無所附，其刪除亦未允也。」[81]其說恐未必盡是。《四書》類與《禮記》、《論》、《孟》重出，確屬分合不當；但這種做法又不為無據，顯現出這一時期經學發展內在規律性的作用和影響——《學》、《庸》、《論》、《孟》之學實際上存在著兩條發展脈絡，一是賡續傳統的漢唐章句注疏之學（正經注疏），一是以朱子為中心的朱學系統成為主流[82]。從這個意義上講，這樣劃分類目也

---

79 《文獻通考》卷188《經籍考十五》〈經類・謚法類・六家謚法〉，頁1603。

80 《校讎通義》卷2《焦竑誤校漢志第十二》，頁63。

81 《四庫全書總目》卷85史部四十一目錄類一是書提要，頁732。

82 參見拙作：《經學文獻的衍生和通俗化——以近古时代的传刻為中心》〈緒論〉（北京市：北京大學出版社，2014年12月）。

是有其學理依據的。樂類不單列類目，這顯然是受到《直齋書錄解題》的影響。但陳氏在刪去經部樂類的同時於子部另立音樂一類，而黃氏將樂類與禮類合併，名曰禮樂類，次於禮書之後，獨立於「三禮」之外，收錄《大明集禮》及喪禮、祭禮、家禮、射禮等方面的書，相當於後來《四庫全書總目》三禮總義、通禮、雜禮書之屬。

清初編纂的《明史》〈藝文志〉（以下簡稱《明志》）是在黃虞稷《明史藝文志稿》的基礎上，由王鴻緒刪改而成的。中國古代史志目錄的編纂方法由記一代藏書之盛轉變為記一代著述之盛，自《明志》始。經類子目分為十：《易》、《書》、《詩》、《禮》、《樂》、《春秋》、《孝經》、諸經（相當於五經總義類）、《四書》、小學。其類目劃分也是唐宋以降比較規範的傳統方法。值得注意的是，受到黃虞稷《千頃堂書目》的影響，《四書》完全獨立為類目，《論》、《孟》不再重出。

《四庫全書總目》經部分《易》、《書》、《詩》、禮（下分子目：《周禮》、《儀禮》、《禮記》、三禮總義、通禮、雜禮書）、《春秋》、《孝經》、五經總義、《四書》、《樂》、小學（下分子目：訓詁、字書、韻書）。可見，其類目劃分根據學術進步和圖書事業發展的實際狀況做了相應的調整，特點有三：一是《禮》類類目劃分精細，反映了歷代禮學研究的總體成果。除「三禮」外，如宋聶崇義《三禮圖集注》、明劉績《三禮圖》等屬於三禮總義；宋陳祥道《禮書》、朱熹《儀禮經傳通解》、清秦蕙田《五禮通考》等入通禮；宋司馬光《書儀》、舊題朱子《家禮》等歸雜禮書之屬。二是《樂》類後移，汲取了《直齋書錄解題》和《文獻通考》的正確做法。三是小學類下分為三小類，符合截至清代的歷代小學著作的門類和特點，《爾雅》、《廣雅》等屬訓詁，《說文》等為字書，《廣韻》、《集韻》等入韻書類，類目及其特徵非常清晰。這就是余嘉錫先生所謂編目之宗旨「必求足以考見學術之源流」[83]。如《四書》類，《千頃堂書目》已有之，《明志》做了規範，《總目》因之，類序曰：

> 今從《明史》〈藝文志〉例，別立《四書》一門，亦所謂禮以義起也。朱彝尊《經義考》於《四書》之前仍立《論語》、《孟子》二類。黃虞稷《千頃堂書目》凡說《大學》、《中庸》者，皆附於《禮》類，蓋欲以不去餼羊，略存古義。然朱子書行五百載矣，趙岐、何晏以下古籍存者寥寥，梁武帝義疏以下，且散佚並盡，元明以來之所解，皆自《四書》分出者耳。《明史》併入《四書》，蓋循其實，今亦不復強析其名焉。[84]

儘管《大學》、《中庸》為《禮記》之篇目，《論語》、《孟子》皆先秦古書，但元明以來的注解一以朱子《章句集注》為圭臬，少有出乎這一系統之外者，實際上形成了獨立於

83 《目錄學發微》之一「目錄學之意義及其功用」，頁8。

84 《四庫全書總目》卷35經部三十五《四書》類一，頁289。

傳統的正經注疏系統之外的朱學系統，並且佔據絕對的統治地位。因此，目錄分類如果不考慮學術發展和書籍存佚的實際狀況，只是追求理論上的略存古例，就會名不符實，扞格不通，所以《總目》務實地將《論》、《孟》等相關著作全部歸入《四書》類，這樣類目準確清晰，避免重出。除了類目的變動和調整，個別書的歸類亦有微調，如按照傳統分類《白虎通》多在經解（五經總義）類，《獨斷》多在儀注類，《總目》俱歸入子部雜家類。這實際上反映了清人對於這些書內容和性質的判斷較之前代發生了變化。

張之洞《書目答問》五卷的五分法，後來多所沿用，在目錄學史上具有相當重要的地位。如姚名達先生所云，「張氏雖絕對無意於打倒四庫，而四庫之敗壞自此始萌其朕兆也」[85]。為了更清晰地理解其經部的類目劃分，試將卷一經部總目列表如下：[86]

目錄	正文標題	正文尾題
正經正注弟一（原注：「十三經」、「五經四書」合刻本、諸經分刻本、附諸經讀本。）	正經正注第一（原注：此為誦讀定本，程試功令，說經根柢。注疏本與明監本「五經」功令並重。）	以上正經正注合刻本 以上正經正注分刻本（原注：注疏乃欽定頒發學官者；宋元注乃沿明制通行者；《四書》文必用朱注；「五經」文及經解[87]，古注仍可采用。不知古注者，不得為經學。） 以上諸經讀本附
列朝經注經說經本考證弟二（原注：《易》、《書》、《詩》、《周禮》、《儀禮》、《禮記》、三禮總義、《樂》、《春秋左傳》、《春秋公羊傳》、《春秋穀梁傳》、《春秋》總義、《論語》、《孟子》、《四書》、《孝經》、《爾雅》、諸經總義、諸經目錄文字音義、石經。）	列朝經注經說經本考證第二（原注：空言臆說、學無家法者不錄。）	右列朝經注經說經本考證（原注：此類各書為讀正經正注之資糧。）
小學弟三（原注：《說文》、古文篆隸真書各體書、音韻、訓詁。）	小學第三（原注：此小學謂六書之學，依《漢書》〈藝文志〉及《四庫目錄》。）	右小學（原注：此類各書為讀一切經史子集之鈐鍵。）

所謂「正經正注」是指列為科舉考試程式的經書注本，包括「十三經注疏」和「五經四書」兩大系統。版本類型又可分為合刻本和分刻本。合刻本是指作為叢書刊行的，如北監本、毛本、殿本等「十三經注疏」和明經廠本、崇道堂本、武昌局本「五經四書」。分刻本指諸經注、疏、注疏或朱學系統新注單獨刊刻的版本，如蘇州汪氏覆刻《儀禮》

85 《中國目錄學史》〈分類篇・對於《隋志》部類之修正與補充〉，頁144。

86 文字錄自〔清〕張之洞著，范希曾補正：《書目答問補正》（北京市：中華書局，1963年）。

87 一本「五經文」上有「鄉會試」三字。

單疏本、曹寅揚州詩局仿宋刻本《周易本義》、璜川吳氏仿宋刻本《四書集注》等。諸經讀本是作為附錄的，如通行本《春秋四傳》合刻本、道光敕撰《左傳讀本》等。

分析上表，可以得出這樣的信息：一、張氏將傳統的經學文獻劃分為三大類，這既是適應當時學術尤其是經學發展的實際狀況，同時也充分考慮到學校教育和科舉考試的官學定本，較為妥當。二、各經的不同注釋形式、不同版本類型在不同類目中互見，如經注本、單疏本、注疏合刻本、「五經四書」本見於正經正注，而歷代相關注釋見於列朝經注經說經本考證，不重出。三、每一類下子目設置也比較合理。於「三禮」外另設三禮總義，這是因為「三禮家不考禮制」，如《白虎通義》前此諸書多入五經總義（經解）類（《四庫全書總目》歸入子部雜家類），本書與《三禮圖集注》、《五禮通考》等一同收入此類。於「三傳」外另設《春秋》總義，收錄唐陸淳《春秋集傳纂例》、元趙汸《春秋金鎖匙》、清顧棟高《春秋大事表》等。《論語》、《孟子》之所以於《四書》外單列，是因為「《論語》、《孟子》，北宋以前之名；《四書》，南宋以後之名。若統於《四書》，則無從足『十三經』之數，故視注解家之分合別列之」。實際上，這也反映了清代考據學發達的現狀，清人相關著作如劉寶楠《論語正義》、焦循《孟子正義》等多為揭櫫漢學之作，並不從屬於狹義的朱學系統，所以獨立列為類目是謂得之。另外，把諸經總義和諸經目錄文字音義分列，也是特具卓識的。如《九經古義》、《經傳釋詞》、《經義述聞》、《御纂七經》、《七緯》、《古經解鉤沉》等入諸經總義；《授經圖》、《經義考》、《九經三傳沿革例》、《七經孟子考文補遺》、《十三經注疏校勘記》、《經典釋文》、《五經文字》、《九經字樣》、《經籍籑詁》等入諸經目錄文字音義。四、《爾雅》不納入小學類，小學類大體上都是嚴格意義上的語言文字學書籍。總而言之，正如姚名達先生所云，其書「惟經部（分類）獨大異於四庫，祇分正經正注、列朝經注經說經本考證、小學三類，劃正文與後儒之專著為二，斯為特異，古人所不及為。要之，《書目答問》在分類史上之地位，不在創造，而在對《四庫總目》加以他人所不敢為之修正」[88]。

四

以上我們將經學文獻在歷代重要的綜合目錄中的相關著錄及經部（類）的類目設置情況進行了歷時性的考察，通過類目的變化可以洞見學術思想的變遷、書籍多寡的變化和乃至現實政治的影響。現以姚名達先生《中國目錄學史・分類篇・四部分類源流一覽表》為基礎，爰加釐訂增益，開列經學文獻的歷代著錄類目一覽表如下：

88　《中國目錄學史》〈分類篇・對於《隋志》部類之修正與補充〉，頁143-144。

	《易》	《書》	《詩》	《禮》	《樂》	《春秋》	《四書》		《孝經》	小學	詁訓	經解（五經總義）	讖緯	儀注	謚法
							《論語》	《孟子》							
《七略》‧〈六藝略〉（《漢志》）	1	2	3	4	5	6	7	子部儒家類	8《爾雅》、五經總義附	9		附在《孝經》類		附在禮類	附在《孝經》類
《七錄》〈內篇‧經典錄〉	1	2	3	4	5	6	7	子部儒家類	8	9			內篇術伎錄緯讖部	內篇記傳錄儀典部	
《隋書》〈經籍志‧經類〉	1	2	3	4	5	6	8《爾雅》、五經總義附	子部儒家類	7	10		附在《論語》類	9	史部儀注類	附在《論語》類
《古今書錄》（《舊唐書》〈經籍志‧甲部經	1	2	3	4	5	6	8	子部儒家類	7	12	11《爾雅》、《廣	10作經解	9作圖緯	史部儀注類	附在經部經解類

錄〉同）											雅》類書				
《新唐書》〈藝文志・甲部經錄〉	1	2	3	4	5	6	8	子部儒家類	7	11《爾雅》、《廣雅》類書附		10作經解	9	史部儀注類	附在經部經解類
《崇文總目》〈經部〉	1	2	3	4	5	6	8經解附	子部儒家類	7	9《爾雅》、《廣雅》類書附		附在《論語》類	《易緯》入《易》類	史部儀注類	附在經部禮類
《郡齋讀書志》經部〉	1	2	3	4	5	6	8	子部儒家類	7	10《爾雅》、《廣雅》類書附		9作經解	《易緯》入《易》類	史部儀注類	附在經部禮類
《遂初	2	3	4	5	6	7	8			9		1	《	史	附

堂書目》〈經部〉							作《論語》類《孝經》、《孟子》附			《爾雅》、《廣雅》類書附		作經總[89]	易緯》入《易》類	部儀注類和經部禮類互見	在史部儀注類
《直齋書錄解題》〈經部〉	1	2	3	4	子部音樂類	5	7 作「語孟」類		6	10 《爾雅》、《廣雅》類書附		8 作經解	9	史部禮注類	附在經部經解類
《文獻通考》〈經籍考・經部〉	1	2	3	4	10	5	6	7	8	14 《爾雅》、《廣雅》類書附		9 作經解	13	11	12
《宋史》〈藝文志・經類〉	1	2	3	4	5	6	8	子部儒家類	7	10 《爾雅》、《廣雅》類書附		9 作經解	《易緯》入《	史部儀注類	附在經部經解

89 如上所述，《遂初堂書目》〈經部〉並未設置相當於經解（五經總義）的類目，相關的書僅有三、四種，或在經總類，或在小學類。

													易》類		類
《千頃堂書目》〈經部〉	1	2	3	4 三禮 5禮樂		6	8 11《四書》	9	7	12《爾雅》類書附		10 作經解		史部儀注類	附在史部典故類
《明史》〈藝文志・經類〉	1	2	3	4	5	6	9 作《四書》類		7	10《爾雅》類書附		8 作諸經類		史部儀注類	附在史部故事類
《四庫全書總目》〈經部〉	1	2	3	4	9	5	8 作《四書》類		6	10《爾雅》、《廣雅》類書附		7 作五經總義	《易》類附錄	附在史部政書類典禮之屬	附在史部政書類典禮之屬

分析上表，一方面可以得出關於經學文獻歷代著錄情況的初步認識，另一方面也可以總結出經部（類）類目劃分演變的一般規律：

《易》、《書》、《詩》、《禮》四類次序及類目名稱古來並無變化（除了《遂初堂書目》將經總類置於首位，所以這四類依次遞減為二至五位）。

《樂》類多與《禮》類並列，次於《禮》後，並稱禮樂，居第五位（《遂初堂書目》為第六位)。例外的有,《直齋書錄解題》將《樂》類從經部剔出,移入子部,另設音樂類。《文獻通考》雖然沒有將《樂》類移出經部,但次序後移,置於經解之後。《四庫全書總目》更將《樂》類置於五經總義類、《四書》類之後。

《春秋》類大體上也無變化,或在《禮》、《樂》之後,居第六位(《遂初堂書目》為第七位);或在《禮》後(如前揭《直齋書錄解題》、《文獻通考》、《四庫全書總目》),居第五位。由於《國語》一直被視作《春秋外傳》,所以由漢至宋始終收在《春秋》類,直至《四庫全書總目》才著錄於史部雜史類,知清人對其書內容和性質的認定已趨公允。

《四書》類情況較為複雜,《郡齋讀書志》以前(包括《宋志》)只有《論語》類,《孟子》置於子部儒家類,遑論《四書》類之名。其中,《七略》、《七錄》以《孝經》次《論語》後,其他各書反是。《遂初堂書目》首次升《孟子》入經,附於《論語》類。《直齋書錄解題》併設「語孟」類,《文獻通考》分設《論語》、《孟子》類,尚未置立《四書》類。《千頃堂書目》則於《論》、《孟》兩類之外另設《四書》類,《明志》及《四庫全書總目》逕設《四書》類,《論》、《孟》不再重出。

《孝經》類次於《春秋》類之後,或在《論語》(或《孟子》)之後,如《七略》、《七錄》及《文獻通考》,居第八位;或在《論語》(或《四書》類)之前,如《隋志》、《舊》、《新唐志》、《崇文總目》、《郡齋讀書志》、《直齋書錄解題》、《宋志》、《明志》,居第七位(《直齋書錄解題》之《樂》類入子部,《四庫全書總目》之《樂》類後移,故居第六位)。《遂初堂書目》將《孝經》類書附在《論語》類。

《爾雅》,《七略》附在《孝經》類,《隋志》附在《論語》類,實際上與經解(五經總義)類書性質和作用相當。《舊唐志》則於小學類之外另設詁訓類,收《爾雅》類書。《新唐志》以下均在小學類,並無變動。

小學類大體上沒有變化,基本上都置於經部之末。《舊唐志》析出詁訓類,收《爾雅》、《廣雅》類書,與他書不同。

《隋志》以前(含《隋志》)經解(五經總義)類均不獨立,或附在《孝經》類,或附在《論語》類。《舊唐志》以下,單獨列為一類,或稱經解,或稱諸經,或稱五經總義。

讖緯在《七錄》中列入術技錄,不在經典錄。《隋志》、《舊》、《新唐志》、《直齋書錄解題》、《文獻通考》單設讖緯類(或作圖緯)。宋代以降除《直齋書錄解題》和《文獻通考》外其他各書則不設專類,附於相關經書類目之內(《易緯》著錄於《易》類)。不難看出,類目設置的這種變化適時而又明確地反映了學術思想的演變和書籍數量的多寡。

儀注類書原在史部,各書並無不同,唯《通志》、《文獻通考》列入經部,另設儀注類。謚法類書一般都在經解(五經總義)類(這一類未獨立之前,與之同樣附於《孝經》類或《論語》類），只有《崇文總目》將謚法類書附在禮類，與他書不同；《文獻通考》單列謚法類，次於儀注類之後。

通過對經學文獻的目錄學研究，可以洞悉經學文獻的歷代著錄情況，以及經部類目演變的一般規律。不難看出，從漢代到清代一千多年間經部保持著相對穩定的狀態，儘管由於政治走向、學術源流、書籍數量等方面在時間和空間上每有因革損益，類目名稱、次序或書籍歸屬相應地有所調整、變化，但其主體內容未嘗少變，以經為單位來劃分類目的原則也未始改易。在古人看來，「經稟聖裁，垂型萬世，刪定之旨，如日中天，無所容其贊述」。所以，歷代目錄所著錄者不過是「經」的傳世文本及歷代說解，「所論次者，詁經之說而已」；這就要求著錄的原則是「參稽眾說，務取持平，各明去取之故」[90]。正是出於對「經者，常也」[91]萬世不易的認識，所以經部內容總體上保持穩定；也正是出於探究其去取之緣由和分類之標準的需要，所以才能揭示出經部類目演變的規律。

90 《四庫全書總目》卷一〈經部總序〉，頁1。

91 〔漢〕班固撰，〔清〕陳立疏證：《白虎通疏證》卷九〈五經〉（北京市：中華書局，1994年8月），頁447。

出土文獻研究

〈保訓〉研究綜述
── 中之義涵商榷

陳麗桂
臺灣師範大學國文學系教授

提要

〈保訓〉在《清華大學藏戰國竹簡》中是第一篇被公布的文獻，一方面因為形制特別短，主要還是因為其核心議題「中」的義涵問題，在清華簡各篇文獻中受到較大的關注，研究的論文特別多，約近兩百篇。討論焦點大多膠著在全文四個「中」字的具體義涵與抽象義涵之間的偏重與相通問題。本文綜理近兩百篇中學者所討論的幾個焦點議題，尤其是相關於「中」義的各家論述，並評其優劣，論其適切性，得知具體與抽象兩義，極有可能是並存於該文中的。

關鍵詞：清華簡　保訓　傳訓　中　詷　文王　三降之德　陰陽之物

一　前言

〈保訓〉以其為清華簡獨一無二的短形制文獻，容易集中取用、整理，成為清華簡中最早被發布的篇章。它只有一尺二寸，約28.5mm，每簡二十二至二十四字，較之清華簡其它文獻的44.5-45mm，每簡約四十字，顯然約只一半長，於眾簡中看來特別不同，容易辨識取用。[1]一方面由於形制特殊，得到時間上的優先之利，另一方面也因核心議題「中」字本身的義訓之故，〈保訓〉較之清華簡其餘各篇，受到較大的關注，不論研究篇數之多，篇幅之大，還是研究意見之紛歧，都遠居清華簡各篇之冠。從發布至今，成果不下百餘種。這百餘種成果，主要集中在幾個議題上：

一、內容真偽問題

二、〈保訓〉篇名問題

三、周文王生前稱「王」問題

四、「戊子自演」的釋讀問題

五、文王傳訓武王，究竟是當面還是遺書傳訓？

六、「受之以詷」的「詷」字確詁

七、迺易位設稽

八、「測陰陽之物」所指為何？

九、「用作三降之德」指什麼？

眾人討論焦點尤在

十、舜之「救（求）中」、「得中」，與上甲微之「叚（假）中」、「追（歸）中」所指「中」之確詁與涵義？

二　焦點議題研議

（一）內容真偽問題

〈保訓〉在整理之初，李學勤先生已斷其寫成年代為戰國中晚期之際，約當西元前305±30年。[2]經碳14測定也大致可信。姜廣輝仍然就其釋讀與內容提出多項質疑。[3]就

1　參見程浩〈清華簡〈保訓〉源自三晉文獻說〉，復旦大學出土文獻與古文字研究中心網站，2011年4月21日。（http://www.gwz.fudan.edu.cn/SrcShow.asp?Src_ID=1475）

2　參見李學勤〈論清華簡〈保訓〉的幾個問題〉，《文物》2009年，第6期（2009年12月），頁76。

3　參見姜廣輝〈〈保訓〉十疑〉，同步分別刊登於：①《光明日報》2009年5月4日版。②北京清華大學思想文化研究所「簡帛研讀班」網站2009年5月4日。（http://www.gmw.cn/content/ 2009-05/04/content_916661.htm）③《孔夫子2000》（http://www.confuciis2000.com/admin/list.asp?id=4009）。〈對〈保訓十

其疑慮，王連龍在〈對〈保訓〉十疑的幾點釋疑〉[4]中已舉保存許多西周文獻及大量春秋戰國人根據西周史料寫定的《逸周書》中，與文王及〈保訓〉相關的記載篇章，諸如：〈文儆〉、〈文傳〉、〈文命〉、〈度訓〉、〈命訓〉、〈常訓〉等的內容中，有文王臨終對太子發的訓誡言辭，體裁、內容、篇章結構、文辭使用、情節安排等，多有與〈保訓〉近似之處，也多有與「中」的思想有關的記載，論證〈保訓〉與《逸周書》的密切關係，推定《逸周書》編撰之年限大致為西元前四五三至二九九年間，約戰國中期偏晚，且已傳至楚地。而《逸周書》先後亡佚十一篇，其中八篇與文王有關。〈保訓〉的書寫，若如李學勤先生所推，則恰在《逸周書》的編撰成書時段內，其書體又有楚文字風格，據此駁釋姜廣輝之疑慮。[5]

此後，儘管丁進又從《尚書》學史的角度、特定情景、史官書寫制度、文字筆勢上的楷書書寫習慣殘跡等破綻，仍然認定〈保訓〉是後人偽作[6]。王連龍卻認為：「〈保訓〉既然為傳世抄本，即不能排除有異文訛誤，甚至潤色改寫的情況存在。」[7]即使如姜廣輝所說，〈保訓〉「必不是當時史官所記的實錄，是後人追述或假托的可能性更大」，也仍無法否定〈保訓〉作為研究西周早期與文王、武王事蹟相關的重要材料價值。這些年來學者從事〈保訓〉之研探工作，基本上也大致是站在這樣雖保守卻較公允的心態與觀點上進行。

（二）〈保訓〉篇名問題

有關〈保訓〉之篇名，李學勤根據第三簡「傳寶」，認為還是讀「寶」為好。《清華簡》〈壹〉整理者引《尚書》〈金縢〉認為，「保訓」意指「珍貴的訓誡。」[8]此後姜廣輝儘管懷疑〈保訓〉之真實性，卻也認為「保」即是「寶」，「寶訓」意為寶貴的「訓誡」或「準則」。此後黃人二、姚小鴻等人，大致依循此訓。姚小鴻據《書》〈誥命〉稱文王、武王遺訓為「大訓」、「光訓」，認為以「保訓」為「寶訓」，修辭手法一致。

〈保訓〉名篇之義至此已大致確定，即是文王臨終傳予武王的珍貴遺訓。

疑〉的幾個點釋疑〉，《光明日報》，2010年5月9日。（http://www.gmw.cn/content/2010-05/09content_1111497.htm）

4 詳見王連龍〈對〈〈保訓〉十疑〉的幾點釋疑〉，《光明日報》2010年5月9日。（http://www.gmw.cn/content.2010-05-09-content_1111497.htm）

5 參見王連龍〈〈保訓〉與《逸周書》〉，武漢大學簡帛研究網2009年5月5日。（http://www.bsm.org.cn/show_article.php?id=1045）

6 參見丁進〈清華簡〈保訓〉獻疑〉，新疆哲學社會科學網2011年6月20日。（http://www.xjass.com）

7 同見注3。

8 同見注2。

（三）文王生前稱王問題

根據《史記》〈周本紀〉的記載，周文王晚年已自稱為王。然自唐劉知己、張守節、梁肅，宋歐陽修，明馬明衡，至清梁玉繩，都基於封建正統倫理觀念的周文王聖德形象，對此說提出指斥。王國維則折衷地對諸說提出說明，認為：古諸侯於境內稱王、稱君、稱公無異。古時天澤未分，諸侯在其國內自有稱王之俗。[9]而二十世紀七十年代陝西周原出土諸多周初甲骨，內中「周方伯」和「王」並見，二者究竟是同指周文王？或一指文王，一指商王？學者向來有不同看法。

清華簡整理小組曾引《尚書》〈無逸〉「文王受命惟中身，厥享國五十年。」、《史記》〈周本記〉:「西伯即位五十年。」與《逸周書》〈文傳〉:「文王受命之九年，時維暮春，在鄗，〔召〕太子發曰……」[10]「文王五十年，即受命九年。」注釋「惟王五十年」。站在這些基礎上，劉國忠確認：（一）周文王生前確已稱王。但卻又認為，（二）文王稱王可能非在晚年，而在即位之初即已稱王。（三）在位年數為五十年。（四）「文」字為諡號，而非生稱。周文王雖已稱王，卻沒有自稱為「文王」。[11]

張立東除據《尚書》〈無逸〉、《史記》〈周本紀〉之外，也引《呂氏春秋》〈制樂〉與《韓詩外傳三》:「文王即位八年而地動，已動之後四十三年，凡文王立國五十一年而終。」認同劉秉鈞《尚書易解》所說的:「文王在位五十一年，言五十，舉成數。」[12]至於文王受命之年的推斷，張立東根據清華簡文「唯王五十年」的記載，在（一）斷虞、芮之訟（二）伐崇（三）即位之初即受命三說中，選擇第三者，認定「周文王即位時，即已受命稱王。」之後在位共五十餘年。連帶推定「周朝始於周文王元年，而非武王克商」，並且以「西元前1083年為文王受命之年」。〈保訓〉的「惟王五十年」即是從周文王即位算起的。從而認為：漢人所盛傳，以武王克商為商周分界的說法是有問題的。[13]

根據上述各家之論證與〈保訓〉「惟王五十年」的記載，可以得出一些結論：文王生前確已稱王。唯其稱王究竟在何時？仍未能遽定。或說在初即位時已稱王，或說在臨終前的九年，意即即位後的第四十二年。

儘管未能遽定，于振波對於「惟王五十年」的「五十年」卻有較為細緻的補述。他

---

9 參見王國維〈古諸侯稱王說〉

10 黃懷信注此曰：「受天滅商殺紂之大命，在文王四十二年。九年，文王五十年；三月，文王臨薨之月。」《逸周書校補注釋》〈文傳解注〉（西安市：三秦出版社，2006年。）

11 參見劉國忠〈〈保訓〉與周文王稱王〉，原載《光明日報》，2009年4月27日，後收入清華大學思想文化研究所「簡帛講讀班」網站，2009年5月4日。（http://www.confucius2000.com/admin/list.asp?id=4007）

12 參見周秉鈞《尚書易解》（長沙市：岳麓書社，1984年），頁186。

13 以上論述詳：張立東〈〈保訓〉的周文王紀年與夏商周年代學研究〉，武漢大學簡帛網，2009年5月12日。（http://www.bsm.org.cn/show_article.php?id=1050）

舉《史記》韓、魏、燕召公、田敬仲完、宋微子等多篇世家中，六國諸侯在稱王之後，紀元仍然順接即位前一年之數，並未發生變化，與《史記》〈秦本紀〉在始皇併吞六國，一統天下，稱「始皇帝」之後，紀元仍從「二十六年」開始，並未改元，論證「惟王五十年」只能證明文王生前確已稱王，並不等於已稱王五十年。因此，謂其晚年已稱王則是，謂其即位之初即已稱王的說法仍然待考。[14]這恐怕是目前對這個問題較為妥善的處理。

（四）「戊子自演」的釋讀

「演」字原被釋為「潰」，後李守奎重查原簡，更定為「演」，陳偉從之。[15]或有以為通「頮」者。[16]據《尚書》〈顧命〉開篇相類的記載：「惟四月，哉生魄，王不懌。甲子，王乃洮頮水……。」洮、頮鄭注皆為「濯」，《尚書校釋議論》引《周禮・守祧》注：「古文洮為濯。」又引《說文》，以為小篆作「沬」，古文作「頮」，皆「灑面」之意。《釋文》引馬融之說，以為「洮，洮髮也。頮，頮面也。」子居說：「喪為大事，故古代有將死而沐浴的習俗。」〈顧命〉既說，成王是甲子「洮頮水」，〈保訓〉又說，周文王是「戊子自演」，都在「子」日。《論衡・譏日》引《沐書》云：「子日沐，令人愛之；卯日沐，令人白頭。」的記載，子居因此認為：「子日沐為宜的習俗很可能先秦相傳已久。」文王於戊子日洗面以示齋沐之意，準備傳訓，應是〈保訓〉簡文之意[17]，這在《尚書・顧命》裡有過程幾乎相同的記載。

廖名春卻讀作「饋」，並引《周禮》〈春官〉〈大宗伯〉，以為當是天子諸侯每月朔朝廟之祭禮，即所謂的饋食禮，「自饋」言文王親自舉行饋食禮。[18]問題是，當時文王病已重，為何突然要舉行饋食禮？

眾家之說中，李零的說法較為特殊。他認為，「演」字簡文下有合文符號，當釋為「演水」。並據上下文意，將簡2與簡1連讀為「戊子，自演水，己丑，時爽，至于□，〔武王〕□□□□，〔王〕若曰……。」意為：戊子日，文王病甚，武王趕回，從演水到達某地，沒來得及見最後一面。至於這「演水」相當於哪一條？李零先生說，還要再

14 以上詳于振波〈周文王的即位與稱王問題──讀清華簡〈保訓〉劄記〉，武漢大學簡帛網，2009年6月10日。（http://www.bsm.org.cn/show_article.php?id=1074）

15 參見陳偉〈〈保訓〉詞句解讀〉，武漢大學簡帛網，2009年7月13日。（http://www.bsm.org.cn/show_article.php?id=1112）

16 整理者原讀「潰」為「靧」，以為字或作「頮」。

17 參見子居〈清華簡〈保訓〉解析〉，復旦大學出土文獻與古文字研究中心網站，2009年7月8日（http://www.confucius2000.com/admin/list.asp?id=4163），後轉載於《學燈》第12期，2009年11月14日。

18 參見廖名春〈清華大學藏戰國竹簡〈保訓〉釋文初讀〉，清華大學思想文化研究所「簡帛講讀班」網站，2009年6月17日。（http://www.confucius2000.com/admin/list.asp?id=4028）

研究。[19]

林志鵬循李零之說，補稱：「演水」即陝南的「洵水」。古音「演」、「洵」音近可通，《山海經》〈南山經〉、〈西山經〉、《爾雅》〈釋水〉都有洵水之相關記載，其地位大約在今陝西東南部安康市之旬陽縣。商周之際，洵水流域是當時周人滅商盟友庸人的活動區域，《尚書》〈牧誓〉曾稱「庸」為「我友邦」。[20]因以為〈保訓〉簡文之「自演水」當是指武王自洵水流域之「庸」國趕回，可能不及見文王最後一面，文王臨終前自知，故「以書受之」。

除林志鵬之外，王寧也釋作「自演水……」，卻認為，〈保訓〉從頭到尾都是文王一人的言行紀錄，並不涉及武王的具體行為。故其情況應是：文王自知病重將死，急忙（於甲子日）自演水啟程，第二天（乙丑日）天剛微亮（昧爽）到達某處，文王自覺撐不住，恐回不了豐鄗見太子發。而按前此傳遺囑的慣例，是要當面口述的，為恐不及當面傳訓，才改為口述遺訓，由史官記下。[21]這便牽涉到當面傳訓與遺書傳訓的問題，以及下文「受之以詷」的「詷」之確詁。

（五）當面傳訓或遺書垂訓

根據李零的說法，戊子之日文王病重時，武王從演水流域趕回，才到達某地，來不及接受面訓，林志鵬承之。根據王寧的說法，則是文王自演水啟程，翌日才到達某處，趕不回鄗京，自知不支，當即口述，由史官記訓，留授太子發。由於相當關鍵性的1-2簡之間缺漏了約十字左右可能決定下文：「王若曰：『發！朕疾甚……』」等等究竟是當前面述，還是留書轉告的場景，令我們很難確定何者為是。

不過，《逸周書》〈文傳解〉與〈保訓〉相應的內容記載，說：

> 文王受命之九年，時維暮春，在鄗，召太子發曰：「嗚呼，我身老矣，吾語汝我所保與我所守，傳之子孫。」

這裏時間地點都交代很清楚：時間在文王「受命」（稱王）後的第九年暮春，地點在鄗京。場景似是直接召太子發，當面傳訓。相較於〈保訓〉的記載，明顯不同，〈保訓〉說：

> 己丑，昧（1）〔爽〕，□□□□□□□□□。〔王若曰〕：「發，朕疾瀍甚，恐不汝及

19 參見李零〈讀清華簡〈保訓〉釋文〉，《中國文物報》2009年8月21日第7版。

20 參見林志鵬〈清華簡〈保訓〉「自演水」補釋〉，武漢大學簡帛網，2009年10月20日。（http://www.org.cn/show_article.php?id=1157）

21 參見王寧〈再說清華簡〈保訓〉的缺文問題〉，武漢大學簡帛網，2009年10月27日。（http://www.bsm.org.cn/show_article.php?id=1162）

> （2）訓。昔前人傳保，必受之以詞。今朕疾允病，恐弗念終，汝以書（3）受之。」

較之〈文傳解〉之召而直告，〈保訓〉多了「恐不及訓」及「恐弗念終……汝以書受之」等的載述。根據這幾句載述，李零、林志鵬等人才有武王並不在場，當面受訓的說法。對於「恐不汝及訓」、「汝以書受之」兩句，林志鵬因此譯為：

> 恐怕來不及和你交代遺言，……恐怕無法親口將遺訓告訴你，只好以書面傳給你。[22]

想判斷這樣的說法究竟合不合理，得並觀下文「受之以詞」的訓解。

（六）「受之以詞」訓解

整理小組原釋「受之以詞」的「詞」字說：

> 字與「童」通，指幼稚童蒙。或說此處讀為「誦」，與下文「以書受之」對舉。

陳偉釋「詞」為「諷」，亦「誦」之義。王寧讀「詞」為「訟」，是「面對面口授」之意。[23]謂昔人傳保，皆面對面口授，整理小組的「童」、「誦」兩種訓解，在《尚書·顧命》裏都可以找到呼應的用法。其一為「同」，另一為「侗」。

（一）就「同」字言：

《尚書》〈顧命〉說：

> 惟四月，哉生魄，王不懌。甲子，王乃洮頮水，相被冕服，憑玉几。乃同召太保奭、芮伯、彤伯、畢公、衛侯、毛公、師氏、虎臣、百尹、御事……。

屈萬里先生《尚書釋義》及顧寶田《尚書譯注》皆斷作「乃同召太保、芮伯……」，「同」為一起、共同之義，自無訓詁上的特殊義訓問題。子居則斷作「乃同，召太保、芮伯……」如此，「同」便是一種特殊的禮制活動，子居引《周禮》〈春官〉〈大宗伯〉「殷（鄭注：眾也）見曰同。」以為乃前人臨終時有所訓命告誡，必會同臣屬、族人而後申言。」以此釋〈保訓〉「受之以詞」的「詞」。並釋上句「恐弗念終」為「恐怕

---

22 參見林志鵬〈清華簡〈保訓〉釋文及語譯〉，臺灣師大國文系「出土文獻研讀班」宣讀之講稿，2011年1月12日。

23 同見注20。

堅持不到『同（眾見之禮）』的結束。」如此解釋「受之以詷」，其實也仍不違背預留遺書以傳訓之意。然子居下釋「汝以書受之」則為「命太子發以書紀錄訓辭」，則仍是保留面見親授的說法，特令太子發紀錄而已。

（二）就「侗」字而言：

〈顧命〉說：

> 在后之侗，敬迓天威。

學者多釋「侗」為成王自謙之辭，應是通「童」。〈保訓〉整理小組所注「詷」之第一義——幼稚童蒙，當是此意。然以此「童」意釋〈保訓〉「昔賢傳保，受之以詷」的「詷」，則仍有未通。若循第二義「以書」對舉的「誦」義，則「以書」、「以誦」相對，「以誦」當非「傳書」，而為透過口訴、口傳。

昔人傳保既皆以口傳、口訴，則與之相對的，文王此次傳保非面傳口授，而為留書遺囑應是極可能的，李零、林志鵬的說法有一定合理性。即使「自演」不作「自演水」，其下缺漏之十字左右亦不涉及周武王（太子發），光就這「昔人……必受之以詷……今朕……汝以書受之。」的對列，釋作「昔人面授，今朕書授」亦無不當。今因「昧〔爽〕……」以下多字缺漏，難以補完傳訓場景，因暫兩存其說。

連劭名釋「詷」為「同」，「和同」之義。他據郭店楚簡〈君子〉云：「君子不貴庶物，貴與民有同也。」又引《禮記》〈樂記〉鄭注：「同，謂協好惡也，人和曰同。」與《國語》〈周語〉韋注：「以可去否曰和，一心不二曰同」，認為「和同」是先秦政治家所追求之理想境界。[24]說法與眾說差異較大，顯不出「詷」在簡文中的獨特義涵，較不適切。

（七）迺易位設稽

整理小組參考廖名春與陳偉之見[25]，原注「位」為職位、官爵，並以「稽」為「引書簿籍」，認為「易」與「設」相對為文，有「修治」之義。又說「易位設籍」「與得眾有關」。唯廖名春將下文「測陰陽之物」的「測」上屬為句，作「迺易位設稽測」，黃人二從之。廖氏並謂「立設」即「設立」，「稽測」為同義複詞，猶如「稽驗」，「立設稽測」指已設立了的法令制度。

---

24 參見連劭名：〈戰國楚簡〈保訓〉與古代思想〉，《中國哲學史》2010年第3期，頁14。

25 廖說參見〈清華大學藏戰國竹書〈保訓〉釋文初讀續〉，清華大學思想文化研究所「簡帛講讀班」網站（http://www.confucius2000.com/admin/list.asp?id=4027），2009年6月20日。陳說同見注14。

周鳳五將此下數句取以與《尚書》〈堯典〉之載記對比，相應詮釋，謂簡文的「厥志不違於眾萬姓之多欲，……施之上下遠邇」指「安頓生活，建立倫理。」與「慎徽五典，五典克從」相應；「易位」與「納於百揆，百揆時序」相應；「設稽」與「賓於四門，四門穆穆」相應；下文「測陰陽之物，咸舜不逆」與「納於大麓，列風雷而弗迷」及「在璇璣玉衡以齊七政」相應。皆記文王以古聖王為例，說明得眾須上順天道，下應民心。並釋「設稽」為建立稽查制度，「易位」為調整官員職位。

各家所說，雖有不同，其以「設稽」為定立某些制度，應是共識，至於究竟是定立哪種制度？以及「易位」究竟是調整官員職位？還是指舜由百姓改易身份位階，成為天子？都應再作進一步考察。

(八)「測陰陽之物，咸順不逆」訓解

整理小組原釋「測」為「度」，意為「考量」；隸定「逆」為「詻」，讀為「擾」。李零讀為「逆」，以與「順」相對，[26]較為順適。整理小組注「陰陽之物」云：「陰陽之物見於《禮記》〈祭統〉，或有關連。」說得含混沒把握，今考〈祭統〉云：

> 水草之菹，陸產之醢．小物備矣；三牲之俎，八簋之實，美物備矣；昆蟲之異，草木之實，陰陽之物備矣。凡天之所生，地之所長，苟可薦者，莫不咸在，示盡物也。

〈祭統〉以昆蟲之異與草木之實為「陰陽之物」。孫希旦集解云：「祭祀之具，莫非陰陽之氣所生，獨於昆蟲草木言陰陽之物者，言其如是而後備也。」依其說，「陰陽之物」即是泛稱天地間陰陽之氣所生長之一切生類，「陰陽」便是指天地間生長物類之氣（生機），「測陰陽之物」因此便是指觀測一切生類。整理小組釋「測」為「度」、「考量」，若釋為「觀測」、「觀察」，更能適切順接下文「咸順不逆」。

連劭名引《大戴禮記》〈哀公問五義〉之文以釋此句，〈哀公問五義〉說：「所謂聖人者，知通乎大道，應變而不窮，能測萬物之情性者也。」連氏顯然以「萬物」釋「陰陽之物」。[27]廖名春釋「陰陽之物」為「陰陽之道」、「陰陽之則」，周鳳五承之而釋為「自然界的變化」，釋「測陰陽之物咸順不逆」為「觀測自然變化，使人事因應而有條不紊。」[28]無論如何都較之李學勤先生以「陰陽之物」為「正反之事」[29]，與廖名春將

---

26 李零：〈讀清華簡〈保訓〉釋文〉，《中國文物報》2009年8月21日第7版。

27 參見連劭名：〈戰國楚簡〈保訓〉與古代思想〉，《中國哲學史》2010年第3期，頁15。

28 參見周鳳五：〈北京清華大學藏戰國竹書〈保訓〉新探〉，《孔德成先生學術與薪傳研討會論文集》2009年12月，頁197。

29 參見李學勤〈論清華簡〈保訓〉的幾個問題〉，《文物》2009年第6期，頁77。

「陰陽之道」釋為「君臣、上下、夫婦、天地之道」[30]更能廣應通達。

（九）「用作三降之德」訓解

整理小組原釋「三降之德」為「三德」，指《尚書》〈洪範〉的「正直、剛克、柔克」。林志鵬也釋「三降之德」為「三德」，內容卻是根據上博簡〈三德〉與《大戴禮記》〈四代〉所述的天、地、人三德。上博簡〈三德〉說：

> 天供時，地供材，民供力，明王無思，是謂三德。

《大戴禮記》〈四代〉說：

> 子曰：有天德、地德、有人德，此謂三德。三德率行，乃有陰陽。陽曰德，陰曰刑。

同樣以「三降之德」為「三德」，內容卻不同。李均明以「降」通「隆」，重、大之意。謂「三德」與治理國家直接相關，並依〈洪範〉之說，以正直、剛克、柔克為內容，認為「三德」係指針對不同情況，採取不同應對方式，李均明說：「用作三降之德」即能夠達到靈活運用「三德」的境界。[31]

廖名春釋為「三愉之德」，三愉即三樂，三種樂事，指的就是「天地位焉，萬物育焉」，是「中」及「和」所臻之化境，[32]所說稍嫌迂曲。

周鳳五讀「降」為「陟」，升、登之意。「三陟」，指舜被堯試用九年，三年考核一次，九年共考核三次，登上天子之位。[33]

復旦大學陳民鎮、胡凱以「降」為「下」，又說往往與「陟」相對，主體多為神聖性人物。「三降」的主語是虞舜，時間在虞舜「受爵緒」之前，傳世文獻如《藝文類聚》十一引《尸子》、《管子》〈治國〉、《莊子》〈徐無鬼〉皆載舜「三徙成國」之事，應可作為此「三降之德」的注腳。[34]

---

30 參見廖名春：〈清華簡〈保訓〉篇解讀〉，《中國哲學史》2010年第3期，頁6。李存山認為，李學勤先生所釋「正反之事」與下文「咸順不逆」難相連。廖名春的「君臣、上下、夫婦」也有問題。因為文王時當殷周革命之際，根據《史記》〈周本紀〉的記載，文亡囚羑里獲釋後，已「陰行善，謀革殷之命。」武王伐紂時也說「奉文王以伐」。文王臨終遺命怎可能強調「使君臣之道咸順不逆」？其說詳見李存山〈試評清華簡〈保訓〉中的陰陽〉，《中國哲學史》2010年第3期，頁35-38。

31 參見〈文王遺囑之中道觀〉，《光明日報》2009年4月20日。http://www.gmw.cn/content/2009-04/20/content_910981.htm

32 參見〈清華簡〈保訓〉篇解讀〉，《中國哲學史》2010年第3期，頁11。

33 參見周鳳五〈清華簡〈保訓〉重探〉，《中國人民大學國學院五周年紀念會論文集》2010年10月。

34 參見胡凱、陳民鎮〈清華簡〈保訓〉集解〉，復旦大學出土文獻與古文字研究中心網站2011年9月19日。http://www.gwz.fudan.edu.cn/SreShow.asp?Src_ID=1654

黃懷信亦釋「降」為「下」，對於「三德」，則從〈洪範〉之正直、剛克、柔克。[35] 曹峰則認為，「降」作動詞用，「三」是多次，「三降之德」指舜多次降于民間之德。還有一種可能更大的解釋，是以「降」為恭謹謙卑，「三降之德」即強烈的恭謹謙卑。[36]

綜合上述各家之見，對「降」的釋義或作「上」，或為「下」，或為「升」，或為「愉」，儘管不同，其對「三德」的解釋，或因中國傳統「中庸」中道思維之受重視，與〈洪範〉之名氣，從〈洪範〉說法者多。其實古籍中提及「三德」者不少，說法多異。〈保訓〉此處的「三降之德」不論作何種解讀，其為舜正式受堯傳位前夕之勤謹用心，竭能盡力地黽勉動作則一。

三　「中」之釋詁及其所衍生的義涵

〈保訓〉全篇最為特殊，也最為討論焦點的議題便是「中」的義涵。「中」在〈保訓〉裏至少出現了四次，依次是：

（一）舜親耕于歷丘，恐求中（第四簡）

（二）舜既得中，言不易實變名（第六簡）

（三）昔微假中於河，以復有易（第八簡）

（四）微亡害，乃歸中於河，微志弗忘，傳貽子孫（第八至九簡）

前兩例的論述相關於舜由平民上升為天子過程中的重要環節，後兩例則是相關於上甲微假河伯之力以復仇成功的關鍵，兩者都在一個「中」。這個使舜從平民時代的內聖，上升為外王事業成功的關鍵；也是使上甲微聖戰成功，甚至可以「志」而弗忘，並傳之子孫的寶貝，究竟是什麼？一直是大家議論不休的問題。迄今為止，至少出現幾個結論：

（一）建鼓說

（二）圭表、旌旗說

（三）軍隊（師）、群眾說

（四）地中、天數說

（五）訴訟文書說

（六）神主、宗廟說

（七）中道說

（八）以「中」為心

---

35 參見黃懷信〈清華簡〈保訓〉補釋〉，武漢大學簡帛研究網http://www.bsm.org.cn/show_article.php?id=1422，2011年3月25日，頁5。

36 參見曹峰〈〈保訓〉的「中」即「公平公正」之理念說——兼論「三降之德」〉，《文史哲》2011年第6期，2011年11月5日。

事實上，誠如眾人的疑慮：「中」既能「求」、「得」，又能「假」、「歸」、「傳貽」，尤其是能「假」、又能「歸」，能借又能還，自當是具體實物。如此建鼓、旗幟、圭表、軍隊、群眾、神主、宗廟、地中都有可能。但既已歸還，還能「志弗忘，傳貽子孫」，就又無論如何不是具體實物了。各家的義訓因此大致徘徊、游移，甚至膠著、扭繞在這具體實物與抽象概念之間曲說、牽合。

（一）建鼓說

林志鵬曾引裘錫圭先生之說曰，商代有一種外形高大，紋飾繁縟之金屬敲擊器，或稱「豐」，祭祀時與「庸」合奏，作戰時與「鉦」（金鼓）合奏。因此「豐」或「中」即祭祀所用之大鼓，是祭祀重器[37]。林志鵬因此以為，「中」之字形作「 」，確實像建鼓之形，上下有斿，中為鼓，「丨」像直杠。「鼓」居車之中，為統帥所用，殷代卜辭「主中」與征伐有關。並引《史記》〈高祖本紀〉、《呂氏春秋》〈慎大〉，以為：出兵前之建鼓，需行祭祀，以牲血塗之，以神戎器；歸師後，藏鼓旗甲兵，亦須釁之，此即「祈中」、「歸中」之依據。「祈中於河」，即出兵前殺牲釁鼓之儀式，在河岸舉行。「歸中於河」，即戰勝後，至河的報祭。都是釁鼓儀式，有「報德」之意。[38]

（二）圭表↗測天（地）中、營王都→立壇→聚眾→軍旅
↘測風力→旌旗──↗

此說始於李零先生。李先生認為：「中」即古書所說之「表」，即標杆，亦即立竿見影，觀測日影的圭表。「立中」即立表，是測量的工具。昔周公營新都，相宅、攻位，都用表以測高下遠近、四方八位。這個「表」，是可以為民立極之標杆，非一般表，而是四方之極。但他同時又說：借旌旗觀風向，測風力，用於軍中，合軍聚眾，教練士卒。則顯然對建鼓之說仍有一些依從。只是由「建鼓」延伸出了「立旗」。

以後武家璧、王連龍基本上都採從這種說法，也有所延伸。武家璧說，「中」字形像杆中央橫貫空管之形，並引用蕭良琼之說，以為是立竿測影之記錄，懸管以測天中，以此極為天中，「求中」即「立極」。但他又說：舜「求中」之法與曆術有關，是天文數學方面之實踐活動，舜因能掌握運用科學知識而獲勝。所援用的依據是《尚書》〈堯典〉說舜「璿璣玉衡以齊七政。」上甲微建中立極則是選址建中壇，會聚兵眾於中極之

---

37 參見裘撰〈甲骨文中幾種樂器名稱──釋「庸」、「豐」、「鞀」〉，《古文字論集》（北京市：中華書局，1992年），頁196-198、頁198-202。

38 參見林志鵬〈清華大學藏〈保訓〉管窺──兼論儒家「中」之內涵〉，武漢簡帛網，2009年4月21日。（http://www.bsm.org.cn/show_article.php?id=1034）

下，誓師伐有易。獲勝後，復率眾聚中極之下，告祭天地祖宗。其「中極」之地建在河漢或河伯之地。[39]如此一來，「中」既是圭表，也是中極（中壇）。與舜相關的前兩個「中」是天文曆法方面的活動，與上甲微相關的後兩個「中」是具體建物──「中壇」。

王連龍站在四個「中」為同一義涵，及「中」為有形之物的前提下，既說「中」的義涵是旂旗、中正、中日、中室、測風工具，又說「立中」是「立表測影」，是天文活動。就「旂旗」而言，那是原始社會部落或氏族標誌，其功能一方面立旗圈地，一方面聚集成員。他並舉〈容成氏〉，載舜立禹為司空，治山陵水潦，天下之民「始可處」，說明這「有形之物」應即營建宮室。並將營建宮室與旂旗之說連結起來，說：大禹營建宮室，始為旗號，按地畫分不同族群。並引唐蘭之說：

> 中者最初為氏族社會中之徽幟──古時用以聚眾。[40]

「中」因此就是指的「王旗」，又引胡厚宣之「立中」說：

> 甲骨卜辭之「立中」，是原始社會立旗圈地、開闢疆土之孑遺。

「立中」即是「立旗」。如此便將圭表、旗幟、營室、聚眾諸義，統合了起來，得出：「中」為集眾之旂旗，「求」中之「求」是「聚」意，「求中」即「聚中」，聚集在旂旗之下。這個「中」，甚至可以因旂旗而轉為軍旅，亦即「師」之意，如此便將「中」字紛歧不一的諸多具體有形義含括在一起。其實，旂旗、聚眾和建鼓之義固可相融通，但與立圭表、營宮室總覺格格不相入。但，如此一來，有關「中」的許多具體物義便都統合在一起了。

唐蘭、王連龍等人之外，周鳳五也贊同此說，認為舜和上甲微分別向堯與河伯借來象徵最高統治權威的旂旗，一者以治民施政，一者以出兵征伐。周鳳五、陳民鎮因此認為，舜與上甲微兩個故事中的「中」基本上都是旗幟義，只不過上甲微故事中的旗幟，既用於出兵征伐，當然也就代指軍隊了，這便與《竹書紀年》中的「假師」記載脗合。[41]由旂旗之義折轉為軍旅之義，因此也就是必然之勢了。

---

39 參見武家壁〈帝舜的「求中」與「得中」──談清華簡〈保訓〉之一〉，武漢簡帛網，2009年5月5日。（http://www.bsm.org.cn/show_article.php?id=1046）

40 參見王連龍〈談〈保訓〉篇的「中」〉，復旦大學古文字研究中心網站，2009年6月20日。（http://www.gwz.fudan.edu.cn/sershow.asp?src_ID=824）

41 參見陳民鎮〈清華簡〈保訓〉「中」字解讀諸說平議〉，復旦大學出土文獻與古文字研究中心網站論文，2011年9月19日（http://www.gwz.fudan.edu.cn/srcshow.asp?src_ID=1655）與周鳳五〈傳統漢學經典的再生──以清華簡〈保訓〉「中」字為例〉，《漢學研究通訊》第31卷第2期（總132期）（2012年5月），頁3-4。

（三）軍旅（師）↗軍事指揮權、最高統治權
↘兵眾→群眾

這一義的「中」，有兩個考量來源：其一是今本《竹書紀年》與《山海經》〈大荒東經〉郭璞注所引古本《竹書紀年》都明載：「殷主甲微『假師』于河伯以伐有易」、「殷侯微以『河伯之師』伐有易」，任何其他說法，都無法忽視這兩則明確的史載，也都很難不為「師（軍隊）」一義預留空間。其二是由於斿旗之義延伸而來。故前述王連龍一方面說，舜「求中」是營建宮室，另一方面又說，訓為「斿旗」是合適的。因為兩處《竹書紀年》相關記載都明說太甲微「假師」河伯，可見「假中」就是「假師」，因為「斿旗」與「軍旅」密切相關，故可以稱代。

小狐基本上也認為，文王臨終語境所舉事例及所要表達的思想肯定是一貫的。四個「中」字義涵不大可能具有不同的含義。但「假中」、「歸中」事例，有傳世文獻《竹書紀年》的對讀，似乎只能指軍隊。不過，考慮到「求中」、「得中」，以及文王「傳貽子孫，至於成湯」的問題，仍然認為難以解釋。因此，和王連龍、武家壁一樣，回思唐蘭的「徽幟」義，由「徽旗」義擴展、延伸，而有行政中心、中央權力指揮、四方交通中心，天下資源中心等義涵，並引林澐的「王」字考釋，認為「王」字象斧鉞類武器不納柲之形，斧鉞是軍事統帥象徵之物，如此，軍事統治權、司法審判權等義涵當然也都含包進去了。[42]

程浩則說，「中」表旗幟是甲骨文的用法，到了西周金文就有了專字「旗」，而「中」不常用了。[43]

由斿旗、軍隊義向另一個方向延伸，便是「眾」義。子居認為「中」當是「眾」，「求中」、「得中」便是「求眾」、「得眾」，他詳舉傳統文獻，如《墨子》〈節葬下〉、《管子》〈大匡〉、〈參患〉、《左傳》〈隱公元年〉、《國語》〈晉語〉、《晏子春秋》、《孫臏兵法》、《荀子》、《尉繚子》、《禮記》、《說苑》、《穀梁春秋》、郭店楚簡〈性情論〉等文獻中，多「得眾」、「求眾」之記載，與「師」可訓「眾」之例，佐以《竹書紀年》之對應記載，認為〈保訓〉之「中」，可求、可得、可假、可歸，自是實物，非虛辭，當依《紀年》釋為「師」，訓作「眾」。他甚至認為，也可能因〈保訓〉為文王口述之記錄，「眾」字被記錄者誤書為「中」了。[44]顯然，子居把〈保訓〉當作實錄之作。同時對於抽象的「中道」理念，他也提出否定意見，認為：若「求中」、「得中」是文王傳給武王的重要概念，何以竟完全不見於他書所載或稱引論述？亡一篇文章不奇怪，亡一個曾被

---

42 參見小狐〈也談〈保訓〉之中〉，復旦大學出土文獻與古文字研究中心網站，2009年6月21日。（http://www.gwz.fudan.edu.cn/srcshow.asp?src_ID=825）

43 同見注1。

44 同見注16。

認為很種要的思想觀念，恐怕說不過去。[45]

繼子居之後，徐在國也持此說，謂「假中」義同「假師」，「中」字代指軍隊。[46]其後，高嵩松亦認為，〈保訓〉之「中」與《竹書紀年》之「師」對應，而「師」可訓「眾」。但他又說，「中」與「終」，「終」與「眾」多可相通，因而認為，周文王具有十分強烈的民主思想。顯然把軍眾、兵眾又轉成了群眾、大眾。因此說舜「允執厥中」是「允執厥眾」，是「親民」之意。[47]

嚴明也認為，《紀年》的「師」只能是「軍隊」，商人軍隊之名常見於甲骨卜辭，有行、大行、旅，「師」則當在武丁時即已創立，當時「師」的編制包括有「中師」，卜辭中已有稱「中師」為「中」之例。[48]

陳民鎮認為，在眾說中影響較大，較能在兩個故事、四個「中」字之間找到平衡點的，便是這個由旌旗而軍旅（師），而「眾」之說。[49]但讀「中」為「眾」，或以「中」為「眾」之誤，仍然存在著相當風險，因為古書中「中」、「眾」相通有其可能，卻乏例證，說「眾」誤為「中」存在著相當大的猜測疑慮。

（四）地中、天數說

艾蘭認為，甲骨文中的「嶽」，指中嶽「嵩山」，〈保訓〉的「中」，指的就是大地的中心，天子可以從中得到統治權力，其地點應是以中嶽嵩山為中心。[50]邢文則認為，要能妥善詮釋「中」，必須滿足十五個條件，遍觀所有學者說法中，無一能滿足者。他自己則認定，「中」就是〈堯曰〉所說「天之歷數在爾躬」的「天數」，應即傳說中舜得河圖之河圖，也就是文王據以推衍《周易》的「易數」。[51]

---

45 同見注16。

46 參見徐在國〈說楚簡「假」兼及相關字〉武漢大學簡帛研究中心網站，2009年7月15日。（http://www.bsm.cn/show_article.php?id=1113）

47 參見高嵩松〈允執厥中，有恃無恐──清華簡〈保訓〉篇的「中」是指「中道」嗎？〉，《東方早報》，2009年7月29日。（http://news.guoxue.com/article.php?articleid+22029）

48 參見嚴明〈也說上假微的「假中」與「追中」，武漢大學簡帛研究網，2009年11月20日。（http://www.bsm.org.cn/show_article.php?id=1176）

49 同見注39。

50 艾蘭之說參見〈清華簡〈保訓〉的「中」與天命〉，武漢大學簡帛網。2010年3月19日。（http://www.bsm.org.cn/show_article.php?id=1235）。

51 邢文之說參見〈清華簡〈保訓〉研讀講義〉，武漢大學簡帛網。2010年3月19日。（http://www.bsm.org.cn/show_article.php?id=1234）以上艾蘭與邢文兩人之說，並同見於王進峰〈清華簡〈保訓〉研讀會在美國達慕斯大學召開〉所引，武漢大學簡帛網。2010年4月4日。（http://www.bsm.org.cn/show_article.php?id=254）。

（五）訴訟文書──➤公正公平

此說始於李均明。李均明認為，上甲微「假中」、「歸中」之「中」字應是與訴訟相關的文書，因為須反覆審議與權衡，在訴訟過程中實現了平衡，體現了中正公平之理。因此，儘管也清楚《竹書紀年》中借的、還的都是「軍隊」，卻仍認為〈保訓〉的「中」與之不相同，不是軍隊，而是司法判決書。原因是，「有易服厥罪」下有「微無害」的說明，皆是訴訟用語。故認為，上甲微其實是從河伯處借得了司法權。[52]李銳起初也贊同此說，認為「中」是中正義，與訴訟之公正有關。上甲微「求中」即是請河伯做公正人、審判人，實際上是請河伯給予軍隊，「歸中」的「中」是「獄訟成要的簿書」、招冊、認罪書，「歸中」便是將有易之認罪書給河伯。[53]一下子以「求中」的「中」為軍隊，一下子卻又以「歸中」的「中」為判決書，仍然很難自圓其說，故其後又有所改易。認為「假中于河」當讀為「格中于河」，「格」義為度量、推究。上甲微由河（或在河地區）體會到「中」的道理，和舜耕歷丘，恭求中一樣，「追中于河」即「率中于河」，遵循、順服之意。「河」非河伯、河神，卻沒明指其為何？也仍然是猶疑於具體判決書與抽象「中道」義之間。[54]

李均明之外，劉先勝也認為，〈保訓〉中的「中」意為「判詞或判決書」。並以「河」為「河伯」，認為「伯」是諸侯之長，有主持正義，審理案件的能力，〈保訓〉中的「河」，爵位為「伯」，應有審理諸侯國案件的權力。審理案件不偏不倚是「中」，上甲微從河伯處借判決書，號召殷人，誅殺綿臣，懲罰惡人，伸張正義，也是「中」。〈保訓〉中，舜揚善，上甲微懲惡，都是「中道」。則顯然也是努力將具體的判決書與抽象的「中道」義作牽合。不僅如此，他又引《尚書》〈洪範〉的「三德」，說舜「求中」明顯屬「柔克」，上甲微率軍殺有易是「剛克」，〈保訓〉不也說「用作三降之德」嗎?〈保訓〉的四「中」與〈洪範〉關係密切。[55]基本上也是無法完全擺脫「中道」的思維，只因礙於「假中」、「歸中」的具體「中」義無法不交代，故極力在軍隊、具體判決書與抽象「中道」之間努力牽合。[56]

---

52 參見李均明〈周文王遺囑之中道觀〉，《光明日報》2009年4月20日。（http://www.cn/content/2009-04/20/content_910981.htm）

53 參見李銳〈〈保訓〉「假中於河」試解〉，孔子2000網，2009年4月16日。（http://www.confucius2000.com/admin/list.asp?id=3997）

54 參見李銳〈上甲微之「中」再論〉，清華大學思想文化研究所「簡帛研讀班」網站，2006年6月24日。（http://www.confucius2000.com/admin/list.asp?id=4025）

55 參見劉光勝〈保訓之「中」何解──兼談清華簡〈保訓〉與《易經》的形成〉，2009年5月27日。（http://www.confucius2000.com/admin/list.asp?id=4026）

56 此說梁濤已疑上甲微時是否已有司法判決書制度，加以否定。參見梁濤〈清華簡〈保訓〉的「中」為「中道說」〉，清華大學簡帛研究網，2011年4月19日。（http://www.confucius2000.com/admin/list.asp?id=4877）

（六）木主、宗廟說

在具體義諸說中，汪亞洲的說法較為特殊。汪亞洲認為，解決「中」字的涵義，關鍵當先探討「河」的身份。他不隨從眾說，釋「河」為「河伯」或「河神」，而是從卜辭中諸多「河」的義涵與相關祭祀中，得知「河」是「商人旁系先祖」，比帝嚳晚了一代，亦受商人祭祀。因認為舜和上甲微所求、所假之「中」字同於《國語》〈齊語〉：「有虞氏郊堯而宗舜」之「宗」。上甲微「乞（求）中於河」之「中」，是祭祀王亥所用木主。「假」是「至」意，「假中」就是到宗廟祭祀，看似以「中」為具體物──木主或宗廟。但隨後卻又說，得中、追中之「中」卻不是「宗」義，而是「允執厥中」之「中」。「追」，承姜廣輝之說，[57]認為是「慎終追遠」之「追」，是祭祀先祖而永思不忘。並綜合詮釋說：

> 舜恭敬的在宗廟祭祀帝嚳，最終得到了帝嚳之「中」；上甲微出師前也祭祀其遠祖帝嚳，亦得到了帝嚳之「中」，並傳之後世。湯得到後，並有天下。[58]

但「允執厥中」與「帝嚳之中」的「中」究竟是什麼意思？汪亞洲始終沒有明確的說解，只知道它不同於前述的「木主」或「宗廟」義的「宗」。顯然對於抽象「中道」義，仍然未能釋懷，卻又不便直指，只預留了空間。

以上是相關於具體「中」義之各家之見。很顯然的，大家的著眼點都在無法忽視古今本《竹書紀年》中與〈保訓〉相應的記載，以及甲骨文中，「中」的字形與義訓。同時也考慮到，同一篇之中，四個「中」義的一致性，故無法不對具體義作出一定交代。但，同時對於《論語》〈堯曰〉中稱舜的「允執厥中」，與〈保訓〉中上甲微既還了，卻還能「遺貽子孫」的「中」義，無法作出與前具體「中」義圓滿相容的結果，於是曲作引申牽合的訓解不免出現。

（七）「中」的抽象義──中道、公平、公正的哲學理念

與具體實物義相對的，抽象「中道」義的訓解所呈現的狀況，也一樣浮動不穩。這類說法始於李學勤先生。李先生在〈論清華簡〈保訓〉的幾個問題〉一文中說：「〈保訓〉中文王對太子講了兩件歷史傳說，所要講的，就是「中」這個富于哲理性的觀念。」又說：「『中』的觀念，或稱『中道』，是〈保訓〉全篇的中心，這對於研究儒家

---

57 參見姜廣輝〈保訓十疑〉，《光明日報》，2009年5月4日。

58 參見汪亞洲〈再論清華簡〈保訓〉之「中」〉，復旦大學出土文獻與古文字研究中心網，2011年6月12日。（http://www.gwz.fudan.edu.cn/SrcShow.asp?Src_ID=1535）

思想的淵源和流傳，無疑有很重要的意義。」[59]今就〈保訓〉後半看來，這個「中」最後還能「傳貽子孫」、「祇服不懈，用受大命」，就肯定非等凡之物，而是具有隆高價值的、與傳家、傳國，乃至傳天下有關的特殊要物。趙平安因此將它與前文「昔人傳保，必受之以詷」的「詷」相類起來，說，「都是古代帝王即大位前，必須掌握的東西，是治國、安邦、平天下的大道理。」是中國古代文化的核心價值。周文王透過舜與大甲微故事，闡明求中、得中、保中與「踐天子位」的關係，鼓勵太子發堅守「中」的精神，最終繼承大位，分明反映出帝王的胸懷和高超的智慧。[60]這樣的東西當然是抽象的思維與指導理念，雖不明言即是「中道」，但類似觀念已隱然若現。[61]

李銳兩次為文論「中」，起初雖然以上甲微之兩「中」為判決書，卻也同時因判決書而衍生出公正、中正義，並不純粹以具體有形物釋「中」。[62]王連龍在總合各類具體「中」義之前，其實也說過，與清華簡文獻內容密切相關的《逸周書》各篇，若〈文儆〉、〈文傳〉中，雖沒出現，「中」字，但其所載文王告誡太子發遵守不失時宜的「和」德，卻與「中」有密切關係。……《逸周書》其他篇章，「中」的思想也多見。僅就與文王有關的〈度訓〉、〈命訓〉及〈常訓〉等三訓為例，具有哲學義理的「中」字凡八見，還不包括與「中」思想有密切關係的「度」、「極」、「權」等，在具體行文中，三訓明確提出「明本末以立中，立中以補損，……。」[63]已經很清楚地以「中」為與「不失時宜的和德」關係密切，卻始終沒有明說「中」即是「中道」的哲學理念。可見，在明曰主張具體物義「中」之同時，對抽象的「中道」理念，其實並未釋懷。

江昌林雖然也以具體義釋「中」之字形，說「[illegible]」:「上端飄游狀者為氏族圖騰旗幟，中間作圓者為太陽，下端作飄游狀者為旗幟之投影。」卻又說:「〈保訓〉的『中』應該是一種觀念，是『中正』義。」它是上古各氏族部落共有的宗教信仰和道德觀念，其淵源來自太陽神崇拜：

> 每當正午時刻，太陽正中照下，旗幟正投影於旗杆下，是為不偏不倚之中正，最為公正之時。因此，人間一切行為要以天神「日中」為依據。

他並認為，這種觀念在古代是很普遍的。這類說法，其實和李零主張圭表立天極之說異曲同工。他以此解說〈保訓〉四「中」義，認為舜能領會「中」之精神，以「中」為原

---

59 《文物》2009年第6期，頁77-78。

60 參見趙平安〈〈保訓〉的性質和結構〉,《光明日報》2009年4月13日。(http://www.gmw.cn/content/2009-04/13/content_908293.htm)

61 姜廣輝雖然反對〈保訓〉提出「十疑」，卻也說:「中就是處理事情要把握分寸，將事情處理得恰到好處。」參見《光明日報》2009年5月4日。

62 同見注49、注50。

63 同見注4。

則，處理好氏族部落內外間的關係。上甲微以「中」之公正誠信原則處理與有易族的關係，誠意感動了有易族。商族先公並以「中」的原則代代相傳，終於建立商王朝。[64]以「中」為公正誠信原則，顯然就是「中道」義。

在所有對「中道」理念義的主張中，最為明確堅持的，除了李學勤外，要推梁濤。梁濤站在〈保訓〉「很可能並非史官實錄」，而係後是諸子撰述，甚至假託的基點上，認為〈保訓〉的撰述者應是儒家，其所反映者，當然就是儒家思想。四個「中」字義涵雖不完全一致，卻應是彼此呼應，有內在連繫。而儒家有源遠流長的「中」的思想傳統，形成中庸、中和、中正概念。〈保訓〉的「中」應該置於這樣的背景下來理解，而不應只停留在字源的考察上。從而認為，舜的「求中」、「得中」，有《論語》〈堯曰〉與《禮記》〈中庸〉的「允執厥中」可以證明其為公平、公正、不偏、不倚之「中道」義，是一種調節人與人關係的原則。上甲微的「假中」，「假」字訓「請」，「請中」指上甲微向河伯請求公正，請其主持公道，作審判人、調節人。因為「河伯」爵位是「伯」，地位與文王相當，應有調節糾紛的權力。有易在雙重壓力下，只好認罪。終於使一場原本在《楚辭》〈天問〉記載中血腥復仇、野蠻殘殺的不幸事件，在〈保訓〉中理性收場，勝利者上甲微對其復仇對象有易部族無所殘害（微無害），這是一種理性的中道復仇方式。對於其後「歸中于河」，梁濤解釋「歸」為「屬」，謂上甲微把中道復仇的實現歸功於河伯，同時牢記不忘，並將其作為處理對外矛盾衝突的原則，傳給後代子孫。[65]

這樣的說法，舜的「求中」、「得中」部分固然有傳世儒典可以對應相證；上甲微的部分，訓「假」為「請」已有些勉強，讀「追」為「歸」固可通，但訓「歸」為「屬」則不知何據？釋「居中于河」為將復仇成功、有易服罪之功歸之河伯，尤有望文生義之嫌。對於梁濤的說法，周鳳五以為，若能比照《晏子春秋》〈景公欲祠靈山河伯以禱形晏子諫〉與《上博二》〈魯邦大旱〉的對應刪改模式，將「迺歸中於河」五字刪除，下接簡九「傳貽子孫……」，則梁濤「中道」之說完全可以成立。問題是，有什麼堅強的理據，可以刪除這五字？

梁濤之外，梁立勇也說：〈保訓〉的「中道」思想就是儒家的「忠恕之道」，亦即「中庸」。[66]此外，曹峰略承趙平安之旨，認為它是一種公正公平的理念，而非具體之物。四個「中」字都是治國安邦的重要理念，是處理族群間矛盾的有效手段，卻還不到後代儒家「中庸之道」那麼複雜的含意。在舜那裏，「中」是天地運行無私法則的體現；在上甲微那裏，「中」是處理族群矛盾的公正精神。兩者對治國安邦都極為重要，卻最多都只能從正直無私去理解，沒必要過早染上儒家色彩。對於〈保訓〉的來源，曹

64 參見江昌林〈清華簡〈保訓〉篇「中」的觀念〉，《先明日報》2009年8月8日，http://www.gmw.cn/content/2009-08/08/content_958051.htm。

65 同見注55。

66 參見梁立勇〈〈保訓〉的「中」與「中庸」〉，《中國哲學史》2010年第3期。

峰是贊成非實錄，而為戰國前期假借文王名義的托古言事之作。[67]

（八）以「中」為「心」

除了上述諸說外，李志鵬亦嘗以舜之「求中」為「反求己心」；「得中」為「心明靈清澈」[68]，認為以「中」論「心」大盛於戰國，唯亦沒把握是否可推至西周之前，顯然以〈保訓〉為西周甚至之前的作品。

（九）「河」的義涵

除了「中」義涵之外，應該順帶一提的是：與「中」相應的「河」的義釋問題。絕大多數學者都依《竹書紀年》以「河」為「河伯」，應是與上甲微同時，另一強大有威勢部族領袖，故有強大軍隊可以支援上甲微，又可以作公正人，行類似審判仲裁之事。在各種「人」義的說法中，汪亞洲的討論篇幅最大，考釋最詳。他綜理甲骨卜辭中有關「河」的記載，排除許多可能，推斷出卜辭中屬性與上甲微有關者，「只有殷人先公高祖或自然神」，排除了地名、河名的可能，也無河伯義，以為河伯解釋，蓋為後起。從而根據陳夢家之說，並酌參郭沫若的「河」即「實沉」與「河有可能是帝嚳」諸說，[69]推定「河」為商人旁系祖先，比帝嚳晚了一代。

除了以河為「人」（神）之外，亦有以「河」為「地」者。如艾蘭不但以「中」為大地中心，並且說它應在今中嶽嵩山，已如前所述。邢文亦以為，「河」非「河伯」，卻沒有直接說明是指什麼，但他說上甲微：「到了黃河豈能不拜河圖之數的神力……」，可見其所謂的「河」，應是指「河圖」，地點當然在黃河附近。[70]

前文已說過：李志鵬說上甲微伐有易時，出兵釁鼓與還師報祭的儀式都是在「河岸」舉行。顯然也以「叚中于河」、「歸中于河」的「河」為地，而非人。武家壁也說，上甲微的「中極」之地就建在河漢或河伯之地。「河漢」是地，「河伯」是人，明顯操持「地」與「人」兩可之說。李銳雖明說「河」非「河伯」、「河神」，卻未明言所指為何？只說由「河」（或在河地區）體會到「中」的道理，也顯然偏指「地」義。

---

67 參見曹峰〈〈保訓〉的「中」即「公平公正」之理念說——兼論「三降之往」〉，《文史哲》2011年第6期，2011/11/05，頁36-37、41-42。

68 參見〈清華大學所藏楚竹書〈保訓〉管窺——兼論儒家「中」之內涵〉武漢大學簡帛研究網，2009/04/21，http://www.bsm.org.cn/show_article.php?id=1034。

69 同見注55，頁4。

70 同見注56。

四　「中」之義涵商榷

從前述各類「中」的義涵中，可以清楚看到，各家雖似各有堅持，或偏重具體物義，或偏重抽象公正、中道義，其實都或多或少企圖在具體與抽象義之間求得一個可以相通、相容的平衡點，雖明知其不太容易。其主圭表說者，可以由土圭測日影、求地中，終而制封域，定邦都，《周禮》〈地官〉〈大司徒〉說：

> 以土圭之法測土深，正日影，以求地中。日南則景短多暑，日北則景長多寒，日東則景夕多風，日西則景朝多陰，日至之景尺有五寸，謂之地中。

日北、日南、日東、日西顯然都不理想，因為多暑、多寒、多風、多陰，營宮室、定王都都不恰當。只有那「日至」所測得的「地中」，〈地官〉〈大司徒〉說，那裏不會多暑、多寒、多風、多陰，是：

> 天地之所合也，四時之所交也，風西之所會也，陰陽之所和也，然則百物阜安，乃建國焉，制其畿方千里而封樹之。

那是一個天地、四時、風雨、陰陽交會和合之處，風調雨順，氣候宜物亦宜人，故宜於選建王都，以為各封國之核心。其所欲強調的，其實就是一種不溫、不火、不極端、平衡、適切的思維，事實上也就是「中道」的初樸概念。選建王畿如此，其實也明示了治政、治天下的準則也如此。因此，這地中、不但是「地」位之「中」、之「極」，也是治政之「中」、之「極」。只是這樣的求「地中」、立地極應是周人的思維與法則，更顯見如多數學者所推定，〈保訓〉確是東周人依託之作。但，至少圭表立影以求地中的具體義，與適切、平衡的抽象「中道」義之間有了一定的連繫關係。但這用於舜的「得中」與上甲微的「傳貽子孫」可以說得通；對於舜即位前耕於歷丘時的「求中」與上甲微伐有易的「假中」、「歸中」仍有問題。

建鼓、鼗鼓說也適用於上甲微之伐有易，不適其餘。旌旗說適用於上甲微之伐有易，用於「傳貽子孫」已甚勉強，用於舜耕歷丘之「求中」也不適當。軍旅、師、眾之說適用於上甲微之伐有易，也合於《竹書紀年》之載記，卻一樣不適用於舜之「求中」與「得中」，因舜位為堯所禪讓，非以任何方式營求而得。其由師旅、兵眾轉出的「群眾」說，或較能普遍交代四處「中」義。然謂舜耕歷丘時便恐求「眾」，亦不適切。至於訴訟文書說，也只適合於上甲微復仇事，實在無法套用於舜耕歷丘的「求中」，也難以適切解釋「傳貽子孫」。其所衍生的公平、公正義，稍能彌補「傳貽子孫」說。至於地中、天數說基本上是李零先生一系土圭定中極、立壇、營王都說往天文方向的衍生，但用以解釋舜未即位前之「求中」，一樣很難圓滿。至於神主、宗廟說，同樣是具體

「中」義，卻又作不同的詮解，一樣令人覺得難安。以「中」為「心」或「中道」者較能對於舜的事蹟與「傳貽子孫」有妥適的交代；但相反的，同樣要面對上甲微復仇事件的「叚中」與「歸中」難能圓滿詮釋的問題。尤其「心」如何「假」與「歸」？「中道」固可法可借，卻又何需「還」？抑或主「心」義的「假」或「歸」另有妥適之別解？李志鵬對此卻沒有更恰當的說明，自己也承認，沒有把握戰國時流行的「心」論是否可推至西周？

在綜覽各家高見之後，個人認為：同一篇文章中，四個「中」字按常理當然應該是同一義涵。但，經過各家多年來的反覆討論，幾乎可以確知，兩種「中」義不論那一種，要適切地在四處「中」的論述中圓滿交代，事實上真的有困難，而且幾乎是不可能。因為彼此各自都有相當有力的典籍記載可以印證與支撐，卻也都是部分而非全面適用。反之，在各自有力的典籍印證中，同樣也都必須面對套用於另外兩處論述之無法相容，也難能勉強附會牽合。至此，個人認為，是否有可能〈保訓〉裏的四處「中」，原本就含有具體與抽象兩義，不必費勁強作牽合。因為不論從郭店或上博簡中，我們都曾看到過，在同一篇中，同一字可以有兩種或以上不同的義涵。比如「聖」字，在〈性情論〉中，至少就有三種義涵：或當作「聽」解，或當作「聲」解，或當作「聖」解；「智」或當作「知（曉）」解，或當作「（聖）智」解，其當屬那一義，須由上下文來決定。執此以觀〈保訓〉，會不會有可能在同一篇之中，同一個字，本義與衍生義或不同的衍生義同時存在？尤其〈保訓〉看來既非實錄，而係東周人的追述或假託之作，則「中」的建鼓、旌旗義，由建鼓、旌旗所衍生出的軍旅、師眾義，以及由土圭測地中所衍生出的均衡、適宜的初樸「中道」義，在當時應該已經普遍而自如地流行與被運用。〈保訓〉作者撰寫時，隨其意所需，自如交用，或本字具體義，或抽象衍生義，應該不無可能。

今觀〈堯曰〉、〈堯典〉與《竹書紀年》等典籍所載相關於舜與上甲微一類事蹟，應是曾經流傳的傳說。以上甲微一類事蹟而言，《竹書紀年》之外，《山海經》、《楚辭》〈天問〉也都有相關記載，復仇手法的輕重敘寫儘管不盡相同，述說征戰之事卻是一致，都是興師動眾，〈保訓〉轉述此事，很難不述及旌旗、師旅，上甲微復仇的「假中」、「歸中」，之「中」義就很難與旌旗、師旅無關，也很難突然跑出個「中道」義。

以舜的事蹟而言，《論語》〈堯曰〉、《禮記》〈中庸〉都載有舜「執中」、用「中」的情事，顯然在傳說中，舜的人格特質與治事風格一直是力求適切合理。〈保訓〉轉述舜的事蹟，應該也與這些傳說有些相同的淵源，很難離開力求適切合理的「中道」太遠。因此，〈保訓〉所述舜即位前的「求中」、即位後的「得中」，應該偏向抽象的「中道」義，而不應與旌旗、師旅有關。至於《尚書》〈堯典〉所說舜「璇璣玉衡以齊七政」的天文或地中說，應該只適用舜即位後。若要一體述說舜的事蹟，仍以同於〈堯曰〉、〈中庸〉的力求適切合理之義為佳。

其次，就〈保訓〉所述文王傳訓立場而言，舉古史傳說以訓太子，當然是希望武王治政當懂得均衡和諧的宜適之道，這是全文的宗旨。因此在垂訓時，一方面告訴武王，上甲微借師，有效復仇成功，合理善後的事件；另一方面也不無期許武王，處理仇怨與治政，都當合理、適切。梁濤理性復仇說法，有其可取之處。但就其陳說興兵征戰事件而言，「中」當然是旌旗、師旅義。

總之，貫串全篇的主軸思維，個人願意相信，就是這個適切、合理、和諧的「中道」思維，只是誠如曹峰所說，尚未發展到儒家「中道」那般濃厚的哲學階段。在〈保訓〉中，這個適切合理的「中」義，既適用於舜為平民時與即位後之行事風格，也適用於上甲微復仇事件之理性處理，更可以將此適切合理的行事風格「傳貽子孫」。但在述寫上甲微的復仇事件時，所用的兩個「中」字，既是復仇戰爭，在解釋時自然應該和《竹書紀年》所載一樣，指的是旌旗師旅的具體義，和全篇所欲傳訓的核心旨趣應該是不同的。

以上是個人參閱諸多賢達相關於〈保訓〉「中」義五花八門，各有其是，卻很難論斷的高見後，所得到的淺見，非敢稱定論或確詁，聊以切磋，並就教於賢達。

國際漢學研究

蟹江義丸與《孔子研究》

工藤卓司[*]

致理科技大學應用日語系副教授

提要

《論語》不僅是中國思想史上最重要的經典之一，同時在東亞文化史上亦是具有巨大影響的思想著作。以日本而言，在朱子學東傳之前，就已備有注重《論語》的社會基礎。古代日本《論語》學大抵以古注為主，由負責朝廷學問的博士家代代傳授；到了中世，新注開始對日本《論語》學帶來重大影響。到了德川時代，《論語》學更加發展與盛行，伊藤仁齋、荻生徂徠與中井履軒等學者都陸續撰寫了《論語》相關的重要著作。

明治時代以降的近代日本學者在這樣的基礎上引進西方哲學的方法，對《論語》進行了更進一步的研究，蟹江義丸《孔子研究》是其成果之一。本文首先整理蟹江義丸的生平與著作，接著探討蟹江《孔子研究》的特色與其在近代日本《論語》學上的地位。

關鍵詞： 蟹江義丸　《孔子研究》　近代　日本　《論語》

---

* 〔日本〕廣島大學文學博士，現任〔臺灣〕致理科技大學應用日語系副教授。本文為一〇三年度臺灣科技部專題研究計畫「近一百年日本《論語》研究概況——1900-2010年之回顧與展望——」（MOST 103-2410-H-263-012-）的部分成果。

一　前言

《論語》不僅是中國思想史上最重要的經典之一，同時在東亞文化史上亦是具有巨大影響的思想文本。以日本而言，在朱子學東傳之前，《論語》在社會上已備受重視。古代日本《論語》學大抵以古注為主，由擔負朝廷學問的博士家代代傳授。到了中世，新注開始對日本《論語》學帶來重大影響。德川時代，《論語》學在日本更加發展與盛行，除了朱子學相關的研究成果之外，伊藤仁齋、荻生徂徠與中井履軒等學者皆陸續撰寫了日本特有的《論語》相關的重要著作，眾所周知。

明治時代以降的近代日本學者在這樣的基礎上引進西方哲學的方法，對《論語》進行了更進一步的研究，蟹江義丸《孔子研究》是其成果之一。《孔子研究》，原是蟹江在明治三十六年（1903）七月繳交東京帝國大學大學院的博士論文，翌年蟹江歿後的七月由金港堂出版，而昭和二年（1927）京文社改版後，平成十年（1998）又收入大空社《アジア學叢書》之一。日本著名歷史學者貝塚茂樹（1904-1987）曾在《孔子》中指出：

> 蟹江博士的《孔子研究》在明治時代是將以往和漢的研究集大成的名著。其學術上的價值至今也不變。[1]

可知蟹江《孔子研究》在明治時代是名著之一，而不僅在明治日本有影響，錢穆（賓四，1895-1990）亦曾讀過其書。錢氏云：

> 三師同事中，又有常州府中學堂同班同學郭瑞秋，江陰人，曾遊學過日本。其寢室與余貼相接。書架上多日本書，有林泰輔《周公傳》、蟹江義丸《孔子研究》，余尤喜愛。因念梁任公言，自修日本文，不兩月，即能讀日本書。余亦遂自修日本文。識其字母，略通其文法，不一月，即讀瑞秋書架上此兩書。試譯《周公傳》一部分，後付商務印書館出版。及為《論語要略》，述孔子事蹟，亦多得益於瑞秋架上之蟹江義丸書。[2]

錢穆在民國十二年（1923）轉入無錫江蘇省立第三師範任教，此時的同事有郭瑞秋，也是他在常州府中學堂時的同學。郭氏曾留學過日本，所以他的書架上多日本書，其中有

1　貝塚茂樹：《孔子》（東京都：岩波書店，《岩波新書》65，1951年5月），頁208；貝塚茂樹：《貝塚茂樹著作集》，第9卷（東京都：岩波書店，1976年11月），頁139。原文：「蟹江博士の《孔子研究》は、明治時代において、從來の和漢の研究を集大成した名著であった。その學術的な價值は、今でも決して落ちない。」

2　錢穆：《八十億雙親師友雜憶合刊》（臺北市：東大圖書有限公司，《滄海叢刊》，1983年1月），頁116；《錢賓四先生全集》（臺北市：聯經出版社，1998年5月），第51冊，頁133-134。關於蟹江義丸與錢穆的關係，可參蘇凱達：〈錢穆と蟹江義丸～近代日中思想史研究の一つの接點～〉，《千里山文學論集》第74號（2005年9月），頁135-142。

林泰輔（1854-1922）《周公傳》（應指1916年出版的《周公と其時代》）與蟹江義丸《孔子研究》兩本，特別吸引錢穆的興趣，順從梁啟超（1873-1929）之言，自修日文不到一個月，就讀兩本書。又錢著《論語要略》，[3]述孔子事蹟時多參考蟹江書，可見蟹江《孔子研究》對錢穆的影響也甚大。

那麼，蟹江義丸的生平如何？他的著作有何？管見所及，看似未有人士對之進行整理。於是，本文首先論述蟹江義丸的生平及論著，接著探討蟹江《孔子研究》的特色與其在近代日本《論語》學中的地位。

二　蟹江義丸的生平與著作

（一）生平

關於蟹江義丸的生平，可參作者未詳〈蟹江義丸氏逝く〉、[4]南日恆太郎（1871-1928）〈故文學博士蟹江義丸君略傳〉、[5]桑木嚴翼（1874-1946）〈蟹江博士を弔す〉、[6]同〈蟹江君を憶ふ〉、[7]同〈故文學博士蟹江義丸君小傳〉、[8]淺野成俊（生卒年未詳）〈蟹江義丸〉[9]與作者未詳〈蟹江博士の遺稿保存託さる〉[10]等。本章依這些傳記，針對蟹江義丸的生平加以整理。

蟹江義丸，明治五年（1872）三月生於富山市鹿島町。蟹江氏原事肥後藩主加藤清正（1562-1611），加藤臣下確有「蟹江與惣兵衛」、「蟹江主膳」等名。但主家加藤家在寬永九年（1632）被改易後，蟹江監物離開熊本，而為富山前田家臣，以後都是富山藩的名家。富山縣立圖書館藏《蟹江監物一件》記錄家老蟹江監物在天保五年（1834）下臺。蟹江基承（生卒年未詳）可能是監物之子，他在嘉永五年（1852）致仕之後，子監物基德（號大愚哉，1829-1886）乃繼承家業，安政四年（1857）時也擔任過富山藩十

3　錢穆：《論語要略》（上海市：上海商務印書館，1925年3月），後收於《錢賓四先生全集》，第2冊，《四書釋義》，頁1-158。

4　作者未詳：〈蟹江義丸氏逝く〉，《圖書月報》第2卷第10號（1904年7月），頁206-207。

5　南日恆太郎：〈故文學博士蟹江義丸君略傳〉，收入於蟹江義丸：《孔子研究（改版）》（東京市：京文社，1926年12月），卷頭。

6　桑木嚴翼：〈蟹江博士を弔す〉，《讀賣新聞》，第1版，1904年6月24日，後收於氏著：《時代と哲學》（東京市：隆文館，1904年11月），頁402-404。

7　桑木嚴翼：〈蟹江君を憶ふ〉，丁酉倫理會（編）：《丁酉倫理會倫理講演集》第33輯（東京市：大日本圖書，1905年6月），頁1-22，後改為〈故蟹江君を憶ふ〉，收入桑木嚴翼（著）：《性格と哲學》（東京市：日高有倫堂，1906年11月），頁495-517。

8　桑木嚴翼：〈故文學博士蟹江義丸君小傳〉，《時代と哲學》，頁404-408。

9　淺野成俊：〈蟹江義丸〉，《富山の民性》（東京市：光奎社，1926年7月），頁121-122。

10　作者未詳：〈蟹江博士の遺稿保存託さる〉，《靜修》第1卷第4號（1965年3月），頁7。

萬石的家老。基德生曦（幼名德丸，生年未詳-1896），曦即義丸之父。義丸弟禮丸夭折，除此之外，沒有其他男子，僅有姉妹而已。

義丸祖父蟹江基德曾師事富山藩藩校廣德館教授大野貢（介堂，1808-1861），義丸在年幼時，受家庭的薫陶，尤其是祖父的影響較大，很早就精熟漢學、數學，常誦「孔孟之言」，人稱為「聖人」。後經富山市啟迪小學校（後為八人町小學校），明治十八年（1885）六月進入富山縣中學校（現富山縣立富山高等學校），當時同學有南弘（1869-1946）、南日恆太郎等。明治二十三年（1890），蟹江上了金澤的第四高等中學校（現金澤大學），翌年就轉入東京第一高等中學校一部（法學、政治學、文學），二十六年（1893）則進入帝國大學文科大學國史科。蟹江當初認為：「從來的史學家未撰著真正的日本歷史」，[11]所以志學於「國史」，同年進國史科的學生有內田銀藏（1872-1919）、喜田貞吉（1871-1939）、笹川種郎（臨風，1870-1949）與黑板勝美（1874-1946）等。[12]但蟹江後來「針對哲學的需要與嗜好逐漸壓倒其他興趣」，一年休學之後終轉到哲學科，當時同學年有吉田賢龍（1870-1943）、野野村直太郎（1870-1946），二年級則有桑木嚴翼、高山林次郎（樗牛，1871-1902）、姉崎正治（1873-1949）等。[13]明治二十九年（1896）父曦逝世，義丸當年二十三歲，必須負擔一家的生計。明治三十年（1897）七月以最優秀的成績畢業於大學，[14]但蟹江身體已被病魔侵擾，同年六月十三日「與杜鵑一聲共吐血」，「喀血之間不可不終考試」。於是，他靜養於京都一年餘，其間應聘於真宗大學（現大谷大學），講哲學課。

不過，蟹江求學之意不盡，一年餘後以身體幾乎康復，東上進入東京帝國大學大學院，[15]師事井上哲次郎（1856-1944），一方面研究康德以後的德國哲學，一方面任教於東京專門學校（現早稻田大學）、淨土宗學東京支校（後為芝中學校）等諸校，講授哲學。明治三十二年（1899）九月，蟹江為高等師範學校（1902年改稱為東京高等師範學校，現筑波大學前身之一）講師，翌年七月升教授，專擔任倫理學科。在此期間，與師井上涉獵日本德川諸儒之論著，將其分為陽明學派、古學派、朱子學派、折衷學派、獨

---

11 引文自桑木嚴翼：〈蟹江君を憶ふ〉，頁3-4；〈故蟹江君を憶ふ〉，頁497。原文：「從來の史學家は眞の日本の歷史といふものを著はして居らないから一つ其の方面に行つて眞の歷史なるものを日本の社會に供したいといふ抱負があったやうである。」（旁點：筆者）

12 蟹江之名，見於「國史科」，請參東京帝國大學（編）：《東京帝國大學一覽（從明治二十六年至明治二十七年）》（東京市：帝國大學，1893年3月），頁326。

13 蟹江之名，亦見於「哲學科」，請參東京帝國大學（編）：《東京帝國大學一覽（從明治二十七年至明治二十八年）》（東京市：帝國大學，1895年3月），頁336；《同（從明治二十八年至明治二十九年）》（東京市：帝國大學，1896年3月），頁341；《同（從明治二十九年至明治三十年）》（東京市：帝國大學，1897年3月），頁380。

14 請參東京帝國大學（編）：《東京帝國大學一覽（從明治二十九年至明治三十年）》，頁570。

15 請參東京帝國大學（編）：《東京帝國大學一覽（從明治三十一年至明治三十二年）》（東京市：帝國大學，1899年3月），頁360。

立學派及老莊學派，共編《日本倫理彙編》共十卷，[16]井上後云：其書除了分派工作之外，「主要是由蟹江博士的盡力而成」。[17]明治三十六年（1903）七月，以《孔子研究》[18]獲文學博士。不過，由於治學不倦，「以癒後的瘦軀而未拋棄一點向上的精神」，[19]蟹江如此對學問的誠懇態度又損害了他的身體，同年十二月全家搬離東京，靜養於靜岡縣沼津。翌明治三十七年（1904），綱島榮一郎（梁川，1873-1907）五月中左右收到了蟹江操夫人代筆的消息，提到：「有了恢復的希望，請託朋友校正的《孔子傳》（筆者注：應指《孔子研究》）亦即將完成，出版後就贈你一本」等。[20]然病情又急轉，六月十九日下午十時病歿。享年三十三。蟹江本自取法名為「講學院殿中道挫折居士」，朋友後改為「講學院殿勤勇不退居士」。翌月所出刊的《哲學雜誌》第十九卷第二一〇號登載〈蟹江文學博士の訃〉，云：「學界非常期待，（蟹江）博士將來多有所益，卒然聽到此訃，可謂真是痛惜之至。（中略）氏又為哲學會、丁酉倫理會等有所極盡，二會會員痛切感到哀惜之情，理所當然。」[21]可見蟹江之死對學界的衝擊甚大。

---

16 井上哲次郎、蟹江義丸（共編）：《日本倫理彙編——陽明學派の部（上）》，卷之一（東京市：育成會，1901年5月）；《日本倫理彙編——陽明學派の部（中）》，卷之二（東京市：育成會，1901年8月）；《日本倫理彙編——陽明學派の部（下）》，卷之三（東京市：育成會，1901年11月）；《日本倫理彙編——古學派の部（上）》，卷之四（東京市：育成會，1902年5月）；《日本倫理彙編——古學派の部（中）》，卷之五（東京市：育成會，1901年12月）；《日本倫理彙編——古學派の部（下）》，卷之六（東京市：育成會，1902年6月）；《日本倫理彙編——朱子學派の部（上）》，卷之七（東京市：育成會，1902年8月）；《日本倫理彙編——朱子學派の部（下）》，卷之八（東京市：育成會，1902年10月）；《日本倫理彙編——折衷學派の部》，卷之九（東京市：育成會，1903年1月）；《日本倫理彙編——獨立學派の部》，卷之十（東京市：育成會，1903年6月）。

17 井上哲次郎：〈蟹江博士追討會に於ける所感〉，《倫理と教育》（東京市：弘道館，1908年5月），頁331。原文：「夫は主もに蟹江博士の御盡力になつたのであります。」另請參〈故蟹江義丸博士三十年追憶會に於ける追懷談〉，《丁酉倫理會倫理講演集》第371輯（1933年9月），頁69。

18 蟹江義丸：《孔子研究》（東京市：金港堂，1904年7月；東京市：京文社，1926年12月改版；東京都：大空社，1998年2月）。

19 蟹江義丸：〈梅ヶ谷に與ふる書〉，《太陽》第9卷第13號（1903年11月），頁162-163。引文引自頁162，原文：「病餘の瘦軀を以て未だ一點向上の精神を放擲せざる」。

20 綱島榮一郎：〈蟹江義丸君を憶ふ〉，《讀賣新聞》，第1版，1904年6月26日，後改題為〈蟹江義丸君を悼む〉，收於氏著：《梁川文集》（東京市：日高有倫堂，1905年7月），頁927-928。原文：「去る五月中ごろの內子代筆の消息には、病氣恢復の見込あり、友に託したる孔子傳の校正近きうちに完了、一本を贈るべしなどの語あり。」

21 作者未詳：〈蟹江文學博士の訃〉，《哲學雜誌》第19卷第210號（1904年8月），頁707-708。引文原文：「學界の博士に期待する所今より益多からんとせるに、卒然此の訃を聞く眞に痛惜の至といふべし。（中略）氏また哲學會、丁酉倫理會の為に盡す所極めて大なりき、二會の會員たるものは哀惜の情殊に切なるものあるや勿論なるべし。」頁708。另《讀賣新聞》，第4版，1904年6月24日，自稱「早稻田籲星」的人士在「ハガキ集」欄發表了：「嗚呼，明治三十年之俊才蟹江博士逝世。他身為丁酉倫理會的一員，在精神界居於重要地位。可惜哉，當其抱負將伸時，天未借壽，溘然玉樓赴召。可憐的年青靈魂在何處？（嗚呼明治三十年の俊才蟹江博士は逝き給ひぬ、丁酉倫理

蟹江夫人操（1880-卒年未詳），富山人，明治三十一年（1898）與義丸結婚，義丸歿後志學於英文，後在東京女子高等師範學校（現御茶水女子大學）、津田英學塾（現津田塾大學）等任教。[22]女有三：信子、正子與秀子。長女、次女皆夭折，三女秀子則嫁給官僚乘杉研壽。

井上哲次郎敘述蟹江的性格，歸納為五點：嚴格、正直、清廉、勤勉、質素，另指出：「蟹江博士是理解文雅之樂趣的。」[23]蟹江的論述中確實多見相撲、小說、和歌、戲劇等相關的言論，蟹江也喜愛圍棋、音樂、俳句等。桑木嚴翼另謂蟹江的性格為熱心、努力、正直廉潔、優先自己的事情。[24]這樣的個性一方面確實是使他夭折的原因之一，但另一方面也成為他追求學術的動力，同時也形成他學問本身的特色。[25]

（二）著作

如上所述，蟹江雖然短命，但是其研究成果相當豐碩，[26]並內容也包括東西方哲學、倫理學等，頗為廣泛。蟹江的研究成果，就其論述的內容而分，可為以下三類：西方哲學及倫理學方面；東方哲學及倫理學方面；當代哲學及倫理學方面。

1 西方哲學及倫理學研究

首先是西方哲學及倫理學研究相關的論著，蟹江主要關心的對象有三：康德、保爾森及馮特。

蟹江在這方面最早期的學術著作有〈韓圖の哲學〉。[27]蟹江在此篇題下云：「此一篇

會の一員として精神界に重きをなされ、正に抱負を伸ばす所あらむとするに當り惜しい哉夭、壽を借さず溘焉として白玉樓中の人となるる、あはれ若魂今いづこ）」。

22 請參大阪每日新聞社（編）：《婦人寶鑑（大正十二年度）》（大阪市：大阪每日新聞社，1923年3月），頁605。

23 井上哲次郎：〈蟹江博士追討會に於ける所感〉，頁326-330。引文引自頁329。原文：「蟹江博士は文雅の樂みがあつた。」

24 請參桑木嚴翼：〈蟹江君を憶ふ〉，頁14-15；〈故蟹江君を憶ふ〉，頁508-512。

25 蟹江義丸的人為，另詳請參〈故蟹江義丸博士三十年追憶會に於ける追懷談〉，《丁酉倫理會倫理講演集》第371輯，頁65-96，始於蟹江妻蟹江操（頁65-67）的致詞，也包括井上哲次郎（頁67-71）、南弘（頁71-75）、桑木嚴翼（頁75-79）、姉崎正治（頁79-81）、吉田賢龍（頁81-83）、田部隆次（頁83-86）、塚原政次（頁87-88）、中島德藏（頁88-89）、深作安文（頁89-93）、金城龜次郎（頁93-96）等的回顧談，終於女婿乘杉研壽的致詞與加藤直久的補記，可參。

26 井上哲次郎〈蟹江博士追討會に於ける所感〉云：「（蟹江）博士は生命の短かかつた割合には仕事が出來て居ります。」頁330-331。

27 蟹江義丸：〈韓圖の哲學〉，《哲學雜誌》第13卷第137號（1898年7月），頁517-537；第13卷第138號（1898年8月），頁601-620；第13卷第139號（1898年9月），頁703-750；第13卷第140號（1898年10月），頁783-803。蟹江其實更早似有〈韓圖道德純粹理學梗概〉一文，收於《哲學雜誌》第12卷

為我在文科大學時為了應試業而撰寫」，[28]依《東京帝國大學一覽》，哲學科的學生在第一年時必修「哲學概論」（第一學期）和「西洋哲學史」（第二、三學期）；第二年也有「西洋哲學史」（第一學期）；第三年則有「哲學」（通年）與「哲學演習」（通年），蟹江所謂的「試業」可能指這些課程之一的考試。「韓圖」即指伊曼努爾・康德（Immanuel Kant, 1724-1804），蟹江在此篇中針對康德的哲學加以分析，並指出其純正哲學雖在打破哥特佛萊德・威廉・萊布尼茲（Gottfried Wilhelm Leibniz, 1646-1716）與克里斯汀・沃爾夫（Christian Wolff, 1679-1754）哲學的本體論方面頗有貢獻，但是，康德過度受柏拉圖（Platon，前427-前347）的影響，偏重觀念論而嚴分實體和現象，導致和婆羅門教之一的吠檀多（Vedanta）與佛教共陷入「絕對的迷妄論」；蟹江另一方面批評卡爾・羅伯・愛德華・馮・哈特曼（Karl Robert Eduard von Hartmann, 1842-1906）提倡先天實在論以修正康德之缺點，最後認為，當今哲學界務必調和先天的觀念論與先天的實在論。蟹江上大學院之後，以「康德以後的德國哲學」為題目進行研究，雖他本人說：「敘述、議論、文章都尚有不足成熟之處」，[29]然已可在其中見出蟹江哲學的一個發展方向，此篇可謂蟹江學問的基礎，值得留意。

蟹江後年也出版了康德倫理學的解說書，即《カント氏倫理學》。[30]蟹江在此書中肯定康德倫理學對德國倫理學史的貢獻，尤其舉出兩個優點：其一，明確區分善惡與利益之別。其二，將人格的觀念明顯化。不過，另一方面指出康德倫理學主要有四個缺點：其一，若追究純粹理性批判，應當成為現象即實在，但康德主唱先天主義，而無法遠離本體論的思考。其二，康德否定性癖和慾望為不道德的源泉而陷入形式主義，但蟹江認為若完全斷滅慾望，理想與良心就無處可作用。其三，康德主張，除非為了義務而實行義務，不可稱為真正的善，但蟹江則謂之以嚴肅主義，因為義務與性癖矛盾時，人的道德性始為明顯；兩者一致時，人的道德性不會明顯。[31]其四，因為從前的倫理學皆以心理學為基礎，所以康德也不得不偏向個人主義，但蟹江則認為倫理學不可偏重心理學，而務必兼採用社會學。康德相關的論文另有〈韓圖の超絕的方法論梗概〉[32]與〈自

（1897年），筆者未見。此外，京都大學附屬圖書館所藏「蟹江義丸遺稿（三）」（1-40カ12）中亦有他在哲學科二年級時撰寫的報告三篇：《實踐理性批判分析論要領》、《純粹理性批判要領（壹）》與《純粹理性批判要領（貳）》。

28 蟹江義丸：〈韓圖の哲學〉，《哲學雜誌》第13卷第137號，頁517。原文：「此一篇は余が文科大學にありし頃試業に應せんが為めにものせしもの」。

29 蟹江義丸：〈韓圖の哲學〉，《哲學雜誌》第13卷第137號，頁517。原文：「敘述、議論、文章共に尚未だ乳臭の口氣を脱せず。」

30 蟹江義丸：《カント氏倫理學》（東京市：育成會，《倫理學書解說》第8期，1901年1月）。

31 關於此點，詳參《パウルゼン氏倫理學》（東京市：育成會，《倫理學書解說》第4期，1900年8月），頁66-68。

32 蟹江義丸：〈韓圖の「超絕的方法論」梗概（續）〉，《無盡燈》第4卷2號（1899年2月），頁1-8；〈韓

然律と人事律の關係〉。[33]

蟹江義丸另關注弗雷德里希．保爾森（Friedrich Paulsen, 1846-1908）的倫理學說，有了《倫理學》[34]和《倫理學大系》[35]兩種翻譯，並著有《パウルゼン氏倫理學》。保爾森為德國哲學者、倫理學者、教育學者，當時擔任伯林大學教授，受巴魯赫．斯賓諾莎（Baruch de Spinoza, 1632-1677）、康德、古斯塔夫．西奧多．費希納（Gustav Theodor Fechner, 1801-1887）等的影響，而形成了觀念論性汎神論。蟹江《倫理學》是部分翻譯保爾森所著《*System der Ethik*》[36]的〈序論〉和第二章〈*Grundbegrlife und Principienfragen*〉的，後附錄〈譯語索引〉與〈學者小傳〉。但原書中保爾森反駁 Georg von Gizycki（1851-1895）的部分和引用德國詩歌的部分，因為不便於日本讀者瞭解，多加省略。《パウルゼン氏倫理學》則是由「傳記」、「學說」及「批評」三個部分而成，後附錄「德及義務論」，而「學說」部分又分別有「序論」、「善惡論」、「至善論」、「厭世主義」、「害及惡」、「義務及良心」、「利己主義及利他主義」、「德及幸福」、「道德與宗教的關係」、「意志的自由」，簡介保爾森的倫理學說之解說。至於《倫理學大系》，此書與藤井健次郎（1872-1931）、深作安文（1874-1962）共同翻譯《*System der Ethik*》第五版的。蟹江認為，因為極端的學說容易使讀者出錯，與此不同，保爾森所說雖「稍稍平板」，卻是「公平」的學說；雖較難提振讀者，但實踐躬行時能避免弊端，故他高度評價保爾森的倫理學。另西方倫理學當時有兩大派別：即動機論派和功利論派，蟹江認為保爾森的學說是調和這兩學派，與英國托馬斯．希爾．格林（Thomas Hill Green, 1836-1882）的倫理學一致。由此可見，蟹江對保爾森感興趣，乃是因為蟹江在實踐倫理上注重調和先天觀念論和先天實在論。[37]

保爾森相關的書籍以後陸續出版，如：藤井健次郎《パウルゼン氏道德原理史論》、[38]野田良夫《パウルゼン氏社會倫理》、[39]深作安文《パウルゼン氏實踐倫理》、[40]

圖の「超絶的方法論」梗概（接前）〉，《無盡燈》第4卷第3號（1899年3月），頁4-12。前者既然說是「（續）」，應另有第一篇，筆者未得見。

33 蟹江義丸：〈自然律と人事律の關係〉，《早稻田學報》第35號（1900年1月），頁29-35。

34 パウルゼン（著）、蟹江義丸（譯）：《倫理學》（東京市：博文館，1899年2月）。另可參〈雜報〉，《哲學雜誌》第14卷第146號（1989年4月），頁325。

35 パウルゼン（著）、蟹江義丸、藤井健治郎、深作安文（共譯）：《倫理學大系》（東京市：博文館，1904年5月）。

36 Friedrich Paulsen. *System der Ethik: mit einem Umriß der Staats- und Gesellschaftslehre*. Berlin: Wilhelm Hertz, 1889.

37 據平木熊一，蟹江曾云：「如保爾森，乃教訓的書，有益於一般讀者，但並無學術上的精確（パウルゼンの如きは、教訓的の本で、一般の讀者には有益だけれども、學術的の精確は無い）」。平木熊一：〈蟹江博士紀念錄〉，《教育學術界》第9卷第5號（1904年8月），頁81-87，引自頁84。

38 藤井健次郎：《パウルゼン氏道德原理史論》（東京市：東京專門學校出版部，《名著綱要文學教育科》，1900年）。

後藤新平（1857-1929）譯《政黨と代議制》、[41]及伊達保美（1891-1930）與丸山岩吉（生卒年未詳）共譯《イムマヌエル・カント：彼の生涯とその教說》，森鷗外（1862-1922）也在明治三十三年（1900）七月二十九日以〈フリイドリヒ・パウルゼン氏倫理說の梗概〉為題演講，[42]井上哲次郎則有〈パウルゼン博士の學說に對する所感〉一文。[43]可見日本人士在一九〇〇年代初頭相當關懷保爾森的著作，蟹江可謂是其嚆矢之一。[44]

威廉・馮特（Wilhelm Maximilian Wundt, 1832-1920）以實驗心理學的開創者聞名，保爾森亦是受馮特的影響之一。蟹江著《ヴント氏倫理學》[45]就是解說其倫理學。關於其特色，蟹江認為有四點：其一，馮特十分重視經驗的事實，以其為基礎建構自己的倫理學說。其二，馮特從倫理與法律兩方面而得到公平的見解。其三，在西方，湯瑪斯・霍布斯（Thomas Hobbes, 1588-1679）以來，重個人的說法成為主流，有別於此，馮特較重社會的價值，建構社會的倫理學。其四，馮特雖然綜合前人的哲學思想，但有效消化前人的學說，因此在他的書中幾看不出前人學說的痕跡。由於馮特使用「知覺動機」、「解性動機」、「理性動機」等嶄新獨特的論述，故蟹江認為，馮特的思想是可成一家之言的。蟹江另云：「德國哲學界有眾多學者，相競而做研究，若舉出其中最為傑出的學者，應是哈特曼與馮特。」[46]可見蟹江高度評價馮特的倫理學，可能是因為如此，所以在《カント氏倫理學》中強調社會學的重要性。

---

39 野田良夫：《パウルゼン氏社會倫理》（東京市：育成會，《續倫理學書解說》1，1902年7月）。

40 深作安文：《パウルゼン氏實踐倫理》（東京市：育成會，《續倫理學書解說》3，1903年9月）。

41 フリードリッヒ・パウルゼン（著）、後藤新平（譯）：《政黨と代議制》（東京市：冨山房，1912年6月）。

42 森鷗外：〈フリイドリヒ・パウルゼン氏倫理說の梗概〉，原載《福岡縣教育會會報》第16號（1900年12月），筆者未見。今參森林太郎：《鷗外全集》，第25卷（東京都：岩波書店，1973年11月），頁230-237，並請參〈後記〉，頁583。此文題下有「弗雷德里希・保爾森的倫理說採經驗主義。其著書已傳到日本的不少，加之亦有以國文來翻譯的，但尚無人討論應將其為珍奇與否（原文：弗フリイドリヒ・パウルゼンの倫理說は經驗主義を秉れり。その著書既に多く渡來し、加之國文もて譯したるものも亦有り、その珍奇となすべきに非ざるや論なし）。」鷗外此處所謂的「以國文來翻譯的」，應指蟹江《倫理學》。

43 井上哲次郎：〈パウルゼン博士の學說に對する所感〉，收入《教育と修養》（東京市：弘道館，1910年7月），頁469-482。此文原係井上在「パウルゼン博士紀念講演會」演講的。筆者未詳此演講會何時召開，但保爾森在1908年8月14日逝世，井上在此文中說「今年の八月十四日」云云，可知演講會開在1908年9月以後。

44 管見所及，蟹江以前僅有中島力造：《輓近倫理學書》（東京市：冨山房，1896年4月），頁72-73簡介保爾森的倫理學書而已。

45 蟹江義丸：《ヴント氏倫理學》（東京市：育成會，《倫理學書解說》第12期，1901年6月）。

46 蟹江義丸：《ヴント氏倫理學》，頁3。原文：「獨逸の哲學界には無數の學者が居つて互に競つて研究を為て居るが、其中で最も傑出した者を舉げたならば、恐らくはハルトマン（Hartmann）とヴントであらう。」

蟹江義丸亦有西方哲學史相關的著作。首先，《西洋哲學史》[47]雖參考德國愛德華・澤勒（Eduard Zeller, 1814-1908）、恩斯特・庫諾・貝托爾德・費舍（Ernst Kuno Berthold Fischer, 1824-1907）、約翰・愛德華・艾爾德曼（Johann Eduard Erdmann, 1805-1892）等著作，而實際閱讀的僅是柏拉圖、亞理斯多德（Aristotle，西元前384-前322年）及康德等十幾家而已，但是，此書簡明地敘述自古代哲學經中世至近世哲學的西方哲學之變遷，雖然東大學弟波多野精一（1877-1950）對此激烈批評，[48]仍係代表近代日本最早期西方哲學史的著作之一。

另外，蟹江論近代西方哲學，刊載《太陽》第六卷第八號，這是博文館創業十三週年紀念臨時增刊，其主題為「十九世紀」，內容分別有「論說」和「十九世紀」：前者是由大隈重信、加藤弘之、島田三郎、井上圓了、井口省吾、木村浩吉、井上哲次郎、曾我祐華、田口卯吉及渡邊國武等人分擔執筆；後者則是由三部分而成：即高山林次郎的〈總論〉、〈上編西洋〉以及〈下編東洋〉。蟹江撰寫〈上編〉中的第四部〈學術史〉之〈哲學〉部分，[49]其他執筆者包括幸田成友（1873-1954）、矢野太郎（生卒年未詳）、河津暹（1875-1943）、佐藤傳藏（1870-1928）、笹川潔（東花，1872-1946）、上田敏（柳村，1874-1916）、熊谷五郎（生卒年未詳）、笹川種郎以及木寺柳次郎（生卒年未詳）等，皆既是東大畢業的學士，同時亦是當時朝氣蓬勃的、擔負新時代的年輕學者，蟹江也是其中之一。

蟹江〈學術史・哲學〉，除「序論」之外，由十七節而成。首先，始於約翰・戈特利布・費希特（Johann Gottlieb Fichte, 1762-1814），逐一針對弗里德里希・威廉・約瑟夫・馮・謝林（Friedrich Wilhelm Joseph von Schelling, 1775-1854）、弗里德里希・施萊爾馬赫（Friedrich Daniel Ernst Schleiermacher, 1768-1834）、格奧爾格・威廉・弗里德里希・黑格爾（Georg Wilhelm Friedrich Hegel, 1770-1831）、[50]約翰・弗里德里希・赫爾巴特（Johann Friedrich Herbart, 1776-1841）、亞瑟・叔本華（Arthur Schopenhauer, 1788-1860）等德國觀念論哲學者的主要論點加以介紹。其次，談到奧古斯特・孔德（Auguste Comte, 1798-1857）等法國哲學和威廉・哈密頓卿（Sir William Hamilton, 1788-1856）、約翰・斯圖爾特・密爾（John Stuart Mill, 1806-1873）、赫伯特・史賓賽（Herbert Spencer, 1820-1903）等英國哲學。接著，分別論述「黑格爾學派的分裂」、「唯物論的勃興」以

---

47 蟹江義丸：《西洋哲學史》（東京市：博文館，1899年8月）。

48 波多野精一：〈蟹江義丸氏著《西洋哲學史》を讀む〉，《哲學雜誌》第14卷第151號（1899年9月），頁692-699。

49 蟹江義丸：〈學術史・哲學〉，《太陽》第6卷第8號（1900年6月），頁159-170。

50 關於黑格爾，蟹江另有：〈ヘーゲル〉，《無盡燈》第5卷第10號（1900年10月），頁30-39；〈ヘーゲル（承前）〉，《無盡燈》第5卷第11號（1900年11月），頁44-52；〈ヘーゲルの哲學（承前）〉，《無盡燈》第5卷第12號（1900年12月），頁37-48。

及「新康德學派的勃興」，最後簡介魯道夫・赫爾曼・陸宰（Rudolf Herman Lotze，1817-1881）、愛德華・馮・哈特曼、威廉・馮特三人的哲學思想。此文在探討當時日本學者對西方哲學的理解、看法時頗有參考價值。

總而言之，蟹江義丸果然出身於哲學科，並且師事井上哲次郎，而精通於當代西方哲學、倫理學界的動向，尤其是他關注康德、馮特、哈特曼以及保爾森的哲學或倫理學。蟹江認為，當時哲學界的當務之急是調和先天的觀念論與先天的實在論、動機論派和功利論派，以尋找「公平」之道。

2 東方哲學及倫理學研究

其次是東方哲學及倫理學相關的研究成果。桑木嚴翼說：「蟹江研究的方針，逐漸傾向於範圍狹少、精力集中，自從哲學移至倫理學，自倫理學進東洋倫理學史」。[51]蟹江所關心的對象，逐漸從「德國哲學」轉到「東洋倫理」。南日恆太郎則言：「（蟹江）進大學院之後，益加探究東洋倫理，尤其是孔子的學說」。[52]但是，蟹江在明治三十六年（1903）年八月題〈孔子の仁〉演講，其開頭說：「我在這四、五年調查孔子相關的事」云云，[53]並撰作〈上代儒教の根本的思想の變遷〉[54]發表於明治二十八年（1895），即是蟹江上哲學科的第一年時，可見蟹江研究東方哲學或倫理學最晚也始於他在哲學科時。那麼，蟹江為何從西方哲學轉換至東方倫理學？他在明治三十年（1897）的〈荀子の學を論ず〉中，將宇宙的現象分為「自然的現象」與「使然的行為」，認為前者受「自然法」的支配，後者則為「道德法」所規定，而說：「我不可不自彊不息地擔負道德法的實現，以參與天地的化育。此乃為儒教的根據。（改行）泰西哲學旺盛，固不待言；關於印度宗教，亦在此百年以來，泰西東洋學者從事討求之者愈來愈增加，我邦學者盡瘁研鑽之者也突然增加，其研究日進月步，頗有進展。儒教的考究獨自萎靡不振，何故乎？」[55]對蟹江而言，泰西「哲學」（「知學」）、印度「宗教」（「情教」）皆屬「行

51 桑木嚴翼：〈故文學博士蟹江義丸君小傳〉，《時代と哲學》，頁406。原文：「君が研究の方針は漸次に範圍を狹少にして精力を集中するに傾き、哲學より倫理學、倫理學より東洋倫理學史に入り」云云。

52 南日恆太郎：〈故文學博士蟹江義丸君略傳〉，《改版孔子研究》，卷頭。原文：「大學院に入るに及んで、益々東洋倫理特に孔子の學說を究め」云云。

53 即是蟹江義丸：〈孔子の仁に就いて〉，《富山縣私立教育會雜誌》第7號（1903年12月），頁1-4，後改題為〈孔夫子の仁〉，收於《斯文》第11編第4號（1929年4月），頁1-9。引文引自〈孔夫子の仁〉，頁2，原文：「私は此の四五年の間孔子の事を取調べたが」云云。

54 蟹江義丸：〈上代儒教の根本的思想の變遷〉，《哲學雜誌》第10卷第105號（1895年11月），頁864-872；《哲學雜誌》第10卷第106號（1895年12月），頁957-968；第11卷第109號（1896年3月），頁212-221。

55 蟹江義丸：〈荀子の學を論ず〉，《太陽》第3卷第8號（1897年4月），頁56。原文：「吾人は自彊不息道德法の實現を務めて以て天地の化育に參せざる可からず。是を儒教の根據となす。泰西哲学の

為或相當於行為的（Aequivalent）」，支那「教學」（「意教」，即指儒教）亦然。因此蟹江認為，既然三者同屬於道德法的範疇內，學者便不可偏重哲學和宗教，也不可忽略作為教學的儒教。

如上所述，蟹江〈上代儒教の根本的思想の變遷〉即是他最早期與東方哲學相關的言論。此篇由四節而成：「孔子以前的支那思潮」、「孔子的根本思想」、「子思的根本思想」以及「孟、荀二子的根本思想」，而主張以下幾點：第一，孔子以前的哲學思想起源於天文學，而以觀察外界為主。第二，內面的思索在周代開始，孔子生於其時期。但孔子所謂的道並非原理（prinzip），而是止於以「類推法（Das Gesetz der Analogie）」建立倫理原則的現象界之大法則（Gesetz）。第三，隨著儒教本身的思想發達，並受老子派思想的啟發，子思撰寫《中庸》而獲得了哲學的根據，即是「誠」。「誠」是宇宙的本體，同時亦是具備無限活動力的原理。第四，孟子深受子思一元的哲學之影響，僅肯定人性的愛他的要素，主張性善說；荀子性惡論，是他詳細地觀察心理的結果，與孟子不同，僅肯定自愛的一面，但荀子另主張心的能力有二，即「知」與「欲」。總之，蟹江認為，儒教自孔子以來經子思、孟子至荀子，受到內外情勢的影響，孔子的形而下的立場（Physischer Standpunkt），先轉為子思的形而上的立場（Metaphysischer Standpunkt），而再轉變為孟、荀的心理的立場（Psychologischer Standpunkt）。

〈荀子の學を論ず〉[56]也可謂蟹江比較早期著作之一，由「儒教汎論」、「荀子的事蹟」、「荀子汎論」、「荀子的心理學」、「荀子的倫理學」、「荀子的政治學」、「荀子的文章」及「結論」共八個部分而成。關於《荀子》，蟹江後年另有〈荀子學說の心理的基礎に就きて〉。[57]其詳細內容，請參佐藤將之（1965-）〈漢學與哲學之邂逅：明治時期日本學者之《荀子》研究〉[58]與橋本敬司（1960-2011）〈明治以降の《荀子》研究史——性說、天人論——〉。[59]尤其佐藤教授認為蟹江的研究達到了明治荀子研究的一個頂點，因為蟹江《荀子》論有四個特點：第一，蟹江比任何前人專論徹底掌握西方哲學史的發展脈絡，而與此相比之下他自己建立了中國古代哲學發展的思想脈絡；第二，

旺盛なるは固より論を待たず。印度の宗教も亦百年以來泰西の東洋學者の之が討求に從事するもの益々增加し、我邦の學者も亦之が研鑽に盡瘁するもの頓に增加し、其研究日に月に其武を進めつゝあり。獨り儒教の考究の萎靡して振はざるは何ぞや。」

56 蟹江義丸：〈荀子の學を論ず〉，《太陽》第3卷第8號（1897年4月），頁53-59；第3卷第9號（1897年5月），頁54-62；第3卷第10號（1897年5月），頁45-〔未詳〕。

57 蟹江義丸：〈荀子學說の心理的基礎に就きて〉，《東洋哲學》第10編第8號（1903年8月），頁441-451。

58 佐藤將之：〈漢學與哲學之邂逅：明治時期日本學者之《荀子》研究〉，《漢學研究集刊》第3期（2006年12月），頁153-182。此文在頁172-175，專論蟹江的《荀子》論。

59 橋本敬司：〈明治以降の《荀子》研究史——性說、天人論——〉，《廣島大學大學院文學研究科論集》第69卷特輯號（2009年12月）。關於蟹江《荀子》論，請參頁5-6。

蟹江明確有「哲學」、「倫理學」、「心理學」等近代學術的觀點，並按其分類架構進行他的分析；第三，蟹江高度注意《荀子》邏輯思想的意義，並且進行了初步的探討；第四，蟹江〈荀子學說の心理的基礎に就きて〉一文的組織和推論，從一百年後的現代的學術標準而見也毫不遜色，故評之謂：「他的研究可以稱為明治時代日本知識份子消化西方學術並且將之『應用於』《荀子》研究功夫上的里程碑。」可見蟹江義丸在近代《荀子》研究上頗有價值。不過，值得留意，蟹江並未盲目地高度評價荀子的學說，他說：

> 故孟、荀二子雖祖述孔子，但卻使其學問的範圍狹小。孔子之學將重點置於人間，也涉及現象世界的全體，但是，孟、荀二子僅致力於修身政治，絕未論述《易》理。於是，仰觀天文俯察地理而成的儒教，到了孟、荀二氏就喪失了其世界形質論的根據。[60]

蟹江認為，荀子雖對後世儒教史頗有影響，但其學問範圍相較於孔子甚為狹隘，這主要是因為孟子與荀子未論《易》之理，因而喪失了世界形質論的根據，其學問範圍同時也狹窄了。此外，蟹江論述荀子生於「道德崩壞而巧智遂行，實學頹廢而空論旺盛」的時代，以「不偏不黨的中道君子」為理想人物，值得注目。

不僅儒家思想，蟹江當時也對墨家思想加以討論，即是〈墨子の學術〉。[61]蟹江繼藤田豐八（1869-1929）以墨子的學統視為支那南北兩思潮的合流、儒道的混一，而認為：「子思在思索方面調和孔子與老子，墨子則在實踐方面鎔合儒教與道教。」[62]但是，亦指出：墨子學說為極端的實利主義，不可實行。那麼，何以能獲得「足以與儒道相抗」的勢力呢？蟹江認為，是因為墨子本人在實踐上未勵行其學說，而大加斟酌。此一篇雖有不少問題，但可謂是日本近代早期研究《墨子》的重要成果之一。

有關東方倫理學史，有〈木村鷹太郎氏著「東洋倫理學史」上卷を評す〉。[63]木村鷹太郎（1870-1931），出身於愛媛宇和島，帝國大學畢業，與蟹江同樣師事井上哲次郎，

---

60 蟹江義丸：〈荀子の學を論ず〉，《太陽》第3卷第9號，頁55。原文：「故に孟荀二子は孔子を祖述すと雖も大に其學の範圍を挾小にせり。孔子の學は重きを人間に置きしとはいへ尚現象世界の全般に亘りしかども、孟荀二子は專ら力を修身政治に盡して絕て易理を論することなし。於是仰て天文を觀 俯して地理を察して構成せし儒教は、孟荀二氏に至りて其世界形質論的本據を失へり。」

61 蟹江義丸：〈墨子の學術〉，分別連載於《無盡燈》第2卷第8號（1897年9月），頁16-25；《無盡燈》第2卷第9號（1897年10月），頁1-14；《無盡燈》第2卷第10號（1897年11月），頁21-31；《無盡燈》第2卷第11號（1897年12月），頁1-12。

62 蟹江義丸：〈墨子の學術〉，《無盡燈》第2卷第9號，頁5。原文：「子思は思索的方面に於て孔子と老子とを調和し、墨子は実踐的方面に於て儒教と道教とを鎔合せりと。」

63 蟹江義丸：〈木村鷹太郎氏著「東洋倫理學史」上卷を評す〉，《哲學雜誌》第15卷第164號（1900年10月），頁826-832；〈木村鷹太郎氏著「東洋倫理學史」上卷を評す（承前）〉，《哲學雜誌》第15卷第165號（1900年11月），頁926-934。

後提倡「新史學」，而主張極端的「日本主義」。其著有《東洋倫理學史（上卷）》，[64]雖僅收「第一部支那之部」而論述古代至周末的倫理學的推移，但在日本第一本稱為「東洋倫理史」的書籍。蟹江一文乃是其書評，從體裁、材料、敘述及議論等四個方面而激烈批評木村《東洋倫理學史》，如長於議論而短於敘述；尚未參考清朝考證學的研究，並未調查材料的是非；誤解老、孔二家的思想[65]；其議論有關枝微末節的甚多，並本於獨斷的前提，書中多見罵言等。由此文中可見蟹江研究東方倫理學時的態度：其一，忠於歷史資料，而相當尊重清朝考證學的成果；其二，蟹江不贊成極端的論述方式，此點仍與其西方哲學研究相同。

《倫理學講義》[66]亦是蟹江與東方倫理學相關的書。此書原為蟹江在明治三十四年（1901）八月受靜岡縣私立富士郡教育會的邀請，講述於夏期講習會，而會員筆記後加以整理的。此書除了「序論」之外，分別簡述「倫理學到底為何（倫理學トハ何ゾヤ）」、「人性論」、「理想」、「良心」、「善惡論」、「德論義務論」以及「慈愛」。蟹江在此書最後表明了自己對儒教的立場，云：

> 時運變遷，如古來的純粹漢學者、大活眼儒者自今之後已不可能出現。故儒教的改善，將遂不可望。因此，余以自己的學說為標準針對儒教加以取捨，而非將自己學說的根據置於儒教，針對其他學說加以取捨。[67]

可見蟹江對儒教的態度，並非以儒教為標準來衡量其他學說，而是立足於自己的學說擇取儒教的長處，值得留意。

蟹江義丸以後也陸續發表與中國哲學相關的論文，例如〈曾子の學に就きて〉、[68]〈孔子の所謂君子に就きて〉[69]及〈孔夫子の仁〉等。

首先，〈曾子の學に就きて〉這一篇是討論「曾子針對儒教學說的發展有何貢

64 木村鷹太郎：《東洋倫理學史（上卷）》（東京市：松榮堂，1900年6月）。

65 關於此點，木村《東洋倫理學史（上卷）》從倫理學的觀點而認為孔子的仁沒有價值可論。頁292。蟹江卻在〈孔夫子の仁〉，頁8-9，亦批評木村而云：「如此盲說，宜不可不打破（此の如き盲說は宜しく打破せざる可からざるものである）。」

66 蟹江義丸：《倫理學講義》（靜岡縣富士郡：加藤秀壽，1902年2月）。

67 蟹江義丸：《倫理學講義》，頁92。原文：「時運ノ變遷ハ今ヨリ以後古ノ如キ純粹ナル漢學者大活眼ナル儒者ハモハヤ出デサルベシ儒教ノ改善ハ遂ニ望ムヘカラサラントス　前述ノ理由ニヨリ余ハ自己ノ學說ヲ標準トシテ儒教ヲ取捨スルモノナレドモ自己學說ノ根據ヲ儒教ニ置キテ他ノ學說ヲ取捨スルモノニハ非ルナリ。」

68 蟹江義丸：〈曾子の學に就きて〉，《哲學雜誌》第16卷第177號（1901年11月），頁873-886，後改題為〈曾子の學說〉，收於蟹江義丸：《倫理叢話》（東京市：瀨木博尚，1903年4月），附錄，頁12-27。

69 蟹江義丸：〈孔子の所謂君子に就きて〉，《東洋哲學》第10編第1號（1903年1月），頁19-24，後改題為〈孔子の所謂君子〉，收於《倫理叢話》，附錄，頁1-11；又改為〈孔子の倫理說（其三）君子論〉，《孔子研究》，頁369-380。

獻？」。蟹江最先分析曾子的性格，認為有兩個特色：事親至孝與富有義氣，接著探討曾子的學說，認為曾子受其性格與思想發展的影響，雖祖述孔子而倡道禮與仁，[70]但不僅祖述，也進而建構孝論和仁義論。關於孝論，與孔子不同的是：（一）王公、卿大夫、庶人各階層，孝有區別；（二）以孝為所有的德之根本；（三）不僅為德的根本，以孝為宇宙的本體。那麼，曾子孝論與《孝經》的關係如何？雖然《孝經鉤命訣》有：「吾（筆者注：孔子）志在《春秋》，行在《孝經》」云云，蟹江卻認為未有明確證據表示《孝經》是否敘述孔子的見解，而就內容來推測《論語》中的曾子孝論發展為《大戴禮記》中的曾子孝論，《大戴禮記》中的孝論再發展為《孝經》中的曾了學徒之孝論。至於仁義論，因為曾子在《論語》、《孟子》、《禮記》、《大戴禮記》中多主張正義，也並稱「仁」和「義」，而蟹江認為曾子在孔子的仁發展為孟子的仁義之過程中大有貢獻，最後甚至說：「使孔子之仁發展為仁義，這實為曾子所作，子思與孟子只不過紹述之，此點不容置疑。然則以仁義為孟子所創見，不可不歸以往儒家的疏漏。」[71]可謂是獨特的見解。蟹江另認為，曾子的孝論在儒教學說發展史上並非進步，而是退步。因為不僅曾子所謂之孝的要件，不僅毫無超越孔子的思想，又以孝為道德的根本、宇宙的本體，此與孔子不同，所以蟹江認為是一種偏見。

其次，〈孔子の所謂君子に就きて〉是探討孔子所謂的「君子」，認為是「完成作為人之修養的（人としての修養をなせるもの）」之名。那麼，「作為人的修養」為何？蟹江接著從兩個方面加以論述：一為「美的修養」，即學習《詩》、《書》、禮樂，蟹江亦解釋為「培養文學及美術的趣味（文學上及び美術上の趣味を養成する）」。另一則為「道德的修養」，如（一）君子不貴空言，而重實行；（二）君子為 conscientious（「義」，即良心的），並非 prudence（「利」，即患得患失）；（三）君子以謙遜為其特質之一；（四）因為君子總是依 conscientiousness 行動發言，所以自顧毫無所疚，故能享受悅樂 happyness。孔子雖較為重視君子之「道德的修養」，不過，蟹江認為孔子並未僅重某一方，例如南宋朱熹（1130-1200）專以「道德的修養」為君子的特質；日本荻生雙松（徂徠，1666-1728）與太宰純（春臺，1680-1747）以「美的修養」為其特質，蟹江則認為兩者皆為「偏頗的見解」。

蟹江對孔子思想相關的論文，另有〈孔夫子の仁〉一文。依辻尚邨（生卒年未詳）的說明，原題〈孔子の仁〉，係蟹江義丸在明治三十六年（1903）八月回鄉時受當地教育會的邀請所演講的。此篇探討孔子之仁，分為五種：（一）利澤（仁澤或恩澤）；（二）重厚（仁厚），即與浮薄相反，代表篤實溫厚；（三）慈愛；（四）忠（敬恭）

70 蟹江認為孔子重視仁與禮，實早見於〈木村鷹太郎氏著「東洋倫理學史」上卷を評す〉，頁931。

71 蟹江義丸：〈曾子の學に就きて〉，頁886；〈曾子の學說〉，頁26-27。原文：「孔子の仁を發展せしめて仁義となししは實に曾子にして、子思孟子は只之を紹述せるに過ぎざること又疑を挾むの餘地なからん。されば仁義を孟子の創見なりとするは、從來の儒家の疎漏に歸せざるべからず。」

恕；（五）克己，而認為仁本來的意義是慈愛，此展現為其他意義。而指出：

> 假使仁這一德為孔子倫理說的根本，有人雖主張此與仁是為了仁本身的仁，這種以理性為根本的嚴肅主義相同，但我相信孔子之說並非如此極端的主義，而具有快樂、幸福、悅樂等，與其說是用艱難以達的，不如說是以安樂實行為最上的。[72]

最後批判朱熹和荻生徂徠各有偏差，而認為伊藤維禎（仁齋，1627-1705）說最為妥當。此外，當時學者熱烈討論一個問題，即倫理的標準應以活動為本？還是該以快樂為本？關於此，蟹江認為孔子之說是調和融合兩者的，不過其說不太精確，沒有作為學說的價值，而視孔子為最穩健的「實行家」。

如上所述，《日本倫理彙編》共十卷，匯集了德川時代日本學者共三十六人的著作，雖在名義上是與井上哲次郎共著，但亦是探討蟹江的學術發展時的重要材料。井上哲次郎在明治三十四年一月三十日所識的〈敘〉云：

> 即使舶來的道德主義適於我國，也難以直接扶植於我國，必須與從來的道德主義調和為一，始能奏其功；從來的道德主義，因為時勢一變，故就照原樣已毫無活氣，必須與舶來的道德主義調和為一，始能發揮作用。要之，應打東西兩洋的道德主義為一塊，而將其為今後道德主義的基礎，決不再容置疑。然而，今日購求西洋的倫理書類不必困難，購求日本的倫理書類反而不容易。世之有志於德育者竊以遺憾。以是，余最近與文學士蟹江義丸氏將日本的倫理書類依各學派分類之，以陸續發行，而欲以之為補充教育界的缺陷之一端。[73]

此書匯集德川時代日本學者共三十六人的著作，其目錄如下：

72　蟹江義丸：〈孔夫子の仁〉，頁7。原文：「仁と云ふ德が孔子の倫理說の根本であるとすれば、仁は仁自身の為めに仁なりといふ如く、理性を以て根本とする嚴肅主義と同じと論ずるものあるも、余は孔子の說は決してかゝる極端なる主義ではなく、快樂、幸福、悅樂と云ふ事が具つて、苦しみ勉めて達するものよりも所謂安んじて樂み行ふを以て最上となせりと信ずる。」

73　井上哲次郎：〈日本倫理彙編敘〉，《日本倫理彙編——陽明學派の部（上）》，卷之一，頁3。原文：「假令ひ我れに適切なりとするも、舶來の道德主義は直に此に扶植すること難し、必ず從來の道德主義と調和合一して、始めて其功を奏すべきなり、從來の道德主義は時勢一變せるが為めに、最早其儘にては何等の活氣も無し、必ず舶來の道德主義と調和合一して始めて用を為すべきなり、之れを要するに、東西兩洋の道德主義を打ちて一塊となし、以て今後の道德主義の根柢をなすべきこと、決して復た疑ひを容るべからざるなり、然るに今日にありては西洋の倫理書類を購求すること、必ずしも困難ならずと雖も、日本の倫理書類を購求すること反つて容易ならず、世の德育に志あるもの竊に以て遺憾となす、是を以て、余頃ろ文學士蟹江義丸氏と日本の倫理書類を各學派に從ひてこれを分類し、以て陸續發行し、聊か教育界の缺陷を充たすの一端となさんと欲す。」

陽明學之部		
卷之一	1. 中江原（藤樹，1608-1648）	《翁問答》五卷 《藤樹遺稿》二卷 《藤樹先生書翰雜著》一卷 《藤樹先生學術定論》一卷
	2. 熊澤伯繼（蕃山，1619-1691）	《集義和書》十六卷
卷之二	熊澤伯繼	《集義外書》十六卷
	3. 三重真亮（松菴，生卒年未詳）	《王學名義》二卷
	4. 三輪希賢（執齋，1669-1744）	《日用心法》一卷 《四言教講義》一卷 《雜著》四卷
	5. 中根若思（東里，1694-1765）	《東里遺稿》一卷 《東里外集》一卷
卷之三	6. 佐藤坦（一齋，1772-1859）	《言四錄》四卷
	7. 大鹽後素（中齋，1793-1837）	《古本大學刮目》七卷 《儒門空虛聚語》三卷 《增補孝經彙註》三卷
古學派之部		
卷之四	8. 山鹿義矩（素行，1622-1685）	《聖教要錄》二卷 《山鹿語錄》四十三卷 （抄十二卷） 《武教小學》一卷 《配所殘筆》一卷
卷之五	9. 伊藤維禎	《語孟字義》二卷 《童子問》三卷 《仁齋日札》一卷
	10. 伊藤長胤（東涯，1670-1736）	《學問關鍵》一卷 《天命或問》一卷 《復性辨》一卷 《古今學變》三卷 《訓幼字義》八卷
卷之六	11. 荻生雙松	《辨道》一卷 《辨名》一卷 《學制》一卷 《答問書》三卷
	12. 太宰純	《辯道書》一卷 《聖學問答》二卷

		《六經略說》一卷
	13. 山縣孝孺（周南，1687-1752）	《為學初問》二卷
朱子學派之部		
卷之七	14. 藤原肅（惺窩，1561-1619）	《惺窩文集抄錄》一卷 《千代もと草》一卷
	15. 中村之欽（惕齋，1629-1702）	《講學筆記》三卷
	16. 室直清（鳩巢，1658-1734）	《駿臺雜話》五卷
	17. 雨森俊良（芳洲，1668-1755）	《橘窓茶話》三卷
	18. 山崎嘉（闇齋，1619-1682）	《闢異》一卷 《經名考》一卷 《仁說問答》一卷
	19. 佐藤直方（1650-1719）	《學談雜錄》一卷
	20. 淺見安正（絅齋，1652-1712）	《聖學圖講義》一卷 《六經編考》一卷
	21. 三宅重固（尚齋，1662-1741）	《默識錄》四卷
	22. 山縣昌貞（大貳，1725-1767）	《柳子新論》一卷
卷之八	23. 貝原篤信（益軒，1630-1714）	《慎思錄》六卷 《大疑錄》二卷 《五常訓》五卷
	24. 尾藤孝肇（二洲，1745-1814）	《素餐錄》一卷 《正學指掌》一卷
	25. 賴惟柔（杏坪，1756-1834）	《原古編》六卷
折衷學派之部		
卷之九	26. 細井德民（平洲，1728-1801）	《嚶鳴館遺草》六卷
	27. 片山世璠（兼山，1730-1782）	《山子垂統前篇》三卷 《山子垂統後篇》三卷
	28. 井上立元（金峨，1732-1784）	《經義折衷》一卷 《匡正錄》一卷
	29. 太田元貞（錦城，1765-1825）	《疑問錄》二卷 《仁說三書》三卷
獨立學派之部		
卷之十	30. 三浦晉（梅園，1723-1789）	《贅語》十四卷 （六卷抄錄） 《敢語》一卷 《寓意》一卷

	31. 帆足萬里（1778-1852）	《入學新論》一卷
	三浦晉	《梅園叢書》三卷 《梅園拾葉》三卷
	32. 二宮尊德（1787-1856）	《報德外集》二卷 《二宮先生語錄》四卷
老莊學派之部		
卷之十	33. 盧草拙（1671-1729）	《嘹囈錄》一卷
	34. 有木吉（雲山，生卒年未詳）	《道學正要》一卷
	35. 阿部玄達（漏齋，生卒年未詳）	《鷹起子》一卷
	36. 廣瀨建（淡窗，1782-1856）	《折玄》一卷 《義府》一卷

蟹江在幼時所受的漢文教育之基礎上，透過《日本倫理彙編》的編輯，更深吸收了德川儒學的成果，故伊藤維禎、荻生雙松、安井衡（息軒，1799-1876）等之名屢見於蟹江其他論著之中。就此點而言，《日本倫理彙編》可謂也是蟹江一九〇〇年代的漢學研究之重要來源。蟹江亦欲出版《續倫理彙編》十冊，但因為發病，遂為罷論。

關於《日本倫理彙編》，蟹江另有〈日本倫理學史研究の順序〉。[74]他認為，日本的「朱子學派」與「陽明學派」雖在德川時代的影響力頗大，但只不過是祖述中國儒家的學說；與此不同，「古學派」批判從前的學說，對思想界的貢獻最大；「折衷派」探討訓詁相關的問題，雖對思想方面的貢獻不多，但折衷朱子學、陽明學和古學，其所論較為穩健；「獨立派」則不滿於從前的儒教學說，提出獨特的見解，最富有研究的精神，與維新以後的日本思想界密切相關；「老莊派」則與儒教的唯理的傾向不同，而發揮思索的、神秘的傾向。並且，蟹江逐一舉出各學派的重要著作，可窺知蟹江對德川倫理思想的見解，值得參考。

蟹江談德川時代的儒學思想，也有〈德川時代に於ける自由研究の精神〉一篇。[75]這篇是從「自由研究」的角度，針對德川時代的儒學加以評述，仍認為「朱子學派」與「陽明學派」都受朱熹《小學》、《近思錄》、《朱子語類》或明王陽明（1472-1529）《傳習錄》學術的約束，幾未有自由的研究；「古學派」，雖一方面批判朱熹與王陽明，但另一方面仍尊崇孔子或《論語》，也未到達自由研究的境界。那麼，純粹的自由研究始於何人？在此點，蟹江針對三浦晉、帆足萬里、二宮尊德及土井有恪（聱牙，1817-1880）等人加以注目，尤其蟹江高度評價三浦的研究超出孔子的世界，而以自然的世界為基礎，而最後說：「今後我國尚不可懈地輸入外國的思想，與此同時，我們務必繼承梅園

74 蟹江義丸：〈日本倫理學史研究の順序〉，收於《倫理叢話》，頁145-155。

75 蟹江義丸：〈德川時代に於ける自由研究の精神〉，收於《倫理叢話》，頁121-144。

諸氏的遺志，而發揮日本固有的哲學倫理學。」[76]

但由上述可知，他對東方哲學或倫理學的研究成果相當豐碩。佐藤將之教授指出，蟹江《荀子》研究為明治時代日本知識份子消化西方學術並且將之應用於《荀子》研究功夫上的里程碑。筆者認為，不僅《荀子》研究，蟹江對其他東方倫理學研究亦然。值得關注的是，首先，蟹江相當肯定不偏不黨的態度而嫌棄極端的見解、主義。這種論述看似未見於最早期的〈上代儒教の根本的思想の變遷〉中，因此可推測是始於接觸德國哲學之後。其次，蟹江頗重清朝考證學的成果，可能是因為不認同空虛的言論之故。最後，至於蟹江對儒教的態度，他本人明確表示，並非以儒教為標準取捨其他學說，而是立足於自己的學說選擇儒教的長處，故高度評價德川儒學中「獨立學派」的學問，也值得關注。

3 當代哲學及倫理學方面

蟹江義丸亦有思考當代問題的成果：如〈我邦に於ける過去及び現在の理想〉、[77]〈我邦に於ける現在及び將來の理想〉、[78]〈德の分類につきて〉、[79]〈勇猛心〉、[80]〈人生の危機〉[81]以及〈道學先生とは何ぞや〉[82]等。對蟹江而言，自己身處的時代為：「維新以來長足進步的物質文明逐漸釀造其弊害，倫理問題乃勃然興起」[83]的時代，可見蟹江感到明治維新以來偏重物質文明的侷限，尤其他認為其對倫理方面頗有影響。

首先，〈我邦に於ける過去及び現在の理想〉與〈我邦に於ける現在及び將來の理想〉為姊妹篇，均探討「道德的理想」。前者討論自王朝（藤原）時代至幕府時代的「理想」之變遷，認為理想在王朝時代是以「人情」為主，但到了幕府時代，則變成以由「謝意」與「義俠心」而成的「義理」與為主。在蟹江的眼中，「義理」雖生於「人情」，但互相衝突。蟹江身處於嚴肅主義（偏頗的道德意識）與快樂主義（放逸無慘的

---

76 蟹江義丸：〈德川時代に於ける自由研究の精神〉，《倫理叢話》，頁144。原文：「今後尚ほ我邦は外國の思想を輸入することを懶つてはならぬが、夫と同時に我々は梅園諸氏の遺志を繼紹して日本固有の哲學倫理學を發揮することを勉めなければならぬ。」

77 蟹江義丸：〈我邦に於ける過去及び現在の理想〉，收於《倫理叢話》，頁27-66。

78 蟹江義丸：〈我邦に於ける現在及び將來の理想〉，收於《倫理叢話》，頁67-84。

79 蟹江義丸：〈德の分類につきて〉，《教育學術界》第1卷第6號（1899年11月），頁21-25，後收入教育學術研究會（編）：《教育者の修養》（東京市：同文館，1904年1月），頁81-95。

80 蟹江義丸：〈勇猛心〉，《丁酉倫理會講演集》第3輯（年月未詳），頁1-14。

81 蟹江義丸：〈人生の危機〉，《丁酉倫理會講演集》第7輯（1901年6月），頁1-18，後收於《倫理叢話》，頁102-120。

82 蟹江義丸：〈道學先生とは何ぞや〉，《丁酉倫理會講演集》第11輯（1903年2月），頁47-62，後收於《倫理叢話》，頁85-101。

83 引自《倫理叢話・序》。原文：「維新以來長足の進步をなせる物質的文明漸く其弊害を釀成し、倫理問題勃然として興起し來れり。」

風俗）盛行的當時，主張調和「人情」與「義理」之必要，於此果然也對馮特、保爾森與格林的諸說給予高度評價。那麼，該如何調和「人情」與「義理」呢？後者則是討論這個問題的。蟹江首先攻擊以「人情」為主的「保守的理想」與以「義理」為主的「急進的理想」，而推動調和兩者的「進步的理想」。其次，蟹江主張作為「國民」的一個人必須擁有「自活能力」或「職業」，其時「勤勉」和「節儉」就是最重要的德目，另認為日本國民在「智」、「情」、「意」各方面需要發達。最後，他論述今後的道德必是兼及自己和他人的，而不可僅論對個人的方面，也應涉及對社會的方面，甚至更談到對人類的道德。

其次，〈徳の分類につきて〉則從倫理學的立場而針對「德」加以分類。蟹江認為，倫理學是以心理學與社會學為基礎。從心理學而言，德可以分為「知的德」、「情的德」及「意的德」，但三者並非各自獨立存在，而是一德的三個面向；從社會學而言，德也可以分為「對自己的德」、「對別人的德」及「對社會的德」三種。依此，蟹江分類「德」有如下九種：

		心理學		
		知的德	情的德	意的德
社會學	對自己的德	對自己之知的德	對自己之情的德	對自己之意的德
	對別人的德	對別人之知的德	**對別人之情的德**	對別人之意的德
	對社會的德	對社會之知的德	**對社會之情的德**	對社會之意的德

蟹江在知、情、意三種之中特別重視情的作用。他並認為，在實踐上對自己的德是人生而具有的，所以不用特別鼓勵，反之，對別人和對社會的德應多倡導。因此，蟹江在「德」的九類中最重視「對別人之情的德」與「對社會之情的德」，認為是相等於孔子之「仁」、釋迦之「慈悲」以及基督之「愛」。在此篇中，蟹江關注《論語》與《中庸》中的「智、仁、勇」三德和「中庸」，而云：「要之，若將中庸或中和之德與智、仁、勇之三德合為一，則大略與我的分類法一致。」[84]值得留意。

次之，〈勇猛心〉則敘述三種「勇猛心」，即依體力的勇猛心；依智力的勇猛心；依道德的勇猛心，而以釋迦、基督、孔子、孟子的「浩然之氣」為例，說明依道德的勇猛心就是最重要的，並批判當時所流行的學生私鬥。

另在〈人生の危機〉中，蟹江則論述「精神上的厄運年齡」，而因為智、情、意的作用激烈變化、發展「過度」，所以他認為從依賴至獨立狀態的青年時期最為危險。蟹

84引自《教育者の修養》，頁91。原文：「要するに中庸若くは中和の徳と智仁勇の三徳とを合すれば私の分類法と粗ぼ一致するのである。」

江並指出，所有人的智、情、意均受自己的人世觀與世界觀的影響，所以保持自己的人世觀與世界觀就是為了脫離人生危機的關鍵；「懷疑主義」與「失戀」是容易破壞人世觀與世界觀的兩大原因，此僅依宗教或哲學，始能想開。

接著，〈道學先生とは何ぞや〉一篇，首先整理「道學」一詞的歷史演變，而承認「道學」本指程朱學，但當時流行的「道學先生」的「道學」並非此意義。於是，他分析「道學先生」之當代意義為八種：第一，研究或倡導道德觀念的人；第二，反快樂主義而採嚴肅、禁欲主義的人；第三，固執形式而忽略其精神的人；第四，一心鑽研學問的人，即學究之徒；第五，消極、脫俗主義的人；第六，偽善者；第七，無趣味者；第八，不採本能主義者。蟹江最後針對各意義一一加以批評，僅肯定第一和第四，卻否認其他涵義的「道學先生」。

蟹江著還有〈倫理修養運動に關する希望〉、[85]〈禮法に就て〉、[86]〈理想の發展につきて（義理と人情）〉、[87]〈學窗餘談〉[88]以及〈夏季講習會につきて〉[89]等。明治三十四年（1901）六月二十一日，伊庭想太郎（1851-1907）刺殺前遞信大臣星亨（1850-1901）後，蟹江撰寫〈伊庭想太郎氏に對する道德的判斷〉一文[90]；第一高等學校學生藤村操（1886-1903）在明治三十六年（1903）五月二十二日自殺後，不少知識分子談論藤村之死，蟹江也發表〈藤村操の死について〉一篇。[91]此外，〈「夕霧阿波の鳴渡」に就て〉[92]則是以近松門左衛門（1653-1724）的同名淨瑠璃為主題的。這段所舉的論著，都是從倫理學的觀點而探討社會問題的。

如此，蟹江義丸論當代哲學或倫理學問題，仍是以「進步的」、「中庸」為目標，致力調整「人情」與「義理」、「急進」與「保守」等極端的立場。他另重視快樂主義、本能主義、精神而批判嚴肅主義、禁欲主義、形式等，並他的倫理學以心理學與社會學為基礎，亦與上文所述有所共同。

---

85 蟹江義丸：〈倫理修養運動に關する希望〉，《丁酉倫理會講演集》卷號未詳（1899年10月），頁碼未詳。

86 蟹江義丸：〈禮法に就て〉，《倫理界》第2號（1901年3月），頁35-40。

87 蟹江義丸：〈理想の發展につきて（義理と人情）〉，《教育學術界》第4卷第3號（1902年1月），頁5-13（未完）。

88 蟹江義丸：〈學窗餘談〉，《教育學術界》第8卷第5號（1904年1月），頁39-42。

89 蟹江義丸：〈夏季講習會につきて〉，《教育實驗界》第12卷第6號（1903年9月），頁43-47。

90 蟹江義丸：〈伊庭想太郎氏に對する道德的判斷〉，《丁酉倫理會倫理講演集》第12輯（1903年4月），頁1-30，後收於《倫理叢話》，頁1-26。據深作安文，蟹江聽到伊庭暗殺星亨的新聞，即非常歡喜，因為對蟹江而言，星是受賄缺德的政治家。此外，蟹江相當支持日俄戰爭的開戰，可見蟹江有「國士」的一面。請參深作安文：〈故蟹江義丸博士を偲ぶ〉，《思想と日本》（東京市：明治圖書，1934年2月），頁489-493。

91 蟹江義丸：〈藤村操の死について〉，《新佛教》第4卷第7號（1903年7月），頁554-557。

92 蟹江義丸：〈「夕霧阿波の鳴渡」に就て〉，《兵庫縣教育會報》第167號（1903年8月），頁28-33。

三　蟹江義丸《孔子研究》的內容

如上所述，蟹江義丸《孔子研究》本是他在明治三十六年（1903）七月繳交東京帝國大學大學院的博士論文，蟹江沒後的翌年七月由金港堂出版，可謂是蟹江最後的遺著。[93]蟹江本人在明治三十七年一月二十九日撰寫〈序〉，云：「本書係本人在研究所研究的成果。孔子研究，固非盡之，其取之不盡，越穿越獲，如礦山然。然本人近日為病魔所侵擾，沈淪於研究暫不得不廢的悲境。由此，雖不完全，但付梓本書，請世人批評，期望他日獲得機會改訂。」[94]可見蟹江本人也稍不滿於此書的內容，若後有改版的機會，即欲以〈孔子の時代〉、〈孔子の子孫〉與〈孔子の門人〉三章加之，但在昭和二年（1927）由京文社改版《孔子研究》時，蟹江已不在世。

蟹江《孔子研究》主要由兩篇而成：第一篇為〈孔子の事蹟〉，第二篇則為〈孔子の學說〉，此點在《孔子研究》架構上的特色。另在書後附錄〈論語の解題〉和〈孔子關係書類〉，尤其〈孔子關係書類〉分別有（一）中國古書而可為孔子研究的材料；（二）從古書中蒐集與孔子相關的言論；（三）敘述孔子的事蹟；（四）敘述孔子的學說；（五）《論語》註釋書；（六）由西方人之手而成的孔子關係書類，著錄了三二五種，雖非親自過目全書，但不僅包括中、日與孔子研究相關的重要論述，亦收錄了西方哲學家的著作：例如格奧爾格・威廉・弗里德里希・黑格爾（Georg Wilhelm Friedrich Hegel, 1770-1831）、阿圖爾・叔本華（Arthur Schopenhauer, 1788-1860）、約翰・亨利希・普拉斯（Johann Heinrich Plath, 1802-1874）、威廉・碩特（Wilhelm Schott, 1802-1889）、格奧爾格・馮・得・嘎伯冷兹（Georg von der Gabelentz, 1840-1893）、馬丁・豪克（Martin Haug, 1827-1876）、理雅克（詹姆斯・萊格，James Legge, 1815- 1897）、羅伯・道格拉斯（Robert K.Douglas, 1838-1913）等的孔子論。

---

93 關於蟹江《孔子研究》的內容，另可參 K1生：〈蟹江博士の「孔子研究」再版〉，《哲學雜誌》第19卷第213號（1904年11月），頁87-91。另，山下龍二有〈明治の孔子論〉，《新しい漢文教育》第19號（1994年10月），頁12-22，後收於《儒教と日本》（東京都：研文社，2001年9月），頁47-71。山下在此文中針對蟹江《孔子研究》、山路愛山《孔子論》、西脇玉峯《世界三聖傳孔子》以及宇野哲人《孔子教》（另收入《儒教と日本》後，附論遠藤隆吉《孔子傳》），立「三聖人」、「資料」、「政治、倫理」、「對天的信仰」、「徂徠」、「禮樂」、「軍備」、「宋明學」等項目，討論日本明治期孔子論的特色。

94 蟹江義丸：〈序〉，《孔子研究（改版）》，頁1。原文：「本書は余が大學院に在りて研究せし成果なり。孔子の研究固より之に盡きたるにあらず。否其盡きざること、從つて穿てば從つて得る礦山の如く然り。然るに余頃者病魔に侵され、姑く研究を廢せざるを得ざるの悲境に沈淪せり。依りて不完全ながら本書を上梓して世の批評を請ひ、他日機を得て改訂せんことを期す。」

(一)〈孔子の事蹟〉

首先,〈孔子的事蹟〉分別有二十章,目錄如下:

第一章　孔子的祖先
第二章　孔子的生誕及幼時
第三章　孔子的青年時代
第四章　孔子遊周
第五章　孔子赴齊
第六章　孔子為魯所聘用
第七章　孔子在衛
第八章　孔子周遊於天下
第九章　孔子自衛還魯
第十章　孔子慨嘆時勢
第十一章　孔子與隱者
第十二章　孔子的晚年(其一):魯的國老
第十三章　孔子的晚年(其二):述刪
第十四章　孔子的終焉
第十五章　孔子的性格(其一):衣食住
第十六章　孔子的性格(其二):舉動
第十七章　孔子的性格(其三):知的生活
第十八章　孔子的性格(其四):情的生活
第十九章　孔子的性格(其五):意的生活
第二十章　孔子的性格(其六):圓滿與脫俗

由題目可知,也可以分為兩部分:自第一章至第十四章論述孔子的生平;自第十五章至第二十章則描述孔子的性格,可以指出幾點特色:首先,蟹江探討孔子生平時,未完全對《史記.孔子世家》的敘述置信,[95]而是以《論語》為基礎,另一方面批判地參考、利用其他書籍:例如《左傳》、《公羊傳》、《穀梁傳》、《世本》、《國語》等無庸贅言,亦引用《繫辭傳》、《禮記》諸篇(含《中庸》與《大學》)、《孟子》、《墨子》、《荀子》、《韓非子》、《呂氏春秋》、《晏子春秋》、《孔子家語》、《新語》、《韓詩外傳》、《春秋演孔

95 蟹江義丸論《論語.述而》「子曰:『加我數年,五十以學《易》,可以無大過矣」而云:「朱子云:『是時孔子年已幾七十矣』,是依《史記》的描述,但是,《史記》並非如此可信賴之書(朱子が『是時孔子年已幾七十矣。』といへるは史記によれるものなれど、史記は然かく信頼すべき書にあらず)。」《孔子研究(改版)》,頁212。

圖》、《說苑》及《桓譚新論》等與孔子相關的記載。尤其是蟹江注重《繫辭傳》，北宋歐陽脩（1007-1072）、伊藤長胤（東涯，1670-1736）等皆主張「十翼」非孔子所著，蟹江亦同意歐陽、伊藤說，但他另一方面認為《繫辭傳》是包含孔子晚年的思想。

其次，蟹江廣泛引用中、日、歐美的註釋書、研究書，古註、新註不待言，既包括清朝考證學的成果，如毛奇齡（1623-1716）、閻若璩（1636-1704）、江永（1681-1762）、翟灝（生年未詳-1788）、崔述（1740-1816）與狄子奇（生卒年未詳）等的見解，亦參考伊藤維禎、荻生雙松、三浦晉、角田簡（九華，1784-1856）、太田保（方齋，生卒年未詳）、安井衡等日本漢學家及理雅克、道格拉斯等歐美學者的論述，可見蟹江對學術的用心用意。因此，貝塚茂樹《孔子》卷末〈參考文獻〉指出：

> 蟹江義丸博士的《孔子研究》第一篇〈孔子的事蹟〉，崔述的成果不待言，也吸收了和漢學者的這種研究（筆者注：指對《史記・孔子世家》的批判研究），值得參考。[96]

次之，蟹江雖參考許多書籍，但並未盲目地偏重某一立場，而一一列舉每個學說，並列相較之後，導出最為合理、穩健的結論，避免獨斷。例如《論語・憲問》有：「子曰：『賢者避世，其次避地，其次避色，其次避言。』子曰：『作者七人。』」關於「七人」，東漢包鹹（前7-後65）為長沮、桀溺、丈人、石門、荷蕢、儀封人與楚狂接輿；魏王弼（226-249）為伯夷、叔齊、虞仲、夷逸、朱張、柳下惠和少連；東漢鄭玄（127-200）另云：「伯夷、叔齊、虞仲，避世者；荷蓧、長沮、桀溺，避地者；柳下惠、少連，避色者；荷蕢、楚狂接輿，避言者也。七當為十，字之誤也。」但蟹江則以南宋李侗（1093-1163）「不可知其誰何，必求齊人以實，則鑿矣」為穩當。[97]另外，《論語・陽貨》曰：「公山弗擾以費畔，召，子欲往。子路不說，曰：『末之也已，何必公山氏之之也。』子曰：『夫召我者而豈徒哉？如有用我者，吾其為東周乎？』」針對此章，諸說紛紛，可分為兩種說法：即視其為事實的「肯定說」與為非事實的「否定說」。代表「否定說」的學者有清趙翼（1727-1812）與崔述，其理由有三：（一）不合《左傳》；（二）不合孔子的品性重大義名分；（三）《論語》各章未必盡然確實。然而，關於第一點，蟹江認為《左傳》僅是不載而已，以安井衡：「《左傳》不載者，不狃陪臣，而事未至亂也」為妥當；關於第二點，蟹江從一位近代學者的觀點懷疑孔子毫無缺點；對於第三點，他認為論據不足。[98]可見蟹江雖高度評價清朝考證學的成果，但未必給予絕

96 貝塚茂樹：《孔子》，頁206；《貝塚茂樹著作集》，第9卷，頁138。原文：「蟹江義丸博士の《孔子研究》の第一篇〈孔子的事蹟〉には、崔述はいうに及ばず、和漢の學者のこの種の研究をよくとり入れているから、これについて見られたい。」

97 蟹江義丸：《孔子研究（改版）》，頁165-166。

98 蟹江義丸：《孔子研究（改版）》，頁77-87。

對的評價。除此之外，多處可見以「獨斷」批判先人之說，甚至有時也包括蟹江相當欣賞的三浦晉，而蟹江多參考崔述的見解，不過他說：「崔述的考證大概正確，但並非無缺點」，作為其缺點舉出「經書崇拜癖」與「事實抹殺癖」。[99]這種態度可能與蟹江不認同極端的學術風格有關。

以上三點都屬於蟹江《孔子研究》在處理資料上的特色，山路彌吉（愛山，1865-1917）《孔子論》就此加以批評：

> 觀看近時書生所論孔子，大抵未仔細考量該古書可以信用到如何程度，總是視為有同樣價值的文獻，預先依《史記・孔子世家》略論孔子的年譜，而後剪下《左氏》、《穀梁》、《論語》、《孟子》、《大戴禮》等古書的記事付之，並且討論昔人對這種拼湊的文章之註釋，認為如此即具備孔子的傳記。（如蟹江氏所著，即此一例。）餘斷言，如此書籍製造術決非達到真實的孔子之方法。[100]

可見山路指出蟹江《孔子研究》的材料問題。山路《孔子論・材料論》中針對《中庸》、《禮記》、《大學》、《左傳》、《孟子》、《易》、《尚書》諸書加以詳細的批評，認為這些文獻在論述孔子生平時不可置信。但蟹江並非隨意剪貼古書，創造出新的孔子意象，而是以合理、穩健的態度判斷其是非，值得留意。

除上述之外，蟹江對孔子生平的論述有三個特色：第一，蟹江將從歷史研究的觀點解構孔子的聖性。他在書中屢次提到：「以往的儒家擔憂汙瀆孔子之德，因此以許多方法辯疏之（筆者注：「之」指《史記・孔子世家》所言「紇與顏氏女野合」）」、[101]「以往的儒者多有過大估計孔子的功績」[102]等，連蟹江高度欣賞的角田簡也有時為他所批評，其言云：「其為出於儒者崇拜孔子癖的謬見，並非事實。」[103]如上所述，針對《論語・陽貨》之句，因為不合孔子的品性注重大義名分，趙翼與崔述都為非事實，蟹江則否定趙、

99　蟹江義丸：《孔子研究（改版）》，頁8-9。

100　山路愛山：《孔子論》（東京市：民友社，1905年2月），頁69-70。原文：「近時書生の孔子を論ずるものを見るに大抵古書の如何なる程度まで信用すべき乎を仔細に商量せず。總て同一の價值あるもの丶如く見做し、預じめ史記の世家に依つて畧ぼ孔子の年譜を考へ、而して之に左氏、穀梁、論語、孟子、大戴禮等の古書を切り抜きて貼付し、併せて此切抜きの文章に對する昔人の註釋を論じ。此の如くにして孔子の傳記具はれりと云ふもの丶如し。（蟹江氏の著の如き，即ち此一例なり。）余は斷言す此の如き書籍製造術は決して真實の孔子に達し得べき道に非るなり。」（旁點：山路）

101　蟹江義丸：《孔子研究（改版）》，頁11。原文：「從來の儒家其孔子の德を汚すを憂ひて百方之を辯疏せんとす。」

102　蟹江義丸：《孔子研究（改版）》，頁102。原文：「從來の儒者中孔子の功績を過大視するもの多し。」

103　蟹江義丸：《孔子研究（改版）》，頁109。原文：「儒者の孔子崇拜癖に本づく謬見にして事實を得たる說にあらず。」

崔之說而云：

> 此事是否符合孔子的品性？積極論者與消極論者的論述均成立於孔子的品性毫無缺點此一假設之上。然而，此假設雖相當有效於崇拜孔子，但對應採批評態度的學者毫無價值。[104]

因為如此，後文中批評「三年喪」云：「如此制度，仍可用於社會組織尚簡單的時代，但是，當社會組織逐漸變為複雜時，其對人間活動帶來很大的障礙，甚至完全不能實行。（中略）然世之儒者墨守孔子之意見，不知改正之，其愚也不可及也。」[105]蟹江甚至對孔子未採宰我將三年喪短縮為期喪感到「千載的遺憾」，並表示贊成墨子薄葬論。蟹江亦不同意孔子排擊法治主義，謂：

> 自周室紀綱之廢弛以來，社會的發展已不許道德與法律接合為一。當是時，孔子依然固執德治主義，排斥法治主義。（中略）在此點，本人不得不惜孔子保守的傾向。更何況此保守的傾向，後為儒教的一根本思想，釀造弊害不少。[106]

> 孔子所身處的春秋時代，實當世運自禮樂時代推移法律時代的過渡期。然孔子反抗如此時勢，始終主張禮樂全能說。在此點，本人深為孔子不得不惜。爾後，禮樂全能說成為儒教的一定說，然社會反而歡迎申、商、韓非諸子的刑名說，秦始皇最後統一中國。漢以後，禮樂幾乎變成了有名無實，謀圖復興之之舉，莫不以失敗而告結束。此確然是儒者以迂遠被看待的原因之一。[107]

---

104 蟹江義丸：《孔子研究（改版）》，頁87。原文：「かく此事の孔子の品性に符號するや否やに就きて、積極論者も消極論者も共に孔子の品性に微塵も缺點なしとの假定の上に成立す。然れども此假定は一も二もなく孔子を崇拝するものには有効なるべきも、批評的態度を取れる學者には毫も價値あることなし。」

105 蟹江義丸：《孔子研究（改版）》，頁357-358。原文：「かくの如き制度は、社会組織の尚簡單なりし時代にありては兎に角、其漸く複雜に赴くや、其活動に非常なる障礙を及ぼし、遂には到底實行すること能はざるに至る。（中略）然るに世々の儒者、孔子の意見を墨守して、之を改正することを知らず、其愚や到底及ぶべからざるなり。」

106 蟹江義丸：《孔子研究（改版）》，頁391。原文：「周室の紀綱廢弛せしより以來、社會の發展は最早道德と法律との合一を許さず。是時に當りて、孔子依然として德治主義に固執して法治主義を排斥す。（中略）此點に於て余は孔子の保守的傾向を惜しまざるを得ず。況んや此保守的傾向は儒教の一根本思想となりて弊害を釀し、こと尠少ならざるをや。」

107 蟹江義丸：《孔子研究（改版）》，頁399。原文：「孔子が生存せし春秋時代は、實に世運の禮樂時代より法律時代に推移する過渡に當れり。然るに孔子はかゝる時勢の大勢に反抗して、飽くまでも禮樂全能說を主張す。此點に於て吾人は深く孔子の為めに惜しまざるを得ず。爾來禮樂全能說は儒教の一定說となれり。然るに社會は反りて申商韓非諸子の刑名說を歡迎して、遂に秦の始皇の支那統一となれり。漢以後禮樂は殆んど空名となりて、之が復興を謀れる擧失敗に終らざるはなし。儒者が迂遠を以て目せらるゝ一原因は確に此にありて存す。」

另外，蟹江提到孔子的戰爭觀，觀察中國歷史而認為，在儒教主義的時代，軍備缺陷，大概受外國所侵略，因此也云：「孔子比較不重軍備，不可謂無其弊。」[108]由此可見，就以「批評態度」的近代學者蟹江而言，孔子也有了不少缺點，已不再是「聖人」。因為如此，孔子的思想也有所變遷，蟹江認為，孔子晚年歸魯後，孔子的思想由以政治道德為主發展為以哲學宗教為重（詳後述）。

第二，由「知」、「情」與「意」三個面向而分析孔子的生活。首先，關於孔子的「知的生活」，蟹江由經驗主義的立場，論證孔子好「學」的一面，反對後世學者視孔子為「生知」的聖人。其次，他論孔子的「情的生活」，強調孔子富有慈愛心、謙讓的美德、美的感情及宗教的感情。最後，有關孔子的「意的生活」，蟹江以夾穀之會、圖謀破壞三都為例，論述孔子意志之強大。如上所述，蟹江已在〈我邦に於ける過去及び現在の理想〉與〈我邦に於ける現在及び將來の理想〉中主張，當時日本國民在「智」、「情」、「意」各方面需要發達，也在〈德の分類につきて〉中由心理學的角度而分「德」為「知的德」、「情的德」及「意的德」三種，可見《孔子研究》中的「知、情、意」三種分法在蟹江學術中的地位相當重要。

第三，蟹江另指出，孔子的性格有兩個特色：一是「圓滿而不偏僻固陋（圓滿にして偏僻固陋ならざる）」。蟹江以《論語．述而》「子溫而厲，威而不猛，恭而安」等為例，說明孔子言行與其他宗教祖師不同，皆合乎常識的。但如此特色，其實有可能與一般人相同。那麼，孔子雖不足使奇行之人驚惶，但何以可與凡俗有別？蟹江指出，因為孔子性格有另一個特色，即：「有優游自適而超世脫俗的傾向（優游自適超世脱俗の趣きあること）」，[109]如《論語．述而》：「子曰：『飯疏食飲水，曲肱而枕之，樂亦在其中矣。（後略）』」等。

（二）〈孔子の學說〉

其次，第二篇〈孔子的學說〉也由共十六章而成：

第一章　孔子學說的淵源
第二章　孔子的根本思想（其一）：道
第三章　孔子的根本思想（其二）：一貫之道
第四章　孔子的根本思想（其三）：中庸
第五章　孔子的根本思想（其四）：禮

---

108 蟹江義丸：《孔子研究（改版）》，頁403。原文：「孔子が比較的に軍備を重んぜざりしは、其の弊なしというふべからず。」

109 蟹江義丸：《孔子研究（改版）》，頁235。

第六章　孔子的根本思想（其五）：仁
第七章　孔子的倫理說（其一）：義務論
第八章　孔子的倫理說（其二）：孝悌論
第九章　孔子的倫理說（其三）：君子論
第十章　孔子的政治說（其一）：德治論
第十一章　孔子的政治說（其二）：禮樂論
第十二章　孔子的政治說（其三）：仁政論
第十三章　孔子的教育說
第十四章　孔子的人性論
第十五章　孔子晚年的思想
第十六章　《繫辭傳》中的孔子之世界觀

就內容可分為七個部分：（一）論孔子學說的淵源（第一章）；（二）論孔子的根本思想（自第二章至第六章）；（三）論孔子的倫理說（自第七章至第九章）；（四）論孔子的政治說（自第十章至第十二章）；（五）論孔子的教育說（第十三章）；（六）論孔子的人性論（第十四章）；（七）論孔子晚年的思想（第十五章與第十六章）。

首先，蟹江論孔子學說的淵源，依「祖述堯舜，憲章文武」（《禮記・中庸》）而認為：「孔子是紹述堯、舜、禹、湯、文、武、周公的事業，大成中國固有的教學。」[110] 孔子雖將堯、舜理想化為「超人間 Uebermenscb（蓋「Übermensch」之訛）」，以其時代為黃金時代，但是，因為堯、舜的事蹟、性格都不明，並孔子為魯人而重禮，因此蟹江認為，孔子尤其尊重制禮的周公為自己的理想、目標，盡力回覆其事業。

接著，蟹江依序探討孔子的根本思想：即「道」、「一貫之道」、「中庸」、「禮」和「仁」五種概念。眾所周知，《論語》有「予一以貫之」（〈衛靈公〉）與「吾道一以貫之」（〈里仁〉），學者古來對此兩句的解釋相不一致。但是，因為孔子所言的「學」（即「知」）不外是政治道德，並伊藤維禎以「吾道」為「我之所道」，理雅各也為「My doctrine」，所以蟹江則認為，「一以貫之」意謂「我的政治道德上之意見有所一貫」。[111]

那麼，「道」何指？朱熹《論語集註》有兩種解釋：一，「道，則人倫日用之間，所當行者，是也。」這是以「道」為「倫理的原理 EthischePrinzip」。二，「道者，事物當然之理。」此則為「世界原理 Welt Prinzip」。因為朱熹的哲學是由天人合一的思想而成，所以世界的原理不得不涵蓋倫理的世界。但是，就蟹江而言，孔子晚年始有哲學的

110 蟹江義丸：《孔子研究（改版）》，頁241。原文：「孔子は堯舜禹湯文武周公の事業を紹述して、支那固有の教學を大成せし人なり。」

111 蟹江義丸：《孔子研究（改版）》，頁248。原文：「其の政治道德上の意見に一貫する所あるをいへるなり。」

思想傾向，所以蟹江不同意朱熹以《論語》中的「道」為「世界原理」的見解。另外，荻生雙松在《辨道》云：「孔子之道，先王之道也。先王之道，安天下之道也。」此是以「道」為「政治的原理」，蟹江則認為荻生過重政治的面向。對蟹江而言，「孔子所謂之道者，可謂是倫理政治的原理 Ethiko=politisches Prinzip。」[112]並且「道」在其中含有種種社會組織及種種德目。

不過，蟹江認為，「道」並不單是種種德目、社會組織的集合（Aggregation），而是有組織、有系統的，所以孔子曰：「吾道一以貫之」。那麼，「一貫之道」何指？曾子曰：「夫子之道，忠恕而已。」（《論語・里仁》）漢唐、清朝及日本諸儒都認同。但是，蟹江對此懷疑，因為他認為「忠恕」二字無法涵蓋孔子倫理政治上的整體意見。就此，蟹江近於宋儒，但他也不能同意朱熹視「一貫之道」為「理」，全祖望（1705-1755）則視為「誠」。

於是，蟹江關注的是「中庸」。「中」代表「無過不及」、「不偏倚」，自堯、舜以來為倫理政治的原理，孔子學之。那麼，孔子為何不稱「中」，而稱「中庸」？「庸」有「可常行之德」之意（何晏），蟹江因此認為，「中庸」既代表特殊行為無過不及，亦表示作為行為淵源的性格有所一貫。換言之，孔子將「中」內面化（Verinnerlichen），而稱為「中庸」。不過，對蟹江而言，「中庸」僅是孔子所主張的倫理政治的一原理、一貫之道的一面向而已，他乃云：「中庸僅是一貫之道的形式，並非發揮其內容的。」[113]

那麼，「禮」如何？如上所述，孔子推崇周公，是因為周公制禮。孔子本人面臨了所謂的禮崩樂壞，也盡心研究「禮」。蟹江將孔子的「禮」分為三種意義：（一）制度的意義；（二）儀禮的意義；（三）作法（禮節）的意義，而認為：「蓋自中國古代至孔子的時代，將所有的維持社會組織的制度、儀式、禮節等總稱為禮。」[114]他並主張，孔子的「禮」雖然從外面的意義至內面的意義之過渡期，但是，孔子仍然較重「禮」維持社會組織的作用。依《書經》，舜與皐陶以抽象的「中」為諸德的標準，孔子則代之以具體的「禮」。換言之，孔子對形式的「中」加以其內容的「禮」。不過，「禮」也是孔子之道的一面向，並非其全體，因為「禮」主要屬於外面的。

最後，蟹江討論「仁」。如上所述，他在〈孔夫子の仁〉（原題〈孔子の仁〉）中，將孔子之「仁」分為五種：（一）利澤（仁澤或恩澤）；（二）重厚（仁厚），即與浮薄相反，代表篤實溫厚；（三）慈愛；（四）忠（敬恭）恕；（五）克己，而論述仁的原義是

---

112 蟹江義丸：《孔子研究（改版）》，頁252。原文：「孔子の所謂道とは、倫理政治の原理 Ethiko=politisches Prinzip と謂ふべきものなり。」

113 蟹江義丸：《孔子研究（改版）》，頁274。原文：「中庸は一貫の道の形式にして、未だ其內容を發揮せるものにあらず。」

114 蟹江義丸：《孔子研究（改版）》，頁281。原文：「蓋し支那の古代より孔子の時まで、制度、儀式、作法等凡そ社會の組織を維持する所のものを總稱して禮といひしなり。」

（三）慈愛。《孔子研究》承之，進而討論，孔子既不陷於平等的慈愛，也不偏於差別的慈愛，而主張「差等的慈愛」，此就是孔子所言「仁」的特質。在此點，蟹江對伊藤維禎所言的「慈愛之德，遠近內外，無所不至，之謂仁」（《語孟字義》）加以高度肯定。最後說：

> 據我所考，中庸、禮、仁雖然各是孔子一貫之道的一面向，但是，單從中庸、禮、仁各一方面而見之時，並不能盡其全體。中庸是一貫之道的形式，禮和仁是其質料。而禮屬於外面的，仁則屬於內面的。[115]

在此意義上，「禮是具體地表彰中庸，仁是將禮內面化 Verinnerlichen 的。」[116]此「仁」就係孔子所獨創。蟹江圖示孔子根本思想的架構如下：

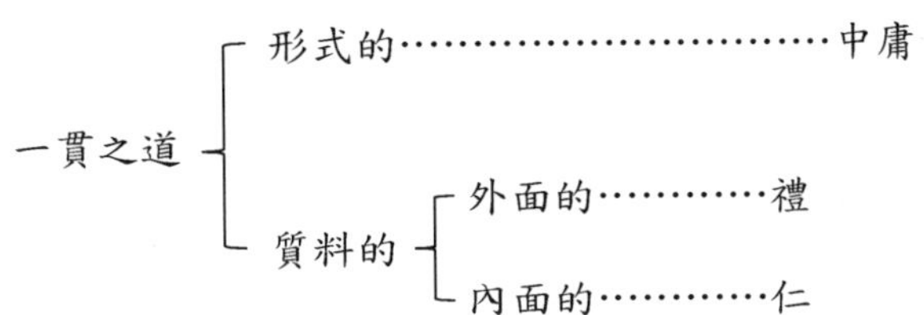

蟹江已在〈曾子の學に就きて〉中指出過：「孔子的學說雖甚為多端，其核心在禮與仁。禮是外面的，仁是內面的。禮與仁相成內外表裏，而構成孔子所謂的一貫之道。」[117]在《孔子研究》中申論之。蟹江因此認為，孔子的思想應從「中庸」、「禮」、「仁」三個方面加以討論，這可謂是蟹江《孔子研究》最大的特色。

次之，蟹江以如上所述的孔子根本思想的架構為基礎，分別討論孔子的倫理說（義務論、孝悌論、君子論）、政治說（德治論、禮樂論、仁政論）、教育說、人性論等。蟹江云：

> 觀看西方倫理學史，古代學者主要研究善，中世學者主要研究德，近世學者主要研究義務。然非兼治此三者，不能說是完全的倫理說。儒教教義兼備善論、德論

115 蟹江義丸：《孔子研究（改版）》，頁328。原文：「余の考ふる所によれば、中庸も禮も仁も共に孔子の一貫の道の一方面なれど、單に之を中庸、禮、仁の一方面より見るときは、其の全體を盡くせるものにあらず。中庸は一貫の道の形式にして、禮と仁とは其質料なり。就中禮は外面的にして、仁は內面的なり。」

116 蟹江義丸：《孔子研究（改版）》，頁330。原文：「禮は中庸を具體的に表彰せるものにして、仁は禮を內面化 Verinnerlichen せるものなればなり。」

117 蟹江義丸：〈曾子の學に就きて〉，頁877-878；〈曾子の學說〉，附錄，頁17。原文：「孔子の學說は甚だ多端なれど其の中心點は禮と仁とにあり。禮は外面的にして、仁は內面的なり。禮と仁とは內外表裏を相成して孔子の所謂一貫の道を構成す。」此時看似蟹江未意識到「中庸」的部分。

以及義務論。（中略）此可為儒教對東亞實踐道德多有貢獻的理由之一。[118]

於是蟹江研究，孔子建構儒教教義，建構到如何程度，並後世由何人之手，由如何程式而構成。換言之，從歷史的觀點探討孔子在儒教教義發展上的地位，這也是蟹江《孔子研究》特色之一。

例如：蟹江論義務論主要討論五倫說的歷史演變。蟹江認為，五倫說可溯源於孔子以前，因為《書經・堯典》有「五典」、「五教」之語。關於「五倫」，《孟子・滕文公上》云：「父子有親，君臣有義，夫婦有別，長幼有序，朋友有信。」《左傳・文公十八年》則云：「父誼，母慈，兄友，弟龔，子孝。」因為《左傳》說只不過規定家庭道德，而且未約束夫婦關係，所以蟹江主張，《左傳》說先於《孟子》說，而視之為孔子以前的五教。另外，《國語・齊語》載管仲之言：「為君不君，為臣不臣，亂之本也。」〈晉語〉又錄勃鞮之語：「事君不貳，是謂臣。好惡不易，是謂君。君君臣臣，是謂明訓。」清翟灝以「明訓」為「周先王之典訓」。因此，蟹江認為，孔子參照堯舜時代的五教與周初的典訓而構成「君君，臣臣，父父，子子」（《論語・顏淵》）。而後，五倫說經子思「君臣也，父子也，夫婦也，昆弟也，朋友之交也。五者，天下之達道也」（《中庸》），遂完備於《孟子》。孝悌論與君子論的部分，雖在內容上各與舊稿〈曾子の學に就きて〉與〈孔子の所謂君子に就きて〉有所共同，不過，亦與其他論政治說、教育說、人性之處相同，皆是由歷史的觀點討論孔子在儒教教義變化上的地位，至今仍有參考價值。

從前的儒者大都認為，孔子思想無所演變而中年的思想與晚年的思想相同（Identical），蟹江卻主張孔子思想在晚年有所「發展」，[119]這也是《孔子研究》很大的特色。如上所述，就蟹江的論點而言，孔子在中年之前總是優先或看重政治與道德於宗教與哲學。不過，孔子對「天」一直以極為敬虔的態度對待。在《論語》中，「天」是宇宙的主宰者，是以聰明的智慧與強大的意志來面對人類的，所以孔子信仰「天命」，蟹江認為，這是使孔子晚年到達天人合一思想的逕路。孔子又在周遊諸國時遇到隱者受到不少啟發，也是他歸魯後專心整理《詩》、《書》、禮、樂以傳道於後世的動力之一。

---

118 蟹江義丸：《孔子研究（改版）》，頁323-324。原文：「西洋の倫理學史を徵するに、古代の學者は主として善を研究し、中世の學者は主として德を研究し、近世の學者は主として義務を研究せり。然るに此等の三者を合せ研究するにあらずんば、完全なる倫理說といふこと能はず。儒教の教義には善論、德論、義務論共に備われり。（中略）其東亞の實踐道德に貢獻する所多かりし一理由ともなりぬべし。」

119 蟹江云：「由此可知，孔子晚年的確懷有宗教哲學的思想，但是，其不過是構成他政治道德的見解之基礎。換言之，孔子的思想自中年至晚年有所發展，但其並非變化（以て孔子が晚年に宗教哲學上の思想を抱懷する所ありとするも、そは其政治道德上の見解の根柢を構成せるに過ぎざることを知らん。換言すれば孔子の思想は、中年より晚年に至りて發展せしかど變化せしにあらざるなり）。」（旁點：蟹江）《孔子研究（改版）》，頁426。

那麼，孔子晚年的思想如何得知？孔子晚年起臥魯國時，魯哀公屢次問於孔子，其問答見於《荀子・哀公》、《禮記・哀公問》，《大戴禮》也有〈哀公問五義〉、〈哀公問於孔子〉及《孔子三朝記》(〈千乘〉、〈四代〉、〈虞戴德〉、〈誥志〉、〈小辨〉、〈用兵〉及〈少間〉）等，雖主要討論政治道德相關的問題，不過，也包括宗教哲學的意見，即是天人合一的思想。

此外，蟹江雖認同《繫辭傳》成於孔子以後的儒家之筆，卻認為其中保留孔子晚年的思想。就他而言，《繫辭傳》是以古代唯一的經驗的方法——即觀察法而蒐集宇宙之間的一切現象，對之加以全面地（Als Ganzes）、合理地解釋，以試圖構成天人合一的世界觀。[120]《繫辭傳》當然有陰、陽二原理，就此而言，《繫辭傳》的世界觀為「包有的二元論」；但其根本原理並非靜止的，而是活動的，稱之為「大極」，就此而言，《繫辭傳》持有一元的、活動的世界觀。並且蟹江指出，《繫辭傳》既立足於經驗主義、樸素的實在論，也有合理主義的傾向。因此，蟹江認為，孔子的世界觀，就其內容而言，是活動的；他的研究方法為經驗主義。

如上所述，《論語》的「天」是保有聰明識知與強大意志的宇宙之主宰者，即偉大的人格，與此不同，《繫辭傳》則視宇宙實在為活動的。蟹江如何解決兩者之間的矛盾呢？他試圖由孔子精神中的保守的要素與進步的要素加以說明。就蟹江而言，人類具有感情與識知，各為保守的要素與進步的要素，而云：「孔子在感情生活中將宇宙實在表現為人格的，在識知生活將其為非人格的。宗教主要基於感情；哲學則主要基於識知。由此亦可謂，孔子在宗教上稱天而將之為人格，在哲學上稱大極而為非人格。」[121]

蟹江最後論述儒、道二教的不同，以凸顯孔子思想的特色。第一，孔子的世界觀為一元的、活動的；《老子》的世界觀同樣也是一元的，但卻是消極的、靜止的，此點與孔子不同。第二，孔子是採合理主義，子思、宋儒邵雍（1011-1077）後襲之加以發展；《老子》則傾向於神秘主義。第三，孔子立腳於樸素的實在論，《老子》與《莊子》則探討過認識論的問題。

以上論述了蟹江《孔子研究》第二篇〈孔子的學說〉的主要內容，其特色可歸於以下三點：（一）蟹江將孔子的核心思想「一貫之道」分析為形式的部分與質料的部分，而形式的部分為「中庸」；質料的部分再分為外面的「禮」及內面的「仁」。「中庸」是

---

120 蟹江早在〈上代儒教の根本的思想の變遷〉中指出過：「孔子所謂的道，是廣泛地觀察現象界的事物後得到的宇宙法則，也為由類推法（Das Gesetz der Analogie）建立倫理原則的（孔子の所謂的道は、廣く現象界の事物を觀察して得たる宇宙の法則にして、類推法（Das Gesetz der Analogie）によりて倫理の原則を建立せしものなり）。」《哲學雜誌》第10卷第105號，頁870。

121 蟹江義丸：《孔子研究（改版）》，頁447。原文：「孔子は其感情的生活に於ては、宇宙の實在を人格的に寫象し、其識知的生活に於ては之を非人格的に寫象せしなり。宗教は主として感情に其基礎を有し、哲學は主として識知に其根柢を有す。されば又孔子は宗教的には天といひて之を人格とし、哲學的には大極といひて非人格とせしともいふことを得べし。」

將堯、舜時代的「中」內面化的，「禮」為具體地表彰其「中庸」，「仁」則是將「禮」內面化的。（二）蟹江從歷史的觀點，探討孔子在儒教教義發展上的地位。對他而言，孔子並非儒教教義的大成者，而只不過是悠久的儒教史中的歷史人物。（三）蟹江又認為，孔子思想在晚年有所發展，中年時以道德政治為主，到了晚年則趨向以哲學宗教為重，而發揮天人合一的思想，其痕跡見於《孔子三朝記》或《繫辭傳》等中。

（三）小結

關於蟹江學問整體的特色，可歸納以下三點：第一，嫌極端，好調和，故蟹江論西方哲學時試圖調和先天的觀念論與先天的實在論、動機論派和功利論派、道德的修養與美德修養等。並他原來有漢學的背景，但不拘泥孔孟儒學的立場；後來以西方哲學為基礎，卻也並未偏重西方研究的成果。第二，愛自由的精神，所以他注重快樂主義、本能主義，而批判嚴肅主義、禁欲主義。第三，強調心理學、社會學的重要性。

至於此點，蟹江《孔子研究》亦然，例如：蟹江在《孔子研究》中關注孔子「中庸」的思想和「圓滿」的性格，也批判朱熹的形上詮釋與荻生雙松的政治詮釋，一方面是因為他高度肯定不偏不黨的態度而摒棄極端的見解、主義，另一方面也是因為他不認同嚴肅主義、禁欲主義的思考。此外，蟹江將孔子生活分為「知、情、意」，是應用心理學於孔子研究的成果。然而《孔子研究》不僅如此。桑木嚴翼曾指出過，蟹江的研究出發於對自己的疑問，演變為思考一般人生或哲學原理的哲學研究，接著轉為倫理道德的研究，最後尤其關注東方倫理學的方面，就此開始「歷史性研究」，蟹江《孔子研究》就是其重要成果。[122]並且，蟹江對儒教的態度非以儒教為標準取捨其他學說，而是立足於他的學說選擇儒教的長處。因此，蟹江在《孔子研究》中，將以穩健、合理的態度判斷各種資料的是非，而從歷史的觀點超越諸家過去的註釋，以解構孔子的聖性。孔子在蟹江《孔子研究》中，雖是偉大的教育家或哲學家，已不再是「聖人」。

四　蟹江《孔子研究》在日本明治《論語》學中的地位

以上論述了蟹江義丸的生平、著作及《孔子研究》的內容，接著探討《孔子研究》在明治《論語》學中的地位。

管見所及，自明治初年至蟹江生前（1868-1904）的《論語》研究，大部分依然是以註釋為主展開，例如小永井嶽（小舟，1829-1888）《論語講義》、[123]有井範平（進

122 請參桑木嚴翼：〈蟹江君を憶ふ〉，頁6-10；〈故蟹江君を憶ふ〉，頁500-504。

123 小永井小舟：《論語講義》（東京府：法樹書屋，1884年5月）。

齋，1830-1889）《論語論文》、[124]川窪永康（予章，1834-1909）《論語經註講義》、[125]藤井三郎（教嚴，1857-1907）《論語新解》、[126]岡松辰（甕谷，1820-1895）《紹成講義（論語部）》、[127]佐藤宇吉（志在）《論語講義：偉論卓說集而大成》、[128]田村看山（生卒年未詳）編《艮齋先生論語講說》、[129]稻垣真久章（生卒年未詳）《論語、孟子講義》、[130]內藤正直（恥叟，1827-1903）《四書講義》、[131]藤澤恆（南嶽，1842-1920）《論語彙纂》、[132]花輪時之輔（生卒年未詳）《論語講義》、[133]米良倉（東嶠，1811-1871）《論語纂註》、[134]久保得二（天隨，1875-1934）《四書新釋（論語）》、[135]齋藤清之丞（生卒年未詳）《訓譯論語》[136]以及山本章夫（愚溪，1827-1903）《論語補註》[137]等。

不過，明治二十（1887）年代開始有新的動向，如谷鐵臣（太湖，1822-1905）《論語類編心解》、[138]松田東（生卒年未詳）《論語類編》、[139]青木晦（梧陰、生卒年未詳）《中等教科：論語提要》[140]等，皆對《論語》的篇章加以重新分類、排列，以便青年

124 有井進齋：《論語論文》（東京府：丸善商社等，1885年1月）。

125 川窪予章：《論語經註講義》，初篇卷1（神戶市：淳古書室，1885年5月）。

126 藤井教嚴：《論語新解》（東京府：明治義塾，1885年10月）。

127 岡松甕谷：《紹成講義（論語部）》，第1集（東京府：岡松甕谷，1886年2月）；第2集（東京府：岡松甕谷，1886年3月）；第3集（東京府：岡松甕谷，1886年3月）；第4集（東京府：岡松甕谷，1886年4月）；第5集（東京府：岡松甕谷，1886年5月），後為岡松甕谷：《論語講義》（東京市：明治講學會，《尋常師範學科講義錄》，1894年）。

128 佐藤志在：《論語講義：偉論卓說集而大成》，卷1（上高井郡：斌斌學會，1886年6月）；卷2（上高井郡：斌斌學會，1886年8月）。

129 田村看山（編）：《艮齋先生論語講說》（田村看山，1888年）。

130 稻垣真久章：《論語、孟子講義》（東京市：興文社，《少年叢書漢文學講義》第5編，1891年12月）。

131 內藤耻叟：《四書講義》，上卷（《大學》、《中庸》、《論語》）（東京市：博文館，《支那文學全書》第1編，1892年6月）。

132 藤澤南嶽：《論語彙纂》（大阪市：泊園書院，1892年5月）。

133 花輪時之輔（述）、深井鑑一郎（編）：《論語講義》（東京市：誠之堂書店，1893年5月）。

134 米良東嶠：《論語纂註》（京都市：村上書店，1901年10月）。

135 久保天隨：《四書新釋（論語）》，卷上（東京市：博文館，1902年1月）；卷下（東京市：博文館，1902年4月）。

136 齋藤清之丞：《訓譯論語》（名古屋市：金華堂書店，1903年4月）。

137 山本章夫：《論語補註》（京都市：山本讀書室，1903年6月）。

138 谷鐵臣：《論語類編心解》（京都市：文石堂，1891年3月）。此書將《論語》篇章分為「教學」、「言行」、「孝弟」、「仁智」、「道德」、「信義」、「禮樂」、「喪祭」、「政事」、「士君子」、「朋友」、「君臣」、「孔子歷游」、「時事」、「時人」、「古人」、「諸弟子」及「孔子行狀」共十八篇。

139 松田東：《論語類編》（東京市：吉川半七，1898年3月）。此書將《論語》篇章分於「修身」、「治人」、「前言往行」、「門人」與「孔子」五編中。

140 青木梧陰：《中等教科：論語提要》（東京市：青木寬吉，1898年4月）。此書將《論語》篇章分為「總論」、「教學」、「明倫」、「修己」、「修德」及「士道」。

讀者參考。谷〈論語類編心解凡例〉云：「《論語》，本非一人所撰，則病編次無序久矣。今敢改編分類，以便讀者。雖自知僭妄，所鼇忠於孔子矣。」青木〈論語提要緒言〉亦述：「其書（筆者注：指《論語》）之為體，類後世所謂語錄，篇次無倫，講習尤為不便，識者憾焉。餘於是乎，自忘僭踰之罪，輯錄緊要於道德者二百四十餘章，以類分之，亦略次第，釐為二卷，因名曰《論語提要》，欲以為聖敎之翼也。」[141]因為「聖人之道，存乎《論語》矣」（青木），所以他們針對改編《論語》這種行為感到「僭妄」、「僭踰之罪」。但是，即使犯了「僭踰之罪」，他們亦為了「使童蒙夙辨忠孝之道，併知有悔過」（穀）、「講習」（青木）之便而改編分類《論語》的篇章。他們的著作雖僅是「改編分類」，但此處可見不僅西方學者，儒者也擁有針對《論語》聖性的動搖，值得留意。

另外，同時人士陸續出版了研究孔子為人的成果：如山田喜之助（奠南，1859-1913）《孔教論》、[142]赤沼金三郎（1865-1900）纂譯《孔夫子》、[143]福地源一郎（櫻癡，1841-1906）《孔夫子》[144]等。山田是律師，曾參與過民法典論爭，後當選為眾議院議員；赤沼雖當出版此書時是軍人，後為志於比較倫理學的學者；福地亦是與福澤諭吉（1835-1901）被並稱為「天下之雙福」的知識分子。對他們而言，孔子已非聖人，如山田明確地表述：「假如有人崇拜孔子，甚至視之為如神佛同，蓋是錯誤甚者也。孔子僅是人而已，其可尊敬之處也僅在其為人而已。」[145]福地亦一方面承認：「孔子並非如後世漢學者所妄想的唯物斷見之人，而可謂實是將有神的宗教心藏在倫理哲學的根底的聖人」，[146]但另一方面激烈批評孔子身為政治家的手腕。這種言論顯示，不僅《論語》，孔子的聖性亦成為他們所解構的對象。換言之，對當時接觸過西方學問的知識分子而言，孔子不再是崇拜的對象，而逐漸成為研究的對象，故某人指出：「過去學者似從未論述孔子之為人」[147]而高度肯定山田《孔教論》分別論述「孔子之為人」和「孔教之性質」。既然如此，孔子人生也有變化，福地視《論語．述而》「加我數年，五十以

141 青木晦：〈論語提要緒言〉，《論語提要》。

142 山田喜之助：《孔教論》（東京市：博文館，1890年10月）。

143 赤沼金三郎（纂譯）：《孔夫子》（東京市：上原書店，1893年6月）。如譯者所述，因為此書的目的是論述西方哲學者與宗教家如何觀察或評論孔子，所以此書全然是翻譯西方人的書，毫無包含赤沼的見解。

144 福地源一郎：《孔夫子》（東京市：野村宗十郎，1898年11月）。

145 山田喜之助：《孔教論》，頁4-5。原文：「孔子ヲ崇拝スルノ餘リ、之ヲ神佛視スルカ如キモノアラハ、蓋シ誤レルノ甚シキ者ナリ、孔子ハ人ノミ、其尊敬スヘキモ、亦只人タルニアルノミ、」

146 福地源一郎：《孔夫子》，頁11。原文：「孔子は後世の漢學者が妄想せる如き、唯物斷見の人には在さずして、實は有神の宗教心を倫理哲學の奥底に藏せられたる聖人なりと謂ふべき乎、」

147 作者未詳：〈出版月評批評〉，山田喜之助：《孔教論》，頁73。原文：「實際從來の學者孔子の人と為りを論したるものなきが如し、」

學《易》，可以無大過矣」句為孔子表達「後悔甚晚認識既往之非（既往の非を知るの遲かりしを懺悔し玉ひたる）」之意，而認為：孔子下了退隱的決心時，就是「從來的理想政治學者一舉成為大教主大法王孔夫子如來之時」，[148]其宗教哲理見於《易》與《繫辭傳》中。

那麼，當時知識分子特為關注孔子為人的何種方面？一是教育方面，遠藤秀三郎（生卒年未詳）《教育家としての孔夫子》、[149]赤沼金三郎《孔夫子》與亙理章三郎（1873-1946）《孔門之德育》[150]屬於此。遠藤所著，論述身為教育家的孔子而探討其教育主義、教育法、教授法及孔門學科等；赤沼譯書，主要是纂譯西方人談論孔子的德育、宗教相關問題；亙理所論，也試圖釐清孔子身為德育家的資格、孔門師弟、德育的目的與分類、教材與教場及其結果。另一則是倫理思想方面，松村正一（蓬麻，1874-1951）《孔子の學說》[151]則係之。松村所著，將「東洋倫理的大本」分為「形而上學」與「倫理說」，而依據「近世的科學」而進行知的研究。

另外，山田喜之助云：

> 西學東漸以來，學者專講授歐西的理學，將之直接運用於哲學，或以為儒教迂遠，不足以修，僅有彼國哲學諸流，可折玄闡幽，也能安慰士人之心；耶穌諸派，卑近而易守，足以化頑民。嗚呼，果然乎？[152]

松村正一〈自序〉也云：

> 倫理研究雖逐日愈盛，但多溺於西方主義，反之抹殺東方的根本說。（中略）蓋東西隨著其人種、其生活不同，彼此之間各有不同的道德法，故今日以進步的西方的知識研究東方的學理，將來組織完全的倫理說上，豈其俾益鮮少乎？今論述西方倫理之書雖然甚多，但解說東方倫理之書則不免於索莫。或者有之，很遺憾其書只不過是網羅概括諸家之說，而未論述一個人的學說。[153]

---

148 福地源一郎：《孔夫子》，頁28。原文：「從來の理想政治學者が、一躍して大教主大法王孔夫子如來と成らせ玉ひける時なり、」

149 遠藤秀三郎（自譯）：《教育家としての孔夫子》（東京市：大日本圖書，1893年5月）。

150 亙理章三郎：《孔門之德育》（東京市：開發社，1901年7月）。

151 松村正一：《孔子の學說》（東京市：育成會，1902年9月）。

152 山田喜之助：《孔教論》，頁17。原文：「西學東漸以來、學者專ラ歐西ノ理學ヲ講シ、儘々哲學ニ及ボシ、或ハ謂ラク、儒教迂遠ニシテ修ムルニ足ラス、只タ彼國哲學諸流、玄ヲ折シ幽ヲ闡シ、士人ノ心ヲ慰ムヘク、耶教諸派、卑近ニシテ守リ易ク、足以化頑民ヲ化スルニ足ルト、嗚呼果テ然ル乎、」

153 松村正一：〈自序〉，《孔子の學說》，頁1。原文：「倫理の研究は日を逐ひて愈盛なれども、多くは西洋主義に溺れ、却て東洋の根本說を一抹す、（中略）思ふに西東其人種と其生活の異なれるに順ひて、彼此の間には各其道德法を異にするが故に、今日にては進步的なる彼智識を採り來

日本自明治維新以來一直推動歐化運動，但在甲午戰爭前後一方面依然吸收西方文化，另一方面已開始重新評估東方文化。山田與松村的言論中都可見針對明治前期過重西方學問的反省，此點不可忽略。

如此看來，蟹江義丸《孔子研究》並非新奇的：如《孔子研究》分為〈孔子的事蹟〉與〈孔子的學說〉二部分，而先釐清孔子的生平與性格，再探討孔子的思想，與山田喜之助《孔教論》有所共同；並且蟹江在孔子晚年的思想上看出一種「發展」而注重《繫辭傳》，亦相同於福地源一郎《孔夫子》；蟹江也留意到孔子的「感化力」與教育說，[154]不過，身為倫理學者的他更加費盡心思的仍是倫理思想的研究，故《孔子研究》將孔子的倫理說分為「義務論」、「孝悌論」與「君子論」加以討論；已上所述，蟹江在一九〇三年的《倫理叢話・序》中提到明治維新以來偏重西方文明的侷限，《孔子研究》的用意亦應在此，假使如此，可謂是與山田、松村的立場不異。筆者認為，蟹江《孔子研究》受山田、赤沼、福地、亙理等論著所啟發並不少。[155]

特別要注意的是，蟹江《孔子研究》與大西祝（操山，1864-1900）〈孔子の教〉[156]的關係。大西，同志社英學校畢業後轉入東京大學予備門，明治二十二年（1889）畢業於帝國大學文科大學哲學科，二年後任教於東京專門學校。明治三十一年（1898）留學於德國時損害健康，回國後為了籌備設立京都帝國大學文科大學赴京都，不幸溘逝。

大西〈孔子の教〉主要討論孔子的政治說、道德說及宗教說。首先，大西雖承認孔子的政治說有所迂遠，但高度肯定其主張執權者修身之必要，因為他認為除非孔孟仁義之教，始能控制君主的暴威。接著，他指出，其政治說基於五倫之教，尤其是孝悌，不過，其孝貞並沒有中國後代人所述那麼苛刻。並且大西一方面認為，孔子談論德行時不認同「偏頗奇異的行為」而注重「眾德百行的調和」、「庸無過不及」，另一方面也注意到孔子最為重視仁、義、禮、知的四德，或者知、仁、勇的三德，他特別加注說：「(孔子）將德行分為此三種（筆者注：知、仁、勇），與今日西方心理學者將心的作用分為知、情、意三種有所相應」。[157]此外，大西論「一以貫之」云：「仁止於統攝眾德之

りて、此學理を研究せば、將來完全なる倫理說を組織する上に於て、其俾益豈鮮しとせんや、今其れ西洋の倫理を論述せるの書は甚だ多しと雖も、東方の倫理を解說するの書は則ち索莫たるを免れず、或は之ありとするも、諸家の說を網羅概括したるものにして、未だ一個人の學說を論述する者あらざるの遺憾あり、」

154 請參蟹江義丸：《孔子研究（改版）》，頁238-240以及頁403-412。

155 蟹江〈孔子關係書類〉著錄了山田、赤沼、福地、亙理的著作，不過未收錄松村所著。

156 大西祝：〈孔子の教〉，《六合雜誌》第80號（1887年8月），頁300-313，後改為〈孔子教〉，收於《大西博士全集》，第5卷（東京市：警醒社，1904年5月），頁330-349。

157 大西祝：〈孔子教〉，《大西博士全集》，第5卷，頁336。原文：「德行を此三種に分ちたるは此の頃西洋の心理學者が心の作用をば知情意の三つに分別すると相應ずる所あり」。

名，並非指貫通眾德之一者」（旁點：大西）。[158]就大西而言，孔子的道德說雖不僅在學理上有所不足，在濟世上也缺乏實力，但是，其所述的德行值得參考，故成為二千年間的中國和日本道德之師。對於孔子的宗教說，大西一方面承認中國思想到了孔子時即一轉傾向於懷疑論，另一方面指出孔子信而尊敬「宇宙間所存在之人無法取名的一（宇宙間に人のよく名づけ能はざる一の者）」，即指孔子所謂的「天」。最後，大西也留意到：「孔子在世帶領三千弟子，死後則支配中國後世，其感化力之所由，主要在其品格。」[159]由此可以發現，大西〈孔子の教〉與蟹江《孔子研究》的論點多有共同之處。目前沒有明確證據蟹江有無參閱大西所論，但是，蟹江生前與大西的高足綱島榮一郎來往，並且他本人亦任教於東京專門學校，筆者因而推測蟹江應讀過大西〈孔子の教〉，受其影響頗大。

雖是如此，蟹江《孔子研究》卻並未輕視傳統漢學對《論語》研究的成果。卷末〈孔子關係書類〉著錄一三五種近代以前中國人的註釋書，也收錄了52種日本人的註釋，尤其針對中井積德（履軒，1732-1817）《七經彫題略》、太田保《論語說》、伊藤維禎《論語古義》、荻生雙松《論語徵》、太宰純（春臺，1680-1747）《論語古訓》與《論語古訓外傳》、龜井魯（南冥，1743-1814）《論語語由》、龜井昱（昭陽，1773-1836）《語由述志》、宇野鼎（明霞，1698-1745）《論語考》、塚田虎（大峯，1745-1832）《塚注論語》和《論語群疑考》、片山世璠（兼山，1730-1782）《論語一貫》以及大田元貞（錦城，1765-1825）《論語大疏》附上長文解說。蟹江透過《日本倫理彙編》的編輯，接觸到德川日本的《論語》研究，並且深入瞭解其內容。

如此，蟹江《孔子研究》位於傳統漢學與新漢學的交接點，就此意義上，誠如貝塚茂樹之評語：「和漢研究（孔子）的集大成」。然而，其研究方法與角度，皆仍是從蟹江西方、當代，尤其是德國哲學及倫理學研究的延伸，此點不可忽略。

綱島榮一郎在蟹江死後的明治三十七年（1904）十一月發表了〈孔子の倫理思想を論ず〉，[160]從個人方面與社會方面而論孔子倫理思想的一文。綱島將「仁」解釋為西方倫理學者所謂的「完成」，並視「君子」為「仁」的「人格的標現」，「禮」則為其「社會的表現」。就綱島而言，廣義的「仁」是諸德統一的原理；狹義的「仁」則代表「仁愛」，而認為孔子在理想上以平等愛為目標，在實踐上則看中「差別愛」。他另指出，任何人為了實現「仁」務必遵守的方法就是「忠恕」，因此孔子稱之為「一貫之道」。可見

158 大西祝：〈孔子教〉，《大西博士全集》，第5卷，頁340。原文：「仁は眾德を統ぶるの名に止どまりて眾德を貫く一の者を指して謂ふにはあらず」。

159 大西祝：〈孔子教〉，《大西博士全集》，第5卷，頁348。原文：「孔子世に在りて三千の弟子を率ゐ、死して支那の後世を支配せり其感化力の由る所、主として其品格にあり」。

160 綱島梁川：〈孔子の倫理思想を論ず〉，收於《梁川文集》（東京市：日高有鄰堂，1905年7月），頁315-354。

綱島針對「仁」、「一貫之道」的解釋，與蟹江《孔子研究》完全不同。不過，綱島後文中注意到孔子的「中庸」與「禮」，將「中庸」為「仁成為最適合於個別、特殊場合之形式的德」；孔子的「禮」則「作為內的原理含有仁，總是支持、潤澤仁」（旁點：筆者），此可謂是蟹江《孔子研究》主張的發揮。此外，綱島既看重孔子有經驗主義，又認同孔子的倫理思想注重調和圓滿等，已上所述，亦是與蟹江同脈。

蜷川竜夫（1876-1941）《孔夫子傳》[161]也是與明治三十七年十一月出版的。其內容首先討論孔子以前的情況，再者論述孔子的生平，其次為孔子的思想，接下來是孔子的後繼，接著是評論孔子的人格、實踐的態度、思想，最後則為有關孔子謚號等的攷證。井上哲次郎〈孔夫子傳序〉云：與蟹江《孔子研究》相比，「蜷川學士的《孔夫子傳》比較平易，似多適當於普通的講讀者。初學者先一讀此書，略觀察孔子的學、行如何，他日再進而精讀《孔子研究》，就庶幾認識孔子的事蹟與學問。」[162]蜷川也與蟹江同，是井上的學生，也是由「科學研究法」（遠藤隆吉〈序〉）探討孔子之言行的。可以說是蟹江《孔子研究》的姊妹篇。

明治晚年有白河次郎（鯉洋，1874-1919）《孔子》[163]與遠藤隆吉（1874-1946）《孔子傳》[164]等，紙幅有限，本文已無法深入討論。不過，白河論孔子的人格為「完全的尋常人」，並注重孔子思想中的「中庸」、「禮」與「仁」等；遠藤也在〈序〉中云：「孔子人格近圓滿，其思想頗為豐富，（中略）以今觀之，孔子亦中國人，特別是週末之人。（中略）本書雖題稱《孔子傳》，主要論述的是其人格與思想。」（旁點：筆者）[165]兩者論述似與蟹江有共同之處，詳細待考。

總而言之，蟹江《孔子研究》是以近代倫理學者的觀點，一方面參考清朝考證學家與德川日本漢學家的見解，另一方面繼承大西祝等明治中期的孔子研究。就此點而言，《孔子研究》即是一九〇〇年前的中、日、西《論語》研究的「集大成」。綱島榮一郎與蜷川竜夫的成果，雖然不可說是受蟹江影響的，但至少可以說是與《孔子研究》同樣的歷史脈絡下撰寫的，當研究蟹江《孔子研究》時可互相參考。而由白河次郎與遠藤隆吉的論著可知，《孔子研究》後來成為開拓明治晚年孔子研究的一種範本。因此，蟹江

---

161 蜷川竜夫：《孔夫子傳》（東京市：文明堂，1904年11月）。

162 井上哲次郎：〈孔夫子傳序〉，蜷川竜夫：《孔夫子傳》，頁3-4。原文：「蜷川學士の「孔夫子傳」の如きは比較的平易にして、普通の講讀者に適する所多きが如し、初學の人、先づ此書を一讀して、孔子の學行いかんを瞥見し、他日更に進んで「孔子研究」を精讀せば、孔子の事蹟と學問とを認識するに庶幾からんか、」

163 白河鯉洋：《孔子》（東京市：東亞堂書房，1910年11月）。

164 遠藤隆吉：《孔子傳》（東京市：丙午出版社，1910年11月）。

165 遠藤隆吉：〈序〉，《孔子傳》，頁1-2。原文：「孔子の人格の圓滿に近く、其思想の豐富なる、（中略）今を以て之を觀れば、孔子も亦支那人なり、殊に周末の人なり。（中略）本書題して孔子傳と稱すと雖も、主とする所は其人格と思想とに在り。」

《孔子研究》雖非純粹地研究《論語》這一經典，但在明治孔子或《論語》研究中的位置相當重要。

五　結論

以上探討蟹江義丸的生平與著作、他的代表作品《孔子研究》的內容以及其在明治《論語》學中的地位。中島德藏（1864-1940）〈《孔子研究》を評す〉[166]將研究孔子時的理想方法分為如下：

(a) 孔子的時代：此是總稱產生孔子的社會情態的研究，也含有影響於孔子的諸感化等。

(b) 孔子的事歷（孔子外面史）：此是歷史的比較研究。

(c) 孔子的教說（孔子內面史）：此包括以下：

(1) 當研究孔子的語言時所需要之訓詁考證。

(2) 由當時一般思想界的關係而考定。

(3) 後世關於孔子教說的言論的考定。

(d) 孔子的人物（孔子真面目）：此是由內、外各方面而歸納之孔子的全景。

而評蟹江《孔子研究》為：蟹江未探討（a），但關於（b），可以與《皇清經解》中的學者頡頏，也得以與片山世璠、太田元貞等較量。有關（c），在論述上缺少系統性、組織性，所以（2）有不足之處，但是，（1）與（3）頗為成功，故云：其「在出現於明治時代的孔子研究中，確是包含有見識力量的觀察斷案。」[167]最後關於（d），因為中島認為考定人物應在檢討學說之後，所以批評蟹江《孔子研究》將〈孔子的事蹟〉在前而〈孔子的學說〉在後。除此之外，中島在此書評中詳細討論《孔子研究》的問題，例如：蟹江論孔子，在事蹟與教說之間有矛盾之處等。

此外，貝塚茂樹曾指出：「蟹江博士的著述雖是精心傑作，但畢竟是因為四十餘年前的出版，很遺憾落後於其後學界的進步。」「其學術上的價值至今也不變。但是如上所述，仍有缺點：因為未含有最近的研究，並直接引用漢文而其表現屬古風，導致現代讀者難讀。」[168]貝塚所言的「最近的研究」，應指所謂的「支那學」等之原典批判的成

166 中島德藏：〈《孔子研究》を評す〉，原分載於《丁酉倫理會倫理講演集》第33輯，頁75-91及第34輯（1905年7月），頁56-87，後收於《孔子研究（改版）》（大空社版）書後，參考資料。

167 中島德藏：〈《孔子研究》を評す〉，《孔子研究（改版）》（大空社），參考資料，頁5。原文：「明治時代に現はれたる孔子研究の中にて、確かに見識力量ある觀察斷案を含有せり。」

168 貝塚茂樹：《孔子》，頁206及頁208；貝塚茂樹：《貝塚茂樹著作集》，第9卷，頁138及頁139。原文：「蟹江博士の著述は力作ではあるが、なにぶん四十餘年前の出版であるから、その後におけ

果，尤其武內義雄（1886-1966）《易と中庸の研究》發表於昭和十八年（1943），[169]主張《中庸》後半與《繫辭傳》成書於秦代。《中庸》、《繫辭傳》與《孔子三朝記》在蟹江《孔子研究》中佔有關鍵性地位，中島德藏與山路彌吉兩人實早從史料批判的立場而激烈批評蟹江《孔子研究》，其原因之一就在《孔子研究》所所用的材料，包括《中庸》與《繫辭傳》。因而隨著原典批判的氣氛在日本學界中愈益濃厚，蟹江《孔子研究》就逐漸被遺忘。然而，近年有許多出土文獻證明蟹江所注重的《中庸》、《孔子三朝記》等之思想可溯源於戰國初年。假使如此，我們應重新評價蟹江《孔子研究》在孔子研究上的意義。

論述內容雖有不少問題，但蟹江《孔子研究》確實是在明治時代中期，尤其自甲午戰爭後至日俄戰爭（1904）前的代表作品。蟹江主張孔子應是由「仁」、「禮」、「中庸」三個方面而研究，筆者認為，此是反映當時思想界的情況。日本哲學家和辻哲郎（1889-1960）認為，日本思想界在甲午戰爭（1894）前後不同，前者是實證主義；後者則為理想主義。[170]並且，日本自明治維新以來一直推動歐化運動，但甲午戰爭之後一方面仍然吸收西方文化，另一方面開始重新評估東方文化。蟹江的學問與《孔子研究》，可以說是濃厚反映這時代的氣氛。不僅「仁」，蟹江特別留意「禮」和「中庸」，是因為「禮」當時是相對於西方的「法」，作為代表東方的概念，受到許多人士的注目，可謂是東亞崛起的象徵；蟹江強調「中庸」則可認為是基於他本人不認同偏頗而注重調和的思想，他位於當時思想界的西方主義與東方主義、先天的觀念論與先天的實在論、動機論派和功利論派、道德的修養與美的修養之對立中，欲以保持「中庸」的立場。就此點而言，《孔子研究》的孔子，可謂是代表蟹江本人的思想。的確，他在《孔子研究》中所描述的孔子，是沒落貴族，重視調和與圓滿，卻擁有勇氣，誠如蟹江本人。我們透過蟹江義丸《孔子研究》，可以知道明治中期思想界的一面，也可以認識蟹江義丸本人的為人。蟹江《孔子研究》不僅在孔子和《論語》研究上，在日本明治思想的研究上也頗有參考價值。

る學界の進步から取り殘された遺憾がある。」「その學術的な價值は、今でも決して落ちない。しかし前にいったように最近の研究が抜けているのと、漢文をそのままで引用し、その表現が古風であるため、現代の讀者には讀みづらい缺點をもっている。」

169 武內義雄：《易と中庸の研究》（東京市：岩波書店，1943年6月），後收於武內義雄：《武內義雄全集》，第3卷（東京都：岩波書店，1979年1月），頁7-212。

170 請參和辻哲郎：《日本倫理思想史（下）》（東京都：岩波書店，1952年12月），《和辻哲郎全集》，第13卷（東京都：岩波書店，1962年11月），頁448；或《日本倫理思想史（四）》（東京都：岩波書店，2012年2月），頁316。

附錄　蟹江義丸略年譜

明治5年（1872）	3月	生於富山市鹿島町
		富山市啟迪小學校入學
明治18年（1885）	6月	富山縣中學校入學
明治23年（1890）		第四高等中學校入學
明治24年（1891）		轉入東京第一高等中學校一部
明治26年（1893）		帝國大學文科大學國史科入學
明治27年（1894）		帝國大學文科大學哲學科入學
明治28年（1895）	11月	〈上代儒教の根本的思想の變遷（1）〉
	12月	〈上代儒教の根本的思想の變遷（2）〉
明治29年（1896）	3月	〈上代儒教の根本的思想の變遷（3）〉
明治29年（1896）		父曦逝世
明治30年（1897）	4月	〈荀子の學を論ず（1）〉
	5月	〈荀子の學を論ず（2）〉、〈荀子の學を論ず（3）〉
	6月	喀血
	7月	大學畢業
		一年餘靜養於京都
		其間任教於真宗大學（哲學）
		〈韓圖道德純粹理學梗概〉
	9月	〈墨子の學術（1）〉
	10月	〈墨子の學術（2）〉
	11月	〈墨子の學術（3）〉
	12月	〈墨子の學術（4）〉
明治31年（1898）		東京帝國大學大學院進學
		任教於東京專門學校、淨土宗學東京支校（哲學）
		與山崎操結婚
	7月	〈韓圖の哲學（1）〉
	8月	〈韓圖の哲學（2）〉
	9月	〈韓圖の哲學（3）〉
	10月	〈韓圖の哲學（4）〉
明治32年（1899）	2月	《倫理學》出版
		〈韓圖の「超絕的方法論」梗概（續）〉
	3月	〈韓圖の「超絕的方法論」梗概（接前）〉

	8月	《西洋哲學史》出版
	9月	高等師範學校講師
	10月	〈倫理修養運動に關する希望〉
	11月	〈德の分類につきて〉
	12月	〈我等の希望〉
明治33年（1900）	1月	〈自然律と人事律の關係〉
	7月	高等師範學校教授
	6月	〈學術史・哲學〉
	8月	《パウルゼン氏倫理學》出版
	10月	〈木村鷹太郎氏著「東洋倫理學史」上卷を評す（1）〉、〈ヘーゲル〉
	11月	〈木村鷹太郎氏著「東洋倫理學史」上卷を評す（2）〉、〈ヘーゲル（承前）〉
	12月	〈ヘーゲルの哲學（承前）〉
明治34年（1901）	1月	《カント氏倫理學》出版
	3月	〈禮法に就て〉
	5月	《日本倫理彙編——陽明學派の部（上）》卷1出版
	6月	《ヴント氏倫理學》出版
		〈人生の危機〉
	8月	《日本倫理彙編——陽明學派の部（中）》卷2出版
	11月	《日本倫理彙編——陽明學派の部（下）》卷3出版
		〈曾子の學に就きて〉
	12月	《日本倫理彙編——古學派の部（中）》卷5出版
明治35年（1902）	1月	〈理想の發展につきて（義理と人情）〉
	2月	《倫理學講義》出版
	5月	《日本倫理彙編——古學派の部（上）》卷4出版
	6月	《日本倫理彙編——古學派の部（下）》卷6出版
	8月	《日本倫理彙編——朱子學派の部（上）》卷7出版
	10月	《日本倫理彙編——朱子學派の部（下）》卷8出版
明治36年（1903）	1月	《日本倫理彙編——折衷學派の部》卷9出版
		〈孔子の所謂君子に就きて〉
	2月	〈人生の危機〉、〈道學先生とは何ぞや〉
	4月	《倫理叢話》出版
		〈伊庭想太郎氏に對する道德的判斷〉

	6月	《日本倫理彙編——獨立學派の部》卷10出版
	7月	文學博士 〈藤村操の死について〉
	8月	〈孔子の仁〉演講 〈荀子學說の心理的基礎に就きて〉、〈「夕霧阿波の鳴渡」に就て〉
	9月	〈夏季講習會につきて〉
	11月	〈梅ヶ谷に與ふる書〉
	12月	靜養於靜岡縣沼津 〈孔子の仁に就いて〉
明治37年（1904）	1月	〈學窗餘談〉
	5月	《倫理學大系》出版
	6月	19日下午10時病歿享年33 「講學院殿勤勇不退居士」
	7月	《孔子研究》出版

正祖的孟子學
——從經筵與經學的視角出發

咸泳大
成均館大學東亞學術院研究教授

提要

這項研究的目的是檢查正祖之孟子研究的解釋。經筵是一個國王和臣民聚集在一起討論慶祝場合的地方，同時審查國家事務中的未決問題。簡而言之，它是討論研究和國家事務的重要場所。

讓我們來看看經筵的歷史。在中國，大部分都是為了實現國王的想法而開發的。受試者的影響在改變或轉移國王的意圖方面是非常有限的。

在朝鮮，像世宗，成宗，中宗，英祖或真茹這樣熱愛學習的國王聽取了他們所說的話：然而，這幾乎是國王願意決定經筵的主題並運作它們的問題。

關於正祖，你可以從他的代表性書籍之一「經史講義」中清楚地看到它，經筵不是一個聽取主題意見的地方，而是一個教授和學習這些主題的地方。

正祖在學術上收集了彼此非常不同的主題，並打算通過拋出廣泛的尖銳問題來教導他們。通過這個過程，他的意思是建立他作為君師的地位，並讓受試者不斷地知道它。

他對孟子研究有很大的關心和興趣。什麼能很好地捕捉到它的一部分是「鄒書敬選」，這是孟子的一些文字的集合。它是從孟子提取的主要內容的總結。其中值得注意的是，他運用周易的視角來分析孟子。

這是任何人都可以做的學術嘗試，但他在這個過程中表現出的態度清楚地揭示了國王中可以找到的問題，他具有很強的學術能力，對自己的洞察力過於自信。

從這個意義上說，正祖的學術政策和經學之後需要更加精確地研究。

關鍵詞：正祖　經筵　經史講義　正祖的孟子研究　鄒書敬選

一　問題提起

本文旨在從傳統時代中央所進行的經筵的政治學層面與其對經書的解釋層面來重點考察正祖的孟子學。十八世紀朝鮮英祖（在位，下同，1724-1776）和正祖（1776-1800）通過蕩平政治，一掃朋黨政治的積弊，實現國家中興，他們在位期間均曾持續頻繁地開設經筵。

尤其是以君師自處的正祖，其對開設經筵之努力和堅持，是任何一位君主都無法比擬的。他不僅堅持與經筵官們講論經書，還進一步完善了奎章閣的制度，確立了抄啟文臣制，其後又創作了《經史講義》這一高水平的經義問答書。在經筵和經書講義多少有所縮減的十八世紀八〇年代後期，還抄錄了經書的主要正文，或整理了自己對個別經典的研究論述。[1]對此，以孟子學為例的話，情況大致可整理如下：

經筵孟子講義（1780-1785）→抄啟文臣經史講義—孟子（1781，1783-84，1786-1787）→ 孟子講義（抄錄本）（1796）→ 鄒書敬選（1797）→ 鄒書春記（1800）

正祖以經筵官們進行的經筵之成果為基礎，自己帶領新進官僚們進行經史講義，還將其中的核心部分概括編纂成選本。最終以回答學問水平較高的臣子所提问题的形式，來進一步完善和整理自己的經學。其耐人尋味之處不僅在於一位高水平學者的經學研習的過程，更在於其對象是在朝鮮歷史上罕見的好學君主—正祖，而後者尤其值得矚目。

經筵的基本性質是君臣論經議史、討論國政時事的場合。依據實錄和文集中的記錄，筆者認為存在一些線索，可以為我們揭示經學之研習是否具有現實實效性。藉由探討《承政院日記》中的朝鮮經筵資料，筆者發現經筵中對經史講義和政治時事的議論大部分是個別案例。只因包含經筵官在內，參加經筵的官僚成為掌握經術的文臣學者，因此在專制君主時代，經筵也有可能打破垂直式的報告方式，成為一個王和經術官僚之間、相對平行的國事議論場所。

然而，君臣立場不可能時時一致，有時代和時局的差異[2]。因此，經筵的勝敗和每次經筵中君臣的力學關係息息相關。在皇帝絕對權力確立的時期，經筵大體上只是一枚輔佐皇權、宣揚其國政的棋子；而當臣權和言論權確立，發言權得到一定程度的保障時，經筵便能成為儒學思想理想終能實現君臣共治的場所。

朝鮮的情況又如何呢？在十八世紀的朝鮮，儒學的政治理念在實際的政治現象中隨處可見。此時朝鮮的經筵中也出現了許多耐人尋味的局面。尤其在正祖時期，同時開展的由國王和經筵官組成的經筵與國王和初級文臣們進行的經史講義就很好地體現了當時

1　關於正祖時代的學術情況與正祖的帝王之學和經學研究參考鄭玉子：《正祖時代的思想與文化》，돌베개，1999年；金文植：《正祖的帝王學》，太學社，2007年。

2　回顧正祖時代的經筵，且不論經筵的科目時常變更，其講義的形式也進行了多次的改變。

人心之向背。然而，因為正祖對孟子學傾注的關注，通過考察其在兩者進行的過程中所展現的對《孟子》這一經典解釋性的接近過程，也可把握其孟子學的水準。同時，也有助於把握經筵的真實面貌。當時正處於旁落之王權逐漸強化之際，這一時期的經筵與經史講義通過學術活動對王權強化起到了非常重要的作用。為闡明其始末，先簡要回顧一下中國與韓國經筵之演變。

二　經筵、君臣權力關係的拮抗

（一）中國與朝鮮的經筵

眾所週知，經筵的內容是向君王講論經義，雖為帝王教育的一部分，但同時也是君臣共同討論政事與時事的重要場合，通過探討當前的國政和時事，實現堯舜之治。以儒家思想為國家政治理念的古代東亞國家，在此場合中可檢驗統治者與官僚這一統治集團中儒家知識分子的統一性。[3]

宋代以來確立的經筵制度實現了君臣共治的形式，是儒教政治理念下的產物。[4]政治公論場合的形成反映了儒教政治的核心理念[5]。一方面以預防專制君主的恣意妄為與暴力性的統治，一方面祈望能培養出具有仁政、且能施惠恩澤給予人民的聖賢君主。北宋時期的經筵制度大體分為春講和秋講兩學期制，實際授課日數僅三個月。不過當時講讀官和史官時常入侍，甚至有重臣入侍經筵的情況，可以直接聽取對皇帝的教育。南宋時臺諫也可參與經筵，使得經筵參與者略有增加，但是由於此時期傑出人物少於北宋，因而經筵難以成為實現重要議論的場所。當時重要學者朱熹調為外職，沒能獲得重要機會。在當時胡安國的春秋註釋書《春秋胡傳》和真德秀的經筵教材《大學衍義》問世，稍微嶄露光芒。但由於王安石新法的挫敗和反動，注意力由關注社會現實問題轉為迴避社會現實，於是從北宋到南宋的過渡時期，經筵不可避免地走向了衰敗。[6]此外，縱使

3　李元澤：〈作為儒教公論場的經筵和儒教知識人身份〉，《泰東古典研究》第33輯，2014年。李元澤認為孝宗代（在位1649-1659）朝鮮山林人士主持的經筵不僅以《中庸》和《心經》開展君主教育，還執行儒家思想公論場的作用。

4　參照如下資料：中國古代的經筵制度方面如，張帆：〈中國古代經筵制度初探〉，《中國史研究》1991年第3期，1991年。在經學史的展開過程如，周維錚：《經學史十講》（上海市：上海復旦大學出版社，2002年）。宋代經筵制度方面如朱瑞熙：〈宋朝經筵制度〉，《中國文化論叢》第55輯，1996年；姜鵬：《北宋經筵與宋學的興起》，2006年復旦大學博士論文；鄒賀：《宋朝經筵制度研究》，2010年陝西師範大學博士論文。

5　鄒賀：《宋朝經筵制度研究》，2010年陝西師範大學博士論文，頁107-112。

6　宋代的政治文化參余英時：〈君尊臣卑下的君權與相權〉，《歷史與思想》（臺北市：聯經出版事業公司，1976年）；姜鵬：《北宋經筵與宋學的興起》，2006年復旦大學博士論文。

明代實現了經筵日講化，也各項制度也整備完善，但實效不彰。在創業期的洪武、永樂年間，經史講論僅僅是一個實踐儒教政治理念的象徵，尤其在執行方面，全憑皇帝主導，成為強化皇帝獨裁體制的一種手段。在守成期的宣德年間，君臣之間實現了一定程度上的政事協議，但是協議對象只局限在以內閣為中心的中央言路，君臣共治對皇權的牽制微乎其微。因此制約皇帝私權的唯一因素就是皇帝的自律—即聖學教育修養—。[7]清代經筵在康熙二十五年之後，幾乎失去了參政的機會，因此只行使宣揚皇帝政治的功能。雍正和乾隆以後，經筵本身成為以皇帝御論為導向的典禮，借助勳戚臣僚，宣傳皇帝的政治。[8]

綜上所述，經筵的政治社會功能和角色是文治主義的發展形態，雖然具備一部分象徵意義，但是對於其在現實政治中的實際作用，有必要持批判性態度。

朝鮮積極吸收了宋代的政治理想，並將其本土化，其在宋代經筵的變化過程中，獲得了諸多提示。高麗末期新興士大夫以元代時吸收的朱子學為政治理念，武裝自我建立朝鮮時代，並把朱子學定為國策。因此雖然法律制度方面借鑒諸多明制，但於政治思想方面，則擁護以朱子為代表的宋代士大夫的至治主義與政治理想。[9]

此特徵亦顯現於經筵中。高麗睿宗（在位1105-1122）時導入中國經筵制度，但遲至朝鮮世宗代（1419-1449）與集賢殿學士一同進行經筵時，至此朝鮮的經筵制度才算確立。當然這是有其原因的，早在高麗末期，性理學已經由元朝的東傳，時間。朝鮮的經筵制度由侍讀官、參贊官、講讀官、檢討官分別進行。大部分繼承了高麗的經筵制度，並且與世宗（1418-1450）年間的集賢殿相關，而更加引人注目。集賢殿制定專門擔當經筵官的相關制度，經筵官的重要性因而得到提升，古代制度的探究和制度文物的整頓也與經筵密切相關。此外世宗於《資治通鑑綱目》加上注解撰成《資治通鑑綱目思政殿訓義》[10]。世宗時確立的經筵制度，其意義和作用在世祖（1455-1468）親講之後有所弱化，但成宗時功能再度恢復並得到發展。[11]成宗（1470-1494）時設立弘文館，

7　尹貞粉：〈明代經筵制度和政局運營推移——以洪武（1368-1398）－弘治年間（1488-1505）為中心〉，《中國史研究》第75輯，2011年。

8　陳東：《清代經筵制度研究》2006年山東大學博士論文。

9　正祖認識到不僅是朝鮮的政治文化，朝鮮的各種制度很大程度上也受到了宋代的影響。「我東立國規度，專倣宋朝，而治法政謨，亦多髣髴，故予於宋史，每年輒一遍看詳」（《弘齋全書》卷161，日得錄1．文學1）

10　吳恒寧：〈性理學歷史書的形成與構造〉，《韓國實學研究》第6輯，2003年；魯耀翰：〈朝鮮前期官撰歷史書的註解方式：以《資治通鑒思政殿訓義》為中心〉，《奎章閣》，2017年，頁50；魯耀翰：〈朝鮮前期官撰歷史書的註解方式2：以《資治通鑒講讀思政殿訓義》為中心〉，《震檀學報》，2017年，頁129。

11　權延雄：〈高麗時代的經筵〉，《慶北史學》第6輯，1983年；南智大：〈朝鮮初期經筵制度〉，《韓國史論》第6輯，1980年。

實現經筵政治。並於弘文館新設特進官制度，其設立背景為經筵中君臣問答時，強調重視學問和道德，而非官制和官品。得益於此項特進官制度，此後一些有名望的在野學者也可參與經筵。仁祖（1623-1649）和孝宗（1649-1659）年間根據這制度，一些不參與科舉考試山林人士也被特別任用。他們擔任世子侍講院的贊成、員善等職務進出中央政界，獲得與科舉登榜者同等或更優厚的待遇，甚至擢為擔當言論的顯要官職。不須經由科舉可直接拔擢山林人才，任用為山林經筵官的制度出現，表示朝鮮經筵採用士林的立場，亦同時顯現朱子學朝鮮化的一面。[12]

然而，站在政治權力的立場上，可稱其為臣權抗衡君權的一種成長，一定程度上行使了對專制君主獨裁的抑制作用。因此，宣祖、孝宗、仁祖、肅宗時，君臣權力調整期結束之後，在王權強化再次席捲而來的英祖、正祖年間便可想而知其形勢轉變。有趣的是，十六歲登基、在位期間長達四十多年的宣祖接受過李滉（1501-1570）、奇大升（1527-1572）、李珥（1536-1584）等朝鮮傑出學者的經筵指導。其於經筵中的讀書方法為：前六年經筵官讀正文和傳注之後宣祖跟讀，從第六個年頭開始只讀正文，而省略傳注。初期參與宣祖經筵的李滉在講授《大學》六章的過程中，言及《小學》之重要性，勸勉宣祖經常朗讀，並且建議追贈趙光祖、金宏弼、鄭汝昌等儒賢，還在夕講時奏請刊行黃幹《儀禮經傳通解》。因此，在君臣關係融洽之時，一方面通過經筵的場合促使君主精進學業，一方面自然而然地奏請追崇先賢和刊行圖書，李滉的部分建議因而被採納。並且宣祖之後還通過柳希春刊行收錄趙光祖、金宏弼、鄭汝昌等人文集之《國朝儒先錄》。受益於此氛圍，得以成功討論了經筵的實施方向，其中之一為參與經筵的盧守慎指出，經筵時不應只集中誦讀經文，還要增加一些對話議論。君臣積極參與經筵，甚至在一五九四年壬辰倭亂時，仍在避難場所朗讀《周易》，探討戰爭時期的政事。鄭澈官制的剝奪和李純臣、元均的處理問題也是在此時議定而成。[13]

此後，從仁祖、孝宗到肅宗時期，山林經筵官積極活躍於政治舞臺，在經筵中進講《心經》，強調君主的心性修養。筆者認為此雖是越過君臣界限，實現溝通的一種嘗試，也在君臣關係方面上亦是一種巧妙的妥協。而朝鮮前期經筵的具體情況和記錄需作更詳細的分析。在朝鮮太祖元年制定文武百官制度的時候，便就已把經筵作為獨立機構收入《經國大典》，規定其任務為向君主教授經史，擔當評論，並設立必要的官員。並且除了君主，還特別強調了對世子的教育。[14]不過，在《經國大典》的經筵官規定中，承旨

12 權延雄：〈成宗代的經筵〉，《韓國文化的諸問題》，1981年；鄭在薰〈經筵．書筵和朝鮮的君主學〉《伏賢史林》第30輯，2012年。

13 金重權：〈朝鮮經筵宣祖讀書歷一考〉，《書誌學研究》第55輯，2013年。

14 《朝鮮王朝實錄》太祖元年七月二十八日丁未條「經筵官：皆兼，掌進講經史。領事，一，侍中已上；知事二，正二品；同知事二，從二品；參贊官五，正三品；講讀官四，從三品；檢討官二，正四品；副檢討官，正五品；書吏，七品去官。世子官屬：皆兼，掌講學侍衛等事。左右師各一，正

兼任副提學和參贊官主書也一同進入記錄其內容，此內容記錄在《承政院日記》中[15]。

這種經筵官制度在朝鮮前期，以堂上官為中心，而到了世宗年間，由集賢殿的學者專門擔任。然而集賢殿的學者因拒絕協助世宗的篡位而遭到廢止，後來成宗時期建立弘文館。成宗後期特進官制度發達，由堂上官負責的經筵轉由在野的有德賢士擔當。此傳統一直延續到朝鮮後期演化成拔擢在野賢士，即山林之士的一種風潮，並專門為其設立贊善等官職。此後，山林之士不僅擔當學術，還對政局產生深遠影響。宋時烈、宋浚吉、俞拓基、宋明欽等人都是當時影響力極大的山林經筵官，曾主導政權的改變。而到正祖時期，經筵由奎章閣的官員主持[16]，這相當於重新恢復了世宗時期集賢殿學者專門擔當的經筵傳統。不過有別於世宗時期，正祖時期的經筵集中反映君主學術方向和政治指向。

（二）英正祖代的經筵

十八世紀英祖與正祖的經筵與經義問答特徵是君主們皆相當積極的施行經筵，因而有經義問答的作成。英祖執權時期對經筵科目的調整，也是顯示對挑戰王權勢力的應對，並展現轉換王權中心的王道政治於經筵的活用。經筵教材的採擇上選用《陸宣公奏議》、《周禮》或《聖學輯要》等。

英祖時期經筵科目的變化讓筆者認識到，圍繞著經筵發生的君臣之間、朋黨之間的糾葛說明經筵不只是單純的學術領域場合，同時亦是敏銳的政治考量產物。隨著英祖即位，政局主導方由少論轉向老論，因此經筵科目也變成老論指定的四書五經，使用十餘年之後還追加了《心經》和《資治通鑑綱目》，中途改為《東國通鑑》、《聖學輯要》、《國朝寶鑑》和《高麗史》等。英祖認為《聖學輯要》比《大學衍義》更為切實和重要。此後還講授了朱子文集整理本《節酌通編》和《朱子大全箚疑》，這意味了英祖胸懷延續從李珥、宋時烈到金昌協的當代主流學脈。尊重王權的帝王學書籍《周禮》和《貞觀政要》也被選為經筵的講讀教材。《陸宣公奏議》的選擇理由應該亦為此因。英祖學習《國朝寶鑑》、《陸宣公奏議》、《李綱奏議》、《名臣奏議》等，完全遵循中國的王道政治，以要求對君主絕對盡忠。英祖學習其中事例，並通過《貞觀政要》、《資治通鑑綱目》和《宋元綱目》等對此再次整理。之後講筵了《東賢奏議》、《周禮》和《心經》，最終利用經筵的輔助實現了自己的政治理念。

二品；左右賓客各一，從二品；左右輔德各一，從三品；左右弼善各一，正四品；左右文學各一，正五品；左右司經各一，正六品；左右正字各一，正七品；左右侍直各一，正八品；書吏四，八品去官」

15 尹薰杓：〈承政院日記經筵記事的特徵〉，《史學研究》第100輯，2010年。

16 池斗煥：〈朝鮮時代經筵官研究〉，《韓國學論叢》第31輯，2009年。

正祖與英祖如出一轍，大幅壓縮此前得到重用的山林經筵官的實質作用，以奎章閣為中心建立抄啓文臣制，使其擔當了政治和學術方面的近衛組織功能。以開設月課回答問題的方式教授文臣，把經筵改革為與自己選拔、教授的大臣之間的討論場合。

經義問答的產物《經史講義》反映了正祖頗高的學問水準和當時認真的氛圍，成為朝鮮時代水準最高的經史討論，然而最根本的問題意識是君主正祖本身，議論的方向符合正祖的志向。

正祖在其即位的一七七六年重建了奎章閣，定期給儒生和高位官吏出題並打分，並且將其成績用於官吏的選拔，以自己為擔當臣民教育的、名副其實的君師。從積極運用抄啓文臣制度的一七八一年到一七九二年間，抄啓文臣的選拔和出題體現了他對授業異乎尋常的熱情。《館閣講義》記錄了一七八一年三月十八日經筵的場景，在奎章閣擔任時臨、原任、提學、直提學、直閣、待教等當代十四名高官敬聽了《近思錄》講義，在弘文館擔任領經筵事、知經筵事、同知經筵事、參贊官、侍講官、試讀官、檢討官等二十一名官吏與席，講論了《心經》。正祖當代主導學問的管理全部與席，其形式為國王正祖發問，聽完大臣的對答之後，正祖下最終結論，這意味著學問和政治全部由正祖掌控。雖然方式是學術性的、平和的，但是主導權在君主正祖手裡，不難看出其中隱藏的御用性質。

《經史講義》反映的正是正祖授意選拔之抄啓文臣回答正祖提問的場景。一八八一第一次選拔抄啓文臣二十名，此後經過十一次共選拔一四二名，後來他們掌握了包括奎章閣閣臣在內的、半數以上的政府中央要職。[17]因每月至少要回答一次國王正祖親臨提出的問題，所以他們一心專注於學問。正祖學問的根基雖為朱子學，但是他也廣泛涉獵和吸收清以降傳入的考證學成果，因此他的問題可謂當代朝鮮的最高水平。[18]茶山丁若鏞被評價為朝鮮後期一級學者，他曾表示君師正祖給予了他學問上的啟發。[19]在此之前，國王受業於擔當經筵官的臣下，但英祖和正祖的經筵及經義問答施行以來，公論政治的儒教政治理想變成以君主為中心。即以儒教的傳統理想為基礎，實現了現實君主權力的正當化，乃至鞏固化。他們運用的不是權謀或武力，而是具有學問權威的制度，從這一點來看，不乏儒家政治的發展要素。然而從專制君主的絕對權力者掌控公論這一點來看卻存在著問題。

17 鄭玉子：〈正祖時代研究總論〉，《正祖時代的思想和文化》，돌베개，1999年。

18 金文植：《正祖的帝王學》，太學社，2007年。

19 咸泳大：《星湖學派的孟子學》，太學社，2011年。

三 正祖的孟子學

（一）正祖的學術認識與經筵的孟子講讀

從正祖對奎章閣的策問中，可概覽正祖對奎章閣與學術的整體認識。正祖十分關注宋代建立的豐富的王室藏書閣以及擔任藏書閣管理工作的官員，而對其歷史變遷進行了策問。[20]

>「至宋而有龍圖閣·天章閣·寶文閣·顯謨閣·徽猷閣·敷文閣·煥章閣·華文閣·寶謨閣·寶章閣，其世代之先後，建置之處所，命名之精義，皆可一一歷指歟，亦有學士直學士直閣待制等官，其資秩之高下，掄選之格例，責任之輕重，亦可反復討論歟」

由此正祖坦率地說到了自己的抱負，強調實現最終的文化振興才是作為帝王最先應做的事務。為振興文治與教化，其在宮中設立奎章閣，又仿宋代設置官員，理由是東方禮樂之本源於宋代之文化。[21]

>「開天章而問時政之闕，除寶文而取魁甲之人者，其意何居，羣玉冊府見於何書，龍圖老子，稱於何人耶，皇明之華蓋殿文淵閣文華殿弘文閣，與我朝奎章閣之制同歟，異歟，大抵書以載道，閣以藏書，鋪張列朝之謨烈，興起四方之文化，此帝王之先務，而歷代之所重也惟我寡人新承丕緒，思欲以顯謨烈振文化為先務，置奎章閣於禁中，又置提學直提學直閣待教等官，一如宋朝故事，我東方禮樂之本，其在斯乎」

正祖自設立奎章閣起，便將學術作為治國之要旨，對學術自身無窮的價值與潛力深信不疑。他如下說道：[22]

>「王若曰，術莫大於經術，而苟不能善其術，則其弊也又莫痼於經術，予嘗有憂於經術之弊，思有以一振之者，子大夫之所覩聞也，今與子大夫，策當世之務，可不以經術為清問之第一義乎，何謂經術，志曰，聖人之制作曰經，賢者之著述曰傳，因記訓曰詁，因章句曰註，則自傳以下，皆術也，而用此術者王，假此術者霸，術在上則世教淑，術在下則師道存，經術之於為治也，其繫也不亦重乎」

---

20 《弘齋全書》卷48，策問·奎章閣

21 如前同

22 《弘齋全書》卷51，策問4·經術

正祖認為經術，即經學，是聖人經典之外全部之術。他指出只有利用好聖人經典之外內容之人，才能成為帝王。經術在他看來，不能是暫时借用，而只有真正理解和領悟後再加以利用，才能開明教化。並強調這不僅關乎師之道，於政而言也是十分重要的。由此可見，在正祖心目中，經學與帝王學、君師意識是密切相關的，在其政治理念中經術、經學佔據了很大的比重。

而正祖對於當時學問的認識也是十分明確的。對於著重考證物名，嘲笑敬義存養之學風，他是十分憂慮的。正祖視其為「涉獵之學」，猛烈批判其「無賴於實得」，未能勝於「浮薄之習」。並讚揚先賢之學至少是道器圓融，本末貫徹的充實的學問。[23]

> 「凡古之為九經之術者，類皆授受源流，確有據依，即勿論看覷之横竪，出入之主奴，要之細心精工，齊頭竝脚，使道器圓融，本末貫徹，爾今之所謂經術者，何與此大相遠也。騖於物名，詳於器械，泥於考證，膠於辯博，而曾莫能究其大義之所歸，以獲作者之心，故其弊也如女史之誦詩，天人性命，則目之以陳腐，敬義存養，則笑之為迂滯，而其所胡叫胡喊，不怕天不怕地，自詫以發所未發者，苟非粗見浮識之謬檢錯解者，不過是前人不經意而仍舊貫處，且如瑚璉註之夏瑚商璉，享禮註之發氣滿容，許行註之農家者流，此在經術，何病於義理，何累於訓詁，猶且公肆詆訶，盛氣立說，覥然求多於分金稱出之高手，（中略）予所以禁購新書，豈得已也，惟其涉獵之學，無賴於實得，浮薄之習，叵耐於近裡，則推之為文辭也行檢也。無往非此箇樣子，而堆案之稗官小說，略無愧色，匝席之珍玩淫技，認作雅致風俗由此日乖，奢侈職是日盛，駸駸乎異端邪學之干其間，而經之術，或幾乎息矣，恤恤乎思深哉，將如世道何，如人心何。予自近年以來，民生之困悴，朝象之潰裂，何莫非中朝之所發歎，而此猶餘事也，細節也，最是經術之弊，而世道人心之漸就難醫，為憂之深慮之遠之大關，每當中夜無寐，繞壁而彷徨焉者，子大夫，亦豈盡知之，夫知如此為病，不如此為藥，經術所以受弊之源，子大夫尚能悉其由乎。予則曰好新以開其端，無嚴以致其極，好新故厭菽粟，無嚴故侮聖賢，此其轉移之機，顧不在於從事眞經術而善學朱夫子乎」

正祖在其主導的經筵中也將自己的經學觀貫徹到底。在其即位之後，從一七七七年十月二十二日開始舉行經筵講論《論語・學而篇》，至1780年4月17日夕講時講讀〈堯曰篇〉，從一七八〇年五月十一日至一七八〇年六月九日講讀《大學》，最後於一七八〇年七月二十六日開始《孟子》的講讀。如此依次在經筵上講讀四書是源於一七七七年（正祖1年）十月十八日副校理南鶴聞上書，請以輪迴講讀儒家經典來替代當時正在講讀的

23 《弘齋全書》卷51，策問4，經術。

《春秋胡傳》。[24]孟子的經筵講義從一七八〇年七月二十六日至一七八五年九月三十日為止，歷時五年有餘。

雖然止於〈離婁篇〉而未能讀完，但在經筵的進行過程中，對文本展開了深入的討論，由此當時的經筵官與作為君主的正祖解釋經書的場域便一覽無余。

日時	形態	講讀範圍	備考
1780年7月26日		見梁惠王——何必曰利	梁惠王上一章
7月28日	晝講	孟子見梁惠王立於沼上——止豈能獨樂哉。	梁惠王上二章
7月29日	晝講	梁惠王曰寡人之於國——天下之民至焉	梁惠王上三章
7月30日	晝講	梁惠王曰：寡人願安承教——如之何其使斯民飢而死也	梁惠王上四章
8月2日	晝講	自梁惠王曰晉國天下莫强焉，止王請勿疑	梁惠王上五章
8月9日	朝講	自孟子見梁襄王，止沛然誰能禦之。	梁惠王上六章
8月11日	晝講	自齊宣王問曰齊桓・晉文之事，止遠庖廚也	梁惠王上七章一
9月6日	晝講	自王說曰止非不能也	梁惠王上七章二
9月11日	晝講	自曰不為者與不能者之形，止將以求吾所大欲也	梁惠王上七章三
9月14日	晝講	自曰王之所大欲可得聞歟，止其如是孰能禦之	梁惠王上七章四
9月24日	晝講	自今王發政施仁，止盍反其本矣	梁惠王上七章五
10月13日	晝講	自齊宣王見孟子於雪宮，止一遊一豫為諸侯度	梁惠王下四章
1781年2月10日	朝講	自「公孫丑問曰夫子當路於齊」，止「以齊王猶反手也」	公孫丑上一章一

24 《正祖實錄》1年10月18日「副校理南鶴聞上疏曰，法講，即帝王自修之工也。臣意則莫若以易、禮、詩、書、論、孟、庸、學，輪回進講，政謨治範之所以取資於斯者，有若布帛菽粟之日用而不可廢。且銅閣畢工之編，溫習於御極之後者，亦豈不美哉！」

日時	形態	講讀範圍	備考
2月11日	晝講	自「若是則弟子之惑滋甚」，止「曰文王何可當也」	公孫丑上一章二
2月18日	晝講	自「齊人有言曰」，止「當今之時」	公孫丑上一章三
2月19日	晝講	自「公孫丑問曰夫子加齊之卿相」，止「孟施舍似曾子」章	公孫丑上二章一
2月21日	晝講	自「孟施舍似曾子」，止「無暴其氣」	公孫丑上二章二
2月29日	晝講	「既曰志至焉氣次焉」，止「敢問夫子惡乎長」章	公孫丑上二章三
3月7日	晝講	自必有事焉而勿正，止必從吾言矣	公孫丑上二章四
1781年3月18日		館閣講義	
4月5日	晝講	自「孟子曰，以力假仁者」，止「無思不服此之謂也」	公孫丑上三章
5月26日	晝講	自「孟子曰，矢人猶恐不傷人」，止「仁者如射」	公孫丑上七章
7月28日	朝講	自「孟子曰子路」，止「君子莫大乎與人為善」訖	公孫丑上八章
8月10日	晝講	自「孟子曰天時」，止「戰必勝矣」。	公孫丑下一章
10月17日	晝講	自「孟子將朝王」，止「造於朝」章訖	公孫丑下二章
11月5日	朝講	《孟子》第二卷，自「不得已而之景丑氏」，止「以慢其二哉」訖	公孫丑下二章二
1782年1月4日	晝講	自「故將有為之君，」止「湯之於伊尹章」訖	公孫丑下二章三
1783年4月19日	晝講	自「堯以不得舜為己憂」至「為天下得人難」	滕文公上四章
4月28日	晝講	上親講《孟子》第三卷二十四板上片，堯以不得舜為己憂大文及分人以財謂之惠大文。錫夏進講下片，孔子曰大哉，堯之為君大文，二十五板吾聞用夏變夷大文及孔子沒大文	滕文公上四章，五章

日時	形態	講讀範圍	備考
6月5日	晝講	上讀《孟子》許行章	滕文公上五章
7月27日	晝講	自「墨者夷之因徐辟，止「則是以所賤事親也	滕文公上五章二
1784年1月9日	晝講	自「陳代曰不見諸侯宜若小然」，止「枉尋直尺而利亦可為與。」	滕文公下一章二
1月13日	晝講	上讀前授章自「昔者趙簡子」，止「未有能直人者也」道浩讀自「景春曰，」止「此之謂大丈夫。」上讀新受章訖，命陳文義	滕文公下一章三之二章
2月8日	晝講	自「景春曰公孫衍張儀」，止「此之謂大丈夫」濟遠讀新受音自「周霄問曰古之君子仕乎？」，止「亦不足吊乎？」	滕文公下二章
1785年2月22日	晝講	「樂正子從於子敖之齊」，止「此之謂大孝」	離婁上二十五章
4月3日	晝講	思憲進讀自「孟子曰無罪而殺士則大夫可以去」，止「行不必果惟義所在'，讀訖。上讀新受音自「無罪而殺士則大夫可以去'，止「行不必果惟義所在」，訖	離婁下四章
8月23日	晝講	上讀《孟子》「大人者不失其赤子之心」章	離婁下十二章
8月27日	晝講	自「孟子曰禹惡旨酒」，止「坐而待旦」，訖	離婁下二十章
9月16日	晝講	自「孟子曰王者之迹」，止「發乘矢而後反」	離婁下二十一章
9月30日	晝講	自「孟子曰西子蒙不潔」，止「以我為簡不亦異乎	離婁下二十四章二十五章
		經筵孟子講義終了以後《中庸》	

在如上進行的經筵講義中，有幾處耐人尋味的場面。一七八〇年（正祖4年）九月六日入侍晝講的侍讀官洪文泳在進講孟子之時，誤讀一吐，而後以特進官入侍的徐浩修進言說應加以推考，正祖允之。[25]

25 『承政院日記』第1470冊，正祖4年9月11日「浩修曰，『法講事體至重，而上番儒臣洪文泳，進講之際，誤讀一吐，推考，何如？』上曰，『依為之』」。

雖然一般情況下，經筵場所的氛圍是正祖聽取經筵官的經典問議，但是有時對於重要的章節，正祖也會參與質疑與討論。總體來說，正祖在經筵中佔據了主導地位。[26]經筵的這種氛圍由正祖對孟子學的基本認識逐漸形成。正祖作為君主，除了閱讀經典之外，不得不同時考慮原則論與對時世的關照。

就仁與義，王道與霸道等孟子的根本論題，正祖已經具備基本的認識。當時朝鮮對孟子的理解深受朱子學的影響，正祖也不例外。然而，對於王道與霸道的問題，正祖的反應卻十分異於常人。儘管孟子就王霸問題已經提出了鮮明的立場，但是正祖卻指出實際歷史上的勝敗卻並非一定如孟子所論之王霸一樣明快。

> 〈義利庭試殿試〉「義利二字，即古今邪正之所由分，而天下國家治亂之所由關也。蓋自唐虞授受之際，已有人心道心之說，則所謂人心者，似是利心，而原於何物，所謂道心者，蓋指義心，而根於何處歟，先儒釋之曰，或原於性命之正，或生於形氣之私，然則性命形氣之分，可得詳言歟？」
>
> 「王道，惟義是取，而譬之於金，霸道，惟利是尚，而喻之以鐵，其義利公私之別，王金霸鐵之意，可得詳聞歟。漢用雜霸，而猶享四百之祚，唐非純王，而亦啓千一之運，則王霸竝用，義利雙行，固無害於為國之道歟。有宋之仁厚家法，皇明之制作彬蔚，些有三代之風，則可謂先義而後利，然而國步之全盛，邦籙之綿遠，反不及於漢唐之世者，何歟」

不僅如此，對孟子所提出的論點，正祖一如既往地尖銳地提出反駁並堅持自己的立場。

> 「利居四德之一，而乾道主利，故大易之爻言利處甚多，而喜讀易之夫子，罕言利，善用易之孟子，不言利，同一利字，而抑有彼此同異之可言歟。」

26 『承政院日記』第1475冊，正祖4年11月19日：11月23日經筵內容參照。在記錄中，正祖不僅對臣下的講讀積極地提出了意見，對孟子也進行了嚴厲的指責。「上曰，「文王三分天下，有其二，而不敢專征者，惟在協天意順民心而已。至於武王之軍于牧野，竢天休命者，亦不出順天人之意也。今此宣王之問以悅不悅者，專以功利上言之也，孟子對以悅則取之不悅則勿取者，專出抑揚之意也。若使齊宣，伐昏立明，則可協天人之心，而專出於開國闢土，則無異於以暴易暴也，奚足以比論於文王・武王之事乎？」民始曰，「孟子之對，雖是專出於抑揚，而以觀文義之外，則似或有損於義理之論矣。」上曰，「此章之對，與文王好貨好色之論，相為表裏矣。此雖出於開反之道，而且以下章文義論之，不有抑揚而如是乎？」民始曰，「孟子之論，果如是矣。」：上曰，「亞聖之論，或有胸襟之灑落，而亦多有圭角處，若不至孟子地位，則如此對論，亦可有欠於傳後世之道矣。」」不僅如此，在8月2日的經筵中還提出孟子不尊周是很嚴重的問題。「上曰，「孔子專為周室，孟子則專為行王道，而眼無周室，至曰一怒而安天下之民，以諸侯而豈能安天下之民乎？又以勿毀明堂，湯放桀，武王伐紂等語，反覆開導，如使孔子，當其時，則王室雖微，列國雖盛，必不為此矣。若行王道，則孟子將目覩周之亡乎？以大賢而亦可為是乎？」;「孟子之時，去孔子不甚相遠，而孔子之時，人猶知尊周之為義，以孟子之大賢，何其不思而至此哉？是可怪也。」」

正祖對孟子的認識在對文臣親試策問時所提出的問題上展露無遺。正祖稱孟子為孔子後之第一人，並對《孟子》中許多有問題的論點提出了自己的疑問。不僅這些問題的指向不一，其中隱隱透出的終極期待則更耐人尋味。首先，正祖表明了自己對孟子本身的立場。

> 《弘齋全書》五十卷〈策問孟子：到記儒生秋試及抄啓文臣親試〉「王若曰，孟子，孔子後一人，而孟子七篇，孟子之道之所載也。或以為歷聘不遇，退而自著，或以為沒後門人，追記其言，二說何者為是歟。論語只說仁字，孟子則并四德教人。春秋獨尊周室，而孟子則勸諸侯行王。所願學孔而若相反然者，何歟。善養浩氣，誠有發前聖未發之功，而只道性善，得無不論氣不備之嫌歟。好說詩書，而獨不引周易之辭者，何歟」

正祖又一一列舉了錢唐以死直諫，而竟有《孟子節文》之撰修，以及司馬溫公撰寫《疑孟》，而又有常言之詆譏等事，來詰問對孟子的理解的歷史脈絡。

> 「斯文愈晦，良知之學，傳法於告子，塗聽之說，太半是鄉愿，其能不捨己田，毋揠宋苗，擴天理而遏人欲，杰然為聖人之徒者，歷數千載，凡幾人，予憫世道之詖淫，懼人心之茅塞，胄筵經筵，講是書者近五六次，又命抄啓講製文臣，每旬課講，其意豈徒然哉，第其論說，特資一時之口耳，則抑恐其徒為應文之歸，難期擴善之效。」

總的來說，正祖所關注的焦點在於通過經學和經術而明人心。然而，儘管正祖圍繞經術進行了諸番努力，但是仍無法振奮士氣。其圍繞經學進行的努力在於兩個方面，一是對經典原文進行細心的完善和出版，二是對於核心內容的整理和論述。《三經四書正文》即是前者的體現。對此，正祖之辨如下：

> 「載籍隨博，庸學語孟，則永樂大全，稍存筆削之義，然如諸家訓詁，尚多迷津之歎，今若秖取正文刊布，如石經古文，而得康成以前體裁，則亦可為經生學士深思力究之一助，僉曰然，乃與宮僚柳義養等，勘誤訂訛，以活字印行，〈世宗甲寅活字，即我東肇造之文物也，歷年既久，刓軼亦多，余於壬辰，稟于大朝，搜得世宗朝已經範鎔之木本銅鑄十五萬字，是書及易學啓蒙集箋，并用此摹印，蓋自世宗甲寅以後三百有三十餘年，始克重鑄活字，而用新鑄之字，印新編之書，亦所以仰述世宗朝鑄字成後摹印四書輯釋等書之故事也〉，○親撰跋曰，三經四書之集諸家箋註為大全者，五十有一冊也，余於視膳餘暇，常欲從事於斯，以其編帙既廣，難於領會病之，謹取正文，合為一帙，凡五冊也，夫自五十有一冊而為五冊，可謂約矣，自一心而視五冊則亦博矣，運之方寸，以精其義，推諸

事為，以致其用，則博固不可不約，約又未始不博也，然此編秖資循環溫習而已，欲詳求旨義，其惟大全乎，此又著工之序也。」

同時，對於具體經典的學習也是逐步推進，經史講義便是其具體的產物，《孟子講義》即是其中之一。

《弘齋全書》一八〇卷〈群書標記・孟子講義〉「條問辛丑選二卷，條問癸卯選一卷，乙巳，命抄啓文臣徐瀅修編次，條問甲辰丙午丁未選一卷，辛亥，命抄啓文臣徐有榘編次，朱子嘗謂孟子難讀，蓋言性則不雜乎氣質而直探本源，言情則以惻隱羞惡辭讓是非為仁義禮智之端，他如夜氣之說，求放心之訓，知言養氣之論，無往非義理之精蘊，學問之頭腦，此其所以難讀，而孟子之功，不在禹下，亦在於此，予於四子，蓋嘗年課月程，而於此七篇，尤費探玩之工，尚庶幾朱子所謂須教他在吾肚中，先千百轉，便自然純熟者，而巾篋之箚記，亦已堆積卷軸矣，其條問諸臣，則雖隨手拈出，訓詁支義之錯見，而反復致意，多在於惻隱章之四端，不動心章之集義工夫，告子篇之理氣界分云。」

此類講義中水平最為成熟的即是推定為《鄒書敬選》的一冊書（奎中1890）。此書曾載於《奎章閣圖書中國本綜合目錄》（1982，首爾大學圖書館）。檢閱其內容，發現其與展現了正祖孟子學的《鄒書敬選》之間的關係密切，可推定為《鄒書敬選》的初期版本。

孟子（封面無題）〔編者未詳〕〔紀年未詳〕
一冊（18張）寫，三十三點八 x 二十二點四公分
印：〔貳極之章，觀物軒〕／〔朝鮮總督府圖書，京城帝國大學圖書館，首爾大學校圖書〕

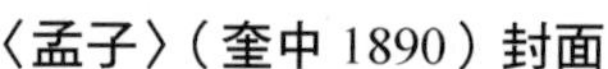

〈孟子〉（奎中 1890）封面

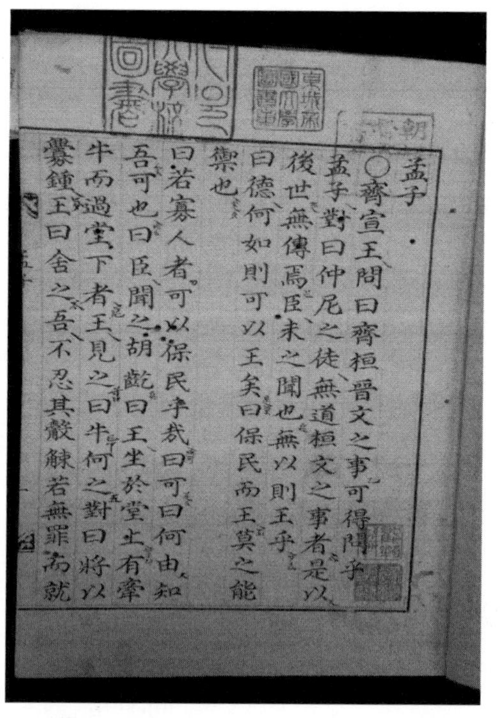

孟子

○齊宣王問曰齊桓晉文之事可得聞乎

孟子對曰仲尼之徒無道桓文之事者是以

後世無傳焉臣未之聞也無以則王乎

曰德何如則可以王矣曰保民而王莫之能

禦也

曰若寡人者可以保民乎哉曰可曰何由知

吾可也曰臣聞之胡齕曰王坐於堂上有牽

牛而過堂下者王見之曰牛何之對曰將以

釁鍾王曰舍之吾不忍其觳觫若無罪而就

〈孟子：鄒書敬選〉〈奎中 1890）第 1 頁

本書編於一七九七年（正祖即位21年），是將《孟子》中的核心內容甄選抄錄而成。正祖稱《孟子》「以傳道述德之言，運規矩妙方圓，而神明之，所謂其旨遠其辭文者也。」因此，正祖評價濂溪周敦頤、洛陽程頤程顥兄弟、關中張載和閩中朱熹等宋代儒者是得孟子之道而闡其文，而董仲舒、賈誼、韓愈和歐陽修等人則是因孟子之文而窺其道。正祖認為只有最終同時領悟了孟子的道與文，才能真正理解孟子，而像蘇洵只點批孟子之文，正祖則批判其為「淺之乎知孟子者」，也正是出於同樣的思路。

《鄒書敬選》是正祖根據自己的闡述，將幾篇《孟子講義》與平日之常課諷誦者序次之，編為一卷而成。因為在正祖看來，《孟子》皆道理之淵府，規矩方圓之至者，故常將其帶在身邊，朝夕以誦之。此書共分為七章，現以《羣書標記》中《鄒書敬選》的內容為基礎，檢討其內容。

第一章為以羊易牛章，提仁絜義之力與行王黜霸之緒皆在於此章。正祖評價齊宣王以誠意對待孟子的教誨，認為「好財好色」優於內欲而外施者，也優於在雪宮苑囿內懷鷂而吞蝗者，正因為齊宣王的度量，才使得孟子有機會暫時施展自己仁政之政治理想。

雖然正祖對於仁義與王霸的認識與一般的孟子讀法並無太大差異，但是對於齊宣王的評價卻不得不說是一種君王的孟子讀法。正祖並不僅僅是從孟子的角度去解讀《孟子》，也從齊宣王的角度出發去進行思考，由此可管窺其對待經典的一種基本認識。

2　浩然章

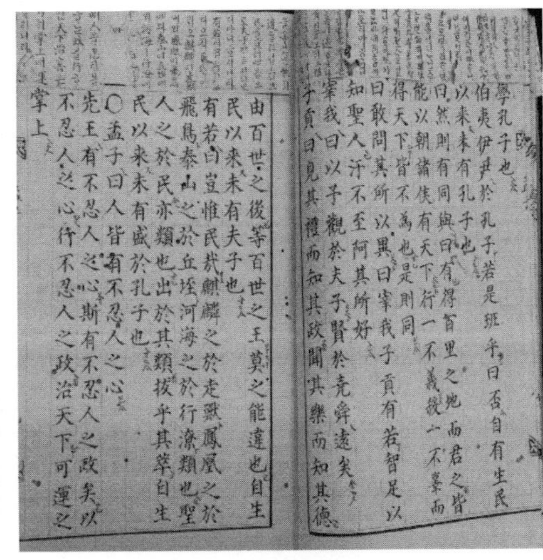

2-1　不忍人之心章

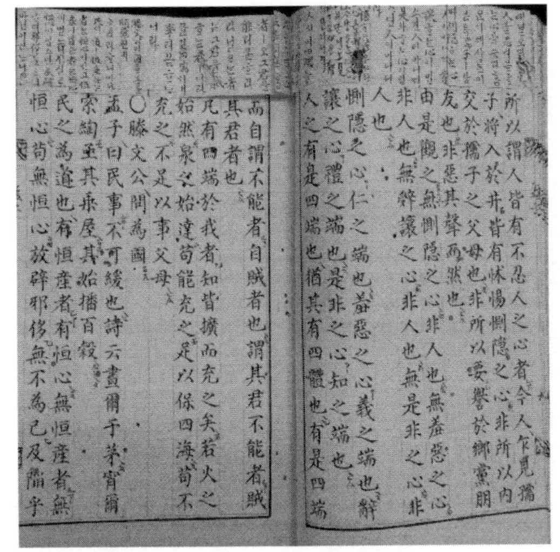

3　滕文公問為國章

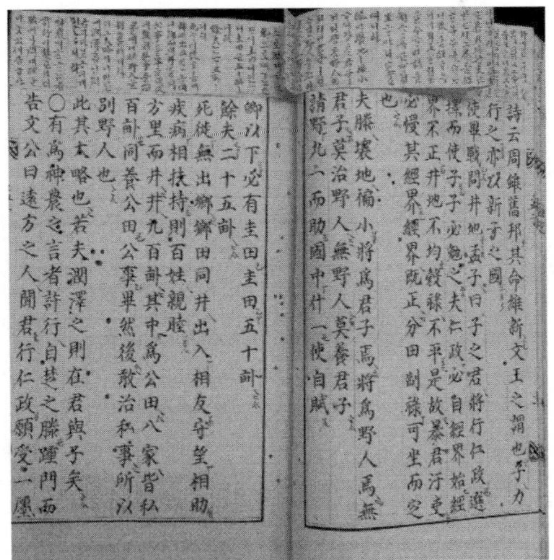

4　神農言者許行章

第二章就養氣章中浩然之氣之性格，正祖指出，浩然之氣從「載理而行」的角度來看，講的是理氣，而「至大至剛」為氣之體，「配義與道」為氣之用，則講的是體用。正祖又指出，知言屬於知，養氣屬於行，講的是知行。將知行的問題簡化理解，即是程子所謂「擴前聖所未發」。

由此可知，雖然都指出了仁義與理氣、知行的問題，但是並沒有導致理論的繁瑣，而是更注重明確簡要的解釋方式。

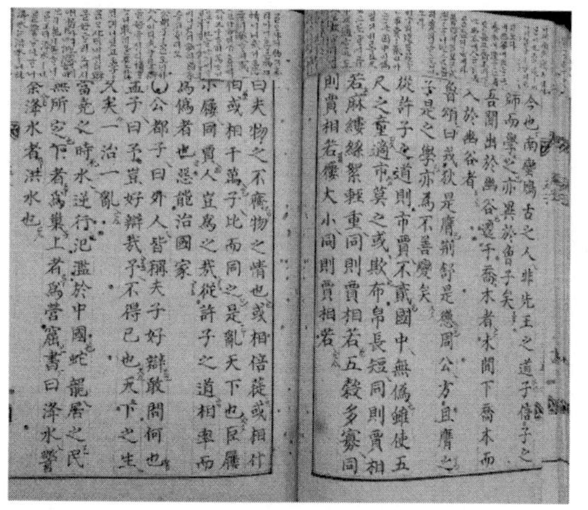

5　夫子好辯章

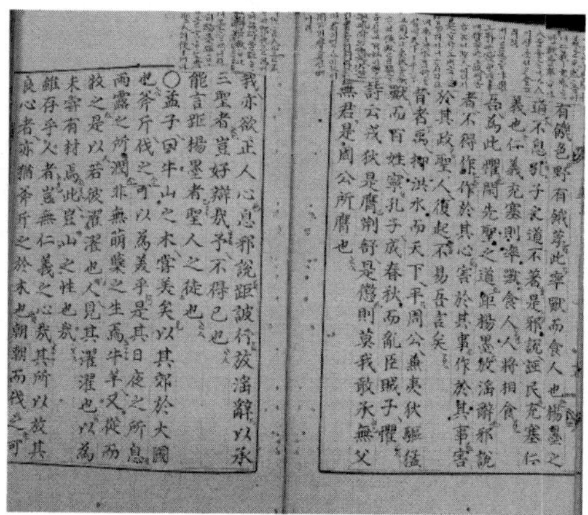

6　牛山之木章

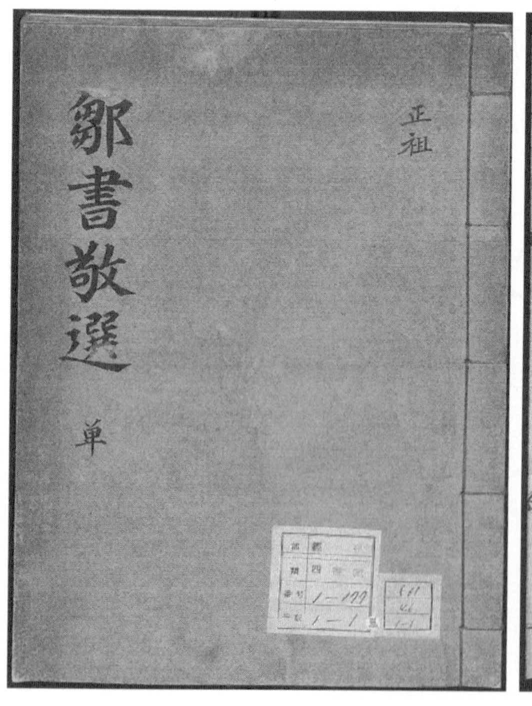
鄒書敬選

正祖

单

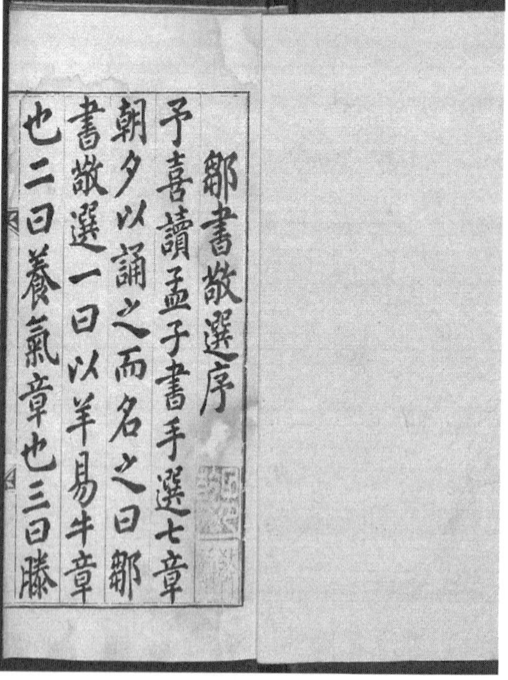
鄒書敬選序

予喜讀孟子書手選七章朝夕以誦之而名之曰鄒書敬選一曰以羊易牛章也二曰養氣章也三曰滕

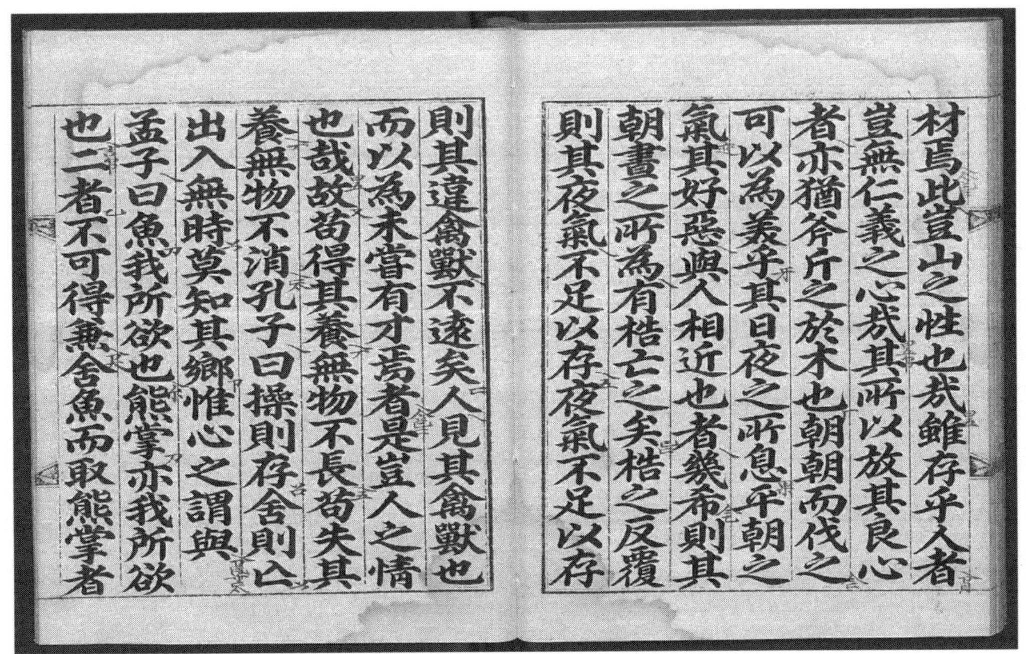

材焉此豈山之性也哉雖存乎人者
豈無仁義之心哉其所以放其良心
者亦猶斧斤之於木也朝朝而伐之
可以為美乎其日夜之所息平朝之
氣其好惡與人相近也者幾希則其
朝晝之所為有梏亡之矣梏之反覆
則其夜氣不足以存夜氣不足以存

則其違禽獸不遠矣人見其禽獸也
而以為未嘗有才焉者是豈人之情
也哉故苟得其養無物不長苟失其
養無物不消孔子曰操則存舍則亡
出入無時莫知其鄉惟心之謂與
孟子曰魚我所欲也熊掌亦我所欲
也二者不可得兼舍魚而取熊掌者

取代在《鄒書敬選》中〈魚我所欲章〉

第三章滕文公問為國章則闡明了孟子之所以為聖人的理由。正祖認為，堯舜以後，周公立匠人而制溝洫，著豳雅以重稼穡，為後世開創了太平之路，而其後七百年竟無人論及這一問題，直到孟子才言及治國的道路在於井田，因此孟子才是亞聖，有治世之才。正祖尤其對於孟子為了百姓的基本生活，先說制產再說明倫，先論境界再論親睦，最後才是王道的開端的論述給予了很高的評價。

對於孟子的井田章的討論雖然在以後經世的論點中多有提及，但是值得注意的是，正祖從君王的立場對孟子所提出的治國之順序與方法給予了積極的評價。這代表了正祖真正將孟子學擴大至帝王學，這才是其孟子學的根本特質。

第四章神農言者許行章的解釋是正祖孟子學中較為有趣的部分。正祖指出，在這章中孟子借陳相之背師來闡明孔子之春秋大義。一般情況下，多以這章中出現的北學與用夏變夷來闡發孟子的文化整體性，即華夷思想。而正祖卻大膽地擺脫了這種讀法，將這章理解為孟子的春秋大義的精神。正祖強調這才是這一章的真正的言外之旨。孟子所處的時代與孔子作春秋以攘夷狄的時代不同，此時周室逐漸衰微，秦楚爭長，春秋大義僅剩名目而已，而正祖的闡發正是出於對這樣的時代背景的重視。

筆者認為正祖如此果敢的闡釋正是其通過經史講義不斷積累的對經典釋讀的自信心自然流露的表現。至一八〇〇年，在記載了正祖最後的孟子解釋的《鄒書春記》中，這種傾向則更加的明顯。[27]

對第五章夫子好辯章的解釋中，正祖指出，「距楊墨」三字是本篇的宗旨，孟子排斥異端之功，不在禹下。正祖對於非正學一貫的肅清意志在孟子的讀法中也是一覽無余。

對於第六章牛山之木章與第七章魚我所欲章，正祖指出其意在於教導後學存養之功在於取舍之分。對此，正祖在經史講義中已經有過詳細的討論，在此就不贅述了，總的來說，其條理就如日與星一般分明。尤其是孟子所謂「夜氣」者，即子思未發之旨也，而所謂「本心」者，即舜所教訓的十六字心法中的「危微」也。由此可見正祖洞察各經典的核心內容的廣闊視野。

一方面，正祖對於《鄒書敬選》十分自負，從其在《羣書標記》末尾自評本書得《易傳》之妙理便可見一斑。

> 『弘齋全書』卷一八一「群書標記三・鄒書敬選」「今予之選於不可選，豈無義歟，抑予聞之，孟子不言易而善用易，易之妙，涵於七章，予雖謏聞淺智，而自以為獨得其傳也，何則，初一取諸咸，次二取諸井，次三取諸益，次四取諸夬，次五取諸艮，次六蹇以之，次七大壯如之，此可與知者道也。」

但是，對於自己學問的自負是源於缺少旗鼓相當的學問上的敵手，從而無法進行穩妥的檢討。中國雖然也有依靠周易來議論孟子的情況，但是卻屬於非常破格的，且也未能成為經學解釋的主流。正祖對於學問的自負心與自信心在一定程度上逐漸越過了創見，而走向自以為是的方向。

六　餘論

本稿從經筵的層面檢討了正祖的孟子解釋。經筵不僅是君主與臣下一起講經論史的

27 『鄒書春記』中正祖對自己的孟子學繼承了朱子之志而感到自豪〔「雖深思奧義，不足以上繩考亭之隅坐言志」〕『弘齋全書』120卷「鄒書春記」1下同）並指出對於考證意義不大，而是集中於論述義理問題。〔俱非義理關頭，此等處闊略看之無妨〕就正典問題，則指出經典的講學應以對於具體的經世的見識為基礎來開展，針對「人物性同異」問題，則斥其與做聖賢無關。〔人物性之同異，不惟不欲強解。又不欲出奴入主於甲乙。大抵義理公物，當於理則為義，而後人汨於私意，才有一容喙一瞬目，東捏西撈，畢竟扮作兩塊圈套，然後又必屬此屬彼。小而為紛競，大而為黨論，莫曰天下無兩是雙非，此段有何大關係於做聖做賢之方耶？〕正祖的《鄒書春記』將正祖孟子學的極致展露無遺。對此，之後會另撰文加以細論。就這一點，現有研究可參考白敏政：〈《孟子》解釋中體現的正祖的思維傾向分析：以《孟子講義》御製條問和召對與《鄒書春記》之問答為中心〉，《哲學思想》34，首爾大學哲學思想研究所，2009年；鄭一均：〈正祖的孟子論：以《鄒書春記》為中心〉，《韓國實學研究』23，韓國實學學會，2012年。

場所，有時也會兼論重要的國事懸案，是學問與政論的核心場所。

然而回顧經筵的歷史，在中國，大體上是按照君主的心意開展，雖然要轉換或改變君主的意志，但是臣子的影響力卻十分有限。而在朝鮮，作為好學君主的世宗、中宗、英祖和正祖雖然會聆聽臣子的意見，選定經筵的科目，並加以實行，但是主要還是依據君主的意志。

正祖的情況是歷經五年時間在經筵上講論孟子，並討論了不少論點。雖然在經筵中主要聽取經筵官的說明，但是對於王權問題或解釋上未盡之處，正祖仍是會提出自己壓倒性的意見，幾乎是一種教導的氛圍。一七八二年舉行的館閣講義就將這樣的場面展現到了極致。

此外，正祖還通過「經史講義」將經筵上的遺憾轉化為對新進學者的教育。[28]正如在其代表著作中所展現的一樣，經筵與其說是其聽取臣子意見的場所，不如說是其教導臣子學習的場所。正祖向不少學問水平不一的臣子們提出尖銳的問題，以此來督促他們學習，通過這一過程，逐漸確立自己君師的地位，並不斷加以鞏固。其《經史講義》就展露了這一層面。

尤其是體現其孟子學的《鄒書敬選》與《鄒書春記》就直接從學問的角度展現了一位學術能力出眾的君主對自身的眼光過分自信時出現的問題。正祖的經筵是最真摯的學術場所，經筵之後的次對也比任何一位君主都更加充實。

然而在具備相當出眾的學術水準的君主立志引導學術方向的專制時代，正祖如此出眾的學術水準與堅定的方向意識難道不會在某種程度上阻礙學術萌芽的多樣性發展，並造成單調的學術氛圍嗎？

雖然將孟子與周易聯繫起來加以解釋是對自己經學的自信，但對於其方向的妥當性仍期待進一步的考察，這難道不是一位通過向臣下提問來加以指導，最終晚年在向臣子的提問過程中掌握學術權力，甚至連其水準也能裁定的君主應該有的態度嗎？然而，正祖的學問軌跡並不是走向聽取多方的學術立場與內容，而是漸漸強調自己的立場，走向自負的方向。

正祖後純祖時代學問的下降在某種程度上難道不是正祖所孕育的嗎？從這一點出發，有必要對正祖的學術政策與經學進行更細緻的檢討。

---

28 在經筵中對於講官們的學術水平，正祖非常遺憾。鄭民始對此曾有記錄。「諸臣以予於經筵，不甚發難，或疑以倦於講學而然，此則不知予意者也。近來講官之熟習經術者尠少，若質問疑義，討論奧旨，或不能敷對。又或有妄發，則其為無聊，當復如何？此予所以寧受不勤學之名，而不欲貽無聊於講官也。。」(《弘齋全書》161卷〈日得錄1〉)鄭民始的這一記錄正值乙巳年（1785）正祖逐漸對經筵失去興趣，轉而關注「經史講義」的時期。

附記

上記論文被引用的中國經筵研究資料五年前林慶彰先生發送手澤本厚待後學之情不少，所以再三表出尊慕之念，錄以報告。

「經學史研究的回顧與展望——林慶彰先生榮退紀念」學術研討會

會議議程

會議地點：日本京都市左京區吉田本町京都大學大學院文學研究科第三講義室。

2015 年 8 月 20 日（星期四）		
09：00-09：30	報到	
09：30-10：00	開幕 主持人致辭： 宇佐美文理、吳飛 召集人致辭： Benjamin A. Elman、王汎森、池田秀三、彭林（依姓氏筆畫順序）	
10：00-10：30	專題演講	主講人：彭林
10：30-10：40	茶敘	
10：40-11：40	第一場	
	發表人	題目
	連文萍	明代館課命題與經世實政
	陳恆嵩	明代科舉與《尚書》的關係探究——以明代會試錄為中心
	馮永玲	明清科舉制度對儒家經學的發展
	侯美珍	徐光啟《詩經傳稿》探析
	葉高樹	清朝的滿文經學教育
	孫劍秋 何淑蘋	臺灣大專院校《易經》課程現況分析 ——以 101-102 學年度為範圍
	咸泳大	十八世紀朝鮮君臣之經學與政治學 ——以經筵和經義問答為中心
	趙飛鵬	從目錄學角度略探葉德輝之經學觀
11：40-12：00	團體合照	
12：00-13：00	午餐	
13：00-14：30	第二場	
	發表人	題目
	鄭杰文	上古詩歌社會功用的變化及其在《詩三百》采編中的體現
	石立善	《詩》毛傳發微
	車行健	毛鄭《詩經》詮釋系統的形成及其詮釋學定位
	李　霖	從〈大雅·思齊〉看鄭玄解《詩》的原則
	林彥廷	多元而非跌落—— 由《世說新語》運用《詩經》論魏晉《詩》學之新變
	吳國武	從佚著佚說的整理看北宋《詩經》學史上的幾個重要問題
	鄭月梅	《詩經》學史上的朱子
	史甄陶	論劉玉汝《詩纘緒·國風》對《大學》的運用
	邱惠芬	《詩經》女性敘事的研究視域與接受效應
	陳國安	乾嘉《詩經》學三家著述論略
	李雄溪	李鏡池的《詩經》研究
	林淑貞	演繹、轉化與運用——民國詩話中的詩經學闡釋
	吳儀鳳	臺灣賦與經學的關係

14：30-15：00	專題演講	主講人：Benjamin A. Elman
15：00-15：10	茶　敘	
15：10-16：40	第　三　場	
	發表人	題　目
	伊藤裕水	漢代「六宗」詮釋淺析
	蔡長林	唐煥《尚書辨偽》初探
	許華峰	江聲《尚書集註音疏》的注經體式——以〈堯典〉為例
	陳亦伶	朝鮮書經學研究現況與特點
	張高評	筆削顯義與胡安國《春秋》詮釋學 ——《春秋》宋學詮釋方法之一
	李隆獻	《左傳》「獻捷」、「獻俘」、「獻功」考釋
	劉德明	湛若水與季本《春秋》學比較研究—— 以對齊桓公的形象與評價為核心
	田　訪	《春秋左氏傳舊注疏證》所見劉文淇之義例觀
	郭鵬飛	俞樾《群經平議．春秋左傳》辨正五則
	馮曉庭	蓬左鈔本《公羊疏》卷一校勘記
	陳　韻	經學史中的《春秋》學論述 ——對於《經學歷史》等五種論著的初步觀察——
	單周堯 蕭敬偉	文學史中之經學史問題—— 《左傳》作者及其成書年代管窺
	簡逸光	經學史中的「穀梁傳史」與「穀梁學史」
16：40-18：00	第　四　場	
	發表人	題　目
	黃忠天	《易》學史體例與方法的省思
	許子濱	禘莫盛於灌——《論語》「禘自既灌章」鄭義辨證
	顧歆藝	朱熹《論語集註》殘稿研究
	金培懿	流動的經義——戴表元《論語》經解析論
	柳　宏	清代《論語》詮釋發展進程論
	工藤卓司	蟹江義丸《孔子研究》與近代日本《論語》學
	金彥鍾	茶山經學的內容與意義
	吳仰湘	清儒對《孝經》鄭玄注的辯護
	虞萬里	王念孫《廣雅疏證》撰作因緣與旨要
	趙永磊	《經義述聞》作者疑案再探
	留金騰	王引之《經義述聞．爾雅》辨疑
	盧鳴東	朝鮮經儒對《公羊》「黜周王魯」的評價 ——禮學視野下何休「三科九旨」的重新思考
	王淑蕙	日治時期臺灣「南社同人」之人際系譜與儒學論述
18：00-20：00	晚　宴	

2015 年 8 月 21 日（星期五）		
09：00-10：10	第　五　場	
	討論人	題　　目
	黃啟書	西漢經學的另類戰場：從宣元成三朝災異說之發展為例
	宋惠如	《漢書．五行志》之董仲舒《春秋》災異說——以論弒為中心
	楊　菁	《淮南子》與《春秋繁露》論「氣」與「天人感應」
	文碧芳	呂大臨生平與撰錄考辨
	林素芬	「王者體天之道」 ——王安石、程頤《易》天道論的帝王學運用
	陳逢源	《四書大全》中的「北山學脈」
	蘇費翔	朱熹研治經學之角度
	謝智光	王恩洋的人生學：《儒學大義》經學思想初探
	吳伯曜	從《四書》所論之「思」探索儒家為學修身的態度與工夫
10：10-11：00	專題演講	主講人：池田秀三（有翻譯）
11：00-11：10	茶　　敘	
11：10-12：40	第　六　場	
	發表人	題　　目
	鄭雯馨	祭祀類型視域中的包山楚簡禱祠祖先用物考
	林素娟	緣情制禮——戰國楚簡中的情、禮課題
	林素英	論〈四代〉對〈三德〉陰陽思想之繼承發展
	何志華	《荀子》與經籍相合文辭考證：以《孟子》、《禮記》為例
	古橋紀宏	王莽の『孝経』解釈と元始年間の明堂祭祀
	史　睿	南北朝交聘記的基礎研究——以《酉陽雜俎》爲中心
	彭美玲	兩宋皇家原廟及其禮俗意義淺探
	劉柏宏	宋明官箴書的祭祀與教化
	新田元規	清代禮學之中的「歷史性觀點」的淵源與展開 ——以沈垚〈為人後者為所生服議〉為中心
	顧　遷	律例與服例——兼及章太炎的「五朝」情結
	葉國良	復原古《周禮》的發展史（代宣讀）
12：40-13：50	午　　餐	
13：50-15：00	第　七　場	
	發表人	題　　目
	張麗娟	八行本《周禮疏》不同印本的文字差異
	蘇　芃	玄應《一切經音義》徵引《左傳》研究 ——兼論古書引經底本來源的複雜性
	水上雅晴	日本年號資料中有關經學的記載與紀傳博士家的學問： 以廣橋家舊藏書為考察中心
	孫致文	試析日本奈良興福寺藏 《經典釋文．禮記音義》殘卷的「經學」意義
	郭妍伶	民國以來兩岸儒家石經研究成果綜述
	蔣秋華	章太炎與魏三體石經

<table>
<tr><td rowspan="3"></td><td>舒大剛</td><td>《廖平全集》整理與研究</td></tr>
<tr><td>方向東</td><td>北大標點本《春秋左傳正義》標點揭誤</td></tr>
<tr><td>顧永新</td><td>經學文獻的目錄學研究</td></tr>
<tr><td>15：00-15：30</td><td>專題演講</td><td>主講人：王汎森</td></tr>
<tr><td>15：30-15：40</td><td colspan="2">茶　　敘</td></tr>
<tr><td rowspan="14">15：40-17：00</td><td colspan="2">第　八　場</td></tr>
<tr><td>發表人</td><td>題　　目</td></tr>
<tr><td>馬清源</td><td>基於前提討論的經學史研究
——以《左傳》杜注若干問題引發的思考</td></tr>
<tr><td>程克雅</td><td>經學通論與經學史中的三禮學論述回顧</td></tr>
<tr><td>林惟仁</td><td>從石渠閣到白虎通
——論東漢古學的興起及新價值學風的形成</td></tr>
<tr><td>田漢雲</td><td>乾嘉漢學流派分野研究述評</td></tr>
<tr><td>張素卿</td><td>經學史上的惠棟</td></tr>
<tr><td>井ノ口哲也</td><td>《新學僞經考》初探</td></tr>
<tr><td>魏綵瑩</td><td>西學與傳統之間：廖平的天學及其在近代思想上的意義</td></tr>
<tr><td>邱琳婷</td><td>從「名物」到「博物」：以蔡守〈博物圖畫〉關於〈釋獸〉、〈釋鳥〉、〈釋魚〉的討論為例</td></tr>
<tr><td>陳惠齡</td><td>從〈東遊紀略〉管窺魏清德漢學觀及其同化論述</td></tr>
<tr><td>錢宗武</td><td>論經學在二十一世紀的必然復興</td></tr>
<tr><td>朱　岩</td><td>林慶彰先生經學研究貢獻擷英</td></tr>
<tr><td></td><td></td></tr>
<tr><td>17：00-17：30</td><td colspan="2">閉　　幕
主持人：宇佐美文理
林慶彰先生致辭</td></tr>
</table>

（一）除四場召集人專題演講之外，共分八場討論會（論題相近者為一場），並設主持人一人。（二）每場發表人介紹論文五分鐘。（三）發表人討論。（四）開放討論。（五）主持人做本場總結。

編輯後記

張曉生

歷經四年，終於將這一部匯聚眾多經學研究者對於慶彰師崇敬與祝福心意的論文集完成，呈獻給老師以及各界師長與朋友，對我來說既是完成了一份責任，也是得償夙願。

二〇一五年慶彰師將自中央研究院中國文哲研究所榮退，在此一年多前，各界師友即開始商議應該為慶彰師舉辦一次盛大的研討會，以表彰他豐碩的研究成果以及在推動經學研究上的重要貢獻。最後在北京大學歷史系橋本秀美教授、北京大學中國古代史研究中心葉純芳教授、臺灣嘉義大學中國文學系馮曉庭教授的奔走聯絡之下，迎來二〇一五年八月二十至二十一日在日本京都大學舉辦的「經學史研究的回顧與展望——林慶彰先生榮退紀念學術研討會」，與會的海內外經學研究鴻儒碩彥超過百人，一時群賢畢至，勝友雲集，共同為慶彰師獻身經學研究超過四十年而光榮退休，獻上崇敬與祝福，誠為當代學術盛事。葉純芳教授在本次研討會「緣起」中對於籌備經過得到各方支持的詳細敘述，充分反映了這次活動的溫暖與美好。當時我因事未能躬逢其盛，看著師友們在社群媒體上「曬」著各種精彩的照片，心中歡喜豔羨且感動不已。

京都盛會之後，許多師長認為這樣集合當代重要經學研究學者，發表論文議題幾乎涵蓋經學研究各種領域的研討會相當難得，應該集結出版論文集以為紀念。當時論文集的初期規劃以及稿件徵集工作，由華藝學術出版社陳水福先生負責，第一階段工作於二〇一六年次第展開，也得到許多與會學者的熱心回應，惟在聯絡海外學者以及論文出版授權等方面常遭遇困難，加上原本負責的陳先生因另有生涯規劃而離職，致使整體編輯工作受阻而延宕。二〇一八年九月，慶彰師認為此事拖延太久，有負海內外良朋美意，乃命我接手，二〇一九年在萬卷樓圖書公司梁錦興總經理的支持下，與張晏瑞副總經理、楊家瑜、呂玉姍兩位編輯組成工作團隊，再次啟動聯絡與收文、確認刊登意願的工作。感謝各界師長與朋友大力協助，歷經半年的努力，終於將成果呈現在大家面前。

本書共收錄論文七十八篇，依照研究主題區分為十三大類。在編輯論文目次之時，拜讀學者們鴻文讜論，可以想見當時爭鳴競秀、議論英發的熱烈情景，而瀏覽大家提供的活動照片，又感受到了閒情攬勝、暢抒懷抱的溫暖友誼。隨著工作的推進與完成，我似乎又逐步經歷了與大家相同的記憶與喜悅，當年的欣羨與感動，歷久而彌新。

本書之成，首先要感謝七十八位提賜論文的師長與同道朋友們，各位在此事延擱多時之後仍然願意繼續支持，是本書得以完成最重要的助力；華藝學術出版社在啟始階段的聯絡與收稿，為工作奠定了基礎，轉移出版單位之際，華藝林佩儒編輯盡心協助，使轉移工作迅速而順利；萬卷樓圖書公司梁錦興總經理基於對慶彰師的尊崇，慨然承諾接續出版工作，而張晏瑞副總經理帶領楊家瑜、呂玉姍兩位編輯積極有效率的工作，讓成果能依照規劃進度完成。本書是紀念二〇一五年夏天在京都的一場洋溢著崇隆榮耀、學術真誠與深情厚誼的盛會，也是對慶彰師獻上最誠摯的禮敬與祝福，更祈願他老人家一生付出、念茲在茲的經學研究代有才人，繼續繁榮昌盛！

張曉生　二〇一九年九月

謹識於臺北市立大學